U0922784

《山西省标准地名词典》编纂委员会 编

山西省标准地名词典

下卷

山西出版传媒集团
山西人民出版社

《山西省标准地名词典》编纂委员会

编委会主任 姚　逊

编委会副主任 琚李梅　郝　平

编委会委员（按姓氏笔画排序）

王卫东　刘伟国　刘进文　刘竹芳　李永唐

张　云　张俊林　周　亚　赵世静　赵路明

郝江男　贾新平　高　波　高文元

《山西省标准地名词典》编辑部

主　　　任：王卫东　周　亚

常务副主任：刘伟国

副　主　任：穆大鹏

学 术 顾 问：韩光辉　周舜武　安介生　董建云
赵永强

编辑部成员：（按姓氏笔画排序）

卫泽江　马　巍　王康雄　邓晓鸣　刘伟国
闫　革　闫爱萍　孙　强　杜伟明　李　娟
李志勇　李　嘎　杨　波　杨建庭　张　霞
周　亚　赵振盛　段　彬　姜　方　贾　凡
贾登红　晏雪莲　郭　新　曹永鸿　常晓敏
魏晓锴

编 写 人 员：（按姓氏笔画排序）

卫腾越　王　芊　王　昆　巩加鑫　乔佳琳
刘文珊　刘自强　刘　鹏　齐慧君　闫　怡
孙乐药　孙学斌　李　丹　李　阳　李　林
李恬怡　李　速　李崇文　李　颖　杨　岳
何胤杰　余　娟　邸利鑫　邹　嘉　张　亿
张　顺　张　悦　张卓善　张　涛　张　琳
张勇杰　陈稷东　范舒雅　赵丽霞　胡介纬
胡旭明　段思吉　施徐洋　袁婧雅　贾欣潮
贾雯雯　郭子君　郭志勇　郭宏伟　黄希辰
曹蔚旋　韩欣荣　喻　磊　曾才娇　靳奇凡
雷舒云　樊　璐　薛合祥　戴　晖　魏　凯

目　录

第一编　政区、居民点、城镇交通

临汾市 ······························ 642
141000 临汾市 ······················ 642
141002 尧都区 ······················ 643
141002-E01 临汾经济开发区 ··· 643
141002-F01 平阳广场 ············ 644
141002-F02 鼓楼广场 ············ 644
141002-K01 鼓楼北大街 ········· 644
141002-K02 鼓楼南大街 ········· 644
141002-K03 鼓楼西大街 ········· 644
141002-K04 鼓楼东大街 ········· 644
141002-K05 平阳北街 ············ 644
141002-K06 平阳南街 ············ 644
141002-K07 解放路 ··············· 644
141002-K08 贡院路 ··············· 645
141002-K09 贡院西路 ············ 645
141002-K10 贡院东路 ············ 645
141002-K11 信合路 ··············· 645
141002-K12 向阳路 ··············· 645
141002-K13 建设街 ··············· 645
141002-K14 河汾路 ··············· 645
141002-K15 坂下路 ··············· 645
141002-K16 向阳西路 ············ 645
141002-K17 古城路 ··············· 645
141002-K18 古城东路 ············ 645
141002-K19 解放西路 ············ 645
141002-K20 解放东路 ············ 645
141002-K21 信合西路 ············ 646
141002-K22 信合东路 ············ 646
141002-K23 福利路 ··············· 646
141002-K24 迎宾大道 ············ 646
141002-K25 滨河西路 ············ 646
141002-K26 滨河东路 ············ 646
141002-K27 常兴中街 ············ 646
141002-K28 迎春南街 ············ 646
141002-K29 迎春街 ··············· 646
141002-K30 迎春北街 ············ 646
141002-K31 华州路 ··············· 647
141002-K32 二中路 ··············· 647
141002-K33 尧贤街 ··············· 647
141002-K34 枣林街 ··············· 647
141002-K35 华康路 ··············· 647
141002-K36 马站路 ··············· 647
141002-K37 尧天大街 ············ 647
141002-K38 唐尧大道 ············ 647
141002-N01 锣鼓大桥 ············ 647
141002-R01 临汾站 ··············· 647
141002-R02 临汾西站 ············ 647
141002-A01 解放路街道 ········· 647
141002-A02 鼓楼西街街道 ······ 648
141002-A03 水塔街街道 ········· 648
141002-A04 南街街道 ············ 648
141002-A05 乡贤街街道 ········· 648
141002-A06 辛寺街街道 ········· 649
141002-A07 铁路东街道 ········· 649
141002-A08 车站街街道 ········· 649
141002-A09 汾河街道 ············ 649
141002-A10 滨河街道 ············ 649
141002-B01 屯里镇 ··············· 649
141002-B01-H01 屯里 ············ 650
141002-B02 乔李镇 ··············· 650
141002-B02-H01 乔李 ············ 650
141002-B03 大阳镇 ··············· 650
141002-B03-H01 大阳 ············ 650
141002-B03-H02 官雀 ············ 650
141002-B03-H03 北郊 ············ 651
141002-B04 县底镇 ··············· 651
141002-B04-H01 县底 ············ 651
141002-B05 刘村镇 ··············· 651
141002-B05-H01 刘北 ············ 651
141002-B06 金殿镇 ··············· 652
141002-B06-H01 金殿 ············ 652
141002-B07 吴村镇 ··············· 652
141002-B07-H01 吴南 ············ 652
141002-B07-H02 王曲 ············ 652
141002-B08 土门镇 ··············· 652
141002-B08-H01 土门 ············ 653
141002-B08-H02 东羊 ············ 653
141002-B09 魏村镇 ··············· 653
141002-B09-H01 魏村 ············ 653
141002-B10 尧庙镇 ··············· 653
141002-B10-H01 尧庙 ············ 654
141002-C01 段店乡 ··············· 654
141002-C01-H01 段店 ············ 654
141002-C02 贾得乡 ··············· 654
141002-C02-H01 贾得 ············ 654
141002-C03 一平垣乡 ········· 655
141002-C03-H01 一平垣 ········· 655
141002-C04 枕头乡 ··············· 655
141002-C04-H01 枕头 ············ 655
141021 曲沃县 ······················ 655
141021-F01 中心广场 ············ 656
141021-R01 曲沃站 ··············· 656
141021-B01 乐昌镇 ··············· 656
141021-B01-K01 贡院东街 ······ 656
141021-B01-K02 府西街 ········· 656
141021-B01-K03 府东街 ········· 656
141021-B01-K04 沸泉街 ········· 657
141021-B01-K05 文公大街 ······ 657
141021-B01-K06 晋都北路 ······ 657
141021-B01-K07 晋都南路 ······ 657
141021-B01-K08 吉祥路 ········· 657
141021-B01-K09 太和北路 ······ 657
141021-B01-K10 太和南路 ······ 657
141021-B01-K11 浍滨北路 ······ 657
141021-B01-K12 浍滨南路 ······ 657
141021-B01-K13 新兴北路 ······ 657
141021-B01-K14 新兴南路 ······ 657
141021-B01-K15 曲郑路 ········· 658
141021-B01-K16 绛山路 ········· 658
141021-B01-K17 如意路 ········· 658
141021-B01-K18 晋园北街 ······ 658
141021-B01-K19 晋园南街 ······ 658
141021-B01-L01 兴隆西街 ······ 658
141021-B01-L02 贡院西街 ······ 658
141021-B01-L03 兴隆东街 ······ 658

141021-B01-L04 东关正街 …… 658
141021-B01-H01 北关 ………… 658
141021-B01-H02 安吉 ………… 658
141021-B01-H03 西南街 ……… 659
141021-B02 史村镇 …………… 659
141021-B02-H01 辛村 ………… 659
141021-B02-H02 听城 ………… 659
141021-B02-H03 西海 ………… 659
141021-B02-H04 常安庄 ……… 659
141021-B03 曲村镇 …………… 659
141021-B03-H01 曲村 ………… 660
141021-B03-H02 方城 ………… 660
141021-B04 高显镇 …………… 660
141021-B04-H01 高显 ………… 660
141021-B04-H02 神泉 ………… 660
141021-B05 里村镇 …………… 660
141021-B05-H01 里村 ………… 660
141021-B05-H02 石滩 ………… 661
141021-B05-H03 文敬 ………… 661
141021-C01 北董乡 …………… 661
141021-C01-H01 北董 ………… 661
141021-C01-H02 安鹄 ………… 661
141021-C01-H03 南林交 ……… 661
141021-C02 杨谈乡 …………… 661
141021-C02-H01 杨谈 ………… 662
141022 翼城县 ………………… 662
141022-N01 红旗桥 …………… 663
141022-R01 翼城站 …………… 663
141022-R02 翼城东站 ………… 663
141022-B01 唐兴镇 …………… 663
141022-B01-K01 红旗街 ……… 663
141022-B01-K02 解放街 ……… 663
141022-B01-K03 翔翼西街 …… 663
41022-B01-K04 翔翼东街 …… 663
141022-B01-K05 新华路 ……… 663
141022-B01-K06 八一南路 …… 664
141022-B01-K07 绛源路 ……… 664
141022-B01-K08 唐霸大道 …… 664
141022-B01-K09 南环路 ……… 664
141022-B01-K10 坩南环路 …… 664
141022-B01-K11 坩南路 ……… 664
141022-B01-K12 唐尧北路 …… 664
141022-B01-K13 唐尧南路 … 664
141022-B01-K14 桐封中路 … 664
141022-B01-K15 桐封北路 …… 664
141022-B01-K16 西关新建大街 664
141022-B01-K17 冰桥中街 …… 664
141022-B01-K18 桐封南路 …… 665
141022-B01-H01 世家庄 ……… 665
141022-B01-H02 苇沟 ………… 665
141022-B01-H03 北寿城 ……… 665
141022-B01-H04 城内 ………… 665
141022-B01-H05 城南 ………… 665
141022-B02 南梁镇 …………… 665
141022-B02-H01 南梁 ………… 665
141022-B02-H02 武池 ………… 665
141022-B02-H03 故城 ………… 665
141022-B02-H04 程公 ………… 666
141022-B02-H05 高家洼 ……… 666
141022-B03 里砦镇 …………… 666
141022-B03-H01 里砦 ………… 666
141022-B03-H02 老官庄 ……… 666
141022-B03-H03 感军 ………… 666
141022-B03-H04 上韩 ………… 666
141022-B03-H05 东午寄 ……… 666
141022-B04 隆化镇 …………… 666
141022-B04-H01 隆化 ………… 667
141022-B04-H02 牢寨 ………… 667
141022-B04-H03 南撖 ………… 667
141022-B04-H04 大河口 ……… 667
141022-B04-H05 下石门 ……… 667
141022-B04-H06 尧都 ………… 667
141022-B04-H07 青城 ………… 667
141022-B05 桥上镇 …………… 668
141022-B05-H01 桥上 ………… 668
141022-B05-H02 撖庄 ………… 668
141022-B06 西阎镇 …………… 668
141022-B06-H01 西阎 ………… 668
141022-B06-H02 曹公 ………… 668
141022-B06-H03 古桃园 ……… 668
141022-B06-H04 堡子 ………… 669
141022-B06-H05 大河 ………… 669
141022-B06-H06 古十银 ……… 669
141022-B06-H07 十河 ………… 669
141022-B06-H08 兴石 ………… 669
141022-B07 王庄镇 …………… 669
141022-B07-H01 王庄 ………… 669
141022-B07-H02 史伯 ………… 669
141022-C01 中卫乡 …………… 670
141022-C01-H01 中卫 ………… 670
141022-C02 南唐乡 …………… 670
141022-C02-H01 南唐 ………… 670
141023 襄汾县 ………………… 670
140723-N01 三跨桥 …………… 671
141023-R01 襄汾站 …………… 671
141023-R02 襄汾西站 ………… 671
141023-B01 新城镇 …………… 671
141023-B01-K01 襄台线城市段 …………………………… 672
141023-B01-K02 丁陶大道 …… 672
141023-B01-K03 复兴路 ……… 672
141023-B01-K04 龙山路 ……… 672
141023-B01-K05 桥西街 ……… 672
141023-B01-K06 尧风街 ……… 672
141023-B01-K07 南大街 ……… 672
141023-B01-K08 新建路 ……… 672
141023-B01-K09 振兴路 ……… 672
141023-B01-K10 仁义街 ……… 672
141023-B01-K11 忠信街 ……… 672
141024-B01-K12 府前街 ……… 672
141023-B01-K13 车站街 ……… 673
141023-B01-K14 迎宾路 ……… 673
141023-B01-H01 丁村 ………… 673
141023-B01-H02 柴庄 ………… 673
141023-B01-H03 伯虞 ………… 673
141023-B01-H04 敬村 ………… 673
141023-B02 赵康镇 …………… 673
141023-B02-H01 赵康 ………… 674
141023-B02-H02 晋城 ………… 674
141023-B02-H03 史威 ………… 674
141023-B03 汾城镇 …………… 674
141023-B03-H01 城北 ………… 674
141023-B03-H02 西中黄 ……… 674
141023-B04 南贾镇 …………… 674
141023-B04-H01 南贾 ………… 675
141023-B04-H02 仓头 ………… 675
141023-B05 古城镇 …………… 675
141023-B05-H01 东街 ………… 675
141023-B05-H02 京安 ………… 675
141023-B05-H03 关村 ………… 675
141023-B06 襄陵镇 …………… 675
141023-B06-H01 南街 ………… 676
141023-B06-H02 黄崖 ………… 676
141023-B07 邓庄镇 …………… 676
141023-B07-H01 席村 ………… 676
141023-C01 陶寺乡 …………… 676
141023-C01-H01 陶寺 ………… 677
141023-C02 永固乡 …………… 677
141023-C02-H01 南董 ………… 677
141023-C03 景毛乡 …………… 677
141023-C03-H01 景毛 ………… 677
141023-C03-H02 北李 ………… 678
141023-C04 西贾乡 …………… 678
141023-C04-H01 西贾 ………… 678

141023-C05 南辛店乡 ………… 678
141023-C05-H01 福寿 ………… 678
141023-C05-H02 西徐 ………… 678
141023-C06 大邓乡 ………… 678
141023-C06-H01 大邓 ………… 679
141024 洪洞县 ………… 679
141024-R01 洪洞站 ………… 680
141024-R02 洪洞西站 ………… 680
141024-B01 大槐树镇 ………… 680
141024-B01-K01 飞虹西大街 … 680
141024-B01-K02 飞虹中大街 … 680
141024-B01-K03 飞虹东大街 … 680
141024-B01-K04 恒富西大街 … 680
141024-B01-K05 恒富东大街 … 681
141024-B01-K06 恒富中大街 … 681
141024-B01-K07 玉峰中大街 … 681
141024-B01-K08 玉峰东大街 … 681
141024-B01-K09 古槐路 ……… 681
141024-B01-K10 滨河公路 …… 681
141024-B01-K11 古羊路 ……… 681
141024-B01-K12 涧桥北路 …… 681
141024-B01-K13 涧桥南路 …… 681
141024-B01-K14 虹通南路 …… 681
141024-B01-K15 虹通北路 …… 681
141024-B01-K16 朝阳西街 …… 682
141024-B01-K17 朝阳东街 …… 682
141024-B01-H01 弯里 ………… 682
141024-B02 甘亭镇 ………… 682
141024-B02-H01 甘亭 ………… 682
141024-B02-H02 羊獬 ………… 682
141024-B02-H03 士师 ………… 682
141024-B03 曲亭镇 ………… 682
141024-B03-H01 曲亭 ………… 683
141024-B03-H02 范村 ………… 683
141024-B03-H03 韩略 ………… 683
141024-B03-H04 师村 ………… 683
141024-B03-H05 上寨 ………… 683
141024-B04 苏堡镇 ………… 683
141024-B04-H01 苏堡 ………… 683
141024-B04-H02 北铁沟 ……… 684
141024-B05 广胜寺镇 ……… 684
141024-B05-H01 柴村 ………… 684
141024-B05-H02 油耳山 ……… 684
141024-B05-H03 早觉 ………… 684
141024-B06 明姜镇 ………… 684
141024-B06-H01 中社 ………… 684
141024-B07 赵城镇 ………… 685
141024-B07-H01 东街 ………… 685
141024-B07-H02 官庄 ………… 685
141024-B07-H03 西街 ………… 685
141024-B08 万安镇 ………… 685
141024-B08-H01 万安 ………… 685
141024-B08-H02 西梁 ………… 685
141024-B08-H03 韩家庄 ……… 686
141024-B08-H04 韩侯 ………… 686
141024-B08-H05 王绪 ………… 686
141024-B09 刘家垣镇 ………… 686
141024-B09-H01 刘家垣 ……… 686
141024-B09-H02 伏珠 ………… 686
141024-B10 辛村镇 ………… 686
141024-B10-H01 南段 ………… 686
141024-B10-H02 辛北 ………… 687
141024-B10-H03 马二 ………… 687
141024-C01 淹底乡 ………… 687
141024-C01-H01 淹底 ………… 687
141024-C02 兴唐寺乡 ………… 687
141024-C02-H01 苑川 ………… 687
141024-C03 堤村乡 ………… 687
141024-C03-H01 堤村 ………… 688
141024-C03-H02 干河 ………… 688
141024-C03-H03 师庄 ………… 688
141024-C04 龙马乡 ………… 688
141024-C04-H01 西龙马 ……… 688
141024-C05 山目乡 ………… 688
141024-C05-H01 三交河 ……… 689
141025 古县 ………… 689
141025-F01 岳阳广场 ………… 690
141025-N01 相如大桥 ………… 690
141025-N02 涧河大桥 ………… 690
141025-N03 岳阳大桥 ………… 690
141025-B01 岳阳镇 ………… 690
141025-B01-K01 龙泉街 ……… 690
141025-B01-K02 延庆街 ……… 690
141025-B01-K03 平阳街 ……… 690
141025-B01-K04 向阳街 ……… 690
141025-B01-K05 小河街 ……… 690
141025-B01-K06 岳秀街 ……… 691
141025-B01-K07 教育街 ……… 691
141025-B01-K08 文化街 ……… 691
141025-B01-K09 康庄街 ……… 691
141025-B01-K10 金湾街 ……… 691
141025-B01-K11 涧河北路 …… 691
141025-B01-K12 涧河南路 …… 691
141025-B01-K13 延平路 ……… 691
141025-B01-K14 岳阳路 ……… 691
141025-B01-K15 屏风路 ……… 691
141025-B01-K16 相如路 ……… 691
141025-B01-K17 丹凤路 ……… 691
141025-B01-K18 朝阳路 ……… 691
141025-B02 北平镇 ………… 691
141025-B02-H01 北平 ………… 692
141025-B02-H02 李子坪 ……… 692
141025-B02-H03 贾寨 ………… 692
141025-B03 古阳镇 ………… 692
141025-B03-H01 古阳 ………… 692
141025-B03-H02 热留 ………… 692
141025-B04 旧县镇 ………… 693
141025-B04-H01 旧县 ………… 693
141025-B05 三合镇 ………… 693
141025-B05-H01 石壁 ………… 693
141025-B05-H02 三合 ………… 693
141025-C01 南垣乡 ………… 693
141025-C01-H01 店上 ………… 694
141026 安泽县 ………… 694
141026-N01 沁河大桥 ………… 694
141026-N02 神南大桥 ………… 695
141026-R01 安泽站 ………… 695
141026-B01 府城镇 ………… 695
141026-B01-K01 荀乡东大道 … 695
141026-B01-K02 荀乡西大道 … 695
141026-B01-K03 泽民南路 …… 695
141026-B01-K04 泽民中路 …… 695
141026-B01-K05 泽民北路 …… 695
141026-B01-K06 城墙岭街 …… 695
141026-B01-K07 滨河北路 …… 695
141026-B01-K08 滨河中路 …… 695
141026-B01-K09 滨河南路 …… 695
141026-B01-K10 龙凤路 ……… 696
141026-B01-K11 安兴路 ……… 696
141026-B01-K12 迎宾路 ……… 696
141026-B02 和川镇 ………… 696
141026-B02-H01 和川 ………… 696
141026-B02-H02 岭南 ………… 696
141026-B03 唐城镇 ………… 696
141026-B03-H01 唐城 ………… 696
141026-B04 冀氏镇 ………… 697
141026-B04-H01 冀氏 ………… 697
141026-B05 良马镇 ………… 697
141026-B05-H01 良马 ………… 697
141026-B05-H02 小李 ………… 697
141026-B06 马壁镇 ………… 697
141026-B06-H01 马壁 ………… 698
141026-B06-H02 郎寨 ………… 698
141027 浮山县 ………… 698

141027-N01 蛇蚂桥 …………… 699
141027-N02 雨化桥 …………… 699
141027-B01 天坛镇 …………… 699
141027-B01-K01 新风北街…… 699
141027-B01-K02 新风南街…… 699
141027-B01-K03 天坛西路…… 699
141027-B01-K04 天坛东路…… 699
141027-B01-K05 尧山西路…… 699
141027-B01-K06 尧山东路…… 699
141027-B01-K07 文昌街……… 699
141027-B01-K08 神山东路…… 700
141027-B01-K09 神山西路…… 700
141027-B01-K10 北环路……… 700
141027-B01-K11 东环路……… 700
141027-B01-K12 西环路……… 700
141027-B01-K13 南环路……… 700
141027-B01-H01 小邢………… 700
141027-B02 响水河镇 ………… 700
141027-B02-H01 响水河 ……… 700
141027-B02-H02 仁彰………… 700
141027-B02-H03 东陈………… 700
141027-B03 张庄镇 …………… 701
141027-B03-H01 张庄………… 701
141027-B03-H02 梁村………… 701
141027-B04 北王镇 …………… 701
141027-B04-H01 北王………… 701
141027-C01 东张乡 …………… 701
141027-C01-H01 东张………… 702
141027-C02 槐埝乡 …………… 702
141027-C02-H01 槐埝………… 702
141027-C03 寨圪塔乡 ………… 702
141027-C03-H01 寨圪塔……… 702
141027-C03-H02 山交………… 702
141028 吉县 ………………… 702
141028-N01 扶风桥 …………… 703
141028-N02 小府河桥 ………… 703
141028-B01 吉昌镇 …………… 704
141028-B01-K01 新华西街…… 704
141028-B01-K02 新华街……… 704
141028-B01-K03 滨河路……… 704
141028-B01-H01 上东………… 704
141028-B01-H02 桥南………… 704
141028-B02 屯里镇 …………… 704
141028-B02-H01 屯里………… 705
141028-B02-H02 太度………… 705
141028-B03 壶口镇 …………… 705
141028-B03-H01 陈家岭……… 705
141028-B03-H02 南村坡……… 705
141028-B03-H03 太和………… 705
141028-C01 车城乡 …………… 705
141028-C01-H01 车城………… 706
141028-C02 文城乡 …………… 706
141028-C02-H01 文城………… 706
141028-C02-H02 古贤………… 706
141028-C03 柏山寺乡 ………… 706
141028-C03-H01 官庄………… 706
141028-C04 中垛乡 …………… 706
141028-C04-H01 中垛………… 707
141029 乡宁县 ……………… 707
141029-F01 鄂侯广场 ………… 707
141029-F02 迎旭广场 ………… 708
141029-N01 结义桥 …………… 708
141029-N02 鄂侯桥 …………… 708
141029-N03 连心桥 …………… 708
141029-N04 幸福桥 …………… 708
141029-B01 昌宁镇 …………… 708
141029-B01-K01 迎旭西街…… 708
141029-B01-K02 迎旭东街…… 708
141029-B01-K03 迎旭中街…… 709
141029-B01-K04 滨河西路…… 709
141029-B01-K05 滨河东路…… 709
141029-B01-K06 文笔路……… 709
141029-B01-J01 营里社区 …… 709
141029-B02 光华镇 …………… 709
141029-B02-H01 光华………… 709
141029-B03 台头镇 …………… 709
141029-B03-H01 台头………… 710
141029-B03-H02 李子坪……… 710
141029-B04 管头镇 …………… 710
141029-B04-H01 管头………… 710
141029-B04-H02 燕家河……… 710
141029-B05 西坡镇 …………… 710
141029-B05-H01 西坡………… 711
141029-B05-H02 韩咀………… 711
141029-C01 双鹤乡 …………… 711
141029-C01-H01 崖下………… 711
141029-C02 关王庙乡 ………… 711
141029-C02-H01 贾庄………… 712
141029-C02-H02 塔尔坡……… 712
141029-C02-H03 安汾………… 712
141029-C02-H04 丁石………… 712
141029-C02-H05 后庄………… 712
141029-C02-H06 康家坪……… 712
141029-C02-H07 鹿凹峪……… 712
141029-C02-H08 前庄………… 712
141029-C02-H09 上川………… 712
141029-C02-H10 下川………… 712
141029-C03 尉庄乡 …………… 713
141029-C03-H01 尉庄………… 713
141029-C04 西交口乡 ………… 713
141029-C04-H01 西交口……… 713
141029-C05 枣岭乡 …………… 713
141029-C05-H01 枣岭………… 714
141029-C05-H02 石坪………… 714
141029-C05-H03 史家沟……… 714
141029-C05-H04 桃子院……… 714
141030 大宁县 ……………… 714
141030-N01 红卫桥 …………… 715
141030-N02 昕义大桥 ………… 715
141030-N03 西川大桥 ………… 715
141030-N04 古乡大桥 ………… 715
141030-B01 昕水镇 …………… 715
141030-B01-K01 南街………… 715
141030-B01-K02 西街………… 715
141030-B01-K03 东街………… 715
141030-B01-K04 新开路……… 715
141030-B01-K05 滨河路……… 715
141030-B01-L01 观音巷……… 716
141030-B02 曲峨镇 …………… 716
141030-B02-H01 曲凤………… 716
141030-B02-H02 道教………… 716
141030-B03 太古镇 …………… 716
141030-B03-H01 徐家垛……… 716
141030-C01 三多乡 …………… 716
141030-C01-H01 三多………… 716
141030-C02 太德乡 …………… 717
141030-C02-H01 太德………… 717
141031 隰县 ………………… 717
141031-F01 隰州广场 ………… 718
141031-N01 隰州大桥 ………… 718
141031-B01 龙泉镇 …………… 718
141031-B01-K01 新建路……… 718
141031-B01-K02 滨河路……… 718
141031-B01-K03 鼓楼北大街… 718
141031-B01-K04 鼓楼东大街… 718
141031-B01-K05 鼓楼南大街… 718
141031-B01-K06 鼓楼西大街… 718
141031-B01-K07 怡泽街……… 719
141031-B02 午城镇 …………… 719
141031-B02-H01 午城………… 719
141031-B02-H02 阳德………… 719
141031-B03 黄土镇 …………… 719
141031-B03-H01 黄土………… 719
141031-B03-H02 义泉………… 719

141031-C01 阳头升乡 ………… 719
141031-C01-H01 阳头升……… 720
141031-C02 寨子乡 …………… 720
141031-C02-H01 寨子………… 720
141031-C03 下李乡 …………… 720
141031-C03-H01 下李………… 720
141031-C03-H02 均庄………… 720
141031-C04 城南乡 …………… 720
141031-C04-H01 七里脚……… 721
141031-C04-H02 车家坡……… 721
141032 永和县 ………………… 721
141032-N01 永红大桥 ………… 721
141032-N02 药家湾新桥 ……… 722
141032-B01 芝河镇 …………… 722
141032-B01-K01 河西路……… 722
141032-B01-K02 正大路……… 722
141032-B01-K03 城东路……… 722
141032-B01-K04 滨河路……… 722
141032-B02 桑壁镇 …………… 722
141032-B02-H01 桑壁………… 722
141032-C01 坡头乡 …………… 723
141032-C01-H01 坡头………… 723
141032-C01-H02 赵家沟……… 723
141032-C02 乾坤湾乡 ………… 723
141032-C02-H01 阁底………… 723
141032-C02-H02 东征………… 723
141032-C03 望海寺乡 ………… 723
141032-C03-H01 望海寺……… 724
141032-C04 楼山乡 …………… 724
141032-C04-H01 南楼村……… 724
141033 蒲县 ………………… 724
141033-N01 西关桥 …………… 725
141033-N02 荆坡大桥 ………… 725
141033-N03 昌平西桥 ………… 725
141033-N04 昌平桥 …………… 725
141033-N05 昌平东桥 ………… 725
141033-N06 嘉运桥 …………… 725
141033-R01 蒲县站 …………… 725
141033-B01 蒲城镇 …………… 725
141033-B01-K01 蒲伊西街…… 725
141033-B01-K02 蒲伊东街…… 725
141033-B01-K03 昌平大街…… 726
141033-B01-K04 锦绣大街…… 726
141033-B01-K05 蒲伊北路…… 726
1033-B01-K06 蒲伊南路……… 726
141033-B01-K07 嘉运路……… 726
141033-B01-K08 滨河路……… 726
141033-B02 薛关镇 …………… 726
141033-B02-H01 薛关………… 726
141033-B02-H02 井沟………… 726
141033-B03 黑龙关镇 ………… 726
141033-B03-H01 黑龙关……… 727
141033-B03-H02 化乐………… 727
141033-B03-H03 西坡………… 727
141033-B04 克城镇 …………… 727
141033-B04-H01 克城………… 727
141033-B05 乔家湾镇 ………… 727
141033-B05-H01 乔家湾……… 728
141033-C01 山中乡 …………… 728
141033-C01-H01 白家庄……… 728
141033-C02 古县乡 …………… 728
141033-C02-H01 古县………… 728
141033-C03 太林乡 …………… 728
141033-C03-H01 太林………… 728
141034 汾西县 ………………… 729
141034-F01 凤凰广场 ………… 729
141034-B01 永安镇 …………… 729
141034-B01-K01 汾西大道…… 729
141034-B01-K02 西大街……… 730
141034-B01-K03 东大街……… 730
141034-B01-H01 古郡………… 730
141034-B01-H02 李安庄……… 730
141034-B02 对竹镇 …………… 730
141034-B02-H01 对竹………… 730
141034-B02-H02 刘家庄……… 730
141034-B03 勍香镇 …………… 730
141034-B03-H01 勍香………… 731
141034-B04 和平镇 …………… 731
141034-B04-H01 和平………… 731
141034-B04-H02 申村………… 731
141034-B05 僧念镇 …………… 731
141034-B05-H01 僧念………… 731
141034-B05-H02 师家沟……… 731
141034-C01 佃坪乡 …………… 731
141034-C01-H01 佃坪………… 732
141034-C02 团柏乡 …………… 732
141034-C02-H01 上团柏 ……… 732
141034-C02-H02 下团柏 ……… 732
141081 侯马市 ………………… 732
141081-E01 侯马经济开发区 … 733
141081-F01 新田广场 ………… 733
141081-K01 望桥街 …………… 733
141081-K02 紫金山街 ………… 733
141081-K03 浍滨街 …………… 733
141081-K04 中心街 …………… 733
141081-K05 合欢街 …………… 733
141081-K06 海军街 …………… 734
141081-K07 文公路 …………… 734
141081-K08 文明路 …………… 734
141081-K09 程王路 …………… 734
141081-K10 程王西路 ………… 734
141081-K11 新田路 …………… 734
141081-K12 晋都路 …………… 734
141081-K13 晋都西路 ………… 734
141081-K14 望高路 …………… 734
141081-R01 侯马站 …………… 734
141081-R02 侯马西站 ………… 734
141081-S01 侯马汽车客运东站……………………… 734
141081-S02 侯马汽车客运西站……………………… 734
141081-A01 路东街道 ………… 734
141081-A02 路西街道 ………… 735
141081-A03 浍滨街道 ………… 735
141081-A03-J01 浍滨街北社区………………………… 735
141081-A04 上马街道 ………… 735
141081-A04-H01 隘口………… 735
141081-A04-H02 张少………… 736
141081-A05 张村街道 ………… 736
141081-A05-H01 大李………… 736
141081-C01 新田乡 …………… 736
141081-C01-H01 埝上………… 736
141081-C01-H02 乔村………… 736
141081-C01-H03 东庄………… 737
141081-C01-J01 南西庄社区 … 737
141081-C02 高村乡 …………… 737
141081-C02-H01 东高………… 737
141081-C02-H02 虒祁………… 737
141081-C03 凤城乡 …………… 737
141081-C03-H01 凤城………… 737
141081-C03-H02 北王………… 737
141081-C03-H03 西城………… 738
141082 霍州市 ………………… 738
141082-K01 鼓楼西大街 ……… 739
141082-K02 鼓楼东大街 ……… 739
141082-K03 霍东大道 ………… 739
141082-K04 北环路 …………… 739
141082-K05 南环路 …………… 739
141082-K06 永安路 …………… 739
141082-K07 滨河路 …………… 739
141082-K08 前进路 …………… 739
141082-K09 大众路 …………… 739
141082-K10 新建南路 ………… 740

141082-K11 永康北路 ………… 740
141082-K12 永康南路 ………… 740
141082-K13 东环路 …………… 740
141082-R01 霍州站 …………… 740
141082-R01 霍州东站 ………… 740
141082-A01 鼓楼街道 ………… 740
141082-A02 北环路街道 ……… 740
141082-A03 南环路街道 ……… 740
141082-A03-H01 圣佛 ………… 740
141082-A04 开元街道 ………… 741
141082-A05 退沙街道 ………… 741
141082-A05-H01 许村………… 741
141082-A05-H02 退沙………… 741
141082-A05-H03 王庄………… 741
141082-B01 白龙镇 …………… 741
141082-B01-H01 白龙………… 742
141082-B01-H02 陈村………… 742
141082-B02 辛置镇 …………… 742
141082-B02-H01 辛置………… 742
141082-B03 大张镇 …………… 742
141082-B03-H01 大张………… 742
141082-B03-H02 贾村………… 742
141082-B03-H03 西张………… 743
141082-B04 李曹镇 …………… 743
141082-B04-H01 李曹………… 743
141082-C01 陶唐峪乡 ………… 743
141082-C01-H01 闫家庄……… 743
141082-C02 三教乡 …………… 743
141082-C02-H01 下三教……… 743
141082-C02-H02 库拔………… 743
141082-C02-H03 柏木川……… 744
141082-C03 师庄乡 …………… 744
141082-C03-H01 师庄………… 744

吕梁市……………………………… 744
141100 吕梁市 ………………… 744
141102 离石区 ………………… 745
141102-F01 世纪广场 ………… 746
141102-F02 市民广场 ………… 746
141102-K01 长治路 …………… 746
141102-K02 团结路 …………… 746
141102-K03 永宁路…………… 746
141102-K04 晋绥路 …………… 746
141102-K05 滨河北路 ………… 746
141102-K06 滨河南路 ………… 746
141102-K07 龙山路 …………… 746
141102-K08 贺昌路 …………… 747
141102-K09 马茂庄路 ………… 747
141102-K10 呈祥路 …………… 747
141102-K11 北川河西路 ……… 747
141102-K12 北川河东路 ……… 747
141102-K13 龙凤北大街 ……… 747
141102-K14 龙凤南大街 ……… 747
141102-K15 凤山路 …………… 747
141102-K16 五一街 …………… 747
141102-K17 建设街 …………… 747
141102-K18 八一街 …………… 747
141102-N01 龙凤大桥 ………… 747
141102-N02 高崖湾大桥 ……… 748
141102—R01 吕梁站 ………… 748
141102-A01 滨河街道 ………… 748
141102-A01-L01 兴隆街 ……… 748
141102-A02 凤山街道 ………… 748
141102-A03 莲花池街道 ……… 748
141102-A03-J01 城内社区 …… 748
141102-A04 城北街道 ………… 748
141102-A05 田家会街道 ……… 748
141102-A06 交口街道 ………… 748
141102-A06-J01 交口社区 …… 749
141102-A06-J02 乔家塔社区 … 749
141102-A06-J03 高家沟社区 … 749
141102-A06-H01 杜家山……… 749
141102-A07 西属巴街道 ……… 749
141102-A07-J01 盛地社区 …… 749
141102-B01 吴城镇 …………… 749
141102-B01-H01 街上………… 749
141102-B02 信义镇 …………… 750
141102-B02-H01 信义………… 750
141102-C01 枣林乡 …………… 750
141102-C01-H01 枣林………… 750
141102-C01-H02 彩家庄……… 750
141102-C02 坪头乡 …………… 750
141102-C02-H01 坪头………… 750
141121 文水县 ………………… 750
141121-E01 文水经济开发区 … 751
141121-N01 红旗桥 …………… 751
141121-R01 文水站 …………… 751
141121-B01 凤城镇 …………… 751
141121-B01-K01 北环大街 …… 752
141121-B01-K02 子夏东街 …… 752
141121-B01-K03 子夏西街 …… 752
141121-B01-K04 则天大街 …… 752
141121-B01-K05 狄青大街 …… 752
141121-B01-K06 南环大街 …… 752
141121-B01-K07 凤凰南路 …… 752
141121-B01-K08 凤凰北路 …… 752
141121-B01-K09 大陵南路 …… 752
141121-B01-K10 大陵北路 …… 752
141121-B01-K11 梧桐北路 …… 753
141121-B01-K12 梧桐南路 …… 753
141121-B01-K13 东环路 ……… 753
141121-B01-K14 胡兰东街 …… 753
141121-B01-K15 胡兰西街 …… 753
141121-B01-K16 学府北路 …… 753
141121-B01-K17 学府南路 …… 753
141121-B01-K18 兴华南路 …… 753
141121-B01-K19 兴华北路 …… 753
141121-B01-H01 南徐………… 753
141121-B01-H02 前周………… 753
141121-B02 开栅镇 …………… 753
141121-B02-H01 开栅………… 754
141121-B02-H02 武陵………… 754
141121-B02-H03 北徐 ……… 754
141121-B03 南庄镇 …………… 754
141121-B03-H01 南庄………… 754
141121-B04 南安镇 …………… 754
141121-B04-H01 南安………… 754
141121-B04-H02 西韩………… 754
141121-B04-H03 杨乐堡……… 755
141121-B05 刘胡兰镇 ………… 755
141121-B05-H01 刘胡兰……… 755
141121-B06 下曲镇 …………… 755
141121-B06-H01 下曲 ……… 755
141121-B06-H02 北辛店……… 755
141121-B06-H03 石永………… 755
141121-B07 孝义镇 …………… 755
141121-B07-H01 孝义………… 755
141121-B07-H02 平陶………… 756
141121-B07-H03 上贤………… 756
141121-C01 南武乡 …………… 756
141121-C01-H01 南武………… 756
141121-C02 西城乡 …………… 756
141121-C02-H01 西城………… 756
141121-C03 北张乡 …………… 756
141121-C03-H01 北张………… 756
141121-C04 马西乡 …………… 756
141121-C04-H01 马西………… 756
141121-C04-H02 神堂………… 757
141121-C05 西槽头乡 ………… 757
141121-C05-H01 西槽头……… 757
141121-C05-H02 狄家社……… 757
141122 交城县 ………………… 757
141122-F01 吕梁英雄广场 …… 758
141122-R01 交城站 …………… 758

141122-B01 天宁镇 …………… 758
141122-B01-K01 北环路……… 758
141122-B01-K02 龙山大街…… 758
141122-B01-K03 天宁街……… 758
141122-B01-K04 沙河街……… 758
141122-B01-K05 却波街……… 758
141122-B01-K06 南环路……… 759
141122-B01-K07 迎宾大道…… 759
141122-B01-K08 永宁路……… 759
141122-B01-K09 新开路……… 759
141122-B01-K10 东环路……… 759
141122-B01-L01 龙虎巷……… 759
141122-B01-J01 西街社区 …… 759
141122-B01-H01 磁窑………… 759
141122-B01-H02 竖石佛……… 759
141122-B01-H03 梁家庄……… 759
141122-B02 夏家营镇 ………… 759
141122-B02-H01 义望………… 760
141122-B02-H02 段村………… 760
141122-B03 西营镇 …………… 760
141122-B03-H01 西营………… 760
141122-B04 水峪贯镇 ………… 760
141122-B04-H01 水峪贯……… 760
141122-B05 西社镇 …………… 760
141122-B05-H01 西社………… 760
141122-B06 庞泉沟镇 ………… 761
141122-B06-H01 庞泉沟……… 761
141122-B07 洪相镇 …………… 761
141122-B07-H01 洪相………… 761
141122-C01 东坡底乡 ………… 761
141122-C01-H01 东坡底……… 761
141123 兴县 ……………………… 761
141123-B01 蔚汾镇 …………… 762
141123-B01-K01 晋绥路……… 762
141123-B01-K02 蔚汾北路…… 762
141123-B01-K03 蔚汾南路…… 762
141123-B01-K04 人民东路…… 762
141123-B01-K05 人民西路…… 763
141123-B02 魏家滩镇 ………… 763
141123-B02-H01 魏家滩……… 763
141123-B03 瓦塘镇 …………… 763
141123-B03-H01 瓦塘………… 763
141123-B03-H02 裴家川口…… 763
141123-B04 康宁镇 …………… 763
141123-B04-H01 康宁………… 763
141123-B05 高家村镇 ………… 763
141123-B05-H01 高家………… 763
141123-B05-H02 碧村………… 764
141123-B06 罗峪口镇 ………… 764
141123-B06-H01 罗峪口……… 764
141123-B07 蔡家会镇 ………… 764
141123-B07-H01 蔡家会……… 764
141123-C01 交楼申乡 ………… 764
141123-C01-H01 交楼申……… 764
141123-C02 东会乡 …………… 764
141123-C02-H01 东会………… 765
141123-C02-H02 庄上 ………… 765
141123-C03 固贤乡 …………… 765
141123-C03-H01 固贤………… 765
141123-C03-H02 甄家庄……… 765
141123-C04 奥家湾乡 ………… 765
141123-C04-H01 奥家湾……… 765
141123-C04-H02 明通沟……… 765
141123-C05 蔡家崖乡 ………… 765
141123-C05-H01 蔡家崖……… 766
141123-C05-H02 北坡………… 766
141123-C05-H03 胡家沟……… 766
141123-C06 孟家坪乡 ………… 766
141123-C06-H01 孟家坪……… 766
141123-C06-H02 小善畔……… 766
141123-C07 赵家坪乡 ………… 766
141123-C07-H01 赵家坪……… 766
141123-C08 圪垯上乡 ………… 766
141123-C08-H01 圪垯上……… 767
141124 临县 ……………………… 767
141124-F01 临县秧歌文化广场 767
141124-N01 南门大桥 ………… 767
141124-N02 东门大桥 ………… 768
141124-N03 麻峪大桥 ………… 768
141124-N04 中元桥 …………… 768
141124—R01 临县站 ………… 768
141124-B01 临泉镇 …………… 768
141124-B01-K01 麻峪街……… 768
141124-B01-K02 太和南路…… 768
141124-B01-K03 从龙北路…… 768
141124-B01-K04 从龙中路…… 768
141124-B01-K05 太和北路…… 768
141124-B01-K06 从龙南路…… 769
141124-B01-K07 河西路……… 769
141124-B01-K08 中元街……… 769
141124-B01-K09 东林路……… 769
141124-B01-L01 正街 ………… 769
141124-B01-L02 西苑街 ……… 769
141124-B01-L03 二道街路 …… 769
141124-B02 白文镇 …………… 769
141124-B02-H01 白文………… 769
141124-B02-H02 故县………… 769
141124-B02-H03 曜头………… 769
141124-B03 城庄镇 …………… 770
141124-B03-H01 城庄………… 770
141124-B03-H02 阳宇会……… 770
141124-B03-H03 靳家沟……… 770
141124-B04 兔坂镇 …………… 770
141124-B04-H01 兔坂………… 770
141124-B05 克虎镇 …………… 770
141124-B05-H01 克虎………… 771
141124-B06 三交镇 …………… 771
141124-B06-H01 正街………… 771
141124-B06-H02 双塔………… 771
141124-B06-H03 孙家沟……… 771
141124-B06-H04 枣圪垯……… 771
141124-B07 湍水头镇 ………… 772
141124-B07-H01 湍水头……… 772
141124-B08 林家坪镇 ………… 772
141124-B08-H01 林家坪……… 772
141124-B08-H02 南圪垛……… 772
141124-B09 招贤镇 …………… 772
141124-B09-H01 双坪上……… 773
141124-B09-H02 渠家坡……… 773
141124-B09-H03 小塔则……… 773
141124-B10 碛口镇 …………… 773
141124-B10-H01 西头………… 773
141124-B10-H02 李家山……… 773
141124-B10-H03 西湾………… 773
141124-B10-H04 白家山……… 773
141124-B10-H05 高家坪……… 773
141124-B10-H06 尧昌里……… 774
141124-B10-H07 垣上………… 774
141124-B10-H08 寨则坪……… 774
141124-B10-H09 寨则山……… 774
141124-B11 刘家会镇 ………… 774
141124-B11-H01 刘家会……… 774
141124-B12 丛罗峪镇 ………… 774
141124-B12-H01 丛罗峪……… 774
141124-B12-H02 郭家塔……… 774
141124-B13 曲峪镇 …………… 775
141124-B13-H01 后曲峪……… 775
141124-B13-H02 前曲峪……… 775
141124-B13-H03 开阳………… 775
141124-B13-H04 白道峪……… 775
141124-C01 木瓜坪乡 ………… 775
141124-C01-H01 木瓜坪……… 775
141124-C02 安业乡 …………… 775
141124-C02-H01 安业………… 776

141124-C02-H02 前青塘……… 776
141124-C03 玉坪乡 …………… 776
141124-C03-H01 玉坪………… 776
141124-C04 青凉寺乡 ………… 776
141124-C04-H01 青凉寺……… 776
141124-C05 石白头乡 ………… 776
141124-C05-H01 石白头……… 777
141124-C06 雷家碛乡 ………… 777
141124-C06-H01 雷家碛……… 777
141124-C07 八堡乡 …………… 777
141124-C07-H01 八堡………… 777
141124-C08 大禹乡 …………… 777
141124-C08-H01 歧道………… 778
141124-C08-H02 府底………… 778
141124-C09 车赶乡 …………… 778
141124-C09-H01 车赶………… 778
141124-C10 安家庄乡 ………… 778
141124-C10-H01 安家庄……… 778
141125 柳林县 ………………… 778
141125-N01 寨东桥 …………… 779
141125-N02 青龙大桥 ………… 779
141125—R01 柳林南站 ……… 779
141125-B01 柳林镇 …………… 779
141125-B01-K01 贺昌大街…… 779
141125-B01-K02 青龙大街…… 779
141125-B01-K03 建设路……… 779
141125-B01-K04 清河西路…… 780
141125-B01-L01 明清街 ……… 780
141125-B01-H01 贺昌………… 780
141125-B01-H02 青龙………… 780
141125-B01-H03 于家沟……… 780
141125-B02 穆村镇 …………… 780
141125-B02-H01 一村………… 780
141125-B02-H02 二村………… 780
141125-B03 薛村镇 …………… 780
141125-B03-H01 薛村………… 781
141125-B03-H02 军渡………… 781
141125-B04 庄上镇 …………… 781
141125-B04-H01 庄上………… 781
141125-B05 留誉镇 …………… 781
141125-B05-H01 留誉………… 781
141125-B06 下三交镇 ………… 782
141125-B06-H01 沙坪则……… 782
141125-B06-H02 下三交……… 782
141125-B06-H03 前街………… 782
141125-B06-H04 党家寨……… 782
141125-B06-H05 下塔………… 782
141125-B07 成家庄镇 ………… 782
141125-B07-H01 成家庄……… 783
141125-B07-H02 石家峁……… 783
141125-B07-H03 王家坡……… 783
141125-B08 孟门镇 …………… 783
141125-B08-H01 孟门………… 783
141125-B08-H02 石洞门……… 783
141125-B08-H03 后冯家沟…… 783
141125-B08-H04 西坡………… 783
141125-B09 陈家湾镇 ………… 783
141125-B09-H01 陈家湾……… 784
141125-B09-H02 高家垣……… 784
141125-B09-H03 闫家湾……… 784
141125-B10 金家庄镇 ………… 784
141125-B10-H01 前金家庄…… 784
141125-C01 李家湾乡 ………… 784
141125-C01-H01 李家湾……… 784
141125—C02 贾家垣乡 ……… 784
141125-C02-H01 刘家垣……… 785
141125-C02-H02 康家垣……… 785
141125-C03 高家沟乡 ………… 785
141125-C03-H01 高家沟……… 785
141125-C04 石西乡 …………… 785
141125-C04-H01 石西………… 785
141125-C05 西王家沟乡 ……… 785
141125-C05-H01 西王家沟…… 786
141125-C05-H02 南凹………… 786
141125-C05-H03 曹家塔……… 786
141125-C05-H04 大庄………… 786
141125-C05-H05 兴隆湾……… 786
141126 石楼县 ………………… 786
141126-F01 沁园春广场……… 787
141126-N01 二郎坡桥 ………… 787
141126-N02 东征大桥 ………… 787
141126-N03 西河桥 …………… 787
141126-N04 接官殿桥 ………… 787
141126-B01 灵泉镇 …………… 787
141126-B01-K01 东征大街…… 787
141126-B01-K02 延安街……… 787
141126-B01-K03 沁园春大道… 787
141126-B01-H01 板桥………… 788
141126-B02 罗村镇 …………… 788
141126-B02-H01 罗村………… 788
141126-B03 义牒镇 …………… 788
141126-B03-H01 义牒………… 788
141126-B03-H02 留村………… 788
141126-B03-H03 张家塔……… 788
141126-B04 小蒜镇 …………… 788
141126-B04-H01 小蒜………… 789
141126-B05 辛关镇 …………… 789
141126-B05-H01 辛关………… 789
141126-B05-H02 张家河……… 789
141126-B05-H03 下洼………… 789
141126-C01 龙交乡 …………… 789
141126-C01-H01 龙交………… 789
141126-C01-H02 君庄………… 789
141126-C01-H03 兴东垣……… 789
141126-C02 和合乡 …………… 789
141126-C02-H01 和合………… 790
141126-C03 曹家垣乡 ………… 790
141126-C03-H01 曹家垣……… 790
141126-C04 裴沟乡 …………… 790
141126-C04-H01 裴沟………… 790
141127 岚县 …………………… 790
141127-B01 东村镇 …………… 791
141127-B01-K01 新建路……… 791
141127-B01-K02 人民路……… 791
141127-B01-K03 向阳路……… 791
141127-B01-K04 民觉路……… 791
141127-B01-K05 龙山街……… 791
141127-B01-K06 崇文街……… 791
141127-B01-K07 秀容街……… 791
141127-B01-K08 宜芳街……… 791
141127-B01-K09 岚河北路…… 792
141127-B01-H01 古城………… 792
141127-B02 岚城镇 …………… 792
141127-B02-H01 城内………… 792
141127-B03 普明镇 …………… 792
141127-B03-H01 普明………… 792
141127-B04 界河口镇 ………… 792
141127-B04-H01 东口子……… 793
141127-B04-H02 草子寨……… 793
141127-C01 上明乡 …………… 793
141127-C01-H01 上明………… 793
141127-C01-H02 前合会……… 793
141127-C02 王狮乡 …………… 793
141127-C02-H01 王狮………… 793
141127-C02-H02 艾蒿沟……… 793
141127-C03 梁家庄乡 ………… 793
141127-C03-H01 梁家庄……… 794
141127-C04 顺会乡 …………… 794
141127-C04-H01 顺会 ……… 794
141127-C05 社科乡 …………… 794
141127-C05-H01 社科………… 794
141128 方山县 ………………… 794
141128-B01 圪洞镇 …………… 795
141128-B01-K01 方州大道…… 795

141128-B01-K02 方正街……… 795
141128-B01-K03 方正南街…… 795
141128-B01-H01 圪洞………… 795
141128-B02 马坊镇 ……………… 795
141128-B02-H01 马坊………… 796
141128-B03 峪口镇 ……………… 796
141128-B03-H01 峪口………… 796
141128-B03-H02 南村………… 796
141128-B03-H03 张家塔……… 796
141128-B04 大武镇 ……………… 796
141128-B04-H01 大武二……… 796
141128-B04-H02 大武一……… 797
141128-B05 北武当镇 ………… 797
141128-B05-H01 下昔………… 797
141128-B05-H02 来堡………… 797
141128-B05-H03 新民………… 797
141128-B06 积翠镇 ……………… 797
141128-B06-H01 方山………… 797
141129 中阳县 …………………… 798
141129—R01 中阳站 ………… 798
141129-B01 宁乡镇 ……………… 798
141129-B01-K01 凤城北街…… 798
141129-B01-K02 凤城南街…… 798
141129-B01-K03 二郎坪街…… 799
141129-B01-K04 滨河东路…… 799
141129-B01-K05 滨河西路…… 799
141129-B01-K06 中钢路……… 799
141130-B01-K07 东环路……… 799
141129-B01-H01 柏家峪……… 799
141129-B01-H02 庞家会……… 799
141129-B02 金罗镇 ……………… 799
141129-B02-H01 金罗………… 799
141129-B03 枝柯镇 ……………… 799
141129-B03-H01 枝柯………… 800
141129-B04 武家庄镇 ………… 800
141129-B04-H01 武家庄……… 800
141129-B04-H02 刘家圪垛…… 800
141129-B05 暖泉镇 ……………… 800
141129-B05-H01 暖泉………… 800
141129-B05-H02 关上………… 800
141129-C01 下枣林乡 ………… 800
141129-C01-H01 下枣林……… 801
141130 交口县 …………………… 801
141130-B01 水头镇 ……………… 801
141130-B01-K01 龙泉街……… 801
141130-B01-K02 东环路……… 801
141130-B01-K03 迎宾街……… 801
141130-B01-K04 青城大街…… 802
141130-B01-K05 云梦街……… 802
141130-B01-K06 南环路……… 802
141130-B01-K07 五麟大街…… 802
141130-B01-H01 水头………… 802
141130-B02 康城镇 ……………… 802
141130-B02-H01 康城………… 802
141130-B03 双池镇 ……………… 802
141130-B03-H01 双池………… 802
141130-B03-H02 西庄………… 802
141130-B04 桃红坡镇 ………… 803
141130-B04-H01 大麦郊……… 803
141130-B04-H02 西宋庄……… 803
141130-B05 石口镇 ……………… 803
141130-B05-H01 石口………… 803
141130-B05-H02 山神峪……… 803
141130-B06 回龙镇 ……………… 804
141130-B06-H01 回龙………… 804
141130-B06-H02 明志沟……… 804
141130-B06-H03 韩家沟……… 804
141130-C01 温泉乡 ……………… 804
141130-C01-H01 城北沟……… 804
141181 孝义市 …………………… 804
141181-F01 人民广场 ………… 805
141181-K01 北外环街 ………… 805
141181-K02 崇文大街 ………… 805
141181-K03 振兴街 ……………… 805
141181-K04 建设街 ……………… 805
141181-K05 府前街 ……………… 805
141181-K06 新义街 ……………… 805
141181-K07 新安街 ……………… 806
141181-K08 胜溪街 ……………… 806
141181-K09 时代大道 ………… 806
141181-K10 贞观大道 ………… 806
141181-K11 孝和街 ……………… 806
141181-K12 敬德街 ……………… 806
141181-K13 朝阳街 ……………… 806
141181-K14 梧桐街 ……………… 806
141181-K15 孝汾大道 ………… 806
141181-K16 永盛路 ……………… 806
141181-K17 安阳路 ……………… 806
141181-K18 三贤路 ……………… 806
141181-K19 府南路 ……………… 806
141181-K20 大众路 ……………… 807
141181-K21 迎宾路 ……………… 807
141181-K22 永安路 ……………… 807
141181-K23 中和路 ……………… 807
141181-K24 湖滨路 ……………… 807
141181-R01 孝义西站 ………… 807
141181-A01 新义街道 ………… 807
141181-A01-J01 府东社区 …… 807
141181-A01-H01 贾家庄……… 807
141181-A02 中阳楼街道 ……… 807
141181-A02-H01 桥北………… 807
141181-A02-H02 楼东………… 808
141181-A03 振兴街道 ………… 808
141181-A04 胜溪湖街道 ……… 808
141181-A05 崇文街道 ………… 808
141181-A05-H01 宋家庄……… 808
141181-A05-H02 留义………… 808
141181-A05-H03 苏家庄……… 808
141181-B01 兑镇镇 …………… 808
141181-B01-H01 后庄………… 809
141181-B01-H02 兑镇………… 809
141181-B01-H03 石践………… 809
141181-B01-J01 新峪煤业公司社区………………………… 809
141181-B02 阳泉曲镇 ………… 809
141181-B02-H01 阳泉曲……… 809
141181-B03 下堡镇 …………… 809
141181-B03-H01 下堡………… 809
141181-B03-H02 官窑………… 809
141181-B03-H03 昔颉堡……… 810
141181-B04 西辛庄镇 ………… 810
141181-B04-H01 西泉………… 810
141181-B05 高阳镇 …………… 810
141181-B05-H01 高阳………… 810
141181-B05-H02 白壁关……… 810
141181-B05-H03 临水………… 810
141181-B05-H04 小垣………… 810
141181-B06 梧桐镇 …………… 810
141181-B06-H01 中梧桐……… 811
141181-B06-H02 中王屯……… 811
141181-B07 柱濮镇 …………… 811
141181-B07-H01 上柱濮……… 811
141181-B08 大孝堡镇 ………… 811
141181-B08-H01 大孝堡……… 811
141181-C01 下栅乡 …………… 811
141181-C01-H01 下栅………… 811
141181-C02 驿马乡 …………… 811
141181-C02-H01 牛王原……… 812
141181-C03 杜村乡 …………… 812
141181-C03-H01 杜村………… 812
141182 汾阳市 ………………… 812
141182-K01 永和西大街 ……… 813
141182-K02 永和东大街 ……… 813
141182-K03 文峰西街 ………… 813

141182-K04 文峰东街 ············ 813
141182-K05 鼓楼东街 ············ 813
141182-K06 鼓楼西街 ············ 813
141182-K07 府学街 ·············· 813
141182-K08 胜利西街 ············ 813
141182-K09 胜利东街 ············ 813
141182-K10 庆成西大街 ········· 813
141182-K11 庆成东大街 ········· 813
141182-K12 西河北路 ············ 814
141182-K13 西河南路 ············ 814
141182-K14 学院路 ·············· 814
141182-K15 英雄北路 ············ 814
141182-K16 英雄南路 ············ 814
141182-K17 狄青路 ·············· 814
141182-K18 鼓楼北路 ············ 814
141182-K19 鼓楼南路 ············ 814
141182-K20 南薰路 ·············· 814
141182-K21 汾州大道 ············ 814
141182-K22 富民北路 ············ 814
141182-K23 富民南路 ············ 814
141182-K24 东湖北路 ············ 814
141182-K25 东湖南路 ············ 815
141182-K26 天霖路 ·············· 815
141182—R01 汾阳站 ············ 815
141182-A01 太和桥街道 ········· 815
141182-A01-J01 北关社区 ······ 815
141182-A02 文峰街道 ············ 815
141182-A02-J01 南关社区 ······ 815
141182-A03 西河街道 ············ 815
141182-B01 贾家庄镇 ············ 815
141182-B01-H01 贾家庄 ········· 816
141182-B02 杏花村镇 ············ 816
141182-B02-H01 西堡 ············ 816
141182-B02-H02 东堡 ············ 816
141182-B02-H03 上庙 ············ 816
141182-B02-H04 小相 ············ 816
141182-B03 冀村镇 ·············· 817
141182-B03-H01 冀村 ············ 817
141182-B03-H02 东社 ············ 817
141182-B04 肖家庄镇 ············ 817
141182-B04-H01 肖家庄 ········· 817
141182-B04-H02 中寨 ············ 817
141182-B05 演武镇 ·············· 817
141182-B05-H01 演武 ············ 817
141182-B06 三泉镇 ·············· 817
141182-B06-H01 三泉 ············ 818
141182-B06-H02 北榆苑 ········· 818
141182-B06-H03 东赵 ············ 818
141182-B06-H04 巩村 ············ 818
141182-B06-H05 南马庄 ········· 818
141182-B06-H06 任家堡 ········· 818
141182-B06-H07 岅峪 ············ 818
141182-B06-H08 东石 ············ 818
141182-B07 石庄镇 ·············· 818
141182-B07-H01 石庄 ············ 818
141182-B08 杨家庄镇 ············ 819
141182-B08-H01 杨家庄 ········· 819
141182-B09 峪道河镇 ············ 819
141182-B09-H01 李家沟 ········· 819
141182-B09-H02 柏草坡 ········· 819
141182-B09-H03 峪口 ············ 819
141182-B09-H04 下张家庄 ······ 819
141182-B09-H05 后沟 ············ 819
141182-B09-H06 刘村 ············ 819
141182-B10 阳城镇 ·············· 819
141182-B10-H01 西阳城 ········· 820
141182-B10-H02 东龙观 ········· 820
141182-B10-H03 虞城 ············ 820
141182-B11 栗家庄镇 ············ 820
141182-B11-H01 栗家庄 ········· 820
141182-B11-H02 田村 ············ 820
141182-B11-H03 石家庄 ········· 820
141182-B11-H04 刘家堡 ········· 820
141182-B11-H05 南赵郡 ········· 820

第二编 自然地理实体

21-B001 太原盆地 ············ 822
21-B002 大同盆地 ············ 822
21-B003 上党盆地 ············ 822
21-B004 运城盆地 ············ 823
21-B005 忻定盆地 ············ 823
21-B006 临汾盆地 ············ 824
21-E001 太行山脉 ············ 824
21-E002 吕梁山脉 ············ 824
21-E003 中条山脉 ············ 825
21-E004 太岳山脉 ············ 825
21-E005 恒山山脉 [·········· 825
21-E006 五台山脉 ············ 826
21-E007 系舟山脉 ············ 826
21-E008 云中山 [············ 826
21-E009 洪涛山 ·············· 826
21-E010 管涔山 ·············· 827
21-E011 芦芽山 ·············· 827
21-E012 罕山 ················ 827
21-E013 石千峰 ·············· 827
21-E014 庙前山 ·············· 827
21-E015 赫赫岩山 ············ 827
21-E016 云顶山 ·············· 827
21-E017 白刁岭 ·············· 828
21-E018 周洪山 ·············· 828
21-E019 皇姑山 ·············· 828
21-E020 阪泉山 ·············· 828
21-E021 红崦山 ·············· 828
21-E022 塔山 ················ 828
21-E023 采凉山 ·············· 828
21-E024 黄羊尖 ·············· 828
21-E025 六棱山 ·············· 829
21-E026 云门山 ·············· 829
21-E027 龙凤山 ·············· 829
21-E028 韭菜疙瘩 ············ 829
21-E029 二郎山 ·············· 829
21-E030 大梁山 ·············· 829
21-E031 神头山 ·············· 829
21-E032 摩天岭 ·············· 829
21-E033 虎窝山 ·············· 829
21-E034 青天背 ·············· 829
21-E035 大殿顶 ·············· 830
21-E036 大山尖 ·············· 830
21-E037 道士帽 ·············· 830
21-E038 二别夫尖 ············ 830
21-E039 大平坨 ·············· 830
21-E040 黄崖尖 ·············· 830
21-E041 棺材顶 ·············· 830
21-E042 狼牙山 ·············· 830
21-E043 红石崖山 ············ 830
21-E044 雷公山 ·············· 830
21-E045 加斗山 ·············· 830
21-E046 南店梁 ·············· 830
21-E047 太白维山 ············ 830
21-E048 峡峪界 ·············· 831
21-E049 大梁山 ·············· 831
21-E050 大梁草帽山 ·········· 831
21-E051 龙山 ················ 831
21-E052 翠屏山 ·············· 831
21-E053 电山 ················ 831
21-E054 抢风岭 ·············· 831
21-E055 穆桂英山 ············ 831
21-E056 卧羊场山 ············ 831
21-E057 龙王堂山 ············ 831
21-E058 黑龙王山 ············ 831
1-E059 尖口山 ·············· 832
21-E060 环翠山 ·············· 832
21-E061 双山 ················ 832
21-E062 藏山 ················ 832

21-E063 大垴寨 …… 832
21-E064 发鸠山 …… 832
21-E065 顶顶山 …… 832
21-E066 方山 …… 832
21-E067 轿顶山 …… 832
21-E068 高山寨 …… 833
21-E069 打虎岭 …… 833
21-E070 金鸡寨 …… 833
21-E071 伟回山 …… 833
21-E072 板山 …… 833
21-E073 全榆洼顶 …… 833
21-E074 广志山 …… 833
21-E075 九龙山 …… 833
21-E076 棋盘山 …… 833
21-E077 风子岭 …… 834
21-E078 消军岭 …… 834
21-E079 老马岭 …… 834
21-E080 小西天 …… 834
21-E081 仙堂山 …… 834
21-E082 界碑岭 …… 834
21-E083 灵空山 …… 834
21-E084 然台山 …… 834
21-E085 黄岩垴 …… 835
21-E086 皇帝垴 …… 835
21-E087 崇城寨 …… 835
21-E088 鞸山 …… 835
21-E089 历山 …… 835
21-E090 析城山 …… 835
21-E091 老鳔山 …… 835
21-E092 十八罗汉峰 …… 836
21-E093 风山岭 …… 836
21-E094 云蒙山 …… 836
21-E095 北板山 …… 836
21-E096 王莽岭 …… 836
21-E097 刘秀城山 …… 836
21-E098 黄蒸山 …… 837
21-E099 大南山 …… 837
21-E100 白草梁 …… 837
21-E101 盘道梁 …… 837
21-E102 鹰家梁 …… 837
21-E103 莲花山 …… 837
21-E104 馒头山 …… 837
21-E105 清凉山 …… 837
21-E106 大南山 …… 837
21-E107 桦林山 …… 837
21-E108 马头山 …… 838
21-E109 红家山 …… 838
21-E110 跑马梁 …… 838
21-E111 小摩天岭 …… 838
21-E112 五斗山 …… 838
21-E113 铁吉岭 …… 838
21-E114 紫荆山 …… 838
21-E115 鹿峰山 …… 838
21-E116 六郎山 …… 838
21-E117 君地坡山 …… 838
21-E118 欠山 …… 838
21-E119 平房围洼山 …… 838
21-E120 黑驼山 …… 839
21-E121 北固山 …… 839
21-E122 三县垴 …… 839
21-E123 八赋岭 …… 839
21-E124 强盗圪塔 …… 839
21-E125 吴娃背 …… 839
21-E126 香烟岭 …… 839
21-E127 南天池 …… 839
21-E128 北天池 …… 839
21-E129 左权岭 …… 839
21-E130 老庙山 …… 840
21-E131 跑马坪 …… 840
21-E132 祝英台山 …… 840
21-E133 石膏山 …… 840
21-E134 牛角鞍 …… 840
21-E135 绵山 …… 840
21-E136 馒头山 …… 840
21-E137 汤王山 …… 840
21-E138 白石山 …… 840
21-E139 玉皇顶 …… 841
21-E140 马儿岩 …… 841
21-E141 东华山 …… 841
21-E142 垣址坪山 …… 841
21-E143 天盘山 …… 841
21-E144 金楼山 …… 841
21-E145 锥子山 …… 841
21-E146 峨老山 …… 841
21-E147 莲花台 …… 841
21-E148 百梯山 …… 842
21-E149 大通岭 …… 842
21-E150 九峰山 …… 842
21-E151 九州疙瘩 …… 842
21-E152 首阳山 …… 842
21-E153 五老峰 …… 842
21-E154 北台顶 …… 842
21-E155 西台顶 …… 843
21-E156 中台顶 …… 843
21-E157 东台顶 …… 843
21-E158 南台顶 …… 843
21-E159 黑圪旦尖 …… 843
21-E160 北斗山 …… 843
21-E161 马仑草原 …… 844
21-E162 荷叶坪 …… 844
21-E163 南天门 …… 844
21-E164 天林岩 …… 844
21-E165 鸡冠山 …… 844
21-E166 老茆山 …… 844
21-E167 大火尖 …… 844
21-E168 草垛山 …… 844
21-E169 大疙瘩 …… 844
21-E170 牛进山 …… 844
21-E171 老君洞 …… 845
21-E173 大岭山 …… 845
21-E174 陀罗山 …… 845
21-E175 龙王垴 …… 845
21-E176 平安山 …… 845
21-E177 驴蹄垴 …… 845
21-E178 天池垴 …… 845
21-E179 大背坡 …… 845
21-E180 教场梁 …… 845
21-E181 大尖山 …… 845
21-E182 长城岭 …… 846
21-E183 白人岩 …… 846
21-E184 城墙梁 …… 846
21-E185 高边墙 …… 846
21-E186 马鞍山 …… 846
21-E187 棋盘山 …… 846
21-E188 四方崖 …… 846
21-E189 吴家背 …… 846
21-E190 寨子庙山 …… 846
21-E191 鸿门岩 …… 846
21-E192 牛毛梁 …… 846
21-E193 黄草梁 …… 846
21-E194 饮马池山 …… 847
21-E195 翠峰山 …… 847
21-E196 柏杨岭山 …… 847
21-E197 虎背岭 …… 847
21-E198 仙红坪 …… 847
21-E199 十二松峰 …… 847
21-E200 莲花山 …… 847
21-E201 高祖山 …… 847
21-E202 高天山 …… 847
21-E203 人祖山 …… 848
21-E204 玉皇顶 …… 848
21-E205 泰山梁 …… 848
21-E206 南天门 …… 848
21-E207 弥陀瓮 …… 848

21-E208 安泰山 …………………… 848
21-E209 云丘山 …………………… 848
21-E210 云台山 …………………… 849
21-E211 紫荆山 …………………… 849
21-E213 茶布山 …………………… 849
21-E214 太山 …………………… 849
21-E215 五鹿山 …………………… 849
21-E216 霍山 …………………… 849
21-E217 双乳峰 …………………… 850
21-E218 断山岭 …………………… 850
21-E219 天洼顶 …………………… 850
21-E220 狐爷山 …………………… 850
21-E221 黑茶山 …………………… 850
21-E222 石楼山 …………………… 850
21-E223 大坪头山 …………………… 850
21-E224 凤尾山 …………………… 851
21-E225 孝文山 …………………… 851
21-E226 木孤台 …………………… 851
21-E227 上顶山 …………………… 851
21-E228 骨脊山 …………………… 851
21-E229 薛公岭 …………………… 851
21-E230 黄芦岭 …………………… 851
21-E231 子夏山 …………………… 851
21-E232 关帝山 …………………… 852
21-E233 葫芦山 …………………… 852
21-E234 连营站 …………………… 852
21-E235 三县岭 …………………… 852
21-E236 三座崖 …………………… 852
21-E237 瓮圪筒 …………………… 852
21-E238 双双山 …………………… 852
21-E239 白龙山 …………………… 852
21-E240 石猴山 …………………… 852
21-E241 大渡山 …………………… 853
21-E243 柏榆庙 …………………… 853
21-E244 紫金山 …………………… 853
21-E245 石楼山 …………………… 853
21-E246 烧炉山 …………………… 853
21-E247 武当山 …………………… 853
21-E248 南天门 …………………… 853
21-E249 云梦山 …………………… 853
21-E250 高庙山 …………………… 854
21-E251 大九梁山 …………………… 854
21-I001 石岭关 …………………… 854
21-I002 赤塘关 …………………… 854
21-I003 天门关 …………………… 854
21-I004 得胜口 …………………… 854
21-I005 娘子关 …………………… 854
21-I006 虹梯关 …………………… 854
21-I007 玉峡关 …………………… 855
21-I008 东阳关 …………………… 855
21-I009 长平关 …………………… 855
21-I010 天井关 …………………… 855
21-I011 大口隘 …………………… 855
21-I012 碗子城 …………………… 855
21-I013 杀虎口 …………………… 855
21-I014 子洪口 …………………… 856
21-I015 冷泉关 …………………… 856
21-I016 忻口 …………………… 856
21-I017 雁门关 …………………… 856
21-I018 宁武关 …………………… 856
21-I019 阳方口 …………………… 856
21-I020 偏头关 …………………… 856
22-A-a001 黄河 …………………… 857
22-A-a002 汾河 …………………… 857
22-A-a003 中马坊河 …………………… 858
22-A-a004 东碾河 …………………… 858
22-A-a005 岚河 …………………… 858
22-A-a006 杨兴河 …………………… 859
22-A-a007 潇河 …………………… 859
22-A-a008 白马河 …………………… 859
22-A-a009 乌马河 …………………… 859
22-A-a010 象峪河 …………………… 859
22-A-a011 昌源河 …………………… 860
22-A-a012 龙凤河 …………………… 860
22-A-a013 磁窑河 …………………… 860
22-A-a014 文峪河 …………………… 860
22-A-a015 神堂河 …………………… 860
22-A-a016 虢义河 …………………… 861
22-A-a017 孝河 …………………… 861
22-A-a018 交口河 …………………… 861
22-A-a019 段纯河 …………………… 861
22-A-a020 下村川河 …………………… 861
22-A-a021 团柏河 …………………… 861
22-A-a022 三交河 …………………… 861
22-A-a023 洪安涧河 …………………… 862
22-A-a024 涝河 …………………… 862
22-A-a025 巨河 …………………… 862
22-A-a026 豁都峪河 …………………… 862
22-A-a027 三官峪河 …………………… 862
22-A-a028 浍河 …………………… 863
22-A-a029 黑河 …………………… 863
22-A-a030 马壁峪河 …………………… 863
22-A-a031 黄华峪河 …………………… 863
22-A-a032 瓜峪河 …………………… 863
22-A-a033 苍头河 …………………… 863
22-A-a034 二道河 …………………… 864
22-A-a035 偏关河 …………………… 864
22-A-a036 县川河 …………………… 864
22-A-a037 朱家川河 …………………… 864
22-A-a038 清涟河 …………………… 865
22-A-a039 岚漪河 …………………… 865
22-A-a040 蔚汾河 …………………… 865
22-A-a041 南川河 …………………… 865
22-A-a042 湫水河 …………………… 865
22-A-a043 三川河 …………………… 865
22-A-a044 北川河 …………………… 866
22-A-a045 东川河 …………………… 866
22-A-a046 南川河 …………………… 866
22-A-a047 留誉河 …………………… 866
22-A-a048 屈产河 …………………… 866
22-A-a049 芝河 …………………… 866
22-A-a050 昕水河 …………………… 866
22-A-a051 义亭河 …………………… 867
22-A-a052 清水河 …………………… 867
22-A-a053 鄂河 …………………… 867
22-A-a054 泗交河 …………………… 867
22-A-a055 五福涧河 …………………… 867
22-A-a056 板涧河 …………………… 867
22-A-a057 亳清河 …………………… 868
22-A-a058 允西河 …………………… 868
22-A-a059 西阳河 …………………… 868
22-A-a060 涑水河 …………………… 868
22-A-a061 姚暹渠 …………………… 868
22-A-a062 青龙河 …………………… 869
22-A-a063 沁河 …………………… 869
22-A-a064 紫红河 …………………… 869
22-A-a065 端氏河 …………………… 869
22-A-a066 芦苇河 …………………… 869
22-A-a067 濩泽河 …………………… 870
22-A-a068 西冶河 …………………… 870
22-A-a069 长河 …………………… 870
22-A-a070 丹河 …………………… 870
22-A-a071 洋河 …………………… 870
22-A-a072 西洋河 …………………… 871
22-A-a073 南洋河 …………………… 871
22-A-a074 白登河 …………………… 871
22-A-a075 黑水河 …………………… 871
22-A-a076 桑干河 …………………… 871
22-A-a077 恢河 …………………… 871
22-A-a078 源子河 …………………… 872
22-A-a079 大沙沟河 …………………… 872
22-A-a080 黄水河 …………………… 872
22-A-a081 大峪河 …………………… 872
22-A-a082 浑河 …………………… 872

22-A-a083 口泉河 …………… 872
22-A-a084 御河 ………………… 873
22-A-a085 淤泥河 …………… 873
22-A-a086 十里河 …………… 873
22-A-a087 壶流河 …………… 873
22-A-a088 唐河 ………………… 873
22-A-a089 沙河 ………………… 874
22-A-a090 滹沱河 …………… 874
22-A-a091 阳武河 …………… 874
22-A-a092 牧马河 …………… 874
22-A-a093 清水河 …………… 875
22-A-a094 乌河 ………………… 875
22-A-a095 龙华河 …………… 875
22-A-a096 绵河 ………………… 875
22-A-a097 桃河 ………………… 875
22-A-a098 温河 ………………… 875
22-A-a099 松溪河 …………… 875
22-A-a100 清漳河 …………… 876
22-A-a101 清漳东源 ………… 876
22-A-a102 清漳西源 ………… 876
22-A-a103 浊漳河 …………… 876
22-A-a104 浊漳北源 ………… 877
22-A-a105 浊漳南源 ………… 877
22-A-a106 陶清河 …………… 877
22-A-a107 岚水河 …………… 877
22-A-a108 绛河 ………………… 877
22-A-a109 浊漳西源 ………… 878
22-A-a110 浊漳干流 ………… 878
22-A-a112 茔兰岩河 ………… 878
22-A-a113 郊沟河 …………… 878
22-B001 晋陕黄河大峡谷 …… 879
22-B002 八泉峡 ……………… 879
22-D-a001 伍姓湖 …………… 879
22-D-b001 盐湖 ……………… 879
22-H001 娘子关瀑布 ………… 879
22-H002 银瀑潭 ……………… 879
22-H003 太行第一瀑 ………… 880
22-H004 九重瀑布 …………… 880
22-H005 壶口瀑布 …………… 880
22-I001 水神堂泉 …………… 880
22-I002 城头会泉 …………… 880
22-I003 娘子关泉 …………… 880
22-I004 辛安泉 ……………… 881
22-I005 延河泉 ……………… 881
22-I006 神头泉 ……………… 881
22-I007 洪山泉 ……………… 881
22-I008 马圈泉 ……………… 881
22-I009 坪上泉 ……………… 881
22-I010 天桥泉 ……………… 882
22-I011 龙子祠泉 …………… 882
22-I012 郭庄泉 ……………… 882
22-I013 霍泉 ………………… 882
22-I014 柳林泉 ……………… 882

第三编 交通运输设施

30-A-a001 大西高速铁路 …… 886
30-A-a002 石太高速铁路 …… 886
30-A-a003 张大高速铁路 …… 886
30-A-a004 郑太高速铁路 …… 886
30-A-b001 大秦铁路 ………… 887
30-A-b002 大准铁路 ………… 887
30-A-b003 邯长铁路 ………… 887
30-A-b004 韩原铁路 ………… 887
30-A-b005 浩吉铁路 ………… 887
30-A-b006 和邢铁路 ………… 887
30-A-b007 侯月铁路 ………… 887
30-A-b008 黄韩侯铁路 ……… 887
30-A-b009 京包铁路 ………… 888
30-A-b010 京原铁路 ………… 888
30-A-b011 神朔铁路 ………… 888
30-A-b012 石太铁路 ………… 888
30-A-b013 朔黄铁路 ………… 888
30-A-b014 朔准铁路 ………… 888
30-A-b015 太焦铁路 ………… 889
30-A-b016 太兴铁路 ………… 889
30-A-b017 太中银铁路 ……… 889
30-A-b018 同蒲铁路 ………… 889
30-A-b019 瓦日铁路 ………… 889
30-A-b020 阳涉铁路 ………… 889
30-A-b021 准池铁路 ………… 889
30-A-c001 宁静铁路 ………… 889
30-A-c002 武左铁路 ………… 890
30-B-a001 大同绕城西段高速…………………………… 890
30-B-a002 大新高速 ………… 890
30-B-a003 得大高速 ………… 890
30-B-a004 东吕高速 ………… 890
30-B-a005 汾离高速 ………… 890
30-B-a006 高陵高速 ………… 890
30-B-a007 广源高速 ………… 890
30-B-a008 菏宝高速 ………… 890
30-B-a009 侯禹高速 ………… 891
30-B-a010 侯运高速 ………… 891
30-B-a011 呼北高速 ………… 891
30-B-a012 霍永高速 ………… 891
30-B-a013 晋城绕城西北段高速…………………………… 891
30-B-a014 晋济高速 ………… 891
30-B-a015 晋焦高速 ………… 892
30-B-a016 晋阳高速 ………… 892
30-B-a017 离军高速 ………… 892
30-B-a018 临汾绕城北环高速…………………………… 892
30-B-a019 临侯高速 ………… 892
30-B-a020 临吉高速 ………… 892
30-B-a021 灵河高速 ………… 892
30-B-a022 吕梁绕城北段高速…………………………… 892
30-B-a023 祁临高速 ………… 893
30-B-a024 荣乌高速 ………… 893
30-B-a025 孙右高速 ………… 893
30-B-a026 太古高速 ………… 893
30-B-a027 太旧高速 ………… 893
30-B-a028 太临高速 ………… 893
30-B-a029 太祁高速 ………… 893
30-B-a030 太阳高速 ………… 894
30-B-a031 太原绕城东环段高速…………………………… 894
30-B-a032 太原绕城南环段高速…………………………… 894
30-B-a033 太原绕城西北环段高速…………………………… 894
30-B-a034 太长高速 ………… 894
30-B-a035 天黎高速 ………… 894
30-B-a036 五保高速 ………… 894
30-B-a037 夏汾高速 ………… 895
30-B-a038 忻州绕城东南段高速…………………………… 895
30-B-a039 新原高速 ………… 895
30-B-a040 阳泉绕城东段高速…………………………… 895
30-B-a041 阳翼高速 ………… 895
30-B-a042 翼侯高速 ………… 895
30-B-a043 榆祁高速 ………… 895
30-B-a044 原太高速 ………… 895
30-B-a045 运城绕城西南段高速…………………………… 895
30-B-a046 运风高速 ………… 896
30-B-a047 运三高速 ………… 896
30-B-a048 长邯高速 ………… 896
30-B-a049 长晋高速 ………… 896
30-B-a050 长临高速 ………… 896
30-B-a051 长平高速 ………… 896
30-B-a052 长治绕城东南段

高速…………………………… 896
30-B-b001 108 国道 ………… 896
30-B-b003 207 国道 ………… 897
30-B-b004 208 国道 ………… 897
30-B-b005 209 国道 ………… 897
30-B-b006 307 国道 ………… 897
30-B-b007 309 国道 ………… 898
30-B-c001 省道川荫线 ……… 898
30-B-c002 省道大灵线 ……… 898
30-B-c003 省道大石线 ……… 898
30-B-c004 省道大忻线 ……… 898
30-B-c005 省道东夏线 ……… 898
30-B-c006 省道东长线 ……… 899
30-B-c007 省道董榆线 ……… 899
30-B-c008 省道董元线 ……… 899
30-B-c009 省道繁五线 ……… 899
30-B-c010 省道汾介线 ……… 899
30-B-c011 省道汾柳线 ……… 899
30-B-c012 省道汾屯线 ……… 899
30-B-c013 省道汾张线 ……… 899
30-B-c014 省道古吴线 ……… 900
30-B-c015 省道崞五线 ……… 900
30-B-c016 省道韩河线 ……… 900
30-B-c017 省道河潞线 ……… 900
30-B-c018 省道洪永线 ……… 900
30-B-c019 省道侯安线 ……… 900
30-B-c020 省道侯风线 ……… 900
30-B-c021 省道虎山线 ……… 900
30-B-c022 省道积大线 ……… 901
30-B-c023 省道九榆线 ……… 901
30-B-c024 省道拒云线 ……… 901
30-B-c025 省道岢大线 ……… 901
30-B-c026 省道岚马线 ……… 901
30-B-c027 省道李东线 ……… 901
30-B-c028 省道临风线 ……… 901
30-B-c029 省道临磨线 ……… 901
30-B-c030 省道临阳线 ……… 902
30-B-c031 省道临午线 ……… 902
30-B-c032 省道临夏线 ……… 902
30-B-c033 省道陵沁线 ……… 902
30-B-c034 省道马走线 ……… 902
30-B-c035 省道南沁线 ……… 902
30-B-c036 省道南太线 ……… 902
30-B-c037 省道娘阳线 ……… 903
30-B-c038 省道宁白线 ……… 903
30-B-c039 省道宁应线 ……… 903
30-B-c040 省道平风线 ……… 903
30-B-c041 省道平朔线 ……… 903
30-B-c042 省道坪曲线 ……… 903
30-B-c043 省道祁方线 ……… 903
30-B-c044 省道沁东线 ……… 903
30-B-c045 省道沁洪线 ……… 904
30-B-c046 省道曲绛线 ……… 904
30-B-c047 省道神保线 ……… 904
30-B-c048 省道石阳线 ……… 904
30-B-c049 省道双阳线 ……… 904
30-B-c050 省道孙大线 ……… 904
30-B-c051 省道孙吴线 ……… 904
30-B-c052 省道台乡线 ……… 904
30-B-c053 省道台襄线 ……… 905
30-B-c054 省道台忻线 ……… 905
30-B-c055 省道太克线 ……… 905
30-B-c056 省道太小线 ……… 905
30-B-c057 省道太长线 ……… 905
30-B-c058 省道桃临线 ……… 905
30-B-c059 省道屯龙线 ……… 905
30-B-c060 省道万临线 ……… 905
30-B-c061 省道王大线 ……… 906
30-B-c062 省道王横线 ……… 906
30-B-c063 省道洗朔线 ……… 906
30-B-c064 省道襄乡线 ……… 906
30-B-c065 省道孝石线 ……… 906
30-B-c066 省道忻黑线 ……… 906
30-B-c067 省道忻五线 ……… 906
30-B-c068 省道阎贾线 ……… 906
30-B-c069 省道阳济线 ……… 907
30-B-c070 省道营运线 ……… 907
30-B-c071 省道盂榆线 ……… 907
30-B-c072 省道榆古线 ……… 907
30-B-c073 省道运永线 ……… 907
30-B-c074 省道长安线 ……… 907
30-B-c075 省道长晋线 ……… 907
30-B-c076 省道长陵线 ……… 907
30-B-c078 省道长神线 ……… 908
30-B-c079 省道长原线 ……… 908
30-B-c080 省道周琬线 ……… 908
30-C-a001 大同南站 ………… 908
30-C-a002 大同站 …………… 908
30-C-a003 代县西站 ………… 908
30-C-a004 高平东站 ………… 908
30-C-a005 古交站 …………… 908
30-C-a006 洪洞西站 ………… 909
30-C-a007 侯马北站 ………… 909
30-C-a008 侯马西站 ………… 909
30-C-a009 侯马站 …………… 909
30-C-a010 怀仁东站 ………… 909
30-C-a011 霍州东站 ………… 909
30-C-a012 介休东站 ………… 909
30-C-a013 介休站 …………… 909
30-C-a014 晋城东站 ………… 909
30-C-a015 晋城站 …………… 909
30-C-a016 晋中站 …………… 909
30-C-a017 临汾西站 ………… 910
30-C-a018 临汾站 …………… 910
30-C-a019 灵石东站 ………… 910
30-C-a020 吕梁站 …………… 910
30-C-a021 平遥古城站 ……… 910
30-C-a022 祁县东站 ………… 910
30-C-a023 山阴南站 ………… 910
30-C-a024 寿阳站 …………… 910
30-C-a025 朔州东站 ………… 910
30-C-a026 太谷东站 ………… 910
30-C-a027 太谷西站 ………… 910
30-C-a028 太原南站 ………… 910
30-C-a029 太原站 …………… 911
30-C-a030 天镇站 …………… 911
30-C-a031 闻喜西站 ………… 911
30-C-a032 武乡站 …………… 911
30-C-a033 襄汾西站 ………… 911
30-C-a034 襄垣东站 ………… 911
30-C-a035 忻州西站 ………… 911
30-C-a036 忻州站 …………… 911
30-C-a037 阳高南站 ………… 911
30-C-a038 阳曲西站 ………… 911
30-C-a039 阳泉北站 ………… 912
30-C-a040 阳泉站 …………… 912
30-C-a041 应县西站 ………… 912
30-C-a042 永济北站 ………… 912
30-C-a043 榆次站 …………… 912
30-C-a044 榆社西站 ………… 912
30-C-a045 原平西站 ………… 912
30-C-a046 原平站 …………… 912
30-C-a047 运城北站 ………… 912
30-C-a048 运城站 …………… 912
30-C-a049 长治北站 ………… 912
30-C-a050 长治东站 ………… 912
30-C-a051 长治南站 ………… 912
30-C-a052 长治站 …………… 912
30-C-b001 大同汽车客运站 … 912
30-C-b002 太原汽车客运东站…………………… 913
30-C-b003 太原汽车客运站 … 913
30-C-b004 运城汽车客运中心站………………… 913

30-C-b005 长治市汽车客运站…………………………913
30-D001 北同蒲线段家岭二号隧道……………………………913
30-D002 北同蒲线段家岭一号隧道……………………………913
30-D003 东石瓮隧道 …………913
30-D004 侯月线云台山二号隧道……………………………913
30-D005 侯月线云台山一号隧道……………………………913
30-D006 京原线平型关隧道……………………………913
30-D007 京原线小寨隧道……………………………913
30-D008 岢瓦线二号田家崖隧道……………………………914
30-D009 亮马台隧道 …………914
30-D010 牛郎河隧道 …………914
30-D011 太焦线北山头隧道 …914
30-D012 太焦线小东沟隧道 …914
30-D013 太岚支线横岭二号隧道……………………………914
30-D014 太岚支线横岭一号隧道……………………………914
30-D015 太岚支线峙头隧道 …914
30-D016 太中银柳林隧道 ……914
30-D017 太中银王家会隧道 …914
30-D018 太中银线离石隧道 …914
30-D019 太中银线吕梁山隧道……………………………914
30-D020 薛公岭隧道 …………914
30-D021 雁门关隧道 …………914
30-E-a001 保德黄河大桥 ……914
30-E-a002 二电厂特大桥 ……915
30-E-a003 风陵渡黄河大桥 …915
30-E-a004 晋祠特大桥 ………915
30-E-a005 开发区特大桥 ……915
30-E-a006 离石特大桥 ………915
30-E-a007 聂家庄特大桥 ……915
30-E-a008 坡头特大桥 ………915
30-E-a009 三门峡黄河大桥 …915
30-E-a010 武宿主线特大桥 …915
30-E-a011 西矿街特大桥 ……915
30-E-a012 小店特大桥 ………915
30-E-a013 新绛汾河桥 ………915
30-E-a014 杨兴河特大桥 ……915
30-E-a015 淤泥河特大桥 ……916
30-E-b001 大秦线御河 1#特大桥…………………………916
30-E-b002 古大联络线 1#特大桥…………………………916
30-E-b003 古大联络线 4# 御河特大桥…………………………916
30-E-b004 侯月线浍河大桥上行……………………………916
30-E-b005 侯月线沁河 1#特大桥…………………………916
30-E-b006 货右特大桥 ………916
30-E-b007 货左特大桥 ………916
30-E-b008 岢瓦线 33# 岚漪河特大桥…………………………916
30-E-b009 岢瓦线 35# 岚漪河特大桥…………………………916
30-E-b010 石太线特大桥桃河桥…………………………916
30-E-b011 太中线北川河特大桥……………………………916
30-E-b012 太中线跨石太铁路特大桥…………………………916
30-E-b013 太中线跨综合通道特大桥…………………………916
30-E-b014 太中线刘家堡国道特大桥…………………………916
30-E-b015 太中线柳林三川河特大桥…………………………917
30-E-b016 太中线柳弯汾河特大桥…………………………917
30-E-b017 太中线西崖底特大桥…………………………917
30-E-b018 太中线西宜亭文峪河特大桥…………………………917
30-E-b019 太中线孝义跨太汾高速公路特大桥………………917
30-E-b020 太中线义望跨大运高速公路特大桥………………917
30-E-b021 太中线赵家庄特大桥…………………………917
30-E-b022 同蒲大秦上联线 1#西韩岭特大桥…………………917
30-K001 大同云冈机场 ………917
30-K002 临汾尧都机场 ………917
30-K003 吕梁大武机场 ………917
30-K004 太原武宿国际机场 …917
30-K005 忻州五台山机场 ……918
30-K006 运城张孝机场 ………918
30-K007 长治王村机场 ………918

第四编 科教文卫体等事业单位

A 科研单位…………………………920
40-A-a001 北方自动控制技术研究所…………………………920
40-A-a002 中国辐射防护研究院…………………………920
40-A-a003 中国电子科技集团公司第三十三研究所…………920
40-A-a004 中国科学院山西煤炭化学研究所……………………920
40-A-a005 中国日用化学工业研究院…………………………920
40-A-b001 山西省教育科学研究院…………………………921
40-A-b002 山西省社会科学院…………………………921
40-A-b003 山西省农业机械化科学研究院……………………921
40-A-b004 山西省医药与生命科学研究院……………………921
40-A-b005 山西省分析科学研究院…………………………921
40-A-b006 山西省检验检测中心……………………………921
40-A-b007 山西省安全生产科学研究院…………………………922
40-A-b008 中共山西省委党史研究院…………………………922
40-A-b009 山西省考古研究院…………………………922
40-A-b010 山西省古建筑与彩塑壁画保护研究院………………922
40-A-b011 山西省气象科学研究所…………………………922
40-A-b012 山西省环境科学研究院…………………………922
40-A-b013 山西省地方病防治研究所…………………………923

B 教育单位…………………………923
40-B-a001 山西大学 …………923
40-B-a002 山西财经大学 ……923
40-B-a003 山西师范大学 ……923
40-B-a004 太原学院 …………923
40-B-a005 山西工商学院 ……923
40-B-a006 山西应用科技

学院……………………………… 923
40-B-a007 太原理工大学 …… 924
40-B-a008 山西医科大学 …… 924
40-B-a009 中北大学 ………… 924
40-B-a010 太原工业学院 …… 924
40-B-a011 太原科技大学 …… 924
40-B-a012 山西警察学院 …… 924
40-B-a013 山西大同大学 …… 924
40-B-a014 山西工程技术
学院……………………………… 925
40-B-a015 长治学院 ………… 925
40-B-a016 长治医学院 ……… 925
40-B-a017 山西科技学院 …… 925
40-B-a018 山西工学院 ……… 925
40-B-a019 晋中学院 ………… 925
40-B-a020 山西中医药大学 … 925
40-B-a021 山西传媒学院 …… 926
40-B-a022 山西能源学院 …… 926
40-B-a023 山西工程科技职业
大学……………………………… 926
40-B-a024 山西晋中理工
学院……………………………… 926
40-B-a025 太原师范学院 …… 926
40-B-a026 晋中信息学院 …… 926
40-B-a027 山西农业大学 …… 926
40-B-a028 运城学院 ………… 926
40-B-a029 运城职业技术
大学……………………………… 927
40-B-a030 忻州师范学院 …… 927
40-B-a031 山西师范大学现代
文理学院………………………… 927
40-B-a032 吕梁学院 ………… 927
40-B-a033 太原幼儿师范高等
专科学校………………………… 927
40-B-a034 大同师范高等专科
学校……………………………… 927
40-B-a035 阳泉师范高等专科
学校……………………………… 927
40-B-a036 长治幼儿师范高等
专科学校………………………… 928
40-B-a037 朔州师范高等专科
学校……………………………… 928
40-B-a038 晋中师范高等专科
学校……………………………… 928
40-B-a039 运城师范高等专科
学校……………………………… 928
40-B-a040 运城幼儿师范高等
专科学校………………………… 928
40-B-a041 山西工程职业
学院……………………………… 928
40-B-a042 山西铁道职业技术
学院……………………………… 928
40-B-a043 太原旅游职业
学院……………………………… 928
40-B-a044 山西财贸职业技术
学院……………………………… 928
40-B-a045 山西国际商务职业
学院……………………………… 929
40-B-a046 山西旅游职业
学院……………………………… 929
40-B-a047 山西青年职业
学院……………………………… 929
40-B-a048 山西体育职业
学院……………………………… 929
40-B-a049 山西药科职业
学院……………………………… 929
40-B-a050 山西职业技术
学院……………………………… 929
40-B-a051 山西警官职业
学院……………………………… 929
40-B-a052 山西艺术职业
学院……………………………… 929
40-B-a053 太原城市职业技术
学院……………………………… 930
40-B-a054 山西金融职业
学院……………………………… 930
40-B-a055 山西林业职业技术
学院……………………………… 930
40-B-a056 山西省财政税务专科
学校……………………………… 930
40-B-a057 山西电力职业技术
学院……………………………… 930
40-B-a058 山西经济管理干部
学院……………………………… 930
40-B-a059 大同煤炭职业技术
学院……………………………… 930
40-B-a060 山西通用航空职业
技术学院………………………… 930
40-B-a061 阳泉职业技术
学院……………………………… 931
40-B-a062 长治职业技术
学院……………………………… 931
40-B-a063 山西机电职业技术
学院……………………………… 931
40-B-a064 潞安职业技术
学院……………………………… 931
40-B-a065 晋城职业技术
学院……………………………… 931
40-B-a066 朔州职业技术
学院……………………………… 931
40-B-a067 朔州陶瓷职业技术
学院……………………………… 931
40-B-a068 晋中职业技术
学院……………………………… 931
40-B-a069 山西卫生职业健康
学院……………………………… 932
40-B-a070 运城护理职业
学院……………………………… 932
40-B-a071 山西水利职业技术
学院……………………………… 932
40-B-a072 山西运城农业职业
技术学院………………………… 932
40-B-a073 忻州职业技术
学院……………………………… 932
40-B-a074 临汾职业技术
学院……………………………… 932
40-B-a075 山西管理职业
学院……………………………… 932
40-B-a076 吕梁职业技术
学院 ……………………………… 932
40-B-b001 山西省司法
学校……………………………… 932
40-B-b002 华北机电学校 …… 933
40-B-b003 吕梁市卫生学校 … 933
40-B-c001 平民中学 ………… 933
40-B-c002 太原市第十二
中学……………………………… 933
40-B-c003 山西省实验中学 … 933
40-B-c004 山西省实验小学 … 933
40-B-c005 太原市外国语
学校……………………………… 933
40-B-c006 山西大学附属
中学……………………………… 933
40-B-c007 山西大学附属子弟
小学……………………………… 934
40-B-c008 太原市聋人学校 … 934
40-B-c009 进山中学 ………… 934
40-B-c010 太原市成成中学 … 934
40-B-c011 太原市第五中学 … 934
40-B-c012 太原市回民小学 … 934
40-B-c013 太原市盲童学校 … 934
40-B-c014 太原师范附属
中学……………………………… 934
40-B-c015 太原市青年路

小学…………………………… 934
40-B-c016 太原市桃园小学 … 935
40-B-c017 太原市五一路
小学…………………………… 935
40-B-c018 徐沟中学 ………… 935
40-B-c019 大同市第一中学 … 935
40-B-c020 大同市第二中学 … 935
40-B-c021 阳高县第一中学 … 935
40-B-c022 浑源中学 ………… 935
40-B-c023 阳泉市外国语
学校…………………………… 935
40-B-c024 阳泉市第一中
学校…………………………… 935
40-B-c025 平定县第一中学 … 935
40-B-c026 盂县第一中学 …… 936
40-B-c027 长治市第一中学 … 936
40-B-c028 长治市第二中学 … 936
40-B-c029 山西省长治学院附属
太行中学……………………… 936
40-B-c030 沁县中学 ………… 936
40-B-c031 晋城市第一中学 … 936
40-B-c032 晋城市实验中学 … 936
40-B-c033 泽州县第一中学 … 936
40-B-c034 高平市第一中学 … 936
40-B-c035 朔城区第一中学 … 936
40-B-c036 李林中学 ………… 937
40-B-c037 怀仁市第一中学 … 937
40-B-c038 榆次第一中学校 … 937
40-B-c039 太谷中学 ………… 937
40-B-c040 介休市第一中学 … 937
40-B-c041 左权中学 ………… 937
40-B-c042 祁县中学 ………… 937
40-B-c043 平遥中学 ………… 937
40-B-c044 康杰中学 ………… 937
40-B-c045 运城中学 ………… 937
40-B-c046 临晋中学 ………… 938
40-B-c047 新绛中学 ………… 938
40-B-c048 永济中学 ………… 938
40-B-c049 忻州市第一中学 … 938
40-B-c050 定襄中学 ………… 938
40-B-c051 沱阳中学 ………… 938
40-B-c052 范亭中学 ………… 938
40-B-c053 临汾市第一中学 … 938
40-B-c054 临汾市第三中学 … 938
40-B-c055 临汾红丝带学校 … 938
40-B-c056 山西师范大学实验
中学…………………………… 939
40-B-c057 洪洞县第一中学 … 939
40-B-c058 贺昌中学 ………… 939
40-B-c059 刘胡兰中学 ……… 939
40-B-c060 贺龙中学 ………… 939
40-B-c061 汾阳中学 ………… 939

C 文化设施…………………… 939
40-C001 山西晋韵艺术团 …… 939
40-C002 山西省历史学会 …… 939
40-C003 山西省歌舞剧院 …… 939
40-C004 山西省话剧院 ……… 939
40-C005 山西省电影家协会 … 940
40-C006 山西省电视艺术家
协会…………………………… 940
40-C007 山西省晋剧院 ……… 940
40-C008 山西省京剧院 ……… 940
40-C009 山西省美术家协会 … 940
40-C010 山西省曲艺家协会 … 940
40-C011 山西省舞蹈家协会 … 940
40-C012 山西省音乐家协会 … 940
40-C013 山西省作家协会 …… 940
40-C014 山西省曲艺团 ……… 941
40-C015 山西省摄影家协会 … 941
40-C016 山西省戏剧家协会 … 941
40-C017 山西省民间文艺家
协会…………………………… 941
40-C018 山西省书法家协会 … 941
40-C019 山西省杂技艺术家
协会…………………………… 941
40-C020 太原市小店区
图书馆………………………… 941
40-C021 太原市图书馆 ……… 941
40-C022 山西省图书馆 ……… 941
40-C023 清徐县图书馆 ……… 941
40-C024 大同市城区图书馆 … 942
40-C025 阳泉市图书馆 ……… 942
40-C026 长治市图书馆 ……… 942
40-C027 长治县图书馆 ……… 942
40-C028 襄垣县图书馆 ……… 942
40-C029 平顺县图书馆 ……… 942
40-C030 武乡县图书馆 ……… 942
40-C031 沁源县图书馆 ……… 942
40-C032 晋城市图书馆 ……… 942
40-C033 朔州市图书馆 ……… 943
40-C034 应县图书馆 ………… 943
40-C035 晋中市图书馆 ……… 943
40-C036 祁县图书馆 ………… 943
40-C037 灵石县图书馆 ……… 943
40-C038 永济市图书馆 ……… 943
40-C039 临猗县图书馆 ……… 943
40-C040 芮城县图书馆 ……… 943
40-C041 忻州市图书馆 ……… 943
40-C042 临汾市图书馆 ……… 943
40-C043 侯马市图书馆 ……… 944
40-C044 曲沃县图书馆 ……… 944
40-C045 洪洞县图书馆 ……… 944
40-C046 古县图书馆 ………… 944
40-C047 安泽县图书馆 ……… 944
40-C048 吕梁市图书馆 ……… 944
40-C049 孝义市图书馆 ……… 944
40-C050 汾阳市图书馆 ……… 944
40-C051 柳林县图书馆 ……… 944
40-C052 晋商博物院 ………… 944
40-C053 山西博物院 ………… 944
40-C054 山西地质博物馆 …… 945
40-C055 中国煤炭博物馆 …… 945
40-C056 太原市博物馆 ……… 945
40-C057 山西青铜博物馆 …… 945
40-C058 山西醋文化博物馆 … 945
40-C059 大同市博物馆 ……… 945
40-C060 中国雕塑博物馆 …… 945
40-C061 阳泉市博物馆 ……… 946
40-C062 长治市博物馆 ……… 946
40-C063 沁县文物馆 ………… 946
40-C064 晋城市博物馆 ……… 946
40-C065 朔州市博物馆 ……… 946
40-C066 马邑博物馆 ………… 946
40-C067 晋中市博物馆 ……… 946
40-C068 榆社县化石博物馆 … 946
40-C069 运城博物馆 ………… 947
40-C070 盐湖区博物馆 ……… 947
40-C071 芮城县博物馆 ……… 947
40-C072 忻州市博物馆 ……… 947
40-C073 河边民俗博物馆 …… 947
40-C074 临汾市博物馆 ……… 947
40-C074 晋国古都博物馆 …… 947
40-C075 晋国博物馆 ………… 947
40-C076 吕梁汉画像石
博物馆………………………… 947
40-C077 山西省档案馆 ……… 948
40-C078 太原市档案馆 ……… 948
40-C079 山西大剧院 ………… 948
40-C080 山西省科学技术馆 … 948
40-C081 山西省工艺美术馆 … 948
40-C082 太原美术馆 ………… 948
40-C083 山西省展览馆 ……… 948
40-C084 太原动物园 ………… 948

40-C085 太原工人文化宫 …… 948
40-C086 太原市少年宫 ……… 948
40-C087 太原市青年宫 ……… 949
40-C088 太原植物园 ………… 949
40-C089 朔州市金沙植物园 … 949
40-C090 太原方特东方神画 … 949
40-C091 乌金山欢乐谷 ……… 949
40-C092 大同方特欢乐世界 … 949

D 医疗设施……………………… 949
40-D001 太原市中心医院 …… 949
40-D002 山西省儿童医院 …… 949
40-D003 山西医科大学第二医院……………………… 949
40-D004 山西省眼科医院 …… 950
40-D005 山西省中西医结合医院……………………… 950
40-D006 山西省肿瘤医院 …… 950
40-D007 武警山西总队医院 … 950
40-D008 山西白求恩医院 …… 950
40-D009 山西省针灸医院 …… 950
40-D010 太原市第三人民医院……………………… 951
40-D011 太原市妇幼保健院 … 951
40-D012 山西省第二人民医院……………………… 951
40-D013 山西省精神卫生中心……………………… 951
40-D014 山西省人民医院 …… 951
40-D015 山西医科大学第一医院……………………… 951
40-D016 山西省中医院 ……… 951
40-D017 中国人民解放军联勤保障部队第九八五医院……… 951
40-D018 山西医科大学附属太钢总医院……………………… 952
40-D019 太原市第四人民医院……………………… 952
40-D020 山西省心血管病医院……………………… 952
40-D021 山西中医药大学附属医院……………………… 952
40-D022 大同市第一人民医院……………………… 952
40-D023 大同市第三人民医院……………………… 952
40-D024 大同市第五人民医院……………………… 952
40-D025 国药同煤总医院 …… 953
40-D026 阳泉市第一人民医院……………………… 953
40-D027 阳煤集团总医院 …… 953
40-D028 长治市妇幼保健院 … 953
40-D029 长治市人民医院 …… 953
40-D030 长治市第二人民医院……………………… 953
40-D031 长治医学院附属和平医院……………………… 953
40-D032 长治医学院附属和济医院……………………… 953
40-D033 长治市中医医院 …… 954
40-D034 晋城大医院 ………… 954
40-D035 晋城市人民医院 …… 954
40-D036 晋城市妇幼保健院 … 954
40-D037 北大医疗潞安医院 … 954
40-D038 晋中市第一人民医院……………………… 954
40-D039 山西省荣军精神康宁医院……………………… 954
40-D040 运城市中心医院 …… 954
40-D041 运城市妇幼保健院 … 955
40-D042 忻州市人民医院 …… 955
40-D043 忻州市中医医院 …… 955
40-D044 临汾市人民医院 …… 955
40-D045 临汾市第四人民医院……………………… 955
40-D046 临汾市妇幼保健院儿童医院……………………… 955
40-D047 吕梁市人民医院 …… 955
40-D048 山西省汾阳医院 …… 955

E 体育设施……………………… 956
40-E001 山西省全民健身中心体育场…………………… 956
40-E002 山西转型综合改革示范区体育中心……………… 956
40-E003 太原市水上运动中心……………………… 956
40-E004 太原市滨河体育中心……………………… 956
40-E005 山西体育中心 ……… 956
40-E006 山西极限运动中心 … 956
40-E007 大同体育中心 ……… 957
40-E008 阳泉市体育中心 …… 957
40-E009 阳泉市射击射箭场馆……………………… 957
40-E010 长治市体育中心 …… 957
40-E011 晋城市体育场 ……… 957
40-E012 晋中市体育馆 ……… 957
40-E013 运城体育馆 ………… 957
40-E014 永济市体育馆 ……… 957
40-E015 吕梁市体育馆 ……… 957
40-E016 孝义市体育馆 ……… 958

F 城市大型建筑………………… 958
40-F001 太原汾河公园 ……… 958
40-F002 龙潭公园 …………… 958
40-F003 和谐公园 …………… 958
40-F004 学府公园 …………… 958
40-F005 双塔寺公园 ………… 958
40-F006 文瀛公园 …………… 958
40-F007 迎泽公园 …………… 958
40-F008 南寨公园 …………… 958
40-F009 森林公园 …………… 959
40-F010 太原西山万亩生态园……………………… 959
40-F011 玉门河公园 ………… 959
40-F012 玉泉山城郊森林公园……………………… 959
40-F013 晋阳湖公园 ………… 959
40-F014 大同公园 …………… 959
40-F015 阳泉城市中心公园 … 959
40-F016 太行公园 …………… 959
40-F017 长治市漳泽湖国家城市湿地公园……………………… 959
40-F018 泽州公园 …………… 959
40-F019 朔州市七里河敬德公园……………………… 960
40-F020 晋商文化公园 ……… 960
40-F021 运城市天逸公园 …… 960
40-F022 忻州市九龙岗森林公园……………………… 960
40-F023 临汾汾河公园 ……… 960
40-F024 孝义市胜溪湖森林公园 960

第五编　名胜古迹和纪念地

纪念地

50-A-a01 彭真生平暨中共太原支部旧址纪念馆……………… 962
50-A-a02 山西国民师范旧址革命活动纪念馆…………………… 962
50-A-a03 太原解放纪念馆（牛驼寨烈士陵园）………… 962
50-A-a04 平型关大捷遗址 …… 962

50-A-a05 百团大战纪念馆（碑）…………………………… 962
50-A-a06 太行太岳烈士陵园 … 963
50-A-a07 黄崖洞革命纪念地 … 963
50-A-a08 八路军总部王家峪旧址和纪念馆………………………… 963
50-A-a09 李林烈士陵园 ……… 963
50-A-a10 左权将军殉难处 …… 963
50-A-a11 忻口战役遗址 ……… 964
50-A-a12 临汾烈士陵园 ……… 964
50-A-a13 刘胡兰纪念馆 ……… 964
50-A-a14 晋绥边区革命纪念馆………………………… 964
50-A-a15 晋绥烈士陵园 ……… 965
50-A-a16 石楼红军东征纪念馆………………………… 965
50-A-b01 堆云洞 ……………… 965
50-A-b02 西河头地道战遗址 … 965
50-A-b03 五台县晋察冀军区司令部旧址纪念馆…………… 965
50-A-b04 丁村民俗博物馆 …… 966
50-A-b05 侯马彭真故居 ……… 966
50-A-b06 吕梁汉画像石博物馆………………………… 966
50-A-b07 太原晋商博物馆 …… 966
50-A-b08 山西省工艺美术馆 … 967
50-A-b09 山西大学集体化时代农村社会综合展览馆………… 967
50-A-b10 灵丘白求恩特种外科医院旧址……………………… 967
50-A-b11 马邑博物馆 ………… 967
50-A-b12 右玉县博物馆 ……… 967
50-A-b13 平定固关长城遗址 … 968
50-A-b14 晋城赵树理文学馆 … 968
50-A-b15 交城吕梁英雄广场 … 968
50-A-b16 方山于成龙廉政文化园………………………… 968
50-A-b17 潞宝毛主席博物馆和纪念园………………………… 968
50-A-b18 洪洞红军八路军纪念馆………………………… 968
50-A-b19 古县烈士陵园 ……… 969
50-A-b20 安泽杜村太岳革命根据地旧址…………………… 969
50-A-b21 平陆六十一个阶级弟兄纪念馆………………………… 969
50-A-b22 清徐县烈士陵园 …… 969
50-A-b23 大同市革命烈士陵园………………………… 969
50-A-b24 右玉烈士陵园 ……… 969
50-A-b25 寿阳尹灵芝烈士纪念馆………………………… 970
50-A-b26 阳城晋豫边抗日纪念馆………………………… 970
50-A-b27 柳林三交镇红色景区…………………………… 970

全国重点文物保护单位

太原市…………………………… 970
50-B-a001 崇善寺大悲殿 …… 970
50-B-a002 山西大学堂旧址 … 970
50-B-a003 太原纯阳宫 ……… 971
50-B-a004 太原大关帝庙 …… 971
50-B-a005 太原清真寺 ……… 971
50-B-a006 太原文庙 ………… 971
50-B-a007 王家峰墓群 ……… 971
50-B-a008 永祚寺 …………… 971
50-B-a009 中共太原支部旧址…………………………… 972
50-B-a010 唱经楼 …………… 972
50-B-a011 山西督军府旧址 … 972
50-B-a012 太原天主堂 ……… 972
50-B-a013 窦大夫祠 ………… 972
50-B-a014 多福寺 …………… 973
50-B-a015 净因寺 …………… 973
50-B-a016 晋祠 ……………… 973
50-B-a017 晋阳古城遗址 …… 973
50-B-a018 晋源阿育王塔 …… 973
50-B-a019 晋源文庙 ………… 973
50-B-a020 龙山石窟 ………… 973
50-B-a021 蒙山开化寺遗址 … 974
50-B-a022 明秀寺 …………… 974
50-B-a023 太山龙泉寺 ……… 974
50-B-a024 天龙山石窟 ……… 974
50-B-a025 童子寺遗址 ……… 974
50-B-a026 狐突庙 …………… 975
50-B-a027 清徐尧庙 ………… 975
50-B-a028 清源文庙 ………… 975
50-B-a029 不二寺 …………… 975
50-B-a030 前斧柯悬泉寺 …… 975
50-B-a031 帖木儿塔 ………… 975
50-B-a032 辛庄开化寺 ……… 976
50-B-a033 阳曲大王庙大殿 … 976
50-B-a034 阳曲轩辕庙 ……… 976
50-B-a035 高君宇故居 ……… 976
50-B-a036 娄烦古城遗址 …… 976
50-B-a037 古交千佛寺 ……… 977
50-B-a038 古交遗址 ………… 977

大同市…………………………… 977
50-B-a039 方山永固陵遗址 … 977
50-B-a040 山西省立第三中学…………………………… 977
50-B-a041 大同鼓楼 ………… 977
50-B-a042 大同关帝庙大殿 … 978
50-B-a043 大同观音堂 ……… 978
50-B-a044 大同九龙壁 ……… 978
50-B-a045 华严寺 …………… 978
50-B-a046 平城兴国寺 ……… 978
50-B-a047 平城遗址 ………… 979
50-B-a048 沙岭墓群 ………… 979
50-B-a049 善化寺 …………… 979
50-B-a050 禅房寺塔 ………… 979
50-B-a051 大同煤矿万人坑 … 979
50-B-a052 云冈石窟 ………… 979
50-B-a053 古城堡汉墓 ……… 980
50-B-a054 许家窑遗址 ……… 980
50-B-a055 云林寺 …………… 980
50-B-a056 慈云寺 …………… 980
50-B-a057 沙梁坡墓群 ……… 980
50-B-a058 水神堂 …………… 981
50-B-a059 觉山寺砖塔 ……… 981
50-B-a060 平型关战役遗址 … 981
50-B-a061 曲回寺石像冢 …… 981
50-B-a062 浑源文庙 ………… 981
50-B-a063 浑源永安寺 ……… 981
50-B-a064 浑源圆觉寺塔 …… 982
50-B-a065 荆庄大云寺大雄宝殿 982
50-B-a066 栗毓美墓 ………… 982
50-B-a067 律吕神祠 ………… 982
50-B-a068 悬空寺 …………… 982

阳泉市…………………………… 982
50-B-a069 关王庙 …………… 982
50-B-a070 冠山书院 ………… 983
50-B-a071 冠山天宁寺双塔 … 983
50-B-a072 开河寺石窟 ……… 983
50-B-a073 平定马齿岩寺 …… 983
50-B-a074 藏山祠 …………… 983
50-B-a075 大王庙 …………… 983
50-B-a076 府君庙 …………… 984
50-B-a077 坡头泰山庙 ……… 984
50-B-a078 西关三圣寺大殿 … 984
50-B-a079 盂北泰山庙 ……… 984

长治市…………………………… 984
50-B-a080 关村炎帝庙 ……… 984
50-B-a081 观音堂 …………… 984
50-B-a082 潞安府城隍庙 …… 985
50-B-a083 潞安府衙 ………… 985
50-B-a084 马厂崇教寺 ……… 985
50-B-a085 北和炎帝庙 ……… 985
50-B-a086 上党西岩寺塔 …… 985
50-B-a087 上党长春玉皇庙 … 985
50-B-a088 长治玉皇观 ……… 985
50-B-a089 正觉寺 …………… 985
50-B-a090 石室蓬莱宫 ……… 986
50-B-a091 宝峰寺 …………… 986
50-B-a092 先师和尚舍利塔 … 986
50-B-a093 八路军总司令部北村旧址…………………………… 986
50-B-a094 东邑龙王庙 ……… 986
50-B-a095 李庄文庙 ………… 986
50-B-a096 李庄武庙 ………… 986
50-B-a097 潦河头关帝庙 …… 987
50-B-a098 原起寺 …………… 987
50-B-a099 灵泽王庙 ………… 987
50-B-a100 襄垣文庙 ………… 987
50-B-a101 襄垣五龙庙 ……… 987
50-B-a102 襄垣永惠桥 ……… 987
50-B-a103 昭泽王庙 ………… 987
50-B-a104 襄垣昭泽王庙 …… 988
50-B-a105 北甘泉圣母庙 …… 988
50-B-a106 北社大禹庙 ……… 988
50-B-a107 北社三嵕庙 ……… 988
50-B-a108 淳化寺 …………… 988
50-B-a109 大云院 …………… 988
50-B-a110 佛头寺 …………… 988
50-B-a111 回龙寺 …………… 988
50-B-a112 金灯寺石窟 ……… 989
50-B-a113 九天圣母庙 ……… 989
50-B-a114 龙门寺 …………… 989
50-B-a115 明惠大师塔 ……… 989
50-B-a116 天台庵 …………… 989
50-B-a117 西青北大禹庙 …… 989
50-B-a118 西社卫公庙 ……… 989
50-B-a119 夏禹神祠 ………… 990
50-B-a120 黄崖洞兵工厂旧址…………………………… 990
50-B-a121 黎城城隍庙 ……… 990
50-B-a122 西下庄昭泽王庙 … 990
50-B-a123 西周黎侯墓群 …… 990
50-B-a124 辛村天齐王庙 …… 990
50-B-a125 长宁大庙 ………… 990
50-B-a126 三嵕庙 …………… 991
50-B-a127 真泽二仙宫 ……… 991
50-B-a128 庄头天仙庙 ……… 991
50-B-a129 布村玉皇庙 ……… 991
50-B-a130 崇庆寺 …………… 991
50-B-a131 大中汉三嵕庙 …… 991
50-B-a132 法兴寺 …………… 991
50-B-a133 韩坊尧王庙大殿 … 992
50-B-a134 前万户汤王庙 …… 992
50-B-a135 天王寺 …………… 992
50-B-a136 下霍护国灵贶王庙…………………………… 992
50-B-a137 小张碧云寺大殿 … 992
50-B-a138 义合三教堂 ……… 992
50-B-a139 长子崔府君庙大殿…………………………… 992
50-B-a140 长子文庙大成殿 … 993
50-B-a141 中漳伏羲庙 ……… 993
50-B-a142 洪济院 …………… 993
50-B-a143 会仙观 …………… 993
50-B-a144 武乡大云寺 ……… 993
50-B-a145 武乡福源院 ……… 993
50-B-a146 武乡真如寺 ……… 993
50-B-a147 南涅水洪教院 …… 994
50-B-a148 南涅水石刻 ……… 994
50-B-a149 普照寺大殿 ……… 994
50-B-a150 沁县大云院 ……… 994
50-B-a151 灵空山圣寿寺 …… 994
50-B-a152 太岳军区司令部旧址…………………………… 994

晋城市…………………………… 995
50-B-a153 怀覃会馆 ………… 995
50-B-a154 窦庄古建筑群 …… 995
50-B-a155 郭壁村古建筑群 … 995
50-B-a156 柳氏民居 ………… 995
50-B-a157 湘峪古堡 ………… 995
50-B-a158 陈廷敬故居 ……… 995
50-B-a159 砥洎城 …………… 996
50-B-a160 郭峪村古建筑群 … 996
50-B-a161 海会寺 …………… 996
50-B-a162 开福寺 …………… 996
50-B-a163 润城东岳庙 ……… 996
50-B-a164 下交汤帝庙 ……… 996
50-B-a165 寿圣寺及琉璃塔 … 996
50-B-a166 阳城文庙 ………… 997
50-B-a167 白玉宫 …………… 997
50-B-a168 北马玉皇庙 ……… 997
50-B-a169 崇安寺 …………… 997
50-B-a170 崔府君庙 ………… 997
50-B-a172 北吉祥寺 ………… 998
50-B-a173 南吉祥寺 ………… 998
50-B-a174 南神头二仙庙 …… 998
50-B-a175 南召文庙 ………… 998
50-B-a176 三圣瑞现塔 ……… 998
50-B-a177 石掌玉皇庙 ……… 998
50-B-a178 寺润三教堂 ……… 998
50-B-a179 塔水河遗址 ……… 999
50-B-a180 田庄全神庙 ……… 999
50-B-a181 西溪二仙庙 ……… 999
50-B-a182 小会岭二仙庙 …… 999
50-B-a183 玉泉东岳庙 ……… 999
50-B-a184 北义城玉皇庙 …… 999
50-B-a185 碧落寺 ………… 1000
50-B-a186 川底佛堂 ……… 1000
50-B-a187 大阳汤帝庙 …… 1000
50-B-a188 府城关帝庙 …… 1000
50-B-a189 高都景德寺 …… 1000
50-B-a190 河底成汤庙 …… 1000
50-B-a191 晋城二仙庙 …… 1000
50-B-a192 坪上汤帝庙 …… 1001
50-B-a193 青莲寺 ………… 1001
50-B-a194 史村东岳庙 …… 1001
50-B-a195 水东崔府君庙 … 1001
50-B-a196 坛岭头岱庙 …… 1001
50-B-a197 西顿济渎庙 …… 1001
50-B-a198 薛庄玉皇庙 …… 1002
50-B-a199 尹西东岳庙 …… 1002
50-B-a200 玉皇庙 ………… 1002
50-B-a201 泽州崇寿寺 …… 1002
50-B-a202 泽州岱庙 ……… 1002
50-B-a203 周村东岳庙 …… 1002
50-B-a204 崇明寺 ………… 1002
50-B-a205 大周村古寺庙建筑群……………………… 1003
50-B-a206 定林寺 ………… 1003
50-B-a207 董峰万寿宫 …… 1003
50-B-a208 二郎庙 ………… 1003
50-B-a209 高平嘉祥寺 …… 1003
50-B-a210 高平铁佛寺 …… 1003
50-B-a211 古中庙 ………… 1004
50-B-a212 姬氏民居 ……… 1004
50-B-a213 建南济渎庙 …… 1004
50-B-a214 开化寺 ………… 1004

50-B-a215 良户玉虚观 …… 1004
50-B-a216 南庄玉皇庙 …… 1004
51-B-a217 清梦观 ………… 1004
50-B-a218 三王村三嵕庙 … 1005
50-B-a219 石末宣圣庙 …… 1005
50-B-a220 清化寺 ………… 1005
50-B-a221 西李门二仙庙 … 1005
50-B-a222 仙翁庙 ………… 1005
50-B-a223 羊头山石窟 …… 1005
50-B-a224 游仙寺 ………… 1006
50-B-a225 中坪二仙宫 …… 1006

朔州市………………………… 1006
50-B-a226 崇福寺 ………… 1006
50-B-a227 峙峪遗址 ……… 1006
50-B-a228 广武汉墓群 …… 1006
50-B-a229 广武城 ………… 1006
50-B-a230 净土寺 ………… 1006
50-B-a231 应县木塔 ……… 1007
50-B-a232 右玉宝宁寺 …… 1007

晋中市………………………… 1007
50-B-a233 什贴墓群 ……… 1007
50-B-a234 榆次城隍庙 …… 1007
50-B-a235 崇圣寺 ………… 1007
50-B-a236 福祥寺 ………… 1007
50-B-a237 八路军前方总部旧址………………………… 1008
50-B-a238 八路军一二九师司令部旧址………………… 1008
50-B-a239 寺坪普照寺大殿………………………… 1008
50-B-a240 苇则寿圣寺 …… 1008
50-B-a241 左权文庙大成殿……………………… 1008
50-B-a242 懿济圣母庙 …… 1008
50-B-a243 大寨人民公社旧址………………………… 1008
50-B-a244 石马寺石窟 …… 1009
50-B-a245 昔阳崇教寺 …… 1009
50-B-a246 昔阳离相寺 …… 1009
50-B-a247 福田寺 ………… 1009
50-B-a248 孟家沟龙泉寺 … 1009
50-B-a249 普光寺 ………… 1009
50-B-a250 安禅寺 ………… 1009
50-B-a251 曹家大院 ……… 1010
50-B-a252 范村圆智寺 …… 1010
50-B-a253 光化寺 ………… 1010
50-B-a254 净信寺 ………… 1010
50-B-a255 孔家大院 ……… 1010
50-B-a256 山西铭贤学校旧址………………………… 1010
50-B-a257 无边寺 ………… 1011
50-B-a258 新村妙觉寺 …… 1011
50-B-a259 真圣寺 ………… 1011
50-B-a260 梁村洪福寺 …… 1011
50-B-a261 梁村遗址 ……… 1011
50-B-a262 祁县镇河楼 …… 1011
50-B-a263 乔家大院 ……… 1011
50-B-a264 渠家大院 ……… 1012
50-B-a265 兴梵寺 ………… 1012
51-B-a266 北依涧永福寺过殿………………………… 1012
50-B-a267 慈相寺 ………… 1012
50-B-a268 干坑南神庙 …… 1012
50-B-a269 金庄文庙 ……… 1012
50-B-a270 雷履泰旧居 …… 1012
50-B-a271 利应侯庙 ……… 1013
50-B-a272 梁家滩白云寺 … 1013
50-B-a273 南政隆福寺 …… 1013
50-B-a274 平遥城隍庙 …… 1013
50-B-a275 平遥城墙 ……… 1013
50-B-a276 平遥惠济桥 …… 1013
50-B-a277 平遥清凉寺 …… 1014
50-B-a278 平遥市楼 ……… 1014
50-B-a279 平遥文庙 ……… 1014
50-B-a280 清虚观 ………… 1014
50-B-a281 日升昌旧址 …… 1014
50-B-a282 双林寺 ………… 1014
50-B-a283 襄垣慈胜寺 …… 1014
50-B-a284 长则普明寺 …… 1015
50-B-a285 镇国寺 ………… 1015
50-B-a286 晋祠庙 ………… 1015
50-B-a287 旌介遗址 ……… 1015
50-B-a288 静升文庙 ……… 1015
50-B-a289 灵石后土庙 …… 1015
50-B-a290 王家大院 ……… 1016
50-B-a291 资寿寺 ………… 1016
50-B-a292 袄神楼 ………… 1016
50-B-a293 洪山窑址 ……… 1016
50-B-a294 回銮寺 ………… 1016
50-B-a295 介休城隍庙 …… 1016
50-B-a296 介休东岳庙 …… 1016
50-B-a297 介休后土庙 …… 1017
50-B-a298 介休五岳庙 …… 1017
50-B-a299 介休源神庙 …… 1017
50-B-a300 太和岩牌楼 …… 1017
50-B-a301 云峰寺石佛殿 … 1017
50-B-a302 张壁古堡 ……… 1017

运城市………………………… 1017
50-B-a303 常平关帝庙 …… 1017
50-B-a304 池神庙及盐池禁墙………………………… 1018
50-B-a305 泛舟禅师塔 …… 1018
50-B-a306 郭村泰山庙大殿………………………… 1018
50-B-a307 解州关帝庙 …… 1018
50-B-a308 解州同善义仓 … 1018
51-B-a309 舜帝陵庙 ……… 1019
50-B-a310 运城关王庙 …… 1019
50-B-a311 运城太平兴国寺塔………………………… 1019
50-B-a312 寨里关帝庙献殿………………………… 1019
50-B-a313 程村遗址 ……… 1019
50-B-a314 临晋县衙 ……… 1019
50-B-a315 闫原头永兴寺塔………………………… 1019
50-B-a316 妙道寺双塔 …… 1020
50-B-a317 猗氏故城 ……… 1020
50-B-a318 张村圣庵寺塔 … 1020
50-B-a319 北辛舍利塔 …… 1020
50-B-a320 南阳村寿圣寺塔………………………… 1020
50-B-a321 万泉文庙 ……… 1020
50-B-a322 万荣东岳庙 …… 1020
50-B-a323 万荣旱泉塔 …… 1021
50-B-a324 万荣后土庙 …… 1021
50-B-a325 万荣稷王庙 …… 1021
50-B-a326 万荣稷王山塔 … 1021
50-B-a327 薛瑄家庙及墓地………………………… 1021
50-B-a328 闫景李家大院 … 1021
50-B-a329 中里庄八龙寺塔………………………… 1021
50-B-a330 郭家庄仇氏石牌坊及碑亭……………………… 1022
50-B-a331 后稷庙 ………… 1022
50-B-a332 上郭城址和邱家庄墓群………………………… 1022
50-B-a333 北阳城砖塔 …… 1022
50-B-a334 稷山大佛 ……… 1022
50-B-a335 稷山稷王庙 …… 1022

50-B-a336 马村砖雕墓地 … 1022
50-B-a337 南阳法王庙 …… 1023
50-B-a338 青龙寺 ………… 1023
50-B-a339 玉壁城遗址 …… 1023
50-B-a340 白台寺 ………… 1023
50-B-a341 北池稷王庙 …… 1023
50-B-a342 冯古庄墓地 …… 1023
50-B-a343 福胜寺 ………… 1023
50-B-a344 稷益庙 ………… 1024
50-B-a345 绛州大堂（包含三楼）……………… 1024
51-B-a346 三官庙 ………… 1024
50-B-a347 绛州文庙 ……… 1024
50-B-a348 龙香关帝庙 …… 1024
50-B-a349 乔沟头玉皇庙 … 1024
50-B-a350 泉掌关帝庙 …… 1024
50-B-a351 新绛龙兴寺 …… 1025
50-B-a352 新绛寿圣寺大殿……………………… 1025
50-B-a353 董封戏台 ……… 1025
50-B-a354 横北倗国墓地 … 1025
50-B-a355 绛县文庙 ……… 1025
50-B-a356 景云宫玉皇殿 … 1025
50-B-a357 南樊石牌坊及碑亭…………………… 1025
50-B-a358 南柳泰山庙 …… 1026
50-B-a359 乔寺碑楼 ……… 1026
50-B-a360 太阴寺 ………… 1026
50-B-a361 长春观 ………… 1026
50-B-a362 周家庄遗址 …… 1026
50-B-a363 二郎庙北殿 …… 1026
50-B-a364 埝堆玉皇庙 …… 1026
50-B-a365 宋村永兴寺 …… 1027
50-B-a366 崔家河墓群 …… 1027
50-B-a367 大洋泰山庙 …… 1027
50-B-a368 东下冯遗址 …… 1027
50-B-a369 墙下关帝庙 …… 1027
50-B-a370 上冯圣母庙 …… 1027
50-B-a371 司马光墓 ……… 1027
50-B-a372 西阴村遗址 …… 1028
50-B-a373 夏县文庙大成殿…………………… 1028
50-B-a374 薛嵩墓 ………… 1028
50-B-a375 禹王城遗址 …… 1028
50-B-a376 黄河栈道遗址 … 1028
50-B-a377 下阳城遗址 …… 1028
50-B-a378 虞坂古盐道 …… 1028
50-B-a379 虞国古城遗址 … 1029
50-B-a380 东庄遗址 ……… 1029
50-B-a381 古魏城遗址 …… 1029
50-B-a382 广仁王庙 ……… 1029
50-B-a383 金胜庄遗址 …… 1029
50-B-a384 匼河遗址 ……… 1029
50-B-a385 坡头遗址 ……… 1030
50-B-a386 清凉寺 ………… 1030
50-B-a387 芮城城隍庙 …… 1030
50-B-a388 西侯度遗址 …… 1030
50-B-a389 西王村遗址 …… 1030
50-B-a390 巷口寿圣寺砖塔…………………… 1030
50-B-a391 永乐宫 ………… 1030
50-B-a392 东姚温牌坊 …… 1031
50-B-a393 董村戏台 ……… 1031
50-B-a394 解梁故城遗址 … 1031
50-B-a395 蒲津渡与蒲州故城遗址…………… 1031
50-B-a396 普救寺塔 ……… 1031
50-B-a397 栖岩寺塔林 …… 1031
50-B-a398 永济扁鹊庙 …… 1032
50-B-a399 永济万固寺 …… 1032
50-B-a400 古垛后土庙 …… 1032
50-B-a401 河津台头庙 …… 1032
50-B-a402 阮氏双碑楼 …… 1032
50-B-a403 山王墓地 ……… 1032
50-B-a404 玄帝庙 ………… 1032

忻州市……………………… 1033
50-B-a405 金洞寺 ………… 1033
50-B-a406 忻口战役遗址 … 1033
50-B-a407 定襄关王庙 …… 1033
50-B-a408 洪福寺 ………… 1033
50-B-a409 留晖洪福寺 …… 1033
50-B-a410 西河头地道战遗址……………… 1033
50-B-a411 阎锡山故 ……… 1033
50-B-a412 白求恩模范病室旧址……………… 1034
50-B-a413 佛光寺 ………… 1034
50-B-a414 广济寺大雄宝殿……………………… 1034
50-B-a415 金岗库村晋察冀军区司令部旧址…… 1034
50-B-a416 罗睺寺 ………… 1034
50-B-a417 南禅寺大殿 …… 1034
50-B-a418 南茹八路军总部旧址……………… 1034
50-B-a419 五台山建筑群（显通寺、碧山寺、塔院寺、菩萨顶）…………………… 1035
50-B-a420 五台山南山寺 … 1035
50-B-a421 五台山尊胜寺 … 1035
50-B-a422 徐向前故居 …… 1035
50-B-a423 延庆寺 ………… 1035
50-B-a424 阿育王塔 ……… 1036
50-B-a425 边靖楼 ………… 1036
50-B-a426 长城雁门关段 … 1036
50-B-a427 代县文庙 ……… 1036
50-B-a428 繁峙琉璃塔 …… 1036
50-B-a429 繁峙正觉寺大雄宝殿……………………… 1036
50-B-a430 公主寺 ………… 1037
50-B-a431 秘密寺 ………… 1037
50-B-a432 三圣寺 ………… 1037
50-B-a433 岩山寺 ………… 1037
50-B-a434 汾阳宫遗址 …… 1037
50-B-a435 静居寺石窟 …… 1037
50-B-a436 静乐文庙 ……… 1037
50-B-a437 崞阳文庙 ……… 1038
50-B-a438 阳武朱氏牌楼……………………… 1038
50-B-a439 原平惠济寺 …… 1038
50-B-a440 原平普济桥 …… 1038
临汾市……………………… 1038
50-B-a441 东羊后土庙 …… 1038
50-B-a442 牛王庙戏台 …… 1038
50-B-a443 铁佛寺 ………… 1038
50-B-a444 王曲东岳庙 …… 1039
50-B-a445 尧陵 …………… 1039
50-B-a446 大悲院 ………… 1039
50-B-a447 东许三清庙献殿……………………… 1039
50-B-a448 南林交龙泉寺 … 1039
50-B-a449 曲村—天马遗址……………………… 1039
50-B-a450 曲沃薛家大院 … 1040
50-B-a451 羊舌墓地 ……… 1040
50-B-a452 大河口遗址 …… 1040
50-B-a453 樊店关帝庙 …… 1040
50-B-a454 南撖东岳庙 …… 1040
50-B-a455 南梁古城遗址 … 1040
50-B-a456 乔泽庙戏台 …… 1041
50-B-a457 石四牌坊 ……… 1041
50-B-a458 木四牌坊 ……… 1041
50-B-a459 四圣宫 ………… 1041

50-B-a460 苇沟—北寿城遗址……………………… 1041
50-B-a461 丁村民宅 ……… 1041
50-B-a462 丁村遗址 ……… 1041
50-B-a463 汾城古建筑群 … 1042
50-B-a464 灵光寺琉璃塔 … 1042
50-B-a465 普净寺 ………… 1042
50-B-a466 陶寺北墓地 …… 1042
50-B-a467 陶寺遗址 ……… 1042
50-B-a468 襄陵文庙大成殿……………………… 1042
50-B-a469 广胜寺 ………… 1043
50-B-a470 洪洞关帝庙 …… 1043
50-B-a471 洪洞商山庙 …… 1043
50-B-a472 洪洞玉皇庙 …… 1043
50-B-a473 净石宫 ………… 1043
50-B-a474 热留关帝庙 …… 1044
50-B-a475 郎寨砖塔 ……… 1044
50-B-a476 麻衣寺砖塔 …… 1044
50-B-a477 小李村太岳行署旧址……………………… 1044
50-B-a478 老君洞 ………… 1044
50-B-a479 挂甲山摩崖造像……………………… 1044
50-B-a480 柿子滩遗址 …… 1044
50-B-a481 乡宁寿圣寺 …… 1045
50-B-a482 营里千佛洞石窟……………………… 1045
50-B-a483 七里脚千佛洞石窟……………………… 1045
50-B-a484 千佛庵 ………… 1045
50-B-a485 隰县鼓楼 ……… 1045
50-B-a486 永和文庙大成殿……………………… 1045
50-B-a487 柏山东岳庙 …… 1046
50-B-a488 师家沟古建筑群……………………… 1046
50-B-a489 侯马晋国遗址 … 1046
50-B-a490 霍州鼓楼 ……… 1046
50-B-a491 霍州观音庙 …… 1046
50-B-a492 霍州窑址 ……… 1046
50-B-a493 霍州州署大堂 … 1047
50-B-a494 祝圣寺 ………… 1047
50-B-a495 娲皇庙 ………… 1047

吕梁市……………………… 1047
50-B-a496 安国寺 ………… 1047
50-B-a497 马茂庄汉墓群 … 1047
50-B-a498 天贞观 ………… 1047
50-B-a499 上贤梵安寺塔 … 1048
50-B-a500 则天庙 ………… 1048
50-B-a501 卦山天宁寺 …… 1048
50-B-a502 交城玄中寺 …… 1048
50-B-a503 竖石佛摩崖造像 1049
50-B-a504 北坡中共中央晋绥分局旧址……………………… 1049
50-B-a505 碧村遗址 ……… 1049
50-B-a506 胡家沟砖塔 …… 1049
50-B-a507 晋绥边区政府及军区机关旧址……………………… 1049
50-B-a508 晋绥日报社旧址……………………… 1049
50-B-a509 临县陕甘宁晋绥联防军指挥部旧址………… 1050
50-B-a510 临县中央后委机关旧址……………………… 1050
50-B-a511 碛口古建筑群 … 1050
50-B-a512 善庆寺 ………… 1050
50-B-a513 义居寺 ………… 1051
50-B-a514 香严寺 ………… 1051
50-B-a515 玉虚宫下院 …… 1051
50-B-a516 后土圣母庙 …… 1051
50-B-a517 兴东垣东岳庙 … 1051
50-B-a518 大武鼓楼 ……… 1052
50-B-a519 南村城址 ……… 1052
50-B-a520 于成龙故居 …… 1052
50-B-a521 山神峪千佛洞石窟……………………… 1052
50-B-a522 孝义慈胜寺 …… 1052
50-B-a523 孝义三皇庙 …… 1052
50-B-a524 孝义天齐庙 …… 1053
50-B-a525 中阳楼 ………… 1053
50-B-a526 柏草坡龙天土地庙……………………… 1053
50-B-a527 东龙观墓群 …… 1053
50-B-a528 汾阳关帝庙 …… 1054
50-B-a529 汾阳后土圣母庙……………………… 1054
50-B-a530 汾阳五岳庙 …… 1054
51-B-a531 太符观 ………… 1054
50-B-a532 文峰塔 ………… 1055
50-B-a533 杏花村汾酒作坊……………………… 1055
50-B-a534 峪口圣母庙 …… 1055

山西省级文物保护单位

太原市……………………… 1055
50-B-b001 延圣寺 ………… 1055
50-B-b002 晋恭王墓 ……… 1055
50-B-b003 西蒲甘露寺 …… 1055
50-B-b004 东太堡遗址 …… 1056
50-B-b005 孟家井瓷窑遗址 1056
50-B-b006 太原文瀛湖辛亥革命活动旧址（革命烈士纪念塔并入）……………… 1056
50-B-b007 赵树理旧居 …… 1056
50-B-b008 山西省立川至医学专科学校旧址……………… 1056
50-B-b009 山西国民师范革命活动旧址……………………… 1056
50-B-b010 山西机器局旧址……………………… 1057
50-B-b011 阎氏家宅 ……… 1057
50-B-b012 山西私立进山学校图书馆旧址……………… 1057
50-B-b013 东街村秦氏民宅（东街村秦氏民宅）……… 1057
50-B-b014 古城营九龙庙 … 1058
50-B-b015 严香寺 ………… 1058
50-B-b016 清徐香岩寺 …… 1058
50-B-b017 清泉寺 ………… 1058
50-B-b018 文殊塔 ………… 1058
50-B-b019 徐沟城隍庙与文庙……………………… 1059
50-B-b020 宝梵寺 ………… 1059
50-B-b021 大常寿宁寺 …… 1059
50-B-b022 南高庄城址 …… 1059
50-B-b023 明泰大师塔 …… 1060
50-B-b024 中共阳曲县委员会旧址……………………… 1060
50-B-b025 石岭关城址 …… 1060
50-B-b026 山城峁遗址 …… 1060
50-B-b027 罗家曲观音寺 … 1060
50-B-b028 晋绥边区八专署旧址……………………… 1060

大同市……………………… 1061
50-B-b029 万泉庄遗址 …… 1061
50-B-b030 宣宁顾城遗址 … 1061
50-B-b031 北宋庄龙母寺 … 1061
50-B-b032 赵彦庄龙王庙 … 1061
50-B-b033 破鲁堡宁静寺 … 1061
50-B-b034 许从墓 ………… 1062

50-B-b035 大同古城墙 …… 1062
50-B-b036 法华寺塔 ……… 1062
50-B-b037 玄真观 ………… 1062
50-B-b038 大同开化寺 …… 1062
50-B-b039 朝阳宫 ………… 1062
50-B-b040 纯阳宫 ………… 1063
50-B-b041 清真大寺 ……… 1063
50-B-b042 十字大街五龙壁……………………… 1063
50-B-b043 大同文庙 ……… 1063
50-B-b044 首善医院旧址 … 1063
50-B-b045 大同展览馆 …… 1063
50-B-b046 赵承绶旧居 …… 1064
50-B-b047 李怀角 31 号民居…………………………… 1064
50-B-b048 大同和平解放谈判旧址………………………… 1064
50-B-b049 高山遗址 ……… 1064
50-B-b050 焦山寺石窟 …… 1064
50-B-b051 胡氏宅院 ……… 1065
50-B-b052 高店关帝庙 …… 1065
50-B-b053 晋华宫矿 ……… 1065
50-B-b054 西册田遗址 …… 1065
50-B-b055 吉家庄遗址 …… 1065
50-B-b056 辛寨龙王庙 …… 1065
50-B-b057 李汪涧遗址 …… 1066
50-B-b058 东水地城址 …… 1066
50-B-b059 陈庄墓群 ……… 1066
50-B-b060 青瓷窑遗址 …… 1066
50-B-b061 李峪遗址 ……… 1066
50-B-b062 西留龙王庙戏台………………………… 1066
50-B-b063 杨塔村砖塔 …… 1067
50-B-b064 阳高县署旧址 … 1067
50-B-b065 阳高东风高灌站……………………… 1067
50-B-b066 新平玉皇阁 …… 1067
50-B-b067 盘山石窟 ……… 1067
50-B-b068 洗马庄遗址 …… 1067
50-B-b069 洗马庄汉墓群 … 1068
50-B-b070 千福山汉墓群 … 1068
50-B-b071 直峪圣佛寺塔林………………………… 1068
50-B-b072 安坚寺 ………… 1068
50-B-b073 西蕉山古建筑群……………………… 1068
50-B-b074 翟疃三身寺 …… 1068
50-B-b075 殷家庄古民居 … 1068
50-B-b076 涧西古民居 …… 1069
50-B-b077 城新城隍庙 …… 1069
50-B-b078 枪头岭冶银遗址………………………… 1069
50-B-b079 赵武灵王墓位 … 1069
50-B-b080 白求恩特种外科医院旧址………………………… 1069
50-B-b081 刘庄“三一”惨案纪念地……………………… 1070
50-B-b082 灵丘故城遗址 … 1070
50-B-b083 八路军三五九旅旅部石矾旧址…………………… 1070
50-B-b084 古磁窑窑址 …… 1070
50-B-b085 界庄遗址 ……… 1070
50-B-b086 麻庄汉墓群 …… 1071
50-B-b087 恒山建筑群 …… 1071
50-B-b088 永兴北岳行宫 … 1071
50-B-b089 麻家大院 ……… 1071
50-B-b090 古城墓群 ……… 1071

阳泉市……………………… 1071
50-B-b091 石评梅祖居 …… 1071
50-B-b092 百团大战狮脑山战斗遗址………………………… 1072
50-B-b093 平坦垴古井及城墙遗址………………………… 1072
50-B-b094 石评梅故居 …… 1072
50-B-b095 承天寨军城遗址………………………… 1072
50-B-b096 上董寨寿圣寺 … 1072
50-B-b097 正太窄轨铁路桥及娘子关站…………………… 1073
50-B-b098 烈女祠 ………… 1073
50-B-b099 大铁钟 ………… 1073
50-B-b100 庄里龙天庙 …… 1073
50-B-b101 李庄藏山祠 …… 1073
50-B-b102 交口村大王庙 … 1073

长治市……………………… 1073
50-B-b103 壁头遗址 ……… 1073
50-B-b104 柏后神农庙 …… 1074
50-B-b105 小罗灵仙庙 …… 1074
50-B-b106 张村府君庙 …… 1074
51-B-b107 抗日五专署及刘伯承兵工厂旧址………… 1074
50-B-b108 八路军总部办事处故县旧址…………………… 1074
50-B-b109 捉马昭泽王庙 … 1074
50-B-b110 南垂府君庙 …… 1075
50-B-b111 关村静乐宫 …… 1075
50-B-b112 南垂村玉皇庙 … 1075
50-B-b113 西长井灵泽王庙………………………… 1075
50-B-b114 申家大院 ……… 1075
50-B-b115 八路军总政治部宣传部旧址…………………… 1076
50-B-b116 八义窑址 ……… 1076
50-B-b117 东泰山庙 ……… 1076
50-B-b118 南宋村秦氏民宅（含南宋高楼）……………… 1076
50-B-b119 长治县都城隍庙……………………… 1076
50-B-b120 赵村玉皇庙 …… 1076
50-B-b121 王坊三神庙 …… 1077
50-B-b122 辛庄三嵕庙 …… 1077
50-B-b123 北宋村玉皇庙 … 1077
50-B-b124 大峪关帝庙 …… 1077
50-B-b125 东呈古佛堂 …… 1077
50-B-b126 李坊洪福寺 …… 1078
50-B-b127 赵村观音庙 …… 1078
50-B-b128 横河玉皇庙 …… 1078
50-B-b129 上党战役指挥部北天河旧址…………………… 1078
50-B-b130 脑张遗址 ……… 1078
50-B-b131 崇福院 ………… 1078
50-B-b132 上村双桥 ……… 1078
50-B-b133 老爷山革命战斗遗址………………………… 1079
50-B-b134 抗大一分校北岗旧址………………………… 1079
50-B-b135 上党关遗址 …… 1079
50-B-b136 魏拯民烈士故居………………………… 1079
50-B-b137 上党战役前方医院旧址………………………… 1079
50-B-b138 长治航空俱乐部旧址………………………… 1079
50-B-b139 合室遗址 ……… 1080
50-B-b140 潞河古城及墓地………………………… 1080
50-B-b141 贾村玉皇庙 …… 1080
50-B-b142 辛安玉皇庙 …… 1080
50-B-b143 潞城县人民大礼堂旧址………………………… 1080
50-B-b144 八路军太南办事处台东情报站旧址………… 1081

50-B-b145 潞城县抗日民主政府旧址…………………………1081
50-B-b146 八路军军工部垂阳兵工厂旧址…………………1081
50-B-b147 东天贡玉皇庙 …1081
50-B-b148 郭家庄大禹庙 …1081
50-B-b149 贾村碧霞宫 ……1081
50-B-b150 翟店大禹庙 ……1082
50-B-b151 董天知烈士殉难处………………………1082
50-B-b152 神头岭战斗八路军三八六旅指挥所申家山村旧址…………………………1082
50-B-b153 太行区第四军分区及三十二团石梁旧址………1082
50-B-b154 石勒城遗址 ……1083
50-B-b155 仙堂山古建筑群……………………1083
50-B-b156 古韩镇古建筑群……………………1083
50-B-b157 常隆三嵕庙 ……1083
50-B-b158 上党战役指挥部大丰当旧址…………………1083
50-B-b159 中共襄垣县工委成立大会旧址………………1084
50-B-b160 太平周成王庙 …1084
50-B-b161 流渠观音庙 ……1084
50-B-b162 八路军三漳口会议旧址…………………………1084
50-B-b163 中共北方局宪政促进会旧址…………………1085
50-B-b164 中共襄垣县第一支部成立旧址……………………1085
50-B-b165 南社玉皇庙 ……1085
50-B-b166 虹梯关铭 ………1086
50-B-b167 实会龙王庙 ……1086
50-B-b168 王曲龙王庙 ……1086
50-B-b169 南峧唐王庙 ……1086
50-B-b170 东禅牛王楼 ……1086
50-B-b171 南五马卫公庙 …1086
50-B-b172 红旗渠源 ………1087
50-B-b173 李顺达旧居 ……1087
50-B-b174 路堡龙王庙 ……1087
50-B-b175 抗日三周年纪念塔……………………1087
50-B-b176 上党战役指挥部旧址…………………………1087
50-B-b177 冀南银行小寨旧址…………………………1088
50-B-b178 北流龙王庙 ……1088
50-B-b179 黎城文庙大成殿……………………1088
50-B-b180 平头安泽庙 ……1088
50-B-b181 西下庄佛爷庙…………………………1088
50-B-b182 三教三官关帝庙……………………1089
50-B-b183 望北三官庙 ……1089
50-B-b184 八路军一二九师随营学校正社旧址………………1089
50-B-b185 中共中央北方局高干会议北社旧址…………1089
50-B-b186 太行区第一届群英大会旧址…………………1090
50-B-b187 八路军一二九师整军会议乔家庄旧址…………1090
50-B-b188 冀南银行宽章旧址…………………………1090
50-B-b189 八路军总部及抗大总校霞庄旧址…………1091
50-B-b190 八路军总部河南村旧址…………………………1091
50-B-b191 太行造纸总厂旧址…………………………1091
50-B-b192 沙窟遗址 ………1092
50-B-b193 秦庄东岳庙 ……1092
50-B-b194 逢善天齐庙 ……1092
50-B-b195 辛村大禹庙 ……1092
50-B-b196 常行村民兵抗日窑洞战斗遗址………………1092
50-B-b197 东旺庄二仙真人庙……………………1092
50-B-b198 骞堡汤王庙 ……1093
50-B-b199 西归善大明寺 …1093
50-B-b200 四家池唐王庙 …1093
50-B-b201 郭家坨朱德路居……………………………1093
50-B-b202 长子古城址及墓地……………………………1093
50-B-b203 西旺墓群 ………1094
50-B-b204 团城唐王圣帝庙…1094
50-B-b205 北庄唐太宗神庙……………………………1094
50-B-b206 两水护国灵贶王庙……………………………1094
50-B-b207 崇瓦张三嵕庙 …1094
50-B-b208 南鲍村汤王庙 …1094
50-B-b209 柳树紫薇庙 ……1095
50-B-b210 青仁二仙庙 ……1095
50-B-b211 王郭三嵕庙 ……1095
50-B-b212 西上坊成汤王庙………………………1095
50-B-b213 岳阳广化寺 ……1095
50-B-b214 大南石村千佛寺………………………1096
50-B-b215 善村龙王庙 ……1096
50-B-b216 壁村三嵕庙 ……1096
50-B-b217 西南呈帝宝阁 …1096
50-B-b218 色头炎帝庙 ……1096
50-B-b219 石勒寨遗址 ……1096
50-B-b220 武乡玉贞观 ……1097
50-B-b221 八路军兵工厂蟠龙镇旧址…………………………1097
50-B-b222 北良侯村造像 …1097
50-B-b223 监漳应感庙 ……1097
50-B-b224 太行工业学校旧址…………………………1097
50-B-b225 八路军野战总政治部下合旧址……………………1097
50-B-b226 八路军一二九师司令部石板旧址……………1098
50-B-b227 日本人觉醒反战联盟东枣林旧址…………………1098
50-B-b228 中共中央北方局党校上北漳旧址……………1098
50-B-b229 八路军一二九师师部宋家庄旧址…………………1099
50-B-b230 八路军总部寨上旧址…………………………1099
50-B-b231 八路军白和煤矿旧址…………………………1099
50-B-b232 中共中央北方局妇女干部训练班旧址………1099
50-B-b233 鲁迅艺术学校下北漳旧址…………………1100
50-B-b234 长乐村战斗遗址…………………………1100
50-B-b235 阏舆古城及墓地…………………………1100
50-B-b236 仁胜洪济寺 ……1100
50-B-b237 八路军总部小东岭旧址…………………………1101
50-B-b238 《新华日报》（华北版）创刊地旧址……1101

50-B-b239 抗日阵亡将士纪念碑…………………………1101
50-B-b240 决死三纵队二十五、三十八团团部旧址…………1102
50-B-b241 太岳行署赵寨旧址…………………………1102
50-B-b242 中共太岳区党委阎寨旧址…………………………1102
50-B-b243 贾郭石窟 ………1102
50-B-b244 沁源县衙 ………1102
50-B-b245 汾孝战役祝捷大会旧址…………………………1102
50-B-b246 沁源围困战指挥部旧址…………………………1102

晋城市…………………………1103
50-B-b247 景德桥 …………1103
50-B-b248 景忠桥 …………1103
50-B-b249 晋冀鲁豫野战军十二纵队整军地旧址………1103
50-B-b250 东上地祇庙 ……1103
50-B-b251 下川遗址 ………1103
50-B-b252 八里坪遗址 ……1104
50-B-b253 石塔 ……………1104
50-B-b254 上阁龙岩寺 ……1104
50-B-b255 上木亭大庙…………………………1104
50-B-b256 中国抗日军政大学太岳分校旧址………………1104
50-B-b257 赵树理故居 ……1104
50-B-b258 东峪造像 ………1105
50-B-b259 下李庄二郎神庙…………………………1105
50-B-b260 嘉峰汤帝庙 ……1105
50-B-b261 武安惠济寺 ……1105
50-B-b262 武安关帝庙 ……1105
50-B-b263 屯城东岳庙 ……1105
50-B-b264 上伏大庙 ………1106
50-B-b265 中庄古建筑群 …1106
50-B-b266 上庄古建筑群 …1106
50-B-b267 潘沟关帝庙 ……1106
50-B-b268 杨继宗府第 ……1106
50-B-b269 南留成汤庙 ……1107
50-B-b270 封头汤帝庙拜亭…………………………1107
50-B-b271 羊泉汤帝庙 ……1107
50-B-b272 刘西府君祠 ……1107
50-B-b273 王曲成汤庙 ……1108
50-B-b274 中寨成汤庙 ……1108
50-B-b275 望川开明寺 ……1108
50-B-b276 屯城古建筑群 …1108
50-B-b277 孙文龙纪念馆 …1109
50-B-b278 南庙宫 …………1109
50-B-b279 千佛造像碑 ……1109
50-B-b280 白陉古道 ………1109
50-B-b281 德义先师庙 ……1110
50-B-b282 西尧村观音殿 …1110
50-B-b283 附城陵邑会馆旧址…………………………1110
50-B-b284 礼义会馆 ………1110
50-B-b285 杨村玉皇观 ……1110
50-B-b286 黄庄节孝牌坊 …1110
50-B-b287 积善村遇真观 …1110
50-B-b288 苏村唐太宗庙 …1110
50-B-b289 太和村天主教堂…………………………1111
50-B-b290 高都遗址 ………1111
50-B-b291 高都东岳庙 ……1111
50-B-b292 天井关 …………1111
50-B-b293 高都二仙庙 ……1111
50-B-b294 泽州汤帝庙 ……1111
50-B-b295 陟椒三教堂 ……1112
50-B-b296 大南社土地神祠…………………………1112
50-B-b297 西四义普觉寺 …1112
50-B-b298 高都玉皇庙 ……1112
50-B-b299 郭庄三清殿 ……1112
50-B-b300 马坪头天仙庙 …1113
50-B-b301 下麓汤帝庙 ……1113
50-B-b302 成庄汤帝庙 ……1113
50-B-b303 北村佛堂 ………1113
50-B-b304 紫金山大云院石窟…………………………1114
50-B-b305 金峰寺 …………1114
50-B-b306 团西炎帝庙………1114
50-B-b307 良户古建筑群 …1114
50-B-b308 千佛造像碑 ……1114
50-B-b309 长平之战遗址 …1114
50-B-b310 河西玉皇庙 ……1115
50-B-b311 西窑头姬氏民居…………………………1115
50-B-b312 古寨汤王庙 ……1115
50-B-b313 建北文庙 ………1115
50-B-b314 府底玉皇庙 ……1115
50-B-b315 邢村炎帝庙 ……1116
50-B-b316 米西显圣观 ……1116
50-B-b317 高平瑞云观 ……1116
50-B-b318 秦庄玉皇庙 ……1116
50-B-b319 南赵二仙庙 ……1116
50-B-b320 焦河东华观 ……1117
50-B-b321 王降洞真观 ……1117
50-B-b322 河西三嵕庙 ……1117
50-B-b323 双泉迎神馆 ……1117
50-B-b324 南杨贾氏民居 …1117
50-B-b325 高庙山石窟 ……1118

朔州市…………………………1118
50-B-b326 梵王寺墓群 ……1118
50-B-b327 马邑墓群 ………1118
50-B-b328 朔州古城墙 ……1118
50-B-b329 吉庄三大王庙 …1118
50-B-b330 张马营古城遗址 1118
50-B-b331 井坪南梁战国、秦汉墓群…………………………1119
50-B-b332 刘诏墓 …………1119
50-B-b333 沙彦珣墓 ………1119
50-B-b334 王家屏墓 ………1119
50-B-b335 繁峙古城遗址 …1119
50-B-b336 田蕙墓 …………1119
50-B-b337 花寨关帝庙 ……1119
50-B-b338 丁堡龙王庙 ……1120
50-B-b339 钗里五神庙 ……1120
50-B-b340 中陵古城遗址 …1120
50-B-b341 威远墓群 ………1120
50-B-b342 西口古道 ………1120
50-B-b343 马营河老爷庙戏台 1121
50-B-b344 中共右玉县委旧址 1121
50-B-b345 鹅毛口遗址 ……1121
50-B-b346 金沙滩墓群 ……1121
50-B-b347 丹阳王墓 ………1121
50-B-b348 清凉山华严寺砖塔…………………………1121

晋中市…………………………1121
50-B-b349 猫儿岭墓群 ……1121
50-B-b350 宣乘寺正殿 ……1122
50-B-b351 蒲池寿圣寺 ……1122
50-B-b352 永康东岳庙 ……1122
50-B-b353 高壁资圣寺 ……1122
50-B-b354 颉纥法宝寺 ……1122
50-B-b355 石塔 ……………1123
50-B-b356 庙岭山石窟 ……1123
50-B-b357 邓峪村石塔造像…………………………1123

50-B-b358 南村造像 ········ 1123
50-B-b359 郝北寿圣寺 ······ 1123
50-B-b360 连家庄文峰塔 ··· 1123
50-B-b361 下赤峪资福寺 ··· 1124
50-B-b362 马定夫烈士故居························· 1124
50-B-b363 八路军总部韩庄修械所旧址····················· 1124
50-B-b364 八路军后方医院河窊旧址··························· 1124
50-B-b365 左权将军殉难处························· 1125
50-B-b366 山庄新华日报社旧址··························· 1125
50-B-b367 南会八路军前方总部旧址··························· 1125
50-B-b368 晋冀鲁豫边区临时参议会旧址····················· 1125
50-B-b369 粟城寿圣寺 ······ 1125
50-B-b370 八路军兵工厂高峪旧址··························· 1126
50-B-b371 八路军兵工厂杨家庄旧址··························· 1126
50-B-b372 八路军一二九师野战卫生所旧址················· 1126
50-B-b373 八路军总部军事测绘室河北沟旧址············· 1126
50-B-b374 荣华寺 ··········· 1126
50-B-b375 石牌坊 ··········· 1127
50-B-b376 大佛头香山寺 ··· 1127
50-B-b377 邢村昭懿圣母庙························· 1127
50-B-b378 福严寺 ··········· 1127
50-B-b379 卧佛寺 ··········· 1127
50-B-b380 北界都梵乘寺 ··· 1128
50-B-b381 西大街村大庙大殿··························· 1128
50-B-b382 西峪惨案烈士纪念地························· 1128
50-B-b383 大寨展览馆旧址··························· 1128
50-B-b384 松罗院 ··········· 1128
50-B-b385 段王村罗汉寺 ··· 1128
50-B-b386 平舒崇福寺 ······ 1129
50-B-b387 圣母五龙行祠 ··· 1129
50-B-b388 冯家山关帝庙 ··· 1129
50-B-b389 纂木皇恩寺 ······ 1129
50-B-b390 武家村关帝庙 ··· 1130
50-B-b391 东郭义清微观 ··· 1130
50-B-b392 大落坡反偷袭战旧址··························· 1130
50-B-b393 灵嵩寺石窟 ······ 1130
50-B-b394 白燕遗址 ········ 1131
50-B-b395 太谷鼓楼 ········ 1131
50-B-b396 法安寺 ··········· 1131
50-B-b397 迁善庄寨址 ······ 1131
50-B-b398 太谷文庙 ········ 1132
50-B-b399 范村东阁 ········ 1132
50-B-b400 北田受奶奶庙 ··· 1132
50-B-b401 胡村狐爷庙 ······ 1132
50-B-b402 中咸阳圣果寺 ··· 1132
50-B-b403 李顺庭宅院 ······ 1133
50-B-b404 祁奚父子墓 ······ 1133
50-B-b405 聚全堂药铺旧址··························· 1133
50-B-b406 祁县文庙 ········ 1133
50-B-b407 荣仁堡址 ········ 1133
50-B-b408 谷恋真武庙 ······ 1133
50-B-b409 张北延寿寺 ······ 1134
50-B-b410 苗家堡关帝庙 ··· 1134
50-B-b411 王贤关帝庙 ······ 1134
50-B-b412 加乐茶壶庙 ······ 1134
50-B-b413 涧鏊真武庙 ······ 1134
50-B-b414 晋恒银号旧址 ··· 1134
50-B-b415 东大闫墓群 ······ 1135
50-B-b416 北常普音寺 ······ 1135
50-B-b417 东卜宜先师庙 ··· 1135
50-B-b418 杜村玉皇庙 ······ 1135
50-B-b419 梁村积福寺 ······ 1135
50-B-b420 庞庄普恩寺 ······ 1136
50-B-b421 赵壁子夏庙 ······ 1136
50-B-b422 七洞关帝庙 ······ 1136
50-B-b423 岳封五岳庙 ······ 1136
50-B-b424 梁官洪济寺 ······ 1136
50-B-b425 北长寿关岳庙 ··· 1136
50-B-b426 平遥鸣凤书院 ··· 1137
50-B-b427 西赵观音堂 ······ 1137
50-B-b428 梁奔前烈士墓及就义处旧址······················· 1137
50-B-b429 夏门古堡 ········ 1137
50-B-b430 郭有道墓 ········ 1138
50-B-b431 广济寺 ··········· 1138
50-B-b432 介休龙泉观 ······ 1138
50-B-b433 渠池楼云庵 ······ 1138
50-B-b434 龙头古龙寺 ······ 1138
50-B-b435 龙凤三明寺 ······ 1139
50-B-b436 洪山关帝庙 ······ 1139
50-B-b437 介休文庙 ········ 1139
50-B-b438 板峪三皇庙 ······ 1139
50-B-b439 师屯南弘济寺塔······························ 1140
50-B-b440 介休马王庙 ······ 1140
50-B-b441 介休关帝庙 ······ 1140
50-B-b442 西刘屯镇河楼 ··· 1140
50-B-b443 石屯环翠桥 ······ 1141
50-B-b444 龙凤凌空塔 ······ 1141

运城市··························· 1141
50-B-b445 西曲樊遗址 ······ 1141
50-B-b446 安邑古城遗址 ··· 1141
50-B-b447 张村墓葬群 ······ 1142
50-B-b448 侯村墓群 ········ 1142
50-B-b449 三官庙戏台 ······ 1142
50-B-b450 牛家院古盐道 ··· 1142
50-B-b451 河东书院藏书楼························· 1142
50-B-b452 解州文庙 ········ 1142
50-B-b453 河东盐务稽核分所························· 1142
50-B-b454 猗顿墓 ··········· 1143
50-B-b455 王卓墓 ··········· 1143
50-B-b456 陈茂墓 ··········· 1143
50-B-b457 薛道实墓 ········ 1143
50-B-b458 临晋文庙大成殿························· 1143
50-B-b459 东姚庄樊紫微碑楼··························· 1143
50-B-b460 城西人民舞台 ··· 1144
50-B-b461 荆村遗址 ········ 1144
50-B-b462 汾阴古城址及墓地··························· 1144
50-B-b463 薛怀吉家族墓地··························· 1144
50-B-b464 荣河吕祖庙戏台··························· 1144
50-B-b465 回坑遗址 ········ 1144
50-B-b466 裴氏墓群 ········ 1145
50-B-b467 裴行俭墓 ········ 1145
50-B-b468 伯里合不花墓 ··· 1145
50-B-b469 杨深秀墓 ········ 1145
50-B-b470 保宁寺塔 ········ 1145
50-B-b471 中共太岳三地委陈家庄旧址····················· 1145
50-B-b472 裴柏碑馆 ········ 1145

50-B-b473 闻喜文庙 ……… 1146
50-B-b474 大马古城址 …… 1146
50-B-b475 千金耙矿冶遗址………………………… 1146
50-B-b476 南白石遗址 …… 1146
50-B-b477 官庄墓地 ……… 1146
50-B-b478 酒务头墓群 …… 1146
50-B-b479 康村碑楼 ……… 1147
50-B-b480 岭东孙氏祠堂 … 1147
50-B-b481 李老庄玉帝庙 … 1147
50-B-b482 平陇城址 ……… 1147
50-B-b483 太杜后稷庙 …… 1147
50-B-b484 范家庄关帝庙 … 1148
50-B-b485 吴壁村后土庙 … 1148
50-B-b486 稷山县抗日民主政府旧址…………………… 1148
50-B-b487 八路军总部北阳城旧址………………………… 1148
50-B-b488 光村遗址 ……… 1149
50-B-b489 西尉遗址 ……… 1149
50-B-b490 马庄遗址 ……… 1149
50-B-b491 绛守居园池 …… 1149
50-B-b492 净梵寺大殿 …… 1149
50-B-b493 苏阳稷王庙 …… 1149
50-B-b494 大益成纺纱厂旧址………………………… 1149
50-B-b495 新绛天主教堂 … 1149
50-B-b496 东蔡村公所 …… 1150
50-B-b497 车厢城城址 …… 1150
50-B-b498 晋献公墓 ……… 1150
50-B-b499 晋文公墓 ……… 1150
50-B-b500 晋灵公墓 ……… 1150
50-B-b501 横水成汤庙 …… 1150
50-B-b502 居太遗址 ……… 1151
50-B-b503 北步康墓地 …… 1151
50-B-b504 睢村墓地 ……… 1151
50-B-b505 沸泉九龙庙 …… 1151
50-B-b506 韩庄净居寺 …… 1151
50-B-b507 龙庆院 ……… 1151
50-B-b508 横水探花府 …… 1152
50-B-b509 南海峪遗址 …… 1152
50-B-b510 北峪铜矿遗址 … 1152
50-B-b511 丰村遗址 ……… 1152
50-B-b512 上亳城址 ……… 1152
50-B-b513 北白鹅城隍庙 … 1152
50-B-b514 东型马纯阳观 … 1152
50-B-b515 同善同心会馆 … 1153
50-B-b516 第十八集团军北垛兵站旧址…………………… 1153
50-B-b517 裴介遗址 ……… 1153
50-B-b518 崔家河遗址 …… 1153
50-B-b519 夏县关帝庙 …… 1153
50-B-b520 河东特委革命活动旧址………………………… 1153
50-B-b521 嘉康杰烈士墓 … 1154
50-B-b522 苏村五虎庙正殿………………………… 1154
50-B-b523 赵家滑遗址 …… 1154
50-B-b524 前庄遗址 ……… 1154
50-B-b525 枣园村古墓群 … 1154
50-B-b526 寺头关帝庙 …… 1154
50-B-b527 下坪关帝庙 …… 1154
50-B-b528 平陆朱总司令路居………………………… 1155
50-B-b529 北横涧虞国墓地………………………… 1155
50-B-b530 冯家老宅 ……… 1155
50-B-b531 坑头墓地 ……… 1155
50-B-b532 东吕关帝庙 …… 1155
50-B-b533 礼教遗址 ……… 1155
50-B-b534 柴涧墓地 ……… 1155
50-B-b535 芮城文庙大成殿………………………… 1155
50-B-b536 景耀月故居 …… 1156
50-B-b537 石庄遗址 ……… 1156
50-B-b538 叔夷伯齐墓 …… 1156
50-B-b539 赵杏古墓群 …… 1156
50-B-b540 小朝村汉墓群 … 1156
50-B-b541 高市村汉墓群 … 1156
50-B-b542 杨博墓 ………… 1156
50-B-b543 韩楫墓 ………… 1157
50-B-b544 孟桐墓 ………… 1157
50-B-b545 杨瞻墓（包括墓地石刻）……………………… 1157
50-B-b546 赵睿冲墓 ……… 1157
50-B-b547 张允龄及其家族墓地………………………… 1157
50-B-b548 镇风塔 ………… 1158
50-B-b549 樊村戏台 ……… 1158
50-B-b550 真武庙 ………… 1158
50-B-b551 高禖庙 ………… 1158
50-B-b552 禹门口抗日纪念摩崖石刻………………………… 1158
50-B-b553 固镇瓷窑址 …… 1158
50-B-b554 老窑头瓷窑址 … 1158
忻州市………………………… 1159
50-B-b555 向阳遗址 ……… 1159
50-B-b556 连寺沟墓地 …… 1159
50-B-b557 元好问墓 ……… 1159
50-B-b558 九原冈墓群 …… 1159
50-B-b559 北城门楼 ……… 1159
50-B-b560 秀容书院 ……… 1159
50-B-b561 连寺沟泰山庙 … 1159
50-B-b562 西社遗址 ……… 1160
50-B-b563 白村遗址 ……… 1160
50-B-b564 白佛堂 ………… 1160
50-B-b565 迴凤砖塔 ……… 1160
50-B-b566 殊像寺 ………… 1160
50-B-b567 金阁寺 ………… 1160
50-B-b568 圆照寺 ………… 1161
50-B-b569 龙泉寺 ………… 1161
50-B-b570 槐荫两级小学 … 1161
50-B-b571 徐氏宗祠 ……… 1161
50-B-b572 东段景遗址 …… 1161
50-B-b573 晋王墓 ………… 1162
50-B-b574 赵杲观 ………… 1162
50-B-b575 杨忠武祠 ……… 1162
50-B-b576 永和堡等三十九堡军事防御遗迹……………… 1162
50-B-b577 洪济寺砖塔 …… 1162
50-B-b578 代县钟楼 ……… 1162
50-B-b579 洪福寺砖塔 …… 1162
50-B-b580 广武古城遗址 … 1163
50-B-b581 阳明堡羊舌祠 … 1163
50-B-b582 代县毛泽东路居………………………… 1163
50-B-b583 八路军夜袭阳明堡机场遗址……………………… 1164
50-B-b584 八路军雁门关伏击战遗址………………………… 1164
50-B-b585 作头天齐庙 …… 1164
50-B-b586 繁峙南关故城 … 1164
50-B-b587 中庄寨宝藏寺 … 1165
50-B-b588 东文殊寺大雄宝殿………………………… 1165
50-B-b589 山会洪福寺 …… 1165
50-B-b590 北关永泉寺 …… 1166
50-B-b591 宁化古城遗址 … 1166
50-B-b592 万佛寺 ………… 1166
50-B-b593 赵王城遗址 …… 1166
50-B-b594 百团大战康家会战斗遗址………………………… 1167
50-B-b595 五王城遗址 …… 1167

50-B-b596 武州城遗址 …… 1167
50-B-b597 北寺塔 ………… 1167
50-B-b598 岢岚毛主席路居馆 ……………………… 1167
50-B-b599 岢岚州故城 …… 1167
50-B-b600 太原卫星发射中心旧址 ………………………… 1168
50-B-b601 岱岳庙 ………… 1168
50-B-b602 海潮庵 ………… 1168
50-B-b603 北元护城楼 …… 1168
50-B-b604 林遮峪遗址 …… 1169
50-B-b605 保德故城关帝庙 ……………………… 1169
50-B-b606 吴城遗址 ……… 1169
50-B-b607 护宁寺 ………… 1169
50-B-b608 隆岗寺 ………… 1169
50-B-b609 土圣寺 ………… 1169
50-B-b610 佛堂寺 ………… 1170

临汾市 ………………………… 1170
50-B-b611 高堆遗址 ……… 1170
50-B-b612 金城堡遗址 …… 1170
50-B-b613 下靳遗址 ……… 1170
50-B-b614 仙洞沟碧岩寺 … 1170
50-B-b615 尧庙 …………… 1170
50-B-b616 里村西沟遗址 … 1171
50-B-b617 方城遗址 ……… 1171
50-B-b618 曲沃古城遗址 … 1171
50-B-b619 东许遗址 ……… 1171
50-B-b620 望绛墓地 ……… 1171
50-B-b621 四牌楼 ………… 1171
50-B-b622 感应寺塔 ……… 1172
50-B-b623 方城黄帝庙 …… 1172
50-B-b624 冶南冶炼遗址 … 1172
50-B-b625 南石遗址 ……… 1172
50-B-b626 枣园一南撤遗址 ……………………… 1172
50-B-b627 河云遗址 ……… 1173
50-B-b628 中贺水泰岱庙 … 1173
50-B-b629 裕公和尚道行碑 ……………………… 1173
50-B-b630 感军遗址 ……… 1173
50-B-b631 上韩遗址 ……… 1173
50-B-b632 东午寄普润院 … 1174
50-B-b633 西阎汤王庙 …… 1174
50-B-b634 高家洼千佛窟塔 ……………………… 1174
50-B-b635 城南村老君庙 … 1174
50-B-b636 沙女遗址 ……… 1174
50-B-b637 寺头遗址 ……… 1174
50-B-b638 南大柴遗址 …… 1175
50-B-b639 赵康古城遗址 … 1175
50-B-b640 大张遗址 ……… 1175
50-B-b641 晋襄公墓 ……… 1175
50-B-b642 关帝楼 ………… 1175
50-B-b643 赵曲文庙大成殿 ……………………… 1175
50-B-b644 北焦彭东岳庙大殿 ………………………… 1175
50-B-b645 仓头伯王庙 …… 1176
50-B-b646 敬村观音庙 …… 1176
50-B-b647 西徐三教庙 …… 1176
50-B-b648 侯村遗址 ……… 1176
50-B-b649 上村遗址 ……… 1176
50-B-b650 坊堆遗址 ……… 1176
50-B-b651 永凝堡遗址 …… 1177
50-B-b652 师村遗址 ……… 1177
50-B-b653 上张遗址 ……… 1177
50-B-b654 女娲陵 ………… 1177
50-B-b655 泰云寺 ………… 1177
50-B-b656 碧霞圣母宫 …… 1177
50-B-b657 明代监狱 ……… 1177
50-B-b658 马牧华严寺 …… 1178
50-B-b659 北马驹三结义庙 ……………………… 1178
50-B-b660 明代移民遗址 … 1178
50-B-b661 北铁沟三结义庙 ……………………… 1178
50-B-b662 早觉二郎庙 …… 1178
50-B-b663 韩侯东岳庙 …… 1178
50-B-b664 师庄东岳庙 …… 1179
50-B-b665 王绪东岳庙 …… 1179
50-B-b666 伏珠弥勒寺 …… 1179
50-B-b667 谯园藏书楼（张瑞玑旧居）…………… 1179
50-B-b668 八路军总部马牧旧址 ………………………… 1179
50-B-b669 太岳区第一军分区贾寨旧址 …………………… 1180
50-B-b670 太岳军区司令部桑曲旧址 ………………………… 1180
50-B-b671 海东摩崖造像 … 1180
50-B-b672 上寨摩崖造像 … 1180
50-B-b673 桥北遗址 ……… 1180
50-B-b674 文庙大成殿 …… 1181
50-B-b675 清微观 ………… 1181
50-B-b676 义尖－安坪遗址 ………………………… 1181
50-B-b677 狄城遗址 ……… 1181
50-B-b678 大墓塬墓地 …… 1181
50-B-b679 克难坡 ………… 1181
50-B-b680 坤柔圣母庙 …… 1181
50-B-b681 芝麻滩遗址 …… 1182
50-B-b682 翠微山遗址 …… 1182
50-B-b683 古城村遗址 …… 1182
50-B-b684 决死二纵队司令部义泉村旧址 ………………… 1182
50-B-b685 均庄遗址 ……… 1182
50-B-b686 楼山古建筑群 … 1183
50-B-b687 上退干毛泽东路居 ………………………… 1183
50-B-b688 薛关遗址 ……… 1183
50-B-b689 腰东汉墓群 …… 1183
50-B-b690 蒲县真武祠 …… 1183
50-B-b691 真武祠 ………… 1184
50-B-b692 追封吉天英碑 … 1184
50-B-b693 李安庄观音阁 … 1184
50-B-b694 下团柏九天圣母庙 ……………………… 1184
50-B-b695 汾西抗日游击支队地下党活动旧址 …………… 1184
50-B-b696 南堡通济桥 …… 1185
50-B-b697 西台神台骀庙 … 1185
50-B-b698 彭真故居 ……… 1185
50-B-b699 西城唐太宗庙 … 1185
50-B-b700 韩壁遗址 ……… 1185
50-B-b701 大张遗址 ……… 1185
50-B-b702 柏木川遗址 …… 1185
50-B-b703 西张圣王庙 …… 1186
50-B-b704 王庄三教庙 …… 1186
50-B-b705 陈村玉皇庙 …… 1186
50-B-b706 下乐坪关帝庙 … 1186

吕梁市 ………………………… 1186
50-B-b707 离石文庙 ……… 1186
50-B-b708 晋绥军区高级军事会议高家沟旧址 …………… 1186
50-B-b709 离石烈士楼 …… 1187
50-B-b710 战地总动员委员会旧址 ………………………… 1187
50-B-b711 上贤遗址 ……… 1187
50-B-b712 开栅能仁寺 …… 1187
50-B-b713 麻家堡关帝庙 … 1188
50-B-b714 石永市楼 ……… 1188

50-B-b715 瓦窑遗址 ········ 1188
50-B-b716 古瓷窑址 ········ 1188
50-B-b717 永福寺 ··········· 1188
50-B-b718 交城广生院 ······ 1189
50-B-b719 交城弥陀寺 ······ 1189
50-B-b720 梁家庄狐侯祠 ··· 1189
50-B-b721 “四八”烈士
殉难处························ 1189
50-B-b722 晋绥边区政府及
军区机关旧址················ 1189
50-B-b723 乌突戌古城
遗址···························· 1190
50-B-b724 中共中央西北局
旧址···························· 1190
50-B-b725 前曲峪李鼎铭
旧居···························· 1190
50-B-b726 宿皇寺 ··········· 1190
50-B-b727 晋绥军区第一野战
医院前青塘旧址·············· 1191
50-B-b728 八路军一二〇师
指挥部曜头旧址·············· 1191
50-B-b729 八路军一二〇师
医务干部训练队故县旧址··· 1191
50-B-b730 坪上遗址 ········ 1191
50-B-b731 高红遗址 ········ 1191
50-B-b732 南山寺 ··········· 1192
50-B-b733 柳林双塔寺 ······ 1192
50-B-b734 观音庙 ··········· 1192
50-B-b735 刘志丹将军
殉难处························ 1192
50-B-b736 离石县抗日民主政府
旧址···························· 1192
50-B-b737 贺昌故居 ········ 1193
50-B-b738 柳溪寺舍利塔 ··· 1193
50-B-b739 仁泉寺 ··········· 1193
50-B-b740 下洼城址 ········ 1193
50-B-b741 秀容古城遗址 ··· 1193
50-B-b742 隋城遗址 ········ 1194
50-B-b743 岚城八路军一二〇师
司令部旧址··················· 1194
50-B-b744 于成龙故居及
墓地···························· 1194
50-B-b745 贺龙中学 ········ 1194
50-B-b746 离东县抗日民主政府
旧址···························· 1194
50-B-b747 张叔平烈士
故居···························· 1195
50-B-b748 柏洼山龙泉观 ··· 1195
50-B-b749 山西枪弹厂
旧址···························· 1196
50-B-b750 韩极石牌坊及
韩极碑························ 1196
50-B-b751 红军东征总指挥部
旧址···························· 1196
50-B-b752 西庄民居古建筑群 1196
50-B-b753 交口红军东征革命
遗址···························· 1197
50-B-b754 临黄塔 ··········· 1197
50-B-b755 寂照寺 ··········· 1197
50-B-b756 小垣西庙 ········ 1197
50-B-b757 杏花村遗址 ······ 1197
50-B-b758 峪道河遗址 ······ 1198
50-B-b759 北垣底遗址 ······ 1198
50-B-b760 狄青墓 ··········· 1198
50-B-b761 法云寺 ··········· 1198
50-B-b762 堡城寺龙王庙 ··· 1198
50-B-b763 虞城五岳庙 ······ 1198
50-B-b764 齐圣广佑王庙 ··· 1198
50-B-b765 报恩寺 ··········· 1199
50-B-b766 禅定寺 ··········· 1199
50-B-b767 汾阳铭义中学 ··· 1199
50-B-b768 巩村古城址 ······ 1199
50-B-b769 演武寿圣寺 ······ 1199
50-B-b770 石家庄龙天庙 ··· 1199
50-B-b771 蔚光年宅院 ······ 1200
50-B-b772 后沟玲珑塔 ······ 1200
50-B-b773 岈峪东岳庙 ······ 1200
50-B-b774 刘家堡关帝庙 ··· 1200
50-B-b775 汾阳南薰楼 ······ 1200
50-B-b776 药师七佛
多宝塔························ 1200
50-B-b777 东石龙天庙 ······ 1201
50-B-b778 南赵郡佛殿 ······ 1201
50-B-b779 汾阳教会医院
旧址···························· 1201

风景名胜区

5A 级景区 ························ 1201
50-C-a001 云冈石窟景区 ··· 1201
50-C-a002 太行山八泉峡
景区···························· 1201
50-C-a003 皇城相府 ········ 1202
50-C-a004 平遥古城景区 ··· 1202
50-C-a005 绵山景区 ········ 1202
50-C-a006 五台山风景区 ··· 1202
50-C-a007 代县雁门关
风景区························ 1202
50-C-a008 洪洞大槐树寻根
祭祖园························ 1203
50-C-a009 云丘山景区 ······ 1203

4A 级景区 ························ 1203
太原市····························· 1203
50-C-a010 东湖醋园 ········ 1203
50-C-a011 太原动物园 ······ 1203
50-C-a012 太原汾河公园
景区···························· 1204
50-C-a013 太原森林公园 ··· 1204
50-C-a014 中国煤炭
博物馆························ 1204
50-C-a015 晋祠旅游区 ······ 1204
50-C-a016 蒙山大佛景区 ··· 1204
50-C-a017 清徐宝源
老醋坊························ 1205
50-C-a018 六味斋云梦坞 ··· 1205
50-C-a019 紫林醋文化
产业园························ 1205

大同市····························· 1205
50-C-a020 大同城墙景区 ··· 1205
50-C-a021 大同善化寺景区 1205
50-C-a022 大同方特欢乐世界
景区···························· 1206
50-C-a023 大同魏都水世界
景区···························· 1206
50-C-a024 大同华严寺 ······ 1206
50-C-a025 晋华宫矿井下游
景区···························· 1206
50-C-a026 浑源恒山景区 ··· 1206

阳泉市····························· 1207
50-C-a027 桃林沟景区 ······ 1207
50-C-a028 阳泉翠枫山自然
风景区························ 1207
50-C-a029 盂县大汖温泉
度假村························ 1207
50-C-a030 盂县藏山景区 ··· 1207
50-C-a031 平定娘子关
景区···························· 1208

长治市····························· 1208
50-C-a032 长治振兴小镇
景区···························· 1208
50-C-a033 襄垣县仙堂山 ··· 1208

50-C-a034 平顺县太行水乡风景区………… 1208
50-C-a035 平顺县天脊山风景区………… 1208
50-C-a036 平顺县通天峡 … 1209
50-C-a037 黎城县黄崖洞景区………… 1209
50-C-a038 洗耳河景区 …… 1209
50-C-a039 壶关欢乐太行谷景区………… 1209
50-C-a040 太行山大峡谷景区………… 1209
50-C-a041 八路军太行纪念馆………… 1210
50-C-a042 武乡八路军文化园………… 1210
50-C-a043 武乡太行龙洞 … 1210

晋城市………… 1210
50-C-a044 沁水历山景区 … 1210
50-C-a045 沁水柳氏民居景区………… 1211
50-C-a046 阳城蟒河景区………… 1211
50-C-a047 阳城县天官王府………… 1211
50-C-a048 阳城郭峪古城 … 1211
50-C-a049 阳城湘峪古堡景区………… 1212
50-C-a050 王莽岭景区 …… 1212
50-C-a051 泽州大阳古镇景区………… 1212
50-C-a052 泽州珏山景区………… 1212
50-C-a053 高平炎帝陵景区………… 1213

朔州市………… 1213
50-C-a054 朔州崇福寺景区………… 1213
50-C-a055 应县木塔景区 … 1213
50-C-a056 右玉县生态旅游区………… 1213
50-C-a057 怀仁市金沙滩景区………… 1214

晋中市………… 1214
50-C-a058 晋中市榆次老城景区………… 1214
50-C-a059 乌金山国家森林公园………… 1214
50-C-a060 榆次常家庄园 … 1214
50-C-a061 九龙国际文化生态园………… 1215
50-C-a062 后沟古村 ……… 1215
50-C-a063 昭馀古城茶商文化旅游景区………… 1215
50-C-a064 麻田八路军总部纪念馆………… 1215
50-C-a065 左权县太行龙泉风景区………… 1216
50-C-a066 昔阳县大寨景区………… 1216
50-C-a067 平遥双林寺彩塑艺术馆………… 1216
50-C-a068 平遥县镇国寺 … 1216
50-C-a069 灵石石膏山风景名胜区………… 1216
50-C-a070 灵石王家大院旅游景区………… 1217
50-C-a071 灵石县红崖峡谷………… 1217
50-C-a072 介休市张壁古堡………… 1217

运城市………… 1217
50-C-a073 解州关帝庙旅游区………… 1217
50-C-a074 舜帝陵景区 …… 1218
50-C-a075 盐湖景区 ……… 1218
50-C-a076 万荣李家大院 … 1218
50-C-a077 垣曲历山景区 … 1218
50-C-a078 芮城县永乐宫旅游区………… 1219
50-C-a079 运城大禹渡黄河景区………… 1219
50-C-a080 圣天湖 ………… 1219
50-C-a081 夏县司马光祠 … 1219
50-C-a082 永济鹳雀楼景区………… 1220
50-C-a083 永济普救寺旅游区………… 1220
50-C-a084 永济市神潭大峡谷景区………… 1220
50-C-a085 永济五老峰风景名胜区………… 1220

忻州市………… 1221
50-C-a086 忻府区云中河景区………… 1221
50-C-a087 忻州市忻府区禹王洞旅游景区………… 1221
50-C-a088 忻府区忻州古城………… 1221
50-C-a089 定襄河边民俗馆………… 1221
50-C-a090 忻州滹源景区 … 1222
50-C-a091 芦芽山景区 …… 1222
50-C-a092 宁武汾河源头景区………… 1222
50-C-a093 宁武万年冰洞 … 1222
50-C-a094 原平天涯山景区………… 1223
50-C-a095 偏关县老牛湾景区………… 1223
50-C-a096 静乐县天柱山 … 1223

临汾市………… 1223
50-C-a097 临汾市汾河公园………… 1223
50-C-a098 尧庙－华门旅游区………… 1224
50-C-a099 曲沃晋园景区 … 1224
50-C-a100 曲沃晋国博物馆………… 1224
50-C-a101 霍太山（广胜）风景名胜区………… 1224
50-C-a102 古县牡丹文化旅游区………… 1224
50-C-a103 吉县黄河壶口瀑布旅游区………… 1225
50-C-a104 临汾人祖山景区………… 1225
50-C-a105 隰县小西天 …… 1225
50-C-a106 隰县中国梨博园景区………… 1225
50-C-a107 蒲县东岳庙景区………… 1226
50-C-a108 侯马彭真故居景区………… 1226
50-C-a109 襄汾龙澍峪景区………… 1226

吕梁市…………………………… 1226
50-C-a110 交城县卦山景区…………………………… 1226
50-C-a111 交城玄中寺景区…………………………… 1227
50-C-a112 孝义市金龙山风景区………………………… 1227
50-C-a113 孝义市三皇庙………………………… 1227
50-C-a114 孝义市胜溪湖森林公园…………………………… 1227
50-C-a115 山西孝河国家湿地公园…………………………… 1228
50-C-a116 汾阳汾酒文化景区…………………………… 1228
50-C-a117 汾阳市贾家庄文化生态旅游区………………… 1228
50-C-a118 方山县北武当山风景名胜区………………… 1228

自然保护区…………………… 1228
国家级…………………………… 1228
50-E-a001 庞泉沟国家级自然保护区………………… 1228
50-E-a002 历山国家级自然保护区……………………… 1229
50-E-a003 五鹿山国家级自然保护区……………………… 1229
50-E-a004 芦芽山国家级自然保护区……………………… 1229
50-E-a005 山西阳城蟒河猕猴国家级自然保护区………… 1229
50-E-a006 黑茶山国家级自然保护区……………………… 1229
50-E-a007 灵空山国家级自然保护区……………………… 1230
50-E-a008 太宽河国家级自然保护区……………………… 1230

省级…………………………… 1230
50-E-b001 山西省天龙山自然保护区……………………… 1230
50-E-b002 山西省凌井沟自然保护区……………………… 1230
50-E-b003 山西省云顶山自然保护区……………………… 1230
50-E-b004 山西省汾河上游自然保护区……………………… 1231
50-E-b005 山西省运城湿地自然保护区……………………… 1231
50-E-b006 山西省涑水河源头自然保护区………………… 1231
50-E-b007 山西省恒山自然保护区……………………… 1231
50-E-b008 山西省灵丘黑鹳自然保护区……………………… 1231
50-E-b009 山西省六棱山自然保护区……………………… 1231
51-E-b010 山西壶流河湿地保护区……………………… 1231
50-E-b011 山西省应县南山自然保护区……………………… 1232
50-E-b012 山西省药林寺冠山自然保护区………………… 1232
50-E-b013 山西省朔州紫金山自然保护区………………… 1232
50-E-b014 山西省桑干河自然保护区……………………… 1232
50-E-b015 山西省南方红豆杉自然保护区………………… 1232
50-E-b016 山西省泽州猕猴自然保护区……………………… 1232
50-E-b017 山西省崦山自然保护区……………………… 1233
50-E-b018 山西省绵山自然保护区……………………… 1233
50-E-b019 山西省铁桥山自然保护区……………………… 1233
50-E-b020 山西省四县垴自然保护区……………………… 1233
50-E-b021 山西省超山自然保护区……………………… 1233
50-E-b022 山西省孟信垴自然保护区……………………… 1233
51-E-b023 山西省韩信岭自然保护区……………………… 1234
52-E-b024 山西省八缚岭自然保护区……………………… 1234
50-E-b025 山西省人祖山自然保护区……………………… 1234
50-E-b026 山西省管头山自然保护区……………………… 1234
50-E-b027 山西省红泥寺自然保护区……………………… 1234
50-E-b028 山西省翼城翅果油树自然保护区………………… 1234
50-E-b029 山西省霍山自然保护区……………………… 1234
50-E-b030 山西省中央山自然保护区……………………… 1235
50-E-b031 山西省浊漳河源头自然保护区………………… 1235
50-E-b032 山西省云中山自然保护区……………………… 1235
50-E-b033 山西省贺家山自然保护区……………………… 1235
50-E-b034 山西省臭冷杉自然保护区……………………… 1235
50-E-b035 山西五台山草地自然保护区………………… 1235
50-E-b036 山西省团园山自然保护区……………………… 1235
50-E-b037 山西省蔚汾河自然保护区……………………… 1236
51-E-b038 山西省薛公岭自然保护区……………………… 1236

第六编　农业和水利设施

60-A001 山西省农业综合开发示范区史村基地…………… 1238
60-A002 晋之源曲村万亩现代农业示范区…………………… 1238
60-A003 果树场 …………… 1238
60-B001 朔州红旗牧场 …… 1238
60-B002 中阳县牧场 ……… 1238
60-C001 阳曲县国营西山林场………………………… 1238
60-C002 阳曲县国营东山林场………………………… 1238
60-C003 大同市窑山矿柱林场………………………… 1239
60-C004 山西省桑干河杨树丰产林实验局…………… 1239
60-C005 大同市十里河林场………………………… 1239
60-C006 浑源县恒山林场 … 1239
60-C007 山西太行山国有林管理局乌河林场………… 1239
60-C008 马泉林场 ………… 1239
60-C009 北坛林场 ………… 1239
60-C010 端氏林场 ………… 1239
60-C011 大尖山林场 ……… 1239
60-C012 固县林场 ………… 1240
60-C013 塔沟林场 ………… 1240

60-C014 朔城区莲花山林场…………………………1240
60-C015 朔州市平鲁区井坪梁林场…………………………1240
60-C016 金沙滩林场 ………1240
60-C017 榆次区国营乌金山林场…………………………1240
60-C018 榆社县国营林场 … 1240
60-C019 山西省太行山国有林管理局石源林场……………1240
60-C020 王景林场 …………1241
60-C021 昔阳县东风林场 … 1241
60-C022 罕山林场 …………1241
60-C023 石膏山林场 ………1241
60-C024 介庙林场 …………1241
60-C025 绵山林场 …………1241
60-C026 山西省中条山国有林管理局石门林场……………1241
60-C027 陈村国有林场 ……1241
60-C028 烟庄县营林场 ……1242
60-C029 泗交林场 …………1242
60-C030 祁家河林场 ………1242
60-C031 平陆县国营林场 … 1242
60-C032 忻州市忻府区国营云中山林场…………………1242
60-C033 五台山林场 ………1242
60-C034 门限石林场 ………1242
60-C035 茹村林场 …………1242
60-C036 秋千沟林场 ………1242
60-C037 接官亭林场 ………1242
60-C038 大石洞林场 ………1243
60-C039 河底林场 …………1243
60-C040 兴唐寺林场 ………1243
60-C041 山西省太岳山国有林管理局七里峪林场…………1243
60-C042 安泽县兰村国营林场…………………………1243
60-C043 安泽县国营良马林场…………………………1243
60-C044 中条山林局山交林场…………………………1243
60-C045 屯里林场 …………1243
60-C046 吉县国营红旗林场…………………………1243
60-C047 乡宁县石景山林场…………………………1243
60-C048 管头林场 …………1244
60-C049 台头林场 …………1244
60-C050 山西省吕梁林局克城林场…………………………1244
60-C051 蒲县国营林场 ……1244
60-C052 文峪河林场 ………1244
60-C053 交城县国营石壁林场…………………………1244
60-C054 恶虎滩林场 ………1244
60-C055 东山林场 …………1244
60-C056 中阳县林场 ………1244
60-C057 张子山乡林场 ……1244
60-C058 枝柯林场 …………1245
60-C059 车鸣峪林场 ………1245
60-C060 关上林场 …………1245
60-C061 汾阳市向阳林场 … 1245
60-E001 汾河二坝拦河闸 … 1245
60-E002 姚温电灌站 ………1245
60-E003 城西控导工程 ……1245
60-E004 尊村引黄工程二级站…………………………1245
60-E005 尊村引黄渠首一级站…………………………1245
60-E006 小樊扬水站 ………1246
60-E007 舜帝控导工程 ……1246
60-E008 禹门口工程 ………1246
60-E009 清涧湾工程 ………1246
60-E010 清涧湾调弯工程……1246
60-E011 汾河口工程 ………1246
60-F001 汾河二库 …………1246
60-F002 汾河水库 …………1246
60-F003 赵家窑水库 ………1247
60-F004 册田水库 …………1247
60-F005 屯绛水库 …………1247
60-F006 漳泽水库 …………1247
60-F007 陶清河水库 ………1247
60-F008 后湾水库 …………1247
60-F009 申村水库 …………1247
60-F010 关河水库 …………1247
60-F011 张峰水库 …………1247
60-F012 任庄水库 …………1248
60-F013 东榆林水库 ………1248
60-F014 镇子梁水库 ………1248
60-F015 云竹水库 …………1248
60-F016 石匣水库 …………1248
60-F017 秦山水库 …………1248
60-F018 松塔水库 …………1248
60-F019 郭堡水库 …………1248
60-F020 子洪水库 …………1248
60-F021 小浪底水库 ………1248
60-F022 上马水库 …………1249
60-F023 三门峡水库 ………1249
60-F024 万家寨水利枢纽水库…………………………1249
60-F025 涝河水库 …………1249
60-F026 洰河水库 …………1249
60-F027 浍河水库 …………1249
60-F028 小河口水库 ………1249
60-F029 七一水库 …………1249
60-F030 曲亭水库 …………1249
60-F031 文峪河水库 ………1250
60-F032 横泉水库 …………1250
60-F033 张家庄水库 ………1250
60-F034 晋祠灌区 …………1250
60-F035 王千庄灌区 ………1250
60-F036 黄黑水河灌区 ……1250
60-F037 神溪灌区 …………1250
60-F038 十里河灌区 ………1250
60-F039 御河灌区 …………1250
60-F040 桑干河灌区 ………1251
60-F041 郭堡灌区 …………1251
60-F042 潇河灌区 …………1251
60-F043 汾河灌区 …………1251
60-F044 昌源河灌区 ………1251
60-F045 三坝灌区 …………1251
60-F046 洪山灌区 …………1251
60-F047 鼓水灌区 …………1252
60-F048 阳武河灌区 ………1252
60-F049 滹沱河灌区 ………1252
60-F050 浍河灌区 …………1252
60-F051 利民灌区 …………1252
60-F052 小河口灌区 ………1252
60-F053 汾西灌区 …………1252
60-F054 霍泉灌区 …………1253
60-F055 吉县车城乡桑村灌区…………………………1253
60-F056 吉县壶口镇灌区 … 1253
60-F057 吉县中垛乡灌区 … 1253
60-F058 霍州市七里峪灌区…………………………1253
60-F059 文峪河灌区 ………1253
60-G001 北张退水渠 ………1253
60-G002 太榆退水渠 ………1253
60-G003 汾河一坝西干渠 … 1254
60-G004 汾河一坝东干渠 … 1254
60-G005 河西南部退水渠 … 1254
60-G006 智伯渠 …………1254
60-G007 汾河二坝西干渠 … 1254

60-G008 汾河二坝东干渠 … 1254
60-G009 凌云口西总干渠 … 1254
60-G010 民胜干渠 ………… 1255
60-G011 红旗渠 …………… 1255
60-G012 战备渠 …………… 1255
60-G013 勇进渠 …………… 1255
60-G014 漳南渠 …………… 1255
60-G015 漳北渠 …………… 1255
60-G016 桑干河三干渠 …… 1255
60-G017 桑干河四干渠 …… 1256
60-G018 镇子梁水库东干渠……………………… 1256
60-G019 镇子梁水库北干渠……………………… 1256
60-G020 杨家坡干渠 ……… 1256
60-G021 郭堡水库灌区总干渠……………………… 1256
60-G022 汾河三坝西干渠 … 1256
60-G023 汾河东四退水干渠……………………… 1256
60-G024 夹马口一级干渠 … 1256
60-G025 云中河灌区一干渠……………………… 1257
60-G026 广济渠 …………… 1257
60-G027 繁代大渠 ………… 1257
60-G028 跃进渠 …………… 1257
60-G029 七一渠 …………… 1257
60-G030 西总干渠 ………… 1257
60-G031 文峪河东干渠 …… 1257
60-G032 文峪河西干渠 …… 1257
60-G033 跃丰渠 …………… 1257

第七编 工矿企业

A 采矿业（18）……………… 1260
70-A-a001 山西煤炭进出口集团有限公司……………………… 1260
70-A-a002 西山煤电集团有限责任公司……………………… 1260
70-A-a003 山西焦煤集团有限责任公司……………………… 1260
70-A-a004 山西美锦能源股份有限公司……………………… 1260
70-A-a005 晋能控股集团有限公司……………………… 1261
70-A-a006 大同煤矿集团有限责任公司……………………… 1261
70-A-a007 华阳新材料科技集团有限公司……………………… 1261
70-A-a008 山西晋城无烟煤矿业集团有限责任公司………… 1261
70-A-a009 山西科兴能源发展有限公司……………………… 1262
70-A-a010 中煤平朔集团有限公司……………………… 1262
70-A-a011 永泰能源股份有限公司……………………… 1262
70-A-a012 山西鑫飞能源投资集团有限公司……………… 1262
70-A-c001 山西金地矿业集团有限公司……………………… 1263
70-A-c002 山西宏伟矿业有限责任公司……………………… 1263
70-A-c003 垣曲国泰矿业有限公司……………………… 1263
70-A-d001 中条山有色金属集团有限公司……………………… 1263
70-A-d002 山西紫金矿业有限公司……………………… 1263
70-A-d003 山西华兴铝业有限公司……………………… 1264

B 电站（3） ………………… 1264
70-B-b001 国电太原第一热电厂……………………… 1264
70-B-b002 大唐阳城发电有限责任公司……………………… 1264
70-B-b003 山西国锦煤电有限公司……………………… 1264

C 加工工业（60）…………… 1265
70-C-a001 中国宝武太原钢铁集团有限公司……………… 1265
70-C-a002 山西晋城钢铁控股集团有限公司……………… 1265
70-C-a003 山西龙成玛钢有限公司……………………… 1265
70-C-a004 东方希望晋中铝业有限公司……………………… 1265
70-C-a005 山西建龙钢铁有限公司……………………… 1266
70-C-a006 太钢集团临汾钢铁有限公司……………………… 1266
70-70-C-a007 山西建邦集团有限公司……………………… 1266
70-C-a008 山西晋南钢铁集团有限公司……………………… 1266
70-C-a009 山西中阳钢铁有限公司……………………… 1267
70-C-b001 太原化学工业集团有限公司……………………… 1267
70-C-b002 山西潞宝集团有限公司……………………… 1267
70-C-b003 山西振东制药股份有限公司……………………… 1268
70-C-b004 潞安化工集团有限公司……………………… 1268
70-C-b005 山西兰花煤炭实业集团有限公司……………… 1268
70-C-b006 山西榆社化工股份有限公司……………………… 1268
70-C-b007 山西天生制药有限责任公司……………………… 1269
70-C-b008 山西广生胶囊有限公司……………………… 1269
70-C-b009 山西富邦肥业有限公司 1269
70-C-b010 南风化工集团股份有限公司……………………… 1269
70-C-b011 亚宝药业集团股份有限公司……………………… 1270
70-C-b012 山西同德化工股份有限公司……………………… 1270
70-C-b013 山西鹏飞集团有限公司……………………… 1270
70-C-c001 太原航空仪表有限公司……………………… 1271
70-C-c002 富士康科技集团（太原）工业园…………… 1271
70-C-c003 太原重型机械集团有限公司……………………… 1271
70-C-c004 榆次液压集团有限公司……………………… 1272
70-C-c005 经纬智能纺织机械有限公司……………………… 1272
70-C-c006 山西丰喜化工设备有限公司……………………… 1272
70-C-c007 山西平阳重工机械有限责任公司……………… 1272
70-C-c008 山西华翔集团股份有限公司……………………… 1272
70-C-c009 山西离石电缆有限公司……………………… 1273
70-C-d010 山西建设投资集团有限公司……………………… 1273

70-C-d011 山西建筑工程集团总公司………………………… 1273
70-C-d012 山西大华玻璃实业公司………………………… 1273
70-C-f001 太原市宁化府益源庆天和醋业有限公司………… 1274
70-C-f002 太原双合成食品有限公司…………………… 1274
70-C-f003 太原酒厂有限责任公司………………………… 1274
70-C-f004 山西老陈醋集团有限公司…………………… 1275
70-C-f005 太原六味斋实业有限公司…………………… 1275
70-C-f006 山西水塔醋业股份有限公司…………………… 1275
70-C-f007 山西紫林醋业股份有限公司…………………… 1276
70-C-f008 山西大寨饮品有限公司………………………… 1276
70-C-f009 山西燕京啤酒有限公司………………………… 1276
70-C-f010 山西古城乳业集团有限公司…………………… 1276
70-C-f011 山西海玉园食品有限公司…………………… 1276
70-C-f012 山西太谷荣欣堂食品有限公司…………………… 1277
70-C-f013 山西鑫炳记食业股份有限公司…………………… 1277
70-C-f014 左权县麻田顺康天然农产品有限公司…………… 1277
70-C-f015 山西省平遥牛肉集团有限公司…………………… 1277
70-C-f016 山西卫嫂食品有限公司………………………… 1278
70-C-f017 山西晋西核桃食品有限公司…………………… 1278
70-C-f018 山西杏花村汾酒厂股份有限公司……………… 1278
70-C-f019 山西锦绣大象农牧股份有限公司……………… 1278
70-C-g 001 山西晋商彩灯文化有限公司…………………… 1279

第八编 服务业

140106-80-A-a01 汇都五一购物中心………………………… 1282
140105-80-A-a02 太原王府井百货有限责任公司………… 1282
140105-80-A-a03 太原茂业天地………………………… 1282
140105-80-A-a04 山西世贸购物中心………………………… 1282
140105-80-A-a05 北美新天地时尚中心…………………… 1282
140106-80-A-a06 山西铜锣湾国际购物中心有限公司…… 1282
140107-80-A-a07 太原万达广场………………………… 1282
140302-80-A-a08 滨河新天地商业广场…………………… 1283
140302-80-A-a09 阳泉市金街购物中心…………………… 1283
140725-80-A-a10 鼎尚时代广场寿阳店…………………… 1283
140702-80-A-a11 榆次百货大楼有限责任公司…………… 1283
140702-80-A-a11 晋中市榆次天元购物中心有限公司…… 1283
140802-80-A-a12 运城万达广场………………………… 1283
140802-80-A-a13 华曦购物广场有限公司………………… 1283
140802-80-A-a14 运城市恒隆国际购物中心有限公司…… 1283
140403-80-A-a15 长治市嘉汇购物广场…………………… 1283
140403-80-A-a16 长治万达广场………………………… 1283
140403-80-A-a17 博源购物广场………………………… 1284
140502-80-A-a18 晋城市凤展新时代广场………………… 1284
140502-80-A-a19 晋城金辇时代广场………………………… 1284
140525-80-A-a20 晋城月星商业广场………………………… 1284
140902-80-A-a21 忻州市开来欣悦购物广场……………… 1284
140922-80-A-a22 东大购物中心………………………… 1284
140902-80-A-a23 君华新天地购物广场…………………… 1284
141002-80-A-a24 新百汇购物中心………………………… 1284
141002-80-A-a25 临汾尧都万达广场………………………… 1284
141002-80-A-a26 红星美凯龙临汾中心城商场…………… 1285
140602-80-A-a27 美都汇购物广场………………………… 1285
140602-80-A-a28 朔州市玉百购物中心有限公司………… 1285
141102-80-A-a29 吕梁新天地购物广场…………………… 1285
141181-80-A-a30 孝义万达广场………………………… 1285
141181-80-A-a31 孝义市华美新天地购物广场…………… 1285
140106-80-A-a32 山西省太原唐久超市有限公司………… 1285
140105-80-A-a33 山西美特好连锁超市股份有限公司…… 1285
140110-80-A-b01 山西省太原市河西农产品有限公司……… 1285
140107-80-A-b02 山西太原丈子头农产品物流园……… 1286
140825-80-A-b03 山西新绛县蔬菜批发市场……………… 1286
140302-80-A-b04 阳泉蔬菜副食有限公司………………… 1286
140502-80-A-b05 晋城市绿欣农产品批发交易中心 …… 1286
140403-80-A-b06 长治市紫坊农产品综合交易市场有限公司………………………… 1286
140802-80-A-b07 运城蔬菜批发市场有限公司……………… 1286
141002-80-A-b08 山西临汾尧丰农副产品批发市场…… 1287
140403-80-A-b09 长治市金鑫瓜果批发市场……………… 1287
141182-80-A-b10 山西汾阳市晋阳农副产品批发市场…… 1287
140107-80-A-c01 山西国际贸易中心有限公司国贸大饭店… 1287
140105-80-A-c02 山西万狮京华（维景国际）大酒店有限公司………………………… 1287
140110-80-A-c03 晋祠宾馆………………………… 1287
140881-80-A-c04 永济市海纳国际酒店有限公司………… 1287

140109-80-A-c05 丽华大酒店…………………………1287
140321-80-A-c06 阳泉煤业（集团）有限责任公司药林会议中心……………………1287
140403-80-A-c07 长治益东国际酒店……………………1288
140403-80-A-c08 东明国际大酒店………………………1288
140602-80-A-c09 朔州万通源大酒店有限公司……………1288
140729-80-A-c10 灵石县宏源国际饭店有限公司…………1288
140702-80-A-c11 山西万豪美悦国际酒店有限公司…………1288
140522-80-A-c12 阳城县环城凯斯顿酒店有限公司………1288
140213-80-A-c013 大同市金地豪生大酒店有限责任公司…………………………1288
141181-80-A-c14 孝义市东兴帝豪酒店有限公司…………1288
140522-80-A-c15 阳城县美韵花园大酒店有限公司………1288
140106-80-A-c16 太原三晋国际饭店…………………………1289
140105-80-A-c17 山西黄河京都大酒店有限公司……………1289
140107-80-A-c18 太原鑫阳光大酒店………………………1289
140107-80-A-c19 山西省政协宾馆…………………………1289
140109-80-A-c20 西山大厦…………………………1289
140105-80-A-c21 山西泰瑞国际商务酒店……………………1289
140105-80-A-c22 山西云水国际大酒店集团有限公司………1289
140107-80-A-c23 山西滨河饭店有限公司……………………1289
140213-80-A-c24 王府宏安国际酒店…………………………1289
140213-80-A-c25 大同宾馆…………………………1290
140213-80-A-c26 大同市花园大饭店有限公司……………1290
140213-80-A-c27 浩海国际酒店…………………………1290
140213-80-A-c28 大同市晨光国际酒店……………………1290
140213-80-A-c29 大同国宾大酒店………………………1290
140623-80-A-c30 山西玉龙国际酒店有限公司………………1290
140602-80-A-c31 圣厚源大酒店………………………1290
140602-80-A-c32 朔州万通源大酒店有限公司……………1290
140602-80-A-c33 平朔宾馆…………………………1290
141102-80-A-c34 吕梁国际宾馆…………………………1290
141181-80-A-c35 孝义市东兴酒店有限公司………………1291
141182-80-A-c36 汾阳贾家庄裕和花园酒店………………1291
140403-80-A-c37 财苑大厦…………………………1291
140302-80-A-c38 山西泉美国际大酒店………………………1291
140302-80-A-c39 北冰洋大酒店………………………1291
80-A-c40 阳泉祥禾大酒店………………………1291
140502-80-A-c41 晋城大酒店有限责任公司………………1291
140502-80-A-c42 晋城市阳光大酒店有限公司……………1291
140502-80-A-c43 晋城太平洋大厦有限公司………………1291
140502-80-A-c44 山西兰花大酒店有限责任公司………1292
140502-80-A-c45 颐宾大酒店………………………1292
140502-80-A-c46 晋城市润华实业有限公司高都大酒店………………………1292
140502-80-A-c47 泽州大酒店管理有限公司………………1292
140522-80-A-c48 山西皇城相府文化旅游有限公司皇城相府贵宾楼…………………………1292
140524-80-A-c49 晋城大酒店有限责任公司棋源山庄……1292
140702-80-A-c50 颐景国际酒店…………………………1292
140728-80-A-c51 峰岩建国饭店…………………………1292
140781-80-A-c52 介休正达海悦酒店…………………………1292
140781-80-A-c53 介休市淳瀛大酒店………………………1292
140882-80-A-c54 河津市天都大酒店有限公司……………1292
140830-80-A-c55 芮城惠阳大酒店有限责任公司………1293
141002-80-A-c56 临汾金海湾大酒店………………………1293
141081-80-A-c57 华强大酒店………………………1293
141081-80-A-c58 华翔大酒店………………………1293
141023-80-A-c59 襄汾县丁陶国际大酒店……………………1293
141002-80-A-c60 临汾思麦尔国际酒店……………………1293
140971-80-A-c61 五台山银海山庄…………………………1293
140971-80-A-c62 五台山景区花卉山庄……………………1293
140924-80-A-c63 繁峙县嘉盛伦大酒店………………………1293
140981-80-A-c64 原平市黄河京都大酒店有限公司………1293
140213-80-A-c65 大同市天贵国际酒店有限责任公司…………………………1294
140106-80-A-c66 迎泽宾馆…………………………1294
140105-80-B-a01 山西省物资产业集团有限责任公司……1294
140109-80-C-01 中国农业银行股份有限公司山西省分行…1294
140105-80-C-02 中国银行股份有限公司山西分行…………1294
140106-80-C-03 中国农业发展银行山西省分行……………1294
140105-80-C-04 华夏银行股份有限公司太原分行…………1294
140107-80-C-05 中国光大银行太原分行……………………1294
140106-80-C-06 交通银行股份有限公司山西省分行………1295
140502-80-C-07 山西银行股份

有限公司…………………… 1295
140106-80-C-08 上海浦东发展银行股份有限公司太原分行………………………… 1295
140106-80-C-09 中国民生银行股份有限公司太原分行…… 1295
140105-80-C-10 兴业银行股份有限公司太原分行………… 1295
140105-80-C-11 招商银行股份有限公司太原分行………… 1295
140106-80-C-12 中国工商银行股份有限公司山西省分行………………………… 1295
140105-80-C-13 中国进出口银行山西省分行………………… 1296
140105-80-C-14 中信银行股份有限公司太原分行………… 1296
140105-80-C-15 晋商银行股份有限公司…………………… 1296
140109-80-C-16 中国大地财产保险股份有限公司山西分公司……………………… 1296
140106-80-C-17 中国人寿保险股份有限公司山西省分公司……………………… 1296
140105-80-C-18 中国平安财产保险股份有限公司山西分公司……………………… 1296
140105-80-C19 中国太平洋人寿保险股份有限公司山西分公司……………………… 1296
140106-80-C-20 山西证券股份有限公司…………………… 1296
140105-80-D-01 中国电信山西分公司……………………… 1297
140105-80-D-02 中国联合网络通信有限公司山西省分公司……………………… 1297
140105-80-D-03 中国移动通信集团山西有限公司………………………… 1297
140106-80-D-04 中移铁通有限公司山西分公司…………… 1297

第一编

政区、居民点、城镇交通

第一编 政区、居民点、城镇交通

临汾市

141000 **临汾市**［Línfén Shì］山西省辖地级市。北纬35° 23′—36° 56′，东经110° 22′—112° 34′。在省境西南部。面积20301平方千米。人口397.65万。以汉族为主，还有回、蒙古、壮、维吾尔等民族。辖尧都1区，曲沃、翼城、襄汾、洪洞、古县、安泽、浮山、吉县、乡宁、大宁、隰县、永和、蒲县、汾西14县，代管侯马、霍州2县级市。市人民政府驻尧都区。三国魏正始八年（247年）析河东郡汾北县置平阳郡，郡治平阳。北魏初，平阳郡治所迁杨县故城。神䴥元年（428年）析置禽昌郡，郡治白马城，即今临汾。太平真君二年（441年）废禽昌郡。太和十八年（494年）平阳郡徙治平阳。建义元年（528年）改属晋州，平阳郡同时徙治白马城。隋开皇初改平阳郡为平河郡，属晋州。开皇三年（583年）改平河郡为临汾郡，以濒临汾河而名。“临汾”一名始于此。义宁二年（618年）又改平阳郡。唐武德元年（618年）改晋州。南部属绛州，西部置慈州、隰州。天宝元年（742年）改晋州为平阳郡，属河东道。北宋政和六年（1116年）晋州升为平阳府，属河东路。金属河东南路。元置平阳路，属中书省山西宣慰司。大德九年（1305年）因地震改称晋宁路。明洪武二年（1369年）复改平阳府，属山西承宣布政使司。清因之。1912年废府州。1913年属河东道。1927年废道直属山西省。1937年分属山西省第五、六、七行政区。1948年属晋绥边区。1949年初改属陕甘宁边区晋南区。同年10月属山西省临汾专区，专署驻临汾。1954年属晋南专区，专署驻临汾。1967年属晋南地区。1970年属临汾地区。1971年设县级临汾市，由临汾地区管辖。2000年撤临汾地区和县级临汾市，设地级临汾市至今。地势东西高中间低。有吕梁山、太岳山、中条山，最高海拔五龙壑2504.3米，最低海拔388.3米。年均气温11.4℃，1月平均气温-4℃，7月平均气温24.7℃。年均降水量522.2毫米。黄河、汾河、昕水河、洪安涧河、浍河、沁河、鄂河流经。矿产资源有煤、铁、铜等。有国家一级重点保护动物金雕、金钱豹、大鸨，二级重点保护野生动物雀鹰、黄嘴白鹭、白琵鹭、长尾雉、大鵟等42种。有省级重点保护野生动物小杜鹃、四声杜鹃、刺猬等20种。有观赏、药用等植物250余种。有科研机构邮电部第七研究所、省农科院小麦研究所、省地方病防治研究所。有高等院校山西师范大学、山西师范大学现代文理学院、山西师范大学临汾学院、山西信息职业技术学院等。临汾师范附属实验小学、临汾师大实验小学、临汾师大实验中学为省级实验学校。有三级医院4所、文化馆18个、图书馆18个、档案馆18个、博物馆14个、体育场馆17处。有全国重点文物保护单位襄汾汾城城隍庙、侯马晋国遗址、洪洞广胜寺、安泽郎寨塔、隰县千佛庵（小西天）、翼城木四牌坊、翼城石四牌坊、曲村—天马晋侯墓地等49处。有省级文物保护单位尧都尧庙、襄汾晋襄公墓、洪洞明代监狱、翼城枣园—南撤遗址、曲沃四牌楼、蒲县腰东汉墓群、霍州鼓楼、古县热留关帝庙、吉县克难坡、吉县挂甲山摩崖造像、乡宁千佛洞等57处。有省级爱国主义教育基地临汾烈士陵园、侯马彭真故居、洪洞马牧村八路军总部旧址、隰县晋西革命纪念馆、安泽杜村太岳革命根据地旧址等16处。有市级爱国主义教育基地92处。有国家级非物质文化遗产侯马蒲剧梆子、大槐树祭祖习俗、洪洞走亲习俗、洪洞通背缠拳、乡宁云丘山中和节、晋南威风锣鼓、曲沃碗碗腔、洪洞道情等 16 个。有国家级壶口风景名胜区。有省级姑射山—仙洞沟、云丘山风景名胜区。有国家 5A 级旅游景区洪洞大槐树寻根祭祖园。有中条山国家森林公园，有省级森林公园吕梁山、安泽县、吉县蔡家川、古县三合牡丹。有国家级历史文化名镇名村襄汾县汾城镇、汾西县僧念镇师家沟村。有省级历史文化名镇名村襄汾县新城镇丁村等。三次产业比例为 7.9:49.8:42.3。主产玉米、谷子、小麦、小杂粮、马铃薯。土特产有尧都区临汾团枣、尧都吴家熏肉、霍州花馍、襄汾官滩枣、翼城隆化小米、隰县金梨等。有农产品地理标志吉县苹果、古县核桃、永和条枣、大宁西瓜、官滩红枣、丁村莲藕、隆化小米、蒲县马铃薯。工业以煤炭、钢铁、装备制造、化工、建材、轻纺等为主。服务业以保险金融业、物流为主。南同蒲、侯月、侯西、大西铁路过境。京昆、临汾绕城、青兰高速，108、209、309 国道，省道黎永线、侯平线、陵侯线、右芮线，桃临线、临磨线、台襄线、临夏线、营万线、曲绛线、侯风线、侯闻线、三大线、沁洪线、长安线、洪永线、临午线、襄乡线、坪曲线、沁东引、台乡线经此。

141002 **尧都区**［Yáodū Qū］临汾市人民政府驻地。在市境中部。面积 1307 平方千米。人口 95.92 万。以汉族为主，还有回、藏、维吾尔、满、朝鲜、壮等民族。辖 10 街道、10 镇、4 乡。区人民政府驻铁路东街道。1949 年，韩区隶属于临汾县城关区。1958 年，隶属平阳人民公社城关管理区。1959 年，隶属于城关镇。1971 年，隶属临汾市城区分社，辖区设红卫路分社。1985 年，由红卫路分社改制为解放路办事处。2000 年县级临汾市升为地级市后，原县级临汾市改名尧都区至今，因帝尧陶唐氏曾建都于此得名。地处临汾盆地中央，地势东西高中间低。有豹子梁、卧虎山、浮山。年平均气温 12.8℃，1 月平均气温 -3.6℃。7 月平均气温 26.7℃。平均气温年较差 30.3℃。年平均降水量 585 毫米。汾河、涝河、洰河等流经。矿产资源有煤、铁、铝土、熔剂灰岩、白云岩、耐火粘土、石灰岩、水泥灰岩、砖石粘土及河沙等。生长期多年平均 206 天，无霜期多年平均 192 天，最长 218 天，最短 167 天，年平均日照时数 2647.6 小时。0℃以上持续期 276 天。有邮电部第七研究所、省农科院小麦研究所、省地方病防治研究所。有山西师范大学现代文理学院、山西师范大学体育学院、临汾师范附属实验小学、临汾师大实验小学、临汾师大实验中学为省级实验学校，还有综合医院、中医院、文化馆、图书馆、档案馆、艺术馆。有临汾市政府机关、临汾市公安局直属分局、尧都区公安局、尧都区工商局、尧都区地税局等。有解放西路、向阳路、鼓楼东大街、鼓楼北大街、平阳北街等 5 条主要街道，有邮政局 1 个，电信局 1 个，服务网点 100 个。有全国重点文物保护单位尧陵、魏村牛王庙和戏台、王曲村东岳庙戏台、东羊村后土庙和戏台、铁佛寺。有省级文物保护单位尧都高堆遗址、尧都金城堡遗址、尧都下靳遗址、尧都仙洞沟碧岩寺、尧都尧庙。有国家 4A 级华门景区、汾河生态公园、省级尧都区姑射山风景名胜区。有市级文物保护单位 4 处。有省级爱国主义教育示范基地临汾烈士陵园、临汾尧庙。有地方民间艺术剪纸、花馍等，被称为中国民间文化艺术之乡。威风锣鼓、蒲州梆子、平阳木板年画、眉户被列入国家级非物质文化遗产，贾得麻纸制作技艺、魏村牛王庙会、传统布鞋制作技艺被列入省级非物质文化遗产。有古迹太子坟、清代戏楼、清代晋商范家大院、纪念地抗日战争时省政府驻地、晋王陵、土门金元墓葬等景点。三次产业比例为 3.2：25.6：71.2。主产小麦、玉米、杂粮、苗卉。土特产品有大阳苹果、贺家庄桃子、南席葡萄、土门红提、牛肉丸子面、绿豆糕等。工业以煤炭、钢铁、冶压及延接为主。有省级临汾经济技术开发区。服务业以保险、金融业、物流为主。南同蒲铁路、大西高铁过境设站。京昆高速，108、309 国道，省道桃临线、临磨线、临夏线、临大线经此。有尧庙汽车站、城北汽车客运站。通多路公交车。

141002-E01 **临汾经济开发区**［Línfén Jīngjì Kāifāqū］位于尧都区东北部、洪洞县南部。1997 年批准成立省级开发区，1998 年正式运行。2017 年区域总面积扩展至 131.76 平方公里。大西高铁、同蒲铁路、中南铁路、京昆高速、青兰高速、

108、309国道在区内交汇。区内重点打造“三区多园”格局：以老区为支撑的现代生产性服务业集聚区，以甘亭为依托的绿色制造新区，以乔李机场为核心的空港新城，以及智能制造产业园、新材料产业园、新能源汽车产业园、国际合作产业园、临空自贸物流园、航空配套产业园、高端生产性服务产业园、科技创新产业园。管委会位于河汾一路1号。

141002-F01 **平阳广场** [Píngyáng Guǎngchǎng] 在尧都区境中部。北侧为解放路，横跨平阳街东西两侧。总面积3万平方米。1977年开工，1978年建成。因临汾古称平阳府而得名。广场东部以观礼台为核心，中间有电子屏幕，两侧有巨幅政治标语。广场西部中央有巨型雕塑“牛的梦想”，其后有《卧牛城赋》大型不锈钢浮雕墙，共同展示临汾的卧牛文化。

141002-F02 **鼓楼广场** [Gǔlóu Guǎngchǎng] 在尧都区境中部。南侧为鼓楼东大街，西侧为鼓楼北大街。总面积1.3万平方米。2002年开工，2003年建成。2010年翻修改造。因位于临汾鼓楼东北角而得名，是旧城区内重要的休闲活动中心。广场上有“脊梁”文化雕塑、花池、休闲平台、音乐喷泉、绿地等。

141002-K01 **鼓楼北大街** [Gǔlóu Běidàjiē] 在尧都区境中北部。北起高河桥，南至大中楼。与河汾路、向阳路、解放路等道路相交。长4.3千米，宽50米。沥青路面。明初即为平阳府城南北向主街。1957年以三合土硬化。1975年改铺沥青路面。1987、1997、2007、2016年改扩建。因位于临汾鼓楼北侧得名。两侧有大中楼（鼓楼）、临汾经济开发区、向阳高级学校、华翔恒泰商业广场等。通19、20路等公交车。

141002-K02 **鼓楼南大街** [Gǔlóu Nándàjiē] 在尧都区境中南部。北起大中楼，南至迎宾大道。与贡院路、信合路、环城南路等道路相交。长2.9千米，宽38米。沥青路面。明初即为平阳府城南北向主街。1957年以三合土硬化。1976—1983年陆续改造为沥青路面。1988、1991、1993、1997、2016年改扩建。因位于临汾鼓楼南侧得名。两侧有大中楼（鼓楼）、临汾市委党校等。通3、11路等公交车。

141002-K03 **鼓楼西大街** [Gǔlóu Xīdàjiē] 在尧都区境西部。西起晋宁街，东至大中楼。与古城路等道路相交。长3.6千米，宽30米。沥青路面。明初即为平阳府城东西向主街。1951、2002年改扩建。2017年与西延大道合并。因位于临汾鼓楼西侧得名。两侧有大中楼（鼓楼）、临汾市第一中心学校、中共临汾市委员会、临汾市人民医院等。通1、4路等公交车。

141002-K04 **鼓楼东大街** [Gǔlóu Dōngdàjiē] 在尧都区境中部。西起大中楼，东至平阳街。与体育街、财神楼街、青狮北街等道路相交。长1.2千米，宽30米。沥青路面。明初即为平阳府城东西向主街。1951年改建。“文革”时期更名红卫路，1980年恢复今名。1982、2007年改扩建。因位于临汾鼓楼东侧得名。两侧有大中楼（鼓楼）、临汾市水利局、尧都区公安局等。通1、4路等公交车。

141002-K05 **平阳北街** [Píngyáng Běijiē] 在尧都区境中部。北起上樊立交桥，南至平阳广场。与向阳路、车站路等道路相交。长1.2千米，宽18米。沥青路面。原为太风公路过城段。1966年改建。“文革”时期称反帝路。1996、2000、2009年改扩建。因位于平阳广场以北得名。两侧有大宿舍小区、铁路体育馆、临汾市第四人民医院等。通5、11路等公交车。

141002-K06 **平阳南街** [Píngyáng Nánjiē] 在尧都区境中部。北起平阳广场，南至南环路。与东关路、贡院街、煤化路、信合东路等道路相交。长2.5千米，宽40米。沥青路面。1959年铺为三合土路面。1979、1986、1992、1995、2007年改扩建。原名五中路。因位于平阳广场以南，1987年更今名。两侧有临汾五中、尧都区体育馆、神州装饰城等。通2、3路等公交车。

141002-K07 **解放路** [Jiěfàng Lù] 在尧都区境中部。西起鼓楼北大街，东至平阳北街。与鼓楼南北街、平阳街、迎春街、尧贤街等道路相交。长1.2千米，宽25米。沥青路面。1958年建成。2000年改扩建。为纪念1948年5月17日解放军“临汾旅”攻入城内得名。两侧有临汾三中、解放路小学、工贸购物中心、平阳广场等。通2、7

路等公交车。

141002-K08 **贡院路**［Gòngyuàn Lù］在尧都区境中部。西起鼓楼南大街，东至平阳南街。与体育街、财神楼南街、青狮南街等道路相交。长1.2千米，宽16米。沥青路面。因明清时科举考试的机构平阳府贡院设于此而得名。1998年重修。两侧有山西师大临汾学院生活区、尧都区劳动保障服务中心、临汾市体育运动学校等。通6、10路等公交车。

141002-K09 **贡院西路**［Gòngyuàn Xīlù］在尧都区境中部。西起山西师范大学东门，东至鼓楼南大街。长0.4千米，宽20米。沥青路面。1998年拓宽改造，1999年竣工。因位于贡院路西侧得名。两侧有山西师范大学、星河科技学校等。通21路公交车。

141002-K10 **贡院东路**［Gòngyuàn Dōnglù］在尧都区境东部。西起平阳南街，东至迎春南街。与贡院步行街相交。长0.5千米，宽9米。沥青路面。2000年重修。因位于贡院路东侧得名。两侧有临汾市市场监督管理局、瑶池苑等。通6、17路等公交车。

141002-K11 **信合路**［Xìnhé Lù］在尧都区境西部。西起鼓楼南大街，东至平阳南街。与体育街、平阳南街等道路相交。长1.1千米，宽16米。沥青路面。1981年建成。2010年改扩建。原名五一西路。2003年尧都区信用社通过拍卖获得冠名权20年，市民一般仍沿用五一路旧称。两侧有临汾市中医医院、尧乡中学等。通10、13路等公交车。

141002-K12 **向阳路**［Xiàngyáng Lù］在尧都区境北部。西起鼓楼北大街，东至平阳北街。与广宣路、财神楼北街、食品院巷等道路相交。长1.2千米，宽20米。沥青路面。1958年建成。2010年改扩建。路名寓意生活充满阳光希望。两侧有安达圣新天地、临汾市卫健委、骨科医院等。通5、20路等公交车。

141002-K13 **建设街**［Jiànshè Jiē］在尧都区境北部。北起北环东路，南至向阳路。与坂下路等道路相交。长1.3千米，宽28米。沥青路面。1992、2000、2004年改扩建。"文革"时期曾名文革路。改革开放后更今名。两侧有临汾市第一实验中学、临运小区、育英小学等。通10路公交车。

141002-K14 **河汾路**［Héfén Lù］在尧都区境北部。西起滨河东路，东至鼓楼北大街。与常兴西街、常兴中街、常兴东街等道路相交。长1.96千米，宽61米。沥青路面。1970年始建，为砂石路面。1980年铺设沥青路面。1986、1995、2009年拓宽改造。因邻近汾河得名。两侧有广奇住宅小区、东风日产东盛源专营店、中国移动临汾市公司等。通1、19路等公交车。

141002-K15 **坂下路**［Bǎnxià Lù］在尧都区境北部。西起鼓楼北大街，东至建设街。西与河汾路相连。长0.8千米，宽42米。沥青路面。1995年建成。因位于坂下村得名。两侧有中骏国际社区、中骏中央公园小区等。通10路公交车。

141002-K16 **向阳西路**［Xiàngyáng Xīlù］在尧都区境西部。西起滨河东路，东至鼓楼北大街。与公安街、常兴中街、公园北路等道路相交。长1.6千米，宽28米。沥青路面。2002年建成。因位于向阳路西侧得名。两侧有裕景花苑、尧都区税务局、红黄蓝国际双语幼儿园等。通5、21路等公交车。

141002-K17 **古城路**［Gǔchéng Lù］在尧都区境北部。西起滨河东路，东至鼓楼北大街。与常兴中街、公园北路等道路相交。长1.7千米，宽8米。沥青路面。2014年开工，2015年建成。因途经古城公园得名。两侧有古城公园、古城墙遗址、君临苑等。

141002-K18 **古城东路**［Gǔchéng Dōnglù］在尧都区境北部。西起鼓楼北大街，东至财神楼北街。长0.7千米，宽8米。沥青路面。因位于古城路东侧得名。两侧有银杏小区、北城花园等。

141002-K19 **解放西路**［Jiěfàng Xīlù］在尧都区境中部。西起君怡家园，东至鼓楼北大街。与朝殿南街、朝殿一巷等道路相交。长0.8千米，宽24米。沥青路面。1966年在旧城小巷基础上建成。因位于解放路西侧得名。两侧有平阳中学（高中部）、水塔游园等。通6、15路等公交车。

141002-K20 **解放东路**［Jiěfàng Dōnglù］在尧都区境东部。西起平阳北街，东至108国道（京昆线）。与枣林街、尧贤街、二中路等道路相交。长 5.3 千米，宽 32 米。沥青路面。1948 年建为砂石路面。1971—1972 年改造为沥青路面。1984、2004、2008 年改扩建。因位于解放路东侧得名。两侧有平阳广场、城建技工学校、尧都区人民政府等。通 3、7 路等公交车。

141002-K21 **信合西路**［Xìnhé Xīlù］在尧都区境西部。西起滨河路，东至鼓楼南大街。与常兴中街、银河巷等道路相交。长 1.4 千米，宽 40 米。沥青路面。原名新五一西路。2002 年开工，2003 年建成。同年，尧都区信用社通过拍卖获得冠名权 20 年。两侧有五一路学校、华盛小区等。通 10、13 路等公交车。

141002-K22 **信合东路**［Xìnhé Dōnglù］在尧都区境东南部。西起平阳南街，东至东外环路。与迎春南街、木材巷、周家庄中心街等道路相交。长 4.6 千米，宽 33 米。沥青路面。1967 年前为郊区东路。1968 年铺设沙砾路面。1985—1986 年改铺沥青路面。1994 年命名为五一东路。1996 年扩宽木材巷口—平阳南街段。2003 年尧都区信用社通过拍卖获得冠名权 20 年。2010 年改造迎春巷—南同蒲铁路段。2011 年改造迎春南街—平阳南街段。两侧有临汾市第三人民医院、铁十五局学校等。通 10、13 路等公交车。

141002-K23 **福利路**［Fúlì Lù］在尧都区境南部。西起鼓楼南大街，东至平阳南街。与体育街、尧都路等道路相交。长 1 千米，宽 16 米。沥青路面。2003 年开工，2007 年建成。因邻近临汾市福利厂得名。两侧有思麦尔新天地购物中心、万象春天小区等。通 3、22 路等公交车。

141002-K24 **迎宾大道**［Yíngbīn Dàdào］在尧都区境西南部。西起青兰线，东至鼓楼南大街。与常兴中街、滨河东路、滨河西路等道路相交。长 5.9 千米，宽 64 米。沥青路面。为 309 国道过城段。1985 年始建，1987 年建成。1993、2007 年重修。因作为高速出入口附近主干路，路名寓意欢迎八方宾朋。两侧有城西客运站、临汾市博物馆等。通 16、202 路等公交车。

141002-K25 **滨河西路**［Bīnhé Xīlù］在尧都区境西部。北起屯里线，南至迎宾大道。与兴旺路、唐尧大道、鼓楼西大街等道路相交。长 9.2 千米，宽 16 米。沥青路面。原为 1994 年修建的大运公路过境段。2007—2010 年分三期扩建为城市主干道。因位于汾河西侧得名。两侧有汾河公园、临汾一中、临汾市人民医院等。通 1、5 路等公交车。

141002-K26 **滨河东路**［Bīnhé Dōnglù］在尧都区境西部。北起韩村，南至迎宾大道。与河汾一路、向阳西路、鼓楼西大街、信合西路等道路相交。长 16.4 千米，宽 75 米。沥青路面。2004 年建成。因位于汾河东侧得名。两侧有临汾市园林局、古城公园、临汾市政务大厅等。

141002-K27 **常兴中街**［Chángxīng Zhōngjiē］在尧都区境西部。北起北环路，南至迎宾大道。与河汾路、向阳西路、古城路等道路相交。长 5.8 千米，宽 70 米。沥青路面。2009 年建成。原名中大街。2017 年更今名。2020 年改扩建。两侧有新天地购物广场、古城公园、临汾市人民检察院等。通 8、10 路等公交车。

141002-K28 **迎春南街**［Yíngchūn Nánjiē］在尧都区境东部。北起东关路，南至尧都区烟草专卖局小区。与贡院东路、煤化路、信合东路等道路相交。长 1.6 千米，宽 32 米。沥青路面。1988 年建成。2009 年扩宽。因位于迎春街南侧得名。两侧有乡贤街小学、开发新村、神童幼儿园等。通 17、20 路等公交车。

141002-K29 **迎春街**［Yíngchūn Jiē］在尧都区境东部。北起解放东路，南至东关路。与西辛寺街相交。长 0.5 千米，宽 26 米。沥青路面。1983 年在原东关东城壕沟基址上垫基修筑成土路面。1984 年铺设砂砾路面。1986 年改造为沥青路面。2005、2009 年改扩建。因位于城区东部，路名寓意面东迎春。两侧有临汾六中、农机公司小区等。通 5A、15A 路等公交车。

141002-K30 **迎春北街**［Yíngchūn Běijiē］在尧都区境东部。北起车站路，南至解放东路。与等道路相交。长 0.8 千米，宽 40 米。沥青路面。1988 年前为挂甲庄村弯曲小路。1988 年拓宽改造为沥青路面。2003、2010 改扩建。因位于迎春街北侧得名。两侧有临汾火车站、供销社小区等。通 5、5A 路等公交车。

141002-K31 **华州路**［Huázhōu Lù］在尧都区境东部。西起解放东路，东至108国道（京昆线）。与迎宾路、尧贤街、枣林街等道路相交。长4千米，宽60米。沥青路面。明清原为官道。1968年铺设沙砾路面。1974年铺设沥青路面。1993年改建后称临（汾）浮（山）路。2007年拓宽改造，2008年通车后改称华州路。根据尧都区地名规划，东部城区东西向道路均以"华"字开头，又取九州堡村名中的"州"字而得名。两侧有临汾市烧伤整形医院、尧都公园、尧都区民政局等。通5A、106路等公交车。

141002-K32 **二中路**［Èrzhōng Lù］在尧都区境东部。北起汾东路，南至解放东路。与康庄南路等道路相交。长1.7千米，宽60米。沥青路面。曾称新开路。1958年临汾二中建校选址于此后更今名。两侧有兴国实验学校、山西省盐务管理局临汾分局、临汾中西医结合医院等。通9路公交车。

141002-K33 **尧贤街**［Yáoxián Jiē］在尧都区境东部。北起华康路，南至华州路。与双拥巷、解放东路、阳光街等道路相交。长1.4千米，宽60米。沥青路面。道路形成于80年代，原为城郊土路。2007—2008年拓宽改造。2008年根据尧都区地名规划，东部城区南北向道路均以"尧"字开头，寓意贤达汇聚之街而得名。两侧有恒安新东城雅园、东盛华庭等。通3、106路等公交车。

141002-K34 **枣林街**［Zǎolín Jiē］在尧都区境东部。北起华康路，南至华州路。与解放东路相交。长1.2千米，宽50米。沥青路面。1978年建成。2013年重修。因路旁原有枣林而得名。两侧有紫誉蓝小区、东城第一小学等。

141002-K35 **华康路**［Huákāng Lù］在尧都区境东部。西起尧贤街，东至108国道（京昆线）。与枣林街等道路相交。长2.7千米，宽64米。沥青路面。原称临（汾）浮（山）路，为市区北外环河汾路段。2008年根据尧都区地名规划，东部城区东西向道路均以"华"字开头，又取康庄村名中的"康"字而得名。两侧有尧都区社保服务中心、莱茵半岛、东城第一小学等。通3、9路等公交车。

141002-K36 **马站路**［Mǎzhàn Lù］在尧都区境西部。西起晋宁街，东至滨河西路。与尧天大街等道路相交。长0.6千米，宽30米。沥青路面。2013年规划三街（尧天大街）—滨河西路段建成。原名规划十二路。2017年定名，因途经马站村得名。两侧有临汾城西客运站、经贸西华名邸等。通14、15路等公交车。

141002-K37 **尧天大街**［Yáotiān Dàjiē］在尧都区境西部。北起屯里线，南至滨河西路南延。与马站路等道路相交。长9.1千米，宽64米。沥青路面。原名规划三街。2015年南段建成。2017年定名，寓意"尧天舜日"。2020年北段开工。两侧有临汾城西客运站等。

141002-K38 **唐尧大道**［Tángyáo Dàdào］在尧都区境西部。西起临汾西站，东至滨河西路。与平水街等道路相交。长1.95千米，宽80米。沥青路面。2005年建成。原名景观大道。为纪念尧帝，2017年更今名。两侧有临汾西站、梧桐里、下涧北村委员会等。通4、5路等公交车。

141002-N01 **锣鼓大桥**［Luógǔ Dàqiáo］在尧都区境西部河汾路上，横跨汾河。长560米，最大跨度20米。1969年始建，是临汾历史上第一座横跨汾河的桥梁。1998年拆除重建。2008年加固加宽改造，2009年通车。桥梁以临汾"威风锣鼓"为创作题材而得名。

141002-R01 **临汾站**［Línfén Zhàn］见交通运输设施部分"临汾站"条。

141002-R02 **临汾西站**［Línfén Xīzhàn］见交通运输设施部分"临汾西站"条。

141002-A01 **解放路街道**［Jiěfànglù Jiēdào］属尧都区。在区境西部。面积4.5平方千米。人口5.33万。辖6社区。1949年，隶属临汾县城关区。1950年，隶属平阳人民公社城关管理区。1959年，隶属于城关镇。1971年，隶属临汾市城区公社，辖区设红卫路分社。1985年红卫路街道更今名。因纪念解放临汾战役得名。年平均气温12.8℃，1月平均气温-3.6℃，7月平均气温26.7℃。平均气温年较差30.3℃。生长期多年平均206天，无霜期多年平均192天，最长218天，最短167天，年平均日照时数2647.6小时。0℃以上持续期276天（一般为2月28日至12月3日）年平均降水量585毫米。有中专、中小学、三级医院、疾病控制中心、文化站、图书室。有临汾市政府机关、临汾市公安局直属分局、尧都区公安局、尧都区工商局、尧都区地税局等重要机关。先后拓宽改造鼓楼东大街、解放路、向阳路。通多路公交车。

141002-A02 **鼓楼西街街道** [Gŭlouxījiē Jiēdào] 属尧都区。在区境中部。面积7平方千米。人口5.6万。辖7社区。1949年，为西街街公所，隶属于临汾县城关区。1961年，为临汾县城市人民公社鼓楼西分社。1963年设古楼街道，属临汾县。1967年更名为红卫路西街道。1971年，改称红卫路西办事处。1978年，改称鼓楼西街办事处。1983年划归县级临汾市。1985年更今名，隶属新成立的临汾市城市工作委员会。2000年，隶属临汾市尧都区。因位于鼓楼以西得名。境内地势平坦，属临汾盆地一部分，汾河从辖区西侧流过。年平均气温12.8℃，1月平均气温-3.6℃；7月平均气温26.7℃。平均气温年较差30.3℃。生长期多年平均206天，无霜期多年平均192天，最长218天，最短167天。年平均日照时数2647.6小时，0℃以上持续期276天（一般为2月28日至12月3日）。年平均降水量585毫米。汾河流经。有中小学4所、幼儿园5所、疾病控制中心、社区卫生服务中心、文化站、图书室。先后改造拓宽鼓楼西大街、信合西路。有全国重点文物保护单位铁佛寺。有大型仓储超市2个，农副产品交易市场1个，大型酒店7家。长兴中街（中大街）穿境而过，西有滨河尔路、滨河西路。通多路公交车。

141002-A03 **水塔街街道** [Shuĭtăjiē Jiēdào] 属尧都区。在区境西部。面积2.5平方千米。人口4.9万。辖4社区。1949年，辖区先后隶属于临汾县城关区、城关镇。1971年8月，隶属于临汾市城区公社。1985年1月，从鼓楼西街办事处分出，设立水塔街办事处。因有自来水水塔得名。年平均气温12.8℃，平均气温年较差30.3℃，生长期多年平均206天，无霜期多年平均192天，最长218天，最短167天。年平均日照时数2647.6小时。0℃以上持续期276天。年平均降水量585毫米。汾河流经。有中小学、卫生院、文化站、图书馆、广播电视台、市群艺馆。有古城公园、汾河公园、多个居住小区等。先后拓宽向阳西路、改造河汾路。主产蔬菜。第三产业以房屋租赁、餐饮为主。通多路公交车。

141002-A04 **南街街道** [Nánjiē Jiēdào] 属尧都区。在区境南部。面积5.75平方千米。人口4.5万。辖6社区。1949年为南街区公所。1953年隶属临汾县城关镇。1958年改称南街分社，隶属城关镇平阳人民公社。1960年，归城市公社。1963年设立，为红旗街道办事处。1981年改称南街办事处。1985年，重新划分设立南街办事处，下辖南街村委会1个，居委会15个。1992年设南街村委1个，居委会21个。1994年，南街村改制为太茅居委会和尧乡居委会。1998年，辖居委会23个，居民小组58个。2002年，23个居委会改制为7个社区。因在鼓楼东大街以南得名。辖区地势平坦，属暖温带大陆性气候，降水多集中7至9月，年平均降水516毫米。年平均气温12.3℃，全年无霜期220天。有大中专院校4所，有中小学、医院、卫生院、图书室。先后拓宽五一路，改造扁担街、贡院街。有批发市场、家具城。工业以铸造、冶炼为主。服务业以商贸为主。通多路公交车。

141002-A05 **乡贤街街道** [Xiāngxiánjiē Jiēdào] 属尧都区。在区境西部。面积7.8平方千米。人口5.36万。辖7社区。1949年，辖区隶属临汾县城关区。1954年，分别成立乡贤街、长胡同初级农业合作社。1956年，乡贤街、长胡同、贾庄合并成立团结农业合作社。1958年，隶属于临汾县城关镇平阳人民公社城关管理区。1960年，成立乡贤街大队。1962年，乡贤街大队划分为乡贤街、水门街2个大队，1985年成立乡贤街办事处。因乡贤祠得名。辖区地势平坦、略呈东北高、西南低。气候属暖温带大陆性气候，温和湿润，春季少雨多风，降水多集中7至9月，年平均降水520毫米。年平均气温12.8℃，极端最高气温可达41.9℃，极端最低气温为-25.6℃。初雪一般在11月下旬，终雪一般在3月上旬。全年无霜期为220天。有中小学、卫生院、医疗服务中心、文化体育活动站、图书室。先后建设东关路、五一东路，改造迎春南街、贡院东街。居民收入主要依靠务工、经营门店、出租房屋等。南同蒲铁路过境，通多路公交车。

141002-A06　**辛寺街街道**［Xīnsìjiē Jiēdào］属尧都区。在区境西部。面积 2.7 平方千米。人口 1.82 万。辖 5 社区。1949 年，辖区隶属于临汾县城关区。1953 年，隶属临汾县城关镇。1961 年，设东关分社，隶属临汾县城市公社。1963 年，东关分社改称东关办事处。1966 年，东关办事处改称红卫路东办事处。1981 年，复称东关办事处。1985 年改称辛寺街办事处。因辛寺得名。属暖温带大陆性气候温和湿润，春季少雨多风，降水多集中 7 至 9 月，年平均降水量 520 毫米，年平均气温 12.8℃。全年无霜期为 220 天。有中小学、中医骨伤科医院、社区卫生中心、体育活动场所。有招待所、酒店、百货大楼、新华书店等。南同蒲铁路过境并设站，通多路公交车。

141002-A07　**铁路东街道**［Tiělùdōng Jiēdào］尧都区人民政府驻地。在区境西北部。面积 7.14 平方千米。人口 7.1 万。辖 13 社区。1983 年，设立铁路东街街道办事处，隶属城区公社。1985 年，隶属临汾市政府。因在南同蒲铁路以东得名。境内地势平坦，略呈东高西低，无矿产资源。气候四季分明，春季干旱少雨，夏季炎热，旱多涝少，秋李凉爽多雨，冬季严寒少雪。年均降水量 450 毫米，降雨集中在每年 8 月至 9 月，8 月最多。有中小学、卫生院、文化站、图书室。有山西师范大学现代文理学院、山西师范大学体育学院、临汾市警察学校、山西职业师范专科学校、粮食学校、临钢技校等。主产蔬菜。先后完成解放东路、东外环路、汾东路建设与改造。工业以造纸、纺织等为主。第三产业涉及商业、金酬、医疗伏食、眼务加工、运输、装满、建筑等行业。南同蒲铁路过境，通多路公交车。

141002-A08　**车站街街道**［Chēzhànjiē Jiēdào］属尧都区。在区境西北部。面积 2.4 平方千米。人口 3.4 万。辖 4 社区。1985 年设立。因临汾火车站得名。境内地势平坦，属暖温带大陆性气候，温和湿润，春季少雨多风，降水多集中 7 至 9 月，年平均降水 520 毫米。年平均气温 12.8℃，极端最高气温可达 41.9℃，极端最低气温为 -25.6℃。初雪一般在 11 月下旬，终雪一般在 3 月上旬。全年无霜期为 220 天。无矿产资源。有中小学、三甲医院、社区卫生服务中心、文化站、图书室。经济以商贸为主，有食品批发商场、三五九商业街。南同蒲铁路过境，通多路公交车。

141002-A09　**汾河街道**［Fénhé Jiēdào］属尧都区。在区境西部。面积 11.6 平方千米。人口 2.32 万。辖 2 社区、4 行政村。1949 年，境内村庄隶属于临汾县第五区。1956 年隶属于土门乡。1958 年隶属土门七一人民公社。1961 年隶属土门人民公社。1965 年，成立农村管理科，管辖 3 个生产大队。1980 年，新力大队分为新东、新西 2 个大队。2001 年，经省政府批准，果树场重组为农村管理科，成立汾河办事处，成为尧都区唯一具有乡镇职能的办事处。因与汾河相邻得名。地势西北高、东南低由西北向东南逐渐倾斜。海拔 446.7—473.6 米。气候属暖温带半干旱季风气候，气候温和，四季分明年平均气温 12.1℃。年降雨量在 450—650 毫米之间。无霜期平均 178.6 天。汾河流经。有中小学、社区卫生站、文化站、图书室。有庙会。农业生产以小麦、玉米为主，养殖业呈逐年发展趋势。东有大运路，西有临午路，309 国道、大运高速和大西高铁穿境而过。通多路公交车。

141002-A10　**滨河街道**［Bīnhé Jiēdào］属尧都区。在区境西北部。面积 10.39 平方千米。人口 3.77 万。辖 10 社区。1958 年，属临汾县城关公社。1971 年，属临汾市城区公社。1983 年，属县级临汾市。1985 年，成立党家楼乡。1986 年，改称北郊乡。1992 年，撤销北郊乡，成立北城镇。2000 年，属临汾市尧都区。2002 年，成立滨河街道，由临汾经济开发区代管。因滨临汾河得名。汾河流经。有中小学、社区卫生所、文化站、图书室。主产小麦、玉米和蔬菜。服务业以运输、装潢、建筑等为主。通多路公交车。

141002-B01　**屯里镇**［Túnlǐ Zhèn］尧都区辖镇。在区境北部。面积 21.51 平方千米。人口 3.4 万。辖 2 社区、10 行政村。镇人民政府驻屯里。1949 年，境内设 4 个行政村。1953 年，境内设屯里乡、东芦乡。1956年撤销区级建制，成立屯里乡。1958年属平阳人民公社。1959年成立屯里人民公社。1984年，改为屯里乡。2002年，屯里乡撤乡改镇。因驻地得名。屯里镇域处于临汾盆地中心地带，内部地质构造为陷落盆地。地貌为阶状冲积平原，最高海拔在东张堡村北为465米，最低海拔在西高河滩地为423米。属暖温带大陆性半干旱季风气候，四季分明。夏季气温30℃左右，冬季气温-15℃左右。极端最高气温达40℃，极端最低气温-20℃。汾河、涝河、涌河流经。沿汾河东岸有滩涂约1万亩。有中小学、卫生院、文化站、图书室。其中山西信息职业技术学院是经山西省人民政府批准，国家教育部备案的一所全日制普通高等专科院校。有历史人物韩武子、张九鳌、卢建基。2011年完成了尧都区第一部乡镇志——《屯里镇志》。主产小麦、玉米，有五大农业产业化基地。有南同蒲线、霍候一级公路，有108、309国道过境，有临汾北站、临汾北站货场、临汾煤焦集运站等。

141002-B01-H01 **屯里**［Túnlǐ］屯里镇人民政府驻地。在区政府驻地路东街道西北5.5千米。人口21020。相传因明朝屯兵于此而得名。聚落呈团块状。有屯里镇初级中学、屯里镇中心卫生院。有屯里墓群，为东周至汉代墓群。有屯里观音阁，现存为清代建筑遗构。309国道经此。通19、20、21、23路公交车。

141002-B02 **乔李镇**［Qiáolǐ Zhèn］尧都区辖镇。在区境北部。面积32.66平方千米。人口1.89万。辖9行政村。镇人民政府驻乔李。1949年，境内设乔季、北麻、北高、北侯4个行政村。1953年，境内设乔李、北高、南高3个乡。1958年设乔李乡。1958年设乔李管理区，隶属平阳人民公社。1959年设乔李人民公社。1984年改设乔李镇。因驻地得名。境内地势平坦，土质肥沃属涝河水库灌溉区域。气候属温带半干旱气候，四季分明，年平均气温11℃，春季干旱少雨，夏季炎热，旱多涝少，秋季凉爽多雨，冬季严寒少雪。年均降水量550毫米，降雨1月最少8月最多。涝河、曲亭河流经。矿产资源匮乏。有幼儿园、中小学、卫生院、文化站。有乔李女子威风锣鼓队、北麻龙狮表演队、南麻女子腰鼓队、北高威风锣鼓队等文化艺术团体。主产小麦、玉米，有四大日光温室蔬菜大棚示范园区。经济作物有桃、葡萄。饲养以生猪、羊、家禽为主。有108国道经此。

141002-B02-H01 **乔李**［Qiáolǐ］乔李镇人民政府驻地。在区政府驻地路东街道东北6.2千米。人口22070。相传因古乔村和李村合并而得名。聚落呈团块状。有乔李中学、乔李小学、乔李镇卫生院。有乔李城址，现存为明清建筑遗构。有建于1926年的李氏宅院。有汉代乔李遗址、乔李墓群。108国道经此。通102路公交车。

141002-B03 **大阳镇**［Dàyáng Zhèn］尧都区辖镇。在区境东部。面积115.65平方千米。人口2.91万。辖17行政村。镇人民政府驻大阳。1949年，境域为临汾县第三区（驻大阳）。1953年境内设大阳、王雅、古贤、官雀、郭行、北郊、岳壁、乔村8乡，仍为临汾县第三区。1956年3月，撤销区级建制，设大阳乡、岳壁乡。1958年9月，成立大阳人民公社。1961年5月，分设为大阳、郭行2个人民公社。1984年10月分别改设为大阳镇、郭行乡。2001年3月，郭行乡并入大阳镇。因驻地得名。境内地势东高西低，东部为黄土丘陵，西部为黄土覆盖的洪积台地绝。昼夜温差常年在10℃。气候属温带半干旱气候，四季分明，年平均气温9至10℃，春季干旱少雨，夏季炎热，旱多涝少，秋季凉爽多雨，冬季严寒少雪。年均降水量520毫米，降水1月最少，8月最多。涝河、洰河、杨村河流经。有幼儿园、中小学、卫生院、文化站。有工业企业14个。有全国重点文物保护单位尧陵。主产小麦、玉米，经济作物有苹果、核桃等，土特产有核桃、葡萄、枣等。饲养以生猪、羊、鸡为主。服务业以旅游为主。省道临磨线经此。

141002-B03-H01 **大阳**［Dàyáng］大阳镇人民政府驻地。在区政府驻地路东街道东11千米。人口28470。相传因古有大阳蛮部落先民迁此居住而得名。聚落呈团块状。有大阳中学、大阳镇初级中学、大阳镇中心小学、大阳镇卫生院。有大阳遗址，为汉代文化遗存。乡村道路经此。通103路公交车。

141002-B03-H02 **官雀**［Guānquè］在区政

府驻地路东街道东南 15.3 千米。大阳镇辖行政村。人口 1100。相传原名鹳雀，后演变为今名。聚落呈团块状。有官雀战斗遗址，又称“临浮战役”，歼灭号称“天下第一旅”的胡宗南整编第 1 师第 1 旅。有官雀战役纪念馆。省道临磨线经此。

141002-B03-H03　**北郊**［Běijiāo］在区政府驻地路东街道东南 19.9 千米。大阳镇辖行政村。人口 510。聚落呈条带状。有第六批全国重点文物保护单位尧陵，相传为唐初改建，明清时尧陵春秋二祭，沿而不废。乡村道路经此。

141002-B04　**县底镇**［Xiàndǐ Zhèn］尧都区辖镇。在区境东南部。面积 89.7 平方千米。人口 4.26 万。辖 19 行政村。镇人民政府驻县底。1949 年，境内村庄分属临汾县第一区（驻翟村）、第二区（驻侯村）。1956 年 3 月，分属县底乡、许村乡。1958 年 9 月，成立东风人民公社，驻县底。1959 年 3 月，分出贺家庄人民公社。1961 年 5 月，分设为县底、城隍 2 个公社。1984 年 10 月分别改设为县底镇、城隍乡。2001 年 3 月，城隍乡并入县底镇。因西汉时为襄陵县治所而得名。地势呈东高西低，阶梯状，以东为丘陵区，以西为平川区域。境内最高峰位于卧虎山，海拔 966.47 米；最低点位于东杜村，海拔 495 米。气候四季分明，冬冷夏热，旱多涝少，灾害较多，春季干旱少雨，夏季炎热多雨，秋季凉爽干燥，冬季严寒少雪。年平均气温 9 至 13℃，年平均降水量 494 毫米。潘河流经。矿产资源贫乏。有幼儿园、中小学、卫生院、文化站、农家书屋。主产小麦、玉米。经济作物有苹果、核桃、桃、枣等。1992 年 6 月，中国农业大学、澳大利亚昆士兰大学及山西省农机局联合在城隍村建立全国第一个黄土高原保护性耕作试验区，现已形成适用于北方旱区农业的生产技术体系。饲养以生猪、牛、羊、鸡等为主。有公路过境。

141002-B04-H01　**县底**［Xiàndǐ］县底镇人民政府驻地。在区政府驻地路东街道东南 6.6 千米。人口 35020。相传北魏时期，因古乾城湮没，曾想在此建县，因无绝地（设监狱之地）得名。聚落呈团块状。有县底中学、县底中心卫生院。有县底北遗址，为战国时期文化遗存。有县底遗址，为北朝时期文化遗存。有县底戏台，现存为清代建筑遗构。乡村道路经此。通 107 路公交车。

141002-B05　**刘村镇**［Liúcūn Zhèn］尧都区辖镇。在区境中心。面积 69.27 平方千米。人口 4.28 万。辖 35 行政村。镇人民政府驻刘村。1949 年属临汾县第六区。1956 年分属刘村乡、泊庄乡。1958 年 9 月分属平阳人民公社、龙祠人民公社。1959 年 3 月，分属刘村、泊庄人民公社。1984 年 10 月，分别改制为刘村镇、泊庄乡。2001 年 3 月，泊庄乡并入刘村镇。因西晋时匈奴刘渊第四子刘聪的府第建于此而得名。地势西高东低，地形以山地、丘陵、平川为主，主要山脉有姑射山。最高峰伍落坡位于参峪村西，海拔 1150 米，最低点位于马务村东，海拔 445 米。地处半干旱、半湿润温带大陆性季风气候区，四季分明。汾河、石板沟涧河，属于黄河河道。有主干渠道 3 条，其中上官渠引源于龙祠泉，开凿于唐代；七一渠为引水干渠，源于汾河，修建于 1958 年 7 月 1 日。有幼儿园、中小学、卫生院、文化站。有省级文物保护单位尧都高堆遗址、金城堡遗址。历史人物有西汉名将卫青、西汉名将霍去病、西汉著名政治家霍光。抗日战争时期，中共中央北方局、八路军驻晋事处、中共山西省委曾驻扎于此，八路军第一个炮兵团在北卧村组建，《游击队之歌》在刘村谱写。主产小麦、玉米，经济作物有油料作物、蔬菜、红富士苹果、桃等。有北刘千亩小麦良种基地、杨家庄双孢菇、核桃基地、苗木花卉基地等。饲养以生猪、羊、鸡、牛为主。大西铁路过境设站。京昆高速，309 国道，省道桃临线、临磨线、临夏线经此。

141002-B05-H01　**刘北**［Liúběi］刘村镇人民政府驻地。在区政府驻地路东街道西北 11.5 千米。人口 1640。相传因有十六国汉国君主刘聪墓而得名，由刘北、刘南、刘西相连 3 片组成，此村在北，故名。聚落呈团块状。有刘村小学、刘村一中、刘村镇卫生院。有刘北三官庙献殿，现存为明代建筑遗构。有中共北方局旧址、八路军驻晋办事处旧址，北方局在刘村驻四个多月。520

国道、309 国道经此。通 101 路公交车。

141002-B06 **金殿镇** [Jīndiàn Zhèn] 尧都区辖镇。在区境西南部。面积 98.54 平方千米。人口 6.23 万。辖 34 行政村。镇人民政府驻金殿。1949 年，境内分属临汾县第六区、第七区。1956 年分属小榆乡、金殿乡、北杜乡。1958 年，属龙祠人民公社。1961 年 5 月，分属金殿人民公社、小榆人民公社、龙祠人民公社。1985 年 10 月改为乡镇制后，分属金殿镇、小榆乡、龙祠乡。2001 年 3 月，由龙祠乡、小榆乡、金殿镇 3 个乡镇合并为金殿镇。因后汉刘渊在此建都而得名。地处吕梁山东麓，地势西高东低，地形为山区、丘陵、平川、滩涂并存，呈阶梯状分布。主要山脉有平山（吕梁山余脉姑射山分支）、秦王山、龙祠山。最高峰姑射山海拔 1093.37 米；最低点海拔 420.1 米。汾河、仙洞沟涧河、席坊沟、三圣沟流经。地下矿藏有铁、镁、锰、锌、石料、铝矾土等。有中小学、文化站、农家书屋、卫生院。有省级文物保护单位尧都仙洞沟碧岩寺，省级尧都区姑射山风景名胜区，省级吕梁山森林公园。有龙子祠、法显纪念馆。主产小麦、玉米。盛产谷子，黄豆、绿豆、水稻、莲菜等。有精品苗木花卉基地、小麦生产基地。饲养以生猪、牛、羊为主。有品牌产品金殿甲鱼、龙祠中华鲟、苏村狐狸、峪里獭兔、龙祠土鸡、峪里种羊等。309 国道、临汾—夏县省道过境。

141002-B06-H01 **金殿** [Jīndiàn] 金殿镇人民政府驻地。在区政府驻地路东街道西南 14 千米。人口 65970。相传因十六国后赵刘渊父子建汉称帝于此，建都城修宫殿，名曰“金殿”。聚落呈团块状。有金殿中心小学、金殿镇一中、金殿卫生院。有古迹金殿村二郎庙。309 国道、省道临夏线经此。

141002-B07 **吴村镇** [Wúcūn Zhèn] 尧都区辖镇。在区境西北部。面积 41.8 平方千米。人口 2.41 万。辖 12 行政村。镇人民政府驻吴村。1949 年，境域属临汾县第五区（治吴村）。1956 年 3 月为吴村乡。1958 年属土门七一人民公社。1961 年 5 月设吴村人民公社。1984 年 10 月改设吴村镇。因驻地得名。地处临汾盆地中部，地势平坦，地势西北高东南低，呈缓坡状。气候属温带大陆性季风气候，四季分明，年平均气温 12.2℃，无霜期 180 至 220 天。太涧河、岔口河流经。有幼儿园、中小学、文化站、农家书屋、卫生院。有以锣鼓、秧歌和柔力球为主的各类文艺表演队伍。王曲的龙灯、红布的狮子、邻村的竹板、乔化的金鼓历史悠久。有全国重点文物保护单位王曲村东岳庙戏台。有古迹太子坟、清代戏楼、清代晋商范家大院等。有省级非物质文化遗产——屯里道腔。有历史人物孙曲、王曲。主产小麦、玉米。有新型蔬菜大棚、蔬菜种植专业合作社育苗基地。饲养以生猪、牛、羊、鸡为主。有多个木材加工企业。第三产业以商贸、餐饮和服务业为主。大西铁路、京昆高速、省道桃临线经此。

141002-B07-H01 **吴南** [Wúnán] 吴村镇人民政府驻地。在区政府驻地路东街道西北 11 千米。人口 2880。以其所在的地理位置和方向而得名。聚落呈团块状。有吴村中学、吴村卫生院。有吴南郭氏民居，有大门、南厢房、北厢房等，现存皆为清代建筑遗构。省道桃临线经此。通 105 路公交车。

141002-B07-H02 **王曲** [Wángqǔ] 在区政府驻地路东街道西北 10.5 千米。吴村镇辖行政村。人口 2580。该村最先由姓王的一家定居于此而得名。聚落呈团块状。有王曲小学。有第六批全国重点文物保护单位王曲东岳庙，戏台为元代建筑遗构，余皆为清代建筑遗构。省道桃临线经此。通 105 路公交车。

141002-B08 **土门镇** [Tǔmén Zhèn] 尧都区辖镇。在区境西北部。面积 127 平方千米。人口 2.69 万。辖 16 行政村。镇人民政府驻土门村。1956 年 3 月，境内设门乡、西头乡、太山坡乡。1958 年 9 月，成立土门七一人民公社，1959 年分出一平垣公社。1961 年 5 月，分设西头人民公社。1984 年，分别改为土门镇、西头乡。2001 年 3 月，西头乡并入土门镇。因驻地得名。地势西高东低，呈阶梯状，地形有丘陵、台地、平原。主要山脉有吕梁山脉，最高点海拔 1335.6 米；最低点海拔 450.2 米。也处半干旱、半湿润季风气候区，属温带大陆性气候，四季分明、冬冷夏热。年平均气温9至13℃，全年无霜期197天，年降水量494毫米。岔口河、小涧沟、鹿儿沟流经。地下矿藏有煤、铁、石灰岩、白云石、高岭土、石膏、耐火黏土等。有幼儿园、中小学、卫生院。有国有林场1处，临汾市城市饮用水源地1处。有全国重点文物保护单位土门东羊村后土庙、土门东羊村后土庙戏台，有市级文物保护单位晋王陵、土门金元墓葬，有县级九龙山森林公园，有纪念地抗日战争时省政府驻地。亢村威风锣鼓表演队曾参加在北京举办的第十一届亚运会开幕式表演。有面塑、剪纸、刺绣等民国传统技艺。盛产小麦、玉米、谷子、黄豆、绿豆、红小豆、芝麻、蓖麻、棉花等；果品有柿子、苹果、葡萄、核桃、红枣等；中草药有柴胡、连翘、丁香等。饲养以生猪、羊为主。第二产业生产水泥、原煤、精洗煤、焦炭、生铁、铸铁件、石料、石灰、青砖、编织袋等。大西铁路，京昆、临汾绕城高速，省道临大线经此。

141002-B08-H01　**土门**［Tǔmén］土门镇人民政府驻地。在区政府驻地路东街道西北16.2千米。人口30800。相传因东西进出口均为凿土而成而得名。聚落呈团块状。有土门中学、土门中心卫生院。有市级文物保护单位土门金元墓葬。有土门郝氏宅院、土门九眼桥、土门城隍庙戏台、五虎庙、魁星楼等清代建筑遗构。省道临大线经此。通101路公交车。

141002-B08-H02　**东羊**［Dōngyáng］在区政府驻地路东街道西北13.8千米。土门镇辖行政村。人口2400。相传原有东岳庙，后来以谐音改名为东羊。聚落呈团块状。有东羊学校。有第六批全国重点文物保护单位东羊后土庙，现存大殿、献亭、戏台等，其中戏台为元代建筑遗构。乡村道路经此。

141002-B09　**魏村镇**［Wèicūn Zhèn］尧都区辖镇。在区境西北部。面积29.49平方千米。人口1.21万。辖7行政村。镇人民政府驻魏村。1953年，境内设魏村乡、西郭乡。1956年3月撤销区级建制，成立魏村乡。1958年9月，隶属土门七一人民公社。1961年成立魏村人民公社。1984年10月改设魏村镇。因驻地得名。地处吕梁山脉与汾河谷地过渡地带，地势西高东低，地形为洪积台地、丘陵、山前倾斜平原。主要山脉有吕梁山余脉青龙山，最高峰老爷顶海拔1070.5米；最低点海拔507.4米。年平均降水量500毫米，无霜期190天，年平均气温11℃。洞子沟、魏村河、大洪峪、小洪峪流经。西部山前储藏有少量煤炭。有幼儿园、中小学、卫生院、文化站、图书室。有全国重点文物保护单位魏村牛王庙和牛王庙戏台，牛王庙戏台是中国现存最早的一座木结构戏剧舞台，魏村牛王庙会被列入省级非物质文化遗产。主产小麦、玉米。主要经济作物有核桃、苹果。饲养以家禽为主。京昆高速经此。

141002-B09-H01　**魏村**［Wèicūn］魏村镇人民政府驻地。在区政府驻地路东街道西北18.5千米。人口15230。相传秦汉年间西魏王豹府第在此而得名。聚落呈团块状。有魏村镇初级中学、魏村镇卫生院。有第四批全国重点文物保护单位牛王庙戏台，现存三王殿、献亭、垛殿、廊庑、戏台等建筑，其中惟戏台为元代建筑遗构，余皆为明清时期建筑遗构。有省级非物质文化遗产魏村牛王庙会。乡村道路经此。通101路公交车。

141002-B10　**尧庙镇**［Yáomiào Zhèn］尧都区辖镇。在区境南部。面积31.3平方千米。人口1.95万。辖4社区、11行政村。镇人民政府驻尧庙。1949，境域属临汾县第二区（驻侯村）。1953年，境域设神刘、伊村2个乡，仍属临汾县第二区。1956年3月，撤销区级建制，设伊村乡。1958年9月，改为伊村管理区，隶属于临汾县城关镇平阳人民公社。1959年3月，隶属于贾得人民公社。1963年，成立尧庙人民公社。1971年8月，临汾县、市分设，隶属于临汾市。1984年10月改乡镇制，为尧庙乡。2000年6月，撤乡建尧庙镇。2000年11月，撤市设区，隶属于临汾市尧都区。因尧庙宫而得名。地处临汾盆地中部，西邻汾河，属温带大陆性季风气候，四季分明，年平均气温12.2℃，无霜期180至220天。境内地势平坦，无矿产资源。主要河道有汾河流经，有汾河滩涂4平方千米。有幼儿园、中小学、卫生院、文化站、图书室。有国家级4A尧庙—华门景区，有省级文物保护单位尧都下靳遗址。有地方民间艺术阴阳鼓、旱船、高跷等。主产小麦、玉米。主要经济作物有蔬菜。饲养以奶牛、生猪、肉羊为主。有尧都区医药电子工业园区，有大型物流企业、装饰专业市场、汽修园、机电城等。霍侯一级路、108 国道经此。

141002-B10-H01 **尧庙**［Yáomiào］尧庙镇人民政府驻地。在区政府驻地路东街道西南 8.5 千米。人口 37830。相传因村旁有古帝尧庙而得名。聚落呈团块状。有尧庙中学、尧庙中心学校、尧庙镇卫生院。有第一批省级文物保护单位、国家 AAAA 级旅游景区尧庙，始建于晋，现存为清代建筑遗构。有 AAAA 级旅游景区华门。有全国重点烈士纪念建筑物保护单位、省级爱国主义教育示范基地临汾烈士陵园，朱德元帅亲笔题词“革命烈士永垂不朽”。108 国道经此。通 10、16、120、201 路公交车。

141002-C01 **段店乡**［Duàndiàn Xiāng］尧都区辖乡。在区境南部。面积 50.2 平方千米。人口 4.22 万。辖 4 社区、27 行政村。镇人民政府驻段店。1949 年，境内设 5 个行政村。1953 年，设 3 个乡。1956 年 3 月，境域分属段店乡、东张乡。1958 年 9 月，境域有段店、东张两个管理区，隶属于城关镇平阳人民公社。1963 年，境域设段店、东张 2 个人民公社。1971 年 8 月，临汾县、市分设，段店人民公社隶属临汾市，东张人民公社隶属临汾县。1983 年 10 月，临汾县、市合并，均隶属临汾市。1984 年 10 月，设段店乡、东张乡。2001 年 3 月，东张乡并入段店乡，隶属于临汾市尧都区。以驻地得名。地势略呈东高西低。境内气候属温带半干旱气候四季分明，春季干旱少雨，夏季炎热，旱多涝少秋季凉爽多雨，冬季严寒少雪。年均降水量 550 毫米，降雨集中在每年 8 月至 9 月，8 月最多。涝河、洰河流经。境内少矿产资源。有幼儿园、中小学、文化站、卫生院。有工业企业 4 个。主产小麦、玉米、豆类、谷物，有冬枣基地。主要经济作物有蔬菜。饲养以生猪、羊为主。土特产品有冬枣、苹果、桃。108 国道、省道临磨线经此。

141002-C01-H01 **段店**［Duàndiàn］段店乡人民政府驻地。在区政府驻地路东街道南 1 千米。人口 43170。相传村南涧河改道致水断而得名断涧，后演变为今名。聚落呈团块状。有段店中学、段店乡卫生院。108 国道、省道临磨线经此。

141002-C02 **贾得乡**［Jiǎdé Xiāng］尧都区辖乡。在区境南部。面积 89.68 平方千米。人口 4.22 万。辖 28 行政村。乡人民政府驻贾得。1953 年，境内设南席乡、大苏乡、西李家庄乡、贾得乡、靳家庄乡、东亢乡西亢乡、柴村乡。1956 年 3 月撤销区级建制，设贾得乡、大苏乡。1958 年 9 月，分属平阳人民公社、东风人民公社。1959 年 3 月设立贾得公社。1961 年 5 月设立大苏公社。1963 年，从贾得公社分出尧庙公社，部分村庄划归新设立的段店公社。1971 年 8 月，临汾县、市分设，贾得公社隶属临汾市，大苏公社隶属临汾县。1983 年 10 月临汾县并入临汾市。2001 年 3 月，大苏乡并入贾得乡。因西周时为贾国地而得名。地势东高西低、南北同高。地形分为东部丘陵、台地，西部平原。境内四季分明，雨热同季，光照充足无霜期长。春季干旱多风，夏季雨量集中，秋季温和凉爽，冬季干冷少雪。年平均气温 12.8℃，年平均降水量 585 毫米。有发源于襄汾县芝麻山的柏壁河，长 11 公里。有东亢村温泉，古称“污泉”“深泉”“亢泉”，为尧都区古八景之一。邓庄河流经。最高海拔 1035.8 米，最低海拔 425 米。大王一带储藏有磁铁矿，储量 2500 万吨，石膏 14 个矿体，地下矿藏主要有磁铁矿、金、花岗岩等。有幼儿园、中小学、卫生院、文化站。手工麻纸制作技艺被列入省级非物质文化遗产。相传为古贾国之地，柴村为唐开国大将军、霍国公柴绍故里。主产小麦、玉米、豆类、谷物。主要经济作物有蔬菜。饲养以生猪、羊、家禽为主。工业以铸造、造纸等为主。第三产业以商贸、仓储、交通、运输等产业为主。南同蒲铁路、108 国道经此。

141002-C02-H01 **贾得**［Jiǎdé］贾得乡人民政府驻地。在区政府驻地路东街道西南 7 千米。人口 48970。相传为春秋贾国故地，《左传·庄公二十八年》载“晋献公娶于贾”，故名。聚落呈团块状。有贾得中心校、贾得乡卫生院。有贾得吕氏宅院，为清代建筑遗构。有省级非物质文化遗产手工麻纸制作技艺。108 国道经此。

141002-C03　**一平垣乡**［Yīpíngyuán Xiāng］尧都区辖乡。在区境西北部。面积134平方千米。人口1.51万。辖10行政村。镇人民政府驻一平垣。1956年3月，设一平垣乡。1958年9月，隶属于土门七一人民公社。1959年3月，设一平垣人民公社。1984年10月，改设一平垣乡。因驻地得名。地处吕梁山脉前缘地带，地势西高东低。地形以山地、丘陵为主。最高峰海拔1471.6米；最低点海拔675米。气候温带大陆性气候，四季分明，雨热同期，冬冷夏热旱多涝少。年平均气温9℃左右。刁底河流经。地下矿藏有煤、石膏、石灰岩、铁、耐火黏土等。现有野生动物30多种，野生植物300多种。有幼儿园、中小学、卫生院、文化站、农家书屋。有县级文物保护单位虎头山古道观。主产小麦、玉米、豆类、谷物。主要经济作物有马铃薯、油菜等。畜牧业以饲养生猪、牛、羊、鸡为主。工业以煤炭、赤铁石为主。第三产业以煤炭运输业为主。520国道、省道临大线经此。

141002-C03-H01　**一平垣**［Yīpíngyuán］一平垣乡人民政府驻地。在区政府驻地路东街道西北23千米。人口15810。因村处山区较平坦处而得名。聚落呈带状。有一平垣中学、一平垣卫生院。有一平垣堡址，现存为明代建筑遗构。省道临大线经此。

141002-C04　**枕头乡**［Zhěntóu Xiāng］尧都区辖乡。在区境西南部。面积306平方千米。人口2.89万。辖22行政村。乡人民政府驻枕头。1953年境内设后掌、仪上、枕头等7个乡。1956年3月撤销区级建制，设枕头乡、仪上乡。1958年9月，属平阳人民公社，设枕头、后掌、仪上等管理区。1959年3月设枕头人民公社。1984年10月改设枕头乡。2021年，河底乡并入。因驻地得名。地处吕梁山脉罗云山段，地势中间低、四周高。气候特点四季分明。春季干旱少雨，夏季炎热多雨，秋季凉爽干燥，冬季严寒少雪。年平均气温8.2°C，年平均降水量685毫米。仙洞沟河、石门峪河、豁都峪、口子河流经。地下矿藏有煤、铁矿、铝矾土等。有幼儿园、中小学、卫生院、文化站。粮食作物以小麦、玉米、豆类、谷物为主。主要经济作物有马铃薯、向日葵等。土特产有核桃、花椒、枣、红果。饲养以生猪、牛、羊、家禽为主。工业企业主要为采煤、铁矿开采。309国道经此。

141002-C04-H01　**枕头**［Zhěntóu］枕头乡人民政府驻地。在区政府驻地路东街道西北25千米。人口19760。相传原名阵头，后演变为今名。聚落呈团块状。有枕头中心小学、枕头卫生院。有枕头墓地，为战国时期墓群。有当地望族徐氏家族墓地。2019年入选第一批国家森林乡村名单。2020年被确定为山西省第二批AAA级乡村旅游示范村。乡村道路经此。

141021　**曲沃县**［Qūwò Xiàn］临汾市辖县。北纬35°38′，东经111°28′。在市境南部。面积437平方千米。人口21.66万。以汉族为主，还有回、藏等民族。辖5镇、2乡。县人民政府驻乐昌镇。春秋为晋都地。战国属魏国。秦置绛县，治所在今凤城村，属河东郡。西汉因之。东汉改绛邑县。三国魏属平阳郡。晋因之。北魏太和十一年（487年）置曲沃县，属正平郡。隋开皇三年（583年）属绛郡。十年（590年）县治徙今县城。唐属绛州。宋、金因之。元大德九年（1305年）属平阳路，明洪武二年（1369年）属平阳府。清因之。1912年废府。1913年属河东道。1927年废道直属山西省。1937年属山西省第七行政区。抗日战争时期属晋冀鲁豫边区太岳区第九专区。解放战争时期属第二专区。1948年6月属晋绥边区第十专区。1949年2月属陕甘宁边区晋南区第十专区。同年10月属山西省临汾专区。1954年属晋南专区。1958年撤销曲沃县，并入县级侯马市。1963年3月恢复曲沃县。1967年属晋南地区。1970年属临汾地区。1971年析县西部分区域置侯马市。2000年6月属临汾市至今。以沃水曲径流经而得名。地势南北高中间低。有东陉山、绛山，最高海拔塔儿山1491.2米，最低海拔398.5米。年均气温12.8℃，1月平均气温-2.4℃，7月平均气温26.2℃。年均降水量502.3毫米。汾河、浍河、滏河、黑河流经。矿产资源有铁、金、石膏、石灰岩、花岗岩、片麻岩、石英岩、钾长石、煤及地热水等。植物资源有松科、云杉科、桦木科等在内的40余科约400种。全年无霜期210天。年平均日照时数为2387.8小时。有省科研机构山西亚华制盖有限公司技术中心。有中小学43所。曲沃中学为山西省首批重点中学、山西省示范高中。有医院、文化馆、图书馆、档案馆、博物馆、美术馆、体育场馆3处。有全国重点文物保护单位大悲院、曲村—天马晋侯墓地、南林交龙泉寺、东许三清庙献殿、羊舍草地等。有省级文物保护单位里村西沟遗址、方城遗址、古城遗址、东许遗址、望绛墓地、四牌楼、薛家大院。有历史人物晋武公、晋献公、申生、荀息、里克、晋文公、韩厥、许国祯、曹端、李建泰等。有中国民间文化艺术之乡高显镇。有全国文明村镇乐昌镇西南街村。有地方民间艺术剪纸、皮影等。任庄扇鼓傩戏、曲沃碗碗腔、曲沃琴书被列入国家级非物质文化遗产，曲沃花葫芦、晋都文锣鼓、四牌楼传统古会、华佗神医庙会、封王娘娘庙会、交里桥饸饹面、吉祥王氏烧伤被列入省级非物质文化遗产。有古迹世子庙、齐姜墓、黄帝庙等。有纪念地景明烈士陵园、西杨烈士陵园、石桥堡中共曲沃县委旧址。三次产业比例为14.1:63.1:22.8。主产小麦、玉米。养殖以猪、羊、牛、家禽为主。土特产品有史村镇羊汤、北董大蒜、南林交莲藕、北董乡交里桥荤汤饸饹面、乐昌镇豆沙糕、油熥凉粉等。工业以冶金、焦化、建材、铸造、食品加工和装备制造为主，有省级高显冶金工业园区。南同蒲铁路、侯月铁路过境设站。108国道、省道陵侯线、曲绛线、坪曲线经此。

141021-F01 **中心广场**［Zhōngxīn Guǎngchǎng］在曲沃县城中部。北侧为府西街，西侧为太和南路，东侧为晋都南路，紧邻曲沃宾馆、曲沃县人民政府大楼。总面积2万平方米。1998年伴随府西街工程开工。2001年落成，是古县城区重要的集会、休闲场所。广场中心有不锈钢雕塑。

141021-R01 **曲沃站**［Qūwò Zhàn］见交通运输设施部分“曲沃站”条。

141021-B01 **乐昌镇**［Lèchāng Zhèn］曲沃县人民政府驻地。在县境西南部。面积35.71平方千米。人口2.77万。辖8社区、7行政村。镇人民政府驻乐昌堡。民国时期为第一区治地。民国36年（1947年）4月设城关市。新中国建立后，历为区、镇、人民公社机关驻地。1958年11月建立卫星人民公社，即城关公社。1959年改划为曲沃公社。1984年7月，恢复乡镇制，镇域辖城关镇和苏村乡。2001年3月撤乡并镇，2乡镇合为乐昌镇。因古乐昌堡得名。地势平坦，基本呈东北高、西南低之势，海拔350米，属暖温带半湿润半干旱的大陆性季风气候。年平均气温15.3℃，1月份平均气温-4.5℃，7月份平均气温26.4℃，年平均降水量518.8毫米左右。全年无霜期约190天，初霜期出现在10月中旬，初冻约在12月下旬。浍河流经，浍河支流自东向西流过。矿产资源有地下水资源。林木覆盖率2.2%。主要树种为毛白杨。有中小学、幼儿园、卫生院、卫生所。有省级文物保护单位曲沃古城遗址、薛家大院、四牌楼，有县级重点文物保护单位感应寺砖塔。有百人秧歌队、百人腰鼓队、舞龙队、旱船队、武术队等文艺队伍。主产小麦、优质玉米、苹果、梨、桃。养殖以饲养生猪、牛、羊为主。工业以冶炼、加工业为主。服务业以餐饮业、交通运输业、文化娱乐业、商贸业为主。108国道、省道曲绛线、坪曲线经此。有大运一级路、晋韩路、曲绛路三条干线公路。

141021-B01-K01 **贡院东街**［Gòngyuàn Dōngjiē］在曲沃县城南部。西起晋都南路，东至浍滨南路。以晋都南路为界，分西街、东街。东与东关正街相连。长1.1千米，宽30米。沥青路面。道路中部有以四牌楼为中心、半径35米的圆形环道。2002年开工，2004年建成。因位于古代贡院东侧得名。两侧有曲沃中学、贡院、四牌楼、清真寺等。

141021-B01-K02 **府西街**［Fǔxī Jiē］在曲沃县城西部。西起新兴南路，东至晋都南、北路。与太和南、北路相交。长0.9千米，宽60米。沥青路面。明嘉靖二十二年（1543年）建成，俗称西大街。1986年改扩建。1998—1999年拓宽改造。因位于县政府以西，2004年更今名。两侧有曲沃县财政局、乐昌镇人民政府、曲沃中心广场等。通曲沃2路公交车。

141021-B01-K03 **府东街**［Fǔdōng Jiē］在

曲沃县城中东部。西起晋都南、北路，东至绛山路。与浍滨南、北路等道路相交。长 0.9 千米，宽 60 米。沥青路面。明嘉靖二十二年（1543 年）建成，俗称东大街。2001 年改扩建。2004 年拓宽后，因位于县政府以东更今名。两侧有曲沃县人民政府、曲沃二中、新东城商业广场等。通曲沃 1、2 路等公交车。

141021-B01-K04 **沸泉街**［Fèiquán Jiē］在曲沃县城南部。西起太和南路，东至浍滨南路。与晋都南路、小南关路等道路相交。长 0.8 千米，宽 16 米。原址为曲沃南城墙及城壕。1984 年建成，俗称南环路。因附近有沸泉，1987 年更今名。2002 年改扩建。两侧有曲沃县教育局、文馨苑、南关幼儿园等。

141021-B01-K05 **文公大街**［Wéngōng Dàjiē］在曲沃县城北部。西起新兴北路，东至马庄转盘。与晋都北路、北关正街、晋达路、水桥路、浍滨北路等道路相交。长 2.7 千米，宽 40 米。沥青路面。1935 年始建，为晋禹公路过城段。1992 年改名晋韩公路。1993 年变更为城区道路。2001 年拓宽改造。为纪念晋文公，2004 年更今名。两侧有乐昌中学、曲沃县公安局、曲沃县中医医院等。通曲沃 1 路公交车。

141021-B01-K06 **晋都北路**［Jìndū Běilù］在曲沃县城中部。北起新兴北路，南至府东街、府西街交汇处。与文公大街、兴隆街等道路相交。长 1.1 千米，宽 22 米。沥青路面。原称北大街。1985、1994—1996 年改扩建。为纪念曲沃为晋国古都，2004 年更今名。两侧有绛园、曲沃县电业局、曲沃县人民政府等。通曲沃 1 路公交车。

141021-B01-K07 **晋都南路**［Jìndū Nánlù］在曲沃县城中部。北起府东街、府西街交汇处，南至沸泉街。与贡院东、西街等道路相交，长 1 千米，宽 45 米。沥青路面。古称正大街，为县城最古老的街道之一。新中国成立后改称南大街。1979、2003 年改扩建。2004 年为纪念曲沃为晋国古都更今名。两侧有曲沃中心广场、实验小学、曲沃中学、曲沃县教育局等。

141021-B01-K08 **吉祥路**［Jíxiáng Lù］在曲沃县城东部。北起文公大街，南至南外环路。以府东街、晋园南街为界，分北路、中路、南路。长 2.4 千米，宽 40 米。沥青路面。2012 年建成。路名寓意吉祥如意。两侧有曲沃县人民法院、县直幼儿园、晋园、顾园、南吉村等。通曲沃 1 路公交车。

141021-B01-K09 **太和北路**［Tàihé Běilù］在曲沃县城西部。北起兴隆西街，南至府西街。以府西街为界，分北路、南路。长 0.2 千米，宽 6 米。沥青路面。为纪念北魏太和十一年（487 年）曲沃正式建县，2004 年更今名。两侧有乐苑小区、曲沃京都医院等。

141021-B01-K10 **太和南路**［Tàihé Nánlù］在曲沃县城西部。北起府西街，南至沸泉街。以府西街为界，分北路、南路。与下西关正街、贡院西街等道路相交。长 1.1 千米，宽 22 米。沥青路面。1984 年建成。1987 年改扩建。为纪念北魏太和十一年（487 年）曲沃正式建县，2004 年更今名。两侧有颐泽宾馆、感应寺塔、薛家大院、南街小学等。

141021-B01-K11 **浍滨北路**［Huìbīn Běilù］在曲沃县城中部。北起文公大街，南至府东街。以府东街为界，分北路、南路。与兴隆东街、文明街等道路相交。长 0.4 千米，宽 10 米。沥青路面。2004 年建成。因位于浍河干渠旁得名。两侧有东北街村委会、兴隆大院等。

141021-B01-K12 **浍滨南路**［Huìbīn Nánlù］在曲沃县城中部。北起府东街，南至沸泉街。以府东街为界，分北路、南路。与东关正街等道路相交。长 0.6 千米，宽 18 米。沥青路面。2004 年建成。因位于浍河干渠旁得名。两侧有兴华中学、东关小学、晋文小区等。

141021-B01-K13 **新兴北路**［Xīnxīng Běilù］在曲沃县城西北部。北起小吉村附近，南至文公大街。以文公大街为界，分北路、南路。与晋韩路、晋都北路等道路相交。长 2.2 千米，宽 40 米。沥青路面。为 108 国道（京昆线）过城段。1990、1998、2001 年三次拓宽改造。路名寓意振兴曲沃。两侧有临汾市浍河水库管理局、绛园、曲沃汽车客运站等。通曲沃 2、5 路等公交车。

141021-B01-K14 **新兴南路**［Xīnxīng Nánlù］

在曲沃县城西部。北起文公大街，南至曲沃、侯马交界处。以文公大街为界，分北路、南路。与府西街、八大公司街、下西关正街等道路相交。长2.6千米，宽40米。沥青路面。为108国道（京昆线）过城段。1990、1998、2001年三次拓宽改造。路名寓意振兴曲沃。两侧有曲沃县自然资源和规划局、仁惠医院等。通曲沃5路、侯马—翼城专线等公交车。

141021-B01-K15 **曲郑路**［Qūzhèng Lù］在曲沃县城北部。北起钢厂环岛，南至新兴北路。南与晋都北路相连。与宇晋路等道路相交。长3.9千米，宽10米。沥青路面。1970年建成。2006年因南起曲沃县城、北至郑村方向而得名。两侧有美世界生活广场、信合小区、太子湖家园、席村等。

141021-B01-K16 **绛山路**［Jiàngshān Lù］在曲沃县城东部。北起文公大街，南至东关村南口。与府东街、东关正街等道路相交。长2.1千米，宽15米。沥青路面。为纪念晋国的宗山绛山得名。两侧有曲沃县纪检委、曲沃县民政局婚姻登记处、福渊小区等。

141021-B01-K17 **如意路**［Rúyì Lù］在曲沃县城东部。北起文公大街，南至晋园南街。以府东街为界，分北路、中路。长1千米，宽40米。沥青路面。2013年建成。路名寓意吉祥如意。两侧有乐昌中学、晋都公园、曲沃碧桂园等。

141021-B01-K18 **晋园北街**［Jìnyuán Běijiē］在曲沃县城东部。西起绛山路，东至234省道。与吉祥路、如意路等道路相交。长1.4千米，宽50米。沥青路面。2013年建成。原名城东大街。因位于晋都公园北侧，2017年更今名。两侧有曲沃县人民医院、晋都公园、乐昌中学等。通曲沃2路公交车。

141021-B01-K19 **晋园南街**［Jìnyuán Nánjiē］在曲沃县城东部。西起绛山路，东至234省道。与吉祥路、如意路等道路相交。长1.4千米，宽40米。沥青路面。2013年建成。因位于晋都公园南侧得名。两侧有晋都公园、文体广场、曲沃县政务大厅等。通曲沃2路公交车。

141021-B01-L01 **兴隆西街**［Xīnglóng Xījiē］在曲沃县城中部。西起太和北路，东至晋都北路。以晋都北路为界，分西街、东街。长0.3千米，宽6米。沥青路面。原址为曲沃北城墙及城壕。1984年建成，名兴隆街。2004年更今名。路名寓意曲沃的发展蒸蒸日上。沿街有兴隆市场等商铺，是县城重要的商业街。

141021-B01-L02 **贡院西街**［Gòngyuàn Xījiē］在曲沃县城南部。西起太和南路，东至晋都南路。以晋都南路为界，分西街、东街。长0.3千米，宽20.5米。沥青路面。2002年拓宽改造，2003年竣工。因位于古代贡院西侧得名。2012年将整条街修建为贡院市场，是西南城区餐饮、夜市、集市等汇集的商业街。两侧有祥瑞苑、西文昌小区等。

141021-B01-L03 **兴隆东街**［Xīnglóng Dōngjiē］在曲沃县城中部。西起晋都北路，东与浍滨北路。东与文明街相连。长0.5千米，宽6米。沥青路面。原址为曲沃北城墙及城壕。1984年建成并命名。2004年改步行街。路名寓意曲沃的发展蒸蒸日上。沿街多为商住楼，是县城重要的商业街。

141021-B01-L04 **东关正街**［Dōngguān Zhèngjiē］在曲沃县城东部。西起浍滨南路，东至绛山路。西与贡院东街相连，东与晋园南街相连。长0.6千米，宽40米。沥青路面。因位于东关村中心而得名。古为商业集中之地，现为七月古庙会所在地。两侧有黄河医院、东关村委会等。

141021-B01-H01 **北关**［Běiguān］乐昌镇人民政府驻地。在县城北部。人口1210。因其位于曲沃古城北门而得名。聚落呈团块状。有乐昌镇北关小学。108国道、省道曲辉线经此。通1、2路公交车。

141021-B01-H02 **安吉**［Ānjí］在县政府驻地乐昌镇东南2.2千米。乐昌镇辖行政村。人口1350。古名乐昌堡，清乾隆五年（1740年），县令张坊题字曰："古乐昌堡"。又因张坊任期内，该村无一诉讼事件，故命名为"安吉村"。聚落呈团块状。有县级文物保护单位安吉遗址，为夏代、汉代文化遗存。有县级文物保护单位安吉墓群，为汉代墓葬群。2019年被列入第五批中国传统村落名录。乡村道路经此。

141021-B01-H03　**西南街**［Xīnánjiē］在县政府驻地乐昌镇西南部。乐昌镇辖行政村。人口15050。因地域和方位而得名。聚落呈团块状。有西南街初级中学、西南街卫生所。有第一批省级文物保护单位曲沃古城遗址，为一处西周时期晋国古城址。有第四批省级文物保护单位薛家大院，是清代晋南民居的代表性建筑。有第五批省级文物保护单位感应寺砖塔，俗称西寺塔，其形制为辽金时期北方地区盛行的密檐式塔。2011 年被评为第三届全国文明村。108 国道经此。

141021-B02　**史村镇**［Shǐcūn Zhèn］曲沃县辖镇。在县境东部。面积 906 平方千米。人口 4.22 万。辖 27 行政村。镇人民政府驻辛村。1958 年 9 月组建飞跃人民公社。1961 年，组建吉许人民公社，后社址迁西常，公社名称随之变更为西常人民公社。1968 年，公社办公地址由史村迁至辛村。1984 年 2 月改设史村镇。1984 年改设西常乡。2001 年 3 月，西常乡并入史村镇。因原驻地得名。地处河、河流域及太子滩湖积平原，地形以丘陵为主。境内属丘陵半干旱地，气候温和，日照充足四季分明。年平均气温 12.6℃，1 月份最冷，平均气温 -3.3℃；7 月份最热，平均气温 26.4℃，年均降水量 525.8 毫米左右。浍河、滏河流经，有太子滩湖。矿产资源有铁矿石。森林覆盖率 7%。有小学、卫生院、文化站。有省级文物保护单位望绛墓地。有县级文物保护单位西海龙王庙。有古迹史村大明宝塔、史村东宁村砖塔、东杨古槐、秦岗望楼、辛村桥、羊舌墓地、周庄大仙楼、周庄戏台、东常砖塔等。有纪念地西杨烈士陵园。有浍河风景旅游区、磨盘生态农业观光旅游区。传统的种植业为小麦、玉米、棉花豆类、瓜类、蔬菜、生地等。水果以葡萄、红枣、苹果、桃、杏、柿子为主。养殖以饲养生猪、家禽、奶牛为主，有多个养殖园区。工业以炼焦、燃气发电、淀粉加工为主。第三产业以旅游、餐饮为主。侯月铁路过境设站。省道陵侯线、坪曲线经此。晋韩公路、阳侯高速公路横跨东西，郭义公路贯穿南北。

141021-B02-H01　**辛村**［Xīncūn］史村镇人民政府驻地。在县政府驻地乐昌镇东北 7.7 千米。人口 2700。聚落呈团块状。有史村第一联合小学、史村镇卫生院。有辛村风水塔遗址、辛村西风水塔遗址，皆为清代所建，是当地村民为补风水而建。省道曲辉线经此。

141021-B02-H02　**听城**［Tīngchéng］在县政府驻地乐昌镇东北 7.4 千米。史村镇辖行政村。人口 2400。相传春秋时期称陉庭，原村东门楼额匾书“古陉庭”。明代称庭城，后演化为今名。聚落呈团块状。有听城堡址，现存为明代建筑遗构。有明天启乙丑年（1625 年）修建的吉朝荣宅院、清康熙三十七年（1698 年）修建的吉贞兴宅院、清代道光六年（1826 年）修建的吉家宅院。有听城当铺院，是研究清代晋南商铺建筑结构的一处实物资料。有听城长征渡槽。乡村道路经此。

141021-B02-H03　**西海**［Xīhǎi］在县政府驻地乐昌镇东北 13.2 千米。史村镇辖行政村。人口 1180。相传该村古属翼城，宋嘉祐四年（1059 年），因争水事划归曲沃，因其村位于星海温泉之西，更名为西海。聚落呈团块状。有县级文物保护单位西海龙王庙，大殿、献殿、三清殿为清代建筑遗构。2017 年被评为第五届全国文明村。县道张高线经此。

141021-B02-H04　**常安庄**［Cháng'ānzhuāng］在县政府驻地乐昌镇东 4.2 千米。史村镇辖行政村。人口 570。相传因美好意愿而得名，取长久安居乐业之意。聚落呈团块状。有王淮林宅院，创建于清道光二十年（1840 年），现仅存西厢房。2020 年被评为第六届全国文明村。省道曲绛线经此。

141021-B03　**曲村镇**［Qūcūn Zhèn］曲沃县辖镇。在县境东北。面积 45.7 平方千米。人口 2.42 万。辖 14 行政村。镇人民政府驻曲村。元代属曲沃县。抗日战争和解放战争时期，中共曲沃县委机关驻下陈、三张等村。1953 年设曲村乡。1963 年改公社。1984 年设曲村镇。因驻地得名。属温带大陆性气候，年均气温 12.6℃，1 月份最冷平均气温为 -4.5℃；7 月最热，平均气温为 26.4℃。年降雨量 600 毫米，霜冻期为 10 月下旬至次年 4 月中旬，无霜期 190 天，初冻约在 12 月中旬。滏河河流经。矿产资源有煤。森林覆盖率 15.8%。有小学、幼儿园、卫生院、卫生所、文化站。有全国重点文物保护单位曲村—天马晋侯墓地、大悲院，有省级文物保护单位方城遗址。有县级文物保护单位义城黄帝庙、龙泉寺大殿。有晋国博物馆，是山西省第一座遗址类专题博物馆。有秧歌队、健身体操队、威风锣鼓队。主产小麦、玉米、薯类、豆类、蔬菜。经济作物有红提、红枣和红薯等。水果以苹果、葡萄、柿子、枣为主，养殖以饲养生猪、羊、家禽为主。工业以炼铁、农副产品加工为主。服务业以餐饮业、旅游业为主。108 国道经此。有三条公共汽车客运线，全镇通公路。

141021-B03-H01 **曲村**［Qūcūn］曲村镇人民政府驻地。在县政府驻地乐昌镇东北 12.3 千米。人口 5200。相传原名为距村，元代因村庄建于墓冢之中，村道因有冢而弯曲而得名。聚落呈团块状。有曲村联合小学、曲村中心卫生院。有第四批全国重点文物保护单位曲村——天马遗址，是一处以晋文化为主的西周时代遗址。有第五批全国重点文物保护单位大悲院，唐大和元年（827 年）创建，现存建筑献殿为金代原构，余皆清代建筑遗构。2019 年被列入第五批中国传统村落名录。县道院裴线经此。

141021-B03-H02 **方城**［Fāngchéng］在县政府驻地乐昌镇东北 15.7 千米。曲村镇辖行政村。人口 1280。据村内金代碑刻记载，古称丰城，元代改为方城。聚落呈团块状。有第六批省级文物保护单位方城黄帝庙，明弘治十四年（1501 年）重建。乡村道路经此。

141021-B04 **高显镇**［Gāoxiǎn Zhèn］曲沃县辖镇。在县境西部。面积 70.2 平方千米。人口 2.9 万。辖 16 行政村。镇人民政府驻高显。明代称高显镇，民国时期为第四区治地。1953 年设高显乡。1956 年设安居乡。1963 年改公社。1984 年设高显镇、安居乡。2001 年安居乡并入。因驻地得名。汾河、滏河流经。矿产资源有地下水资源。有小学、卫生院、卫生所、文化站、农家书屋。有全国重点文物保护单位东许三清庙献殿，有省级文物保护单位东许遗址。2008 年 12 月，被国家文化部授予“全国民间文化艺术之乡”。2009 年 7 月，被省文化厅授予“省首批文化特色村”。有锣鼓队、秧歌队、军乐队、柔力球队等文化娱乐队伍。主产小麦、玉米、棉花、蔬菜、苹果、桃、梨。养殖以饲养生猪、羊、獭兔为主。工业以炼铁、机修、酿造、制砖等为主。南同蒲铁路过境，设高显站，侯月铁路过境，设曲沃站，108 国道、陵侯线经此。

141021-B04-H01 **高显**［Gāoxiǎn］高显镇人民政府驻地。在县政府驻地乐昌镇西北 9.5 千米。人口 5200。相传因古有佛塔而得名，佛家称塔为“高显”。聚落呈团块状。有高显小学、高显镇中心卫生院。有县级文物保护单位高显遗址，为东周时期文化遗存。有高显堡址，为明代建筑遗构。有高显恒益烟房旧址，为清代建筑遗构。有陶公业商行旧址，为民国时期所建。县道里郭线经此。

141021-B04-H02 **神泉**［Shénquán］在县政府驻地乐昌镇东北 5.9 千米。高显镇辖行政村。人口 1000。相传因卧龙岭脚下古有水泉而得名。聚落呈团块状。有县级文物保护单位神泉遗址，为陶寺文化遗存。有神泉西遗址，为汉代文化遗存。108 国道经此。

141021-B05 **里村镇**［Lǐcūn Zhèn］曲沃县辖镇。在县境西北部。面积 48.29 平方千米。人口 1.84 万。辖 13 行政村。镇人民政府驻里村。1961 年设里村人民公社。1984 年设里村乡。1999 年撤乡改镇。因驻地得名。地势北高南低。地形以丘陵、山川为主。最高点海拔 788 米，最低点海拔 428 米。境内年平均气温 14℃，1 月份平均气温 -8℃，7 月份平均气温 32℃，年平降水量 850 毫米左右。汾河、滏河流经。矿产资源有煤、石灰石、铁、石膏等。森林覆盖率 1.1%。有小学、卫生院、文化站、农家书屋。有省级文物保护单位里村西沟遗址。主产小麦、棉花、苹果、红提葡萄、辣椒、中药材。养殖以饲养生猪、羊、牛为主。服务业以运输、餐饮等为主。108 国道经此。

141021-B05-H01 **里村**［Lǐcūn］里村镇人民政府驻地。在县政府驻地乐昌镇西北 13.3 千米。人口 2300。相传为春秋时晋国大夫里克故里，故名。聚落呈团块状。有里村中学、里村联合小学、里村卫生院。有第二批省级文物保护单位里村西沟遗址，为旧石器时代晚期遗址，其文化性质与丁村文化有着较为密切的关系。108 国道、县道里郭线经此。

141021-B05-H02　**石滩**［Shítān］在县政府驻地乐昌镇北 17.3 千米。里村镇辖行政村。人口 1510。相传原名东蒙城，在清代嘉庆、道光年间，有些村民因耕地离村较远，为耕作方便选择定居于此，逐渐形成村落。因位于垆顶山阳，山麓下的石滩口而得名。聚落呈团块状。有关帝庙，现存为清代建筑遗构。2019 年被列入第五批中国传统村落名录。乡村道路经此。

141021-B05-H03　**文敬**［Wénjìng］在县政府驻地乐昌镇西北 15.3 千米。里村镇辖行政村。人口 2120。相传该村古时有一眼水井，人们赖以生存，故呼之井村。据该村《文氏家谱》记载："先祖文天赐，与南宋文天祥同宗"。元朝初期，文天祥被解大都（今北京）后慷慨就义。族人逃隐于曲沃井村沟内，后定居于此。到清乾隆时，更村名为"文敬"，以示对文中子和文天祥的爱国精神敬崇之意。聚落呈团块状。有文敬小学。有文敬遗址，为汉代文化遗存。有文敬堡址，为明代建筑遗构。有文敬卜星台遗址，为清代所建，是当地村民为补风水而建。2017 年被评为第五届全国文明村。108 国道经此。

141021-C01　**北董乡**［Běidǒng Xiāng］曲沃县辖乡。在县境东南部。面积 90.28 平方千米。人口 3.69 万。辖 24 行政村。乡人民政府驻北董。民国时期为第二区治地。1953 年设北董乡。1963 年改公社。1984 年复设北董乡。因驻地得名。地势东高西低。地形分为山前倾斜平原。主要山脉有紫金山，最高峰位于紫金山主峰，海拔 1118 米；最低点海拔 430 米。属暖温带大陆性季风气候，四季分明。冬夏两季略长，春秋两季略短。春冬两季多风，春季东南风偏多，冬季西北风偏多。年平均气温 12℃，1 月最冷，平均气温 -3.3℃；7 月最热，平均气温 26.4℃。冬夏温差达 29.7℃，全年大于 10℃积温为 4395℃。降年平均降水量为 525.7 毫米，年降水量多集中在 7 至 9 月份，占全年降水量的一半。黑河流经。矿产资源有金、石灰石、高钙镁石等。年无霜期平均为 189 天。年平均日照 2474 小时。森林覆盖率达 41.9%。有小学、卫生院、文化站。有全国重点文物保护单位南林交龙泉寺。有古迹东堡春秋时期李牧墓、窑院清朝窑院文家坟、安鹄汉代安鹄古墓群等。有纪念地景明烈士陵园。主产粮食、莲藕、大蒜、蔬菜、中药材。养殖以饲养生猪、羊、家禽为主。省道曲绛线经此。

141021-C01-H01　**北董**［Běidǒng］北董乡人民政府驻地。在县政府驻地乐昌镇东南 7.5 千米。人口 1200。相传为春秋时晋国太史董狐故里，又因方位分南北两村，该村在北而得名。聚落呈团块状。有北董第一联合小学、北董乡中心卫生院。有北董遗址，为陶寺文化遗存。有北董堡址，为明代建筑遗构。有董世杰宅院、董乃官宅院、董作绍宅院等，皆为清代建筑遗构。省道曲绛线经此。

141021-C01-H02　**安鹄**［Ānhú］在县政府驻地乐昌镇东南 4.3 千米。北董乡辖行政村。人口 1000。相传"鹄"为习射所用的靶子的中心点。春秋时，此地为晋国公侯练习武艺之地，并安装带有"鹄"的靶子，故名。聚落呈团块状。有县级文物保护单位安鹄遗址、县级文物保护单位枣沟遗址，为新石器时代庙底沟文化遗存。有王养浩宅院，为清代建筑遗构。乡村道路经此。

141021-C01-H03　**南林交**［Nánlínjiāo］在县政府驻地乐昌镇东南 8.2 千米。北董乡辖行政村。人口 1500。因村傍绛水，林木茂盛，林区纵横交错而得名。聚落呈团块状。有第七批全国重点文物保护单位南林交龙泉寺，现存大殿为元代建筑遗构，影壁为明代建筑遗构，东、西厢房则为清代建筑遗构。2019 年被列入第五批中国传统村落名录。县道院裴线经此。

141021-C02　**杨谈乡**［Yángtán Xiāng］曲沃县辖乡。在县境北部。面积 67.18 平方千米。人口 2.1 万。辖 13 行政村。乡人民政府驻杨谈。1953 年属曲村乡。1963 年改公社。1984 年复设乡。因驻地得名。地势北高南低，东高西低。地形为山地、丘陵。最高点塔儿山主峰，海拔 1491.6 米，最低点海拔 528.5 米。气候属于暖温带大陆性气候，四季分明。年平均气温 12.6℃，冬夏温差大，1

月份平均气温 -2.6℃；7月份平均气温 26.2℃，冬夏温差 28.8℃。年平均无霜期 210 天，降水主要中于 7 至 9 月份。矿产资源有铜、铁、金、石灰石、花岗岩、大理石、石英岩、水泥灰岩等。森林覆盖率 2.5%。有小学、幼儿园、卫生院。有纪念地石桥堡中共曲沃县委旧址、桥山黄帝庙。主产小麦、玉米、生地、花生。经济作物以苹果、樱桃为主。养殖以饲养肉牛、羊、家禽为主。土特产品有苹果、大樱桃等。工业以采矿、炼铁、铸造等为主。服务业以旅游为主。为县唯一山区型乡镇。全乡通三级油路，有公路经此。

141021-C02-H01 **杨谈**［Yángtán］杨谈乡人民政府驻地。在县政府驻地乐昌镇东北 16 千米。人口 3300。历史上有杨、谈二姓在此居住，故名。聚落呈团块状。有杨谈乡联合小学、杨谈乡卫生院。有县级文物保护单位杨谈黄帝庙，现仅存戏台、大门及耳房、碑碣 9 通。有杨谈南遗址，为战国时期文化遗存。有北柴杨氏宅院、巩朝联宅院、巩永宁宅院、巩安民宅院、巩金声宅院等，现存皆为明清建筑遗构。乡村道路经此。

141022 **翼城县**［Yìchéng Xiàn］临汾市辖县。北纬 35° 44′，东经 111° 42′。在市境东南部。面积 1168 平方千米。人口 26.42 万。辖 7 镇、2 乡。县人民政府驻唐兴镇。殷商唐国。西周初成王弟叔虞封唐，后改晋国，建绛都。前 585 年，晋景公始迁都新田（今侯马市）。战国历属韩、赵、魏。秦绛县地，属河东郡。东汉绛邑县地，属河东郡。三国魏仍为绛邑县地，属平阳郡。西晋因之，西晋末绛邑县废。北魏太和十二年（488 年）复为绛邑县地。孝昌二年（526 年）分置北绛县（治所在今北绛村）、新安县，三年（527 年）北绛县为北绛郡治，两县属之。建义元年（528 年）分置小乡县，治今翼城县城西，属南绛郡。北齐新安县废入北绛县。隋开皇三年（583 年）废北绛郡，北绛县属晋州。十八年（598 年）改北绛县为翼城县，改小乡县为汾东县，俱属绛郡。大业初年汾东县废入正平县。隋义宁元年（617 年）析翼城县置小乡县，属翼城郡，郡治翼城。唐武德元年（618 年）废翼城郡，置浍州，2 县俱属之。二年（619 年）改浍州为北浍州。四年（621 年）废北浍州，2 县属绛州。九年（626 年）废小乡县入翼城县。天祐二年（905 年）改翼城县为浍川县，属绛州。五代唐长兴元年（930 年）徙治王逢寨，即今县城。宋复名翼城县，属绛州。金属绛州。兴定初置隆化县，治今隆化镇。四年（1220 年）升翼城县为翼州，隶河东南路。元光二年（1223 年）升翼州为翼安军。元废翼安军，复名翼城县，隆化县废入，属绛州。明洪武二年（1369 年）属平阳府。清因之。1912 年废府。1913 年属河东道。1927 年废道后直属山西省。1937 年属山西省第七行政区。抗日战争时期属晋冀鲁豫边区太岳区第四专区。解放战争时期属晋冀鲁豫边区太岳区第二专区。1949 年属山西省临汾专区。1954 年属晋南专区。1967 年属晋南地区。1970 年属临汾地区。2000 年 6 月属临汾市至今。因翼城故城在翔翱山麓，山势如鸟舒双翼得名。地势东高西低，东、北、南 3 面环山。最高海拔舜王坪北峰 2311.7 米，最低海拔 480.1 米。年均气温 12.5℃，1 月平均气温 -2.1℃，7 月平均气温 26.1℃。年平均日照时数 2319 小时。年均无霜期 227 天。年均降水量 493.2 毫米。浍河、滑家河、翟家桥河、二曲河、续鲁河、允西河、樊村河流经。矿产资源有煤炭、铁、铅、锌、锂等。有黑鹳、金雕、大鸨、金钱豹、大天鹅、白琵鹭、长尾雉、勺鸡等国家级重点保护野生动物。有省级重点保护野生动物 20 余种。有观赏、药用等植物 250 余种。有中小学，翼城四中为省级德育示范学校。有三级甲等专科医院、医疗卫生机构、文化馆、图书馆、档案馆、博物馆、体育场馆。有全国重点文物保护单位隆化南橄东岳庙、南唐樊店关帝庙、木四牌坊、石四牌坊、南梁武池村乔泽庙戏台、西阎曹公村四圣宫戏台。有省级文物保护单位裕公和尚行碑、南石遗址、枣园—南撖遗址、河云遗址、苇沟—北寿城遗址、故城遗址。有省级爱国主义教育示范基地烈士陵园。有国家级中条山森林公园。翼城花鼓、翼城琴书被列入国家级非物质文化遗产，李娘娘的传说、翼城西阎民歌、旱船、浑身板、堡子河蚌舞、转身鼓、老虎上山杂技、火叉、砂锅烧制技艺、翼城滦池古会被列入省级非物质文化遗产。有纪念地裕公和尚道行碑、河云遗址等。三次产业比例为 16.8 : 29.8 : 53.4。主产小麦、玉米、谷子。主要经济作物有油料和蔬菜。土特产品有珍珠玉米、隆化小米、北撤苹果、隆化生炒面，唐兴圪烙饦、北关小车牛肉、里砦老官庄黏窝等。工业以钢铁、铸造、煤炭、纺纱等为主。服务业以物流、仓储、金融业、房地产为主。侯月铁路过境设站，省道侯陵线、临么线、坪曲线、沁东线经此。

141022-N01 **红旗桥**［Hóngqí Qiáo］在翼城县城中部红旗街上，桥北巷南侧。结构型式为单孔道路立交桥。桥长 30 米，桥面宽 22 米，最大跨度 3.2 米，桥下净高 4.4 米。1978 年建成。因建于红旗街得名。最大载重量 49 吨。

141022-R01 **翼城站**［Yìchéng Zhàn］见交通运输设施部分“翼城站”条。

141022-R02 **翼城东站**［Yìchéng Dōngzhàn］见交通运输设施部分“翼城东站”条。

141022-B01 **唐兴镇**［Tángxīng Zhèn］翼城县人民政府驻地。在县城中西部。面积 66 平方千米。人口 8.86 万。辖 13 社区、16 行政村。镇人民政府驻世家庄。1953 年设北关镇。后改公社。1958 年公社化时由北关乡、原村乡、王庄乡等 48 个高级社组成先锋人民公社。1961 年先锋人民公社划分为城关、南唐、王庄 3 个公社。1984 年恢复乡镇制，设城关镇。2001 年更今名。以冀希唐晋故地兴盛发展之意而命名。境内地势平坦，水源充足土地肥沃，气候温和，平均海拔 580 米。小河口水库干渠纵贯南北。全镇无霜期 190 天，年平均气温 12.5℃左右，最高气温 34℃，最低气温 -17℃。浍河流经。有中小学，翼城四中被山西省命名为“全省德育示范校”。有文化广场、农家书屋、卫生院。有全国重点文物保护单位木四牌坊、石四牌坊、翼城南唐樊店关帝庙，有省级文物保护单位裕公和尚行碑、苇沟—北寿城遗址。北关村被中央文明委评为“全国文明村镇建设先进单位”。主产小麦、棉花、果蔬。养殖以饲养生猪、牛、羊、家禽为主。工业以冶炼、铸造等为主。服务业以商贸为主。有大型专业市场 9 家，主要商业街 8 条。侯月铁路过境设站，省道临么线、坪曲线经此。

141022-B01-K01 **红旗街**［Hóngqí Jiē］在翼城县城中部。西起寿城桥，东至县医院和公安局。与绛源北路、新华路等道路相交。长 2 千米，宽 30 米。沥青路面。原为晋韩公路过城段，1971 年变更为县城主干道。1978、1981、1982 年改造。1987—1988、1990 年铺设混凝土及沥青路面。1999、2022、2007 年改扩建。路名取红色革命之意。两侧有翼城宾馆、翼鹏购物广场、翼城县人民医院、翼城县人民政府、鼎尚时代广场等。通翼城 1、2 路等公交车。

141022-B01-K02 **解放街**［Jiěfàng Jiē］在翼城县城中部。西起翔翼西街，东至西石桥村口。与绛源路、新华路等道路相交。长 3.6 千米，宽 28—52 米。沥青路面。道路形成于明初，原名北关街。1953 年改造，为纪念翼城解放更今名。1991、1996 年改铺路面。2003—2005 年改扩建。两侧有西街小学、翼城五中、鑫源广场等。通翼城 3、21 路等公交车。

141022-B01-K03 **翔翼西街**［Xiángyì Xījiē］在翼城县城北部。西南起陵下奎星楼，东北至红旗街。以红旗街为界，分西街、东街。与解放街、唐霸大道等道路相交。长 1.9 千米，宽 42 米。沥青路面。原为晋韩公路过城段，1971 年改线后，变更为县城主干道。1973 年铺装沥青路面。1992、2006 年改扩建。因翔山为翼城标志而得名。两侧有翼城县烟草专卖局、翼城县人民法院、金彤幼儿园等。通翼城 1 路公交车。

41022-B01-K04 **翔翼东街**［Xiángyì Dōngjiē］在翼城县城北部。西起红旗街，东至南环路西口。以红旗街为界，分西街、东街。与绛源北路、唐尧北路等道路相交。长 2.8 千米，宽 42 米。沥青路面。原为晋韩公路过城段，1971 年改线后，变更为县城主干道。1973 年铺装沥青路面。1992、2006 年改扩建。因翔山为翼城标志而得名。两侧有翼城火车站、翼城县交通运输局、北关清真寺等。通翼城 2、21 路等公交车。

141022-B01-K05 **新华路**［Xīnhuá Lù］在翼城县城中部。北起县政府门口，南至城内村南门坡头。与解放街、石坊东街等道路相交。长 1.7 千米，宽 24 米。沥青路面。1953 年县政府迁至北关，遂开通了一条南北道路，后取名兴华北路。

1957、1977、1990、2005 年改铺路面。2007 年兴华南路改造后更今名，因正对县政府，取建设新中华之意。两侧有北关小学、儿童医院、翼城县奥体中心体育场、翼城县公安局等。通翼城 1、2 路等公交车。

141022-B01-K06 **八一南路** [Bāyī Nánlù] 在翼城县城中部。北起红旗街，南至南环路。长 2.6 千米，宽 24 米。水泥路面。原为寨里、西梁、李庄、世家庄通往北关的一条乡间小路。2005 年开工，2007 年建成。因邻近小河口水库灌区八一支渠得名。两侧有八一公园、唐兴镇人民政府、九龙小区、翼城县住建局等。通翼城 21 路公交车。

141022-B01-K07 **绛源路** [Jiàngyuán Lù] 在翼城县城中部。北起翔翼东街，南至南环路。以解放街为界，分北路、南路。与红旗街、冰桥中街等道路相交。长 2.6 千米，宽 34 米。沥青路面。1960 年始建，原名新闻路。1995、1997、2006、2008 年改扩建。1994 年更今名，寓意翼城为晋国古绛之源头。两侧有桐封公园、九龙公园、北关农产品批发市场等。通翼城—侯马专线公交车。

141022-B01-K08 **唐霸大道** [Tángbà Dàdào] 在翼城县城西部。北起北环路，南至南环路。与翔翼西街、解放街、红旗街等道路相交。长 4.1 千米，宽 60 米。沥青路面。2010 年开工，2011 年建成。原名汇丰路，竣工后为纪念西周时期的古唐国与霸国更今名。两侧有河滨小区、翼城县职业技术学校、翼城县中医医院、唐霸文化公园等。通翼城 21 路公交车。

141022-B01-K09 **南环路** [Nánhuán Lù] 在翼城县城南部。西起云唐变电站，东至西石桥。与绛源路、唐霸大道、八一南路等道路相交。长 7 千米，宽 40 米。沥青路面。2005 年建成。因作为县城南部环城道路得名。两侧有烈士陵园、桥坡村、翼城汽车站等。

141022-B01-K10 **坩南环路** [Gānnánhuán Lù] 在翼城县城西部。北起翔翼西街，南至解放街。长 0.5 千米，宽 6 米。水泥路面。1992 年建成。因作为坩埚厂南侧环路得名。两侧有恒昌小区、颐欣园小区等。

141022-B01-K11 **坩南路** [Gānnán Lù] 在翼城县城西部。北起红旗街，南至坩南环路东七巷。长 0.5 千米，宽 5 米。水泥路面。1992 年建成。因位于坩埚厂南侧得名。两侧有八一公园、荣星阁饭庄等。

141022-B01-K12 **唐尧北路** [Tángyáo Běilù] 在翼城县城北部。北起翔翼东街，南至红旗街。长 0.3 千米，宽 24 米。沥青路面。原名红胜北街。80 年代仅为土路。1991 年唐尧市场建成后拓宽并铺设砂石路面。1995、2006 年改扩建。因翼城为唐尧故地而得名。两侧有同丰市场、政府小区等。

141022-B01-K13 **唐尧南路** [Tángyáo Nánlù] 在翼城县城中北部。北起红旗街，南至解放街。与冰桥中街等道路相交。长 0.4 千米，宽 16 米。沥青路面。原名红胜南街，为古代城内通往北关的必经之路。90 年代前仅为土路。2005 年拓宽改造。2007 年全线贯通。因翼城为唐尧故地而得名。两侧有鼎尚时代广场、县直幼儿园、中心家园小区等。

141022-B01-K14 **桐封中路** [Tóngfēng Zhōng lù] 在翼城县城东北部。北起红旗街，南至解放街。长 0.3 千米，宽 12 米。水泥路面。2005 年改造。为纪念晋国开国君主唐叔虞“桐叶封弟”典故而得名。两侧有民警公寓、民丰小区等。

141022-B01-K15 **桐封北路** [Tóngfēng Běi lù] 在翼城县城东北部。北起侯月铁路南侧，南至红旗街。与翔翼东街等道路相交。长 0.6 千米，宽 12 米。水泥路面。原名红卫北街，为北关村田间小路。80 年代后发展为城内道路。2001 年改扩建。为纪念晋国开国君主唐叔虞“桐叶封弟”典故而得名。两侧有北关清真寺、翼城县总工会、民族小学等。

141022-B01-K16 **西关新建大街** [Xīguān Xīnjiàn Dàjiē] 在翼城县城南部。西起八一南路，东至绛源南路。与古宣路等道路相交。长 0.6 千米，宽 10 米。水泥路面。1992 年建成。因作为西关村新建道路而得名。两侧有西关完全小学、金唐小区等。

141022-B01-K17 **冰桥中街** [Bīngqiáo Zhōng jiē] 在翼城县城中北部。西起绛源南路，东至唐尧南路。长 0.4 千米，宽 5 米。水泥路面。1992

年建成。因位于冰桥中部而得名。两侧有国槐小区、桐封公园等。

141022-B01-K18 **桐封南路**［Tóngfēng Nán lù］在翼城县城东部。北起解放街，南至东关村。长 0.4 千米，宽 5 米。水泥路面。2005 年改造。为纪念晋国开国君主唐叔虞“桐叶封弟”典故而得名。两侧有三完小家属楼、翼城五中等。

141022-B01-H01 **世家庄**［Shìjiāzhuāng］唐兴镇人民政府驻地。在县城中部。人口 1100。相传崔、赵俩姓为争村名到县衙打官司，因两姓均称自己是世居，官方定村名为世家庄。聚落呈团块状。有翼城县西街小学、桐封公园。有世家庄晋源市场。241 国道、省道曲辉线经此。通 1、2、3、21 路公交车。

141022-B01-H02 **苇沟**［Wěigōu］在县政府驻地唐兴镇西北 3.5 千米。唐兴镇辖行政村。人口。相传商时彭姓豕韦氏为唐侯时建都之地，后迁都龙唐，此处年久日深，被雨水冲刷为自然沟壑，故名。聚落呈团块状。有第八批全国重点文物保护单位苇沟——北寿城遗址，是周代晋国大型聚落遗址。乡村道路经此。

141022-B01-H03 **北寿城**［Běishòuchéng］在县政府驻地唐兴镇东北 2.5 千米。唐兴镇辖行政村。人口 1360。相传战国时郑太子寿，食采于息城，将息城改为寿城，后分开更名为北寿城。聚落呈团块状。有第八批全国重点文物保护单位苇沟——北寿城遗址，为周代晋国大型聚落遗址。乡村道路经此。

141022-B01-H04 **城内**［Chéngnèi］在县政府驻地唐兴镇西南 1.3 千米。唐兴镇辖行政村。人口 1540。因位于县城之南，旧县治所在地而得名。聚落呈团块状。有城内小学。后唐长兴元年（930 年）到 1953 年为翼城县治。有第七批全国重点文物保护单位石四牌坊和木四牌坊，皆为明清建筑遗构。2019 年被列入第五批中国传统村落名录。241 国道经此。通 1、2 路公交车。

141022-B01-H05 **城南**［Chéngnán］在县政府驻地唐兴镇西南 4 千米。唐兴镇辖行政村。人口 1540。因地处旧县城址南边而得名。聚落呈团块状。有第六批省级文物保护单位城南老君庙，现存东配殿为明代建筑遗构，献殿为清代建筑遗构。241 国道、县道世杨线经此。

141022-B02 **南梁镇**［Nánliáng Zhèn］翼城县辖镇。在县城东南部。面积 122 平方千米。人口 4.43 万。辖 1 社区、22 行政村。镇人民政府驻南梁。1953 年设南梁乡。1958 年公社化时属卫星人民公社。1961 年分设南梁公社。1984 年设南梁镇。2001 年武池乡、二曲乡并入。因驻地得名。地势东高西低。地形以山地、丘陵、平川为主。主要山脉有中条山脉。最高峰翔山海拔 1290 米；最低点海拔 510 米。矿产资源有铁矿、石灰岩、白云石等。有中小学、卫生院、文化广场。有全国重点文物保护单位南梁武池村乔泽庙。有桐城堡、古城墙遗址、马册永定桥、乔泽庙等古迹及县古八景之“翔山晚照”“滦池秋月”。故城村为晋国的早期都城。马册村是春秋五霸之一晋文公辟栅养马之地。主产小麦、玉米、苹果、核桃、大棚蔬菜。养殖以饲养生猪、牛、羊为主。工业以锻造、铸造、机械加工等为主。服务业以商贸、旅游为主。有三大集贸市场。侯月铁路、省道侯陵线、临么线经此。

141022-B02-H01 **南梁**［Nánliáng］南梁镇人民政府驻地。在县政府驻地唐兴镇东南 8.5 千米。人口 2600。因地处利民池（古滦池）渠道南的土梁上而得名。聚落呈团块状。有翼城第二中学、南梁中心卫生院。有县级文物保护单位南梁遗址，为春秋、战国时期文化遗存。2004 年与故城遗址合并公布为省级文物保护单位。有县级文物保护单位南梁塔，现存为清代建筑遗构。县道西南线经此。

141022-B02-H02 **武池**［Wǔchí］在县政府驻地唐兴镇东南 5.9 千米。南梁镇辖行政村。人口 1700。相传因春秋时武公在村泊池中饮马而得名。聚落呈团块状。有武池高小、南梁镇卫生院武池分院。有第六批全国重点文物保护单位乔泽庙戏台，始建于元泰定元年（1324 年），沿袭宋金舞亭建筑规制，是我国现存元代戏台中规模最大的一座。县道西南线经此。

141022-B02-H03 **故城**［Gùchéng］在县政府驻地唐兴镇东南 7.5 千米。南梁镇辖行政村。

人口 1200。相传此地自成村后，当地乡民俗称故城，且自古被官府认定，沿用至今。聚落呈团块状。有第八批全国重点文物保护单位故城遗址，为新石器时代、西周早期至春秋战国时期文化遗存。县道西南线经此。

141022-B02-H04 **程公**［Chénggōng］在县政府驻地唐兴镇东南 9.7 千米。南梁镇辖行政村。人口 1800。相传因古晋国忠烈义士程婴故里而得名。原名“成孤”，取程婴舍身取义抚养孤儿成人之意。乾隆年间改“成孤”为“程公”村。聚落呈团块状。有程公程婴庙，清光绪十七年（1891 年）创建，现存为清代建筑遗构。乡村道路经此。

141022-B02-H05 **高家洼**［Gāojiāwā］在县政府驻地唐兴镇东南 14.4 千米。南梁镇辖自然村。人口 50。因村庄地处沟洼处，高姓人首居于此而得名。聚落呈团块状。有第六批省级文物保护单位高家洼千佛塔，现存为宋代建筑遗构，保存有宋元时期重修碑，被誉为翼城县古八景之一“佛窟钟声”。乡村道路经此。

141022-B03 **里砦镇**［Lǐzhài Zhèn］翼城县辖镇。在县城西北部。面积 96 平方千米。人口 2.86 万。辖 14 行政村。镇人民政府驻里砦。1953 年设里砦乡。1958 年由里砦镇、辛安乡 24 个高级社联合组成跃进人民公社。1961 年跃进人民公社划分为里砦和辛安 2 个公社。1984 年设镇。因驻地得名。位于中条山与太岳山之间，地势北高南低。地形为丘陵、平原。主要山脉有塔儿山。最高山峰塔儿山海拔 1493 米，最低点海拔 579 米。境内属温暖带大陆性气候，日照丰富，季风强烈，四季分明。年平均气温 12—13℃，日照时数 2408.7 小时。全年无霜期 180—230 天。年降水量 500 毫米左右，多集中在 7 至 9 月。矿产资源有铁、煤。有中小学、卫生院、文化活动中心。有全国重点文物保护单位曲村—天马晋侯墓地翼城部分。省级重点文物保护单位南石遗址。主产小麦、玉米、棉花。主要经济作物有蔬菜、苹果、核桃。养殖以饲养生猪、羊、牛为主，已形成六大规模化养殖园区。服务业以商贸为主。有奶牛养殖公司、保温材料公司等。有公路经此。

141022-B03-H01 **里砦**［Lǐzhài］里砦镇人民政府驻地。在县政府驻地唐兴镇西北 7.5 千米。人口 3000。据民国《翼城县志》载：“为晋大夫里克所居之地”，故名。聚落呈团块状。有里砦中学、里砦小学、里砦中心卫生院。有明清民居建筑群：吴允执宅院、杨如宫宅院、吴之仕宅院、吴允诺宅院、吴三纲宅院、吴鹏远宅院、吴法圣宅院、李天保宅院、李德立宅院。乡村道路经此。

141022-B03-H02 **老官庄**［Lǎoguānzhuāng］在县政府驻地唐兴镇西北 12 千米。里砦镇辖行政村。人口 4700。相传汉光武年间（25 年—57 年）太子驻午寄时，本村驻有随从的老年官宦，故名。聚落呈团块状。有老官庄初级中学校、老官庄小学。有县级文物保护单位老官庄火神庙、老官庄钟楼，现存皆为清代建筑遗构。2009 年被评为第二届全国文明村。乡村道路经此。

141022-B03-H03 **感军**［Gǎnjūn］在县政府驻地唐兴镇西 7.3 千米。里砦镇辖行政村。人口 2520。相传因汉文帝（前 180 年—前 157 年）与其母薄太后访河上翁曾在此停留，随从护军无水解渴，薄太后情急之中掷钗于地，双泉立涌，聊解军渴而得名。聚落呈团块状。有第六批省级文物保护单位感军遗址，为夏代、东周时期文化遗存。乡村道路经此。

141022-B03-H04 **上韩**［Shànghán］在县政府驻地唐兴镇西北 9 千米。里砦镇辖行政村。人口 1200。因曲沃武公（晋武公）分封其叔父韩万于此而得名。聚落呈团块状。有上韩小学。有第六批省级文物保护单位上韩遗址，为夏代、东周、战国时期文化遗存。乡村道路经此。

141022-B03-H05 **东午寄**［Dōngwǔjì］在县政府驻地唐兴镇西北 10.5 千米。里砦镇辖行政村。人口 1040。相传因汉明帝刘庄（57 年—75 年）为太子时出行河北元氏，途经此地，“蜂午偶寄”而得名。聚落呈团块状。有第六批省级文物保护单位东午寄普润院，现存为明代建筑遗构。县道老西线经此。

141022-B04 **隆化镇**［Lónghuà Zhèn］翼城县辖镇。在县境东部。面积 263.3 平方千米。人口 4.42 万。辖 28 行政村。镇人民政府驻隆化。1953 年设隆化乡。1958 年公社化时隆化与北、桥上合为燎原公社。1961 年改隆化公社。1984 年改镇。2001 年北橄乡并入。2021 年浇底乡并入。因驻地得名。地势东高西低。地形以山区、丘陵为主。主要山脉有佛爷山。最高峰佛爷山海拔 1500 米，最低点海拔 651 米。矿产资源有煤、石灰石、铝矾土、紫砂等。有中小学、卫生院、文化健身活动场所。有全国重点文物保护单位隆化南橄东岳庙，有省级文物保护单位枣园—南撖遗址。有古迹“霸国”墓地，被列入 2010 年全国十大考古发现之。有景点“石蛙吐柏”、乔家古园、佛爷山风景旅游区等。主产谷子、小杂粮、核桃。工业以采煤为主。主要经济作物有棉花、油料作物、蔬菜等。养殖以饲养生猪、羊为主。有隆化小米、尧都砂锅、北撖苹果、隆化生炒面等特产。服务业以旅游业为主。侯月铁路、省道陵侯线、坪曲线经此。

141022-B04-H01 **隆化**［Lónghuà］隆化镇人民政府驻地。在县政府驻地唐兴镇东北 17.9 千米。人口 2900。相传北齐隆化元年（576 年）置镇于此，以御周师，故名。聚落呈团块状。有隆化初中、隆化完全小学、隆化中心卫生院。有县级文物保护单位隆化烈士纪念亭，创建于 1945 年。有隆化舞台，具有西方建筑风格。有特产隆化小米。省道曲辉线经此。

141022-B04-H02 **牢寨**［Láozhài］在县政府驻地唐兴镇东北 13.2 千米。隆化镇辖行政村。人口 1300。为战国皮牢城，《史记·赵世家》载：“成侯十三年，魏败我师于浍，取皮牢”，故以此为名。聚落呈团块状。有牢寨小学。牢寨迄今已有 3000 多年历史，为兵家必争军事要塞。有县级文物保护单位牢寨善德楼。省道曲辉线经此。

141022-B04-H03 **南撖**［Nánhàn］在县政府驻地唐兴镇东 9.7 千米。隆化镇辖行政村。人口 1000。相传因春秋时期晋献公时大夫罕夷出生于北撖，其后裔一支搬海子沟以南，故名。聚落呈团块状。有第六批全国重点文物保护单位隆化南撖东岳庙，现存建筑献殿、正殿为元代建筑遗构，余皆清代建筑遗构。有第三批省级文物保护单位枣园——南撖遗址，为庙底沟早期文化遗存。2019 年被列入第五批中国传统村落名录。乡村道路经此。

141022-B04-H04 **大河口**［Dàhékǒu］在县政府驻地唐兴镇东北 5.8 千米。隆化镇辖行政村。人口 820。相传明时有一道台从此路过，恰逢河水暴涨，隔河相望，看到两河汇入一处，便说“好大的河口”，村人便以道台之语改村名为大河口。聚落呈团块状。有大河口小学。有第八批全国重点文物保护单位大河口遗址，为新石器时代、两周、汉代时期文化遗存，为周代霸国所在地。省道曲辉线经此。

141022-B04-H05 **下石门**［Xiàshímén］在县政府驻地唐兴镇东 10.2 千米。隆化镇辖行政村。人口 1450。相传村东河床两岸竖石相对，形似石门，根据河床自然景象取名为石门村，该村居下，故名。聚落呈团块状。有县级文物保护单位下石门马家祠堂，清乾隆二十九年（1764 年）四月十三日创建。有县级文物保护单位下石门烈士亭，为纪念石门村青年抗美援朝而建。有下石门后土圣母庙、下石门牌坊、下石门北塔、南塔等清代建筑遗构。2019 年被列入第五批中国传统村落名录。乡村道路经此。

141022-B04-H06 **尧都**［Yáodū］在县政府驻地唐兴镇东南 14.9 千米。隆化镇辖行政村。人口 670。相传因五帝之尧帝封位时在此制陶并处理政务，继天子位后又于此建行宫，故名。聚落呈团块状。有古尧都村门楼，现存门楼一层为清代建筑遗构。有尧都佛殿，现存为清代建筑遗构。2017 年被列入第五批山西省历史文化名村名录。2019 年被列入第五批中国传统村落名录。乡村道路经此。

141022-B04-H07 **青城**［Qīngchéng］在县政府驻地唐兴镇东北 25.6 千米。隆化镇辖行政村。人口 590。相传是春秋战国时哀侯的父亲鄂侯居住地，始称“亲城”，后讹“亲”为青，故名。聚落呈团块状。有县级文物保护单位青城抗日县政府旧址，抗日政府正式成立于 1941 年 7 月，在此工作至 1945 年。有县级文物保护单位青城化石出土点，是研究地壳变化及古生物生活的重要实证。有县级文物保护单位青城后土圣母庙献殿，清雍正十二年（1734 年）创建，现仅存献殿。

2019 年被列入第五批中国传统村落名录。乡村道路经此。

141022-B05 **桥上镇**［Qiáoshàng Zhèn］翼城县辖镇。在县城东部。面积 65.79 平方千米。人口 1.01 万。辖 9 行政村。镇人民政府驻桥上。1953 年设桥上乡。1958 年公社化时属燎原公社。1961 年从隆化公社划出设桥上公社。1984 年设镇。桥上本名翟家桥，旧为沁翼东西通道扼要之地，因建有翟公桥故名。因驻地得名。矿产资源有煤。有中小学、卫生院、篮球场、文化站、农家书屋。据《山西省乡镇简志》载，刘王沟有唐侯刘累故居，良狐村为晋史官董狐故里。主产小麦、玉米、蔬菜。养殖以饲养生猪、肉羊为主。有核桃、优质小麦、谷子、玉米、特色种植养殖 5 大特产园区。工业以煤炭为主，有多个煤业公司。侯月铁路、省道陵侯线经此。

141022-B05-H01 **桥上**［Qiáoshàng］桥上镇人民政府驻地。在县政府驻地唐兴镇东南 20 千米。人口 800。相传此地自成村后，村落有座桥，当地乡民俗称桥上。聚落呈条带状。有桥上初中、桥上完小、桥上卫生院。乡村道路经此。

141022-B05-H02 **撖庄**［Hànzhuāng］在县政府驻地唐兴镇东南 17.5 千米。桥上镇辖行政村。人口 670。相传春秋战国时期村中绝大多数居民为罕姓，晋国大将军罕夷就出生在本村，因罕夷作战勇敢，威震四方，故更名为罕庄，后谐音为撖庄。聚落呈条带状。有冯思义民居、冯光智民居、冯如君民居、郭居林民居、史卫民居等明清时期民居建筑。有代表性非遗项目罕锣鼓、耍竹马、“三月三”庙会等。2017 年被列入第五批山西省历史文化名镇名村。2019 年被列入第五批中国传统村落名录。乡村道路经此。

141022-B06 **西阎镇**［Xīyán Zhèn］翼城县辖镇。在县城东南部。面积 242 平方千米。人口 0.62 万。辖 8 行政村。镇人民政府驻西阎。1953 年设西阎乡。1958 年属星火公社。1963 年改西阎公社。1984 年改西阎镇。2001 年大河乡并入。因驻地得名。地势东高西低。地形为丘陵。主要山脉有历山、大南洼尖山、曹公山、兜垛山等。最高峰海拔 2321 米，最低点海拔 1200 米。全年降雨量 600—700 毫米，无霜期为 150 天。续鲁峪河、浍西河流经。矿产资源有煤、铁矿等。有国家一级保护动物黑观鸟、金雕、大鸨、金钱豹 4 种，国家二级保护动物大天鹅、白琵鹭、长尾雉、勺鸡、红隼等 34 种，候鸟 100 余种，各种野生名贵中药材几十余种，有灵芝、人参等。有中小学、卫生院、文化站、篮球场、功能娱乐室。有全国重点文物保护单位四圣宫。有国家级中条山森林公园。有历山自然风景区，为华北最大的森林公园。有古迹元窑河玄元洞、泉头瓜子寨、柳铺松树化石等。有“四圣宫庙会”、西阎村“鹊桥庙会”、十河村“唱灯节”。主产小麦、玉米、谷子、核桃、药材。养殖以饲养生猪、羊、牛为主。工业以煤炭为主。省道沁东线经此。

141022-B06-H01 **西阎**［Xīyán］西阎镇人民政府驻地。在县政府驻地唐兴镇东南 25 千米。人口 1000。相传此地为目莲僧所封四十里寒地的最西沿，故名为“西沿”，后演变成为“西阎”。聚落呈团块状。有西阎中学、西阎小学、西阎镇卫生院。有第六批省级文物保护单位汤王庙，清康熙十二年（1673 年）创建。2019 年被列入第五批中国传统村落名录。县道西南线经此。

141022-B06-H02 **曹公**［Cáogōng］在县政府驻地唐兴镇东南 26.8 千米。西阎镇辖行政村。人口 500。因宋代名将曹彬出生于此，后被宋太宗晋封为鲁国公而得名。聚落呈条带状。有第六批全国重点文物保护单位四圣宫，创建于元代，明、清均有修葺。2016 年被列入第四批中国传统两代村落名录。2019 年被列入第七批中国历史文化名村名录。342 国道经此。

141022-B06-H03 **古桃园**［Gǔtáoyuán］在县政府驻地唐兴镇东南 29.3 千米。西阎镇辖行政村。人口 480。相传因地处大山深处，村民四季安乐，尽享盛世太平，犹如陶渊明笔下的“世外桃源”而得名。聚落呈条带状。有县级文物保护单位古桃园关帝庙遗址，创建于清康熙二十五年（1686 年）。有县级文物保护单位侯建甫夫妇合葬墓，现仅存明天启二年（1622 年）的墓碑 1 通。2016 年被列入第四批中国传统村落名录。2019 年被列入第七批中国历史文化名村名录。乡村道路经此。

141022-B06-H04 **堡子**［Bǔzi］在县政府驻地唐兴镇东南 26 千米。西阎镇辖行政村。人口 940。相传因村庄一面靠山，三面环河，边缘数丈高的土崖像是一座土墙，形似堡状，故名。聚落呈团块状。有堡子小学、堡子村卫生室。有堡子遗址，为仰韶文化、战国时期文化遗存。有堡子关圣庙，现存仅献殿为清代建筑遗构。有记载堡子村大德七年（1303 年）八月初六夜发生大地震情况的元代经幢。2019 年被列入第五批中国传统村落名录。342 国道经此。

141022-B06-H05 **大河**［Dàhé］在县政府驻地唐兴镇东南 37.2 千米。西阎镇辖行政村。人口 620。因本村地处大河边而得名。聚落呈条带状。有县级文物保护单位大河抗日县政府旧址，成立于 1943 年，主要领导人有王唐文，李奇等，领导了反“扫荡”斗争和土地改革运动。有历山舜王坪风景区。2019 年被列入第五批中国传统村落名录。乡村道路经此。

141022-B06-H06 **古十银**［Gǔshíyín］在县政府驻地唐兴镇东南 28.5 千米。西阎镇辖行政村。人口 340。相传由古洞泉、十亩、银疙瘩三村合并，故名。聚落呈条带状。有县级文物保护单位古十银桥，现存为清代建筑遗构。2019 年被列入第五批中国传统村落名录。342 国道经此。

141022-B06-H07 **十河**［Shíhé］在县政府驻地唐兴镇东南 27.7 千米。西阎镇辖行政村。人口 740。相传因位于由发源于上河村向南流和发源于柳铺庄经古桃园向西南流的两条河水相交处而得名。聚落呈条带状。有十河完小。有县级文物保护单位十河家庙舞楼，清咸丰三年（1853 年）重建。有县级文物保护单位八路军第 386 旅第 17 团团部驻扎地旧址。有十河关帝庙、清代侯氏家族墓地、十河民居群等遗存。2019 年被列入第五批中国传统村落名录。342 国道经此。

141022-B06-H08 **兴石**［Xīngshí］在县政府驻地唐兴镇东南 21.7 千米。西阎镇辖行政村。人口 710。相传因石姓人在此定居，祖辈希望后辈代代兴旺，故名。聚落呈条带状。有县级文物保护单位侯家坡关帝庙，清雍正十一年（1733 年）创建。有县级文物保护单位石家烈士纪念碑，为纪念民兵张竹林，杨春雷与日寇作战的丰功伟绩而建。有县级文物保护单位石家参军战士光荣碑，为表彰村民积极参军特碑立纪念。2019 年被列入第五批中国传统村落名录。县道西南线经此。

141022-B07 **王庄镇**［Wángzhuāng Zhèn］翼城县辖镇。在县城东部。面积 122 平方千米。人口 3.15 万。辖 18 行政村。镇人民政府驻王庄。1961 年，成立王庄公社。1984 年，撤社改王庄乡。2000 年，撤并乡镇时与原辛安乡合并称王庄乡，2021 年，翼城县撤销王庄乡，设立王庄镇。因驻地得名。境内东依二峰山，北接浮山，属丘陵半山区地带。境内多年平均降水量 510 至 585 毫米，无霜期 185 至 190 天，年平均气温 10 至 12℃，最高气温 37℃，最低气温 -17℃。矿产资源丰富，有储量达 2000 万吨铁矿及工业和建筑使用的石料资源。有中小学、卫生院、文化站、文化活动场所、农家书屋。相传，王庄是晋国忠义之士介子推的故里，因其原名王光故名王庄；辛安村为晋国毕万故里；南朱村为丹朱所生之地；古暑为晋文公所筑避暑之城。主产核桃、苹果、蔬菜。工业以钢铁、纺织为主。有公路经此

141022-B07-H01 **王庄**［Wángzhuāng］王庄镇人民政府驻地。在县政府驻地唐兴镇东北 7.2 千米。人口 3200。聚落呈团块状。有王庄星杰中学、王庄完小、王庄镇中心卫生院。为晋国忠义之士介子推（王光）故里。有县级文物保护单位王庄塔，为清代建筑遗构。有县级文物保护单位王庄天池，现存为清代建筑遗构，天池在古代是劳动人民利用自然雨水，用于生产生活的蓄水池。乡村道路经此。

141022-B07-H02 **史伯**［Shǐbó］在县政府驻地唐兴镇东北 11.1 千米。隆化镇辖行政村。人口 200。相传最早称“河上村”，得名于西汉时老子研究者河上公，他在这里向汉文帝讲授《道德经》。后因这里是“史官之乡”，走出了西周第一个史官史佚，以及晋国史官史苏、卜偃、董狐等，遂改名为“史伯村”。聚落呈条带状。留存至今的大院、窑洞、墙门、三雕都具有珍贵的历史文物价值。2017 年被列入第五批山西省历史

文化名镇名村名录。2019 年被列入为第七批中国历史文化名村名录。2019 年被列入第五批中国传统村落名录。乡村道路经此。

141022-C01 **中卫乡**［Zhōngwèi Xiāng］翼城县辖乡。在县城东部。面积 140.35 平方千米。人口 3.26 万。辖 17 行政村。乡人民政府驻中卫。1953 年设中卫乡。1958 年公社化时，境域属南梁公社（现南梁镇）。1961 年从南梁公社划出，成立中卫公社。1984 年复设乡。2001 年甘泉乡并入。因驻地得名。地势东高西低。地形以山地、丘陵、平川为主。主要山脉有中条山。最高峰海拔 1501 米，最低点海拔 545 米。属暖温带大陆性季风气候，气候温和，年平均气温 10—12℃，年平均日照时数为 2400 小时，年均降雨量 550 毫米左右。矿产资源有煤、铁。有中小学、卫生院、文化站、文化活动场所、农家书屋。有县级文物保护单位中卫玉皇楼、小子侯墓、廉颇避暑处、花谷史村、佛窟钟声。农业以种植核桃、苹果为主，有特色小杂粮基地、特色蔬菜种植基地。养殖以饲养生猪、牛、羊为主。工业以铸造、冶炼等为主。有饲料、冶炼、铸造、农林牧等公司。侯月铁路、省道陵侯线经此。

141022-C01-H01 **中卫**［Zhōngwèi］中卫乡人民政府驻地。在县政府驻地唐兴镇东南 5 千米。人口 2400。据清康熙年间（1661 年—1722 年）城内村举人王世家著《翼志存略》，中卫、上卫乃晋献公作二军，屯兵于此。聚落呈团块状。有中卫初中、中卫乡卫生院。有县级文物保护单位中卫东遗址，为陶寺文化遗存。有县级文物保护单位中卫北遗址，为陶寺文化、汉代文化遗存。有县级文物保护单位中卫钟楼，清康熙三十三年（1694 年）重建，是翼城县现存最大的钟楼。有县级文物保护单位中卫玉皇楼，清康熙五十四年（1715 年）重建，是翼城县唯一的一座在街心牌楼上纪念玉皇的道教楼阁。县道东槐线、翼张线经此。

141022-C02 **南唐乡**［Nántáng Xiāng］翼城县辖乡。在县城西部。面积 51 平方千米。人口 2.78 万。辖 14 行政村。乡人民政府驻南唐。1958 年境域为先锋公社所辖。1961 年从先锋公社划出成立南唐公社。1984 年改设南唐乡。因驻地得名。地势北高南低。地形为平原。最高峰海拔 1147 米，最低点海拔 539.8 米。全乡无霜期 190 天，年平均气温 12.5℃左右，最高气温 34℃，最低气温 -17℃。浍河流经。矿产资源有煤、铁。有中小学、卫生院。有省级文物保护单位河云遗址。北史村有唐侯丹朱墓。龙唐村是唐侯刘累建都地。南唐、北唐、东唐等五唐为叔虞时“五正”所居之地。农业以种植粮、瓜果、蔬菜、药材等为主。养殖以饲养生猪、羊、牛为主。有畜禽交易中心，是华北最大的生猪交易市场。工业以铸造为主，有铸造企业。侯月铁路、省道陵侯线经此。

141022-C02-H01 **南唐**［Nántáng］南唐乡人民政府驻地。在县政府驻地唐兴镇西南 7.1 千米。人口 2200。相传为西周古唐国地，与北唐相对，故名。聚落呈团块状。有南唐中学、南唐小学、南唐乡卫生院。有南唐刁氏宅院，清道光七年（1827 年）创建。有南唐卫氏宅院，现存为清代建筑遗构。有南唐李氏宅院，现存过厅、南房为明代建筑遗构。省道曲辉线经此。

141023 **襄汾县**［Xiāngfén Xiàn］临汾市辖县。北纬 35° 40′，东经 111° 06′。在市境中南部。面积 1034 平方千米。人口 42.56 万。辖 7 镇、6 乡。县人民政府驻新城镇。战国称襄陵邑。因有晋襄公之陵而得名。秦置襄陵县，治所在今县北古城村，属河东郡。王莽改名幹昌。东汉复名襄陵，仍属河东郡。三国魏属平阳郡。晋因之。北魏太平真君七年（446 年）在县南置泰平县，治今县西北古城村，属平阳郡。北齐废襄陵县。北周改泰平县为太平县，禽昌县治自今临汾市境徙襄陵县故城，属平阳郡。隋开皇三年（583 年）罢郡，太平、禽昌 2 县属晋州。十年（590 年）改属绛州。大业二年（606 年）改禽昌县为襄陵县，属临汾郡。太平县徙治今古县村。义宁间襄陵县与太平县属平阳郡。唐武德元年（618 年）太平县徙治今古城镇。贞观七年（633 年）太平县徙治今汾城镇。元和十四年（819 年）襄陵县徙治今襄陵村，与太平县同属绛州。大和元年（827 年）襄陵县属河中府。宋太平县属绛州，襄陵县属平阳府。天圣元年（1023 年）襄陵县治徙今襄陵镇。

金因之。元太平县仍属绛州，襄陵县先后属平阳路、晋宁路。明洪武二年（1369 年）太平、襄陵 2 县俱属平阳府。清因之。1912 年废府，同年改太平县为汾城县。1913 年汾城、襄陵俱属河东道。1927 年废道后直属山西省。1937 年同属山西省第六行政区。抗日战争时期襄陵县属晋冀鲁豫边区太岳区第九专区。1947 年汾城解放，12 月襄陵、汾城 2 县属晋绥边区第十专区。1949 年 2 月同属陕甘宁边区晋南区第十专区。同年 10 月同属山西省临汾专区。1950 年襄陵县徙治赵曲镇。1954 年襄陵、汾城 2 县合并为襄汾县，取 2 县名的首字命名。同年迁治史村镇，属晋南专区。1967 年属晋南地区。1970 年属临汾地区。2000 年属地级临汾市至今。地势东西高、中间低。有太岳山、吕梁山。最高海拔塔儿山 1495.4 米，最低海拔 391 米。属于温带季风气候，年均气温 12.7℃，1 月平均气温 -2.4℃，7 月平均气温 26℃。年均降水量 492.8 毫米。汾河流经。矿产资源有煤、铁、金、铜、石膏、麦饭石、膨润土、石灰岩等。有金雕、黄嘴白鹭、雀鹰、大鵟、鹊鹞、白尾鹞、燕隼、灰背隼、红脚隼、红隼等 10 种国家级重点保护动物。有观赏、药用等植物 270 余种。有省科研机构临汾铁环漆业、临汾鹏泰伟业公司。有中小学，襄汾中学为省级示范学校，有县医院、文化馆、图书馆、档案馆、博物馆、体育场馆。有全国重点文物保护单位襄汾汾城明伦堂、襄汾赵康史威村普净寺、襄汾汾城社稷庙、襄汾汾城城隍庙、襄汾汾城文庙、汾城县衙大堂、丁村旧石器遗址、丁村民宅、陶寺遗址等 9 处。有省级文物保护单位襄汾关帝楼、襄汾沙女遗址、襄汾寺头遗址、襄汾南大柴遗址、襄汾赵康古城遗址、襄汾晋襄公墓 7 处。有省级爱国主义教育基地丁村文化遗址与丁村民俗博物馆。尉村跑鼓车被列入国家级非物质文化遗产，天塔狮舞、北许锣鼓制造工艺、襄汾系列笑话七十二呆被列入省级非物质文化遗产。有省级姑射山—仙洞沟风景名胜区。有古迹汾阴洞、赵康王氏宅院、北膏腴砖塔、明代民居、百福百寿碑等。有纪念地赵盾故里、东关遗址、汾阳岭遗址、公孙杵臼墓、程婴墓、李牧墓等。有省级双龙湖湿地公园。有中国传统村落新城镇丁村、汾城镇西中黄村、陶寺乡陶寺村。有全国文明村镇新城镇。有中国历史文化名镇名村汾城镇、新城镇丁村。三次产业比例为 12.7:50.5:36.8。主产小麦、玉米、蔬菜。工业以焦化、冶金、铸造、建材、食品、医药加工等为主。服务业以旅游为主。土特产品有新城镇官滩枣、汾城镇太平米醋和北膏腴仿古铸造、南贾镇连村粉条和东牛村唐人居晋作家具、南辛店乡北许村锣鼓、邓庄镇西侯村平阳麻笺、永固乡烧饼、赵康镇三樱椒和仿古砖雕等。南同蒲铁路、大西高铁过境设站。京昆、临汾绕城、108 国道、省道陵侯线、台襄线、临夏线、襄乡线经此。

140723-N01　**三跨桥**［Sānkuà Qiáo］在襄汾县城南部南大街上，横跨汾河。长 1356 米，最大跨度 130 米，宽 16 米。1998 年 11 月奠基开工，2000 年 9 月建成通车，是襄汾汾河段的第 4 座大桥，连接东西城区的关键节点。因桥梁同时横跨汾河、同蒲铁路、108 国道而得名。

141023-R01　**襄汾站**［Xiāngfén Zhàn］见交通运输设施部分“襄汾站”条。

141023-R02　**襄汾西站**［Xiāngfén Xīzhàn］见交通运输设施部分“襄汾西站”条。

141023-B01　**新城镇**［Xīnchéng Zhèn］襄汾县人民政府驻地。在县城东部。面积 97 平方千米。人口 8.44 万。辖 12 社区、25 行政村。镇人民政府驻南庄社区。1953 年设乡。1954 年始为县治，称城关镇。1961 年设城关公社。1984 年改设城关镇。2001 年赵曲乡、城关镇合并，设新城镇。地势南北狭长，东高西低，沟壑纵横。地形分为山地、丘陵、平原、河谷等。主要山脉有太岳山脉。最高峰海拔 112.8 米，最低点海拔 402.8 米。年平均气温 13.5℃，极端气温最高 38.3℃，最低 -13.5℃，平均年降水量为 430 毫米。汾河、邓庄涧河、豁都峪、三官峪流经。矿产资源有煤、石膏、石灰岩等。有中小学、文化站、卫生院、体育场。有全国重点文物保护单位丁村旧石器遗址、丁村民居，丁村民居为国内第一个汉民族民俗博物馆。有省级文物保护单位沙女遗址。有景点东岭森林公园、汾河公园。主产小麦、玉米、高粱。主要经济作物有苹果、棉花、药材、油料作物、蔬菜等。

土特产品有官滩枣、苹果、油桃等。1997 年官滩村红枣被评为“山西省十大名枣”。养殖以饲养生猪、羊、家禽为主。工业以铸造、建材等为主。服务业以旅游、商贸为主。南同蒲铁路过境设站。108 国道、省道台襄线、襄乡线经此。

141023-B01-K01 **襄台线城市段**［Xiāngtáixiàn Chéngshì Duàn］在襄汾县城北部。西起东岳庙，东至共青团桥。长 2.2 千米，宽 20 米。沥青路面。2013 年修建，2015 年正式通车。因连接襄汾县与乡宁县台头镇得名。两侧有湖李村、湖李东岳庙等。

141023-B01-K02 **丁陶大道**［Dīngtáo Dàdào］在襄汾县城西部。北起台头—襄汾省道，南至柴寺。与桥西街、尧风街、敬德东街、风情街等道路相交。长 5 千米，宽 70 米。沥青路面。2004 年建成桥西街—原北大街段，原名兴农路。2013 年更今名。2014 年建成北大街—滨河东路段。因位于丁陶广场西侧得名。两侧有丁陶文化公园、锦华名苑、丁陶国际大酒店。通襄汾 1、2 路等公交车。

141023-B01-K03 **复兴路**［Fùxīng Lù］在襄汾县城西部。北起襄汾四小，南至桥西街。与尧风街、敬德西街、忠信街、仁义街等道路相交。长 1.8 千米，宽 40 米。沥青路面。2012 年开工，2015 年建成。路名寓意民族复兴。两侧有襄汾第三幼儿园、襄汾第四小学、襄汾县汽车客运站等。

141023-B01-K04 **龙山路**［Lóngshān Lù］在襄汾县城中部。北起共青团桥，南至南大街。长 4.7 千米，宽 50 米。沥青路面。1998 年改扩建。为霍侯一级公路过城段。两侧有润隆家园、龙山宾馆、襄汾县职教中心等。

141023-B01-K05 **桥西街**［Qiáoxī Jiē］在襄汾县城西南部。西起建通钢材市场附近，东至三跨桥。与复兴路、丁陶大道等道路相交。长 2.1 千米，宽 40 米。沥青路面。1955 年建成。1993、1994、2006 年改扩建。因位于三跨桥西得名。两侧有襄汾中医院、襄汾县农贸综合批发市场等。通襄汾 1、7 路环线等公交车。

141023-B01-K06 **尧风街**［Yáofēng Jiē］在襄汾县城北部。西起襄台线，东至新建路。与等道路相交。长 7.7 千米，宽 16 米。沥青路面。1996 年修建。2007 年改扩建。原名北大街。为纪念陶寺帝尧文化，2013 年更今名。两侧有襄汾中学、襄汾县人民法院、平安四季城、中共襄汾县委等。通 302、襄汾 1、2 路等公交车。

141023-B01-K07 **南大街**［Nán Dàjiē］在襄汾县城南部。西起振兴路，东至中心广场。与丁村路、迎宾街、粮站路等道路相交。长 1.2 千米，宽 30 米。沥青路面。1955 年建成。1998 年改扩建。因作为县城南部主街而得名。两侧有新城镇人民政府、天宇购物中心、东风商贸城等。

141023-B01-K08 **新建路**［Xīnjiàn Lù］在襄汾县城东部。北起共青团桥西侧，南至富康广场。与南大街、府前街、车站街等道路相交。长 4 千米，宽 23 米。沥青路面。1985 年开工，1968 年完成简单铺装。1985 年府前街—临襄线段开工建设，1990 年完工。2003、2005 年改扩建。南段原名东大街。两侧有襄汾县妇幼保健院、襄汾二中、龙和花园等。通襄汾 1、2 路等公交车。

141023-B01-K09 **振兴路**［Zhènxīng Lù］在襄汾县城中西部。北起湖里村口，南至桥西街。与观象南路、尧风街、育才街等道路相交。长 2 千米，宽 40 米。沥青路面。1994 年开工，1996 年建成。2008 年改扩建。路名取振兴襄汾之意。两侧有襄汾县委党校、襄汾县疾控中心、泽华医院、丁陶文化公园等。

141023-B01-K10 **仁义街**［Rényì Jiē］在襄汾县城西部。西起复兴路，东至丁陶大道。与幸福路相交。长 0.8 千米，宽 18 米。沥青路面。2012 年开工，2015 年建成。路名取仁爱正义之意。两侧有襄汾县人民医院、襄汾二中第三校区等。

141023-B01-K11 **忠信街**［Zhōngxìn Jiē］在襄汾县城西部。西起复兴路，东至丁陶大道。与幸福路相交。长 0.8 千米，宽 35 米。沥青路面。2012 年开工，2015 年建成。路名取诚实守信之意。两侧有圣尧新城、锦华名苑等小区。

141024-B01-K12 **府前街**［Fǔqián Jiē］在襄汾县城南部。西起粮站路，东至画儿胡同。与迎宾路、东大街等道路相交。长 0.5 米，宽 18 米。混凝土路面。1955 年始建，1968 年完工。因位于原县政府前得名。两侧有温泉医院、襄汾县卫生局、襄汾县人社局等。

141023-B01-K13 **车站街**［Chēzhàn Jiē］在襄汾县城东部。西起火车站，东至新建路。与车站巷相交。长 0.2 千米，宽 24 米。沥青路面。2003 年建成。因通往火车站得名。两侧有襄汾站、康祥苑、襄汾县自然资源和规划局、邮政局家属楼等。

141023-B01-K14 **迎宾路**［Yíngbīn Lù］在襄汾县城南部。北起府前街，南至南大街。长 0.3 千米，宽 11 米。沥青路面。2005 年建成。2010 年改扩建。因原襄汾县招待所位于该路而得名。两侧有新城镇人民政府、襄汾县文旅局等。

141023-B01-H01 **丁村**［Dīngcūn］在县政府驻地新城镇西南 4.4 千米。新城镇辖行政村。人口 1650。聚落呈团块状。有第一批全国重点文物保护单位丁村遗址，出土有人类化石、动物化石以及众多石制品，命名为“新丁村文化”。有第三批全国重点文物保护单位丁村民宅，北区为明代建筑群，中、南区为清代建筑组群。是中国明、清民居中雕刻艺术的佳作。2003 年被列入第一批山西省历史文化名村名录。2012 年被列入第一批中国传统村落名录。2014 年被列入为第六批中国历史文化名村名录。2020 年被评为第六届全国文明村。乡村道路经此。通 6 路公交车。

141023-B01-H02 **柴庄**［Cháizhuāng］在县政府驻地新城镇西南 8.8 千米。新城镇辖行政村。人口 670。相传古名柴壁，《晋书·姚兴传》载：“平攻魏乾城，陷之，遂据柴壁”，后演变为今名。聚落呈团块状。为著名战役柴壁之战发生地。有第二批省级文物保护单位南大柴遗址，文化堆积较厚，遗物主要为陶器，多为手制。乡村道路经此。

141023-B01-H03 **伯虞**［Bóyú］在县政府驻地新城镇南 7 千米。新城镇辖行政村。人口 1840。相传原名伯益村，为舜臣伯益故里，清康熙时知县吴轸以先贤讳改为伯皇，道光年间改为伯虞。有伯玉小学。聚落呈团块状。有县级文物保护单位伯玉遗址，为新石器时代文化遗存。有明代伯玉关帝庙，明崇祯八年（1635 年）重修，大殿内现存明崇祯八年（1635 年）交粮碣及清代重修碣各 1 方。有伯玉玄门巷门楼、伯玉堡址、毛氏宅院以及李氏宅院角楼等清代建筑遗构。2019 年被列入第五批中国传统村落名录。乡村道路经此。通 6 路公交车。

141023-B01-H04 **敬村**［Jìngcūn］在县政府驻地新城镇南 3.6 千米。新城镇辖行政村。人口 930。相传唐代称北文村，武则天执政后，村人敬晖为宰相，其子敬让身居要职，后人为纪念他们取名敬村。聚落呈团块状。有第六批省级文物保护单位敬村观音庙，创建于金天会年间（1123—1137 年），殿内存金代、明代重修石碣 2 方，观音庙梁架结构为金代典型代表。通 6 路公交车。

141023-B02 **赵康镇**［Zhàokāng Zhèn］襄汾县辖镇。在县境西南部。面积 100.6 平方千米。人口 3.78 万。辖 21 行政村。镇人民政府驻赵康。1953 年设赵康乡。1958 年 10 月设红旗人民公社。1961 年 5 月改为赵康人民公社。1984 年赵康公社改设赵康镇。2001 年丰盈乡并入。因驻地得名。具有丘陵、平原等地形。平原占总面积的 80% 以上，属于平川地区。境内最低处在晋城村，海拔 444.3 米；最高处在阜平村，海拔 565 米。属暖温带半干旱大陆性季风气候，四季分明，日照充足，无霜期长。年平均气温 12.6℃，极端最高气温 41.2℃，最低气温 -22℃。平均年日照时数 2295.8 小时。无霜期最长达 235 天。年平均降水量 450—540 毫米，高温期和多雨期集中在每年 7—9 月份。结冰期在 11 月上旬至年 3 月上，年平均冻结日数为 125 天，冻土层厚度一般在 40 厘来左右。矿产资源有煤、石灰石等。有中小学、卫生院、文化站。有全国重点文物保护单位史威村普净寺，有省级文物保护单位赵康古城遗址。有古迹汾阴洞等。据明《太平县志》记载，东汾阳筑有城墙，是晋国重臣赵衰、赵盾故里。西汾阳村有赵盾庙和赵大夫墓地遗址。有赵豹村实验蒲剧团。地方特色民间艺术主要有赵雄花腔鼓。有每年农历三月初三的赵氏孤儿文化节。为县农业大镇，主产小麦、玉米、谷子。主要经济作物有棉花、三樱椒、药材、油料作物、蔬菜等。土特产品有三樱椒，为“省特色名优农产品”。养殖以饲养生猪、羊、牛、家禽为主。有面粉厂、陶业公司、仿古建筑公司等。京昆、大运、晋韩高速，有高速出口及服务站。省道临夏线、赵水公路经此。

141023-B02-H01 **赵康**［Zhàokāng］赵康镇人民政府驻地。在县政府驻地新城镇西南24千米。人口4010。相传为春秋晋国大夫赵盾故里。聚落呈团块状。有赵康小学、赵康中心卫生院。有第一批省级文物保护单位赵康古城遗址，相传为春秋时期的“古绛都”和汉的“临汾城”，当地人称“古晋城”。有特产三樱椒。省道临夏线、县道汾永线经此。

141023-B02-H02 **晋城**［Jìnchéng］在县政府驻地新城镇西南24.5千米。赵康镇辖行政村。人口1290。相传为春秋晋都旧址，故名。聚落呈团块状。有晋城学校。有第一批省级文物保护单位赵康古城遗址，相传为春秋时期的“古绛都”和汉的“临汾城”，当地人称“古晋城”。省道临夏线、县道汾永线经此。

141023-B02-H03 **史威**［Shǐwēi］在县政府驻地新城镇西南25千米。赵康镇辖行政村。人口1760。相传为晋国驻军之地，有“扬威”、“示威”之意，故名。聚落呈团块状。有第六批全国重点文物保护单位普净寺，据寺内明成化元年（1465年）残碑记载，始建于东汉明帝永平七年（64年），元大德七年（1303年）重建，现存为元代、明代建筑遗构。乡村道路经此。

141023-B03 **汾城镇**［Fénchéng Zhèn］襄汾县辖镇。在县境西部。面积125.9平方千米。人口5.77万。辖27行政村。镇人民政府驻城内。唐贞观七年（633年）太平县治移此，历时1321年。1953年设城关镇。1954年属襄汾县汾城镇。1956年属汾城乡。1958年属五星人民公社。1959年属侯马市汾城人民公社。1984年2月设汾城镇。2001年3月贾岗乡并入。原名敬德堡，因滨临汾河得名。地势西高东低。地形分为山地、丘陵、平原等。主要山脉有吕梁山脉。最高峰海拔1312米，最低点海拔483米。年平均气温为12.4℃。降水量年际之间幅差较大，年最大降水量为760毫米，年最小降水量为275毫米，平均降水量为542毫米。年均无霜期200天左右。三官峪流经。矿产资源有煤、铁、石膏、石灰岩等。有中小学、卫生院、农家书屋、文化活动场所、文体广场。有全国重点文物保护单位汾城明伦堂、汾城社稷庙、汾城城隍庙、汾城文庙、汾城县衙大堂。有县级文物保护单位北贾岗遗址、南贾岗遗址、东坡遗址、单家庄遗址、东关遗址、汾阳岭遗址、公孙杵臼墓、程婴墓、李牧墓、西中黄春秋楼、北膏腴砖塔、明代民居、百福百寿碑等19处。为中国历史文化名镇。尉村跑鼓车被列入国家级非物质文化遗产名录。太平面塑、三盛合米醋酿造技艺被列入省级非物质文化遗产名录。地方特色民间艺术有跑鼓车、抬阁、木版年画、米醋酿造技艺、面塑等。主产小麦、玉米。主要经济作物有油料作物、药材、蔬菜等。养殖以饲养生猪、羊、牛、兔、家禽为主。工业以焦化、冶炼、铸造等重型工业为主，有铁厂、焦铁公司等。省道临夏线、襄乡线经此。

141023-B03-H01 **城北**［Chéngběi］汾城镇人民政府驻地。在县政府驻地新城镇西南16千米。人口1500。以位于原汾城古县城北而得名。聚落呈团块状。有汾城高级中学、汾城小学、汾城镇卫生院。有第六批全国重点文物保护单位汾城古建筑群，现存建筑以鼓楼为中心，由北向南依次为城隍庙、文庙、鼓楼、学前砖塔、县衙大堂、关帝庙、社稷庙、洪济桥、城墙等，包含商铺、民居在内，共有40余座古建筑，时代从金大定二十三年（1184年）至清代末期，总面积约2公顷。有特产汾城米。省道临夏线经此。

141023-B03-H02 **西中黄**［Xīzhōnghuáng］在县政府驻地新城镇西南17千米。汾城镇辖行政村。人口3370。相传因每次洪水进村，皆北门进南门出，像一黄色绸带从中心通过，故名。聚落呈团块状。有县级文物保护单位西中黄进士院，创建于明崇祯六年（1633年）。有县级文物保护单位西中黄春秋楼，清道光十八年（1838年）重修。2012年被列入第一批中国传统村落名录。省道襄乡线经此。通7路公交车。

141023-B04 **南贾镇**［Nánjiǎ Zhèn］襄汾县辖镇。在县境西南部。面积89.4平方千米。人口3.45万。辖14行政村。镇人民政府驻南贾。

1953 年设南贾乡。1958 年与汾城合并为五星人民公社。1959 年设南贾人民公社。1961 年改公社。1984 年改镇。因驻地得名。有丘陵、滩涂、沟壑、平原等多种地形，平原占总面积的 80% 以上，基本属于平川地区。境内最低处海拔 430 米，最高处海拔 516 米。光热条件较好，年平均日照时数 2337.2 小时，年平均气温 12.4℃。降水量年际之间幅差较大，年最大降水量为 799.9 毫米，年最小降水量为 272.1 毫米，年平均降水量为 546.6 毫米。汾河流经。矿产资源有煤。森林覆盖率 27.73%。有中小学、卫生院、文化站、农家书屋。有古迹下鲁碉楼、东牛城址、仓头伯王庙、古县关帝庙戏台等。主产小麦、玉米、苹果、红薯、芦笋。主要经济作物有油料作物、药材、蔬菜等。绿康牌粉条出口国外。养殖以饲养生猪、羊、牛、兔、家禽为主。有药材、仿古家具、木材深加工等产业。大西高铁路过境设站，京昆高速、省道襄乡线经此。

141023-B04-H01　**南贾**［Nánjiǎ］南贾镇人民政府驻地。在县政府驻地新城镇西南 9.3 千米。人口 4539。相传西周初期，周康王封唐叔虞之少子光明于贾，即今南贾一带。聚落呈团块状。有南贾中学、南贾小学、南贾镇卫生院。有县级文物保护单位南贾遗址，为新石器时代庙底沟二期文化遗存。有南贾西沟墓群，为东周时期墓葬群。县道襄侯线经此。

141023-B04-H02　**仓头**［Cāngtóu］在县政府驻地新城镇西南 21.8 千米。南贾镇辖自然村。人口 520。据传唐朝时期为边塞储存粮食的地方，故名。聚落呈团块状。有第六批省级文物保护单位仓头伯王庙，据门枕石捐献题记为元至正十五年（1355 年）建，原布局不清，现仅存大殿。乡村道路经此。

141023-B05　**古城镇**［Gǔchéng Zhèn］襄汾县辖镇。在县境西部。面积 86.8 平方千米。人口 4.99 万。辖 27 行政村。镇人民政府驻东街。北魏太平村七年（446 年），设泰平县治，历时 169 年。民国 7 年（1918 年）设区政府。1953 年设古城乡。1961 年改公社。1984 年设镇。2001 年曹家庄乡并入。因有古建筑尚存或可见遗迹得名。地势西高东低。地形分为山地、丘陵、平原等三大类。主要山脉有吕梁山脉。最高海拔 1076 米，最低点海拔 481.2 米。三官峪、豁都峪流经。矿产资源有煤、石膏、石灰岩等。森林覆盖率为 19.45%。有中小学、卫生院、文化站、农家书屋、文化体育健身广场。有省级姑射山—仙洞沟风景名胜区。有县级文物保护单位寿圣寺钟楼、京安钟楼、古城烈士陵园。有古迹北戌诸神庙、邓村马王庙、东关镇安楼、东侯村工农兵舞台、汾城县政府旧址、贾朱菩萨庙、京安钟楼、桃花洞遗址、西王圣善阁等。曾获“全省小康建设百强乡镇”称号。主要粮食作物有小麦、玉米、谷子、高粱、白豆、绿豆、红薯等。经济作物主要有苹果、红枣、棉花及蔬菜、油料、药材等。养殖以饲养生猪、羊、兔、家禽为主。工业以冶炼、焦化、水泥、铸造为主。省道临夏线、襄兴线、襄台线经此。

141023-B05-H01　**东街**［Dōngjiē］古城镇人民政府驻地。在县政府驻地新城镇西北 10.8 千米。人口 2410。因地处县城东门外而得名。聚落呈团块状。有古城中学、古城中心卫生院。有东街遗址，为东周文化遗存。有东街伯王庙，现存为明代建筑遗构。有三官庙、古城老街商铺群、宅第民居等清代建筑遗构。省道临夏线经此。

141023-B05-H02　**京安**［Jīng'ān］在县政府驻地新城镇西北 10.9 千米。古城镇辖行政村。人口 2480。相传原名古关镇，相传明万历年间，为纪念皇叔朱海先查明吏部尚书李瑾谋反案为诬陷，万历皇帝钦赐改“古关镇”为“京安村”。聚落呈团块状。有京安学校。有县级文物保护单位京安城址，明崇祯八年（1635 年）重修。2019 年被列入第五批中国传统村落名录。省道襄台线、临夏线经此。

141023-B05-H03　**关村**［Guāncūn］在县政府驻地新城镇西北 12 千米。古城镇辖行政村。人口 2210。相传原为“福庆寺”后改为“单家庄”，明永乐末年，有关羽后裔第四十三代子孙关志韶带领族人来此居住，故名。聚落呈团块状。有清代民居建筑群。2020 年被评为第六届全国文明村。省道临夏线经此。

141023-B06　**襄陵镇**［Xiānglíng Zhèn］襄汾

县辖镇。在县境西北部。面积 53.1 平方千米。人口 4.31 万。辖 20 行政村。镇人民政府驻南街。襄陵原名晋桥店，宋天圣元年（1023 年），襄陵县治移此。1953 年设襄陵乡。后改公社。1982 年复设襄陵公社。1984 年设襄陵镇。2001 年浪泉乡并入。以晋襄公陵墓得名。地势西高东低。地形分为山地、丘陵、平原、河谷等。主要山脉有吕梁山脉。最高峰海拔 1075.5 米，最低点海拔 417.6 米。气候属暖温带半干旱大陆性季风气候，四季分明，日照充足，无霜期长。年平均气温 12.4℃，1 月份平均气温 14℃，7 月份平均气温 25℃，平均年降水量 508 毫米左右。汾河流经，有七一渠、跃进渠。矿产资源有石膏、石灰石等。有中小学、卫生院、文化广场。有省级文物保护单位晋襄公墓。有县级文物保护单位黄崖龙澍峪、城北古晋桥、景村娥皇塔、西阳女英泉、薛村九色泉、东街文笔塔、城隍庙钟鼓楼、东柴遗址、牛光祖墓、文庙等 10 处。有龙澍峪风景旅游区。有历史人物晋襄公、郑光祖、贾南风。主产小麦、玉米、红枣。主要经济作物有药材、蔬菜等。养殖以饲养生猪、羊、牛、家禽为主。工业以冶炼、铸造、石膏、制砖、煤气发电、水泥为主。大西高铁、京昆高速、省道临夏线经此。

141023-B06-H01 **南街**［Nánjiē］襄陵镇人民政府驻地。在县政府驻地新城镇西北 16.3 千米。人口 2320。因地处旧县城南门外而得名。聚落呈团块状。有南街小学。有襄陵遗址，为东周时期文化遗存。有南街墓群，采集有东周时期陶器，元、明时期墓室砖。有南街郭家院，现存为清代建筑遗构。省道临夏线经此。

141023-B06-H02 **黄崖**［Huángyá］在县政府驻地新城镇西北 17 千米。襄陵镇辖行政村。人口 2920。因原靠山崖，而且土色为黄而得名。聚落呈团块状。有黄崖小学。有黄崖华佗庙，创建于清同治六年（1867 年）现存为清代建筑遗构。有黄崖天主堂，创建于清光绪十年（1884 年），为哥特式风格。2019 年被列入第五批中国传统村落名录。乡村道路经此。

141023-B07 **邓庄镇**［Dèngzhuāng Zhèn］襄汾县辖镇。在县境东北部。面积 85.3 平方千米。人口 4.56 万。辖 20 行政村。镇人民政府驻席村。1953 年设邓庄乡。1961 年改公社。1984 年设邓庄镇。1993 年，镇政府由邓庄村移驻席村。2001 年张礼乡并入。为晋代名臣邓攸（伯道）故里，因此得名。地势东高西低，地形分为丘陵、平原、河谷等。邓庄镇最高点海拔 575 米，最低点海拔 415.3 米。年平均气温 12.9℃，极端最高气温 40℃，最低气温 -18℃。汾河、邓庄河流经。有职业高中、中小学、卫生院、文化大院、农家书屋、文体广场。有省级文物保护单位寺头遗址。有县级文物保护单位邓伯道墓、斛律光墓、三圣楼碣、灵光寺等。贾庄村为三国时魏弘农太守、豫州刺史贾逵故里。席村有“尧王故里”碑。地方文化有邓庄村威风锣鼓、南狮梅花桩。主产小麦、玉米。主要经济作物有棉花、油料作物、蔬菜等。养殖以饲养生猪、羊、牛、兔、鸡家禽为主。有食品、制药、面粉等公司。第三产业以汾河沿线生态观光旅游为主。南同蒲铁路设站。108 国道经此。霍侯一级路、县道临襄线、赵四线、邓浪线经此。

141023-B07-H01 **席村**［Xícūn］邓庄镇人民政府驻地。在县政府驻地新城镇东北 12.5 千米。人口 850。相传为尧师故里，据《万姓统谱》载：“唐尧时，击壤而歌之老翁，姓席氏，尧尊为师。”尧帝被老者所吟唱的《击壤歌》所折服，尊其为“席师”，并将其所居的村庄称之为席村。聚落呈团块状。有邓庄中学、邓庄小学、邓庄镇中心卫生院。有席村戏台，清道光五年（1825 年）重修。有席村风水塔，现存为清代建筑遗构，是席村为补当地风水而建。乡村道路经此。

141023-C01 **陶寺乡**［Táosì Xiāng］襄汾县辖乡。在县境东部。面积 70.74 平方千米。人口 2.26 万。辖 15 行政村。乡人民政府驻陶寺。1953 年设陶寺乡。1958 年 10 月撤乡设生产大队，并入东风人民公社。1961 年设陶寺公社。1984 年复设乡。因驻地得名。地势东高西低。地形分为山区、丘陵两大类。主要山脉有太岳山脉。最高峰海拔 1493 米，最低点海拔 440 米。温带大陆性季风气候，四季分明。年平均降水量 454 毫米，年平均气温 10.4℃，年日照数平均 2522 小时。矿产资源有金、铁、铜、石膏等。有中小学、卫生院、图书室、文体休闲广场。有全国重点文物保护单位陶寺遗址。有省级文物保护单位关帝楼。有县级文物保护单位东坡沟遗址、张再烈士陵园、小梁河遗址。天塔狮舞被列入国家级、省级非物质文化遗产。主产小麦、玉米、药材。主要经济作物有中药材、苹果、蔬菜。养殖以饲养生猪、羊、牛、兔、家禽为主。有化工、水泥、铸造等公司。县道临襄线经此。开通有至县城至临汾客运班车。

141023-C01-H01 **陶寺**［Táosì］陶寺乡人民政府驻地。在县政府驻地新城镇东北 6 千米。人口 3720。相传陶寺即帝尧初封于陶的国家机构所在地，故名。聚落呈团块状。有陶寺中学、陶寺小学、陶寺乡卫生院。有第三批全国重点文物保护单位陶寺遗址，其年代约为公元前 2600 — 前 2000 年，文化遗存分早、中、晚三期。有第八批全国重点文物保护单位陶寺北墓地，发现了我国唯一的春秋晚期荒帷。有省级非物质文化遗产天塔狮舞。2012 年被列入第一批中国传统村落名录。乡村道路经此。

141023-C02 **永固乡**［Yǒnggù Xiāng］襄汾县辖乡。在县境南部。面积 57.4 平方千米。人口 2.48 万。辖 11 行政村。乡人民政府驻永固。1953 年设永固乡。1958 年并入红旗人民公社。1961 年设永固公社。1984 年复设乡。因驻地得名。地形以丘陵、平原为主。汾河流经。暖温带、半干旱大陆性季风气候，四季分明。年平均气温为 12.6℃，平均年日照数为 2295.8 小时，年平均降水量在 450—540 毫米。有中小学、卫生院、文体活动室、农家书屋、健身场所、休闲广场。有县级文物保护单位白波垒遗址、万宁古墓群。史称“白坡黄巾”发生地。粮食作物有小麦、玉米、谷子、高粱、白豆、绿豆、红薯等，经济作物有苹果、棉花、葡萄、莲菜、甜柿、花生、药材等。养殖以饲养生猪、羊、牛、兔、家禽为主。工业以铸造、冶金为主。有钢铁公司、洗煤厂和白马坡农牧水产公司，其公司被称为“山西省生态农业旅游示范园区”。服务业以旅游、商品零售为主。京昆高速、大运高速、省道陵侯线、县道襄侯线经此。

141023-C02-H01 **南董**［Nándǒng］永固乡人民政府驻地。在县政府驻地新城镇西南 19.5 千米。人口 2530。相传是古晋国史官董狐的食邑之地，因其姓氏而得名。聚落呈团块状。有永固中学、南董学校、博远小学、永固乡卫生院。县道襄侯线、汾永线经此。

141023-C03 **景毛乡**［Jǐngmáo Xiāng］襄汾县辖乡。在县境中部。面积 38 平方千米。人口 1.72 万。辖 10 行政村。乡人民政府驻景毛。1953 年设乡。1956 年并入柴王乡。1958 年 10 月，柴王乡与古城乡、安平乡合并为前进人民公社，后改称古城人民公社。1961 年 5 月，从古城人民公社分出，设景毛公社。1984 年 5 月改设景毛乡。1998 年 7 月，陈郭村、柴寺村划归新城镇管辖。因驻地得名。属汾河第二阶梯丘陵地带，地势西高东低，由三陵两峪组成，土质肥沃。气候属暖温带半干旱大陆性气候，四季分明。海拔高度 500—600 米。年降雨量约 500 毫米，年积温 4300℃，年平均气温 12.6℃，年日照时数 2200 小时，无霜期 200 天。三官峪、豁都峪流经。矿产资源有煤。有中小学、卫生院、文体广场。有县级文物保护单位景毛遗址、莱园遗址、北古县遗址、北李遗址、南小张遗址、北高遗址、西郭遗址、石牌楼、千佛殿、元代碑、禹门全景石刻图、《昼锦堂记》碑等 12 处。有刘家宅院、善慧寺。有面塑、剪纸，有锣鼓、花鼓、腰鼓、高跷旱船、竹马、大秧歌、小秧歌、独杆桥、蹦杆、二鬼摔跤等民间文艺节目。主产小麦、玉米、蔬菜。主要经济作物有油料作物、蔬菜等。养殖以饲养生猪、牛、羊、家禽为主。有焦化厂、食品厂、晋獭兔业公司等。服务业以运输、餐饮、修理、物流信息为主。大西高铁、京昆高速、大运高速、省道临夏线、襄乡线、襄台线、县道西盘线、陈古线经此。

141023-C03-H01 **景毛**［Jǐngmáo］景毛乡人民政府驻地。在县政府驻地新城镇西 7.2 千米。人口 3040。相传最早景姓与毛姓在此定居建村而得名。聚落呈团块状。有八一希望小学、景毛乡卫生院。有县级文物保护单位景毛遗址，为新石器时代陶寺文化遗存。有景毛堡址，是明清时期附近村民为躲避战乱、土匪而修建的防御性建筑。县道西盘线经此。

141023-C03-H02 **北李**［Běilǐ］在县政府驻地新城镇西南 11.3 千米。景毛乡辖行政村。人口 2790。相传为纪念战国时期赵国名将李牧而得名。聚落呈团块状。有县级文物保护单位北李遗址，为新石器时代庙底沟文化、东周时期文化遗存。有李牧将军祠遗址、吉氏宅院、梁氏宅院、李氏宅院、李氏水磨院等清代建筑遗构。2016 年被列入第四批中国传统村落名录。省道临夏线经此。

141023-C04 **西贾乡**［Xījiǎ Xiāng］襄汾县辖乡。在县境西南部。面积 59.47 平方千米。人口 2.47 万。辖 13 行政村。乡人民政府驻西贾。1953 年设西贾乡。1958 年 10 月并入五星人民公社。1961 年设西贾公社。1984 年改设西贾乡。因驻地得名。属暖温带半干旱大陆性季风气候，四季分明，日照充足，无霜期长。年平均气温 12.6℃，极端最高气温为 41.2℃，极端最低气温为 -22℃。年平均降水量在 450—540 毫米，高温期和多雨期集中在每年 7—9 月份。地下矿藏有煤等。有七一水库。有中小学、卫生院、文化体育活动场所。有省级湿地公园双龙湖。有县级文物保护单位上毛遗址、东南里遗址、西毛石牌坊及龙凤古柏。2010 年，被授予“山西省文明和谐乡镇”称号。主产小麦、玉米、药材。养殖以饲养生猪、羊、牛、兔、家禽为主。第三产业以旅游业为主。京昆高速、大运高速、大西高铁，省道襄乡线、临夏线经此。

141023-C04-H01 **西贾**［Xījiǎ］西贾乡人民政府驻地。在县政府驻地新城镇西南 12.6 千米。人口 3080。相传西周初期，周康王封唐叔虞之少子光明于贾，即今南贾一带。后晋献公灭贾，贾季逃翟，国人以贾为姓，居于原地。后因居西，故名。聚落呈团块状。有西贾中学、西贾乡卫生院。有西贾北遗址，为新石器时代庙底沟文化、龙山文化、东周、汉代文化遗存。有西贾古亭，现存为清代建筑遗构。有李萼楼教泽碑，精美的石雕及碑刻本身具有重要价值。乡村道路经此。

141023-C05 **南辛店乡**［Nánxīndiàn Xiāng］襄汾县辖乡。在县境西北部。面积 90.6 平方千米。人口 4.31 万。辖 21 行政村。乡人民政府驻福寿。1953 年设南辛店乡。1958 年 10 月并入卫星人民公社。1961 年改公社。1984 年复设乡。2001 年贾罕乡并入。因驻地得名。地势西高东低。地形分为山地、丘陵、平原、河谷，平原占总面积的 74%。主要山脉有吕梁山脉。最高峰海拔 966.9 米，最低点海拔 410.3 米。汾河、豁都峪流经。温带大陆性季风气候，四季分明。年均日照时数 2337.2 小时。年平均气温 12.3℃。年均降水量 546.6 毫米。年均无霜冻期约 170—200 天。矿产资源以石膏矿、建筑沙为主。有中小学，贾罕初中被省教育厅评为“全省红旗初中”。卫生院、文化站、农家书屋。有县级文物保护单位南辛店烈士陵园、崔村遗址、大陈遗址、北陈遗址、魁星楼、千佛殿等。有古迹香严禅院、西邓古柏树。襄汾系列笑话“七十二呆被”、锣鼓传统制作工艺列入省级非物质文化遗产。主要粮食作物有小麦、玉米、谷子、红薯等。主要经济作物有果品、蔬菜、药材、棉花等。养殖以饲养生猪、羊、牛、家禽为主。有焦化气源、制动器、养殖、木材加工等公司。有木材加工、肉类、农副产品、服装鞋帽等专业市场。第三产业以商贸、餐饮业、运输业为主。张台铁路、大西高铁、京昆高速、大运高速、临吉高速、省道临夏线、襄光线经此。

141023-C05-H01 **福寿**［Fúshòu］南辛店乡人民政府驻地。在县政府驻地新城镇西北 10.7 千米。人口 1690。相传原名南新店，后演变为今名。因特产木梳，故俗名木梳店。聚落呈团块状。有福寿学校。有福寿魁星楼，位于村东门口内大街北侧，现存为清代建筑遗构。有福寿村高氏宅院，位于村中，现存为清代建筑遗构。省道临夏线经此。

141023-C05-H02 **西徐**［Xīxú］在县政府驻地新城镇西北 10.3 千米。南辛店乡人民政府驻地。人口 1310。以徐姓命名和地理位置命名。聚落呈团块状。有西徐村小学。有第六批省级文物保护单位西徐三教庙，元元统三年（1335 年）重建，现存为元代建筑遗构。乡村道路经此。

141023-C06 **大邓乡**［Dàdèng Xiāng］襄汾县辖乡。在县境东部。面积 79.69 平方千米。人口 1.87 万。辖 14 行政村。乡人民政府驻大邓。1953 年设大邓乡。1958 年撤乡设为生产大队。

1961年改公社。1984年复设乡。2001年土地殿乡并入。因驻地得名。地势东高西低。地形以山地、丘陵、平原为主。主要山脉有太岳山脉。最高峰海拔1381.5米，最低点海拔481.2米。属温带大陆性气候，四季分明，年平均气温12.6℃，最高气温40℃，最低气温-18℃。矿产资源有煤、金、铜、铁等。森林覆盖率25.34%，有中小学、卫生院、文化站、文体休闲广场。有县级文物保护单位圣母庙。范村剪纸艺术历史悠久、在多个国家比赛中获奖，远销国外。主要粮食作物有小麦、玉米、谷子、红薯；经济作物有棉花、核桃、花椒、柿子、红枣及蔬菜、药材等；传统名优产品有西张胡萝卜、西社粉条、“山里”系列土面粉、土鸡蛋、土小米等。养殖以饲养生猪、羊、牛、兔、鸡为主。有冶炼、纸业等公司。有公路经此。

141023-C06-H01　**大邓**［Dàdèng］大邓乡人民政府驻地。在县政府驻地新城镇东北9.9千米。人口2080。相传晋国大夫邓伯道返乡后，定居邓庄庄儿山，大侄子农耕于该村地界，故名。聚落呈团块状。有大邓初中、大邓小学、大邓乡卫生院。有大邓圣母庙，现存为清代建筑遗构。有大邓村民居群，为四合院布局，现存为清代建筑遗构。县道赵神线经此。

141024　**洪洞县**［Hóngtóng Xiàn］临汾市辖县。北纬36° 15′，东经111° 40′。在市境北部。面积1494平方千米。人口63.78万。辖10镇、5乡。县人民政府驻大槐树镇。西周杨国。春秋属晋国，晋顷公十二年（前514年）分羊舌氏田为三县，于此置杨氏县。战国属魏。秦置杨县，治所在今范村一带，属河东郡。西汉、东汉因之。三国魏属平阳郡，后废。北魏太和二十一年（497年）复置杨县。正始二年（505年）永安县自今霍州市境徙治桥东村，寻徙治赵城镇东南，属西河郡。建义元年（528年）于永安县置永安郡，永安、杨县2县俱属之。北魏末永安郡、永安县还治今霍州市境。隋开皇三年（583年）罢郡，杨县改属晋州。义宁元年（617年）改杨县为洪洞县，徙治今县城，属平阳郡。二年（618年）析霍邑县南境置赵城县，县治今官庄村，属霍山郡。唐武德元年（618年）洪洞县属晋州，赵城县属吕州。天宝元年（742年）同属平阳郡。乾元元年（758年）同属晋州。北宋熙宁五年（1072年）赵城县省入洪洞县。元丰三年（1080年）复置赵城县。政和三年（1113年）赵城县升为庆祚军，隶河东路，治今赵城镇。六年（1116年）洪洞县改属平阳府。金废庆祚军，复置赵城县，与洪洞县俱属平阳府。贞祐三年（1215年）赵城县属霍州。元洪洞县先后属平阳路、晋宁路，赵城县属霍州。明洪武二年（1369年）洪洞县属平阳府。三年（1370年）赵城县改属平阳府。清乾隆三十七年（1772年）赵城县复属霍州。1912年废府州。1913年2县属河东道。1927年废道后直属山西省。1937年属山西省第六行政区。抗日战争时期先后属晋冀鲁豫边区太岳区第八、三专区。1948年两县属晋绥边区第九专区。1949年2月属陕甘宁边区晋南区第九专区。同年10月属山西省临汾专区。1954年洪洞、赵城2县合并为洪赵县，属晋南专区。1958年霍汾县并入，改称洪洞县。1960年霍汾县析出，仍名洪洞县。1967年属晋南地区。1970年属临汾地区。2000年属地级临汾市至今。“洪洞”一名始于东魏军镇洪洞戍，以其地濒临汾河，水势浩大，有以洪波之势显军威之义。地势东西高、中部低。有霍山、罗云山，最高海拔泰山顶海拔1347.6米，最低海拔430米。属暖温带半干旱大陆气候，年均气温12℃，1月平均气温-2.6℃，7月平均气温26.4℃。年均降水量441.5毫米。全年无霜期210天。年均日照2079.1小时。汾河、洪安涧河、霍泉河、轰轰涧河等流经。矿产资源有煤、铁、铝矾土、石膏、油页岩等。有国家级重点保护野生动物金钱豹、褐马鸡、金雕、大鸨、环颈雉、麝、黄羊、苍鹰、松雀鹰等9种。有观赏、药用等植物300余种。有中小学230所。洪洞一中为省级文明、示范学校，有县医院、文化馆、图书馆、档案馆、体育场馆。有全国重点文物保护单位洪洞堤村干河净石宫、洪洞辛北村玉皇庙、洪洞关帝庙、洪洞广胜寺下寺水神庙、洪洞赵城孙堡商山庙等。有国家5A级旅游景区洪洞大槐树寻根祭祖园。有省级文物保护单位侯村遗址、上村遗址、坊堆遗址、永凝堡遗址、师村遗址、上张遗址、女娲陵、泰云寺、碧霞圣母宫、明代监狱、马牧华严寺、明代移民遗址。有省级姑射山—仙洞沟风景名胜区。有市级文物保护单位12处。有省级爱国主义教育基地明代迁民遗址、马牧村八路军总部旧址、姑射山风景名胜区、红军八路军纪念馆。有地方民间艺术威风锣鼓等，大槐树祭祖习俗、洪洞走亲习俗、洪洞通背缠拳、洪洞道情戏被列入国家级非物质文化遗产，姑射山—乾元山传说、金鼓乐、洪洞书调、洪洞北羊社祭列入省级非物质文化遗产。有古迹广胜寺、苏三监狱、温家大院、玉皇庙、泰云寺、碧霞圣母宫、青龙观玄帝宫等。有纪念地坊堆遗址、上村遗址、古杨侯国遗址、永凝堡遗址、侯村遗址等。有历史人物皋陶、师旷、徐晃、韩文、王铎、刘秉恬等。三次产业比例为7.4:51.6:41。主产苹果、烟叶、蔬菜、杂粮等。土特产品有洪洞莲藕、秦壁葱、梗壁蒜、万安大白菜、矮生中国南瓜、堤村豆角、赵城猪头肉、羊獬鸡、玉堂春酒等。工业以煤炭、机械、化学、建筑等为主。服务业以旅游为主。南同蒲铁路、大西高铁过境设站。京昆高速、大运高速、108、309国道，霍侯一级公路，省道桃临线、沁洪线、洪永线经此。

141024-R01 **洪洞站** [Hóngtóng Zhàn] 见交通运输设施部分“洪洞站”条。

141024-R02 **洪洞西站** [Hóngtóng xīZhàn] 见交通运输设施部分“洪洞西站”条。

141024-B01 **大槐树镇** [Dàhuáishù Zhèn] 洪洞县人民政府驻地。在县城中部。面积98平方千米。人口15.46万。辖14社区、37行政村。镇人民政府驻城关。1954年设城关镇。1958改设雄火人民公社。1961年增设城市人民公社。1965年3月增设城关镇，改为城关人民公社。1984年5月，城关人民公社并入城关镇。2001年3月，南王乡、冯张乡、城关镇合并，设大槐树镇。因有闻名世界的明代迁民遗址大槐树寻根祭祖园得名。地势东高西低。属暖温带大陆性气候，四季分明。冬季寒冷干燥；春季多风少雨，升温快蒸发量大；夏季降水集中，雨热同期；秋季处于夏季风向冬季风过渡时期，前期夏季气候特征占优势，后期秋高气爽。年平均气温12℃，1月份最低，平均气温-3.6℃；7月份最高，平均气温25.8℃。无霜期平均190天左右，霜终期在4月上旬，初霜期在10月下旬初。年平均降水量608毫米。汾河、洪安涧河、霍泉河流经。有中小学、卫生院、文化站、广场。有全国重点文物保护单位洪洞关帝庙。有省级文物保护单位洪洞明代监狱、洪洞明代移民遗址、洪洞永凝堡遗址。有县级文物保护单位侯家堡侯家宅院。有苗村祖师庙、上纪落石坡、国士桥、李堡韩尚书墓、庄园教堂、梗壁文峰塔。大槐树祭祖习俗被列入国家级非物质文化遗产。有纪念地姚庄朝议大夫墓碑楼、西周文化遗址等。主产小麦、玉米、豆类、棉花、蔬菜等。养殖业以鸡、猪、羊为主。第三产业以配件、建材为主。主要企业有修配厂、化纤厂、综合厂、养鸡厂等。南同蒲铁路、大西铁路过境设站。京昆高速、108国道、霍侯一级公路，古槐路经此。有洪洞车站，二级客运站。

141024-B01-K01 **飞虹西大街** [Fēihóng Xīdà jiē] 在洪洞县城西南部。西起京昆高速洪洞收费站，东至涧桥北路。与桃临线、洪达路、滨河路等道路相交。长6.9千米，宽30米。水泥路面。2011年开工，2012年建成。为纪念全国重点文保单位广胜寺飞虹塔得名。两侧有洪洞县人民医院、睿博学校、恒富集团物资供应公司等。通洪洞2、5、22路等公交车。

141024-B01-K02 **飞虹中大街** [Fēihóng Zhōng dàjiē] 在洪洞县城南部。西起涧桥北路，东至嘉园路。与古槐路、五一路等道路相交。长1.3千米，宽20米。水泥路面。2011年开工，2012年建成。为纪念全国重点文保单位广胜寺飞虹塔得名。两侧有庄园小区、莲花市场等。通洪洞5、7路等公交车。

141024-B01-K03 **飞虹东大街** [Fēihóng Dōng dàjiē] 在洪洞县城南部。西起嘉园路，东至108国道。与飞虹中大街等道路相交。长1.9千米、宽30米。水泥路面。2011年开工，2012年建成。为纪念全国重点文保单位广胜寺飞虹塔得名。两侧有新英学校、洪洞二中、时代广场、洪洞县人民法院等。通洪洞5、6路等公交车。

141024-B01-K04 **恒富西大街** [Héngfù Xīdà jiē] 在洪洞县城西北部。西起桃临线，东至汾河恒富大桥。与洪达路等道路相交。长 2.8 千米，宽 20 米。沥青路面。2012 年建成。因山西恒富煤化集团有限公司得名。两侧有屯里村、薛家庄村、洪洞县妇幼保健院、向明中学等。通洪洞 3、5 路等公交车。

141024-B01-K05 **恒富东大街**［Héngfù Dōng dàjiē］在洪洞县城东北部。西起虹通北路，东至 108 国道。长 0.9 千米，宽 15 米。沥青路面。2012 年建成。因山西恒富煤化集团有限公司得名。两侧有恒东小学、梧桐里小区等。通洪洞 21、22 路等公交车。

141024-B01-K06 **恒富中大街**［Héngfù Zhōng dàjiē］在洪洞县城北部。西起汾河恒富大桥，东至虹通北路。与滨河路、古槐路等道路相交。长 2.3 千米，宽 20 米。沥青路面。2012 年建成。因山西恒富煤化集团有限公司得名。两侧有大槐树寻根祭祖园、龙泉家园、大槐树镇中心卫生院等。通洪洞 7、22 路等公交车。

141024-B01-K07 **玉峰中大街**［Yùfēng Zhōng dàjiē］在洪洞县城中部。西起涧桥北路，东至古槐路。与古羊路相交。长 0.5 千米，宽 25 米。沥青路面。2012 年改扩建。因玉峰山而得名。两侧有洪洞中心广场、贝壳酒店等。通洪洞 2、6 路等公交车。

141024-B01-K08 **玉峰东大街**［Yùfēng Dōng dàjiē］在洪洞县城中部。西起古槐路，东至 108 国道。与五一路、虹通北路等道路相交。长 2.6 千米、宽 25 米。沥青路面。1980 年开工，1981 年建成。2004、2012 年改扩建。因在玉峰山得名。两侧有洪洞一中、玉峰实验幼儿园等。通洪洞 3、7、22 路等公交车。

141024-B01-K09 **古槐路**［Gǔhuái Lù］在洪洞县城中部。北起泽源小区，南至飞虹中大街。与恒富中大街、公园西街、枫辉街、玉峰中大街等道路相交。长 2.7 千米，宽 12 米。沥青路面。小北门—小南门段原名安流路，为明清旧街。50 年代后期由旧城墙砖改造路面。“文革”期间称工农兵路。1975 年拓宽改造为沥青路面。1982 年重修，后更名新建路。为纪念洪洞大槐树，又更今名。两侧有洪洞县应急管理局、洪洞中心广场、苏三监狱等。通洪洞 1、2、27 路等公交车。

141024-B01-K10 **滨河公路**［Bīnhé Gōnglù］在洪洞县城西部。北起恒富东大街，南至东外环。与公园西街、飞虹西大街等道路相交。长 13.9 千米，宽 60 米。沥青路面。2015 年建成。因邻近汾河而得名。两侧有大槐树寻根祭祖园、中共洪洞县纪律检查委员会、恒富花苑等。通洪洞 5 路公交车。

141024-B01-K11 **古羊路**［Gǔyáng Lù］在洪洞县城中部。北起洪洞火车站，南至飞虹中大街。与朝阳西街、牛站西街、关帝楼街、玉峰中大街等道路相交。长 1.2 千米，宽 6 米。沥青路面。为纪念洪洞古称古羊而得名。两侧有洪洞中心广场、恒源住宅小区、财贸幼儿园等。

141024-B01-K12 **涧桥北路**［Jiànqiáo Běilù］在洪洞县城中西部。北起玉峰中大街，南至飞虹西大街。与晋家巷、牛站西街、朝阳西街等道路相交。长 1 千米，宽 35 米。沥青路面。2012 年建成。因位于涧桥村北侧得名。两侧有盛来医院、西街小学等。通洪洞 2、7 路等公交车。

141024-B01-K13 **涧桥南路**［Jiànqiáo Nán lù］在洪洞县城南部。北起飞虹西大街，南至 108 国道。与涧南东西街、长地北路等道路相交。长 3.9 千米，宽 30 米。沥青路面。2012 年建成。因位于涧桥村西南侧得名。两侧有洪洞县住建局、洪洞县发改局、煤炭一四四勘察院等。通洪洞 1 路公交车。

141024-B01-K14 **虹通南路**［Hóngtōng Nán lù］在洪洞县城东部。北起玉峰东大街，南至飞虹东大街。以玉峰东大街为界，分南路、北路。与宾阳东街、朝阳东街等道路相交。长 1.6 千米，宽 20 米。沥青路面。2007 年建成。因山西虹通酒业有限公司得名。两侧有新城公馆、洪洞县博物馆、阳光商业新天地等。通洪洞 6、25 路等公交车。

141024-B01-K15 **虹通北路**［Hóngtōng Běi lù］在洪洞县城东部。北起恒富东大街，南至玉峰东大街。以玉峰东大街为界，分南路、北路。与枫辉街等道路相交。长 0.9 千米，宽 20 米。沥青路面。2007 年建成。因山西虹通酒业有限公司得名。两侧有等洪洞县人民检察院、洪洞广播电视台等。通洪洞 6、21 路等公交车。

141024-B01-K16 **朝阳西街**［Cháoyáng Xījiē］在洪洞县城南部。西起洞桥北路，东至古槐路。以古槐路为界，分东街、西街。与古羊路、安流路等道路相交。长 0.5 千米，宽 9 米。沥青路面。2012 年建成。两侧有洪洞县司法局、飞虹影剧院、大槐树二中等。

141024-B01-K17 **朝阳东街**［Cháoyáng Dōngjiē］在洪洞县城东南部。西起古槐路，东至 108 国道。以古槐路为界，分东街、西街。与五一路、虹通南路等道路相交。长 2.7 千米，宽 16 米。沥青路面。2017 年建成。两侧有洪洞县体育场、洪洞二中、时代广场等。通洪洞 2、25 路等公交车。

141024-B01-H01 **弯里**［Wānlǐ］大槐树镇人民政府驻地。在洪洞县城北部。人口 4180。该村地处汾河东岸，在汾河阶地弯曲之处，故名。聚落呈团块状。108 国道经此。通 1、3、6、7、22、27 路等公交车。

141024-B02 **甘亭镇**［Gāntíng Zhèn］洪洞县辖镇。在县城南部。面积 53.62 平方千米。人口 4.02 万。辖 18 行政村。镇人民政府驻甘亭。1954 年设甘亭乡。1958 年属南垣公社。1961 年设甘亭公社。1984 年 5 月改设甘亭镇。因驻地得名。地势较为平坦，东高西低。气候类型属于温带大陆性季节气候，年平均气温 12.6℃，1 月份平均气温 -3.6℃，7 月份平均气温 25.8℃，极端最低气温 -18.6℃，极端最高气温 40.7℃。无霜期一般为 195 天，平均降水量 527.6 毫米。曲亭河流经。有中小学、幼儿园、卫生院、农贸市场。有省级文物保护单位洪洞师村遗址、皋陶庙。走亲习俗被列入国家非物质文化遗产，北羊农耕社祭被列入省级非物质文化遗产。有全国首家司法博物馆—华夏司法博物馆。主产冬小麦、玉米、蔬菜。水果主要有核桃、红枣等。养殖以饲养生猪、牛、羊、鸡为主。有甘亭工业园区。南同蒲铁路过境设站。108、309 国道，霍侯一级公路，临汾环城高速公路经此。

141024-B02-H01 **甘亭**［Gāntíng］甘亭镇人民政府驻地。在县政府驻地大槐树镇西南 10.6 千米。人口 1100。相传古时村内有一大深坑，下雨不积水，故名干坑村。清时平阳府武官薛正太嫌村名不雅，改为甘亭。聚落呈团块状。有洪洞职业中学、甘亭中学、甘亭小学、通力小学、甘亭镇卫生院。有甘亭郭家宅院，创建于中华民国二十一年（1932 年）。108、309 国道经此。

141024-B02-H02 **羊獬**［Yángxiè］在县政府驻地大槐树镇西南 10.5 千米。甘亭镇辖行政村。人口 3100。相传羊獬为中国上古传说中能够断案治狱的神羊，法官皋陶的羊獬生于此，故名。聚落呈团块状。有唐尧故园遗址，传说此地为尧的行宫和女儿娥皇、女英生活与出嫁之地，现存清代维修记事碑两通。有县级文物保护单位羊獬战斗遗址，现纪念碑现存于唐尧故园内。有第二批国家级非物质文化遗产洪洞走亲习俗。108 国道经此。

141024-B02-H03 **士师**［Shìshī］在县政府驻地大槐树镇西南 6.7 千米。甘亭镇辖行政村。人口 2900。相传原名皋陶村，后以皋陶官职士师为名。聚落呈团块状。有士师学校。有士师遗址，为汉代文化遗存。有皋陶祠遗址，为祭祀尧时大臣士师官皋陶的祠宇，据民国《洪洞县志》，皋陶祠始建于元元统二年（1334 年），现改为华夏司法博物馆。108 国道经此。通 301 路公交车。

141024-B03 **曲亭镇**［Qūtíng Zhèn］洪洞县辖镇。在县城东南部。面积 121.04 平方千米。人口 5.31 万。辖 23 行政村。镇人民政府驻曲亭。1949 年属洪洞县第四区。1954 年设曲亭乡。1959 年为曲亭公社。1984 年设曲亭镇。2001 年古罗乡并入。因驻地得名。地势东高西低，东部属霍山山系，山势低缓绵长，多层状开阔阶梯，多形成梁、坦、峁黄土地貌。气候属暖温带季风气候，具有暖温带半干旱气候特点。冬春干旱多风，夏季炎热多雨。冬夏长，春秋短。年平均气温 12℃，1 月份最低平均气温 -3.6℃，极端最低气温 -18.6℃；7 月份最高，平均气温 25.8℃，极端最高气温 40.7℃。无霜期平均 195 天左右，最长 233 天，最短 153 天，平均霜终期在 4 月上旬，平均初霜期在 10 月下旬初。东部山脚年平均降水 608 毫米。曲亭河流经，有曲亭水库。有中小学、卫生院、文化站、农家书屋、公共绿地、广场。有古迹师旷陵园、师旷庙、杨侯国遗址等。有纪念地子安烈士陵园、韩略烈士陵园、上峪烈士陵园、北柏烈士陵园。主产冬小麦、玉米、蔬菜。养殖以饲养生猪、羊、家禽为主。服务业以集市商贸为主，有 5 大集市。309 国道经此。

141024-B03-H01　**曲亭**［Qūtíng］曲亭镇人民政府驻地。在县政府驻地大槐树镇东南 10.7 千米。人口 6000。相传在春秋时称禽昌，晋绰公时改为杨县，封其子弟为杨侯，后移都师村，在禽昌城郊建迎王侯亭，委曲姓者任亭长，并将禽昌改称曲亭。聚落呈团块状。有洪洞五中、曲亭小学、曲亭中心卫生院。有曲亭遗址，为新石器时代庙底沟文化遗存。东有曲亭堠，为清代平阳府（临汾）至潞安府（长治）主干驿道上的“里程碑”，用于标注道路方向和计算里程。有曲亭鼓亭，为旧时打鼓人歇脚场所，创建于清光绪三十三年（1907 年）。309 国道经此。

141024-B03-H02　**范村**［Fàncūn］在县政府驻地大槐树镇东南 6.7 千米。曲亭镇辖行政村。人口 5200。相传春秋时该村出了一位极受国王宠爱的羊舌前大夫，在一次面君会上，国王赐他范姓，全村深感光荣，故名。聚落呈团块状。有范村卫生所。相传为西周杨侯国旧址，文王子伯侨封于此。为西汉杨县治所。有洪洞城址，为东周、汉代文化遗存。2004 年，范村遗址、墓群与洪洞城址等捆绑公布为第四批省级文物保护单位“师村遗址”。乡村道路经此。

141024-B03-H03　**韩略**［Hánlüè］在县政府驻地大槐树镇东南 14 千米。曲亭镇辖行政村。人口 2910。相传唐时该村患疮疫的人很多，韩略仙君路过此地精心治疗，使人们免除一场灾害，村民为纪念他而取名韩略村。聚落呈团块状。有韩略小学。有县级文物保护单位韩略烈士陵园，为纪念在韩略战斗中牺牲的 20 余名烈士而建，现为洪洞县青少年革命传统教育基地。309 国道经此。

141024-B03-H04　**师村**［Shīcūn］在县政府驻地大槐树镇东南 9 千米。曲亭镇辖行政村。人口 3600。相传为春秋晋国著名乐师师旷故里，故名。聚落呈团块状。有师村中学、师村小学。有第四批省级文物保护单位师村遗址，分布范围为以师村为中心的曲亭镇、苏堡镇、大槐树镇的 8 个村，有古文化遗址及古墓葬。乡村道路经此。

141024-B03-H05　**上寨**［Shàngzhài］在县政府驻地大槐树镇东南 17.7 千米。曲亭镇辖行政村。人口 930。相传因古时有寨，四周驻防以防外敌、野兽侵袭，村民都居住在寨子的上面，故名。聚落呈团块状。有上寨小学。有第二批县级文物保护单位上寨遗址，为西周时期文化遗存。有县级文物保护单位张氏节孝坊、上寨李家大院，现存皆为清代建筑遗构。2019 年被列入第五批中国传统村落名录。乡村道路经此。

141024-B04　**苏堡镇**［Sūbǔ Zhèn］洪洞县辖镇。在县城东部。面积 115 平方千米。人口 2.64 万。辖 13 行政村。镇人民政府驻苏堡。1954 年设苏堡乡。1959 年改东方红人民公社。1961 年改称苏堡公社。1984 年改设镇。因驻地得名。以山地、丘陵为主。地势东北略高、西南略低，东北向西南呈微倾之势。北面倚于霍山，以山地为主；中部为狭长的河谷盆地；南部是丘陵地带。主要山峰有九岐山、虎头山、一指山。气候属温带大陆性季风气候，年平均气温 13℃，夏季炎热，最高温度 30℃左右，冬季寒冷，最低温度 -10℃左右。年无霜期 200 天以上，年平均降水量 450 毫米，降水主要集中在 4—9 月份。洪安涧河流经。有跃进渠、泽源渠、润源渠、霍泉南干渠、霍泉新南干五渠。有中小学、幼儿园、卫生院、文化广场。有纪念地九龙山公墓。主产小麦、玉米、小杂粮。主要经济作物有棉花、油料作物、蔬菜等。养殖以饲养生猪、羊、牛、家禽为主。工业以洗煤、采砂为主。服务业以集市商贸为主。省道沁洪线、县道苏广线、苏曲线经此。

141024-B04-H01　**苏堡**［Sūbǔ］苏堡镇人民政府驻地。在县政府驻地大槐树镇东南 11.8 千米。人口 5000。相传原名苏家堡，后简为今名。聚落呈团块状。有苏堡中学、苏堡镇中心校、苏堡村张亨敏卫生室。有苏堡遗址，为东周文化遗存。有苏堡刘家祠堂，仅存祠堂，为清代建筑遗构。有苏堡战斗遗址、烈士陵园，现为洪洞县爱国主义教育基地。341 国道经此。通 25 路公交车。

141024-B04-H02 **北铁沟**［Běitiěgōu］在县政府驻地大槐树镇东南16千米。苏堡镇辖行政村。人口700。相传村人铸铁狗镇邪，故名铁狗，后因地势多沟，该村迁于原村子的北部而得名。聚落呈团块状。有第六批省级文物保护单位北铁沟三结义庙，现存正殿为元代建筑遗构，过殿为明代建筑遗构，其余为清代建筑遗构。341国道经此。

141024-B05 **广胜寺镇**［Guǎngshèngsì Zhèn］洪洞县辖镇。在县城东部。面积57.65平方千米。人口5.25万。辖1社区、19行政村。镇人民政府驻圪衕。1949年10月至1954年7月，马头一带属洪洞县政府第一区，板塌一带属赵城县政府第二区。1954年7月，洪洞赵城合并为洪赵县，在今广胜寺镇区域内设道觉乡、南秦乡、北泰乡、西安乡、封里乡5个乡政府。1984年马头公社改设广胜寺镇。因广胜寺得名。地势东北高，西南低。地形以山地、丘陵、平川为主。最高峰海拔870米，最低点海拔550米。年平均降水量为513毫来，全镇无霜期约196天。年平均气温12℃左右，夏季平均气温24.7℃左有，冬季平均气温-1.7℃左右。极端最高气温40.7℃，极端最低气温-18.9℃，历年平均气温为29.2℃。霍泉河流经，有霍泉。矿产资源有水泥灰岩、沉积煤。有中小学、文化站、农村书屋。有全国重点文物保护单位广胜寺、广胜寺下寺水神庙。有省级文物保护单位坊堆遗址、碧霞圣母宫和泰云寺。有县级文物保护单位道觉遗址、圪衕遗址、南秦遗址、早觉村门楼、二郎庙、下庄关帝庙和北秦戏台。广胜寺、《赵城金藏》、元代壁画及柏树，被称为“三绝一奇”。主产小麦、棉花。养殖以饲养生猪、牛、羊、兔、家禽为主。工业以焦煤为主。有焦化集团、化工有限公司服务业以商品零售为主。有中南铁路。有公路经此。

141024-B05-H01 **柴村**［Cháicūn］广胜寺镇人民政府驻地。在县政府驻地大槐树镇东北11.5千米。人口1550。相传因附近村民常来打柴，后逐渐有人在此居住后而得名。聚落呈团块状。有洪洞第六中学、柴村初级中学、柴村小学、广胜寺小学。有第一批全国重点文物保护单位广胜寺，始建于东汉桓帝建和元年（147年），现存除上寺飞虹塔及大雄宝殿为明代重建外，其余均为元代建筑遗构。有柴村遗址，为新石器时代、汉代文化遗存。有柴村玉皇庙遗址，建于金元时期，清乾隆十五年（1750年）重修。有山西焦化集团公司。乡村道路经此。

141024-B05-H02 **油耳山**［Yóu'ěrshān］在县政府驻地大槐树镇东北12.2千米。广胜寺镇辖行政村。人口200。相传舜王访贤，在此遇许由，许由不听，就用泉水洗耳，故名。聚落呈团块状。有油耳山惨案遗址，2005年建油耳山惨案纪念碑，现为洪洞县爱国主义教育基地。乡村道路经此。

141024-B05-H03 **早觉**［Zǎojué］在县政府驻地大槐树镇东北7.7千米。广胜寺镇辖行政村。人口1100。相传该村依沟临河，清同治年间洪水泛滥，将村冲毁大半，因有一人发现及时使得全村免于水祸，故改名早觉。聚落呈团块状。有第六批省级文物保护单位早觉二郎庙，正殿主体结构保留明代风格，余为清代建筑遗构。乡村道路经此。

141024-B06 **明姜镇**［Míngjiāng Zhèn］洪洞县辖镇。在县城东北部。面积108.64平方千米。人口5.24万。辖29行政村。镇人民政府驻中社。1949年，为当时的赵城县第二区治所。1954年设明姜乡。1959年设明姜公社。1984年改设明姜镇。2001年圣王乡并入。传以春秋时期姜戎居处地得名。境内中部和北部为丘陵区，南部和西部地势低凹，多下湿盐碱地，山地、丘陵、平川俱全，平均海拔500米以上。全镇年平均气温13.8℃左右，最高温度35℃左右，最低温度-15℃左右。常年平均降水量412.9毫米，无霜期196—200天。主要河道霍泉北干渠，属汾河流域。矿产资源有有煤、铁、铜、石膏、铝矾土、石灰石等。有中小学、幼儿园、卫生院、文化活动中心。有庙会。有明姜水电站，是全国第一座农村水电站。电影《我们村里的年轻人》，曾在该站拍摄取景。主产小麦、玉米、豆类、薯类、油料等。养殖以饲养生猪、牛、鸡为主。工业以煤焦、醋酸乙烯为主，为煤焦生产基地。南同蒲铁路、京昆高速、大运高速、青兰高速、108国道经此。

141024-B06-H01 **中社**［Zhōngshè］明姜镇人民政府驻地。在县政府驻地大槐树镇东北10.8

千米。人口 1100。相传清代明姜分南、中、北 3 社，该村居中，故名。聚落呈团块状。有中社晋家宅院，现存为清代建筑遗构。108 国道经此。

141024-B07　**赵城镇**［Zhàochéng Zhèn］洪洞县辖镇。在县城北部。面积 84.52 平方千米。人口 8.05 万。辖 1 社区、28 行政村。镇人民政府驻东街。1954 年设赵城镇。1958 年改公社。1984 年复设镇。2001 年南沟乡并入。以姓氏得名。位于汾河谷地，临汾盆地北端。全镇东、北环山，南部低平，形成东北部高，中、南部低的河谷盆地。境内可分为丘陵倾斜平原两种地貌。汾河流经。有中小学、县级医院、卫生院、卫生监督站、文化站、文化活动场所。有全国重点文物保护单位赵城孙堡商山庙。有省级文物保护单位侯村遗址、女娲陵。有遗址火台等。主产小麦、玉米、薯类。主要蔬菜品种有西红柿、莲藕、茄子、黄瓜、大白菜等。主要水果品种有苹果、梨、枣、桃、花椒。养殖以饲养生猪、牛、羊、兔、家禽为主。工业以洗煤、炼焦、化工为主。服务业以集市商贸为主。南同蒲、中南铁路过境设站。108 国道经此。

141024-B07-H01　**东街**［Dōngjiē］赵城镇人民政府驻地。在县政府驻地大槐树镇北 14.3 千米。人口 2000。聚落呈团块状。有赵城一中、雷峰中学、赵城镇东街学校。有县级文物保护单位赵城文庙，现存为清代建筑遗构。有县级文物保护单位赵城东街村 178 号民居，现存为清代建筑遗构。有富有地方特色的刘家祠堂、保存较完整的卫克中宅院等，现存皆为清代建筑遗构。108 国道经此。

141024-B07-H02　**官庄**［Guānzhuāng］在县政府驻地大槐树镇东北 13 千米。赵城镇辖行政村。人口 1200。相传以前此处设有接官处，凡逢新官上任、州府官吏来县，知县均在此接待，故名。聚落呈团块状。2005 年被评为第一届全国文明村，2009 年被评为第二届全国文明村。108 国道经此。

141024-B07-H03　**西街**［Xījiē］在县政府驻地大槐树镇北 14.7 千米。赵城镇辖行政村。人口 3120。聚落呈团块状。有龙鑫凤凰小学。有第六批省级文物保护单位谁园藏书楼（张瑞玑旧居），建于 1924 年，是典型的中西合璧式建筑。乡村道路经此。

141024-B08　**万安镇**［Wàn'ān Zhèn］洪洞县辖镇。在县城西部。面积 158.25 平方千米。人口 6.56 万。辖 41 行政村。镇人民政府驻万安。1949 年属洪洞县六区。1954 年设万安乡。1958 年改万安公社。1961 年与左家沟分社。1984 年改设镇。2001 年左家沟乡、双昌乡并入。因驻地得名。原名国家堡，到元代人口增多，取“万民安康”之意改今名。境内地势西高东低。地形分为山地、丘陵、平原、河谷阶地四种地形，西部为山地丘陵区，其余均为平川区。主要有历山、乾元山等山峰，最高海拔 980 米，平均海拔 740 米。属半干旱性大陆性气候，四季分明，春暖秋凉，冬冷夏热。多年平均气温 11.6℃，极端最高气温 37.6℃，极端最低气温 -15℃。多年平均降水量 460 毫米，年内分配不均，每年 6—9 月的降水量占全年降水量的 60% 以上，年际变化不大。三交河、涧河流经。已探明的地下矿藏有铝矾土、铁矿石、煤等。林木覆盖率 17.8%。有中小学、幼儿园、文化站、农家书屋、卫生所。有县级文物保护单位万安寺大雄宝殿和佛出峡北山顶的十三金顶舍利宝塔。有景点万圣寺、乾元山、历山，历山为国家级非物质文化遗产。主产小麦、玉米、杂粮、棉花。主要蔬菜品种有西红柿、茄子、黄瓜、豆角、薯类等。主要水果品种有苹果、梨、桃、杏、核桃等。养殖以饲养生猪、羊、牛、鸡为主。工业以煤炭为主。服务业以集市商贸为主。有公路经此。

141024-B08-H01　**万安**［Wàn'ān］万安镇人民政府驻地。在县政府驻地大槐树镇西北 10.6 千米。人口 3500。相传该村古称国家堡，以杨、张、程三姓为主，到元代人口增加，经济繁荣，改名为万安，取万方安和之意。聚落呈团块状。有万安高级中学、万安初中、新兴初中、万安镇中心卫生院。有县级文物保护单位万安功德坊、万安女英庙、万安文峰塔、万安商山庙，现存皆为清代建筑遗构。有观音堂、寥天洞、普陀庵、瘟神庙、史家宅院、刘家宅院等清代建筑遗构。县道洪乔线经此。

141024-B08-H02　**西梁**［Xīliáng］在县政府驻地大槐树镇西北 8.9 千米。万安镇辖行政村。

人口 1600。聚落呈团块状。有西梁学校。有特产“历山牌”土鸡蛋，被授予“山西省十大畜牧业科技创新产品”。2015 年被评为第四届全国文明村。乡村道路经此。

141024-B08-H03 **韩家庄**［Hánjiāzhuāng］在县政府驻地大槐树镇西北 12.3 千米。万安镇辖行政村。人口 2020。聚落呈团块状。有德源希望小学。有县级文物保护单位韩家庄菩萨庙、韩家庄佛庙、韩家庄魁星楼，现存皆为清代建筑遗构。有玉皇楼、二郎庙、玄帝庙、通渡桥等清代建筑遗构。有八路军总部（朱德、任弼时路居）、牺盟会决死队旧址、晋绥军抗战遗址等。2019 年被列入第五批中国传统村落名录。乡村道路经此。

141024-B08-H04 **韩侯**［Hánhóu］在县政府驻地大槐树镇西北 15 千米。万安镇辖行政村。人口 2490。相传宋朝时期韩、侯两姓迁于此地，繁衍成村，故名。聚落呈团块状。有韩侯学校。有第六批省级文物保护单位韩侯东岳庙，现存正殿为明代建筑遗构。乡村道路经此。

141024-B08-H05 **王绪**［Wángxù］在县政府驻地大槐树镇西北 17.5 千米。万安镇辖行政村。人口 1650。相传元末明初名赵村，后赵姓绝，在王氏自陕西米脂迁移在此，改为王续，后又改为王绪。聚落呈团块状。有第六批省级文物保护单位王绪东岳庙，现存为明代建筑遗构。乡村道路经此。

141024-B09 **刘家垣镇**［Liújiāyuán Zhèn］洪洞县辖镇。在县城西北部。面积 110.63 平方千米。人口 2.88 万。辖 16 行政村。镇人民政府驻刘家垣。1954 年设刘家垣乡。1958 年属吕梁公社。1959 年改为刘家垣公社。1984 年改设镇。以驻地得名。地处吕梁山支脉，地势西高东低。地形为丘陵。主要山脉有罗云山脉。最高峰海拔 1030 米，最低点海拔 640 米。年平均气温约为 11℃，1 月份最冷，平均气温为 -3.4℃，极端最低气温为 -18.3℃；7 月份最热，平均气温为 25℃，极端最高气温为 38℃。平均年降水量为 537.3 毫米，无霜期平均 186 天。轰轰涧河、舞阳涧河、石止河流经。矿产资源有煤、铁、石灰石等。有中小学、卫生院、老年书法协会、农民体育协会。有古迹伏珠弥勒寺、雕底庙、效古虎林山兴隆洞等。主产小麦、玉米。主要经济作物有棉花、油料作物、蔬菜等。养殖以饲养生猪、羊、牛、家禽为主。工业以焦炭、洗煤、化工、建材等为主，有选煤厂、煤矿、煤化公司、建材公司等。有公路经此。

141024-B09-H01 **刘家垣**［Liújiāyuán］刘家垣镇人民政府驻地。在县政府驻地大槐树镇西北 21.6 千米。人口 1700。相传明朝即有此村，该村地处高垣、地势平坦，曾名垣上。后因刘姓住户较多，故名。聚落呈团块状。有刘家垣中学、刘家垣村小学、刘家垣卫生院。有刘家垣慈恩寺、刘家垣子孙圣母庙、刘家宅院，现存皆为清代建筑遗构。乡村道路经此。

141024-B09-H02 **伏珠**［Fúzhū］在县政府驻地大槐树镇西北 24.5 千米。刘家垣镇辖行政村。人口 2500。相传秦王李世民说此地地下伏珠，遍地是宝，故名。聚落呈条带状。有第六批省级文物保护单位伏珠弥勒寺，现存正殿为明代建筑遗构，余皆为清代建筑遗构。省道洪永线经此。

141024-B10 **辛村镇**［Xīncūn Zhèn］洪洞县辖镇。在县城西部。面积 75 平方千米。人口 5.96 万。辖 17 行政村。镇人民政府驻南段。1954 年设辛村乡。1958 年属马牧人民公社。1984 年 5 月设马牧乡。后改公社。2001 年 3 月白石乡、马牧 2 乡合并，复设辛村乡。2021 年 5 月撤乡，设镇。因辛姓人居此，故名。境内大部为平原，地势为西高东低，南低北高，属汾河流域。气候属于温带大陆性季风气候，年降水量 493.3 毫米，全年无霜期 180—200 天，年平均气温 12.3℃左右。有高池塘坝、通利渠和七一渠。有中小学、幼儿园、卫生院、文化站、群众业余文艺团体 15 个。有全国重点文物保护单位洪洞辛北村玉皇庙。有省级文物保护单位马牧华严寺。有县级文物保护单位温家大院。有白石红军、八路军纪念馆，现洪洞县革命传统教育基地和红色旅游人文景点。主产小麦、玉米。主要经济作物为西红柿、食用菌、辣椒、黄瓜等蔬菜。养殖以饲养生猪、牛、家禽为主。有木业、陶瓷墙地砖、服饰等公司。大西高铁、省道桃临线、沁洪线经此。

141024-B10-H01 **南段**［Nánduàn］辛村镇

人民政府驻地。在县政府驻地大槐树镇西南部5千米。人口3000。相传明代把七里村改名为“南洪段，北洪段”，20世纪50年代更名为“南段村，北段村”至今。聚落呈团块状。有南段学校。省道桃临线经此。通2、26、27路公交车。

141024-B10-H02　**辛北**［Xīnběi］在县政府驻地大槐树镇西北5.7千米。辛村镇辖行政村。人口3000。聚落呈团块状。有辛北学校。有第五批全国重点文物保护单位玉皇庙，现存主体建筑玉皇殿、关公殿、二郎殿均为元代建筑遗构，殿内壁画与大殿同为元代作品。省道桃临线经此。

141024-B10-H03　**马二**［Mǎ'èr］在县政府驻地大槐树镇西北7.4千米。辛村镇辖行政村。人口2280。相传战国时期此地为赵国养马之地，故名马牧，其后形成村落以马牧为名，后因村大而分为三村。聚落呈团块状。有马牧中学、马二村小学。有第六批省级文物保护单位八路军总部马牧旧址，为清代中晚期建筑。朱德率八路军总部驻扎该院，提出著名的十六条战术原则。省道桃临线经此。

141024-C01　**淹底乡**［Yāndǐ Xiāng］洪洞县辖乡。在县城东南部。面积95.31平方千米。人口3.99万。辖24行政村。乡人民政府驻淹底。1954年设淹底乡。后改公社。1961年设淹底公社。1984年复设乡。2001年孔峪乡并入。因驻地得名。全境地势东高西低，地形可分为三部分，东部山区带、中部丘陵带、西部平原带。森林覆盖率31.8%。有中小学、幼儿园、卫生院。有省级文物保护单位上张村战国古墓遗址。主产小麦、玉米、杂粮。主要经济作物有蔬菜、药材等。主要蔬菜品种有辣椒、大白菜、西红柿、豆角、胡萝卜。主要水果品种有苹果、桃、葡萄、杏。养殖以饲养生猪、羊、鸡为主。有苗木、养殖2基地。有公路经此。

141024-C01-H01　**淹底**［Yāndǐ］淹底乡人民政府驻地。在县政府驻地大槐树镇东南15.2千米。人口3400。因该村以前形似马蹄，曾名马蹄村。后因该村位于土丘之下，多雨积水而得名渰底，后改渰为淹。聚落呈团块状。有淹底乡一中、淹底小学、淹底乡卫生院。有淹底遗址，为汉代文化遗存。有淹底张家宅院，现存为清代建筑遗构。乡村道路经此。

141024-C02　**兴唐寺乡**［Xīngtángsì Xiāng］洪洞县辖乡。在县城东北部。面积76.52平方千米。人口1.66万。辖10行政村。乡人民政府驻苑川。民国之前一直属赵城管辖。1954年，洪、赵二县合并后，属晋南专属洪赵县管辖。1958年，属临汾市洪洞县管辖，名涧头乡，乡驻地涧头村。1959年，由原涧头乡改为苑川公社，公社驻苑川村。1984年苑川公社改设苑川乡。2001年更今名。因兴唐寺得名。地处霍山脚下，地势东高西低。境内最高峰是霍山顶，俗称老爷顶。无霜期153—233天，年平均气温12℃，极端最高温度41.6℃，极端最低气温-18℃。有兴唐寺涧河，又称苑川河。还有柏树泉和兰家沟泉。矿产资源有煤、石英、石膏、铝矾土、石灰石、陶瓷黏土等。有国家二级保护动物金钱豹、麝、山猪。森林覆盖率20%。有中小学、幼儿园、卫生院、文化站、农家书屋、文化活动中心。有县级文物保护单位老爷顶、兴唐寺。有兴唐寺风景旅游区，是山西省唯一的实验性森林景区公园。主产小麦、玉米，种植西红柿、大葱等，养殖以猪、羊为主。京昆高速经此。

141024-C02-H01　**苑川**［Yuànchuān］兴唐寺乡人民政府驻地。在县政府驻地大槐树镇东北20.2千米。人口700。相传古时，此地竹苞松茂，百鸟争喧，泉水流畅，加之此地为出霍山之后一片平坦之地，又因苑姓始居，故名。聚落呈团块状。有苑川小学、兴唐寺乡卫生院。有苑川遗址，为新石器时代仰韶文化、东周时期文化遗存。有苑川观音庙，现存为明代建筑遗构。有苑川魁星楼，现存为清代建筑遗构。乡村道路经此。

141024-C03　**堤村乡**［Dīcūn Xiāng］洪洞县辖乡。在县城北部。面积103.97平方千米。人口5.52万。辖20行政村。乡人民政府驻堤村。1952年前，隶属汾西县。1952年划归为赵城五区。1954年建制有堤村乡、张端乡等6个乡，隶属赵城县人民政府。1954年设堤村乡。1958年为七一人民公社。1959年改堤村公社。1963年划分为堤村人民公社和干河人民公社。1964年干河人民公社并入堤村人民公社。1984 年复设乡。因驻地得名。位于临汾盆地，地势为西高东低，半丘陵半平川。属大陆季风性气候，年平均气温为 12℃。1 月份气温最低，平均气温为 -3.6℃；7 月份最高，平均气温为 25.8℃。汾河、舞阳河、团柏河、轰轰河流经，有龙眼泉。森林覆盖率 28.8%。有中小学、卫生院、文化活动中心、舞台。有全国重点文物保护单位净石宫。有不可移动文物古迹 70 处，其中县级文物 12 处。主产小麦、玉米、谷子、豆类。经济作物为红枣、草莓、核桃、蔬菜为主。主要花卉品种有君子兰、墨兰、平安树、幸福树等 100 余种，种植树苗有自皮松、红花槐、碧桃、五角枫等 30 余种。养殖以饲养生猪、羊、鸡为主。有生态种植、生物质能源、机电设备等公司。有商贸一条街、蔬菜批发市场。大运高速、108 国道、霍侯一级路、省道洪永线、桃临线经此。

141024-C03-H01 **堤村**［Dīcūn］堤村乡人民政府驻地。在县政府驻地大槐树镇北 16.3 千米。人口 7000。相传古时有刘家垣姓嵇的一家迁此，户名嵇村。1964 年社教运动中，依村西北舞阳涧河筑了五百米长的围堤，更名为堤村。以方言同音字改今名。聚落呈团块状。有堤村中学、堤村小学、堤村乡卫生院。有县级文物保护单位堤村东王庙，现存为清代建筑遗构。有县级文物保护单位堤村西庙献亭，现存为明代建筑遗构。有县级文物保护单位堤村龙眼泉，现存泉 1 眼、清代砖石砌窑洞 3 孔、民国八角亭 1 座。省道洪永线、桃临线经此。

141024-C03-H02 **干河**［Gànhé］在县政府驻地大槐树镇北 23.3 千米。堤村乡辖行政村。人口 4000。相传古时称水永，期望水源流畅，庄稼四季丰收。有一年大雨连降，洪水泛滥将村淹没，村人认为是村名不利，遂改称干河，希望再不受洪水之患。聚落呈团块状。有干河中学。有第七批全国重点文物保护单位净石宫，创建于明弘治元年（1488 年），保存了明代以来的古建筑及明代悬塑、清代壁画。108 国道经此。

141024-C03-H03 **师庄**［Shīzhuāng］在县政府驻地大槐树镇北 21.2 千米。堤村乡辖行政村。人口 2180。相传初名庄里，后有师姓迁此地居住，曾名师家。后村子扩大，人口增多改名师家庄，现人称师庄，俗称庄里。聚落呈团块状。有师庄学校。有第六批省级文物保护单位师庄东岳庙，现存龙王殿、娘娘殿为元代建筑遗构，戏台为明代建筑遗构。108 国道经此。

141024-C04 **龙马乡**［Lóngmǎ Xiāng］洪洞县辖乡。在县城西南部。面积 58.93 平方千米。人口 2.64 万。辖 17 行政村。乡人民政府驻龙马。1949 年，隶属第五区管辖，区驻白石村。1954 年，洪洞赵城合并为洪赵县，龙马地区划为龙马、下沟、马驹、西崔堡、长命等 5 个乡。1956 年，小乡并大乡，全县 38 乡，龙马地区称为龙马乡。1958 年 10 月，称为白龙公社。1959 年改为龙马公社。1984 年复设乡。因驻地得名。地处临汾盆地北端，地势西高东低。地形分为丘陵、倾斜平川。最高峰海拔 1147 米，最低点海拔 460 米。属温带大陆性气候，四季分明，春季多风少雨，夏季降雨集中，秋季秋高气爽，冬季寒冷干燥。近 20 年平均气温 12.8℃，年平均降水量 418.1 毫米，无霜期 211 天。大洪峪涧河流经。矿产资源有石灰岩、石膏等。有中小学、卫生院、文化活动中心、农家书屋。青龙山玄女宫是道释儒三教合一的城堡式寺庙建筑群。主产小麦、玉米、谷子。养殖以饲养生猪、羊、牛、家禽为主。工业以煤炭为主。有饲料公司、奶牛养殖专业合作社、农业开发有限公司。服务业以农贸集市为主。大西高铁过境设站。京昆高速、青兰高速、山西中南部货运专线、公（孙堡）景（村）公路经此。

141024-C04-H01 **西龙马**［Xīlóngmǎ］龙马乡人民政府驻地。在县政府驻地大槐树镇西 10 千米。人口 700。相传该村缺水，唐时人们掘井，打井时发现化石似龙，又因该村离马驹村较近，故名龙马。后村庄扩大，依方向分为东、南、西三村，此村在西，故名。聚落呈团块状。有龙马中学。有西龙马佛庙，现存为清代建筑遗构。县道公景线经此。

141024-C05 **山目乡**［Shānmù Xiāng］洪洞县辖乡。在县城西部。面积 177.99 平方千米。人口 1.58 万。辖 13 行政村。乡人民政府驻三交河村。1949 年 10 月属赵城县六区。1950 年 1 月改属四区。1954 年 9 月设左木乡（小乡）。1956 年 6 月设左木乡（大乡）。1958 年 10 月属吕梁人公社。1959 年 7 月属三交河人民公社。1961 年 5 月成立左木人民公社，安头人民公社。1964 年 3 月改霍家庄人民公社。1966 年撤销霍家庄人民公社，成立左木人民公社。安头人民公社更名为山头人民公社。1984 年 5 月撤销左木、山头人民公社，设立左木乡、山头乡。2021 年撤销山头乡、左木乡，合并设立山目乡。因在山头乡、左木乡后各取一字，取谐音得名。境内多沟多山，是一个山区乡镇。主要山峰有青龙山，平均海拔 1400 米。气候属暖温带半干旱大陆性气候，年平均气温 8.7℃。最冷月平均气温为 -6.7℃，最热月平均气温为 21.8℃，无霜期平均为 163 天。平均降水量为 618 毫米。矿产资源有煤、铁、石膏和铝矾土等。有中小学、卫生院、文化站、农家书屋等。主产小麦、玉米和谷子。主要经济特产有核桃、花椒、苹果、黄梨等。畜牧业主要以养殖山羊、黄牛为主。家禽养殖以土鸡为主。工业以煤炭为主。服务业以农贸集市为主。京昆高速经此。

141024-C05-H01　**三交河**［Sānjiāohé］山目乡人民政府驻地。在县政府驻地大槐树镇西北 26.9 千米。人口 1000。因地处山地，位于柏叶河、中社河、金山沟河三河汇集之处而得名。聚落呈团块状。有三交河二郎庙，现存为民国建筑。县道洪乔线经此。

141025　**古县**［Gǔ Xiàn］临汾市辖县。北纬 36° 16′，东经 111° 54′。在市境东北部。面积 1196 平方千米。人口 7.98 万。辖 5 镇、1 乡。县人民政府驻岳阳镇。春秋晋国地。战国属赵国。秦汉分属谷远县、杨县地。西晋省谷远县，为杨县地。北魏建义元年（528 年）境内置义宁郡、安泽县，治所同在今古阳村。隋开皇三年（583 年）属晋州。十六年（596 年）属沁州。大业二年（606 年）安泽县改名岳阳县，因在太岳山之阳而得名，移治西赤壁（今旧县村），属临汾郡。义宁年间改属平阳郡。唐武德二年（619 年）岳阳县移治今东池村，属晋州。贞观六年（632 年）县治移往今城关村。宋属平阳府。金因之。蒙古至元四年（1267 年）省入冀氏县，寻复置，属晋宁路。元至正二年（1342 年），并冀氏、和川入岳阳，三县合并为岳阳县。至正四年，改名为冀氏县，移治今安泽县冀氏。至正十三年，仍复名岳阳，移治岳阳城，隶属平阳府。明洪武二年（1369 年）属平阳府。清因之。1912 年废府。1913 年属河东道。1914 年岳阳县改名安泽县，仍属河东道。1927 年废道直属山西省。1937 年属山西省第三行政区。抗日战争时期属晋冀鲁豫边区太岳区第八专区。解放战争时期属太岳区第一专区。1949 年属山西省临汾专区。1951 年安泽县人民政府迁府城镇。1954 年属晋南专区。1967 年属晋南地区。1970 年属临汾地区。1971 年 7 月析安泽县、浮山县部分区域设立古县，县人民政府驻岳阳故城附近的湾里、张家沟 2 村间，属临汾地区。10 月改古县为岳阳县，12 月改岳阳县为古县。2000 年属地级临汾市至今。因县政府驻地得名。地势北、东、南 3 面环山，西为丘陵。有太岳山，最高海拔老爷顶 2346.8 米，最低海拔 590 米。属暖温带大陆性季风气候。年均气温 11.4℃，1 月平均气温 -3.3℃，7 月平均气温 25.3℃。年均降水量 516 毫米。年平均日照达 2278.8 小时。洪安涧河、热留河、石壁河、永乐河、蔡子河、刘垣河等流经。年平均日照达 2278.8 小时。年平均无霜期 183 天。矿产资源有煤炭、铝土、石灰岩等。有国家级重点保护野生动物金钱豹、褐马鸡等。有省级重点保护野生动物麝、白冠野雉、花面狸等。有观赏、药用等植物 200 余种。有中小学、县医院、文化馆、档案馆、体育场馆。有省级文物保护单位热留关帝庙。有市级文物保护单位 1 处。有国家 4A 级古县牡丹文化旅游风景区。有省级古县三合牡丹森林公园。有地方民间艺术八音会、威风锣鼓、锣鼓杂戏、秧歌等。有古迹蔺相如墓、延庆观等。有纪念地张家大院、祖师顶罗成将军墓等。三次产业比例为 4.9 ∶ 65.7 ∶ 29.4。主产玉米、小麦。土特产品有绵核桃、优质小米等。工业以原煤开采、煤炭深加工、农副产品深加工等为主。服务业以旅游、商贸、物流为主。309、314 国道，浮古线（浮山—古县）、安第线（安泽—第一川）、古北线（县城—北平）、古石线（县城—石壁）等县级公路经此。

141025-F01 **岳阳广场**［Yuèyáng Guǎng chǎng］在古县城中部。西侧为朝阳路，紧邻古县人民政府大楼。总面积0.8万平方米。2003年建成。因古县古称岳阳县而得名。又名古县广场，是古县城区重要的集会、休闲场所。

141025-N01 **相如大桥**［Xiàngrú Dàqiáo］在古县城中部相如路上，横跨洪安涧河。为大型河道桥梁，结构型式为混凝土梁桥。桥长850米，桥面宽45米，最大跨度150米，桥下净高10米。2004年建成。因其毗邻蔺相如纪念馆得名。担负古县县城主干道交通任务，最大载重量80吨。

141025-N02 **涧河大桥**［Jiànhé Dàqiáo］在古县城中北部沁洪线上，横跨洪安涧河。为大型河道桥梁，结构型式为混凝土拱桥。桥长300米，桥面宽40米，最大跨度80米，桥下净高10米。1988年建成。因建在洪安涧河之上得名。担负县城主干道交通任务，最大载重量50吨。

141025-N03 **岳阳大桥**［Yuèyáng Dàqiáo］在古县城中部城关村，横跨南涧河，又名城关大桥。为小型河道桥梁，结构型式为混凝土拱桥。桥长15米，桥面宽8米，最大跨度10米，桥下净高10米。1984年建成。因与岳阳路相接而得名。担负县城主干道交通任务，最大载重量10吨。

141025-B01 **岳阳镇**［Yuèyáng Zhèn］古县人民政府驻地。在县城中部。面积210.13平方千米。人口3.43万。辖6社区、10行政村。镇人民政府驻岳阳。1953年设城关乡。1958年12月成立岳阳人民公社。1984年设城关镇。2001年下冶乡南坡、韩母、烧车、下冶、槐树5村与城关镇合并，设岳阳镇。以驻地得名。位于太岳山主峰霍山腹地，北部为石山森林区，南部为土石山区、东西两边为山地，中间为纵贯南北的涧河河谷。地势为中间低，两边高。地形以山地为主。主要山脉有太岳山支脉。最高峰海拔1350米，最低点海拔587.9米。属暖温带季风气候，其特点是春季干旱少雨，夏季炎热多雨，秋季冷热多变，冬季寒冷干燥，四季变化分明，山地、丘陵气候差异较大。年平均气温11.4℃。1月份最冷，平均气温-3.3℃；7月份最热，平均气温25.3℃。无霜期年平均202天。年平均日照时数2030.5小时。年平均降水量516毫米，降雨集中在每年5—9月，8月最多。洪安涧河流经，主要支流有麦沟河、龙王沟河、南坡沟河、哲才沟河等。矿产资源有煤、石灰岩、石英砂岩、铜、紫砂、砖瓦黏土、河沙等。有中小学、幼儿园、文化站、图书室、卫生院。有烈士陵园、四次山圆觉寺。主产小麦、玉米、油葵、蔬菜。土特产品有绵核桃、优质小米等。养殖以饲养生猪、羊、牛家禽为主。工业以原煤开采、煤炭深加工、农副产品深加工为主。服务业以旅游为主。314国道、县道古北线经此。

141025-B01-K01 **龙泉街**［Lóngquán Jiē］在古县城北部。西起涧河北路，东至屏风路。与岳阳路、延泉一巷等道路相交。长0.4千米，宽6米。混凝土路面。2015年开工，2016年建成。为纪念延庆观内的龙泉而得名。两侧有古县城市供水公司、古县牡丹大酒店、正泰小区等。

141025-B01-K02 **延庆街**［Yánqìng Jiē］在古县城北部。西起涧河北路，东至屏风路。与岳阳路、延平路等道路相交。长0.5千米，宽12米。混凝土路面。2004年开工，2005年建成。因附近有古县八景之一的延庆观而得名。两侧有古县二中、古县中小企业局等。

141025-B01-K03 **平阳街**［Píngyáng Jiē］在古县城东北部。西起涧河北路，东至屏风路。与岳阳路、延平路等道路相交。长0.6千米，宽6米。混凝土路面。2014年建成。因临汾古称平阳府而得名。两侧有中国人民保险古县支公司、岳阳镇中心卫生院、古县烟草专卖局等。

141025-B01-K04 **向阳街**［Xiàngyáng Jiē］在古县城中北部。西起涧河北路，东至龙岗社区居委会附近。与岳阳路、延平路等道路相交。长0.5千米，宽6米。混凝土路面。2008年改造东段，2015年新建西段。因附近有城北小学，期望青少年向往阳光、茁壮成长而得名。两侧有岳阳镇人民政府、城北小学、龙潭小区等。

141025-B01-K05 **小河街**［Xiǎohé Jiē］在古县城中部。西起相如路，东至朝阳路。与丹凤路相交。长0.5千米，宽6米。水泥路面。1996年建成。因位于张家沟村小河旁得名。两侧有古县环保局、古县妇幼保健院、古县工商局等。

141025-B01-K06 **岳秀街**［Yuèxiù Jiē］在古县城中部。西起涧河南路，东至朝阳路。与相如路、丹凤路等道路相交。长0.6千米，宽30米。沥青路面。2010年建成。因古县城西门楼牌匾“古岳忠秀”得名。两侧有中共古县县委、古县人民政府、古县物价局等。通古县3、4路等公交车。

141025-B01-K07 **教育街**［Jiàoyù Jiē］在古县城中部。西起涧河南路，东至朝阳路。与相如路、丹凤路等道路相交。长0.6千米，宽6米。沥青路面。2005年修建，2006年完工。因沿途有众多学校得名。两侧有古县职教中心、城镇幼儿园、古县文化馆等。

141025-B01-K08 **文化街**［Wénhuà Jiē］在古县城中部。西起涧河南路，东至朝阳路。与相如路、丹凤路等道路相交。长0.6千米，宽6米。沥青路面。2004年修建，2005年完工。因附近原有古县文化局、文化馆而得名。两侧有城镇小学、古县青少年活动中心、古县自然资源局等。

141025-B01-K09 **康庄街**［Kāngzhuāng Jiē］在古县城中南部。西起畅达小区，东至朝阳路。与涧河南路、相如路、丹凤路等道路相交。长0.7千米，宽10米。沥青路面。2005年修建，2006年建成。作为当时县城南部重要道路，路名寓意康庄大道。两侧有古县人民检察院、大地家园小区等。

141025-B01-K10 **金湾街**［Jīnwān Jiē］在古县城南部。西起涧河南路，东至丹凤路。与相如路相交。长0.5千米，宽10米。沥青路面。2005年修建，2006年建成。因作为湾里村地界最繁华的商贸地段，得名金湾。两侧有相如公园、泰和酒店等。

141025-B01-K11 **涧河北路**［Jiànhé Běilù］在古县城西北部。北起岳阳大桥附近，南至小河街。与龙泉街、延庆街、平阳街等道路相交。长1.6千米，宽8米。沥青路面。2009年建成。因紧邻涧河得名。两侧有古县二中、龙潭小区等。

141025-B01-K12 **涧河南路**［Jiànhé Nánlù］在古县城中部偏南。北起小河街，南至相如公园。与越秀街、教育界、文化局等道路相交。长1.2千米，宽8米。沥青路面。2003年建成。因紧邻涧河得名。两侧有大地家园、古县公安局交警大队等。

141025-B01-K13 **延平路**［Yánpíng Lù］在古县城北部。北起延庆街，南至龙潭小区附近。与平阳街、向阳街等道路相交。长0.5千米，宽10米。沥青路面。2015年建成。因附近有延庆观而得名，兼有平安之寓意。两侧有古县二中、城北幼儿园、古县疾控中心等。

141025-B01-K14 **岳阳路**［Yuèyáng Lù］在古县城中部。北起岳阳大桥，南至朝阳路。与龙泉街、延庆街、平阳街等道路相交。长1.3千米，宽30米。沥青路面。2000年开工，2001年建成。为纪念古县原名岳阳而得名。两侧有古县农业局、古县民政局、岳阳镇人民政府、龙泉小区等。通古县3、4路等公交车。

141025-B01-K15 **屏风路**［Píngfēng Lù］在古县城东北部。北起龙泉街，南至平阳街。与警民巷、延庆街等道路相交。长0.5千米，宽8米。沥青路面。2004年建成。因东山植被如一道绿色屏风而得名。两侧有春晖家园、金太阳幼儿园等。

141025-B01-K16 **相如路**［Xiàngrú Lù］在古县城中南部。北起小河街，南至相如大桥。与岳秀街、教育街、康庄街等道路相交。长1.2千米，宽42米。沥青路面，2003年建成。为纪念古县籍名人蔺相如得名。两侧有古县汽车站、古县公安局、古县公路管理段等。通古县3、4路等公交车。

141025-B01-K17 **丹凤路**［Dānfèng Lù］在古县城中部。北起小河街，南至金湾街。与岳秀街、文化街、康庄街等道路相交。长0.8千米，宽8米。沥青路面。2013年建成。路名取丹凤朝阳之寓意。两侧有古县妇幼保健院、粮苑小区等。

141025-B01-K18 **朝阳路**［Cháoyáng Lù］在古县城中部。北起小河街，南至金湾街。与岳秀街、教育街、文化界等道路相交。长1千米，宽20米。沥青路面。2005年建成。路名取丹凤朝阳之寓意。两侧有古县广场、古县宾馆、宁馨小区等。通古县3、4路等公交车。

141025-B02 **北平镇**［Běipíng Zhèn］古县辖镇。在县城北部。面积121.61平方千米。人口1.16万。以汉族为主，有回、彝族。辖12行政村。

镇人民政府驻北平。1953年设北平乡。1958年改公社。1984年改设镇。因驻地得名。战国时期赵国上卿蔺相如故里。地势北高南低。主要山脉有太岳山脉。属于石山森林区，海拔相对落差变化大，最高峰海拔2212米，最低点海拔1012米。属温带季风气候，山地气候特点明显。春季干旱多风，气温回升较慢，夏季温暖多雨，秋季湿冷多，冬季寒冷风大。降雨集中在7—9月间，昼夜温差悬殊。年平均气温11.5℃，7月份日均气温为24℃。生长期平均为170天，无霜期平均为160天。年平均日照为总时数2278小时，日照率年均为51.7%，年平均降水量为610毫米。洪安涧河、蔺河流经。矿产资源有煤、铁、铝、铜、石灰石、硬质耐火黏土。其他自然资源有霍山参、猪苓、木耳、连翘等药材、菌类植物。森林覆盖率为44%。有幼儿园、小学、文化站、图书室、卫生院。为国家卫生乡镇。为县森林保护区。主产玉米、马铃薯、谷子，土特产品有霍山参、猪苓、木耳、连翘等。养殖以饲养生猪、羊、牛、家禽为主。工业以原煤开采、煤炭深加工、农副产品深加工等为主。服务业以旅游为主。341国道经此。

141025-B02-H01 **北平**［Běipíng］北平镇人民政府驻地。在县政府驻地岳阳镇东北33.5千米。人口1610。相传原名北坪，因处山间平地，与南坪相对为名，后演变为今名。聚落呈团块状。有北平中心小学、北平镇卫生院。有北平遗址，为汉代文化遗存。341国道经此。

141025-B02-H02 **李子坪**［Lǐzǐpíng］在县政府驻地岳阳镇东北34.4千米。北平镇辖行政村。人口430。相传蔺相如在渑池之会上逼秦王击缶，一直使秦王耿耿于怀。蔺相如后代为避免秦王的报复，全族移居赵城，名为“蔺子坪”。后因蔺李相近，遂演变为今名。聚落呈条带状。有县级文物保护单位李子坪墓葬，相传为战国时期赵国上卿蔺相如之墓。有相如公园，园内设有蔺相如塑像、纪念馆。县道第安线经此。

141025-B02-H03 **贾寨**［Jiǎzhài］在县政府驻地岳阳镇东北31.6千米。北平镇辖行政村。人口1200。聚落呈团块状。有贾寨中心小学。有第六批省级文物保护单位太岳区第一军分区贾寨旧址，为清代晚期建筑。有薄一波贾寨路居，薄一波在岳北军分区检查指导工作时在居住于此，旧址为清代晚期建筑。有任氏宅院、苏氏宅院等清代建筑遗构。2020年被评为第六届全国文明村。县道第安线经此。

141025-B03 **古阳镇**［Gǔyáng Zhèn］古县辖镇。在县城北部。面积137.04平方千米。人口1.19万。辖10行政村。镇人民政府驻古阳。1953年设古阳乡。后改公社。1961年设热留公社。1983年更名古阳公社。1984年改设古阳镇。2001年下冶乡白素、乔家山2村并入。因驻地得名。属石山森林区，地势西北高，东南低。主要山脉有太岳山。最高峰海拔2346.8米，最低点海拔860米，全镇平均海拔850米。气候属暖温带季风气候，气候特征四季分明，春季少雨多风，夏季炎热，雨量集中，秋季多晴凉爽，冬季寒冷干燥，年平均气温6℃。洪安涧河、热留河流经。矿产资源有煤、铝矾土、石英石、石灰岩、白云岩、耐火黏土、硅石矿、铁矿、钦矿、铂矿、煤研石等。有小学、幼儿园、文化站、图书室、卫生院。有省级文物保护单位热留关帝庙。有古迹凌云洞、“核桃王”树。主产小麦、玉米，蔬菜种植主要以西红柿、黄瓜为主。土特产品有绵核桃、优质小米等。养殖以饲养生猪、羊、牛为主。工业以原煤开采、煤炭深加工、农副产品深加工等为主。服务业以旅游、运输为主。341国道经此。

141025-B03-H01 **古阳**［Gǔyáng］古阳镇人民政府驻地。在县政府驻地岳阳镇东北18.8千米。人口780。相传北魏时有古远县，后建安泽县治古岳村，隋朝时迁城关称岳阳县，人们推理说古远县改名古阳县，古远县改为古岳阳村，演变成古阳村。聚落呈团块状。有古阳中心小学、古阳镇卫生院。有古阳遗址，为汉代文化遗存。341国道经此。

141025-B03-H02 **热留**［Rèliú］在县政府驻地岳阳镇东北20.2千米。古阳镇辖行政村。人口890。相传古时曾有凤凰落于村中大松树上，故名凤凰村，后因村民性情生硬，明朝改为弱柳，并在村前栽植柳树，清末民初改名为热留。聚落呈团块状。有第八批全国重点文物保护单位热留关帝庙，始建于元代，明清两代均有修葺。乡村道路经此。

141025-B04　**旧县镇**［Jiùxiàn Zhèn］古县辖镇。在县城南部。面积124.53平方千米。人口1.11万。以汉族为主，有蒙古、维吾尔、苗、彝族。辖11行政村。镇人民政府驻旧县。1953年设古县乡。1958年改古县公社。1971年更名旧县公社。1984年改设旧县镇。因唐武德二年（619年）为岳阳县治所，故名。地势东南高，西北低，东部属于土石山区，西部属于丘陵沟壑区，地形多为黄土丘陵。气候属暖温带季风气候，其特点是四季分明，雨热同季，光照充足。春季升温快，温差大，干旱多风、夏季气温高，雨量集中，但降雨失调；秋季凉爽；常有短时阴雨出现，冬季漫长寒冷少雪。最冷月在1月，平均气温-4.3℃，最热月在7月，平均气温可达22.8℃。旧县河流经。有小学、幼儿园、文化站、图书室、卫生院。有市级文物保护单位七里坡遗址。主产小麦、玉米，土特产品有绵核桃、优质小米等。主要经济作物有油葵、蔬菜等。养殖以饲养生猪、羊、鸡为主。工业以原煤开采、煤炭深加工、农副产品深加工等为主。服务业以旅游、商贸为主。中南铁路、309国道、县道浮古线经此。

141025-B04-H01　**旧县**［Jiùxiàn］旧县镇人民政府驻地。在县政府驻地岳阳镇东南14千米。人口2160。相传唐初岳阳县徙治于此，曾为县治，故名。《太平寰宇记》卷43《河东道四・晋州》岳阳县："（武德）二年（619年）移于今理南三十三里东池堡。"聚落呈条带状。有旧县中心小学、旧县镇中心卫生院。309国道经此。

141025-B05　**三合镇**［Sānhé Zhèn］古县辖镇。在县城东南部。面积274.66平方千米。人口1.16万。辖16行政村。镇人民政府驻石壁。1956年建石壁乡、永乐乡，1961年改为石壁公社、永乐公社，1984年恢复石壁乡、永和乡。2021年，撤销石壁乡、永乐乡，合并设立三合镇。镇人民政府驻石壁村。因三合牡丹得名。大部分地区由土石山区与沟河区组成。海拔800米左右。气候属暖温带季风气候，春季干旱少雨，夏季炎热多雨，秋季凉爽湿润，冬季寒冷干燥，四季气候特点分明。1月份温度最低，平均气温-3.5℃；7月份温度最高，平均气温25.3℃。降雨集中在每年5—9月，8月最多，年降雨量500毫米左右。石壁河、旧县河流经，属洪安涧河支流。矿产资源有煤、紫砂陶土。有小学、幼儿园、卫生院、文化站、文化活动中心。有贾村遗址、张家民宅有国家级4A旅游景区古县牡丹景区。粮食作物以小麦、玉米为主。主要经济作物有核桃、马铃薯、金米、中药材等。水果有苹果、梨、桃、杏等。畜牧业以猪、羊、鸡为主。土特产品有古县金米。第三产业以旅游、商贸为主。有旅游专线公路。

141025-B05-H01　**石壁**［Shíbì］三合镇人民政府驻地。在县政府驻地岳阳镇东南7.1千米。人口1050。古为营垒，石姓始居，故名。聚落呈带状。有三合镇卫生院。有县级文物保护单位石壁遗址，为汉代文化遗存。有县级文物保护单位石壁张家大院，现为清代建筑遗构，是太岳腹地保存较为完整的民居大宅。乡村道路经此。

141025-B05-H02　**三合**［Sānhé］在县政府驻地岳阳镇东南12.7千米。三合镇辖行政村。人口430。聚落呈条带状。有市级文物保护单位三合佛庙遗址，现仅存牡丹，相传植于唐朝，高1.83米，冠幅4米，丛围15米，素有"牡丹王"之称，已被《中国牡丹全书》收录。有AAAA级古县牡丹文化旅游风景区。乡村道路经此。

141025-C01　**南垣乡**［Nányuán Xiāng］古县辖乡。在县城南部。面积151.25平方千米。人口0.92万。辖14行政村。乡人民政府驻店上。2001年郭店、店上、茶坊3乡合并，设南垣乡。因地处古县南部，地貌特征为黄土高原典型的残垣断壁得名。地处太岳山余脉，地势东高西低。东部属于土石山区，中西部属于黄土沟壑区。最高海拔1200米，最低海拔700米，东西高差约500米。气候属暖温带季风气候，大陆性比较强。春季干旱多风，气温回升快；夏季高温多雨，秋季凉爽湿润，冬季寒冷干燥。年平均气温11.8℃。1月份最冷，月平均气温-3.6℃；7月份最热，月平均气温24.9℃。年平均日照达2278.8小时。年平均无霜期183天。年均降水量558.5毫米，降雨集中在每年5月至9月，6月最多。

蔡子河、刘垣河流经，均属汾河一级支流。矿产资源有煤等。其他自然资源有野生动物金钱豹、花面狸等。森林覆盖率30.16%。有小学、卫生院、文化站。有传为千年古墓罗成墓、千年古树“酸枣王”、千年古堡东池古城堡，有苏定方安营扎寨过的苏家寨，风景优美的祖师顶。主产玉米、小麦。土特产品有绵核桃、优质小米等。主要经济作物有油葵、中药材等。养殖以饲养牛、羊、生猪、梅花鹿、獭兔为主。工业以原煤开采、煤炭深加工、农副产品深加工等为主。服务业以旅游为主。有公路经此。

141025-C01-H01 **店上**［Diànshàng］南垣乡人民政府驻地。在县政府驻地岳阳镇南17.4千米。人口430。相传因有客店而得名。聚落呈团块状。有南垣乡中心卫生院。有店上遗址，为东周、汉代文化遗存。有店上堡址，现存为清代建筑遗构。241国道经此。

141026 **安泽县**［Ānzé Xiàn］临汾市辖县。北纬36° 08′，东经112° 14′。在市境东部。面积1960平方千米。人口7.56万。辖6镇。县人民政府驻府城镇。春秋属晋国。战国赵国伊氏邑。秦置陭氏县，治所在今府城镇，属上党郡。东汉改猗氏县，属上党郡。西晋废。北魏建义元年（528年）置合阳县，治今河阳村；同年又析禽昌、襄陵2县地置冀氏县，并置冀氏郡，治今冀氏镇，与合阳县俱属之。又析禽昌县地置义宁县，并置义宁郡，治今和川镇。北齐废冀氏郡，合阳县废入冀氏县，属临汾郡。义宁县仍属义宁郡。隋开皇三年（583年）罢郡，义宁、冀氏2县俱属晋州。十六年（596年）义宁县属沁州，冀氏县属临汾郡。十八年改义宁县为和川县，属沁州。大业二年（606年）改安泽县为岳阳县，属临汾郡。三年（607年）和川县废入沁源县。义宁年间冀氏县属平阳郡。唐武德元年（618年）罢郡，冀氏县属晋州。同年复置和川县，仍属沁州。宋代冀氏、和川2县俱属晋州平阳郡。熙宁五年（1072年）和川县废入冀氏县。元祐元年（1086年）复置和川县，与冀氏县俱属平阳府。金因之。蒙古初改冀氏县为猗氏县。蒙古至元三年（1266年）猗氏县废入岳阳县。四年（1267年）复置冀氏县，岳阳县废入。寻废冀氏县，复置岳阳县，与和川县俱属晋宁路。元至元间和川县废入岳阳县。明、清均为岳阳县地，属平阳府。1912年废府。1913年属河东道。1914年岳阳县改名安泽县，仍属河东道。1927年废道直属山西省。1937年属山西省第三行政区。抗日战争时期属晋冀鲁豫边区太岳区第八专区。解放战争时期属太岳区第一专区。1949年属山西省临汾专区。1951年安泽县人民政府迁府城镇。1954年属晋南专区。1967年属晋南地区。1970年属临汾地区。1971年7月县西境划入古县。2000年6月，撤临汾地区，属地级临汾市。取安吉、泽泉2村名之首字得名。地势东西高、中间低。有泉庙凹、盘秀山、大东沟梁、牛头山，最高海拔安泰山1594.6米，最低海拔748.7米。年均气温9.4℃，1月平均气温-5.9℃，7月平均气温23℃。年均降水量539.1毫米。沁河、泗河、石槽河、兰河、蔺河等流经。矿产资源有煤、铁、石灰石、石膏、方解石、煤层气等。有国家级重点保护野生动物金钱豹、青鼬、水獭、石貂、金雕、红嘴鸮、鸢、苍鹰、松雀鹰、鹞、长耳鸮、短耳鸮、红脚隼、雕鸮。有观赏、药用等植物288余种。有中小学、县医院、文化馆、图书馆、档案馆、博物馆、体育场馆。有全国重点文物保护单位安泽麻衣寺塔、安泽郎寨塔等。有省级爱国主义教育基地安泽杜村太岳革命根据地旧址。有市级文物保护单位1处。飞岭高跷、唐城花灯秧歌、熏醋酿制技艺被列入省级非物质文化遗产。有古迹太岳军区司令部旧址、太岳行署旧址、华印刷厂旧址等。有纪念地邓小平路居、朱德路居、刘少奇路居等。有省级安泽县森林公园。2007年联合国地名专家组中国分部授予安泽县“千年古县”称号。三次产业比例为5.7:75.3:19.。主产玉米、小麦、油料、中草药等。土特产品有青连翘、荀子酒、茂清蜂蜜、安泽小米等。工业以煤炭、新能源、食品加工等为主。服务业以餐饮、包装为主。晋中南部铁路、瓦日铁路过境设站。309国道、省道长安线、县道临长线经此。

141026-N01 **沁河大桥**［Qìnhé Dàqiáo］在安泽县城东部，横跨沁河。为大型河道桥梁，结构型式为双曲拱结构钢筋水泥桥。桥长117米，桥面宽 8.5 米，最大跨度 18 米，桥下净高 12 米。1966 年开工，1967 年建成。担负县城主干道交通任务，最大承载量 30 吨。

141026-N02 **神南大桥**［Shénnán Dàqiáo］在安泽县城北部神南村，纵跨沁河。为大型河道桥梁，结构型式为双曲拱结构钢筋水泥桥。桥长 120 米，桥面宽 20 米，最大跨度 50 米，桥下净高 12 米。1980 年建成。因位于神南村西南侧得名。担负县城主干道交通任务，最大承载量 30 吨。

141026-R01 **安泽站**［Ānzé Zhàn］见交通运输设施部分“安泽站”条。

141026-B01 **府城镇**［Fǔchéng Zhèn］安泽县人民政府驻地。在县境中心。面积 320.94 平方千米。人口 3.11 万。辖 5 社区、13 行政村。镇人民政府驻府城。1953 年设府城乡。1958 年改公社。1984 年设城关镇。2001 年三交乡、城关镇合并设府城镇。地势北高南低。最高峰海拔 1471.8 米，最低点海拔 831.7 米。全镇年平均降雨量 650 毫米左右，无霜期 170 天左右。森林覆盖率达 67.2%。沁河流经。有中小学、卫生所、文化站、图书馆、农家书屋、文化活动中心。有省级安泽县森林公园荀子文化园景区。府城飞岭高跷被列入省级非物质文化遗产。主产优质玉米、优质核桃、小杂粮、蔬菜。养殖以饲养生猪、羊为主。工业以农副产品加工为主。服务业以商品批零、建筑建材、修理修配、餐饮等为主。309 国道、省道长安线、马唐公路经此。

141026-B01-K01 **荀乡东大道**［Xúnxiāng Dōng dàdào］在安泽县城中部。西起泽民北路，东至川口街。与滨河北路等道路相交。长 2.2 千米，宽 40 米。沥青路面。2000 年建成。因安泽县为荀子故乡而得名。两侧有安泽县畜牧兽医局、望岳楼等。

141026-B01-K02 **荀乡西大道**［Xúnxiāng Xī dàdào］在安泽县城中部。西起四通公司，东至泽民北路。与龙凤路、府后街等道路相交。长 1.2 千米，宽 40 米。沥青路面。2000 年建成。因安泽县为荀子故乡而得名。两侧有府城派出所、宏安园小区等。

141026-B01-K03 **泽民南路**［Zémín Nánlù］在安泽县城南部。北起鸿福巷，南至龙凤路。与一中北街、一中南街等道路相交。长 2.2 千米，宽 24 米。沥青路面。1987 年建成，原名府南路。2011 年改扩建后更今名，取福泽民众之意。两侧有安泽一中、新安花园、石桥沟小学等。

141026-B01-K04 **泽民中路**［Zémín Zhōng lù］在安泽县城中部。北起荀乡东大道，南至鸿福巷。与聚源街、天平巷、二中街等道路相交。长 1.5 千米，宽 24 米。沥青路面。1987 年建成，原名府南路。2011 年改扩建后更今名，取福泽民众之意。两侧有安泽县人民法院、安泽县人民医院、城关小学等。

141026-B01-K05 **泽民北路**［Zémín Běilù］在安泽县城北部。北起神南大桥，南至荀乡东大殿。与育英街、城墙岭街、府后街等道路相交。长 0.8 千米，宽 24 米。沥青路面。1985 年开工，1986 年建成。原名府北路。2011 年改扩建后更今名，取福泽民众之意。两侧有北门小学、安泽县地震局、安泽县水利局等。

141026-B01-K06 **城墙岭街**［Chéngqiánglǐng Jiē］在安泽县城北部。西起荀乡西大道，东至泽民北路。与财源巷等道路相交。长 0.6 千米，宽 5 米。沥青路面。2005 年建成。因位于城墙岭而得名。两侧有曙光小区、安泽县森林防护大队等。

141026-B01-K07 **滨河北路**［Bīnhé Běilù］在安泽县城东北部。北起新星巷口，南至荀乡东大道。与畅源街、月亮湾路、育英街等道路相交。长 1.4 千米，宽 20 米。沥青路面。2005 年建成。因邻近沁河而得名。两侧有恒源小区、廉政文化广场、府城村卫生所等。

141026-B01-K08 **滨河中路**［Bīnhé Zhōnglù］在安泽县城中东部。北起荀乡东大道，南至文体南巷。与文体北巷、二中街等道路相交。长 1.1 千米，宽 20 米。沥青路面。2005 年建成。因邻近沁河而得名。两侧有安泽二中、安泽县文体局等。

141026-B01-K09 **滨河南路**［Bīnhé Nánlù］在安泽县城东南部。北起文体南巷，南至 326 省道。与鸿福东巷、一中北街、一中南街等道路相交。长 2 千米，宽 20 米。沥青路面。2005 年建成。

因邻近沁河而得名。两侧有新安花园、安泽一中、安泽县交通运输局等。

141026-B01-K10 **龙凤路**［Lóngfèng Lù］在安泽县城西部。北起荀乡西大道，南至泽民南路。与一中北街、一中南街等道路相交。长3.5千米，宽10米。沥青路面。2006年建成。路名取龙凤呈祥之意。两侧有凤池小学、安泽一中、迎泽小区等。

141026-B01-K11 **安兴路**［Ānxīng Lù］在安泽县城北部。北起农发行，南至安庆宾馆。与开源街、新窑沟巷、农发巷等道路相交。长0.8千米，宽10米。沥青路面。2008年建成。路名取安康兴旺之意。两侧有等安泽县中医院、安泽县人民医院、城关小学等。

141026-B01-K12 **迎宾路**［Yíngbīn Lù］在安泽县城东部。北起荀乡东大道，南至奥体中心。长2千米，宽10米。沥青路面。2009年建成。因沿途有众多文体旅游场所而得名。两侧有安泽黄河京都大酒店、荀子文化园等。

141026-B02 **和川镇**［Héchuān Zhèn］安泽县辖镇。在县境北部。面积312.77平方千米。人口1.18万。辖13行政村。镇人民政府驻和川。1953年设和川乡。1958年改公社。1984年改设镇。2001年罗云乡并入。因驻地得名。地势西高东低，地形分为山地、丘陵，主要山脉有二郎山，境内最高峰八孔窑山位于议亭村西，海拔1380米；最低点位于石渠与飞岭村交界处植树沟，海拔882米。属亚温带大陆性气候，四季分明，春季干燥多风，温升缓慢；夏季短期炎热，雨量集中；秋季温和凉爽，多阴雨天；冬季西北风凛冽，雨雪偏大，年降水量600—700毫米。无霜期160—175天。年平均气温9.4℃。沁河、蔺河流经。有小学、卫生院、文化站、文化大院。有全国重点文物保护单位安泽麻衣寺塔。“沁湾塔影”为古岳阳县八景之一。有省级安泽县森林公园麻衣寺景区。有古迹西洪驿新石器时代文化遗址、普萨庙、二郎庙、龙泉寺、刘少奇路居、和川烈士陵园等。为县农牧业大镇。主产小麦、玉米、连翘，土特产品有和川酒、和川猪蹄等。养殖以饲养生猪、山羊、黄牛为主。工业以农副产品加工为主。309国道、马唐公路经此。

141026-B02-H01 **和川**［Héchuān］和川镇人民政府驻地。在县政府驻地府城镇北13.2千米。人口4150。相传因该村地处蔺河之水合入沁河之处，故名合川，后因民族和好，因此得名和川。聚落呈团块状。有和川中学、和川小学、和川中心卫生院。有县级文物保护单位和川遗址，为东周时期文化遗存。有县级文物保护单位和川民居，创建于清嘉庆二年（1797年）。有县级文物保护单位和川烈士陵园，为纪念在孝义县锅头战役中牺牲的高志和、赵有才、韩巨昌、马其清四位烈士而建。241国道经此。

141026-B02-H02 **岭南**［Lǐngnán］在县政府驻地府城镇北11.1千米。和川镇辖行政村。人口410。因位于和川村南山土岭之南得名。聚落呈团块状。有第七批全国重点文物保护单位麻衣寺砖塔，据塔身经文碑碣，创建于金大定十七年（1177年），塔身保存了大量完整的金代砖雕佛像。241国道经此。

141026-B03 **唐城镇**［Tángchéng Zhèn］安泽县辖镇。在县境北部。面积176.55平方千米。人口1.01万。辖6行政村。镇人民政府驻唐城。1953年设唐城乡。1958年改公社。1984年改唐城镇。因驻地得名。相传因唐太宗李世民曾在此屯兵而得名“唐城”。蔺河流经。有龙王泉，是经过认证的高质量天然矿泉水。地下资源有优质主焦煤。有国家二级保护植物流苏树、丁香和连翘等。森林覆盖率达65%以上。有小学、文化站、卫生院、文化大院。有省级非物质文化遗产唐城秧歌。有花灯秧歌、威风锣鼓队伍、青年志愿者组织、老年书画协会、老年舞蹈队。有唐王寨、龙王泉、莲花山、秦王庙、晾甲圪台、大米疙瘩等景观。主产小麦、玉米、蔬菜。养殖以饲养生猪、羊、牛为主。工业以煤炭开采、加工为主，为县煤焦化工业园区。服务业以餐饮、物流等为主。309国道经此。

141026-B03-H01 **唐城**［Tángchéng］唐城镇人民政府驻地。在县政府驻地府城镇西北26千米。人口2210。相传为唐王李世民驻军处，故名。聚落呈团块状。有唐城小学、唐城镇中心卫生院。

有窑垴上遗址，为新石器时代文化遗存。有安子沟遗址，为汉代文化遗存。有醴泉洞庙遗址，仅存清道光八年（1828年）重修莲花山莲花池醴泉洞庙碑记1通。有永宁堡址，现存为清代建筑遗构。241国道经此。

141026-B04　**冀氏镇**［Jìshì Zhèn］安泽县辖镇。在县境南部。面积285.46平方千米。人口1万。辖11行政村。镇人民政府驻冀氏。自古为冀氏县治，清设里，民国设编村。1941年在开辟岳南抗日根据地时，成立冀氏县。同年8月太岳专署岳南办事处在冀氏村成立。1946年10月冀氏县并安泽县。1953年设冀氏乡。1958年改公社。1984年改设镇。因驻地得名。地势西高东低。地形分为山区、丘陵。最高峰海拔1500米，最低点海拔800米。属半湿润季风气候。地区差异很大，西南温和，东北寒冷。年均气温11℃，1月平均气温-6.3℃，7月平均气温25.1℃。年降水量607毫米，霜冻期为10月上旬至次年4月中旬，年均无霜期176天。沁河、兰河、泗河流经。冀氏滩、北孔滩、南湾滩、南孔滩等冲击滩涂。有小学、文化站、图书室、卫生院。有县级文物保护单位南孔滩朱德路居。有古迹冀缺墓。有省级安泽县森林公园青松岭景区。主产小麦、玉米、蔬菜、小杂粮。养殖以饲养生猪、家禽为主。工业以农产品加工为主。服务业以旅游为主。省道长安线、马唐公路经此。

141026-B04-H01　**冀氏**［Jìshì］冀氏镇人民政府驻地。在县政府驻地府城镇东南13.9千米。人口1320。相传为春秋古冀国，因北魏建义元年（528年）为冀氏县治所得名。聚落呈团块状。有冀氏小学、冀氏卫生院。有县级文物保护单位郤缺墓，传为春秋时晋国大夫郤缺之墓。有县级文物保护单位冀氏村关帝庙、冀氏村娘娘庙，现存皆为清代建筑遗构。省道长安线经此。

141026-B05　**良马镇**［Liángmǎ Zhèn］安泽县辖镇。在县境东部。面积426平方千米。人口1.1万。辖11行政村。镇人民政府驻良马。1956年，属七泉乡。1958年，属上游公社。1959年，属八泉公社。1971年8月，属安泽县良马公社。1984年8月，良马公社改良马乡。2001年3月，英寨乡并入良马乡。2021年5月，撤乡设镇。因驻地得名。境内山峦起伏，沟壑纵横，地势东北高，西南低，有摩诃岭等5座海拔较高山峰。平均海拔在1000—1200米。年平均气温9℃左右，7月最高气温达36℃，1月最低气温-20℃。年均无霜期160天左右，早霜多在10月上中旬，晚霜多在次年4月下旬。年降水量600毫米左右，主要集中在7—8月份。泗河、郭都河流经。野生动物主要有豹、狼、山猪、山羊、山鸡、山兔等，野生植物有山桃、山杏、黄芩、柴胡、丹参等。森林覆盖率67%。有小学、文化站、卫生院、文化大院。有县级文物保护单位劳井造像碑。有八音会、舞狮队、秧歌队等。主产玉米、小杂粮。养殖以饲养、羊、牛、鸡为主。服务业以集市贸易为主。309国道经此。

141026-B05-H01　**良马**［Liángmǎ］良马镇人民政府驻地。在县政府驻地府城镇东北19.3千米。人口1670。相传因其为唐代饲养贡马之地得名。聚落呈条带状。有八一希望小学、良马卫生院。有河边地遗址、南山遗址，皆为汉代文化遗存。有良马村南摩崖造像，据龛外下壁刻“大魏……”题记，推测为北魏时期文化遗存。309国道经此。

141026-B05-H02　**小李**［XiǎoLǐ］在县政府驻地府城镇东南22.8千米。良马镇辖行政村。人口740。聚落呈条带状。有第八批全国重点文物保护单位小李村太岳行署旧址，旧址建筑建于1927年，由三座相邻院落组成。旧址真实完整地记录和反映了1942—1944年中国共产党领导太岳地区军民共同抗战的光辉历史。省道长安线、县道古杜线经此。

141026-B06　**马壁镇**［Mǎbì Zhèn］安泽县辖镇。在县境东南部。面积467平方千米。人口1.11万。辖12行政村。镇人民政府驻马壁。1949年至1955年属第二区公所管辖，1956年设马壁乡，1958年属冀氏人民公社，1961年成立马壁人民公社，1984年撤销马壁人民公社，设立马壁乡，2001年乡级区划调整，将石槽乡并入马壁乡，2021年，撤乡设镇。因驻地得名。地形属土石山区，东西两沟山峦起伏，中间川谷相对平坦。属亚热带大陆性气候，日照平均全年为2457.7小时，年平均气温 11.5℃。年均无霜期 182 天。1 月份最冷平均气温为 -6.2℃，7 月份最热平均气温 21.9℃。年平均降水值为 586.8 毫米，降水集中于 7—9 三个月内。沁河、石槽河、段峪河流经。有小学、卫生院、文化站、文化大院。有全国重点文物保护单位安泽郎寨塔。有市级文物保护单位海东摩崖造像群。有古迹卫寨牛王庙、小平树、老寨岭、郎寨塔、北齐石槽造像碑、邓小平路居旧址等。主产小麦、玉米。有中草药连翘、柴胡、黄芩、知母等。养殖以饲养山羊、家禽为主。省道长安线、马唐公路经此。

141026-B06-H01 **马壁**［Mǎbì］马壁镇人民政府驻地。在县政府驻地府城镇东南 27.3 千米。人口 1300。现存有古堡垒，马姓聚居，故名。聚落呈团块状。有马壁小学、马壁镇卫生院。有县级文物保护单位马壁堡址，据民国《重修安泽县志》卷 14《祥異志》记载，明崇祯四年（1631 年）陕西农民起义军王嘉胤率兵占领翼城、沁水一带，于马壁与明军作战。有县级文物保护单位冯琏夫妇合葬墓。县道冀石线、冀沁线经此。

141026-B06-H02 **郎寨**［Lángzhài］在县政府驻地府城镇东南 21.8 千米。马壁镇辖行政村。人口 1080。相传唐代该村是杨姓居住，故名杨寨，宋时郎姓迁入，将杨姓排挤出去，随即改为郎寨，至今尚有狼（郎）吃羊（杨）之说。聚落呈团块状。有郎寨小学。有第四批省级文物保护单位郎寨塔，现存为宋代建筑遗构，清嘉庆年间有过修葺。县道冀石线经此。

141027 **浮山县**［Fúshān Xiàn］临汾市辖县。北纬 35° 49′—36° 06′，东经 111° 39′—112° 13′。在市境东南部。面积 938 平方千米。人口 9.54 万。以汉族为主，还有回、白、满、蒙古族等。辖 4 镇、3 乡。县人民政府驻天坛镇。秦属河东郡，汉为嘉陵地。三国魏、西晋属平阳郡。北魏置葛城县，治今古县村，始属唐州，后属晋州。北齐并入擒昌县。北周于葛城县故治置郭城县。隋大业初废入襄陵县。唐武德二年（619 年）析襄陵县地置浮山县，治今古县村，属晋州。三年（620 年）“因羊角山神人见”，改名神山县。五代唐同光二年（924 年）县治徙今县城。宋属晋州，政和六年（1116 年）属平阳府。金大定七年（1167 年）改神山县为浮山县，属平阳府。兴定四年（1220 年）改忠孝县。元大德九年（1305 年）复称浮山县，属晋宁路。明、清俱属平阳府。1912 年废府。1913 年属河东道。1927 年废道后直属山西省。1937 年属山西省第五行政区。抗日战争时期属晋冀鲁豫边区太岳区第三专区。解放战争时期属第二专区。1941 年属第五专署。同年 6 月，浮山县分为青城、浮山 2 县，属太岳专署。1945 年，青城、浮山 2 县合并为浮山县。1948 年，浮山县属翼城临时专署。1949 年属山西省临汾专区。1954 年属晋南专区。1958 年并入临汾县。1960 年复置。1967 年属晋南地区。1970 年属临汾地区。2000 年属地级临汾市至今。因县西部有浮山得名，传尧舜时期，洪水横流，“此山随水消长，县因以名。”地处临汾盆地东缘，东高西低。有大圪塔山、媳妇山、蘑菇圪塔山、四十里岭、二峰山、司空山，最高海拔西凹东山 1511.8 米，最低海拔 577.8 米。年均气温 11.2℃，1 月均气温 -2.4℃，7 月均气温 24.2℃。年均降水量 534.2 毫米。年均日照时数 2298.8 小时。响水河、山交河、南河、杨村河流经，属黄河流域。矿产资源有煤、铁、金、石灰岩等。有国家级重点保护野生动物金钱豹、猫头鹰，有省级重点保护野生动物 1 种。有观赏、药用等植物 80 余种。有中小学 17 所，浮山中学为省级示范学校。有县医院、文化馆、图书馆、档案馆、博物馆、体育场馆。有全国重点文物保护单位浮山老君洞。有省级文物保护单位浮山桥北遗址、浮山文庙大成殿、浮山清微观。有地方民间艺术浮山架子鼓、威风锣鼓、木偶、道情、布艺、面塑等，庆唐神鼓、浮山木偶戏、乐乐腔、浮山剪纸被列入省级非物质文化遗产。有古迹天圣宫古遗址、铁牛山汉代冶铁遗址、古城遗址、北西河新石器时代遗址、史家坡古脊椎动物化石遗址、徐家安子战斗遗址等。有纪念地齐唐造像碑、摩崖造像碑、老子八十一化线刻图碑等。三次产业比例为 13.2:55.8:31。主产小麦、玉米、小米、西瓜等。土特产品有史演河小米、浮山烧麦等。养殖以饲养牛、羊、猪为主。工业以焦化、冶金、铸造、建材等为主。服务业以批发零售、餐饮、房地产为主。中南铁路、省道临么线经此。有县客运站、货运站。

141027-N01 **蛇蚂桥**［Gèmǎ Qiáo］在浮山县城东北部辛沁线上，横跨涝河。为大型河道桥梁，结构形式为钢筑混凝土桥。桥长156米，桥面宽19米，最大跨度30米，桥下净高19米。2010年动工，2011年建成，因位于蛇蚂河村附近得名。担负城区主干道交通任务，最大载重量55吨。

141027-N02 **雨化桥**［Yǔhuà Qiáo］在浮山县城南部新风南街上。为小型河道桥梁，结构形式为钢筑混凝土桥。桥长30米，桥面宽9米，最大跨度20米，桥下净高10米。1955年开工，1956年建成。桥名取春风化雨之意。担负城区主干道交通任务，最大载重量30吨。

141027-B01 **天坛镇**［Tiāntán Zhèn］浮山县人民政府驻地。在县境中部。面积117平方千米。人口1.43万。辖6社区、16行政村。镇人民政府驻文昌社区。1949年天坛镇为浮山县人民政府第一区，称城关区。1953年设城关乡。后改公社。1959年复设城关公社。1984年改设城关镇。2001年东腰乡与城关镇合并设天坛镇。因古时村民在天坛山上祭天设祭坛得名。地势东高西低，东部属丘陵山区，中部较为平坦，西部沟壑低凹。最高峰佛岭山海拔1304米；最低点东鲁村海拔763米。属温带大陆性季风气候，四季分明。春季干旱多寒，夏季炎热少雨，秋季凉爽，冬季寒冷。年平均气温11.2℃。年平均降水量534.1毫米，丰水年最高为742.8毫米，枯水年最低为281.6毫米，降雨集中在4—10月，以7、8月份最多。年平均日照时数2298.8小时。南河、蛇蚂河流经。矿产资源有煤、石灰石、耐火黏土等。森林覆盖率21%。有小学、幼儿园、卫生院、文化广场。有省级文物保护单位浮山文庙大成殿、清微观、庆唐观。有古迹天坛山公墓、尧山森林公园等。有东鲁锣鼓、北关锣鼓、诸葛女子锣鼓、东关龙灯、西关秧歌、南关花兰、赵家垣夹马等文化体育队伍。主产小麦、玉米、谷子等。水果以苹果、葡萄、桃为主。养殖以饲养生猪、羊、牛为主。省道临么线、县道浮古线、浮沁线经此。

141027-B01-K01 **新风北街**［Xīnfēng Běijiē］在浮山县城北部。南起神山东西路，北至北环路。与尧山东西路等道路相交。长1千米，宽6米。混凝土路面。1986年建成，1998、2012年改扩建。路名取“树新风”之意。两侧有北关新农村、神山广场等，通浮山101路公交车。

141027-B01-K02 **新风南街**［Xīnfēng Nánjiē］在浮山县城南部。南起张庄乡东郭村，北至神山东西路。与天坛西路等道路相交。长2.1千米，宽6米。混凝土路面。1986年建成，1998、2012年改扩建。路名取“树新风”之意。两侧有浮山县公安局、浮山县民政局等。通浮山101、102路等公交车。

141027-B01-K03 **天坛西路**［Tiāntán Xīlù］在浮山县城西部。东起新风南街，西至西环路。与财神巷等道路相交。长0.6千米，宽6米。混凝土路面。1998年建成。2012年改扩建。两侧有第一幼儿园、浮山县交通局、浮山县人口计生局等。通浮山1、3路等公交车。

141027-B01-K04 **天坛东路**［Tiāntán Dōnglù］在浮山县城东部。西起新风南街，东至文昌南街。与粮食巷等道路相交。长0.6千米、宽6米。混凝土路面。1998年建成。2012年改扩建。两侧有浮山县人民政府、浮山中学、东街幼儿园等。通浮山4、5路等公交车。

141027-B01-K05 **尧山西路**［Yáoshān Xīlù］在浮山县城西部。东起新风北街，西至320省道。与西关街、北关街等道路相交。长3.1千米，宽11米。沥青路面。1986年始建。2002、2012年改扩建。因位于尧山村附近而得名。两侧有浮山县公安局交警大队、浮山大酒店、浮山县文化广场等。通浮山1、2路等公交车。

141027-B01-K06 **尧山东路**［Yáoshān Dōnglù］在浮山县城东部。西起新风北街，东至天坛镇人民政府。与文昌街等道路相交。长1.4千米，宽8米。混凝土路面。1986年始建。2002、2012年改扩建。因位于尧山村附近得名。两侧有浮山二中、浮山县人民法院等。通浮山1、2路等公交车。

141027-B01-K07 **文昌街**［Wénchāng Jiē］在浮山县城。北起北环路，南至241国道。以神

山东路为界，分北街、南街。与尧山东路、天坛东路等道路相交。长3.5千米，宽9.5米。沥青路面。2005年建成。因途经众多学校得名。两侧有浮山二中、文昌实验小学、文坛小区、浮山县人民医院等。通浮山2路公交车。

141027-B01-K08 **神山东路**［Shénshān Dōng lù］在浮山县城。西起新风街，东至文昌街。与粮食巷、朝阳巷等道路相交。长0.6千米，宽6米。沥青路面。1986年建成。为纪念浮山古称神山县而得名。两侧有神山广场、浮山中学等。

141027-B01-K09 **神山西路**［Shénshān Xīlù］在浮山县城。西起西环路，东至新风街。与北关街、财神巷等道路相交。长0.5千米，宽6米。沥青路面。1986年建成。为纪念浮山古称神山县而得名。两侧有浮山县应急管理局、浮山县农业农村和水利局等。

141027-B01-K10 **北环路**［Běihuán Lù］在浮山县城北部。西起西环路，东至933县道。与新风北街等道路相交。长2.2千米，宽8米。沥青路面。1986年始建。因作为县城北部环线而得名。两侧有浮山县汽车客运站、阳光华府等。

141027-B01-K11 **东环路**［Dōnghuán Lù］在浮山县城东部。北起尧山东路，南至惠馨小区附近。与天坛东路等道路相交。长1.1千米，宽9.5米。沥青路面。1986年始建。因作为县城东部环线而得名。两侧有天坛镇人民政府、成家坡、东二里村等。

141027-B01-K12 **西环路**［Xīhuán Lù］在浮山县城西部。北起北环路，南至南环路。与尧山西路、神山西路等道路相交。长1.5千米，宽8米。沥青路面。1986年始建。因作为县城西部环线而得名。两侧有浮山三中、浮山县林业局等。

141027-B01-K13 **南环路**［Nánhuán Lù］在浮山县城南部。西起西环路，东至新风南街。长0.5千米，宽6米。沥青路面。1986年始建。因作为县城南部环线而得名。两侧有浮山县司法局等。

141027-B01-H01 **小邢**［Xiǎoxíng］在县政府驻地天坛镇北1.5千米。天坛镇辖自然村。人口430。相传原为宋代礼部尚书邢昺的故里，因邢昺在家中排行老二，与大邢相对，故名。聚落呈团块状。省道临么线经此。

141027-B02 **响水河镇**［Xiǎngshuǐhé Zhèn］浮山县辖镇。在县境东南部。面积89.99平方千米。人口1.55万。辖16行政村。镇人民政府驻梁家河。1949年属浮山县第三区管辖，称梁家河区。1953年设响水河乡。1959年改称梁家河公社。1961年称为响水河人民公社。1961年分设响水河公社。1984年改设响水河镇。2001年上东乡并入。因响水河得名。地势沟壑纵横，丘陵起伏。地形分为残垣平川区和坡梁沟壑丘陵区。最高峰二峰山海拔1267米，最低点响水河海拔752米。属大陆性暖温带气候，四季分明，春季少雨多风，夏季气温较高，秋季阴雨绵绵，冬季气候干燥。年平均日照时数2298.8小时。年平均气温12℃左右。最高气温37℃左右，最低气温-15℃左右。无霜期180—210天左右。年平均降水量500—600毫米，大部分集中在7—9月份。响水河流经。矿藏有煤炭和铁矿资源。有中小学、卫生院，还有锣鼓队、抬阁队、秧歌队。有县级文物保护单位铁牛山汉代炼铁遗址。有东陈村古民居。主产小麦、玉米。经济作物有核桃、酥梨、蔬菜等。有农副产品、皮具等加工公司。省道临么线经此。

141027-B02-H01 **响水河**［Xiǎngshuǐhé］响水河镇人民政府驻地。在县政府驻地天坛镇西南8.5千米。人口1630。聚落呈团块状。有响水河中学、响水河镇中心卫生院。有梁家河遗址，为新石器时代庙底沟文化、陶寺文化遗存。有梁南沟遗址，为东周时期文化遗存。241国道经此。

141027-B02-H02 **仁彰**［Rénzhāng］在县政府驻地天坛镇西南8.8千米。响水河镇辖行政村。人口1650。相传原名为仁张，后来崔姓兴旺，张氏衰败，改名仁彰。聚落呈团块状。有富士康希望小学。有县级文物保护单位张果老墓，地面现存封土1座，传说为八仙之一的张果老之墓。有崔新知宅院、崔应豹宅院、崔氏家庙、古民居群等，现存皆为清代建筑遗构。乡村道路经此。

141027-B02-H03 **东陈**［Dōngchén］在县政府驻地天坛镇西南9.1千米。响水河镇辖行政村。人口780。聚落呈团块状。有东陈遗址，为战国、汉代文化遗存。有东陈李氏宗祠，现存为清代建筑遗构。有村塔、牌坊、关帝庙献殿、三官庙、宅第民居群等清代建筑遗构。2016 年被列入第四批中国传统村落名录。乡村道路经此。

141027-B03 **张庄镇**［Zhāngzhuāng Zhèn］浮山县辖镇。在县境南部。面积 179.87 平方千米。人口 2.42 万。辖 33 行政村。镇人民政府驻张庄。1953 年设张庄乡。后改公社。1961 年分设张庄公社。1984 年复设乡。2001 年西佐乡并入。2021 年 5 月撤乡，米家垣乡并入，设张庄镇。因驻地得名。地处大坨塔山西麓，地形分为山地丘陵和残垣沟壑。最高点位于秦家坨塔，海拔为 1174 米；最低点位于陈家角沟底，海拔 656 米。属半干旱、半湿润暖温带大陆性季风气候，四季分明，春季少雨多风，夏季气温较高，秋季阴雨绵绵，冬季气候干燥。年平均气温为 11℃左右，最高气温为 35—37℃，最低气温为 -13℃左右。全年无霜期为 195—225 天。年平均降水量 550—650 毫米，大部分集中在 7—9 月份。年平均日照 2298.8 小时。涧头河、滑家河、前河、南河流经。已探明地下矿藏有煤矿和铁矿资源。有小学、卫生院、文化站、图书室、体育场地。有全国重点文物保护单位梁村老君洞。北西河村龙山文化遗址及距今上千年的石刀、石斧、陶器，辛城村秦汉遗址及战国城墙遗址，古县村古城遗址等。有景点天山凤凰休闲山庄。主产小麦、玉米、蔬菜、油料。畜禽养殖以波尔山羊、黄牛、土鸡为主。有铸业、板业、耐磨材料、混凝土等公司。有集贸市场。省道临么线、临翼公路经此。

141027-B03-H01 **张庄**［Zhāngzhuāng］张庄镇人民政府驻地。在县政府驻地天坛镇西南 2.4 千米。人口 510。聚落呈团块状。241 国道经此。

141027-B03-H02 **梁村**［Liángcūn］在县政府驻地天坛镇西南 4.5 千米。张庄镇辖行政村。人口 1000。聚落呈团块状。有第六批全国重点文物保护单位老君洞，始建于唐武德二年（619 年），现存是一座砖石混砌仿木构建筑。有双龙桥，现存为清代建筑遗构，1943 年著名的双龙桥伏击战即发生于此。乡村道路经此。

141027-B04 **北王镇**［Běiwáng Zhèn］浮山县辖镇。在县境北部。面积 124.4 平方千米。人口 1.47 万。辖 24 行政村。镇人民政府驻北王。1949 年 10 月属浮山县四区。1958 年 9 月成立北王人民公社。1984 年 7 月撤销北王人民公社，设立北王乡。2001 年 3 月将乔家垣乡并入北王乡。2021 年乡级区划调整撤销北王乡、北韩乡，合并设立北王镇。位于太岳山麓，地势东高西低，沟壑纵横，山多坡陡，土地瘠薄。最高点位于南安村，海拔 1192 米；最低点位于为官家垃塔西，海拔 636 米。属温带大陆性气候，四季分明，年平均气温 11.2℃，1 月份平均 -3.7℃；7 月份平均 24.2℃。年均无霜期 184 天。年降水量 534 毫米。孔家河、马壁河、黑河、丞相河、崔村河流经。有中小学、幼儿园、卫生院、集贸市场。有古迹丁默林烈士墓、摩崖石刻。有省级文物保护单位桥北遗址。有古迹南霍村新石器时代遗址、汉代霍光墓、北王村清末民初农民起义领袖陈彩彰旧居、岭上村抗日战争时期和解放战争时期的革命烈士碑楼及高村烈士墓、臣南河村有岳南中学旧址及郑子河村和下庄村的清代民居。主产小麦、玉米、谷子，经济作物有核桃、蔬菜、三樱椒、双孢菇、中药材等。养殖以饲养生猪、羊、牛、家禽为主。有煤化工企业。浮古公路经此。

141027-B04-H01 **北王**［Běiwáng］北王镇人民政府驻地。在县政府驻地天坛镇北 7 千米。人口 1230。聚落呈团块状。有北王八一希望小学、浮山汉德三维实验学校、北王镇中心卫生院。有县级文物保护单位陈彩彰故居，陈彩彰（1871 年—1915 年）为清末浮山县农民起义军领导人，故居现存土窑洞 5 孔，为清代建筑遗构，建于清同治十年（1871 年）。有陈彩彰墓碑，记载了陈彩彰的生平与功绩。241 国道经此。

141027-C01 **东张乡**［Dōngzhāng Xiāng］浮山县辖乡。在县境西南部。面积 54.5 平方千米。人口 1.26 万。辖 12 行政村。乡人民政府驻东张。1949 年属第三区梁家河区。1953 年设东张乡。1958 年归属响水河公社。1961 年分设东张公社。1984 年复设乡。因驻地得名。地处二峰山西麓，地势为东高西低，中间平坦，地形分为东部黄土丘陵区、西部平原区。最高峰海拔 1026 米，最低点海拔 797 米。属温带大陆性四季分明，冬季寒冷干燥，春季风多雨少，夏季高温伏旱，秋季温热阴雨。雨量多集中在 7—8 月，年平均气温 11.2℃。年平均日照时数 2293.9 小时。无霜期平均 191—210 天。全年平均降水量 534 毫米，丰水年最高为 742.8 毫米，枯水年最低 281.6 毫米。蛟头河流经。矿产资源有铁、金、锰、石英石等。有小学、卫生院、文化站、体育场地。有县级文物保护单位道家圣地天圣宫遗址。现存小唐王御碑、石刻等。主产小麦、玉米。主要经济作物有大豆、蔬菜等。养殖以饲养生猪、羊、牛、家禽为主。工业以铁矿石、冶炼为主。有公路经此。

141027-C01-H01 **东张**［Dōngzhāng］东张乡人民政府驻地。在县政府驻地天坛镇西南 10.2 千米。人口 1500。聚落呈团块状。有东张小学、东张乡卫生院。有东张遗址，为仰韶文化晚期、庙底沟二期文化遗存。有东张西遗址，为庙底沟文化遗存。有崔氏宅院、严氏家庙、卫振纲宅院、张廷飏宅院及民居等，现存皆为清代建筑遗构。241 国道经此。

141027-C02 **槐埝乡**［Huáiniàn Xiāng］浮山县辖乡。在县境西南部。面积 71.86 平方千米。人口 0.73 万。辖 10 行政村。乡人民政府驻槐埝。1953 年设槐埝乡。后改公社。1961 年分设槐埝公社。1984 年复设乡。因驻地得名。属黄土丘陵地带，地势为南高北低。地形分为南北梁垣区和东西丘陵区。最高峰海拔 1159 米，最低点海拔 734 米。浮峪河流经。年均气温为 11.2℃。年均日照总时数为 2290 小时。无霜期年均为 190 天。平均降水量为 510 毫米。有浮峪河、燕村河。矿产资源有铁、金、银、铜、石灰石、耐火黏土等。有小学、幼儿园、卫生院、文化站。有县级文物保护单位吕灵钟烈士墓。主产小麦、西瓜、生地、核桃。主要经济作物有辣椒、大豆、棉花等。养殖以黄牛、波尔山羊为主。有“月山岭”牌绿色优质小麦生产基地、“喜富”牌西瓜生产基地、“燕云”牌生地生产基地和“山槐”牌优质核桃生产基地。工业以金矿、铁矿为主。服务业以加工业、餐饮为主。有公路经此。

141027-C02-H01 **槐埝**［Huáiniàn］槐埝乡人民政府驻地。在县政府驻地天坛镇西南 13 千米。人口 900。聚落呈团块状。有槐埝乡卫生院。乡村道路经此。

141027-C03 **寨圪塔乡**［ZhàigēTǎ Xiāng］浮山县辖乡。在县境东部。面积 220.2 平方千米。人口 0.58 万。辖 10 行政村。乡人民政府驻寨圪塔。1949 年属浮山县第二区，称东腰区。1956 年称西坪乡。1959 称西坪人民公社。1961 年设寨圪塔公社。1984 年改设乡。因驻地得名。地势西高东低。地形沟壑纵横，山岭相连。最高峰红凹山海拔 1484.3 米，最低点海拔 979 米。杨家河、山交河流经。年均气温 20.3℃。年均降水量 630 毫米。无霜期 110—130 天。矿产资源有煤、煤层气。野生中药材有连翘、野玫瑰、柴胡、血参、二花等。野生动物有豹子、野猪、野羊、野兔、野鸡等。森林覆盖率 66%。有中小学、幼儿园、卫生院、文化广场。有彭德怀、左权、任弼时办公旧址和邓小平 4.15 战斗指挥部旧址，为山交红色教育基地。有景点柏松庄园风景区。主产玉米。主要经济作物有油料作物、豆类、薯类、药材等。养殖以饲养生猪、羊、牛、家禽为主。服务业以零售为主。有公路经此。

141027-C03-H01 **寨圪塔**［Zhàigētǎ］寨圪塔乡人民政府驻地。在县政府驻地天坛镇东南 25 千米。人口 240。因处山间平地而得名。聚落呈团块状。有寨圪塔初级中学。有县级文物保护单位寨圪塔烈士纪念碑，立于 1942 年，碑文记载了岳南抗日根据地军民在佛庙岭的英勇事迹及 95 位烈士名单，原碑立于佛庙岭，后迁于现址。有寨圪塔扁担精神纪念馆。乡村道路经此。

141027-C03-H02 **山交**［Shānjiāo］在县政府驻地天坛镇东南 20 千米。寨圪塔乡辖自然村。人口 490。因村为山口交接之地而得名。聚落呈团块状。有县级文物保护单位山交遗址，为新石器时代仰韶文化、东周、汉代文化遗存。有县级文物保护单位八路军总部旧址，为市级红色教育基地，1938 年 2 月 28 日至 3 月 10 日，朱德总司令率八路军总部向太行山区实施战略转移时驻于此。有三交中心林场。乡村道路经此。

141028 **吉县**［Jí Xiàn］临汾市辖县。北纬

36° 05′，东经 110° 40′。在市境西部。面积 1780 平方千米。人口 8.74 万。以汉族为主，还有回、满、苗、壮、土家等民族。辖 3 镇、4 乡。县人民政府驻吉昌镇。春秋晋国屈邑。秦置北屈县，治今麦城村，属河东郡。新莽改称朕北。东汉复旧。三国魏属平阳郡。西晋因之。北魏神䴥元年（428 年）于北屈县置禽昌郡。又置京军县，治今城关东北 30 公里县底村。太平真君二年（441 年）禽昌郡徙治今洪洞县境。正平二年（452 年）于京军县置五城郡。延兴四年（474 年）于今县城置定阳县，并置定阳郡。太和二十一年（497 年）京军县改五城县，属五城郡。孝昌年间五城郡及定阳郡治、县治均徙今临汾市境。永安初于今县城置南汾州。东魏时定阳郡、县治复徙今县城。西魏大统十五年（549 年），改南汾州为西汾州。北齐武平三年（572 年），改西汾州为汾州，治定阳县。隋开皇元年（581 年）改定阳郡为文城郡，定阳县、五城县俱属之。十六年（596 年）改五城县为文城县，属文城郡，治徙今文城镇。同年改汾州为耿州，文城郡属之。十八年（598 年）耿州复名汾州，改定阳县为吉昌县，属文城郡。大业三年（607 年）废汾州，改置文城郡。唐武德元年（618 年）复名汾州。五年（622 年）改南汾州。贞观八年（634 年）改慈州。文城县、吉昌县俱属之。天祐二年（905 年）改文城县为屈邑县，属慈州。五代唐复为文城县，又改吉昌县为吉乡县，俱属慈州。宋熙宁五年（1072 年）废慈州，吉乡县属隰州，并于吉乡县置吉乡军，省文城县为镇。元祐元年（1086 年）复吉乡军为慈州，吉乡县属之。金天德三年（1151 年）改慈州为耿州。明昌元年（1190 年）改耿州为吉州、吉乡县属之。蒙古至元二年（1265 年）吉乡县废入吉州，属晋宁路。明代洪武二年（1369 年）吉州属平阳府。清雍正二年（1724 年）升直隶州。乾隆三十七年（1772 年）复为散州，属平阳府。1912 年改吉州为吉县。1913 年属河东道。1927 年废道后直属山西省。1937 年属山西省第六行政区。1947 年属晋绥边区第十专区。1949 年 2 月属陕甘宁边区晋南区第十专区。同年 9 月属山西省临汾专区。1954 年属晋南专区。1958 年并入乡宁县。1961 年恢复吉县。1967 年属晋南地区。1970 年属临汾地区。2000 年属地级临汾市至今。因吉山得名。地处黄河北干流东岸，地势东北高、西南低。有人祖山、高天山、高祖山、管头山、石头山、金岗岭，最高海拔 1820.5 米，最低海拔 400.7 米。年均气温 11.5℃，1 月平均气温 -4.8℃，7 月平均气温 23.7℃。无霜期年平均 195 天。年均降水量 496.2 毫米。降雨集中在每年的 6—9 月，8 月最多。昕水河、清水河、义亭河、鄂河流经，均属黄河流域。矿产资源有煤、煤层气、铜、铅、锌、锰铁、紫砂陶土等。有国家级重点保护野生动物天鹅、金钱豹、褐马鸡、隼。有省级重点保护野生动物 4 种。有观赏、药用等植物 250 余种。有高等学院吉州职业技术学院。有中小学 44 所、县医院、文化馆、图书馆、档案馆、体育场馆。有全国重点文物保护单位柿子滩旧石器遗址。有国家级 4A 级黄河壶口瀑布风景名胜区。有省级文物保护单位义尖—安坪遗址、狄城遗址、大墓塬墓地、克难坡、挂甲山摩崖造像。有省级非物质文化遗产吉县唢呐、人祖山祭祖鼓乐。有省级人祖山自然保护区、管头山自然保护区。有省级蔡家川森林公园。有市级文物保护单位 2 处。有工农业旅游示范点吉县壶口牌农副产品旅游点。有古迹坤柔圣母庙、清代长城等。有纪念地朱德槐、冯延登故居、杨贞墓等。三次产业比例为 36.6 ∶ 32.4 ∶ 31。主产苹果、烟叶、蔬菜、杂粮等，土特产品有红富士苹果。工业以煤炭、新能源、食品加工为主。服务业以餐饮、包装为主。青兰、右玉—芮城高速，209、309 国道过境。

141028-N01 **扶风桥**［Fúfēng Qiáo］在吉县城西南部，横跨清水河。为中型河道桥梁，结构型式为七孔石拱桥。桥长 68.6 米，桥面宽 4.9 米，最大跨度 9 米，桥下净高 10 米。始建于北宋时期。1626、1698、1733 年先后重建。1963 年铺设水泥桥面。因最早由宋代扶风人窦氏发起修建得名。最大载重量 13 吨。

141028-N02 **小府河桥**［Xiǎofǔhé Qiáo］在吉县城东部滨河东路上，纵跨马家河。桥长 43.3 米，桥面宽 8 米，最大跨度 16 米。2004 年开工，2005 年通车。因位于小府村得名。

141028-B01 **吉昌镇**［Jíchāng Zhèn］吉县人民政府驻地。在县城中部。面积144.88平方千米。人口3.65万。以汉族为主，还有回族等民族。辖6社区、7行政村。镇人民政府驻城关。1949年后初为吉县一区。1953年设城关镇。1954年撤销区建制，境域分设城关镇和祖师庙、林雨、兰村、谢悉四乡。1958年10月1日撤销乡建制，镇四乡合并成立城关人民公社。同年11月，吉县并入乡宁县，原城关人民公社改为吉镇人民公社。1961年，乡、吉分县，设吉县城关公社。1984年设城关镇。2001年更今名。因唐代吉县又称吉州、吉昌得名。地势中间低，四周高。主要山脉有庖山。最高峰海拔1408.59米，最低点海拔775.68米。年平均气温10℃，无霜期年均172天，平均年降水量为570毫米。清水河流经。有中小学、卫生院、文化广场。有省级文物保护单位挂甲山摩崖造像、大墓塬遗址。有古迹坤柔圣母庙、扶风桥、锦屏山摩崖造像。1999年被山西省授予“亿元镇”称号，是吉县的第一个亿元乡镇。主产玉米、小麦。土特产品有苹果。桥南苹果获得首届农博会金奖，上东村被评为国家级苹果标准化生产基地。主要经济作物有烤烟、蔬菜等。养殖以饲养生猪、牛、家禽为主。第三产业以运输、餐饮业及服务业为主。青兰、右玉—芮城高速，209、309国道经此。

141028-B01-K01 **新华西街**［Xīnhuá Xījiē］在吉县城中部。西南起二道河桥，东北至扶风桥。长1.1千米，宽12米。沥青路面。原名西关街。1985年修建。1995年重建后更今名。2009、2013年改扩建。因位于新华街西侧得名。两侧有吉县人民医院、西关小学、文化广场、吉县实验中学等。通吉县1路公交车。

141028-B01-K02 **新华街**［Xīnhuá Jiē］在吉县城中部。西南起扶风桥，东北至柳卜湾桥。与小府路、葛家巷、菜园巷等道路相交。长1.3千米，宽18米。沥青路面。2007年改建，2009年建成。2013年改扩建。因位于县政府前得名。两侧有吉县人民政府、吉州宾馆、商业局小区等。通吉县1路公交车。

141028-B01-K03 **滨河路**［Bīnhé Lù］在吉县城南部。西南起扶风桥，东北至二道河桥。与小府路等道路相交。长3.5千米，宽24米。沥青路面。2007年开工，2009年建成。因邻近清水河而得名。两侧有桥南小学、滨河佳苑等。

141028-B01-H01 **上东**［Shàngdōng］在县政府驻地吉昌镇西北3.6千米。吉昌镇辖行政村。人口1480。因地处兰村以东，故称东村，东村分两个村，位于北边的地势较高，故名。聚落呈团块状。有第三批省级文物保护单位大墓塬遗址，为商周时期文化遗存。有国家级苹果标准化生产示范园区，每年举办“果花节”。2015年被评为第四届全国文明村。乡村道路经此。

141028-B01-H02 **桥南**［Qiáonán］在县政府驻地吉昌镇西南2.5千米。吉昌镇辖行政村。人口4750。2020年村改社区更名为桥南社区。因地处扶风桥之南而得名。聚落呈条带状。有桥南小学。有第八批全国重点文物保护单位、第二批省级文物保护单位挂甲山摩崖造像，凿于隋开皇二年（582年），唐、宋、金时期多有补刻，现存摩崖石刻隋、唐风格尤甚，个别龛为金代风格，宋代摩崖造像无实物保存，唯有石刻题记存留。有县级文物保护单位扶风桥，创建于清代。209国道经此。

141028-B02 **屯里镇**［Túnlǐ Zhèn］吉县辖镇。在县境东北部。面积643.11平方千米。人口1.24万。辖10行政村。镇人民政府驻屯里。1953年设屯里乡。1954年境域分别设有屯里乡、明珠乡、窑渠乡。1958年，境域属桑峨人民公社。1961年改公社。1984年复设乡。2000年改设镇。2001年明珠、窑渠两乡并入。因驻地得名。地势东西高，南北低。主要山脉有昌梁山。最高峰海拔1820米，最低点海拔410米。属暖温带大陆性气候，四季分明，年平均气温9.3℃，平均降雨量635毫米，无霜期137天，年平均日照时数2563.8小时，日照率为63%。全年主导风向为西北风和偏南风。昕水河、安乐河、吴家沟河、土楼沟河、放马岭河、蔡家川河流经。矿产资源有煤、煤层气。有中小学、卫生院。有秧歌队、鼓乐队。有省级蔡家川森林公园。农业以蔬菜、林果、畜牧为主。养殖以饲养猪、牛、羊、鸡为主。工业以煤炭为主，有煤矿、玉米开发公司等。服务业以交通运输业、仓储业、批发零售业、餐饮业为主。右玉—芮城高速，209、309 国道经此。

141028-B02-H01 **屯里** [Túnlǐ]屯里镇人民政府驻地。在县政府驻地吉昌镇东北 25 千米。人口 800。因在古代战争中，是驻扎军队垦荒的地方，故名。聚落呈条带状。有屯里小学。有屯里墓群，为东周至汉代墓群。有屯里观音阁、屯里关帝庙，现存皆为清代建筑遗构。309 国道经此。

141028-B02-H02 **太度** [Tàidù]在县政府驻地吉昌镇东北 23 千米。屯里镇辖行政村。人口 1200。因此村人在台上居住，简称台住，住字古读度音，台字被讹写成太，故名。聚落呈团块状。有太度小学。有县级文物保护单位太度遗址，为东周文化遗存。有县级文物保护单位太度九江圣母庙，现存为清代建筑遗构。有太度摩崖石刻，年代不详，为研究临汾地区摩崖石刻内容提供了重要的实物资料。2017 年被评为第五届全国文明村镇。乡村道路经此。

141028-B03 **壶口镇** [Húkǒu Zhèn] 吉县辖镇。在县境西部。面积 102.94 平方千米。人口 1.21 万。辖 6 行政村。镇人民政府驻陈家岭。1997 年划文城乡南村坡、中市、南垣及东城乡陈家岭、冯家岭设壶口镇。2021 年 5 月，东城乡并入。因壶口瀑布得名。境内山峦起伏、沟壑纵横，属黄土高原残垣沟壑区。地处温带大陆性季风气候区，年日照时数 2538 小时。无霜期年均 172 天。年均气温 10.2℃。年均日较差 11.5℃，年均降水 522.8 毫米。陈家岭河、龙王庙河流经。有陆栖动物有 50 余种，植物资源一百余种。有小学、卫生院。有国家级风景名胜区、省级爱国主义教育基地壶口瀑布。有省级文物保护单位克难坡。有古迹清代长城、河清门及四铭碑、牛马王庙、龙王庙等。有工农业旅游示范点壶口牌农副产品旅游点。农业以种植苹果、畜牧业等为主。服务业以旅游为主。青兰高速、309 国道经此，有县城至壶口二级旅游路、壶口至克难坡旅游路。

141028-B03-H01 **陈家岭** [Chénjiālǐng]壶口镇人民政府驻地。在县政府驻地吉昌镇西 13.2 千米。人口 790。因陈姓始居，故名。聚落呈条带状。有陈家岭小学。有陈家岭遗址，为东周时期文化遗存。309 国道经此。

141028-B03-H02 **南村坡** [Náncūnpō]在县政府驻地吉昌镇西北 21.6 千米。壶口镇辖自然村。人口 200。因位于南村以西的一个小坡上，故名南村坡，抗日战争时期因阎锡山避“难存”之谐音，改名克难坡，后复名。聚落呈团块状。有第四批省级文物保护单位克难坡，为抗日战争时期阎锡山第二战区长官司令部和山西省省政府、民族革命同盟会所在地。县道管壶线经此。

141028-B03-H03 **太和** [Tàihé]在县政府驻地吉昌镇西南 10 千米。壶口镇辖行政村。人口 1020。相传北魏太和年间建村，故名。聚落呈团块状。有核桃等特产。2020 年被评为第六届全国文明村。乡村道路经此。

141028-C01 **车城乡** [Chēchéng Xiāng] 吉县辖镇。在县境东北部。面积 205.54 平方千米。人口 0.87 万。辖 8 行政村。乡人民政府驻车城。1949 年，境域设川庄乡、兰家河乡。2001 年曹井、兰家河两乡合并设车城乡。车城古称北屈，乃春秋时期晋公子夷吾封地，以盛产良马而著称。因驻地得名。属典型的黄土高原残垣断壁区，地势东西高，中间低。主要山脉有高天山、人祖山。最高峰海拔 1820.5 米，最低点海拔 600 米。属温带大陆性季风气候，四季分明，冬寒夏热，春爽秋凉；年平均气温 6.5—11.4℃，年平均降水量 470—600 毫米，年均日照 2074.9—2775.6 小时，无霜期 172 天。白子沟河、西河沟河、曹井河流经。矿产资源有煤、煤层气及铁。已查明野生植物 374 种，其中白檀、漆木、扒木、青般、野生牡丹等属稀有物种；野生动物有豹子、山羊、野猪、褐马鸡、鳖、中华酚鼠等。地上森林覆盖率达 50% 以上。有吉县第一中学、吉县第三中学、小学、卫生院、文化广场。有古迹北屈古城遗址、疱羲氏故宫遗址、玄天大帝庙、九天玄女庙、西宫圣母庙、东宫圣母庙、玉皇顶、五龙宫、玄阳洞、三皇庙、寺沟等。传统种植业以小麦、玉米、谷子、小杂粮为主。主产苹果，有核桃、烤烟、大棚蔬菜和养殖业。有苹果产业、苹果包装、苹果深加工等公司，为县苹果产业化开发苹果示范区，还有醋业等。右玉—芮城高速，209、309 国道、吉州大道经此。

141028-C01-H01 **车城** [Chēchéng]车城乡人民政府驻地。在县政府驻地吉昌镇东北9.6千米。人口900。古称北屈，为春秋时期夷吾之封地，因停靠车马而得名。聚落呈条带状。有车城中心小学、车城乡卫生院。有山西澳坤农业科技有限公司。209国道经此。

141028-C02 **文城乡** [Wénchéng Xiāng] 吉县辖镇。在县境西北部。面积179.22平方千米。人口1.02万。辖8行政村。乡人民政府驻文城。1947年10月至1953年，吉县区人民政府驻文城村。1953年设文城乡。1958年改文城人民公社。1984年11月复设文城乡。2001年4月王家原乡并入。因驻地得名。地势为中间高，四周低。最高峰海拔1742.4米，最低点海拔427米。年均气温12℃，1月份平均气温-4.2℃，7月份平均气温24.5℃。无霜期180天，年均降水量543毫米。境内有文城河、南村河、柏树河、吴尖河、垣头河、处鹤沟河6条河流。矿产资源有煤、煤层气、建材石料、黄河沙。有九年一贯制寄宿学校2所、幼儿园、卫生院、文化图书室、文化休闲广场。有省级文物保护单位狄城遗址。有古迹人祖山、朱德槐、宝峰寺地震碑、青村公约碑等。有同乐人祖山鼓乐队1支、秧歌队1支。传统的种植业以小麦、棉花、油料和玉米为主。水果以苹果、杏、柿子、桃、梨为主。养殖以饲养生猪、牛、羊、家禽为主。黄河七大控制性骨干工程之一的古贤水利枢纽工程位于境内。有砖厂沙场、采石场等企业。第三产业以农产品加工、餐饮、日用百货、家庭耐用消费品经营为主。有公路经此。

141028-C02-H01 **文城** [Wénchéng]文城乡人民政府驻地。在县政府驻地吉昌镇西北20.7千米。人口1580。据《元和郡县志》卷15《河东道二》文城县载，晋文公为公子时，避骊姬之难，从蒲奔翟，因筑此城，故名。聚落呈条带状。有文城中学、文城中心小学、文城学校、文城乡中心卫生院。县道宁大线经此。

141028-C02-H02 **古贤** [Gǔxián]在县政府驻地吉昌镇西北22.4千米。文城乡辖行政村。人口1340。《元和郡县志》卷15《河东道二》文城县载，后魏孝文帝置斤城县，县废后改为古县，后以谐音演变为今名。聚落呈团块状。有县级文物保护单位朱德演讲处，演讲地有古槐2株，树龄500余年，俗称“朱德槐”。乡村道路经此。

141028-C03 **柏山寺乡** [Bǎishānsì Xiāng] 吉县辖乡。在县境西南部。面积186.49平方千米。人口1.31万。辖11行政村。乡人民政府驻官庄。1961年设柏山寺公社。1984年改设乡。因古时山凹建有寺庙，山中多柏树而得名。地处县城西南黄河阶地，属典型的黄土高原残垣沟壑区。地势为中间高，四周低。最高峰海拔1163米，最低点海拔380米。清水河、鄂河流经。矿产资源有煤、煤层气。有中小学、卫生院、文化站。有黄河文化特色唢呐队。主产玉米、绿豆、谷子。水果以苹果为主，经济作物以花椒、核桃为主。养殖以饲养生猪、牛、羊、家禽为主。服务业以零售为主。有公路经此。

141028-C03-H01 **官庄** [Guānzhuāng] 柏山寺乡人民政府驻地。在县政府驻地吉昌镇西南14.4千米。人口960。因临近官路而得名。聚落呈条带状。有官庄小学。有花椒、核桃等特产。乡村道路经此。

141028-C04 **中垛乡** [Zhōngduǒ Xiāng] 吉县辖乡。在县境南部。面积233.54平方千米。人口1.5万。辖10行政村。乡人民政府驻中垛。1953年设中垛乡。1954年境域隶属三乡和柯木盍乡。1958年，隶属东石泉人民公社。1956年境域隶属中垛乡和下柏房乡。1961年7月1日，原东石泉人民公社分为柏山寺人民公社、中垛人民公社和国营红旗林场。1984年10月中垛人民公社改为中垛乡。2001年，原红旗林场马连滩村并入中垛乡。因驻地得名。地势东北高，西南低。最高峰海拔1338米，最低点海拔600米。年平均气温10.6℃，无霜期170天。年均降水量472.8毫米，年平均日照2074小时。清川河、柳沟河、白额河流经。地下矿藏以煤炭为主。有中小学、卫生院、卫生所。有省级文物保护单位义尖—安坪遗址。有古迹金代大铁钟、安坪村唐代造像碑、安坪村春秋古墓、南坪村明代土塔等。主产小麦、玉米、大豆、黍、谷等。水果以核桃、枣、桃、梨、杏、柿为主。服务业以运输、餐饮、物流等为主。右玉—芮城高速经此。

141028-C04-H01 **中垛**［Zhōngduǒ］中垛乡人民政府驻地。在县政府驻地吉昌镇南 11.6 千米。人口 600。因在南柯、北柯 2 村之间，地形隆起如垛而得名。聚落呈团块状。有中垛中心小学、中垛乡中心卫生院。有中垛遗址，为汉代文化遗存。有地方民间艺术中垛干板腔。县道三耀线经此。

141029 **乡宁县**［Xiāngníng Xiàn］别名鄂城。临汾市辖县。北纬 35° 58′，东经 110° 50′。在市境西部。面积 2025 平方千米。人口 20.69 万。辖 5 镇、5 乡。县人民政府驻昌宁镇。秦属河东郡北屈县地。西汉元鼎五年（前 112 年）析置骐侯国。国除后置骐县，治所在今下川村，隶河东郡。东汉骐县废。三国魏、西晋仍为北屈县地，属平阳郡。北魏延兴四年（474 年）析泰平县西境置昌宁县，并置中阳郡，治所全城岭即今西交口乡南西庄、北西庄村。北齐昌宁县仍隶南汾州中阳郡。北周因之。隋开皇元年（581 年）内阳郡废，昌宁属文城郡。十六年（596 年）改文城郡为耿州，昌宁县属之。十八年（598 年）改耿州为汾州。大业元年（607 年）复改汾州为文城郡，昌宁县属之。义宁元年（617 年）析仵城县地置平昌县，治所在今关王庙乡安汾村东十里，属文城郡。唐武德元年（618 年）属汾州。五年（622 年）属南汾州。贞观元年（627 年）改平昌县为吕香县，因旧镇为名，治依旧，属南汾州。贞观八年（634 年）昌宁、吕香 2 县同属慈州。上元元年（674 年），吕香移治今关王庙乡安汾村，仍隶慈州。五代唐改昌宁县为乡宁县，治依旧，仍隶慈州。五代周显德二年（952 年）并仵城、吕香二县入乡宁县，属慈州。宋皇祐三年（1051 年）乡宁县移治今县城，属慈州。熙宁五年（1072 年）废乡宁县。元祐三年（1096 年）复置乡宁县，属慈州。金属吉州。蒙古至元三年（1266 年）乡宁县并入吉州。二十五年（1288 年）复置乡宁县，属吉州。明因之。清乾隆三十七年（1897 年）属平阳府。1912 年废府。1913 年属河东道。1927 年废道直隶山西省。1937 年属山西省第六行政区。1947 年 12 月成立乡宁县民主政府，属晋绥边区第十专区。1949 年 2 月属陕甘宁边区晋南区第十专区。同年 9 月属山西省临汾专区。1954 年属晋南专区。1958 年吉县并入乡宁县。1961 年恢复吉县。1967 年属晋南地区。1970 年属临汾地区。2000 年属地级临汾市至今。地处黄河北干流东岸，地势东北高、西南低。有秦王山、金刚岭、断山岭、高天山、牛头山、印台山、分山、后沟岭、马首山、尖山等。最高海拔马头山 1799.5 米，最低海拔 388.3 米。属暖温带大陆性气候区，四季分明，春季多风，夏季炎热，秋季温凉，冬季寒冷，年均气温 10℃，1 月平均气温 -6℃，7 月平均气温 29℃。年均降水量 600 毫米。平均无霜期为 170 天。鄂河、遮马峪、善河、冷泉河流经，有三官峪、马匹峪、黄华峪、青石峪等季节性河流。矿产资源有煤炭、石灰岩、白云岩、石膏、紫砂粘土、耐火粘土等。有国家级重点保护野生动物褐马鸡、金雕、原麝、金钱豹、青羊。有观赏、药用等植物 100 余种。有科研机构琪尔康翅果油研发室、戎子酒庄葡萄酒研发中心。有中小学 131 所，乡宁一中为省级重点示范学校。有县医院、文化馆、图书馆、档案馆、体育场馆。有全国重点文物保护单位乡宁寿圣寺。有省级文物保护单位乡宁千佛洞、柏山寺。有省级风景名胜区云邱山景区，有省级吕梁山森林公园部分景区。有地方民间艺术花鼓、秧歌、高跷、抬阁、神舞、剪纸、刺绣等，云丘山中和节被列入国家级非物质文化遗产，动物棋被列入省级非物质文化遗产。有古迹圣母庙、文笔峰双塔、结义庙等。有纪念地戎子酒庄、峰岭景区、万宝山景区等。三次产业比例为 3.1 ∶ 78.5 ∶ 18.4。主产小麦、玉米。土特产品有长山药、油糕、空心月饼、戎子葡萄酒、琪尔康牌翅果油软胶囊等。工业以原煤、洗精煤、机焦、煤气、粗苯、发电等为主。服务业以金融保险业、批发零售业为主。青兰、右玉—芮城高速，209、309 国道，省道台襄线、襄乡线、台乡线经此。

141029-F01 **鄂侯广场**［Èhóu Guǎng chǎng］在乡宁县城中部。北侧为迎旭东街，南侧为滨河东路，紧邻乡宁县体育馆。总面积 5.1 万平方米。2011 年建成。为乡宁县最大的休闲、娱乐、健身场所。原名明珠广场，为纪念鄂侯更今名。广场南部有鄂侯像，寄托乡宁人民对鄂侯的敬仰与乡宁的鄂国文化记忆。

141029-F02 **迎旭广场** [Yíngxù Guǎngchǎng] 在乡宁县城西部。北侧为迎旭西街，南侧为滨河西路，紧邻乡宁宾馆、乡宁县人民政府大楼。总面积 1.2 万平方米。2002 年建成。2012 年扩建。因位于迎旭西街西端而得名。广场上有乡宁历史人物浮雕墙、大型雕塑、地下农贸市场等。

141029-N01 **结义桥** [Jiéyì Qiáo] 在乡宁县城西部振兴路上，纵跨鄂河。为中型河道桥梁，结构型式为混凝土桥。桥长 67 米，桥面宽 12 米，最大跨度 45 米，桥下净高 3 米。1987 年建成。原名振兴桥，因位于结义庙南更今名。最大载重量 20 吨。

141029-N02 **鄂侯桥** [Èhóu Qiáo] 在乡宁县城东部鄂侯南路上，纵跨鄂河。为中型河道桥梁，结构型式为混凝土桥。桥长 80 米，桥面宽 12 米，最大跨度 64 米，桥下净高 6 米。2005 年建成。原名明珠桥，因道路名变更随之改名。因桥体设计似彩虹，又名彩虹桥。最大载重量 50 吨。

141029-N03 **连心桥** [Liánxīn Qiáo] 在乡宁县城西部，纵跨鄂河。为中型河道桥梁，结构型式为混凝土桥。桥长 89.4 米，桥面宽 18 米，最大跨度 73.5 米，桥下净高 6 米。2003 年建成。路名寓意乡宁人民心连心。最大载重量 50 吨。

141029-N04 **幸福桥** [Xìngfú Qiáo] 在乡宁县城中部。为中型河道桥梁，结构型式为混凝土桥。桥长 88.2 米，桥面宽 22 米，最大跨度 70.5 米，桥下净高 4 米。2003 年建成。因位于幸福湾村附近得名。担负县城主干道交通任务，最大载重量 50 吨。

141029-B01 **昌宁镇** [Chāngníng Zhèn] 乡宁县人民政府驻地。在县城北部。面积 231 平方千米。人口 6.14 万。辖 11 社区、13 行政村。镇人民政府驻城关。明清时期，隶北乡宣化里。清光绪三十三年（1907 年）至民国 7 年（1918 年），大部分村庄隶中区所辖，东南少数村落，属东南区；西南部分村庄归西南区辖。民国 36 年（1947 年）6 月，属中国共产党领导的民主县政府一区所辖。1958 年成立城关人民公社，辖 5 个管理区。1961 年 4 月，改辖 12 个生产大队和城市大队。1984 年恢复为城关镇。2001 年张马乡、城关镇合并设昌宁镇。因寓意昌盛安宁得名。属黄土残垣沟壑区，地处吕梁山南端，地势为东北高，西部低。主要山脉有云泰山、印台山、玉环山。最高峰海拔 1583.2 米，最低点海拔 717 米。鄂河、罗河、留太河、冷泉河、曹家河等流经。矿产资源有煤、紫砂石、耐火黏土等。森林覆盖率 61%。果品类有桑、酸枣、杜梨、秋胡颓子、文冠果、沙棘、山桃、山杏等，中药材类有地骨皮、五加皮、远志、酸枣仁、甘草、甘遂、连翘等，其中甘草属国家三级保护植物。有中学 1 所，小学 2 所、幼儿园公办 3 所民办 6 所，卫生院 2 所。有全国重点文物保护单位寿圣寺。有省级文物保护单位千佛洞和结义庙、文笔双塔、下园子罗星塔、白云洞、清代长城遗址、八条堰仰韶文化遗址等。有清代胡同、四合院。有北山公园和“古鄂八景”中的“夕阳晚照”“寿圣晨钟”“邵远清泉”“石洞生云”“悬崖滴水”“岱庙层峦”，明、清兴建的“文笔峰”“状元峰”。有晋文公庙、戎子酒庄等旅游景点。粮食农作物主要种植玉米、小麦、大豆、谷子、糜、绿豆、马铃薯等。经济作物主要有水果、干果、蔬菜、油料等。有土特产品“益寿”长山药、“乡宁红”花椒、“琪尔康”翅果油、“戎子酒庄”葡萄酒等。工业以煤、焦为主。服务业以商贸、餐饮为主。209 国道过境。有乡（宁）临（汾）、乡（宁）襄（汾）、乡（宁）河（津）、乡（宁）稷（山）、乡（宁）新（绛）等干线公路。

141029-B01-K01 **迎旭西街** [Yíngxù Xījiē] 在乡宁县城西南部。西起结义桥，东至乐迎东风桥。与解放路、北环路等道路相交。长 0.8 千米、宽 16 米。沥青路面。2002 年改建。因古城东门迎旭门而得名，后将鄂城街并入其中。两侧有结义庙等。通乡宁 1 路公交车。

141029-B01-K02 **迎旭东街** [Yíngxù Dōngjiē] 在乡宁县城中部。西起鄂侯桥，东至樊家坪转盘。与千佛路、康宁路等道路相交。长 3.9 千米，宽 15 米。沥青路面。2003 年建成。因古城东门迎旭门而得名，原名迎宾大道，2018 年更名。两侧有健康公园、乡宁县人民医院等。通乡宁1路公交车。

141029-B01-K03 **迎旭中街**［Yíngxù Zōngjiē］在乡宁县城中部。西起乐迎东风桥（原名东门桥），东至鄂侯桥。与崇信路、尊美路等道路相交。长3千米，宽18米。沥青路面。1971年始建，2003年改建。原名桥东大街，因古城东门为迎旭门而更名。两侧有乡宁县人民政府、杨笃广场等。通乡宁1路公交车。

141029-B01-K04 **滨河西路**［Bīnhé Xīlù］在乡宁县城西南部。西起结义桥，东至连心桥。与凤翔路、双塔路等道路相交。长2.2千米，宽12米。沥青路面。2009年建成。因位于鄂河西北部得名。两侧有状元桥、物资小区、迎旭广场、乡宁县水利局等。

141029-B01-K05 **滨河东路**［Bīnhé Dōnglù］在乡宁县城东北部。西起迎旭东街城建局附近，东至鄂河桥。与宝典路、宝驹路、北湾南路等道路相交。长3.7千米，宽16米。沥青路面。2012年建成。因位于鄂河东南部得名。两侧有明珠桥、明珠广场、乡宁三中、乡宁县民政局等。

141029-B01-K06 **文笔路**［Wénbǐ Lù］在乡宁县城南部。西起状元桥，东至县职中。与双塔路、北湾南路等道路相交。长6千米，宽10米。沥青路面。2012年建成。为纪念本县名胜状元峰文笔塔而得名。两侧有乡宁二中、乡宁客运中心、乡宁县气象局等。通乡宁2路公交车。

141029-B01-J01 **营里社区**［Yínglǐ Shèqū］属昌宁镇。东邻管头镇樊家坪村，西以迎旭东大街一号支道为界，与幸福湾社区接壤，鄂河由东向西穿社区而过，面积6平方千米。人口11580。聚落呈团块状。因解放时期部队曾在该地扎过营房而得名。2013年3月成立。有乡宁县人民医院、乡宁县政务服务中心、民政局、军人事务局、残联、热源厂、第二水厂、乡宁县石油公司、消防队、武装部、环卫队。有乡宁县实验小学乡宁县第一中学、乡宁县职业中学。有第八批全国重点文物保护单位、第三批省级文物保护单位营里千佛洞石窟，现存佛像951尊，造像手法具有北朝至隋唐风格。209国道、省道襄乡线经此。

141029-B02 **光华镇**［Guānghuá Zhèn］乡宁县辖镇。在县城东部。面积144.6平方千米。人口2.27万。辖13行政村。镇人民政府驻光华。民国37年（1948年），更名为光华镇，为二区治所。1953年设光华乡。1958年改公社。1984年改设光华镇。为纪念被阎军杀害的中国共产党党员、二区区委书记董光华烈士。更名为光华镇。地势东北高，西南低。属黄土丘陵沟壑区，地形分为东西两山中间一条峪。最高峰海拔1455米，最低点位海拔400米。平均气温13℃，1月平均气温2℃，7月份平均气温30℃，年均降水650毫米左右。都峪河、苗峪河、下河、两井河流经，均为季节性河流。矿产资源有煤、铁、石膏、石灰石、白云岩、高岭岩、耐火黏土等。野生药材有柴胡、苍术、连翘等20余种。有中小学、幼儿园、文化活动中心、卫生院。有古迹青马洞、秦王山庙、挂甲岭、佛儿崖、尖山庙、红花岭等。杏坡村、七郎庙村有2株千年古槐。有威风锣鼓、竹马、旱船、秧歌队等文化娱乐队伍。主要种植有小麦、玉米、谷子、大豆、马铃薯等。经济作物有水果、干果、油料、蔬菜、花椒、中药材等。养殖以饲养生猪、牛、羊、为主。有煤化厂、电冶等公司。服务业以商贸、运输为主。青兰高速、309国道、台头—襄汾省道、襄（汾）台（头）公路、光（华）河（底）、七（郎庙）金（钟寺）公路经此。建有光华、铺头、湾里、土窑4座跨河大桥。

141029-B02-H01 **光华**［Guānghuá］光华镇人民政府驻地。在县政府驻地昌宁镇东北31.9千米。人口1270。原名牛王庙，1949年以烈士名命名。聚落呈条带状。有光华中学、光华镇中心卫生院。有商贸服务业。309国道、省道襄光线经此。

141029-B03 **台头镇**［Táitóu Zhèn］乡宁县辖镇。在县城东北部。面积105平方千米。人口1.02万。辖8行政村。镇人民政府驻台头。1953年设台头乡。1958年与东庄乡合并，更名东庄乡，划归于光华人民公社。1961年分设台头人民公社。1984年改设镇。因驻地得名。地势为南北两山，东西一川。最高峰海拔1809米，最低点海拔842米。气候属暖温带大陆性气候，春季少雨，秋冬寒冷，降雨多集中于秋季，多年平均气温9℃左右，

1月平均气温-4.6℃；7月平均气温22.1℃。年平均降雨量600毫米。降水集中在每年6—8月，7月最多。无霜期150天。豁都峪河流经。矿产资源有煤、铁矿石、石灰石、石膏、黏土等。野生植物种类达200余种；野生动物有200余种，有国家一级保护动物褐马鸡、金雕，二级保护动物原麝、金钱豹，三级保护动物青羊等。有中小学、卫生院、文化活动中心、老年公寓。有古迹红石洞、高家河桥、高祖石、文峰塔、李子坪隋唐时期墓葬、老爷庙等。有省级吕梁山森林公园台头景区，有凯旋岭凤凰风景区和断山岭自然景观。有百人威风锣鼓队。主产小麦、玉米、谷子。经济作物主要有水果、干果、油料、蔬菜等。有核桃和红果两大生产基地。养殖以饲养生猪、鸡、牛、羊为主。工业以煤炭、铁矿为主，有多个煤业公司。服务业以批发零售、餐饮、建筑装潢等为主，有2个农贸市场。青兰高速，309国道，省道台襄线、台乡线经此。

141029-B03-H01 **台头**［Táitóu］台头镇人民政府驻地。在县政府驻地昌宁镇东北25.1千米。人口2200。因该村通往上山小路，由低往高形似圪台而得名。聚落呈条带状。有台头镇中心学校、台头中学、台头镇卫生院。经济以工业为主，有煤业公司。309国道、省道台运线经此。

141029-B03-H02 **李子坪**［Lǐzipíng］在县政府驻地昌宁镇东北30千米。台头镇辖行政村。人口610。相传此地过去有很多栗子树，因“李”、“栗”谐音而得名。聚落呈条带状。有煤业公司。2017年被评为第五届全国文明村。县道台李路经此。

141029-B04 **管头镇**［Guǎntóu Zhèn］乡宁县辖镇。在县城中东部。面积222.9平方千米。人口1.78万。辖13行政村。镇人民政府驻管头。1953年设管头乡。1958年，管头、下善、万上、樊家坪4乡16个高级社合并成立红旗人民公社，后改为管头人民公社。1961年，分设下善人民公社。1984年改设管头乡、下善乡。1997年，管头乡撤乡建镇。2001年下善乡并入。因驻地得名。地势东北高西南低。地形为三山夹两河。主要山峰有牛头山、马头山、高天山。最高处海拔1820.5米，最低点海拔1036米。鄂河发源地。刘庄沟、燕家河等7条河流自北向南注入鄂河，咀头岭、东山岭、万上岭、鸡坪河等3条河流经三官峪注入汾河。因鄂河发源于境内，素有“鄂源”之称。矿产资源有煤、铁、石灰岩、羊甘油、紫砂陶土等。有动植物资源近百种，有国家保护动物褐马鸡、金雕、豹子、山羊等。药用、食用及化工原料的野生植物百余种。有中小学、幼儿园、卫生院、活动室、健身场、舞台。有省级文物保护单位柏山寺。有省级吕梁山森林公园高天山景区。有古迹刘家沟古代禁赌碑、樊家坪碉堡等。有宋家沟水库、阎家庄鱼塘、南山生态公园等。有书画协会、中老年秧歌队、柔力球队、下善龙狮队和胡村腰鼓队。粮食作物以种植玉米、小麦、谷子为主。经济作物主要有水果、干果、蔬菜、油料。主产小麦。养殖以饲养生猪、牛、羊为主。工业以洗煤、焦化为主，有多个煤业、焦煤公司。青兰高速，309国道，省道襄乡线、台乡线经此。

141029-B04-H01 **管头**［Guǎntóu］管头镇人民政府驻地。在县政府驻地昌宁镇东北14.5千米。人口410。因传古代此地风水好，易出高官，取谐音而得名。聚落呈条带状。有管头中学、管头中心校、管头镇卫生院。有管头遗址，为新石器时代文化遗存。有管头马王庙，现存为清代建筑遗构。有商贸服务业。省道台运线经此。

141029-B04-H02 **燕家河**［Yànjiāhé］在县政府驻地昌宁镇东北15.5千米。管头镇辖行政村。人口1610。因燕姓居多，村前为河流而得名。聚落呈团块状。有燕家河小学、燕家河村卫生室。经济以工业为主。有燕家河煤业有限公司。2011年被评为第三届全国文明村。省道台运线经此。

141029-B05 **西坡镇**［Xīpō Zhèn］乡宁县辖镇。在县城西南部。面积83.86平方千米。人口1.44万。辖8行政村。镇人民政府驻西坡。1953年设西坡乡。1958年改公社。1984年改设西坡镇。地势为东、南、北山岭连绵，西部垣梁相通。地形为黄土残垣、沟壑和石山灌草区。主要山峰有岢当山、两乳山、云头堡、中咀山。最高峰海拔1312.4米，最低点海拔679米。青石峪河流经。年均无霜期约220天。年平均气温10℃。年平均降雨量580毫米，矿产资源有有煤、铁、石灰石、白云岩、耐火黏土、石膏、紫砂石、硫黄、铜、银等。有野生植物多达600多种，野生果品有桑、酸枣、文冠果、山杏、山桃、山樱桃等；中药材有甘草、酸枣仁、山枣仁、远志、地骨皮、甘遂、柴胡、知母、防风、桃仁、丰夏、山丹皮、五倍子等，其中甘草为国家一级保护植物。有中小学、幼儿园、一级甲等医院、卫生院、文化大院、文化中心和休闲广场。有电影放映队、老年体协和中老年健身球队。主产小麦、玉米、小杂粮，兼植大豆、绿豆、谷子、黍子、红薯、马铃薯等。主要经济作物有水果、干果、油料作物、蔬菜等。养殖以饲养生猪、羊、鸡为主。工业以煤、焦为主。有煤炭、煤业公司。服务业以商贸、运输为主。有西坡、于家河2个集市。209、309国道经此。

141029-B05-H01 **西坡**［Xīpō］西坡镇人民政府驻地。在县政府驻地昌宁镇西南27.8千米。人口1490。因始建于河西岸山坡上而得名。聚落呈条带状。有西坡中学、西坡镇中心卫生院。有人工栽植翅果油树等特色产业。209国道经此。

141029-B05-H02 **韩咀**［Hánjǔ］在县政府驻地昌宁镇西南23千米。西坡镇辖行政村。人口3290。因韩姓人将村建在山顶垣地山咀上而得名。聚落呈团块状。有韩咀中心校。有韩咀遗址，为东周、汉代文化遗存。经济以工业为主，有山西宏强煤焦有限公司。2020年被评为第六届全国文明村。乡村道路经此。

141029-C01 **双鹤乡**［Shuānghè Xiāng］乡宁县辖乡。在县城东南部。面积180平方千米。人口2.4万。辖17行政村。乡人民政府驻崖下。1953年，境域内设张元堡、鹤坡、辛庄等乡。1956年，并为崖下、章冠、双凤淹3个乡。1958年7月划光华人民公社管辖。1961年4月，与光华公社分治，成立崖下人民公社、双凤淹人民公社。1984年，分别改为崖下乡、双凤淹乡。2001年崖下、双凤淹两乡合并设双鹤乡。各取两乡一字，称双鹤。地势北高南低。地形分为黄土丘陵区。主要山峰有：泰山庙岭、鹤坡岭，周家岭、九龙山、铁里岭、大头山等。最高峰海拔1400米，最低点海拔1200米。年平均气温13℃，1月份平均气温-5℃，7月份平均气温18℃，年均降水量250毫米左右。三官峪河流经。矿产资源有煤、铁、铝、白云岩、石膏、高岭土等。有国家二级保护植物丹参。森林覆盖率31.7%。野生植物品种多达上千种，野生动物达200余种。有中小学、卫生院、休闲健身广场，有舞台、电影放映队、文艺宣传队、农民体育队等。有古迹西岭古代炼铁遗址、东岭马圪咀西晋时期石墓、泰山庙、老君庙。有自然景观中岭紫云洞、九龙口等。主产小麦、玉米、小杂粮。经济作物主要有水果、干果、蔬菜、油料等。养殖以饲养生猪、牛、羊为主。工业以煤炭、铁矿为主。服务业以餐饮、商贸为主。全乡有7个集市、商贸步行一条街。青兰高速经此。

141029-C01-H01 **崖下**［Yáxià］双鹤乡人民政府驻地。在县政府驻地昌宁镇东26.5千米。人口810。因位于一石崖下方而得名。聚落呈条带状。有双鹤中学、双鹤小学、双鹤乡卫生院。县道崖七线经此。

141029-C02 **关王庙乡**［Guānwángmiào Xiāng］乡宁县辖乡。在县城东南部。面积341.11平方千米。人口2.33万。辖17行政村。乡人民政府驻贾庄。1953年设关王庙乡。1958年改关王庙人民公社。1959年划归侯马市管辖。1961年重归乡宁县，与关王庙公社分治，成立安汾人民公社。1984年复设关王庙、安汾2个乡。2001年安汾乡并入。以旧有关羽庙得名。地势南高北低。有后沟岭、燕后岭、小碑岭等11个岭，有王家山、云头山、卢沟山等13座山。最高峰海拔1629米，最低点海拔676米。马匹峪河流经，与黑牛河、水峪、娘娘峪、霸王峪自北向南注入汾河。矿产资源有煤、铁、石灰石、铝矾土、石膏、硫黄、耐火黏土、高岭岩、花岗岩等。野生动物多达300余种，有国家一级保护动物金雕、褐马鸡，二级保护动物青羊等。野生植物达上千种，有国家一级保护植物阳霍，国家二级保护植物翅果油树、丹参等。有中小学、幼儿园、卫生院、文化站、农家书屋。有省级云邱山风景名胜区。有古迹五龙宫、八宝宫、玉莲洞、摩崖佛经、秦王庙、箭泉、龙王造像、多宝灵禅寺佛洞、观音洞等。有纪念地华灵庙抗日纪念馆《华灵庙二十四壮士殉国纪念碑》、薛长江烈士陵园、八宝宫《抗日阵亡将士纪念碑》等。云邱山中和节被列入国家级非物质文化遗产。丁石村、塔尔坡村为中国传统村落。有太儿凹百人锣鼓队、民间八音会等文艺团体。主产小麦、玉米、谷子。经济作物主要有水果、干果、蔬菜、油料、糯玉米等。养殖以饲养生猪、牛、羊为主。工业以煤炭为主，有铁矿、煤业公司等。省道襄乡线经此。

141029-C02-H01 **贾庄**［Jiǎzhuāng］关王庙乡人民政府驻地。在县政府驻地昌宁镇东南 24.9 千米。人口 1210。据清代《姓氏考略》载，晋文公重耳灭贾国（今襄汾西南），贾国灭亡后，其后裔子孙按当时的习惯“以国为氏”，贾庄就是当时流亡到山区的贾国后人建立的村庄。聚落呈团块状。有关王庙中学、关王庙乡中心学校、关王庙乡中心卫生院。有晋南特色青石砌民居古院落，古院的总特点为长方形四合院。2019 年被列入第五批中国传统村落名录。省道襄乡线经此。

141029-C02-H02 **塔尔坡**［Tǎ'ěrpō］在县政府驻地昌宁镇东南 28.9 千米。关王庙乡辖自然村。人口 210。相传公子重耳曾下榻于此，故名榻耳坡，后演变为今名。聚落呈条带状。有隋槐、唐槐、元代皂角树、千年金钱树（栾树）及千年古道、古泉水。有窑洞 60 余间，木构房屋 50 余间，大小院落共计 43 处。现为古村落旅游景点。2014 年被列入第三批中国传统村落名录。乡村道路经此。

141029-C02-H03 **安汾**［Ānfén］在县政府驻地昌宁镇东南 20.7 千米。关王庙乡辖自然村。人口 350。旧称吕香，又名吕乡，是远古时炎帝后裔吕姓部落进入吕梁山区最初的落脚点。聚落呈团块状。有县级文物保护单位安汾摩崖造像。有安汾唐代古城遗址，现存有唐代城门、夯土城墙、泊池、经幢、县衙、监狱、民居院落等多处遗址。2016 年被列入第四批中国传统村落名录。安大线旅游专线经此。

141029-C02-H04 **丁石**［Dīngshí］在县政府驻地昌宁镇东南 27.5 千米。关王庙乡辖自然村。人口 260。因村里皆石板路、石头桥、石头房而得名。聚落呈团块状。有县级文物保护单位秦王庙、张氏宅院、观音庙，现存皆为清代建筑遗构。有唐代官道遗存。2014 年被列入第三批中国传统村落名录。乡村道路经此。

141029-C02-H05 **后庄**［Hòuzhuāng］在县政府驻地昌宁镇东 18.2 千米。关王庙乡辖自然村。人口 90。因地处一条叉沟处的后面而得名。聚落呈团块状。有冯氏家族墓地、刘氏家族墓地，为明清时期家族墓地。2016 年被列入第四批中国传统村落名录。乡村道路经此。

141029-C02-H06 **康家坪**［Kāngjiāpíng］在县政府驻地昌宁镇东南 27.8 千米。关王庙乡辖自然村。人口 170。因康姓人把村建在一块坪地上而得名。聚落呈团块状。有县级文物保护单位康家坪抗战阵亡将士纪念碑，为纪念陆军 73 师抗日阵亡将士 2300 余人而立。有玉皇庙，现存为清代建筑遗构。2016 年被列入第四批中国传统村落名录。乡村道路经此。

141029-C02-H07 **鹿凹峪**［Lù'āoyù］在县政府驻地昌宁镇东南 27.2 千米。关王庙乡辖自然村。人口 210。传说该地曾有梅花鹿，故名。聚落呈条带状。村内有古迹众多。有旅游业、餐饮业等服务业。2016 年被列入第四批中国传统村落名录。乡村道路经此。

141029-C02-H08 **前庄**［Qiánzhuāng］在县政府驻地昌宁镇东南 28 千米。关王庙乡辖自然村。人口 160。因地处鄂河下游南侧，胡尖塔沟发源地半坡建村而得名。聚落呈团块状。有龙王庙，现存为清代建筑遗构。2019 年被列入第五批中国传统村落名录。乡村道路经此。

141029-C02-H09 **上川**［Shàngchuān］在县政府驻地昌宁镇东南 27 千米。关王庙乡辖自然村。人口 90。因位于下川之上而得名。聚落呈团块状。有陈氏宅院，现存为清代建筑遗构。2016 年被列入第四批中国传统村落名录。乡村道路经此。

141029-C02-H10 **下川**［Xiàchuān］在县政府驻地昌宁镇东南 27.5 千米。关王庙乡辖自然村。人口 270。该村地处马匹峪支流鸟峪下川，故名。聚落呈团块状。有古迹大庙、观音庙、山神庙、王氏祠堂、下川传统民居院落，现存皆为清代建筑遗构。2016 年被列入第四批中国传统村落名录。

乡村道路经此。

141029-C03　**尉庄乡**［Wèizhuāng Xiāng］乡宁县辖乡。在县城南部。面积 247 平方千米。人口 1.59 万。辖 11 行政村。乡人民政府驻尉庄。1953 年设尉庄乡。1958 年改公社。1959 年，尉庄公社划归稷山县管辖。1961 年，重归乡宁县。1962 年，分设吉家原人民公社。1984 年复设尉庄乡、吉家原乡。2001 年吉家原乡并入。地势为中部高、南北低。地形为石山森林区、黄土残垣区。主要山岭有碾东岭、尖山、老庙山、乔上山、黑山岭、凤凰岭、段家山、陈家山等。最高峰海拔 1594 米，最低点海拔 579 米。黄华峪河流经。矿产资源有煤、铁、黏土、铝矾土、白砂岩等。有动植物资源多达 400 多种，有国家一级保护动物褐马鸡、金雕，国家二级保护动物原麝和豹子等。有中小学、幼儿园、中心医院、卫生院、舞台。有古迹玉天洞、廉颇墓、韩山练兵场遗址、凤凰岭、尖山庙等。主产小麦、玉米、谷子等。主要经济作物有油料作物、蔬菜等。养殖业主要有牛、羊、猪、鸡、兔等。工业以煤炭为主，有煤业公司等。有尉庄和桥上 2 个集市。省道右芮线、营万线、台乡线经此。

141029-C03-H01　**尉庄**［Wèizhuāng］尉庄乡人民政府驻地。在县政府驻地昌宁镇东南 11.8 千米。人口 270。聚落呈团块状。有尉庄中学、尉庄乡卫生院。有干果、杂粮、乌山药、中药材等特色经济作物。省道台运线经此。

141029-C04　**西交口乡**［Xījiāokǒu Xiāng］乡宁县辖乡。在县城西南部。面积 246.87 平方千米。人口 1.28 万。辖 10 行政村。乡人民政府驻西交口。1953 年设西交口乡。后改公社。1961 年设西交口人民公社。1984 年复设乡。因位于瓜峪支河交叉口以西得名。地势东南低、西北高。地形分为三山两峪一河。最高峰海拔 1650 米，最低点海拔 400 米。瓜峪河流经。矿产资源有煤、铁、石灰石、白云岩、石英石、长石、辉绿岩、花岗岩、耐火黏土等。野生植物多达 300 余种，有翅果油树、丹参、甘草等国家保护植物。有中小学、卫生院、文化活动中心、篮球场地。有古迹文中子洞、林山玄武庙、黄华峪捉马庙、南营圣母庙、桑凹村“一线天”、天神庙遗迹、大神头龙王庙石碑、西坡村乡党世系考稽碑、郭家集村捉马庙等。主产水果、干果、油料、蔬菜，水果以柿子为多。养殖以饲养生猪、牛、羊、禽蛋为主。工业以煤炭、耐火材料为主。第三产业以商贸、餐饮为主，有西交口、西家塔 2 个集市。209 国道经此。

141029-C04-H01　**西交口**［Xījiāokǒu］西交口乡人民政府驻地。在县政府驻地昌宁镇西南 20.7 千米。人口 12830。因地处瓜峪中游，又因瓜峪位于黄华峪、马匹峪之西而得名。聚落呈团块状。有西交口中学、西交口中心校、西交口乡卫生院。乡村道路经此。

141029-C05　**枣岭乡**［Zǎolǐng Xiāng］乡宁县辖乡。在县城西南部。面积 237.9 平方千米。人口 3.05 万。辖 20 行政村。乡人民政府驻枣岭。1953 年设枣岭乡。1956 年，境域内设有谭坪、岭上、枣岭、南庙 4 个乡。1958 年归西坡人民公社辖。1961 年分设枣岭、谭坪公社。1984 年复设乡。2001 年谭坪乡并入。因驻地得名。地势东高西低，地形分为黄土残垣沟壑区。主要山脉有岭上的城梁、刘岭的华山等。最高峰海拔 1200 米，最低点海拔 385.1 米。属暖温带大陆性气候，春夏季少雨干旱，冬季寒冷干燥，降雨多集中于秋季，最高气温 30℃，最低气温 -18℃，多年平均气温 10—12℃。年降水量为 500—600 毫米，无霜期 150—240 天。矿产资源有煤、紫砂石、硫黄、铜、银等。有野生植物多达 300 多种，野生动物有 100 余种，师家滩的鹳雀为国家一级保护动物。有中小学、卫生院、舞台、黄河体育中心。有古迹老君庙、禹王庙、杜家大院、清代长城遗址、小滩世外桃源、万宝山、神仙桥、鄂河川口、舌头岭等。有百人锣鼓队及管乐队、鼓队、狮子队、农民篮球队、秧歌队、柔力球。2006 年，被国家农业部、体育总局、全国农民体育协会联合授予“亿万农民健身活动先进乡镇”称号。主产小麦、玉米、谷子、绿豆等。有“小明绿”绿豆品牌、“乡宁红”苹果品牌、“乡宁红”花椒品牌。养殖以饲养生猪、羊、鸡为主。有洗煤厂、焦化厂。有枣岭、谭坪、岭上、老君庙 4 个农贸市场。有翅果油生物制品公司等。209国道经此，有腰（里）黄（河大桥）、寨（子）谭（坪）、岭（上）（谭）坪、枣（岭）西（坡）及沿黄河旅游公路等干线公路。有乡韩黄河大桥，是全县唯一一座通往陕西的跨黄河大桥。

141029-C05-H01 **枣岭**［Zǎolǐng］枣岭乡人民政府驻地。在县政府驻地昌宁镇西南26.7千米。人口430。因产枣而得名。聚落呈团块状。有枣岭中学、枣岭乡卫生院。有枣岭遗址，为汉代文化遗存。县道腰黄线经此。

141029-C05-H02 **石坪**［Shípíng］在县政府驻地昌宁镇西南30千米。枣岭乡辖自然村。人口130。原名石鼻，因临河城门门洞内口有一若鼻形巨石得名，后改今名。聚落呈团块状。有石鼻大禹庙，现存正殿和过殿为清代建筑遗构。有杜氏传统民居建筑群，现存为清代建筑遗构。2019年被列入第五批中国传统村落名录。县道腰黄线经此。

141029-C05-H03 **史家沟**［Shǐjiāgōu］在县政府驻地昌宁镇西南28.8千米。枣岭乡辖行政村。人口610。聚落呈条带状。有史家沟小学。2017年被评为第五届全国文明村。县道腰黄线经此。

141029-C05-H04 **桃子院**［Táoziyuàn］在县政府驻地昌宁镇西南27.8千米。枣岭乡辖行政村。人口200。为外来户逃荒到此定居，后将逃改为桃，明清时称桃子原，后为发展种植桃子的垣面，故名。聚落呈团块状。2020年被评为第六届全国文明村。县道腰黄线经此。

141030 **大宁县**［Dàníng Xiàn］临汾市辖县。北纬36° 27′，东经110° 44′。在市境西北部。面积962平方千米。人口5.22万。辖3镇、2乡。县人民政府驻昕水镇。秦、汉至十六国时期历为河东郡北屈县地。三国魏属平阳郡。北魏属五城郡五城县地，寻废。北周保定元年（561年）始置大宁县，治所在今县东南，属南汾州。隋开皇二十年（600年）大宁县治徙今县城，属南汾州。大业二年（606年）大宁县废入仵城县。唐武德二年（619年）复置大宁县，并置中州，州、县同治。同年析大宁县置大义（治所在今扶义村）、白龙（治所在今桑峨村）两县，属中州。贞观元年（627年）州废，并省大义、白龙2县，大宁县属隰州。北宋属隰州。金太宗天会五年（1127年），大宁县入于金，属河东南路。金兴定五年（1221年）属蒲州（今蒲县），同年废蒲州，复属隰州。蒙古至元三年（1266年）大宁县废入隰川县。元至元二十三年（1286年）复置大宁县，属隰州。明因之。清初属平阳府，雍正二年（1724年）属隰州。1912年废府州。1913年属河东道。1927年废道直属山西省。1937年属山西省第六行政区。1947年5月大宁解放，属晋绥边区第九专区。1949年2月属陕甘宁边区晋南区第九专区。10月属山西省临汾专区。1954年属晋南专区。1958年5月撤销隰县、大宁县，合并设立隰宁县。11月撤销隰宁县、蒲县、永和县、石楼县，合并设立吕梁县。1961年撤销吕梁县，恢复大宁县。1967年属晋南地区。1970年属临汾地区。2000年属地级临汾市至今。因古属河东道隰州大宁郡，取"万国咸宁，谓之大宁"之义得名。地处黄河北干流东侧，地势南、北、东部高，中、西部低。有二郎山、盘龙山、双锁山、高山等，最高海拔石头山1715.5米，最低海拔485.9米。属温带大陆性季风气候，气候温和，四季分明。春季干旱多风，夏季炎热多雨，秋季阴雨连绵，冬季寒冷干燥。年均气温11℃，1月平均气温-5.2℃，7月平均气温24.9℃。年均降水量474.4毫米。生长期年平均210天。无霜期年平均211天。年平均日照时数2470.6小时。昕水河、义亭河流经，属黄河流域。矿产资源有煤、煤层气、石材、矿泉水等。有观赏、药用等植物100余种。有中小学26所，县城关小学为省级示范学校。有县医院、文化馆、图书馆、档案馆、体育场馆。有省级文物保护单位芝麻滩遗址、翠微山遗址。有市级文物保护单位黄河仙子祠。有90处县级文物保护单位，包括西村遗址、下乐棠遗址、索提遗址等30处古遗址，李家垛水晶宫、花崖村老爷庙、北桑峨白龙寺等26处古建筑，古镇村重修后土圣母碑记、龙窝摩崖题刻、柏坡底村摩崖石刻等8处石窟寺及石刻，北桑峨供销社、上村关帝庙、支家塬碉堡等18处近现代重要史迹及代表性建筑，小贺家山墓葬、三多墓葬、柏坡底墓地等8

处古墓葬。有地方民间艺术吉亭云车、高跷、腰鼓、太平锣鼓等。有古迹笊篱寨、倒趟寺等。三次产业比例为 17.7 ： 39.8 ： 42.5。主产小麦、玉米、杂粮、苹果、梨、桃、核桃等。土特产品有大宁西瓜、逍世炮炮等。工业以煤炭、化工、建材、食品、石材等为主。服务业以商品销售、集市贸易。209 国道、省道三大线、洪大高速、隰吉高速、沿黄公路经此。

141030–N01　**红卫桥**［Hóngwèi Qiáo］在大宁县城南部南街上，纵跨昕水河。为中型河道桥梁，结构型式为石拱桥。桥长 99 米，桥面宽 15.5 米，最大跨度 20 米，桥下净高 10 米。1966 年开工，1967 年建成。2011 年改扩建。因建于“文革”时期得名。最大承载量 60 吨。

141030–N02　**昕义大桥**［Xīnyì Dàqiáo］在大宁县城西部西街上，横跨昕水河。为中型河道桥梁，结构型式为石拱桥。桥长 170 米，桥面宽 7.5 米，最大跨度 20 米，桥下净高 10 米。1982 年开工，1983 年建成，因建在昕水河与义亭河汇合后的河面而得名。最大载重量 80 吨。

141030–N03　**西川大桥**［Xīchuān Dàqiáo］在大宁县城西部西街上，横跨昕水河。为中型河道桥梁，结构型式为石拱桥。桥长 105 米，桥面宽 7 米，最大跨度 25 米，桥下净高 10 米。1985 年开工，1986 年建成。因连接大宁西川公路与县城街道得名。最大承载量 60 吨。

141030–N04　**古乡大桥**［Gǔxiāng Dàqiáo］在大宁县城西部，纵跨昕水河。为中型河道桥梁，结构形式为箱梁桥。桥长 100 米，桥面宽 7 米，最大跨度 20 米，桥下净高 10 米。2013 年建成。因连接古乡与荷叶沟得名。最大承载量 60 吨。

141030–B01　**昕水镇**［Xīnshuǐ Zhèn］大宁县人民政府驻地。在县城东北部。面积 182.41 平方千米。人口 2.91 万。辖 3 社区、13 行政村。镇人民政府驻城关。1953 年设城关镇。1958 年更名大宁镇。1961 年大宁县恢复建制后，为大宁县城关人民公社。1984 年复设城关镇。2001 年安古乡、城关镇合并设昕水镇。因在昕水河畔得名。地形沟壑纵横，山峦起伏。地势南北高，中间低。属暖温带亚干旱气候区，气候温和，四季分明，年平均日照 2466.7 小时，年平均气温 10.7℃、月 –7℃左右，7 月 23℃上下，年气温差 31.8℃。年平均降水量 536.9 毫米，无霜期 212 天。昕水河流经。有中小学、卫生院、文化站、农家书屋。有省级文物保护单位翠微山新石器时代遗址，有古迹龙窝题记石刻、永息争端水利碑等。主产小麦、玉米、小杂粮。主要经济作物有棉花、油料、苹果、核桃等。养殖以饲养生猪、羊、牛为主。有石业、矿泉饮品、生物科技等公司。209 国道、沿黄公路和大马公路经此。

141030–B01–K01　**南街**［Nán Jiē］在大宁县城南部。北起十字路口，南至红卫桥。与东街、西街等道路相交。长 0.2 千米，宽 23 米。沥青路面。1954 年建成。1983 年改扩建。两侧有大宁县文体广电新闻出版局、南关诊所等。

141030–B01–K02　**西街**［Xī Jiē］在大宁县城西部。西起昕义大桥，东至十字路口。与东街、南街等道路相交。长 0.5 千米，宽 23 米。沥青路面。1954 年建成。1983 年改扩建。两侧有城关小学、大宁一中、大宁县人民医院、黄星大酒店等。通大宁 1 路公交车。

141030–B01–K03　**东街**［Dōng Jiē］在大宁县城东部。西起十字路口，东至城东路。与府西巷、府东巷等道路相交。长 0.7 千米，宽 23 米。沥青路面。1954 年建成。1983 年改扩建。两侧有大宁县人民政府、府东苑、小金殿广场等。通大宁 1 路公交车。

141030–B01–K04　**新开路**［Xīnkāi Lù］在大宁县城西部。西起西川大桥，东至昕义大桥。与西街、滨河路等道路相交。长 1.8 千米，宽 21 米。沥青路面。1964 年建成。1994 年改扩建。因作为城西新建的主干道得名。两侧有昕水派出所、华都大酒店、大宁县公安局、大宁二中等。通大宁 1 路公交车。

141030–B01–K05　**滨河路**［Bīnhé Lù］在大宁县城西部。西起西川大桥，东至昕义大桥。与西街、新开路等道路相交。长 1.5 千米，宽 20 米。沥青路面。2009 年开工，2012 年建成。因临近昕水河而得名。两侧有大宁县人民检察院、滨河路长廊公园等。

141030-B01-L01 **观音巷**［Guānyīn Xiàng］在大宁县城西北部。南至十字路口。长0.3千米，宽4米。水泥路面。因北面有观音庙得名。该巷地处大宁县城中心地带，沿巷原有各类商业网点，是当时具有特色的历史文化街巷和重要商业街。现为居民区。

141030-B02 **曲峨镇**［Qǔ'é Zhèn］大宁县辖镇。在县城西部。面积183.24平方千米。人口1.29万。辖12行政村。镇人民政府驻曲凤。1953年设曲峨乡。后改公社。1959年设曲峨公社。1984年改设镇。2001年榆村乡并入。取曲凤、杜峨2村名得名。地处吕梁山南麓，地势南北高、东西低。地形分为垣面、沟壑、山岭等。主要山脉有二郎山。最高峰海拔1627米，最低点海拔600米。年均无霜期202天。年平均降水量500毫米。昕水河流经。森林覆盖率76.3%。有中小学、卫生所、文化站、农家书屋、文化活动中心。农业以种植瓜菜、经济作物、养殖羊等为主。主要经济作物有棉花、油料作物、蔬菜等。有牧业公司及牧业合作社。大马公路经此。

141030-B02-H01 **曲凤**［Qǔfèng］曲峨镇人民政府驻地。在县政府驻地昕水镇西15千米。人口1000。因位于曲峨和南北凤之间，取曲峨首字和南北凤尾字而得名。聚落呈条带状。有曲峨小学、曲峨镇卫生院。520国道经此。

141030-B02-H02 **道教**［Dàojiào］在县政府驻地昕水镇西9.2千米。曲峨镇辖行政村。人口800。因西面山上建有道教寺而得名。聚落呈团块状。有道教小学。有道教村遗址，为东周时期文化遗存。有道教村宅院门楼，现存为清代建筑遗构。有房普明故居，房普明是我国早期国家航空、航天领域重要领导人。2017年被评为第五届全国文明村。省道宁大线经此。

141030-B03 **太古镇**［Tàigǔ Zhèn］大宁县辖镇。在县城西部。面积316.06平方千米。人口1.29万。辖16行政村。镇人民政府驻徐家垛。1949年10月属吉县四区（驻文城）。1953年设太故乡。1956年划归大宁县。1958年属隰宁县，9月属吕梁县。1961年6月成立大宁县太古人民公社。1984年撤销太谷人民公社，成立太古乡。2021年乡级区划调整，撤销徐家垛乡与太古乡，合并设立太古镇至今。镇人民政府驻徐家垛村。地势东北高、西南低。年平均气温12.8℃，无霜期218天，年平均降雨量517.6毫米。昕水河、岔口河流经。有小学、卫生院、农家书屋、文化活动中心、健身场所。有古迹王氏民居、清代长城遗址、贾氏民居。有省级文物保护单位芝麻滩旧石器遗址，有古迹马头关黄河仙子祠、花娘娘庙、北庙、仙来石、望乡亭、朝天洞、悬胆、清心泉等。主产玉米、小麦、苹果，畜牧业以圈养羊为主。有砂岩公司、多个石材厂。有公路经此。有马头关黄河大桥。

141030-B03-H01 **徐家垛**［Xújiāduǒ］太古镇人民政府驻地。在县政府驻地昕水镇西北20千米。人口400。明初行垛兵法，三户军民编为一垛，分正户、贴户，徐姓为正户，故名。聚落呈团块状。有徐家垛卫生院。有徐家垛遗址，为东周、汉代文化遗存。县道宁大线经此。

141030-C01 **三多乡**［Sānduō Xiāng］大宁县辖镇。在县城东南部。面积213.34平方千米。人口0.84万。辖13行政村。乡人民政府驻三多。1953年设三多乡。后改公社。1961年设三多公社。1984年复设乡。2001年南堡乡并入。因驻地得名。地处吕梁山南麓，地势为典型的黄土残垣沟壑区。主要山脉有盘龙山。最高峰海拔1719米，最低点海拔600米。属暖温带大陆性半干旱气候区，受季风影响，形成四季分明的气候特征。年日照时数平均为2466.7小时。年均气温为10.7℃，年均无霜期为212天。年平均降水量496.5毫米，降水集中在6—9月份。义亭河流经。矿产资源有煤、煤层气、石材、矿泉水等。有小学、卫生院、卫生所、文化站。有古迹阿龙庙等。西河坡墓传为春秋卫国大夫石蜡之墓，人称小神爷坟。主产蔬菜、瓜果，土特产品有大宁红皮小米、大宁西瓜，绿色环保农产品有纯天然土鸡蛋，名优特农产品有小杂粮等。养殖以饲养羊、生猪、牛为主。为典型山区乡镇。209国道经此。

141030-C01-H01 **三多**［Sānduō］三多乡人民政府驻地。在县政府驻地昕水镇南13千米。人口600。原名寺落，后改今名，意祈福多、寿多、子多。聚落呈条带状。有三多中学、三多小学、三多中心医院。有县级文物保护单位三多墓葬，为汉代墓葬。有大宁县绿源饮品有限公司。209国道经此。

141030-C02　**太德乡**［Tàidé Xiāng］大宁县辖乡。在县城东北部。面积67.36平方千米。人口0.49万。辖6行政村。乡人民政府驻太德。1953年设堡村乡。1956年更名太德乡。后改公社。1961年设太德公社。1984年复设乡。因驻地得名。境内塬平地广，地势平坦。地形地貌属典型的黄上残垣沟壑区，为晋西第一大黄土残垣沟壑区。平均海拔1000米。为黄土质垣地碳酸盐褐土，适宜农作物和牧草业的发展。属温带大陆性季风气候，四季分明，昼夜温差大，年平均气温10.8℃，昼夜温差12.7℃，无霜期207天，年平均降水量517.9毫米。十年九旱，雨量不稳，多集中在7—9月。有小学、卫生院、农家书屋。有县级文物保护单位太德墓群、阻击战场遗址、扶义村墓葬、太德粮站等。农业以种植业、畜牧业等为主，土特产品有大宁红皮小米、大宁西瓜，绿色环保农产品有纯天然土鸡蛋，名优特农产品有小杂粮等。养殖以饲养生猪、羊、牛、家禽为主。有牧业公司。有公路经此。

141030-C02-H01　**太德**［Tàidé］太德乡人民政府驻地。在县政府驻地昕水镇东北20千米。人口900。宋以前村名为大德，后改今名。聚落呈团块状。有太德小学、太德乡卫生院。有县级文物保护单位太德墓葬，为西周时期文化遗存。县道狗罗线经此。

141031　**隰县**［Xí Xiàn］临汾市辖县，北纬36° 30′，东经110° 15′。在市境西北部。面积1413.2平方千米。人口9.14万。以汉族为主，还有回、满、苗、壮、土家等民族。辖3镇、4乡。县人民政府驻龙泉镇。春秋属晋国。后归魏，改蒲阳。秦置蒲子县，治所在今县城西北侧古城村，属河东郡。汉因之。晋永兴元年（304年）刘渊于此置大昌郡。永嘉二年（308年）刘渊称帝建都。三年（309年）徙都平阳，仍为大昌郡蒲子县。北魏延和三年（434年）蒲子县省为镇。太和十二年（488年）于蒲子故城置汾州，不设县。孝昌间汾州寄治平阳郡北境。北周平北齐后复置汾州。大象元年（579年）于州东百步置龙泉郡，并置龙泉县，治所即今县城。隋开皇四年（584年）汾州改为西汾州。五年（585年）废龙泉郡，改西汾州为隰州。十八年（598年）长寿县改为隰川县。大业三年（607年）废州置龙泉郡，县属之。唐武德元年（618年）改属隰州。天宝元年（742年）改属大宁郡，乾元元年（758年）改属隰州。宋因之。金天会六年（1128年）改属南隰州。天德三年（1151年）复属隰州。兴定五年（1221年）置仵城县，治今午城镇，属隰州。元废仵城县。至正年间又废隰川县入隰州，隶晋宁路。后复置隰川县。明洪武二年（1369年）省隰川县入隰州，属平阳府。清雍正二年（1724年）升直隶州。1912年废州，改名隰县。1913年属河东道。1927年废道直属山西省。1937年属山西省第六行政区。1947年属晋绥边区第九专区。1949年2月属陕甘宁边区晋南区第九专区。10月属山西省临汾专区。1954年属晋南专区。1958年5月撤销隰县、大宁县，合并设立隰宁县。11月撤销隰宁县、蒲县、永和县、石楼县，合并设立吕梁县。1961年撤销吕梁县，恢复隰县。1967年属晋南地区。1970年属临汾地区。2000年属地级临汾市至今。因《元和郡县图志》“州带泉泊下湿，故以隰为名”记载得名。地势东西高、中间低，由东北向西南逐渐倾斜。有云蒙山、阁儿山、紫金山、黑峰山、泰山梁，最高海拔青山沟顶2012.5米，最低海拔762.5米。年均气温9.5℃，1月平均气温-5.9℃，7月平均气温23℃。累年年均生长期140天，年均无霜期186.5天。年平均日照时数2404.7小时。年均降水量474.2毫米。昕水河、城川河、东川河、刁家峪河等流经。矿产资源有煤、白云石、石灰岩、石膏等。有国家级重点保护野生动物褐马鸡、金钱豹、麝、梅花鹿、黄羊等。有省农科院隰县试验站。有中小学18所、县医院、文化馆、图书馆、档案馆、体育场馆。有全国重点文物保护单位千佛庵（小西天）、隰县鼓楼、七里脚石窟等。有省级爱国主义教育基地晋西革命纪念馆。有省级吕梁山森林公园部分景区。有地方民间艺术花伞秧歌、旋木、根艺、刺绣等，响铃高跷、隰县剪纸、隰县打鼓书被列入省级非物质文化遗产。有古迹玉泉寺、南北朝石佛窟、灵隐寺、鹿鸣谷等。有纪念地马刨泉、紫荆山风景区等。三次产业比例为31:10.4:58.6。主产苹果、梨、烟叶、蔬菜、杂粮等。工业以新能源、食品加工等为主。服务业以餐饮、包装为主。土特产品有隰县梨、金梨汁、三春液酒、玉屏酒等。有晋中南铁路（瓦日铁路）过境设隰县站。右玉—芮城、黎城—永和高速，209、341国道，省道洪永线、临午线经此，有县乡（镇）级公路37条。

141031-F01 **隰州广场**［Xízhōu Guǎngchǎng］在隰县城北部。西侧为滨河路，紧邻隰州大酒店。总面积2.6万平方米。2011建成。因隰县古称隰州而得名。是隰县人民休闲娱乐，开展文体活动的重要场地。广场上有喷泉、大型雕塑、看台等。

141031-N01 **隰州大桥**［Xízhōu Dàqiáo］在隰县城南部南屏路上，纵跨城川河。为小型桥梁，结构型式为空心板梁桥。桥长149.3米，桥面宽20米，最大跨度128米，桥下净高7.3米。1998年建成。2010年改扩建。为纪念隰县古称隰州而得名。担负县城主干道交通任务，最大载重量13吨。

141031-B01 **龙泉镇**［Lóngquán Zhèn］隰县人民政府驻地。在县城中部。面积108.74平方千米。人口3.26万。辖6社区、3行政村。镇人民政府驻城关。1966年建城关镇。1985年将城南乡的城关、城南、城北3个行政村划归城关镇。2001年城关镇、北庄乡合并设龙泉镇。境域沟壑纵横，坡梁交错，地势呈东北高西北低，属吕梁山余脉。气候属温带大陆性季风气候，四季分明。年平均气温9℃，年均降水量480—500毫米，无霜期180天。城川河、古城河流经。矿产资源有煤、煤层气等。有职业中学、中小学、幼儿园、卫生院。有威风锣鼓队、乡镇文化站。有全国重点文物保护单位千佛庵（小西天）、古建筑“大观楼”，俗称隰县鼓楼。有古迹西坡底天主教堂、大西天遗址。主产水果、玉米、杂粮、烤烟。养殖以饲养生猪、羊为主。工业以食品加工业、建筑材料业等为主。服务业以商贸、餐饮、物流为主。209国道经此。

141031-B01-K01 **新建路**［Xīnjiàn Lù］在隰县城南部。北起滨河路千家庄南，南至滨河路南屏路口。与西延街、西大街、梨花街等道路相交。长7.1千米，宽32米。沥青路面。原为209国道（呼北线）过城段，2000年改建。因作为县城新建的主干道而得名。两侧有隰县一中、隰县人民医院、隰州广场等。通隰县1、2、901路等公交车。

141031-B01-K02 **滨河路**［Bīnhé Lù］在隰县城西部。北起千家庄加油站，南至车家坡桥。与西延街、怡泽街、梨花街等道路相交。长6.8千米，宽30米。沥青混凝土路面。为209国道（呼北线）过城段。2010年开工，2011年建成。因临近紫川河而得名。两侧有隰县人民法院、滨河小区等。

141031-B01-K03 **鼓楼北大街**［Gǔlóu Běidàjiē］在隰县城中部。北起新建路，南至鼓楼。与长寿街相交。长0.6千米，宽24米。沥青路面。原名北大街，为明清旧街，后多次改扩建。2008年改建。因位于隰县鼓楼北侧得名。两侧有工商大楼、龙泉镇人民政府等。通隰县1、2、901路等公交车。

141031-B01-K04 **鼓楼东大街**［Gǔlóu Dōngdàjiē］在隰县城中部。西起鼓楼，东至堆金山。与水厂巷等道路相交。长0.5千米，宽23米。沥青路面。原名东大街，为明清旧街，后多次改扩建。2008年改建。因位于隰县鼓楼东侧得名。两侧有等隰州宾馆、隰县第一小学、隰县人民政府等。通隰县3路公交车。

141031-B01-K05 **鼓楼南大街**［Gǔlóu Nándàjiē］在隰县城中部。北起鼓楼，南至新建路。与龙泉街、水厂巷、青年街等道路相交。长1千米，宽24米。沥青路面。原名南街，为明清旧街，后多次改扩建。2008年改建。因位于隰县鼓楼南侧得名。两侧有供销大楼、隰县职业中学、隰县三中、南关小区等。通隰县1路公交车。

141031-B01-K06 **鼓楼西大街**［Gǔlóu Xīdàjiē］在隰县城中部。西起西门口，东至鼓楼。西与西延街相连。长0.2千米，宽22米。沥青路面。原为明清旧街，后多次改扩建。2008年改建。因位于隰县鼓楼西侧得名。两侧有西街公园、隰县中医医院等。通隰县 3、901 路等公交车。

141031-B01-K07 **怡泽街**［Yízé Jiē］在隰县城中部。西起滨河路，东至新建路。长 0.3 千米，宽 20 米。沥青路面。2011 年建成。因途经怡泽小区而得名。两侧有怡泽小区、隰县天然气有限公司、怡泽丰大酒店等。

141031-B02 **午城镇**［Wǔchéng Zhèn］隰县辖镇。在县城南部。面积 140.75 平方千米。人口 1.23 万。辖 9 行政村。镇人民政府驻午城。午城是隰县古镇之一，南北朝时为仵城郡地，辖蒲子县，五代末为仵城镇。金末一度为仵城县。明清为仵城里。民国为编村。1953 年设午城乡。1958 年设午城公社。1984 年改设镇。2001 年水堤乡并入。因驻地得名。属黄土高原残垣沟壑区，地势呈北高南低，全镇地形主要有两川四垣。温带半干旱气候区，四季分明。年均气温 8.7—10℃，积温达 3400℃。年均无霜期达 175 天以上。昕水河、东川河流经。有中小学、卫生院。有庙宇佛像、城隍庙、娘娘庙。是隰县第一个中共党支部的诞生地。主产玉米、谷子、高粱。主要经济作物有梨果、西瓜、甜瓜、油料、药材和蔬菜等。为省“晋香春”“三春夜”“冬花白酒”“玉屏酒”“新三春”“午城梁液”“黄河牌”系列白酒产地。209 国道、省道临午线经此。

141031-B02-H01 **午城**［Wǔchéng］午城镇人民政府驻地。在县政府驻地龙泉镇南 30 千米。人口 3280。金兴定五年（1221 年）为仵城县治所而得名。聚落呈团块状。有士成中学、午城小学、午城镇中心卫生院。有午城战斗遗址，1938 年 3 月，八路军 115 师在此伏击日军，粉碎了日军侵占黄河渡口的企图。有午城北遗址，为东周时期文化遗存。有午城诸神庙，现存为清代建筑遗构。209 国道、省道临大线经此。

141031-B02-H02 **阳德**［Yángdé］在县政府驻地龙泉镇西北 5 千米。午城镇辖行政村。人口 1140。因村地理位置日照时间充足名阳得，后因方言而得名。聚落呈团块状。有果园种植业，主要种植玉露香梨。每年有“梨花节”在此举办。乡村道路经此。

141031-B03 **黄土镇**［Huángtǔ Zhèn］隰县辖镇。在县城东南部。面积 258 平方千米。人口 1.22 万。辖 8 行政村。镇人民政府驻黄土。1953 年设黄土乡。1958 年改为黄土公社，6 月，隶属隰宁县，同年又归吕梁县。1961 年隶属隰县。1984 年改设镇。因驻地得名。地处吕梁山东南麓，属黄土高原沟壑区，境内东部为原始林区。山高林密，峰密起伏，主峰上天山海拔 1996 米，主要树种有松、柏、杨、桦、橡等，常有野猪、山羊、褐马鸡等禽、兽出没，盛产猴头、木耳、蘑菇、蕨菜、党参，猪苓等菌类和药材。属温带大陆季风性气候，冬季寒冷少雪，春季干旱多风，夏季雨量集中，秋季晴朗冷爽。全年平均气温 8.9℃，无霜期 155 天左右。东川河流经。矿产资源有石灰石、白云石、花岗岩、石英砂岩、煤等。有中小学、卫生院、卫生所。有古迹石坡村远古村落遗迹、谙正村马老爷坟、六郎寨、点将台、排风楼、马刨泉等。为革命老区，义泉毛泽东路居为红色旅游景点。主产玉米、马铃薯、谷子。养殖以饲养生猪、牛、羊为主。有锰铁合金厂。霍永高速、341 国道经此。

141031-B03-H01 **黄土**［Huángtǔ］黄土镇人民政府驻地。在县政府驻地龙泉镇东 27 千米。人口 3640。因村旁山坡呈黄色而得名。聚落呈团块状。有黄土镇中学、黄土小学、黄土镇中心卫生院。有聚源昌酒坊旧址，现存为民国时期建筑遗构。341 国道经此。

141031-B03-H02 **义泉**［Yìquán］在县政府驻地龙泉镇东 25 千米。黄土镇辖自然村。人口 1710。据原南门楼与村北祖师庙碑记：西汉时匈奴南侵到此，北坡有泉涌出，兵马遂解渴获救，故名。聚落呈团块状。有义泉小学。有第五批省级文物保护单位决死二纵队司令部义泉村旧址，旧址现存司令部、后勤部、参谋部、政治部、门楼。341 国道经此。

141031-C01 **阳头升乡**［Yángtóushēng Xiāng］隰县辖乡。在县城西南部。面积 204.37 平方千米。人口 1.01 万。辖 10 行政村。乡人民政府驻阳头升。1959 年设羊头升公社。1961 年改设刁家峪、后塬 2 公社。1984 年改设乡。2001 年刁家峪、后塬 2 乡合并设阳头升乡。因驻地得名。属黄土高原残垣沟壑区，大体可分为旱川地、垣地、坡地三种类型。气候属温带大陆性气候区，无霜期为158天，年平均气温7—10.1℃，1月份平均气温-10.7℃，7月份平均气温24.3℃，极端最低气温-24℃，年均降水量500—570毫米。刁家峪河、卫家峪河流经。有小学、卫生院、文化站、农家书屋。粮食作物以玉米为主，还有小麦、谷子、高粱。经济作物有西瓜、冀花和药材。有梨果产业，主要品种有红富士苹果、晋蜜梨、酥梨、玉露香梨和优种核桃。养殖以饲养生猪、牛为主。霍永高速、341国道经此。

141031-C01-H01 **阳头升**［Yángtóushēng］阳头升乡人民政府驻地。在县政府驻地龙泉镇西20千米。人口984。原名羊头神，2001年更今名。聚落呈团块状。有玉露香梨等特色经济作物。县道桑竹线经此。

141031-C02 **寨子乡**［Zhàizǐ Xiāng］隰县辖乡。在县城东南部。面积178平方千米。常住人口1.25万。辖13行政村。乡人民政府驻寨子。1953年设寨子乡。1958年公社化后归黄土东风人民公社。1961年分设寨子公社。1984年复设乡。2021年5月，陡坡乡并入。因驻地得名。总体呈正方形，东高西低，三川两垣，平均海拔1100米。年日照数平均为2466.7小时。属大陆性季风气候，年平均气温10.7℃，气温年较差为31.8℃，无霜期154天。年平均降水量527毫米。东川河流经。有国家重点保护动物金钱豹。有小学、卫生院、农家书屋。有紫荆山生态风景区，古迹玉泉寺、刘氏民居。上千村为全国历史文化名村。为山区农业乡。主产玉米、大豆、马铃薯、谷子，水果以苹果、桃、梨、杏为主。主要经济作物有烟叶梨果等。养殖以饲养绒山羊、家禽、生猪为主。第三产业以旅游业、运输业、餐饮业和物流信息业为主，有苗木基地、小集贸市场。瓦日铁路、霍永高速、341国道经此。

141031-C02-H01 **寨子**［Zhàizǐ］寨子乡人民政府驻地。在县政府驻地龙泉镇东15千米。人口1130。古为营寨，故名。聚落呈团块状。有寨子乡寨子小学。有寨子龙王庙，现存为清代建筑遗构。341国道经此。

141031-C03 **下李乡**［Xiàlǐ Xiāng］隰县辖乡。在县城北部。面积315平方千米。人口0.97万。辖8行政村。乡人民政府驻下李。1953年设下李乡。后改公社。1958年隶属隰宁县，后又归吕梁县。1961年隶属隰县至今。1961年设下李公社。1984年复设乡。2001年冯家乡并入。因驻地得名。地处吕梁山南麓，地势呈北高南低。主要山脉有吕梁山脉。最高峰海拔2012.5米，最低点海拔1100米。属暖温带大陆性季风气候，年平均气温9.5℃，年平均降水量450—550毫米，年平均日照2740.9小时，无霜期平均150—160天。城川河流经。矿产资源有煤、石油、天然气、石英、铁、镁、石膏等。有中小学、卫生院、文化站。有省级吕梁山森林公园石马沟风景区。有古庙16座，有西武龙庙，有庙会。有秧歌队、锣鼓队。主产玉米、小麦、马铃薯、谷子。水果以梨、杏、苹果为主。养殖以饲养生猪、绒山羊、牛为主。工业以煤炭、矿石为主。第三产业以运输、餐饮、物流为主。209国道经此。

141031-C03-H01 **下李**［Xiàlǐ］下李乡人民政府驻地。在县政府驻地龙泉镇北20千米。人口2010。聚落呈团块状。有下李小学、下李乡中心卫生院。有下李一号民居、下李二号民居，现存皆为清代建筑遗构。有下李醋厂。209国道经此。

141031-C03-H02 **均庄**［Jūnzhuāng］在县政府驻地龙泉镇西南19千米。下李乡辖行政村。人口2240。相传因纪念此地举人将自己的财物均分给此居住的穷人而得名。聚落呈条带状。有均庄中心小学。有第六批省级文物保护单位均庄遗址，为新石器时代文化遗存。209国道经此。

141031-C04 **城南乡**［Chéngnán Xiāng］隰县辖乡。在县城中部。面积206平方千米。人口1.75万。辖16行政村。乡人民政府驻城关。1958年设立城关公社。1984年6月城关公社改设城南乡。1987年成立城关镇。2001年朱家峪乡并入。境内地势呈北高南低，两川三垣，海拔在950—1100米之间。属黄上高垣残垣沟壑区。土地大体可分为川地、垣地、坡地三种。属暖温带半干旱气候区，四季分明，年均气温为8.4—9.7℃，积温达3400℃。无霜期165天以上。城川河、朱家峪河流经。有小学、卫生院、文化站、农家书屋。

有全国重点文物保护单位七里脚千佛洞。有山西省文物保护单位石佛寺。有省级爱国主义教育基地晋西革命纪念馆。有古迹卧云寺、太和庙、松山庙等。曹城的根雕艺术作品多次参加省市展览会，曾代表隰县参加世博会展览。农业以果品、蔬菜、畜牧为主。养殖以饲养生猪、羊、牛、家禽为主。工业以建材、建筑业为主。瓦日铁路、209、341 国道经此。

141031-C04-H01 **七里脚**［Qīlǐjiǎo］在县政府驻地龙泉镇北 10 千米。城南乡辖行政村。人口 1330。因该村地形与脚相似，长达七里而得名。聚落呈团块状。有第七批全国重点文物保护单位、第二批省级文物保护单位七里脚千佛洞，始凿于北魏晚期（494 年—534 年），止于唐代，现存 2 窟，窟内存雕像约 70 余尊。209 国道经此。

141031-C04-H02 **车家坡**［Chējiāpō］在县政府驻地龙泉镇南 5 千米。城南乡辖行政村。人口 820。因该村最早居住的人系石楼县车家坡人，为纪念祖先而得名。聚落呈团块状。有车家坡遗址，为新石器时代文化遗存。有郑家宅院，现存为清代建筑遗构。有省级爱国主义教育基地晋西革命纪念馆，设有土地革命、抗日战争、解放战争三大展厅。341 国道经此。

141032 **永和县**［Yǒnghé Xiàn］临汾市辖县。北纬 36° 46′，东经 110° 37′。在市境西北部。面积 1214 平方千米。人口 4.99 万。以汉族为主，还有回等民族。辖 2 镇、4 乡。县人民政府驻芝河镇。商、周属晋之同姓诸侯国蒲（今石楼）。春秋仍属晋之蒲，置楼邑。战国，属魏蒲阳（今隰县），仍属楼邑。秦实行郡县制，属河东郡北屈县（今吉县）。西汉置狐讘县，属司州平阳郡。东汉废。三国魏复置狐讘县，属平阳郡。北魏太延二年（436 年）废。北周大成元年（579 年）于今县城南 8 公里置归化县；于狐讘县故治置临河县，并置临河郡，因地临黄河得名，属汾州。隋开皇三年（583 年）废郡，县改属隰州。十八年（598 年）改临河县为永和县；改归化县为楼山县，俱属龙泉郡。唐武德二年（619 年）置东和州。贞观元年（627 年）废东和州，楼山县废入永和县，县属隰州。五代唐一度改属晋州，后复属隰州。宋、金、元、明皆属隰州。清属平阳府，雍正二年（1724 年）属隰州。1912 年废州。1913 年属河东道。1927 年废道后直属山西省。1937 年属山西省第六行政区。1946 年属晋绥边区第十专区，后属第九专区。1949 年 2 月属陕甘宁边区晋南区第九专区。同年 10 月属山西省临汾专区。1954 年属晋南专区。1967 年属晋南地区。1970 年属临汾地区。2000 年属地级临汾市至今。《元和郡县志》记载永和县"以县西永和关为名也"。地处黄河北干流东侧，地势东北高西南低。有四十里山、狗头山，最高海拔扯布山 1511.3 米，最低海拔 506 米。年均气温 9.5℃，1 月平均气温 -6.4℃，7 月平均气温 23.8℃。年均降水量 554.3 毫米。无霜期平均 183 天，年日照时数平均 2541.7 小时，年 10℃以上积温平均 3674℃，年平均降水量 554.3 毫米。黄河纵贯西境，芝河、桑壁河、段家河流经。矿产资源有煤炭、煤层气、石材等。有国家级重点保护野生动物豹、梅花鹿、褐马鸡、金雕、豺、麝、黄羊、斑羚。有中小学 15 所、县医院、博物馆、文化馆、图书馆、档案馆、体育场馆。有全国重点文物保护单位永和文庙大成殿。有省级文物保护单位 3 处。有市级文物保护单位 1 处。有省级爱国主义教育基地、党史教育基地红军东征永和纪念馆。有国家 4A 级旅游风景区乾坤湾。有地方民间艺术剪纸、面塑、木雕、石刻、编织、刺绣等。有古迹永和关、朝阳寺、闫家坡古村落、商代墓葬等。有纪念地旧石器遗址、罗仓、下退干新石器遗址、商周墓葬遗址、商周墓葬遗址、汉代城堡遗址等。2018 年获得商务部"2018 年电子商务进农村综合示范县"荣誉称号。三次产业比例为 18:48.5:33.5。主产小麦、玉米、油葵、黄豆、蓖麻、小杂粮等。土特产品有永和红枣、槐花饼、炸麻花、核桃、交口绒山羊、芝河镇楼山春白酒等。工业以采煤、化肥、酿酒、陶瓷、建材、印刷等为主。服务业以旅游、餐饮为主。省道三大线、洪永线经此。

141032-N01 **永红大桥**［Yǒnghóng Dàqiáo］在永和县城北部正大路上，纵跨芝河。为大型河道桥梁，结构型式为钢筋混凝土双曲拱桥。桥长 82 米，桥面宽 7.8 米，最大跨度 62 米，桥下净高

11 米。1970 年建成。因建于“文革”期间得名。最大载重量 30 吨。

141032-N02 **药家湾新桥** [Yàojiāwān Xīnqiáo] 在永和县城南部，横跨芝河。为大型河道桥梁，结构形式为箱形梁多柱墩式桥。桥长 110 米，桥面宽 15 米，最大跨度 30 米，桥下净高 18 米。1999 年开工，2000 年建成。2009 年改扩建。因与北侧的药家湾大桥相对而得名。最大载重量 55 吨。

141032-B01 **芝河镇** [Zhīhé Zhèn] 永和县人民政府驻地。在县境东北部。面积 266.87 平方千米。人口 1.22 万。辖 4 社区、12 行政村。镇人民政府驻城关。明清为里。1919 年设编村，为一区治所。1945 年 9 月永和县城建国后设永和市（相当于镇，年底撤），后置城关行政村。1953 年设城关镇。1958 年建城关人民公社。1984 年复设镇。2001 年城关镇、罢骨乡合并设芝河镇。因芝河得名。境内梁、峁相串，沟壑纵横，残垣支离，属于丘陵沟壑区，地表黄土覆盖 3—70 米。土质颗粒结构，以黄土和沙土为主。半干旱半湿润大陆季风气候，四季分明。年均气温 9.5℃。年降雨量 400—500 毫米。年均日照时数为 2500 小时左右。年无霜期 185 天左右。有下刘台泉、龙口湾泉、龙吞泉河西坡泉、三中泉，为居民饮用水的主要水源。有小学、卫生院、图书室。有古迹朝阳寺。主产玉米、谷子、大豆、马铃薯、蔬菜等。主要经济作物有油料作物、药材等。养殖以饲养生猪、羊、牛为主。有石材、玻璃纤维、农产品等公司。服务业以餐饮、旅游等为主。省道三大线、洪永线经此。

141032-B01-K01 **河西路** [Héxī Lù] 在永和县城西部。北起交通局宿舍楼，南至纸箱厂。与体育街、府西街、文昌街等道路相交。长 1.8 千米，宽 18 米。沥青路面。1990 年开工，1991 年建成。2008 年改扩建。原名城西路，因在芝河西岸更今名。两侧有永和二中、永和县林业局、芝河镇人民政府等。通永和 1、3 路等公交车。

141032-B01-K02 **正大路** [Zhèngdà Lù] 在永和县城中部。北起永红大桥，南至县医院。与府西街、同顺巷、东门巷、文昌街等道路相交。长 1 千米，宽 18 米。沥青路面。明正统十四年（1449 年）始建。1950 年扩建后更今名。1988、2009 年改扩建。因位于县政府大院正前方，路名取正大光明之意。两侧有永和县人民政府、体育场、文化广场、永和三中等。通永和 1、3 路等公交车。

141032-B01-K03 **城东路** [Chéngdōng Lù] 在永和县城东部。北起神州酒店，南至县通达农机公司。与东峪沟路、同顺巷、府西街、东门巷等道路相交。长 1.1 千米，宽 9 米。水泥路面。1982 年建成。2005、2009 年改建。因位于县城东面得名。两侧有莲花佳苑小区、永和三中、莲花故池遗址等。

141032-B01-K04 **滨河路** [Bīnhé Lù] 在永和县城北部。西南起永红大桥，东北至响水湾。长 1 千米，宽 18 米。沥青路面。1969 年建成，为砂石路面。1986 年改铺沥青。原名东风路，因临近芝河，2004 年更今名。两侧有永和供电支公司、永和县疾控中心、永和县畜牧兽医局等。通永和 1、5 路等公交车。

141032-B02 **桑壁镇** [Sāngbì Zhèn] 永和县辖镇。在县境东南部。面积 183.39 平方千米。人口 0.62 万。辖 10 行政村。镇人民政府驻桑壁。明代设里，清初置镇，民国时期为区治所。1953 年设桑壁乡。后改公社。1961 年设桑壁公社。1984 年改设镇。2001 年署益乡并入。因驻地得名。境内地形大部分为黄土残垣沟壑区。茶布山海拔 1521 米，是永和县最高点。气候属半干旱半湿润大陆性季风气候，年平均降水量在 500 毫米左右，年平均气温 8.3℃，无霜期 145 天左右。桑壁河流经。有小学、活动室、图书室、卫生院。有名胜古迹双锁山，山上有刘金定庙、观音石窑、打子屋、财神庙、招亲树、点将台天桥、放哨台、饮马槽等。有唐代古墓葬。每年农历二月十九日为双锁山庙会。主产玉米、土豆、蓖麻。林业以核桃为主。主要经济作物有油料作物等。有食品加工厂，生产真空包装保鲜甜玉米穗、速冻玉米穗。第三产业以商贸为主。省道三大线经此。

141032-B02-H01 **桑壁** [Sāngbì] 桑壁镇人民政府驻地。在县政府驻地芝河镇东南 15.4 千米。人口 1100。古为壁堡，桑姓始居，故名。聚落呈条带状。有桑壁中心小学。有桑壁遗址，为东周时期文化遗存。省道三大线经此。

141032-C01 **坡头乡**［Pōtóu Xiāng］永和县辖乡。在县城东北部。面积 205.29 平方千米。人口 0.47 万。辖 6 行政村。乡人民政府驻坡头。民国时期设编村、行政村。1953 年设坡头乡。后改公社。1961 年设坡头公社。1984 年复设乡。因驻地得名。属丘陵沟壑区，最高峰四十里山主峰海拔 1396.5 米。属半干旱半湿润大陆季风气候，全年气温比较温和，四季分明。年平均气温 8.3—9.4℃。年平均降水量 1513.5 毫米。年无霜期 181 天左右。芝河流经。有小学、卫生院、文化体育广场、农家书屋。有县级爱国主义教育基地毛泽东旧居。主产玉米、谷子、豆类。水果以苹果、红枣、核桃、梨为主。主要经济作物有油料作物、蔬菜等。养殖以饲养生猪、牛、羊为主。有农产品存储加工配送中心、醋业公司等。第三产业以餐饮、运输、建筑为主。省道三大线、洪永线、霍永高速公路经此。

141032-C01-H01 **坡头**［Pōtóu］坡头乡人民政府驻地。在县政府驻地芝河镇西北 10 千米。人口 400。因村落地处黄土坡前而得名。聚落呈条带状。有坡头中心校、坡头乡卫生院。有粮站条里墓群，为东周时期文化遗存。有永和农产品产业园区。341 国道经此。

141032-C01-H02 **赵家沟**［Zhàojiāgōu］在县政府驻地芝河镇西北 14 千米。坡头乡辖自然村。人口 200。因赵氏始居而得名。聚落呈条带状。有县级文物保护单位、爱国主义教育基地毛泽东旧居，1936 年 4 月 13 日至 15 日，党中央在永和县赵家沟召开军事会议，作出了“逼蒋抗日、回师西渡”的战略决策，决定了东征的结束。乡村道路经此。

141032-C02 **乾坤湾乡**［Qiánkūnwān Xiāng］永和县辖乡。在县城西南部。面积 157.59 平方千米。人口 1.14 万。辖 12 行政村。乡人民政府驻阁底。1949 年，属永和县第二区。1950 年，属永和县第三区。1956 年，置阁底乡。1958 年，属吕梁县永和公社。1961 年，属永和县阁底公社。1984 年，阁底公社改阁底乡。2001 年，西庄乡并入阁底乡。2021 年 5 月，阁底乡更名为乾坤湾乡。属残垣沟壑区和梁峁沟壑区。气候属半干旱半湿润大陆性季风气候，四季分明。年平均气温 10.2℃。年平均降水量 500 毫米。无霜期 195 天左右。西黄河流经。有小学、卫生所、农家书屋。有红军东征永和纪念馆、于家咀红军回师渡口、黄河蛇曲国家地质公园。主产玉米、小杂粮。果类以红枣、核桃为主。主要经济作物有棉花、油料作物等。有乾坤湾滩枣、枣蔬片、蜜枣，空心脆枣、花生艺麻枣、酒枣等品牌。服务业以零售、旅游为主。有黄河一号旅游公路经此。有阴德河、于家咀、铁罗关，是永和通往陕西的渡口。

141032-C02-H01 **阁底**［Gédǐ］乾坤湾乡人民政府驻地。在县政府驻地芝河镇西南 13.8 千米。人口 600。因地处阁山下，故名。聚落呈团块状。有阁底中心小学、乾坤湾乡中心卫生院。578 县道经此。

141032-C02-H02 **东征**［Dōngzhēng］在县政府驻地芝河镇西南 15.2 千米。乾坤湾乡辖行政村。人口 200。原名上退干村，因 1971 年村中关帝庙被认定为毛泽东东征路居而得名。聚落呈团块状。有第六批省级文物保护单位上退干毛泽东路居，1936 年红军东征期间，毛泽东在此战斗、生活了 13 天。有省级爱国主义教育示范基地红军东征永和纪念馆，为纪念红军东征永和及毛泽东主席路居永和而建。578 县道经此。

141032-C03 **望海寺乡**［Wànghǎisì Xiāng］永和县辖乡。在县城西部。在县城西南部。面积 213.9 平方千米。人口 1.27 万。辖 14 行政村。乡人民政府驻刘家腰村。1984 年改制复为南庄乡、打石腰乡，2021 年 5 月，撤销南庄乡、打石腰乡，合并设立望海寺乡。以原南庄乡和原打石腰乡的行政区域为望海寺乡的行政区域。因古迹望海寺得名。属梁峁沟壑区。主要山峰有马脊山、高罗山和列风山。气候属半干旱半湿润大陆季风气候，全年比较温和，四季分明。年平均气温 8.3—9.4℃，极端最高气温 37.3℃，极端最低气温 -22.6℃，年平均降水量 513.5 毫米，年无霜期 190 天左右。有小学、卫生院、沙场、休闲体育广场、农民书屋。古迹永和关，为黄河古渡口，被誉为“黄河文化第一村”。有古迹望海寺，寺有魁星楼、无名殿、龙王庙3建筑。种植业以玉米、谷子、大豆、芝麻、棉花等为主，水果干果以红枣、核桃、苹果、梨为主。畜牧业以养殖牛、驴、猪羊、家禽为主。工业以产沙为主。有沙场。土特产品有红枣等。第三产业以旅游业、运输业为主。省道洪永线、霍永高速公路、黄河一号旅游公路经此。有永和关大桥。

141032-C03-H01 **望海寺**［Wànghǎisì］望海寺乡人民政府驻地。在县政府驻地芝河镇西13.3千米。人口200。以望海寺而得名。聚落呈条带状。有望海寺乡中心校、望海寺乡卫生院。有县级文物保护单位望海寺，现存为清代建筑遗构。黄河一号旅游公路经此。

141032-C04 **楼山乡**［Lóushān Xiāng］永和县辖乡。在县城南部。面积187.33平方千米。人口0.8万。辖11行政村。乡人民政府驻南楼。1953年设交口乡。1958年设泊洋人民后改公社。1961年设交口人民公社。1984年12月复设交口乡。2001年3月泊洋乡并入。2021年，更名楼山乡。因驻地得名。地势西北隆起，东南倾低。属丘陵沟壑区和梁帝沟壑区。主要山峰有狗头山、楼山、棋盘山。芝河、桑壁河流经。暖温带大陆性季风气候区，气候温和湿润。年相对湿度平均65%。年均降雨量656.7毫米。年均气温8.7℃。年无霜期90—150天。年平均日照时数2519小时。有小学、卫生院、卫生所、党员活动室、健身场地、农家书屋。有古迹楼山旅游景区，为县道家圣地，有楼山庙会。主产中药材、小杂粮。主要经济作物有棉花、油料作物等。养殖以饲养生猪、羊为主。服务业以零售为主。省道三大线经此。

141032-C04-H01 **南楼村**［Nánlóucūn］楼山乡人民政府驻地。在县政府芝和镇南37千米，人口460，因在楼山之南而得名。明朝设南楼里。村东北有楼山景区。有峪星河。有文庙与刘秀庙，为清代建筑遗构。在省级非物质文化遗产“晋南土布制造技艺”。有苹果产业和养驴产业。黄河一号旅游公路经此。

141033 **蒲县**［Pú Xiàn］临汾市辖县。北纬36° 11′，东经110° 51′。在市境西南部。面积1513平方千米。人口9.57万。辖5镇、3乡。县人民政府驻蒲城镇。春秋属晋国。战国属魏国。秦、汉为蒲子县地，属河东郡。三国魏、西晋属平阳郡。北魏置平昌县，治今古县村，属北吐京郡。北魏太和二十一年（497年）置石城县，治今黑龙关，属五城郡。北周于石城县置石城郡。大象元年（579年）废石城郡、石城县，改置蒲子县，属定阳郡。隋开皇三年（583年）蒲子县徙治今古县村。开皇五年（585年）属隰州，平昌县名改蒲川县，大业二年（606年）改蒲子县为蒲县，蒲川县省入蒲县，治徙今县城西南1公里，属龙泉郡。唐武德元年（618年）徙治今城关。二年于县置昌州；又置昌原县，治今县城西；又置常安县，治今县城西南20公里，俱属昌州。贞观元年（627年）废昌州及昌原、常安两县，蒲县属隰州。宋属隰州。五代时期，先后为后梁、后唐、后晋、后汉、后周所属，均隶河东道隰州。金兴定五年（1221年）升蒲县为蒲州。元复为蒲县，属隰州。明洪武二年（1369年）属平阳府。清雍正二年（1724年）属吉州。九年（1731年）属隰州。1912年废州。1913年属河东道。1927年废道后直属山西省。1937年属山西省第六行政区。1947年属晋绥边区第九专区。1949年2月属陕甘宁边区晋南区第九专区。同年10月属山西省临汾专区。1954年属晋南专区。1958年撤销隰宁县、蒲县、永和县、石楼县，合并设立吕梁县。1960年恢复蒲县。1967年属晋南地区。1970年属临汾地区。2000年属地级临汾市至今。传帝尧之师蒲伊子隐居于此得名。地处吕梁山区。地势东高西低。有五龙山，最高海拔五鹿山1946.3米，最低海拔790米。年均气温8.6℃，1月平均气温-6.7℃，7月平均气温26.7℃。年均降水量576.9毫米，多集中在7—9月。日照2352小时，平均无霜期184天。昕水河、南川河、北川河、黑龙关河、乔家湾河、克城河流经，属黄河水系支流。矿产资源有铁、铝、银、铜、煤、油母页岩、石膏、石灰石等。有国家级重点保护野生动物金钱豹、麝、褐马鸡、青羊。有中小学、县医院、文化馆、图书馆、档案馆、体育场馆。有全国重点文物保护单位柏山东岳庙。有省级文物保护单位薛关遗址、腰东汉墓群。有县级重点文物保护单位 17 处。有工农业旅游示范点蒲元生态旅游区。有地方民间艺术同乐会、八音会、威风锣鼓等。东岳庙四醮朝山、五龙洞祭祀习俗、麦秆画被列入省级非物质文化遗产。有古迹薛关新石器时代文化遗址、杜家河新石器时代文化遗址、蒲伊讲道坛遗址、寨子汉代古堡遗址、宋代瓷窑遗址等。有纪念地刁口元代古村落遗址、郑家垣惨案遗址等。三次产业比例为 2.9 : 81.9 : 15.2。主产玉米、小麦、马铃薯、油料等。有土特产品华尧酒、核桃、西坪垣村马铃薯等。工业以采矿业、制造业为主。瓦日铁路过境设站。省道洪永线、临午线经此。

141033–N01 **西关桥** [Xīguān Qiáo] 在蒲县城西部蒲伊西街，横跨昕水河。为大型河道桥梁，结构型式为石拱桥。桥长 115 米，桥面宽 8.8 米，最大跨度 20 米，桥下净高 8 米。1987 年建成。1992 年改扩建。因位于县城西关而得名。最大承载量 10 吨。

141033–N02 **荆坡大桥** [Jīngpō Dàqiáo] 在蒲县城东部，横跨南川河。为大型河道桥梁，结构型式为空心板桥。桥长 40 米，桥面宽 18 米，最大跨度 12 米，桥下净高 4.5 米。1997 年开工，1999 年建成。因位于荆坡村得名。该桥担负城区干道交通任务，最大承载量 15 吨。

141033–N03 **昌平西桥** [Chāngpíng Xīqiáo] 在蒲县城西南部，横跨昕水河。为大型河道桥梁，结构型式为空心板桥。桥长 104 米，桥面宽 25 米，最大跨度 11 米，桥下净高 12 米。2004 年开工，2005 年建成。因位于昌平大街西端得名。最大承载量 20 吨。

141033–N04 **昌平桥** [Chāngpíng Qiáo] 在蒲县城南部，横跨北小河。为大型河道桥梁，结构型式为空心板桥。桥长 49 米，桥面宽 25 米，最大跨度 10 米，桥下净高 3.5 米。2004 年建成。因位于昌平街中端得名。最大承载量 20 吨。

141033–N05 **昌平东桥** [Chāngpíng Dōngqiáo] 在蒲县城东南部，横跨昕水河。为大型河道桥梁，结构型式为空心板桥。桥长 65 米，桥面宽 25 米，最大跨度 10 米，桥下净高 3.5 米。2004 年建成。因位于昌平大街东端得名。最大承载量 20 吨。

141033–N06 **嘉运桥** [Jiāyùn Qiáo] 在蒲县城东南部，横跨昕水河。为大型河道桥梁，结构型式为空心板桥。桥长 65 米，桥面宽 13 米，最大跨度 12 米，桥下净高 5 米。2009 年建成。因位于嘉运路得名。最大承载量 20 吨。

141033–R01 **蒲县站** [Púxiàn Zhàn] 见交通运输设施部分“蒲县站”条。

141033–B01 **蒲城镇** [Púchéng Zhèn] 蒲县人民政府驻地。在县境中南部。面积 416.92 平方千米。人口 1.47 万。辖 5 社区、11 行政村。镇人民政府驻返底。1949 年后属一区。1953 年设城关镇。1956 年分设城关镇、刁口乡。1958 年 9 月，2 乡镇并入红专人民公社，同年 10 月改称蒲城人民公社。1959 年 10 月，成立城关公社。1961 年 6 月又分为城关公社、刁口公社。1984 年 7 月分别改称城关镇、刁口乡。2001 年刁口乡与城关镇合并设蒲城镇。2021 年 5 月，红道乡并入。因蒲伊子在此居住得名。地势东南，高西北低。地形分为土石山区、黄土残塬沟壑区。最高峰海拔 1688.6 米；最低点海拔 950 米。年平均气温 8.7℃，无霜期 180 天左右，年降水量 586 毫米。昕水河流经。矿产资源有煤、铁等。有野生动植物 300 余种。药用植物有枸杞、地黄、沙参、甘草、白赤芍、连翘、麻黄等 270 余种。有中小学、卫生院、文化大院。有全国重点文物保护单位柏山东岳庙。有古迹娲皇庙、真武祠。为县农业大镇之一，主产玉米、马铃薯、小杂粮等。养殖以饲养生猪、牛为主。工业以煤炭为主。服务业以集市商贸、旅游为主。省道临午线经此、蒲县至临吉高速公路经此。

141033–B01–K01 **蒲伊西街** [Púyī Xījiē] 在蒲县城西部。西起西关桥，东至十字街。与民政路、文公路等道路相交。长 1.2 千米，宽 30 米。沥青路面。1956 年建成。1994、2012 年改扩建。为纪念蒲伊子隐居于此而得名。两侧有蒲城镇人民政府、城关小学、平安广场等。通蒲县 1 路公交车。

141033–B01–K02 **蒲伊东街** [Púyī Dōngjiē] 在蒲县城东部。西起十字街，东至临午公路。与广场路、振兴路、临大路等道路相交。长 2.4 千米，宽 30 米。沥青路面。1956 年建成。1994、2012 年改扩建。为纪念蒲伊子隐居于此而得名。两侧有蒲县人民检察院、街心公园、蒲县汽车站等。通蒲县 1 路公交车。

141033-B01-K03 **昌平大街**［Chāngpíng Dàjiē］在蒲县城南部。西起昌平西桥，东至临午公路。与文公路、蒲伊南路等道路相交。长 1.8 千米，宽 36 米。沥青路面。2005 年开工，2008 年建成。路名寓意平安昌盛。两侧有蒲县人民医院、昕水嘉苑、蒲伊广场等。通蒲县 2 路公交车。

141033-B01-K04 **锦绣大街**［Jǐnxiù Dàjiē］在蒲县城西部。北起临午公路，南至昕水河。与临大公路、滨河路等道路相交。长 2.3 米，宽 50 米。沥青路面。2010 年建成。路名寓意锦绣繁华。两侧有蒲县高级中学、奥林匹克体育中心、蒲县热源厂等。通蒲县 1、2 路等公交车。

141033-B01-K05 **蒲伊北路**［Púyī Běilù］在蒲县城北部。北起一中路，南至十字街。与蒲伊东街、蒲伊西街等道路相交。长 0.8 千米，宽 18 米。沥青路面。1956 年建成。1994、2012 年改扩建。为纪念蒲伊子隐居于此而得名。两侧有蒲县一中、百货大楼、蒲县美术馆、北关小学等。

1033-B01-K06 **蒲伊南路**［Púyī Nánlù］在蒲县城南部。北起十字街，南至昌平大街。与府前街相交。长 0.3 千米，宽 18 米。沥青路面。1956 年建成。1994、2012 年改扩建。为纪念蒲伊子隐居于此而得名。两侧有蒲县乡村振兴局、杏林小区等。

141033-B01-K07 **嘉运路**［Jiāyùn Lù］在蒲县城东部。西起临午路，东至武装部。与临大公路相交。长 2 千米，宽 28 米。沥青路面。2007 年建成。因经过天嘉庄村得名。两侧有柏山景区、鹿城小学、鸿桥中学等。

141033-B01-K08 **滨河路**［Bīnhé Lù］在蒲县城西部。西起薛关桥，东至蒲县热源厂。与锦绣大街等道路相交。长 7.2 千米，宽 27 米。沥青路面。2011 年建成。因临近昕水河得名。两侧有蒲县中医医院、蒲县高级中学等。

141033-B02 **薛关镇**［Xuēguān Zhèn］蒲县辖镇。在县境西部。面积 140.23 平方千米。人口 0.96 万。辖 9 行政村。镇人民政府驻薛关。1950 年薛关为蒲县一区。1953 年设薛关乡。1958 年改设公社。1984 年改设镇。因驻地得名。域属黄土高原残沟壑区，地势东部高，西部低，南北高，中间低。地形土石山区。最高峰海拔 1147 米，最低点海拔 790 米。年平均气温 9.6℃，1 月份平均气温 -5.5℃，7 月份平均气温 29.7℃，平均无霜期 171 天，平均年降水量 400—450 毫米。昕水河流经。矿产资源有煤、天然气、砂、页岩、砖瓦黏土等。有中小学、卫生院、农家书屋、休闲广场。有省级文物保护单位薛关遗址。有井沟战役旧址。有工农业旅游示范点生态旅游区。主产玉米、小麦、谷子、马铃薯、豆类。瓜果以核桃、枣、梨、苹果、西瓜、花生为主。主要经济作物有蔬菜、烟叶等。养殖以饲养生猪、牛为主。有现代农业示范园区。省道临大线经此。

141033-B02-H01 **薛关**［Xuēguān］薛关镇人民政府驻地。在县政府驻地蒲城镇西 10 千米。人口 3000。聚落呈团块状。有蒲县职业中学、薛关小学、薛关镇卫生院。有第二批省级文物保护单位薛关遗址，为旧石器时代晚期文化遗存，出土石制品 4700 余件及一部分哺乳动物化石，C14 测定为距今 13550 ± 150 年。520 国道经此。

141033-B02-H02 **井沟**［Jǐnggōu］在县政府驻地蒲城镇西北 15.7 千米。薛关镇辖行政村。人口 1000。因地形像井，且地势较低而得名。聚落呈团块状。有县级文物保护单位井沟战斗遗址，是日本侵华的历史见证。有井沟遗址，为新石器时代庙底沟文化、龙山文化遗存。有井沟南遗址，为新石器时代庙底沟文化遗存。有井沟戏台，现存为清代建筑遗构。520 国道经此。

141033-B03 **黑龙关镇**［Hēilóngguān Zhèn］蒲县辖镇。在县境东南部。面积 226.42 平方千米。人口 1.87 万。辖 11 行政村。镇人民政府驻黑龙关。1953 年设黑龙关乡。1958 年改公社。1984 年改设镇。2001 年化乐乡并入。因驻地得名。地势东部高，西部低。地形为土石山区。主要山脉有姑射山、太山。最高峰海拔 1704 米，最低点海拔 1100 米。黑龙关河流经。年均气温 6.8℃，1 月份平均气温 -6.7℃，7 月份平均气温 28.4℃。年无霜期 155 天。年均降水量 600—650 毫米。矿产资源有煤、铁铝矿等。野生动植物资源丰富。有中小学、卫生院、广场、文化站、农家书屋。有县级文物保护单位西戎故居、太山白衣洞祠、明山三官庙、碾沟菩萨庙、屯里关帝庙、碾沟造像碑、东坡造像碑。主产玉米、豆类、马铃薯、高粱。经济作物以核桃、向日葵为主。养殖以饲养生猪、牛、羊、鸡为主。工业以煤矿开采、铸造业等为主。产纺织工艺品。省道临大线经此。

141033-B03-H01　**黑龙关**［Hēilóngguān］黑龙关镇人民政府驻地。在县政府驻地蒲城镇东南 25 千米。人口 2780。因地势险要，三面环山，如虎踞龙盘，自成天然关隘而得名。聚落呈团块状。有黑龙关小学、黑龙关镇中心卫生院。有黑龙关遗址，为东周时期文化遗存。有黑龙关民居，现存为清代建筑遗构。520 国道经此。

141033-B03-H02　**化乐**［Huàlè］在县政府驻地蒲城镇东南 19 千米。黑龙关辖行政村。人口 1380。相传为纪念老汉化斋救命之恩，起名为化落，后改为今名。聚落呈团块状。有化乐中心小学。为蒲县清代四大镇之一。有县级文物保护单位龙镇桥、化乐三官庙，现存皆为清代建筑遗构。有山义泉商铺，现存为清代建筑遗构。有天发恒商铺、洪腾店、白氏鞋匠铺、春泰德商铺，现存皆为清代建筑遗构。2014 年被列入第三批中国传统村落名录。520 国道经此。

141033-B03-H03　**西坡**［Xīpō］在县政府驻地蒲城镇东南 14.4 千米。黑龙关镇辖自然村。人口 400。因地处化乐西面坡上而得名。聚落呈条带状。有西坡小学。有西戎故居，西戎（1922 年—2001 年）原名席诚正，抗战期间，他同马烽合著长篇小说《吕梁英雄传》，是“山药蛋派”现实主义文学作品的代表人物之一。520 国道经此。

141033-B04　**克城镇**［Kèchéng Zhèn］蒲县辖镇。在县境东北部。面积 202.17 平方千米。人口 1.71 万。辖 9 行政村。镇人民政府驻克城。1949 年后，为蒲县第三区治所，并有克城行政村。1953 年设克城乡。1958 年改克城、公峪 2 乡并为政社合一的人民公社。1984 年改设镇。2001 年公峪乡并入。因驻地得名。地形主要分为土石山区和黄土残垣沟壑区。最高峰海拔 1946.3 米，最低点海拔 1270 米。属高寒潮湿地区，带有高山森林气候特征。年均气温 6.5℃，平均无霜期 155 天左右，年均降水量 400—500 毫米。克城河流经。矿产资源有煤、铝矾土、石膏、陶土、石灰石、白云石、长石、石英、油母页岩、砂等。林木覆盖率达 70% 以上。有野生动物 20 种，褐马鸡为国家一级保护动物，金钱豹为国家二级保护动物。有中小学、卫生院、文化健身活动场所。有五鹿山自然保护区，山顶建有五鹿大夫庙，相传为祭祀春秋时期晋国五鹿大夫狐突所建。有明代建筑五龙圣母祠、宋代陶候石墓，瓦罐庙等。主产玉米、谷类、小杂粮。主要经济作物有油料作物等。养殖以饲养生猪、牛为主。工业以煤炭为主，有多个煤业公司。服务业以商贸、运输、餐饮、物流为主。省道洪永线经此。

141033-B04-H01　**克城**［Kèchéng］克城镇人民政府驻地。在县政府驻地蒲城镇东北 51 千米。人口 5100。原名霍家庄，后改今名。聚落呈条带状。有克城小学、克城镇卫生院、克城现代医院。有克城佛庙，现存为清代建筑遗构。有克城三元集商铺，现存为民国时期建筑遗构。省道洪永线经此。

141033-B05　**乔家湾镇**［Qiaojiāwān Zhèn］蒲县辖镇。在县境东部。面积 119.88 平方千米。人口 2 万。辖 9 行政村。镇人民政府驻乔家湾。1949 年，分属蒲县第二区、第三区。1953 年，分属乔家湾、曹村 2 乡。1958 年，设乔家湾公社。1984 年 3 月，乔家湾公社改乔家湾乡。2001 年 3 月，撤并乡镇。2021 年 5 月，撤乡设镇。地势东高西低。地形分为土石山区和黄土残垣沟壑区。最高峰海拔 1688 米，最低点海拔 1230 米。属暖温带大陆性气候，四季分明。矿产资源有煤、铁、油母页岩、白云石、陶土、铝矾土、石英石、石灰石、黑钒矿等。乔家湾河流经。有小学、文化站、农家书屋、卫生院、文化休闲广场。有古迹太山白衣祠、柳家山石窟、乔家湾造像碑，有景点峡村峡谷风景区等。有八音会、同乐会、秧歌队、太极拳协会、老年人舞蹈队等。主产玉米、马铃薯、莜麦、荞麦。有核桃基地、双孢菇种植基地等。养殖以饲养生猪、牛、羊为主。工业以煤炭为主，有多个煤业公司。服务业以商贸、旅游为主。有公路经此。

141033-B05-H01 **乔家湾**［Qiáojiāwān］乔家湾镇人民政府驻地。在县政府驻地蒲城镇东北30千米。人口1700。聚落呈团块状。有乔家湾小学、乔家湾镇卫生院。有四十亩地遗址，为东周时期文化遗存。有乔家湾遗址，为元代文化遗存。有乔家湾化石出土点，出土有10余米长的动物化石，脊椎长达7米，头部有角。县道克罗线经此。

141033-C01 **山中乡**［Shānzhōng Xiāng］蒲县辖乡。在县境西部。面积191.30平方千米。人口0.46万。辖5行政村。乡人民政府驻白家庄。清嘉庆年间为山中路。民国七年（1918年）后为山中联合村。民国二十六年（1937年）后为山中编村。民国二十九年（1940年）为山中治村。1953年设白家庄乡。1956年为山中乡。1958年改山中公社。1984年改设山中乡。2001年山口乡并入。因驻地得名。境内塬高沟深。地势东高西低。地形分为土石山区、黄土残垣沟壑区。最高峰海拔1740米，最低点海拔819米。年平均气温9—9.6℃，年降水量为500—550毫米。矿产资源有煤、煤层气等。植被覆盖率达69%。有小学、卫生院、文化站、农家书屋。有古迹杜家河新石器时代文化遗址。有风景名胜梅洞山自然景区。农业以种植核桃、养殖业为主。主产玉米、小麦、谷物、马铃薯为主。主要经济作物有油料作物、核桃等。养殖以饲养生猪、牛、羊为主。有核桃加工、鹿业等公司。服务业以集市贸易为主。有公路经此。

141033-C01-H01 **白家庄**［Báijiāzhuāng］山中乡人民政府驻地。在县政府驻地蒲城镇西14.6千米。人口780。因白姓始居而得名。聚落呈团块状。有山中中心小学、山中乡卫生院。有蒲县正茂核桃综合加工有限公司。县道古午线经此。

141033-C02 **古县乡**［Gǔxiàn Xiāng］蒲县辖乡。在县境西北部。面积96.59平方千米。人口0.54万。辖6行政村。乡人民政府驻古县。1953年设古县乡。后改公社。1961年设古县公社。1984年复设乡。因驻地得名。境内塬高沟深，为黄土地貌。地势西高东低。地形分为土石山区和黄土残垣沟壑区。最高峰海拔1329米，最低点海拔1070米。年平均气温7—10℃，年平均最低气温-10℃，最高气温32.6℃。无霜期平均155天，最长无霜期180天，最短无霜期130天。年均日照时数250小时以上、年平均降水量在450—570毫米之间。有小学、卫生院。为中国共产党蒲县第一任党支部成立地。粮食作物主要有玉米、大豆、谷子、马铃薯、小杂粮，经济作物主要有烟叶、香紫苏、油葵、花生，林果业主要有核桃、苹果。养殖以饲养生猪、牛、羊、鸡为主。服务业以集市贸易为主。有香料香精公司。有公路经此。

141033-C02-H01 **古县**［Gǔxiàn］古县乡人民政府驻地。在县政府驻地蒲城镇西北25千米。人口1400。北魏于此置平昌县，隋开皇三年（583年）改为蒲川县，大业初废入蒲县，故名。《隋书》卷30《地理中》载：蒲县"又有后魏平昌县，开皇中改曰蒲川，大业初废入焉。"即此。聚落呈团块状。有古县小学。有古县村玉皇庙，现存为明代建筑遗构。有王居正墓，为清代翰林院编修王居正墓地，王居正乾隆四年（1739年）中进士，任翰林院编修，期间参与纂修《大清会典》、《王朝实录》。县道古午线经此。

141033-C03 **太林乡**［Tàilín Xiāng］蒲县辖乡。在县境东北部。面积121.49平方千米。人口0.78万。辖6行政村。乡人民政府驻太林。1953年设太林乡。1958年改设公社。1984年复设乡。因驻地得名。地势东高西低，两川夹一山。最高峰海拔1694.2米，最低点海拔1100米，平均海拔1500米。年平均气温6.5℃，无霜期150天，年平均降水量650毫米。中垛河流经。矿产资源有煤、铁铝矿等。有中小学、卫生院、文化站、文化广场、生态公园。有石门山风景区。蒲伊村传为尧帝老师蒲衣（亦作蒲伊）隐居之处。主产玉米、小杂粮。主要经济作物有豆类、马铃薯等。养殖以饲养生猪、牛、羊、鸡为主。工业以煤炭为主。服务业以交通运输、商贸流通、餐饮住宿、修理为主。有罗克公路经此。

141033-C03-H01 **太林**［Tàilín］太林乡人民政府驻地。在县政府驻地蒲城镇东北39.5千米。人口2060。相传因当地林木茂盛而得名。聚落呈条带状。有太林中心学校、太林乡卫生院。有陈万仓宅院，现存为民国时期建筑遗构。有油葵、连翘等特色经济作物。县道罗克线经此。

141034 **汾西县**［Fénxī Xiàn］临汾市辖县。北纬 36° 39′，东经 111° 33′。在市境北部。面积 875 平方千米。人口 10.46 万。辖 5 镇、2 乡、1 社区。县人民政府驻永安镇。商仍属冀州。周初，名彘。春秋属晋国。战国属魏、后属赵。秦属彘县地，属河东郡。西汉因之。东汉为永安县地，属河东郡。三国魏属平阳郡永安县地。西晋因之。北齐置临汾县，治所在今申村，属临汾郡。隋开皇三年（583 年）改临汾县为汾西县，属永安郡。开皇十六年（596 年）属汾州。开皇十八年（598 年）属吕州。隋开皇十八年（598 年），改临汾县为汾西县，隋末废，属临汾郡。唐武德元年（618 年）复置汾西县，属吕州。贞观十六年（642 年）县治所迁今县城，属晋州。开元中县治徙今厚义村，属晋州。五代属晋州。宋太平兴国七年（982 年）县治徙今县城，属晋州，后属平阳府。金初属汉东南路平阳府。贞祐三年（1215 年），属霍州。元属晋宁路。明属平阳府。清因之。1912 年废府。1913 年属河东道。1927 年废道直属山西省。1937 年属山西省第六行政区。1946 年 8 月 29 日县城解放，属晋绥边区第九专区。1949 年 2 月属陕甘宁边区晋南区第九专区。10 月属山西省临汾专区。1954 年属晋南专区。1958 年 5 月撤销霍县、汾西县，合并设立霍汾县。11 月撤销霍汾县、洪赵县，合并设立洪洞县。1960 年 1 月恢复霍汾县。1961 年 6 月撤销霍汾县，恢复汾西县，属晋南专区。1967 年属晋南地区。1970 年属临汾地区。2000 年属地级临汾市至今。因位于汾河以西得名。地处吕梁山东麓，地势西北高，东南低。有月明山、百花山，最高海拔姑射山主峰老爷顶 1890.8 米，最低海拔 550 米。年均气温 10.1℃，1 月平均气温 -4.6℃，7 月平均气温 22.4℃。年均降水量 551 毫米。团柏河、对竹河、佃坪河流经。矿产资源有煤炭、硫铁矿、石膏、石灰石、铝矾土、耐火粘土及地下水等。有国家级重点保护野生动物金钱豹、麝、褐马鸡。省级重点保护野生动物 4 种。有观赏、药用等植物 570 余种。有中小学 21 所、县医院、文化馆、图书馆、档案馆、博物馆、体育场馆。有全国重点文物保护单位汾西师家沟民居。有省级文物保护单位汾西真武祠、汾西追封吉天英碑。有市级文物保护单位 3 处。市级爱国主义教育基地 3 个。有省级吕梁山森林公园部分景区。有地方民间艺术剪纸等，团柏威风锣鼓被列入国家级非物质文化遗产，地灯秧歌、手歌、添仓节被列入省级非物质文化遗产。有古迹观音阁、博济寺、凤祥楼等。有纪念地姑射山风景区、师家沟清代民居、勍香古庙会等。有中国历史文化名村师家沟村。三次产业比例为 16.35:26.5:57.15。主产玉米、小麦、小杂粮等。土特产品有苦荞茶、晋西核桃露等。工业以焦化、建材等为主。服务业以食品、小杂粮加工为主。有临桃线省道贯、霍永高速经此。

141034-F01 **凤凰广场**［Fènghuáng Guǎngchǎng］在汾西县城中部。南侧为购物中心、商业街，西侧为教育路、西大街。总面积 0.6 万平方米。1982 年建成，原名中心广场。2001 年翻新后更今名。因汾西县旧时称为凤凰城，该广场修建于县城中而得名。广场上有主题雕塑。

141034-B01 **永安镇**［Yǒng'ān Zhèn］汾西县人民政府驻地。在县城东北部。面积 146.28 平方千米。人口 4.54 万。辖 7 社区、22 行政村。镇人民政府驻城关。1953 年设城关镇。后改公社。1984 年复设镇。2001 年城关镇、加楼乡、桑原乡合并设永安镇。因地形如凤凰展翅，故俗称凤凰城。地形为平原和梁峁状黄土丘陵，多数地区海拔 900—1100 米。年平均日照 2650 小时。气候属暖温带大陆性季风气候区，四季分明。春天易旱，秋季多雨。年平均气温 10.1℃，年平均降水量 570 毫米，全年无霜期 192 天。团柏河、对竹河流经。矿产资源有煤、铁、铝土、硫铁矿、石膏、石灰石等。有小学、幼儿园、卫生院、文化站、图书室、电影院。有地方民间艺术同乐会、民间秧歌、汾西民歌、千层底手工制作、汾西干口、蒸饭油（枣）糕制作、沟坝地建筑艺术。有古迹吉祥碑、观音阁、凤祥楼等。主产小麦、玉米，养殖猪、羊、牛为主，水果有苹果、梨。土特产品有晋西核桃露。省道桃临线经此。

141034-B01-K01 **汾西大道**［Fénxī Dàdào］

在汾西县城西部。北起西大街，南至汾西汽车客运站。长 5.4 千米，宽 28 米。水泥路面。2010 年开工，2014 年建成。为 341 国道过城段。因贯穿汾西县城西部得名。两侧有凤祥小学、汾西县公安局交警大队、汾西县人民法院、汾西一中等。通汾西 1 路公交车。

141034-B01-K02 **西大街**［Xī Dàjiē］在汾西县城西部。西起汾西大道，东至教育路。与科委路、府西路等道路相交。长 3 千米，宽 20 米。水泥路面。1963、1978 年改扩建。两侧有汾西三中、汾西县植物园、汾西大酒店、汾西县人民政府等。通汾西 1 路公交车。

141034-B01-K03 **东大街**［Dōng Dàjiē］在汾西县城东部。西起教育路，东至汾许线。与学府北路、学府南路、平安路等道路相交。长 1.3 千米，宽 17 米。水泥路面。1963、1978 年改扩建。两侧有汾西县第二小学、东城幼儿园、汾西县中医院、汾西县公安局等。通汾西 1 路公交车。

141034-B01-H01 **古郡**［Gǔjùn］在县政府驻地永安镇西南 2.4 千米。永安镇辖行政村。人口 1630。因北齐时为临汾郡郡治而得名。《元和郡县志》卷 12《河东道一》晋州汾西县："高齐又于此置临汾郡及临汾县。隋开皇三年改临汾县为汾西县。"即此。聚落呈团块状。有县级文物保护单位中共汾西县委县政府旧址，1937 年—1945 年，中共汾西县委、县政府机关在此工作。有古郡村遗址，为汉代文化遗存。有古郡郭家宅院、王家宅院，现存皆为清代建筑遗构。有古郡关帝楼，现存为清代建筑遗构。341 国道经此。

141034-B01-H02 **李安庄**［Lǐ'ānzhuāng］在县政府驻地永安镇北 15 千米。永安镇辖自然村。人口 440。聚落呈团块状。有第六批省级文物保护单位、第二批县级文物保护单位李安庄观音阁，现存观音阁和戏台为明代建筑遗构，其余为清代建筑遗构。县道涧对线经此。

141034-B02 **对竹镇**［Duìzhú Zhèn］汾西县辖镇。在县城西北部。面积 106.46 平方千米。人口 1.5 万。辖 10 行政村。镇人民政府驻对竹。1953 年设对竹乡。后改公社。1959 年设对竹公社。1984 年改设镇。2001 年康和乡并入。因驻地得名。属梁状黄土丘陵区，海拔 900 米至 1200 米，年平均气温 9.5℃，年平均降水量 580 毫米，年无霜期 175 天。对竹河流经。有中小学、卫生院、文化站、图书室。有市级文物保护单位博济寺琉璃塔。有地方民间艺术踩跷、旱船、二鬼摔跤等"社火"表演艺术。汾西添仓节被列入省级非物质文化遗产。主产小麦、玉米，养殖以猪、羊、牛为主。第三产业以商贸为主。省道桃临线经此。

141034-B02-H01 **对竹**［Duìzhú］对竹镇人民政府驻地。在县政府驻地永安镇西北 12.7 千米。人口 1860。因原有竹林而得名。聚落呈团块状。有对竹中学、对竹小学、对竹镇卫生院。有法师庙、二郎庙、郭家宅院，现存皆为清代建筑遗构。县道涧对线经此。

141034-B02-H02 **刘家庄**［Liújiāzhuāng］在县政府驻地永安镇西北 13.6 千米。对竹镇辖行政村。人口 890。聚落呈团块状。有第六批省级文物保护单位、山西省国防教育基地汾西抗日游击支队地下党活动旧址，旧址包括 1 座马王庙、29 座革命故居、村内 28 个土窑洞以及村周七沟八梁一面坡上零星分布的 67 个土窑洞。乡村道路经此。

141034-B03 **勍香镇**［Qíngxiāng Zhèn］汾西县辖镇。在县城西北部。面积 133.83 平方千米。人口 1.85 万。辖 11 行政村。镇人民政府驻勍香。1953 年 7 月设勍香乡。1956 年设勍香镇。1958 年成立勍香人民公社。1959 年设勍香公社。1984 年改设镇。2001 年它支乡并入。因驻地得名。城属黄土高原为壑区。中部为河川，地势较平缓。年平均降水量为 593.2 毫米，年平均日照 2700 小时，年平均气温为 10.1℃，无霜期在 165 天以上。团柏河流经，有全县第一大季节性河流关子爷河。植被覆盖率为 11%。有中小学、卫生院、农村书屋、文化活动中心、篮球场、健身园。有省级文物保护单位真武祠，有省级吕梁山森林公园姑射山风景区，有景点六郎寨、万人墓、仙人洞、古碑林。有古迹新石器时代文化遗址勍香古遗址、建福寺等。地方民间艺术手歌被列入省非物质文化遗产。主产玉米、小麦、高粱、核桃、蔬菜。有荞麦为主的小杂粮种植基地。养殖以饲养生猪、羊、牛为主。服务业以集市贸易为主。省道桃临线、店头（汾西—店头—限县上庄）出境公路经此。

141034-B03-H01 **勍香**［Qíngxiāng］勍香镇人民政府驻地。在县政府驻地永安镇南 0.5 千米。人口 2710。聚落呈团块状。有勍香镇北街小学、勍香中心校、勍香中心卫生院。有勍香东遗址，为东周时期文化遗存。有宋时轮路居，1936 年 3 月，宋时轮率红三十军部队来到汾西，前后共住 56 天，并在南头垣附近指挥部队与国民党商震部队激战。有勍香北街塔幢，据形制分析为唐代建造。有勍香建福寺、勍香高殿庙，现存皆为清代建筑遗构。有勍香林场。有勍香集贸市场，是汾西县西部的经济文化中心，物资交流中心。县道岔上线经此。

141034-B04 **和平镇**［Hépíng Zhèn］汾西县辖镇。在县城南部。面积 167.92 平方千米。人口 2.4 万。辖 13 行政村。镇人民政府驻和平。1953 年 5 月设和平乡。1958 年为跃进人民公社。1959 年改为和平人民公社。1984 年改设镇。2021 年 5 月，邢家要乡并入。因驻地得名。地处梁峁状黄土丘陵区，中部有破碎黄土源带状分布，海拔 630 米至 1200 米。年平均日照 2550 小时。属温带干旱半干旱大陆性季风气候，年平均气温 11.5℃，年平均降水量 500 毫米，年无霜期 195 天。沟西河流经。有中小学、幼儿园、卫生院、文化站、图书室。有市级文物保护单位三圣庙。主产小麦、玉米。养殖以饲养生猪、羊、牛为主。有辛邢公路经此。

141034-B04-H01 **和平**［Hépíng］和平镇人民政府驻地。在县政府驻地永安镇东 0.7 千米。人口 2480。原名黄皮村，后因方言谐音而得名。聚落呈团块状。有和平小学、和平中心卫生院。有和平遗址，为新石器时代文化遗存。有和平娘娘庙，现存为清代建筑遗构。县道义邢线经此。

141034-B04-H02 **申村**［Shēncūn］在县政府驻地永安镇南 21.5 千米。和平镇辖行政村。人口 1710。旧名申村堡，后改今名。唐武德初曾为汾西县治所，《旧唐书》卷 39《地理二》晋州汾西县："隋末陷贼，武德初，权于今城南五十里申村堡置，贞观六年移于今所。"即此。聚落呈团块状。有申村十王庙、申村庞家宅院，现存均为清代建筑遗构。有小杂粮、金银花种植基地。乡村道路经此。

141034-B05 **僧念镇**［Sēngniàn Zhèn］汾西县辖镇。在县城东南部。面积 93.89 平方千米。人口 1.56 万。辖 10 行政村。镇人民政府驻僧念。1953 年设僧念乡。1958 年人民公社化时成立管理区。1963 年设僧念公社。1984 年改设镇。2001 年麻姑头乡并入。因驻地得名。境内西部山高坡陡，沟壑纵横，海拔较高；东部属黄土丘陵低山区。气候属暖温带大陆性季风气候，年平均气温 10.1℃左右，最高温 35—36℃，最低气温 -15℃。全年无霜期 180 天。年降水量 536 毫米。团柏河、关子爷河、南沟底河流经。有中小学、幼儿园、卫生院、文化站、图书室、体育休闲广场。有全国重点文物保护单位师家沟清代民居。主产小麦、玉米。经济作物以核桃为主。养殖以饲养生猪、羊、牛为主。服务业以集市贸易为主。桃红坡—临汾省道过境。

141034-B05-H01 **僧念**［Sēngniàn］僧念镇人民政府驻地。在县政府驻地永安镇西南 0.3 千米。人口 2000。原名古坡村，后改今名。聚落呈团块状。有僧念中学、僧念中心小学。有僧念遗址，为汉代文化遗存。有僧念墓群，为东周及汉代墓群。341 国道经此。

141034-B05-H02 **师家沟**［Shījiāgōu］在县政府驻地永安镇西北 3.2 千米。僧念镇辖行政村。人口 1990。聚落呈团块状。有第六批全国重点文物保护单位师家沟古建筑群，始建于清乾隆三十四年（1769 年），最晚的建于同治二年（1863 年），均为师氏家族所有。有师家沟窑址，创建于清代，沿用至民国时期。2006 年被列入为第二批山西省历史文化名村名录。2008 年被列入为第四批中国历史文化名村名录。2012 年被列入第一批中国传统村落名录。县道汾许线经此。

141034-C01 **佃坪乡**［Diànpíng Xiāng］汾西县辖乡。在县城西部。面积 130.21 平方千米。人口 1.37 万。辖 10 行政村。乡人民政府驻佃坪。1959 年设佃坪公社。1984 年改设乡。2001 年要家岭乡并入。因驻地得名。境内丘陵起伏。海拔 1100—1600 米，地处褶皱断裂中山区，有主峰老爷顶山，平均海拔 1200 米。年平均气温 8℃，日照 2680 小时，降水量 600 毫米，无霜期 165 天左右。佃坪河流经，属汾河水系。野生动植物资源丰富。有中小学、卫生院、文化站、图书室。汾西地灯秧歌被列入省级非物质文化遗产。主产玉米、谷子、莜麦、荞麦、扁豆。经济作物有蓖麻、胡麻、药材等。养殖以牛、羊、猪等。有公路经此。

141034-C01-H01 **佃坪**［Diànpíng］佃坪乡人民政府驻地。在县政府驻地永安镇东南 17 千米。人口 1240。古称浦落，后因兵荒村落衰败，仅存店坪院几户人家而得名。聚落呈团块状。有佃坪中学、佃坪乡卫生院。有佃坪瓷窑址，为元代和清代瓷窑址。有佃坪娘娘庙，现存为清代建筑遗构。有地方民间艺术汾西地灯秧歌。县道什佃线经此。

141034-C02 **团柏乡**［Tuánbǎi Xiāng］汾西县辖乡。在县城南部。面积 54.42 平方千米。人口 1.37 万。辖 10 行政村。乡人民政府驻上团柏。1949 年设有行政村属五区管辖。1953 年设上团柏乡。后改公社。1956 年实行乡村建制，成立团柏乡，下辖高级农业生产合作社。1959 年设团柏公社。1984 年复设乡。因驻地得名。属东南部黄土丘陵农业区，地势西北高、东南低，最低处海拔 550 米，最高处海拔 1000 米。气候温和，春夏多干旱，日照 2550 小时，年平均气温 12℃，降水量 500 毫米，无霜期 200 天。团柏河流经。有中小学、文化站、卫生院、图书室、集综合文化站与老年活动中心。团柏威风锣鼓被列入省级非物质文化遗产。主产小麦、玉米。主要经济作物有油料作物、药材。养殖以猪、羊、牛、鸡、兔为主。有铸业公司。有公路经此。

141034-C02-H01 **上团柏**［Shàngtuánbǎi］团柏乡人民政府驻地。在县政府驻地永安镇西南 16.4 千米。人口 1150。相传宋代村子附近有一堡寨称旁柏寨，后堡寨荒废而村子和睦安康，故更名团柏，后分为两村，因处于上方而得名。聚落呈团块状。有上团柏小学。有上团柏遗址，为新石器时代、汉代文化遗存。有娘娘庙、马王庙，现存均为清代建筑遗构。乡村道路经此。

141034-C02-H02 **下团柏**［Xiàtuánbǎi］在县政府驻地永安镇东南 19.6 千米。团柏乡辖行政村。人口 2910。相传宋代村子附近有一堡寨称旁柏寨，后堡寨荒废而村子和睦安康，故更名团柏，后分为两村，因处于下方而得名。聚落呈团块状。有下团柏小学。有第六批省级文物保护单位九天圣母庙，现存山门为元代建筑遗构，中殿为明代建筑遗构，其余为清代建筑遗构。有庞玫宅院、庞珖宅院、庞家祠堂、仇家宅院，现存皆为清代建筑遗构。2016 年被列入第四批中国传统村落名录。县道僧小线经此。

141081 **侯马市**［Hóumǎ Shì］山西省辖县级市，由临汾市代管。北纬 35° 34′，东经 111° 23′。在市境南部。面积 220 平方千米。人口 25.79 万。以汉族为主，还有回、满等民族。辖 5 街道、3 乡。市人民政府驻路东街道。晋景公十五年（前 585 年）。晋国以“新田土厚水深，居之不疾，有汾浍以流其恶，且民从教，十世之利”，将都城自今翼城县境徙新田（即今市区），称为新绛，传位 13 世，历时 209 年。秦置绛县，属河东郡。东汉改称绛邑县。三国魏属平阳郡。北魏太和十一年（487 年），改曲沃县，徙治今曲沃县境，此后历代俱为曲沃县辖地。唐贞观十年（636 年），曾于此置新田府。明洪武八年（1375 年），设侯马驿。因配备马匹多，过往的朝政要员多在此食宿等侯，换乘马匹，故称侯马。清嘉庆二十四年（1819 年），设巡司，属平阳府。民国三年废府，属河东道。1949 年 2 月属晋南区新绛分区。1950 年属临汾专区。1956 年 11 月成立侯马市筹备处，1957 年 12 月撤销。1958 年以曲沃、新绛 2 县及襄汾县部分地域置侯马市，属晋南专区。1963 年撤销侯马市，恢复曲沃县，县政府驻侯马。1971 年以曲沃县部分行政区域复置侯马市，属临汾地区。2000 年 11 月 1 日临汾撤地设市，县级侯马市改由山西省直辖、地级临汾市代管。因明代设侯马驿得名。地势南高北低。最高海拔紫金山 1124.8 米，最低海拔 389.2 米。侯马市属暖温带季风气候，四季分明。年均气温 13.4℃，1 月平均气温 -1.8℃，7 月平均气温 26.8℃。年均降水量 493.9 毫米。全年以静风频率居多，年平均风速 1.9 米 / 秒。汾河、浍河流经，有香邑湖。

矿产资源有粘土、花岗岩、砂、金、铜及地热水等。有科研机构中信机电制造公司科研设计院、省第二地质工程勘察院。有幼儿园、中小学60所、特殊教育学校、中等职业中专、三级医院、文化馆、图书馆、档案馆、博物馆、体育场馆。有全国重点文物保护单位侯马晋国遗址；省级文物保护单位彭真故居、西台神台骀庙、南堡通济桥、西城唐太宗庙；县级文物保护单位21处。有省级爱国主义教育基地彭真故居，三级博物馆侯马晋国古都博物馆等。侯马麒麟采八宝被列入国家级非物质文化遗产。汾神台骀的传说、侯马台神花鼓、侯马台骀锣鼓、南上官狮舞、白店秧歌、侯马皮影戏、侯马布老虎、侯马刺绣、剪刀面制作技艺、蝴蝶杯制作工艺、新田青铜器制作技艺等被列入省级非物质文化遗产。三次产业比例为2.8:30.9:66.3。主产小麦、玉米，有优质专用小麦、中药材、蔬菜、芦笋等规模基地8个。养殖以牛、猪、兔为主，有规模养殖园区3个。土特产品有太后御膳泡泡糕等。工业以冶金铸造、装备制造、生物医药等为主。服务业以商贸、物流、房地产等为主。南同蒲铁路、大西铁路过境设站。侯西、侯月铁路，108国道，省道侯平线、陵侯线，侯风线、侯闻线经此。有侯马站、侯马北站、侯马西站、史店火车站及西贺火车站5个火车站，侯马汽车东站省级一级汽车站、侯马汽车西站省级二级汽车站。

141081–E01 **侯马经济开发区**［Hóumǎ Jīngjì Kāifāqū］位于侯马市区东部。1997年批准成立省级开发区，2000年正式运行。2017年扩区后，总面积为24.78平方公里。开发区以智能制造、医疗健康、现代物流以主导产业。区内有山西方略保税物流中心、加工贸易梯度转移重点承接地、中国现代物流产业基地、国家电子商务示范基地四个国家级发展平台。管委会位于中心街201号。

141081–F01 **新田广场**［Xīntián Guǎngchǎng］在侯马市区中部。南侧为程王路，西侧为中心街，东侧为幸福街。总面积6.7万平方米。2001年为迎接新世纪到来而建成。原名新世纪广场。2003年为纪念侯马为晋国国都新田所在地，更今名。主体平面设计以侯马出土空首布古钱币为原型。2004年在广场建设纪念碑以北的中轴线上建造“文公图霸”大型雕塑。此外还有大型浮雕文化墙，讲述晋国历史典故。

141081–K01 **望桥街**［Wàngqiáo Jiē］在侯马市区西部。北起马庄村，南至侯西铁路线立交桥。与程王路、晋都西路、望高路相交。长1.9千米，宽19米。混凝土路面。原属太茅公路路段。1978、1998年扩建。1991年拓宽并更今名。1998年改扩建。2017年向北延伸至马庄村。因在此街可望见曲沃桥山得名。两侧有侯马西站、轻工城、晋国遗址等。通侯马15、16路等公交车。

141081–K02 **紫金山街**［Zǐjīnshān Jiē］在侯马市区中部。北起文公路，南至电缆厂专用铁路。与东风路、新田路、文明路等道路相交。长3.1千米，宽15米。新田路以北为沥青路面，以南为混凝土路面。1978年开工，1980年建成。1997、2003年改扩建。原名永红街。因该街南抵紫金山，1991年更今名。两侧有侯马二中、紫金山小学、垤上农贸批发市场等。通侯马2、7路等公交车。

141081–K03 **浍滨街**［Huìbīn Jiē］在侯马市区中部。北起文公路，南至新田路。与市府路、程王路、文明路等道路相交。长2.1千米，宽34米。沥青路面。1977年建成。1989、2006年改扩建。原名胜利街。因临近浍河，1991年更今名。两侧有纺织厂医院、浍滨街道办事处等。通侯马6、11路等公交车。

141081–K04 **中心街**［Zhōngxīn Jiē］在侯马市区中部。北起建工路，南至新田路。与文明路、程王路等道路相交。长1.3千米，宽36米。沥青路面。2001建成。2003年因位于城市未来发展的新中心而得名。两侧有侯马经济技术开发区管委会、新田广场、新田公园等。

141081–K05 **合欢街**［Héhuān Jiē］在侯马市区北中部。北起景公路，南至新田路。与程王路、文明路、建工路、双拥街等道路相交。长5.7千米，宽42米。混凝土路面。1958年建成。“文革”期间称长城街。1991年因道路两旁植有合欢树，更今名。两侧有山西方略保税国际陆港口岸、侯马六中、侯马市非遗文化馆等。通侯马2路公交车。

141081-K06 **海军街**［Hǎijūn Jiē］在侯马市区东部。北起新田路，南至大运路。长 2.8 千米，宽 22 米。沥青路面。1959 年建为环乡路。2002 年重新硬化。2003 年拓宽。因通往复兴村海军大院，2006 年更今名。两侧有零六生活区、郭村、崖上村二区等。

141081-K07 **文公路**［Wéngōng Lù］在侯马市区北部。东起侯马、曲沃交界处，西至文公路立交桥。与北站街、紫金山街、幸福街、晋珠街等道路相交。长 7.4 千米，宽 46 米。沥青路面。2001 年建成浍滨街以西路段。2003、2012 年改扩建。原名北环路。2017 年为纪念晋文公更今名。两侧有北西庄学校、侯马市文体活动中心、钢木材市场、花卉市场等。通侯马 11 路公交车。

141081-K08 **文明路**［Wénmíng Lù］在侯马市区中部。西起紫金山街，东至新田路。与浍滨街、中心街、幸福街、合欢街等道路相交。长 4.8 千米，宽 25 米。沥青路面。1997 年开工，1998 年修至合欢街段。2003 年命名。2012 年扩建。路名寓意城市和谐，文明发展。两侧有侯马一中、新田公园、侯马国税局等。通文明环线 3 路、侯马—绛县专线等公交车。

141081-K09 **程王路**［Chéngwáng Lù］在侯马市区中部。西起程王路立交桥，东至康乐街。与紫金山街、浍滨街、中心街、幸福街、合欢街等道路相交。长 4 千米，宽 36 米。混凝土路面。1978 年建成，初名红旗路。2003、2005、2012 年改扩建。因紧邻东、西程王村，1991 年更今名。两侧有中心街小学、侯马市人民医院、程王公园、庙寝公园、新田广场等。通侯马 1、曲沃 5 路等公交车。

141081-K10 **程王西路**［Chéngwáng Xīlù］在侯马市区西部。西起西高村村口，东至程王路立交桥。与望桥街、辛望路、高阳街、临高街等道路相交。长 7.4 千米，宽 60 米。混凝土路面。1978 年建成。2003、2005 年改扩建。因位于程王路西侧得名。两侧有轻工城、京都职业技校等。通侯马 9 路、侯马—翼城专线等公交车。

141081-K11 **新田路**［Xīntián Lù］在侯马市区中部。西起侯马站，东至侯马、曲沃交界处。与通浍街、合欢街、中心街等道路相交。长 8.7 千米，宽 60 米。沥青路面。1935 年为太原—茅津渡公路。1974 年为纪念五一劳动节，拓宽后更名为五一路。2003、2017 年两度延伸。为纪念晋国都城新田，1991 年更今名。两侧有宝鼎公园、502 学校、华翔购物广场、侯马站等。通侯马 11、13 路等公交车。

141081-K12 **晋都路**［Jìndū Lù］在侯马市区中部。西起南同蒲铁路，东至紫金山街。与垤上街、花园南街等道路相交。长 1.2 千米，宽 16 米。水泥混凝土路面。1956 年建成，1970、2003 年改扩建。1972 年称解放路。为纪念侯马原为晋国古都，1991 年更今名。两侧有垤上小学、新港服装批发城、晋都路立交桥等。

141081-K13 **晋都西路**［Jìndū Xīlù］在侯马市区西部。西起侯马、新绛交界处，东至南同蒲铁路。与望桥街、高阳街等道路相交。长 2.4 千米，宽 15 米。混凝土路面。1956 年建成。1970、2003、2017 年改扩建。因在晋都路西侧得名。两侧有路西小学、侯马副食批发市场、西侯马村、侯马西站等。通 1、8 路等公交车。

141081-K14 **望高路**［Wànggāo Lù］在侯马市区西部。西起晋都西路，东至望桥街。长 2.9 千米，宽 19 米。沥青路面。1935 年始建，原为 108 国道旧路。因两端连接望桥街与高村，2006 年更今名。两侧有白店村、路西耐火材料厂等。

141081-R01 **侯马站**［Hóumǎ Zhàn］见交通运输设施部分“侯马站”条。

141081-R02 **侯马西站**［Hóumǎ Xīzhàn］见交通运输设施部分“侯马西站”条。

141081-S01 **侯马汽车客运东站**［Hóumǎ Qìchē Kèyùndōngzhàn］见交通运输设施部分“侯马汽车客运东站”条。

141081-S02 **侯马汽车客运西站**［Hóumǎ Qìchē Kèyùnxīzhàn］见交通运输设施部分“侯马汽车客运西站”条。

141081-A01 **路东街道**［Lùdōng Jiēdào］侯马市人民政府驻地。在市区中部。面积 5 平方千米。人口 3.77 万。辖 9 社区。以汉族为主，还有回、满等民族。1984 年设立。因在南同蒲铁路东侧得名。地形以平原为主，地势平坦，属晋南盆地的一部分，海拔高度在450米左右。气候属暖温带大陆性气候，四季分明。冬季雨雪稀少，春季干旱多风，夏季雨量集中，秋季秋高气爽，其显著特点是“十年九旱”。年平均日照时数2345.5小时。年平均降水量516.8毫米，降雨集中在每年6—9月，约占全年总降水量的52%，7月最多。有老年大学、中小学、幼儿园。有市五官科医院、博爱医院、铁四处医院、疾病预防控制中心、社区卫生服务中心。有图书馆、群艺馆、体育馆、青少年活动中心、老干部活动中心、党政机关、图书市场。有文化宣传队、秧歌队、舞蹈队、红歌会等文艺团体。有全国重点文物保护单位侯马晋国遗址的重要组成部分庙寝遗址、盟誓遗址。主要工业企业有侯马邮电中心局等。服务业以商贸物流为主。建有侯马火车站。南同蒲、侯月、侯西铁路过境设站。108国道经此。

141081-A02　**路西街道**［Lùxī Jiēdào］属侯马市。在市区西部。面积15平方千米。人口3.08万。辖7社区。以汉族为主，还有回、满、朝鲜等民族。境域原为城区公社。1984年设立。因在南同蒲铁路西侧得名。海拔高度在420—457米之间。属暖温带大陆性气候，冬季雨雪稀少，春季干旱多风，夏季雨量集中，秋季秋高气爽。年平均气温12.6℃，1月平均 -2.4℃；7月平均气温26.1℃。全年无霜期平均为197天。年平均降水量为493毫米。有中小学、社区卫生服务中心、铸铜遗址公园。有北方轻工城、方圆家具城、路西副食批发市场等。有京剧队、蒲剧队、八音打击乐队、锣鼓队、交谊舞队、老年书画研究会、门球队、健身队等。境内铸铜遗址是全国重点文物保护单位侯马晋国遗址的重要组成部分。有古迹忤逆坟，蒲剧《许逆坟》即根据此处古迹所流传的故事改编。有平阳重工机械有限责任公司、机械铸造企业、省棉麻侯马采供站、盐业公司等。南同蒲、侯西铁路，108国道，省道侯闻线经此。

141081-A03　**浍滨街道**［Huìbīn Jiēdào］属侯马市。在市区东部。面积30平方千米。人口4.36万。辖10社区。以汉族为主，还有回、满、朝鲜等民族。1984年设立。取义浍河之滨，近邻浍滨街得名。境内地势平坦，人均绿地面积12.3平方米，空气质量持续保持优级。年均日照时数2271.42小时，年平均气温12.7℃，降水量516.8毫米，无霜期197天。有中小学8所，侯马市一中为市重点中学。有医院、新田广场、新田公园、住宅小区、党政机关、驻军单位、企业、通信电缆公司、经济开发区、篮球场、健身园等，有秧歌协会、健美操协会、合唱协会、摄影协会、书画协会等协会组织。有工程建筑、生化制药、精密铸造、清洁能源、农副产品加工等企业。有天河电子城、中天装饰建材市场、金世纪家具城、亚欧桥摩托车市场。108国道经此。

141081-A03-J01　**浍滨街北社区**［Huìbīnjiēběi Shèqū］属浍滨街道。在市区东北部。面积2平方千米。人口1.1万。因在浍滨街以北而得名。2002年成立。多为高层楼房。地处繁华路段，商铺林立，服务业较为发达。2019、2020年被评为山西省文明社区。通2路、3路公交车。

141081-A04　**上马街道**［Shàngmǎ Jiēdào］属侯马市。在市区南部。面积63.2平方千米。人口2.66万。辖1社区、16行政村。以汉族为主，还有回、满、朝鲜等民族。1984年11月，实行乡村制，上马人民公社改为上马乡。2001年上马乡与浍南街道合并，设上马街道。因位于上马村，故名。南有紫金山和峨嵋岭隆起带，由东向西延展，最高山峰海拔1124.8米。地势自紫金山底部向浍河倾斜。年平均气温12.7℃。1月份最冷，平均气温 -2.7℃；7月份最热，平均气温26.3℃。浍河流经。有幼儿园、中小学、特殊教育学校、卫生院。有县级重点文物保护单位普济寺、宝峰院。主产蔬菜、干鲜果品、肉禽蛋奶鱼等农副产品。土特产有主要品种有西瓜、桃、柿子、枣等。养殖以饲养生猪、羊、牛、家禽为主。工业以装备制造、建材加工、生物制药、有机化学工业为主，有生态工业园区，有电力等企业。第三产业以“农家乐”餐饮业和物流运输业为主。南同蒲铁路，省道侯平线，侯风线、侯闻线经此。

141081-A04-H01　**隘口**［Àikǒu］在市政府驻地路东街道西南9.2千米。上马街道辖行政村。人口1520。唐贞观十年（636年），在新田（今侯马）设折冲军府，在隘口设关隘，为交通要隘，有阻隔南北之势，称铁岭关，又名铁刹关，由大将尉迟敬德领兵镇守，后成村落，故名。聚落呈团块状。有铁岭关遗址，五代称铁岭关，亦名厄口，历代均设兵把守，为太行“八陉”轵关陉的最后一个关隘。有金沟桥、三里桥，现存均为清代建筑遗构。327 国道、省道侯风线经此。

141081-A04-H02 **张少**［Zhāngshǎo］在市政府驻地路东街道西南 2.5 千米。上马街道辖行政村。人口 2900。相传早期因张姓居多得名张家村，后外姓增多，张姓减少，故名。聚落呈团块状。有张少小学。有市级文物保护单位卫氏节孝坊，现存为清代建筑遗构。有张少民居，现存为清代建筑遗构。有大棚西瓜等特色经济产业。2020 年 11 月继续保留全国文明村镇荣誉称号。省道侯风线经此。

141081-A05 **张村街道**［Zhāngcūn Jiēdào］属侯马市。在市区北部。面积 44 平方千米。人口 2.6 万。辖 1 社区、9 行政村。以汉族为主，还有回、满、朝鲜等民族。1949 年，境域设褚村乡和大李乡。1956 年，褚村乡与大李乡合并组建为大李乡。1958 年成立大李人民公社。1964 年大李人民公社改称为张村人民公社。1984 年，张村人民公社改制为张村乡。2001 年，张村乡与侯北街道合并，设张村街道。因位于张村得名。年均日照时数 2271.42 小时。年均气温 12.7℃。降水量 5168 毫米。无霜期 197 天。地形为滩涂、沟壑、坡上平原。汾河流经。有幼儿园、中小学、卫生院、文化中心、农家书屋。有地方文化大南庄舞龙、张村旱船、北坞高跷。历史人物有明代礼部尚书李浩、大将军裴良积，清代巡抚裴率度、裴宗锡。侯北社区北坞居民区有晋国粮库遗址。主产小麦、玉米、大豆、薯类。主要经济作物有棉花、油葵等。养殖以猪、牛、羊为主。有农民专业合作社、农民技术协会。工业以建筑建材、精密铸造、钢铁冶炼、清洁能源、高新技术、保税物流等为主。南同蒲、侯西、侯月铁路，陵川—侯马高速，大运、晋韩公路经此。

141081-A05-H01 **大李**［Dàlǐ］在市政府驻地路东街道北 6 千米。张村街道辖行政村。人口 3000。相传唐朝有李姓兄弟二人，分东西居住，西为小李村，东为大李村。聚落呈团块状。为市钢铁基地，工业以精密铸造、钢铁冶炼、清洁能源为主。县道大张路经此。

141081-C01 **新田乡**［Xīntián Xiāng］侯马市辖乡。在市境中部。面积 48 平方千米。人口 3.31 万。以汉族为主，有回、满、朝鲜等民族。辖 1 社区、22 行政村。乡人民政府驻垤上。1953 年设侯马乡。1958 年改称建设人民公社。1959 年改称侯马人民公社。1984 年复设乡。2001 年更今名。因地处晋都古城新田，故名。地形为平原，地势平坦，海拔 450 米左右。年日时数 2271.42 小时。年平均气温 12.7℃，降水量 516.8 毫米。无霜期 197 天。浍河流经。有中小学、卫生院、农家书屋、远程教育中心。有干鲜果蔬菜批发市场、服装批发市场、农贸市场、乔村旧货交易市场等。乔村麒麟采八宝被列入国家级非物质文化遗产，白店秧歌被列入省级非物质文化遗产。西侯马村农家女赵翠莲，创造万余件皮影作品，多次在国际获奖，远销美、法、德、日等国，被誉为“当代皮影雕刻大师”。有省级爱国主义教育基地彭真故居。有秦村盟誓遗址、程王路庙寝遗址、乔村古墓葬群、奴隶殉葬墓等景点。主要粮食作物有小玉米、大豆、薯类等，主要经济作物有棉花、果树、蔬菜、芦笋等。树种以桐树、国槐、毛白杨、雪松为主。果业以苹果、桃等为主。养殖以饲养生猪、羊、牛为主。有科技示范园、菜业公司、食品公司等。服务业有商贸、仓储等。南同蒲、侯西、侯月铁路，108 国道，省道侯风线，晋韩公路经此。

141081-C01-H01 **垤上**［Diéshàng］在市政府驻地路东街道西南 2 千米。新田乡辖行政村。人口 3030。因地势高低不一，在自然形成的较高小土堆上居住而得名。聚落呈团块状。有垤上小学。有第四批省级文物保护单位、省级爱国主义教育基地彭真故居，是老一辈无产阶级革命家彭真同志出生和青少年时期生活、学习、成长的地方。有垤上遗址，为新石器时代文化遗存。108 国道经此。

141081-C01-H02 **乔村**［Qiáocūn］在市政府驻地路东街道东南 3 千米。新田乡辖行政村。人口 1710。聚落呈团块状。有国家级非物质文化遗产乔村麒麟采八宝。麒麟采八宝是清代中、晚期开始流传于乔村一带的传统民间舞蹈。2011 年被评为第三届全国文明村。省道侯风线经此。

141081-C01-H03 **东庄**［Dōngzhuāng］在市政府驻地路东街道东北 3.3 千米。新田乡辖行政村。人口 2650。因其地处南西庄以东而得名。聚落呈团块状。有东庄学校、东庄卫生所。2020 被评为第六届全国文明村。乡村道路经此。

141081-C01-J01 **南西庄社区**［Nánxīzhuāng Shèqū］属新田乡。在市区北部。面积 2 平方千米。人口 5200。因南西庄村改制社区而得名。2007 年成立。属典型城中村社区。晋南独院瓦房较多，外围多层楼房。有花卉苗木市场、大型钢木材仓储场、汽车修理城等。服务业较发达。2014 年被评为全国文明社区。通 3 路、5 路公交车。

141081-C02 **高村乡**［Gāocūn Xiāng］侯马市辖乡。在市境西部。面积 30 平方千米。人口 1.79 万。以汉族为主，还有回、满、朝鲜等民族。辖 9 个行政村。乡人民政府驻东高。1953 年设立。1961 年改公社。1984 年复设乡。因驻地得名。地形为平原，地势平坦。海拔 450 米。年均日照时数 2271.42 小时，年平均气温 12.7℃，降水量 516.8 毫米，无霜期 197 天。汾河、浍河流经。有中小学、幼儿园、卫生院、农家书屋、远程教育中心。有省级文物保护单位台骀庙。有古迹虒祁宫遗址、平望古城遗址、台神古城遗址、祭祀等。有民间文化虒祁锣鼓、东高秧歌、东台旱船等。虒祁村文化艺人廉振华历时 8 年完成中国第一部《中国皮影图谱》15 卷，并于 1985 年在中国美术馆举办廉振华个人皮影艺术展览。主产小麦、玉米、大豆、薯类。主要经济作物有棉花、油料作物、蔬菜、苹果、桃等。树种以桐树、国槐、毛白杨、雪松、柳树为主。养殖以饲养生猪、羊、牛、家禽为主。有兔业、种业、食品、农业科技等公司。第三产业以运输、餐饮、商贸、装潢装修为主。侯西铁路、108 国道、侯平线、大运高速经此。有西贺火车站。

141081-C02-H01 **东高**［Dōnggāo］高村乡人民政府驻地。在市政府驻地路东街道西南 7.9 千米。人口 1800。因处河岸高地，与西高相对而得名。聚落呈团块状。有高村乡中学、育红学校、高村乡卫生院。有东高遗址，为新石器时代文化遗存。有地方文化东高秧歌。108 国道经此。

141081-C02-H02 **虒祁**［Sīqí］在市政府驻地路东街道西南 7.3 千米。高村乡辖行政村。人口 4070。因春秋时晋平公所筑虒祁宫旧址而得名。聚落呈团块状。有虒祁学校。有县级文物保护单位虒祁墓葬，为汉代墓葬。有虒祁东遗址，为新石器时代和东周时期文化遗存。有虒祁南遗址，为商代文化遗存。有中国第一座“中国皮影陈列馆—振华影屋”，为当代侯马皮影戏代表性传承人廉振华创建。有地方文化虒祁锣鼓。108 国道经此。

141081-C03 **凤城乡**［Fèngchéng Xiāng］侯马市辖乡。在市境东部。面积 34.6 平方千米。人口 1.91 万。以汉族为主，还有回、满等民族。辖 12 行政村。乡人民政府驻凤城。1949 年 10 月属曲沃县三区。1953 年设立。1962 年 5 月成立侯马市凤城人民公社。辖城小、林城、凤城、西韩、河东、南杨、香邑、南上官、南王、北王、西城、西赵、东城 13 个生产大队。1973 年增设柳沟坡生产大队。1984 年复设乡辖 14 个村民委员会。2018 年柳沟坡村和河东村合并为柳河村。2020 年 1 月南杨村和西韩村合并为南杨村。因相传有凤鸣于此地得名。地势平坦。属温带大陆性气候。年日照时数 2271.42 小时，年平均气温 12.7℃，降水量 516.8 毫米，无霜期为 197 天。浍河流经，有香邑湖。有中小学、卫生所、农家书屋、文化站、敬老院。有省级文物保护单位唐太宗庙主殿。南上官义学有三孔窑洞。主产优质小麦、芦笋、食用菌。养殖以饲养生猪、羊、牛为主。有食品、面业等企业。第三产业以物流、仓储为主。108 国道、省道侯风线经此。

141081-C03-H01 **凤城**［Fèngchéng］凤城乡人民政府驻地。在市政府驻地路东街道东 6 千米。人口 2600。凤城一带为古晋都绛遗址，因皇宫后妃居此而得名。聚落呈团块状。有凤城中心小学、凤城乡卫生院。有商贸服务业。108 国道经此。

141081-C03-H02 **北王**［Běiwáng］在市政

府驻地路东街道东北 7.1 千米。凤城乡辖行政村。人口 700。相传春秋时期村中有两个王姓人被封为王侯，住在村北者称为北王，后演变为村落，故名。聚落呈团块状。有北王村卫生所。2020 年被评为第六届全国文明村。县道新西街经此。

141081-C03-H03　**西城**［Xīchéng］在市政府驻地路东街道东北 6.5 千米。凤城乡辖行政村。人口 1100。相传南王村、北王村的南王、北王分别在村东、西两边修建新的城池，演变成村，该村在西，故名。聚落呈团块状。有第六批省级文物保护单位唐太宗庙，据石碣记载为元至正二十二年（1363 年）创建，现仅存正殿。县道新西街经此。

141082　**霍州市**［Huòzhōu Shì］山西省辖县级市，由临汾市代管。北纬 36° 26′，东经 111° 37′。在市境北部。面积 765 平方千米。人口 27.3 万。辖 5 街道、4 镇、3 乡。市人民政府驻开元街道。周朝初年，周武王封其弟叔处于霍，称为霍国，因境内有彘水，故又名彘。周惠王十六年（前 661 年），晋献公率军灭霍，霍哀公奔齐，霍地由此归晋，称为霍邑。周贞定王十六年（前 453 年），韩、赵、魏三家分晋，彘先属韩后属赵，再属魏。秦置彘县，治所在今霍州，属河东郡。汉元年（前 206 年），设彘县，仍属河东郡。始建国四年（12 年），改彘县为黄城。东汉阳嘉三年（134 年）改名永安县，属河东郡。三国魏正始八年（247 年）属平阳郡。北魏太平真君七年（446 年）永安县并入禽昌县。正始二年（505 年）复置永安县，治所在今洪洞县境。北魏孝昌三年（527 年），侨置西河郡，郡治永安县。北魏建义元年（528 年），置永安郡。隋开皇十六年（596 年），废永安郡置汾州，永安属之。隋开皇十八年（598 年），改汾州为吕州，改永安为霍邑。隋大业三年（607 年），属晋州（今临汾市）。隋义宁元年（617 年），置霍山郡。唐武德元年（618 年），废霍山郡复置吕州。唐贞观十七年（643 年），废吕州，复属晋州。五代十国时期，仍属晋州。北宋政和六年（1116 年）属平阳府。北宋靖康二年（1127 年），霍邑归金所辖。金贞祐三年（1215 年）置霍州，与霍邑县同治，“霍州”之名至此始。金兴定元年（1217 年）7 月，霍州升为节镇军，命名镇定。金兴定四年（1220 年）正月，移治好义堡（今洪洞县境内）。元朝初年，改平阳府为平阳路。元大德九年（1305 年），又改名晋宁路，霍州属之。元贞三年（1297 年），复立霍州。明洪武元年（1368 年），晋宁路改为平阳府，霍州属平阳府。明洪武二年（1369 年），并霍邑县于霍州，州领灵石县，仍属平阳府。清初，沿袭明制。清乾隆三十七年（1772 年）霍州升为直隶州。清光绪三十二年（1906 年），增辖汾西县。1913 年废州建制，改名霍县，属河东道。1927 年废道直属山西省。1937 年属山西省第六行政区 1938 年 2 月，霍县沦陷后，改属六专区河东办事处。1949 年属山西省临汾专区。1954 年属晋南专区。1958 年 5 月霍县、汾西县合并为霍汾县。11 月撤销霍汾县、洪赵县，合并设立洪洞县。1960 年恢复霍汾县。1961 年撤销霍汾县，恢复霍县，仍属晋南专区。1967 年属晋南地区。1970 年属临汾地区。1989 年撤销霍县，设立县级霍州市。2000 年 6 月 23 日，国务院批复霍州市由山西省直辖。2000 年 10 月，实行市管县体制，霍州市由临汾市代管。因东依霍山得名。地处吕梁山脉东麓，临汾盆地北端，地势北、东、西 3 面环山。有太岳山、韩信岭、老爷顶，最高海拔五龙壑 2504 米，最低海拔 507 米。温带大陆性季风气候，气温低且干燥，四季分明。年均气温 12.2℃，1 月平均气温 -3.1℃，7 月平均气温 26.0℃。年均降水量 539.1 毫米。年均无霜期 200 天，最长达 235 天，最短为 137 天。年平均日照时数 2173.8 小时，0℃以上持续期 300 天（一般为 2 月 1 日—12 月 4 日）。有汾河、西涧河、姚村河、王庄河、大沟河、段庄河、阴底河、北益昌河等流经。有省第 2 大泉源郭庄泉。矿产资源有铁、铜、铝、金、石灰石、石膏、方解石、煤层气等。有国家级重点保护野生动物金钱豹，有省级重点保护野生动物 4 种，有观赏、药用等植物 10 余种。有中小学 120 所，霍州市第一中学为省级示范学校。有二级医院、文化馆、图书馆、档案馆、博物馆、体育场馆。有全国重点文物保护单位霍州署大堂、霍州大张贾村娲皇庙、霍州观音庙等。有省级文物保护单位霍州韩壁遗址、霍州祝圣寺、霍州鼓楼等。有市级文物保护单位35处。有地方民间艺术霍州秧歌、霍州书、退沙小跷、杜壁八音会、靳壁背棍等，霍州威风锣鼓被列入国家级非物质文化遗产，霍州三弦书、火星圣母祭祀习俗、用水习俗被列入省级非物质文化遗产。有古迹霍州明代鼓楼、祝圣寺、南坛雁塔、娲皇庙壁画、千佛崖石刻、观堆塔、马跑泉、下马湾、金銮岭、白壁关等。有纪念地许村民居、隋唐古战场遗址歇马滩、将军墓、先锋台、打滚场等。有风景区七里峪、陶唐峪、悬泉山。三次产业比例为4.5∶55.8∶39.7。主产小麦、玉米、谷子、大豆、薯类等。土特产品有梨湾小米、贾村大米、段庄葱、大张蒜、霍州饸饹、霍州馍、荞面碗托、小茴香烧饼等。工业以煤炭、新能源、食品加工等为主。服务业以餐饮、包装、旅游业为主。南同蒲铁路过境，设霍州站，大西铁路过境，设霍州东站，京昆、黎城—永和高速、108国道、省道桃临线经此。有县级客运站，通公路。

141082-K01　**鼓楼西大街**［Gǔlóu Xīdàjiē］在霍州市区西部。东起鼓楼，西至白龙镇人民政府。与滨河路、漪汾路、永安路等道路相交。长1.8千米，宽16米。沥青路面。1978年开工，1979年建成，1988、2004、2014年改扩建。因位于霍州鼓楼西侧得名。两侧有白龙镇中学、河西医院、霍州市地税局、宏佳家居城等。通霍州1路公交车。

141082-K02　**鼓楼东大街**［Gǔlóu Dōngdàjiē］在霍州市区中部。西起鼓楼，东至东环路。与鼓楼北街、鼓楼西街、大众路、永康北路等道路相交。长3.2千米，宽37米。沥青路面。1959年拆城墙砖铺设路面建成。1978、1983、1992、2004、2007年改扩建。因位于霍州鼓楼东侧得名。两侧有霍州市人民医院、霍州市人民政府、中镇文化广场、霍州署等。通霍州1、2路等公交车。

141082-K03　**霍东大道**［Huòdōng Dàdào］在霍州市区中部。西起东环路，东至迎宾路。与经二路、经三路、经十路等道路相交。长4.9千米，宽46米。沥青路面。2010年建成。因作为霍州东部主干道得名。两侧有丽景中央公园小区、霍州市民文化中心、阳光首府小区等。通霍州1路公交车。

141082-K04　**北环路**［Běihuán Lù］在霍州市区北部。西起滨河北路，东至迎宾路。与前进路、大众北路、东环路等道路相交。长7.5千米，宽22米。沥青路面。1992年始建，1994年竣工。2002、2014年拓宽改造。因位于霍州旧城以北得名。两侧有霍州一中、中共霍州市委党校、北环路街道办事处等。通霍州2路公交车。

141082-K05　**南环路**［Nánhuán Lù］在霍州市区南部。西起滨河路，东至东环路。与鼓楼南街、新建南路、永康路等道路相交。长3.4千米，宽21米。沥青路面。1978年建成。2008、2014年改造。原名南涧河路。因作为霍州旧城以南的环城路段，2006年更今名。两侧有红崖堡村、龙口村、霍州商贸城等。通霍州高铁2路公交车。

141082-K06　**永安路**［Yǒng'ān Lù］在霍州市区西部。北起后湾汾河桥，南至东湾汾河桥。与鼓楼西大街等道路相交。长6.2千米，宽26米。沥青路面。为108国道过城段。1999年开工，2000年建成。为纪念霍州古称永安县得名。两侧有霍州客运站、永安小区、康源农贸综合批发市场等。

141082-K07　**滨河路**［Bīnhé Lù］在霍州市区西部。北起江湾御景小区，南至南环路。与永安路、兴霍路、鼓楼西街等道路相交。长4.2千米，宽27米。沥青路面。1978年建成。1999年改扩建。因紧临汾河东岸得名。两侧有滨河小区、化工小区、滨河公园等。通霍州2路公交车。

141082-K08　**前进路**［Qiánjìn Lù］在霍州市区中部。北起北环路，南至鼓楼东街。与观坡街、后塞路等道路相交。长0.7千米，宽8.2米。沥青路面。旧时系官衙的马号所在地，故名马道口。1979年建成。1981年拓宽取直，更名前进街，取追求进步之意。1985年延伸至北环路。2005年改扩建并改名为前进路。两侧有前进商场、霍州宾馆、中共霍州市委、鼓楼街道办事处、祝圣寺等。

141082-K09　**大众路**［Dàzhòng Lù］在霍州市区西部。北起北环路，南至鼓楼东街。与后塞路相交。长0.9千米。宽16米。沥青路面。1979年建成。2003、2014年改扩建。原名东环路。90

年代更今名，取便利大众之意。两侧有鑫源小区、桥东游园、大众夜市等。通霍州2路公交车。

141082-K10 **新建南路**［Xīnjiàn Nánlù］在霍州市区中西部。北起鼓楼东大街，南至南环路。长1千米，宽16米。沥青路面。2014年始建，2016年建成。因近年新建得名。两侧有河畔丽景小区、东关村等。

141082-K11 **永康北路**［Yǒngkāng Běilù］在霍州市区中北部。北起北环路，南至鼓楼东大街。长1.4千米，宽18米。沥青路面。2011年始建，2012年建成。路名寓意平安康乐。两侧有京华合木幼儿园、永康大酒店、中镇国际花园小区等。

141082-K12 **永康南路**［Yǒngkāng Nánlù］在霍州市区中南部。北起鼓楼东大街，南至南环路。长0.8千米，宽18米。沥青路面。2011年始建，2012年建成。路名寓意平安康乐。两侧有永盛小区、霍州市人社局等。

141082-K13 **东环路**［Dōnghuán Lù］在霍州市区东部。北起西张学校，南至南环路。与鼓楼东大街等道路相交。长1.9千米，宽22米。沥青路面。1979年建成。2008年拓宽改造。因位于城区东端，与北环、南环连通为环城路而得名。两侧有西张村、霍州一中、中镇文化广场等。通霍州高铁2路公交车。

141082-R01 **霍州站**［Huòzhōu Zhàn］见交通运输设施部分“霍州站”条。

141082-R01 **霍州东站**［Huòzhōu Dōngzhàn］见交通运输设施部分“霍州东站”条。

141082-A01 **鼓楼街道**［Gǔlóu Jiēdào］属霍州市。在市区西部。面积4.8平方千米。人口2.89万。辖4社区、4行政村。1964年成立霍县城关人民公社。1984年成立什林镇、城关镇。1995年又将城关、邢家泉、东关等个村改称为东城街道办事处。2001年由原东城街道后塞路、观坡街、南街、偏门场、桥西街等5居民区与城关、北峰2村合并设立。因明代鼓楼得名。平川占98%，海拔500米左右。年平均气温12.1℃，极端最高气温度36℃，最低气温-29℃。年均无霜期200天，年均降雨量454毫米。有幼儿园、中小学、文化站、农家书屋、体育场、商场、市场。有全国重点文物保护单位霍州署大堂，省级重点文物保护单位鼓楼。有古迹火星圣母庙。主产小麦、玉米。主要经济作物有蔬菜、葡萄等。有企业。通多路公交车。有霍候一级公路、108线，南同蒲铁路。

141082-A02 **北环路街道**［Běihuánlù Jiēdào］属霍州市。在市区北部。面积4.8方千米。人口1.46万。辖2社区、4行政村。2001年由东城街道析设。因北环路贯穿辖区东西得名。辖区内地势平坦，山坡源地大约占10%、平川地占90%。海拔516—623.9米。气候为典型的大陆性气候，年平均气温12.1℃，平均日照时数2441.5小时，无霜期170—230天，年降水量为353—688.9毫米。有幼儿园、中小学、卫生院、党政机关、居住小区、永和动物园、永合公园等。有全国重点文物保护单位霍州观音庙。有市级文物保护单位石刻老生诗碑。有古迹永合村观音庙、邢家泉村观音庙。主产粮食、蔬菜。土特产品有永合白菜、小葱、永合羊肉、北关土制粗布等。工业以冶金、焦化、煤业为主。服务业以餐饮、建筑、服务、购销为主。南同蒲铁路过境。通多路公交车。

141082-A03 **南环路街道**［Nánhuánlù Jiēdào］属霍州市。在市区南部。面积14.9平方千米。人口2.89万。辖1社区、8行政村。1995年由城关镇改制而成城南乡。2001年由城南乡改设，更名为南环路街道。地形以丘陵为主。全年气候温和，四季分明。全年最高气温35℃，最低气温-19℃，平均气温12.1℃。多年平均降水量452.3毫米，无霜期180天左右。年日照数平均2440小时。汾河、南涧河流经。有古迹赤峪村旧石器时代文化遗址、雁塔等。有文化中心、农家书屋、幼儿园、中小学、卫生院等。主产粮食和蔬菜。土特产品有无公害大葱等，有兴龙芦笋专业合作社。工业以农产品加工等为主。大运公路、霍候一级路、黎城—永和高速、108国道、南环路、南同蒲线经此，通多路公交车。

141082-A03-H01 **圣佛**［Shèngfó］在市政府驻地开元街道西南4千米。南环路街道辖行政村。人口2440。因村南的汾河东岸石崖上有唐宋时期雕刻的佛像百尊，俗称“石佛崖”、“千佛崖”，石佛崖远近闻名，旧时香火旺盛，为保障一方之圣灵，故名。聚落呈条带状。有南环办中学、圣佛矿区小学。有县级文物保护单位郑家沟桥，创建于明正德年间，该桥原为太原至西安老官道上的交通要道并沿用至今。108 国道、省道桃临线经此。

141082-A04　**开元街道**［Kāiyuán Jiēdào］属霍州市。在市区东部。面积 2.8 平方千米。人口 2.1 万。辖 3 社区、4 行政村。1950 年属霍县第一区。1956 年属城关乡。1958 年属霍汾县城关乡。1959 年属霍汾县城关公社。1984 年 8 月，城关公社改城关镇。1989 年 12 月，撤县设市，属霍州市。1995 年 1 月，城关镇分设东城街道。2001 年 7 月，析东城街道置开元街道。因驻地而得名。辖区地势平坦，地下水位较高，海拔在 500—600 米之间，为河谷冲积性平原。属温带大陆性季气候，年平均气温 11.7℃，冻土深度在 40—60 厘米之间，年均降水量为 497.1 毫米，年均蒸发量为 1871.7 毫米。主导风向夏季为偏南风，冬季为偏北风，年平均风速 2.2 米 / 秒。有幼儿园、中小学、文化站、农家书屋、人民医院、卫生院、文化活动中心和图书馆等。主产小麦、玉米。主要经济作物有蔬菜等。养殖以饲养家禽、猪为主。第三产业有商品贸易、豆制品加工、餐饮住宿、运输、建筑等。通多路公交车。

141082-A05　**退沙街道**［Tuìshā Jiēdào］属霍州市。在市区西北部。面积 41.6 平方千米。人口 1.49 万。辖 1 社区、7 行政村。2001 年由什林镇改设。因驻地而得名。东西依山而行，中部为汾河河谷地带，地势平坦，土肥水足。东西为丘陵地带，耕作条件较差。全年无霜期 175—180 天。平均气温 10℃左右，极端最高温度 34℃，最低温度 -20℃。汾河、退沙河、王庄河、姚村河流经。有中小学、卫生所、党政机关、化学工业公司等。有市级文物保护单位许村民居、朱家大院。民间艺术有退沙小跷、什林锣鼓。有幼儿园、中小学、文化站、农家书屋、卫生院、霍煤集团什林矿、铸造公司等。土特产品有许村麦子、五月仙桃、什林柿子等。养殖以饲养羊、牛、家禽为主。南同蒲铁路、京昆高速、108 国道、桃红坡—临汾省道、玉霍线、许汾路过境。通多路公交车。

141082-A05-H01　**许村**［Xǔcūn］在市政府驻地开元街道西南 8 千米。退沙街道辖行政村。人口 1900。原称浒村，意为水边的村子，因紧临汾河而得名，后村民为减少汾河泛滥，去掉三点水，故名。聚落呈团块状。有市级文物保护单位许村民居，依山势而建，现存为清代建筑遗构。有朱家祠堂、许村祖师庙，现存均为清代建筑遗构。2014 年被列入第三批中国传统村落名录。2017 年被列入为第五批山西省历史文化名村名录。2019 年被列入第七批中国历史文化名村名录。108 国道经此。

141082-A05-H02　**退沙**［Tuìshā］在市政府驻地开元街道西北 5.3 千米。退沙街道辖行政村。人口 2810。古称仁义村，明代霍州设仁义都于此。明成化年间，因汾水泛滥，冲毁良田并危及村庄，为求镇汾止水而得名。聚落呈团块状。有霍州市第四中学、退沙小学、春潮学校、霍州煤电总医院。有市级文物保护单位退沙大悲庙，现存为清代建筑遗构。有市级文物保护单位退沙鼓楼，据碑碣载创建于明万历四十三年（1615 年）。有张家宅院、蒲家宅院，现存均为清代建筑遗构。2019 年被列入第五批中国传统村落名录。108 国道经此。

141082-A05-H03　**王庄**［Wángzhuāng］在市政府驻地开元街道西北 13 千米。退沙街道辖行政村。人口 1560。聚落呈团块状。有第六批省级文物保护单位王庄三教庙，据碑碣载始建于元至元二十年（1289 年），现存建筑中正殿为元代建筑遗构，其余为清代建筑遗构。108 国道经此。

141082-B01　**白龙镇**［Báilóng Zhèn］霍州市辖镇。在市区西部。面积 53.5 平方千米。人口 2.25 万。辖 1 社区、10 行政村。镇人民政府驻白龙。1956 年设白龙乡。1958 年改公社。1961 年设白龙公社。1984 年改设镇。2001 年什林镇韩南庄村并入。因驻地得名。地势西北高东南低。地形为平川、台地和丘陵。最高峰海拔 1250 米，最低点海拔约 521.9 米。境内属温带大陆性季风气候。年平均气温 11.7℃，日照时数在 2100—2700 小时之间，无霜期平均在 180—220 天之间，年平均降水量为 497.1 毫米，年均蒸发量为 1871.7 毫米。汾河、西涧河、大沟河流经。矿产资源有煤。

有中小学、图书室、卫生院、文化站、农家书屋。有古迹霍窑遗址、孔家楼、龙王庙等。有牛腰山风景区。霍州威风锣鼓被列入国家级非物质文化遗产。主产小麦、玉米。土特产有苹果。养殖以饲养生猪、羊、牛、家禽为主。工业以焦煤、电力为主，有煤矿、发电公司、能源公司、装饰材料公司、林牧公司等。108 国道经此。

141082-B01-H01 **白龙**［Báilóng］白龙镇人民政府驻地。在市政府驻地开元街道西 4.7 千米。人口 10100。因有白龙庙而得名。聚落呈团块状。有白龙镇中学、白龙村第一小学、白龙村第二小学、白龙村第三小学、白龙卫生院。有市级文物保护单位白龙龙王庙，现存为清代建筑遗构。有南坡堡址，现存为清代堡址。有白龙聚英楼，现存为清代建筑遗构。108 国道、省道桃临线经此。

141082-B01-H02 **陈村**［Chéncūn］在市政府驻地开元街道西南 6.5 千米。白龙镇辖行政村。人口 3330。聚落呈团块状。有陈村小学。有第六批省级文物保护单位陈村玉皇庙，现存将军祠为元代建筑遗构，三皇殿为明代建筑遗构，其余为清代建筑遗构。县道白经线经此。

141082-B02 **辛置镇**［Xīnzhì Zhèn］霍州市辖镇。在市区南部。面积 52.4 平方千米。人口 2.19 万。辖 6 社区、16 行政村。镇人民政府驻辛置。1949 年后，为霍县第二区公所驻地。1950 年改为第一区。1953 年设辛置乡。1958 年改超美公社。1960 年设辛置公社，1964 年改为辛置矿区镇人民公社，1984 年改设镇。因驻地得名。地势北高南低。地形为丘陵。境内最高点海拔 1300 米，最低点海拔 507.7 米。气候属温带大陆性季风气候，年平均气温 11.7℃，日照时数在 2100—2700 小时之间，无霜期平均在 180—220 天之间，降水量年均 490 毫米。汾河流经。有郭庄泉、前河底泉、下马洼泉、辛庄马刨泉、新村白眼泉等。有中小学、卫生院、文化站、大剧场、卫生院。有佛崖摩造像。主产粮食、蔬菜为主。主要经济作物有棉花、蔬菜。养殖以饲养生猪、羊、牛、家禽为主。土特产品有下马窊、后河底红薯、段庄葱、十里铺甜瓜等。工业以煤炭等为主。企业有霍州市文通钾盐集团有限责任公司。南同蒲铁路、108 国道、黎城—永和高速经此。

141082-B02-H01 **辛置**［Xīnzhì］辛置镇人民政府驻地。在市政府驻地开元街道西南 15 千米。人口 1410。据传，原居赵县沟的村民迁居此地，取名新置，后改今名。聚落呈团块状。有辛置中学、辛置小学、辛置学校、市煤电一中、辛置镇卫生院。有市级文物保护单位真武庙，创建于明代，现存有正殿。有儒林第民居、白衣阁，现存均为清代建筑遗构。有辛置选煤厂。省道桃临线经此。

141082-B03 **大张镇**［Dàzhāng Zhèn］霍州市辖镇。在市区中部。面积 50.5 平方千米。人口 3.51 万。辖 11 行政村。镇人民政府驻大张。1953 年设下乐坪乡。1961 年改大张公社。1984 年设大张镇。2001 年上乐坪乡上乐坪、下乐坪、河底、青郎坪 4 村与什林镇小张望、狮子洼 2 村并入。因驻地得名。地形总体是一滩六垣。地势相对平坦，土地肥沃。年平均气温 12.1℃，日照时数在 2100—2700 小时以上，全年平均无霜期 200 天左右。南涧河、北涧河流经，有泉水多处。有中小学、卫生院、文化站、文化活动室。有全国重点文物保护单位娲皇庙。主产优质小麦、蔬菜、苹果、桃。养殖以饲养生猪、羊、牛、家禽为主。有阳光绿州生态园。土特产品有青郎坪大葱、大张村小磨香油、粉条、张望红枣等。京昆、霍永、祁临高速经此。

141082-B03-H01 **大张**［Dàzhāng］大张镇人民政府驻地。在市政府驻地开元街道北 2 千米。人口 7550。因地处北张、西张之间而得名。聚落呈团块状。有大张镇一中、大张小学、宏远学校、大张镇卫生院。有市级文物保护单位大张遗址，为新石器时代文化遗存。有市级文物保护单位大张堰，始建于明代，主要用于农业灌溉。县道冯霍线经此。

141082-B03-H02 **贾村**［Jiǎcūn］在市政府开元街道南 1 千米。大张镇辖行政村。人口 2680。聚落呈团块状。有贾村小学。有第六批全国重点文物保护单位娲皇庙，现存戏台，东、西钟鼓楼，娲皇圣母殿及东、西垛殿。娲皇圣母殿内现存有清代壁画。有市级文物保护单位贾村玄帝庙、贾村凌云塔、贾村刘家祠堂，现存均为清代建筑遗构。2019年被列入第五批中国传统村落名录。县道南赵线经此。

141082-B03-H03　**西张**［Xīzhāng］在市政府驻地开元街道北1.4千米。大张镇辖行政村。人口2980。因位于大张之西而得名。聚落呈团块状。有第六批省级文物保护单位西张圣王庙，现仅存主殿为元代、清代建筑遗构，西耳殿为清代建筑遗构。县道冯霍线经此。

141082-B04　**李曹镇**［Lǐcáo Zhèn］霍州市辖镇。在市区东部。面积214平方千米。人口2.74万。辖27行政村。镇人民政府驻李曹。1953年设李曹乡。1961年改公社。1984年改设镇。2011年上乐坪乡驹沟、沟东、安家庄3村并入。因驻地得名。地势东北高、西南低，地形为山地、丘陵。最高峰海拔2396米，最低点海拔635米。属典型的大陆性季风气候，年平均降雨量为461.1毫米，年平均气温为12℃，1月份最冷，平均气温为-2.6℃，7月份最热，平均气温为26.4℃。全年平均无霜期187天，初霜日期一般在10月中旬，终霜期在来年的4月上旬。年平均冻结日期为50天，初冻12月中旬，解冻2月上旬，冻结深度平均49.3厘米。年日照时数在2100—2700小时之间。南涧河流经。有中小学、卫生院、养老院、文化站、农家书屋、卫生院。有省级文物保护单位韩壁遗址。有七里峪、悬泉山、龙虎山天罗寺3风景区。有威风锣鼓队等。主产粮食、苹果、梨、桃、核桃、枣。养殖以饲养生猪、羊、牛、家禽为主。土特产品有晋茶、山野菜、山木耳等。大西铁路、京昆高速经此。

141082-B04-H01　**李曹**［Lǐcáo］李曹镇人民政府驻地。在市政府驻地开元街道东6千米。人口1610。聚落呈团块状。有李曹小学、李曹镇卫生院。有李曹东南遗址，为西周时期文化遗存。有瓦窑遗址，为东周时期文化遗存。有李曹风水塔，现存为清代建筑遗构。县道李下线经此。

141082-C01　**陶唐峪乡**［Táotángyù Xiāng］霍州市辖乡。在市区东南部。面积86.7平方千米。人口1.88万。辖16行政村。乡人民政府驻闫家庄。1953年设阎家庄乡。后改公社。1984年复设乡。2001年上乐坪乡观堆、成庄、曲坡3村与阎家庄乡合并，改称陶唐峪乡。因陶唐峪自然风景区得名。东靠霍山山丘陵地带，地势东高西低，地形为山地。最高峰位于霍山老爷顶峰，海拔2346.8米，最低点海拔约618.3米。有中小学、卫生院、文化站、农家书屋、卫生院、敬老院。主产小麦、玉米、苹果、桃、梨。养殖以饲养生猪、羊、牛、兔、家禽为主。京昆高速经此。

141082-C01-H01　**闫家庄**［Yánjiāzhuāng］陶唐峪乡人民政府驻地。在市政府驻地开元街道南13千米。人口820。聚落呈团块状。有陶唐峪乡中学、义城小学、陶唐卫生院。县道南赵线经此。

141082-C02　**三教乡**［Sānjiào Xiāng］霍州市辖乡。在市区东北部。面积148平方千米。人口2.16万。辖19行政村。乡人民政府驻下三教。1984年设立。2001年冯村乡并入。以驻地得名。地势东北高、西南低。地形为黄土高原坡地。中部为缓坡平原，西部以丘陵沟壑为主。主要山脉有霍山山脉。最高峰五龙壑海拔2504.3米，最低点海拔680米。气候属典型的中温带季风性气候。北涧河流经。矿产资源有煤。野生动物褐马鸡、穿山甲、野猪等50多种，野生种子植物及野生树种猪苓、黄芩、连翘、生麻、党参、山桃、山杏、贝母等200多种。有中小学、卫生院、图书室。有景点油盆峪旋风峪。主产优质林果、蔬菜。养殖以饲养生猪、羊、牛、家禽、鹿为主。土特产品有梨湾小米、苹果、土豆、核桃、东王玉米等。大西铁路、京昆高速经此。

141082-C02-H01　**下三教**［Xiàsānjiào］三教乡人民政府驻地。在市政府驻地开元街道东北22千米。人口980。村民信仰儒、释、道三教，并于村里设有三教庙堂，庙堂附近的南涧堡坡为分界，该村位于南涧堡下，故名。聚落呈团块状。有三教乡卫生院。有下三教茶房庙、下三教圣庙，现存均为清代建筑遗构。县道冯霍线经此。

141082-C02-H02　**库拔**［Kùbá］在市政府驻地开元街道东北12千米。三教乡辖行政村。人口1780。传说明朝年间，准备在张望村建立县城并把仓库设在此地，后因缺水等原因，县城没有建成，并把仓库也拔走了，故名。聚落呈团块状。有库拔中学。有市级文物保护单位库拨龙王庙，现存为清代建筑遗构。有库拔遗址，为夏代文化遗存。有库拔墓地，为夏代墓葬。有库拔圣王庙、库拔传统民居院落等现存为清代建筑遗构。2019年被列入第五批中国传统村落名录。县道冯霍线经此。

141082-C02-H03 **柏木川**［Bǎimùchuān］在市政府驻地开元街道东北13千米。三教乡辖自然村。人口270。因柏木成林而得名。聚落呈团块状。有第六批省级文物保护单位柏木川遗址，为新石器时代龙山文化遗存。有柏木川祥龙采砂厂。乡道油冯线经此。

141082-C03 **师庄乡**［Shīzhuāng Xiāng］霍州市辖乡。在市区北部。面积91平方千米。人口1.36万。辖13行政村。乡人民政府驻师庄。1953年设立。1961年改公社。1984年复设乡，分为师庄乡、老张湾乡。2001年老张湾乡并入。因驻地得名。地势东北高西南低。地形为山地丘陵。最高峰海拔1030.8米，最低点海拔720.6米。属温带大陆性气候，四季分明。年平均气温11.8℃。年最高气温38℃，最低气温-20℃。全年无霜日数218天。年日照时数2287.5小时。矿产资源有煤炭、铝土矿、耐火粘土、石灰岩、石膏、砖瓦粘土等。有小学、卫生院、敬老院、文化站、农家书屋。有古迹唐代古槐、宋代墓穴、元代石碑、明代庙宇、清代民宅等。有革命勇士师家保、师宪文。主产小麦、玉米、杂粮。养殖以猪、羊、鸡、兔为主。有霍煤集团李雅庄矿。省道桃临线经此。

141082-C03-H01 **师庄**［Shīzhuāng］师庄乡人民政府驻地。在市政府驻地开元街道北15千米。人口1400。聚落呈团块状。有师庄卫生院。原有古驿道，现为玉霍公路穿村而过，是霍州市北部政治、经济、文化、交通的中心。有魁星楼、茶房庙、龙王庙、玉皇庙，现存均为清代建筑遗构。有刘家堡址，现存为清代堡址。县道玉霍线经此。

吕梁市

141100 **吕梁市**［Lǚliáng Shì］山西省辖地级市。北纬36°43′—38°43′，东经110°22′—112°19′。在省境西北部，黄河东岸。面积21.1万平方千米。东西最大宽度140公里，南北最大距离220公里，周边界限总长954.3公里。人口339.84万。辖离石1区，文水、交城、兴县、临县、柳林、石楼、岚县、方山、中阳、交口10县，代管孝义、汾阳2县级市。市人民政府驻离石区。秦属太原郡。西汉属西河郡。东汉永和五年（140年）置西河郡，治所在今离石，东部属太原郡。西晋改西河郡为西河国。前赵废。后赵置永石郡。北魏太和八年（484年）复置西河郡，郡治兹氏（今汾阳）。北齐改南朔州，西部置西汾州。北周改南朔州为介州。改西汾州为石州。隋废州在境内置西河郡、离石郡。唐武德元年（618年）改西河郡为浩州，改离石郡为石州。二年在石楼县置西德州，在方山县置方州。三年废方州，改浩州为汾州。天宝元年（742年）改汾州为西河郡，改石州为昌化郡。乾元元年（758年）复名汾州、石州，南部属隰州，同属河东道。宋属河东路。金属河东南路。元属冀宁路，南部属晋宁路。明万历二十三年（1595年）升汾州为汾州府，石州改为永宁州，东部属太原府。民国元年（1912年）废州府。二年属中路道。三年属冀宁道。十六年废道后直属山西省。二十六年属山西省第四行政区。三十四年属晋绥边区吕梁行署第三、四、七、八分区。1949年初属陕甘宁边区晋西北行署，8月设汾阳专区和兴县专区。1951年撤销汾阳专区。1952年撤销兴县专区，分属忻县专区、榆次专区、临汾专区。1971年置吕梁地区。1972年娄烦县划归太原市。1992年孝义县改市（县级）。1996年汾阳县改市（县级）。1996年离石县改市（县级）。2004年撤销吕梁地区设立吕梁市（地级），所属离石市改离石区。因吕梁山脉纵贯全境得名。吕梁，意即像脊梁骨一样的山。《文物掌故集》载“吕梁山，即谷积山，亦书为骨脊山，骨脊之义，与吕梁相通命，吕，骨脊也”。地势东北高西南低，西临黄河东岸，东接太原盆地，吕梁山脉由北向南纵贯中部。吕梁山脉最高峰关帝山2830米。最低点石楼县和合乡义牒河汇入黄河处南侧的黄河滩，海拔556.3米。东部交城、文水、汾阳、孝义一带地势较为平坦，为太原盆地的边缘，是主要农作区。年均日照时数2487—2872小时，年均气温9℃左右，年均降水量仅472毫米，无霜期133—178天。年均水资源总量为14.47亿立米，其中，河川径流量为11.1亿立米，地下水资源量为8.9亿立米。主要河流有黄河、汾河、文峪河、孝河等。矿产以煤、铁、铝土矿、耐火粘土等为主。国家重点保护野生动物有褐马鸡、猫头鹰、狍子等5种。有药用植物党参、黄芪等。有国家自然保护区庞泉沟。有吕梁市中医药研究所、李氏骨结核病研究所等科研机构6个。有吕梁学院、山西医科大学汾阳学院、汾阳师范、太原理工大学等高校7所。汾阳中学为省级重点中学，贺昌中学、孝义市中学、交城中学、文水中学为省级示范性学校。汾阳医院和吕梁市人民医院为三级医院。有全国重点文物保护单位汾阳东龙观墓群、杏花村汾酒作坊、交城玄中寺、卦山天宁寺、碛口古建筑群等26处。有省级文物保护单位乌突戍古城遗址、秀容古城遗址、交城瓦窑遗址、临黄塔、狄青墓、柳林双塔寺等37处。有市级文物保护单位52处。为革命老区，有全国爱国主义教育示范基地刘胡兰纪念馆、晋绥边区革命纪念馆、红军东征纪念馆。有省级爱国主义教育基地“四八”烈士纪念馆、晋绥解放区烈士陵园、红军东征总指挥部旧址、于成龙廉政文化园等13处。纪念地有“四八”烈士祠、刘志丹将军殉难处等。国家4A级旅游景区有北武当山风景区、汾酒文化景区、贾家庄生态园、胜溪湖森林公园等9处。国家级3A旅游景区有苍儿会生态文化旅游景区、关帝山国家森林公园、三交黄河峡谷风情旅游区。中阳剪纸为世界非物质文化遗产，文水鈲子、交城滩羊皮鞣制工艺、孝义贾家庄婚俗、离石弹唱、孝义皮影戏、碗碗腔、柳林盘子会等为国家非物质文化遗产。临县大唢呐、临县伞头秧歌、汾阳地秧歌、临县道情戏、孝义木偶戏、汾酒酿制工艺、交城琉璃咯嘣制作工艺、汾阳王酒传统酿造工艺、文水桥头大鼓、柳林碗团制作工艺等为省级非物质文化遗产。有一代女皇武则天，初唐诗人宋之问，宋朝名将狄青，清代天下廉吏第一于成龙，诤臣名相孙家淦等历史人物。近代以来，涌现出红军早期领导人贺昌、被毛主席亲笔题词“生的伟大、死的光荣”的革命英雄刘胡兰、“试管婴儿之父”张民觉、“山药蛋”派代表作家马烽、中国第六代导演代表人物贾樟柯等杰出人才。三次产业比例6:62:32。农业以种植业为主，主产玉米、谷子、小麦、小杂粮、马铃薯等。黄河沿岸区域为全国最大的红枣生产基地。汾阳市是我国最大的核桃集散地之一。工业形成以钢铁、煤炭、建材、酿酒、陶瓷等煤炭主导产业。有优质四号主焦煤。服务业以餐饮、酒店、物流、房地产为主。特产汾酒、竹叶青、核桃、红枣、小米、柳林碗托、柏子羊肉、交口沙棘汁等。太中（银）、瓦日铁路经此设站。有运煤专线介西、孝柳铁路。京昆、青银、太原—佳县、汾阳—平遥、右玉—芮城、吕梁绕城高速，209、307国道，省道西佳线、岚娄线、岢方线经此。

141102 **离石区**［Líshí Qū］吕梁市人民政府驻地。在市境中部。面积1324平方千米。人口45.63万。辖7街道、2镇、2乡。区人民政府驻滨河街道。1958年离山、中阳2县合并，设离石县，属晋中专区。1960年中阳县析出。1967年属晋中地区。1971年方山县析出，离石县改属吕梁地区。1996年撤县设县级市。2004年撤市设区，属吕梁市。唐《元和郡县图志》载：“县东北有离石水（今北川河），因取名焉。”地处吕梁山脉中段西侧，地势东高西低，东部为吕梁山脉西麓，向西过渡到梁峁土石山区和黄土丘陵沟壑区，其间东川、北川、南川河流经形成河谷地貌。最高峰骨脊山海拔2535米。最低点贺家塔村三川河出境处，海拔885米。年平均气温10.3℃，最冷月平均气温-6.4℃，最热月平均气温24.5℃。历年极端最高气温39.8℃，历年极端最低气温-21.8℃。平均降水量525.8mm，年平均相对湿度54%。年平均日照时数2392.4小时，年平均无霜期215天。矿产资源有煤、铝土矿、铁矿、铅锌矿、铜矿、石棉、高铝粘土等。全区含煤面积175平方公里，总储量17.35亿吨，是全国50个重点产煤县区之一，其中4#煤是国内国际市场的紧缺品种，被中外专家誉为“国宝”。有褐马鸡、猫头鹰、狍子等5种国家重点保护动物。有药用植物党参、黄芪等。有吕梁市中医药研究院、李氏骨病结核病研究所等科研机构。有吕梁学院、吕梁电视大学。贺昌中学为省级示范学校。有汉画像石博物馆。

有三级医院吕梁市人民医院。有全国重点文物保护单位马茂庄汉墓群、安国寺、天贞观。有省级文物保护单位离石文庙。有市级文物保护单位5处。民间艺术有弹唱、秧歌、石州剪纸等，其中弹唱为国家非物质文化遗产。景区有安国寺森林公园、吕梁千年旅游风景区、宝丰山、西华镇亚高山草甸等。有安国寺、天贞观、洞阳观等古迹。三次产业比例3:31:66。农业以种植业为主，主产玉米、谷子、薯类等。特产南梁米、甜瓜、粉条等。为吕梁市重要工业生产基地，形成煤炭、焦炭等主导产业。服务业以金融、房地产为主。古为晋西军事要隘和商贸重镇，是兵家必争之地，今为华北通往西部的重要中枢。太中（银）铁路经此设站。青银、右玉—芮城、吕梁绕城高，209、307国道，省道汾柳线经此。

141102-F01 **世纪广场**［Shìjì Guǎngchǎng］在离石区境中部。北侧为永宁西路，东侧为贺昌路。总面积3万平方米。2001年建成。因建于新世纪之初而得名。广场上有西式景观长廊、大型电子显示屏等。

141102-F02 **市民广场**［Shìmín Guǎngchǎng］在离石区境中部。东侧为龙凤南大街，南侧为丽景街。紧邻吕梁市图书馆新馆、莲花池公园、汉画像石博物馆等。总面积4.4万平方米。2002年建成。绿地草坪覆盖广场主要部分，内有5条园间道路、21处活动小广场。广场中心为吕梁宝鼎，仿照石楼出土商代青铜器铸造，鼎下为2千平方米的基座，象征吕梁悠久历史与山川大地。

141102-K01 **长治路**［Chángzhì Lù］在离石区境西北部。西起北川河西路，东至凤山路。与和平街、龙凤北大街、新华街等道路相交。长1.2千米，宽31.5米。沥青路面。1994年始建，1999年建成。路名取长治久安之意。两侧有吕梁市疾病预防控制中心、吕梁体育馆、吕梁游泳馆、市委家属院等。通306、308路等公交车。

141102-K02 **团结路**［Tuánjié Lù］在离石区境中部。西起北川河东路，东至凤山路。与和平街、龙凤北大街等道路相交。长0.3千米，宽11米。沥青路面。1987年建成。2011年重修。路名取团结友好之寓意。两侧有童心幼儿园、金盾小区、市工会小区等。

141102-K03 **永宁路**［Yǒngníng Lù］在离石区境中部。西起龙凤南大街，东至前进南街。以贺昌路、建设街为界，分西路、中路、东路。与兴隆街、新建街等道路相交。长3千米，宽20米。沥青路面。2011年建成。为纪念离石古称永宁州，且由永宁集团承建而得名。两侧有嘉润国际广场、吕梁市煤炭工业局、世纪广场等。通102、109路等公交车。

141102-K04 **晋绥路**［Jìnsuí Lù］在离石区境西南部。东北起滨河北东路，西南至交口村307、209国道交会处。与北川河西路、北川河东路等道路相交。长5.1千米，宽34.5米。沥青路面。1997年始建，2000年建成。为纪念晋绥边区革命根据地得名。两侧有离石区气象局、吕梁市道路运输管理处、乔家塔小学等。通102、302路等公交车。

141102-K05 **滨河北路**［Bīnhé Běilù］在离石区境中部。西起北川河西路，东至沙会则桥。以凤山路、前进北街为界，分西路、中路、东路。与和平街、龙凤北大街等道路相交。长5.8千米，宽40米。沥青混凝土路面。原为东川河北河沿，1984建成道路。1990、2011、2013年屡经拓延。因在东川河北岸得名。两侧有吕梁市交通运输局、吕梁广播电视台、吕梁市中小企业局、吕梁市人民医院等。通102、103路等公交车。

141102-K06 **滨河南路**［Bīnhé Nánlù］在离石区境中部。西起龙凤大桥，东至307国道高速口。以兴隆街、前进南街为界，分西路、中路、东路。与八一街、建设街、五一街等道路相交。长5.5千米，宽40米。沥青混凝土路面。原为东川河南河沿，1980建成道路。1988、2011年改建。因在东川河南岸得名。两侧有吕梁市环境保护局、吕梁市文化局、吕梁四中等。通106、310路等公交车。

141102-K07 **龙山路**［Lóngshān Lù］在离石区境东南部。西起贺昌路，东至307国道高速口。与兴隆街、建设街、五一街等道路相交。长5千米，宽18米。沥青路面。1988年建成，原名交通路。2005年扩建后，因途经龙山山麓更今名。两侧有离石区人民政府、吕梁市荣军医院、离石区公安局交警大队等。通 107、305 路等公交车。

141102-K08 **贺昌路** [Hèchāng Lù] 在离石区境中南部。北起永宁路，西南至龙凤南大街。西与马茂庄路相连。与龙山路、兴南路等道路相交。长 1.3 千米，宽 16 米。沥青路面。2006 年建成。为纪念吕梁籍中共早期革命家贺昌同志而得名。两侧有贺昌中学、永宁国际购物中心等。通 306、308 路等公交车。

141102-K09 **马茂庄路** [Mǎmàozhuāng Lù] 在离石区境中部。西起晋绥路，东至龙凤南大街。东与贺昌路相连。与呈祥路等道路相交。长 1 千米，宽 9 米。沥青路面。1998 年建成。因途经马茂庄村得名。两侧有马茂庄大酒店、吕梁经济管理学校等。通 306 路公交车。

141102-K10 **呈祥路** [Chéngxiáng Lù] 在离石区境中西部。东北起龙凤南大街，西南至碧水路。与丽景街、马茂庄路等道路相交。长 2.2 千米，宽 16 米。沥青路面。2005 年建成。因离石有龙山、凤山，路名取龙凤呈祥之意。两侧有龙凤中学、离石区气象局、春雨河东小区等。

141102-K11 **北川河西路** [Běichuānhé Xīlù] 在离石区境中部。北起南安西路，南至晋绥路。与龙凤北大街、长治路、滨河北路等道路相交。长 6 千米，宽 32.5 米。沥青混凝土路面。2009 年始建，2011 年建成。因在北川河西岸得名。两侧有西崖底村、上水西村、下水西村、美丽家园装饰城等。通 109、110 路等公交车。

141102-K12 **北川河东路** [Běichuānhé Dōng lù] 在离石区境中部。北起凤山路西崖底桥，南至晋绥路李家沟桥。北与吕梁大道相连。与龙凤北大街、文昌路、滨河北路等道路相交。长 5.3 千米，宽 25.6 米。沥青混凝土路面。2008 年始建，2011 年建成。因在北川河东岸得名。两侧有吕梁市工商行政管理局、北川河公园、袁家庄小学等。通 103、308 路等公交车。

141102-K13 **龙凤北大街** [Lóngfèng Běidà jiē] 在离石区境中部。北起北川河西路，南至滨河北西路。与北川河东路、久安路、长治路、团结路等道路相交。长 1.5 千米，宽 40 米。沥青路面。1994 年始建，1999 年建成。因在龙山、凤山间而得名。两侧有龙凤小学、离石区税务局、吕梁安定医院等。通 101、103 路等公交车。

141102-K14 **龙凤南大街** [Lóngfèng Nándà jiē] 在离石区境中部。北起滨河北西路，南至 209 国道。与滨河南西路、永宁西路、丽景街等道路相交。长 6.3 千米，宽 40 米。沥青路面。1997 年始建，2000 年建成。因在龙山、凤山间而得名。两侧有吕梁五中、离石区人民法院、市民广场、莲花池公园等。通 101、301 路等公交车。

141102-K15 **凤山路** [Fèngshān Lù] 在离石区境中部。北起吕梁大道与南安东路交会处，南至滨河北路。与阳光路、久安路、长治路、团结路等道路相交。长 4.2 千米，宽 28.3 米。沥青路面。2005 年始建，2006 年建成，因位于凤山脚下得名。两侧有袁家庄中学、吕梁体育馆、吕梁市人民医院等。通 102、104 路等公交车。

141102-K16 **五一街** [Wǔyī Jiē] 在离石区境东部。北起滨河南中路，南至龙山路。与永宁东路相交。长 0.3 千米，宽 10 米。沥青路面。2005 年建成。为纪念五一国际劳动节而得名。两侧有益众小区、爱育幼童幼儿园等。

141102-K17 **建设街** [Jiànshè Jiē] 在离石区境中东部。北起滨河南中路，南至龙山路。与永宁东路、货源街等道路相交。长 0.8 千米，宽 24 米。沥青路面。1980 年建成。两侧有离石一中、离石区公安局等。通客运总站—康家岭、客运总站—下三交专线公交车。

141102-K18 **八一街** [Bāyī Jiē] 在离石区境中部。北起滨河南西路，南至永宁西路。与文化街等道路相交。长 0.7 千米，宽 24 米。沥青路面。2011 年建成。因附近有军分区而得名。两侧有吕梁市教育局、吕梁市体育局、吕梁市体育运动学校等。通 109 路公交车。

141102-N01 **龙凤大桥** [Lóngfèng Dàqiáo] 在离石区境中部龙凤大街上，纵跨东川河。为中型河道桥梁，拱桥结构。桥长 96.6 米，桥面宽 34.7 米，最大跨度 20 米，桥下净高 8 米。1998 年始建，1999 年建成，2008 年扩建，因在龙凤大街得名。为城区南北向交通要道，最大载重量

20 吨。

141102-N02 **高崖湾大桥**［Gāoyáwān Dàqiáo］在离石区境东部庆瑞路上，纵跨东川河。为中型河道桥梁，拱桥结构。桥长 88.6 米，桥面宽 12.6 米，最大跨度 20 米，桥下净高 7 米。1994 年始建，1996 年建成。因在高崖湾村得名。为城区东部南北向交通要道，最大载重量 20 吨。

141102—R01 **吕梁站**［Lǚliáng Zhàn］见交通运输设施部分“吕梁站”条。

141102-A01 **滨河街道**［Bīnhé Jiēdào］离石区人民政府驻地。在城区东部。面积 13 平方千米。人口 7.38 万。辖 14 社区。2004 年撤城区街道分设滨河街道。因在东川河滨得名。有大中专院校 5 所，中小学 9 所，卫生院 4 个。有凤山道院、龙山森林公园等景点。农业以种植业、畜牧业为主，主产玉米、豆类、薯类。工业以炼焦、建材为主。服务业以房地产、商贸、餐饮为主，有大型商贸综合市场 10 余个，企业、商铺、门店 3000 多家。青银高速、307 国道、右玉—芮城高速经此。通多路公交车。

141102-A01-L01 **兴隆街**［Xīnglóng Jiē］在离石区境中部。北起滨河南路，南至永宁路。长 0.5 千米，宽 24 米。沥青路面。1973 年在 209、307 国道基础上拓建而成。后屡经扩建，成为市区主要商业街之一。两侧有吕梁市住房公积金管理中心、吕梁影剧院、石州百货大楼等。

141102-A02 **凤山街道**［Fèngshān Jiēdào］属离石区。在城区北部。面积 20 平方千米。人口 3.62 万。辖 15 社区。2004 年撤城区街道分设凤山街道。因境内有名胜凤山得名。有中小学 3 所。有吕梁体育馆。有全国重点文物保护单位天贞观。地方艺术有秧歌、弹唱。有凤山公园、北川河公园、水西生态园。服务业以商贸物流业为主。太中（银）铁路，青银、右玉—芮城高速，209 国道经此。通多路公交车。

141102-A03 **莲花池街道**［Liánhuāchí Jiēdào］属离石区。在城区西南部。面积 16 平方千米。人口 4.11 万。辖 16 社区。2004 年撤城区街道分设莲花街道。因境内有古莲花池得名。有中小学、卫生院 10 余所。有个体工商户 3500 余户。有汉画像石博物馆。有全国重点文物保护单位马茂庄汉墓群。有省级文物保护单位离石文庙。民间艺术有离石弹唱、威风锣鼓。有永宁购物、嘉润、新世纪、苏宁电器以及吕梁市长途汽车站等。工业以焦煤为主。有大土河工业园区。服务业以餐饮、住宿为主。通多路公交车。

141102-A03-J01 **城内社区**［Chéngnèi Shèqū］属莲花街道。面积 0.2 平方千米。人口 3370。因其所在地理位置而得名。有吕梁市体育运动学校、吕梁市教育局、吕梁市离石区人民医院、吕梁市能源局、吕梁市应急管理局等多个驻区单位。通 302、304、305、308 等多路公交车。

141102-A04 **城北街道**［Chéngběi Jiēdào］属离石区。在城区中部。面积 47 平方千米。人口 1.52 万。辖 10 社区、6 行政村。原为离石城北郊王家沟乡地。2001 年成立。因在离石老城北部得名。地势东北高、西南低，靠北川河有少数川地。平均海拔高度 1251 米，最高点为玉林山，海拔 1573 米，最低点前赵家庄北川河河谷，海拔 930 米，相对高度 643 米。矿产有煤。有小学、社区卫生服务中心。农业以玉米、谷子、高粱、小杂粮等为主。工业以煤焦为主。有城北供热公司、离石电缆厂、吕梁残疾人职业技术学校等。太中（银）铁路经此设站。滨河东路、滨河西路和 209 国道三条主干道横穿全境，吕梁大道向北延伸。通多路公交车。

141102-A05 **田家会街道**［Tiánjiāhuì Jiēdào］属离石区。在城区东部。面积 96 平方千米。人口 2.43 万。辖 11 社区、13 行政村。2004 年撤田家会镇改设街道。2021 年 6 月原红眼川乡整建制并入田家会街道。因办事处驻田家会村得名。东川河流经。有中小学、卫生院、社区多功能服务中心。有秧歌、弹唱、戏剧等民间艺术活动。古迹有下楼桥玉虚宫遗址、马家村关帝庙、马家村诸神庙。农业主产谷物、豆类、薯类。服务业以建材、农副产品加工为主。太中（银）铁路，青银、吕梁绕城高速、307 国道经此。通多路公交车。

141102-A06 **交口街道**［Jiāokǒu Jiēdào］属离石区。在城区西南部。面积 26 平方千米。人口 1.67 万。辖 8 社区、2 行政村。1953 年设立交口乡，1958 年建立人民公社，1984 年改建为镇，2004 年 7 月由交口镇改设交口街道办事处至今。因在南、北川河交汇处得名。地形主要为山地丘陵。有中小学、卫生院。有全国重点文物保护单位安国寺。有跑旱船、秧歌、戏剧等民俗活动。农业以玉米、高粱、谷类种植为主。工业以煤、铝矾土、粘土、石灰石等开采为主。服务业以旅游为主。青银、右玉—芮城高速，209、307 国道经此。通多路公交车。

141102-A06-J01 **交口社区**[Jiāokǒu Shèqū] 属交口街道。位于离石区南部，毗邻柳林县、中阳县，属于三县交界地带。面积 4.1 平方千米。人口 11540。因北、东、南三川在附近交汇而得名。有吕梁市第二中学、交口小学、交口卫生所。2017 年被列入第五届全国文明村。307 国道经此。

141102-A06-J02 **乔家塔社区**［ Qiáojiātǎ Shèqū ］属交口街道。东临枣架村、西临王家塔村、南临交口社区、北临渠家山村。面积 5.3 平方千米。人口 1530。因清初有乔氏迁居于此，且此地形像塔状而得名。有乔家塔小学、聚福汽贸园、金海瑞彩钢钢材市场。2020 年被评为第六届全国文明社区。209 国道经此。

141102-A06-J03 **高家沟社区**［ Gāojiāgōu Shèqū ］属交口街道。西临交口社区、东临段家坪村、北临石盘村。面积 1.5 平方千米。人口 8490。有高家沟小学。有第六批省级文物保护单位晋绥军区高级军事会议高家沟旧址，1946 年秋，晋绥军区司令员贺龙在此召开解放战争期间一次较高级别的军事会议“高家沟高级军事会议”。有高家沟军事会议纪念馆，是山西省第一个军事会议专题纪念馆。有吕梁市城南工业主题公园。209 国道经此。

141102-A06-H01 **杜家山**［ Dùjiāshān ］在区政府驻地滨河街道西 7.6 千米。交口街道辖行政村。人口 260。因地处山上，为杜姓人家所开辟的季节性山庄，后陆续有人在此定居，故名。聚落呈团块状。有第五批全国重点文物保护单位安国寺，创建于唐贞观十一年（637 年），现存建筑多为明清建筑遗构。有市级文物保护单位杜家山圣母庙，现存为清代建筑遗构。2019 年被列入第五批中国传统村落名录。乡村道路经此。

141102-A07 **西属巴街道**［ Xīshǔbā Jiēdào ］属离石区。在城区西北部。面积 68 平方千米。人口 2.38 万。辖 11 社区，6 行政村。2004 年撤西属巴镇改设街道。因在马头山下、北川河之滨得名。矿产有煤、铝等。有吕梁学院、吕梁学院附中、西属巴中学及 8 所小学。有卫生院、文化广场。古迹有金阁寺、神底村众神庙、茂塔沟金林寺。民间艺术有跑旱船、秧歌、戏剧等。是离石区重要的粮食、蔬菜、肉蛋、农副产品产区和加工区，主种玉米、马铃薯、瓜果、蔬菜等。工业以煤炭开采、农产品加工为主。特产粉条、粉皮、甜瓜。太中（银）铁路、209 国道经此。通公交车。

141102-A07-J01 **盛地社区**［ Shèngdì Shèqū ］属西属巴街道。人口 3030。原名神底，后因破除迷信而得名。有盛地村小学、离石光明小学、吕梁市中级人民法院、吕梁市文化和旅游局、吕梁市政务服务中心。有第六批省级文物保护单位战地总动员委员会旧址，1937 年 11 月 8 日，日军逼近太原，太原成成中学师生随战动总会转移至离石，正式编为战动总会游击第四支队，移驻盛地村进行整训。209 国道经此。

141102-B01 **吴城镇**［ Wúchéng Zhèn ］离石区辖镇。在区境东南部。面积 427 平方千米。人口 1.18 万。辖 15 行政村。镇人民政府驻吴城。1949 年属离石县第六区。1953 年设吴城乡，后改公社。1984 年改置镇。1996 年属离石市。2001 年王营庄乡并入。因吴起在此筑城得名。地处吕梁山脉西麓，东部薛公岭为晋中盆地与晋西黄土高原的分界。平均海拔 1367 米。森林面积 28.4 万亩，宜林荒地 17.5 万亩，耕地面积 6.8 万亩，属农、林、牧为主的农业乡镇。东川河流经。矿产有石英、硃石、镁等。有小学、卫生院。古迹有吴城古镇、于离古城遗址、洞阳观等。有白马仙洞风景区。农业主产核桃、山药、玉米、谷子，有精淀粉加工业。特产羊肚菌、蕨菜、沙棘。历代为晋西交通要道。太中（银）铁路、青银高速、307 国道经此。

141102-B01-H01 **街上**［ Jiēshàng ］吴城镇

人民政府驻地。在区政府驻地滨河街道东南 30 千米。人口 1380。相传此地由战国魏将吴起为练兵拒秦而筑，街上为建在这里的一条街。聚落呈条带状。有吴城镇寄宿制小学、吴城镇卫生院。有县级文物保护单位吴城遗址，为商代、东周时期文化遗存。有县级文物保护单位白氏民宅，现存为清代建筑遗构。有杜三策家族墓地，为清代墓葬。有吴城林场。2016 年被列入第四批中国传统村落名录。307 国道经此。

141102-B02 **信义镇** [Xìnyì Zhèn] 离石区辖镇。在区东北 15 公里处。面积 434 平方千米。人口 1.67 万。辖 20 行政村。镇人民政府驻信义。1953 年设信义乡，后改公社。1984 年改置镇。1996 年属离石市。2001 年阳坡、小神头 2 乡并入。因驻地得名。有中小学、卫生院、文化馆、图书馆。有吕梁千年旅游风景区、西华镇亚高山草甸、宝峰山塔、原国家六六干校旧址等景点。农业主产谷子、玉米、土豆。特产莜面、优种核桃、中药材、山木耳、羊肚菌等。工业以煤化工为主。服务业以旅游、餐饮为主。太中（银）铁路，青银、吕梁绕城高速，307 国道经此。

141102-B02-H01 **信义** [Xìnyì] 信义镇人民政府驻地。在区政府驻地滨河街道东北 17.5 千米。人口 1810。聚落呈条带状。有信义镇卫生院。有信义遗址、信义北遗址，均为新石器时代文化遗存。有信义西遗址，为新石器时代、夏代及东周文化遗存。有信义烈士楼，为纪念李完儿等七位革命烈士而建。县道米五线经此。

141102-C01 **枣林乡** [Zǎolín Xiāng] 离石区辖乡。在区境西部。面积 98 平方千米。人口 1.03 万。辖 19 行政村。乡人民政府驻枣林。1953 年设枣林乡，后改公社。1984 年复置乡。1996 年属离石市。2001 年结绳墕乡并入。因驻地得名。为黄土丘陵沟壑和土石山区，平均海拔为 1200 米，最高点为王老婆山峰，海拔 1500 米。山地面积占版图面积的 80%。素有“九梁十八峁”之称。年降雨量 350mm 左右，无霜期 150 天左右，年平均气温 10℃左右。矿产有石英、石灰岩、花岗岩等。有中小学、卫生院。纪念地有王老婆山战役旧址。农业主产谷子、高粱、玉米、豆类等。工业以建筑材料、物流运输为主。服务业以农林产品交易与运输为主。呼北高速经此。通公路。

141102-C01-H01 **枣林** [Zǎolín] 枣林乡人民政府驻地。在区政府驻地滨河街道西 10 千米。人口 930。因村中多枣树而得名。聚落呈条带状。有枣林小学。有五龙圣母庙，现存为清代建筑遗构。有天地庙，现存为民国建筑遗构。县道离碛线经此。

141102-C01-H02 **彩家庄** [Cǎijiāzhuāng] 在区政府驻地滨河街道西北 20 千米。枣林乡辖行政村。人口 660。相传此地建村前树木成林。其中栎树较多，方言称其为彩树，故名。聚落呈团块状。有县级文物保护单位彩家庄一号民宅、彩家庄四号民宅，现存均为清代建筑遗构。有彩家庄传统民居建筑群，现存均为清代建筑。2014 年被列入第三批中国传统村落名录。2019 年被列入第七批中国历史文化名村名录。县道离碛线经此。

141102-C02 **坪头乡** [Píngtóu Xiāng] 离石区辖乡。在区境西北部。面积 73 平方千米。人口 1.8 万。辖 24 行政村。乡人民政府驻坪头。1953 年设坪头乡，后改公社。1984 年复置乡。1996 年属离石市。2001 年枣洼乡并入。因驻地得名。境内地形沟壑纵横，梁峁起伏，地势东高西低，落差较大，最高处位于马头山一带，海拔 1480 米，最低处位于樊包头村一带，海拔 850 米。年平均气温 10℃，年降水量 450 毫米，无霜期达 170 天。有中小学、卫生院。伞头秧歌为省级非物质文化遗产。农业主产玉米、谷子、豆类等。盛产红枣。工业有煤、铝矾土、石灰石开采。呼北高速经此。通公路。

141102-C02-H01 **坪头** [Píngtóu] 坪头乡人民政府驻地。在区政府驻地滨河街道西北 40 千米。人口 930。因在黄土丘陵区平地前沿而得名。聚落呈团块状。有坪头乡卫生院。有观音庙，现存为清代建筑遗构。有坪头惨案纪念地。1943 年 10 月，日寇包围驻扎坪头，连续对周围 24 个村庄进行烧、杀、抢手段，造成了震惊吕梁山、死伤 107 人的坪头惨案。有坪头革命烈士碑，记载了薛雨田烈士的生平。乡村道路经此。

141121 **文水县** [Wénshuǐ Xiàn] 吕梁市辖

县。北纬 37° 36′，东经 112° 01′。在市境东部。面积 1069 平方千米。人口 37.26 万。辖 7 镇、5 乡。县人民政府驻凤城镇。北魏太平真君九年（448 年）废大陵县，改置受阳县，治今旧城庄。隋开皇十年（590 年）改受阳县为文水县，属太原郡。因县境文峪河古称文水，故名。唐初属汾州、并州。天授元年（690 年）以文水县为武则天故里，改名武兴县。神龙元年（705 年）复名文水县。宋属太原府。元符年间为避水患徙治章多里，即今县城。元属冀宁路。明、清属太原府。1912 年废府。1913 年属中路道。1914 年属冀宁道。1927 年废道后直属山西省。1937 年属山西省第四行政区。1949 年属汾阳专区。1951 年属榆次专区。1958 年废入汾阳县。1960 年 1 月复置文水县，属晋中专区。1967 年属晋中地区。1971 年属吕梁地区。2004 年属吕梁市。因文峪河水潆波多纹得名。文水历史悠久，人杰地灵。在新石器时代即有人类定居。革命小将刘胡兰、千古女皇武则天、佛教净土宗创始人道绰、宋代名将狄青、元朝宰相梁锦阳、人民作家孙谦等众多杰出人物均出自文水，成为文水县文明久远、人文荟萃的历史见证。毛泽东同志曾为刘胡兰同志题词，“生的伟大、死的光荣。”文水地处太原盆地西缘，吕梁山东麓，地势西北高东南低。境内具有基岩中山区、土石低山区、黄土丘陵区、山前倾斜平原区、冲积平原区五种地貌类型。其中冲积平原区面积 501.7 平方公里，占全县总面积的 47%，基岩中山区面积 420 平方公里，占全县总面积的 39%。最高点大西沟海拔 2169 米。最低点是西槽头乡王家社村海拔 739 米。最大相对高差为 1430 米左右。东部为晋中盆地。年均日照总时数为 2551.9 小时，年均气温 10.4℃，年均降水量 450—700 毫米，无霜冻期为 183 天。汾河及其支流文峪河、磁窑河、头道川河、二道川河、三道川河等流经。矿产资源有煤、石灰石、石英石、石棉、铅、石膏等。有国家重点保护动物金钱豹、褐马鸡、原麝。有野蔷薇、党参、猪苓、柴胡、野樱桃等观赏、药用植物 60 余种。有文水科学研究所。文水中学为省级示范学校。有医院 2 个。有全国重点文物保护单位则天庙、梵安寺塔。有省级文物保护单位上贤遗址。有县级重点文物保护单位狄武襄公祠等 55 处。有全国重点烈士纪念建筑物保护单位、全国爱国主义教育示范基地刘胡兰纪念馆。文水鈲子为国家级非物质文化遗产，文水长拳、福胜锣鼓、文水马西铙、文水桥头大鼓为省级非物质文化遗产。有国家风景名胜区苍儿会生态文化旅游景区、关帝山国家森林公园。有世泰湖省级湿地公园。纪念地有刘胡兰纪念馆、武则天纪念馆等。三次产业比例 21.2:35.8:43。农业主产玉米、土豆、小麦、薯类等。工业形成钢铁、化工、建材等产业。服务业以餐饮、娱乐为主。特产文水酥梨，大象鲜鸡、野山坡沙棘汁等。太中（银）铁路经此设站。G20 高速、G5 高速、307 国道、241 国道、320 省道经此。

141121-E01 **文水经济开发区**［Wénshuǐ Jīngjì Kāifāqū］位于文水县南部。2006 年批准成立，为省级开发区。2018 年扩区后，总体规划面积 30.26 平方公里。开发区位于太原、晋中、吕梁三市交会处，境内 307 国道、祁方线纵横东西，太中银铁路贯通南北，夏汾高速公路、大运高速公路穿境而过。产业发展方向以新能源、新材料、先进装备制造为主。规划形成百金堡产业园、桑村产业园、东庄产业园和南安产业园“一区四园”格局。管委会位于孝义镇马村。

141121-N01 **红旗桥**［Hóngqí Qiáo］在文水县城东部则天大街上，横跨文峪河。为中型河道桥梁，混凝土结构。桥长 53.5 米，桥面宽 12 米，最大跨度 48 米，桥下净高 8.2 米。1958 年始建，1971 年、2010 年改建。因时代背景而得名。最大载重量 13 吨。

141121-R01 **文水站**［Wénshuǐ Zhàn］见交通运输设施部分“文水站”条。

141121-B01 **凤城镇**［Fèngchéng Zhèn］文水县人民政府驻地。在县境中部。面积 150 平方千米。人口 12.09 万。辖 26 行政村。镇人民政府驻城关。1953 年设城关乡，后改公社。1984 年改置镇。2001 年与沟口、宜儿 2 乡合置凤城镇。因文水古城有“凤凰城”之誉而改今名。文峪河流经。有文水中学、山西省吕梁名师高级中学、山西徐特立高级职业中学。有幼儿园、文化馆、图书馆、体育场。有全国重点文物保护单位则天庙。矿产有煤炭、石灰岩、石英砂等。农业主种玉米、小麦、大葱、葡萄。养殖业以猪、鸡、羊为主。工业有冶炼、化工、建材等。服务业以餐饮、商贸、运输为主。太中（银）铁路经此设站。G20 高速、307 国道、241 国道、320 省道经此。

141121-B01-K01 **北环大街** [Běihuán Dàjiē] 在文水县城北部。西起西环路北口，东至东环路北口。与凤凰路、兴华路等道路相交。长 3.6 千米，宽 22.6 米。混凝土路面。1988 年建成。2014 年改建。原名北二环。2010 年原北环路更名为子夏街后，改北二环为北环。两侧有文水县第五实验幼儿园、凤翔苑小区等。

141121-B01-K02 **子夏东街** [Zǐxià Dōngjiē] 在文水县城北部。西起大陵北路，东至刘胡兰中学附近。以大陵北路为界，分东街、西街。与新华北路等道路相交。长 1.5 千米，宽 12 米。沥青路面。原为文水县北城墙及护城河所在，1949 年后改为街道。曾名北环路。为纪念历史人物子夏于西河讲学，2010 年更今名。两侧有凯奇御景园、文水县职业教育中心、东兴小区等。通文水 2、3 路等公交车。

141121-B01-K03 **子夏西街** [Zǐxià Xījiē] 在文水县城北部。西起凤凰路，东至大陵北路。以大陵北路为界，分东街、西街。长 0.6 千米，宽 12 米。沥青路面。原为文水县北城墙及护城河所在，1949 年后形成街道。曾名北环路。为纪念历史人物子夏于西河讲学，2010 年更今名。两侧有文水县发展和改革局、文水县粮食局等。通文水 2、3 路等公交车。

141121-B01-K04 **则天大街** [Zétiān Dàjiē] 在文水县城中部。西起 307 国道，东至新建东环路。与凤凰路、大陵路、兴华路等道路相交。长 1.2 千米，宽 23 米。沥青路面。原为县城中部东、西大街。1949 年后屡经拓延。2010、2014 年改建。为纪念历史人物武则天更今名。两侧有文水县政务大厅、文水县公安局、金桥商场、文水县中医院、富康广场等。通文水 1 路公交车。

141121-B01-K05 **狄青大街** [Díqīng Dàjiē] 在文水县城中南部。西起 307 国道，东至环城东路。与凤凰路、大陵路、兴华路等道路相交。长 2.8 千米，宽 20.5 米。沥青混凝土路面。原为文水县城南城墙及护城河所在，1949 年后形成街道。2010、2014 年改建。曾名大陵街。为纪念北宋名将狄青更今名。两侧有文水县人民法院、嘉和苑、天福水上公园等。通文水 2、3 路等公交车。

141121-B01-K06 **南环大街** [Nánhuán Dàjiē] 在文水县城南部。西起西环路南口，东至新建东环路南口。与凤凰路、兴华路等道路相交。长 3.9 千米，宽 23.3 米。沥青路面。1988 年建成。2014 年改建。原为县城南部乡村公路，曾名南二环路。因作为县城南部环城路，2010 年更今名。两侧有文水县车管所、旺家燃气有限公司等。

141121-B01-K07 **凤凰南路** [Fènghuáng Nánlù] 在文水县城西南部。北起狄青大街，南至南环大街。以狄青大街为界，分北路、南路。长 1.5 千米，宽 25 米。沥青路面。1921 年开工建设，为太原—汾阳公路路段。2010 年改扩建后，为纪念文水旧有凤凰城之美誉而得名。两侧有圣喆苑小区、岳青园小区等。

141121-B01-K08 **凤凰北路** [Fènghuáng Běilù] 在文水县城西部。北起北环大街，南至狄青大街。以狄青大街为界，分北路、南路。与子夏西街、则天大街等道路相交。长 1.9 千米，宽 25 米。沥青路面。1921 年开工建设，为太原—汾阳公路路段。2010 年改扩建后，为纪念文水旧有凤凰城之美誉而得名。两侧有兴龙苑小区、文水公路管理段等。

141121-B01-K09 **大陵南路** [Dàlíng Nánlù] 在文水县城中部。北起则天大街，南至狄青大街。以则天大街为界，分北路、南路。与东大街等道路相交。长 0.6 千米，宽 9 米。沥青路面。原名南街，为明清时期文水县城内南北向主街。1949 年后多次改建。为纪念文水古称大陵县，2010 年更今名。两侧有南街村委会等。

141121-B01-K10 **大陵北路** [Dàlíng Běilù] 在文水县城中部。北起子夏东西街，南至则天大街。以则天大街为界，分北路、南路。长 0.6 千米，宽 9 米。沥青路面。原名北街，为明清时期文水县城内南北向主街。1949 年后多次改建。为纪念文水古称大陵县，2010 年更今名。两侧有凤城镇北街中小学校、北街村委会等。

141121-B01-K11 **梧桐北路** [Wútóng Běilù] 在文水县城东部。北起北环大街，南至则天大街。以则天大街为界，分北路、南路。长 1.1 千米，宽 23 米。沥青路面。原为祈方线路段，1988 年建成。因该路段原有大梧桐树，2010 年更今名。两侧有文泰社区居委会、文水县自然资源局、文水县不动产登记局等。

141121-B01-K12 **梧桐南路** [Wútóng Nánlù] 在文水县城东南部。北起则天大街，南至南环大街。以则天大街为界，分北路、南路。与狄青大街、胡兰大街等道路相交。长 3 千米，宽 23 米。沥青路面。原为祈方线路段，1988 年建成。因该路段原有大梧桐树，2010 年更今名。两侧有立华汽贸有限公司、文水县第二实验小学、山水文园小区等。

141121-B01-K13 **东环路** [Dōnghuán Lù] 在文水县城东部。北起北大街，南至胡兰大街。与狄青大街、则天大街、学府路等道路相交。长 2.4 千米，宽 22 米。沥青路面。2012 年建成。因位于城区东部得名。两侧有文水站等。

141121-B01-K14 **胡兰东街** [Húlán Dōngjiē] 在文水县城东南部。西起世纪华庭小区附近，东至东环路。与梧桐路等道路相交。长 1.2 千米，宽 20 米。沥青路面。2010 年建成。为纪念文水革命烈士刘胡兰而得名。两侧有城镇五中、文水县第二实验小学等。

141121-B01-K15 **胡兰西街** [Húlán Xījiē] 在文水县城西南部。西起 307 国道，东至御河湾小区附近。与凤凰南路等道路相交。长 1.5 千米，宽 9 米。沥青路面。2010 年建成。为纪念文水革命烈士刘胡兰而得名。两侧有文水县公安局交警大队、瑞祥苑小区等。

141121-B01-K16 **学府北路** [Xuéfǔ Běilù] 在文水县城东部。北起北大街，南至则天大街。以则天大街为界，分北路、南路。与武装部北街、武装部南街等道路相交。长 0.9 千米，宽 20 米。沥青路面。2010 年建成。因途经文水中学等学校而得名。两侧有文东新区学校、堡子村等。

141121-B01-K17 **学府南路** [Xuéfǔ Nánlù] 在文水县城东南部。北起则天大街，南至东环路。以则天大街为界，分北路、南路。与狄青大街等道路相交。长 0.9 千米，宽 20 米。沥青路面。2010 年建成。因途经文水中学等学校而得名。两侧有文水中学、学府雅苑等。

141121-B01-K18 **兴华南路** [Xīnghuá Nánlù] 在文水县城中部。北起则天大街，南至冀周村。以则天大街为界，分北路、南路。与等道路相交。长 0.9 千米，宽 10 米。沥青路面。原名环城东路。因该路有自由贸易市场，1988 年更名兴华路，取兴隆繁华之意。两侧有城镇中学、东南街第二小学、文水县体育场等。通文水 1 路公交车。

141121-B01-K19 **兴华北路** [Xīnghuá Běilù] 在文水县城中部。北起北环大街，南至则天大街。以则天大街为界，分北路、南路。与子夏东街等道路相交。长 2 千米，宽 10 米。沥青路面。原名环城东路。因该路有自由贸易市场，1988 年更名兴华路，取兴隆繁华之意。两侧有唐久小区、凤凰广场、凤城小区等。通文水 2、3 路等公交车。

141121-B01-H01 **南徐** [Nánxú] 在县政府驻地凤城镇北 3.9 千米。凤城镇辖行政村。人口 3120。明代设置徐北都，以寿宁寺为界，该村地处寺院的南面，故名。聚落呈团块状。有南徐小学。有第四批全国重点文物保护单位则天庙，始建于唐代，现存则天圣母殿为金代原构，其余为明清建筑遗构，是全国唯一的女皇祀庙。有南徐遗址，为汉代文化遗存。307 国道经此。

141121-B01-H02 **前周** [Qiánzhōu] 在县政府驻地凤城镇西北 10 千米。凤城镇辖自然村。人口 30。该村曾名周家山，后来为区分同名村落，将原周家山改为后周家山，因该村靠近平川，定名为前周家山，后简而得名。聚落呈团块状。有前周灯山王母殿，现存庚楼及厢房为清代建筑遗构。有前周乐楼、前周祠堂，现存均为清代建筑遗构。2016 年被列入第四批中国传统村落名录。乡村道路经此。

141121-B02 **开栅镇** [Kāishi Zhèn] 文水县辖镇。在县境北部。面积 377 平方千米。人口 3.58 万。辖 11 行政村。镇人民政府驻开栅。1953 年设开栅乡，后改公社。1984年设置镇。2001年苍儿会乡并入。因驻地得名。地势西高东低，地形分为土石低山区、黄土丘陵区、山前倾斜平原区。文峪河流经。野生动植物有野鸡、野猪、油松、落叶松、桦树、木耳、山杏、山桃及多种中药材。有中小学、卫生院。古迹有武氏祖墓遗址、北峪口新石器文化遗址、东岩寺。有国家3A级旅游景区苍儿会生态文化旅游景区等。有文峪河水库。矿产有煤炭等。农业主产玉米。企业以冶炼、吉港水泥为主。服务业以旅游、餐饮为主。G20高速、307国道、241国道、320省道经此。

141121-B02-H01 **开栅**［Kāishi］开栅镇人民政府驻地。在县政府驻地凤城镇北10千米。人口10480。古称栅城。《读史方舆纪要》卷40《山西二》谓："魏武帝时筑，地当文谷口，以为防御。清时称开栅，又称开山，开栅，山之门户也。"即此。由于地处军事要冲，向来为兵家必争之所，素有文水县北大门之称。聚落呈团块状。有开栅中学、开栅小学、开栅医院。有第五批省级文物保护单位开栅能仁寺，现存正殿为明代建筑遗构，其余为清代建筑遗构。307国道、241国道经此。

141121-B02-H02 **武陵**［Wǔlíng］在县政府驻地凤城镇东北13千米。开栅镇辖行政村。人口3330。相传为武则天家族祖茔旧地而得名。此地亦为春秋时期平陵故城遗址。《左传·昭公二十八年》载："魏献子为政，分祁氏之用以为七县"。《读史方舆纪要》卷40《山西二》谓："《城邑考》：大陵故城，周十余里，后魏废。"《春秋舆国》谓："平陵，在文水县东北二十里。"即此。聚落呈团块状。有武陵真武庙、武陵狐神庙、武陵观音堂，现存均为清代建筑遗构，均有壁画遗存。241国道经此。

141121-B02-H03 **北徐**［Běixú］在县政府驻地凤城镇北6.6千米。开栅镇辖行政村。人口5150。明代曾设有徐北都，驻村北寿宁寺。以寿宁寺为界，该村地处寺院的北面，故名。聚落呈团块状。有北徐学校。有甘泉常稔渠水程碑，记载了乾隆年间重新划分水程的事。2016年被列入第四批中国传统村落名录。307国道经此。

141121-B03 **南庄镇**［Nánzhuāng Zhèn］文水县辖镇。在县境东北部。面积39平方千米。人口2.26万。辖10行政村。镇人民政府驻南庄。1953年设南庄乡，后改公社。1984年改置镇。因驻地得名。有中小学、幼儿园、卫生院、文化站、农家书屋。农业主产小麦、玉米、高粱，兼产花生、梨、葡萄。养殖业以牛、猪、羊、鸡为主。企业有铸造、混凝土、食品加工等厂。433、450县道经此。

141121-B03-H01 **南庄**［Nánzhuāng］南庄镇人民政府驻地。在县政府驻地凤城镇东北26千米。人口4220。相传古代在温云村的南面有一条河，河南岸土地肥沃，村民们为了生产和生活上的方便，开始在河南岸建村居住，故名。聚落呈团块状。有南庄镇中学、南庄镇中心卫生院。有南庄杜家宅院，现存为清代建筑遗构。县道柳开线经此。

141121-B04 **南安镇**［Nán'ān Zhèn］文水县辖镇。在县境东北部。面积65平方千米。人口3.6万。辖19行政村。镇人民政府驻南安。1953年设南庄乡，后改南安公社。1984年改置镇。2001年南白乡并入。因驻地而得名。汾河流经。有中小学、幼儿园、卫生院、文化站、农家书屋。农业主产玉米、棉花、蔬菜。养殖业以猪、鸡、牛、羊为主。是华北地区最大的优质酥梨生产基地之一，品牌有"女皇贡梨"。有酿酒企业。433县道经此。

141121-B04-H01 **南安**［Nán'ān］南安镇人民政府驻地。在县政府驻地凤城镇东北30千米。人口4850。明清之际此地常常受到从太原府南下的清兵袭扰，百姓难以安宁，因"难"与"南"谐音而得名。聚落呈团块状。有南安小学、南安镇卫生院。有南安关帝庙，现存为清代建筑遗构。有南安郑家宅院，现存为清代建筑遗构。有孙谦纪念馆。孙谦，曾任山西省作协副主席，山西省文联副主席，山西省影协主席等职。县道柳开线经此。

141121-B04-H02 **西韩**［Xīhán］在县政府驻地凤城镇东北28千米。南安镇辖行政村。人口1100。相传该村最早由洪洞大槐树移民郗姓、韩姓居民始居，故名郗韩村，后演化为今名。聚落呈团块状。有西韩学校。有特产酥梨，是华北地区最大的优质酥梨生产基地之一。2011 年被列入全国文明村。县道柳开线经此。

141121-B04-H03 **杨乐堡** [Yánglèbǎo]在县政府驻地凤城镇东 25 千米。南安镇辖行政村。人口 2600。相传村中杨氏先祖为北宋名将杨业后裔，金末元初时流落此地定居，故称杨落堡，后演化为今名。聚落呈团块状。有杨乐堡学校。有杨乐堡韩家宅院门楼，现存为清代建筑遗构。2020 年被列入第六届全国文明村。县道柳开线经此。

141121-B05 **刘胡兰镇** [Liúhúlán Zhèn] 文水县辖镇。在县境东部。面积 81 平方千米。人口 4.81 万。辖 22 行政村。镇人民政府驻刘胡兰村。1953 年设云周西乡，后改胡兰公社。1984 年改置刘胡兰镇。2001 年上曲乡并入。因驻地得名。汾河流经。有中小学、卫生院。有全国重点烈士纪念建筑物保护单位、全国爱国主义教育示范基地刘胡兰纪念馆。纪念地有刘胡兰烈士陵园、刘胡兰故居。有世泰湖省级湿地公园。农业以种植业和畜牧业为主，主产玉米、小麦。有现代化养殖企业、良种繁育基地。企业有肉制品厂、酿酒等厂。服务业以食品加工为主。241 国道、320 省道经此。

141121-B05-H01 **刘胡兰** [Liúhúlán]刘胡兰镇人民政府驻地。在县政府驻地凤城镇东 17 千米。人口 2260。原名为云周西村，因位于云周故城（现云周村）西而得名。因是刘胡兰故里，为纪念刘胡兰而得名。聚落呈团块状。有刘胡兰中学、刘胡兰八一希望小学、刘胡兰镇中心卫生院。有全国重点烈士纪念建筑物保护单位刘胡兰纪念馆，主要建筑物有毛泽东题词纪念碑、刘胡兰事迹陈列室、七烈士纪念厅、刘胡兰烈士墓及观音庙（受审处）、影视厅、书画室等。有刘胡兰故居。2016 年被列入第四批中国传统村落名录。241 国道、省道祁方线经此。

141121-B06 **下曲镇** [Xiàqǔ Zhèn] 文水县辖镇。在县境东南部。面积 95 平方千米。人口 4.83 万。辖 18 行政村。镇人民政府驻下曲。1953 年设下曲乡，后改公社，1984 年改置镇。2001 年南齐乡并入。因驻地而得名。有中小学、幼儿园、卫生院、文化站、农家书屋。汾河流经。古迹有明代市楼。农业主产小麦、玉米、高粱。有小米、牛肉加工企业。241 国道、433 县道经此。

141121-B06-H01 **下曲** [Xiàqǔ]下曲镇人民政府驻地。在县政府驻地凤城镇东南 15 千米。人口 5850。该村曾名为李端镇，后因汾河河道在此处有一河湾并地处河湾下方而得名。聚落呈团块状。有下曲中学、下曲镇卫生院。有下曲一号民居、下曲二号民居、下曲三号民居，现存均为清代建筑遗构。县道段马线经此。

141121-B06-H02 **北辛店** [Běixīndiàn]在县政府驻地凤城镇东南 26 千米。下曲镇辖行政村。人口 2310。相传古时此地有贺姓居民在此开设客店两处，分称南店、北店，后居民迁入并逐步增多，形成村庄，北店称北辛店村。聚落呈团块状。有关帝庙乐楼、洪福寺，现存皆为清代建筑遗构。有北辛店传统民居建筑群，现存均为清代建筑遗构。2016 年被列入第四批中国传统村落名录。241 国道经此。

141121-B06-H03 **石永** [Shíyǒng]在县政府驻地凤城镇东南 12 千米。下曲镇辖行政村。人口 4500。原名石家庄，后因方言谐音改今名。聚落呈团块状。有第六批省级文物保护单位石永市楼，现存建筑为明代建筑遗构，是明代木质楼阁建筑的代表。乡村道路经此。

141121-B07 **孝义镇** [Xiàoyì Zhèn] 文水县辖镇。在县境南部。面积 39 平方千米。人口 3.06 万。辖 12 行政村。镇人民政府驻孝义。1953 年设孝义乡，后改公社。1984 年改置镇。因驻地得名。有中小学、幼儿园、卫生院。有全国重点文物保护单位梵安寺塔。有省级文物保护单位上贤遗址。古迹有清代市楼。桥头大鼓为省级非物质文化遗产。农业主产玉米、小麦、豆类、谷子。工业以食品加工为主。有食品加工、机械制造等企业。服务业以旅游、商贸为主。太中（银）铁路、G20 高速、307 国道经此。

141121-B07-H01 **孝义** [Xiàoyì]孝义镇人民政府驻地。在县政府驻地凤城镇南 6 千米。人口 4650。古时附近多坟地，常有人来上坟以示孝心，故村名更名时首取孝字，又取中义之义字，故名。聚落呈团块状。有孝义镇中学、孝义镇卫生院。

有县级文物保护单位孝义村过街楼，现存为明代建筑遗构。307 国道经此。

141121-B07-H02 **平陶**［Píngtáo］在县政府驻地凤城镇南 7.5 千米。孝义镇辖行政村。人口 1950。因陶唐氏帝尧都于此而得名。秦汉为平陶县治所，北魏废。聚落呈团块状。有平陶小学。有贾家宅院，现存为清代建筑遗构。有李家宅院，现存为民国建筑遗构。307 国道经此。

141121-B07-H03 **上贤**［Shàngxián］在县政府驻地凤城镇南 8 千米。孝义镇辖行政村。人口 2230。该村曾名上先，后改今名。聚落呈团块状。有第七批国家重点文物保护单位上贤梵安寺塔，据塔内题记载，此塔建于宋崇宁三年（1140 年），明代隆庆年间曾修缮。有第一批省级文物保护单位上贤遗址，为新石器时代文化遗存。有县级文物保护单位上贤万字碑、梵安寺住持墓。有上贤墓群，为汉代墓葬。2017 年被列入第五批山西省历史文化名镇名村名录。2019 年被列入第五批中国传统村落名录。307 国道经此。

141121-C01 **南武乡**［Nánwǔ Xiāng］文水县辖乡。在县境东部。面积 31 平方千米。人口 2.52 万。辖 9 行政村。乡人民政府驻南武。1953 年设南武乡，后改公社。1984 年改置乡。因驻地而得名。磁窑河流经。古迹有子夏庙戏台。有中小学、幼儿园、卫生院。为县农产品和纸箱生产区。农业主产玉米、小麦、土豆及蔬菜。有铸管、包装纸业、木器加工等企业。320 省道经此。

141121-C01-H01 **南武**［Nánwǔ］南武乡人民政府驻地。在县政府驻地凤城镇东南 7.5 千米。人口 4450。古名小城南，因文水故城北魏受阳县、隋文水县、唐武兴县的故址均在今旧城庄，该村位于故城之南而得名，后置南武都，逐渐演变为村名。聚落呈团块状。有南武中心校、南武村小学、南武乡卫生院。有南武传统民居、严成志药铺，现存均为清代建筑遗构。省道祁方线经此。

141121-C02 **西城乡**［Xīchéng Xiāng］文水县辖乡。在县境东北部。面积 34 平方千米。人口 2.79 万。辖 7 行政村。乡人民政府驻西城。1953 年设西城乡，后改公社。1984 年复置乡。因驻地得名。磁窑河流经。有中小学、幼儿园、卫生院。农业主产小麦、玉米、高粱、玉米、葡萄、杏、桃。有铸造、化工等企业。有山西立信化工有限公司、文水县东石侯兴隆铸造有限公司。241 国道、320 省道经此。

141121-C02-H01 **西城**［Xīchéng］西城乡人民政府驻地。在县政府驻地凤城镇东北 12.5 千米。人口 8010。因地处东城之西而得名。聚落呈团块状。有西城乡中学、西城小学、西城乡中心卫生院。有县级文物保护单位西城狐神庙，始建于明弘治年间，现存为清代建筑遗构。有侯家佛堂、白氏佛堂、王家佛堂，现存均为清代建筑遗构。241 国道经此。

141121-C03 **北张乡**［Běizhāng Xiāng］文水县辖乡。在县境东南部。面积 41.28 平方千米。人口 2.91 万。辖 10 行政村。乡人民政府驻北张。1953 年设北张乡，后改公社。1984 年复置乡。因驻地而得名。文峪、磁窑河流经。有中小学、幼儿园、卫生院。农业以种植、养殖为主、主产小麦、玉米、棉花。工业有玻璃器皿、铸造、钢管等。企业有北张祥和焦化有限公司。服务业以运输为主。433 县道经此。

141121-C03-H01 **北张**［Běizhāng］北张乡人民政府驻地。在县政府驻地凤城镇东南 7.5 千米。人口 4400。清代以前名仁恩村，清初遭水灾后分成两村，因张姓居多，南面的叫南张家庄，北面的叫北张家庄，后简为此。聚落呈团块状。有北张中学、北张小学、北张乡卫生院。有北张传统民居，现存均为清代建筑遗构。县道段马线经此。

141121-C04 **马西乡**［Mǎxī Xiāng］文水县辖乡。在县境南部。面积 82 平方千米。人口 1.26 万。辖 7 行政村。乡人民政府驻马西。1953 年设马西乡，后改公社。1984 年复置乡。因驻地得名。有煤、石灰岩等矿产。有中小学、幼儿园、卫生院。左家拳、马西铙为省级非物质文化遗产。古迹有子夏山隐堂洞、子夏石室。农业主产小麦、玉米、谷子、小杂粮。工业以建材、煤炭为主。服务业以运输为主。有酒厂、生物酿造公司等企业。太中（银）铁路、G20 高速、433 县道经此。

141121-C04-H01 **马西**［Mǎxī］马西乡人民

政府驻地。在县政府驻地凤城镇东南 14 千米。人口 5300。因地处马村之西而得名。聚落呈团块状。有马西乡寄宿制中学、马西乡寄宿制小学、马西乡卫生院。有郭家宅院、王家宅院，现存均为清代建筑遗构。县道段马线经此。

141121-C04-H02 **神堂** [Shéntáng]在县政府驻地凤城镇西南 15 千米。马西乡辖行政村。人口 1810。原名西南隅村，元大德十一年（1307 年）在村中建子夏庙，庙内供奉当地文人孺士尊为先师的子夏塑像，故名。有县级文物保护单位隐唐洞，为隋代石窟。有神堂观音庙，现存为清代建筑遗构。2019 年被列入第五批中国传统村落名录。乡村道路经此。

141121-C05 **西槽头乡** [Xīcáotóu Xiāng] 文水县辖乡。在县境东南部。面积 31 平方千米。人口 1.73 万。辖 7 行政村。乡人民政府驻西槽头。1953 年设西槽头乡。后改公社。1984 年复置乡。因驻地得名。文峪、磁窑河流经。有中小学、幼儿园、卫生院。古迹有狄青祠、宁国寺等。为市、县粮食主产区。农业主产玉米、西红柿、辣椒。工业以硝酸钾生产为主。有复合肥、化工、煤化科技等企业。504 县道经此。

141121-C05-H01 **西槽头** [Xīcáotóu]西槽头乡人民政府驻地。在县政府驻地凤城镇南 15 千米。人口 1440。原名林舍村，清乾隆年间洪水将村子冲为两截，村民们在冲开的水沟上搭一木槽供行人通行，后形成两个自然村，以木槽为界，该村位于木槽西面，故名。聚落呈团块状。有西槽头乡中学、西槽头中心小学。有西槽头关帝庙乐楼、关帝庙山门，现存均为清代建筑遗构。乡村道路经此。

141121-C05-H02 **狄家社** [Díjiāshè]在县政府驻地凤城镇南 18.5 千米。西槽头乡辖行政村。人口 1900。原名为小约村，北宋年间发生水患，村中被一分为四，重新建村时，因村民中多为狄姓而得名。聚落呈团块状。有市级文物保护单位狄武襄公祠，始建于宋代，是狄青族人为纪念狄青而修建，现存为清代建筑遗构。有宁国寺，现存为清代建筑遗构。乡村道路经此。

141122 **交城县** [Jiāochéng Xiàn] 吕梁市辖县。北纬 37° 33′，东经 112° 09′。在市境东部。面积 1826 平方千米。人口 22.68 万。以汉族为主，还有满、彝、蒙古、壮、朝鲜、苗、黎、回、维吾尔等 22 个少数民族。辖 7 镇、1 乡。县人民政府驻天宁镇。隋开皇十六年（596 年）始置交城县，治今古交市区。因县西汾河与孔河交汇处有古交城，故名。初属并州，大业间属太原郡。唐初属太原府。唐天授二年（691 年）徙治却波驿，即今县城，属太原府。先天二年（713 年）分交城北境置灵川县，亦称卢川县，治今古交市炉峪口村。开元二年（714 年）废，复属交城县。宋太平兴国四年（979 年）在县境置大通监，县属之。宝元二年（1039 年）属太原府。金因之。元属冀宁路。明、清属太原府。1912 年废府。1913 年属中路道。1914 年属冀宁道。1927 年废道后直属山西省。1937 年属山西省第四行政区。1941 年分置交西县，同属晋绥边区第八专区。1945 年复为交城县。1949 年属汾阳专区。1951 年改属榆次专区。1958 年废，入汾阳县。1960 年复置交城县，属晋中专区。1967 年属晋中地区。1971 年属吕梁地区。2004 年属吕梁市。地处吕梁山脉中段，地势由西北向东南倾斜。西北山区属吕梁山脉，面积 1692.11 平方千米，占全县总面积的 92.8%。东部为低山区，局部黄土披盖，形成垣、梁、茆地貌。东南平川，属晋中盆地，面积 130 平方千米，占全县总面积的 7.2%。有关帝山、狐爷山、长树山等山脉。最高点孝文山海拔 2830.7 米，为华北第二高峰。最低海拔东南部西石侯 748 米。文峪河、磁窑河、瓦窑河、葫芦河等流经。年均气温 11.0 摄氏度。无霜期年平均 190 天。年平均日照时数 2347.3 小时。年平均降水量 416.5 毫米。年平均降水日数为 69.3 天。矿产资源有煤、铁、铜等 30 余种。矿产以煤为主，含煤地层面积约 393.8 平方千米，已探明的煤田面积 254.8 平方千米，储量 17 亿吨。有国家一级保护动物金钱豹、褐马鸡、金雕、黑鹳等。有国家二级保护动物林麝、红隼等。有党参、黄芪、猪苓、茯苓等野生药材 200 余种，有灵芝、银盘、黑木耳、羊肚菌等野生菌类 10 余种。森林覆盖率达 51.4%，林木绿化率 70%，是山西省第二大林业县。有国家自然保护区庞泉沟，为全国八大鸟类保护区之一。有山西宏特技术研发中心、交城义望铁合金有限责任公司技术研发中心。交城中学为省级示范高中。有三级医院1个。有全国重点文物保护单位玄中寺、卦山天宁寺。有省级文物保护单位瓦窑遗址、竖石佛村摩崖造像、古瓷窑址、永福寺。有市级文物保护单位3处。有省级爱国主义教育基地卦山天宁寺、吕梁英雄纪念广场。有国家森林公园交城山、关帝山。有国家湿地公园文峪河、华鑫湖。有靖安寨旧址、三座崖遗址等古迹。知名人物有狐突。北宋时期交城大通铁冶监为全国四大铁监之一，是当时全国的冶铁中心。晚清时期以“四合源”为代表的交城皮商盛极一时，曾有“交皮甲天下”之美誉。革命战争时期，晋绥边区第八分区长期驻扎在交城山，数千名交城儿女为国捐躯，504人被追认为烈士。是联合国地名专家组和国家民政部联合命名的“千年古县”。三次产业比例5:66:29。农业主产小麦、玉米、谷子、豆类。工业形成煤焦、冶金、化工、建材、铸造等主导产业。服务业以餐饮、住宿为主。特产骏枣、党参、皮革等。太中（银）铁路经此设站。京昆、青银高速，307国道，省道古吴线、祁方线经此。

141122-F01 **吕梁英雄广场**[Lǚliángyīngxióng Guǎngchǎng]在交城县城西北部。紧邻华国锋墓，背靠卦山南麓。总面积1万平方米。2009年开工，2011年建成。为纪念晋绥边区在抗日战争和解放战争中牺牲或作出重大贡献的革命人士而建设，是山西省爱国主义教育基地。广场上有华国锋像、晋绥边区八分区革命历史纪念馆、文昌宫、吕梁人民支前英雄群雕像等。

141122-R01 **交城站**[Jiāochéng Zhàn]见交通运输设施部分“交城站”条。

141122-B01 **天宁镇**[Tiānníng Zhèn]交城县人民政府驻地。在县境东南部。面积63平方千米。人口9.61万。辖10社区、21行政村。镇人民政府驻城关。传为春秋晋国大夫狐突、狐毛、狐偃故乡，有“舅犯故里”之称。古名却波村、却波驿。唐天授二年（691年）始为交城县治。1953年设城关镇。1956年改设乡，后改公社。1984年改置镇。2000年以全国重点文物保护单位卦山天宁寺更今名。地势由西北向东南倾斜。主要有卦山、狐爷山。矿产资源有煤、耐火粘土等。有中小学、幼儿园、卫生院。有全国重点文物保护单位卦山天宁寺。有省级文物保护单位瓦窑遗址、古瓷窑址、永福寺。有省级爱国主义教育基地吕梁英雄广场。农业主产玉米、蔬菜。特产骏枣、梨枣。工业以铸造、煤焦、采矿为主。服务业有住宿、餐饮、商品批发零售等。太中（银）铁路、青银高速、307国道经此。

141122-B01-K01 **北环路**[Běihuán Lù]在交城县城北部。西起迎宾大道，东至东环路。与田家山路、永宁路、坡底道、红旗路等道路相交。长3.2千米，宽35米。沥青路面。2005年建成。因作为县城北部环城路而得名。两侧有交城县委老干部局、城北小学、天元小区等。通交城1路公交车。

141122-B01-K02 **龙山大街**[Lóngshān Dàjiē]在交城县城北部。西起迎宾大道，东至东环路。与永宁路、新开路等道路相交。长3.2千米，宽25米。沥青路面。原为307国道过城段，2006年改建。因其途经龙山南麓得名。两侧有交城县国税局、交城县水利局、东街居民小区等。通交城1、801、802路等公交车。

141122-B01-K03 **天宁街**[Tiānníng Jiē]在交城县城北部。西起迎宾大道，东至东环路。与永宁路、新开路等道路相交。长2.4千米，宽26米。沥青路面。1987年建成。为纪念交城名胜古迹卦山天宁寺而得名。两侧有交城县人民法院、交城第一小学、北关商业小区等。通交城1、6路等公交车。

141122-B01-K04 **沙河街**[Shāhé Jiē]在交城县城北部。西起迎宾大道，东至下关街。与永宁路、新开路、红旗路等道路相交。长2千米，宽10米。沥青路面。该街建造于原交城县北城墙外，古时因磁窑河、瓦窑河水患，沙石遍地，因此得名。两侧有西街居委会、交城四中、中共交城县委员会等。通交城1路等公交车。

141122-B01-K05 **却波街**[Quèbō Jiē]在交城县城中部。西起新开路，东至东环路。与移民路等道路相交。长 1.1 千米，宽 42 米。沥青路面。2004 年建成。因途经清代交城十景之一“却月晴波”处而得名。俗称“42 米大街”。两侧有交城第二小学、鸿泰家园等。通交城 6 路公交车。

141122-B01-K06　**南环路**［Nánhuán Lù］在交城县城南部。西起迎宾大道，东至 307 国道。与永宁路、新开路等道路相交。长 2.4 千米，宽 15 米。沥青路面。1995 年始建，2000 年建成。2011 年改建。因作为县城南部环城路而得名。两侧有交城五中、交城县福利院、交城二中、交城县公安局等。通交城 1 路公交车。

141122-B01-K07　**迎宾大道**［Yíngbīn Dàdào］在交城县城西部。北起卦山口，南至 307 国道。与龙山大街、南环路等道路相交。长 4.8 千米，宽 24 米。沥青路面。1998 年建成。2000 年改建。路名取迎接四海宾朋之意。两侧有交城发展规划馆、吕梁英雄广场、交城县教育局、交城中学等。通交城 1、6 路等公交车。

141122-B01-K08　**永宁路**［Yǒngníng Lù］在交城县城西部。北起北环路，南至西庆华街。与天宁街、沙河街等道路相交。长 1.8 千米，宽 15 米。沥青路面。1992 年建成。为纪念交城名胜古迹玄中寺别称永宁寺而得名。两侧有洋洋购物广场、交城四中、城内完全小学等。通交城 1 路公交车。

141122-B01-K09　**新开路**［Xīnkāi Lù］在交城县城中部。北起北环路，南至南环路。与龙山大街、天宁街、沙河街、却波街等道路相交。长 1.7 千米，宽 25 米。沥青路面。1975 年始建。2005、2012 年拓建。因作为新开辟的道路而得名。两侧有交城县市场监督局、交城县电力公司等。通交城 1、6 路等公交车。

141122-B01-K10　**东环路**［Dōnghuán Lù］在交城县城东部。北起北环路，南至青银高速交城收费站。与天宁街、却波街、南环路等道路相交。长 3.1 千米，宽 12 米。沥青路面。2011 年建成。因作为县城东部环城路而得名。两侧有交城县职业中学、山医大一院交城分院、交城县人民医院等。

141122-B01-L01　**龙虎巷**［Lónghǔ Xiàng］在交城县城中部。北起沙河街，南至东正街。长 130 米，宽 3.5 米。沥青路面。清顺治年间，该巷东侧有监察御史李之奇（人称“龙”）府邸，西侧有刑科给事中武攀龙（人称“虎”）府邸，故名龙虎巷。两侧有交城县人民政府、交城县总工会等。

141122-B01-J01　**西街社区**［Xījiē Shèqū］属天宁镇。人口 3460。面积 0.8 平方千米。因驻县城西街而得名。有交城县教育局、西街综合农贸批发市场。有迎宾小区等多个居住小区。有特产骏枣、梨枣。有全县最大的农产品交易市场。工业以铸造、煤焦为主。2005 年被列入全国文明社区。307 国道经此。

141122-B01-H01　**磁窑**［Cíyáo］在县政府驻地天宁镇东北 2.6 千米。天宁镇辖行政村。人口 690。相传唐代建瓷窑于此，元末衰落，故名。聚落呈团块状。有第三批省级文物保护单位古瓷窑址，也称唐宋窑址或交城窑，有大量黑、白、青、黄褐等瓷器残片堆集。有县级文物保护单位磁窑遗址，为新石器时代文化遗存。2019 年被列入第五批中国传统村落名录。县道交岭线经此。

141122-B01-H02　**竖石佛**［Shùshífó］在县政府天宁镇驻地北 10 千米。天宁镇辖行政村。人口 950。因村中建有竖石佛石刻而得名。聚落呈团块状。有第八批全国重点文物保护单位、第三批省级文物保护单位竖石佛摩崖造像，始凿年代不详，共有石窟 65 个，造像 100 余尊，为北魏、隋唐风格。县道交岭线经此。

141122-B01-H03　**梁家庄**［Liángjiāzhuāng］在县政府驻地天宁镇南 1.6 千米。天宁镇辖行政村。人口 2760。聚落呈团块状。有梁家庄小学。有第六批省级文物保护单位梁家庄狐偃祠，现存为清代建筑遗构。2020 年被列入第六届全国文明村。307 国道经此。

141122-B02　**夏家营镇**［Xiàjiāyíng Zhèn］交城县辖镇。在县境东部。面积 51 平方千米。人口 3.66 万。辖 16 行政村。镇人民政府驻义望。1953 年设义望乡，后改公社。1984 年复置乡。2000 年与段村镇、义望乡部分合置夏家营镇。因夏家营为交城到清徐方向的第一个村子，为国道、省道的连接点，故名。火山河、壶平石河、白石南河流经，属黄河流域。有中小学、幼儿园、卫生院、文化艺术表演团体、文化站、农家书屋。古迹有狐爷庙。农业主产玉米、梨、葡萄、红枣。工业以化工、煤焦、铸造等为主。特产玻璃制品。有夏家营生态工业园区。服务业以餐饮为主。太中（银）铁路经此设站。京昆高速、青银高速、307 国道经此。

141122-B02-H01 **义望** [Yìwàng]夏家营镇人民政府驻地。在县政府驻地天宁镇东 5 千米。人口 5750。相传为狐突故里，狐突舍生取义，得名义王，后因谐音而得名。聚落呈团块状。有义望学校、夏家营镇中心卫生院。有清隐寺，现存中殿为明代建筑遗构。有福胜寺，现存为清代建筑遗构。307 国道经此。

141122-B02-H02 **段村** [Duàncūn]在县政府驻地天宁镇东南 9.3 千米。夏家营镇辖行政村。人口 4060。聚落呈团块状。有段村初级中学、段村小学。有县级文物保护单位马嵩年宅院，现存为民国建筑遗构。有白衣庙、狐神庙、尹周宅院，现存均为清代建筑遗构。有马有德宅院，现存为民国建筑遗构。2017 年被列入第五批山西省历史文化名镇名村名录。2019 年被列入第七批中国历史文化名村名录。2019 年被列入第五批中国传统村落名录。县道段马线经此。

141122-B03 **西营镇** [Xīyíng Zhèn] 交城县辖镇。在县境东南部。面积 28 平方千米。人口 2.96 万。辖 7 行政村。镇人民政府驻西营。1953 年设西营乡，后改公社。1984 年改置镇。因驻地得名。地势西北高东南低。斜河、白石河、瓦窑河、饮马河等流经。古迹有战国大陵城遗址。有中小学、幼儿园、卫生院、文化站、农家书屋。农业主产小麦、玉米、红枣、小杂粮。盛产瓜果、蔬菜。工业有造纸、印染、纸袋类加工、炼铁、炼焦等企业。服务业以服装销售、餐饮为主。太中（银）铁路、青银高速经此。

141122-B03-H01 **西营** [Xīyíng]西营镇人民政府驻地。在县政府驻地天宁镇西南 10 千米。人口 8600。古代为兵营，原名小营、营儿。因村西有宜儿村，读音相近而得名。聚落呈团块状。有西营学校、西营镇卫生院。乡村道路经此。

141122-B04 **水峪贯镇** [Shuǐyùguàn Zhèn] 交城县辖镇。在县境中部。面积 230 平方千米。人口 1.47 万。辖 14 行政村。镇人民政府驻水峪贯。1960 年设水峪公社。1984 年改置镇。2000 年古洞道乡并入。2021 年撤岭底乡，分别并入天宁镇、水峪贯镇、洪相乡，将圪垛、峁底 2 个村委会划归水峪贯镇管辖。因驻地得名。有中小学、幼儿园、卫生院、文化站、农家书屋。矿产资源有煤、铁。有中小学、卫生院。有古代冶炼遗址。旅游景区有榆郡溶洞。农业主产马铃薯、莜麦、小麦、玉米、谷子。工业以炼铁、采煤为主。服务业以运输为主。省道古吴线经此。

141122-B04-H01 **水峪贯** [Shuǐyùguàn]水峪贯镇人民政府驻地。在县政府驻地天宁镇西北 41 千米。人口 2590。元代名水谷村，清代作水峪灌，后演变为今名。聚落呈团块状。有水峪贯镇初级中学校、水峪贯中心校、水峪贯镇卫生院。有县级文物保护单位水峪贯遗址，为新石器时代、商代、东周文化遗存。241 国道经此。

141122-B05 **西社镇** [Xīshè Zhèn] 交城县辖镇。在县境中南部。面积 86 平方千米。人口 1.21 万。辖 9 行政村。镇人民政府驻西社。1953 年设西社乡，后改东社公社。1984 年改置镇。因驻地得名。文峪河流经。有中小学、幼儿园、卫生院、文化站、农家书屋。古迹有南堡新石器文化遗址、塔上观音禅院。是交城城区进入山区的门户。矿产有煤炭、石膏、铝矾土、铅、锌、青石等。有油松林、药用植物等 100 多种，主要药材有猪苓、党参、连翘、桔梗、柴胡。农业主产薯类、谷子、玉米、小杂粮。是交城山区工业重镇之一，有混凝土制造业。服务业以餐饮为主。文峪河沿岸风景秀丽，有交城十景之一“西社龙门”。祁县—方山、省道古吴线经此。

141122-B05-H01 **西社** [Xīshè]西社镇人民政府驻地。在县政府驻地天宁镇西南 25 千米。人口 2420。古为村民祭祀结社之地，因与东社村相对而得名。聚落呈团块状。有西社中学、西社明德小学、西社中心卫生院。有县级文物保护单位西社无名烈士墓地，抗日战争胜利之后，中共交城县委、县政府将抗日战争中在西社村附近牺牲的三十多位干部、战士忠骨迁葬于此。有寿隆寺乐台，现存为清代建筑遗构。241 国道经此。

141122-B06 **庞泉沟镇** [Pángquángōu Zhèn] 交城县辖镇。在县境西北部。面积 278 平方千米。人口 0.86 万。辖 12 行政村。镇人民政府驻庞泉沟。1953 年设横尖乡，后改公社。1984 年改置镇。2000 年因境内有庞泉沟自然保护区更今名。2021 年撤会立乡，分别并入庞泉沟镇、东坡底乡，将原会立乡的龙江寨、代家庄、双家寨、中庄、寨则、上长斜 6 个村委会划归庞泉沟镇管辖。因驻地得名。地处吕梁山腹地，有关帝山主峰孝文山。有中小学、幼儿园、卫生院、文化站、农家书屋。有国家自然保护区庞泉沟自然保护区。有刁窝沟、大草坪沟。有金钱豹、林麝、褐马鸡等国家重点保护动物。有国家森林公园关帝山。农业主产莜麦、土豆。服务业以旅游、运输为主。省道祁方线经此。

141122-B06-H01 **庞泉沟** [Pángquángōu] 庞泉沟镇人民政府驻地。在县政府驻地天宁镇西北 90 千米。人口 830。原名横尖村，2000 年因当地庞泉沟自然保护区更今名。聚落呈条带状。有庞泉沟学校、庞泉沟镇卫生院。有国家级自然保护区庞泉沟，有国家一级重点保护动物 5 种，国家二级重点保护动物 25 种，14 种山西省省级重点保护动物，有植物种类 88 科 828 种，为全国八大鸟类保护区之一。省道祁方线经此。

141122-B07 **洪相镇** [Hóngxiāng Zhèn] 交城县辖镇。在县境东南部。面积 94 平方千米。人口 2.4 万。辖 8 行政村。镇人民政府驻洪相。1953 年设洪相乡，后改公社。1984 年复置乡。2021 年撤乡设镇。因驻地得名。有中小学、幼儿园、卫生院、文化站、农家书屋。有全国重点文物保护单位玄中寺。古迹有范家庄旧石器文化遗址。农业以小麦、玉米为主。特产骏枣。工业有花炮、筷子、水玻璃等。服务业以旅游为主。307 国道、省道祁方线经此。

141122-B07-H01 **洪相** [Hóngxiāng]洪相镇人民政府驻地。在县政府驻地天宁镇西南 6 千米。人口 3560。相传因村北有沟壑，雨后多洪灾而得名。聚落呈条带状。有洪相学校、洪相镇卫生院。有第七批全国重点文物保护单位交城玄中寺，创建于北魏延兴二年（472 年），现存为明代建筑遗构，有北魏延昌四年（515 年）造像和北齐河清三年（564 年）四面千佛造像。有市级文物保护单位秋容塔，为玄中寺住持元钊建于金泰和四年（1204 年）。有洪相遗址，为新石器时代文化遗存。有迁安桥、崇教寺，现存皆为清代建筑遗构。有山西两层楼食品有限公司。307 国道经此。

141122-C01 **东坡底乡** [Dōngpōdǐ Xiāng] 交城县辖乡。在县境西北部。面积 506 平方千米。人口 1.19 万。辖 13 行政村。乡人民政府驻东坡底。1953 年设燕家庄乡，后改公社。1984 年复置乡。2000 年与惠家庄乡合置东坡底乡。因驻地得名。有东云顶山、井坡山、褡裢山等山脉。东葫芦川、西葫芦川流经。有褐马鸡、麝、豹子、党参、猪苓等。有中小学、幼儿园、卫生院、文化站、农家书屋。有古迹三座崖遗址。农业主产马铃薯、莜麦、大豆、荞麦。特产黑木耳、蘑菇。有小杂粮加工企业。服务业以餐饮为主。省道祁方线经此。

141122-C01-H01 **东坡底** [Dōngpōdǐ]东坡底乡人民政府驻地。在县政府驻地天宁镇西北 55 千米。人口 960。因在东山坡下而得名。聚落呈条带状。有东坡底华宇希望学校、东坡底乡卫生院。有东坡底遗址，为战国时期文化遗存。县道潘岔线经此。

141123 **兴县** [Xīng Xiàn] 吕梁市辖县。北纬 38° 28′，东经 111° 07′。在市境北部。面积 3169 平方千米。人口约 18.35 万。辖 7 镇、8 乡。县人民政府驻蔚汾镇。唐武德七年（624 年）改临泉县为临津县，属岚州。九年废太和县，入临津县。贞观元年（627 年）改临津县为合河县，属岚州。宋元丰年间改合河县为蔚汾县，属岢岚州，徙治今县城。金复名合河县，属岚州。兴定二年（1218 年）升合河县为兴州，属太原路。蒙古中统二年（1261 年）复为合河县，次年再升兴州，因其为东汉新兴郡故地得名，属冀宁路。明洪武二年（1369 年）改兴州为兴县，属岢岚州。清雍正三年（1725 年）属保德州，八年属太原府。1912 年废府。1913 年属中路道。1914 年属冀宁道。1927 年废道后直属山西省。1937 年属山西省第四行政区。1949 年后属兴县专区，为专署驻地。1952 年废兴县专区，属忻县专区。1958 年属晋北专区。1961 年属忻县专区。1971 年属吕梁地区。2004 年属吕梁市。知名人物有孙嘉淦、康基田，牛友兰、刘少白等。是晋绥边区（解放区）首府所在地，是八路军一二〇师的主战场之一，是革命圣地延安的屏障和门户。地处晋陕黄河大峡谷东岸，吕梁山脉西麓。地势自东向西呈阶梯状倾斜，东部为土石山区，西部为黄土高原丘陵沟壑区。林业用地 224.27 万亩，占国土总面积的 47.2%，森林覆盖率为 10.78%。主要山脉有黑茶山、石楼山、白龙山、紫金山等。最高峰黑茶山海拔 2203 米，最低点圪垯上乡大峪口村海拔 725 米。黄河、蔚汾河、岚漪河、湫水河流经。年均气温 8.8℃。年均降水量 488 毫米。矿产资源有煤、铝、铁、煤层气、石墨、硅石等。其中储煤面积约 2000 平方公里，占国土总面积的 63%，是河东煤田的重要组成部分，总储量 461.54 亿吨。铝土矿探明储量 1.86 亿吨，远景储量大于 5 亿吨，分布面积 254 平方公里，是全省五大铝土矿区之一。三氧化二铝、二氧化硅的平均含量分别为 64.61% 和 7.78%。煤层气预测储量达 2000 亿立方米。有褐马鸡、金雕、黄鹤、雀鹰、白尾鹤、鹊鹞等国家重点保护动物 7 种。有中小学、幼儿园、医院等。有全国重点文物保护单位晋绥边区政府及军区司令部旧址。有省级文物保护单位胡家沟砖塔、“四八”烈士殉难处。有市级文物保护单位 4 处。有全国爱国主义教育示范基地晋绥边区政府及军区司令部旧址，省级爱国主义教育基地“四八”烈士纪念馆、晋绥解放区烈士陵园。民间艺术有道情戏、剪纸、魏家滩油剪面塑、根雕等。其中，道情戏为省级非物质文化遗产。古迹有蔡家崖遗址、古城岭遗址、蔚汾古城、合河关城址、千佛洞石窟。纪念地有晋绥边区革命纪念馆、“四八”烈士纪念馆、晋绥解放区烈士陵园等。三次产业比例 7:74:19。农业主产玉米、谷子、高粱、莜麦等。特产有大明绿豆、黄豆、软米、油枣、柏籽羊肉等。工业形成煤炭、铝镁、建材等主导产业。服务业以物流、餐饮为主。为瓦日铁路起点。岢瓦铁路过境设站。省道岢大线、忻黑线经此。

141123-B01 **蔚汾镇** [Wèifén Zhèn] 兴县人民政府驻地。在县境中部。面积 217 平方千米。人口 4.22 万。辖 8 社区、29 行政村。镇人民政府驻城关。1953 年设城关乡。1956 年改置镇，后改公社。1984 年复置镇。2001 年与关家崖、肖家洼 2 乡合置蔚汾镇。因蔚汾河流经得名。矿产有煤炭、煤层气、铝土矿、石灰岩、铁、黏土、紫砂陶土等。有李家湾道情、东关剪纸等地方特色民间艺术，其中东关剪纸被列入市级非物质文化遗产名录。有中小学、幼儿园、文化馆、广场、卫生院。有医院 2 个。有国家级爱国主义教育基地和革命纪念地有晋绥解放区烈士陵园、县文物保护单位关向应图书馆。有南山石窟等古迹。农业以种植业、畜牧业为主。特产大明绿豆、黄豆、黍米。工业以煤炭生产、加工为主。有采煤、洗煤等企业。服务业以物流、餐饮为主。右玉—芮城高速、省道忻黑线经此。通公交车。

141123-B01-K01 **晋绥路** [Jìnsuí Lù] 在兴县城中部。西起蔚汾北路，东至奥家湾村。以紫石街为界，分西路、东路。长 8.7 千米，宽 8 米。沥青路面。原为河滩。1955 年修建道路，1956 年建成。1976 年西延。原名新建路。因兴县为晋绥革命老区，2001 年更今名。两侧有兴县教育局、中共兴县县委、兴县人民政府、城镇中学等。

141123-B01-K02 **蔚汾北路** [Wèifén Běilù] 在兴县城中部。西起晋绥边区革命纪念馆，东至金凤油城。与晋绥西路、紫石街等道路相交。长 10.3 千米，宽 12 米。沥青路面。1998 年建成。2021 年东延。原名环城路。因在蔚汾河北岸，2001 年更今名。两侧有兴县客运中心、兴县人民政府、阳光上城等。通兴县 1 路公交车。

141123-B01-K03 **蔚汾南路** [Wèifén Nánlù] 在兴县城南部。西起蔡家崖乡，东至车家庄村环岛。与福临路、紫石街等道路相交。长 13.8 千米，宽 24 米。沥青路面。2021 年东延。因在蔚汾河南岸而得名。两侧有兴县黄河大酒店、安居小区、鸦儿窝村等。

141123-B01-K04 **人民东路** [Rénmín Dōnglù] 在兴县城中部。西起紫石街，东至晋绥东路。长 0.4

千米，宽6米。沥青路面。1971年始建，1972年建成。2010年以紫石街为界，分为东路、西路。两侧有东风购物大厦、兴县卫生局等。

141123-B01-K05 **人民西路**［Rénmín Xīlù］在兴县城中部。西起文化路，东至紫石街。长0.5千米，宽10米。沥青路面。1971年始建，1972年建成。2010年以紫石街为界，分为东路、西路。两侧有兴县民政局、福安苑小区等。

141123-B02 **魏家滩镇**［Wèijiātān Zhèn］兴县辖镇。在县境西北部。面积254平方千米。人口2.46万。辖23行政村。镇人民政府驻魏家滩。1953年设魏家滩乡，后改公社。1984年改置镇。2001年木崖头、白家沟2乡并入。因驻地得名。岚漪河流经。矿产有煤、铁、铝。有中小学、幼儿园、文化馆、图书馆、卫生院等。有木崖头长城遗址、西坡长城遗址、石槽咀长城遗址等古迹。农业主产高粱、玉米、薯类、谷子。盛产梨、烟叶。有煤矿、混凝土厂、铁厂、电石厂等。服务业以餐饮为主。岢瓦铁路经此设站。省道岢大线经此。

141123-B02-H01 **魏家滩**［Wèijiātān］魏家滩镇人民政府驻地。在县政府驻地蔚汾镇北30千米。人口2580。俗称“滩上”，因在岚漪河岸边滩地，魏姓居多而得名。聚落呈团块状。有魏家滩小学、魏家滩镇中心卫生院。有魏家滩遗址，为东周时期文化遗存。有康氏民宅，现存为清代建筑遗构。省道岢大线经此。

141123-B03 **瓦塘镇**［Wǎtáng Zhèn］兴县辖镇。在县境西北部。面积167平方千米。人口2.01万。辖21行政村。镇人民政府驻瓦塘。1953年设瓦塘乡，后改公社。1984年改置镇。2001年裴家川口乡并入。因驻地得名。黄河、岚漪河流经。有中小学、幼儿园、卫生院。有裴家川口北齐蔚汾县治所、隋临泉县治所、唐临津县、合河县治所故城遗址和唐合河关遗址等古迹。农业主产高粱、玉米、谷子、薯类。特产红枣。为县工业重镇，有氧化铝、轻合金、煤层气液化项目园区。服务业以餐饮为主。瓦日铁路起点。省道岢大线经此。

141123-B03-H01 **瓦塘**［Wǎtáng］瓦塘镇人民政府驻地。在县政府驻地蔚汾镇西北37千米。人口2160。因村旁有岚漪河畔的水塘洼地，旧有制瓦业而得名。聚落呈团块状。有瓦塘中学、瓦塘小学、瓦塘镇中心卫生院。有瓦塘瓦窑遗址，为清代文化遗存。有革命烈士光荣纪念碑，为纪念在抗美援朝战争中牺牲的樊如厚同志而立。省道岢大线经此。

141123-B03-H02 **裴家川口**［Péijiāchuānkǒu］在县政府驻地蔚汾镇西25千米。瓦塘镇辖行政村。人口810。因在岚漪河入黄河口，裴姓居多而得名。聚落呈团块状。有县级文物保护单位合河关遗址，地处秦晋孔道，边防要地，唐代为保北都太原安全而设。有裴氏家族墓地，为清代墓群。有裴家川口烈士墓，为1945年在晋绥边区战斗中牺牲的八路军战士而建。黄河一号旅游公路经此。

141123-B04 **康宁镇**［Kāngníng Zhèn］兴县辖镇。在县境南部。面积192平方千米。人口2.2万。辖20行政村。镇人民政府驻康宁。1953年设康宁乡，后改公社。1984年改置镇。因驻地得名。南川河流经。有中小学、幼儿园、农家书屋、休闲广场等。农业主产谷子、玉米、花生。企业有榨油、淀粉、酿酒、机制砖等。服务业以物流、餐饮为主。瓦日铁路、右玉—芮城高速、省道岢大线经此。

141123-B04-H01 **康宁**［Kāngníng］康宁镇人民政府驻地。在县政府驻地蔚汾镇南27千米。人口3100。原名五十里铺，后以求康乐安宁之意改今名。聚落呈条带状。有康宁镇中心校、康宁镇中心卫生院。有康宁北遗址，为新石器时代文化遗存。有康宁墓群，为东周时期墓群。有康宁烽火台，为明清时期军事遗址。省道岢大线经此。

141123-B05 **高家村镇**［Gāojiācūn Zhèn］兴县辖镇。在县境西部。面积122平方千米。人口1.6万。辖15行政村。镇人民政府驻高家村。1953年设高家村乡，后改公社。1984年改置镇。因驻地得名。黄河、蔚汾河、杨家坡沟河、南川河流经。有中小学、幼儿园、卫生院、农家书屋。有晋绥日报社旧址、晋绥吕梁印刷厂旧址等纪念地。以种植业、畜牧业为主。盛产红枣、核桃。为乌枣主产区。工业以食品加工为主。服务业有物流、餐饮等。省道忻黑线经此。

141123-B05-H01 **高家**［Gāojiā］高家村镇人

民政府驻地。在县政府驻地蔚汾镇西 15 千米。人口 1970。聚落呈团块状。有高家村小学、高家村镇中心卫生院。有第八批全国重点文物保护单位、第五批省级文物保护单位晋绥日报社旧址，晋绥日报社积极宣传党的抗日民族统一战线的政策、方针，是中国共产党开展抗日武装斗争、推动全国解放战争的重要宣传阵地。有晋绥吕梁印刷厂旧址，成立于 1940 年，1949 年迁走。主要印刷晋绥革命根据地在抗日战争和解放战争时期各种报刊。337 国道经此。

141123-B05-H02 **碧村**［Bìcūn］在县政府驻地蔚汾镇西 20 千米。高家村镇辖行政村。人口 890。为北齐蔚汾县、隋临泉县、唐临津县、合河县治所。相传原名白家崖，因白、王两家族居此而得名。聚落呈团块状。有第八批全国重点文物保护单位碧村遗址，为新石器时代文化遗存。有县级文物保护单位蔚汾故城。有碧村石窟，其雕刻风格为唐代。有白家宅门、碧村民宅，现存均为清代建筑遗构。2016 年被列入第四批中国传统村落名录。337 国道经此。

141123-B06 **罗峪口镇**［Luóyùkǒu Zhèn］兴县辖镇。在县境西南部。面积 182.8 平方千米。人口 0.97 万。辖 10 行政村。镇人民政府驻罗峪口。1953 年设罗峪口乡，后改公社。1984 年改置镇。因驻地得名。黄河流经。矿产有煤炭、天然气、砂岩等。有中小学、卫生院、农家书屋、文化站。“昊旻飞渡”为兴县古十景之一。农业以种植业、畜牧业为主。盛产红枣。有红枣产业园区。有农副产品加工、农机修理等。服务业有餐饮等。有罗峪口渡通陕西省境。沿黄公路过境。

141123-B06-H01 **罗峪口**［Luóyùkǒu］罗峪口镇人民政府驻地。在县政府驻地蔚汾镇西南 33.4 千米。人口 1250。古名狼峪口，后以方言谐音演变为今名。聚落呈团块状。有罗峪口小学、罗峪口镇卫生院。有罗峪口堡址，为明清时期文化遗存。有罗峪口店铺，现存为清代建筑遗构。特产红枣。县道曹罗线经此。

141123-B07 **蔡家会镇**［Càijiāhuì Zhèn］兴县辖镇。在县境西南部。面积 176 平方千米。人口 1.16 万。辖 12 行政村。镇人民政府驻蔡家会。1953 年设蔡家会乡，后改公社。1973 年属临县。1976 年复属兴县。1984 年改置镇。因驻地得名。黄河、卢山沟河流经。有中小学、幼儿园、卫生院、农家书屋、文化站。有县级重点文物保护单位蔡家会村古戏楼。有关帝庙、源瑞山娘娘庙等古迹。农业以种植业、畜牧业为主。主产红枣、葵花。特产小杂粮。为大明绿豆出口基地之一。有小杂粮、红枣、粮油加工企业。服务业有餐饮等。通公路。

141123-B07-H01 **蔡家会**［Càijiāhuì］蔡家会镇人民政府驻地。在县政府驻地蔚汾镇西南 44.8 千米。人口 1310。聚落呈团块状。有蔡家会中学校、蔡家会八一希望小学、蔡家会镇卫生院。有县级文物保护单位蔡家会关帝庙，现仅存山门和钟鼓楼。有粮油加工企业。有特产小杂粮，为大明绿豆出口基地之一。县道枣蔡线经此。

141123-C01 **交楼申乡**［Jiāolóushēn Xiāng］兴县辖乡。在县境东部。面积 173 平方千米。人口 1.05 万。辖 9 行政村。乡人民政府驻交楼申。1953 年设交楼申乡，后改公社。1984 年复置乡。因驻地得名。最高峰白龙山海拔 2024 米。岚漪河流经。矿产有金、铜、铁、石英、硅石、石墨、石灰岩、大理石等。有国家一级保护动物褐马鸡。有中小学、幼儿园、卫生院、农家书屋、文化站。景点有仙人洞风景区、大坪上遗址、新舍窠墓群。农业主产土豆、莜麦、谷子、豆类、胡麻。有交楼申林场。服务业以餐饮为主。通公路。

141123-C01-H01 **交楼申**［Jiāolóushēn］交楼申乡人民政府驻地。在县政府驻地蔚汾镇东南 25 千米。人口 1060。因原村口望楼上有神龛，两条沟于此交汇，故得名交楼神，后演变为今名。聚落呈团块状。有交楼申乡卫生院。有交楼申中心林场。乡村道路经此。

141123-C02 **东会乡**［Dōnghuì Xiāng］兴县辖乡。在县境东南部。面积 172 平方千米。人口 0.8 万。辖 10 行政村。乡人民政府驻东会。1953 年设东会乡，后改公社。1984 年复置乡。因驻地得名。地处黑茶山麓。湫水河流经。有中小学、幼儿园、卫生院、农家书屋、文化站、医院。有省级文物保护单位、省级爱国主义教育基地“四八”

烈士殉难处。有古城岭城址、东会遗址、西会遗址、西会山神庙、上滩沟遗址等古迹。农业主产莜麦、薯类、胡麻。有畜牧业。工业以食品加工为主。服务业以餐饮、旅游为主。有东会林场。通公路。

141123-C02-H01 **东会**［Dōnghuì］东会乡人民政府驻地。在县政府驻地蔚汾镇东南35.5千米。人口970。原名婆婆会，后分为两村，简称东、西会。聚落呈团块状。有东会中学、东会乡卫生院。有东会遗址，为新石器时代文化遗存。乡村道路经此。

141123-C02-H02 **庄上**［Zhuāngshàng］在县政府驻地蔚汾镇东南32千米。东会乡辖行政村。人口730。原为农民种地临时居住的山庄，后成村，故名。地处黑茶山麓。聚落呈团块状。有四八小学。有第一批省级文物保护单位“四八”烈士殉难处，1946年4月8日，中共中央委员王若飞、秦邦宪、新四军军长叶挺、中共中央职工委员会书记邓发、教育家黄齐生等17人，由重庆飞往延安，途经黑茶山，因天气恶劣，迷失航向失事遇难，1980年在黑茶山上建王若飞纪念馆，后改名为“四八”烈士纪念馆，现为省级爱国主义教育基地。乡村道路经此。

141123-C03 **固贤乡**［Gùxián Xiāng］兴县辖乡。在县境东南部。面积170平方千米。人口1.25万。辖10行政村。乡人民政府驻固贤。1953年设固贤乡，后改公社。1984年复置乡。因驻地得名。地处黑茶山西麓，固贤河流经。矿产有煤、铁、铝。有中小学、幼儿园、卫生院、农家书屋、文化站。有田家会大捷遗址和甄家庄战斗遗址。古迹有固贤供销社旧址、固贤墓群、孙家臣墓。农业主产玉米、土豆、黄豆、谷子等杂粮为主。养殖业以牛、猪、羊、鸡为主。有中药材、香菇、羊肚菌、玉露香梨、钙果、文冠果等特色种养殖。有牧场、煤矿。服务业以餐饮、物流为主。通公路。

141123-C03-H01 **固贤**［Gùxián］固贤乡人民政府驻地。在县政府驻地蔚汾镇东南40千米。人口2260。隋末为太和县治所，唐初废。旧名故县，后雅化为今名。聚落呈团块状。有固贤乡卫生院。有固贤遗址，为新石器时代文化遗存。有固贤墓群，为清代墓群。有孙良臣墓，孙良臣（1885—1947年），字梦棣，是晋绥边区著名的开明绅士。乡村道路经此。

141123-C03-H02 **甄家庄**［Zhēnjiāzhuāng］在县驻地蔚汾镇南35千米。固贤乡辖行政村。人口1530。聚落呈团块状。有甄家庄小学。有县级重点文物保护单位甄家庄歼灭战遗址，甄家庄歼灭战是晋绥军区120师抗战以来精典战例之一。有甄家庄遗址，为新石器时代、汉代文化遗存。乡村道路经此。

141123-C04 **奥家湾乡**［Àojiāwān Xiāng］兴县辖乡。在县境东部。面积262平方千米。人口2.59万。辖21行政村。乡人民政府驻奥家湾。1953年设二十里铺乡，后改奥家湾公社。1984年改置乡。2021年恶虎滩乡并入。因驻地而得名。蔚汾河流经。有中小学、幼儿园、卫生院、农家书屋、文化站。纪念地有李家塔烈士陵园。有恶虎滩林场。景点有石楼山风景区、石猴山风景区、沟门前烽火台。农业主产谷子、高粱、玉米、薯类。盛产苹果。有煤矿、瓷窑、混凝土厂、发电厂等企业。服务业以餐饮、旅游为主。省道忻黑线经此。

141123-C04-H01 **奥家湾**［Àojiāwān］奥家湾乡人民政府驻地。在县政府驻地蔚汾镇东7.5千米。人口1490。因地处蔚汾河湾，奥姓始居而得名。聚落呈团块状。有奥家湾小学、奥家湾乡卫生院。337国道经此。

141123-C04-H02 **明通沟**［Míngtōnggōu］在县政府驻地蔚汾镇东北15千米。奥家湾乡辖自然村。人口1120。该村位于山沟，村前大路历来为通往太原等地的交通要道，故名。聚落呈条带状。有县级文物保护单位明通沟主战场遗址，1940年八路军120师在此设伏袭击日军取得胜利，史称明通沟战斗。337国道经此。

141123-C05 **蔡家崖乡**［Càijiāyá Xiāng］兴县辖乡。在县境中部。面积167平方千米。人口2.45万。辖1社区、20行政村。乡人民政府驻蔡家崖。1953年设蔡家崖乡，后改公社。1984年复置乡。因驻地得名。蔚汾河流经。有中小学。有全国重点文物保护单位晋绥边区革命纪念馆。有省级文物保护单位胡家沟砖塔。纪念地有中共中央晋绥分局旧址、晋绥边区政府及军区司令部旧址。有石楞则新石器文化遗址等古迹。为县粮、菜、果综合产区。农业主产谷子、玉米、高粱、豆类。盛产蔬菜和水果。有采摘农业园区。工业有小杂粮、红枣、纪念品加工业。服务业以旅游为主。瓦日铁路经此设站。省道岢大线、忻黑线经此。

141123-C05-H01 **蔡家崖**［Càijiāyá］蔡家崖乡人民政府驻地。在县政府驻地蔚汾镇西7.5千米。人口1400。因村北依元宝山陡崖，蔡姓始居而得名。聚落呈团块状。有蔡家崖中学、兴县职业中学。有第四批全国重点文物保护单位、第五批省级文物保护单位晋绥边区政府及军区司令部旧址，1942年晋绥军区司令部暨八路军120师师部进驻。有县级文物保护单位蔡家崖防空洞，位于村东部石崖上，人工开凿而成。有县级文物保护单位蔡家崖墓群，为宋代墓葬。337国道、省道岢大线经此。

141123-C05-H02 **北坡**［Běipō］在县政府驻地蔚汾镇西北9千米。蔡家崖乡辖行政村。人口1440。因地处蔚汾镇北侧，村后有山坡而得名。聚落呈团块状。有第八批全国重点文物保护单位、第五批省级文物保护单位北坡晋绥分局旧址，1942年8月中共中央晋绥分局正式成立，驻北坡村，关向应任书记，林枫任副书记。337国道经此。

141123-C05-H03 **胡家沟**［Hújiāgōu］在县政府驻地蔚汾镇西北6千米。蔡家崖乡辖行政村。人口2430。因地处平川，蔚汾河北侧的山沟里，胡姓首居而得名。聚落呈团块状。有胡家沟小学。有第八批全国重点文物保护单位、第四批省级文物保护单位胡家沟砖塔，塔为七层八角实心砖雕塔，现存为明代建筑遗构。省道岢大线经此。

141123-C06 **孟家坪乡**［Mèngjiāpíng Xiāng］兴县辖乡。在县境西南部。面积382平方千米。人口2.32万。辖24行政村。乡人民政府驻孟家坪。1953年设孟家坪乡，后改公社。1984年复置乡。2001年小善乡并入。2021年贺家会乡并入。因驻地得名。黄河、张家坪沟流经。有中小学、幼儿园、卫生院、农家书屋、文化站。有麻墕条龙王庙、瓦窑遗址、胡家塔烽火台、胡家塔墓群、杨塔上刘氏墓地、阴家沟龙王庙、小善畔财神庙、乌龙寨遗址、贺家会化石出土点、北角上新石器文化遗址等古迹。有小善畔战斗烈士墓等纪念地。农业主产谷子、糜黍、黄豆、葵花籽、黄芥。工业以食品加工为主。服务业以餐饮为主。沿黄公路过境。

141123-C06-H01 **孟家坪**［Mèngjiāpíng］孟家坪乡人民政府驻地。在县政府驻地蔚汾镇西南19千米。人口1090。因在河谷平地，孟姓首居而得名。聚落呈团块状。有孟家坪乡中心校、孟家坪乡卫生院。有糜黍、黄豆、葵花籽等特色经济作物。县道曹罗线经此。

141123-C06-H02 **小善畔**［Xiǎoshànpàn］在县政府驻地蔚汾镇西15千米。孟家坪乡辖自然村。人口190。因位于小善西畔而得名。聚落呈条带状。有小善畔战斗遗址，1943年八路军在此重创日伪军。有小善畔烈士墓，小善畔战斗中牺牲的八路军烈士均埋葬于此。有小善畔财神庙，现存为清代建筑遗构。乡村道路经此。

141123-C07 **赵家坪乡**［Zhàojiāpíng Xiāng］兴县辖乡。在县境西南部。面积147平方千米。人口0.72万。辖10行政村。乡人民政府驻赵家坪。1953年设武家峁乡，后改赵家坪公社。1984年复置乡。因驻地而得名。黄河、赵家坪沟流经。有小学、幼儿园、卫生院、农家书屋、文化站、文化广场。有官道峁关帝庙、白马寺遗址、赵家坪墓群、洪门寺遗址等古迹。农业主产谷子、高粱、黄豆、玉米等。盛产红枣、水果。工业以农产品加工为主。服务业以餐饮为主。沿黄公路过境。

141123-C07-H01 **赵家坪**［Zhàojiāpíng］赵家坪乡人民政府驻地。在县政府驻地蔚汾镇西南49千米。人口810。因在河滩平地，赵姓始居而得名。聚落呈团块状。有赵家坪乡小学、赵家坪乡卫生院。有赵家坪墓群，为清代墓群。有龙王庙，现存为清代建筑遗构。县道罗赵线经此。

141123-C08 **圪垯上乡**［Gēdashàng Xiāng］兴县辖乡。在县境西南部。面积155平方千米。人口0.85万。辖10行政村。乡人民政府驻圪塔上。1953年设樊家圪垯乡，后改圪垯上公社。1984年复置乡。因驻地得名。有高圪垯山脉。境内最高峰高圪垯山海拔940米，最低点芦山沟滩海拔760米。黄河、芦山沟河流经。有小学、卫生院、农家书屋、文化站。有李家畔河神庙、大峪口无量庙、大峪口娘娘庙、大峪口龙王庙、白家山龙王庙等古迹。农业以种植业、畜牧业为主，主产红枣。企业以食品加工为主。服务业以餐饮为主。通公路。

141123-C08-H01　**圪垯上**［Gēdashàng］圪垯上乡人民政府驻地。在县政府驻地蔚汾镇西南42千米。人口1400。原名樊家圪塔，因村处高地，樊姓聚居而得名，后简称今名。聚落呈团块状。有圪垯上乡中心校、圪垯上乡卫生院。有特产红枣。县道枣蔡线经此。

141124　**临县**［Lín Xiàn］吕梁市辖县。北纬37° 35′，东经110° 39′。在市境西北部。面积2979平方千米。人口65.96万。以汉族为主，还有回族、藏族、满族、壮族等少数民族20个。辖13镇、10乡。县人民政府驻临泉镇。唐武德三年（620年）改太和县为临泉县，属北和州。因当地临泉水得名。金改临泉县为临水县，属石州。蒙古中统二年（1261年）复名临泉县，治今故县村，属太原府。三年升临泉县为临州，隶冀宁路。至元五年（1268年）自故县村徙今县城。明洪武二年（1369年）改州为县，称临县，属太原府。万历二十三年（1595年）改属汾州府。1912年废府。1913年属中路道。1914年属冀宁道。1927年废道后直属山西省。1937年属山西省第四行政区。1940年以三交镇为中心析置临南县，属晋绥边区四专区。1946年临南县并入临县。1949年属兴县专区。1952年属榆次专区。1958年属晋中专区。1967年属晋中地区。1971年属吕梁地区。2004年属吕梁市。地处吕梁山西麓，黄河东岸。地势由东北向西南倾斜，东北高西南低。东北部为土石山区，中部为黄土丘陵沟壑区，西部为黄河沿岸丘陵基岩裸露区，湫水河为两岸山间河谷区。主要山脉有连枝山、紫金山、汉高山、架尔梁山。最高峰在城庄镇郝家湾村东北侧与方山县交接处山脉，海拔1946.3米。最低点在碛口镇霍家沟村西侧黄河滩，海拔657.1米。黄河、湫水河等流经。年平均气温为9.2℃，最高年为10.5℃（1998年、1999年），最低年为7.9℃（1967年）。一年中1月最冷，月平均温度为-6.8℃，极端最高12.4℃，极端最低-24.0℃；7月最热，月平均气温23.2℃，极端最高37.4℃，极端最低11.1℃。年均降水量433毫米。年均日照时数介于2427.6—3029小时之间，平均为2720.7小时。年平均无霜期为191天，初霜日在10月7日前后，终霜日在5月3日前后。无霜期由东北向西南延长，相差30天左右。矿产资源有煤、煤层气、钾、铁、铝、钒等。野生动物有褐马鸡、金钱豹等224种，其中褐马鸡、金钱豹属国家一级保护动物，老鹰、雕、鹃、黑卷尾属国家三级保护动物。有医院、卫生院等。有全国重点文物保护单位善庆寺、义居寺、碛口黑龙庙，省级重点文物保护单位乌突戍古城遗址，市级重点文物保护单位3处。有伞头秧歌、大唢呐、道情戏、三弦书等民间艺术，其中伞头秧歌为国家非物质文化遗产。有国家级风景名胜区有碛口风景名胜区。有省级以下风景名胜区宝珠山道观、正觉寺、紫金山等。碛口古镇是“全国历史文化名镇”，西湾村、李家山村是“全国历史文化名村”。三次产业比例23:32:45。2017年末辖区内有幼儿园（所）32所，小学58所，初中34所，普通高中2所，中等职业学校2所，职业中学3所。有县级医院3个，即临县人民医院、临县中医院、临县第二人民医院。有妇幼保健院一个，乡级卫生院24个，疾病预防控制中心一个，卫生监督所一个、健康教育中心一个，卫校一所，村级卫生所与个人诊所691个。农业主产谷子、玉米、豆类、马铃薯等。特产红枣、核桃等。2000年被国家林业局、中国经济林协会命名为“中国红枣之乡”。工业以煤矿开采、洗煤、铝矿等为主。服务业以餐饮、住宿、旅游为主。瓦日铁路经此设站。右玉—芮城、太原—佳县高速，省道太高线、岢大线、三大线经此。

141124-F01　**临县秧歌文化广场**［Línxiànyāng gēwénhuà Guǎngchǎng］在临县城东部。东侧为从龙中路，西南侧为南门大桥，西临湫水河。总面积1.7万平方米。2011年建成。为了更好地保护和传承国家级非物质文化遗产秧歌文化，满足广大市民休闲、娱乐需求而建设。又名临州秧歌文化广场。广场中央有秧歌文化主题雕塑。

141124-N01　**南门大桥**［Nánmén Dàqiáo］

在临县城南部，连接南门街和从龙中路，横跨湫水河。为中型河道桥梁，拱桥结构。桥长178.1米，桥面宽8米，最大跨度25米，桥下净高9.2米。1983年始建。1999年改建，2000年建成。因在县城南门外得名。最大载重量20吨。

141124-N02 **东门大桥**［Dōngmén Dàqiáo］在临县城中部正街上，连接西正街与东正街，横跨湫水河。为中型河道桥梁，拱桥结构。桥长135.8米，桥面宽12.5米，最大跨度109米，桥下净高10米。1982年始建，1983年建成。1999年改建，2009年竣工。因在县城东门外得名。最大载重量20吨。

141124-N03 **麻峪大桥**［Máyù Dàqiáo］在临县城北部麻峪街上，横跨湫水河。为大型河道桥梁，拱桥结构。桥长155.5米，桥面宽9米，最大跨度127米，桥下净高9.1米。1994年始建，1995年建成。因在麻峪村附近得名。又名临州大桥。最大载重量100吨。

141124-N04 **中元桥**［Zhōngyuán Qiáo］在临县城南部中元街上，横跨湫水河。为大型河道桥梁，拱桥结构。桥长186.5米，桥面宽15米，最大跨度158米，桥下净高10米。1999年始建，2000年建成。因在中元街而得名。最大载重量100吨。

141124—R01 **临县站**［Línxiàn Zhàn］见交通运输设施部分“临县站”条。

141124-B01 **临泉镇**［Línquán Zhèn］临县人民政府驻地。在县境中部。面积141平方千米。人口8.3万。辖10社区、30行政村。镇人民政府驻城关。1953年设城关乡，后改公社。1984年改置镇。2001年与万安里乡合置临泉镇。以临县旧称临泉县命名。地处湫水河中游，地势由西北向东南倾斜。地形分为丘陵沟壑区、山间河谷区，主要山脉有长寿山，境内最高峰长寿山，海拔1123米。最低点湫水河位于都督村，海拔762米。湫水河流经。有临州文化广场、临县秧歌文化广场等，辖区内有幼儿园（所）12所，公立学校有胜利坪九年制、后麻峪九年制、柏树沟九年制、前甘泉九年制、实验小学、黄白塔寄宿制小学、白家沟寄宿制小学、前麻峪小学、东峁寄宿制小学、南关小学、河渠小学、东关小学、北门小学等。另有湫水学校、利民学校、民心学校等。县立学校有一中、三中、四中、高级中学、职业中学。妇幼保健院、人民医院、第二人民医院，2013年末有卫生院2所，病床75张，专业卫生人员74人，其中执业医师22人。有村级卫生所67个。古迹、纪念地有清代魁星楼、临县革命烈士陵园。农业有蔬菜种植、畜牧业等。工业有农产品加工。服务业以商贸、餐饮为主。右玉—芮城、太原—佳县高速，省道太高线、岢大线经此。

141124-B01-K01 **麻峪街**［Máyù Jiē］在临县城北部。西起麻峪村，东至从龙中路。以麻峪大桥为界，分东街、西街。与北门四巷、太和北路、河东北路等道路相交。长1.3千米，宽10米。沥青路面。1982年建成，为太原—佳县高速的连通街道。因前、后麻峪村而得名。两侧有柏树沟村卫生所、民心学校、盘龙社区居委会等。通临县3、4路等公交车。

141124-B01-K02 **太和南路**［Tàihé Nánlù］在临县城南部。北起南门街，南至南通花苑。长1千米，宽18米。沥青路面。1982年建成。原名南关街。为纪念临县古称太和县，2010年更今名。两侧有临县人民政府、临县住建局、临州宾馆、百货小区等。通临县4路公交车。

141124-B01-K03 **从龙北路**［Cónglóng Běilù］在临县城东北部。北起平临高速临县北收费站，南至麻峪东街。长5.7千米，宽20米。沥青路面。1982年建成。原名东关街。为纪念临县籍武状元张从龙，2010年更今名。两侧有临县市场监督局、黄白塔村、临县住建局、万安坪村等。通临县2、3路等公交车。

141124-B01-K04 **从龙中路**［Cónglóng Zhōnglù］在临县城东部。北起麻峪东街，南至南门桥。与水门桥、东门桥等相交。长2.5千米，宽20米。沥青路面。1982年建成。原名东关街。为纪念临县籍武状元张从龙，2010年更今名。两侧有临县三中、临州秧歌文化广场、临州文化广场等。通临县2、5路等公交车。

141124-B01-K05 **太和北路**［Tàihé Běilù］在临县城中部。北起麻峪西街，南至南门街。与平安巷、河渠街、西正街等道路相交。长 1.9 千米，宽 12 米。沥青路面。原名革命街。为纪念临县古称太和县，2010 年更今名。两侧有华夏商贸城有限公司、临县广场、临县水利局、王府购物中心等。

141124-B01-K06　**从龙南路**［Cónglóng Nán lù］在临县城东南部。北起南门桥，南至 218 省道。与中元街等道路相交。长 3.2 千米，宽 20 米。沥青路面。原名东关街。为纪念临县籍武状元张从龙，2010 年更今名。两侧有临县客运站、东峁学校、都督村、临县公安局交警大队等。

141124-B01-K07　**河西路**［Héxī Lù］在临县城中南部。北起太和北路，南至任家沟村。以为南门街界，分中路、南路。与中元街等道路相交。长 4.3 千米，宽 8 米。沥青路面。原为明清旧街。2010 年定名。因位于湫水河西侧得名。两侧有临县档案局、临泉镇综治中心等。

141124-B01-K08　**中元街**［Zhōngyuán Jiē］在临县城南部。西起河西南路，东至从龙南路。长 0.7 千米，宽 42 米。沥青路面。2000 年建成。两侧有恒圆国际会议中心、临县政务服务中心等。通临县 501 路公交车。

141124-B01-K09　**东林路**［Dōnglín Lù］在临县城东部。北起柏树沟南巷，南至峰馨苑。长 1 千米，宽 6 米。沥青路面。因途经东林寺附近而得名。两侧有临县三中、农委瑞丰小区、东关小学等。

141124-B01-L01　**正街**［Zhèng Jiē］在临县城中部。西起凤城路，东至从龙中路。以东门桥为界，分西正街、东正街。与太和北路、二道街路等道路相交。长 0.6 千米，宽 6—12 米。沥青路面。西正街为明清时期临县城中主街，因此得名。1982 年东延。两侧有临县妇幼保健院、临县公安局、临县司法局等。通临县 3 路公交车。

141124-B01-L02　**西苑街**［Xīyuàn Jiē］在临县城西部。北起河渠街，南至西苑四巷。长 0.4 千米，宽 6 米。沥青路面。1945 年建成。为纪念临县革命烈士李西苑而得名。两侧有真武山道院、西苑新区等。

141124-B01-L03　**二道街路**［Èrdàojiē Lù］在临县城中部。北起西正街，南至河渠街。长 0.3 千米，宽 6 米。沥青路面。因作为临县旧城内南北向的第二道主街而得名。两侧有恒圆国际丽都城、临县水利局等。

141124-B02　**白文镇**［Báiwén Zhèn］临县辖镇。在县境东北部。面积 277 平方千米。人口 4.65 万。辖 2 社区、29 行政村。镇人民政府驻白文。1953 年设白文乡，后改公社。1984 年改置镇。2001 年曜头乡并入。因驻地得名。湫水河流经。矿产资源有煤、石灰石、白云石等。公立学校 6 所：白文初中、南庄寄宿制小学、明翟头寄宿制小学、白文一小、日文二小白文技校。有卫生院两座，病床 50 张。有卫生技术人员 29 人，其中执业医师 9 人。有村级卫生所 32 个。有学校体育场两个。有省级文物保护单位乌突戊古城遗址。为县粮食主产区。农业主产谷子、高粱、玉米、小杂粮。有阳坡、圐圙 2 奶牛养殖园。工业以加工为主。主要有榨油厂、葵花加工厂、砖厂、地毯加工厂等。为明清古集镇，历为兴县、方山县、岚县、临县的农副产品贸易中心。有全县最大的阳坡水库。服务业以商贸为主。瓦日铁路经此设站。右玉—芮城高速、省道岢大线经此。

141124-B02-H01　**白文**［Báiwén］白文镇人民政府驻地。在县政府驻地临泉镇北 26 千米。人口 9340。原名白燕村，后改今名。聚落呈团块状。有白文镇初级中学、白文第一小学、白文镇第二小学、白文职业技校、白文镇卫生院、白文医院。有白文遗址，为新石器时代文化遗存。有南呱地遗址，为汉代文化遗存。省道苛大线经此。

141124-B02-H02　**故县**［Gùxiàn］在县政府驻地临泉镇北 22 千米。白文镇辖行政村。人口 1120。唐武德三年（620 年）到元至元三年（1337 年）临泉县治此，元至元三年（1337 年）移今治后，即被称为故县。聚落呈团块状。有第六批省级文物保护单位八路军 120 师医务干部训练队故县旧址，1940 年初，抗日战争进入艰苦时期，为解决医务人员奇缺问题，在山西临县故县村创建医务干部训练队，先后培训三期近 200 名医务骨干，为抗战胜利做出重要贡献。省道苛大线经此。

141124-B02-H03　**曜头**［Yàotóu］在县政府驻地临泉镇北 18 千米。白文镇辖行政村。人口

3930。原名窑头，后改今名。聚落呈团块状。有曜头中学，曜头寄宿制小学。有第六批省级文物保护单位八路军120师指挥部曜头旧址，抗日战争时期，120师师长贺龙带领部队驻扎此地，多次召集秘密会议。省道岢大线经此。

141124-B03 **城庄镇**［Chéngzhuāng Zhèn］临县辖镇。在县境北部。面积287平方千米。人口3万。辖3社区、18行政村。镇人民政府驻城庄。1953年设城庄乡，后改公社。1984年复置乡。1996年改镇。2001年程家塔乡并入。因驻地得名。地势东西高南北低，地形总体呈“四山三沟连一川”，主要山脉有连枝山，最高峰柏榆庙山位于连枝山麓、海拔1924米，最低点湫水河滩位于东柏村、海拔995千米。湫水河流经。矿产资源有钾长石。多野生中药材。有正规学校两所，即小马坊寄宿制小学和场城庄九年制学校。另有大居、杨寨教学点。2013年末，有卫生院一所，病床30张，专业卫生人员24名，其中执业医师6人。有农村卫生所28个。农业主产谷子、小杂粮、蔬菜、高粱、玉米、马铃薯。特产红枣。有养殖场、砖厂、水泵厂、洗砂厂。服务业以商贸、餐饮、住宿为主。右玉—芮城、太原—佳县高速，省道岢大线经此。

141124-B03-H01 **城庄**［Chéngzhuāng］城庄镇人民政府驻地。在县政府驻地临泉镇北10千米。人口3310。原名陈庄，后以方言谐音演变为今名。聚落呈团块状。有城庄镇中学、城庄镇中心校、城庄镇中心卫生院。有城庄遗址，为新石器时代文化遗存。有城庄北遗址，为东周时期文化遗存。有前塔岭遗址，为战国时期文化遗存。有城庄沟林场。有特产红枣。339国道、省道岢大线经此。通3路公交。

141124-B03-H02 **阳宇会**［Yángyǔhuì］在县政府驻地临泉镇北8.9千米。城庄镇辖行政村。人口1650。原名羊尔会，近年来有人将其改为阳宇会，取位处湫水河西岸山脚下屋宇旬阳之意，故名。聚落呈团块状。抗日战争时期日寇屠杀村民的“阳宇会惨案”发生于此。有阳宇会戏台，现存为清代建筑遗构。339国道经此。

141124-B03-H03 **靳家沟**［Jìnjiāgōu］在县政府驻地临泉镇西北14.6千米。城庄镇辖行政村。人口510。聚落呈条带状。抗日战争时期日寇屠杀村民的“靳家沟惨案”发生于此。有核桃林等特色产业。乡村道路经此。

141124-B04 **兔坂镇**［Tùbǎn Zhèn］临县辖镇。在县境西部。面积219平方千米。人口2.57万。辖2社区、34行政村。镇人民政府驻兔坂。1953年设兔坂乡，后改公社。1984年改置镇。2001年水槽沟乡并入。因驻地得名。地势东北高、西南低。地形分为土石山丘陵区和山间河谷区。最高峰位于苗家墕村山树梁，海拔1398米。最低点位于椿树圪崂村黄河滩头，海拔980米。黄河流经。学校有兔坂九年制学校、兔坂寄宿制小学，水槽沟九年制学校、兔坂明德寄宿制小学。其中兔坂九年制学校，1958年9月建材交，2009年学校通过了吕梁市“双百示范学校”的验收。有在校生528人，专任教师65人。2013年，全镇有卫生院一所，病床40张长。有专业卫生人员21人，其中执业医师3人。有村级卫生所35个。矿产有煤层气。曾是秦晋两省沿黄河各县的物资集散地。以农业为主，盛产红枣。服务业以餐饮、住宿等为主。太原—佳县高速经此。

141124-B04-H01 **兔坂**［Tùbǎn］兔坂镇人民政府驻地。在县政府驻地临泉镇西北30千米。人口1400。原名兔儿坂，因村有兔峁，地形如兔而得名。聚落呈团块状。有兔坂中学、兔坂镇山庄头小学、兔坂镇卫生院。有兔坂村桥，现存为清代建筑遗构。盛产红枣。有商贸服务业。339国道、省道太佳线经此。

141124-B05 **克虎镇**［Kèhǔ Zhèn］临县辖镇。在县境西部。面积87平方千米。人口1.35万。辖1社区、10行政村。镇人民政府驻克虎寨。1953年设克虎寨乡，后改公社。1984年改置镇。2001年将克虎寨镇更名为克虎镇。因驻地得名。地处黄河东岸，地势略为东高西低、北高南低。地形分为基岩裸露丘陵区。境内最高峰寨子圪埏位于乔家圪台村南，海拔1256米。最低点位于杏林庄村的黄河漫滩，海拔980米。有克虎小学、克虎九年制学校国家正规观学校二所。有乡级卫生院一所，病床25张。专业卫生人员14人，其中执业医师5人。有村级卫生所13个。有克虎关遗址、清代戏台等古迹。以农业为主，盛产红枣。服务业以商贸为主。为县红枣主产区、全国有机红枣生产基地。太原—佳县高速、省道太高线经此。

141124-B05-H01　**克虎**［Kèhǔ］克虎镇人民政府驻地。在县政府驻地临泉镇西北 43 千米。人口 2200。金代置克胡关以御西夏，又名克胡寨，后因谐音而得名。聚落呈条带状。有克虎小学、克虎镇卫生院。有克虎寨城址，为战国时期、金代至明代城址。有克虎观音庙，现存为清代建筑遗构。339 国道、省道太佳线、省道太克线、沿黄旅游公路经此。

141124-B06　**三交镇**［Sānjiāo Zhèn］临县辖镇。在县境南部。面积 123 平方千米。人口 6.16 万。辖 4 社区、35 行政村。镇人民政府驻三交。1953 年设三交乡，后改公社。1984 年改置镇。2001 年枣圪垯乡并入。因驻地得名。地势东高西低，地形分为丘陵沟壑区和山间河谷区。最高峰位于塌头村寨则疙瘩，海拔 1165 米。最低点位于中庄村湫水河漫滩，海拔 405 米。湫水河、刘王沟河、陡泉河、孙家沟河、高家沟河、李家塔河、中庄河、胡公河、黑龙沟河、史家洼河等河流经。三交镇从古到今，教育发达，一直是县域南部的教育中心。明清时期就有私塾、义学多处，张家巷至今有书房院。光绪十一年，清廷刚废除科举不久，即有国民小学。民国初年，还开设有女子国民学校。民国 16 年（1927 年），原设义居寺的县立第二高小迁设三交镇茔坪上。后又陆续改建为临南县县立高小、三交中学，最后发展为临县第二中学。到 20 世纪 90 年代，镇区内即有完全中学 1 所、初级中学 1 所、私立五星中学 1 所，公立居民小学有正街寄宿制小学、正坡小学、东城波寄宿制小学、三交实验小学、中庄寄宿制小学、枣圪垯寄宿制小学、前陡泉寄宿制小学、武家沟寄宿制小学等 8 所、私立小学 2 所。镇区内现有小学 4 所，在校生 2059 人，专任教政师 155 人，小学适龄儿童入学率 100%；初中 3 所，在校生 2448 人，专任教师 120 人。2013 年末第二人民医院有床位 80 张，卫生技术人员 71 人，执业医师 34 人。有镇卫生院一所，床位 30 张，专业卫生人员 15 人，执业医师 6 人。有村级卫生所 19 个。有全国重点文物保护单位义居寺、三交古镇历史街区及古民居、戏台、庙宇等古迹。有中央后委机关旧址、中央交际处旧址、中央机要处旧址、双塔村毛泽东故居纪念馆等纪念地。矿产有煤、煤层气和铝矾土等。农业主产高粱、玉米、谷子、马铃薯。有全县最大的集贸市场。有采煤、造纸、不锈钢、铜器、柳编、木器、造纸等一村一品特色产业。右玉—芮城高速、省道岢大线、三大线经此。

141124-B06-H01　**正街**［Zhèngjiē］三交镇人民政府驻地。在县政府驻地临泉镇南 20 千米。人口 1920。因其所处位置而得名。聚落呈团块状。有三交镇九年制学校、临县第二人民医院。有县级文物保护单位正街烈士塔，1945 年为纪念抗战牺牲的 196 位烈士而建。有李旺山宅院，现存为清代建筑遗构。省道岢大线经此。

141124-B06-H02　**双塔**［Shuāngtǎ］在县政府驻地临泉镇西北 31 千米。三交镇辖行政村。人口 2020。相传在很久以前，村中有座塔，故名。聚落呈团块状。有第八批全国重点文物保护单位临县中央后委机关旧址，主要包括中央外事组旧址、中央书记处特别会计室旧址、毛主席路居处、叶剑英旧居、杨尚昆旧居和邓颖超旧居等。省道三大线、县道雷蔡线经此。

141124-B06-H03　**孙家沟**［Sūnjiāgōu］在县政府驻地临泉镇南 21 千米。三交镇辖行政村。人口 1000。聚落呈条带状。有县级文物保护单位孙家沟一号民居，现存为清代建筑遗构。有县级文物保护单位孙家沟二号民居，现存为民国建筑遗构。有孙家沟观音庙，现存为清代建筑遗构。有孙家沟民居，现存皆为民国建筑遗构。2006 年被列入山西省第二批历史文化名镇名村名录。2014 年被列入第三批中国传统村落。2019 年被列入第七批中国历史文化名村名录。省道岢大线经此。

141124-B06-H04　**枣圪垯**［Zǎogēdá］在县政府驻地临泉镇南 24 千米。三交镇辖行政村。人口 1190。因在枣圪垯山下而得名。聚落呈团块状。有枣圪垯寄宿制小学。有第六批全国重点文物保护单位义居寺，现存正殿为元代建筑遗构，余皆为明清建筑遗构。省道三大线经此。

141124-B07 **湍水头镇**［Tuānshuǐtóu Zhèn］临县辖镇。在县境东南部。面积 64 平方千米。人口 1.92 万。辖 17 行政村。镇人民政府驻湍水头。1953 年设湍水头乡，后改公社。1984 年改置镇。因驻地得名。地形山高沟深，梁峁起伏，呈黄土丘陵沟壑区小块土石山区地貌；湍水头沟河流经。矿产有石灰岩、煤、铁、铝、钾等。公办学校有湍水头寄宿制小学、上南沟寄宿制小学。其中湍水头小学位于镇政府所在地，专任教师 13 名，在校学生 142 人。2013 年末有卫生院一所，床位 20 张，专业卫生人员 22 人，其中执业医师 7 人。有农村卫生所 23 个。农业主产高粱、玉米、谷子、黑豆。特产核桃、红枣。为县工业区之一。有电化、混凝土、煤矿、焦煤等企业。中部湍水头沟为晋西古驿道。服务业有餐饮、住宿等。省道岢大线经此。

141124-B07-H01 **湍水头**［Tuānshuǐtóu］湍水头镇人民政府驻地。在县政府驻地临泉镇东南 23 千米。人口 2000。因村外山谷雨后流水湍急而得名。聚落呈条带状。有湍水头寄宿制小学、湍水头卫生院。有核桃、红枣等特色经济作物。省道岢大线经此。

141124-B08 **林家坪镇**［Línjiāpíng Zhèn］临县辖镇。在县境南部。面积 87 平方千米。人口 3.10 万。辖 1 社区、23 行政村。镇人民政府驻林家坪。1953 年设林家坪乡，后改公社。1984 年复置乡。1996 年改镇。2001 年高家山乡并入。因驻地得名。地势东北高、西南低。地貌为黄河丘陵沟壑地貌。地形分为土石区、丘陵沟壑区。最高峰位于南沟村，海拔 1300 米。最低点位于南圪垛村河滩，海拔 600 米。湫水河流经。矿产有煤、铝矾土、石油、煤层气。公立学校有林家坪镇初级中学校、林家坪寄宿制人小学、林家圪垛小学、白家峁寄宿制小学。其中林家坪镇初级中学校，在校生 562 人，专任任教师 54 人。2013 年末有卫生院一个，床位 40 张，专业卫生人员 31 人，其中执业医师 8 人。村级卫生所 26 个。纪念地有晋绥边区军工厂旧址和西北军工烈士塔。为晋绥边区军工重地。有贺龙旧居纪念馆。有红枣、核桃经济林科技示范园。农业主产高粱、玉米、小麦、黑豆。特产红枣。有红枣加工业。产焦煤。服务业有商贸、餐饮、住宿等。瓦日铁路、省道三大线经此。

141124-B08-H01 **林家坪**［Línjiāpíng］林家坪镇人民政府驻地。在县政府驻地临泉镇西南 30 千米。人口 3260。因在湫水河东岸平坦处，林氏始居而得名。聚落呈团块状。有林家坪中学、林家坪镇中心卫生院。有县级文物保护单位西北军工烈士塔，1948 年晋绥分区为纪念死难军工烈士而建。有特产红枣。有红枣加工业。省道三大线、县道林招线、县道林新线经此。

141124-B08-H02 **南圪垛**［Nángēduǒ］在县政府驻地临泉镇西南 33 千米。林家坪镇辖行政村。人口 2100。因位于湫水河东南岸山脚下圪垛（凹）里而得名。聚落呈团块状。有第五批省级文物保护单位中共中央西北局旧址，1947 年 8 月，中共中央西北局和陕甘宁边区政府奉命东渡黄河，移驻临县，习仲勋为中共中央西北局书记和陕甘宁晋绥联防军政治委员，住在临县林家坪镇南圪垛村，即现在中共中央西北局旧址，亦称习仲勋旧居。2016 年被列入第四批中国传统村落名录。省道三大线、县道南庙线经此。

141124-B09 **招贤镇**［Zhāoxián Zhèn］临县辖镇。在县境东南部。面积 32 平方千米。人口 1.72 万。辖 16 行政村。镇人民政府驻双坪上。1953 年设招贤乡，后改公社。1984 年改置镇。原名招贤寺，后简化为今名。矿产资源以煤、铁、铝、瓷土为主。公立学校有招贤镇寄宿制学校，其中在校学生 323 人，专任教师 116 人，2010 年以来，全部免除中小学生学费和书本费，发放寄宿制学生生活补外助费 120 人，7.5 万余元。2013 年末有卫生院 1 个，病床 25 张，专业卫生人员 16 人，其中执业医师 5 人。有村级卫生所 16 个。农业主产谷子、玉米、豆类、马铃薯。盛产红枣。为县工业重镇，有煤矿、铝矾土矿及瓷窑。有临县胜利煤焦有限责任公司、临县新工煤业有限公司、临县河东矿业有限责任公司（中铝孙家塔矿）、临县龙宇洗煤厂、临县水源洗煤厂、临县胜利林业发展有限公司等企业。服务业以运输为主。通公路。

141124-B09-H01　**双坪上**［Shuāngpíng shàng］招贤镇人民政府驻地。在县政府驻地临泉镇西南 40 千米。人口 2090。因在遍植桑树的平坡上，故名桑坪上，后以方言谐音简为今名。聚落呈团块状。有红枣、核桃等特色经济作物。县道招贤线经此。

141124-B09-H02　**渠家坡**［Qújiāpō］在县政府驻地临泉镇南 32.7 千米。招贤镇辖行政村。人口 940。因渠氏建村于山坡上而得名。聚落呈团块状。有众多古迹。2016 年被列入第四批中国传统村落名录。乡村道路经此。

141124-B09-H03　**小塔则**［Xiǎotǎzé］在县政府驻地临泉镇西南 33 千米。招贤镇辖行政村。人口 1090。因该村处于小山塔上而得名。聚落呈团块状。有太上老君庙、龙天庙，现存皆为清代建筑遗构。有招贤瓷窑址，为金元时期文化遗存。2019 年被列入第五批中国传统村落名录。乡村道路经此。

141124-B10　**碛口镇**［Qìkǒu Zhèn］临县辖镇。在县境西南部。面积 108.45 平方千米。人口 3.35 万。辖 2 社区、30 行政村。镇人民政府驻西头。1953 年设碛口乡，后改公社。1984 年改置镇，2001 年索达干乡并入。因地处黄河大同碛河段，湫水河由此注入黄河，故名。地势东北高、西南低，属黄土丘陵沟壑区。最高点在东部垣上村山巅，海拔 1064 米；最低点在黄河处境摊点，海拔 650 米。公立学校有临县五中、寨子山寄守宿制小学、高家坪寄宿制小学、冯家会寄宿制小学、西头小学。有卫生院一个，床位 40 张，专业卫生人员 31 人，执业医师 12 人。有村级卫生所 41 个。有全国重点文物保护单位碛口黑龙庙。有国家级风景名胜区碛口风景名胜区。纪念地有毛泽东东渡黄河登岸处纪念碑、寨则山毛泽东路居旧址、西头党支部旧址等。有古建筑群。明清为秦晋两省交通、集贸要地。农业主产红枣、蔬菜。工业有煤炭生产和黄河水力发电。服务业以旅游为主。瓦日铁路、省道三大线经此。为省十大历史文化名镇之一。是山西省风景名胜区。2005 年被评为“中国历史文化名镇”。

141124-B10-H01　**西头**［Xītóu］碛口镇人民政府驻地。在县政府驻地临泉镇西南 38 千米。人口 1450。因在碛口镇区西端而得名。聚落呈团块状。有临县五中、碛口镇卫生院。有县级文物保护单位西云寺，始建于元代。有西头民居，现存为清代建筑遗构。有碛口国家级风景名胜区。黄河一号旅游公路、县道离碛线经此。

141124-B10-H02　**李家山**［Lǐjiāshān］在县政府驻地临泉镇西南 40 千米。碛口镇辖行政村。人口 1480。地处黄河边山，原名陈家湾，后因李氏繁衍成众而改今名。聚落呈条带状。有李子寿宅院、李登祥宅院，现存皆为清代建筑遗构，是第六批全国重点文物保护单位碛口古建筑群建筑之一。2006 年被列入第二批山西省历史文化名镇名村名录。2008 年被列入第四批中国历史文化名村名录。2012 年被列入第一批中国传统村落名录。黄河一号旅游公路经此。

141124-B10-H03　**西湾**［Xīwān］在县政府驻地临泉镇西南 38 千米。碛口镇辖行政村。人口 1070。因在湫水河西岸山湾内而得名。聚落呈条带状。有碛口陈氏祠堂，现存为清代建筑遗构，是第六批全国重点文物保护单位碛口古建筑群建筑之一。有五条南北走向的巷道，创建于清代，现仍使用，后人根据阴阳风水及五行学说而命名为金、木、水、火、土巷。2003 年被列入第一批中国历史文化名村名录。2012 年被列入第一批中国传统村落名录。黄河一号旅游公路、县道离碛线经此。

141124-B10-H04　**白家山**［Báijiāshān］在县政府驻地临泉镇西南 38.3 千米。碛口镇辖行政村。人口 1330。因白姓始居，且位于山头上而得名。聚落呈团块状。有县级文物保护单位白家山一号民居、白家山二号民居，现存均为民国时期建筑遗构。2019 年被列入第五批中国传统村落名录。乡村道路经此。

141124-B10-H05　**高家坪**［Gāojiāpíng］在县政府驻地临泉镇西南 34 千米。碛口镇辖行政村。人口 1550。因高姓始居，且坐落在湫水河东岸边一片宽阔的坪地上而得名。聚落呈团块状。有高家坪寄宿制学校。有高家坪成氏宅院、高家坪观音庙，现存皆为清代建筑遗构。2006 年被列入第二批山西省历史文化名镇名村名录。省道三大线经此。

141124-B10-H06 **尧昌里**［Yáochānglǐ］在县政府驻地临泉镇西南35.6千米。碛口镇辖行政村。人口1070。原名“窑吃狼”，后因不雅，改为今名。聚落呈条带状。有县级文物保护单位尧昌里戏台，现存为清代建筑遗构。有尧昌里传统民居，大部分房屋依山势而建，现存皆为明清时期建筑遗构。2019年被列入第五批中国传统村落名录。省道三大线经此。

141124-B10-H07 **垣上**［Yuánshàng］在县政府驻地临泉镇西南39千米。碛口镇辖行政村。人口810。因地处山顶上，山顶地势平缓，可谓小平原，故原名原上，后演变为今名。聚落呈团块状。有垣上传统民居，现存皆为清代建筑遗构。2019年被列入第五批中国传统村落名录。乡村道路经此。

141124-B10-H08 **寨则坪**［Zhàizépíng］在县政府驻地临泉镇西南37.6千米。碛口镇辖行政村。人口850。因地处寨子山下湫水河东岸坪地而得名。聚落呈团块状。有众多古迹。2016年被列入第四批中国传统村落名录。黄河一号旅游公路、县道离碛线经此。

141124-B10-H09 **寨则山**［Zhàizéshān］在县政府驻地临泉镇西南38.7千米。碛口镇辖自然村。人口1060。因以前山上有座寨子，方言“子”通“则”而得名。聚落呈团块状。有碛口毛泽东东渡黄河路居处，1948年3月，毛泽东、周恩来和任弼时率领中央后委机关东渡黄河路居此地，是全国重点文物保护单位碛口古建筑群建筑之一。有寨则山关帝庙、寨则山民居，现存皆为清代建筑遗构。2006年被列入第二批山西省历史文化名村名录。2016年被列入第四批中国传统村落名录。黄河一号旅游公路、县道离碛线经此。

141124-B11 **刘家会镇**［Liújiāhuì Zhèn］临县辖镇。在县境西南部。面积123平方千米。人口3.3万。辖1社区、28行政村。镇人民政府驻刘家会。1953年设刘家会乡，后改公社。1984年改置镇。2001年许家峪乡并入。因驻地得名。地势北高南低，地形为丘陵沟壑区。最高峰远照山位于枣洼村，海拔1308米。最低点沙塔坪位于许家峪村，海拔730米。月镜河流经。公立学校有刘家会镇九年制学校、刘家会寄宿制制小学、白家坂寄宿制小学、彩树岭寄宿制小学四所。全镇有卫生院一所，病床35张，专业卫生人员39人，执业医师17人。有村级卫生所31个。古迹有刘家会夯土城墙、刘家会新石器文化遗址。为县红枣主产区，小杂粮基地。农业主产玉米、谷子、黄豆。盛产红枣。有红枣加工业。通公路。

141124-B11-H01 **刘家会**［Liújiāhuì］刘家会镇人民政府驻地。在县政府驻地临泉镇西南20千米。人口3300。相传唐代在此建广严寺，香火旺盛，经常像赶会一样，故名。聚落呈团块状。有刘家会九年制学校、刘家会镇卫生院。有刘家会遗址，为东周时期文化遗存。乡村道路经此。

141124-B12 **丛罗峪镇**［Cóngluóyù Zhèn］临县辖镇。在县境西南部。面积77平方千米。人口1.91万。辖19行政村。镇人民政府驻丛罗峪。1953年设丛罗峪乡，后改公社。1984年改置镇。因驻地得名。地势东北高西南低，地形分为山间河谷区和基岩裸露区。最高峰柏岭集山位于柏岭集村，海拔1280米。最低点位于小王家塔村黄河滩，海拔680米。黄河流经。国办学校有丛罗峪九年制学校、丛罗峪寄宿制小学，另有郭家塔分校、天洪教学点。2013年末有卫生院一所，床位20张，专业卫生人员7人，其中执业医师0人。有村级卫生所21个。有真武山、寨上金龙宝殿、寨沟花石岩等旅游景区。有黄河丛罗峪民俗文化节。农业主产谷子、玉米、小杂粮。盛产红枣。工业以红枣加工为主。服务业以商贸、运输为主。沿黄公路经此。

141124-B12-H01 **丛罗峪**［Cóngluóyù］丛罗峪镇人民政府驻地。在县政府驻地临泉镇西南30千米。人口1960。丛罗为当地一种灌木，因其遍布村后山峪而得名。聚落呈团块状。有丛罗峪中学、丛罗峪小学、丛罗峪镇卫生院。有县级文物保护单位丛罗峪真武庙，现存为清代建筑遗构。黄河一号旅游公路经此。

141124-B12-H02 **郭家塔**［Guōjiātǎ］在县政府驻地临泉镇西南45.8千米。丛罗峪镇辖行政村。

人口 1500。因郭姓始居，且坐落在黄河东岸山塔上而得名。聚落呈条带状。有郭家塔遗址，为新石器时代文化遗存。有营虎坪遗址，为东周时期文化遗存。黄河一号旅游公路经此。

141124-B13 **曲峪镇**［Qūyù Zhèn］临县辖镇。在县境西部。面积 127 平方千米。人口 2.83 万。辖 1 社区、20 行政村。镇人民政府驻后曲峪。1953 年设曲峪乡，后改公社。1984 年复置乡。1999 年改镇。2001 年小甲头乡并入。因驻地得名。地势东北高、西南低。地形分为黄土丘陵沟壑区和山间河谷区。最高峰正觉寺山顶位于高家洼村，海拔 1093 米。最低点位于曲峪村的黄河滩头，海拔 692.5 米。黄河流经。公立学校有曲峪初级中学、正觉寺寄宿制小学、曲峪寄宿制小学、小甲头寄宿制小学其中，曲峪初级中学位于曲峪镇前曲峪村，在校生 4451 名，专任教师 40 名（其中高级职称 2 名，中级职称 4 名），设有 8 个教学班有曲峪卫生院一所，病床 30 张。有专业卫生人员 15 人，其中执业医师 3 人。有村级卫生所 36 个。有正觉寺、十二连城唐柏、黄河大峡谷、碛口地质公园黄河水蚀浮雕、开阳大沙滩、白道峪 99 眼半窑等景点。农业主产高粱、谷子、小麦。为红枣主产区。有红枣加工业、有红枣采摘园、现代化红枣特色种植示范基地。服务业有旅游、运输、餐饮等。沿黄公路经此。

141124-B13-H01 **后曲峪**［Hòuqūyù］曲峪镇人民政府驻地。在县政府驻地临泉镇西南 33 千米。人口 870。因在曲峪沟入黄河处，山谷曲折而得名。聚落呈团块状。有曲峪中学、曲峪镇卫生院。有红枣等特色经济作物。黄河一号旅游公路、县道三曲线经此。

141124-B13-H02 **前曲峪**［Qiánqūyù］在县政府驻地临泉镇西南 33 千米。曲峪镇辖自然村。人口 1090。因在曲峪沟入黄河处，山谷曲折而得名。聚落呈团块状。有曲峪中学。有第五批省级文物保护单位前曲峪李鼎铭旧居，李鼎铭作为党外民主人士，在军事、教育、哲学、医学等方面均有很高造诣，现存为民国建筑遗构。有前曲峪遗址，为新石器时代文化遗存。黄河一号旅游公路、县道三曲线经此。

141124-B13-H03 **开阳**［Kāiyáng］在县政府驻地临泉镇西 34 千米。曲峪镇辖行政村。人口 1100。因在阳坡而得名。聚落呈团块状。有县级文物保护单位开阳关帝庙，现存为明代建筑遗构。有打儿窝娘娘庙，现存为清代建筑遗构。有红枣采摘园、现代化红枣特色种植示范基地。有大片古枣树群存留，已知的树龄有四百年之久。黄河一号旅游公路、县道三曲线经此。

141124-B13-H04 **白道峪**［Báidàoyù］在县政府驻地临泉镇西南 35 千米。曲峪镇辖行政村。人口 730。相传在包头结拜的兄弟贺、白二人，白姓因意外在此身亡，贺姓将其葬于此，为纪念白姓，故名。聚落呈团块状。有临县第一大院，现存为清代建筑遗构。2019 年被列入第五批中国传统村落名录。黄河一号旅游公路经此。

141124-C01 **木瓜坪乡**［Mùguāpíng Xiāng］临县辖乡。在县境东部。面积 111 平方千米。人口 1.89 万。辖 1 社区、15 行政村。乡人民政府驻木瓜坪。1953 年设木瓜坪乡，后改公社。1984 年复置乡。因驻地得名。地势东北高、西南低，地形总体呈“两山两沟并一川”。主要山脉有架尔梁山。最高峰架尔梁山，海拔 1841.1 米。最低点位于榆林村西的湫水河漫滩，海拔 762 千米。湫水河流经。矿产资源有煤、石灰石、花岗石、大理石。有豹、狼、野猪、野羊、麝等野生动物。全乡有木瓜坪寄宿制小学、张家沟等寄宿制小学、榆林小学三所国办学校，另有杨家崖教学点一个。有卫生院一个，榆林分院一处，病病床 25 张，专业卫生人员 14 人，其中执业医师 5 人。另有村级卫生所 20 个。农业主产高粱、玉米、谷子。为县工业基地，以煤为主。有霍州煤电，为临县最大的煤炭企业。有农具修配、陶瓷、粮油加工等企业。服务业以运输为主。瓦日铁路、太原—佳县高速经此。

141124-C01-H01 **木瓜坪**［Mùguāpíng］木瓜坪乡人民政府驻地。在县政府驻地临泉镇东北 9 千米。人口 1260。因村地平坦，古产木瓜而得名。聚落呈团块状。有明德小学、木瓜坪乡卫生院。省道太佳线经此。

141124-C02 **安业乡**［Ānyè Xiāng］临县辖

乡。在县境中部。面积54平方千米。人口2.5万。辖2社区、14行政村。乡人民政府驻安业。1953年设安业乡，后改公社。1984年复置乡。因驻地得名。地势东西高、中间低。地形分为丘陵沟壑区和山间河谷区。最高峰为桑田山，海拔1400米。最低点湫水河滩位于东胜村，海拔950米。正规学校三所，即安业九年分制学校，前青塘九年制学校，任家沟小学，2013年末有乡卫生院一个，病床25张。有专业卫生人员21人，其中执业医师9人。有村级卫生所23个。有东岳山文峰塔、后青塘村天主教堂等古迹。农业主产高粱、玉米、谷子、蔬菜、红枣、粽子、苇席、芦苇。为县重点产粮区。有农副产品加工业。有中国传统村落前青塘。服务业有运输。瓦日铁路经此设站。省道岢大线经此。

141124-C02-H01 **安业**［Ānyè］安业乡人民政府驻地。在县政府驻地临泉镇南6千米。人口4370。因村民祈望安居乐业而得名。聚落呈团块状。有安业中学、安业小学。有农贸菜市场。省道岢大线、县道孟安线经此。

141124-C02-H02 **前青塘**［Qiánqīngtáng］在县政府驻地临泉镇南8千米。安业乡辖行政村。人口2600。原名青塘，后因人口繁衍分为前、后青塘。聚落呈团块状。有第六批省级文物保护单位晋绥军区第一野战医院前青塘旧址。有前青塘戏台、前青塘传统民居，现存皆为清代建筑遗构。有前青塘天主堂，现存为民国建筑遗构，具有哥特式风格。有香叶粽食品有限公司、粽鑫园食品有限公司。2014年被列入第三批中国传统村落名录。2017年被选入第五批山西省历史文化名镇名村名录。2019年被列入第七批中国历史文化名村名录。通3路公交车。

141124-C03 **玉坪乡**［Yùpíng Xiāng］临县辖乡。在县境东部。面积131平方千米。人口2.05万。辖17行政村。乡人民政府驻玉坪。1953年设玉坪乡，后改公社。1984年复置乡。2001年阳泉乡并入。因驻地得名。湫水河、安业河流经。国办学校有阳泉寄宿制小学、玉坪九年制学校两所。有乡级卫生院一所，病床25张。有专业卫生人员15人，其中执业医师5人。有村级卫生所23个。有清代武状元张从龙故居等古迹。矿产有煤、铁、铝矾土等。农业主产高粱、玉米、谷子等。林业以核桃产业为主。养殖业以蛋鸡养殖、牛、羊为主。加工业有服装加工、核桃仁加工、小米初加工等。服务业以商贸为主。通公路。

141124-C03-H01 **玉坪**［Yùpíng］玉坪乡人民政府驻地。在县政府驻地临泉镇东南8千米。人口1490。原名湾里，后因重名而改今名。聚落呈条带状。有玉坪中学、玉坪寄宿制小学、玉坪乡卫生院。有玉坪戏台，现存为清代建筑遗构。乡村道路经此。

141124-C04 **青凉寺乡**［Qīngliángsì Xiāng］临县辖乡。在县境西北部。面积173平方千米。人口1.72万。辖10行政村。乡人民政府驻青凉寺。1953年设青凉寺乡，后改公社。1984年复置乡。2001年梁家会乡并入。因驻地得名。地处紫金山南麓。地势东北高、西南低。地形分为丘陵沟壑区和山间河谷区。主要山脉有紫金山、大度山。最高峰大度山，海拔1823米。最低点位于木家坪村河谷，海拔1000米。年平均气温8.2℃。全年无霜期160天。年均日照时数2771.5小时。全年总降水量518.3毫米。公立学校有青凉寺寄宿制小学。青凉寺寄等宿制小学是临县中小学布局结构调整的首批试点学校。学校占地面积8470平方米，建筑面积4146平方米，有图书室、实验室、微机室各一个、多媒体教室3个，普通教室13个，餐厅1个。在校生596名，专任教师31名。2013年末有卫生院一处，病床25张。专业卫生人员10人，其中执业医师1人。有村级刀生所16个。农业主种玉米、蓖麻、谷子等。产红枣、苹果、核桃等。有果品加工、运输、养殖等。太原—佳县高速、省道太高线经此。

141124-C04-H01 **青凉寺**［Qīngliángsì］青凉寺乡人民政府驻地。在县政府驻地临泉镇西北15千米。人口3380。因当地古刹清凉寺而得名。聚落呈条带状。有青凉寺寄宿制小学、青凉寺乡卫生院。盛产红枣。省道太佳线，县道青正线、县道临克线经此。

141124-C05 **石白头乡**［Shíbáitóu Xiāng］临县辖乡。在县境西部。面积136平方千米。人口 2.24 万。辖 20 行政村。乡人民政府驻石白头。1953 年设石白头乡，后改公社。1984 年复置乡。2001 年曹峪坪乡并入。因驻地得名。地势东北高、西南低。地形为丘陵沟壑区。最高峰鹅墕山位于陈国坪村，海拔 1230 米。海拔最低点曹底沟位于前曹底村，海拔 1010 米。公立学校有石白头寄宿制小学、曹峪坪九年制学校。曹峪坪九年制学校有专任教师 50 人，学生 382 人。2013 年末有卫生院一所，病床 25 张张，卫生技术人员 11 人，其中执业医师 4 人。有村级卫生所 19 个。农业主产高粱、玉米、谷子、小米、黑豆。盛产红枣。有奶牛养殖产业园区。服务业以运输为主。通公路。

141124-C05-H01　**石白头**［Shíbáitóu］石白头乡人民政府驻地。在县政府驻地临泉镇西 21 千米。人口 2010。因多石、白两姓而得名。聚落呈条带状。有石白头中学、石白头寄宿制小学、石白头乡卫生院。县道青正线经此。

141124-C06　**雷家碛乡**［Léijiāqì Xiāng］临县辖乡。在县境西北部。面积 208 平方千米。人口 1.95 万。辖 2 社区、16 行政村。乡人民政府驻雷家碛。1953 年设雷家碛乡，后改公社。1984 年复置乡。2001 年开化乡并入。因驻地得名。地处紫金山西麓。地势东高西低。地形分为黄土丘陵沟壑区和山间河谷区。主要山脉有紫金山脉，境内最高峰紫金山，海拔 1800 米。最低点位于乔家坪村，海拔 1000 米。开八河流经。矿产有天然气、煤层气等。公立学校有开化九年制寄宿学校、雷家碛九年制寄宿学校，其中雷家碛九年制寄宿学校占地面积 4500 平方米，建筑面积 3300 平方米，有图书室、实验室、微机室各一个，多媒体教室两个，普通教室 12 个，餐厅 1 个，健身场所 1 处。在校学生 380 名，教职工 105 名，中教高级职称 2 人，小教高级 42 人。有村级卫生所 16 个，重点卫生院 1 个，普通卫生院 1 个。病床 41 张，专业卫生人员 34 人，其中执业医师 3 人。农业主产高粱、谷子、玉米。产红枣、核桃。有红枣加工业。太佳高速、省道太高线经此。

141124-C06-H01　**雷家碛**［Léijiāqì］雷家碛乡人民政府驻地。在县政府驻地临泉镇西北 23 千米。人口 1450。因村外河沟沙石成碛，雷氏始居而得名。聚落呈条带状。有雷家碛九年制学校、雷家碛乡卫生院。有雷家碛墓群，为战国时期文化遗存。省道太佳线、县道雷蔡线、县道三曲线经此。

141124-C07　**八堡乡**［Bābǎo Xiāng］临县辖乡。在县境西部。面积 129 平方千米。人口 1.46 万。辖 13 行政村。乡人民政府驻第八堡。1953 年设第八堡乡，后改公社。1984 年复置乡。2001 年将第八堡乡更名为八堡乡。因驻地得名。地势东高西低、北高南低。地处基岩裸露丘陵区。境内最高峰宿皇寺位于李家洼村，海拔 1100 米。最低点黄河滩位于马家湾村，海拔 678 米。黄河流经。有八堡寄宿制小学国家正规学校一所，在校生 140 人，专任教师 10 人，2013 年末有乡级卫生院一所，病床 20 张。有专业卫生人员 7 人，其中执业医师 1 人有村级卫生所 19 个。农业主产玉米、高粱、谷子。为县红枣主产区。有“八堡三宝”红枣、羊肉、手工挂面。服务业以运输为主。沿黄公路经此。

141124-C07-H01　**八堡**［Bābǎo］八堡乡人民政府驻地。在县政府驻地临泉镇西北 46 千米。人口 1890。宋金沿黄河筑堡以御西夏，此为第八座，故名。聚落呈条带状。有八堡初中、八堡寄宿制小学、八堡乡卫生院。盛产红枣。有田园佳杰枣业有限公司。黄河一号旅游公路、县道兔八线经此。

141124-C08　**大禹乡**［Dàyǔ Xiāng］临县辖乡。在县境东南部。面积 126 平方千米。人口 4.29 万。辖 33 行政村。乡人民政府驻歧道。1953 年设歧道佛乡，后改歧道公社。1984 年复置乡。2001 年与后大禹乡合置大禹乡。因驻地得名。地势由东北向西南倾斜。地形分为丘陵沟壑区和山间河谷区。主要山脉有汉高山脉，境内最高峰小乔山位于汉高山主峰以南，海拔 1400 米。最低点湫水河滩位于杜家岭村，海拔 950 米。湫水河流经。矿产资源有石灰岩和煤。公立学校有大禹九年制学校、大峪沟寄宿制小学、佛堂峪寄宿制小学、后大禹寄宿制小学等，2013 年末有卫生院一所，病床 50 张，专业卫生人员 34 人，其中主治医师 15 人。有村级卫生所 35 个有全国重点文物保护单位善庆寺。农业主产谷子、高粱、玉米、蔬菜、麻皮。服务业以餐饮、住宿为主。瓦日铁路、省道岢大线经此。

141124-C08-H01 **歧道** [Qídào] 大禹乡人民政府驻地。在县政府驻地临泉镇南 12 千米。人口 2180。因位于湫水河、小峪沟交汇处岔路口而得名。聚落呈条带状。有大禹衡水启航双语学校、歧道小学、大禹乡卫生院。有歧道遗址，为新石器时代文化遗存。有歧道北遗址，为东周时期文化遗存。有歧道戏台，现存为清代建筑遗构。省道岢大线经此。

141124-C08-H02 **府底** [Fǔdǐ] 在县政府驻地临泉镇南 11.5 千米。大禹乡辖行政村。人口 1070。唐代为折冲府兵驻地，故名。聚落呈团块状。有第六批全国重点文物保护单位善庆寺，现存建筑大雄宝殿为元代建筑遗构，其余为清代建筑遗构。有县级文物保护单位府底关帝庙，现存为清代建筑遗构。省道岢大线经此。

141124-C09 **车赶乡** [Chēgǎn Xiāng] 临县辖乡。在县境东南部。面积 59 平方千米。人口 1.68 万。辖 11 行政村。乡人民政府驻车赶。1953 年设车赶乡，后改公社。1984 年复置乡。因驻地得名。地势东高西低、北高南低。地形为丘陵沟壑区。最高点丰子塻位于张家山村，海拔 1198 米。最低点位于钟底村河滩，海拔 920.3 米。矿产有煤层气、煤等。主要学校有车赶小学、钟底小学，其中车赶小学始建于 1950 年，占地面积 13 万平方。米，是一所全日制寄宿制小学，在校生 150 人，专任教师 15 人。2013 年末有乡级卫生院一所，病床 25 张。专业卫生人员 18 人，其中执业医师 6 人。有村级卫生所 15 个。农业主产高粱、玉米、谷子。工业以煤炭、农产品加工为主。为县煤炭工业生产基地，有大型煤炭企业。服务业以运输为主。省道岢大线经此。

141124-C09-H01 **车赶** [Chēgǎn] 车赶乡人民政府驻地。在县政府驻地临泉镇东南 20 千米。人口 1920。车赶蒙古语意为“白色”。聚落呈团块状。有车赶小学、车赶乡卫生院。经济以工业为主。有厚祥精煤有限公司。县道钟张线经此。

141124-C10 **安家庄乡** [Ānjiāzhuāng Xiāng] 临县辖乡。在县境中部。面积 100 平方千米。人口 2.02 万。辖 16 行政村。乡人民政府驻安家庄。1953 年设安家庄乡，后改公社。1984 年复置乡。2001 年孝长乡并入。因驻地得名。地势东北高、西南低。地形分为黄土丘陵沟壑区和山间河谷区。最高峰北梁山位于后南沟村，海拔 1160.1 米。最低点和尚山位于安家庄村，海拔 900 米。月镜河流经。有九年制学校 2 所，安家庄九年制学校、孝长九年制学校。2013 年末有卫生院一所，有病床 30 张。有专业卫生人员 13 人、执业医师 2 人。有村级卫生所 20 个。农业主产小杂粮、红枣、瓜果、蔬菜。有枣树、核桃树等经济林。服务业以餐饮、住宿等为主。通公路。

141124-C10-H01 **安家庄** [Ānjiāzhuāng] 安家庄乡人民政府驻地。在县政府驻地临泉镇西南 20 千米。人口 2410。聚落呈团块状。有安家庄中心小学、明德小学、安家庄乡卫生院。有安家庄堡址，为明清时期文化遗存。县道月安线、三曲线经此。

141125 **柳林县** [Liǔlín Xiàn] 吕梁市辖县。地处吕梁山西麓，黄河东岸，地势由东向西倾斜，属西北黄土高原的丘陵沟壑区。介于北纬 37° 26′，东经 110° 53′之间，位于市境西南部，东与离石、中阳交界，南和石楼为邻，西与陕西省吴堡、绥德、清涧等县隔河相望，北和临县毗连。1971 年由离石、中阳 2 县中划出部分区域置柳林县，以县政府驻地柳林镇得名。属吕梁地区。2004 年属吕梁市。辖 10 镇、5 乡，下辖 6 个居民委员会和 197 个行政村，人口 28.8 万。县境东西宽 42.25 千米，南北长 54.75 千米，国土总面积 1288 平方千米，其中耕地面积 44.59 万亩（包括基本农田 37 万亩）、林地面积 116 万亩，森林面积 55.3 万亩，森林覆盖率 28.6%。最高峰王老婆山海拔 1522 米。最低点下三交镇下塔村黄河滩海拔 607 米，相对高差 915 米；县境属暖温带大陆性季风气候，春季干旱多风少雨，夏季炎热，秋季较为温凉，冬季寒冷干燥少雪。境内降水分布不均，一般随着海拔高度的上升而递增，年平均降水量为 420—550 毫米；年平均气温为 10.8℃；

光能比较丰富，年平均日照时数为2503.5小时，年平均无霜期206天。境内河流属黄河水系，主要有黄河、三川河、湫水河、屈产河和留誉河。境内矿产资源探明蕴藏矿产15种，包括有烟煤、褐铁矿、铝土矿、重晶石、黄铁矿、白云岩、石灰岩、耐火黏土、石膏、大理石、紫砂陶土、石英砂岩、高纯度石灰岩、膨润土—伊利石黏土、煤层气等矿产地50处，其中煤炭蕴藏占县国土面积80%以上，已探明资源储量54亿吨，远景储量100亿吨。农业主产玉米、谷子、大豆、高粱。特产红枣、碗团、芝麻饼等。工业形成以煤炭、建材、电力、焦炭、红枣加工为主的工业结构。有山西最大的水泥建材企业。服务业以餐饮、住宿、运输为主。太中（银）铁路、孝柳、瓦日铁路经此设站。青银高速，307国道，三交—大宁、汾阳—柳林省道过境，三次产业比为1:76:23。有全国重点文物保护单位香严寺、玉虚宫下院，有省级文物保护单位刘志丹将军殉难处、南山寺、坪上遗址、观音庙、双塔寺。柳林盘子会为国家非物质文化遗产，秧歌、弹唱、剪纸为省级非物质文化遗产。有纪念地贺昌烈士陵园、刘志丹将军纪念馆等。有三交黄河峡谷风情旅游区。被文化部命名为“中国民间文化艺术之乡”，知名人物有杨业、贺昌等。

141125-N01 **寨东桥**［Zhàidōng Qiáo］在柳林县城东部307国道上，横跨三川河。为中型河道桥梁，混凝土结构。桥长125.8米，桥面宽11.4米，最大跨度30米，桥下净高14米。1996年建成。2008年改建。因在寨东村得名。最大载重量20吨。

141125-N02 **青龙大桥**［Qīnglóng Dàqiáo］在柳林县城中部青龙大街上，横跨三川河。为中型河道桥梁，混泥土结构。桥长150.8米，桥面宽33.5米，最大跨度30米，桥下净高20米。1971年始建，1972年建成。2003年改建。因在青龙村得名。最大载重量20吨。

141125—R01 **柳林南站**［Liǔlín Nánzhàn］见交通运输设施部分“柳林南站”条。

141125-B01 **柳林镇**［Liǔlín Zhèn］柳林县辖镇，位于柳林县境中央腹地，东与李家湾乡接壤，南与庄上镇相邻，西与穆村镇交界，北与贾家垣乡毗邻。地处三川河畔，地理形态呈盆地形。地势东高西低，地形分为山地区、残塬区、丘陵沟壑区。主要山脉有吕梁山，境内最高峰梁家儿位于马家山村，海拔1359米。最低点南坪位于贺昌村，海拔792米，三川河流经，为柳林县政府和柳林镇政府驻地。辖区东西最大距离16.7公里，南北最大距离9.8公里，全镇国土面积91.6832平方公里，其中，耕地6410亩，林地13210亩。辖5个居民委员会和23个行政村、44个自然村，9.39万人，镇人民政府驻贺昌。清代置柳林巡检司，1949年属离石县第八区，1953年设柳林乡，后改公社，1984年改置镇，1989年薛家湾乡并入，2001年东窑乡并入，因清代有大片柳树林子得名。镇域矿产有烟煤、褐铁、白云岩、石膏、高纯度石灰岩、煤层气等。有县人民医院、中医院、中小学、幼儿园。有全国重点文物保护单位香严寺、玉虚宫下院。有省级文物保护单位双塔寺。有大觉寺、贺昌烈士陵园等纪念地。有南山森林公园等风景区。农业主产玉米、谷子、大豆、高粱。特产红枣、碗团、芝麻饼等。工业以炼焦、洗煤、化工、建材为主。为商业古镇，旧有“晋西重镇”之誉，有清代商业街。太中（银）、孝柳铁路经此设站。青银高速、307国道、省道三大线经此。

141125-B01-K01 **贺昌大街**［Hèchāng Dàjiē］在柳林县城西部。西起清河西路，东至青龙大桥。与庙湾新街、石家沟南路、双塔南路、明清街等道路相交。长3千米，宽40米。混凝土路面。1986年始建，1987年建成，是贯通县城西部的主干道。为纪念革命烈士贺昌而得名。两侧有柳林县劳动就业局、人民市场、柳林县粮食局、柳林县妇幼保健院等。通柳林1、2、3路等公交车。

141125-B01-K02 **青龙大街**［Qīnglóng Dàjiē］在柳林县城东部。西起清河东路，东至307国道。与西门路、体育路、五槐路、东门路等道路相交。长2.5千米，宽40米。沥青混凝土路面。2002年始修，2003年建成，是贯通县城东部的主干道。因经过青龙村得名。两侧有建祥中学、柳林汽车站、购物广场、文化大楼电视台等。通柳林5、6路等公交车。

141125-B01-K03 **建设路**［Jiànshè Lù］在

柳林县城西部。北起贺昌大街，南至清河西路。与南坪东街相交。长 0.2 千米，宽 16 米。混凝土路面。1991 年始建，1992 年建成。两侧有柳林县工商行政管理局等。

141125-B01-K04 **清河西路**［Qīnghé Xīlù］在柳林县城西部。西起煤气化公司附近，东北至贺昌大街。与庙湾新街、双塔南路、建设路等道路相交。长 3.7 千米，宽 15 米。沥青路面。1993 年修建，1995 年始建。因位于清河（三川河）西侧得名。两侧有柳林县人民政府、贺昌烈士陵园、柳林县人民医院等。通柳林 7 路公交车。

141125-B01-L01 **明清街**［Míngqīng Jiē］在柳林县城西南部。西起双塔寺，东至香严寺。长 0.8 千米，宽 6 米。混凝土路面。始兴于明，鼎盛于清。因两侧多明清建筑得名，为历史文化街区。有柳林一中、柳林县第一小学等，现为步行街。

141125-B01-H01 **贺昌**［Hèchāng］在县政府驻地柳林镇东北 1 千米。柳林镇辖行政村。人口 5550。原名柳林，为纪念贺昌烈士而改今名。聚落呈团块状。有第五批省级文物保护单位香严寺，现存大雄宝殿为金代建筑遗构，现存天王殿、毗卢殿、十王殿、伽蓝殿、东西配殿均为元代建筑遗构，其余皆为明代建筑遗构。有第五批省级文物保护单位贺昌故居，贺昌同志在此出生并度过青年时期。2012 年被列入第一批中国传统村落名录。307 国道、省道三大线经此。

141125-B01-H02 **青龙**［Qīnglóng］在县政府驻地柳林镇东北 2 千米。柳林镇辖行政村。人口 1150。因坐落在清河左岸，背依之山，弯曲为龙，按古代风水观念左青龙右白虎的习惯而得名。聚落呈团块状。有青龙示范小学。有第七批全国重点文物保护单位玉虚宫，现存下院为明代建筑遗构，上院为清代建筑遗构。307 国道、省道三大线经此。

141125-B01-H03 **于家沟**［Yújiāgōu］在县政府驻地柳林镇东北 11 千米。柳林镇辖行政村。人口 410。原名乔家沟，后于姓从陕西大槐树底居于此地，改为今名。聚落呈条带状。有于家沟大庙，现存为清代建筑遗构。有于成龙祖籍地景区，于成龙被康熙帝盛赞为“天下廉吏第一”。2019 年被列入第五批中国传统村落名录。乡村道路经此。

141125-B02 **穆村镇**［Mùcūn Zhèn］柳林县辖镇，位于柳林县境中西部。东与柳林镇庙湾村相接，南与庄上镇胶泥垄、杨家峪、呼家圪台村为界，西邻薛村镇新庄村、田家岭，北连贾家垣乡龙沟、韩家峪两村。境域东西最大距离 6 公里，南北最大距离 10 公里，总面积 35.542 平方公里；辖 1 社区、9 个行政村、18 个自然村，2.52 万人，镇人民政府驻穆村。1953 年设穆村乡，后改公社，1984 年改置镇，因驻地得名。地势北高西低，地形分为丘陵、沟壑。主要山脉有吕梁山，最高峰花坪园位于高明村北，海拔 915 米。最低点铁路桥底位于二村村委会，海拔 605 米，三川河流经，矿产有煤炭。有县第三中学、县联盛中学、镇第一小学、卫生院、体育场。有杨家坪村汉墓、唐槐、汉隰城县遗址、新石器文化遗址等古迹。农业以玉米、谷物、豆类、薯类为主。特产大蒜、红枣。为县蔬菜生产基地。工业以建筑、运输、建材、煤焦为主。服务业以商业为主。孝柳铁路经此设站。太中（银）铁路、青银高速、307 国道经此。

141125-B02-H01 **一村**［Yīcūn］穆村镇人民政府驻地。在县政府驻地柳林镇西南 4 千米。人口 3600。秦汉为隰城县治所，东汉废。聚落呈团块状。有柳林县三中、穆村第一完全小学、穆村中心卫生院。有穆村城址，为战国时期文化遗存。有井坪二号民宅、上街道七号民宅，现存为清代建筑遗构。有蔬菜生产基地，特产大蒜、红枣。307 国道经此。

141125-B02-H02 **二村**［Èrcūn］在县政府驻地柳林镇西南 4.3 千米。穆村镇辖行政村。人口 3280。聚落呈团块状。有穆村第二中心小学。有县级文物保护单位穆村老爷楼、镜悬楼，现存皆为清代建筑遗构。有县级文物保护单位穆村墓群，为战国时期、汉代墓群。有穆村贾氏宗祠、穆村民居，现存皆为清代建筑遗构。2019 年被列入第五批中国传统村落名录。307 国道经此。

141125-B03 **薛村镇**［Xuēcūn Zhèn］柳林县辖镇，位于柳林县境西部的三川河北岸、黄河东岸。东与穆村镇、贾家垣乡接壤，南与庄上镇、高家沟乡为邻，西连石西乡与陕西省吴堡县隔黄河相望，北与孟门镇相连。镇域总面积 91.23 平方千米。辖 16 个行政村、47 个自然村，2.17 万人，镇人民政府驻薛村。1953 年设薛村乡，后改公社。1984 年改置乡。1996 年改镇。2001 年军渡乡并入。因驻地得名。地势北高南低，地形分为山地、丘陵。主要山脉有吕梁山，最高峰东垣峰位于薛家垣村，海拔 923 米。最低点黄河边位于军渡村，海拔 678 米。黄河、三川河流经。有中小学、卫生所、文化站、农家书屋。有省级文物保护单位观音庙。有清泉山清泉寺、高红村战国墓等古迹。农业主产玉米、高粱、谷子。盛产红枣。服务业有商贸、旅游等。太中（银）铁路、青银高速、307 国道经此。

141125-B03-H01　**薛村**［Xuēcūn］薛村镇人民政府驻地。在县政府驻地柳林镇西南 8 千米。人口 2290。相传古时有两人路经此地休息，后在此地安家落户，起名“息村”，后因谐音成今名。聚落呈团块状。有薛村中学、薛村镇高红示范小学、薛村镇中心卫生院。有第三批省级文物保护单位观音庙，始建年代不详，现存为清代建筑遗构。有县级文物保护单位薛村老爷庙，现存为清代建筑遗构。307 国道经此。

141125-B03-H02　**军渡**［Jūndù］在县政府驻地柳林镇西北 12 千米。薛村镇辖行政村。人口 1210。原为黄河畔上一厂店铺，常为守军所居，故名“军铺”，后因该村为秦晋两省水上交通之渡口，遂改今名。聚落呈团块状。有县级文物保护单位军渡河神庙，现存为清代建筑遗构。有军渡工农桥，1948 年修建，该桥曾为军渡对外的主要通道。有军渡山神庙、龙王庙，现存皆为清代建筑遗构。2019 年被列入第五批中国传统村落名录。307 国道经此。

141125-B04　**庄上镇**［Zhuāngshàng Zhèn］柳林县辖镇，位于柳林县境东南部，东与陈家湾乡接壤，东南与金家庄乡相连，西南与高家沟乡为邻，西与薛村镇交界，北与穆村镇、柳林镇毗邻。辖区东西最大距离 15.51 公里，南北最大距离 5.5 公里，总面积 83.5 平方千米。辖 14 个行政村、40 个自然村，1.76 万人，镇人民政府驻庄上。1953 年设南社乡，后改公社。1984 年改置乡。1996 年改置庄上镇。2001 年杨家峪乡并入。因驻地得名。地势东高西低、南高北低。地形分为丘陵、沟壑区，主要山脉有吕梁山。最高峰平原顶位于前元庄，海拔 1165 米。最低点解家峪沟位于解家峪村，海拔 780 米。矿产有烟煤、黄铁矿、白云岩、石灰岩、耐火黏土、石膏、高纯度石灰岩、煤层气等有中小学、卫生院、农家书屋、文化站。有柳溪寺、舍利塔等古迹。农业主产豆类、玉米、谷子。特产红枣、核桃。工业以炼焦、洗煤、化工、建材为主。特产红枣。服务业有运输等。省道三大线经此。

141125-B04-H01　**庄上**［Zhuāngshàng］庄上镇人民政府驻地。在县政府驻地柳林镇南 6 千米。人口 1320。因原为锄沟村人的庄田而得名。聚落呈团块状。有庄上中学、柳林县第五小学、庄上镇中心卫生院。经济以工业为主。有庄上煤矿有限公司。省道三大线经此。

141125-B05　**留誉镇**［Liúyù Zhèn］柳林县辖镇，位于柳林县境南部。东与中阳县武家庄镇接壤，西与三交镇、高家沟乡毗邻，南与石楼县裴沟乡、中阳县暖泉镇相连，北与金家庄、高家沟乡交界。辖区东西最大距离 15.25 公里，南北最大距离 13.2 公里，总面积 175.1 平方千米，辖 14 个行政村、64 个自然村，1.89 万人，镇人民政府驻留誉。1953 年设留誉乡，后改公社。1984 年改置乡。1996 年改置镇。2001 年张家圪台乡并入。因驻地得名。地势东高西低、南高北低。地形分为山地、丘陵、河谷、残塬 4 种。主要山脉有吕梁山，最高峰珍珠梁位于刘家圪达村，海拔 1352 米。最低点曹家圪垛滩位于曹家圪垛村，海拔 462 米。留誉川河流经。有中小学、卫生院、农家书屋、卫生站。有田家圪垯新石器时代文化遗址等古迹。农业主产小麦、谷子、玉米、高粱。养殖业以牛、羊为主。有农产品加工业。为县南集贸中心。“晋柳誉白酒”获国际金奖。省道三大线经此。

141125-B05-H01　**留誉**［Liúyù］留誉镇人民政府驻地。在县政府驻地柳林镇南 22 千米。人口

770。原名刘峪，后雅为今名。聚落呈团块状。有留誉镇中心校、留誉镇卫生院。为县南集贸中心。乡村道路经此。

141125-B06 **下三交镇**［Xiàsānjiāo Zhèn］柳林县辖镇，位于柳林县境西南部。东与留誉镇相邻，南与石楼县曹家垣乡交界，西临陕西省绥德县，北接高家沟乡，辖区东西长 12.5 公里，南北长 10.4 公里，镇域面积 86.54 平方千米。辖 15 个行政村、50 个自然村，2.24 万人，镇人民政府驻下三交。1953 年设三交乡，后改下三交公社。1984 年改置镇。2001 年苇元沟乡并入，因驻地得名。地势东高西低，地形分为丘陵沟壑区、河谷阶地。主要山脉有吕梁山，最高峰庙墕位于白家垣村，海拔 1065 米。最低点土金碛位于下塔，海拔 607 米。黄河、屈产河流经。有中小学、卫生院、农家书屋、文化站。有省级文物保护单位刘志丹将军殉难处、坪上遗址。有风景区三交黄河三峡景区。有纪念地红军东征纪念馆、刘志丹将军纪念馆。农业以玉米、大豆、谷子为主。特产木枣。被农业部命名为中国红枣第一镇。是华北地区最大的红枣集散地之一。工业以农产品加工为主。服务业以旅游、运输为主。黄河有渡口通陕西省境。沿黄公路经此。

141125-B06-H01 **沙坪则**［Shāpíngzé］三交镇人民政府驻地。在县政府驻地柳林镇西南 23 千米。人口 610。因位于黄河沿岸，沙土较多且平坦而得名。聚落呈条带状。有沙坪则小学。有沙坪则遗址，为汉代文化遗存。有特产红枣。黄河一号旅游公路、县道薛苇线经此。

141125-B06-H02 **下三交**［Xiàsānjiāo］在县政府驻地柳林镇西南 23 千米。三交镇辖行政村。人口 680。因处三岔路口而得名。聚落呈团块状。三交中学、三交镇中心卫生院。有三交遗址，为夏商时期及汉代文化遗存。有三交老爷庙，现存为清代建筑遗构。有保存完整的明清古街。有红军东征纪念馆，设有三大展厅。为红色旅游胜地。2012 年被列入第一批中国传统村落名录。2017 年被列入第五批山西省历史文化名村名录。2019 年被列入第七批中国历史文化名村名录。黄河一号旅游公路经此。

141125-B06-H03 **前街**［Qiánjiē］在县驻地柳林镇西南 23 千米。三交镇辖自然村。人口 300。因在下三交街头而得名。聚落呈团块状。有市级文物保护单位中阳县苏维埃革命委员会旧址，1936 年 2 月底成立，选举李文才为主席，黄石山为副主席。有县级文物保护单位周恩来路居，1936 年 2 月底，周恩来来到此地，指示建立中阳县苏维埃革命委员会，进行减租救民运动。有前街遗址，为新石器时代、战国时期文化遗存。有前街真武庙，现存为清代建筑遗构。黄河一号旅游公路经此。

141125-B06-H04 **党家寨**［Dǎngjiāzhài］在县政府驻地柳林镇西南 24 千米。三交镇辖行政村。人口 350。因古为兵营，党姓聚居而得名。聚落呈条带状。有第二批省级文物保护单位刘志丹将军殉难处，1936 年刘志丹在指挥攻克三交的战斗中，不幸中流弹牺牲。乡村道路经此。

141125-B06-H05 **下塔**［Xiàtǎ］在县政府驻地柳林镇西南 27 千米。三交镇辖行政村。人口 770。因处于三交镇与石楼交界处，并在三交镇的西南部而得名。聚落呈团块状。有下塔遗址，为商代文化遗存。有下塔山神庙、下塔黑龙庙、下塔戏台、高鼎元民宅，现存皆为清代建筑遗构。2019 年被列入第五批中国传统村落名录。乡村道路经此。

141125-B07 **成家庄镇**［Chéngjiāzhuāng Zhèn］柳林县辖镇。位于柳林县境北部，东与离石区枣林乡接壤，西与孟门镇相交，南接柳林镇、贾家垣乡，北与王家沟乡相邻。境域东西最大距离 20.5 公里，南北最大距离 16.2 公里，辖区总面积 84.58 平方公里。辖 9 个行政村、48 个自然村，1.66 万人，镇人民政府驻成家庄。1953 年设成家庄乡，后改公社。1984 年改置镇，因驻地得名。地势东高西低，由东北向西南倾斜。地形分为山地、丘陵。最高峰王老婆山位于镇东北的化舍村，海拔 1525.2 米。最低点沟岔位于镇西的成家甲村，海拔 792.2 米。矿产有煤炭、铝矾土、石膏、铁等。有中小学、文化站、农家书屋。有百眼庙等古迹。农业主产玉米、谷子、豆类。特产红枣。工业有煤铝、铁矿石、石膏、焦炭和陶瓷制品。有大型煤矿企业。服务业以物流、商贸为主。省道三大线经此。

141125-B07-H01 **成家庄**[Chéngjiāzhuāng]成家庄镇人民政府驻地。在县政府驻地柳林镇北14千米。人口860。聚落呈团块状。有成家庄示范初级中学、成家庄镇中心校、成家庄镇中心卫生院。有成家庄财神庙、成家庄观音楼，现存皆为清代建筑遗构。有集贸市场，为县北最大的集市和物流商贸中心。省道三大线经此。

141125-B07-H02 **石家峁**[Shíjiāmǎo]在县政府驻地柳林镇北11千米。成家庄镇辖自然村。人口270。因处山峁，石姓始居而得名。聚落呈团块状。有石家峁惨案遗址，1944年1月16日，日伪军将从各村抓来的群众押解到石家峁村一大坑内集体屠杀，共127人。有红枣、核桃等特色经济作物。省道三大线经此。

141125-B07-H03 **王家坡**[Wángjiāpō]在县政府驻地柳林镇东北13千米。成家庄镇辖行政村。人口390。因王姓始居，且地处山坡上而得名。聚落呈团块状。有众多古迹。2019年被列入第五批中国传统村落名录。省道三大线经此。

141125-B08 **孟门镇**[Mèngmén Zhèn]柳林县辖镇，位于柳林县境西北部的晋陕黄河峡谷中段。东与西王家沟乡、成家庄镇接壤，西与陕西省吴堡县隔河相望，南与贾家垣乡、薛村镇为邻，北与临县碛口毗连。境域东西最大距离12.3公里，南北最大距离6.6公里，总面积约为77.8平方公里。辖16个行政村、58个自然村，1.92万人，镇人民政府驻孟门。1953年设孟门乡，后改公社。1984年改置镇。2001年吉家塔乡并入，因驻地得名。地势东高西低，地形分为山地、丘陵、残塬。主要山脉有吕梁山，最高峰康家梁山顶位于石安村，海拔1100米。最低点黄河滩位于孟门村，海拔649米。黄河流经。矿产主要有焦煤。有中小学、文化站、农家书屋。有省级文物保护单位南山寺，有高家塔遗址、大禹治水第一门、古蔺遗址、刘家圪垯战国烽火台、离石县抗日民主政府旧址等历史遗存。农业主产谷子、豆类、薯类。特产红枣。工业以煤焦、酿酒、缫丝、造纸为主。服务业以运输业为主。有山西中南铁路通道、太中银铁路吕临支线经过境内，并设孟门货物集运站，有黄河渡口通陕北吴堡县，被誉为“九曲黄河第二镇”。

141125-B08-H01 **孟门**[Mèngmén]孟门镇人民政府驻地。在县政府驻地柳林镇西北16千米。人口600。《淮南子》载：“龙门未辟，吕梁未凿，河出孟门之上。”即此。聚落呈团块状。有孟门镇中学、孟门示范小学、孟门镇卫生院。有第四批省级文物保护单位南山寺，始建于唐代，现存分别为元、明、清时期建筑遗构。有县级文物保护单位南山寺塔墓群，创建年代不详，是柳林县唯一保存下的塔林孤例。黄河一号旅游公路经此。

141125-B08-H02 **石洞门**[Shídòngmén]在县驻地柳林镇西北14千米。孟门镇辖自然村。人口260。因村中二郎神庙有一石洞而得名。聚落呈团块状。有石洞门惨案遗址。1943年4月18日，盘踞山西省离石县柳林镇（今柳林县）的数百名日军，对石洞门村53名村民，进行了惨无人道的奸杀掳掠，震惊华北，史称“石洞门惨案”。乡村道路经此。

141125-B08-H03 **后冯家沟**[Hòuféngjiāgōu]在县政府驻地柳林镇西北21千米。孟门镇辖行政村。人口330。因冯氏始居，与冯家沟相对而得名。聚落呈团块状。有后冯家沟大庙、后冯家沟观音庙、后冯家沟民居，现存皆为清代建筑遗构。特产红枣。2014年被列入第三批中国传统村落名录。黄河一号旅游公路经此。

141125-B08-H04 **西坡**[Xīpō]在县政府驻地柳林镇东北20千米。孟门镇辖行政村。人口210。因地处坐西向东的山坡上而得名。聚落呈团块状。有西坡民居，现存皆为清代建筑遗构。2019年被列入第五批中国传统村落名录。乡村道路经此。

141125-B09 **陈家湾镇**[Chénjiāwān Zhèn]柳林县辖镇，位于柳林县境东部，东与中阳县金罗镇接壤，南靠庄上镇，西与柳林镇毗邻，北与李家湾乡相连。辖区东西最大距离16公里，南北最大距离20.5公里，总面积136.18平方公里。辖17个行政村、60个自然村，2.32万人，镇人民政府驻陈家湾。1953年设陈家湾乡，后改公社。1984年复置乡。2001年龙门垣乡并入。2021年改设镇。因驻地得名。地势东高西低、北高南低。地形分为丘陵、沟壑。主要山脉有吕梁山，最高峰花园则顶位于中垣村北部，海拔 1307.8 米。最低点闫家湾村位于与柳林镇交汇处，海拔 818.5 米。罗侯沟河流经。矿产有煤、硫磺、石膏等。有中小学、卫生院、文化站、农家书屋。农业主产谷子、玉米、大豆、蔬菜、油料。特产红枣、核桃。工业以红枣加工为主。服务业以餐饮为主。通公路。

141125-B09-H01 **陈家湾**［Chénjiāwān］陈家湾镇人民政府驻地。在县政府驻地柳林镇东南 13 千米。人口 980。因地处河湾，陈姓始居而得名。聚落呈团块状。有陈家湾初级中学、陈家湾镇中心卫生院。有县级文物保护单位陈家湾永安庙、陈家湾天官庙，现存皆为清代建筑遗构。东山矿区循环路经此。

141125-B09-H02 **高家垣**［Gāojiāyuán］在县政府驻地柳林镇南 8 千米。陈家湾镇辖自然村。人口 690。因居民姓高，且居住在山垣上而得名。聚落呈团块状。有高家垣观音楼、高奉乾民宅、高敬乾民宅、高登才民宅，现存皆为清代建筑遗构。2014 年被列入第三批中国传统村落名录。2017 年被列入第五批山西省历史文化名镇名村名录。2019 年被列入第七批中国历史文化名村名录。乡村道路经此。

141125-B09-H03 **闫家湾**［Yánjiāwān］在县政府驻地柳林镇东南 10 千米。陈家湾镇辖自然村。人口 650。因闫姓始居，且地处山湾而得名。聚落呈团块状。有闫家湾观音楼、闫家湾戏台，现存皆为清代建筑遗构。2019 年被列入第五批中国传统村落名录。东山矿区循环路经此。

141125-B10 **金家庄镇**［Jīnjiāzhuāng Zhèn］柳林县辖镇，位于柳林县境东南部，东与中阳县武家庄镇为邻，西与高家沟乡毗连，南临留誉镇，北接庄上镇。辖区东西最大距离 11.6 公里，南北最大距离 10.5 公里，总面积 92.29 平方公里。辖 9 个行政村、39 个自然村，2.18 万人。镇人民政府驻前金家庄。1953 年设金家庄乡，后改公社。1984 年复置乡。2021 年改设镇。因驻地得名。地势东高西低，地形为丘陵、沟壑。主要山脉有吕梁山，最高峰为高圪梁位于王家岭村，海拔 1170 米。最低点沟岔位于北辛安村胡家峁自然村，海拔 800 米。大黄沟河流经。矿产有煤炭、煤层气等。有中小学、卫生院、文化站、农家书屋。有广宁寺、圆明寺、丰乐祠等古迹。农业主产玉米、谷子、大豆。特产红枣、核桃。工业以煤炭开采、深加工为主。服务业以运输为主。省道三大线经此。

141125-B10-H01 **前金家庄**［Qiánjīnjiā zhuāng］金家庄镇人民政府驻地。在县政府驻地柳林镇南 14 千米。人口 690。因金姓始居，与后金家庄相对而得名。聚落呈团块状。有金家庄中学、金家庄示范小学、金家庄乡中心卫生院。有核桃、红枣等特色经济作物。省道三大线经此。

141125-C01 **李家湾乡**［Lǐjiāwān Xiāng］柳林县辖乡，位于柳林、离石、中阳三县交汇处，是柳林县的东大门。东与离石交口镇接界，南与陈家湾镇、中阳县金罗镇毗邻，西与柳林镇相连，北与柳林镇、离石区枣林乡接界。全境东西最大距离 14.6 公里，南北最大距离 8.8 公里，乡域总面积 55.14 平方千米。辖 8 个行政村、22 个自然村，1.48 万人，乡人民政府驻李家湾。1953 年设李家湾乡，后改公社。1984 年复置乡。因驻地得名。三川河流经。有中小学、文化站、农家书屋。有华严寺等古迹。农业主产玉米、谷子、蔬菜、红枣。有混凝土制板厂。服务业以商贸、餐饮、住宿等为主。孝柳铁路经此。

141125-C01-H01 **李家湾**［Lǐjiāwān］李家湾乡人民政府驻地。在县政府驻地柳林镇东 17 千米。人口 1400。因村处河湾，李姓聚居而得名。聚落呈团块状。有李家湾中学、李家湾小学、李家湾乡卫生院。有李家湾烽火台，为清代文化遗存。209 国道、307 国道经此。

141125—C02 **贾家垣乡**［Jiǎjiāyuán Xiāng］柳林县辖乡，位于柳林县境北部，东与柳林镇、成家庄镇接壤，南与穆村镇相邻，西与薛村镇交界，北与孟门镇毗邻。全境东西最大距离 13.1 千米，南北最大距离 7.6 千米，乡域总面积 79.61 平方千米。辖 13 个行政村、52 个自然村，1.76 万人，乡人民政府驻刘家垣，是柳林县唯一不以乡镇机关驻地命名的乡镇。1953 年设贾家垣乡，后改公社。1984年复置乡。2001年龙花垣乡并入。地势东高西低，地形分为丘陵、沟壑。主要山脉有吕梁山，最高峰裴家垣山位于裴家垣村，海拔1089米。最低点马家塔山位于李新村，海拔862米。矿产有煤、铁。有中小学、文化站、农家书屋。有德育教育基地六龙山烈士亭。农业主产高粱、玉米、谷子。特产柳林大红枣、柳林芝麻饼、柳林木枣、梨枣。工业以煤矿开采为主。三交—大宁省道过境。

141125-C02-H01 **刘家垣**［Liújiāyuán］贾家垣乡人民政府驻地。在县政府驻地柳林镇北7千米。人口390。因处黄土垣上，刘姓始居而得名。聚落呈团块状。有贾家垣乡卫生院。有柳林芝麻饼、木枣、梨枣等特产。省道三大线经此。

141125-C02-H02 **康家垣**［Kāngjiāyuán］在县政府驻地柳林镇东北8千米。贾家垣乡辖自然村。人口320。相传该村居民系陕西康家塌迁居于此，且居山垣上而得名。聚落呈条带状。有康家垣天官庙，现存为清代建筑遗构，院内有唐槐1株。2019年被列入第五批中国传统村落名录。乡村道路经此。

141125-C03 **高家沟乡**［Gāojiāgōu Xiāng］柳林县辖乡，位于柳林县境西南部山区。东与薛村镇接壤，西与陕西省绥德县河底乡隔河相望，北与石西乡相连，南与三交镇搭界。境内山峦起伏，有三沟二墚一道塬，境域东西最大距离30公里，南北最大距离28公里，乡域总面积112.1平方公里。辖12个行政村、46个自然村，1.89万人，乡人民政府驻高家沟。1954年设高家沟乡，后改公社。1984年复置乡。2001年贺家坡村并入。因驻地得名。地势由东向西倾斜。地形分为丘陵、沟壑、河谷阶地。主要山脉有吕梁山，最高峰安子山位于东山村，海拔1097米。最低点宋家寨夹心滩位于宋家寨村，海拔621米。黄河流经。矿产有煤炭、天然气等。有中小学、医院、敬老院、卫生院、农家书屋、文化站等。有圆通寺、兴佛寺、广惠寺等古迹。农业主产谷子、玉米、蔬菜。盛产红枣。沿黄公路经此。

141125-C03-H01 **高家沟**［Gāojiāgōu］高家沟乡人民政府驻地。在县政府驻地柳林镇西南16千米。人口780。因村处山沟，高姓始居而得名。聚落呈团块状。有高家沟中学、高家沟小学、高家沟村乡卫生院。有高家沟龙王庙，现存为清代建筑遗构。特产红枣。有新家园农副产品加工厂、凯旋红枣专业合作社。县道薛苇线经此。

141125-C04 **石西乡**［Shíxī Xiāng］柳林县辖乡，位于县境西部，三川河在境域的两河口村注入黄河。西、北隔黄河与陕西省绥德县枣林坪乡相望，东与薛村镇薛王山村、河峁村、前小城村接壤、南同高家沟乡阴塔村、穆家洼村、宋家寨村毗邻。三川河由东向西从乡境中间穿过、黄河则由东北至西南呈环状绕过。境域东西长约7公里，南北宽约8公里，乡域总面积59.75平方公里。辖9行政村、19个自然村，1.22万人，乡人民政府驻石西。1953年设石西乡，后改公社。1984年复置乡。因驻地得名。地势东高西低，地形分为丘陵、残垣。主要山脉有吕梁山，最高峰马家山垣位于中部，海拔950米。最低点位于上庄村，海拔730米。黄河、三川河流经。矿产有煤炭、天然气等。有小学、卫生院、农家书屋、文化站。有兴全寺、兴禅寺。农业主产谷子、玉米、蔬菜、西瓜。盛产红枣。特产石西硒玉。服务业以运输为主。沿黄公路经此。

141125-C04-H01 **石西**［Shíxī］石西乡人民政府驻地。在县政府驻地柳林镇西20千米。人口1010。原名石心村，后以方言谐音演变为今名。聚落呈团块状。有石西中学、石西乡卫生院。有石西遗址，为新石器时代文化遗存。有石西老爷庙、石西龙王庙，现存皆为清代建筑遗构。黄河一号旅游公路经此。

141125-C05 **西王家沟乡**［Xīwángjiāgōu Xiāng］柳林县辖乡。位于柳林县境北部，离石、临县、柳林交界地带。东与离石区枣林乡相连，南与成家庄镇接壤，西与孟门镇为邻，北与临县林家坪镇搭界。境域东西最大距离15.1公里，南北最大距离5.3公里，总面积78平方公里。辖13个行政村、46个自然村，1.49万人，乡人民政府驻西王家沟。1953年设王家沟乡，后改西王家沟公社。1984年复置西王家沟乡。2001年刘家山乡并入。因驻地得名。地势东高西低，地形分为丘陵沟壑区、残垣区。主要山脉有吕梁山，最高峰王老婆山位于新民村，海拔 1522 米。最低点位于王家沟村，海拔 950 米。年平均气温 9.9℃，年降水量 480 毫米，无霜期 184 天。有中小学、卫生院、文化站、农家书屋。矿产有烟煤、铝土、铁、石灰岩等。农业主产高粱、玉米。盛产红枣。工业以煤炭开采、深加工为主。服务业以运输为主。省道三大线经此。

141125-C05-H01 **西王家沟**［Xīwángjiāgōu］西王家沟乡人民政府驻地。在县政府驻地柳林镇北 19 千米。人口 800。原名王家沟，为与离石区王家沟区分，故名。聚落呈团块状。有西王家沟小学、西王家沟乡卫生院。有西王家沟民居，现存皆为清代建筑遗构。有农贸市场。有西王家沟煤业有限公司。省道三大线经此。

141125-C05-H02 **南凹**［Nánwā］在县政府驻地柳林镇西北 18 千米。西王家沟乡辖行政村。人口 620。因在沟南的阳洼里而得名。聚落呈团块状。有传统民居院落，现存皆为清代建筑遗构。2014 年被列入第三批中国传统村落名录。2017 年被列入第五批山西省历史文化名村名录。2019 年被列入第七批中国历史文化名村名录。乡村道路经此。

141125-C05-H03 **曹家塔**［Cáojiātǎ］在县政府驻地柳林镇西北 22 千米。西王家沟乡辖行政村。人口 290。因曹姓始居，且位于山上所得名。聚落呈条带状。有曹家塔传统民居，现存皆为清代建筑遗构。2016 年被列入第四批中国传统村落名录。乡村道路经此。

141125-C05-H04 **大庄**［Dàzhuāng］在县政府驻地柳林镇北 21 千米。西王家沟乡辖行政村。人口 730。该村历来十甲人户具全，是周围最大的村庄，故名。聚落呈条带状。有大庄五道庙、大庄大庙遗址、大庄传统民居，现存皆为清代建筑遗构。有大庄煤焦有限责任公司。2019 年被列入第五批中国传统村落名录。县道柳结线经此。

141125-C05-H05 **兴隆湾**［Xīnglóngwān］在县政府驻地柳林镇西北 21 千米。西王家沟乡辖行政村。人口 580。曾名大朵，因当村有一条梁，而名“梁头”，后根据兴龙山庙改为今名。聚落呈条带状。有兴隆湾学校。有兴隆湾民居，现存皆为清代建筑遗构。有兴隆湾离石县抗日民主政府旧址，1940 年 3 月，离石县抗日民主政府曾迁移到兴隆湾村，后又迁回石安村。2016 年被列入第四批中国传统村落名录。县道李贺线经此。

141126 **石楼县**［Shílóu Xiàn］吕梁市辖县。北纬 37° 00′，东经 110° 50′。在市境西南部。面积 1735 平方千米。人口 9.68 万。辖 5 镇、4 乡。县人民政府驻灵泉镇。北魏太平真君九年（448 年）置岭西县。太和二十一年（497 年）改岭西县为吐京县。隋开皇十八年（598 年）改吐京县为石楼县，因县东石楼山（通天山）叠石如楼，故名，属龙泉郡。唐武德二年（619 年）于县置西德州。同时析石楼县地分置临河县，治今田家岔村；又分置长寿县，治今故县村，俱属西德州。贞观元年（627 年）废西德州，同时废临河、长寿 2 县入石楼县，属东和州。二年废东和州，属隰州。天宝元年（742 年）属大宁郡。乾元元年（758 年）复属隰州。宋、金、元、明因之。明万历四十年（1612 年）属汾州府。清因之。1912 年废府。1913 年属中路道。1914 年属冀宁道。1927 年废道后直属山西省。1937 年属山西省第六行政区。1949 年属汾阳专区。1951 年划归临汾专区。1954 年属晋南专区。1958 年废入吕梁县。1960 年复置石楼县，属晋南专区。1967 年属晋南地区。1970 年属临汾地区。1971 年属吕梁地区。2004 年属吕梁市。地处吕梁山脉西麓、黄河东岸。地势东高西低，东部为土石山区，中、西部为黄土残垣沟壑区。主要山脉有石楼山、四十里山，最高峰在石楼、中阳、交口 3 县交界的土湾脑子山，海拔 2047.1 米，最低点和合乡义牒河入黄河处南侧河滩，海拔 556.3 米。黄河、屈产河、义牒河、和合河、小蒜河等流经。年均气温 10.0℃。年均降水量 464.9 毫米。矿产资源有煤、煤层气、铁、石灰岩、耐火粘土等。有图书馆、文化馆、档案馆、医院等。有普通高中 1 所，职业中学 1 所，初中 6 所（其中城区 3 所，乡镇 3 所），小学 17 所（其中城区 8 所，乡镇 9 所），其中马村明德学校、裴沟中心校、龙交中心校、罗村中心校为九年一贯制学校，公立幼儿园 2 所，民办幼儿园 9 所。有国家重点保护动物褐马鸡。

有柴胡、远志、大黄、连翘、枸杞、苦参等观赏、药用植物120余种。有全国重点文物保护单位后土圣母庙、兴东垣东岳庙。有省级文物保护单位仁泉寺。有全国爱国主义教育基地红军东征纪念馆。有殿山元代戏台、四照楼、郝家大院等古迹。有留村毛泽东路居、红军东征辛关渡口及永宁关、上平关、窟龙关等纪念地。有非遗重点保护项目芦苇编织技艺、度亡道场音乐、石楼道情、转九曲、石楼麦秆画，其中度亡道场音乐、芦苇技术编织、石楼道情、麦秆画技艺被列入第二批市非物质文化遗产保护名录。三次产业比例31:9:60。农业主产小米、土豆、玉米。特产小米。无工业。旅游有黄河奇湾石楼湾、红军东征纪念馆、兴东垣东岳庙、殿山后土圣母庙、棋盘山等。服务业以餐饮、房地产为主。国道东子线、省道三大线经此。

141126-F01 **沁园春广场**［Qìnyuánchūn Guǎngchǎng］在石楼县城西南部。东侧为沁园春大道，其余三面由石楼县多个部门办公楼环绕。总面积5.2万平方米。作为新城区规划的“三场三园”之一，2010年始建，2011年建成。因位于沁园春大道，为纪念毛泽东《沁园春・雪》创作于石楼而得名。广场中央为升旗台。

141126-N01 **二郎坡桥**［Èrlángpō Qiáo］在石楼县城西部。为中型河道桥梁，拱桥结构。桥长106米，桥面宽12米，最大跨度20米，桥下净高15米。2006年始建，2007年建成。因在二郎坡村得名。最大载重量20吨。

141126-N02 **东征大桥**［Dōngzhēng Dàqiáo］在石楼县城东北部东征大街东侧，纵跨屈产河。为中型河道桥梁，拱桥结构。桥长46米，桥面宽13米，最大跨度20米，桥下净高25米。2006年始建，2007年建成。因在红军东征纪念馆南侧得名。最大载重量20吨。

141126-N03 **西河桥**［Xīhē Qiáo］在石楼县城西部延安街上，横跨宋家沟河。为中型河道桥梁，拱桥结构。桥长50米，桥面宽9.5米，最大跨度20米，桥下净高5米。1972年始建，1974年建成，因桥下河流俗称西河而得名。最大载重量20吨。

141126-N04 **接官殿桥**［Jiēguāndiàn Qiáo］在石楼县城东部延安街上，横跨胡家峪河。为中型河道桥梁，拱桥结构。桥长27米，桥面宽9.5米，最大跨度20米，桥下净高6米。1959年始建，1960年建成。2003年重建。因桥为古接官亭，俗称接官殿而得名。最大载重量20吨。

141126-B01 **灵泉镇**［Língquán Zhèn］石楼县人民政府驻地。在县境中部。面积309平方千米。人口2.79万。辖1社区、27行政村。镇人民政府驻城关。1953年设城关乡，后改公社。1984年改置镇。2000年与西卫乡合置灵泉镇。因名胜屈产灵泉得名。地处黄土高原梁峁丘陵沟壑地区，地势东高西低。地形分为河川沟谷区和土石山区，主要山脉有团圆山、翠金山、西岭山、北岭山，最高峰位于团圆山，海拔1986米。最低点位于马村河滩，海拔983米。屈产河流经。学校有高中一所、职业中学一所、小学7所。矿产有油气、煤层气、天然气等。有中小学、卫生院、文化站、农家书屋。有四照楼、岔沟新石器文化遗址等古迹。有孟家塔烈士陵园等纪念地。农业主产玉米、蘑菇、小杂粮和时鲜蔬菜。有砖厂。服务业以餐饮、汽车维修等为主。国道东子线、省道三大线经此。

141126-B01-K01 **东征大街**［Dōngzhēng Dàjiē］在石楼县城北部。西起沁园春大道交叉口，东至红军东征纪念馆。长3.5千米，宽32米。沥青路面。2007年始建，2008年建成。原名沁园春大街，后因路经红军东征纪念馆改今名。两侧有石楼县人民医院、石楼一中、石楼第五小学等。

141126-B01-K02 **延安街**［Yán'ān Jiē］在石楼县城中部。西起西河桥，东至接官殿桥。长1.5千米，宽20米。沥青路面。原名新建路，为纪念红军东征入晋更今名。1958、1960年改建。两侧有石楼县人民政府、石楼汽车站、灵泉镇人民政府等。

141126-B01-K03 **沁园春大道**［Qìnyuánchūn Dàdào］在石楼县城西南部。北起三交—大宁省道交叉口，南至石楼中学。与延安街相交。长2.2千米，宽32米。沥青路面。2007年始建，2008年建成。为纪念毛泽东在石楼创作《沁园春・雪》而命名。两侧有沁园春广场、仁康中西医结合医院、石楼中学等。

141126-B01-H01 **板桥**［Bǎnqiáo］在县政府驻地灵泉镇东南 5 千米。灵泉镇辖行政村。人口 400。相传元代在村二里河沟岔建有石板桥一座，故名。聚落呈团块状。有县级文物保护单位齐天大圣庙，现存为清代建筑遗构。有石楼陆龟化石出土点，为旧石器时代文化遗存。国道东子线经此。

141126-B02 **罗村镇**［Luócūn Zhèn］石楼县辖镇。在县境东部。面积 262 平方千米。人口 1.19 万。辖 11 行政村。镇人民政府驻罗村。1953 年设罗村乡，后改公社。1984 年改置镇。2000 年东石羊乡并入。因驻地得名。地处黄土丘陵沟壑区，地势东高西低。地形分为土石山区、黄土梁峁丘陵沟壑区、河川沟谷区三种类型。主要山脉有石楼山，境内最高点海拔 1250 米。最低点位于前圪垛村河道，海拔 1017.3 米。矿产有煤、铁、石灰石等。有中小学、卫生院、文化站、农家书屋。有商周遗址、曹村关帝庙戏台、下田庄东龙神庙等古迹。有晋西会议会址等纪念地。为县主要产粮区。农业有玉米、小杂粮、蔬菜种植和蜜蜂、生猪养殖。盛产核桃。工业有混凝土、石料、建材等。服务业以运输为主。国道东子线经此。

141126-B02-H01 **罗村**［Luócūn］罗村镇人民政府驻地。在县政府驻地灵泉镇东南 13 千米。人口 600。聚落呈团块状。有罗村公路爱心小学、罗村镇卫生院。有罗村毛泽东路居，1936 年 3 月 23 日，毛泽东率中国工农红军抗日先锋军总部机关进驻罗村，1936 年 3 月 27 日召开中央政治局会议，即“晋西会议”。340 国道经此。

141126-B03 **义牒镇**［Yìdié Zhèn］石楼县辖镇。在县境西部。面积 203 平方千米。人口 0.67 万。辖 6 行政村。镇人民政府驻义牒。1953 年设义牒乡，后改公社。1984 年改置镇。因驻地得名。地处黄河中游黄土高原梁峁丘陵沟壑地区，地势东高西低，东南部略高于西北部。地形分为土石山区、梁峁沟壑区和河川沟谷区。主要山脉有团圆山，最高峰位于团圆山顶，海拔 1234 米。最低点位于圪堵坪村河滩，海拔 914 米。义牒河流经。有中小学、卫生院、文化站、农家书屋。有省级文物保护单位仁泉寺。古迹有郝家大院。纪念地有毛泽东路居纪念馆。农业主产小麦、玉米、谷子、蔬菜。特产红枣、核桃。工业有粮油加工业。服务业以小商品经营为主。国道东子线经此。

141126-B03-H01 **义牒**［Yìdié］义牒镇人民政府驻地。在县政府驻地灵泉镇西 23 千米。人口 600。因在义牒河北岸而得名。聚落呈团块状。有石楼县第二中学、义牒明德小学、义牒镇卫生院。有县级文物保护单位郝氏宅院，现存为清代建筑遗构。有郝氏商号，现存为清代建筑遗构。2016 年被列入第四批中国传统村落名录。340 国道经此。

141126-B03-H02 **留村**［Liúcūn］在县政府驻地灵泉镇西 20 千米。义牒镇辖自然村。人口 400。原名刘村，后演变为今名。聚落呈条带状。有沁园春小学。有留村毛泽东路居，1936 年红军东征，毛泽东在此写下了著名诗作《沁园春·雪》。有留村遗址，为东周时期文化遗存。有贺家坪遗址，为新石器时代、夏商时期、战国时期文化遗存。2019 年被列入第五批中国传统村落名录。340 国道经此。

141126-B03-H03 **张家塔**［Zhāngjiātǎ］在县政府驻地灵泉镇西 13 千米。义牒镇辖自然村。人口 500。因在河滩平地，张姓始居而得名。聚落呈条带状。有张家塔毛泽东路居，1936 年 2 月 23 日，毛泽东偕夫人贺子珍率总部人员到达张家塔，在这里指挥关上和蓬门战斗，使红军突破天险后冲破阎军第二道防线，实现东征的第一步战略任务。340 国道经此。

141126-B04 **小蒜镇**［Xiǎosuàn Zhèn］石楼县辖镇。在县境西北部。面积 243 平方千米。人口 1.31 万。辖 13 行政村。镇人民政府驻小蒜。1953 年设小蒜乡，后改公社。1984 年改置镇。2000 年韩家山乡并入。因驻地得名。地处黄河中游黄土高原梁峁丘陵沟壑地区，地势东高西低。地形分为土石山区、梁峁沟壑区和河川沟谷区。主要山脉有团圆山，最高峰位于团圆山顶，海拔 1234 米。最低点为转角村转角滩，海拔 642 米。黄河、小蒜河流经。矿产有石油和天然气等。有中小学、卫生院、文化站、农家书屋。有兰家沟新石器文化遗址、后兰家沟商墓等古迹。农业主种红枣、小杂粮。盛产红枣、核桃。工业以小商品加工为主。服务业以餐饮为主。县道罗曹线经此。

141126-B04-H01　**小蒜**［Xiǎosuàn］小蒜镇人民政府驻地。在县政府驻地灵泉镇西北18千米。人口800。原名上小蒜，后改今名。聚落呈团块状。有石楼县第三中学、小蒜中心校、小蒜镇卫生院。有小蒜遗址，为汉代文化遗存。县道小山线经此。

141126-B05　**辛关镇**［Xīnguān Zhèn］石楼县辖镇。在县境西南部。面积191平方千米。人口1.02万。辖6行政村。镇人民政府驻辛关。1953年设前山乡，后改公社。1984年复置乡。2000年韦家湾乡并入。2021年撤前山乡改设辛关镇。因驻地得名。地处黄河东岸，吕梁山西麓皱褶带的南端，属于典型的黄土高原丘陵沟壑地区。地势呈东高西低，地形分为黄土高原丘陵沟壑地区。主要山脉有后山村垣，境内最高峰位于后山村后山，海拔1083米。最低点位于闫旺村河滩，海拔580米。黄河流经。有小学、卫生院、文化站、农家书屋。是中国工农红军东征的第一站。有全国重点文物保护单位后土圣母庙。古迹、纪念地有殿山元代戏台、红军东征辛关渡口、毛泽东登山小道、黄河奇湾风景区。农业主产小麦、谷子，兼产大豆、玉米、红枣。服务业以餐饮、旅游为主。340国道经此。

141126-B05-H01　**辛关**［Xīnguān］辛关镇人民政府驻地。在县政府驻地灵泉镇西北33千米。人口100。因在牛王店村前的一座山上而得名。聚落呈团块状。有辛关镇卫生院。有特产红枣。340国道经此。

141126-B05-H02　**张家河**［Zhāngjiāhé］在县政府驻地灵泉镇西北23千米。辛关镇辖行政村。人口200。因张姓始居而得名。聚落呈团块状。有第七批全国重点文物保护单位后土圣母庙，现存为元、明两代古寺庙建筑群，大殿内有明代彩塑13尊。国道东子线经此。

141126-B05-H03　**下洼**［Xiàwā］在县政府驻地灵泉镇西北29千米。辛关镇辖自然村。人口100。因该村地势低且居洼地之处而得名。聚落呈条带状。有第六批省级文物保护单位下洼遗址，为新石器时代文化遗存。乡村道路经此。

141126-C01　**龙交乡**［Lóngjiāo Xiāng］石楼县辖乡。在县境东北部。面积185平方千米。人口1.06万。辖11行政村。乡人民政府驻龙交。1953年设龙交乡，后改公社。1984年复置乡。地处黄土丘陵沟壑区，地势东高西低。地形分为丘陵沟壑区、沟川区。主要山脉有凤尾山，境内最高峰位于凤尾山，海拔2015米。最低点位于麻庄村麻庄沟，海拔900米。有中小学、文化站、卫生院、农家书屋。有全国重点文物保护单位兴东垣东岳庙。有窟龙关古关隘、棋盘山等古迹。有民居建筑群刘家宅院。农业主产玉米、高粱、谷子、大豆等。盛产核桃。工业以食品加工为主。有小商品企业。服务业以餐饮、商贸为主。县道罗曹线经此。

141126-C01-H01　**龙交**［Lóngjiāo］龙交乡人民政府驻地。在县政府驻地灵泉镇东北12千米。人口450。原名龙教村，因村外两河交汇而得名，1952年改今名。聚落呈条带状。有国税希望小学、龙交乡中学、龙交乡卫生院。有阁老湾遗址，为新石器时代和战国时期文化遗存。有龙交墓群，为汉代墓群。县道罗曹线经此。

141126-C01-H02　**君庄**［Jūnzhuāng］在县政府驻地灵泉镇东北15千米。龙交乡辖行政村。人口400。原名尊庄，后以方言谐音演变为今名。聚落呈团块状。有君庄刘氏私塾、君庄民居，现存皆为清代建筑遗构。2014年被列入第三批中国传统村落名录。乡村道路经此。

141126-C01-H03　**兴东垣**［Xīngdōngyuán］在县政府驻地灵泉镇东北12千米。龙交乡辖行政村。人口300。因村民希望生活安康，事业兴旺，且所在地形为山垣而得名。聚落呈条带状。有第五批全国重点文物保护单位兴东垣东岳庙，现存大殿为金代原构，其余皆为明清时期建筑遗构。乡村道路经此。

141126-C02　**和合乡**［Héhé Xiāng］石楼县辖乡。在县境西南部。面积185平方千米。人口0.97万。辖9行政村。乡人民政府驻和合。1953年设和合乡，后改公社。1984年复置乡。2000年西山乡并入。因驻地得名。地处黄河东岸，吕梁山西麓皱褶带的南端，属于典型的黄土高原丘陵沟壑地区，地势呈东高西低、北高南低。地形分为丘陵沟壑地区，境内最高峰位于高吉岭村高吉岭，海拔1400米。最低点位于崖头畔黄河滩，海拔568米。黄河、和合河流经。矿产有天然气、油、煤炭等。有中小学、卫生院、文化站、农家书屋。有小山则玉皇庙等古迹。农业主产小麦、红枣。工业以农产品加工为主。服务业以运输为主。通公路。

141126-C02-H01 **和合**［Héhé］和合乡人民政府驻地。在县政府驻地灵泉镇西南28千米。人口700。原名河合，因处三条河沟交汇处而得名，后雅化为今名。聚落呈条带状。有和合中学、和合乡卫生院。有对面岭遗址，为新石器时代、夏代、商代及东周时期文化遗存。有和合华佗庙，现存为清代建筑遗构。乡村道路经此。

141126-C03 **曹家垣乡**［Cáojiāyuán Xiāng］石楼县辖乡。在县境西北部。面积72平方千米。人口0.72万。辖7行政村。乡人民政府驻曹家垣。1953年设曹家垣乡，后改公社。1984年复置乡。因驻地得名。地处吕梁山西麓皱褶带的南端，属于黄土高原丘陵沟壑地区，地势中间高四周低，地形分为梁峁沟壑区、土石山区和河川谷区。主要山脉有曹家垣山，境内最高峰位于曹家垣村曹家垣山，海拔984米。最低点李家畔黄河滩，海拔703米。黄河、小蒜河流经。矿产有煤炭、天然气等。有中小学、卫生院。有上平关古关隘等古迹。农业主产小麦、玉米、谷子。盛产红枣、核桃。工业以农产品加工为主。服务业以商贸为主。县道罗曹线经此。

141126-C03-H01 **曹家垣**［Cáojiāyuán］曹家垣乡人民政府驻地。在县政府驻地灵泉镇西北26千米。人口600。原名曹家原，后改今名。聚落呈团块状。有曹家垣乡卫生院。有曹家垣遗址，为商代、东周及汉代文化遗存。县道罗曹线经此。

141126-C04 **裴沟乡**［Péigōu Xiāng］石楼县辖乡。在县境西北部。面积114平方千米。人口1.01万。辖10行政村。乡人民政府驻裴沟。1956年设裴沟乡，后改公社。1984年复置乡。因驻地得名。地处黄土高原丘陵沟壑区，地势南高北低。地形分为土石山区、黄土梁峁丘陵沟壑区、河川沟谷区三种类型。主要山脉有薛家峪垣，境内最高峰为薛家峪垣，海拔1100米。最低点为裴沟村河滩，海拔780米。屈产河流经。有中小学、卫生院。有永由村普济寺、永由古槐等古迹。农业主产小麦、玉米，兼产高粱、谷子、红枣。工业以农产品加工为主。服务业以餐饮为主。省道三大宁线经此。

141126-C04-H01 **裴沟**［Péigōu］裴沟乡人民政府驻地。在县政府驻地灵泉镇北22千米。人口700。因地处河谷，裴姓聚居而得名。聚落呈条带状。有裴沟中学、裴沟乡卫生院。有裴沟遗址，为汉代文化遗存。特产红枣。乡村道路经此。

141127 **岚县**［Lán Xiàn］吕梁市辖县。北纬38°16′，东经111°40′。在市境北部。面积1513平方千米。人口14.83万。辖4镇、5乡。县人民政府驻东村镇。北魏永熙二年（533年）置岢岚县和岚州，治今岚城镇，以州西岢岚山为名。隋开皇三年（583年）岢岚县及岚州治徙今静乐县境。大业八年（612年）置岚城县，治今岚城镇，属楼烦郡。唐武德四年（621年）改岚城县为宜芳县，于县置东会州，县属之；又析宜芳县地置合会县，治今合会村。六年改东会州为岚州，宜芳、合会2县属之。九年废合会县入宜芳县。天宝元年（742年）改属楼烦郡。乾元元年（758年）改属岚州。宋、金因之。蒙古至元二年（1265年）岚州及宜芳县俱废入管州。五年复置岚州，属冀宁路。明洪武二年（1369年）改岚州为岚县，属岢岚州。清雍正初年改属保德州，后属太原府。1912年废府。1913年属中路道。1914年属冀宁道。1927年废道后直属山西省。1937年属山西省第四行政区。1949年初属陕甘宁边区晋西北区，为直属县。同年8月改属山西省兴县专区。1950年县政府徙驻东村镇。1952年属忻县专区。1958年废入静乐县。1961年复置岚县，属忻县专区。1967年属忻县地区。1971年属吕梁地区。2004年属吕梁市。地处吕梁山脉北段。地势西北高东南低。主要山脉有老峁山、饮马池山、野鸡山等。岚漪河、蔚汾河、南川河等流经。有山地、丘陵、平川、沟谷四种地貌类型。山地、丘陵占总面积的85%。平均海拔1415米，最高点为大蛇头乡水沟子村于家贤，海拔2275米，最低点在社科乡曲立村鸦儿池，海拔1131米。年均气温7.1℃。年均降水量457毫米。矿产资源有煤、铁、锰、石灰石等。有国家重点保护动物褐马鸡。有沙棘、银乔等观赏、药用植物68种。有省级文物保护单位秀容古城遗址，市级重点文物保护单位白龙庙。风景区有黑茶山森林公园、白龙山风景区、饮马池亚高山草甸、岚城汾阳古城遗址等。民间艺术有岚城面塑、八音等，其中岚城面塑为国家非物质文化遗产。有街头文艺上明龙灯、旱船、高跷、狮子舞、转九曲等。有戏剧道情、秧歌、晋剧、二人台。三产业比例9:62:29。农业主产马铃薯、玉米、高粱等。特产岚县莜面、土豆制品。工业有皮革加工、酿酒、纸扎制作等。服务业有餐饮。太原—佳县高速，209国道，岚古线、岚马线、忻黑线经此。

141127-B01 **东村镇**［Dōngcūn Zhèn］岚县人民政府驻地。在县境中部。面积114平方千米。人口3.51万。辖26行政村。镇人民政府驻东村。1953年设东村乡，后改公社。1984年改置镇。2001年古城乡并入。2021年土峪乡并入。因驻地得名。地处晋西黄土高原丘陵沟壑区，地势西高东低，地形分为平原、丘陵。主要山峰有桃尖山、茅龙山，境内最高峰为镇南上天洼村桃尖山，海拔1536米。最低点位于天洼村岚河段河滩，海拔1247米。岚城河、普明河流经。有中小学、文化馆、图书馆、档案馆、体育场等。有省级文物保护单位秀容古城遗址。有岚县烈士陵园、董必武、刘少奇旧居、北村贺龙旧居等纪念地。有皇姑梁森林公园等古迹。有龙凤生态公园、黄姑梁生态林区等旅游景区。有皇姑坟、龙天寺遗址等古迹。农业主产高粱、玉米、谷子、薯类。工业有煤化工、制砖加工。服务业有商贸、餐饮、运输、旅游等。209国道、省道岚古线、岚马线、忻黑线经此。

141127-B01-K01 **新建路**［Xīnjiàn Lù］在岚县城北部。西起堡东街，东至209国道。与龙山街、秀容街等道路相交。长1.8千米，宽30米。沥青路面。原为城外过境道路，80年代始建。2007年改建。因作为城北新建的主干道而得名。两侧有岚县邮电局、岚县运输公司、岚县林业局、育红中学、岚县客运站等。

141127-B01-K02 **人民路**［Rénmín Lù］在岚县城中部。西起龙山街，东至秀容街。与崇山街、宜芳街等道路相交。长1千米，宽28.8米。沥青路面。80年代始建。2003年改建，因县政府驻此得名。两侧有岚县人民政府、人民广场、城关小学、民觉学校等。

141127-B01-K03 **向阳路**［Xiàngyáng Lù］在岚县城中部。西起209国道与313省道交会处，东至209国道。与龙山街、崇文街、秀容街等道路相交。长2.2千米，宽30米。沥青路面。1980年建成，1981年改建。因路南农田均向阳得名。两侧有岚县药材公司、岚县人民医院、岚县税务局、黑茶山森林管理局等。

141127-B01-K04 **民觉路**［Mínjué Lù］在岚县城西南部。西起向阳路，东至秀容街，与宜芳街相交。长2.5千米，宽40米。沥青路面。2009年建成。为纪念岚县籍著名生物学家张民觉而得名。两侧有岚县国土资源局、岚县中学、民觉公园等。

141127-B01-K05 **龙山街**［Lóngshān Jiē］在岚县城西部。北起实验中学，南至民觉路。与人民路、向阳路等道路相交。长0.8千米，宽14米。沥青路面。2003年始建，2004年建成。因白龙山风景区而得名。两侧有岚县实验中学、黑茶山林业局等。

141127-B01-K06 **崇文街**［Chóngwén Jiē］在岚县城中部。北起审计局宿舍，南至岚河北路。与新建路、人民路、向阳路等道路相交。长1.1千米，宽15米。沥青路面。1984年建成。路名寓意崇尚文治。两侧有民觉公园、城关小学、岚县财政局等。

141127-B01-K07 **秀容街**［Xiùróng Jiē］在岚县城中部。北起岚县汽车站，南至南河桥。与新建路、人民路、向阳路、岚河北路等道路相交。长0.7千米，宽14米。沥青路面。1980年建成。为纪念岚县秀容古城而得名。两侧有岚县交通局、岚县商业局、岚县会展中心等。

141127-B01-K08 **宜芳街**［Yífāng Jiē］在岚县城中部。北起新建路，南至向阳路。与人民路相交。长1千米，宽10米。沥青路面。1984年建成。为纪念岚县古称宜芳而得名。两侧有星苑小区、政府机关幼儿园等。

141127-B01-K09 **岚河北路**［Lánhé Běilù］在岚县城南部。西起209国道，东至东河公园。与崇文街、秀容街等道路相交。长3.9千米，宽38米。沥青路面。2004年建成。因在岚河北侧得名。两侧有岚县中学新校区、岚县人民法院、岚县公安局等。

141127-B01-H01 **古城**［Gǔchéng］在县政府驻地东村镇南1千米。东村镇辖行政村。人口900。因有秀容古城遗址而得名。聚落呈团块状。有古城中学。有第三批省级文物保护单位秀容古城遗址，始建于汉高祖三年（前204年），北魏永兴二年（410年）扩建，其作为郡县治所长达730余年。有古城村遗址，为新石器时代、汉代文化遗存。209国道、337国道、省道岚马线经此。

141127-B02 **岚城镇**［Lánchéng Zhèn］岚县辖镇。在县境北部。面积249平方千米。人口1.94万。辖16行政村。镇人民政府驻南关。1953年设岚城乡，后改公社。1984年改置镇。2021年河口乡并入。因驻地村原为岚州古城，故名。地处晋西黄土高原丘陵沟壑区，地势西北高、东南低，自西北向东南倾斜。地形分为山地、丘陵沟壑。主要山峰有野鸡山，最高峰位于青湾子村野鸡山，海拔2151米。最低点位于东河村岚城河河口，海拔1250米。岚城河流经。矿产有铁、锰、水资源等。有中小学、卫生院。有国家非物质文化遗产岚城面塑。农历二月十九有面塑供会。古迹、纪念地有岚州隋城遗址、岚县衙署旧址、钟楼、鼓楼、文庙、尊经阁、八路军120师师部旧址、前庄飞机场旧址等。有饮马池亚高山草甸风景区。有河口林场。农业主产谷子、糜黍、高粱、玉米、谷子、薯类。特产岚城豆腐、岚城面塑、山蘑菇、豆面、胡麻油。工业以农产品加工为主。服务业以旅游为主。209国道经此。

141127-B02-H01 **城内**［Chéngnèi］岚城镇人民政府驻地。在县政府驻地东村镇北12千米。人口4480。为岚县、古岚州故城，故名岚城村，2001年更今名。聚落呈团块状。有岚城中学。有第四批省级文物保护单位隋城遗址，历为岢岚、岚城、宜芳、岚州、楼烦郡，东会州治所，始建于隋大业十年（614年），唐武德四年（621年）改为州城，经唐、五代、北宋延续460余年，宋元丰二年（1097年）在旧城南筑新城，即今岚城。宋城建成后隋城遂废。有岚城八路军一二〇师司令部旧址，1938年10月至12月，八路军120师司令部设立在五龙庙，贺龙、关向应、甘泗淇、周士第等首长均住此。有岚州城址。209国道经此。

141127-B03 **普明镇**［Pǔmíng Zhèn］岚县辖镇。在县境中部。面积175平方千米。人口2.51万。辖18行政村。镇人民政府驻普明。1953年设普明乡，后改公社。1984年改置镇。2001年祁家庄乡并入。因驻地得名。地处晋西黄土高原丘陵沟壑区，地势西高东低。地形分为丘陵、山地，主要山峰有白龙山、黄塪山、圣窑山，境内最高峰位于普明镇西北角白龙山，海拔2253米。最低点大贤村，海拔1200米。普明河流经。有中小学、卫生院、文化广场。景点有白龙山风景区。农业以种植为主。有大葱、仁用杏种植。特产莜面、土豆。工业以汽配、铸造、焦化为主。有工业园。以钢铁铸造业为主，有太原钢铁（集团）有限公司等。服务业以旅游为主。209国道经此。

141127-B03-H01 **普明**［Pǔmíng］普明镇人民政府驻地。在县政府驻地东村镇西11千米。人口5000。原名川庄，后以村中寺院匾额“明珠普照”雅为今名。聚落呈团块状。有普明太钢希望中学、普明经信希望小学。有刘家梁遗址，为新石器时代文化遗存。有小洼梁遗址，为东周时期文化遗存。有冯家梁遗址，为新石器时代、夏代、东周时期文化遗存。有中共岚县第一次代表会旧址，1938年冬在此召开中共岚县第一次代表会，此次会议正式成立岚县县委。209国道经此。

141127-B04 **界河口镇**［Jièhékǒu Zhèn］岚县辖镇。在县境西北部。面积127平方千米。人口1.44万。辖14行政村。镇人民政府驻东口子。1953年设界河口乡，后改公社。1984年改置镇。2001年张家湾乡并入。2021年大蛇头乡并入。旧为岚县和兴县界河，故名。地处晋西黄土高原丘陵沟壑区，地势西南高、东北低。地形分为山地、丘陵、沟壑，主要山峰有烧炭山、饮马池山、板楞山、马头山，最高峰位于楼坊坪村西北部饮马池山，海拔 2222 米。最低点位于西口子村河南坪，海拔 1235 米。巨鹿沟河、蔚汾河流经。有中小学、卫生院、文化站、农家书屋。纪念地有岚县抗日政府临时驻地旧址。古迹、纪念地有云山寺、五龙圣母庙、草子寨革命纪念亭。有野鸡山林场。农业主产土豆、莜麦、红芸豆。工业以农产品加工为主，有粮油加工企业。服务业有运输、餐饮。省道忻黑线经此。

141127-B04-H01　**东口子**［Dōngkǒuzi］界河口镇人民政府驻地。在县政府驻地东村镇西北 40 千米。人口 1200。因位于蔚汾河北岸巨鹿沟沟口东侧而得名。聚落呈团块状。有东口子遗址，为东周时期文化遗存。特产沙棘。有秀容沙棘制品有限公司。337 国道经此。

141127-B04-H02　**草子寨**［Cǎozǐzhài］在县政府驻地东村镇西北 40 千米。界河口镇辖自然村。人口 700。原名剿贼寨，后因方言谐音演变而得名。聚落呈团块状。有县爱国主义教育基地草子寨革命纪念亭，1940 年日军在此制造惨案，1995 年 8 月 15 日，中共岚县县委、岚县人民政府于抗日战争胜利 50 周年之际，在惨案原址竖立纪念碑。乡村道路经此。

141127-C01　**上明乡**［Shàngmíng Xiāng］岚县辖乡。在县境中部。面积 110 平方千米。人口 1.49 万。辖 13 行政村。乡人民政府驻上明。1953 年设上明乡，后改公社。1984 年复置乡。2001 年合会乡并入。因驻地得名。地处晋西黄土高原丘陵沟壑区，地势西北高、东南低，地形分为丘陵、平川。主要山峰有野鸡山，最高峰位于野峪村野鸡山，海拔 1400 米。最低点位于新安村上明河河口，海拔 1200 米。上明河流经。矿产资源有铜、硅、水晶、石英等。为岚县四大古镇之一。有中小学、卫生院、文化站、农家书屋。有唐代合会县旧址等古迹。有丁氏祠堂，为宋代参知政事丁禧故里。有民间艺术上明龙灯。农业主产小杂粮。特产老陈醋、精莜面。服务业有建筑、餐饮。省道忻黑线经此。

141127-C01-H01　**上明**［Shàngmíng］上明乡人民政府驻地。在县政府驻地东村镇西北 9 千米。人口 1600。古为上明里，故名。聚落呈团块状。有上明中学、上明明德小学、上明乡卫生院。有上明遗址、柳沟畔遗址，皆为夏代文化遗存。有乔铁马烈士纪念碑，乔铁马于 1966 年夏季在上明水库为救落水儿童而献身，岚县县委、人委为他举行隆重追悼会，并竖立石碑，以志纪念。337 国道经此。

141127-C01-H02　**前合会**［Qiánhéhuì］在县驻地东村镇西北 14 千米。上明乡辖行政村。人口 1000。因两河交汇而得名。聚落呈团块状。为宋代参知政事丁禧故里。有前合会遗址，为夏代、汉代文化遗存。有冀家坪遗址，为夏代文化遗存。有特产老陈醋、精莜面。乡村道路经此。

141127-C02　**王狮乡**［Wángshī Xiāng］岚县辖乡。在县境西南部。面积 188 平方千米。人口 1.19 万。辖 12 行政村。乡人民政府驻王狮。1953 年设王狮乡，后改公社。1984 年复置乡。2001 年敦厚乡并入。因驻地得名。地处晋西黄土高原丘陵沟壑区，地势西南高、东北低，地形分为山地、丘陵沟壑。主要山峰有灰灰山，最高峰位于李家湾村西面灰灰山，海拔 2100 米。最低点位于王狮村岚河河滩，海拔 1400 米。普明河流经。矿产有水晶、蛭石、石灰岩、花岗岩、长石等。有中小学、卫生院、文化站、农家书屋。有史家庄贺龙、关向应旧居等纪念地。有清代麒麟院等古迹。农业主产马铃薯、玉米、谷子、小杂粮。工业以采石业为主。209 国道经此。

141127-C02-H01　**王狮**［Wángshī］王狮乡人民政府驻地。在县政府驻地东村镇西南 18 千米。人口 2000。原名王师店，后演变为今名。聚落呈团块状。有王狮小学、王狮乡卫生院。有王狮遗址，为东周时期文化遗存。209 国道经此。

141127-C02-H02　**艾蒿沟**［Àihāogōu］在县政府驻地东村镇西南 12 千米。王狮乡辖自然村。人口 200。因村旁山沟多艾蒿而得名。聚落呈团块状。有民觉小学。为世界著名生殖生理学家、“试管婴儿之父”张民觉先生故里。有张民觉墓。乡村道路经此。

141127-C03　**梁家庄乡**［Liángjiāzhuāng Xiāng］

岚县辖乡。在县境南部。面积 152 平方千米。人口 1.54 万。辖 15 行政村。乡人民政府驻梁家庄。1953 年设梁家庄乡，后改公社。1984 年复置乡。2001 年毕家坡乡并入。因驻地得名。地处晋西北黄土高原丘陵区，地势西高东低，地形分为山地、丘陵沟壑。主要山峰有后山、宝塔山、簸箕山，境内最高峰位于冀家庄村西南面后山，海拔 2150 米。最低点位于郭家庄村南川河口，海拔 1200 米。马铺河、南川河流经。矿产有铁、煤炭、硅石、石灰石、白云石、石英石等。有中小学、卫生院。风景区有圣窑山。农业以种植业为主，主产马铃薯、莜麦，特产莜面、山蘑菇。有马铃薯生产基地、绒山羊养殖基地、仁用杏生产基地。工业以采矿为主。服务业以运输为主。太原—佳县高速经此。

141127-C03-H01 **梁家庄**［Liángjiāzhuāng］梁家庄乡人民政府驻地。在县政府驻地东村镇南 27 千米。人口 800。聚落呈团块状。有梁家庄乡中心卫生院。有堡子坡遗址，为新石器时代、夏时期文化遗存。有梁家庄堡址，为明清时期文化遗存。241 国道经此。

141127-C04 **顺会乡**［Shùnhuì Xiāng］岚县辖乡。在县境东北部。面积 147 平方千米。人口 1.11 万。辖 9 行政村。乡人民政府驻顺会。1953 年设梁衬会乡，后改公社。1984 年复置乡。2001 年与榆湾乡合置顺会乡。因驻地得名。地处晋西黄土高原丘陵沟壑区，地势西北高、东南低，地形分为山地、丘陵、沟壑。主要山峰有杀猪卯山、卧虎山，最高峰位于杀猪卯山北山，海拔 1750 米。最低点位于北白家庄村北白家庄沟，海拔 1270 米。榆湾河、顺会河流经。矿产有煤、铁、锰、花岗岩。有中小学、卫生院、文化站、农家书屋。民俗活动有转九曲。农业以种植业为主，主产马铃薯、谷子、玉米、莜麦、小杂粮。特产黍米、马铃薯、莜面。有农产品加工业。有采矿、煤业、锰矿等企业。省道忻黑线经此。

141127-C04-H01 **顺会**［Shùnhuì］顺会乡人民政府驻地。在县政府驻地东村镇东北 14 千米。人口 1400。原名梁衬会，因村在衬会河西岸，梁姓始居而得名。2002 年随乡名更今名。聚落呈团块状。有顺会中学、顺会乡卫生院。有梁衬会遗址，为东周时期文化遗存。337 国道经此。

141127-C05 **社科乡**［Shèkē Xiāng］岚县辖乡。在县境东部。面积 132 平方千米。人口 1.74 万。辖 13 行政村。乡人民政府驻社科。1956 年设兰家舍乡，后改公社。1984 年复置乡。2001 年与上井乡合置社科乡。因驻地得名。地处晋西黄土高原丘陵沟壑区，地势开阔平缓。地形分为丘陵、山地。主要山峰有芦子山，最高峰位于冯周村芦子山，海拔 1685 米。最低点位于曲立村岚河岸边，海拔 1130.5 米。有中小学、卫生院、文化站、农家书屋。农业主产马铃薯、莜麦、小杂粮。特产莜面、豆面。服务业以农产品加工为主。省道岚马线、岚古线经此。

141127-C05-H01 **社科**［Shèkē］社科乡人民政府驻地。在县政府驻地东村镇东南 5 千米。人口 700。本名舍窠，方言意“简易房屋”。聚落呈团块状。有社科中学、社科乡寄宿制中心小学、社科乡卫生院。有社科遗址，为新石器时代文化遗存。有岚县生民高岭土有限公司。省道岚马线经此。

141128 **方山县**［Fāngshān Xiàn］吕梁市辖县。北纬 37° 53′，东经 111° 14′。在市境北部。面积 1433 平方千米。人口 11.27 万。以汉族为主，还有回、苗、彝、蒙古、傣等 19 个少数民族。辖 6 镇。县人民政府驻圪洞镇。北齐天保三年（552 年）置良泉县，属离石郡。北周建德六年（577 年）属石州。隋大业三年（607 年）改为方山县，徙治今方山村。因当地有方山，故以山名县。唐武德二年（619 年）于方山县置方州。三年废方州，县属石州。贞观十一年（637 年）县治徙今古贤村。金贞祐四年（1216 年）徙治积翠山（今方山村）。至元三年（1266 年）废入离石县。1918 年复置方山县，属冀宁道。1927 年废道后直属山西省。1937 年属山西省第四行政区。1945 年县政府迁圪洞镇。1949 年初属陕甘宁边区晋西北区，8 月属山西省兴县专区。1952 年属榆次专区。1954 年并入离山县，属榆次专区。1971 年复置方山县，属吕梁地区。2004 年属吕梁市。2021 年方山县撤销麻地会乡、积翠乡，合并设立积翠镇。地势北高南低，由东北向西南倾斜，西北、和东南部为土石山区，西南部为丘陵，中部为北川河平川。主要山脉有孝文山（南阳山）、云顶山、架梁山、骨脊山。北川河、湫水河流经。平均海拔1300米。最高峰孝文山主峰海拔2830.7米，最低点武回庄河滩海拔987米。年均气温7.9℃。年降水量440—650毫米。无霜期90—180天。境内水资源总量达到1.09亿立方，是吕梁市饮用水水源地。森林覆盖率达41%，被誉为“吕梁后花园”。有东山、西山两条林带，有油松、落叶松、杨、槐、榆等。矿产资源有煤、陶瓷土、铁等。有国家重点保护动物褐马鸡、金钱豹、猞猁、兔狲。有黄芪、党参、甘草等观赏、药用植物10余种。有图书馆1个，文化站6个，村级文化活动室164个，各类文体协会和组织21个，文化研究会2个，民俗馆3个。有市级非物质文化遗产2项。有县、乡两级卫生计生机构16个，其中县直卫生单位6个，分别是县人民医院、县中医院、县疾病预防控制中心、县卫生监督所，县妇幼计生服务中心、卫校。有圪洞文星寺、北武当道观、方山县圪洞天主教堂、圪洞天主教郝家庄活动点、峪口基督教堂等宗教活动场所。有道教协会、天主教“两会”、基督教“两会”等宗教团体。有全国重点文物保护单位南村左国城遗址。有省级文物保护单位方山鼓楼、贺龙中学。有省级爱国主义教育基地于成龙廉政文化园。古迹、纪念地有大武木楼、于成龙故居、于成龙墓、张家塔民居、抗日烈士塔等。有国家4A级旅游景区北武当山风景区。还有南阳沟、横泉水库水上乐园等景区景点。三次产业比例5：65：30。农业以种植业为主，主产玉米、马铃薯、谷子、小杂粮等。工业形成以煤、电、冶炼、建材、农副产品加工为主的工业结构。服务业以餐饮、住宿、物流为主。特产土豆、沙棘、番茄酱等。吕梁飞机场在境内。太原—佳县、吕梁绕城高速，209国道，省道太高线、岢大线、祁方线经此。

141128-B01 **圪洞镇**［Gēdòng Zhèn］方山县人民政府驻地。在县境中部。面积212平方千米。人口4.67万。辖1社区、16行政村。镇人民政府驻圪洞。1953年设圪洞乡，后改公社。1984年改置镇。2001年石站头乡并入。因驻地得名。地势东高西低，地形分为山地、平川。主要山脉有天壕山、少炉山，境内最高峰位于天壕山，海拔2141米。最低点位于班庄村河谷，海拔1079米。北川河流经。有中小学、文化馆、图书馆、博物馆、体育馆等。有方山革命烈士纪念塔等纪念地。有天主教堂、圪洞古街、圪洞唐槐等古迹。有横泉水库等风景区。农业主产玉米、土豆、大豆、谷子、蔬菜。工业以建材加工、农产品深加工为主。服务业以运输和房地产为主。209国道经此。

141128-B01-K01 **方州大道**［Fāngzhōu Dàdào］在方山县城西部。北起迎宾大道，南至成龙大道。长3.7千米，宽38米。沥青路面。2002年建成。原名外环路，2014年改建后更今名。两侧有烟草公司、方山二中、方山县教育体育科技局、积翠公园、北川河公园、明德小学等。

141128-B01-K02 **方正街**［Fāngzhèng Jiē］在方山县城中部。北起方州大道津良庄加油站，南至圪洞村附近。与武当路、府前街等道路相交。长3.6千米，宽36米。沥青路面。1997年建成。2007年改建。因该街路线较为方正，且作为方山县城主要街道，因此得名。两侧有育才小学、方山县人民政府、方山影剧院等。

141128-B01-K03 **方正南街**［Fāngzhèng Nánjiē］在方山县城南部。北起方州大道，西南至西环路。长0.5千米，宽16米。沥青路面。原名南新街。2007年改造后，因在方正街南侧更今名。两侧有明德体育场、车道崖村等。

141128-B01-H01 **圪洞**［Gēdòng］圪洞镇人民政府驻地。在县政府驻地圪洞镇南2.5千米。人口3100。原名吴家圪洞，后简称今名。聚落呈团块状。有方山县一中、仁杰中学、圪洞明德小学。有县级文物保护单位方山抗日烈士塔，纪念抗日战争中牺牲的革命烈士。有薛氏民宅、刘氏民宅、张氏民宅，现存皆为清代建筑遗构。209国道经此。

141128-B02 **马坊镇**［Mǎfāng Zhèn］方山县辖镇。在县境北部。面积368平方千米。人口1.83万。辖15行政村。镇人民政府驻马坊。1953年设马坊乡，后改公社。1984年改置镇。2001年开府乡并入。因驻地得名。地处关帝山、宝塔山、赫赫岩山之间。地势东高西低，地形分为山地、河谷、平地。主要山脉有关帝山、宝塔山、赫赫岩山，境内最高点位于云顶山山顶，海拔2831米。最低点河谷位于刘家坡，海拔1341米。年均气温4.0—5.0℃。无霜期90天。北川河流经。矿产有铁、金、钨、蛭石、透闪石、钼等。有中药材、山木耳、山蘑菇、羊肚菌、沙棘等野生资源。有小学、卫生院、文化站、农家书屋。农业以种植、养殖为主。盛产马铃薯、红芸豆、沙棘。企业有选矿厂、食品公司等。服务业以商贸、餐饮为主。209国道、太原—佳县高速、省道太高线经此。

141128-B02-H01 **马坊**［Mǎfāng］马坊镇人民政府驻地。在县政府驻地圪洞镇东北25千米。人口2700。古为牧马滩，因建有马房而得名，后演变为今名。聚落呈团块状。有方山三中、马坊小学、马坊镇卫生院。有马坊遗址，为新石器时代龙山文化及东周文化遗存。盛产沙棘。209国道、省道太佳线经此。

141128-B03 **峪口镇**［Yùkǒu Zhèn］方山县辖镇。在县境中部偏南。面积169平方千米。人口2.93万。辖17行政村。镇人民政府驻峪口。1953年设峪口乡，后改公社。1984年改置镇。2001年张家塔乡并入。因驻地得名。地处石虎山、处天山之间，地形分山地、丘陵和谷地。主要山峰有关帝山、支顶山、武当山、石虎山、落辉山、汉高山等，最高峰关帝山主峰海拔2830米，最低点位于新庄村河谷，海拔1028米。北川河流经。矿产有煤炭、铝矿、石灰石等。有中小学、卫生院、敬老院、文化广场。有全国重点文物保护单位南村左国城遗址。古迹有玄武行宫、战国皋狼城遗址、于成龙墓、张家塔民居。为县南地区农副产品集散地。农业主产玉米、小麦、土豆。盛产万盛菊、芦笋等。工业以煤炭、铝矿、石灰石开采为主。服务业以运输、住宿、餐饮为主。209国道经此。

141128-B03-H01 **峪口**［Yùkǒu］峪口镇人民政府驻地。在县政府驻地圪洞镇南19千米。人口4600。因地处峪口河汇入北川河之谷口而得名。聚落呈条带状。有峪口镇中心卫生院。有县级文物保护单位峪口真武行宫，现为清代建筑遗构。有峪口梁氏民宅，现存为清代建筑遗构。有峪口薛氏民宅，现存为民国建筑遗构。209国道经此。

141128-B03-H02 **南村**［Náncūn］在县政府驻地圪洞镇南20千米，北川河东岸。峪口镇辖行政村。人口2200。因在峪口村南而得名。聚落呈条带状。有南村学校。有第六批全国重点文物保护单位左国城遗址，始建于战国，先后为战国皋狼邑、西汉皋狼县治所，十六国汉刘渊起兵反晋在此建都称左国城，北齐良泉县，北周窑胡县，隋时修化县治所在此。209国道经此。

141128-B03-H03 **张家塔**［Zhāngjiātǎ］在县政府驻地圪洞镇西南16.3千米。峪口镇辖行政村。人口900。因张姓首居，且处于一高台上而得名。聚落呈团块状。有市级文物保护单位张家塔民居，现存皆为清代建筑遗构。2009年被列入第三批山西省历史文化名镇名村。2016年被列入第四批中国传统村落名录。县道土韩线经此。

141128-B04 **大武镇**［Dàwǔ Zhèn］方山县辖镇。在县境西南部。面积157平方千米。人口3.68万。辖1社区、17行政村。镇人民政府驻大武。1953年设大武乡，后改公社。1984年改置镇。2001年店坪乡并入。因驻地得名。地处晋西黄土高原丘陵沟壑区，地势东西高，中间低。地形分为沟壑、平川，主要山峰有马头山，境内最高峰位于西部马头山顶，海拔1243米。最低点位于武回庄河滩，海拔986米。北川河流经。矿产有煤炭、陶瓷土矿等。有中小学、卫生院、幼儿园、文化站。有省级文物保护单位贺龙中学、方山鼓楼。古迹有水图先生祠墓。农业以种植为主，有蔬菜、养殖、土豆、葵花、小杂粮五大特色产业。有煤矿和焦化、建材、冶炼等企业。服务业以住宿、餐饮为主。吕梁飞机场在境内，吕梁绕城高速、209国道、省道岢大线经此。

141128-B04-H01 **大武二**［Dàwǔ 'èr］大武镇人民政府驻地。在县政府驻地圪洞镇南26千米。人口1500。相传该镇最早仅有十户人家居住，故名十家庄，后村中出了文秀才，才彰其盛名，遂改名小文村，此后村中又出一武状元，并因此而习武之风盛行，故名。聚落呈团块状。有贺龙中学、大武小学、大武中心卫生院。有第八批全国重点文物保护单位、第二批省级文物保护单位大武鼓楼，据明嘉靖二十六年（1547 年）碑（碑已佚）文记载，始建于明景泰四年（1453 年），现存为明代建筑遗构。209 国道、省道岢大线经此。

141128-B04-H02　**大武一**［Dàwǔyī］在县政府驻地圪洞镇南 26 千米。大武镇辖自然村。人口 6500。相传该镇最早仅有十户人家居住，故名十家庄，后村中出了文秀才，才彰其盛名，遂改名小文村。此后村中又出一武状元，并因此而习武之风盛行，故名。聚落呈团块状。有第三批省级文物保护单位贺龙中学，学校于 1945 年 9 月在贺龙元帅领导下于文水县成立，称“陕甘宁晋绥五省联防军驻晋随营学校”。209 国道、省道岢大线经此。

141128-B05 **北武当镇**［Běiwǔdāng Zhèn］方山县辖镇。在县境东南部。面积 231 平方千米。人口 0.74 万。辖 7 行政村。镇人民政府驻下昔。1953 年设下昔乡，后改公社。1984 年复置乡。2001 年更名北武当镇。地处骨脊山、北武当山西麓。地势西低东高，地形分为山地、丘陵，主要山脉有北武当山、骨脊山。境内最高峰位于骨脊山山顶，海拔 2535.1 米。最低点位于韩庄村河谷，海拔 1091 米。北川河、峪口沟河流经。有中小学、卫生院、敬老院、文化广场。有省级爱国主义教育基地于成龙廉政文化园。有于成龙故居、三官圣神楼等。有国家 4A 级旅游景区北武当山风景区。农业主产玉米、土豆、莜麦、谷子。盛产万寿菊、中药材。工业以农产品加工为主。服务业以旅游、餐饮为主。通公路。

141128-B05-H01　**下昔**［Xiàxī］北武当镇人民政府驻地。在县政府驻地圪洞镇东南 21 千米。人口 1300。原名下薛村，后以方言谐音演变为今名。地处北武当山西麓。聚落呈条带状。有北武当镇卫生院。有国家 AAAA 级旅游景区北武当山风景区，北武当山集“雄、奇、险、秀”于一身，是吕梁山的一颗明珠，素有“三晋第一名山”之称，系我国北方道教圣地之一。乡村道路经此。

141128-B05-H02　**来堡**［Láibǎo］在县政府驻地圪洞镇东南 16 千米。北武当镇辖行政村。人口 1300。因村有古堡，来姓始而得名。聚落呈条带状。为清代两江总督于成龙故里。有省级爱国主义教育基地于成龙廉政文化园。有第八批全国重点文物保护单位、第五批省级文物保护单位于成龙故居，于成龙生于明万历十四年（1586 年），被康熙赞誉为“天下第一廉吏”，故居现存为清代建筑遗构。乡村道路经此。

141128-B05-H03　**新民**［Xīnmín］在县政府驻地圪洞镇东南 22 千米。北武当镇辖自然村。人口 370。原名鸦崖，后取新民主主义革命胜利之意而更名。聚落呈条带状。有第六批省级文物保护单位离东县抗日民主政府旧址，1940 年 9 月，为了便于对离石东部地区抗日斗争的领导，中共晋西区党委、山西省第二游击区行署决定组建离东县，是八路军各根据地通往延安红色交通线的一个重要通道。有无公害蔬菜种植基地。乡村道路经此。

141128-B06 **积翠镇**［Jīcuì Zhèn］方山县辖镇。在县境北部。面积 300 平方千米。人口 1.89 万。辖 18 行政村。镇人民政府驻方山。1953 年设乡，后改公社。1984 年复置乡。2001 年为积翠乡、麻地会乡。2021 年撤麻地会乡、积翠乡，合并设立积翠镇。地势东北高、西南低，地形分为山地、丘陵、河谷。主要山脉有云顶山、架梁山、南阳山、落辉山，境内最高点云顶山峰位于南阳沟，海拔 2700 米；最低点位于石湾村，海拔 1252 米。其中南阳山（孝文山）为华北第二高峰。北川河流经。矿产有钾长石、石英石、蛭石、磷化矿等。有小学、卫生院、文化站、农家书屋。有南阳山林场，盛产红松、油松、杨桦林等。有南阳沟森林公园、神龙沟森林公园等风景区。有方山故城遗址、宋代石岭关都部署郭进墓等古迹。农业主产马铃薯、油料、莜麦。工业以矿石开采为主。服务业以批发、零售为主。太原—佳县高速、209 国道、省道太高线、祁方线经此。

141128-B06-H01　**方山**［Fāngshān］积翠镇人民政府驻地。在县政府驻地圪洞镇北 15 千米。人口 1500。古名积翠山。金贞祐四年（1216 年）为方山县治所，元废，后设巡检司，1918—1954 年为县治驻地，故名。聚落呈条带状。有积翠示范小学、积翠乡卫生院。有市级文物保护单位方山城址，原为方山县治所。有方山圣母庙、方山过街楼，现存皆为清代建筑遗构。209国道经此。

141129 **中阳县**［Zhōngyáng Xiàn］吕梁市辖县。北纬37° 20′，东经111° 11′。在市境南部。面积1439平方千米。人口13.85万。辖5镇、1乡。县人民政府驻宁乡镇。秦置中阳县，属太原郡。西汉属西河郡。三国魏中阳县治徙今孝义市境。北周大象元年（579年）因平定山胡之乱，置宁乡、平夷2县，属离石郡。宁乡县治在今县东部；平夷县治在今县城。隋宁乡县并入离石县。唐、宋平夷县属石州。金明昌六年（1195年）平夷县改宁乡县。元因之。明万历二十三年（1595年）改属永宁州。清因之。1912年废府。1913年属中路道。三年因与湖南省宁乡县重名改中阳县，属冀宁道。十六年废道后直属山西省。1949年初属陕甘宁边区晋西北区，8月属山西省汾阳专区。1951年属兴县专区。1952年属榆次专区。1958年废入离石县。1960年复置中阳县，属晋中专区。1967年属晋中地区。1971年属吕梁地区。2004年属吕梁市。因“两山怀抱、立川之中，一水中分、居河之阳”而得名。地处吕梁山脉中段，地势东南高西北低。主要河流南川河、东川河等。山地和黄土丘陵占93.7%，中部沿川河谷占6.3%。最高峰上顶山海拔2100.7米。最低点道棠村海拔907.7米。年均气温8.4℃。年均降水量487.7毫米。矿产有煤、铁、铝矾土、耐火粘土、石英砂等20多种。其中煤炭以储量大、品质优、煤层浅而著称全国，是国宝级稀缺煤种，探明储量49亿吨，产能2460万吨。有各级各类学校58所，其中特殊教育1所，普通高中1所，职业高中1所，初中5 所，小学23所，九年一贯制学校5所，单办幼儿园22所。有医疗卫生机构（医院、卫生院）186所，其中妇幼保健院（所、站）1个。有国家重点保护动物褐马鸡、金钱豹、獐。有甘草、茯苓、党参等300多种中草药材。森林覆盖率49.09%，林木绿化率71%。有全省第一个核桃经济林、是山西省政府命名的“林业生态县”。中阳剪纸为世界非物质文化遗产、国家非物质文化遗产。被文化部命名为“中国民间文化艺术之乡”。纪念地有关上战斗遗址等。风景区有柏洼山森林公园、车鸣峪风景区、上顶山风景区等。三次产业比例:2:75:23。农业主种玉米、谷子、大豆、高粱等。工业以钢铁冶炼、混凝土制造、煤炭为主。服务业以餐饮、住宿、运输为主。特产柏籽羊肉、核桃、木耳、小杂粮。是“全国木耳十大主产基地县”。入选“第二批革命文物保护利用片区分县名单”，山西省2018、2019年度省级平安县（市、区）名单。孝柳铁路经此设站。右玉—芮城高速、209国道、省道汾柳线经此。

141129—R01 **中阳站**［Zhōngyáng Zhàn］见交通运输设施部分“中阳站”条。

141129-B01 **宁乡镇**［Níngxiāng Zhèn］中阳县人民政府驻地。在县境中部。面积119平方千米。人口4.73万。辖13社区、3行政村。镇人民政府驻城关。1953年设城关乡，后改公社。1984年改置镇。2001年更今名。因曾为宁乡县治所而命名。主要山脉有吕梁山，最高峰柏洼山位于柳沟村东南500米，海拔1350米。最低点位于太高村北口，海拔930米。南川河流经。矿产有煤、铁矾土、陶瓷土、粘土等。有中小学、卫生所、文化馆、图书馆、档案馆、医院、体育场等。有柏洼山森林公园、上顶山风景区等风景区。古迹、纪念地有仙明洞、弓家湾新石器文化遗址、庞家会战国中阳邑遗址、中阳烈士陵园、烈士楼。农业主产玉米、谷子、薯类、小杂粮。工业以采矿、冶炼、煤焦为主。服务业以餐饮、住宿为主。特产柏籽羊。孝柳铁路经此设站。右玉—芮城高速、209国道、省道汾柳线经此。

141129-B01-K01 **凤城北街**［Fèngchéng Běijiē］在中阳县城中部。北起209国道，南至滨河东路中阳大桥。以中阳大桥为界，分为南街、北街。长3.2千米，宽15米。沥青路面。1987年建成。因中阳县城古称凤城得名。两侧有宁乡镇人民政府、中阳县公安局、中阳县交警大队、中阳二中等。通中阳1、2路等公交车。

141129-B01-K02 **凤城南街**［Fèngchéng Nánjiē］在中阳县城中部。北起中阳大桥，南至209国道。以中阳大桥为界，分为南街、北街。长1.5千米，宽16米。沥青路面。1987年建成。两侧有中阳县粮食局、宁乡派出所、中阳县地方税务局等。通中阳2路公交车。

141129-B01-K03 **二郎坪街**[Èrlángpíng Jiē]在中阳县城西部。北起广场南路，南至北环路。与桃园巷等道路相交。长1.2千米，宽16米。沥青路面。1965年建成。因位于二郎山下而得名。两侧有春雷民俗博物馆、滨河小区等。通中阳1、101路等公交车。

141129-B01-K04 **滨河东路**[Bīnhé Dōng lù]在中阳县城东部。北起阳坡塔村，南至钢源路。与中钢二号路、千禧路、广场南路等道路相交。长8.5千米，宽15米。沥青路面。1979年建成，为209国道过城段。因位于南川河东侧得名。两侧有中阳公路管理段、过上小区、中钢苑小区等。通中阳2路公交车。

141129-B01-K05 **滨河西路**[Bīnhé Xīlù]在中阳县城东部。北起中钢桥，南至中阳大桥。与中钢二号路、千禧路、广场南路等道路相交。长2.8千米，宽6.5米。沥青路面。1989年建成。因位于南川河西侧得名。两侧有中阳县人民政府、桃园小区、滨河小区等。

141129-B01-K06 **中钢路**[Zhōnggāng Lù]在中阳县城中部。北起中钢一号路，南至广场南路。与中钢二号路、学府街、千禧路等道路相交。长1.5千米，宽32米。沥青路面。1988年建成。因中阳钢铁有限公司而得名。两侧有中阳一中、中阳县人民政府、广电大厦等。通中阳1、101路等公交车。

141130-B01-K07 **东环路**[Dōnghuán Lù]在中阳县城中东部。北起北门桥，南至凤城南街。与凤城东街、宁乡中路等道路相交。长1.6千米，宽15米。沥青混凝土路面。1978年建成。两侧有宁兴学校、城南幼儿园等。通中阳1路公交车。

141129-B01-H01 **柏家峪**[Bǎijiāyù]在县政府驻地宁乡镇东南8千米。宁乡镇辖自然村。人口348。因村外庙前有两棵柏树而得名。聚落呈条带状。有第六批省级文物保护单位柏洼山龙泉观，现存建筑中除昭济圣母庙建筑群中老君庙为元代遗构外，余皆为明、清建筑遗构，主要以“三绝、三珍、三传说”闻名。省道汾柳线经此。

141129-B01-H02 **庞家会**[Pángjiāhuì]在县政府驻地宁乡镇北1.5千米。宁乡镇辖行政村。人口3260。相传战国魏将庞涓曾屯兵于此，故名。聚落呈团块状。有中阳县职业中学、庞家会小学。有县级文物保护单位庞家会城址，为战国时期文化遗存。有国家级非物质文化遗产中阳民俗剪纸，被誉为“华夏剪纸第一村”。209国道经此。

141129-B02 **金罗镇**[Jīnluó Zhèn]中阳县辖镇。在县境北部。面积177平方千米。人口4.26万。辖1社区、20行政村。镇人民政府驻金罗。1953年设金罗乡，后改公社。1984年改置镇。2002年张子山、苏村并入。因驻地得名。地形为两峡一川，东、西山属黄土丘陵区，中部为南川河谷区。主要山脉有吕梁山，最高峰为摩天圪垯，位于罗家卯村东北部，海拔1389米。最低点位于道棠村北口，海拔907.7米。矿产资源有煤、铁、铅土、石灰岩等。有中小学、卫生院。古迹有金容寺、道棠村汉代画像石、山峪村明代墓群。为县粮食、蔬菜生产基地。农作物以玉米、高粱、谷子、马铃薯为主。特产芦苇、红枣、核桃。为县煤焦生产基地，有煤矿、洗煤、焦化、电力、建材等企业。服务业以餐饮、住宿、娱乐为主。为县北农副产品集贸中心，有定期集市和物资交流会。孝柳铁路经此设站。右玉—芮城高速、209国道、省道汾柳线经此。

141129-B02-H01 **金罗**[Jīnluó]金罗镇人民政府驻地。在县政府驻地宁乡镇西北11千米。人口4030。原名金箩，因地形圆如箩，取金银满箩之意而得名。聚落呈团块状。有中阳县第三中学、金罗镇示范小学、金罗镇中心卫生院。有县级文物保护单位昭济圣母庙，现存为清代建筑遗构。209国道、省道汾柳线经此。

141129-B03 **枝柯镇**[Zhīkē Zhèn]中阳县辖镇。在县境东部。面积248.56平方千米。人口1.06万。辖8行政村。镇人民政府驻枝柯。1953年设枝柯乡，后改公社。1984年改置镇。因驻地得名。地势由东南向西北倾斜，地形分为土石森林区、黄土丘陵区、河谷区。主要山脉有吕梁山、纱帽顶、上东山、薛公岭等，境内最高峰位于三角庄村北部于家背，海拔1980.6米。最低点位于谷罗沟村西北部前岭，海拔1200米。东川河、南川河流经。矿产有煤、铝矾土、耐火黏土、石灰岩等。有中小学、卫生院、文化站、农家书屋。有枝柯村烽火台、师庄国清寺等古迹。农业主产莜麦、马铃薯、油料作物。养殖业有柏籽羊养殖。有工业园，有煤矿、冶炼、焦化等企业。服务业以餐饮、住宿为主。为县东农副产品集散地，有大型集贸市场。孝柳铁路、209 国道、省道汾柳线经此。

141129-B03-H01 **枝柯**［Zhīkē］枝柯镇人民政府驻地。在县政府驻地宁乡镇东南 13 千米。人口 1648。相传因村地形如树枝柯叉而得名。聚落呈团块状。有中阳县第六中学、枝柯小学、枝柯镇卫生院。有枝柯遗址，为新石器时代、夏、商、东周时期文化遗存。有枝柯烽火台，为明代军事设施遗址。特产有红枣、核桃。有大型集贸市场，为县东农副产品集散地。省道汾柳线经此。

141129-B04 **武家庄镇**［Wǔjiāzhuāng Zhèn］中阳县辖镇。在县境西部。面积 184 平方千米。人口 1.44 万。辖 10 行政村。镇人民政府驻武家庄。1953 年设武家庄乡，后改公社。1984 年改置镇。2002 年张家庄乡并入。因驻地得名。地处晋陕黄土高原东部，地势东高西低，地形分为山地和丘陵。主要山脉有吕梁山，境内最高峰位于石口头村安家塔梁，海拔 1670 米。最低点位于刘家庄村西，海拔 878 米。武家庄河流经。资源矿产有煤。有野生植物及中药材 300 多种。民间艺术有秧歌、剪纸、刺绣等。有中小学、卫生院、文化站、农家书屋。农业主种小麦、玉米、高粱。盛产南瓜。工业以煤矿开采为主。服务业以商贸为主。为县西集贸中心。通公路。通公路。

141129-B04-H01 **武家庄**［Wǔjiāzhuāng］武家庄镇人民政府驻地。在县政府驻地宁乡镇西南 20 千米。人口 2040。聚落呈团块状。有中阳县第五中学、武家庄小学、武家庄镇卫生院。有武家庄遗址，为新石器时代文化遗存。有武家庄民居，现存皆为清代建筑遗构。县道中岳线经此。

141129-B04-H02 **刘家圪垛**［Liújiāgēduǒ］在县政府驻地宁乡镇西南 20.3 千米。武家庄镇辖行政村。人口 920。因曾有刘氏居住于此，又因村庄在低洼之处而得名。聚落呈团块状。有县级文物保护单位香严寺，据《诸神碑》记载，创建于明万历二十一年（1573 年），现存为清代建筑遗构。有刘家圪垛桥、张家老宅，现存皆为清代建筑遗构。2019 年被列入第五批中国传统村落名录。乡村道路经此。

141129-B05 **暖泉镇**［Nuǎnquán Zhèn］中阳县辖镇。在县境西南部。面积 467 平方千米。人口 2.84 万。辖 21 行政村。镇人民政府驻暖泉。1953 年设乡，后改公社。1984 年改置镇。2021 年车鸣峪乡并入。因驻地得名。地势东高西低，地形分为土石区和黄土丘陵区。主要山脉有吕梁山，境内最高峰位于弓阳村南上顶山，海拔 2100.7 米。最低点位于沙塘村空心滩，海拔 880 米。暖泉河、南川河流经。矿产有煤炭、铁、铝矾土、石英砂、石灰岩、白云岩等。有中小学、卫生院、敬老院。有雷家庄新石器文化遗址、岳家山石窟、宁国寺、泉子关等古迹。有车鸣峪风景区、车鸣峪兵工厂遗址、关上战役纪念碑等景点。农业主种谷子、玉米、高粱。有全县最大的优质核桃生产基地。工业以煤矿开采、石料、耐火材料加工为主。服务业以餐饮、住宿为主。通公路。

141129-B05-H01 **暖泉**［Nuǎnquán］暖泉镇人民政府驻地。在县政府驻地宁乡镇西南 32 千米。人口 4370。原名百泉村，因村旁群泉涌出，冬不结冰而得名。聚落呈团块状。有中阳县第四中学、暖泉小学、暖泉镇卫生院。有暖泉遗址，为新石器时代、夏商、东周时期文化遗存。有海容寺、佛音堂、贺家老宅，现存皆为清代建筑遗构。县道万辛线经此。

141129-B05-H02 **关上**［Guānshàng］在县政府驻地宁乡镇南 22 千米。暖泉镇辖自然村。人口 810。因地处县南要隘泉子关而得名。聚落呈团块状。有关上战役遗址，1936 年 2 月中国工农红军抗日先锋军突破晋军防线，东渡黄河，与晋军展开激烈斗争。209 国道经此。

141129-C01 **下枣林乡**［Xiàzǎolín Xiāng］中阳县辖乡。在县境西北部。面积 288 平方千米。人口 1.38 万。辖 13 行政村。乡人民政府驻下枣林。1953 年设下枣林乡，后改公社。1984 年复置乡。2002 吴家峁乡并入。因驻地得名。主要山脉有吕梁山，境内最高峰为军山，海拔 1343.5 米。最低点坡底村位于米家塌村，海拔 1001.7 米。吴家峁河流经。矿产有煤、铝矾土、石膏、铁。有中小学、卫生院、文化站、农家书屋。农业主种玉米、薯类、豆类。企业以煤矿为主。服务业以餐饮、住宿为主。通公路。

141129-C01-H01 **下枣林**［Xiàzǎolín］下枣林乡人民政府驻地。在县政府驻地宁乡镇西 8 千米。人口 1560。原名枣林村，以多枣树而得名。后因附近另有枣林村，故改今名。聚落呈团块状。有下枣林乡卫生院。有下枣林遗址，为新石器时代文化遗存。有下枣林高家老宅，现存为清代建筑遗构。特产有红枣、核桃。有厚通科技养殖有限公司。县道中岳线经此。

141130 **交口县**［Jiāokǒu Xiàn］吕梁市辖县。北纬 36° 58′，东经 111° 10′。在市境南部。面积 1259.92 平方千米。人口 9.53 万。辖 6 镇、1 乡。县人民政府驻水头镇。1971 年孝义、灵石、隰县 3 县部分行政区域置交口县，县政府驻水头镇，属吕梁地区。2004 年属吕梁市。因地处隰县、中阳、孝义 3 地交叉口得名。地势西、北高，东、南低，西、北部吕梁山群峰耸立。东、南部为黄土丘陵，河谷狭窄。北部为山间盆地。大麦郊河、康双河、宝岩河、回龙河、温泉河等流经。有高庙山、棋盘山、人参圪垯、黄崖山等山脉。最高点黄云洞山海拔 2954 米，最低点官桑园海拔 830 米。年均气温 6.7℃。年均降水量 618 毫升。日照时间为 2627 小时 / 年。平均无霜期为 142 天。矿产有煤、硫、铁、铝、石灰岩、白云岩、耐火粘土等 14 种，含矿面积 850 平方公里，占国土总面积的 67.1%。森林覆盖率为 33.8%，林木绿化率 56.6%。有 139 个树种、200 种草本植物和 200 余种中药材资源，是全国沙棘和汾洲核桃主产区之一。有 20 余种禽类和 30 种兽类，有褐马鸡、袍子、麝等国家保护动物。有吕梁学院实习实训基地、职业中学。有省级文物保护单位红军东征总指挥部旧址、千佛洞、韩极石牌坊及韩极碑亭。有市级文物保护单位西庄村幸福泉、郭家掌毛泽东路居、云峰观。有省级爱国主义教育基地红军东征总指挥部旧址。景区有南山森林公园、牡丹洞、黄云洞、云梦山。民间艺术有扭秧歌、踩高跷、威风锣鼓等。有山西省首批历史文化名村西庄。三产产业比例 5：74：21。农业主产土豆、胡麻、莜麦、玉米、核桃等。工业形成煤、铝、铁等氧化铝主导产业。服务业以运输、餐饮为主。特产沙棘汁、晋谷 21 号小米、莜麦、胡麻、小磨胡麻油等。“维仕杰”沙棘汁是山西省名牌产品、山西省著名商标。209 国道、省道孝石线、桃临线经此。

141130-B01 **水头镇**［Shuǐtóu Zhèn］交口县人民政府驻地。在县境西北部。面积 214.7 平方千米。人口 2.33 万。辖 6 个社区、12 行政村。镇人民政府驻水头。1953 年设水头乡，后改城关公社。1984 年改置镇。2001 年更名水头镇。因驻地得名。地处吕梁山脉，地势西北高、东南低。地形分为山地丘陵区，主要山脉有吕梁山脉。最高峰黄云洞位于镇西北部，海拔 2054 米。最低点宝岩河位于下庄村，海拔 1222 米。宝岩河流经。矿产有煤炭、铝土、耐火黏土、铁、硫铁、石灰岩、白云石等等。有职业中学、中小学、文化馆、图书馆、档案馆、卫生院等。农业以种植谷子、土豆、胡麻等和养殖为主。盛产中药材、沙棘、核桃。工业以废气废渣利用深加工为主。服务业有商贸、餐饮、住宿等。209 国道、孝义—石楼省道经此。

141130-B01-K01 **龙泉街**［Lóngquán Jiē］在交口县城中部。西起南环路，东至东环路交叉口。与云梦街等道路相交。长 1.7 千米，宽 15.5 米。沥青混凝土路面。1987 年建成，为砂砾路面。后屡经改建。因龙泉寺而得名。两侧有城关第二小学、交口县人民政府、交口二中。龙泉佳苑小区等。

141130-B01-K02 **东环路**［Dōnghuán Lù］在交口县城中部。北起交口体育场，南至二广场转盘。北与五麟大街相连。长 2 千米，宽 15 米。沥青混凝土路面。1987 年建成，为 209 国道过城段，后多次改建。两侧有曹家崖底村、新华小区、龙王庙等。

141130-B01-K03 **迎宾街**［Yíngbīn Jiē］在交口县城中部。北起东环路，南至青城大街。长 1.2 千米，宽 18.5 米。沥青路面。1987 年建成，为砂砾路面。后屡经改建。因作为迎接宾客进入县城的主街道而得名。两侧有中国邮政储蓄银行交口县支行、碾子沟村等。

141130-B01-K04 **青城大街**［Qīngchéng Dàjiē］在交口县城中部。北起青城小区，南至小交口村。长 1.2 千米，宽 56 米。沥青混凝土路面。2011 年建成。两侧有交口县审计局、东征文化广场、交口县第四小学。

141130-B01-K05 **云梦街**［Yúnmèng Jiē］在交口县城中部。北起五麟大街，南至龙泉街。长 3 千米，宽 13 米。沥青路面。2004 年建成。因路边有云梦市场而得名。两侧有交口县人民医院、交口县财政局、后峪村等。

141130-B01-K06 **南环路**［Nánhuán Lù］在交口县城南部。西起龙泉街，东至青城大街。长 4 千米，宽 15 米。沥青路面。1987 年始建，2004 年改建。因作为县城南部环城路而得名。两侧有迎宾南苑、交口二中、清华小区等。

141130-B01-K07 **五麟大街**［Wǔlín Dàjiē］在交口县城北部。北起学府小区教师公寓，南至后峪村附近。长 2 千米，宽 14 米。沥青路面。1987 年始建，2004 年改建，为 209 国道过境段。因曾有五麟公司在此办公得名。两侧有交口一中、交口三中、学府公馆、交口县教育体育科技局等。

141130-B01-H01 **水头**［Shuǐtóu］水头镇人民政府驻地。在县政府驻地水头镇西北 2 千米。人口 2360。因处于宝岩河上游，为该水源之头，故名。聚落呈团块状。有城关第四小学。有县级文物保护单位水头关帝庙，现存为清代建筑遗构。有水头遗址，为新石器时代龙山文化遗存。有晋西事变水头阻击战遗址，1939 年 12 月 5 日，阎锡山发动“晋西事变”，遗址保存有战斗壕沟 200 米，碉堡 5 座，当时地形地貌均未改变。有商贸服务业。209 国道经此。

141130-B02 **康城镇**［Kāngchéng Zhèn］交口县辖镇。在县境南部。面积 192.7 平方千米。人口 1.63 万。辖 12 行政村。镇人民政府驻康城。1956 年设康城乡，后改公社。1984 年改置镇。因驻地得名。地处吕梁山地、丘陵区的结合地带，地势西北高、东南低。地形分为西部森林茂密的山区，东部黄土丘陵区。境内最高峰老爷顶位于康城镇西南面，海拔 1823 米。最低点位于东部王上坪河沟，海拔 1180 米。康城河流经。矿产资源有煤、铁、硫铁。有中小学、幼儿园、文化站、农家书屋、卫生院。纪念地有毛泽东东征路居纪念馆。种植业以玉米、小杂粮、马铃薯为主。有家禽、家畜。有洗煤、炼铁、焦化、制砖等企业。服务业以商贸、运输为主。桃红坡—临汾省道经此。

141130-B02-H01 **康城**［Kāngchéng］康城镇人民政府驻地。在县政府驻地水头镇东南 35 千米。人口 600。因古有城堡，康姓始居而得名。聚落呈团块状。有康城中学、康城小学、康城医院。有市级文物保护单位康城毛泽东路居，1936 年 3 月 21 日至 4 月 25 日，毛泽东率领东征红军总部机关在此居住 18 天，现存为清代建筑遗构。有县级文物保护单位康城遗址，为战国时期文化遗存。有县级文物保护单位佛顶尊胜陀罗尼经幢，为唐中后期作品。有县级文物保护单位立佛寺，现存为清代建筑遗构。有康城林场。省道桃临线经此。

141130-B03 **双池镇**［Shuāngchí Zhèn］交口县辖镇。在县境东南部。面积 84.9 平方千米。人口 2.09 万。辖 16 行政村。镇人民政府驻双池。1953 年设双池乡，后改公社。1984 年改置镇。因驻地得名。古迹有清代吴氏家族宅院。矿产资源有煤、硫磺、硫铁、铝矾土、高铝耐火土等。有中小学、卫生院、文化广场、生态园。农业主产玉米、谷子、豆类、马铃薯。工业以冶炼为主。为县重点工矿区，有露天煤矿、发电、炼铁、洗煤等企业。服务业有运输、汽配、商贸、餐饮等。是连接晋陕甘冀豫皖的货物集散地，俗称“旱码头”。省道桃临线经此。

141130-B03-H01 **双池**［Shuāngchí］双池镇人民政府驻地。在县政府驻地水头镇东南 51 千米。人口 4500。村落坐东向西，左右各一水池，据堪舆理论左青龙右白虎之说，命名为龙池与虎池，故名。聚落呈团块状。有双池中学、双池第一小学、双池第二小学、双池中心卫生院。有双池民居，现存皆为清代建筑遗构。有红军东征地方委员会旧址，1936 年 2 月 28 日，东征红军地方工作组随十五军团经回龙到达双池后，地方委员会驻扎在双池梁家大院，在双池一带开展工作。省道桃临线经此。

141130-B03-H02 **西庄**［Xīzhuāng］在县政

府驻地水头镇东 49 千米。双池镇辖行政村。人口 700。因在双池镇区西侧而得名。聚落呈团块状。有市级文物保护单位幸福泉，1936 年 3 月 17 日毛主席到达双池西庄村，住在吴家“麟厚堂”院，了解到村民吃水困难，于是率领红军给村里挖了一口井，从此，解决了村民饮水难的问题，群众称此泉为“幸福泉”。有县级文物保护单位西庄毛泽东路居，1936 年 3 月 17 日毛泽东率东征红军总部机关到此。有县级文物保护单位西庄吴氏家族墓地，为清代墓地。2003 年被列入山西省第一批历史文化名村。2012 年被列入第一批中国传统村落名录。2019 年被列入第七批中国历史文化名村名录。乡村道路经此。

141130-B04　**桃红坡镇**［Táohóngpō Zhèn］交口县辖镇。在县境东北部。面积 257.6 平方千米。人口 1.73 万。辖 12 行政村。镇人民政府驻大麦郊。1953 年设大麦郊乡，后改公社。1984 年改置桃红坡镇。2001 年坛索乡并入。因驻地得名。地处吕梁山脉中段，地势西北高、东南低。地形属山地丘陵区，主要山脉为高庙山。最高峰位于高家条村龙山，海拔 1840 米。最低点位于大麦郊村大麦郊河谷，海拔 870 米。大麦郊河流经。矿产有煤炭、铁、硫黄、铝、石灰岩等。有中小学、卫生院、中医院。有省级文物保护单位、省级爱国主义教育基地红军东征总指挥部旧址。古迹、纪念地有红军东征总指挥部纪念馆、毛泽东路居、子夏祠、文昌阁、华佗庙、天神庙。农业主种玉米、谷子。盛产沙棘、核桃。有采煤、铸造、金属镁等企业。服务业有餐饮、运输。古为晋西通往晋中盆地的交通枢纽。省道孝石线、桃临线经此。

141130-B04-H01　**大麦郊**［Dàmàijiāo］桃红坡镇人民政府驻地。在县政府驻地水头镇东北 33 千米。人口 1000。曾为粮贸交易之地且长期经营大麦交易，称作“大麦交”，后因谐音而得名。聚落呈条带状。有大麦郊小学、桃红坡中心卫生院。有第二批省级文物保护单位、省级爱国主义教育基地红军东征总指挥部旧址，1936 年 3 月 3 日，毛主席率领东征红军总部机关住在此院，3 月 5 日在院内南厅召开了政治局扩大会议，现存为清代建筑遗构。340 国道经此。

141130-B04-H02　**西宋庄**［Xīsòngzhuāng］在县政府驻地水头镇东北 32 千米。桃红坡镇辖行政村。人口 600。原名宋家庄，因孝义县有两个宋家庄，故更名西宋家庄，后简为今名。聚落呈团块状。有县级文物保护单位晋西南区党委旧址，1938 年 5 月中共山西省委在孝义县西宋庄（现属交口县）召开特委、县委会议，中共中央北方局负责人杨尚昆同志作了《关于目前形势和任务》的报告，讨论了关于统一领导晋西南地区党组织的问题，宣布晋西南区党委成立，现存为清代建筑遗构。有西宋庄龙王庙、维兴号商铺，现存皆为清代建筑遗构。2014 年被列入第三批中国传统村落名录。乡村道路经此。

141130-B05　**石口镇**［Shíkǒu Zhèn］交口县辖镇。在县境西南部。面积 265 平方千米。人口 1.53 万。辖 15 行政村。镇人民政府驻石口。1953 年设石口乡，后改公社。1984 年复置乡。2001 年川口乡并入。2021 年撤乡设镇。因驻地得名。地处石楼山东麓，城川河发源境内。森林覆盖率 62%。矿产有铁、铝、煤、镁、红砂石、白云石、石灰石等。野生动植物有野鸡、野猪、沙棘、中药材等。有小学、卫生院。有省级文物保护单位千佛洞。景点有云梦山、蒲衣子隐居处、战国石阿城旧址。农业主产玉米、胡麻、土豆等。特色农产品有小杂粮、核桃、中药材。企业有铸造、铝矿、石料加工。服务业以旅游为主。209 国道、省道孝石线经此。

141130-B05-H01　**石口**［Shíkǒu］石口镇人民政府驻地。在县政府驻地水头镇西南 15 千米。人口 2000。《史记・赵世家》载：“成侯十一年（前 339 年）秦攻魏，赵救之石阿。”即此。北魏为岭东县、新城县治。元置乌门关，俗称石口子，故名。聚落呈团块状。有石口小学、石口中心卫生院。有县级文物保护单位石口龙王庙，现存为清代建筑遗构。有石口遗址，为东周时期文化遗存。有石口毛泽东路居，1936 年 3 月 22 日，毛主席率领总部机关到达交口县石口村，3 月 23 日毛泽东在石口继续参加中共政治局会议（晋西会议）。209 国道、省道孝石线经此。

141130-B05-H02　**山神峪**［Shānshényù］在

县政府驻地水头镇西南 18 千米。石口镇辖行政村。人口 600。因原有山神庙而得名。聚落呈团块状。有第四批省级文物保护单位千佛洞，始凿年代不详，据其造像特征和手法应为元初石窟，共有 1055 尊佛像，故名千佛洞。有千佛寺，现存为清代建筑遗构。209 国道经此。

141130-B06 **回龙镇**［Huílóng Zhèn］交口县辖镇。在县境东南部。面积 108 平方千米。人口 1.34 万。辖 10 行政村。镇人民政府驻回龙。1953 年设回龙乡，后改公社。1984 年复置乡。2021 年撤乡设镇。因驻地得名。宝岩河流经。矿产资源有煤、铝土、硫铁、高铝黏土等。有中小学、卫生院。有省级文物保护单位韩极石牌坊及韩极碑亭。纪念地有明志沟中共灵石县第一党支部旧址、七十二眼窑洞。农业主种玉米、谷子、大豆主。有核桃林、蔬菜大棚和猪羊养殖基地。工业以煤矿开采为主。有煤矿、铁矿、硫矿开采和铸造等企业。服务业以运输为主。有中国传统村落明志沟。省道桃临线经此。

141130-B06-H01 **回龙**［Huílóng］回龙镇人民政府驻地。在县政府驻地水头镇东南 40 千米。人口 2000。因村旁山势曲折而得名。聚落呈团块状。有回龙中学、回龙小学、蓝天小学、回龙镇中心卫生院。省道桃临线经此。

141130-B06-H02 **明志沟**［Míngzhìgōu］在县政府驻地水头镇东南 46 千米。回龙镇辖自然村。人口 400。因在山顶朝阳处而得名。聚落呈团块状。有明志沟老爷庙、张莹宅院，现存皆为清代建筑遗构。有明志沟东征第一党支部旧址，1936 年 2 月 28 日东征红军地方工作组随红十五军团到达双池后，驻扎在梁家大院，紧接着，在明志沟宁静堂院内成立了第一个党支部。2014 年被列入第三批中国传统村落名录。乡村道路经此。

141130-B06-H03 **韩家沟**［Hánjiāgōu］在县政府驻地水头镇东南 45 千米。回龙镇辖自然村。人口 450。因韩姓始居，且村庄坐落于沟谷中而得名。聚落呈团块状。有第四批省级文物保护单位韩极石牌坊、韩极碑亭，韩极（1780 年—1854 年），字天枢，号玉衡，咸丰皇帝皓封奉政大夫、国子监大学士，并赐世袭“骑都尉”，咸丰四年（1854 年）病故，其子（袭四川省通判）建韩极墓楼。有韩极家族墓地。2016 年被列入第四批中国传统村落名录。乡村道路经此。

141130-C01 **温泉乡**［Wēnquán Xiāng］交口县辖乡。在县境东北部。面积 137 平方千米。人口 1.08 万。辖 11 行政村。乡人民政府驻城北沟。古有温泉，唐武德三年（620 年）为北温州、温泉县治所，元废。1953 年设温泉乡，后改公社。1984 年复置乡。因古有常温泉水得名。地处吕梁山脉东麓，地势由西向东逐步降低而平缓。地形为低山丘陵沟壑区，主要山脉有莲花掌、金斗山、老爷山。最高峰位于锄家沿村老银洞，海拔 1831 米。最低点位于辛庄村温泉河出口处，海拔 1481 米。矿产有煤、铁、铝等。有中小学、卫生院。古迹有崇圣寺、清真观、金代大钟、无根石碑、石佛寺、唐代温泉县遗址等。农业主产谷子、玉米、大豆。特产核桃。工业以采掘、洗选矿及矿产品加工为主。服务业以运输、餐饮为主。

141130-C01-H01 **城北沟**［Chéngběigōu］温泉乡人民政府驻地。在县政府驻地水头镇东北 48 千米。人口 470。因在原温泉县城北门外沟旁而得名。聚落呈条带状。有温泉九年一贯制学校、温泉乡卫生院。有县级文物保护单位城北沟遗址，为东周、汉代、宋、金时期文化遗存。有县级文物保护单位崇胜寺，现存为明清时期建筑遗构。有关帝庙、观音庙，现存皆为清代建筑遗构。县道西窑线经此。

141181 **孝义市**［Xiàoyì Shì］山西省直辖县级市，由吕梁市代管。北纬 37° 08′，东经 111° 46′。在市境东南部。面积 938 平方千米，人口 47.73 万。辖 4 街道、8 镇、3 乡。市人民政府驻新义街道。北魏太和十七年（493 年）置永安县，属西河郡，治今孝义旧城。唐贞观元年（627 年）改永安县为孝义县，属汾州。明、清改属汾州府。1913 年属中路道。1914 年属冀宁道。1927 年废道后直属山西省。1937 年属山西省第四行政区。1949 年属汾阳专区。1951 年属榆次专区。1958 年废入介休县。1961 年复置孝义县，属晋中专区。1967 年属晋中地区。1971 年属吕梁地区。1975 年在旧城北 1.8 公里处另建新城。1992 年撤县设市。2004 年由吕梁市代管。唐《元和郡县图志》载：因县人郑兴有孝义，故以名焉。另据《读史方舆纪要》载，因县境有孝水和义水得名。地势西北高东南低，西部为吕梁山区及黄土丘陵区，东部为晋中盆地区。最高点银洞野南侧山脉海拔 1782.1 米。最低点大孝堡乡霍家堡村海拔 727.9 米。汾河及其支流孝河、文峪河、下堡河、兑镇河、柱濮河流经。年均气温 10.8℃。年均降水量 455.8 毫米。矿产有煤、铝土、铁、耐火黏土等。境内煤炭探明储量 70.6 亿吨，远景储量 90 亿吨，储煤面积为 783.5 平方公里，占境域总面积的 82.8%。铝矿探明储量 2.6 亿吨，约占全省储量的 18%，占吕梁市储量的 42%。铁矿资源探明储量 1964.3 万吨。有国家重点保护动物金钱豹。有科研机构山西中科天罡科技开发有限公司。有吕梁职业技术学院、太原理工大学现代科技学院等高校。孝义市中学为省级示范学校。青年路小学为中国足球少儿训练基地。有医院 2 个。有全国重点文物保护单位中阳楼、三皇庙、天齐庙、慈胜寺。有省级文物保护单位临黄塔。有市级文物保护单位张家庄汉墓群、关帝庙皮影戏台等 7 处。有山西省党史教育基地孝义建党第一址、抗日模范村纪念馆。皮影戏、木偶戏、碗碗腔、贾家庄婚俗等为国家非物质文化遗产。国家 4A 级旅游景区有胜溪湖森林公园、孝河湿地公园、三皇庙。2008 年被文化部评为“中国民间文化艺术之乡”。三次产业比例 4:67:29。农业主产玉米、小麦、大豆等。工业形成以煤炭为主的产业。服务业以金融、房地产为主。特产曹村豆腐、羊羔酒、核桃、柿子、梧桐山药、尉屯大蒜、苹果、花椒、红枣等。介西、孝柳铁路经此设站。和汾高速、孝汾大道、孝介大道、汾介公路、孝石公路、340 省道经此。

141181-F01 **人民广场**［Rénmín Guǎngchǎng］在孝义市区中部。东侧为迎宾路，北侧为府前街，西侧为青年路。紧邻孝义市人民医院。总面积 4.6 万平方米。1996 年建成。2011 年启动提升改造工程，2013 年完工。广场上有升旗台、休闲长廊等设施，是孝义城区重要的集会、休闲场所。

141181-K01 **北外环街**［Běiwàihuán Jiē］在孝义市区北部。西起孝汾大道，东至 243 省道。与永盛路、大众路、永安路等道路相交。长 5.1 千米，宽 110 米。沥青路面。因作为市区北部主干道而得名。两侧有腾鑫（钢材）商贸有限公司、汾孝未来中心、华信煤焦公司等。

141181-K02 **崇文大街**［Chóngwén Dàjiē］在孝义市区北部。西起孝汾大道，东至永安路。与永盛路、三贤路、大众路、迎宾路等道路相交。长 3.6 千米，宽 115 米。沥青混凝土路面。2007 年始建，2011 年建成。2014 年扩建。因横穿崇文街道得名。两侧有崇文街小学、孝义五中、梦幻海水上乐园、孝义市公安局等。

141181-K03 **振兴街**［Zhènxīng Jiē］在孝义市区北部。西起孝汾大道，东至中和路。与永盛路、大众路、迎宾路、永安路等道路相交。长 6.2 千米，宽 45 米，沥青混凝土路面。1992 年始建，1994 年建成。1995、1998、2008、2009 年多次改建。因途经振兴街道得名。两侧有振兴街小学、汾青酒厂、郑兴公园、碧桂园小区等。通孝义 101、201 路等公交车。

141181-K04 **建设街**［Jiànshè Jiē］在孝义市区中部。西起孝汾大道，东至迎宾路。与永盛路、三贤路、大众路等道路相交。长 3.4 千米，宽 34—40 米。沥青路面。1992、1995、1997 年屡经建设。2004 年全线贯通。两侧有孝义七中、孝义九中、崇义园、兴盛住宅区等。通孝义 8、16 路等公交车。

141181-K05 **府前街**［Fǔqián Jiē］在孝义市区中部。西起孝汾大道，东至中和路。与永盛路、大众路、迎宾路、永安路等道路相交。长 5.5 千米，宽 44 米。沥青混凝土路面。1992 年始建，1994 年建成。2001、2007、2009 年改建。因在市政府前得名。两侧有府西街小学、府东街小学、孝义第九中学、人民广场。通孝义 16、104 路等公交车。

141181-K06 **新义街**［Xīnyì Jiē］在孝义市区中部。西起永盛路，东至永安路，与大众路、迎宾路相交。沥青、混凝土路面，长 3.1 千米，宽 34 米。1975 年孝义新城创建时修筑。1988、1990、1995 年屡经改建。因途经新义街道得名。有孝义汽车站、市人民医院、孝义第八中学、永安市场等。通孝义 101 路公交车。

141181-K07 **新安街** [Xīn'ān Jiē] 在孝义市区南部。西起府南路，东至中和路。与大众路、迎宾路、永安路等道路相交。长 4.4 千米，宽 45 米。沥青路面。路名取新治安宁之意。两侧有万达广场、孝西站、三运小区等。通孝义 6、112、202 路等公交车。

141181-K08 **胜溪街** [Shèngxī Jiē] 在孝义市区南部。西起孝汾大道，东至永安路。与大众路、迎宾路等道路相交。沥青混凝土路面，长 3.8 千米，宽 34 米。原为孝午公路城区段，1996、2006 年经两次改建。因孝河古称胜水得名。两侧有孝义第三中学、铁南蔬菜市场、胜溪街小学等。

141181-K09 **时代大道** [Shídài Dàdào] 在孝义市区南部。西起孝汾大道，东至中和路。与大众路、迎宾路、永安路等道路相交。长 7.3 千米，宽 65 米。沥青混凝土路面。2008 年始建，2010 年建成。原名魏国大道，后因市委提出“五新时代”构想更今名。两侧有胜溪湖森林公园、贾家庄三皇庙等。通孝义 115 路公交车。

141181-K10 **贞观大道** [Zhēnguān Dàdào] 在孝义市区南部。西起孝汾大道，东至中和路。与迎宾路、永安路等道路相交。长 8.6 千米，宽 28 米。沥青混凝土路面。2008 年始建，2010 年建成。为纪念“孝义”之名为唐贞观元年所赐而得名。两侧有胜溪湖森林公园、胜溪派出所等。

141181-K11 **孝和街** [Xiàohé Jiē] 在孝义市区南部。西起湖滨路，东至永安路。与永义路、迎宾路等道路相交。长 2 千米，宽 16 米。沥青路面。路名寓意以孝为先，和谐共处。两侧有汾西矿业永泰花园、大峰胜溪苑南区等。

141181-K12 **敬德街** [Jìngdé Jiē] 在孝义市区南部。西起孝汾大道，东至大同路。与迎宾路、永安路等道路相交。长 6.2 千米，宽 60 米。沥青混凝土路面。2007 年始建，2008 年建成。2011 年改建。原名城南大道，后因路旁尉庄传为隋唐名将尉迟敬德路居处更今名。两侧有吕梁职业技术学院、孝义市第十中学、张家庄水库、胜溪湖森林公园等。通理工大专线公交车。

141181-K13 **朝阳街** [Cháoyáng Jiē] 在孝义市区南部。西起现代路，东至下栅路。与湖滨路、迎宾路、大同路等道路相交。长 5.5 千米，宽 36 米。沥青路面。因位于城南，路名取面向太阳之意。两侧有吕梁职业技术学院南校区、湖滨路小学、梧桐新区等。通孝义 23 路公交车。

141181-K14 **梧桐街** [Wútóng Jiē] 在孝义市区南部。西起孝汾大道，东至介西铁路。与迎宾路、迎宾路、永安路等道路相交。长 6.6 千米，宽 36 米。沥青混凝土路面。原为乡村公路，2008 年改建。因在梧桐镇境内得名。两侧有胜溪湖街道办事处、梧桐新区、安达燃气管输有限公司等。通孝义 9、112 路等公交车。

141181-K15 **孝汾大道** [Xiàofén Dàdào] 在孝义市区西部。北起北外环路，南至梧桐街。与崇文大街、府前街、胜溪街、贞观大道等道路相交。长 6.2 千米，宽 100 米。沥青混凝土路面。2008 年建成。因连接孝义、汾阳而得名。两侧有孝河湿地公园、孝义市卫生局、孝义市残联等。通孝义 101 路公交车。

141181-K16 **永盛路** [Yǒngshèng Lù] 在孝义市区西部。北起北外环，南至胜溪街。与府前街、建设街、振兴街等道路相交。长 3.1 千米，宽 16 米。沥青路面。路名寓意永远丰盛。两侧有郑兴公园、孝义七中、孝义五中等。

141181-K17 **安阳路** [Ānyáng Lù] 在孝义市区中部。南起新义街，北至振兴街。与建设街、三贤西巷、府前街等道路相交。长 1.3 千米，宽 20 米。沥青路面。1995 年建成，1997、2005 年两次拓宽改造。原称市西路，两侧有郑兴公园、兴盛住宅区、云栋小区等。

141181-K18 **三贤路** [Sānxián Lù] 在孝义市区中部。北起崇文大街，南至府前街。与振兴街、建设街等道路相交。长 1.5 千米，宽 30 米。沥青路面。1988、1991、1995、2005 年屡次改扩造。为纪念卜子夏、田子方、段干木等孝义“三贤”而得名。两侧有居义新区、晋华批零市场、三贤路住宅小区等。通孝义 201 路公交车。

141181-K19 **府南路** [Fǔnán Lù] 在孝义市区中部。北起建设街，南至新安街。与新义街、府前街等道路相交。长 0.9 千米，宽 30 米。沥青路面。因位于市政府南边而得名。两侧有东风剧院、佰得广场、新天地小区、协和医院、孝西站等。通孝义 201 路公交车。

141181-K20　**大众路**［Dàzhòng Lù］在孝义市区中部。北起北外环路，南至时代大道。与崇文大街、振兴街、府前街、胜溪街等道路相交。长 3.8 千米，北外环路—振兴街段宽 80 米，振兴街—时代大道段宽 38 米。沥青混凝土路面。1975 年孝义新城创建时形成。1991、1995、2001、2002 年多次改建。两侧有永安市场、酒店等。通孝义 8、104 路等公交车。

141181-K21　**迎宾路**［Yíngbīn Lù］在孝义市区中部。北起汾阳市田屯村，南至曹溪河。与崇文大街、新义街、胜溪街、贞观大道等道路相交。长 11.9 千米，宽 38 米。沥青路面。原为乡间公路，1995、1998、2001、2002、2006、2008 年多次改建。两侧有人民广场、孝义六中、孝义中学等。通孝义 5、汾阳 6 路等公交车。

141181-K22　**永安路**［Yǒng'ān Lù］在孝义市区东部。北起北外环路，南至梧桐街。与崇文大街、振兴街、府前街、贞观大道等道路相交。长 6.7 千米，宽 67 米。沥青混凝土路面。原为汾阳—介休省道过城段，称东二环路。1995、1996 年经两次改建后，为纪念孝义古称永安更今名。两侧有孝义汽车客运站、孝义市皮影木偶艺术博物馆、全民健身公园等。通孝义 5、301 路等公交车。

141181-K23　**中和路**［Zhōnghé Lù］在孝义市区东部。北起北外环，南至新安街。与府前街、吉泰西巷等道路相交。长 4.6 千米，宽 30 米。沥青路面。路名寓意中正平和。两侧有新庄村、新安小区等。通孝义 101 路公交车。

141181-K24　**湖滨路**［Húbīn Lù］在孝义市区南部。北起胜溪街，南至梧桐街。与朝阳街、敬德街、贞观大道、时代大道等道路相交。长 3.5 千米，宽 40—80 米。沥青路面。因邻近胜溪湖而得名。两侧有胜溪湖森林公园、吕梁职业技术学院、封家峪村等。

141181-R01　**孝义西站**［Xiàoyì Xīzhàn］见交通运输设施部分“孝义西站”条。

141181-A01　**新义街道**［Xīnyì Jiēdào］孝义市人民政府驻地。在市境东北部。面积 14.7 平方千米，人口 7.21 万。1998 年成立。因新义街得名。有中小学、幼儿园、卫生院、社区卫生服务中心。有全国重点文物保护单位、国家 4A 级旅游景区三皇庙。有国家 4A 级旅游景区胜溪湖森林公园、孝河湿地公园。有市人民政府、府前广场、人民广场、皮影木偶艺术博物馆、市人民医院等。农业以养殖、种植为主。工业以食品制造、建材加工为主。服务业以商贸服务、文化旅游、房地产、酒店、新型科技互联网为主。特产石头饼。介西、孝柳铁路经此设站。省道孝石线经此。有市长途汽车站。通多路公交车。

141181-A01-J01　**府东社区**［Fǔdōng Shèqū］属新义街道。面积 1 平方千米。人口 4700。因位于市政府东侧而得名。2001 年成立。有孝义市第九中学、府东街小学、崇义园、体管中心、富丽水晶宫、兴旺酒店。2013 年进行综合改造，2014 年被列入全国文明社区。通孝义 5 路、孝义 8 路等多路公交车。

141181-A01-H01　**贾家庄**［Jiǎjiāzhuāng］在市政府驻地新义街道西南 2.5 千米。新义街道辖行政村。人口 3000。聚落呈团块状。有贾家庄小学。有第七批国家重点文物保护单位孝义三皇庙，现存建筑除三皇殿仍保存元代原构外，余皆清代建筑遗构。有市级文物保护单位贾家庄遗址，为新石器时代文化遗存。有市级文物保护单位贾家庄传统民居，现存皆为民国建筑遗构。2014 年贾家庄晋商古道历史街区被列入为省级历史文化街区。2014 年被列入第三批中国传统村落名录。省道孝石线经此。

141181-A02　**中阳楼街道**［Zhōngyánglóu Jiēdào］属孝义市。在市境东北部。面积 20.4 平方千米，人口 3.47 万。2001 年成立。2005 年后完成冀村—大孝堡县乡公路及 14 自然村主干道及户通道路建设。因境内古迹中阳楼得名。孝河、义河流经。有中小学、幼儿园、文化站、卫生医疗中心。有全国重点文物保护单位中阳楼。农业主产小麦、玉米、大豆、马铃薯等。工业有洗煤、焦化、冶金、建材、化工。介西铁路、省道汾介线经此。

141181-A02-H01　**桥北**［Qiáoběi］在市政府

驻地新义街道东南3.4千米。中阳楼街道辖行政村。人口1800。因位于孝义古城南关润民渠上马铺桥之北而得名。聚落呈团块状。有中阳楼初级中学、中阳楼中心小学。有桥北民居、鲁家老宅、程家老宅，现存皆为清代建筑遗构。有王家老宅、田家老宅、张家老宅，现存皆为民国建筑遗构。2011年被评为第三届全国文明村。省道汾介线经此。

141181-A02-H02 **楼东**［Lóudōng］在市政府驻地新义街道东南3.6千米。中阳楼街道辖自然村。人口1700。因位于孝义古城区中阳楼以东而得名。聚落呈团块状。有楼东小学。有第六批全国重点文物保护单位中阳楼，据碑记载，始建于汉魏，是晋中和吕梁地区至今保存结构最完整、规模最大的楼式古建筑。省道汾介线经此。

141181-A03 **振兴街道**［Zhènxīng Jiēdào］属孝义市。在市境东北部。面积26平方千米。人口1.65万。2001年初成立，前身为司马镇。2006年后建设3个新农村。2010年以中和路、司梧线、汾介公路为轴线，从西向东分为居住、商贸、工业区3板块，完善公路网建设。因驻地振兴街得名。属汾河流域，文峪河、虢义河、孝河流经。有中小学、幼儿园、社区卫生服务中心。农业以种植、养殖业为主。有煤层气物流枢纽中心。省道汾介线、孝南线、北外环、司梧线经此。

141181-A04 **胜溪湖街道**［Shèngxīhú Jiēdào］属孝义市。在市境西南部。面积47.88平方千米。人口3万。2013年由原胜溪湖、东许两个办事处合并成立。因境内胜溪湖得名。有中小学、幼儿园、文化站、卫生医疗中心。有高新科技园区、高教文体园区、曹溪河生态观光区、胜溪湖湿地公园等。农业以种植、养殖为主。通多路公交车。

141181-A05 **崇文街道**［Chóngwén Jiēdào］属孝义市。在市境东北部。面积17.63平方千米。人口3.84万。2008年成立。形成以崇文大街、大众路为框架，以行政、居住、商业为主的布局。因崇文大街得名。有孝义中学、市第五中学、市第六中学、市艺术学校等学校。有社区卫生服务中心、卫生所。以煤焦为支柱产业。建成高新技术产业区，有全国首座皮影木偶影视基地、电子科技城等。农业以玉米、小麦、大豆为主。畜牧业以饲养生猪、羊、牛、家禽为主。服务业以房地产、餐饮、零售、运输为主。通多路公交车。

141181-A05-H01 **宋家庄**［Sòngjiāzhuāng］在市政府驻地新义街道西北4.4千米。崇文街道辖行政村。人口2030人。相传原名任家庄，清中期当地宋氏家族兴起而改今名。为清代修筑的城堡式村落。聚落呈团块状。有市级文物保护单位宋家庄东岳庙，现存为元代建筑遗构。有宋家庄传统民居，现存为清至民国时期建筑遗构。2009年被列入第三批山西省历史文化名镇名村名录。2014年被列入第三批中国传统村落名录。省道汾柳线经此。

141181-A05-H02 **留义**［Liúyì］在市政府驻地新义街道西北2千米。崇文街道辖行政村。人口3200。相传唐代郑兴割股奉母的故事发生于此，忠孝、仁义流传千年，故名。聚落呈团块状。有孝义五中。有留义娘娘庙，现存为清代建筑遗构。有商贸服务业。通孝义5路等多路公交车。

141181-A05-H03 **苏家庄**［Sūjiāzhuāng］在市政府驻地新义街道西北3.3千米。崇文街道辖行政村。人口1900。相传原名为李家庄，后苏氏家族兴起遂改今名。聚落呈团块状。有第七批国家重点文物保护单位孝义慈胜寺，据寺内碑文记载，始建于金天会九年（1131年），现存主院大雄宝殿为明代建筑遗构，其余建筑皆为清代建筑遗构，大雄宝殿内存有明代彩塑。有市级文物保护单位苏家庄龙天庙，现存为清代建筑遗构。有苏家庄民居，现存为清代至民国建筑遗构。通孝义16路等多路公交车。

141181-B01 **兑镇镇**［Duìzhèn Zhèn］孝义市辖镇。在市境西部。面积65.22平方千米，人口4.96万。辖2社区、20行政村。镇人民政府驻后庄。历为晋西交通要道。1953年设兑镇乡，后改公社。1984年复置乡。1985年改镇。1992年属孝义市。因原驻地得名。兑镇河流经。矿产有煤、铝。煤炭储量17.4亿吨，地质储量267亿吨。有中小学、中心医院。古迹、纪念地有兑九峪战斗遗址、永和王墓、关帝庙乐楼、三义庙乐楼、龙天庙、大贤寺等。农业以种植、养殖为主。工业以煤焦为主。为市主要煤化工生产基地，是优质主焦煤、动力煤的主产区。有汾西矿业集团水峪煤矿、离柳焦煤集团兑镇煤矿。介西铁路经此设站。省道孝石线、汾柳线经此。

141181-B01-H01　**后庄**［Hòuzhuāng］兑镇镇人民政府驻地。在市政府驻地新义街道西南 17 千米。人口 2900。相传古时有一马头镇，该村地处村后沟内，故名后庄沟，简称后庄。聚落呈条带状。有后庄小学、兑镇医院。有关帝庙、张家老宅，现存皆为清代建筑遗构。有离柳焦煤集团。省道孝石线经此。

141181-B01-H02　**兑镇**［Duìzhèn］在市政府驻地新义街道西南 16 千米。兑镇镇辖行政村。人口 2700。原名碓臼峪，因其地形如碓臼而得名。后因置兑九峪镇而简为今名。聚落呈条带状。有兑镇初中。有市级文物保护单位兑九峪战斗遗址，1936 年 3 月 9 日红军抗日先锋军在东渡黄河开赴华北抗日前线途中，与阎军主力在仲家山、柳湾、吕居堡、申家庄、碾头、张家庄、禅头房一带的兑九岭相遇，在近 10 平方公里的地域上展开激战。省道孝石线经此。

141181-B01-H03　**石践**［Shíjiàn］在市政府驻地新义街道西南 19 千米。兑镇镇辖自然村。人口 1700。原名石像村，以村中有北朝石刻造像而得名，后因与下堡镇石相村同音，故改今名。聚落呈条带状。有山西省党史教育基地、市级文物保护单位、孝义市青少年教育基地抗日模范村纪念馆。有石践夫子庙，现存为清代建筑遗构。省道孝石线经此。

141181-B01-J01　**新峪煤业公司社区**［Xīnyù méiyègōngsī Shèqū］属兑镇镇。在市政府驻地新义街道西南 15 千米水峪村。面积 0.17 平方千米。人口 17000 人。其前身是 1980 年 6 月成立的兑镇镇水峪矿居民委员会。因 2006 年水峪矿破产重组而改新峪矿，社区亦改今名。社区内设有职工医院、工业广场、新峪煤矿学校、中国储蓄邮政银行等，是集休闲、娱乐、医疗、教育于一身的多功能居住区。有兑九峪文化广场。2014 年被列入省级文明社区。省道孝石线经此。

141181-B02　**阳泉曲镇**［Yángquánqǔ Zhèn］孝义市辖镇。在市境西部。面积 76 平方千米。人口 3.83 万。辖 1 社区、21 行政村。镇人民政府驻阳泉曲。1953 年设阳泉曲乡，后改公社。1984 年复置乡。1985 年改镇。1992 年属孝义市。因驻地得名。兑镇河流经。有中小学、幼儿园、文化站、卫生院。有各类群众文化艺术表演团体 19 个。农业主产玉米、谷子、豆类。特产核桃。是省内重要的铝矾土生产基地，有山西离柳焦煤集团有限公司、中国铝业山西分公司孝义铝矿等企业。介西铁路经此设站。省道孝石线、汾柳线经此。

141181-B02-H01　**阳泉曲**［Yángquánqǔ］阳泉曲镇人民政府驻地。在市政府驻地新义街道西南 21 千米。人口 1800。因阳泉水曲经村西，东注兑镇河，故名。《水经注》载："胜水合阳泉水，水出西山阳曲谷。"即此。聚落呈条带状。有阳泉曲初级中学、阳泉曲小学、阳泉曲镇卫生院。省道孝石线经此。

141181-B03　**下堡镇**［Xiàbǎo Zhèn］孝义市辖镇。在市境西部。面积 68.11 平方千米。人口 2.49 万。辖 1 社区 、21 行政村。镇人民政府驻下堡。1953 年设下堡乡，后改公社。1984 年 7 月复置乡，8 月改镇。1992 年属孝义市。因驻地得名。下堡河流经。有中小学、幼儿园、文化站、卫生院。有各类群众文化艺术表演团体 29 个。自古为商贸集镇，是孝义市西部最大的中心集镇。矿产有煤炭、铝、铁等。农业主产小麦、玉米、大豆、薯类、谷子。以盛产核桃、柿子闻名。有核桃种植、肉驴养殖等特色产业，建成田家庄优种核桃苗基地和赵西沟核桃丰产示范园。工业以冶炼、煤焦、耐火材料为主。省道汾柳线经此。

141181-B03-H01　**下堡**［Xiàbǎo］下堡镇人民政府驻地。在市政府驻地新义街道西 18 千米。人口 3000。因村旧有堡墙，与附近昔颉堡相对而得名。聚落呈条带状。有下堡小学、孝义市第十二中学、下堡镇卫生院。有市级文物保护单位邓小平路居，1937 年 10 月，时任八路军总政治部副主任的邓小平与时任中央民运部部长的付忠同志进驻下堡村，现存为民国建筑遗构。省道汾柳线经此。

141181-B03-H02　**官窑**［Guānyáo］在市政

府驻地新义街道西 16 千米。下堡镇辖行政村。人口 770。该地原有官家开办的煤窑，后有居民迁于此形成村庄，故名。聚落呈团块状。有郭家老宅，现存为清代建筑遗构。2016 年被列入第四批中国传统村落名录。省道汾柳线经此。

141181-B03-H03 **昔颉堡** [Xījiébǎo]在市政府驻地新义街道西 16.4 千米。下堡镇辖行政村。人口 1700。“昔”为水草丰美之景，“颉”为飞鸟升腾之状，“堡”字得名于村民捍外卫内，故名。聚落呈团块状。有田家大院，始建于清乾隆年间，为堡寨型民居建筑群。有国家级非物质文化遗产九曲黄河锣鼓阵。2016 年被列入第四批中国传统村落名录。省道汾柳线经此。

141181-B04 **西辛庄镇** [Xīxīnzhuāng Zhèn] 孝义市辖镇。在市境西南部。面积 75 平方千米。人口 1.99 万。辖 1 社区、21 行政村。镇人民政府驻西泉。1953 年设西辛庄乡，后改西泉公社。1980 年驻地由西泉迁至西辛庄。1984 年 7 月复置乡，8 月改镇。1985 年更名西辛庄镇。1986 年驻地迁回西泉。1992 年属孝义市。因原驻地西辛庄得名。西泉河、贺岭河流经。矿产以煤为主。有中小学、幼儿园、卫生院。古迹有简穆皇太后陵、刘宣王陵、清凉寺、顺义楼等。有天然牧草地和人工草地。农业主产玉米、高粱、谷子。有煤矿、焦化等企业。服务业以商贸、餐饮、住宿为主。省道孝石线、汾柳线经此。

141181-B04-H01 **西泉** [Xīquán]西辛庄镇人民政府驻地。在市政府驻地新义街道西南 29 千米。人口 800。历史上曾名西曲村、楼底镇，后因村西南有泉池而改今名。聚落呈条带状。有西泉建福学校、西辛庄镇卫生院。有西泉门楼、冯家老宅，现存皆为清代建筑遗构。省道孝石线经此。

141181-B05 **高阳镇** [Gāoyáng Zhèn] 孝义市辖镇。在市境北部。面积 42.8 平方千米。人口 4.49 万。辖 3 社区、15 行政村。镇人民政府驻高阳。1953 年设高阳乡，后改公社。1984 年复置乡。1992 年属孝义市。2001 年白壁关乡并入。因驻地得名。有中小学、幼儿园、卫生院、文化站。有群众文化艺术表演团体 2 个。农业主产玉米、高粱、小麦。盛产柿子。工业以采煤、洗煤、炼焦为主。有市煤炭生产基地。服务业有餐饮、住宿等。介西、孝柳铁路经此设站。340 国道、340 省道、白枝线、薛三线、孝兴街等经此。

141181-B05-H01 **高阳** [Gāoyáng]高阳镇人民政府驻地。在市政府驻地新义街道西 10 千米。人口 2300。因地势高爽向阳而得名。聚落呈团块状。有高阳中心校、高阳镇卫生院。有市级文物保护单位高阳关帝庙，现存为清代建筑遗构。有马王庙、真武庙、高阳民居，现存皆为清代建筑遗构。有孝义现代农业园区。省道汾柳线经此。

141181-B05-H02 **白壁关** [Báibìguān]在市政府驻地新义街道西 6 千米。高阳镇辖行政村。人口 1550。为北魏时期防御吕梁山稽胡侵染所设军壁，取名白壁。唐代置关，村以关隘为名。历来为晋中盆地通往吕梁山区的要道。聚落呈团块状。有白壁关初级中学、白壁关小学。有市级文物保护单位净安寺，现存正殿为元代建筑遗构。有白壁关民居，现存皆为清代建筑遗构。2014 年被列入第三批中国传统村落名录。340 国道、省道孝石线、省道汾柳线经此。

141181-B05-H03 **临水** [Línshuǐ]在市政府驻地新义街道西 7 千米。高阳镇辖行政村。人口 5160。因坐落在下堡河北岸，依山傍水而得名。聚落呈团块状。有市级文物保护单位临水遗址，为新石器时代文化遗存。有市级文物保护单位临水五道庙，现存大殿为元代木结构建筑。有临水关帝庙、临水郭家民居，现存皆为清代建筑遗构。2016 年被列入第四批中国传统村落名录。省道汾柳线经此。

141181-B05-H04 **小垣** [Xiǎoyuán]在市政府驻地新义街道西南 4.5 千米。高阳镇辖行政村。人口 1200。为大垣村派生村庄。聚落呈团块状。有第六批省级文物保护单位小垣西庙，现存为清代建筑遗构。有市级文物保护单位小垣遗址，为新石器时代文化遗存。有市级文物保护单位小垣关帝庙、现存为清代建筑遗构。2019 年被列入第五批中国传统村落名录。省道孝石线经此。

141181-B06 **梧桐镇** [Wútóng Zhèn] 孝义市辖镇。在市境东南部。面积 35.8 平方千米。人口 4.07 万。辖 30 行政村。镇人民政府驻中梧桐。1953 年设梧桐乡，后改公社。1984 年复置乡。

1992年属孝义市。1995年改镇。2001年东许乡并入。因驻地得名。孝河、曹溪河流经。有中小学、幼儿园、卫生院、文化站。有各类群众文化艺术表演团体18个。纪念地有孝义建党第一址。农业主产玉米、高粱、小麦。盛产柿子。工业以炼焦、煤化工、铝工业、建材为主。服务业以商贸、餐饮、运输为主。介西铁路经此设站。省道汾介线、孝石线经此。

141181-B06-H01　**中梧桐**［Zhōngwútóng］梧桐镇人民政府驻地。在市政府驻地新义街道东南7.5千米。人口1600。原名吴屯，后因谐音雅为梧桐，村因居中而得名。聚落呈团块状。有孝义第十一中学。有中梧桐张家老宅，现存为清代建筑遗构。省道汾介线、省道孝石线经此。

141181-B06-H02　**中王屯**［Zhōngwángtún］在市政府驻地新义街道东南8.7千米。梧桐镇辖行政村。人口900。曾名保安堡、郭李村，今有东西中三村，此村居中，故名。乾隆年间《孝义县志》载名西王屯村。聚落呈团块状。有第七批全国重点文物保护单位孝义天齐庙，现存正殿为元代建筑遗构，戏台为清代建筑遗构。省道汾介线经此。

141181-B07　**柱濮镇**［Zhùpú Zhèn］孝义市辖镇。在市境西南部。面积67平方千米。人口1.81万。辖16行政村、1社区。镇人民政府驻上柱濮。1953年设柱濮乡，后改公社。1984年复置乡。1992年属孝义市。1995年改镇。因驻地得名。柱濮河流经。有中小学、幼儿园、文化站、农村书屋、卫生院。有群众文化艺术表演团体4个。农业主产小麦、玉米、豆类、薯类。盛产核桃、野生中药材。工业以煤炭为主。服务业以商贸、餐饮等为主。通公路。

141181-B07-H01　**上柱濮**［Shàngzhùpú］柱濮镇人民政府驻地。在市政府驻地新义街道西南17千米。人口800。相传村民所居之地为濮阳湖畔，故名柱濮，后分为上、下两村，因此村居上而得名。聚落呈条带状。有柱濮镇卫生院。有上柱濮杜家老宅，现存为清代建筑遗构。有汾西正旺煤业有限责任公司。县道梧西线经此。

141181-B08　**大孝堡镇**［Dàxiàobǎo Zhèn］孝义市辖镇。在市境东南部。面积54平方千米。人口3.59万。辖21行政村。镇人民政府驻大孝堡。1953年设大孝堡乡，后改公社。1984年复置乡。1992年属孝义市。2001年李家庄乡并入。2020年撤乡设镇。因驻地得名。汾河、孝河、文峪河、磁窑河流经。有中小学、幼儿园、社区卫生服务中心、文化站、农村书屋。有群众文化艺术表演团体18个。有锣鼓队。有省级文物保护单位临黄塔。有古中阳十景之一“舍利流光”。为铝、煤焦生产基地。服务业以商贸、餐饮为主。省道汾介线经此。

141181-B08-H01　**大孝堡**［Dàxiàobǎo］大孝堡镇人民政府驻地。在市政府驻地新义街道东南6.4千米。人口3300。原名大村里，唐代村人郑兴为疗母疾割股为羹，事闻于朝，贞观元年（627年）旌表为大孝里，后明代在村周筑堡而改今名。“孝义”一名即源于此。聚落呈团块状。有郑兴九年制学校、景虎小学、大孝堡镇中心卫生院。有第四批省级文物保护单位临黄塔，创建于隋开皇四年（584年），原为阿育王塔，清雍正十四年（1732年）重建。有市级文物保护单位大孝堡五号民居，为清末孝义举人李元晋宅院，现存为民国建筑遗构。省道汾介线经此。

141181-C01　**下栅乡**［Xiàzhà xiāng］孝义市辖乡。在市境东南部。面积62平方千米。人口1.81万。辖13行政村。乡人民政府驻下栅。1953年设下栅乡，后改公社。1984年复置乡。1992年属孝义市。因驻地得名。白沟河、王马河、莲花沟河流经。矿产有煤、石灰石等。有各类群众文化艺术表演团体3个。有中小学、卫生院、文化站、农村书屋。古迹有圪塔庙晒经楼。农业以小麦、玉米、蔬菜种植为主。产核桃。服务业以运输、餐饮等为主。通公路。

141181-C01-H01　**下栅**［Xiàzhà］下栅乡人民政府驻地。在市政府驻地新义街道东南8.4千米。人口2200。为古代兵营，围以栅栏，当地分称上栅、下栅。聚落呈团块状。有下栅初中、下栅小学、下栅乡卫生院。有映月桥，现存为清代建筑遗构。有下栅陶窑址，为清代文化遗存。乡村道路经此。

141181-C02　**驿马乡**［Yìmǎ xiāng］孝义市

辖乡。在市境南部。面积 79 平方千米。人口 1.54 万。辖 1 社区、19 行政村。乡人民政府驻牛王原。1953 年设驿马乡，后改公社。1972 年驻地由驿马迁至牛王原。1984 年复置乡。1992 年属孝义市。因古时为驿站，多存马匹得名。为丘陵山区地貌，平均海拔 1000—1200 米，最高海拔 1184.8 米，年平均气温 8.3℃。有中小学、卫生院、文化站、农村书屋。农业主种谷类作物、豆类、薯类、油料、牧草等。工业以煤炭为主。通公路。

141181-C02-H01 **牛王原**［Niúwángyuán］驿马乡人民政府驻地。在市政府驻地新义街道西南 20 千米。人口 300。因村中地势较高，旧有牛王庙而得名。聚落呈团块状。有驿马乡卫生院。有特产核桃。县道新榆线经此。

141181-C03 **杜村乡**［Dùcūn Xiāng］孝义市辖乡。在市境西北部。面积 60 平方千米。人口 2 万。辖 19 行政村。乡人民政府驻杜村。1953 年设杜村乡，后改公社。1984 年复置乡。1992 年属孝义市。2021 年撤销南阳乡，整建制并入杜村乡。因驻地得名。矿产有煤、铝等。有中小学、卫生院、文化站、农村书屋。有群众文化艺术表演团体。农业主产玉米、谷子。特产中药材、核桃。工业以原煤加工为主。服务业以餐饮、住宿为主。孝柳铁路经此。通公路。

141181-C03-H01 **杜村**［Dùcūn］杜村乡人民政府驻地。在市政府驻地新义街道西北 22 千米。人口 800。聚落呈条带状。有杜村小学、杜村卫生院。有市级文物保护单位杜村遗址，为战国时期文化遗存。有杜村龙天庙，现存为清代建筑遗构。乡村道路经此。

141182 **汾阳市**［Fényáng shì］山西省辖县级市，由吕梁市代管。北纬 37° 16′，东经 111° 47′。在市境东南部。面积 1170 平方千米。人口 40.76 万。辖 3 个街道、11 个镇。市人民政府驻文峰街道。万历二十三年（1595 年）置汾阳县，升汾州为汾州府。因县境曾为宋、金汾阳军节度使驻地得名。清因之。1912 年废府。1913 年属中路道。1914 年属冀宁道。1927 年废道后直属山西省。1949 年属汾阳专区，为专署驻地。1951 年改属榆次专区。1958 年文水、交城 2 县并入汾阳县，改属晋中专区。1960 年析出文水、交城 2 县。1967 年属晋中地区。1971 年属吕梁地区。2004 年属吕梁市。因县治在汾河之阳，故名。汾阳是革命老区。1925 年，创建了第一个党组织——汾阳特别支部；1931 年，建立了第一支革命队伍——晋西游击队；抗战时期，周恩来、邓小平等先后来过汾阳。汾阳区位交通优越。自古被誉为“秦晋旱码头”。地处太原盆地西缘，吕梁山脉中段东麓。地势西北高东南低。西北部为土石山区，系吕梁山支脉。中、西南部为黄土丘陵区。东南部为晋中盆地一部分。最高峰石桦崖海拔 2088.6 米。平均海拔 1414 米。汾河、文峪河等流经。年均气温 10.4℃。年均降水量 426 毫米。矿产有煤、铁、铝土、石膏、白云岩、石英砂岩、石灰岩等。有国家重点保护动物金钱豹、狼、野猪、狐狸，省级重点保护动物 3 种。有观赏、药用等植物 4 种。有山西省农业科学院经济作物研究所。有山西医科大学汾阳学院、汾阳师范等高校。汾阳中学为省级重点中学。有三级医院 1 个。有全国重点文物保护单位东龙观墓群、文峰塔、太符观、五岳庙、杏花村汾酒作坊、柏草坡龙天土地庙。有省级文物保护单位后土圣母庙、狄青墓、汾阳关帝庙、汾阳法云寺等 14 处。有市级文物保护单位 93 处。有省级爱国主义教育基地贾家庄村。汾州地秧歌、汾酒酿制工艺为国家非物质文化遗产。汾州八大碗制作技艺、汾阳王酒传统酿造工艺、竹叶青酒炮制技艺、汾州民间传说、汾阳围镣等为省级非物质文化遗产。古迹有南薰楼、文峰塔、三十里桃花洞、金锁关等。有汾阳烈士陵园、冀贡泉故居等纪念地。有国家 4A 级旅游景区汾酒文化景区、贾家庄生态园。被文化部评为“中国民间文化艺术之乡”。三次产业比例 12:44:44。农业主产小麦、玉米、高粱，经济作物有棉花、油料、瓜菜等。工业形成焦炭、洗煤、酿酒等主导产业。服务业以餐饮为主。特产杏花村汾酒、竹叶青酒、汾州核桃、汾州小米、汾甘草等。其中汾州核桃为国家地理标志保护产品。汾州小米为国家名优特产。是中国县域经济主体功能重点开发区，汾酒之乡、核桃之乡、小米之乡、厨师之乡、中国民间文化艺术之乡、全国文化先进市、全国平原绿化先进市、全国质量兴市先进市、全国食品工业强市、山西省卫生城市、山西省园林城市、山西省文明城市、山西省历史文化名城、中国杏花村国际酒业博览会举办地。太中(银)铁路经此设站。青银、汾阳—平遥高速，307国道，省道汾屯线、汾张线、汾柳线经此。

141182-K01 **永和西大街**［Yǒnghé Xīdàjiē］在汾阳市区东南部。西起西河南路，东至汾州大道。以汾州大道为界，分西大街、东大街。与狄青路、英雄南路等道路相交。长2.9千米，宽28米。沥青路面。2005年始建，2008年建成。为纪念明代永和王府得名。两侧有汾阳市人民政府、阳光嘉苑等。通汾阳7路公交车。

141182-K02 **永和东大街**［Yǒnghé Dōngdàjiē］在汾阳市区东南部。西起汾州大道，东至东湖南路。与南关东街、海洪南路、天霖路等道路相交。长0.9千米，宽28米。沥青路面。2005年始建，2008年建成。为纪念明代永和王府得名。两侧有零工市场、汾阳市医院二部等。通汾阳6路公交车。

141182-K03 **文峰西街**［Wénfēng Xījiē］在汾阳市区中部。西起西河南路，东至鼓楼南路。以鼓楼南路为界，分西街、东街。与狄青路、英雄南路等道路相交。长0.6千米，宽44米。沥青路面。2005年修建，2008年建成。为纪念全国重点文保单位汾阳文峰塔而得名。两侧有汾阳城市广场、汾阳体育场等。通汾阳1、2、孝义5、301路等公交车。

141182-K04 **文峰东街**［Wénfēng Dōngjiē］在汾阳市区中东部。西起鼓楼南路，东至望阳路。以鼓楼南路为界，分西街、东街。与天霖路、富民南路、东湖南路等道路相交。长3.9千米，宽25米。沥青路面。2009年建成。为纪念全国重点文保单位汾阳文峰塔而得名。两侧有东关小学、文峰派出所、东方国际城等。通汾阳4路公交车。

141182-K05 **鼓楼东街**［Gǔlóu Dōngjiē］在汾阳市区中部。西起鼓楼南北路，东至东湖南北路。与富民南北路等道路相交。长1.8千米，宽18米。沥青路面。原为明清旧街，屡经改建。2010年更今名。因位于原汾阳鼓楼东侧得名。两侧有钟楼佳苑小区、汾阳市人大等。

141182-K06 **鼓楼西街**［Gǔlóu Xījiē］在汾阳市区中西部。西起金鼎大街，东至鼓楼南北路。与英雄南北路、西河南北路等道路相交。长1.5千米，宽18米。沥青路面。原为明清旧街，2009年改建。因位于原汾阳鼓楼西侧得名。两侧有实验小学、鼓楼商场、汾州商城等。

141182-K07 **府学街**［Fǔxué Jiē］在汾阳市区中北部。西起鼓楼北路，东至东湖北路。与富民北路等道路相交。长0.3千米，宽6米。沥青路面。原为明清旧街，2012年改建。因作为明清时期汾州府学的所在地而得名。两侧有府学嘉苑、府学街小学、太和苑公寓等。

141182-K08 **胜利西街**［Shènglì Xījiē］在汾阳市区中西部。西起西河路，东至英雄北路。以英雄北路为界，分东街、西街。长0.4千米，宽24米。沥青路面。2005年改建，2008年建成。路名取革命胜利之意。两侧有中国邮政、近代西洋建筑U型楼、汾阳市国家税务局稽查局、汾阳市妇幼保健院等。通汾阳11路公交车。

141182-K09 **胜利东街**［Shènglì Dōngjiē］在汾阳市区中北部。西起英雄北路，南至富民北路。长1.9千米，宽24米。沥青路面。1990年修建，1992年建成。路名取革命胜利之意。两侧有汾阳中学、汾阳市医药材公司、汾阳医院、省汾阳监狱等。通汾阳4、5、6路等公交车。

141182-K10 **庆成西大街**［Qìngchéng Xīdàjiē］在汾阳市区北部。西起汾酒大道，东至辰北路。以辰北路为界，分西大街、东大街。长0.4千米，宽25.2米。沥青路面。原为汾阳—平遥公路过城段。2005年改建，2008年建成。为纪念明代庆成王府得名。两侧有山西医科大学汾阳学院等。通汾阳8路公交车。

141182-K11 **庆成东大街**［Qìngchéng Dōngdàjiē］在汾阳市区北部。西起辰北路，东至东湖北路。以辰北路为界，分西大街、东大街。与富民路等道路相交。长2.6千米，宽25.2米。沥青路面。原为汾阳—平遥公路过城段。2005年改建，2008年建成。为纪念明代庆成王府得名。两侧有汾阳市公交公司、北廓晋阳农副产品批发市场等。

通孝义 301 路公交车。

141182-K12 **西河北路**［Xīhé Běilù］在汾阳市区西北部。北起转盘，南至金鼎大街。与中华南街、胜利西街、吉祥街等道路相交。长 2.2 千米，宽 24 米。沥青路面。1980 年修建。2009 年改建。因位于西河乡北面得名。两侧有庆丰商贸城、汾阳市司法局、清熙花园等。通汾阳 11 路公交车。

141182-K13 **西河南路**［Xīhé Nánlù］在汾阳市区西南部。北起金鼎大街，南至青银高速汾阳西收费站。与文峰西街、永和西大街等道路相交。长 4.1 千米，宽 16 米。沥青路面。1980 年修建。2009 年改建。因位于西河乡南面得名。两侧有西河小学、万豪佳苑、西门村等。通汾阳 5、7 路等公交车。

141182-K14 **学院路**［Xuéyuàn Lù］在汾阳市区西北部。北起汾酒大道，南至胜利街。与庆丰街、英才街、盘龙街、幸福正街等道路相交。长 1.4 千米，宽 27.2 米。沥青路面。2005 年始建，2007 年建成。因附近有山西医科大学汾阳学院得名。两侧有山西医科大学汾阳学院、省运医院、北门小学、飞龙商贸城等。通汾阳 1、10 路等公交车。

141182-K15 **英雄北路**［Yīngxióng Běilù］在汾阳市区中西部。北起胜利东街，南至鼓楼西街。长 1.2 千米，宽 27 米。沥青路面。1984 年建成。1986 年拓宽。因途经烈士陵园，为纪念革命英雄而得名。两侧有汾阳市烈士陵园、汾阳中学、汾阳高级职业中学等。通汾阳火车站专线、孝义 301 路等公交车。

141182-K16 **英雄南路**［Yīngxióng Nánlù］在汾阳市区西南部。北起鼓楼西街，南至汾介路。与文峰西街、永和西大街等道路相交。长 2.8 千米，宽 27 米。沥青路面。1984 年建成。2014 年扩建。因在英雄北路以南而得名。两侧有汾阳市教育体育局、吕梁行政学院汾阳分院等。通汾阳 2、7 路等公交车。

141182-K17 **狄青路**［Díqīng Lù］在汾阳市区西南部。东北起英雄南路，西南至西河南路。与永和西大街、迎新正街、天平街等道路相交。长 1.4 千米，宽 15 米。沥青路面。1986 年建成。1995 年改造。为纪念北宋名将狄青而得名。两侧有汾阳市人民医院、阳光尚地小区等。通汾阳 2、3、4 路等公交车。

141182-K18 **鼓楼北路**［Gǔlóu Běilù］在汾阳市区中部。北起胜利东街，南起鼓楼东西街。与鹅西街、府学街等道路相交。长 0.7 千米，宽 24 米。沥青路面。原为旧城中心主街，2008、2011 年改扩建。因位于原汾阳鼓楼北侧得名。两侧有汾阳市城市规划展览馆、鼓楼商场、音乐喷泉等。

141182-K19 **鼓楼南路**［Gǔlóu Nánlù］在汾阳市区中部。北起鼓楼东西街，南至文峰东西街。与西所街、西府街等道路相交。长 0.5 千米，宽 18 米。沥青路面。原为旧城中心主街，2002、2011 年改扩建。因位于原汾阳鼓楼南侧得名。两侧有汾阳市博物馆（关帝庙）等。

141182-K20 **南薰路**［Nánxūn Lù］在汾阳市区南部。北起文峰东西街，南至永和大街。与迎新正街、迎新中街等道路相交。长 0.8 千米，宽 18 米。沥青混凝土路面。原为南关主街，2003、2008 年改建。因路中有明代南薰楼得名。两侧有南熏楼、吉祥小区、南薰大厦等。

141182-K21 **汾州大道**［Fénzhōu Dàdào］在汾阳市区西南部。北起永和东西大街，南至韩石线。北与南薰路相连。与和谐街、汾介公路等道路相交。长 5.2 千米，宽 30 米。沥青路面。2007 年修建，2008 年建成。因汾阳古称汾州而得名。两侧有文侯村、汾阳第四高中、汾阳市人民法院、汾阳市公安局等。通汾阳 8 路公交车。

141182-K22 **富民北路**［Fùmín Běilù］在汾阳市区东北部。北起庆成东大街，南至鼓楼东街。以鼓楼东街为界，分北路、南路。与胜利东街、光明路等道路相交。长 1.3 千米，宽 16 米。沥青路面。2008 年始建，2009 年建成。两侧有府学街小学、东关中学、汾阳市政务大厅等。通汾阳 1、3 路等公交车。

141182-K23 **富民南路**［Fùmínnán Lù］在汾阳市区东部。北起鼓楼东街，南至文峰东街。以鼓楼东街为界，分北路、南路。与辛巷街相交。长 0.5 千米，宽 16 米。沥青路面。2008 年始建，2010 年建成。两侧有天然气大厦、紫金苑小区等。通汾阳 1、3 路等公交车。

141182-K24 **东湖北路**［Dōnghú Běilù］在

汾阳市区东部。北起庆成东大街，南至鼓楼东街。以鼓楼东街为界，分北路、南路。与府学街等道路相交。长 1.5 千米，宽 18 米。沥青路面。2014 年建成。因市区东部有文湖而得名。两侧有府学嘉苑东苑、庆达钢结构工程有限公司等。

141182-K25 **东湖南路**［Dōnghú Nánlù］在汾阳市区东部。北起鼓楼东街，南至永和东大街。以鼓楼东街为界，分北路、南路。与文峰东街等道路相交。长 1 千米，宽 18 米。沥青路面。2013 年修建，2015 年建成。因市区东部有文湖而得名。两侧有东关小学、东方国际城 D 区等。

141182-K26 **天霖路**［Tiānlín Lù］在汾阳市区中部。北起文峰东街，南至永和东大街。与海洪东街、重阳街、小南关街等道路相交。长 1.3 千米，宽 18 米。沥青路面。2008 年始建，2012 年建成。路名取风调雨顺之意。两侧有南门小学、汾阳市法院文峰人民法庭等。通汾阳 6 路、孝义 301 路等公交车。

141182—R01 **汾阳站**［Fényáng Zhàn］见交通运输设施部分“汾阳站”条。

141182-A01 **太和桥街道**［Tàihéqiáo Jiēdào］汾阳市人民政府驻地。在市境南部。面积 16.2 平方千米。人口 2.89 万。2001 年成立。2019 年原辰北街道（筹）并入。因有明代庆成王府前太和桥遗址得名。有中小学、幼儿园、文化馆、农村书屋、档案馆。有群众文化艺术表演团体 13 个。有三级医院 2 个。纪念地有解放汾阳烈士洞和革命烈士陵园。古迹有汾阳善昭太子寺遗址、报恩寺、宋金墓群等。农业主产小麦、蔬菜。有汾阳王酒业有限公司，其传统酿造工艺为省级非物质文化遗产。企业主要有酿酒、农产品加工、玻璃制作、建材加工。通公交车。有鼓楼东西街、鼓楼南北路、西府街、府学街、胜利街、庆成大街、辰北路、东北路、幸福街、英才街等主干道。

141182-A01-J01 **北关社区**［Běiguān Shèqū］属太和桥街道。面积 0.65 平方千米。人口 2600。北关隶属四大关之一，位于城北范围，故名。2011 年汾阳市调整行政区划，北关村改设为北关社区。有汾阳市第二高级中学、汾阳市城区北关小学。有山西汾阳王酒业有限责任公司、德义园味业有限公司。2020 年被列入第六届全国文明村镇。省道汾屯线经此。

141182-A02 **文峰街道**［Wénfēng Jiēdào］属汾阳市。在市境南部。面积 13.7 平方千米。人口 3.20 万。辖 14 社区。2001 年成立。2019 年南薰街道（筹）并入。因境内文峰塔得名。2010 年村村实现通电、通公路、通自来水、集中供水等。董寺河流经。有中小学、幼儿园、文化站、农村书屋、博物馆、卫生院。古迹有文峰塔、海洪塔、南薰楼等。其中文峰塔为全国重点文物保护单位。农业主产玉米、小麦、蔬菜。工业以煤焦、酿造、建材、农副产品加工为主。服务业以商贸、旅游为主。通公共汽车。

141182-A02-J01 **南关社区**［NánGuān Shèqū］属文峰街道。北临文峰街，与鼓楼南路贯穿一线，南靠汾介路，西临英雄南路，东至海洪区。面积 3.1 平方千米。人口 9600。南关隶属四大关之一，位于城南范围，故名。2011 年由原南关村和南薰楼社区合并而成。有高层楼房多栋。有汾阳市公安局、汾阳市检察院、汾阳市消防队、文峰热电联产集中供热有限公司、展鹏金属制品有限公司等。有第六批省级文物保护单位汾阳南薰楼，始建于明弘治十三年（1500 年），现存为明代建筑遗构。2020 年被列入第六届全国文明村镇。307 国道、省道汾柳线经此。

141182-A03 **西河街道**［Xīhé Jiēdào］属汾阳市。在市境西部。面积 12.74 平方千米。人口 3.17 万。辖 8 社区。2021 年撤乡设街道。因汾阳为古西河地得名。禹门河、董寺河流经。有中小学、幼儿园、文化站、卫生所。为特色民间艺术汾阳地秧歌发祥地，国家级非物质文化遗产。纪念地有汾阳烈士陵园。农业种植以玉米为主。畜牧业以养猪为主。依托城区优势发展第三产业，有宾馆饭店、商场超市、集贸市场、交通运输等。有汾阳汽车站。有汾酒大道、学院路、英雄路、狄青路、西河路、西北环路、青银高速公路，庆丰街、盘龙街、文明街、吉祥街、中华街、胜利西街、鼓楼西街、金鼎大街、兴盛街、集贤街、文峰西街、西苑街等多条公路。

141182-B01 **贾家庄镇**［Jiǎjiāzhuāng Zhèn］

汾阳市辖镇。在市境中部。面积 49 平方千米。人口 2.57 万。辖 9 行政村。镇人民政府驻贾家庄。1953 年设贾家庄乡，后改公社。1984 年复置乡。1995 年改镇。1996 年属汾阳市。文峪河、禹门河流经。有中小学、幼儿园、文化站、卫生院。古迹有唐代相里瑞墓、后晋相里金墓、清代卜山书院旧址、西晋八门城遗址等。为市园林城镇，有贾家庄生态园及公园 3 处。其中贾家庄生态园为国家 4A 级旅游景区。有贾家庄商贸文化旅游节。是第二批全国特色小城镇、全国乡村治理示范乡镇、山西省卫生乡镇、山西省文明乡镇和旅游名镇。农业以种植业、畜牧业为主。特产糯玉米、小米等。服务业以旅游、商贸为主。太中（银）铁路、307 国道、汾阳—平遥高速、省道汾屯线经此。

141182-B01-H01 **贾家庄**［Jiǎjiāzhuāng］贾家庄镇人民政府驻地。在市政府驻地太和桥街道东北 4 千米。人口 3100。聚落呈团块状。有贾家庄镇中学、腾飞实验学校、贾家庄卫生院。有马烽旧居。马烽，已故著名作家，其代表作有《吕梁英雄传》（马烽与西戎合著）、《扑不灭的火焰》《我们村里的年轻人》《泪痕》等。有贾家庄生态园。307 国道经此。

141182-B02 **杏花村镇**［Xìnghuācūn Zhèn］汾阳市辖镇。在市境东北部。面积 85 平方千米。人口 3.63 万。辖 1 社区、10 行政村。镇人民政府驻西堡。1953 年设杏花乡，后改公社。1984 年改置镇。1996 年属汾阳市。因产名酒，故以杜牧“牧童遥指杏花村”诗句为名。小相河、安上河、林业沟流经。有子夏山。有中小学、卫生院、文化馆、档案馆、博物馆、图书馆等。汾酒酿制工艺为国家非物质文化遗产。汾阳王酒传统酿造工艺为省级非物质文化遗产。有全国重点文物保护单位太符观、杏花村汾酒作坊，省级文物保护单位杏花村新石器文化遗址，市级文物保护单位护国灵岩寺、药师七佛多宝塔。有国家 4A 级旅游景区汾酒文化景区。农业主产玉米、高粱。工业以酿酒为主。服务业以餐饮、旅游为主。特产核桃、酒等。有汾酒集团。太中（银）铁路经此设站。青银高速、307 国道过境。是全国重点镇、中华名酒第一村、国家特色景观旅游名镇、全国最大的清香型白酒生产基地、山西省百镇建设示范镇、全国首批特色小镇、山西省经济发达镇、中国历史文化名镇、中国淘宝镇、全国文明乡镇。

141182-B02-H01 **西堡**［Xībǎo］杏花村镇人民政府驻地。在市政府驻地太和桥街道东北 15 千米。人口 2400。为杏花村镇古镇区，因明代分筑东、西两堡而得名。聚落呈团块状。有杏花西堡小学、杏花村镇中心卫生院。有西堡遗址，为汉代文化遗存。有杏花村酒业等酿酒企业。有汾酒文化景区。307 国道经此。

141182-B02-H02 **东堡**［Dōngbǎo］在市政府驻地太和桥街道东北 10 千米。杏花村镇辖行政村。人口 4000。为杏花村镇古镇区，因明代分筑东、西两堡而得名。聚落呈团块状。有杏花东堡小学、杏花初级中学。有第六批全国重点文物保护单位杏花村汾酒作坊，据《北齐书》记载，杏花村的酿造史自北齐河清年间（561 年—564 年）始，历经唐、宋、元、明、清，至今 1500 年没有间断，遗址为宋代“甘露堂”原址。有第二批省级文物保护单位杏花村遗址，为新石器时代、东周时期文化遗存。有酿酒企业。2016 年被列入第四批中国传统村落名录。307 国道经此。

141182-B02-H03 **上庙**［Shàngmiào］在市政府驻地太和桥街道东北 12 千米。杏花村镇辖自然村。人口 2100。得名于太符观。聚落呈团块状。有第五批全国重点文物保护单位太符观，始建年代不详，现存建筑昊天玉皇上帝殿为金代原构，余皆为明代建筑遗构。观中现存各殿宇中彩塑、壁画和悬塑保存较为完整，均为明清时期文化遗存。307 国道经此。

141182-B02-H04 **小相**［Xiǎoxiàng］在市政府驻地太和桥街道西北 12 千米。杏花村镇辖行政村。人口 4000。因南邻大相而得名。聚落呈团块状。有第六批省级文物保护单位药师七佛多宝塔，始建于元代，始为七级浮屠（塔），是当时海潮法师的舍利塔，明嘉靖二十八年（1549 年）该塔增建为 13 层，现存为明代建筑遗构。有市级文物保护单位镇河门，现存为明代建筑遗构。有护国灵岩寺，现存为明代建筑遗构。有大悲庵、中和庵，现存皆为明代建筑遗构。有醉佳酿酒业有限公司。

307 国道经此。

141182-B03　**冀村镇**［Jìcūn Zhèn］汾阳市辖镇。在市境东部。面积 79 平方千米。人口 4.23 万。辖 19 行政村。镇人民政府驻冀村。1953 年设冀村乡，后改公社。1984 年改置镇。1996 年属汾阳市。2001 年城子乡并入。因驻地得名。文峪河、磁窑河流经。有中小学、文化站、卫生院等。有爱国主义教育基地蒋三烈士陵园、仁岩惨案纪念碑。传统民居有蔚家大院。有地方特色文化寿圣寺定光佛诞日端午节花儿会、汾州地秧歌、九枝社柳编艺术等。农业以种植和养殖为主。有蔬菜、西瓜、中药材种植。特产长山药、豆腐等。工业以农副产品加工为主。服务业以餐饮为主。有混凝土厂等。307 国道经此。

141182-B03-H01　**冀村**［Jìcūn］冀村镇人民政府驻地。在市政府驻地太和桥街道东北 20 千米。人口 9500。相传原名文同镇，后更今名。聚落呈团块状。有冀村中学、冀村中心小学、冀村镇卫生院。有冀村遗址，为汉代文化遗存。有温氏宅院、常氏宅院、王氏宅院，现存皆为清代建筑遗构。307 国道经此。

141182-B03-H02　**东社**［Dōngshè］在市政府驻地太和桥街道东 20 千米。冀村镇辖行政村。人口 1800。原名凤凰村，后改今名。聚落呈团块状。有东社小学。有第六批省级文物保护单位蔚光年宅院，现存为民国建筑遗构，是汾阳籍商人蔚光年模仿天津山西会馆而建设的住宅，被称为“乡村里的山西会馆”。乡村道路经此。

141182-B04　**肖家庄镇**［Xiāojiāzhuāng Zhèn］汾阳市辖镇。在市境东部。面积 59 平方千米。人口 3.44 万。辖 14 行政村。镇人民政府驻肖家庄。1953 年设肖家庄乡，后改公社。1984 年复置乡。1995 年改镇。1996 年属汾阳市。因驻地得名。文峪河、禹门河流经。有中小学、幼儿园、卫生院。古迹有市重点文物保护单位关帝庙、五神庙等。有晋剧、花船、推车、舞台秧歌、地秧歌、走黄蛇等民间艺术。农业主产小麦、高粱、棉花、玉米。工业以橡胶、化工产品、铁铸件为主。服务业以餐饮、运输为主。省道汾屯线经此。

141182-B04-H01　**肖家庄**［Xiāojiāzhuāng］肖家庄镇人民政府驻地。在市政府驻地太和桥街道东 8 千米。人口 5700。原名萧家庄，后演变为今名。聚落呈团块状。有肖家庄镇初级中学、肖家庄小学、肖家庄中心卫生院。有李氏宅院、梁氏宅院、杨氏宅院，现存皆为清代建筑遗构。省道汾屯线经此。

141182-B04-H02　**中寨**［Zhōngzhài］在市政府驻地太和桥街道东北 12 千米。肖家庄镇辖行政村。人口 1400。原名马寨，因离城二十里称中马寨，后简为此。聚落呈团块状。有中寨小学。有高粱种植基地、桃园特色采摘园区。有山西吕农生物科技有限公司。2017 年被评为第五届全国文明村。县道杏师线经此。

141182-B05　**演武镇**［Yǎnwǔ Zhèn］汾阳市辖镇。在市境东南部。面积 58 平方千米。人口 2.92 万。辖 13 行政村。镇人民政府驻演武。1953 年设演武乡，后改公社。1984 年改置镇。1996 年属汾阳市。因驻地得名。文峪河、磁窑河流经。有中小学、幼儿园、卫生院、文化站。有寿圣寺和子夏庙等古迹。农业以种植业和畜牧业为主，主产小麦、高粱、玉米。工业以废旧轮胎回收、加工为主。是华北地区最大的废旧轮胎集散地和再生产胶基地，以橡胶生产加工为主。服务业以餐饮、零售为主。省道汾屯线经此。

141182-B05-H01　**演武**［Yǎnwǔ］演武镇人民政府驻地。在市政府驻地太和桥街道东 10 千米。人口 4300。原名盐务，因旧时居民多以熬制硝盐为生，此地设盐务管理，后谐音雅为今名。聚落呈团块状。有演武中学、演武中心小学、演武镇卫生院。有市级文物保护单位寿圣寺，现存均为明代建筑遗构。工业以橡胶为主。省道汾屯线经此。

141182-B06　**三泉镇**［Sānquán Zhèn］汾阳市辖镇。在市境西南部。面积 83 平方千米。人口 3.36 万。辖 24 行政村。镇人民政府驻三泉。1953 年设三泉乡，后改公社。1984 年改置镇。1996 年属汾阳市。因驻地得名。虢义河流经。有中小学、幼儿园、文化站、卫生院。古迹有明代奇峰塔、关帝庙、西贾壁魁星楼、五岳庙，其中五岳庙为全国重点文物保护单位，农业主产小麦、谷子、玉米、高粱。特产有小米、红皮蒜、长山药、胡萝卜、扫帚。工业以焦炭、精煤、民用建材为主。有三泉焦化工业园。汾阳—平遥高速、307 国道、省道汾柳线经此。

141182-B06-H01 **三泉**［Sānquán］三泉镇人民政府驻地。在市政府驻地太和桥街道南 10 千米。人口 1700。原名后街，因村有三股泉水而得名。聚落呈团块状。有三泉中学、三泉镇中心小学、三泉镇中心卫生院。有普济庵、兴茂街 17 号店铺、兴盛街 60 号店铺，现存皆为清代建筑遗构。有特产优质小米。省道汾柳线经此。

141182-B06-H02 **北榆苑**［Běiyúyuàn］在市政府驻地太和桥街道西 13 千米。三泉镇辖行政村。人口 800。因榆树较多而得名。聚落呈团块状。有北榆苑小学。有第六批全国重点文物保护单位汾阳五岳庙，现存五岳殿、水仙殿为元代建筑遗构，两殿内均有壁画遗存。余皆清代建筑遗构。乡村道路经此。

141182-B06-H03 **东赵**［Dōngzhào］在市政府驻地太和桥街道西南 15 千米。三泉镇辖行政村。人口 1100。因赵姓始居而得名赵村，后附近又建一村，有东赵、西赵之分，故名。聚落呈团块状。有市级文物保护单位奇峰塔，现存为明代建筑遗构。有东赵堡址、静安寺斋房院、关帝阁、武氏宅院，现存皆为清代建筑遗构。2019 年被列入第五批中国传统村落名录。县道韩石线经此。

141182-B06-H04 **巩村**［Gǒngcūn］在市政府驻地太和桥街道西南 7 千米。三泉镇辖行政村。人口 720。聚落呈团块状。有市级文物保护单位巩村城址，为战国至汉代城址遗存。有巩村遗址，为新石器时代、战国时期文化遗存。有龙天庙、关帝阁、李枚宅院、李氏宅院，现存皆为清代建筑遗构。2019 年被列入第五批中国传统村落名录。县道韩石线经此。

141182-B06-H05 **南马庄**［Nánmǎzhuāng］在市政府驻地太和桥街道西南 15 千米。三泉镇辖行政村。人口 1700。原名永安堡，后改名马庄，随后在附近又建起一庄，因其位置位于南面而得名。聚落呈团块状。有南马庄中心小学。有市级文物保护单位南马庄惨案遗址，1938 年农历七月初七，日军在此屠杀本村无辜百姓 42 人。有张第元旧居，现存为明代建筑遗构。有八路军 115 师 685 团临时团部旧址，1938 年王震、杨得志率 685 团进驻三泉南马庄约半个多月。2019 年被列入第五批中国传统村落名录。县道仁西线经此。

141182-B06-H06 **任家堡**［Rénjiābǎo］在市政府驻地太和桥街道西南 8 千米。三泉镇辖行政村。人口 1000。聚落呈团块状。有任家堡遗址，为东周、新石器文化遗存。有龙天庙，现存为明代建筑遗构。有任家堡牌楼、任家堡堡址、任氏宅院，现存皆为清代建筑遗构。2019 年被列入第五批中国传统村落名录。省道汾柳线经此。

141182-B06-H07 **岅峪**［Bǎnyù］在市政府驻地太和桥街道西南 12 千米。三泉镇辖自然村。人口 430。因地处丘陵，北面靠河、南面靠沟、东北连有小土丘而得名。聚落呈团块状。有第六批省级文物保护单位岅峪东岳庙，现存正殿为元代建筑遗构，余皆为清代建筑遗构。省道汾柳线经此。

141182-B06-H08 **东石**［Dōngshí］在市政府驻地太和桥街道西南 11 千米。三泉镇辖自然村。人口 910。因石姓始居而得名石村，后人口增多，分居三处，故有北石、南石、东石之分。聚落呈团块状。有第六批省级文物保护单位东石龙天庙，现存正殿为元代建筑遗构，东西耳殿为明代建筑遗构。县道韩石线经此。

141182-B07 **石庄镇**［Shízhuāng Zhèn］汾阳市辖镇。在市境西南部。面积 87 平方千米。人口 1.25 万。辖 11 行政村。镇人民政府驻石庄。1953 年设石庄乡，后改公社。1984 年复置乡。1995 年改镇。1996 年属汾阳市。因驻地得名。虢义河流经。有中小学、幼儿园、文化站。有市级文物保护单位任捷三墓。矿产有煤炭、铝、铁等。农业主产谷子、薯类、核桃。工业以采煤为主。服务业以运输、餐饮为主。通公路。孝柳铁路经此。

141182-B07-H01 **石庄**［Shízhuāng］石庄镇人民政府驻地。在市政府驻地太和桥街道西南 20 千米。人口 2400。原名石家庄，后简为今名。聚落呈团块状。有石庄镇中学校、石庄中心小学、石庄镇卫生院。有财神阁、观音庙、张氏宅院，现存皆为清代建筑遗构。县道仁西线、韩石线经此。

141182-B08　**杨家庄镇**［Yángjiāzhuāng Zhèn］汾阳市辖镇。在市境西南部。面积 148 平方千米。人口 1.67 万。辖 13 行政村。镇人民政府驻杨家庄。1953 年设杨家庄乡，后改公社。1984 年改置镇。1996 年属汾阳市。2001 年南偏城乡并入。因驻地得名。阳城、虢义河流经。有野猪、野鸡、獐等动物。有中小学、卫生所、文化站。景点有莲花寺、杨家庄抗日战役遗址。农业主种玉米、大豆、谷子、马铃薯。特产核桃和中药材。工业以煤炭为主。有贸易、洗煤等企业。服务业以餐饮为主。307 国道经此。

141182-B08-H01　**杨家庄**［Yángjiāzhuāng］杨家庄镇人民政府驻地。在市政府驻地太和桥街道西南 15 千米。人口 1500。聚落呈条带状。有杨家庄初级中学、杨家庄中心小学、杨家庄卫生院。有杨家庄关帝庙，现存为清代建筑遗构。有杨家庄天主堂，始建于 1912 年。307 国道经此。

141182-B09　**峪道河镇**［Yùdàohé Zhèn］汾阳市辖镇。在市境西北部。面积 338 平方千米。人口 2.4 万。辖 21 村委会，有 47 个自然村。镇人民政府驻峪道河村。1958 年设峪道河公社。1984 年改置镇。1996 年属汾阳市。2001 年万宝山、宋家庄 2 乡并入。因峪道河得名。峪道河、向阳河流经。矿产有白云石、石灰石、石英石、实心粘土等。向阳、白虎岭林场有原始森林 30 万亩。有中小学、幼儿园、文化站、卫生所。名胜古迹有狄青墓、峪口新石器文化遗址、金锁关、三十里桃花洞等。有全国重点文物保护单位柏草坡龙天土地庙，又称龙王土地庙。农业主产玉米、谷子、小杂粮。特产汾州核桃、坡头小米、万宝山土豆等。工业以农副产品加工为主。服务业以餐饮、旅游为主。太中（银）铁路经此。通公路。

141182-B09-H01　**李家沟**［Lǐjiāgōu］峪道河镇人民政府驻地。在市政府驻地太和桥街道东北 7 千米。人口 370。相传在清朝年间，该村只有李、陈两大户居住，因李姓较多，村后有沟而得名。聚落呈团块状。有峪道河镇中心小学、峪道河镇中心卫生院。有第二批省级文物保护单位峪道河遗址，为新石器时代文化遗存。县道庄李线经此。

141182-B09-H02　**柏草坡**［Bǎicǎopō］在市政府驻地太和桥街道北 8 千米。峪道河镇辖行政村。人口 900。相传很早以前该村白草纵深，荒无人烟，后迁来任、薛两家居住，取名为白草坡，后因“白”、“柏”同音，演变为今名。聚落呈团块状。有第七批全国重点文物保护单位柏草坡龙天土地庙，现存正殿主体为金元时期建筑遗构，其余为清代建筑遗构。乡村道路经此。

141182-B09-H03　**峪口**［Yùkǒu］在市政府驻地太和桥街道东北 7 千米。峪道河镇辖行政村。人口 600。因位于峪道河口上而得名。聚落呈团块状。有第八批全国重点文物保护单位峪口圣母庙，俗称娘娘庙，现存建筑中，正殿及西朵殿为元代建筑遗构，圣母殿及东西配殿为明代建筑遗构，其余为清代建筑遗构。乡村道路经此。

141182-B09-H04　**下张家庄**［Xiàzhāngjiāzhuāng］在市政府驻地太和桥街道西北 6 千米。峪道河镇辖行政村。人口 800。聚落呈团块状。有下张家庄小学。有天成寨寨址，相传为明代庆成王所建，现存为明至清代建筑遗构。有下张家庄大庙，现存为清代建筑遗构。经济以核桃苗木培育、核桃种植为主。2019 年被列入第五批中国传统村落名录。乡村道路经此。

141182-B09-H05　**后沟**［Hòugōu］在市政府驻地太和桥街道西北 13.2 千米。峪道河镇辖行政村。人口 580。因村庄坐落在沟后而得名。聚落呈条带状。有第六批省级文物保护单位后沟玲珑塔，创建于明万历二年（1574 年），现存为明代建筑遗构。有华严庵，现存为明代建筑遗构。乡村道路经此。

141182-B09-H06　**刘村**［Liúcūn］在市政府驻地太和桥街道西北 6 千米。峪道河镇辖行政村。人口 。聚落呈团块状。有刘村中心小学。有第三批省级文物保护单位狄青墓，狄青，字汉臣（1008 年—1057 年），汾州西河人，皇祐五年（1053 年）官拜枢密使，嘉祐四年（1059 年）归葬于此。乡村道路经此。

141182-B10　**阳城镇**［Yángchéng Zhèn］汾阳市辖镇。在市境南部。面积 80 平方千米。人口 4.4 万。辖 18 行政村。镇人民政府驻西阳城。1953 年设西阳城乡。1956 年改阳城乡，后改公社。

1984年复置乡。1996年属汾阳市。2001年见喜乡并入。2021年撤乡设镇。因驻地得名。阳城河、文峪河、磁窑河流经。有中小学、幼儿园、文化站、卫生所。有全国重点文物保护单位东龙观墓群。古迹有天龙庙、关帝庙、卫天霖故居、净土寺、五岳庙等。农业主产玉米、高粱、枇杷、大蒜、葡萄柚等。工业以加工业为主。服务业以餐饮为主。特产汾甘草。汾阳—平遥高速、307国道、省道汾介线经此。

141182-B10-H01 **西阳城**［Xīyángchéng］阳城镇人民政府驻地。在市政府驻地太和桥街道南5千米。人口3300。为北朝御防离石诸胡筑城，后分为东、西阳城。聚落呈团块状。有阳城初级中学、西阳城中心小学、阳城中心卫生院。有西阳城遗址，为汉代文化遗存。有西阳城堡址、朱氏宅院、任嘉穀宅院，现存皆为清代建筑遗构。省道汾张线经此。

141182-B10-H02 **东龙观**［Dōnglóngguān］在市政府驻地太和桥街道东南18千米。阳城镇辖行政村。人口1000。相传乾隆皇帝游江南，路经此地拜佛，故名龙观，因村分东西而得名。聚落呈团块状。有东龙观小学。有第七批全国重点文物保护单位东龙观墓群，目前发现宋金墓葬27座，分属于两个家族墓地。有市级文物保护单位般若寺、净土寺，现存皆为明至清代建筑遗构。县道韩石线经此。

141182-B10-H03 **虞城**［Yúchéng］在市政府驻地太和桥街道东南10千米。阳城镇辖行政村。人口1100。相传古代有一名"虞国"的诸侯来此落户，以此为城，故名。聚落呈团块状。有虞城小学。有第四批省级文物保护单位虞城五岳庙，现存正殿为金代建筑遗构，其余皆为清代建筑遗构。有广福寺，现存正殿为明代遗构，余皆为清代建筑遗构。有杏韵酒业有限公司。2016年被列入第四批中国传统村落名录。乡村道路经此。

141182-B11 **栗家庄镇**［Lìjiāzhuāng Zhèn］汾阳市辖镇。在市境西部。面积134平方千米。人口2.45万。辖16行政村。镇人民政府驻栗家庄。1953年设栗家庄乡，后改公社。1984年复置乡。1996年属汾阳市。2001年张家堡乡并入。2021年撤乡设镇。因驻地得名。有中小学、文化站、卫生所。有省级文物保护单位后土圣母庙、北垣底遗址。有石盘山道教建筑群和刘家堡、郝家庄麻衣仙姑洞等古迹。民间艺术有地秧歌、锣鼓等。农业主产高粱、玉米、小麦。特产核桃。工业以建材为主。服务业以加工、销售"汾州核桃"为主。太中（银）铁路、青银高速、307国道经此。

141182-B11-H01 **栗家庄**［Lìjiāzhuāng］栗家庄镇人民政府驻地。在市政府驻地太和桥街道西5千米。人口2100。聚落呈团块状。有栗家庄中学、栗家庄卫生院。有瑞俪香米业有限责任公司。县道汾郝线经此。

141182-B11-H02 **田村**［Tiáncūn］在市政府驻地太和桥街道西北4千米。栗家庄镇辖行政村。人口1300。相传，该村以前有一田姓人家，在朝官居一品，故名。聚落呈团块状。有田村中心小学。有第八批全国重点文物保护单位汾阳后土圣母庙，始建于唐代，现仅存正殿，殿内遗存有明代壁画。乡村道路经此。

141182-B11-H03 **石家庄**［Shíjiāzhuāng］在市政府驻地太和桥街道西南2.6千米。栗家庄镇辖行政村。人口1030。相传该村初建时只有10户人家，故名十家庄，后因"十"与"石"谐音而得名。聚落呈团块状。有第六批省级文物保护单位石家庄龙天庙，创建年代不详，现存正殿、西耳殿为元代建筑遗构，其余为清代建筑遗构。307国道、省道汾介线经此。

141182-B11-H04 **刘家堡**［Liújiābǎo］在市政府驻地太和桥街道西北4.9千米。栗家庄镇辖自然村。人口170。相传元末明初，一部分抗元义军路经此地，其中有四位兵卒不能随军奔袭而留居于此，为躲避官军追杀统一改姓为刘，故名。聚落呈团块状。有第六批省级文物保护单位刘家堡关帝庙，创建于清顺治年间，现存为清代建筑遗构，正殿内有壁画遗存。乡村道路经此。

141182-B11-H05 **南赵郡**［Nánzhàojùn］在市政府驻地太和桥街道西北12.4千米。栗家庄镇辖自然村。人口1000。聚落呈条带状。有第六批省级文物保护单位南赵郡佛殿，始建年代不详，现仅存大殿，为元代建筑遗构。乡村道路经此。

第二编

自然地理实体

第二编 自然地理实体

21-B001 **太原盆地**［Tàiyuán Péndì］在山西省中部。北起太原以北的石岭关，南至灵石县境的韩侯岭，东西两侧分别以太谷断层、交城断层与山地相接。长约 200 千米，宽 12—40 千米，面积 5050 平方千米。因太原为盆地内最大城市，故名。海拔 700—900 米。有汾河及其支流潇河、文峪河、龙凤河等流经。年平均气温 9.5—10.5℃，年降水量 450—500 毫米。土壤以草甸褐土和淡褐土及山地褐土为主。鸟类、哺乳类等各类动物资源丰富，植被类型多样，自然植被以针叶林、落叶阔叶林等为主，盆地腹心以两年三熟制的栽培植被为主。太原盆地历史悠久，是中华文化的发祥地之一，晋商摇篮，社会文化底蕴深厚，名胜古迹众多，重要的有平遥古城、晋祠、乔家大院等。这里集中有山西省 90% 以上的科研机构和大专院校，重要的有山西大学、太原理工大学、中北大学、山西省社会科学院等。盆地内地势平坦、沟渠交错、灌溉便利，开发条件优越，农业发达，是山西省杂粮、小麦等重要粮食基地。矿产资源丰富，具有开采价值的有煤、铁、硫磺、石膏、陶瓷土等 20 余种，占山西省探明储量矿种的 1/4。工业基础条件好，形成了以煤炭、能源、冶金、机械、化工等为主的支柱产业，拥有不锈钢生产基地、新型装备制造业基地等全国知名工业基地。第三产业发展快、实力强，是山西省现代服务业、商业物资供应中心、旅游业和文化产业发展中心。盆地内外交通十分便捷，以省会太原为中心，形成了以铁路为骨干，以公路为基础，其他交通线为辅助的完善的交通体系。主要铁路干线有同蒲、太焦、太中银和石太，以及京原和大西高铁，主要公路有大运、太旧、太长等高速公路，以及 108、208、207、307 等国道，有全省最大的航空港武宿机场。

21-B002 **大同盆地**［Dàtóng Péndì］在山西省北部。西南起于宁武阳方口，东北至省界，南以恒山前为界，西与洪涛山相接。包括大同市区、阳高、天镇、浑源、应县、怀仁、山阴及朔州市朔城区的平原部分。长约 200 千米，宽 20—40 千米，面积约 6000 平方千米，是山西省最大的盆地。海拔 900—1100 米。有桑干河及其支流恢河、源子河、黄水河、御河等流经。年平均气温 7℃左右，年降水量 400 毫米左右，属温带半干旱气候区。土壤类型以草甸淡栗钙土为主，应县等地河谷低洼地区有大面积的盐碱地。鸟类、哺乳类等各类动物资源丰富，植被类型多样。大同盆地在历史时期是民族交流与融合的中心。盆地内的中心城市大同市，曾是北魏帝都、辽金西京、明清重镇，有着深厚的历史文化底蕴。著名的名胜古迹包括云冈石窟、悬空寺、华严寺、善化寺、观音堂、圆觉寺塔、边塞长城、兵堡、龙壁、明代大同府城等。盆地内煤矿资源丰富且易于开采。以煤炭运输为枢纽，形成大包、丰沙大、大秦、北同蒲和大准线等 5 条铁路干线以及各属支线。主要公路有二广、孙右高速公路及 109、208 国道。有大同机场，是山西省第二大民用机场。

21-B003 **上党盆地**［Shàngdǎng Péndì］在山西省东南部，范围包括今山西晋中市东南部，长治市、晋城市一带。又叫沁潞高原。“上党”因“据太行山之巅，地形最高，与天为党”而得名。东、南是太行山，西面是太岳山，西南面是中条山，西北是系舟山。大致呈北东—南西向展布，南北长约 80 千米，东西宽约 40 千米，面积近 2800 平方千米，地形东高西低，南高北低，海拔 900—1000 米。外围山地多以大断层与汾河谷地、黄河谷地和华北平原相接，高差几百到千米以上，在周围山地之间是一个起伏和缓被抬升的构造盆地。周围山地除部分山前出露前寒武纪变质岩系外，多为寒武、奥陶系灰岩。山地上部多为草甸草原，是良好的夏季牧场；山地森林生长较好，太行山、太岳山、中条山地都是省内重要的林区。自古为战略要地和兵家必争之地，为历代建功立业者所倚重。此地向来金戈铁马，烽烟不断，素有“得上党而望中原”之说。受沁河、漳河、丹河等水系切割形成低山、丘陵、黄土原和大小不等的盆地，是农、林、牧综合发展的好地方。盆地内交通便捷，有 207 国道、长晋高速、长晋二级公路等。有长治机场，可通航国内多座城市。

21-B004　**运城盆地**［Yùnchéng Péndì］在山西省西南部。北以峨嵋台地与临汾盆地相隔，东南达中条山麓，西隔黄河与渭河盆地毗连。面积 2975 平方千米。因运城为盆地内最大城市，故名。又称“涑水盆地”。海拔 320—400 米左右。有涑水河、姚暹渠等流经其间。年平均气温介于 11.5—13.8℃，最高气温 42.8℃，最低气温 -24.6℃。年降水量在 500—580 毫米之间。有褐土、草甸土、沼泽土、盐土等类土壤，以褐土为主。有狼、狐、兔、野猪、黄羊、赤麻鸭等动物，植物品种多，乔木类有松、柏、楸桐、榆、杨、柳、槐等，经济树种有枣、桃、杏、柿子、花椒等，另有药材、牧草等植被类型。运城盆地有着十分悠久的人文历史，是华夏文明的发祥地之一。距今约 180 万年前就有人类活动的足迹，上古时期是华夏先民领袖人物的主要活动区域，相传黄帝杀蚩尤之地，尧初都地蒲坂，舜亦建都蒲坂，禹都安邑，均在今运城盆地境内。这里还是我国最古老的盐业生产中心，千百年来，历代先民围绕盐池而形成底蕴深厚的盐业文化。重要名胜古迹有关帝庙、舜帝陵、池神庙、普救寺、蒲州故城、蒲津渡遗址等，重要科教文卫单位有运城学院、康杰中学等。运城盆地内地势平坦、灌溉便利，适宜发展农业生产，素有“山西粮仓”之称。矿产资源丰富，尤以铜矿为主，石灰石资源亦较丰富，盐湖是山西省唯一的盐类矿产地。工业以重工业为主，尤以制造业占比最大。服务业发展迅速。盆地内外交通十分便捷，大运、河运、运风、运三、东济等高速公路可联结西北、西南和中原地区，同蒲铁路纵贯南北，大西高铁联结大同与西安，另有关公机场可与国内主要城市通航。

21-B005　**忻定盆地**［Xīndìng Péndì］在山西省中部偏北。东北起于繁峙县大营一带，南至石岭关，形状不规则，以忻口附近的金山隆起为界，分为滹沱河上游谷地与滹沱河冲积盆地。上游谷地是一个地堑谷，两侧均以断层与山地相接，北为恒山，南为五台山；冲积盆地西北有云中山，东南面为系舟山。盆地长约 200 余千米，宽 10—25 千米，面积为 2050 平方千米。因盆地内主要城市为忻州市忻府区与定襄县，故名。海拔 800—900 米。有滹沱河及其支流牧马河流经；年平均气温 8—10.5℃，年降水量 400—600 毫米；以盐化浅色草甸土壤及浅色草甸土壤为主；有多种鸟类、兽类动物类型，植被资源丰富，以针叶林、落叶灌丛及夏绿阔叶林为主，盆地腹心以两年三熟制的栽培植被为主。忻定盆地历史悠久，素有“晋北锁钥”之称，历朝历代均为兵家必争之地。人文资源丰富，名胜古迹众多，主要有雁门关、洪福寺、代县边靖楼等。主要的科教文卫单位有忻州师范学院和山西省社会科学院忻州分院等。忻定盆地平坦开阔、灌溉便利，与周围山地落差明显，素有“杂粮王国”之称，是山西省高粱、红薯等农作物的主产地。矿产资源富集，开发潜力大，目前已探明储量的矿产达 50 余种，尤以煤炭、铁矿、铝土矿、金红石、金矿等矿种储量大、分布集中。依托丰富的能源矿产资源，本地区已初步建起煤炭、电力、冶金、装备制造等工业体系，文化旅游、绿色农产品、新型能源与新型材料等产业也在本地区快速发展。盆地内外交通十分便利，南距省会太原仅 75 千米，东距京津唐地区约 400 千米。京原、北同蒲、朔黄、忻河等铁路干线及大西高铁纵贯本地区。公路四通八达，有 108、208、338 等国道，以及大运、五保、忻阜、临河等高速公路，具有承南接北，辐射东西的区位优势，是连通西部能源区和东部出海口的重要交通枢纽。有山西省军民合用的五台山机场。

21-B006 **临汾盆地**［línfén Péndì］位于山西省西南部，北起韩侯岭，向南至侯马折而向西直抵黄河岸，盆地东西两侧分别以霍山大断层、罗云山，韩城大断层与山地相接，南部与峨嵋台地相接。盆地长约 200 千米，宽约 20—25 千米，面积约 5000 平方千米。因临汾市为盆地内主要城市，故名。临汾盆地平均海拔为 450-600 米，盆地包括了整个汾河下游地区，属温带大陆性季风气候，夏季温暖多雨，冬季寒冷干燥，年平均大致为 10℃。盆地地处黄土高原东部，黄土分布广阔。盆地内野生动物种类丰富，有国家一类保护动物金钱豹，黑鹳、金雕、褐马鸡、大鸨等。盆地内汾河滩分布有河漫滩草甸，此外还有大片的麦棉农作物群落，森林资源主要以杨树为主。临汾盆地是中华民族发祥地之一，《帝王世纪》称："尧都平阳"，即今临汾。名胜古迹有尧庙、洪洞大槐树、陶寺以及丁村遗址。盆地内矿产资源丰富。拥有首屈一指的煤炭资源，铁矿是第二大矿产资源，除此之外还有磁铁矿、大理石、石英、石膏等。工业以重工业为主，制造业仍占主体地位，采掘业也在向综合化的方向开展，近年来着重发展工业战略性新兴产业、装备制造业、高技术产业。盆地内交通便利，有火车站 3 座，分别是临汾站、临汾北站、临汾西站。同蒲铁路南北纵贯，东西以第二条欧亚大陆桥中的侯西、侯月横穿。有京昆、青兰高速，以及 108、209、309 等国道经行境内。有尧都机场通达国内多座城市。

21-E001 **太行山脉**［Tàiháng Shānmài］跨山西省、河南省、河北省、北京市，北起拒马河谷，南至晋、豫边界黄河沿岸。呈东北—西南走向，绵延 400 余千米。"太"者大也，"行"者行列也，太行者，为一系列高大的山脉也，故名。古称大形山、五行山。最高海拔 2882 米（小五台山），大部分海拔在 1200 米以上，有桑干河、滹沱河、漳河、沁河等流经。属暖温带半湿润大陆性季风气候，全年冬无严寒，夏无酷暑，雨热同季，年平均气温在 10℃左右，平均最高气温在 28℃上下，平均最低气温在 -10℃左右。分布有山地褐土、山地淋溶褐土、山地棕壤、山地草原草甸土等。有金钱豹、金雕、黑鹤、白鹤等珍稀野生动物 30 余种。植被以辽东栎为主。在较高的地方局部生长着山杨、白桦、落叶松和云杉等。低山丘陵区多见胡枝子、黄刺玫、狼牙刺、虎榛子、荆条、沙棘、红酸刺、黄栌、连翘、白羊草等灌草丛。

太行山是中华民族的祖先最早活动地区之一，著名的北京猿人、许家窑人就生活在太行山北段的山麓地带。太行山区地势险要，历来是军事战略要地，兵家所必争。抗日战争中，中国共产党和八路军曾依托太行山区建立晋察冀、晋冀鲁豫两大抗日根据地。主要名胜古迹有通天峡景区、苍岩山景区、西柏坡中共中央旧址、八路军总部旧址等。主要矿藏有煤、铁、铝土、磷、硫铁、沸石、珍珠岩、石灰石、白云岩、石英岩状砂岩、花岗岩、大理岩等。太行山多横谷（陉），为东西交通孔道。军都陉、蒲阴陉、飞狐陉、井陉、滏口陉、白陉、太行陉、轵关陉为著名的太行八陉。当前已建成京包、大秦、京原、石太、太焦、邯长等铁路干线和青银、青兰等高速公路干线，太行山区交通不便状况明显改观。

21-E002 **吕梁山脉**［Lǚliáng Shānmài］位于山西省西部，呈东北—西南走向，大致与太行山相平行。北起管涔山，南止龙门山，绵亘约 400 千米，东西宽约 30—100 千米。俗名谷积山，实为骨脊山，"吕"本义为骨脊，故骨脊之意与吕梁相通。在山地形态上可分为三段。北段大体在岚县城以北，山势挺拔，陡峭雄大，海拔多在 1500—2000 米，此段最高峰管涔山海拔 2784 米。中段大体在岚县与交口县之间，这里群峰汇集，海拔多在 2000 米以上，是吕梁山脉的最高段，最高峰关帝山即位于此段，海拔 2831 米。南段大体在交口县以南，山势向南渐低，海拔一般在 1500 米左右，段内最高峰紫荆山海拔 1955 米。末端的龙门山近东西走向，被黄河切穿，形成壮观的禹门口峡谷。有汾河、三川河、蔚汾河、湫水河、昕水河等穿行其间。属半干旱大陆性季风气候，四季分明。年均气温 8、9℃左右，极端最低气温为 -30.5℃，极端最高气温为 39.9℃。山地下部均有黄土分布，分布上限1400—1800米。吕梁山地动物资源丰富，以褐马鸡最为珍贵。植被除较高陡的山地外，森林已为灌丛草地所代替。就乔木而言，以芦芽山为代表的北段主要是寒温带针叶林，以关帝山为代表的中段主要是温带针阔叶混交林，以五鹿山为代表的南段，主要是暖温带阔叶林。

吕梁山地有着悠久的开发历史，文化积淀深厚，《尚书·禹贡》载："既载壶口，治梁及岐"，梁即吕梁山。抗日战争中我党曾在此建立晋绥抗日根据地。主要名胜古迹有碛口古镇、隰县千佛庵、柳林县香严寺、晋绥边区政府旧址等。吕梁山区矿藏资源丰富，主要有煤、铁、铝土等。交通以公路运输为主，青银高速横贯境内中部，已形成以高速公路、国道、省道为主干，以县乡公路为依托的公路交通网络，交通不便状况大大改观。

21-E003　**中条山脉**［Zhōngtiáo Shānmài］位于山西省西南部。略呈东北—西南走向，东起垣曲县东北边的舜王坪，西至永济市西南角的首阳山，北隔绛县续鲁峪接太岳山脉，南抵黄河北岸，长约160千米。古文载："山狭而长，西华岳，东太行，此山居中，故曰中条"。最高点主峰舜王坪海拔2321米，平均海拔1500米左右。山中河流多自北而南汇入黄河，主要有亳清河、允西河等。属暖温带大陆性气候，四季分明。中条山区的土壤主要是山地褐土、山地淋溶褐土及山地棕壤。有猕猴、大鲵等稀有动物。是山西树种最多林区，森林覆盖率40%以上，分布有暖温性植被，主要为以栎类为主的落叶阔叶杂木棣及油松林等，并有珍贵的杜仲、猕猴桃和漆树。

中条山一带是中华文化的发祥地之一，主峰舜王坪即因传说舜耕于此而得名，下川遗址是一处在人类进化史上具有里程碑意义的旧石器晚期的细石器文化遗址。重要名胜古迹有虞坂古盐道、历山国家自然保护区等。矿物资源丰富，以铜矿为主，此外有金、磷、煤、铁等。中条山是关中门户，拱卫西安和大西北，瞰视晋南和豫北，战略地位十分重要，历为兵家必争之地。内外交通便捷通畅，国道209线南北向纵贯山区。

21-E004　**太岳山脉**［Tàiyuè Shānmài］在山西省中部偏南。东连沁潞高原，西以大断层降到汾河中下游谷地。北隔榆次潇河接系舟山、太行山，向南经太谷、祁县、平遥、介休、灵石、沁县、沁源、霍州、古县、安泽、洪洞、临汾市尧都区、襄汾、浮山、翼城、曲沃、侯马、沁水、阳城等20余县市区，到浍河及其上游续鲁峪河连中条山。山体走向近于南北，长约200千米，宽约30千米，是汾河与漳河、沁河的分水岭。"太"者大也，"岳"者高大之山也，"太岳"者特别高大之山也。山势中段最为高峻宽广，海拔多在2000米以上；北段次之，海拔在1090—2000米之间；南段低缓，海拔1000—1600米。山坡陡峻，相对高差达1000米以上。主峰霍山海拔2348米。太岳山区年均降水量为600毫米。气温由南向北递减。土壤分布自下而上依次为褐土、山地褐土、山地淋溶褐土、山地棕壤、山地草原草甸土。受气温和降水等因素的影响，植被垂直分带明显：1400米以下为白羊草、荆条，偶有侧柏及农垦区；1400— 1800米为油松和栎类、山杨等杂木林；1800—2000米为白桦林；1900米以上出现高山草甸。太岳山区是山西的重要林业基地之一。尤其是介休绵山、灵石石膏山和沁源灵空山等，不仅林木葱茂、自然景色优美，而且有寺庙建筑掩映于林海之中，是远近闻名的旅游胜地。山中蕴藏有煤、铁、石灰石、硫铁矿、耐火粘土等多种矿产资源。抗日战争期间，中国共产党领导人民建立了太岳区抗日根据地，为赢得最终胜利做出了重大贡献。

21-E005　**恒山山脉**［Héngshān Shānmài］含狭义和广义两个概念。狭义的恒山即"北岳恒山"，亦名"太恒山"，古称玄武山、崞山、高是山等，明末清初被确定为"五岳"之北岳。位于山西省浑源县城南10千米处。恒山分东西两峰，东为天峰岭，西为翠屏峰，两峰之间一水中流，恍若天然门户。山体由寒武、奥陶纪石灰岩组成，溶蚀侵蚀大起伏断块高中山，主峰天峰岭海拔2016.8米，号称"人天北柱"、"绝塞名山"。山道崎岖，怪石争奇，松柏参天，风景秀丽，古有十八胜景。尤其值得一提的是恒山悬空寺，始建于北魏，距今已有1400余年的历史，构思奇巧，建筑奇特，历来为旅游胜地，当地民谣称：“悬空寺，半天高，三根马尾空中吊。”广义的恒山，即指恒山山脉。是山西省大同市东南部、河北省张家口市南部、桑干河、滹沱河之间一系列山峰的总称。大致呈西南—东北走向延伸，东西长300千米左右，南北宽80千米左右，最高峰为代县、应县边界处的馒头山，海拔2426米。按照山系展布情况，大致可分为主脉、北支脉、南延支脉三部分。恒山横亘于山西北部高原与冀中平原之间，因其险峻的自然山势和重要的地理位置，自古以来成为兵家必争之地。

21-E006 **五台山脉**［Wǔtái Shānmài］又名清凉山、五峰山。位于山西省境东北部，西以忻定盆地为界，东与太行山合为一体，北接滹沱河谷地，东南与系舟山相连。山脉呈西南—东北方向延伸，长约150千米，宽约20—80千米，主体在五台、繁峙、代县三县之间。因其主体由五座高耸入云而顶部平坦的山峰构成，故名。又因山高气寒，夏无酷暑，故又称清凉山。主峰北台顶海拔3058米，为山西省最高峰，也是华北地区最高点。五台山地在漫长的地质时期发生过强烈的褶皱和断层，后经强烈断裂和隆起，形成了典型的断块高中山。其间多见的平坦山顶，就是第三纪夷平面的残迹，一般称为“北台期”夷平面。北麓受断层影响，坡陡沟深，南麓坡度较缓，形成豆村、茹村、五台、东冶等多处凹陷盆地。五台山植被覆盖呈现出明显地垂直地带性特征，海拔1300米以下多为耕地，1300米以上有虎榛子等灌丛和油松、白桦、冷杉等高大乔木，同时还有亚高山草甸分布。五台山四周群山层叠，地势险要，战略地位重要，抗日战争时期曾是抗日根据地之一。五台山是我国四大佛教名山之一，寺庙星罗棋布，尤以台怀镇一带最为密集，形成了规模宏大的古代寺庙建筑群，环境分外清幽，使其成为中外驰名的游览和避暑胜地。

21-E007 **系舟山脉**［Xìzhōu Shānmài］位于山西省太原市东北及忻州市东与阳泉市盂县交界处，忻定盆地的南侧，是太行山的主要支脉。大致呈东北—西南走向，由盂县浦沱河南岸向西南蜿蜒，止于太原市东山，长约100千米。斜跨于五台、定襄、盂县、忻州市忻府区、阳曲、寿阳、晋中市榆次区等县市区之间。相传禹王阻水时曾系舟于此，故名。由古生界寒武、奥陶系石灰岩组成，褶皱断裂单面断块山地。西北坡陡峭，多断崖绝壁。东南坡和缓，以低山、丘陵接寿阳盆地。是滹沱河支流牧马河与桃河、汾河支流潇河的分水岭。地下溶洞发育，为娘子关泉的补给区。海拔一般为1800—2000米，最高峰柳林尖山高达2101米。溶蚀侵蚀中起伏中山。土壤自下而上依次为山地褐土、山地淋溶褐土、山地棕壤。植被以绣线菊、虎榛子和白羊草等灌草丛为主。顶部残留有油松和栎类混交林。矿藏有煤、白云岩、石灰石、硅石、铁矿等。系舟山区历史人文色彩浓厚，相传黄帝与炎帝的阪泉之战发生在这里，拥有大王庙、永祚寺等国家级、省级重点文物保护单位。

21-E008 **云中山**［Yúnzhōng Shān］位于山西省忻州市中部偏西，纵贯原平、忻州市忻府区、阳曲和宁武、静乐、古交等县市区交界处。北隔原平市阳武河接恒山山脉，南抵阳曲县汾河峡谷北岸。呈东北—西南走向，长约110千米，宽约20—40千米。因山中常有云雾，阴天尤甚，山峰若隐若现，故名。一般海拔约1500—2000米，主峰大石人梁海拔2428米。山体由太古界变质岩系、古生界寒武、奥陶系石灰岩及花岗岩侵入体组成，背斜构造。褶皱断裂溶蚀侵蚀大起伏高中山，为吕梁山脉北段东支。东以大断层接忻定盆地，西坡缓降入汾河上游谷地。土壤以淡褐土、山地褐土为主，有灌草丛、落叶乔木植被类型。矿藏有煤、铝土、石灰岩、石英、长石、云母等。

21-E009 **洪涛山**［Hóngtāo Shān］位于山西省大同市与朔州市的交界地带。因山峰高低起伏似洪涛而得名。呈东北—西南走向，属阴山山脉，主峰在山阴县境西南部，海拔1947米，总面积353平方千米，周长57千米，绵延100余千米，为山西北部之大型山脉。山大沟深，地形复杂，东坡险陡。有的山峰壁立，呈垂直状，西坡较缓，大部分为黄土覆盖，经雨水冲刷，深切入基岩。山上植物稀少，岩石裸露。有丰富的矿产资源，煤炭埋藏浅，煤田总面积250平方千米，总储量83亿吨，是山西省煤炭资源重地。此外亦有方解石、铁矿石、高岭土等。

21-E010 **管涔山**［Guǎncén Shān］位于山西省西北部，地处宁武、岢岚、五寨等县交界处。《太平寰宇记》载，管涔山"土人云，其山多菅草，或以为名"。为吕梁山脉北段分支，呈东北—西南走向，主峰芦芽山，海拔2736米。管涔山南承吕梁余脉，北达内蒙阴山，东携洪涛侧翼，西抵黄河东岸，绵延数千里，成为拱卫华北的天然屏障。其山势险峻，整座山体中间高，两头低，如"山"字，山顶保存着北台期夷平面，系剥蚀平台，其上覆有1—2米厚的残疾物，为天然亚高山草场。是山西主要河流汾河的发源地。这里森林资源极为丰富，为山西省最大林区，云杉和华北落叶松集中，素有"云杉之家"和"华北落叶松故乡"之美誉。因海拔高差及气候条件变化幅度大，植被垂直分布比较明显。海拔1300—1600米为灌木丛及农垦带，海拔1500—1800米为中山针阔叶混交林带，海拔1700—2600米为高中山针叶林带，海拔2400米以上为高山灌丛草甸。管涔山亦拥有全国三大高山湖泊之一的天池群落。动植物资源丰富。野生动物有152种，其中兽类36种，鸟类116种，栖息着褐马鸿、金钱豹、梅花鹿、金雕等国家一类保护动物。林蘑、蕨菜等绿色食用资源也极为丰富。管涔山历史悠久，文化积淀深厚。现为国家级森林公园，有旅游景点50多处。

21-E011 **芦芽山**［Lúyá Shān］位于山西省忻州市五寨县东南部。西接岢岚、五寨，东至宁武，南至静乐。因山峰尖峭，气势宏伟，形似芦芽，故名。山势由东北向西南延伸。境内地形复杂，平均海拔1800—2000米，垂直高差达1300米之多。最高峰荷叶坪海拔2784米，是五寨县第一高山。属北温带大陆性气候。四季分明，冬季漫长，无霜期短，昼夜温差大。核部为太古界界河口群变质岩系，两翼为古生界寒武、奥陶系石灰岩。顶部保留着北台期夷平面，上覆风化残积物，牧草丰茂，为良好的夏季牧场。山高林密，是省内主要林区。植被以华北落叶松、云杉、油松、白桦林为主；野生动物有褐马鸡、华北虎、金钱豹、麝、黑鹤等，现已建成野生动物保护区。山上有太子殿、大小天涧、舍身崖、说法台、饮马池等古迹与风景点，是闻名三晋的旅游避暑胜地。已建为省级自然保护区。有公路可达山顶。

21-E012 **罕山**［Kàn Shān］山西省太原东部山地的主峰。位于太原市东部与晋中市榆次区、寿阳县交界处。因山峦起伏，异于他山，故名。俗称东山。海拔1591米，巍峨耸立，山势崇高，地当太原市东部屏障。是太原市与河北省石家庄市之间的公路要道所经之地，在军事上也具有重要位置。这里植被茂盛，苍松翠柏遍布山野，引人入胜。天气晴朗之时，置身山顶可一览太原及榆次市区全景。"罕山时雨"为旧时榆次八景之一。

21-E013 **石千峰**［Shíqiān Fēng］山西省太原西山主峰。位于太原市万柏林区与古交市交界处。因山上有石先锋墓，并以此得名，后讹为石千峰。南北长约50千米，东西宽约10千米，主峰海拔1775米。山势起伏较大，乔灌木遍布山间，道路崎岖。山西省道104线可达。

21-E014 **庙前山**［Miàoqián Shān］为吕梁山脉名峰。位于山西省清徐县西北角，为太原市万柏林区、晋源区、古交市、清徐县之界山。因地在天龙山庙前而得名。海拔1865米，山体东北高峻，西南低缓，主要支脉有仁山、中隐山、大峪山、南梁山等。交通较为不便，山西省道316线从附近穿过。

21-E015 **赫赫岩山**［Hèhèyán Shān］为吕梁山脉名峰。位于山西省太原市娄烦县、吕梁市交城县、方山县交界处。因山势高峻、岩石呈黑色，远望黑压压一片，取名黑黑岩，当地方言黑、赫同音，后讹为赫赫岩山。海拔2711米。山体高耸入云，半山常有云雾环绕，松树成林、灌木茂密。山顶分布有广阔的亚高山草甸，绿草茵茵，牛马成群，是良好的天然牧场。交通较为不便。

21-E016 **云顶山**［Yúndǐng Shān］为吕梁山脉的重要组成部分。位于山西省太原市娄烦县、吕梁市交城县、方山县交界处。从西北向东南延伸，绵亘约20千米。因山势高峻，山顶直插云际，故名。一般海拔2500米左右，主峰石圪尖海拔2659米。山顶宽展，亚高山草甸发育。南川河发源于此，汇入监河。云顶山气候凉爽，年均气温4—9℃，极端最高气温29.8℃，极端最低气温-26.8℃。土壤主要有棕色森林土、淋溶褐土、山地灰褐土、高山草甸土等。山间沟谷深切，森林茂密，林中有豹、野猪、褐马鸡等禽兽，植物资源丰富，云杉为主要树种。云顶山生态优良，夏日凉爽宜人，古树参天。交通较为不便。

21-E017 **白刁岭**［Báidiāo Lǐng］为吕梁山脉名峰。位于山西省太原市娄烦县与古交市交界处。名称来历无考，亦名白叨岭。主峰海拔1868米。山顶光秃，山坡植被稀疏。山间旧有十郎庙，庙前阶下有牡丹一株，历时久远，静乐县旧时八景之一“白岭仙葩”即指此，现庙址尚存。交通较为不便。

21-E018 **周洪山**［Zhōuhóng Shān］为吕梁山脉重要山峰。位于山西省太原市娄烦县城西北约7千米，海拔1767米。原名周公山，相传北周孝闵帝宇文觉曾狩猎至此，因宇文觉登基前被封周公，故名，后讹传为周洪山。《永乐大典》载：“周洪山，石峡外，娄烦西。西北十里，有渥洼泉，汉武帝得神马于渥洼水中。”山顶普净寺始建于唐贞观年间，寺内有大雄宝殿、观音殿、文殊殿、龙王庙等殿堂。山腰有明代高僧辉天和尚墓塔。周洪山也是明末清初交山农民军的重要根据地。山顶建有电视转播台。自娄烦县城西北行可达，交通方便。

21-E019 **皇姑山**［Huánggū Shān］位于山西省太原市娄烦县城西23千米，与方山县交界处。相传古时有一皇姑犯罪被贬至此；又说因山上气候凉爽，风景优美，曾有皇姑在此避暑而得名。主峰海拔2305米。山势高峻，气候寒冷，灌木丛生。由太古界变质岩系组成，剥蚀侵蚀大起伏背斜高中山。属吕梁山脉中段。狍子、野猪等野兽较多，并有大量野生蘑菇。山中蕴藏有铁矿。

21-E020 **阪泉山**［Bǎnquán Shān］位于山西省太原市阳曲县东南，与太原市杏花岭区、晋中市寿阳县交界处。南北宽20千米，东西长22.5千米。因山上曾建有阪泉庙而得名。主峰海拔1760米，为寿阳县最高点。山体由古生界奥陶系石灰岩组成，溶蚀侵蚀中起伏中山，属系舟山脉。杂草灌木丛生，以荆条、沙棘、黄刺玫、蒿类、白羊草等灌草为主。寿阳县营林场及太原市东山林场经营油松林数万亩。植被覆盖率达60%以上。山中贮藏有煤、铁、石膏等矿产。山上存圣母堂是我国北方最大的天主教朝圣地，始建于18世纪70年代，占地3万平方米。抗日战争中，寿阳县政府曾依托此山开展工作，打击日寇。

21-E021 **红崴山**［Hóngwēi Shān］位于山西省太原市阳曲县东北5.5千米处。因山上多黄花，初名黄花山，明朝太原宁化王朱济焕曾避暑于此，随后改名为红崴山。主峰海拔1575.1米。由古生界奥陶系石灰岩组成，中起伏溶蚀侵蚀中山，属系舟山支。山岩峻峭，松柏苍翠，灌木丛生。为阳曲县著名景点，有艺术价值很高的天佛洞、地佛洞、马赶祖师洞。

21-E022 **塔山**［Tǎ Shān］位于山西省大同市口泉峪西南侧，主峰海拔1651米。塔山上有禅房寺，又名龙泉观，现大部分建筑都已不存，仅有一座高塔基本保存完整。塔山煤炭储量丰富。

21-E023 **采凉山**［Cǎiliáng Shān］旧名采掠山、采药山、圪真山等，后演变为采凉山。位于山西省大同市东北部，与阳高、大同市云州区两县区交界处。山体呈东北—西南走向，属阴山山脉南支，总面积约649.1平方千米。海拔2000米左右，主峰奶奶庙海拔2144.6米。由太古界片麻岩系组成，剥蚀侵蚀中起伏高中山，是典型的地垒断块山，山体浑圆，山顶平坦，山麓广泛发育有洪积扇及坡积物。山体上部为油松林，下部多绣线菊及虎榛子、沙棘等。盛产黄芪等中草药及蘑菇。采凉山交通便捷，京包铁路、同张公路绕其南，阳高—丰镇公路绕其北。山势雄伟，是拱卫大同的天然屏障。风景优美，素以高寒异常、冬夏积雪而著称，“西岩积雪”为旧时阳高八景之一。

21-E024 **黄羊尖**［Huángyáng Jiān］位于山西省大同市阳高县城东南，为六棱山主峰，南连殿顶山，向东伸入广灵县境。相传远古时代此山北为海洋，山南为陆地，并因海洋在黄土高原边上，陆地与海洋交界在此山，故名黄洋界，后演变为黄羊尖。海拔2420米，为阳高县境最高峰，素有“大同屋脊”之称。山体由古生界寒武纪石灰岩组成，溶蚀侵蚀大起伏断块高中山，属恒山山脉北支。顶部为山地棕壤，中下部为山地栗钙土。植被以沙棘、虎榛子、黄蔷薇灌丛为主。

21-E025　**六棱山**［Liùléng Shān］古称六楞山。位于山西省大同市阳高县友宰镇东南边，与广灵县交界处。因山前山后各垂三棱而得名。属恒山山脉北支，山体呈东北—西南走向，大部分海拔2000米左右，主峰黄羊尖海拔2420米，为大同第一高峰，号称“大同屋脊”。由太古界变质岩系及花岗岩组成的，剥蚀侵蚀大起伏断块高中山。植被以灌丛为主，矿藏以铁和大理石而闻名，铁矿以磁铁矿和赤铁矿为主，大理石岩储量丰富，以色美质优著称。六棱山风景优美，旅游资源丰富，以古迹、奇山、松海、高山草甸为主要特色。

21-E026　**云门山**［Yúnmén Shān］在山西省大同市阳高县北部，与内蒙古自治区交界处。因山高入云而得名。主峰海拔1958米，属阴山山脉南支。山体由太古界片麻岩系组成，剥蚀侵蚀中起伏中山。山前有明显断崖，形成洪积扇群，其东北部大元沟有沉积变质铁矿，储量丰富。外长城蜿蜒其南麓，过去此山曾为通向蒙古牧区的重要门户。

21-E027　**龙凤山**［Lóngfèng Shān］又名龙混山。位于山西省大同市阳高县城西南16千米，金圪坨北部，庙儿沟西南，主峰海拔1570米，属阴山山脉南支。由太古界变质岩系组成，属剥蚀侵蚀小起伏断块中山，土壤为栗钙土，植被主要为黄栌、红酸刺、连翘等灌丛。山上有古庙和摩崖石刻，气势不凡，景色奇美。

21-E028　**韭菜疙瘩**［Jiǔcài Gēda］位于山西省大同市天镇县西北，与内蒙古自治区乌兰察布市交界处。主峰海拔2106米，为县内最高峰。山顶有长城遗迹。

21-E029　**二郎山**［Èrláng Shān］又名桦岭。位于山西省大同市天镇县城北16千米，与内蒙古自治区交界处。因山上曾建有二郎神庙而得名。西连环翠山，东接大梁山，山势呈南北走向，南北长15千米，东西宽2千米，主峰海拔1827.9米，属阴山山脉南支。由太古界变质岩组成，剥蚀侵蚀中起伏断块中山，土壤为栗钙土，植被以长芒草为主，混生蒿子、沙棘等。有堡名桦门堡，位于桦岭最高处，每年春夏，草木葱茏，美不胜收。

21-E030　**大梁山**［Dàliáng Shān］位于山西省大同市天镇县城北20千米。主峰海拔1818.1米。山体呈东西走向，东西长10千米，南北宽约12千米，属阴山山脉南支。大梁山是县内南洋河和西洋河的分水岭。由太古界变质岩组成，剥蚀侵蚀中起伏断块中山。土壤以栗钙土为主，植被主要以长芒草为主，混生蒿子、沙棘等。

21-E031　**神头山**［Shéntóu Shān］又名笔峰山。位于山西省大同市天镇县东南部，与河北省交界处。因其主峰呈圆形似人头，唤为人头山，后演变为神头山。山体呈东西走向，东西长约25千米，南北宽约8—9千米。主峰溜冰台海拔2074米，是本县南部制高点。由太古界片麻岩系组成的隆起带，剥蚀侵蚀中起伏高中山，属阴山山脉南支。土壤为山地栗钙土，植被以黄栌、红酸刺、连翘灌丛为主。山高景美，“笔岩留仙”为旧时天镇八景之一。

21-E032　**摩天岭**［Mótiān Lǐng］位于山西省大同市天镇县东南，山体呈东西走向，东西长约10千米。主峰海拔1889.2米，山体高大，传可与天相摩，故名。该山山南为桑干河流域，山北为洋河流域。

21-E033　**虎窝山**［Hǔwō Shān］亦名虎卧山。位于山西省大同市天镇县东，与河北怀安县交界处。相传后晋石敬瑭割幽云十六州贿赂契丹，此山遂为辽地。天神不忍腥秽玷污佛场灵山，特现白额猛虎保护佛法，自此有虎盘踞，此山遂称虎卧山。主峰海拔1882米，风景优美，山上有虎卧寺，历代香火极盛。虎卧山天然洞穴亦为奇观。

21-E034　**青天背**［Qīngtiān Bèi］位于山西省大同市广灵、阳高、浑源三县与河北省阳原县交界处，六棱山东偏北侧，属北岳恒山余脉，主峰海拔2045.9米。俗传因山势险峻，山顶平缓，像人的脊背一样，登顶即可手握青天，故而得名。它与相连的六棱山、黄羊山、殿顶山，构成了并立的四座海拔2000米以上的山峰。其主峰阴坡面坡度在60度以上，为大面积原始次生林，人迹罕至。风景秀丽，美不胜收。

21-E035 **大殿顶**［Dàdiàn Dǐng］位于山西省大同市阳高县友宰镇小北沟村东部，南部与广灵县接壤。由元古界片麻岩、变粒岩等组成，剥蚀侵蚀大起伏高中山，主峰海拔2269米，为县内高峰，属恒山山脉北支。大殿顶因山顶平坦广大而得名，山顶有千亩高山草甸，原名“甸顶”，因“甸”与“殿”同音，讹为“殿顶”。植被以松、杉、白桦林等为主，山中有铁矿。

21-E036 **大山尖**［Dàshān Jiān］位于山西省大同市广灵县城西30余千米，西与浑源县为界。石人山主峰，属恒山山脉东段，海拔2260米。大山尖位于石人山之南，其山脊为浑源、广灵分界线。土壤为栗钙土，植被以华北落叶松、白桦林为主。

21-E037 **道士帽**［Dàoshi Mào］位于山西省大同市广灵县西南部上墨家沟正西2.5千米处，是广灵、灵丘的天然界山，海拔1972米。因峰顶呈椭圆形，南北长，东西宽，酷似道士帽，故名。

21-E038 **二别夫尖**［Èrbiéfū Jiān］位于山西省大同市广灵县与河北省阳原县交界。主峰海拔1999.9米，为晋冀界上的明显标识物。

21-E039 **大平坨**［Dàpíng Tuó］旧名平原埚。位于山西省大同市广灵县北部与河北省阳原县交界处。该山为大山主峰之一，因山大而峰平，故名。海拔1993.9米。山体四周陡峻，形势崇高，旧志载：“大山在县北三十里，[illegible]道直跻，峻而不险，至岭巅颇广漫。复耸一山，名平原埚，高插云表，北瞰阳和塞，南望太白峰，宛在指顾间，道通天镇、阳和，折西夹石沟，为县北界”。山体东侧产煤炭，有少量灌木、桦树。自南侧板塔寺有公路直达山顶。

21-E040 **黄崖尖**［Huángyá Jiān］一名田草沟鞍。位于山西省大同市广灵县城南偏西19千米。山体呈西北走向，主峰海拔1999米，为广灵、灵丘的天然分界。由古生界寒武、奥陶系石灰岩组成，溶蚀侵蚀中起伏断块中山，属恒山山脉东段，土壤属淡褐土，植被以沙棘、虎榛子等灌丛为主。

21-E041 **棺材顶**［Guāncai Dǐng］位于山西省大同市灵丘县西南，与河北涞源县交界处，大峪沟东北，枪头岭东南，十八盘西南，斜山西北。主峰海拔1862.9米，为晋冀界上之明显标识物。因山顶形似棺材而得名。

21-E042 **狼牙山**［Lángyá Shān］位于山西省大同市灵丘县与河北省涞源县交界处。海拔1777米，为晋冀界上之明显标识物。该山西为大同灵丘龙须台村，东为河北涞源狼牙口村。山顶西南侧有断崖，山势险要。筑有狼牙口关，为明代所建。

21-E043 **红石崖山**［Hóngshíyá Shān］位于山西省大同市新荣区。海拔1752.5米，占地面积1022.5公顷。是采凉山南麓的一处著名景区，景色优美。据说此处山崖一日三变，早晨为青色，夜晚为黑色，每当晚霞映照而熠熠生辉，红光四射，故名“红石崖”。

21-E044 **雷公山**［Léigōng Shān］位于山西省大同市城区西北10千米，云冈镇竹林寺村东。山脉长约18千米，宽约4千米，主峰五响圪墩，亦称银星山，海拔1516米。由太古界片麻岩系组成，剥蚀侵蚀中起伏中山，属阴山山脉南支。群峰矗立，山势巍峨，东坡陡峭，西坡和缓，地形复杂。土壤以栗钙土为主，植被以长芒草为主，混生沙棘、蒿子等灌丛。风景优美，“雷公返照”为云中八景之一。

21-E045 **加斗山**［Jiādǒu Shān］亦名神峰山。位于山西省大同市广灵县东部，与河北省蔚县交界处，距广灵县城10千米。西隔磨峪，与留老山相望，东至河北省蔚县石门峪，南到蔚县陈家庄。主峰海拔1841.6米，山体由古生界寒武系石灰岩组成，溶蚀侵蚀中起伏断块中山，属恒山山脉东段。风景秀丽，素为县内胜迹。

21-E046 **南店梁**［Nándiàn Liáng］亦名南店子梁、南甸梁、甸子梁。位于山西省大同市灵丘县与河北涞源县交界处。因北有河北蔚县北店山，此山在北店山之南，故名。主峰海拔2064米，周长20.7千米，为县内第三高峰。四周有桦蔡树，山顶平坦有耕地，但仅能种植山药、莜麦。

21-E047 **太白维山**［Tàibáiwéi Shān］又名太白山、巍山、太白巍山，因横亘于山西省大同市灵丘县城之南，当地人又称之为南巍山。为灵丘群山之首，属太行山余脉。位于大同市灵丘县境中部，唐河南岸。主峰海拔2234米，周长60.5千米。山脉呈东西走向，北部高峻陡峭，南部山势趋缓，顶部较为平缓，有天然牧场。北坡森林茂密，为县内重要林区。山上野生动植物丰富，同时有丰富的矿藏资源，其中银矿储量丰富，山南麓存古代银矿洞20余个，为明清时期晋北地区大型银矿基地。太白维山山势巍峨，风景绝佳。登顶远眺，远近美景尽收眼底。

21-E048 **峡峪界** [Xiáyù Jiè] 位于山西省大同市灵丘县东部，地处腰站村、北沟村西北4千米处。旧时该山为灵丘和涞源二县之界，山峡窄束，故名。山势呈东南—西北走向，东南高，西北低。主峰海拔1989米，周长41千米，包括老包山、梁山、白莲寺山、孔峪山、孤山、蘑菇玉山等山体。植被以桦树为主。

21-E049 **大梁山** [Dàliáng Shān] 位于山西省大同市云州区与浑源县交界处，属恒山山脉北支。主峰海拔2011米。因山高似厦梁，故名。该山土壤多为淋溶褐土，植被多为华北落叶松林及白桦林。山中有国营林场，风景秀丽。

21-E050 **大梁草帽山** [Dàliángcǎomào Shān] 位于山西省大同市浑源县境内。因山顶神似一顶草帽，故名。属恒山山脉，海拔2167.2米。该山风景秀丽，山上有国营林场。

21-E051 **龙山** [Lóng Shān] 亦名封龙山。位于山西省大同市浑源县城南14千米处。据《读史方舆纪要》载："夏时雨过，山气上腾如龙，故名。"或说：远望峰峦起伏，状如龙蛇，因而得名。属恒山山脉东段。主峰海拔2226.8米。由太古界各种变质片麻岩、变粒岩系组成，剥蚀侵蚀大起伏断块高中山。山势险峻，山峰高耸入云，风景秀丽，古有龙山庙、黑龙池等建筑。金代末年，元好问、李治和张德辉常游此山，时号"龙山三老"。

21-E052 **翠屏山** [Cuìpíng Shān] 位于山西省大同市浑源县城南4千米处，恒山主峰西侧。其耸峙于浑河川之南，山间青草如茵，秀似翠屏，故名。海拔1648米。山的东壁半腰有全国重点文物保护单位悬空寺，山南麓原有罗汉洞，今已被恒山水库淹没。该山山势险要，风景秀丽，自古为游览胜地。

21-E053 **电山** [Diàn Shān] 亦名殿山。位于山西省大同市云州区西南部，与浑源县交界处。主峰海拔1838米。主峰上建有明万历时始建的兴国寺，寺内建有飞殿画廊，极为壮观，因年久失修，只有遗迹存留，因而得名殿山。每当云雾遮顶，往往为下雨前兆，民众藉此以观气候，当地有"殿山戴帽，长工睡觉"之说。该山重峦叠嶂，风景秀丽，兼具自然价值与历史价值。

21-E054 **抢风岭** [Qiǎngfēng Lǐng] 亦名抢峰岭、枪风岭、呛风岭。位于山西省大同市浑源县东南20千米处。因山上风大，故名。属恒山山脉东段，主峰海拔1653米。由古生界寒武、奥陶系石灰岩和中生界侏罗纪砂、页岩组成，溶蚀侵蚀中起伏断块中山。抢风岭为浑河、唐河的分水岭。山上植被稀疏，但煤和膨润土的储量丰富。交通便捷，有大同—灵丘公路经过，是通往灵丘、南下河北平原的交通孔道。

21-E055 **穆桂英山** [Mùguìyīng Shān] 位于山西省大同市浑源县南部，与繁峙县交界处。据传北宋时穆桂英曾带兵在此打仗，因而得名。属恒山山脉东段，主峰海拔1983.5米。由元古界花岗片麻岩组成，剥蚀侵蚀大起伏断块中山。山上植被稀疏。

21-E056 **卧羊场山** [Wòyángchǎng Shān] 位于山西省大同市浑源县西南部，与应县交界处。该山山顶平坦开阔，牧草丰盛，是夏季牧羊的良好场所，因此得名卧羊场山。主峰海拔2333米，为浑源县最高峰。由上太古界各种片麻岩、变粒岩组成，溶蚀侵蚀大起伏断块高中山。

21-E057 **龙王堂山** [Lóngwángtáng Shān] 古亦名孤山。位于山西省大同市左云县西北部。主峰海拔1711米。历史悠久，据考证，《水经注》中所言"黄阜"，即为此山。

21-E058 **黑龙王山** [Hēilóngwáng Shān] 位于山西省大同市左云县西北部，向西跨入右玉县，北以长城与内蒙古自治区为界。属阴山山脉南支，海拔2013.4米，为左云县最高峰。由于地势高亢，久经风化侵蚀，形成岩石裸露，山峰重峦叠嶂，山势险峻的景观。

21-E059 **尖口山**［Jiānkǒu Shān］位于山西省大同市左云县城东南 20 千米处。主峰海拔 1835.9 米，是左云县境南部最高峰。该山乔灌杂生，山高林密，风景优美。山顶建有雷达站一座。

21-E060 **环翠山**［Huáncuì Shān］又名麻席山、马鞍山。位于山西省大同市天镇县西北部，向西延至内蒙古自治区及阳高县。因山高，层峦叠嶂，云雾环绕，林木苍翠，故名。属阴山山脉南支，东西长 20 千米，南北长 18 千米。主峰韭菜疙瘩海拔 2106 米，为天镇县最高峰。由太古界片麻岩组成，剥蚀侵蚀中起伏高中山。山腰有洞大如屋，下有沟，清流潺潺，四时不竭。山势耸立，为县城西北之屏障。山间主要植被有绣线菊、虎榛子和沙棘等灌丛。

21-E061 **双山**［Shuāng Shān］位于山西省大同市天镇县北部，与内蒙古自治区交界处。属阴山山系，是天镇县也是山西省最北端之山脉。山体呈东西走向，东西 10 千米，南北 15 千米，主峰海拔 1725 米。由太古界片麻岩组成，剥蚀侵蚀中起伏中山。该山地形复杂，沟壑交错，覆土薄，植被差，气候寒冷，水土流失严重。山间储藏有较为丰富的铁矿，山麓有长城蜿蜒。光绪《天镇县志》载："双山两峰对峙，叠嶂层峦，宛若图画，三春积雪不消。每烟雾横锁，是日必雨，土人多凭之以占阴晴。"

21-E062 **藏山**［Cáng Shān］古名盂山。位于山西省阳泉市盂县县城北约 17 千米。《东周列国志》：晋景公三年（597）司寇屠岸贾抄杀相国赵盾家族，家臣程婴抱盾之孙武"潜入盂山藏匿。后人因名其山曰藏山，以藏孤得名也。"海拔约 1200 米，山峰南北对峙，名曰二嶂。南嶂（1233 米）耸然笔立，秀丽奇特。北嶂（1295 米）石峭如屏，岩崖深邃。山体由古生界寒武系石灰岩组成，溶蚀侵蚀中起伏中山，属太行山脉中段。山上有油松等林木。山间建有赵（武）文子祠、藏孤洞、黑龙池、滴水岩、石莲花、日落晚照等自然景观。古有"藏山十景"之说。今辟为游览区。

21-E063 **大堖寨**［Dànǎo Zhài］亦名幞头山。位于山西省阳泉市盂县城西北 39 千米，与阳曲县交界处。山势呈南北走向。明洪武年间有人上山定居，起名大堖村，山名大堖寨。主峰海拔 1801.5 米，是盂县第二高峰。山体由古生界寒武、奥陶系石灰岩组成，溶蚀侵蚀中起伏中山，属系舟山支。山地棕壤上生长着白桦、山杨林等植被。

21-E064 **发鸠山**［Fājiū Shān］亦名伞盖山。为山西省晋城市高平市、沁水县、长治市长子县三地界山，北起长子县南岭，南至高平市碾则河，东起高平市后沟，西至沁水县柿庄河，呈南北转东走向，主峰海拔 1646.8 米。山势挺拔，蜿蜒南北，雄伟壮观。东山脚下有泉，为浊漳河主源。山间林草茂盛，宜于发展林牧业。"精卫填海"的故事即出于此，《山海经》曰："发鸠之山，其上多柘木。有鸟焉，其状如乌，文首、白喙、赤足，名曰精卫，其鸣自詨。是炎帝之少女，名曰女娃，女娃游于东海，溺而不返，故为精卫。常衔西山之木石，以堙于东海。""鸠山暮雨"为旧时高平八景之一。

21-E065 **顶顶山**［Dǐngdǐng Shān］位于山西省长治市长子县西北部，与屯留区交界处。因山上原产野生党参而得名顶参山，后转为顶顶山。主峰海拔 1538.7 米，县内第二高峰，南接发鸠山。山体由中生界三叠系长石砂岩、石英砂岩及泥岩组成，剥蚀侵蚀起伏中山，属太岳山脉南段。有新生界第四系黄土。以灌木草丛植被类型为主。

21-E066 **方山**［Fāng Shān］位于山西省长治市长子县西部。因峰顶呈四方形而得名。海拔高度 1646.8 米，为发鸠山主脉的最高峰。基岩以古生界二迭系石千峰组紫红色砂纸泥岩为主，上覆厚层山地褐土，剥蚀侵蚀中起伏中山，属太岳山脉中段东支。峰顶有灵应庙。稍南有无风台，东南是以岩筑室的寺僧禅堂。居高可俯视长子县全境。方山多石，土薄坡陡，气候寒冷，农作物生长困难，以生产药材为主，尤其盛产党参。

21-E067 **轿顶山**［Jiàodǐng Shān］位于山西省长治市壶关县东南部，与陵川县交界处。因山形像八抬轿而得名。南北走向，南北长 15 千米，东西宽 1.5 千米。主峰海拔 1557.5 米。山体由古生界奥陶系石灰岩及燕山期闪长岩侵入体组成，溶蚀侵蚀大起伏中山，属太行山脉南段。有山地淋溶褐土。有油松林及土庄绣线菊等灌丛植被类型。山中蕴藏有丰富的铁矿资源。

21-E068 **高山寨**［Gāoshān Zhài］位于山西省长治市壶关县东南部。因山顶有一座用石头砌筑的用以防御的寨墙而得名。东西走向，东西、南北各跨 1.5 千米。主峰海拔 1705 米。山体由古生界奥陶系石灰岩及燕山期闪长岩侵入体组成，溶蚀侵蚀大起伏中山，属太行山脉南段。阴坡油松成林，阳坡灌草稀疏。山中蕴藏有丰富的铁矿资源。

21-E069 **打虎岭**［Dǎhǔ Lǐng］亦名大虎岭。位于山西省长治市壶关县东南部，与平顺县交界处。因传说五代时李存勖在此山打过猛虎而得名。又因山形似虎状而得名大虎岭。山体呈东西走向，南连高山寨，北接平顺县境赵掌尖老山，属太行山脉南段脊部。主峰海拔 1822 米，是壶关县最高点。由古生界奥陶系石灰岩及燕山期闪长岩侵入体组成。山高谷深，岩石裸露陡峭，为溶蚀侵蚀大起伏中山。山中蕴藏着丰富的铁矿资源。是本县国营林场主要林区之一。

21-E070 **金鸡寨**［Jīnjī Zhài］位于山西省长治市黎城县西北部。因雄鸡报晓而得名。太行红山核心景区之一，位于性空山区北部，属太行山脉中段。海拔 1652.3 米。由震旦亚界长城系石英岩状砂岩及古生界寒武、奥陶系石灰岩组成，溶蚀剥蚀中起伏中山。金鸡寨上有一座寺庙，不分主次的两座佛殿，名为双佛寺。富有天然溶洞，个个洞中有洞，洞洞相环，如白云洞、白龙洞。奇峰竞秀，黄栌遍野。

21-E071 **伟回山**［Wěihuí Shān］位于山西省长治市黎城县西北部，为黎城县、襄垣县及武乡县的界山，属太行山脉中段脊部。主峰海拔 1725 米，是仙堂山的最高峰。山体由震旦亚界石英状砂岩及古生界寒武、奥陶系石灰岩组成，褶皱断裂溶蚀侵蚀中起伏中山。以山地淋溶褐土为主。有松、栎、桦、榆等混交林及灌丛等植被类型。风景秀丽，享有“上帝之碧炉”的美誉。

21-E072 **板山**［Bǎn Shān］亦名拴马岭、左会垭口。位于山西省长治市黎城县北部，为武乡县和黎城县之界山。因山形壁立如板而得名。主峰海拔 1935 米。有“太行雄姿”、“太行日出”、“太行秋色”等不同角度和不同季节的板山风光。人民大会堂“山西厅”的核桃木刻“太行日出”的原景出自于此。板山是一座具有光荣历史的革命纪念地，曾是著名的黄崖洞保卫战主战场，山上有左权将军带领战士为百姓挖的圣人泉、八路军总部医院旧址。是融革命传统教育、自然风光和消夏避暑为一体的山西省著名风景名胜区。北侧有黎武公路盘山而过。

21-E073 **全榆洼顶**［Quányúwā Dǐng］位于山西省长治市黎城县西北部，为黎城县与武乡县的界山之一。主峰海拔 2020 米，为本县最高峰。

21-E074 **广志山**［Guǎngzhì Shān］亦名至王山、中阳山，俗名广志垴。位于山西省长治市黎城县西北部。山势险峻，峰头耸入云表。晴朗之日，可登其顶望出百里之遥，心志开豁，故名。主峰海拔 1807 米。由震旦亚界长城群石英岩状砂岩及古生界寒武、奥陶系石灰岩组成，褶皱断裂溶蚀侵蚀中起伏中山，属太行山脉中段脊部。东南为悬崖绝壁，形成“丹霞”地貌。西北坡亦陡。山中出产党参、连翘、黄芪、紫胡等数十种名贵药材。是上党道教名山之一，宗教文物建筑主要有老君殿、梳妆楼、玉皇顶，为本县主要旅游胜地之一。抗日战争时期，曾是八路军一二九师后方医院所在地，境内竖立“革命烈士公墓”碑一通。是集中华道教文化、革命文化、自然景观于一体的避暑胜地。

21-E075 **九龙山**［Jiǔlóng Shān］位于山西省长治市黎城县西北部。因此山由九个高低不一、连绵屈曲如龙状的山峰组成而得名。又因山上有九龙庙，为旧时祈雨之地，故以庙名山。主峰海拔 1615 米。山体西接栓榆凹垴，向东延展。由太古界变质岩、震旦亚界石英岩状砂岩及古生界寒武、奥陶系石灰岩组成，褶皱断裂溶蚀侵蚀中起伏中山。山地以褐土为主要土壤类型。林木灌草繁茂。属于洗耳河景区，景区内植被丰富，古木参天，溪水长流，鸟语花香，相传为尧时许由洗耳之处。

21-E076 **棋盘山**［Qípán Shān］位于山西

省长治市沁县西北部，为沁县与沁源县的界山。传说春秋时鬼谷子、墨翟都曾来此采药修道，并常在山顶下棋，后人因此名山。主峰海拔 1745.4 米，为沁县最高点。属晋东南半湿润区，气候垂直变化大，年均气温在 3—12℃之间。山体由中生界三叠系紫色砂岩、砂质泥岩组成，剥蚀侵蚀中起伏中山，属太岳山脉中段。植被覆盖好，以荆条、狼牙刺、野皂角等灌丛为多、上部有次生油松林。

21-E077 **风子岭**［Fēngzǐ Lǐng］亦名风泽岭、靖林山。位于山西省长治市平顺县东南部。因山高风大而得名。主峰海拔 1876.3 米，在太行山脉南段脊线上，平顺县最高峰。周长 20 千米。山体由古生界奥陶系石灰岩组成，溶蚀侵蚀大起伏中山。山地以棕壤为主要土壤类型。植被以土庄绣线菊、胡枝子、榛子等灌丛为主，夹有小片油松林。山中产磁铁矿，矿体大，品位高，为长治钢铁厂主要采铁矿区。

21-E078 **消军岭**［Xiāojūn Lǐng］位于山西省长治市平顺县南部，与壶关县交界处。因此山像磨子，原当地人称磨不池岭。传说西汉末年王莽追赶刘秀至此，刘军突然消散不见，故名。主峰海拔 1576 米。周长 3 千米。消军岭四面皆山，一路中通，曲折迂回，为平顺县南部战略要地。此地曾为一商贾通衢。旧日，晋豫商贸经消军岭、玉峡关达中州一线是必经之路。

21-E079 **老马岭**［Lǎomǎ Lǐng］位于山西省长治市平顺县东南部。相传西汉末年，刘秀与王莽在河南交战，兵败失利后刘秀单人独马逃到山西省内的太行山上，跑了几天几夜，时值盛夏，饥渴难耐，一头栽下马而昏倒于此而得名。周长 20 千米，主峰海拔 1596.2 米。是平顺县到虹梯关传统交通线路必经之地。

21-E080 **小西天**［Xiǎoxītiān］亦名林滤山。位于山西省长治市平顺县东南部。因该山位于晋豫两省的交界处，上陡下平，道路险峻，从河南林州市攀登上来，通过南天门，犹如登上了小西天，故名。周长约 8 千米。主峰海拔 1695 米，为太行山主峰之一。山南为百丈悬崖，上下高差多在 700 米以上，雄伟峻峭，素有“不登林滤山，不知太行险”之说。山体由古生界奥陶系石灰岩组成，溶蚀侵蚀大起伏中山。石厚土薄，以山地淋溶褐土为主要土壤类型。以油松林及土庄绣线菊等灌丛为主要植被类型。山顶有始建于北齐的金灯寺。寺内现存石窟 16 个、碑碣 40 通、大小舍利塔 46 座，为省级重点文物保护单位，游览胜地。山下有冰凌洞、老洞沟、风门口等多处景致。

21-E081 **仙堂山**［Xiāntáng Shān］位于山西省长治市襄垣县东北部，与武乡县和黎城县交界处。因山腰有仙堂寺而得名。重峦回绕，叠嶂起伏，如九龙汇集，又名九龙山。方圆 20 余平方千米，主峰海拔 1728.6 米，是襄垣县最高点。山体呈南北走向，由古生界寒武、奥陶系石灰岩组成，溶蚀侵蚀中起伏中山，属太行山脉中段。土壤为山地褐土为主要类型。植被有油松林、辽东栎林；下部多虎榛子、沙棘、黄刺玫、蒿类等灌草丛。仙堂山当古韩八景之冠，远近闻名。进山口有白龙洞。东山腰有仙堂寺，寺东南有黑龙洞。峭壁上凌空而建娲皇宫一座。现已修通盘山公路。

21-E082 **界碑岭**［Jièbēi Lǐng］位于山西省长治市沁源县北部，为沁源县与晋中市平遥县之界山。旧时山上立界碑，为平遥、沁源两县分界而得名。海拔 1610 米，属太岳山北部支脉。

21-E083 **灵空山**［Língkōng Shān］亦名九顶山。位于山西省长治市沁源县西北部。因山腰有一座始建于唐代的灵空寺而得名。因有九座奇峰组成，又名九顶山。主峰海拔 1856 米。山体由古生界寒武、奥陶系石灰岩组成，溶蚀侵蚀大起伏中山。属太岳山脉中段。唐懿宗第四子李侃曾于乾符六年避黄巢起义于此，削发为僧。山上寺院、茅庵、仙桥、东钟楼等建筑，经历代修缮，至今尚存，山中苍松翠柏，高大奇特，蔽日遮天。其中“三炷香”“九杆旗”“一佛二菩萨”“二仙传道”等古松，最负盛名。为省级旅游避暑胜地。盛产木材和中草药等。

21-E084 **然台山**［Rántái Shān］位于山西省长治市沁源县西北部。山体北接绵山，西连石膏山，南邻霍山。主峰海拔 2453 米，是太岳山脉中段脊部高峰之一，沁源县最高点。基岩由古生界奥陶系石灰岩及白云质泥灰岩组成。溶蚀侵蚀大起伏高中山。有大面积油松林、林下土壤为山地棕壤。野生中草药资源丰富。

21-E085 **黄岩垴**［Huángyán Nǎo］曾名黄岩山，亦称花儿垴。位于山西省长治市武乡县东部，与黎城县交界处。因山岩色黄而得名。主峰海拔 2008.5 米，是武乡县最高峰。基岩由震旦亚界长城群石英岩状砂岩和太古界寒武、奥陶系石灰岩组成。溶蚀侵蚀大起伏高中山，为太行山脉中段脊线上一高峰。山腰油松、辽东栎、胡枝子等乔灌茂密。森林茂密，为一军事要地，1941 年黄崖洞保卫战曾发生于此。北侧有黎城—武乡公路盘山而过。

21-E086 **皇帝垴**［Huángdì　Nǎo］曾名黄纪垴。位于山西省长治市武乡县东南部。因相传宋代有一人镇驻此山为寇，自称皇帝而得名。主峰海拔 1951.8 米。山体北连墓岭山，南接栓榆凹垴，由古生界寒武、奥陶系石灰岩组成，褶皱断裂溶蚀侵蚀大起伏中山，属太行山脉中段脊部。山顶呈人头形，地面开阔。东南为悬崖绝壁，有十八盘栈道；东为深沟陡坡，山大林密，地势险要，历来是军事重地，现为武乡县主要林区之一。为抗日战争革命根据地。西麓的砖壁村和王家峪村有八路军总部旧址，均是全国重点文物保护单位。

21-E087 **崇城寨**［Chóngchéng Zhài］亦名崇城山，俗名棚棚寨，曾名进士岩。位于山西省长治市武乡县东部，与黎城县交界处。当地人称“彭彭寨”，盖“岑彭寨”之语误。沟南另有一寨，俗称“马武寨”。相传汉将岑彭、马武曾抗衡于此。清乾隆武乡洪水镇显王村举人赵扩就读于此，学有所成，金榜题名，后人又称进士岩。主峰海拔 1533 米。山体由古生界寒武、奥陶系石灰岩组成，褶皱断裂溶蚀侵蚀中起伏中山，属太行山脉中段脊部。悬崖半壁有一天然半圆形石洞。洞内有一眼泉水升溢，常年不涸。相传古为避兵之地，素有太行天险之称。该山山脉秀美，环境清幽，是县内重要林区。

21-E088 **鞞山**［Pí Shān］亦名鼙山，初名北原山，俗称北台顶。位于山西省长治市武乡县东部。因后赵开国皇帝石勒幼年时每登山顶，常闻鼙铎之音而得名。山上有鼙山书院建于清康熙二十四年，时为邑内重要文化机构。后赵皇帝石勒，生于此山东侧的东河沟。公元 303 年，石勒在魏郡随公师藩、汲桑起兵反晋，公师、汲相继战死，石勒率残部回来，在此山安营设寨，屯兵休整，故称石勒寨和石赵故城，依地势所建，夯筑特色明显，文物遗存丰富，历史价值重要。“鞞山耸翠”为武乡古十二景之一。

21-E089 **历山**［Lì Shān］在山西省晋城市沁水县西南中村镇境内。因“舜耕历山”传说而得名。该山居中条山东端，耸立于沁水、阳城、垣曲、翼城四县交界地段，主峰舜王坪海拔 2358 米。山势雄伟壮观，自山脚而上，沿途为茂密松林，间有灌丛、藤类，海拔 2000 米以上林木渐疏，山顶广布亚高山草甸，面积约 5000 亩。山顶有条土沟，相传为舜耕历山遗址。古人作诗曰：“古帝躬耕处，千秋迹已迷。举头高山近，极目乱峰低。花气闻幽径，泉声过远溪。黄河遥入望，天际一虹霓。”该山现为国家级森林公园、国家级自然保护区。保护区划面积 2.42 万公顷，是山西省面积最大、物种资源最丰富的保护区。

21-E090 **析城山**［Xīchéng Shān］位于山西省晋城市阳城县南部偏西。山峰四面如城，有东西南北四门分析，故曰析城。因山顶平缓开阔，曾建有汤王庙，故又称圣王坪。山之西面有舜王坪，称之西坪，故析城山又有东坪之称。主峰海拔 1888 米。山体呈南北走向，以山巅为中心，向四周绵延伸展达 20 余千米。山顶似盆如坪，俗称坪上，遍布石灰岩溶漏斗，民间有“72 个独龙窝、124 个鬼推磨、360 个小铁锅”之说。四周多为断崖绝壁，极其陡峭，气势磅礴，雄伟壮阔。山腰多溶洞，其中最大者可容万人以上。名胜古迹多集中于山顶，有娘娘池，亦称汤王池，终年不涸，池旁旧有汤王庙，相传为纪念汤王祷雨而建。该山原始森林茂密，郁郁苍苍，蔚为壮观，阳城旧八景之一“析城乔木”即此。

21-E091 **老鳔山**［Lǎobiào Shān］曾名辅山、西坪山。在山西省晋城市阳城县西南部，与沁水县交界处。山半瀑布飞流，《水经注》所谓教水也。教水出教山，乡人讹教为鳔，俗名鳔山。主峰海拔 2020 米，为阳城县最高峰。位于历山东峡东面，与析城山、鳌背山、云蒙山、历山主峰共同构成阳城“屋脊”，属王屋山系。山体由古生界寒武、奥陶系石灰岩组成，溶蚀侵蚀中起伏中山。山势高阔，鸟道崎岖，森林密布，盛产各种中草药。

21-E092 **十八罗汉峰**［Shíbāluóhàn Fēng］古名盘亭山。位于山西省晋城市阳城县西南部。因山峰似十八罗汉侍立于析城山西门外而得名。主峰海拔1656.9米。山体由古生界寒武、奥陶系石灰岩组成，溶蚀侵蚀中起伏中山，属太行山脉南段。诸峰连绵突起，四周苍翠。“盘山列嶂”是阳城古八景之一。其北，小尖山似箭头插天；其西，鸡头山如雄鸡昂首；其南，烧梨铺瀑布白练长悬；其东北，铁盆嶂滴水联珠成串，为旅游佳境。自然资源丰富，属历山国家级自然保护区。

21-E093 **风山岭**［Fēngshān Lǐng］亦名封山岭。位于山西省晋城市阳城县西南部。主峰海拔1606.2米。相传在商汤二十四年阳城大旱，汤王祈雨庇佑苍生，至认为中的阳城最高点析城山。至析城山后，他看到对面之山比析城山高而命人打探。此话被指住的山听见，该山猛长，希望能达到汤王的青睐。差人到风山岭实际查看后，回到析城山向汤王汇报该山坡陡路急不适合祈雨。汤王思考片刻，用手一指，命令指住山不能再长。因担心风山岭其他山峰再长影响祈雨，写下封条，贴至风山岭，故名。山体由古生界寒武、奥陶系石灰岩组成，溶蚀侵蚀中起伏中山，属太行山脉南段。山中林木葱茂，盛产各种中草药。

21-E094 **云蒙山**［Yúnméng Shān］亦名云梦山、云濛山。位于山西省晋城市阳城县西南部，与运城市垣曲县交界。因该山四时岚气弥漫，常似笼雾而得名。主峰海拔1951.4米，是阳城县第二高峰。山体呈南北走向，由震旦亚界石英岩状砂岩及古生界寒武、奥陶系石灰岩等构成溶蚀侵蚀大起伏中山，属太行山脉西南端。有丰富的原始森林资源。古树参天，藤灌密集。松、桦、椴、槐等上百种树木遍布山间。豹、麝、野猪和寒号鸟、黄雀、斑鸠等数十种野生动物栖息林中。山势雄伟，峰峦交错，云雾弥漫。山顶环视诸山峰，如海中岛屿，蔚为壮观，是待开发的旅游佳境，属于历山国家级自然保护区。有公路可通山下。

21-E095 **北板山**［Běibǎn Shān］曾名白壑山。位于山西省晋城市陵川县东北部。因位于板山之北而得名。东接锥山，西连佛山，南临六泉河，北到南沟村。周围长13千米。主峰海拔1791.6米，是陵川县最高峰。山体由古生界奥陶系石灰岩及燕山期闪长岩侵入体组成。溶蚀侵蚀中起伏中山，属太行山脉南段脊部。山势较平缓，四周均可登上山顶。北坡油松成林，南坡灌草稀疏，黄花满山。山中铁矿资源丰富。

21-E096 **王莽岭**［Wángmǎng Lǐng］位于山西省晋城市陵川县东部，与河南省辉县市交界。因相传王莽赶刘秀至此扎营驻寨而得名。周围长约15千米。山势走向由东而西南。东至省界，西濒岭东河，南连马武寨山，北到落龙场，属太行山脉南段东翼。主峰海拔1665米。该山为土石山，只有零星耕地。因气候高寒，只产马铃薯。人工油松蔚然成林。山顶有一平地传说是莽兵的跑马场。山南有太子窑，内有石床、石桌，传说王莽之妻曾于此生下太子。南面隔一深沟与刘秀城山对峙。山之东崖，两峰直立如门，旧称西峰山，俗名天柱关，形势险要。该山现为国家地质公园、国家AAAA级旅游景区、国家级全民健身户外活动基地、国家农业旅游示范点和国家精品红色旅游示范点。

21-E097 **刘秀城山**［Liúxiùchéng Shān］亦名赤帝城山。位于山西省晋城市陵川县东南部，与河南省交界。因相传刘秀受王莽之逼曾逃到此山修筑城寨而得名。主峰海拔1632米。北对王莽岭，南到河南辉县市大沙地，东至锡崖沟，西至河南辉县市西连沟，与请峰围隔谷对峙。周围长约16千米。山体由古生界寒武、奥陶系石灰岩组成，溶蚀侵蚀中起伏中山，属太行山脉南段。山顶多土，杂木丛生，油松成材，已成林区。山的四周悬崖绝壁，形势天成。北接王莽岭，但有山沟相隔，沟名“城壕”。仅有一条小路可通山顶，实有“一人当关，万夫莫开”之势。现在山顶尚有房基痕迹和残破瓦，相传为刘秀修城驻寨之遗迹。东南有一崎岖小道可通河南，相传为刘秀被困时，曾对天祈祷，山遂自行掰开，名叫“掰破梯”。

21-E098 **黄蒸山**［Huángzhēng Shān］位于山西省晋城市陵川县东南部。因山形似黄蒸（当地形如窝头的食品）而得名。山体呈西北—东南走向。主峰海拔1628米。南到桑树坪，北到岭东河，东至汲好水，西到里达沟。周围长约14千米。山体由古生界奥陶系石灰岩组成，溶蚀侵蚀大起伏中山，属太行山脉南段。该山为土石山，沟内有人居住，山洼有耕地，山坡油松繁茂，已成林。山顶原建有祖师庙。山北有一石崖，相传祖师曾修行于此，因未修炼成仙，便向石崖击掌，含恨而去。

21-E099 **大南山**［Dànán Shān］位于山西省朔州市怀仁市西南部，大峪河南侧。系两狼山主峰，海拔1696.8米，为县内高峰。山势险峻，山上原有高2尺，宽1尺的石碑一通，传说是李陵碑。山南有天罗寺，遗址残存。

21-E100 **白草梁**［Báicǎo Liáng］又名碑堰山。位于山西省朔州市右玉县西部。因旧时山中长满白草而得名。海拔1753.5米，为县内高峰。属温带大陆性季风气候区，冬季严寒少雪而漫长；春季干燥多风，气温回升快；夏季温凉适宜，雨量集中；秋季降温迅速，气温转寒。

21-E101 **盘道梁**［Pándào Liáng］位于山西省忻州市宁武县东北部。海拔2305米，为县内高峰。向北俯瞰大同盆地，有古道通往朔州，路通繁峙，战略位置重要。明嘉靖三十二年（1553年），在长城外修建了盘道梁堡，五十年后，因旧堡地势低于长城，不易固守，在长城内侧重修新堡。仍名盘道梁堡，现在的盘道梁村就位于新堡内。抗战前夕，晋绥军曾在盘道梁一线构筑国防工事并在以后战争中发挥作用。

21-E102 **鹰家梁**［Yīngjiā Liáng］位于山西省忻州市代县东北部，与繁峙交界。属恒山主脉，海拔2155米。山势陡峭，植被稀少。为北温带大陆性气候，四季分明。

21-E103 **莲花山**［Liánhuā Shān］位于山西省朔州市朔城区东南部。传言山顶颇为神秘，偶尔会看到莲花盛开，菩萨端坐其间，故名。属恒山山脉，海拔2252.8米。山体陡峭，山势巍峨，怪石嶙峋，林遮荫盖。属温带大陆性季风型气候，四季分明，冬夏风向更替明显，春秋短暂。植被覆盖率达95%，并有金钱豹、山猫等大量珍禽异兽栖息其间。2002年山西省政府列为原始次生林自然保护区。现为莲花山林场，封山育林，禁牧停伐。

21-E104 **馒头山**［Mántou Shān］亦名佛宿山、牛心山。位于山西省忻州市代县北部与朔州市山阴县接壤处。因山形状如馒头，故名。该山南北长3千米，东西宽2千米，海拔2426米。山体由石灰岩构成。南麓曾建有佛宿寺。山上有石洞，背部有茂密的森林。现建有馒头山森林公园，是集山景、林景、水景和人文景观为一体的山岳型省级森林公园。

21-E105 **清凉山**［Qīngliáng Shān］位于山西省朔州市怀仁市西部。因主峰山高气爽而得名。南起楼子口，北至鹅毛河，西起王卞庄，东至鹅毛口，长约8千米，宽约5千米，周长40千米。属洪涛山脉，主峰海拔1647米，是怀仁市的主要山峰之一。山势陡峭，峰峦叠嶂。北侧原有文殊庙，内有地鼓，触之有声，现废。山顶有华严寺砖塔，数十千米外可见。主峰砖塔与峰北山凹处的石窟遥相呼应。每逢夏秋之季，山上景色宜人，各类灌木郁郁葱葱，多种野花遍地开放，是休闲佳地。

21-E106 **大南山**［Dànán Shān］位于山西省朔州市右玉县南部。因山势雄伟，又在县南，故名。山体呈东西走向，西起南草场，东至程家窑，长约3千米。海拔1592.4米。山势雄伟，孤峦高耸。北坡土层较厚，宜于植树，南坡系石山。山上杂草丛生，可以放牧。大南山为右玉县旧时胜景之一，据清雍正《朔平府志》记载：“贺兰（即大南山）插汉……高出云霄，腰有元洞，中竖孝文碑记，夏生凉飚，冬涌温泉，上有显明三教寺，阴霭蔽空，登临远眺，恍若置身天际，为邑胜景。”现元洞尚在，孝文碑存于县文化馆，显明三教寺已拆。

21-E107 **桦林山**［Huàlín Shān］位于山西省朔州市右玉县西北部。该山旧有茂密的桦林，故曰桦林山。山体呈东北—西南走向。周长5千米，海拔1747.7米。山上有少量桦树分布。地势奇险，建有长城垛口，曾为战略要地。

21-E108 **马头山**［Mǎtóu Shān］位于山西省朔州市右玉县与内蒙古自治区凉城县交界处。以山形酷似马头，故名。山体呈东西走向，海拔1768米，长城沿山而过。

21-E109 **红家山**［Hóngjiā Shān］位于山西省朔州市右玉县东北部。因山顶石头呈红色，故名红山，后居民建村于山下，又更名红家山。海拔1975米，系全县最高峰。山体呈东西走向，西起熊家窑东山，东至红家村东，周长13千米。石质山体，峰峦嵯峨，挺拔壮丽。山上树木繁茂，野草丛生，并有野黄芪生长。

21-E110 **跑马梁**［Pǎomǎ Liáng］位于山西省朔州市应县东南部。相传唐末李存孝据守朗岭关，屯兵山地，曾于此处牧马练兵，故名跑马梁。属恒山山脉。海拔高2287米，为应县南部山区之绝顶。山顶面大而平坦，面积20平方千米，可以信马由缰。山中郁郁葱葱，浮云如带，风景如画。有成片落叶松林3万余亩，其中成材林1万余亩，且土壤深厚肥沃，腐殖质含量丰富，约有6大类300余种中草药遍地生长。

21-E111 **小摩天岭**［Xiǎomótiān Lǐng］位于山西省朔州市山阴县、应县和忻州市代县交界处。海拔1888米，属温带大陆性气候，日照充足，太阳辐射强，光能资源丰富。该山是欣赏新广武长城全貌的最佳位置，极目远眺，蜿蜒起伏的长城犹如一条巨龙，盘踞在崇山峻岭之巅。北洋时期晋奉两军曾作战于此。

21-E112 **五斗山**［Wǔdǒu Shān］位于山西省朔州市应县南部偏东。由五个形似量粮的倒立斗而得名，同时兼有陡峭之意。海拔2216.6米，地域范围东西长3千米，南北宽0.7千米。呈西北—东南走向，为应县南部的制高点。山势险峻，野草繁盛，有茂密的松树林。该山有北齐长城，东侧有王十万洞遗址。

21-E113 **铁吉岭**［Tiějí Lǐng］位于山西省朔州市应县南部、忻州市繁峙县北部，为应县与繁峙县的分水岭。海拔2111米。山高路险，树木稀疏。曾是守护繁峙县城的关口要塞。1927年晋奉两军曾作战于此，该山有地质遗迹，繁峙铁吉岭繁峙组剖面为繁峙组正层型剖面，厚837.5米，是产状平缓的层状熔岩流，有诸多间断风化面和沉积夹层，岩性多为各种不同颜色的粘土或砂岩，局部地段顶部夹褐煤。

21-E114 **紫荆山**［Zǐjīng Shān］位于山西省朔州市朔城区东南部，为朔城区与忻州市宁武县的分界线。因山间生长一种名曰紫荆的落叶灌木，可入中药，故而得名紫荆山。周长约25千米，海拔2122米。山势雄伟，山岭巍峨，山脊背区宽阔，有100多种野生动植物。山上灌木丛生，次生林多。现为朔州市紫金山自然保护区的重要组成部分。

21-E115 **鹿峰山**［Lùfēng Shān］位于山西省朔州市应县、忻州市代县、繁峙县交界处。属莲花山脉，海拔1578米。山势雄伟，松柏常青，云雾缭绕于青松与石峰间。山脚有一处庙宇，名白云寺。旧志载："恒岳之南，雁关以北，有数峰绵亘其间，峰峰连接，俱占胜概，而鹿峰大据诸峰之胜。中有寺号曰白云。"山上有溶洞发育。

21-E116 **六郎山**［Liùláng Shān］位于山西省朔州市平鲁区南部。相传杨家将中的六郎杨延昭的后人杨文广来过该山平叛，故名六郎山。海拔1631米，山势陡立。属于北温带半干旱大陆性季风气候，冬季寒冷干燥，夏季炎热多雨，春秋短暂，冬春多沙，四季分明，昼夜温差大。现为朔州市西南段高速公路六郎山隧道所在处，是朔州市环城高速公路的重要组成部分。

21-E117 **君地坡山**［Jūndìpō Shān］位于山西省朔州市平鲁区西北部。相传北齐文宣帝曾北巡至此，故名。海拔1626米。原名达速儿岭，《大清一统志》记载："达速岭，在平鲁县西北，《北史·齐文皇帝纪》：天保五年巡达速岭，亲览山川险要，起长城"，即此。

21-E118 **欠山**［Qiàn Shān］位于山西省朔州市平鲁区中部偏西。因林木毁尽，当地人民歉疚而得名。海拔1581米。

21-E119 **平虏围洼山**［Pínglǔwéiwā Shān］位于山西省朔州市平鲁区西部。海拔1619米。森林覆盖率较低，水土流失、地面割切严重。属北温带大陆性季风气候，四季分明，春季凉爽，夏季炎热，秋季晚凉，冬季严寒，气温年较差和日较差大。明朝时设平虏卫于附近。

21-E120　**黑驼山**［Hēituó Shān］亦名黑垛山。位于山西省朔州市朔城区和平鲁区交界处。因山体高低起伏，好似驼峰，故名。周长约 15 千米，主峰海拔 2147.2 米。为偏关、平鲁、朔城等县区之屋脊。地表溶岩不发育，石灰岩裸露。由于岩性坚硬，多陡坡深谷，山势险峻。沟谷山坡多为沙质黄土覆盖，水源比较缺乏。山上森林较多，煤炭资源丰富。有唐昭宗第三子李祁墓，名为丰王古墓。

21-E121　**北固山**［Běigù Shān］位于山西省朔州市平鲁区北部，为凤凰城镇驻地（旧平鲁县城）北侧之大山。海拔 1596 米。山峰高耸，气势磅礴。该山与外界交通便捷，位于 109 国道与 G18 高速交汇处。山间多庙宇，殿宇宏阔，融儒、佛、道三教为一体，为明、清两代传统神道文化建筑的聚集区，凸显出浓郁的边塞文化特色。"固山巍焕"为平鲁古八景之一。目前该山依托凤凰古城，开发为北固山景区。

21-E122　**三县垴**［Sānxiàn Nǎo］位于山西省晋中市榆次区东南端，为榆次、榆社和太谷三县区交界处。因登上山巅可望榆次、太谷、榆社 3 县，故名。呈东西走向。主峰海拔 1791.2 米。有淡褐土性土壤。由中生界三叠系砂岩及泥岩组成，剥蚀侵蚀中起伏断块中山，属太岳山脉北段。为汾河和清漳河西源的分水岭。以沙棘、黄栌、虎榛子、红酸刺等灌丛为主，山顶有油松林。

21-E123　**八赋岭**［Bāfù Lǐng］现名八缚岭。位于山西省晋中市榆次区东南端，与榆社、和顺交界。山势呈东北—西南走向，属太岳山脉北段。《太平寰宇记》"辽阳水从平城县西北八赋岭下出，名八赋水。"《读史方舆纪要》：八赋岭"两山对峙，如八字然"，故名。主峰桃花塔海拔 1714 米。山体由中生界三叠系长石砂岩、石英砂岩及泥岩组成，剥蚀侵蚀中起伏中山。现有油松等次生林和大量灌丛，是太谷主要林木区。原有仪城关，形势险要，为通往和顺之孔道，今已不存。现榆次—邢台公路从原仪城关外经过。

21-E124　**强盗圪塔**［Qiángdào Gēta］位于山西省晋中市榆社县、太谷区交界处。海拔 1687 米。属于三县垴山系。

21-E125　**吴娃背**［Wúwá Bèi］位于山西省晋中市榆社县西部，太谷、祁县交界，海拔 1901 米，是县境内的最高山峰，堪称榆社屋脊。相传牌坊村吴姓财主出钱买山，买上后栽了满山的松树，由此得名。由中生界三叠系砂岩及砂质泥岩组成，剥蚀侵蚀大起伏中山，属太岳山脉北段。山上林灌繁茂。

21-E126　**香烟岭**［Xiāngyān Lǐng］位于山西省晋中市左权县中北部，东南与和顺县交界。山势呈东北—西南走向。纵长 27 千米，横宽 20 千米，是太行山脉中段脊线上的最高山段。主峰观音垴海拔约 2039 米，最高点孟信垴海拔 2141 米。一般海拔 1800—2000 米。由太古界、元古界变质岩系及古生界寒武、奥陶系石灰岩组成. 褶皱断裂溶蚀侵蚀大起伏高中山。东侧多断崖绝壁，西坡和缓。山上桦、椴、松、柏等密林丛莽。主要矿藏有煤、磷、钛、铁等。山中有瓮洪洞、七龙洞、白云洞等溶洞。

21-E127　**南天池**［Nántiān Chí］位于山西省晋中市左权县东南部。海拔 1975 米，属太行山脉中段脊部。温带大陆性气候。相传与牛郎织女的爱情传说有关，故名。有石英、长石、砂砾岩。悬崖峭壁，奇峰突兀，岩石裸露。由于山梁形成许多宽谷或狭沟，降水到达地面后产生径流，表土常被冲刷，水土流失较为严重。地下石炭系中有煤、铁矿床。

21-E128　**北天池**［Běitiān Chí］位于山西省晋中市左权县中南部。海拔 2097.4 米，为翻辕岭的最高峰，属太行山脉中段脊部。属于暖温带冷温半湿润气候，雨热同期，四季分明。年平均气温为 7.3℃，一月平均气温 -9℃左右。现为龙泉国家森林公园的一部分。

21-E129　**左权岭**［Zuǒquán Lǐng］原名十字岭。在山西省晋中市左权县东南部。沿晋冀边界向西南延伸，全长 40 千米，宽 15—25 千米。最高峰海拔 1898.7 米。1942 年左权将军在此抗击日寇时，光荣牺牲，故改名左权岭。以砂砾岩为主，有少量石灰岩，山形突兀陡峭，怪石鳞峋，常裸露岩面，植被甚少，风化土壤较肥沃。沿山东缘利用悬崖绝壁，设置关隘多处，如黑虎关、峻极关、黄泽关、黑虎口等，向称“晋疆锁钥，山西屏障”。1987年国家在此建立左权将军纪念亭。

21-E130 **老庙山**［Lǎomiào Shān］亦名夹山。位于山西省晋中市昔阳县沾山以西。主峰海拔1698米。属太行山脉中段。呈东北—西南走向，顶部平坦，覆盖着厚层黄土。由古生界二迭系砂、页岩组成，褶皱断裂剥蚀侵蚀中起伏黄土覆盖中山。为潇河、清漳和松溪三河的分水岭。山上植被茂密，以松、杨、桦林为主，山坡多灌草丛，为昔阳县一大林区。

21-E131 **跑马坪**［Pǎomǎ Píng］位于山西省晋中市太谷区驻地南18千米处。山顶平坦，传说古代有一神马从此跑过，故名。山体东北—西南走向，向南伸入祁县境内。主峰海拔1914米，为太谷区第一高山。由中生界三叠系砂岩及砂质泥岩组成，剥蚀侵蚀大起伏中山，属太岳山脉北段。山坡覆有第四系黄土。宜于造林种草。上有荆条、酸枣、白羊草等灌草丛。

21-E132 **祝英台山**［Zhùyīngtái Shān］位于山西省晋中市祁县东南15千米处，麓台山东部。据传祝英台在此山上走过，故名。主峰海拔1746米。由三叠系红色砂岩、砂质泥岩组成，剥蚀侵蚀中起伏中山，属太岳山脉北段。植被稀疏，多为土庄绣线菊、沙棘、胡枝子、榛子等灌丛。据传梁山伯与祝英台的美丽故事便发生于此。

21-E133 **石膏山**［Shígāo Shān］位于山西省晋中市灵石县城东南35千米处。山势走向由东南向西北辐射状延伸。《春秋玄命》：“膏者，神之液也。”所谓石中流津，不过是石灰岩溶洞中的钟乳石。石膏山由此得名。主峰海拔2532米，为太岳山脉高峰。由太古界混合岩化的变质岩系和古生界寒武、奥陶系石灰岩组成，溶蚀侵蚀大起伏断块高中山。山高林密，沟谷幽深，奇峰壁立，景色雄伟秀丽。从山脚到山顶可以看到分布层次十分清晰的多种植物带。山体自下而上分布着三层石灰岩溶洞。洞内由钟乳石、石笋等组成的各种景物与人工建筑交相辉映，壮丽神奇。现已辟为省级风景名胜区。

21-E134 **牛角鞍**［Niújiǎo Ān］位于山西省晋中市灵石县城东17千米处。顶峰状若马鞍，故名。为太岳山脉中段高峰之一。主峰海拔2566.6米。山体由太古界变质岩及古生界寒武、奥陶系石灰岩组成，溶蚀侵蚀大起伏断块高中山。山势西坡陡峻，气势雄伟；东坡缓缓降入沁潞高原。土壤和植被的垂直分带现象明显。

21-E135 **绵山**［Mián Shān］亦名介山。在山西省晋中市介休市东南部，与沁源县交界处。因山峦绵亘不绝得名。又因春秋时介子推曾隐居于此，故亦名介山。主峰海拔2487米。由古生界塞武、奥陶系古灰岩构成，溶蚀侵蚀大起伏断块高中山。为太岳山脉中段一高峰。属温带大陆性气候，四季分明。为侵蚀构造型石灰岩高山区。主要植被为天然林和天然草地。有走兽类、飞禽类和爬虫类动物类型。山中古刹林立，胜迹遍布，自古就是驰名远近的游览胜地。西麓兴地村回銮寺殿宇雄伟，石碑林立，为省级文物保护单位，相传唐太宗李世民欲登山礼佛，至此回銮。

21-E136 **馒头山**［Mántou Shān］位于山西省晋中市介休市天峻山之东，与沁源县交界。海拔1950米，山顶浑圆，山坡平缓，状如馒头，故名。山势由南而北逐渐降低，变缓。山上林木繁茂，牧草丰盛。

21-E137 **汤王山**［Tāngwáng Shān］位于山西省运城市闻喜县东南30千米处。古名条山，依据《山海经》改称景山。相传商汤曾在此山为民求雨，人们为纪念汤王这一功绩，取名汤王山。主峰海拔1752米，是闻喜县最高峰，属中条山脉东段。坡陡谷深，峰高路险，气候寒冷，常年多风。山体是由太古界涑水群古老变质杂岩组成的剥蚀侵蚀中起伏断块中山。土壤为粗骨性山地褐土。分布有荆条、狼牙刺、扁核木等灌丛。有大理石、石英、钾长石等矿藏。山顶有汤王庙、将军庙、观望台等古建筑。

21-E138 **白石山**［Báishí Shān］位于山西省运城市闻喜县东南。呈东西走向。海拔1571.4米。山间河流呈羽状，岩石多为风化岩，山前沿土壤多料姜石，坡陡谷深，峰高路险，气候寒冷，常年多风。

21-E139 **玉皇顶** [Yùhuáng Dǐng] 位于山西省运城市乡宁县境内。海拔1629米。山体由古生界寒武、奥陶系石灰岩组成，溶蚀侵蚀大起伏断块中山，属吕梁山脉南段。有一株野生翅果油树，为山西独有特产，属于国家二级保护植物。山顶有玉皇阁，内供奉有玉皇大帝、日神和月神，是一座名副其实的道教名山。

21-E140 **马儿岩** [Mǎer Yán] 俗称歪头山。位于山西省运城市绛县城正东30千米。主峰海拔1973.2米。由太古界绛县群变质岩系组成，剥蚀侵蚀大起伏断块中山，属中条山脉东段，山峰高耸兀立，是天花槽的屏障。原为茂密的森林，现已被山西省药材试种场辟为人参种植场。

21-E141 **东华山** [Dōnghuá Shān] 又名子华、小华山、太阴山、黑山。位于山西省运城市绛县县城东南。相传，东华山是小沉香"劈山救母"时，巨斧砍下，山峰开裂，一半留在陕西华阴县，即名闻天下的西岳华山，另一半飞越500华里，落到绛县境内，则成为今日之东华山。海拔1664.8米。有季节性河流里册峪河，泉水16处。植物资源丰富，种类繁多，均为中条山植物区系，垂直分布明显。有太阴寺卧佛、白云宫、老君楼等名胜。

21-E142 **垣址坪山** [Yuánzhǐpíng Shān] 位于山西省运城市绛县县城东南35千米。是垣址坪村南山，故名。主峰海拔2047米，是为绛县第一高峰。为基岩石质山地区，岩石裸露，地势陡峭，沟深谷幽，沟溪众多。

21-E143 **天盘山** [Tiānpán Shān] 一名悬泉山、老祖山。位于山西省运城市垣曲县城东部。曾建有玄武庙，"熔铁为瓦，伐石为柱"，庙前石碑尚存，碑文有载"天盘山"，故名。海拔1888米，呈南北走向。山体由元古界变质岩系组成，剥蚀侵蚀大起伏断块中山，属中条山脉东段。地处历山原始森林前沿，山高林密，石奇峻秀。现建有天盘山景区，兼具自然和人文特色，内有不老泉幽谷长廊、尧王访贤、天盘山落凤凰、古庙遗址等景观，新建垣曲县革命老区纪念馆也位于此地。是垣曲县重点生态旅游基地和红色教育基地。

21-E144 **金楼山** [Jīnlóu Shān] 旧名芦山。位于山西省运城市夏县东南部。山上曾有个芦山坪村，过去因芦姓始居而得名芦山，又作鲁山。海拔1566米，为夏县第一高峰。山体由元古界中条群变质岩系组成，剥蚀侵蚀大起伏断块中山，属中条山脉东段。山坡陡峻，林木茂密，覆盖率在50%以上，主要为栓皮栎林，并混生有麻栎、连翘、荆条、山合欢等灌草丛。林下为山地淋溶褐土。山上佛、道文化底蕴丰富，至今遗留有金蝉寺、玄帝庙、山神庙、三官庙、三神庙、姑姑庵、西单庵及墓冢碑塔等遗址。在海拔1300米处的山腰，有面积667平方米的山坪草甸。山下阎王峡两侧绝壁，自古兵、匪出没，十分险恶。沿夏祁公路登山至金楼顶，全程6000米。

21-E145 **锥子山** [Zhuīzi Shān] 位于山西省运城市平陆县。因山高坡陡，孤峰似锥而得名，旧志有载：锥子山"在平陆县东北，接夏县界，孤耸如锥"。海拔1787.3米，属中条山脉东段，为平陆县最高点。山体由元古界变质岩系组成，剥蚀侵蚀大起伏断块中山。山中宝藏多，资源丰富，有钡、铝、铁、硼、锰、锡、金等多种矿藏。山腰有颠倒井，山顶有大地控制测量三角架。地势险要，易守难攻，古今为军事要地，抗日战争中曾是我抗日游击队重要根据地。

21-E146 **峨老山** [Élǎo Shān] 一名峨罗山。位于山西省运城市平陆县东北部，与夏县交界。名称来历不明。海拔1600米，与锥子山隔长命河对峙。山体由元古界变质岩系组成，剥蚀侵蚀大起伏断块中山，属中条山脉东段的中心地区。为粘土、砂石地质。峰顶分割为两个山头，中部低凹，名刀口岭，陡壁似留有刀砍斧齐般的山痕，在当地传说中，为与锥子山相争而留下的伤痕。自然资源丰富，植物种类多样，林木茂密，遮天蔽日，褡裢花、连翘花、山桃花、山杏花、棠梨花遍布全山，为平陆县游览观光胜地。

21-E147 **莲花台** [Liánhuā Tái] 位于山西省运城市平陆县东北部。传说远古时山顶有一石莲，能开能合，定期开放，故名莲花台。海拔1631.6米，为平陆县内中条山脉主峰。山体由元古界变质岩系组成，剥蚀侵蚀大起伏断块中山，山坡缓陡相差很大，地势险峻，山峰突兀，多悬崖陡壁。山顶无树木，四周树木丛生，是主要防空降地区，抗日战争时期曾是中国共产党中条山地区委员会所在地。矿产资源丰富，有煤、铁等矿藏。

21-E148 **百梯山** [Bǎitī Shān] 古名方山、坛道山。位于山西省运城市芮城县东北部，与永济市交界。山腰悬崖上有多条栈道，是后人在天然的石道上稍加修建而成，以数量之胜因名百梯。海拔在 1993 米，为永济、 芮城两县市及中条山西段的最高峰。山体由太古界、元古界变质岩系构成，剥蚀侵蚀大起伏地垒式断块高中山。北坡多断崖绝壁，山势巍峨，怪石磷呴。山前常见断层三角面及洪积扇裙。南坡徐缓，林木茂密。山以秀、奇、险、俊著称，在百梯山之阳、绝壁半腰之际，有一露天隧道倚岩横贯首尾，长约 1000 米，是罕见的地质奇观。抗日战争时期是共产党领导的虞乡、临晋、 永济等县人民游击队抗日根据地。

21-E149 **大通岭** [Dàtōng Lǐng] 位于山西省运城市芮城县北部，与永济市交界。名称来历不明。大通岭为长条峰梁，从东北向西南延伸，长达 3 千米，连续 6 峰屹立，崛起山巅约 140 米，峰峦逶迤峭峻，最高峰海拔 1695 米，称为太峰，其余 5 峰都在海拔 1542—1653 米之间。大通岭南为水峪，面积 11 平方千米，是全县第四大山峪。山清水秀，唐时竹林殊盛，内有竹林寺。此处的“条山滴翠”和“水谷秋声”，旧时均在芮城八景之列。抗日战争初期，国民党第 31 军团部先后驻扎神西、水峪村，指挥抗日；也是中共芮城组织及其地方抗日武装活动之所。新中国成立后，成为全县采石开矿的基地。

21-E150 **九峰山** [Jiǔfēng Shān] 一名玉椅山。位于山西省运城市芮城县北部。据旧志记载：其峰有九，形势秀拔，道流爱之，名之玉椅，建宫于上，额曰“通元观”。又传说，山上有一种无隔石榴，能治妇女病，唐王封山为“救凤山”，后演变为九峰山。属中条山脉南麓，西峰最高，海拔 1754 米，东峰最低，海拔 1650 米。九峰山上又有九洞，其中的“吊钟洞”位于九峰山居中位置，又称“纯阳洞”。传为吕洞宾最初入道后的隐居修道之地，“洞宾”之名亦即得之于此山此洞，为道教七十二福地之一。山上建有纯阳上宫，现存遗迹，是晋西南地区自然景观资源与人文景观资源的精华聚集之处。

21-E151 **九州疙瘩** [Jiǔzhōu Gēda] 一名尧王台，古亦称尧峰、尧山、凤凰山。位于山西省运城市永济市。是人类史前文明的发祥地之一，相传为古帝王尧治理黄河决策之地，登顶可望天下九州，故名之。海拔 1994 米。是抗日革命根据地之一，著名的血战永济尧王台战役就发生在此地。

21-E152 **首阳山** [Shǒuyáng Shān] 位于山西省运城市永济市西南部，与芮城交界。此山位于雷首山之南，因地处首山之阳，故名首阳。海拔 1500 余米。山体由中太古界涑水群变质岩系组成。人文历史悠久，相传伯夷、叔齐因互让孤竹国君位，隐居于此，殷朝末年曾阻武王伐纣，叩马而谏未果，乃耻食周粟，采薇充饥，后饿死山上。后人为纪念他们，在山上曾建有二贤祠和夷齐墓。依山傍河，是晋陕交通要道，古时设关置寨，重兵把守；南同蒲铁路及公路从西坡通过。

21-E153 **五老峰** [Wǔlǎo Fēng] 古名灵峰、东华山、百梯山。位于山西省运城市永济市东南部，与芮城县交界。主峰为玉柱峰，东有东锦屏峰，西有西锦屏峰，南有棋盘峰，北有太乙峰，五峰对峙，好像五位老人列坐，故名。海拔 1809.3 米。山体由震旦亚界变质岩系和古生界寒武系石灰岩组成，溶蚀侵蚀大起伏中山，属中条山脉西段。1988 年列为省级风景旅游区。壁立如削，无路可达峰顶，建有铁链下垂，可攀援而上。顶部方平，面积 3000 平方米。人文历史久远，包括天柱峰、王官峪在内的景区方圆约 50 平方千米，共有大小山峰 36 座、岩洞 12 个、泉水 9 处，瀑布多处、寺观殿堂 64 座，建筑最早见于北周，唐代的细绳纹砖，宋代的花纹方砖随处可见。地处晋、秦、豫三省交汇之黄河金三角，通舆四方。为北方道教名山。

21-E154 **北台顶** [Běitái Dǐng] 为五台山脉主峰之一。位于山西省忻州市五台县东北部，与繁峙县交界。因位居五台之北，故名。又因自下仰视其巅，云浮山腰，巅摩斗杓，故又名叶斗峰。海拔3058米，为华北第一高峰，素称“华北屋脊”。台顶广圆平阔，周围2千米。基岩为元古界变质岩及燕山期斜长花岗岩，剥蚀侵蚀大起伏断块高中山。北坡松林苍翠，台顶高山草甸繁茂，是山西省重要林牧区之一。台顶气候寒冷，通常每年10月便会下雪，翌年5月才会融雪。台顶建有灵隐寺，创建于隋代。阴坡有经夏不消之冰，“台背冰崖”是繁峙古八景之一。交通便捷，车辆可通山顶。

21-E155　**西台顶**［Xītái Dǐng］为五台山脉主峰之一。位于山西省忻州市五台县东北部，与繁峙县交界。因位居五台之西，故名。又因月坠峰巅之际，恰如悬镜，故又名挂月峰。海拔2773米。由中元界滹沱群变质岩系组成，剥蚀侵蚀大起伏高中山。山上林草茂密，以云杉、落叶松和高山草甸为主。植被覆盖率90%，是良好的夏季牧场。西台周围有灵迹胜景17处，其中，颇具神秘色彩的魏文人马迹、八功德水、二圣对谭石、牛心石、石门、秘魔岩、龙洞、萨埵崖场与地质地理密切相关。台顶建有法雷寺。交通便捷。

21-E156　**中台顶**［Zhōngtái Dǐng］为五台山脉主峰之一。位于山西省忻州市五台县东北部，与繁峙县交界。因位于东、西、南、北四台之中，故名。又因台顶层岩叠翠，亦名翠岩峰。海拔2894米，山西省第二高峰。由元古界滹沱群变质岩系构成，剥蚀侵蚀大起伏高中山。台顶平坦宽阔，高出云表，台顶红日，台下雷雨。多风多雾。年极端最低气温为-44℃。山上林草繁茂，大部分为华北落叶松和高山草甸。峰顶建有演教寺。并设有五台山高山气象站。交通便捷。

21-E157　**东台顶**［Dōngtái Dǐng］为五台山脉主峰之一。位于山西省忻州市五台县东部偏北，与繁峙县交界。因在五台山五座主峰中位居最东，故名。《清凉山志》有载：“蒸云寝壑，爽气澄秋，东望明霞，若陂若镜，即大海也，亦见沧瀛诸州。”故又名望海峰。海拔2795米。由上太古界五台群变质岩系组成，剥蚀侵蚀大起伏高中山。峰顶气候寒冷，变化无常。植被覆盖率70%，以松、衫和高山草甸为多，是良好的夏季牧场。峰顶建有望海寺，今已毁。现有北宋宣和年间所建立笠子塔。山势平缓，乘车可达山顶。

21-E158　**南台顶**［Nántái Dǐng］为五台山主峰之一。位于山西省忻州市五台县东部偏北。因在五座主峰中地居最南，故名。该山烟光凝翠，繁花似锦，故又名锦绣峰。海拔2474米。五台山其它四座台顶皆为连绵起伏的系列山脉，唯有南台另为一峰。是五个台中春季来得最早冬季来得最晚的台，也是五台山地粮食的主要产区。台顶现存寺庙一处，名普济寺，隋代始建，宋代重修时易为今名，明代成化年间重修，内供智慧文殊菩萨。进山道路平坦便捷。

21-E159　**黑圪旦尖**［Hēigēdàn Jiān］亦名黑圪塔尖、将军岭。位于山西省忻州市代县南50千米，与五台县交界。以其高大及山色命名。属五台山脉北麓，从南向北延伸，南起南正沟，北至北正沟，绵亘5千米。主峰海拔2548.5米，是该县境内最高峰。由太谷界变质岩系组成，剥蚀侵蚀大起伏断块高中山。有滹沱河流经。土壤属山地棕壤、山地淋溶褐土。植被自上而下依次为杂草草甸、油松林及白桦、山杨林。分布有丰富的铁矿资源。交通不便。

21-E160　**北斗山**［Běidǒu Shān］又名勾注山、牛斗山、陉岭、西陉、太和岭、古雁门山等。位于山西省忻州市代县西北部，与原平市交界。因其地势险要，山势勾转，水势流注，得名勾注山。从东南向西北延伸，南北长10千米，东西长2千米。主峰高家沟山（一作马场梁）海拔2097米。由古生界寒武、奥陶系石灰岩组成，溶蚀侵蚀大起伏高中山。山下北王庄北1.5千米处的山上曾修有北斗庙，又名勾注祠。北斗山是勾注寨和唐代雁门关所在地。《吕氏春秋》：“天下九塞，勾注其一”。晋《地道记》：“北方之险，有卢龙、飞狐、勾注为之首”。建雁门关后，更有“一夫当关，万夫莫开”之势，它“外壮大同之藩卫，内固太原之锁钥，根抵三关，咽喉全晋”，是军事重地。1937年八路军在山下黑石头沟伏击日寇，击毁敌运输汽车四百余辆。现已开发为景区。交通便捷。

21-E161 **马仑草原**［Mǎlún Cǎoyuán］又名黄草梁。位于山西省忻州市宁武县，与芦芽山遥遥相对，相距2千米。从东北向西南方向延伸。海拔2721.7米。顶部广阔平坦，面积4平方千米。属于温带季风气候，夏季高温多雨，冬季寒冷干燥。分为前梁和后梁，是华北最大的亚高山草甸之一，森林密布，杂草茂盛，每年春耕之后，周边宁武、神池、五寨、静乐等县畜群上山饲牧，临冬收回，是良好的夏季牧场。马仑草原西南端是十字墕，古代建有石佛寺，寺后有舍利塔群，是唐代以来历代僧侣的墓葬，今多已坍塌。马仑草原南端怪石险峻嵯峨，奇峦迭出，景色佳胜，游人游览其间，宛若进入仙境。现已被开发为景区，交通便捷。

21-E162 **荷叶坪**［Héyè Píng］位于山西省忻州市五寨县南部，处宁武、五寨、岢岚三县交界。因山顶宽平，其状如一柄阔大无比之荷叶，且遍地铺绿，故名。山势从东北向西南延伸。海拔2783米，素有"高原翡翠"之美称，与芦芽山、马伦草原形成三足鼎立之状。降水多，湿度大。由太古界变质岩系及古生界寒武、奥陶系石灰岩组成，溶蚀侵蚀大起伏高中山，属吕梁山脉北段。山体由石灰岩构成，表层覆盖30—50米的土层。阳坡杂草丛生，水源较好。山势陡峭，森林密布，是省内主要林区之一，以华北落叶松、云杉、油松、白桦林为主。有华北最大的亚高山草甸，以野苜蓿、蒿草、苔草等牧草为主，产草品种多，质量高，是良好的天然牧场。自古为晋西北重要的牧畜集散地。野生动物有褐马鸡、华北虎、金钱豹等，特产黄芪、猪苓、黄柏、泽泻等名贵药材。有点将台、跑马湾、石马棚、拴马桩等遗迹，传为北宋杨家将屯兵处。另有一直径百余米的大水池，常年有水，不涸不溢，名曰干海子，名干实不干，为山中一奇。现已被开发为景区。山顶建有高山气象台和电视转播台。交通便捷。

21-E163 **南天门**［Nántiān Mén］位于山西省忻州市宁武县东南部。海拔2322米。山上岩石裸露，有稀疏的灌木杂草。

21-E164 **天林岩**［Tiānlín Yán］位于山西省忻州市静乐县东北部。山上岩石裸露，早年曾分布有茂密的杆树森林，得名"杆林岩"，后历年久远，将"杆"字讹为"天"，故名天林岩。海拔2194.1米。交通不便。

21-E165 **鸡冠山**［Jīguān Shān］位于山西省忻州市原平市驻地西34千米处，与宁武县交界。因山体形似鸡冠，故名。山势由南向北延伸，主峰海拔2161.2米。由古生界寒武、奥陶系石灰岩组成，褶皱断裂溶蚀侵蚀大起伏高中山。属云中山支脉。顶部是高山草甸，以下是松、衫等树为主的疏林。交通不便。

21-E166 **老茆山**［Lǎomáo Shān］位于山西省吕梁市岚县东北30千米，地处静乐、岚县、岢岚三县交界。周长5千米，主峰海拔2007米。山体由古生界寒武系石灰岩组成，褶皱断裂溶蚀侵蚀中起伏高中山，属芦芽山支脉。植被稀疏。风景秀丽。

21-E167 **大火尖**［Dàhuǒ Jiān］位于山西省忻州市神池县南部。因山峰形似火堆尖而得名。为三火尖山主峰，海拔2459米，面积约15平方千米。山体由古生界寒武、奥陶系石灰岩组成，褶皱断裂溶蚀侵蚀大起伏高中山。以山地棕壤为主。分布有高山草甸及云杉林，属管涔山林区。

21-E168 **草垛山**［Cǎoduò Shān］位于山西省忻州市神池县东南部。山顶面积较大，有大面积高山草甸，加之牧草茂盛，是良好的夏季牧场和打储饲草的好地方，因而得名。主峰海拔2545米，为县内第一高峰。东西长约3千米，南北宽约1千米，面积3.5平方千米。由古生界寒武、奥陶系石灰岩组成，褶皱断裂溶蚀侵蚀大起伏高中山。冬季漫长而寒冷，春季干燥且多风，夏季温和无酷暑，秋季凉爽多连雨。山上森林密布，主要为桦、杆、松，属管涔山林区。无矿藏。交通不便。

21-E169 **大疙瘩**［Dà Gēda］位于山西省忻州市岢岚县南部。因山形而得名。海拔2168米。山顶平缓，植被稀少。

21-E170 **牛进山**［Níujìn Shān］位于山西省吕梁市岚县北部。因旧时该山所有权曾归牛姓家族，故名。海拔 1984 米，周长 5 千米。山上生长有茂密的灌木。

21-E171　**老君洞**［Lǎojūn Dòng］位于山西省忻州市原平市西部。海拔 2364 米，为原平市最高峰。山上有茂密的森林，并建有电视差转台。

21-E172　**虎头山**［Hǔtóu Shān］位于山西省忻州市原平市西北部 34 千米。因形似虎头，故名。主峰海拔 2076 米。山高坡陡，地势险要。山体由古生界石炭系砂岩、页岩及含煤岩系组成，褶皱断裂剥蚀侵蚀大起伏高中山，属恒山山脉西段。植被主要是灌丛杂草。山间建有林场 1000 余亩。

21-E173　**大岭山**［Dàlǐng Shān］位于山西省忻州市忻府区西北 37 千米，与宁武县交界处。因山岭较高大而得名。山势从东北向西南延伸，主峰海拔 2216 米，占地面积约 48 平方千米。由太古界变质岩及元古界花岗岩组成，褶皱断裂剥蚀侵蚀大起伏高中山，属云中山脊部。有山地褐土壤，其上分布有黄栌、红酸刺、土庄绣线菊、胡枝子等灌丛。局部地区有松林。

21-E174　**陀罗山**［Tuóluó Shān］位于山西省忻州市忻府区。以佛教经典命名。山势由南向北延伸，绵亘 10 千米，属云中山支脉，主峰海拔 1503.2 米。山势雄伟，山体由花岗片麻岩组成，怪石嶙峋，悬崖壁立，松柏茂盛，杂草丛生，物奇景秀。相传该山是文殊菩萨在五台山外的又一道场，山顶原有文殊庙。“陀罗避暑”、“孤松独石”入忻州古八景之列。

21-E175　**龙王垴**［Lóngwáng Nǎo］位于山西省忻州市忻府区西北 40 千米，与宁武县交界处。因山顶呈平台状，古时曾建有龙王庙而得名。山势由西北向东南延伸，占地约 13 平方千米。主峰海拔 2348.5 米，居区内群峰之冠。西坡平缓开阔，向西北连接宁武县大石人梁；东坡陡峻，多悬崖峭壁。由太古界片麻岩及元古界花岗岩组成，褶皱断裂剥蚀侵蚀大起伏高中山，属云中山支脉。有山地淋溶褐土及山地棕壤。山上植被主要有黄栌、土庄绣线菊等灌丛及油松、云杉林等大型乔木。

21-E176　**平安山**［Píng'ān Shān］又名嵬山、麻楼山。位于山西省忻州市忻府区西南，与阳曲县交界处。相传北宋时当地常遭兵乱，居民为祈求平安，故取名平安山。山势由西北向东南方向延伸，面积约 50 平方千米，主峰海拔 1538.4 米。由太古界花岗片麻岩组成，剥蚀侵蚀中起伏中山，属云中山支脉。山上分布有松树、桦树等乔木，以及沙棘、虎榛子、黄栌等灌丛。山中有伞盖寺、香泉寺，“伞盖青松”、“香泉红叶”入忻州古八景之列。产石英矿，已开采。

21-E177　**驴蹄垴**［Lǘtí Nǎo］又名马蹄梁、驴蹄梁。位于山西省太原市阳曲县南温川村东北 15 千米，与忻州市定襄县交界处。因山梁顶上 9 平方米的一块石头上有马蹄状痕迹，原称马蹄梁，后称驴蹄垴。山体东北接天翅垴，西南连南坪梁。东至袁家庄，西连红林尖，南至连巅村。主峰海拔 2039.9 米。由古生界寒武、奥陶系石灰岩组成，溶蚀侵蚀大起伏高中山，属系舟山系。荒山秃岭，植被稀疏。

21-E178　**天池垴**［Tiānchí Nǎo］又名天翅垴。位于山西省忻州市定襄县东南 10 千米，与太原市阳曲县交界处。因山顶有天然蓄水池洼—天池而得名。又因山势高峻，由山顶分别向东、西延伸，如鸟展翅，故又名天翅垴。主峰海拔 2022 米。由古生界奥陶系石灰岩构成，剥蚀侵蚀大起伏高中山，属系舟山系。有山地棕壤和山地淋溶褐土。其上生长着稀疏的白桦、山杨林及黄栌、红酸刺、连翘等灌丛。牧草丰茂，是良好的夏季牧场。山腰有一天然石洞，叫刘仙洞，抗日战争期间东阳曲县政府曾驻此。

21-E179　**大背坡**［Dàbèi Pō］位于山西省忻州市五台县。海拔 1717 米，面积 16 平方千米。西与原平市相峙，南与露头山相连。

21-E180　**教场梁**［Jiàochǎng Liáng］位于山西省忻州市五台县城西北 21 千米，与代县交界处。山势由东向西延伸，东西长 3 千米，南北宽 1.5 千米，面积 15 平方千米，主峰海拔 2168.4 米。山体由上太古界五台群变质岩系组成，剥蚀侵蚀大起伏断块高中山，属五台山脉西段。植被是以蒿草、苔草为主的亚高山草甸，是良好的夏季牧场。古代为军事要地。

21-E181　**大尖山**［Dàjiān Shān］亦名兔虎

岩。位于山西省忻州市五台县城北 20 千米，与代县交界处。面积约 12 平方千米，主峰海拔 2367.2 米。山体由元古界斜长花岗岩组成，剥蚀侵蚀大起伏断块高中山，属五台山脉。杂草繁茂，是良好的夏季牧场。

21-E182 **长城岭**［Chángchéng Lǐng］又称五台县长城或龙泉关长城。位于山西省忻州市五台县。海拔 1777.7 米。长城始建于北魏、北齐时期，皆为石砌，关城城墩南北长 47 米，东西宽 16.5 米，有高大券洞相通，关口的城门下部为巨大的石条垒基，地上共有 6 层，气势雄伟。关门与长城墙体南北向相接，门券两侧向南北延伸的墙体同样由石条作基。石基由不规则的乱石块垒砌，纵横交错。长城岭素有五台东大门之称，战略位置重要。

21-E183 **白人岩**［Báirén Yán］位于山西省忻州市代县城西 18 千米处。东邻雁门关西陉口，北倚恒山。一说因有白谷仙人坐化成峰，峰顶巨石为颅，飘然独立而得名，故名白人岩。另一说因附近岩石呈白色，故名白人岩。主峰海拔 2228 米。山体由古生界寒武系石灰岩组成，溶蚀侵蚀大起伏断块高中山，属恒山山脉西段。山上灌草丛生，是良好的夏季牧场。晋代释慧远于此建寺，名曰白人岩禅寺，又曰灵泉龙祠，该寺也称净土祖庭，开中国净土宗先河，在中国佛教文化史上占据重要位置。今寺已毁，仅存遗址。

21-E184 **城墙梁**［Chéngqiáng Liáng］位于山西省忻州市宁武县西南 33 千米。因山梁似城墙而得名。主峰海拔 2318 米。基岩由古生界寒武、奥陶系石灰岩组成，褶皱断裂溶蚀侵蚀大起伏高中山，属管涔山支脉。山上土层较厚，土壤为棕壤，地形破碎，植被为稀疏的灌木杂草。有褐马鸡。

21-E185 **高边墙**［Gāobiān Qiáng］位于山西省忻州市宁武县中部。海拔 2228 米。山上森林密布，主要树种为松、衫等树，为管涔山林区一部分。有褐马鸡。

21-E186 **马鞍山**［Mǎ'ān Shān］位于山西省忻州市宁武县中西部。海拔 2448 米，山高林密。山上松林密布，为管涔山林区的中心地带之一。是世界珍禽褐马鸡的主要保护地之一。该山是宁武县芦芽山风景区的组成部分。

21-E187 **棋盘山**［Qípán Shān］位于山西省忻州市宁武县中部。海拔 1762.4 米，是芦芽山的主要山峰之一。山上松树、杉树满布，郁闭成林，且有褐马鸡，为管涔山林区的一部分。该山是宁武县芦芽山风景区的组成部分。

21-E188 **四方崖**［Sìfāng Yá］位于山西省忻州市宁武县中西部。海拔 2430 米，山势巍峨，高耸入云。山上林木茂密，有褐马鸡。属于北温带大陆性气候，气候寒冷干燥，多大风，四季分明，冬季漫长，昼夜温差大。是宁武县芦芽山风景区的组成部分。

21-E189 **吴家背**［Wújiā Bèi］位于山西省忻州市宁武县中西部。该山是以地理位置结合姓氏命名的地名，因此地背后是吴氏家族，故名。海拔 2259.3 米。山势险峻，树木繁茂。上有褐马鸡。是宁武县芦芽山风景区的组成部分。

21-E190 **寨子庙山**［Zhàizimiào Shān］位于山西省忻州市宁武县西南部。海拔 2039 米，林深草密，山势巍峨。属北温带大陆性气候，气候寒冷干燥，多大风，四季分明，冬季漫长，无霜期短，昼夜温差大。是世界珍禽褐马鸡的主要保护地之一。是宁武县芦芽山风景区的组成部分。

21-E191 **鸿门岩**［Hóngmén Yán］位于山西省忻州市繁峙县东南部。因此地是鸿雁穿越五台山时经过的门户，故名。海拔 2500 米。山势险要，为五台山的北大门，是大同市前往五台山和华北高峰北台顶的必经之路。站在鸿门岩，西可望北台，东可眺东台，南可瞰台怀镇寺庙集中区，北则是广阔的林带。现为繁峙县五台山风景区的组成部分。

21-E192 **牛毛梁**［Niúmáo Liáng］位于山西省忻州市神池县东南部。因山中牧草丰盛如牛毛，故名。面积 1 平方千米，海拔 2391 米。山上牧草丰盛，是良好的天然牧场，夏季常有人放牧于此。

21-E193 **黄草梁**［Huángcǎo Liáng］位于山西省忻州市五寨县东南部，东与宁武县交界。地处芦芽山脉北部，海拔 2721.7 米。山上森林茂密，杂草丛生。地形较为隐蔽，战时可作为空降或炮兵射击阵地。该山为明长城遗址黄草梁段。居第四纪冰川侵蚀区，现为黄草梁冰川地质风景区。这里的山峰堆银砌玉、晶莹剔透，到处是冰峰皑皑，十分壮观。

21–E194 **饮马池山**［Yìnmǎchí Shān］位于山西省吕梁市岚县西北角。海拔2241米。山脊宽缓，岩平垣阔，溪流潺潺，百草丰茂，鸟语花香，景色旖旎。山顶上绵延着570余亩宽阔平坦的草地，属高山亚寒带草甸。周边是原始针叶林、阔叶林带，栖息着鹿、麝、豹子、野猪、褐马鸡、山鸡、野兔等多种野生动物。是避暑消夏的旅游胜地。饮马池属于山西省黑茶山森林公园的组成部分。交通便利，209国道，太（原）佳（陕西佳县）线、忻（州）黑（峪口）线纵贯全境。

21–E195 **翠峰山**［Cuìfēng Shān］位于山西省忻州市河曲县南部，东起草棚村，西达贾家山，北起李家山，南至葫芦山，形如一只头东尾西的螃蟹。因山中松柏苍翠，故名。面积约100平方千米。主峰海拔1697米，为县境最高点。山间裸露着亿万年前原始地壳运动的痕迹，仍保留着黄土高原原始地貌，有亘古荒塬之称。全山普遍为黄土覆盖，沟谷深切，梁峁支离破碎，植被主要为牧草和灌木。山顶气候严寒，有时十月即雪，至次年五月尚积雪不化。“云际翠峰”系旧时河曲县八景之一。

21–E196 **柏杨岭山**［Bǎiyánglǐng Shān］曾名丫角山。位于山西省忻州市偏关县东北部，与内蒙古自治区清水河交界。山体呈西北—东南走向，海拔1832.5米。山峰陡峻，多沟谷，植被主要为灌木和杂草。该山在明代地处大同镇与山西镇交界，为内外长城的重要交汇点。长城由口子上分为三道，似三角形外延。最西道长城抵野羊窊交于主长城；中路和东路城墙各在白羊岭山东、西两面交于主长城。这些长城全为黄土夯筑，虽残破，但墙体尚连贯，远看颇为壮观。

21–E197 **虎背岭**［Hǔbèi Lǐng］一名黑虎口。位于山西省临汾市翼城县东部。名称来历不明。主峰海拔1505米。山体由古生界寒武系石灰岩组成，溶蚀侵蚀中起伏中山，属太岳山脉南段。广为森林植被覆盖，基岩裸露、浮土很少。岭下有虎背口，形势险要，为翼城通沁水之孔道。山下有跑马泉，其水清湛，不涸不溢。清同治六年捻军曾袭杀清军于此，素为兵家要备之地。

21–E198 **仙红坪**［Xiānhóng Píng］位于山西省临汾市翼城县东南部。为历山主峰舜王坪北起第二峰。名称来历不明。海拔2071米，为县内最高峰。组成山体的主要岩石是震旦系的火山岩、砂砾岩。由于地势高峻，气温更低，冬季长而寒冷，雪厚冰多，夏季短而凉爽，降水量较大，广为森林覆盖，自然环境优越。

21–E199 **十二松峰**［Shíèrsōng Fēng］俗称竭石庵。位于山西省临汾市洪洞县东北部。名称来历不明。海拔1520米。上部基岩由太古界变质岩系组成，下部则为新生界的黄土状堆积物，为剥蚀侵蚀大起伏断块中山，居霍山主峰老爷顶之南，属太岳山脉中段。山上松柏苍翠、景色幽胜，多白皮松，多数百年物，大者可十人围。山中最深处林壑阴翳，春夏间犹有积雪，以自然风光胜。

21–E200 **莲花山**［Liánhuā Shān］位于山西省临汾市古县与霍州市交界处。因七峰并峙，形似莲花而得名。主峰海拔2013米，长6千米，宽4千米。由太古界霍山群混合岩化变质岩系组成，剥蚀侵蚀大起伏断块高中山，属太岳山脉中段。山势高耸，层峦叠嶂。相传北宋名将焦赞、孟良、穆桂英曾在此练兵习武。山上林灌繁茂，产中药材。老牛山林场驻此经营。南接霍峰，北连尖阳山，山中有古迹露崖寺，山间有公路盘绕。

21–E201 **高祖山**［Gāozǔ Shān］位于山西省临汾市吉县西北部。《清一统志·平阳府一》：高祖山“在吉州西三十里。峰峦奇秀。其上旧有汉高祖庙，因名。”主峰海拔1509米，东西长8千米，南北宽6千米，为突出于黄土高原上的岛山，为人祖山的西南延伸部分。由中生界三叠系砂岩、页岩组成，剥蚀侵蚀中起伏中山，属吕梁山脉南段。山上有大片以油松、山杨为主的次生混交林。临汾—宜川公路从南坡经过，为参观黄河壶口瀑布必经之路。

21–E202 **高天山**［Gāotiān Shān］一名高田山。位于山西省临汾市吉县中部。史载此山“峰峦峻绝，高出群山”，故名。海拔1820米。山势呈东北走向，东西长17千米，南北宽11千米。基岩由中生界三叠系砂、页岩组成，剥蚀侵蚀大起伏中山。属吕梁山脉南段西麓。山上植被稀少，有灌丛和零星树木。土层较薄，岩石裸露。近年人工栽植的油松、刺槐渐已成林，为吉县林业基地之一。清水河、鄂河均发源于此，史称乡宁、吉县二县县治龙脉之祖山。

21-E203 **人祖山**［Rénzǔ Shān］一名仁祖山。位于山西省临汾市吉县北部。山上有人祖庙，亦称伏羲宫、金山寺，传说为人祖故宫，故名人祖山。主峰海拔1742米。山体东北—西南走向，总面积23.1平方千米，属吕梁山脉南段西支。由中生界三叠系砂、页岩组成，母岩为花岗岩、沙石岩，地质构造属太古代。境内地貌复杂，以大起伏侵蚀高中山为主，沟谷区域中起伏覆盖高山，西坡陡峭，东坡较缓，为突出于黄土高原上之岛山。有大片天然次生混交林，以松、柏、杨、刺槐为多，灌草丛生。现设有人祖山景区，面积203平方千米。人文遗存众多，山中历代庙宇约200处，其中最负盛名的是建有“娲皇宫”和“伏羲皇帝正庙”的人祖庙。为三晋名峰。

21-E204 **玉皇顶**［Yùhuáng Dǐng］位于山西省临汾市乡宁县东部。为云丘山神龙岭主峰。因山顶建有玉皇阁，故名。海拔1620米，为乡宁县最高点。山体由古生界寒武、奥陶系石灰岩组成，溶蚀侵蚀大起伏断块中山，属吕梁山脉南段。现位于云丘山景区内，自然风光独特，形成特殊的喀斯特地貌和石山森林景观。人文底蕴丰富，山顶玉皇阁始建于宋元时期，是一座重檐十字歇山顶的阁楼建筑，供奉着玉皇大帝、日、月神，历来是道家仙士的常游之所。

21-E205 **泰山梁**［Tàishān Liáng］位于山西省临汾市汾西县，与蒲县、隰县二县的交界之处。为明月山主峰，因山顶建有泰山庙而得名。海拔高1625.8米。周长14千米，面积25平方千米。山体由古生界二迭系砂岩、页岩组成，褶皱断裂剥蚀侵蚀中起伏中山，属吕梁山脉南段。森林覆盖率较高，山上有松、柏、柞等多种乔木。

21-E206 **南天门**［Nántiān Mén］位于山西省临汾市霍州市东部。为霍山北部腹地正南沟最高峰。山上松柏茂盛，奇石林立，直入云端，登临天门，置身茫茫云海之上，如入仙境一般，百姓附会为神话中的天宫而得名。现位于七里峪风景区，距市区16千米，是太岳山国家森林公园的组成部分。山上天然草坡连片接天，原始森林遮天蔽日，自然资源丰富。

21-E207 **弥陀瓮**［Mítuó Wèng］亦名弥驼瓮、溺陀翁。位于山西省临汾市古县。因山势形象如老翁而得名。又山右侧有房檐崖，远望似房，有门有窗，门窗之上檐咀清晰，悬崖陡壁数十米，崖壁状似佛像，故称弥陀瓮。主峰海拔2212米。山宽2.5千米，长5千米，盘踞15千米。山坡面积广达3000余亩，各种野生草类繁茂，是绝好的天然牧场。山腰有通向霍州便道，历来为军事驻守要地。

21-E208 **安泰山**［Āntài Shān］位于山西省临汾市安泽县城东南部。名称来历不明。主峰海拔1593米。现设有安泰山景区，总面积为6.6平方千米。森林茂密，山大沟深、峰峦起伏，森林资源面积达3.85平方千米，植物群落层次划分清晰可见，顶部是以五角枫和辽东栎为主的乔木林，中部是天然油松林，下部是以杨树、油松、灌木为主的混交林。水源涵养丰富，溪水长流。山北部脚下有326省道通过，直达长治市长子县；南部脚下有乡级公路环绕，直抵晋城市沁水县；西部脚下通过沁河漫水桥与县级马唐公路相接，为交通便利之地。

21-E209 **云丘山**［Yúnqiū Shān］位于山西省临汾市乡宁县。名称来历不明。海拔最高处为玉皇顶1620米。地处吕梁山与汾渭地堑交汇处，山体由古生界寒武、奥陶系石灰岩组成，溶蚀侵蚀大起伏断块中山，属吕梁山脉南段。设有云丘山景区，总面积210平方千米。人文底蕴深厚，与武当山齐名，中华道教龙门派在此再生，素有“北云丘、南武当”之盛誉。保有古村落建筑群和唐代古城（吕香县），东侧有清代建筑五龙宫、祖师顶及玉莲洞等名胜古迹，为附近居民清明前后朝山游览的胜地。自然风光秀丽，是国家一、二级珍稀动植物宝库，拥有远近驰名的红叶观赏区。素有“河汾第一名胜”的美誉。

21-E210　**云台山**［Yúntái Shān］位于山西省临汾市乡宁县东北部，与吉县相交之处。海拔高度为1586米。是吕梁山系姑射山脉和有“诸山之蒂”之称的县东金刚岭的分支，一座典型的黄土高原上的土山。山间属大陆性气候，平均气温9—11℃，年降雨量500—650毫米，日照时数2400小时左右。全年无霜期180—240天。土壤为山地褐土。以灌木为主，乔、草次之。主峰山顶建有玄武祠，规模宽敞。在每年农历六月六的庙会上，周边百姓云集于此，为当地的文化胜景。

21-E211　**紫荆山**［Zǐjīng Shān］位于山西省临汾市隰县南部。因山上多紫荆树而得名。主峰海拔2012.4米。呈西北—东南走向，长约12千米，宽8千米。北连牛金山，南靠上天山，西邻陡坡垣，为吕梁山脉南段及隰县最高峰。山体由古生界寒武、奥陶系石灰岩组成，褶皱断裂溶蚀侵蚀大起伏中山。紫荆山大断层构成吕梁山与晋西黄土高原的分界线。土壤为山地棕壤。满山荆棘，有大量松树为主的森林，植被上部为油松、山杨、桦树和柞树等混交林，下部为黄栌、红酸刺、连翘等灌草丛。铁、石灰石等矿藏丰富。现建有紫荆山景区，旅游资源丰富。

21-E212　**双锁山**［Shuāngsuǒ Shān］一名石门山。位于山西省临汾市永和县东南部，与大宁县交界处。因两山对峙，锁住一道山门，故名。当地人称石门山。其山势雄伟壮观，顶峰海拔1503米，为永和县第二高峰。由中生界三叠系砂岩、页岩、泥岩组成，剥蚀侵蚀中起伏中山，属吕梁山脉南段。上覆新生界第四系黄土。山上设有林场，有刺槐、榆、油松、山楮、橾等林木，植被覆盖率40%以上。山势险要，是古时西通秦宁，东达中原的交通要道，为兵家必争之地。

21-E213　**茶布山**［Chábù Shān］一名茶白山。位于山西省临汾市永和县东南部。名称来历不明。主峰海拔1521米，为永和县最高点。山体呈东北—西南走向，属吕梁山脉南段西翼。剥蚀侵蚀中起伏中山，基岩为中生界三叠系砂岩、页岩，山顶的岩石为三叠系上统延长组第二段，下部岩石为第一段。上覆厚层新生界第四系黄土。实为梁状黄土残源。山脚下有5—10厘米薄层煤线。植被以沙棘、黄蔷薇、虎榛子等灌草丛为主，是良好的天然牧坡。

21-E214　**太山**［Tài Shān］古称蒲子山。位于山西省临汾市蒲县东北部。相传尧师伊蒲子隐处，汉以此山名县；又此山在周围群山中最高，早晨太阳先照在山顶上，因而名之太山。主峰海拔1704米，周长约30千米，面积56平方千米。森林覆盖率较高，以松、柞树为主。煤矿资源丰富。山东坡有天然洞穴白衣洞。山上有一天然方石，据传蒲伊与尧讲道于此，名曰讲道台。人文历史底蕴深厚。

21-E215　**五鹿山**［Wǔlù Shān］又名五龙山、五秃山。位于山西省临汾市蒲县北部，是蒲县和隰县之界山。据蒲县旧县志载为“五秃山”，名称来历不详，现山上森林茂密，与原名不符，便改称五鹿山，后又演变为五龙山。主峰海拔1946米，为蒲县最高点，周长45千米。呈东北—西南走向。山体由古生界寒武系石岩组成，褶皱断裂溶蚀侵蚀大起伏中山，属吕梁山脉南段。现建立五鹿山自然保护区。脊部山地棕壤上植被繁茂，以油松、辽东栎林为主，是吕梁林区的主要地带。建有五鹿庙，为祭祀春秋时期晋国五鹿大夫狐突所建。有五龙圣母祠，“龙母灵崖”为蒲县古八景之一。人文历史底蕴深厚。

21-E216　**霍山**［Huò Shān］一名太岳山，又称“霍泰山”或“霍太山”，泰、太通用，老而大也。位于山西省临汾市霍州市东部，并绵延洪洞、古县、沁源、灵石等县。《风俗通义》称霍山，言万物霍然大也，故名。主峰老爷顶海拔2343.8米，海拔超过2000米的山峰还有燃台山、金冈漫、溺陀翁、靡天岭、莲花山、黄梁山。是太岳山主峰，五镇之山中的“中镇”，处于整个太岳山主脉的南端，为霍州最大一系山脉。霍山在霍州的部分，北起燃台山，南至老爷顶，全长53千米，总面积234平方千米。在构造上，霍山与霍山背斜相吻合，西以霍山大断层接临汾盆地，坡度陡峭，相对高差达1500米以上。东翼坡度和缓，相对高差500—1000米，与沁潞高原相接。霍山重峦叠嶂，险峰峻岭极多。山上林木茂密，植被覆盖率53%以上，以白皮松、侧柏、油松、山杨等为多。矿藏有煤、铁、硅线石、石膏、瓷土、耐火粘土等，为山西省主要木材产区之一。历史上霍山被作为山神被祭祀，人文景观很多，如中镇庙、兴唐寺等，自然景观如伏虎岩、桃花谷、洗心泉、葡萄坪、双门峰、红岩谷、灭马峰、马跑泉、仙人石等也颇有名。西麓有著名的郭庄泉，是当地工农业生产的重要水源。列入国家地质公园，为三晋名山。

21-E217 **双乳峰**［Shuāngrǔ Fēng］为霍山山脉中部腹地七里峪内名峰之一。在山西省临汾市霍州市东北部。因山头酷似两乳而得名。海拔2200米。现位于七里峪风景区内正南沟东西两侧，是正南沟著名景点。山上林木茂密，挺拔的松柏屹立于山顶，气势壮观，以自然景观胜。

21-E218 **断山岭**［Duànshān Lǐng］一名凯旋岭。位于山西省临汾市乡宁县城东北部。抗日战争时期，阎锡山败退至断山岭，因不满其名“断山”与阎锡山名字犯讳，暗含不吉意，遂令改名为凯旋岭。主峰海拔1523米。山体南北走向。由古生界二迭系砂、页岩组成。剥蚀侵蚀中起伏断块中山，属吕梁山脉南段。山地褐土上植被较好，有松、柏等乔木及栌、红酸刺、连翘、荆条等灌丛。是鄂河的发源地，汾河与鄂河的分水岭，省道342断山岭隧道部分横穿山峰，由断山岭东可达临汾、襄汾、洪洞，西可达吉县、延安，北可达蒲县、隰县等地，素来为乡宁交通要塞。

21-E219 **天洼顶**［Tiānwā Dǐng］位于山西省吕梁市离石区东北。海拔1835米。山势较平缓，因山上凹凸不平，雨后多小水洼，故名。

21-E220 **狐爷山**［Húyé Shān］位于吕梁山中段，为山西省吕梁市交城县与太原市古交市界山。为古代交城县镇山。山顶有春秋时晋大夫狐突及其子狐毛、狐偃之墓，故名狐突山、狐偃山，今称狐爷山。上古称少阳山。《山海经》云：“少阳之山，其上多玉，其下多赤银，酸水出焉，而东流注于汾，其中多美赭”，即指此山。又因东西两峰屹立，中凹如马鞍，名为马鞍山。还因山顶部为天然好牧场，俗名放马坪。该山东西长10千米，南北宽5千米。西峰是狐爷山主峰，海拔2202米。东峰海拔2030米。山顶平缓狭长，东峰至西峰相距5千米。山体由燕山期碱性岩侵入古生界奥陶系石灰岩组成，属关帝山东南支。有铁、铅、锌、金、银、煤等矿。自汉代至今不断开采铁矿，北宋太平兴国年间成为全国重要冶铁中心之一。山区林木茂盛，植被覆盖较好，以油松、华北落叶松为多。地理上，该山是汾河上游和其中游支流文峪河的分水岭。

21-E221 **黑茶山**［Hēichá Shān］古称合查山，又名黑查山。因山上有黑色茶树故名。位于山西省吕梁市兴县东南，呈南北延伸之势，属吕梁山脉中北部，主峰海拔2203.8米。其山势东北高，西南低。素以山高林密、气候变化莫测而闻名，四季景色各异。“茶山积雪”为兴县古代十景之一。山中乔木种类主要有油松、山杨、白桦、落叶松、云杉等；灌木种类主要有沙棘、黄刺玫、绣线菊、小叶鼠李等；草本植物有苔草、苋草、蒿类等。林区境内有丰富的野生动物资源。其中国家一级保护动物褐马鸡、金钱豹、黑鹳、金雕、麝等多种。还有煤、铁、铝、铀、云母、石墨、石膏等矿藏。有阴山寺、九连环洞、黑鸡大王庙等古迹。1946年4月8日赴重庆参加国共和谈的同志自重庆经西安返回延安，于当日下午2时在此山遇雾撞毁。机上乘坐的王若飞、秦邦宪（博古）、叶挺、李秀文、邓发、黄齐生、李少华、黄晓庄、赵登俊、魏万吉、叶扬眉等人员全部遇难，史称“四·八”空难。现山上有“四八烈士殉难处”石刻一块，山下建有王若飞烈士纪念馆。

21-E222 **石楼山**［Shílóu Shān］一名通天山。位于山西省吕梁市兴县东北。因其形似三层石楼而得名。属吕梁山脉北段西翼，山体呈东北—西南走向，周长23千米，主峰海拔1770米。山顶宽而平展，旧有祠寺数百间。古时亦为军事重地，山上有兵垒遗址。“石楼晚照”为旧时兴县十景之一。

21-E223 **大坪头山**［Dàpíngtóu Shān］原名杆树塌，因山上杆树多而得名。位于山西省吕梁市兴县东南。山体呈东北—西南走向。山势东北高而西南低，长13.5千米，宽10千米，主峰海拔2167米，属芦芽山支。山上古木参天，灌木密布，多为次生混交林，有多种野生动物和中草药。

21–E224 **凤尾山**［Fèngwěi Shān］别名黄云山。位于山西省吕梁市石楼县东北部，与中阳县交界处。山体南北走向，北接八道军山，南接石楼山，属吕梁山脉中段脊部。一般海拔 1500–1700 米，主峰窟龙神山海拔 2046.3 米，为石楼县最高点。山体主要由元古界白色中粗粒石英岩状砂岩及古生界奥陶系石灰岩组成。山上植被以椴、桦、杨、栎等树为多。有山猪、山羊、豹、麝等动物。

21–E225 **孝文山**［Xiàowén Shān］别名南阳山，古名关华山。位于山西省吕梁市方山县东端。相传魏孝文帝丁母忧，曾避于此山“不食者三日”，人思其德，立庙于山巅，故名孝文山。是关帝山主峰，海拔 2830.7 米，为吕梁山脉最高峰，也是山西省仅次于五台山的第二高峰。山体东西走向，山脊呈锯齿状，南坡陡峭，北坡和缓，是北台期夷平面上的一座残山，西北与方山县为界，东连赫赫岩山。山上遍布松树、杨树，是关帝山林区的中心地带。山中有麝、豹、狍、黄腹角雉等动物及党参、贝母、猪苓等多种野生药材。山上有北魏孝文帝碑，长丈余，宽五尺许。

21–E226 **木孤台**［Mùgū Tái］位于山西省吕梁市中阳县，周长约 5 千米，海拔 1976.3 米，为八道军山之主峰。山上森林覆盖，现山顶有电视转播台。

21–E227 **上顶山**［Shàngdǐng Shān］位于山西省吕梁市中阳县南部，南接交口县。因此山是周围各县群山的最高峰，故名。又因主峰周围有九股泉水，古称九泉山。主峰海拔 2100.7 米。山体由古生界奥陶系石灰岩组成，属吕梁山脉中段。山顶有孔窑洞，传说为古人祈雨歇息处。山高坡陡，植被垂直分带现象较为明显，山顶为天然高山草甸，上部多针阔混交林，下部多灌丛。动植物资源丰富。

21–E228 **骨脊山**［Gǔjǐ Shān］位于山西省吕梁市交城县西北部，地处交城县、方山县与离石区交界处。相传唐初尉迟恭引兵此地，无水可饮，他便用手中的骨脊钢鞭怒杖地，山泉涌出，得以免难，故名。又传此山形似人体脊椎骨而得名。周长 10 千米，海拔 2535 米，属吕梁山中段高峰之一。清康熙《永宁州志》载，吕梁山“其名骨脊山者，以泰山在左，华山在右，常山为靠，嵩山为抱，衡山为朝，此山是隆居中，依然天地之脊骨焉。”传说大禹治水就是从骨脊山下开始的。山上松、杉、桦等乔灌木繁茂，是关帝山林区的一部分。

21–E229 **薛公岭**［Xuēgōng Lǐng］又名薛颉岭、西公岭。位于山西省汾阳市西部，与吕梁市离石区、中阳县交界处，向南伸入孝义市境内。相传古时有一薛姓老翁在此居住，故名。山体呈东北—西南走向，主峰海拔 1763 米，属吕梁山脉中段。山体由古生界奥陶系石灰岩及石炭系砂、页岩组成，土壤为山地淋溶灰褐土及山地灰褐土，上覆大面积的松柏林及灌丛。太（原）绥（德）公路从山顶通过，是扼守晋陕通行的制高点。八路军 115 师“三战三捷”中的薛公岭战斗就发生在此山地。山脚下有吴城镇，传春秋时期著名军事家吴起曾在此屯军练兵。

21–E230 **黄芦岭**［Huánglú Lǐng］又作黄栌岭。位于山西省吕梁市汾阳市与吕梁市离石区交界处。山上灌木杂草茂盛，以黄芦草为主，故名。太（原）军（渡）公路盘山而过，古时是晋中通往晋西及陕北的要道，明宣德四年（1430 年）于黄芦岭设巡检司镇守。山上有北齐长城遗址，为古黄芦关所在，是颇有价值的古代长城及古关隘遗址。山之东有“三十里桃花洞”，为古代汾阳、离石间交通孔道。

21–E231 **子夏山**［Zǐxià Shān］位于山西省吕梁市文水县西南。据传是山最早名隐泉山，后又称汤泉山、谒泉山、大陵山。相传孔子高徒、魏文侯之师子夏晚年退隐于此，设教西河，唐朝时玄宗因此改称子夏山。因子夏姓卜名商，故又名卜山、商山、子夏山。周长 12 千米，主峰海拔 1690 米。山上有小片山杨、白桦和灌木林。其山名胜之中最为著名的是隐堂洞，传为子夏隐居之所。南坡有隐唐洞，传说唐僧西天取经时路过此地曾留宿洞中，洞内原塑有唐僧师徒四人像；又说唐玄宗巡幸商山曾憩于该洞。子夏山涧沟之中“石门宕雪”处建有神堂沟水库。

21-E232 **关帝山** [Guāndì Shān] 位于山西省吕梁市方山县东，交城县西北，地处方山县、交城县、太原市娄烦县三县交界处。明代晋藩王牧马地在山下，俗称官地里，此山遂称官地山。山上有数座关帝庙，因关帝与官地同音，后改称关帝山。山体呈西北—东南走向，长约33千米，宽24千米，2000米以上高峰众多，主峰为孝文山，海拔2830.7米，乃是吕梁山脉最高峰。基岩由太古界变质岩系和黄岗岩侵入体组成，山顶浑圆延展，为北台期夷平面，上覆近1米厚的风化残积物。构造上升结构显著，侵蚀切割而成的沟谷深达千米，河流呈放射状流向四方。森林垂直分布带明显：800—1300米为疏林灌木及农垦带，1300—1700米为灌草植被带，1700—2000米为阔叶、针叶混交林带，2000—2400米为针阔混交林或针叶林带，2400—2600米，为山地草原草甸带。关帝山林区森林覆盖率为42.2%（2002年数据），主要树种有华北落叶松、云杉、辽东栎、山杨、白桦等，为山西省最重要林区，木材积蓄量和产量均居全省各大林区之首。1980年国家在此建立庞泉沟自然保护区。动物有麝、金钱豹、黑鹳、狍、褐马鸡等，中药材有党参、贝母、猪苓等，矿产资源有石棉、花岗岩、大理石等。

21-E233 **葫芦山** [Húlu Shān] 位于山西省吕梁市交城县中东部，西冶川上游东侧。因山形似葫芦而得名。海拔1668米。山上分布有稀松的松、杨林及灌丛，有丰富的铁矿。

21-E234 **连营站** [Liányíng Zhàn] 位于山西省太原市古交市西部，周长约20千米，海拔2002米。山上林木繁茂。

21-E235 **三县岭** [Sānxiàn Lǐng] 位于山西省太原市清徐县西北，西连吕梁市交城县，北接太原市古交市，东至老爷岭，因地处三县市交界处而得名。山体呈东北—西南走向，主峰海拔1630.4米。山势较平缓，东北高，属吕梁山脉中段。山体由古生界石炭、二迭系砂岩、页岩及含煤岩系组成。山地褐土上有稀疏的松柏林及灌丛。主要支脉有壶屏石山、方山、神会山等。

21-E236 **三座崖** [Sānzuò Yá] 位于山西省吕梁市交城县西北，东、西葫芦河之间。因群峰并峙，岩削如壁而得名。山体呈西北—东南走向，长约20千米，主峰海拔2080米，属关帝山东南支。山上植被为油松、落叶松、山杨和白桦等混交林及灌丛。其势陡峭，山崖如壁，只有一条羊肠小道可通。山顶平坦，且有山洞，易守难攻，是历代百姓避难的场所。明末清初，交山农民军以此为营寨，坚持活动四十余年。现存山洞、试心石、练兵场、人工凿筑的石阶等遗迹，为县级保护文物。

21-E237 **瓮圪筒** [Wènggē Tǒng] 位于山西省吕梁市交城县西北，其山形直立如瓮状，故名。主峰海拔2561米。

21-E238 **双双山** [Shuāngshuāng Shān] 又名双山壑。位于山西省吕梁市兴县东北，因山有双峰故名。山势略呈东北—西南走向，主峰海拔1757米。山体由古生界寒武、奥陶系石灰岩，属芦芽山支。山上有黄栌、红酸刺等灌丛。山后有兵垒，跑马场、拴马桩等遗迹，相传北宋女将刘金定曾在此练兵。

21-E239 **白龙山** [Báilóng Shān] 古名大万山，位于山西省吕梁市岚县县城西，蔚汾河以南与兴县交界处，因主峰下有白龙庙而得名。山体高大，略呈南北走向，长40千米。主峰海拔2275米，为岚、兴二县最高峰。东坡陡峭，西坡平缓。坡阴有云杉、油松、山杨、白桦等林木，坡阳峭壁巉岩与灌丛草地相间。白龙山历史悠久，“龙山胜境”自古为“岚阳八景”之首。有白龙庙、山神庙、风神庙、碑楼、登山石阶等多处人文景观。山上有赵朴初题写石刻“寿”字，高15.5米，宽8.5米，为当今世界上最大的石刻“寿”字。白龙庙后有圣水井，相传能治百病，更因祈求必应，故历代香火不绝。为岚县主要风景名胜区。

21-E240 **石猴山** [Shíhóu Shān] 位于山西省吕梁市兴县东部。此山因峰顶有数块巨石酷似石猴而得名。主峰海拔1600米。山腰间现存元大德年间复修的道观遗址。主峰南侧山脚下有一天然石洞，名曰黑龙潭，潭内有两泉，一为神泉，一称人泉，常年不枯不溢，民间常取神泉之水祭天祈雨，多有灵验。又因山顶主峰巨石如莲花，而称其为“莲峰石堠”，旧为兴县十景之一。石猴山既是古代佛教圣地，又是历史屯兵之所、关隘要地。山势奇险，遗迹甚多。

21-E241 **大渡山**［Dàdù Shān］又写作大度山，俗称大肚山。位于山西省吕梁市临县北部，与兴县交界处。山势西北高，东南低，面积约66平方千米，海拔1882米。此山东南有紫金山，西南有天子城，正东有玉家山，东北有天台山，西北有教朋崖山，因群山环绕，号称“小五台山”。气候四季分明，凉爽湿润，森林覆盖率为72%，各种树木30余种，花草丛林齐全，各种野生禽鸟20余种，各种名贵药材40余种。这里的草木、山、石、水、土奇特古怪，常年朝圣取药治病者络绎不绝。山上石多土少，褐铁矿分布广，部分地方有黄铁矿。山顶有大善寺。

21-E242 **黄梁山**［Huángliáng Shān］位于山西省吕梁市临县东北部，与方山县交界处。因山间遍布茂密的野草，秋冬季节满山枯黄，故名。周长约9千米，主峰海拔1837米。为土石山，乔木稀少。

21-E243 **柏榆庙**［Bǎiyú Miào］又称柏榆庙山。位于山西省吕梁市临县东北部，东与方山县交界。古代山上古柏参天，老榆纵横，乡民建庙于山顶，通称柏榆庙，故名。山体东西宽约3.5千米，南北长4千米，周长约20千米，主峰海拔1924米。由古生界寒武、奥陶系石灰岩组成，属吕梁山脉中段。近代柏榆被砍伐，代之以乔灌混生的次生林，林中有狼、野猪、羊、麝等动物出没。清初农民起义军曾据此抗击官府，救济百姓。

21-E244 **紫金山**［Zǐjīn Shān］亦名紫荆山。位于山西省吕梁市临县北部，北与兴县交界。相传山中藏有稀世珍宝紫磨金，故名。东西长约11千米，南北宽约7千米，周长约36千米，主峰海拔1757米。是典型的穹窿山地，属吕梁山脉中段西翼。山坡被黄土覆盖，山顶宛若突出于“黄土海洋”中的孤岛。山体浑圆，水系呈放射状。顶部多黄栌、红酸刺、连翘等灌丛。腰部有人工油松、白桦和山杨林。相传东晋时羯人石勒曾据此山为垒。山顶曾建有古庙，俗称大王庙，亦名石勒祠，现庙宇已毁。

21-E245 **石楼山**［Shílóu Shān］位于山西省吕梁市石楼县城东，与交口县交界处。山体呈南北走向，北接黄云山，南连云梦山，长约15千米。主峰海拔1956米。由古生界奥陶系石灰岩和中生界三叠系砂岩、泥岩组成，属吕梁山脉中段脊部。山地棕壤上生长着松、柏、栎、杨、桦等林木，煤藏丰富而质优，铝土矿、石灰石、铁矿亦丰。有豹、麝、山猪、山羊、党参、猪苓、藁艺、升麻、山桃等动植物资源。西麓为屈产河源头，古时以多产名驹著称于世。

21-E246 **烧炉山**［Shāolú Shān］位于山西省吕梁市方山县中西部。传说北宋杨家将之祖、火山王杨衮曾在此建炉炼铁，打造军器，故名。海拔2001米。山体由太古界混合岩化片麻岩、花岗岩组成，属吕梁山脉中段。山地灰褐土上有油松、山杨等针阔混交林。山下有梅洞沟湿地公园。

21-E247 **武当山**［Wǔdāng Shān］即今北武当山。本名武当山，为与湖北武当山区别而加“北”字。又名真武山，古称龙王山。位于山西省吕梁市方山县东南，吕梁山脉中段，关帝山西南支。总面积约80平方千米，主峰香炉峰海拔2254米。山体由整体花岗岩组成，经过漫长岁月的风化浸蚀，岩石裸露，主峰突起，四周几乎皆为悬崖峭壁，形成绝致奇景。山区植被繁茂，森林覆盖率达70%，栗子、苹果、柿子、核桃及橡、槐、漆等树木遍布山野。山中还有种类繁多的中草药材。其山集雄、奇、险、秀“四绝”于一身。系我国北方道教圣地之一，主要建筑有：对万神庙、灵宫庙、山神土地庙、二龙庙、乔松室、三官庙、火神庙、龙王庙、黑虎庙、玄天大殿和太和宫等。此山小金顶建玄天真武庙，并有壁画、石刻多处。1994年列入国家第三批风景名胜区，2016年成为国家4A级旅游景区。

21-E248 **南天门**［Nántiān Mén］位于山西省吕梁市方山县南。该山之得名，系借用神话来形容其高峻。周长10千米，主峰海拔2092米。山体由太古界混合花岗片麻岩构成，属吕梁山脉中段脊部，为关帝山林区组成部分。野生动植物资源丰富多样。山间遍布松、杨、桦树等针阔混交林，有贝母、猪苓、黄芩等多种野生药材。

21-E249 **云梦山**［Yúnmèng Shān］位于山

西省吕梁市交口县西部，西接石楼县，南接隰县。因山顶多雾，登山者如进入云乡梦境，故名。周长5千米，海拔1800米，地处一地质断裂带上，属吕梁山脉南段。山上乔灌林茂密。相传春秋战国时代纵横家鼻祖鬼谷子曾在此修道，教诲孙膑、庞涓。山上留存有讲经洞、孙膑洞、庞涓洞、龙泉洞等文化遗存。山之左上方有一大壑口，古称龙泉，古碑文称其为“水帘洞”。每届严冬，滴瀑成冰，水落冰增，冰堆成塔，人称“冰瀑”，最高时达70余米，玲珑剔透，景色奇特而壮观。

21-E250 **高庙山**［Gāomiào Shān］位于山西省吕梁市交口县东北。因古代山上建有高庙，故名。周长20千米，主峰海拔1599米。山体主要由古生界奥陶系石灰岩、夹石膏和石炭系砂、页岩构成，属吕梁山脉中段。山坡平缓，植被稀疏，以胡枝子、绣线菊、榛子等灌丛为多，间有零星柞树、桦树林。山羊、野猪、山杏、沙棘、中草药等动植物资源丰富。地下有丰富的煤炭和铁矿资源。

21-E251 **大九梁山**［Dàjiǔliáng Shān］位于山西省吕梁市交口县西北，北与中阳县交界。山体呈东西走向，周长6千米，主峰海拔1990米。山顶狭长，山上有小片的森林以及茂密的灌丛。

21-I001 **石岭关**［Shílǐng Guān］位于山西省太原市阳曲县石岭关村。因两侧依山，石岭为关，故名。清道光《阳曲县志》载：“石岭关在（阳曲）县城东北一百里，为并代云朔要冲，势甚险固”。石岭关为历代兵家争夺要地。唐、宋、元、明均置兵戍守，明时曾置巡检司于此。今南门完好。城墙尚存，（北）京太（原）公路经此。

21-I002 **赤塘关**［Chìtáng Guān］在山西省太原市阳曲县河庄村。相传北魏时有刘赤塘者隐居于此，故名。与石岭关仅一山之隔，互为犄角之势，是忻州与太原之间的重要通道，军事地位至关重要。赤塘关始建年代不详，故址残垣清代尚存，但在1933年修建北同蒲铁路时，将赤塘关遗迹掘平。自阳曲城区可乘坐出租车前往。

21-I003 **天门关**［Tiānmén Guān］位于太原市尖草坪区关口村。道光《阳曲县志》载：“二山回合如门，在县之乾方，故曰天门”。曾与石岭关和赤塘关一道被称为太原三关。因山势险峻，阴森狭窄，曾经扼太原通往静乐、宁武等晋西北各县古道之咽喉，历来为兵家设防和夺据之地。在天门关的东北山崖上，有隋炀帝任晋王时所开凿的栈道，名为杨广道，今已不存。关垣主体已经不复存在，但仍有部分东城墙遗址留存。通309路公交车。

21-I004 **得胜口**［Déshèng Kǒu］在山西省大同市新荣区北得胜堡村，与内蒙古丰镇交界。光绪《山西通志》载：“其在杀虎口东而与镇城相直者，曰得胜口，在大同县北八十里，丰镇厅南二十里，古通汉道也”。明隆庆年间，随着边疆安定，民族关系趋于缓和，得胜口附近的得胜堡成为重要贸易场所。中原地区的丝绸、茶叶、粮食等货物由此运往外地；少数民族地区及蒙古的牛、羊、马、皮毛等货物也由此输入内地。

21-I005 **娘子关**［Niángzǐ Guān］位于山西省阳泉市平定县东北45千米处的娘子关镇娘子关村。原名苇泽关，北魏置。相传唐太宗妹平阳公主率娘子军驻守于此，故名。娘子关地处太行山脉西侧，是太行山著名关隘，素有万里长城第九关之称，为出入晋省的咽喉。娘子关城筑在绵山山腰之上，背依陡崖，下临竣谷，形势险要。建有关门两座，东为上关，镌有“直隶娘子关”；西为下关，上有阁楼，题“唐平阳公主驻兵处”，门额书有“秦晋屏蔽”四字，以显示其重要军事地位。城内现存有关帝庙、钟楼等古迹。通628路公交车。

21-I006 **虹梯关**［Hóngtī Guān］故址在平顺县城东约25公里虹梯关村东，又名洪（虹）梯子、鲁班门。地处东出河南的晋豫古道上，“虹梯”二字由古道上的五十四盘立陡的“之”字形人工石梯得名，从山底仰望，山道如虹，故名。西晋永嘉年间，西晋名士庾信避乱入鲁班门，由于山高路险，庾信目眩，坠崖而死。北魏郦道元游此，指其为“庾信眩坠处”。明王朝于嘉靖年间剿灭陈卿起义军后在此设关。立有《虹梯关铭》碑，为省级文物保护单位。虹梯关下有虹梯河，形成虹梯河峡谷。峡谷内有全国重点文物保护单位明慧大师塔。

21-I007　**玉峡关**［Yùxiá Guān］位于山西省长治市平顺县东南40千米玉峡关村东南，又称风门口。两山峭立，形若玉峡，故名。为晋豫两省的重要通道。明置关。这里群山叠嶂，尖峰屏立。关口东临陡峭山壁与花园梯相接，现存上、下两个豁口，相距约50米开外。玉峡关口为建关时新开。关北豁口为旧有，古风门口是也。明代顾炎武在《天下郡国利病书》中称："玉峡关旧曰风门口，在隆虑万山之巅，为两河三晋之界。盖天作之险也。"明嘉靖年间，明廷镇压陈卿起义之后，于此置关，立有《玉峡关铭》，而今，《玉峡关铭》仍躺在乱石荒草之中。玉峡关北有金灯石窟、南天门，东有桃花洞，已形成一处旅游胜地。

21-I008　**东阳关**［Dōngyáng Guān］故址在黎城县城东10千米东阳关镇。东25千米处有吾儿峪，又称壶口旧（故）关、壶口关、盂口，是滏口径的西口。春秋置关，明设巡检司，后移至东阳关。此地古为上党通往河北之咽喉要道，两翼有长城，形势险要。古往今来，战事不断。抗日战争爆发后，日军从东阳关侵入上党。为抗击日寇，在这里发生过两次较大的战斗。一次是1938年2月，国民革命第47军李家钰将军率部在此阻击日军。一次是1938年3月30日，我八路军129师发起的响堂铺战斗，亦称"东阳关战斗"，给日军以沉重打击。通502路公交车。

21-I009　**长平关**［Chángpíng Guān］位于山西省晋城市高平市西北部与长治市长子县交界的丹朱岭东麓。因坐落于丹朱岭的山腰处，又因历史上高平曾名长平，故名。海拔900米。关内隘口呈南北走向，南北100米，东西300米。南倾下700米处为高平市坡根村，北倾下100米为长子县龙泉村。这里居于长子、高平之间，位置适中，地势险要，为上党地区重要关隘和军事重地。远在战国时期就已成为一处重要的关口。抗日战争中，山西青年抗日决死三纵队曾在此与日寇激战，痛击了敌人。

21-I010　**天井关**［Tiānjǐng Guān］位于山西省晋城市泽州县晋庙铺镇天井关村。因关南有3眼深不可测的井泉，故名。又名太行关、雄定关、平阳关。海拔960米，长60米，宽35米，为太行八陉之一太行陉的重要关隘。现存天井关门楼及古道遗迹，门楼乃明代所建，砖碹硬山顶式，门洞宽约2.7米，深约2.2米。天井关位居太行山南端要冲，形势雄峻，《读史方舆纪要》称其为"天设之险"。自山西高原南出中原，往往取径于此，历来为兵争要地。自西汉即见记载，是《汉书·地理志》上党郡四关之一，刘歆《遂初赋》曰："驰太行之险峻，入天井之高关"。省道周沁线经此。

21-I011　**大口隘**［Dàkǒu Ài］属太行山脉，在今山西省晋城市泽州县晋庙铺镇东南。又名横望岭，唐狄仁杰由汴州参军调任并州法曹，途经此岭，见白云孤飞，瞻望久之，故名。相传北宋杨延昭麾下猛将孟良、杨排风御辽时曾守此口。属暖温带半湿润大陆性季风气候区。附近均系深沟绝壁，地势险要，为山西省东南境之门户，晋城通往豫北的咽喉。太（原）大（口）公路经此。

21-I012　**碗子城**［Wǎnzi Chéng］属太行山脉，故址在今山西省晋城市泽州县晋庙铺镇碗城村南，位于大口东南，又名盘子城。此地群山犬牙相错，险道曲如羊肠，百折中有平地，仅亩许，唐初在此筑城以控怀庆、泽州，因其城甚小如碗，故名。属暖温带半湿润大陆性季风气候区。过去是晋豫战略通道和"茶马古道"上的一处重要关隘，是"一夫当关、万夫莫开"的晋豫门户。

21-I013　**杀虎口**［Shāhǔ Kǒu］位于山西省朔州市右玉县右卫镇杀虎口村。又名参合口、白狼关、牙狼关、西口。因明朝此地多为北出攻击游牧部族的关口，而起名杀"胡"口，清朝时对蒙古部族采取怀柔政策，而改"胡"为"虎"，故名。海拔1230米，两侧长城宽200米，长达3000米。杀虎口所在地形十分险峻复杂，东依塘子山，西傍大堡山，两山之间的苍头河谷地是连接山西与草原地区的重要孔道。杀虎口关城于明嘉靖二十三年（1544年）土筑，万历二年（1574年）砖包，城周为1千米，高11.7米。明万历四十三年（1615年）在杀虎口堡外另筑平集堡，规制均与杀虎口堡相同，两堡间又于东西筑墙相连，成犄角之势，中间区域称为"中关"。明隆庆和议后，作为军事要塞的杀虎口逐渐成为边贸重镇。明清时期处在沟通内地与草原地区的重要商道上。"走西口”中的西口，即指杀虎口。241 国道经此。

21-I014 **子洪口**［Zǐhóng Kǒu］属于太行山脉。在晋中市祁县东南子洪村东 0.5 千米处。因当地村民希望多子洪福、长流不息，故名。又名紫红口。海拔在 1100 米以上，位于两山相峙之地，长 20 千米。自古为晋东南通往晋中地区的咽喉要道。东南方是石佛崖，有唐代的石窟造像，是抗战时期“子洪口战斗”的发生地。208 国道经此。

21-I015 **冷泉关**［Lěngquán Guān］位于山西省晋中市灵石县两渡镇冷泉村。因关中有一冷泉出名，故名。又名古川口、灵石口、阳凉北关。海拔 750 米，冷泉关地处晋中盆地南段，在晋中与临汾盆地之间险绝山谷的最北端，这里古称“雀鼠谷”，意为地势险要，只有雀鼠才可通行。东西有太行吕梁两山相夹，汾河一水中流，是三晋腹地的交通要道，清《山西通志》载：“入关则左山右河，中通一线，实南北咽喉要地”，有“平阳锁钥”之称。关中冷泉甘洌可口，酿酒颇佳。“冷泉烟雨”旧时为灵石八景之一。108 国道经此。

21-I016 **忻口**［Xīn Kǒu］在忻州市忻府区北 27 千米的忻口村。因位于忻定盆地北部的山口，故名。还有二说：一说因忻水流过山口而得名；另一说是汉高祖领兵自平城突围至此，“六军忻然”，故名。海拔 1000 余米，位于两山相夹之中，滹沱河流其中，是山西北部通往太原的咽喉要地，自古有“晋北锁钥”之称。历来为兵家必争之地，战争不断，其中最著名的是发生于抗战时期的忻口战役，是中日双方为攻守太原而展开的大战。今有忻口战役遗址、纪念墙、石碑等建筑。大运公路经此。

21-I017 **雁门关**［Yànmén Guān］位于山西省忻州市代县城西北 20 千米雁门山腰，因雁门山东西两山对峙，其形如门，而鸿雁出于其间，故名。又名西陉关。海拔 1500 米以上。古来即为戍守重地，与宁武关、偏关合称三关，是晋中地区通往蒙古高原的必经之地。北拒塞外草原，南屏忻定盆地，傍山就险，屹为巨防。唐建旧关在雁门山上，明初移今所。今存关门三座为历代用兵之地。古人有“三关冲要无双地，九塞尊崇第一关”之说。208 国道经此。

21-I018 **宁武关**［Níngwǔ Guān］即今山西省忻州市宁武县城区。唐置宁武郡，始用宁武之称，或说其地有旧宁文堡，取文武对应之义，因而得名。海拔 1376 米。处于吕梁山脉北支芦芽山和云中山交会的谷口。谷口宽广，敞向北面的朔州盆地。三面环山，北倚内长城，深居于四面屏蔽的腹地，形势稳固，易守难攻。宁武关于明成化三年（1467 年）建成，明弘治十一年（1498 年）扩城七里。万历三十四年（1606 年）城墙砌砖，周长 3567 米。周围烽火台峙立，气势十分雄伟。现存的宁武关鼓楼，位于今宁武县城人民大街，通高 30 余米。宁武关向西约 80 千米为偏头关，向东约 60 千米为雁门关，共同构成太原镇外三关。宁武关为“三关”中路，素有“北屏大同，南扼太原，西应偏关，东援雁门”的战略作用。241 国道经此。

21-I019 **阳方口**［Yángfāng Kǒu］：位于山西省忻州市宁武县东北 12.5 千米阳方口村，又称阳方堡、阳方口堡。其名来源于“杨家将驻防的关口”，后演变为“阳方口”三个字。海拔 1300 米，为宁武关的前哨阵地，禅房山、马头山、摩天岭挺立于东西两侧，恢河流经口西，使阳方口成为天然要隘。明嘉靖十八年（1539 年）巡抚陈讲创筑堡城，清时驻把总，有“晋北第一要地”“山西镇中路第一冲口”之称。古时“地势平漫，十万骑可成列以进”。今尚存城北砖券拱门。口西的长城存夯土残墙和土筑墩台。口东的长城尚存部分砖砌墙体，并有三座砖砌空心敌楼保存较好。今有北同蒲、宁（武）岢（岚）铁路，忻（州）保（德）、崞（阳）川（昴）、阳（方口）平（鲁）等干线公路从此通过。

21-I020 **偏头关**［Piāntóu Guān］位于山西省忻州市偏关县黄河边，东连丫角山。因其地东仰西伏，故名偏头。宋置偏头砦，元升为关。明改筑今之关城，与宁武关、雁门关合称“三关”。偏头关海拔 700 米以上。明洪武二十三年（1390 年）镇西卫指挥张贤建关城。宣德、天顺、成化、弘治、嘉靖、隆庆、万历间均有修建。万历二十六年（1598 年）又于西关南关筑女城、水门各二。沿河筑堤，规模初备，始称“九塞屏藩”。

现存关城南门，为省级重点文物保护单位。偏头关东部偏南 1000 米有凌霄塔立于东山之巅，为明代建筑。偏关、宁武、雁门三关鼎峙晋北，互为犄角，是北疆之门户，京师之屏障。

22-A-a001 **黄河**［Huáng Hé］外流河。因河水黄浊而得名。古代称为“河”。发源于青藏高原巴颜喀拉山脉，呈“几”字形，先后流经青海、四川、甘肃、宁夏、内蒙古、陕西、山西、河南、山东等 9 个省区，最终在山东省东营市垦利区注入渤海。全长约 5464 千米，流域面积约 752443 平方千米。黄河多年平均天然径流量 580 亿立方米。平均每年输入黄河下游的泥沙达 16 亿吨，年平均含沙量 37.8 千克 / 立方米，一些多沙支流洪峰含沙量高达 300—500 千克 / 立方米。黄河流经龙羊峡、积石峡、刘家峡、红山峡、青铜峡、晋陕大峡谷、三门峡等众多峡谷地带。河源至内蒙古自治区托克托县的河口镇为上游，河道长 3471.6 千米，流域面积 42.8 万平方千米，占全河流域面积的 53.8%。上游河段年来沙量仅占全河年来沙量的 8%，水多沙少，是黄河的清水来源。根据上游河道特性的不同，可分为河源段、峡谷段和冲积平原三部分。河源段是指从黄河源至青海龙羊峡。该河段曲折迂回，水质清澈、来水量大，成为黄河水的主要来源。峡谷段是指从青海龙羊峡至宁夏青铜峡。该河段穿峡而过，河道比降大，水流湍急，龙羊峡、刘家峡等多个峡谷位于此段，是黄河流域重要的水电站基地。冲积平原段从宁夏青铜峡至内蒙古托克托河口镇。该河段地势平衍，水流缓慢，是著名的引黄灌区，宁夏平原与河套平原位于此段。黄河自河口镇至河南郑州市的桃花峪为中游。中游河段长 1206.4 千米，流域面积 34.4 万平方千米，占全流域面积的 43.3%，落差 890 米，区间增加的水量占黄河水量的 42.5%，增加沙量占全黄河沙量的 92%，是黄河泥沙的主要来源地。根据中游河道特性的不同，可分为晋陕峡谷段、汾渭平原段、三门峡至桃花峪河段三部分。晋陕峡谷段从内蒙古托克托河口镇至山西禹门口。该河段是黄河干流最长的一段连续峡谷，流经黄土丘陵沟壑区，水土流失严重，是黄河粗泥沙的主要来源。该河段比降大，水力资源丰富，万家寨水利枢纽位于此段。汾渭平原段是指从山西禹门口至河南三门峡。该河段河谷展宽，水流缓慢。河段两岸为渭北及晋南黄土台塬，是陕、晋两省的重要农业区，是黄河下游泥沙的主要来源之一。三门峡至桃花峪河段由小浪底分成两部分：小浪底以上，河道穿行于山谷间，是黄河干流上的最后一段峡谷；小浪底以下，河谷渐宽，是黄河进入平原的过渡地段。黄河桃花峪至入海口为下游。流域面积 2.3 万平方千米，仅占全流域面积的 3%，河道长 785.6 千米，落差 94 米。下游河道横贯华北平原，历史时期经常发生大的改道，绝大部分河段靠堤防约束。河道总面积 4240 平方千米。由于大量泥沙淤积，河道逐年抬高，河床高出背河地面 3—5 米，部分河段如河南封丘曹岗附近高出 10 米，是世界上著名的“地上悬河”，成为淮河、海河水系的分水岭。黄河是中国的第二长河，是中华文明最主要的发源地，是中国人的“母亲河”。由夏至北宋，黄河流域一直是中国的政治、经济、文化中心。黄河壶口瀑布，气势磅礴，是黄河沿岸著名旅游景点。1979 年全国水力资源普查结果：黄河流域水力资源理论蕴藏量 4054.8 万千瓦，年平均发电量 3552 亿千瓦时，占全国水力资源理论蕴藏量 59221.8 亿千瓦时的 6%。水利灌区包括内蒙古黄河灌区、宁夏引黄灌区、汾河灌区、引沁灌区、河南引黄灌区、位山引黄灌区。黄河由于泥沙含量大，无法达到通航要求。主要支流有渭河、汾河、洮河、洛河、沁河等。

22-A-a002 **汾河**［Fén Hé］外流河。汾者，大也，汾河因此而得名。古称“汾”，又称汾水。发源于山西省宁武县东寨镇西雷鸣寺泉，流经忻州、太原、晋中、吕梁、临汾、运城等 6 个地级市、34 个县市区，至万荣县庙前村附近汇入黄河，干流全长 695 千米，流域面积 39471 平方千米。黄河第二大支流，山西省最大河流。流域内有雷鸣寺泉、兰村泉、晋祠泉、洪山泉、郭庄泉、霍泉、龙子祠泉、鼓堆泉等岩溶大泉，水质好，流量稳定。由于泉水补给，汾河年径流量为 26.6 亿立方米，远超山西省内其他河流。因干支流各河上游皆流经黄土地区，致使水土流失严重，水土流失面积达 2 万平方千米左右，河流含沙量大，汾河年均输入黄河的泥沙达 5800 多万吨。自源头至太原市上兰村为上游，上兰村至洪洞县石滩村为中游，石滩村以下为下游。上游河道长 217.6 千米，流域面积 7705 平方千米，河流穿行于山地和黄土丘陵中，河道基本属峪谷形，流量较小，含沙量较大，干流建有大型水库汾河水库一座。中游河道长 266.9 千米，流域面积 20509 平方千米，河流穿行于太原盆地和灵霍峡谷，大部分属平原性河流，河道宽阔，地势平坦，土质疏松，历史上多次发生改道现象，干流上有汾河二坝、三坝两座大型闸坝和大型水库文峪河水库一座。下游河道长 210.5 千米，流域面积 11257 平方千米，属平原性河流，河道弯曲，水流不稳定，河床左右摆动，入黄口处河道纵坡缓，流速小，泥沙淤积严重，加之常受黄河水顶托，致使历史上入黄口曾多次变动。汾河流域尤其是中下游地区，人口稠密、城市化程度高，在山西经济发展中占有举足轻重的地位。分布有省会太原、地级市晋中、临汾和介休、霍州、侯马、河津、汾阳、孝义等 6 个县级市。有平遥古城、晋祠、乔家大院、常家庄园、王家大院、洪洞大槐树、汾阳杏花村等一批驰名中外的文物古迹和旅游胜地。1949 年以来，于汾河干支流上修建汾河水库、汾河二库、文峪河水库、张家庄水库、浍河水库、三股泉水库等，保证了太原等城市的民生用水和工业用水，扩大了太原、临汾两盆地内的灌溉面积。历史上汾河水量充沛，湖泊毗连，有良好的水运条件，今已无航运功能。主要支流有东碾河、岚河、潇河、昌源河、惠济河、龙凤河、文峪河、南涧河、洪安涧河、涝河、浍河等。

22-A-a003 **中马坊河** [Zhōngmǎfāng Hé] 外流河。中马坊河又名洪河，是汾河的一级支流。因位于宁武县中马坊村，故名。发源于宁武县余庄乡张道沟，源头处为管涔山海河流域与黄河流域的分水岭，流向自北向南，在好水沟村南从左岸汇入汾河。流域东邻原平市，东北与城关镇接壤，南与迭台寺相连。干流长度为 46 千米（一说 50 千米），流域总面积为 565 平方千米，多年平均地表径流量为 5013 万立方米，多年平均清水流量为 0.1 立方米 / 秒。河道平均比降 16.9‰，中马坊河流域年输沙量为 160 万立方米，输沙量在一年内集中于汛期几场大洪水，上中游河道较宽阔，下游变窄，主槽明显，阶台地和河滩地较多。中马坊河源头处有一天池，与其周围的汾阳宫遗址、海瀛寺、千亩沙滩、千亩草坪和水质清澈的暖水河等共同构成了高山湖泊景观。中马坊河主要支流有天池河、东马坊河和怀道河。

22-A-a004 **东碾河** [Dōngniǎn Hé] 汾河一级支流，因汛期发洪水时波涛翻滚，其声如石辗滚动，故名。发源于云中山系之马圈山西麓的静乐县漫岩村，由东向西流经娑婆、康家会、娘子神、鹅城 4 个乡镇的 46 个村庄，于静乐县城南注入汾河。总长 56.2 千米， 流域面积 518.44 平方千米，流域平均宽 8.99 千米， 东辗河常年来水量 4400 万立方米。清水流量为 1.05 立方米 / 秒，河流泥沙以石英沙为主，兼有少量砾石，年输沙量为 117.7 万吨， 推移质输沙量为 5 万吨。河流没有形成明显的河床，河道主槽与漫滩界限不太明显，因此主流在平面上摆动较大，主流散乱，河道宽与主槽水深之比较大，河床稳定性很差。流域内有小型自流灌溉工程 2 处，报废 1 处，现仅存娘子神乡洪水灌溉工程 1 处，受益面积 1350 亩。东辗河水资源年利用量为 40 万立方米，利用率不到 10% 。

22-A-a005 **岚河** [Lán Hé] 位于岚县东南部，是汾河的一级支流。旧称清水河，又名绿水河，因其两支支流在岚县城汇合，故名。主源始于河口乡冰冷沟、卧羊沟，向南流经岚城、土峪，在岚县坡上村接纳梁衬会河，于县城所在地东村东南处接汇上明河、普明河，至社科乡曲立村进入娄烦县界，在娄烦县界接汇上龙泉河，在下静游汇入汾河。河流全长 57.6 千米， 流域面积 1148 平方千米，岚河流域常年水流不断，清水流量为 1.13 立方米 / 秒， 年径流量为 6855 万立方米，年输沙量 638 万吨。岚河主流在东村汇合处以上称岚城河，以下为岚河干流。岚城河流域面积 285.45 平方千米，河流长 34.5 千米，岚城以上为石质河床，宽 30 米， 水流较丰；岚城以下为卵石河床，逐渐变宽为 70—100 米， 四季清水长流，且无工矿企业排污，水质较好。岚河干流全长 18.5 千米， 流域面积 158.2 平方千米， 河床为泥沙河床，宽 100 米以上。岚县城南 1 千米处有山西省文物保护单位秀容古城。岚河流域 20 世纪 70 年代修建了岚城、蛉螟神两座小型水库。100 平方千米以上的一级支流有上明河、普明河、龙泉河三条。

22-A-a006 **杨兴河** [Yángxīng Hé] 汾河一级支流，古称洛阴水，又称阳兴水。杨兴河位于太原市东北部，由东北向西南纵贯阳曲县，发源于太原东山北端牛金山东麓的孟家岭沟，流经阳曲县的大盂、黄寨、尖草坪区的向阳店和阳曲镇，在尖草坪区北固辗村南流入汾河。河道全长 50 千米， 流域面积为 1398 平方千米。年径流量 6291 万立方米。多年平均径流系数 0.092。植被覆盖极差，覆盖率为 20%，水土流失严重。流域内建有小型水库 7 座，总控制面积 268.93 平方千米，总库容 1507.4 万立方米。在大盂盆地建有东、中、西三条排水干渠，总排水面积 194.4 平方千米。现有河道堤防 55.6 千米。主要支流有中社河（东黄水河）、泥屯河、西凌井河等。

22-A-a007 **潇河** [Xiāo Hé] 汾河一级支流。由俗名“小河”谐音得名，抗战胜利后由山西省建设厅提出以“潇”代“小”，故得名。古称洞过水、洞涡水、涂水。发源于山西省昔阳县沾尚镇陡泉山西麓的马道岭，流经寿阳、榆次、清徐，于太原市小店区刘家堡乡洛阳村南注入汾河。全长 147 千米，流域面积为 3894 平方千米，沿途有众多支流汇入，潇河 1956-2000 年多年平均河川径流量为 14092 万立方米，最大值 1956 年径流量为 3.97 亿立方米，最枯水的 1972 年为 0.24 亿立方米，极值比为 16.9，年际变化很大。独堆水文站多年平均输沙量 105.6 万吨。潇河流域目前已建有中型水库 1 座（蔡庄水库）和 9 座小型水库（小石门、郑家庄、十里沟、刘家山、段王、河口、汔针沟、西沙沟、田家湾），总控制流域面积 496.23 平方千米。拦河引水闸坝等工程 3 处，大型灌区 1 处（潇河灌区），另有高灌站、机电井等小型水利工程设施多处，开展了防护耕地、淤滩造地、河道治理、改良盐碱地等各项水利工作。

主要支流有白马河、松塔河、涧河、朱耕河等。

22-A-a008 **白马河** [Báimǎ Hé] 潇河一级支流，又名寿水，古称黑水，因河水被洪水相逐，如白马奔腾，故俗称白马河。发源于寿阳县要罗山麓平头镇胡家烟村，由西北向东南流经平头镇、南燕竹镇、朝阳镇、马首乡、上湖乡，在上湖乡赵家庄附近汇入潇河，主流全长 66.7 千米，流域面积共计 1067.5 平方千米，白马河 1956—2000 年平均河川径流量为 3397 万立方米，流域内自然植被较差，多年平均向潇河输沙量约为 31.0 万吨。“寿水清波”曾为寿阳八景之一。流域内共建有 1 座中型水库（蔡庄水库）、2 座小（1）型水库（石门水库、郑家庄水库）和 2 座小（2）型水库（刘家山水库、段王水库）。总控制流域面积 349.5 平方千米， 占全流域面积的 32.7% 。主要有人字河、龙门河、石门河等支流。

22-A-a009 **乌马河** [Wūmǎ Hé] 汾河支流昌源河的支流。古名回马谷水，又名五马河、回马河。《清一统志》：“回马谷水，在太谷县东南二十五里，源出辽州榆社县黄花岭，西经太谷县东南回马谷”，因而得名。上游分东、西两源，以西源为正源。西源发源于山西省晋中市太谷区与祁县交界处黑峰通天沟一带，流经太谷、榆社、祁县、清徐等地，于祁县苗家堡汇入昌源河后流入汾河。乌马河全长约 93 千米， 流域面积 500 平方千米， 1956—2000 年多年平均河川径流值为 1545 万立方米，径流量主要集中在汛期洪水，年均清水流量 600 万立方米，年平均输沙量 56 万吨。乌马河北岸台地上的龙山文化白燕遗址，是“龙山文化白燕类型”的命名地。乌马河中上游建中型水库 1 座（庞庄水库），下游各支流建有中小型水库 4 座（四卦水库、石河水库、咸阳河水库、象峪河的郭堡水库）。主要支流有咸阳河、四卦河、象峪河等。

22-A-a010 **象峪河** [Xiàngyù Hé] 乌马河的一级支流，俗称向阳河，旧称小涂水、象谷河，或称蒋谷水。上游分三源，以东源为主，发源于太谷、榆次和榆社三县区交界的八赋岭，另两源发源于后庄及砚瓦沟一带，三个源头于太谷范村镇郭堡村汇流后向西偏北流经范村口出山，流经太谷、榆次、清徐，在清徐县孟封镇东罗村西北（一说孟封村）汇入乌马河，象峪河全长63千米，流域总面积341平方千米，1956—2000年多年平均河川径流量为1275万立方米，径流量主要集中在汛期洪水，年均清水流量400万立方米，年平均输沙量为26.7吨。在太谷郭堡村兴建中型水库1座，主要有南畔沟和马坪沟等细小支流汇入。

22-A-a011 **昌源河**［Chāngyuán Hé］汾河一级支流。古名侯甲水、胡甲水、太谷水、侯谷水。发源于平遥县东南部太岳山脉孟山头南麓的岭底村，流经平遥县、武乡县、祁县、由祁县城赵镇原西村汇入汾河。全长87千米，流域面积1029.7平方千米，昌源河1956—2000年多年平均径流量为3901万立方米，平均年输沙为45.1万吨。昌源河源头地处超山自然保护区，总面积近2万公顷，保护区内植被茂密，森林覆盖率达80％以上，分布有木本、草本植物200多种。流域内祁县是历史文化名城，国家级重点文物保护单位乔家大院即坐落在祁县。昌源河中游子洪口建有中型水库1座。主要支流有南风沟、东峪沟、左家滩沟、小庄沟、乌马河等。

22-A-a012 **龙凤河**［Lóngfèng Hé］汾河一级支流，古称石桐水、绵水。因自介休市龙凤村出山，故名。发源于沁源县王和镇境内的红沙崖山，由东而西切割绵山进入晋中盆地。全长52.1千米，流域面积556平方千米，多年平均年径流量为2520万立方米，多年平均输沙量45.5万吨。从南往北大致可分为三个区阶：上游段为分水岭至大棚，高程1890—1300米，上游在沁源县境内称作王凤河；中游段为龙凤河峡谷地段，高程在1300—1000米；下游段为出山口至河口，高程在1000—750米之间。龙凤河流经绵山，绵山古称介山，因介子推而得名，《水经注》载：“昔子推逃晋文公之赏，而隐于绵上之山也。晋文公求之不得，乃封绵为介子推田。”现状龙凤河引洪灌溉水量为44万立方米，只占年径流量的2%，水资源利用率很低。主要支流有王和河、王陶河。

22-A-a013 **磁窑河**［Cíyáo Hé］汾河一级支流，古称塔莎河。地处汾河中游的右岸，文峪河东部。发源于交城县山区的塔棱村及清徐县山区的养天池一带，流经交城、文水、汾阳、平遥、孝义、介休6个县市，河道总长86.4千米，其中地处平川区域的河长66.4千米；流域总面积为1059.83平方千米。属季节性泄洪河道，无清水流量，多年平均径流量为4800万立方米，年输沙量48万吨。磁窑河流域共涉建有磁窑河东、磁窑河西、瓦窑河、石壁4座小型水库。主要支流有瓦窑河、白石南河等。

22-A-a014 **文峪河**［Wényù Hé］文峪河古称文水、文谷水、浑谷水，是汾河最大的一级支流。发源于交城县西北关帝山，流经交城县、文水县、汾阳市、孝义市，在孝义市境内入汾河。主河道长158.6千米，上游河段93.9千米，中下游河段64.7千米。流域总面积4 031.57平方千米。河道年径流量平均1.741亿立方米。上游主河道名中西川，走向东南，与其他支流交汇，至文水县北峪口村出谷，为上游段。后向东与307国道线交叉，再折南至文水与汾阳交界处为中游段。再折向西南，于孝义市梧桐镇南姚村东汇入汾河，为下游段。文峪河下游流经汾阳市，该市是吕梁地区工农业经济繁荣发达之地。境内蕴藏有丰富的煤、铁矿产资源，盛产梨果、核桃、红枣、柿子等农副产品。名扬海内外的杏花村汾酒就产于此处。流域内有文峪河水库、柏叶口水库两座大型水库，另有14座中小型水库。主要支流有孝河、虢义河、峪道河、禹门河、葫芦川。

22-A-a015 **神堂河**［Shéntáng Hé］文峪河一级支流，发源于汾阳市峪道河镇拐岭底，在王虎庄出境，经康家堡入文水境内，经马西向南流入汾阳境内，由官道村经冀村及文水的南武度进入到夹板渠流入文峪河。河道全长67.4千米，流域面积181.25平方千米。上、下游比降较大，中游较平缓，流域呈羽状。年平均径流量为307.4万立方米，河道内泥沙为卵石夹泥沙，流域内植被良好，在神堂村上游2千米处建有小型水库1座，浆砌石重力拱坝，坝高46米，总库容为315万立方米。

22-A-a016 **虢义河**［Guóyì Hé］汾河支流文峪河的一级支流，别名“瓜衍河”，位于汾阳和孝义两市交界地带，流向由西向东。下游有大、小虢城，因而得名。虢义河发源于吕梁山鹊颉岭，在汾阳市阳城乡董家庄村汇入文峪河。河道全长55.6千米，流域总面积318.78平方千米。虢义河多年平均径流量为500万立方米。最大洪峰流量456立方米/秒，属季节性洪水河，平时无清水流量。流域内地理环境大致可分为三段，上游的土石山区，中游的黄土丘陵区，以及下游的冲积平原区。虢义河经历年整治，上游干支流建有东槽村、南马庄2座小型水库。主要支流有曹村河、三泉河。

22-A-a017 **孝河**［Xiào Hé］文峪河一级支流，地处孝义市境内，自西向东贯穿全市。古名胜水、孝水、左水。发源于孝义市木瓜洼（海拔1399米）北麓的大石头村附近，上源为兑镇河和下堡河两支，在高阳镇小垣村合流，至崇源头接纳柱濮河、东许河，又东至芦南村0.5千米处汇入文峪河，全长56.5千米，流域面积534.21平方千米，年均径流量1373万立方米，年均输沙量174万吨。1958年在河道干流张庄村旁修建成张家庄水库，总库容3751万立方米，控制流域面积460平方千米。1949—1985年的36年间，孝义灌区平均年灌溉面积为3.18万亩，平均灌水面积为4.0万亩次。为加强孝河流域生态保护，孝义市在张家庄水库上游孝河湿地公园，下游建成胜溪湖（即张家庄水库）森林公园。主要支流有兑镇河、柱濮河、东许河、曹溪河。

22-A-a018 **交口河**［Jiāokǒu Hé］汾河一级支流，古名石门峪河，亦称西河，在吕梁市交口县境内又称温泉河。流经交口乡，故称交口河。位于中阳县南部、孝义市西部、交口县的东北部。上源分为两支，南源于中阳县宁乡镇的石板上起水，到痦上村出县界至交口县付家社与北源汇流，北支在交口县温泉乡锄家沿生源，流经石岭后、温泉，过温泉乡辛庄村进入孝义市界，过孝义市西泉乡，至晋中市灵石县夏门流入汾河。全长57.5千米，流域面积412.42平方千米，多年平均径流量761万立方米，吕梁境内河道纵坡10‰，河床糙率为0.03，流域平均宽为5.33km，河道较窄，河底平坦，河势比较稳定。晋中境内流域平均宽度为13.57千米，河道比降10.56‰，含泥沙量较大。交口河流域现有水地面积1400亩，小型水利灌溉100亩，小型机电灌区690亩，纯井灌区610亩。主要支流有孙义河和卧牛神河。

22-A-a019 **段纯河**［Duànchún Hé］汾河一级支流，古称新水峪河，因流经山西省晋中市灵石县段纯镇，有东西两源，东源为大麦郊河，西源为下村川河。两河在双池镇官桑园村汇合出交口县境进入灵石县，自北向南流经段纯镇吴家沟、牛家庄，在坛镇孙家山村附近汇入汾河。全长72.6千米，流域面积1115.6平方千米，河道平均比降9‰。河流年径流量为1263万立方米，汛期最大径流量83万立方米，年输沙量为95万吨，其中细砂占90%，粗砂及河卵石占10%。中游有水神头泉出露，流量为33.4升/秒，泉水流量近年呈衰减趋势。水土流失极为严重，汛期极易发生洪涝灾害。主要支流有下村川河、大麦郊河。

22-A-a020 **下村川河**［Xiàcūnchuān Hé］段纯河一级支流，位于交口县东南部，发源于交口县城关镇的化圪垛，由北向南经过县城，至交口村折向东南，至回龙秦王岭汇入回龙河，河流长度为60千米，流域面积为273.75平方千米，河道平均比降为12‰，河床糙率0.03，流域平均宽度为4.56千米，年径流量为1900万立方米。河流年输沙量为161万吨，泥沙中细砂占10%，粗砂及河卵石占90%。

22-A-a021 **团柏河**［Tuánbǎi Hé］汾河的一级支流。因该时令河较广流域位于团柏乡，故命。发源于汾西县西北部的圪塔里，在僧念镇北方庄汇合佃坪河后，向东南方向流经薛家庄、任马庄、团柏，在下团柏村南进入洪洞县，随后注入汾河。河流长度为61.81千米，流域面积为646平方千米。流域年平均降水量490毫米，平均年径流量为1900万立方米。多年平均输沙量为146万吨。流域内建有一座小型水库，库容为320万立方米。

22-A-a022 **三交河**［Sānjiāo Hé］汾河的一级支流。因几条小支流在三交河村汇合，故名。

发源于临汾市洪洞县山头乡册头村北，流经左木乡、万安镇、辛村镇等乡镇，在公孙堡村汇入汾河。全长50千米，流域面积131.25平方千米，最大洪峰流量350立方米/秒。流域内有始建于元代的三教庙，位于公孙堡村北；史书记载的通利渠公孙堡渡槽在该村南部。现建有一座总库容为329万立方米的三交水库，设计灌溉1万亩土地。

22-A-a023 **洪安涧河**［Hóng'ānjiàn Hé］汾河的一级支流。因发源于山西省安泽县，流经洪洞县，取其两县名各一字而得名。洪安涧河五马以上为上游，分南北二涧。北涧（又称热留河）发源于古县境内，南涧（又称旧县河）发源于安泽境内，在五马村南北涧合流后折向西流，始称洪安涧河。在南铁沟村进入洪洞县境，流经洪洞县城，在北营村流入汾河。河长81.8千米，流域面积1149.7平方千米，多年平均年径流量0.596亿立方米，多年平均流量1.98立方米/秒，多年平均年输沙量243万吨。流域内的洪洞县历史悠久，名胜古迹众多，知名的有广胜寺、大槐树、苏三监狱和明代移民遗址等。流域内建有3条较大灌溉渠道，北岸有润源渠，南岸有跃进渠和泽源渠，合计引水流量22.2立方米/秒，实际灌溉面积近1400公顷。另建有范村等6处机电灌站，改善灌溉面积近250公顷，扩大灌溉面积120多公顷。

22-A-a024 **涝河**［Lào Hé］汾河的一级支流。因每逢雨季河水暴涨，下游地区水患严重，故得名涝河。又名涝水、黑水、长寿水、高粱水、高河。发源于山西省浮山县东腰村东部的南沟与洞子沟一带，流经临汾市尧都区大阳、乔李、屯里等镇，在下康庄村南与巨河汇合，在西高河村流入汾河。河长67.3千米，流域面积909.27平方千米，多年平均径流量3260万立方米，多年平均年输沙量131万吨。流经的南霍村有霍光墓，临汾市城区有尧庙、铁佛寺、平阳鼓楼等名胜古迹。流域内建有涝河水库，总库容5960万立方米，水库以灌溉为主，兼顾防洪、养鱼等综合利用。控制流域面积450.7平方千米，有效灌溉面积4000公顷。

22-A-a025 **巨河**［Jù Hé］亦作洰河。汾河的二级支流。发源于浮山县西南部，自东南向西北流经临汾市浮山县东张、响水河、张庄等乡镇，从葛家庄村南进入尧都区，至屯里镇高河桥与涝河汇流，之后注入汾河。全长50千米，流域面积354.92平方千米，多年平均径流量2413万立方米。巨河水库以下为下游，水库以上至尧都区界为中游，浮山县境内为上游。在临汾市尧都区东北修建有涝洰河生态公园，是该流域著名的景观游览胜地。流域建有中型水库1座（巨河水库），小型水库1座。巨河水库是一座以防洪、灌溉为主，兼顾养鱼等综合效益的中型水库，控制流域面积311平方千米，总库容4867万立方米。主要支流有金子河、浮峪河。

22-A-a026 **豁都峪河**［Huōdūyù Hé］汾河的一级支流。据《襄汾县志》记载：金皇统四年（1144），侯村开明人士豁都倡议并领导村民引洪灌田而得名豁都峪。豁都峪河是一条古老的洪水涧河，发源于乡宁县境内，峪口位于襄汾县城西北20千米的姑射山山脚古城镇东侯村界内，在新城镇陈郭村东旧汾河上游300米处汇入汾河。河长80.3千米，流域面积406.95平方千米，多年平均年输沙量为89万吨，呈逐年减少趋势。乡宁台头镇以上为上游，台头至峪口为中游，峪口以下为下游。流域内的襄汾县历史悠久，有著名的丁村遗址与陶寺遗址，同时也是山西四大梆子戏之一蒲剧的故乡。峪口以下具有1000多年引洪灌溉的历史，新中国成立之初即组建了豁都峪洪水灌区，流域内建有司马水库和中陈水库2座小型水库。主要支流有高家河与闫家河。

22-A-a027 **三官峪河**［Sānguānyù Hé］汾河的一级支流。原名尉壁峪，后因流经三官庙，庙内供奉有天官、地官、人官三尊神像，故改名为三官峪。发源于乡宁县境，上游有大峪、小峪两条支流，汇合于三官庙后进入襄汾境内。峪口位于襄汾县城正西25千米汾城镇尉村姑射山脚下，由西向东在襄汾县古城镇境内汇入汾河。河流总长51千米，流域面积为368.74平方千米，多年平均年径流量为236万立方米左右，多年平均输沙总量为71万吨。主要支流有大峪河、小峪河、三友河、梅花河等。

22-A-a028 **浍河**[Huì Hé]汾河的一级支流。古称浍水。《水经注》:“浍水东出绛高山，亦曰河南山，又曰浍山”。由发源于浮山县埝里村的滑家河和浇底河在小河口汇合，向南流至大河口又有翟家桥河汇入，经翼城向西南方向流去，随后流经曲沃、侯马，在新绛县横桥乡汇入汾河。河长 118 千米，流域面积 2060 平方千米，多年平均径流量 9080 万立方米，多年平均输沙量 120 万吨。流域内翼城、曲沃、侯马等地可谓历史十分悠久，文化底蕴深厚。翼城，古为唐国，据传说为周成王之弟叔虞的封地。曲沃之名，始于西周，春秋时晋国曾定都于此。侯马，春秋战国时期称“新田”，同样也曾是晋国都城。流域内有 3 座中型水库，分别为浍河水库、浍河二库、小河口水库，是以防洪、灌溉为主的综合利用水库。主要支流有浇底河、史伯河、石门河、黑河等。

22-A-a029 **黑河**［Hēi Hé］黑河又称磨里河，是浍河的一级支流。源头有两条，一条发源于绛县磨里镇垣址坪村石窑一带的磨里峪，另一条发源于绛县卫庄镇东桑村的里册峪，两河在安峪镇董封村汇流后进入黑河主河道。流经磨里、卫庄、安峪、南樊等乡镇，北柳、东赵等 16 个行政村，至曲沃县下裴庄汇入浍河。总长 65.6 千米，在绛县境内全长 55.5 千米，河道年径流平水年约为 2270 万立方米，干旱年约为 1430 万立方米，主要来自汛期洪水。年输沙量为 11.9 万立方米。河流属季节性河流，汛期易暴发洪水，由于流经土石山区，河床相对稳定。流域地处中条山东段中低山区，河谷发育呈“V”字形，汛期大量泥石随水而下，在山前形成开阔的洪积扇地形，地下水较为丰富。流域内有山西省文物保护单位晋国三公墓之一的晋灵公墓。流域内建有小型水库 5 座，总库容 1051 万立方米，可灌溉 38 个自然村的 0.25 万公顷农田。

22-A-a030 **马壁峪河**［Mǎbìyù Hé］汾河一级支流。发源于山西省临汾市乡宁县和乐村，流经稷山县西社、稷峰 2 个镇，于下廉村东汇入汾河。干流总长 75 千米，其中在稷山境内 45 千米。流域总面积 315.06 平方千米，稷山境内为 70.06 平方千米，乡宁境为 245 平方千米。河流基本顺直，河床多为砂砾石，稳定性较好，河流属季节性河流。河道多年平均径流量为 141.8 万立方米，最高年径流量为 1958 年的 560 万立方米，年均输沙量为 30 万立方米。流域地形主要由两部分组成，峪口以上为石山区，峪口以下为山前洪积扇群。流域十年九旱是影响农业生产的主要因素。流域修建分水总口 3 个，闸口 200 余个，河流两岸险段护砌 5 千米，护村坝 40 余条，使沿河 8 个村庄、1.9 万人再未受过洪涝侵害。1960 年在王村兴建小型水库 1 座，库容 38 万立方米，灌溉面积 0.4 万亩。

22-A-a031 **黄华峪河**［Huánghuáyù Hé］汾河的一级支流，发源于临汾市乡宁县芦上村，主流自北向南流至稷山县下迪村东汇入汾河。干流总长 96 千米。流域总面积 232.43 平方千米。年均径流量 1828.9 万立方米，年均输沙量 25 万立方米。流域峪口以上为石山区，基岩裸露，悬崖峭壁，峪口以下为山前洪积扇群，大小沟壑纵横分布。流域涉及化峪、稷峰 2 个镇，30 个村庄，耕地 7.1 万亩，人口 2.9 万人，农作物以小麦、棉花、杂粮为主，经济林有枣树、苹果。

22-A-a032 **瓜峪河**［Guāyù Hé］汾河的一级支流，发源于吕梁山脉南端，临汾市乡宁县尉庄乡西圪垛村，自东北向西南流经西交口乡，在北午芹村流入运城市河津市境内，于北里沟注入汾河。主流全长 59 千米，流域总面积 304.3 平方千米。年均清水流量为 1610 万立方米。峪口以上为山区，山势陡峻，“V”字形沟谷发育。峪口以下为平原，山前洪积扇发育，呈裙带状，受流水侵蚀切割形成几条大冲沟。中华人民共和国成立以来，瓜峪河共建灌溉渠道 56.725 千米，其中干渠 9.325 千米，支渠 20.5 千米，斗渠 26.9 千米，洪灌改善面积达到 3.1 万亩。流域内农作物以小麦、玉米、棉花为主。

22-A-a033 **苍头河**［Cāngtóu Hé］黄河一级支流浑河（又称红河）的上游河段，发源于朔州市平鲁区高石庄乡郭家窑村，流经高石庄乡、凤凰城镇、出平鲁区进入右玉县境，由南而北流经威远镇、杨千河乡、右卫镇等乡镇，从右玉县杀虎口出省境进入内蒙古自治区和林格尔县，此后称为浑河，流向转为自北向南，在内蒙古清水河县与清水河汇合以后汇入黄河。浑河流域总面积5533平方千米，其中在山西省境内流域面积2123.7平方千米，河长97千米。苍头河1956—2000年多年平均天然径流量6157万立方米。是一条多泥沙河流，干流多年平均输沙量462万吨。在右玉县常门铺村的常门铺水库以上主要为山区型，水库以下主要为平川区。沿河两岸为乔灌混交护岸林，河床较稳定。该河由南向北蜿蜒曲折，河型属蜿蜒分叉型。流域内自然林极少，针对其水土流失严重的局面，水土保持工作主要以人工造林为主。主要支流有二道河、欧家村河、马营河等。

22-A-a034 **二道河**［Érdào Hé］苍头河一级支流，发源于朔州市平鲁区艾家窑，过张家花板村进入右玉县，流经右玉县十里铺、刘家窑，在新城镇袁家村南汇入苍头河。二道河主要由李红河、石匣河、三道河、沿山吾河4条较大支流组成，李红河、石匣河、沿山吾河3条支流在滴水沿村附近汇流，三道河在袁家村汇入。河道总长度85.2千米，流域总面积587.2平方千米，年平均径流量1275.6万立方米，平均年输沙量为127.58万吨。流域中上游为土石山区，下游为黄土丘陵区，山丘间地势起伏变化大，且植被稀疏，故而水土流失问题严重。

22-A-a035 **偏关河**［Piānguān Hé］黄河的一级支流，古名关河、太罗河。发源于忻州市神池县壬庄，从朔城区利民镇东窳入境，由南而北流经海子堰、东庄、暖崖，自利民镇东驼梁村进入平鲁区，流经下水头乡边庄、下木角、下水头，由下刀河村转向西流，从口子上村出平鲁区入偏关县，汇入只泥泉河，由东向西横贯老营镇、陈家营乡、窑头乡、新关镇（县城所在地）、天峰坪镇，于关河口村汇入黄河。全长154千米，流域面积为1919.14平方千米。偏关水文站断面1957—1996年多年平均径流量3948万立方米，多年平均输沙量为1258万吨。偏关河上游两岸地形狭窄，河道呈蜿蜒游荡型；中游地段河岸宽阔，水流畅通，河道呈平直顺长型；下游两岸地形破碎，岩石陡峭，处峡谷地带，河道呈蜿蜒型，但河势基本稳定。整段河床及西岸多以砂卵石、石灰岩为主，相对稳定。从唐末五代以来，这里就建立了偏头寨，以御契丹。金元时期，因关城北依高山，西临黄河，地势东仰西伏，似人首偏隆，故更名为偏头关。从明代起，偏头关就不单单是晋北门户、军事要塞，更成为晋北与蒙古互市的通商口。偏关县城周围，至今仍密集地排列着凌霄塔、云空禅寺、钟鼓楼、万佛洞等名胜古迹。偏关还是革命老区之一，抗日战争时期，中共绥蒙区党委，绥蒙行政公署曾驻偏关县城。主要支流有口子卫河、只泥泉河、水泉河、沙漠沟等。

22-A-a036 **县川河**［Xiànchuān Hé］亦称涧河，古名沙泉河。黄河的一级支流。发源于神池县大严备乡六家河村管涔山西麓，流经神池、五寨、偏关、河曲4县后，由河曲县禹庙汇入黄河。全长110千米，流域总面积1559平方千米。县川河1960—1996年多年平均径流量1732万立方米，年均输沙量918万吨。由源头到咀头为上游，咀头到养马坪为中游，养马坪以下为下游河段。流域内有吴城遗址，又名“吴王城”。吴城周围有秦、汉时期墓地，出土有铜镜、印章、剑、弓、鼎等，为我国新石器时期至汉代遗址。流域内还有建于明万历年间的海潮庵，为山西省重点文物保护单位。主要支流有悬沟河、尚峪河、红崖子沟、王家寨河等。

22-A-a037 **朱家川河**［Zhūjiāchuān Hé］黄河的一级支流，发源于管涔山西麓的神池县东湖乡金土梁村、达木河村一带，流经五寨、河曲县，于保德县杨家湾镇花园村附近汇入黄河。流域东依吕梁山，西临黄河，北部与县川河为邻，南与岚漪河相接。全长167.6千米，流域面积2903.27平方千米，1956—1996年多年平均径流量3117万立方米，年平均输沙量1363万吨。朱家川河属于季节性河流，其在神池、五寨境内为上游，河曲、保德段为下游。上游河道属于河谷型，河床宽浅，纵坡平缓，岸滩开阔。下游渐变为峡谷型，在61千米河段内落差达400米，汛期水流湍急，河道深切，河底基岩出露。该河流经的芦芽山区为省级自然保护区，山高路险，林木参天，风景秀丽，野生药材遍地，珍奇动物时有出没。全流域建成各种较大水利工程16处，其中在支流上建成小型水库5座，万亩以上灌区1座，对该地区的经济建设、农业生产的发展，特别是保障城乡居民生活用水起到了重要作用。主要支流有清涟河、鹿角河、泥彩河等。

22-A-a038　**清涟河**［Qīnglián Hé］又名二道河，朱家川河的一级支流，发源于五寨县荷叶坪南麓，至前所乡旧堡村进入五寨盆地，分为二道河和岐道河两支，岐道河至前所乡广益渠，二道河下流经砚城、前所、胡会、小河头、新寨5个乡镇至三岔镇小刘家湾村汇入朱家川河。该河纵贯五寨县南部山地和中部平川区，河道干流长50千米，流域面积856平方千米，多年平均流量为1640万立方米。清涟河上的水利工程主要是南峰水库，该水库是以灌溉为主，结合防洪、养鱼综合利用的工程。

22-A-a039　**岚漪河**［Lányī Hé］黄河的一级支流，古称岢岚河。《清一统志》太原府记载："岢岚河，在岢岚州南，源出州东乏马岭北…一名岚漪河。"发源于岚县鹿径岭西之饮马池山。流经岚县河口乡、岢岚宋家沟高家湾水库、岢岚城、温泉乡、兴县青草沟、天古崖水库、魏家滩、瓦塘，于裴家川口汇入黄河。全长120千米，流域面积2166.6平方千米，1954—1996年多年平均径流量8089万立方米，多年平均输沙量1066万吨。岚漪河流域内工矿企业少，境内水质较好。岚漪河流域东部上游的荷叶坪、野鸡山、白龙山等海拔都在2000米以上，山势巍峨，植被好，为大片天然林区。世界珍禽褐马鸡及梅花鹿、金钱豹等时有出没。岚漪河流域煤、铝矾土、铁等矿产资源丰富。建国以后，在岚漪河上游东川河岢岚境内建成高家湾水库，干流中游兴县境内建成天古崖水库。主要支流有北川河、南川河、马跑泉河和中寨河等。

22-A-a040　**蔚汾河**［Wèifén Hé］黄河的一级支流，古称蔚汾水。发源于岚县野鸡山西之白龙山。流经岚县大蛇头、界河口，进入兴县，经恶虎滩、奥家湾、兴县城、蔡家崖、高家村，于张家湾汇入黄河。河流全长81.8千米，流域总面积1462.55平方千米，1956—1996年多年平均径流量为6477万立方米，多年平均输沙量1049万吨。其发源地白龙山山势雄伟，层峦叠嶂，遍山苍松翠柏，奇花异草。内有国家一级保护野生动物褐马鸡、麋鹿、貂等珍稀动物，河道流经兴县县城，在县城北关玉泉山下于1952年建有晋绥解放区烈士陵园，现为国家级重点文物保护单位。蔚汾河干流与支流上修建有阁老湾、千城和寺坡底等中小型水库。

22-A-a041　**南川河**［Nánchuān Hé］蔚汾河的一级支流。位于兴县南部黑茶山西麓。固贤乡郑家岔、胡家庄沟等几条小支流在康宁汇合，自东南向西北流至赵家川口汇入蔚汾河。河流长度56.3千米，流域面积390.42平方千米。年径流量1553.1万立方米，年输沙量272万吨。南川河流域内厂矿企业很少，河道污染尚未形成，水质较好。干流康宁镇上游修建有阁老湾中型水库。

22-A-a042　**湫水河**［Qiūshuǐ Hé］黄河的一级支流，古称陵水，亦名临水、临泉水、秋水。发源于兴县白龙山南麓的大坪头村，由东北向西南贯穿临县，于碛口镇汇入黄河。干流全长122千米，流域总面积为1984.21平方千米。湫水河1954—1996年多年平均径流量为8286万立方米，年均输沙量为1941万吨。位于河流尾闾处的碛口镇是凭借黄河水运发展起来的商贸重镇。湫水河流域所经地区，是具有光荣传统的革命老区，是全国最早的解放区之一。流域内共建有水库7座，其中阳坡水库为中型水库，建在主河道的中上游的兴临两县交界处，其余6座均为小型水库。主要支流支沟有郝家沟、油坊沟、太平沟、榆林沟，安业沟等。

22-A-a043　**三川河**［Sānchuān Hé］黄河的一级支流。《永乐大典》太原府石州："（北川水、东川水、南川水）三川水共西南入黄河。"以北川河为主源，发源于方山县东北赤坚岭，流经吕梁市离石区城西接纳东川河水，再经交口镇揽入南川河水，故形成三川河，于柳林县石西乡两河口村汇入黄河。方山县圪洞镇以上为上游，圪洞到离石区城区属中游，离石区城区以下至河口属下游。王家塔至黄河口为三川河干流。河道总长

174.9 千米，总流域面积 4161 平方千米，1957—1996 年径流量均值为 24793 万立方米，年平均输沙量 2086 万吨。流域内有巍峨高耸的北武当山，亦名真武山，古称龙王山，是我国北方著名的道教圣地之一。河流中下游还有著名的安国寺、薛公岭自然保护区、柏洼山、龙泉观等名胜古迹。三川河水力资源丰富，水电事业发展迅速，现已建成小水电站 9 座。流域已建成水库 7 座，其中中型水库 3 座（横泉水库、吴城水库、陈家湾水库），小型水库 4 座。

22-A-a044 **北川河**［Běichuān Hé］三川河的一级正源，位于吕梁山中段西翼，发源于方山县马坊镇赤坚岭村，在大武镇武回庄村出方山县境进入离石区。武回庄至离石区城西王家塔为东川汇流入口，王家塔至离石交口镇为中阳南川汇流口，出境进入柳林县。河道总长 104.5 千米，总流域面积 1611.31 平方千米，多年平均径流量 11581 万立方米，年输沙量 247.8 万吨。上游支流南阳沟于 1973 年修建南阳沟水库一座。境内有 209 国道从南至北贯通。

22-A-a045 **东川河**［Dōngchuān Hé］三川河的一级支流，地处离石区东部，发源于薛公岭山神林沟，由东向西贯穿于离石区的吴城镇、田家会镇和城关镇，在离石区西南的王家坡村汇入北川河。河道全长 67 千米，流域总面积 922.19 平方千米，河流年径流量 3210 万立方米，多年平均输沙量 28.4 万吨。1976 年在位于东川河上游的吴城镇修建中型水库 1 座。下游灌区为中型灌区。水库下游两岸地形以黄土丘陵沟壑区为主，河谷均宽 400—800 米。

22-A-a046 **南川河**［Nánchuān Hé］三川河的一级支流。发源于中阳县车鸣峪乡上顶山凤尾沟，由南向北流经车鸣峪乡、宁乡镇、金罗镇，在离石区交口镇注入三川河。河流全长 47.8 千米，流域面积为 851.57 平方千米，多年平均径流总量为 3215.1 万立方米，年总输沙量为 248.32 万吨。中华人民共和国成立以后，分别在干支流上修建陈家湾、高家沟 2 座水库。中阳县城位居河畔，沿河岸电厂、铁厂、化肥厂、焦化厂、煤矿等企业的排污以及各种垃圾倾倒，致使河水浑浊，近年来有所改善。流域内有 307、209 国道和孝柳铁路通过，交通十分便利。

22-A-a047 **留誉河**［Liúyù Hé］黄河的一级支流，发源于中阳县柏林，在柳林县留誉镇后杜家庄进入柳林县境内，于三交镇下堡村汇入黄河。全长 58.3 千米，流域面积 346.43 平方千米，平均年径流量为 689 万立方米。有河道堤防 160 米，流域平均宽度 5.94 千米。流域内有二级公路，并已经绿化，交通较为便利。

22-A-a048 **屈产河**［Qūchǎn Hé］黄河的一级支流，位于吕梁山西侧，黄河东岸。《太平寰宇记》载：“《春秋》曰：晋献公以屈产之乘，假道于虞以伐虢。盖此地生良马。”屈产河发源于石楼县东南罗村镇的红腰，向西流经罗村镇、灵泉镇转向北流经裴沟乡，由曹家垣乡南岭上村入柳林县境，至下榻上村汇入黄河。全长 74.9 千米，其中石楼境内长约 66.9 千米，柳林境内长 8 千米。全流域面积 1218.29 平方千米。1962—1996 年年径流量均值 3476 万立方米，平均年输沙量 946 万吨。流域内 20 世纪 70 年代动工修建了 3 座小型水库，总库容 883 万立方米，均采取秋冬蓄水，春季灌溉，汛期开闸，空库迎洪。可灌溉下游土地 2650.5 亩。流域内已修水坝 1500 米，造滩地 349.5 亩。修顺水石坝 276 米，开通新河槽 260 米，筑栏河土坝 150 米，可淤地 30 亩，有柳石、双石公路通过，交通便利。主要支流有宋家庄河、东石羊河、龙交河、暖泉河和土门河。

22-A-a049 **芝河**［Zhī Hé］黄河的一级支流。源头在东峪沟、历史上称之为“仙芝谷”，因谷中常产灵芝草而得名。发源于临汾市永和县城东北 40 里山下的坡头乡李家崖村，自东北向西南流经永和的坡头、芝河等乡镇，由永和县阁底乡的佛堂村注入黄河。全长 62 千米，流域面积 791.5 平方千米，年平均径流量为 6642.5 万立方米，年输沙量为 99.5 万吨。流域内有建于元代的永和县大成文庙。流域内建有西峪水库及一批骨干型淤地坝，可灌溉耕地 480 公顷。

22-A-a050 **昕水河**［Xīnshuǐ Hé］黄河的一级支流。因流经大宁县昕水镇，故名。古称蒲水、蒲川水，又称斤水、昕川、日斤川、日斤水。

有南北两源，北源发源于交口县石口镇，流经城南乡，汇入小支沟，南流经隰县城，汇入城川河，在午城镇与南源相汇；南源发源于蒲县东北太林乡南柏村，与北源汇合以后，向西流经大宁县，有义亭河汇入，又西流经曲峨、徐家垛，至古镇北汇入黄河。昕水河河长 102 千米，流域面积 4325.8 平方千米，据葛口水文站多年（1956—1996 年）实测，平均年径流量 1.51 亿立方米。昕水河流域水土流失严重，流域多年平均输沙量 1807 万吨。流域内有腰东村汉墓群、天嘉庄砖塔、蒲县柏山寺等历史古迹。流域内已建成小型水库 4 座，总库容 1346 万立方米。同时开展黄土高原水土保持项目和昕水河流域水土保持生态项目和退耕还林项目三大治理工程。主要支流包括义亭河、城川河、卫家峪河等。

22–A–a051　**义亭河**［Yìtíng Hé］昕水河的一级支流。因流经义亭川，故名。发源于吉县东北大石沟，在五龙宫以上有安乐河与大东沟两条支流，在五龙宫汇合后经屯里镇，北流至川庄入大宁县境，经三多在大宁县城南汇入昕水河。全长 62 千米，流域面积 770 平方千米，年径流量为 4864 万立方米，年输沙量为 368.7 万吨。义亭河上建有人字闸 8 座，自流渠 5 条用于灌溉。

22–A–a052　**清水河**［Qīngshuǐ Hé］黄河的一级支流。因其常年水流清澈，故名。发源于临汾市吉县东南部的高天山，流向自东南向西北，在吉县吉昌镇以南称作州川河。在城关镇东北有支流马家河汇入，而后在壶口镇境内汇入黄河。全长 61 千米，流域面积 646.3 平方千米，多年（1959—1969 年）平均年径流量为 1665 万立方米，年均输沙量为 316 万吨。流域内吉昌镇谢悉村有始建于宋代的坤柔圣母庙，该庙结构之巧妙为我国古代建筑中少见。吉县人祖山风景秀丽，柿子滩遗址独具特色，显示出该流域深厚的文化底蕴。流域内有滚水坝 3 座，人字坝 9 座，防洪堤工程 2 段。小型水库 2 座，其中栏杆沟水库容 100 万立方米，谢悉水库库容 430 万立方米。主要支流有马家河、长安沟、白河沟。

22–A–a053　**鄂河**［È Hé］黄河的一级支流。古称崿谷、鄂水，位于山西省乡宁县境内。其名来自于源头所在地鄂山。发源于吕梁山西麓乡宁县东北部的管头镇，经管头镇、昌宁镇，于枣岭乡的万宝山村附近汇入黄河。全长 68.5 千米，流域面积为 747.62 平方千米，河流年径流量 2692 万立方米，年输沙量为 375 万吨左右。该流域乡宁县城有金代寿圣寺和明代结义庙，营里村有隋唐千佛洞造像，历史古迹丰富。流域内有小型水库 1 座，即宋家沟水库，总库容 146.6 万立方米，6 处小型灌溉工程，15 座人字闸坝，总蓄水量 22 万立方米。主要支流有宋家沟、刘家沟、下善沟、罗河、冷泉河、龙门河等 6 条。

22–A–a054　**泗交河**［Sìjiāo Hé］黄河的一级支流，发源于夏县东部中条山区，由王家河、南河、法河、寨里河 4 条主要支流汇集至泗交镇，故名泗交河。由西北向东南，流经泗交、下塘回、麻岔等村，至祁家河乡旗杆岭村附近流入黄河。主河道全长 75 千米，流域面积 381.93 平方千米，河道平均径流量 2715 万立方米，多年平均输沙量 8.8 万立方米。流域内开展了退耕还林、种树种草、引水发电、木耳培植和发展旅游业。河道上游武家坪建有电站调节水库一座。

22–A–a055　**五福涧河**［Wǔfújiàn Hé］黄河的一级支流。因流经五福涧而得名，又名清水河。该河发源于夏县泗交镇，由西北向东南流经曹家庄、温峪、架桑等村，进入垣曲县境内，在五福涧村汇入黄河。该河全长 63 千米，流域面积 190.2 平方千米，河道平均年径流量为 3050 万立方米，多年平均输沙量为 146.34 万吨。流域内有夏县中条山大峡谷生态旅游景区，依山傍水，景色秀丽。另外留有古代战场与革命抗战老区，著名的中条山战役指挥部至今保存完好。该流域水力资源较为丰富，在夏县与垣曲县境内已建成架桑、五福涧等 6 处小型发电站。

22–A–a056　**板涧河**［Bǎnjiàn Hé］黄河的一级支流。因河流两岸多石板及水流形态而得名。发源于闻喜县石门乡，入垣曲后流经毛家湾、朱家庄，在解峪汇入黄河。全长 69 千米，流域面积 348.51 平方千米，多年平均径流量为 3620 万立方米，多年平均输沙量 268.29 万吨。年可利用水利资源 7.94 万立方米。流域内现建有板涧河水库 1

座，为小浪底引黄工程的调蓄水库。

22-A-a057 **亳清河**［Bóqīng Hé］黄河的一级支流。亦名清河，俗称南河。因河流主要流经商汤故都亳城，且水质清澈，故名亳清河。发源于闻喜县石门乡狮子铺村，流经垣曲县新城、皋落、长直、王茅、古城5个乡镇，于东坡村汇入黄河。全长56千米，流域面积1185平方千米，多年平均年径流量为7530万立方米，多年平均输沙量为463.41万吨。亳清河被誉为垣曲的“母亲河”。主要支流包括白涧河、五龙沟河、清水河、原峪河、杜村河、白水河、杨家河、口头河、允西河。

22-A-a058 **允西河**［Yǔnxī Hé］亳清河的一级支流。发源于翼城县毋鸡沟，自北向南纵贯垣曲县中部，从大举寨进入垣曲县境，经历山、古城等镇，在东坡村南与亳清河汇合后注入黄河。全长68千米，流域面积575平方千米，多年平均径流量为6330万立方米，多年输沙量为453.65万吨。流域内有著名的垣曲历山风景区，历史古迹包括南海峪遗址与上亳城遗址。在允西河上游建有后河水库，该水库为中型水库，控制流域面积240平方千米。

22-A-a059 **西阳河**［Xīyáng Hé］黄河的一级支流。发源于沁水县下川境内，自北向南流经垣曲县蒲掌一带，到马蹄窝东南注入黄河。全长53千米，流域面积429平方千米，多年平均径流量5200万立方米，多年平均输沙量为288.62万吨。中游建有18座电站。

22-A-a060 **涑水河**［Sùshuǐ Hé］古称涑川，为黄河一级支流。发源于山西省运城市绛县陈村峪，向西南流经闻喜、夏县、盐湖、临猗、永济5县（市、区），入五姓湖后于永济市独头村附近注入黄河，干流总长196千米，流域总面积5774平方千米。主要支流有冷口峪、沙渠河、青龙河、姚暹渠、湾湾河等。根据河道特性可分为四个河段：吕庄水库以上河段长54千米，河型为“V”字形；吕庄水库至上马水库段长41千米，为复式断面，复槽最宽处达1600米；上马水库至五姓湖段长64千米，为人工开挖，河道窄深；五姓湖至入黄口段长37千米，河床比较稳定。自永济市虞乡镇以东，姚暹渠南堤至中条山之间，地势低凹，形成闭流区，面积约700平方千米，其间分布有鸭子池、盐池、硝池等湖泊。涑水河属间歇性季节河流，除雨季外，平时流量极小，中下游常年干涸断流，但汛期也时常有洪涝灾害发生。为解决流域内的灌溉和防洪问题，从1958年起先后建成吕庄、上马、苦池、中留等四座中型水库。涑水河流域气候温和，土地肥沃，资源丰富，历史悠久，文化发达，是山西省人口密集、经济发达区域。流域内有晋南最大城市运城市。

22-A-a061 **姚暹渠**［Yáoxiān Qú］涑水河的一级支流。是历史上为保护盐池、运盐及灌溉而修筑的一条人工河道，由隋代都水监姚暹主持修建，故名。姚暹渠流域位于山西省南部运城盆地，起点在运城市夏县的王峪口，沿中条山前沿向东，经张郭店至五里桥北折，过裴介向西南，穿过苦池水库，经安邑、运城，在永济市境内注入伍姓湖与涑水河汇合。全长86千米，流域面积为2126.98平方千米。渠底宽4—6米，深2.5—3.5米，左堤顶宽6—8米，右堤顶宽3—4米。平均纵坡1/770，河床糙率0.022，上陡下缓，上宽下窄，大部分是地上悬河，最大高出地面25米，河床基本稳定。河道主要功能有：将王峪口、寺沟、亢沟等7条沟道洪水导入苦池水库；宣泄苦池水库洪水；阻挡渠北滩面洪水进入盐池。姚暹渠地形可分为三段，苦池水库以上为上段，长26.7千米，主要为土石山区；苦池水库至曲庄头为中段，长19.4千米，为平原区，北侧地面高于渠底0.5—2米，南侧地面低于渠底0.8—10米；曲庄头至伍姓湖为下段，长39.9千米，地形与中段相同，地势北高南低。河道盘沿于涑水河盆地，地貌单元有剥蚀构造山区，山前洪积裙地，盐池滩地和涑水河第一阶地。姚暹渠贯穿夏县、盐湖、永济3个县（市、区），流域里总耕地面积50万亩，人口60万人，农作物以小麦、棉花为主，是全区主要商品粮基地，工业以盐池最为有名。盐池东西长30千米，南北宽5千米，号称百里盐湖，至今已有4000多年的开发历史。盐池地势低洼，池底高程海拔318—324米。流域内有2座中型水库。其中1960年建成的中留水库控制流域面积76平方千米，总库容1195万立方米可拦蓄白沙河1000年一遇洪水。1957年建成的苦池水库控制流域面积702平方千米，总库容为1400万立方米，可拦蓄青龙河、白沙河、姚暹渠、大洋滩4条支流的洪水、设泄洪闸座，因没有溢洪道，防洪标准为20年一遇。另外上游还建有史家峪、王峪口、崔家河、跃进等10座小型水库，总库容1800万立方米，对调蓄洪水，减少灾害，保护盐池起了很大作用。

22-A-a062 **青龙河**［Qīnglóng Hé］姚暹渠的一级支流，又名铁河。发源于中条山麓的裴社十八坪村江野峪沟，流经寺家庄、宋家庄、王赵等村进入夏县，再经上董、禹王、师冯等村入苦池水库。河流全长54.5千米，流域面积444.57平方千米。青龙河河床曲折，引洪不畅，淤积严重，河床高出地面3—5米，河床不稳定，历史多次决口。流域地形东高西低，上游行进于中条山间，中游为黄土丘陵区，下游地势平坦，弯弯曲曲，大小支流密布，两岸以亚黏土为主，总体由侵蚀构造，黄土堆积而成。属季节性河，清水流量为0.034立方米/秒，20世纪70年代平均径流量为1212立方米，现已干涸。平均年输沙量19.4万立方米，为解决防洪和灌溉问题，1958年前后兴建了崔家河水库、跃进水库、禹王水库，总库容853.1万立方米，灌溉面积1万亩。

22-A-a063 **沁河**［Qìn Hé］黄河的一级支流。春秋名少水，西汉始名沁水，也称洎水，近代称沁河。源于长治市沁源县霍山东麓的二郎神沟，穿越临汾市安泽县，在沁水县官亭圪堆附近进入晋城市，经阳城县，至泽州县拴驴泉附近入河南省，由河南省济源县五龙口出太行山，至武陟县南贾村汇入黄河。总长485千米，流域总面积13532平方千米。源头至张峰水库坝址处为上游区，张峰水库至省界为中游区，沁河河南省段为下游区。上游区河段长224千米，流域面积4990平方千米。中游区河长139千米，流域面积2683平方千米。沁河多年平均水资源量12.42亿立方米，多年平均径流量为11.6亿立方米。水力资源丰富，河道总落差1844米，其中山西省境内1674米，理论水能蕴藏量30万千瓦，其中干流18万千瓦。流域大部分地区地表植被较好，水土流失相对较轻，含沙量较低。矿产资源丰富，特别是位于沁水煤田的晋城市素有“煤铁之乡”的盛誉，是我国能源重化工基地的重要组成部分。丹河是沁河的最大支流。

22-A-a064 **紫红河**［Zǐhóng Hé］沁河的一级支流，发源于沁源县东北部景凤乡的杨家岭，向西偏南方向流经景凤乡的积善庄、马家峪、景凤、汝家庄等村，官滩乡的贾庄、琵琶园、紫红、琴峪、红源村，郭道镇的向阳村、阎家庄、永和村、东阳城村，最后在东阳城村南注入沁河。为山区泉溪性河流，河长为50千米，流域面积为394平方千米，河流多年平均年径流量4300万立方米，年输沙量为86.68万吨，水土流失以沟蚀和面蚀为主，尤其是层状面蚀、鳞片状面蚀、细沟状面蚀最为严重。河道整治主要以修筑石堤为主，流域内主要水利工程有河堤、自流灌渠、机电灌站以及人畜吃水工程。

22-A-a065 **端氏河**［Duānshì Hé］沁河一级支流。发源于沁水县柿庄秋峪岭大麻地沟，上游为沁水县境内柿庄河和十里河，两河在固县乡固县村北汇合后称端氏河，在端氏镇小河西汇入沁河。由东北向西南流经柿庄、十里、固县、胡底、端氏5个乡镇，水系形态为羽毛状。流域面积781平方千米，干流长度56千米。境内大部分为土石山区和黄土丘陵区。山高坡陡，水流湍急，一遇洪水，河道内推移质多，对河床和沿河建筑物破坏性较大。上游植被覆盖较好，中下游次之。多年平均径流量为4.07立方米/秒，折合年径流量12835万立方米。多年平均输沙量为197万吨。水资源的开发利用发展比较缓慢。樊庄水电站是晋城市最早兴建的水电站。

22-A-a066 **芦苇河**［Lúwěi Hé］沁河的一级支流。发源于沁水县张村乡芦坡庄鹿台山下的石沟河，从芦池镇原庄入阳城县境，经芦池、町店等乡镇，至润城镇下河村汇入沁河。因发源于芦坡庄故名芦苇河。流域面积359平方千米，干流全长51.7千米，河床宽约50—100米，芦苇河属常流河，河床较为稳定。流域地形西高东低，境内山峦重叠，沟壑纵横，地势起伏较大。本区植被覆盖较差，人畜对植被影响大，土壤侵蚀严重，光山秃岭仍然存在，植被覆盖率在25%以下。多年平均径流量为1.00立方米/秒，年径流总量3160万立方米。

22-A-a067 **濩泽河**［Huòzé Hé］沁河的一级支流，发源于阳城县城西18千米处之老鹳岭下，主河道自西向东贯穿阳城县境，流经董封、次营、驾岭、凤城、白桑等乡镇，在阳城县白桑镇南庄附近汇入沁河。因该河流经固隆的泽城村，西汉时为濩泽县治所，故名濩泽河。干流全长84.6千米，流域面积839平方千米。濩泽河在沙坡水库上游属常流河，下游属季节河，河道常年干枯。董封水库附近及以上流域植被覆盖良好，森林覆盖面积达160平方千米，董封水库至辽河水库间植被覆盖状况一般，辽河下游到阳城县城段两岸植被受人为破坏影响较大，植被状况较差。濩泽河多年平均径流量为3870万立方米，多年平均输沙量为24.75万吨。流域内有董封水库、红卫水库、沙坡水库，另有涧河、洞沟等电站。

22-A-a068 **西冶河**［Xīyě Hé］沁河一级支流。古称桑林水。该河中游的泥河至西冶一段涧水甚多，故名。发源于阳城县河北镇杨树沟，向东经河北镇、蟒河镇，至东冶镇的小王庄折向东北，在延河村西注入沁河。西冶河流域面积259平方千米，河长54.3千米。位于阳城县南部基岩山区，地处中条山和太行山之间。山区面积约占全流域面积的60%左右，其余40%为丘陵半山区。流域地处中条山林局台头林场范围内，森林和幼林甚多，植被覆盖良好。森林面积占到70%以上，水土保持良好。西冶河多年平均径流量0.76立方米/秒，年径流总量为1140万立方米。流域建有西冶水库灌区工程。上游建有红星电灌站，装机容量200千瓦。另有石窑、龙江、利民3座以防洪灌溉为主的小型水库。

22-A-a069 **长河**［Cháng Hé］沁河的一级支流，发源于泽州县下村镇武神山南麓，由北向南流经境内的下村、大东沟、川底、周村、李寨5个乡镇，于西龙村注入沁河。流域面积317平方千米，河长58.2千米。流域内山区面积约占75%左右，其余25%为丘陵半山区地带，主河道右岸为砂岩土石山区，左岸为灰岩土石山区，上游有寺头沟、刘村沟、上拐河、下拐河、小河共6条支沟。植被覆盖程度一般，梯田较多。长河年平均径流量为0.96立方米/秒，折合年径流总量3027万立方米。流域内建有长河、刘村等小型水库多座。

22-A-a070 **丹河**［Dān Hé］沁河最大支流。发源于高平市丹珠岭，曲折东南经泽州县北义城镇河底村附近折向南流，于泽州县之西谷坨附近出境，在河南省山路平出太行山，经博爱至沁阳市北金村注入沁河。《山海经》说：沁水之东“有林焉，名曰丹林，丹林之水出焉，南流汇于河”，故名丹河。流域面积2931平方千米，全长129千米．上游从源头到高平市的寺庄村，中游从高平市寺庄到太行山脚下，从太行山脚下到最后注入沁河的河段为下游。流域地貌形态以中山和中低山为主，次为低山及丘陵，有部分山间盆地、山间宽谷及高中山区。丹河流域石灰岩广布，溶洞发育，断层较多，水量渗漏严重，上游在高平市境内除汛期外基本为干河，是严重的缺水地区。多年平均径流量2.32亿立方米，水资源总量4.24亿立方米。流域内森林覆盖率低。丹河干流上在高平市建有任庄水库，属中型水库，另外支流上还建有上郊、申庄2座中型水库。主要支流有东仓河、许河、东大河、白洋泉河等。

22-A-a071 **洋河**［Yáng Hé］永定河的一级支流。流域地跨内蒙古自治区、山西省、河北省，流域总面积16933平方千米，总河长238千米。洋河上源分为东洋河、西洋河及南洋河三支。三条支流在河北怀安县柴沟堡以下汇合。洋河在山西境内只有南洋河、西洋河两条支流，在山西境内流域面积2633平方千米，所在行政区划为大同市的天镇、阳高两县。其中南洋河发源于大同市阳高县随士营，从源头至天镇县刘家庄下游5千米处河段称为白登河，以下河段称为南洋河。该河沿东北方向经天镇县城、逯家湾镇，至永嘉堡村东出境入河北省，到怀安县与西洋河汇合后注入洋河，在山西境内流域面积2197.92平方千米。西洋河发源于内蒙古自治区兴和县石咀子村附近，由新平堡镇的马市口村进入大同市天镇县境内，流经新平、大营盘、曹家湾村出境，至河北省怀安县刘家夭村北汇入洋河，在山西境内流域面积 201.6 平方千米。山西省洋河流域多年平均水资源总量为 2.03 亿立方米，其中河川径流量 0.90 亿立方米，地下水资源量 1.36 亿立方米。主要支流有西洋河、南洋河、洪塘河。

22-A-a072 **西洋河**［Xīyáng Hé］洋河的一级支流。位于天镇县最北端，俗称后川，也叫北洋河。发源于内蒙古兴和县石咀子村附近，由西向东流经二道营子村东拐流至新平堡镇的马市口村进入天镇县境内，流经新平、大营盘、曹家湾村出境，到河北省怀安县刘家夭村北汇入洋河。全长 60 千米，其中在天镇县境内长 10.4 千米，该段素有“十里澄沙河”之称，上游清泉水及小洪水从内蒙古交界渗入地下成为潜流，至河北省界平远堡出露，流域总面积 617 平方千米，境内面积为 201.6 平方千米。多年平均径流量为 1182 万立方米。西洋河流域由于植被覆盖率低，含蓄水能力差，加上暴雨强度大，来势猛，历时短，往往出现洪水与泥沙俱下的现象，水土流失严重。流域内现有万亩以上（中型）灌区一座即大众渠灌区。灌区内总耕地面积 1.49 万亩，其中有效灌溉面积 1.05 万亩，多年平均实灌面积 6300 亩。

22-A-a073 **南洋河**［Nānyáng Hé］洋河的一级支流，发源于阳高县王官屯镇的随士营，从源头到天镇县刘家庄下游 5 千米处河段称为白登河，以下河段称为南洋河。该河沿东北方向经天镇县城、逯家湾镇，至永嘉堡村东出境入河北省，至怀安县与西洋河汇合后注入洋河，然后于官厅水库上游与桑干河汇合后注入永定河。南洋河大同境内干流（下游）长 32.5 千米，南洋河流域面积为 2197.92 平方千米。据调查多年（主干流）平均径流量为0.84亿立方米，年最大径流量为1.44亿立方米，年最小径流量为 0.24 亿立方米。南洋河含沙量主要为悬移质，多年平均含沙量 46.1 千克 / 立方米。南洋河流域水资源总量 15491 万立方米，利用水资源总量 8290 万立方米。

22-A-a074 **白登河**［Báidēng Hé］南洋河的一级支流，是它的上游河段。发源于阳高县王官屯镇的随士营，由西南向东北流经阳高的小安滩后，东折经小白登、吴家河，于兰玉堡入天镇县境，向东北经过范家庄、刘家庄，在刘家庄以下 5 千米 处汇入黑水河以后称南洋河。白登河全长 62.5 千米，流域总面积 1297.91 平方千米。多年平均径流量 5534 万立方米，清水流量 1419 万立方米。河流年均含沙量 39.8 千克 / 立方米，年均输沙量 220 万吨。张官屯河是白登河的一条支流。

22-A-a075 **黑水河**［Hēishǔi Hé］白登河一级支流。发源于内蒙古丰镇市浑源窑北，自北而南，在守口堡村进入山西省阳高县境，至太师庄村南转向东南，经北徐屯乡后进入天镇县境，折向东北，于二十里铺村汇入白登河。全长 70 千米，其中山西境内河长 37.5 千米；流域总面积 414.6 平方千米，其中山西境内面积为 164.6 平方千米。年径流量 14263 万立方米，70% 集中在汛期。流域内水土流失严重，守口堡以下段年输沙量 28.4 万吨左右。在黑水河与相邻之黄水河的冲积扇上建有黄黑水河灌区，设计灌溉面积约 5 万亩。

22-A-a076 **桑干河**［Sānggān Hé］外流河。古称漯水、溹涫水。《水经 · 漯水注》：“漯水又东北流，……谓之桑乾泉，即溹涫水者也。”旧作桑乾河，相传每年桑葚成熟的时候河水干涸，因此而得名。桑干河上游分恢河、源子河两大支流。其主源恢河发源于山西省宁武县管涔山北麓庙儿沟，源子河发源于左云县截口山。两河在朔州市朔城区马邑村汇合后称桑干河。此后由西南向东北流经山阴、应县、怀仁、大同市云州区，在阳高县南徐村附近流出省境。进入河北省阳原县，最后于官厅水库上游与洋河汇合后称为永定河。山西境内干流总长 260 千米，流域面积为 16748.7 平方千米。阳高县大辛庄站多年平均天然径流量 7.73 亿立方米，年平均含沙量每立方米 52.4 千克。在大同市云州区设有桑干河国家湿地公园，湿地的生态环境和比较丰富的水资源为野生动植物提供了重要的栖息地和繁衍场所。桑干河许多河段基本上处于常年干涸状态，已无航运功能。主要支流有恢河、木瓜河、黄水河、大峪河、小峪河、鹅毛口河、浑河、口泉河、御河、吴城河、坊城河、古城河、马家皂河、壶流河等。

22-A-a077 **恢河**［Huī Hé］是桑干河的上源，发源于忻州宁武县管涔山，由阳方口出谷，流入朔州市朔城区沙河村北成为潜流，一直到窑子头村南又出露地面，恢复原流，故名恢河。横穿朔城区中部平原，在朔城区的神头镇太平窑村北有七里河汇入，然后经太平窑水库在朔城区神头镇的马邑村与源子河汇合注入桑干河。该河流域面积 1210.88 平方千米，河道全长 77 千米。年平均径流量 4900 万立方米。流域内由于植被稀疏，因此泥沙含量较大，且由于降雨集中，上游地形起伏变化大，特别是每年 7—9 月，遇有洪水，洪水最大泥沙量可达 55%。流域内较大水利工程主要有太平窑水库、恢河灌区、向应灌区。

22-A-a078 **源子河** [Yuánzǐ Hé] 桑干河的一级支流。源于大同市左云县马道头乡的截口山，经左云县东古城，从右玉县增子坊进入朔州市境内，横穿右玉南部山区，从高家堡乡大川村东出右玉县，经山阴县吴马营乡进入平鲁区，经榆岭乡、下面高乡，从高阳坡村西南流入朔城区，最后在朔城区神头镇的马邑村与恢河汇合注入桑干河。流域面积 2083.71 平方千米，河道全长 110 千米。流域内植被稀疏，多为岩石裸露和切割较深的河谷，因此水土流失较为严重。源子河上游以洪水为主，在腊壑口以上流域年径流量为 4387 万立方米。源子河由于上游植被稀疏，因此泥沙含量较大。流域内较大水利工程有赵家口水库、裕民灌区和腊豁口灌区。

22-A-a079 **大沙沟河** [Dàshāgōu Hé] 源子河最大支流。发源于平鲁区阻虎乡的芦草窊，经凤凰城镇的店坪、西水界乡的小路庄村、双碾乡的大有坪，过井坪镇、向阳堡乡，在榆岭乡的回回沟汇入源子河。流域面积 523.75 平方千米，河道长 55.4 千米。该河在井坪镇以上流域以土石山区为主，沟壑众多，属于黄土丘陵缓坡风沙区，地面植被覆盖较差，地面切割严重，水土流失极为严重；下游为冲积平原，但由于植被覆盖较少，因此水土流失也较为严重。多年平均径流量 838 万立方米。

22-A-a080 **黄水河** [Huángshuǐ Hé] 白登河的一级支流。发源于阳高县境内长城乡斗林村，由南向北流经长城乡 26 个村折向东北，在张小村北，出采凉山，于云门山的开山口向东南方向流去。在柳家泉村汇入白登河。河道全长 26.5 千米。流域面积 149.38 平方千米。境内多年平均径流量为 1038 万立方米，清水径流量 630 万立方米。黄水河由于河道纵坡陡，境内植被覆盖率低，土壤沙性大，含蓄水能力差，加上降水历时短、强度大。易形成山洪暴发、泥石流俱下的现象，年平均输沙量为 37 万吨。

22-A-a081 **大峪河** [Dàyù Hé] 桑干河的一级支流 . 发源于左云县截口山，在吴家窑镇的窑子头村入怀仁境内，由西北向东南流经吴家窑、金沙滩、新家园、亲和乡等 4 个乡镇，在应县汇入桑干河。全长 54 千米，流域面积 302.84 平方千米。该河在大峪口村以下分为尚希庄河和路庄河两条支流。两河中间相距约 4 千米，与桑干河的汇入口相距约 11 千米。两河均在大峪口村附近改道，利用人工排洪渠泄洪。路庄河长 32.8 千米，向东经路庄、南铺、周家窑，在海北头的高镇子村与小峪河汇流后汇入桑干河。该流域在大峪口以上为土石山区，大峪口以下为冲积平原区，植被稀疏，水土流失严重。

22-A-a082 **浑河** [Hún Hé] 桑干河的一级支流。发源于大同市浑源县东山乱岭关，由东向西流经浑源县，在西坊城镇的小辛庄西进入朔州市应县境内，然后继续向西，经镇子梁水库北折，最后于怀仁市新桥村西汇入桑干河。流域面积 1910.66 平方千米，全长 99.7 千米。该流域地貌分为南部侵蚀构造的基岩山区，北部侵蚀、剥蚀的黄土丘陵区和冲积倾斜平原区三种类型，山丘区天然植被主要以羊草、地蕉、沙棘、乌柳为主，林草覆盖率 21.4%。流域多年平均径流量 0.997 亿立方米，清水径流量 0.453 亿立方米。主要支流有王千庄峪、唐峪河、凌云口峪等。

22-A-a083 **口泉河** [Kǒuquán Hé] 桑干河的一级支流。发源于左云县水窑乡截口山，由西南向东北流经左云县水窑乡、大同市云冈区鸦儿崖乡、口泉，然后转向东南，至堡子店入怀仁境内，最后于智民庄汇入桑干河。干流全长 57.5 千米，流域总面积 501.89 平方千米。地貌为口泉五一桥以上为土石山区，五一桥以下为冲积平原区。口泉河多年平均河川径流量为 679 万立方米。由于河水径流多属暴雨型间歇来水，清水流量很少。多年平均输沙量为36.5万吨。主要堤防工程在王村矿到口泉镇一线，防洪区段长26.3千米，两岸现有堤坝44.5千米。境内有中型水库1座——下米庄水库。该库位于朔州市怀仁市海北头乡下米庄村北。水库于1958年10月兴建。是一座以提水灌溉为主，兼顾防洪养鱼的综合利用中型水库。

22-A-a084 **御河**［Yù Hé］桑干河的一级支流。发源于内蒙古自治区丰镇市西北阳坡子，由北向南经丰镇，于新荣区堡子湾乡镇羌堡进入大同市境内，经狐山、大同城东、小南头，最后于云州区吉家庄汇入桑干河。该河在内蒙古境内称作饮马河，进入大同市以后称作御河，干流全长155千米，其中大同市境内长78.3千米。孤山以上为上游，长27千米，以下为下游，长51.3千米。流域总面积5001.7平方千米，大同市境内2529.37平方千米。流域北、西、西南部自分水岭起依次为土石山区、黄土丘陵沟壑区及黄土丘陵缓坡风沙区。东南部为冲洪积平原区。处于典型灌木草原向荒漠草原的过渡地带。年均径流量1.53亿立方米，由于河川径流多属于暴雨型间歇来水，汛期径流量占年内的70%。多年平均水资源总量3.4亿立方米。多年平均输沙量520万吨，河流泥沙主要来源于十里河、淤泥河和饮马河，占御河泥沙总量的70%。

22-A-a085 **淤泥河**［Yūní Hé］御河的一级支流。发源于内蒙古凉城县红石崖山，经左云县管家堡乡徐达窑村后进入新荣区境内，由西向东经新荣镇进入赵家窑水库，最后于云冈区山底村注入御河。干流全长56.4千米，大同市境内长44.7千米，流域总面积742平方千米。多年平均径流量1098万立方米，最大年径流量3260万立方米，最小年径流量43.9万立方米，由于河川径流多属于暴雨型间歇来水，年内分配不均，清水流量很小。淤泥河流域由于水蚀、风蚀交替侵蚀，加上境内植被差，采矿业发达，水土流失十分严重，素有“一碗水半碗泥”之称，故名“淤泥河”。淤泥河流域是国家重点水土保持生态环境建设区，现初步治理水土流失面积182.52平方千米，占水土流失面积424.57平方千米的42.99%。

22-A-a086 **十里河**［Shílǐ Hé］御河的一级支流。因距离城区十多里，故名。发源于左云县马道头乡曹家堡，流经左云县、云冈区、平城区等3个区县6个乡镇，至平城区马军营乡田村附近汇入御河。干流全长89.3千米，流域面积1228.37平方千米，年均径流量0.41亿立方米，年均输沙量246万吨。鹊儿山镇石墙框以上为上游，石墙框至马军营乡小站村为中游，马军营乡小站村以下为下游。十里河流域历史悠久、文化繁荣，驰名中外的云冈石窟就在十里河畔。十里河流域工业发达，门类齐全、基础雄厚。流域内主要开发矿产资源、光热资源与风力资源，有大小煤矿120余座。有中型水库1座，为左云十里河水库。有中型灌区1处，灌溉面积达12.5万亩。目前流域内上、中游已被列入国家水土保持生态环境建设重点治理区，从中开展生态恢复建设项目。一级支流有井儿沟河。

22-A-a087 **壶流河**［Húliú Hé］桑干河一级支流。因形状如壶，故名。源于浑源、广灵交界处的石人山一带。出源后流经山西省浑源、广灵、河北省蔚县、阳原等2省4县，至钱家沙洼汇入桑干河。干流全长66千米，流域面积1277.77平方千米，多年平均径流量0.49亿立方米，年输沙量为117万吨。壶流河流经广灵县大部，沿线有暖泉古镇、高明寺等名胜古迹。还有水神堂泉在流域内，此泉是广灵县城重要的水源。流域内建有小型水库7座，即直峪、下河湾、枕头河、底庄、红桥沟、十里沟、莎泉水库。流域现有万亩以上灌区4处。一级支流有长江峪河、莎泉河、直峪河等。

22-A-a088 **唐河**［Táng Hé］属于海河流域大清河水系。因流经唐县，故名。古称滱水、呕夷水。源于浑源县抢风岭。在山西境内流经浑源、灵丘2个县，至河北省东淀汇入大清河。山西境内全长96千米，流域面积2193平方千米，年均径流量1.91亿立方米，年输沙量374万吨。从发源地至灵丘县韩淤地村，流经土石山区，属蜿蜒型；从韩淤地村至张旺沟，流经灵丘盆地，属游荡型；从张旺沟至省界，流经土石山区，属顺直型。唐河流域地处五台、太行、恒山三大山脉交汇处，文化底蕴厚重。有觉山寺、灵丘故城、赵武灵王墓等名胜古迹。唐河水力资源理论蕴藏量15840千瓦，已开发量2500千瓦。流域内有中型灌区3处，小型水库2座，水电站1处。一级支流有赵北河、华山河、大东河、上寨河、干峪河。

22-A-a089 **沙河**［Shā Hé］属海河流域大清河水系，是大沙河的正源。因含沙量大，故名。源于灵丘县碾盘岭北麓。在山西境内流经东河南、独峪、白崖台等乡镇，入河北省后称“大沙河”，至河北省阜平县纳入青羊口河、下关河。沙河在山西省全长45千米，流域面积547.82平方千米，多年平均径流量0.5亿立方米，年均输沙量约76.7万吨。沙河流域内地势东北高、西南低，多为土石山区，沟谷狭窄。河道呈“V”字形，属蜿蜒型河流，河床稳定性较好。干流建有小水电站1座，为牛帮口水电站。一级支流有独峪河、青羊口河。

22-A-a090 **滹沱河**［Hūtuó Hé］海河西南支子牙河的支流，古称虖池、恶池、滹池、霍沱，恶驼等名称，滹沱是由以上许多字音演变转化而来。源于山西省繁峙县泰戏山，向西南流经恒山与五台山之间，至界河铺折向东流，切穿系舟山和太行山，东流至河北省献县臧桥与子牙河另一支滏阳河相会，其下即子牙河。在山西境内流经代县、原平、五台等县市，河流全长587千米，流域面积2.73万平方千米。年均径流量约22亿立方米，分布不均，以太行山东坡产流较大，愈往上游愈小。径流的年内分配也不均匀，年际变化大，多水年的水量为少水年的10倍。由暴雨酿成的洪水，峰高量大，陡涨陡落，主要来自干流和冶河，多发生在7到8月。含沙量11.4千克／立方米，年输沙量2920万吨。瑶池以上为上游，沿五台山向西南流淌于带状盆地中，河槽宽自一二百米至千米不等，水流缓慢。瑶池至岗南为中游，流经太行山区，河谷深切，呈“V”形谷，宽度均在200米以下，落差大，水流湍急。黄壁庄以下为下游，流经平原，河道宽广，最宽可达6000米，水流缓慢，泥沙淤积，渐成地上河或半地上河，两岸筑有堤防。流域内有革命胜地西柏坡、苍岩山风景区及隆兴寺等名胜古迹可供游览。全流域已建有岗南、黄壁庄、孤山、下茹越、观上、双乳山、石板、下观、大石门、郭庄等大中水库10座及众多小型水库塘坝，洪水灾害基本得到控制，灌溉、发电效益显著。流域内有石家庄、阳泉等城市，经济发达。主要支流有阳武河、云中河、牧马河、清水河、南坪河、冶河等，呈羽状排列，主要集中在黄壁庄以上，以下无支流汇入。

22-A-a091 **阳武河**［Yángwǔ Hé］滹沱河一级支流。据传因纪念放牛娃李阳武，故名。发源于原平市西部，至南阳村北注入滹沱河。河道全长72.6千米，流域面积972平方千米，年均径流量7108万立方米。阳武河上游分南北两大支，北支为龙宫河，长33.63千米，流域面积322.2平方千米，属蜿蜒型河流；南支为长梁河，长37.5千米，流域面积423.8平方千米，亦属蜿蜒型河流。南北两支于马圈村汇为阳武河干流。河道在上申村又一分为二，北河为阳武河故道，南河称中河。两河流至南阳村北，相汇后入滹沱河。阳武河流域历史悠久，有阳武口、阳武古村、元代崞县古城等名胜古迹。现建有水库2座，为神山、槽化沟水库。阳武河灌区开发历史悠久，其灌溉史甚至可追溯至北宋时期。现灌溉面积12.13万亩，服务于原平市9个乡镇。流域内是原平市的主要粮食产区，有“阳武流金富万民”之称。

22-A-a092 **牧马河**［Mùmǎ Hé］滹沱河的一级支流。因金朝驸马田显曾牧马于此，故名。源于太原市阳曲县白马山南部。流经阳曲县、忻州市忻府区、定襄县3县区11乡镇。干流长118.3千米，流域面积1498平方千米，年均径流量为4024万立方米，年均输沙量约为130万吨。源头至三交镇为上游，属石质山区；三交镇至豆罗桥为中游，属黄土丘陵区，泥沙沉积；下游是豆罗桥以下至定襄县蒋村，两岸地形平坦、土地肥沃，是忻州市的主要粮菜产区。牧马河流经忻州市核心区域，流域内也是人文重地，有豆罗遗址、田村遗址、忻州古城、寿圣寺等名胜古迹。牧马河流域兴建了中型河井双灌的牧马河灌区，灌溉面积达16万亩。上游有西岁兴、北村2座水库，中下游有西曲大坝、豆罗滚水坝枢纽工程。一级支流有平社河。

22-A-a093 **清水河** [Qīngshuǐ Hé] 滹沱河的一级支流。因河流清澈，故名。古称“鲜虞”。源于五台县台怀镇的东台沟。流经金岗库、门限石、耿镇、高洪口等地，至神西乡的坪上村汇入滹沱河。河长113.2千米，流域面积2405平方千米，年均径流量2.02亿立方米，平均输沙量410万吨。清水河流域群山林立、沟壑纵横。主要有土石山、黄土丘陵沟壑、冲积平原三个类型区。河流整体呈蜿蜒形，河床稳定。清水河上游流经五台山这一佛国圣地，伽蓝林立，有殊像寺、南山寺、佛母洞等。还流经曾经的晋察冀边区，有晋察冀边区司令部旧址、边区银行旧址等革命遗址。流域内有5处水电站，总装机容量为1236千瓦。建有唐家湾、圈马沟水库。流域范围主要农作物为玉米、高粱、薯类，耕地面积48.9万亩。主要支流有铜钱沟、殊宫寺沟、泗阳河、滤泗河、移城河。

22-A-a094 **乌河**[Wū Hé]滹沱河一级支流。因河水呈青墨色，故名。源于阳曲县两岭山。流经盂县东梁、西烟、西潘等乡镇，至枣园村汇入滹沱河。全长64千米，流域面积1174平方千米，多年平均径流量0.769亿立方米。流域呈中低山区地貌，有部分山间盆地和黄土丘陵区。河流沿线有普济寺、西潘遗址等历史文化遗存。流域内耕地约为11万亩，是盂县重要的粮、油产地。建有龙儿湾水库。

22-A-a095 **龙华河** [Lónghuá Hé] 滹沱河的一级支流。因河道弯曲，状若长龙，清水长流，故名。流经阳泉市盂县苌池、上社、下社等乡镇，至下社乡会里村与滹沱河干流汇合。全长52.9千米，流域面积475平方千米，多年平均径流量3760万立方米。源头至兴道一段是上游，为石灰岩山区，徐峪沟、王村沟一带为林区；兴道程子岩以下是中下游，为变质岩山区。流域内耕地面积5.5万亩。有引水灌区15处，高灌站45处。

22-A-a096 **绵河** [Mián Hé] 滹沱河一级支流。因流经绵山，故名。源于桃河与温河，以桃河为主源。在山西境内河长84千米，流域面积为2507平方千米，流量达14.26立方米/秒。绵河上游是桃河与温河。桃河发源于寿阳县东部的土径岭，全长80千米；温河有两个源头，分别是盂县南娄镇西南庄村的方山与北下庄乡西麻驿村尖山。二河在平定县娘子关镇汇合后成为绵河，绵河在河北井陉县与甘陶河汇合后称冶河，在河北平山县汇入滹沱河。绵河流经娘子关镇，有娘子关泉注入，这是北方最大的岩溶泉水。沿线有娘子关风景区。流域内有耕地83.85万亩。有水库14座。已建成阳泉市娘子关提水工程、娘子关发电厂水源工程等大型水利工程。一级支流有桃河、温河。

22-A-a097 **桃河**[Táo Hé]绵河的一级支流。因源出寿阳桃源沟，故名。源于寿阳县东部的土径岭，流经阳泉市郊区、阳泉市区，在平定县娘子关镇与温河汇合后称绵河。全长80千米，流域面积1310.71平方千米，平均年径流量0.608亿立方米，年均输沙量2948万立方米。桃河为山间河流，乱流村以上河床宽阔，为主要支流汇集区；乱流村以下为石灰岩山区，河流弯曲湍急，生态环境恶劣。桃河流域内有水库13座，其中大石门水库属于中型水库。桃河流域是阳泉市重点工矿业产区，是山西省重要的煤炭能源、化工、建材生产基地之一。一级支流有泉寺河、南川河。

22-A-a098 **温河** [Wēn Hé] 绵河的一级支流。因源出盂县温池，故名。温河有两个源头，西源出于盂县南娄镇西南庄村西的方山东麓；北源出于北下庄乡西麻驿村尖山。流经盂县、阳泉市郊区、平定县等3县区，至娘子关镇磨河滩村与桃河汇合称绵河。干流长50千米，流域总面积1143.45平方千米。温河流域为山地丘陵区，水资源匮乏，以草地作物为主，有耕地面积45.08万亩。有小型水库1座。一级支流有盂县河、秀水河、阴山河、岔口河。

22-A-a099 **松溪河** [Sōngxī Hé] 冶河的一级支流。因植物而名。发源于晋中市和顺县李阳镇南山村附近。经和顺、昔阳、河北井陉、平山等4县，汇入滹沱河。入河北省后称甘陶河，与绵河汇合后称冶河。河长96.7千米，流域面积2352平方千米，年均径流量121.5万立方米。河道上急下窄，郭庄水库以上，坡最窄；郭庄水库至昔阳县城、昔阳县城至南界都，坡度渐缓；南界都至王寨，坡度又有所变陡。全河道为蜿蜒形。著名的大寨村就在松溪河流域，如今是国家4A级旅游景区。流域内有耕地44.9万亩。有中型水库2座，为郭庄、水峪水库，小型水库20座。另有多个水利工程设施。一级支流有城西河、赵壁河、杨赵河、刀把口河。

22-A-a100 **清漳河**[Qīngzhāng Hé]外流河，漳河的一级支流。因流域内多为石质山区，山高谷深，岩石裸露，坡陡流急，含沙量小，河水清澈，故名。有两大源头，清漳东源发源于昔阳县西寨乡漳漕村沾岭山；清漳西源发源于和顺县西边八赋岭。东西两源出源后，流经昔阳、和顺、左权、黎城等4县，至河北省涉县合漳村与浊漳河一同汇入漳河。全长146千米，流域面积5339平方千米，刘家庄水文站实测多年平均天然年径流量2.59亿立方米，季节性明显，夏秋多于冬春；平均年输沙量为45.5万吨。清漳河流域自然灾害频发且严重，有霜冻、冰雹、风害，干旱现象也很严重，有"十年九旱"之说。由于全年降水量集中在汛期，又多以暴雨形式出现，也经常发生洪涝灾害，但清漳河的水土流失现象较浊漳河并不明显。自昔阳县西寨乡漳漕村出源，东南流至左权县下交漳村，是为清漳东源，河段长111.5千米；自和顺县西边八赋岭出源，东南流经石拐、横岭至左权县下交漳村，是为清漳西源，长度106.5千米。此两源流经地区为上游，该地区峡谷盆地交错，峡谷宽约200米，在清漳西源有石匣水库，清漳东源有恋思水库，在东、西二源合流处有下交漳水库。下交漳村至河北省涉县合漳村为下游，此段多为峡谷，河道窄而曲折，流至左权县九腰会村出峡谷，再流至黎城县下清泉村出山西省入河北省涉县，最终在合漳村入漳河。清漳河流经的左权、黎城、涉县等是革命老区。八路军总部、黄崖洞兵工厂、鲁迅艺术学校等150多个党、政、军机关都于此建设发展，朱德、彭德怀、左权等老一辈无产阶级革命家也都在此工作战斗。八路军总部纪念馆就建在清漳河畔，是全国重点文物保护单位、全国爱国主义教育示范基地。清漳河畔也是人文重地，涉县索堡镇的凤凰山上建有娲皇宫，是华北地区最大的祭祀人文始祖女娲的著名胜地。清漳河流域无通航价值，但已建成水电站60余处，保障各县市的居民用水和农业用水，同时也开展防护耕地、河道治理等工程措施以保护河流的生态环境。清漳河的一级支流主要有东沙河、西沙河、清水河、东崖底河、白垢河等。

22-A-a101 **清漳东源**[Qīngzhāng Dōng yuán]清漳河的一级支流。因是清漳河的东部源头，故名。又名清漳东河。源于昔阳县西寨乡沾岭山。流经昔阳县、和顺县、左权县等3县，至上交漳村与清漳西源汇合入清漳河。全长111.5千米，流域面积1560平方千米，平均清水流量为0.33立方米/秒，年均输沙量27.1万吨。流域地貌可分为石山区、土石山区和部分黄土丘陵区、河床冲击区。整个流域地势高竣，沟壑纵横，水土流失严重。清漳东源流域是红色革命老区，有诸多红色革命遗迹。流域内干旱严重，自然灾害多发。建有海眼寺、拐儿、胡家温灌区。还有众多小型水利工程。一级支流有梁余河、张翼河、松烟河、下庄沟河、拐儿西沟河。

22-A-a102 **清漳西源**[Qīngzhāng Xīyuán]是清漳河的一级支流。因是清漳河的西部源头，故名。又称西漳水。发源于和顺县的八赋岭。流经和顺、左权等2县多个乡镇，至上交漳村与清漳东源汇合入清漳河。河长106.5千米，流域面积1570平方千米，年均径流量6959万立方米，年均输沙量31.68万吨。源头至左权县城关，为砂页岩地区；城关至苏亭村，为石英砂岩地区。清漳西源流经地区多有红色文化遗迹。建有水库2座，为石匣水库、高庄水库。石匣水电站装机容量900千瓦，粟城水电站装机容量500千瓦。设计灌溉面积2.1万亩。一级支流有沙峪河、下交河、柳林河、枯河。

22-A-a103 **浊漳河**[Zhuózhāng Hé]漳河一级支流。在山西省内的流域面积为11741平方千米。浊漳河上游有北源、西源、南源三大支流，均发源于太行山区。主干流的流向为由西向东。浊漳北源又称榆社河，发源于山西省榆社县柳树沟，全长约116千米，境内流域面积3797平方千米，南流过关河水库后折向东南流至襄垣县小峧村南汇入浊漳河干流；浊漳西源源出于沁县漳源镇的漳源庙，全长约80千米，流域面积1669平方千米。东南流至襄垣县甘村汇浊漳南源；浊漳南源源出山西省长子县西南发鸠山黑虎岭绛河里村，东南流至漳泽水库汇聚由南部长子、壶关等县山区流来的绛河、岚河、陶清河、石子河等河流后转向北流，在襄垣县甘村汇浊漳西源后始称浊漳河干流，向东流至襄垣县小峧村南与浊河北源相汇。浊漳河流经太行山峡谷之中，流向东南再折向东，石梁以下宽达500米以上，至黎城以南再入峡谷，河宽约200米，最窄处约50米，有急滩20余处，于平顺县马塔村流出省界，省内干流长约125千米，流域面积2695平方千米。流域内主要为丘陵和盆地，为四周高峻，中间低平的盆地地形。流域多为土质区，黄土覆盖较深，植被差，水土流失严重，洪水挟带泥沙较多。浊漳河的输沙量为暴雨侵蚀形成，产沙主要源自丘陵沟壑区。输沙量集中在汛期。占输沙量的98%。流域内煤、铁等矿产资源丰富。潞安煤矿原煤总储量127亿吨，占全国煤炭总储量的2.12%。平顺、黎城、壶关等县铁矿资源为400万吨，还有石灰、耐火黏土及石膏等。支流众多。

22–A–a104 **浊漳北源**［Zhuózhāng Běi yuán］浊漳河的一级支流。因是浊漳河的北部源头，故名。发源于榆社县的柳树沟。流经晋中、长治等2市4县，至襄垣县小峧村南汇入浊漳河。主河道长116千米，流域总面积3797平方千米，年均径流量1.85亿立方米，年均输沙量333万吨。上游为土石山区，下游河床组成以砂卵石与粗沙为主。流域内重峦叠嶂，北高南低。浊漳北源流域中上游有多处八路军机构旧址，红旗渠渠首也在浊漳北源上。流域内有大型水库、中型水库各1座，分别为关河、云竹水库。有小型水库10座。开发有关河水电站1处，总装机容量2100千瓦。流域内有93万亩耕地，以玉米、高粱为主。一级支流有泉水河、东河、云竹河、南屯河、涅河、贾豁河、蟠洪河、史水河。

22–A–a105 **浊漳南源**［Zhuózhāng Nányuán］浊漳河的一级支流。因是浊漳河的西部源头，故名。源于长子县西部石哲镇太岳山支脉方山东麓发鸠山以西的屹洞沟。流经长治市潞州区、屯留区、长子县、上党区、壶关县和潞城区、沁县、襄垣县等9个县市，至襄垣县古韩镇甘村与浊漳西源汇合。全长104千米，流域面积3580平方千米，年径流量2.65亿立方米，年均输沙量363万吨。源头至申村水库为上游，长21千米，坡度较陡；申村大坝至漳泽大坝为中游，长51千米；漳泽大坝至甘村为下游，长32千米。申村大坝以下都为盆地，河谷宽浅。浊漳南源流域历史悠久、文化繁荣，有襄垣文庙、灵泽王大殿等名胜古迹。有大型水库1座，为漳泽水库，中型水库6座，小型水库46座。有万亩以上自流灌区4处，万亩以上提水灌区6处，井灌区10余处，有效灌溉面积达到58万亩。有漳泽发电厂，装机容量1300千瓦。一级支流有小丹河、陶清河、岚水河、石子河、绛河。

22–A–a106 **陶清河**［Táoqīng Hé］浊漳南源一级支流。因彰显陶器之乡的地域特点，故名。源于壶关县东井岭乡西马安村北。流经东井岭乡、百尺镇、店上镇等地，至长子县宋村乡南李末村北注入浊漳南源。全长78.7千米，流域面积735.18平方千米，年径流量变化大，最大可达1970万立方米，年均输沙量63万立方米。陶清河上游为黄土丘陵区与土石山区，下游为河谷阶地与平川区。陶清河流域有中型水库2座，分别为西堡、陶清河水库。小型水库9座。机电井总装机容量2700千瓦。一级支流有荫城河、师庄河。

22–A–a107 **岚水河**［Lánshuǐ Hé］浊漳南源的一级支流。发源于屯留县盘秀山东麓的丰宜镇华沟和沙则沟。流经屯留县丰宜镇、长子县碾张乡、岚水乡、鲍店镇、宋村乡等，至杨暴村北注入浊漳南源。全长58.43千米，流域面积463.36平方千米，年均径流量2499万立方米，年均输沙量30万立方米。源头至屯留西丰宜河段，河道顺直，河床稳定。西丰宜至岚水河段穿过黄土丘陵地带，河道动荡不定。岚水以下河道进入上党盆地，河势变缓，蜿蜒曲折。流域内有1座中型水库，为鲍家河水库。3座小型水库。万亩自流灌溉区1处。机电井452眼，小型电灌站20余处。一级支流有雍河。

22–A–a108 **绛河**［Jiàng Hé］浊漳南源的一

级支流。据传因是“天降一河”，故名。有南、北两源，北源也称庶纪河，源于沁县西南部南泉乡里庄村北的官道沟和西沟村北；南源源于屯留、安泽交界处盘秀山以北屯留县张店镇烟火沟，南北二源在张店镇张店村汇合。流经长治市沁县、长子县、屯留区和临汾市安泽县，至东司徒村南注入浊漳南源。全长84.9千米，流域面积876.71平方千米，年均径流量7500万立方米。绛河流域西部为土石山区，东部为河流阶地，地势西高东低。屯绛水库以上河道坡降大、河床深。屯绛水库以下河道蜿蜒曲折、摆动频繁。绛县流域内总耕种面积40.4万亩。有水库20座，万亩自流灌区1处。水力资源理论储量2910千瓦，可开发水力资源1300千瓦。一级支流有余吾河。

22-A-a109 **浊漳西源**［Zhuózhāng Xīyuán］浊漳河一级支流。因是浊漳河西部源头，故名。源于沁县漳源镇余岩村北。流经长治市沁县、襄垣县、屯留区和潞州区、潞城区等5个区县，至古韩镇甘村与浊漳南源汇合进入浊漳河干流。全长80千米，流域面积1669平方千米，年均径流量1.22亿立方米，年均输沙量134万吨。源头至沁县县城为上游，水质较好；沁县县城以下为下游，水质较差。在沁县安家岭至付北村间，河流大致为东南走向；在付北村至甘村间，河流大致为正东走向。浊漳西源流经沁县大部，也是人文厚重之地。有沁县大云院、普照寺等名胜古迹。流域内有大型水库1座，为后湾水库，中型水库2座，小型水库12座。水力资源现已开发400千瓦。一级支流有迎春河、屹芦河、白玉河、郭河、淤泥河。

22-A-a110 **浊漳干流**［Zhuózhāng GànlLiú］浊漳河一级支流。因河水浑浊，故名。浊漳干流从浊漳西源、浊漳南源在襄垣县甘村汇合后算起。流经襄垣、黎城、潞城、平顺、壶关等5个区县，至小峧村与浊漳北源汇合，再至合漳村与清漳河汇合后称漳河。全长125千米，山西省内流域面积2695平方千米，多年平均径流量6.966亿立方米，年均输沙量561.8万吨。甘村至小峧村为上游部分，也称西南源，长约30千米，甘村至北底段河床开阔，北底至小峧段河床较陡；小峧至辛安桥为中游部分，长46.5千米，河道大部宽阔；辛安桥至马塔村出省境的48.5千米为下游，弯道多、跌坎多。浊漳干流横穿太行山脉，曾是革命老区。浊漳干流水力资源丰富，先后建成了16座小型水电站，其中有6座装机容量500千瓦以上。有大型水库1座，为吴家庄水库。还有众多河渠为农业生产提供便利。一级支流有平头河、源庄河、小东河、平顺河、露水河。

22-A-a111 **露水河**［Lùshuǐ Hé］浊漳干流的一级支流。源于平顺县杏城镇浦水。流经平顺县、河南省林州市，跨2省2县市，自浊漳河右岸注入浊漳河。干流总长53千米，流域面积740平方千米，多年平均径流量400万立方米。露水河流域为单一的石山区地貌，其间山峰林立、地势险恶。露水河流域有著名水利工程红旗渠，被称为“人工天河”。有2座中型水库，为南谷洞水库、马家岩水库。小型水电站4处，总装机容量483千瓦。一级支流有浊河、清沙河、苤兰岩河。

22-A-a112 **苤兰岩河**［Piělányán Hé］露水河的一级支流，又称虹霓河、寺头河，发源于平顺县龙溪镇南凹沟一带，向东北方向流经朱章沟、杏城镇磨盘垴、东寺头乡安咀、寺头、虹梯关乡梯后、碑滩、虹霓、兰岩、龙柏庵等村，在张家岩村东3千米进入河南省林州市石板村缓慢转向东南，最后在林州市柏树庄村东汇入露水河。河流全长54千米，在山西省境内河长47千米，流域面积303.22平方千米。兰岩河流域位于太行山之巅，为单一的石山区地貌。流域内山大沟深、地形复杂。多年平均径流量3099万立方米。多年平均输沙量约115万吨。流域内水力资源理论蕴藏量为822千瓦，可开发量为600千瓦。

22-A-a113 **郊沟河**［Jiāogōu Hé］淇河的一级支流，属淇河支流淅河的上源，在山西省境内为独立水系。发源于长治市壶关县东井岭乡岭后底村西，先向东北流过常行、崔家庄，而后朝东经大坪、大会、磨掌、树掌、芳岱、西柏坡、土谷堆、盘底、桥上、大河、杨家池、东川底、南坡等村，在南坡村东流出山西省境，进入河南省林州市称为淅河，在流过林州市合涧镇后，转向东南，在林州市河口村南注入淇河。全长 88 千米，其中在长治市境内河长 55 千米，流域面积 584 平方千米。郊沟河流经地区山大沟深，山势陡峭，河流蜿蜒回折于太行山大峡谷中。流域内地势为西部高、东部低；南北高，中部河谷低。多年平均径流量 7727 立方米。郊沟河流域各支流小沟内多处泉水出露，是水资源比较丰富的区域。年平均输沙量为 45.2 万吨。流域水力资源理论蕴藏量为 1.23 万千瓦，可开发量为 1.06 万千瓦。

22-B001 **晋陕黄河大峡谷**［Jìnshǎn Huánghé Dàxiágǔ］位于内蒙古自治区、山西省、陕西省交界地带。以地理位置故名。北起内蒙古托克托，南至河津禹门口，全长 726 千米，面积 11.16 万平方千米，落差达 607 米，河床宽 200—400 米，河谷深切 300—500 米。两岸悬崖绝壁，黄流从中奔流而下，深涧腾蛟，浊浪排空，景色壮观。沿线有老牛湾、永和湾、乾坤湾、壶口瀑布等自然景观，有佳县白云观、临县碛口古镇等人文景观。交通便利，山陕两岸建有南北向沿黄公路，可一览峡谷风貌，东西向交通则有 G307、G309 等国道、G20 等高速以及众多省级线路穿行而过。

22-B002 **八泉峡**［Bāquán Xiá］位于山西省长治市壶关县。峡谷北口悬崖绝壁，周围有八个泉眼，常年流水不息，喷泉、瀑布直跌谷底，汇成八道水流出，故名。峡谷呈南北走向，南起桥上村古桥，北至石子河畔，东附梯脑山脉，西连石河沐山脊，全长 13 千米，面积 170 平方千米，宽处 20 米，窄处 3 米，落差 300 余米。蜿蜒长峡，如同一幅泼墨长卷，将峡谷气势、山泉飞瀑、激流浪花、奇峰异石浓缩于此，形成一幅巨大的太行山大峡谷风景画。可乘坐多路旅游大巴前往。

22-D-a001 **伍姓湖**［Wǔxìng Hú］外流湖。在山西省运城市西部。因湖旁有伍姓村而得名，古称张扬池，亦名伍姓滩。是山西境内最大的淡水湖泊，湖区范围北至东伍姓村、西伍姓村，南部紧邻南同蒲铁路，西界三张村，东部延伸至孙常村西北一带。东西长 10 千米，南北宽 8 千米，湖面面积一般在 20 平方千米，水深 1—3 米，最大深度达 4 米，蓄水量可达 4500 余万立方米。伍姓湖是运城盆地内重要的天然蓄滞洪区，担负着盆地内尤其是盐湖区的排洪泄水任务，并调节上游涑水河、姚暹渠、湾湾河来水。湖区内目前已经发展起水产渔业。这里还是山西省南部重要的湿地保护区，对改善当地小气候环境，调节洪水，减少自然灾害发挥着重要作用。

22-D-b001 **盐湖**［Yán Hú］内陆湖。位于山西省运城市盐湖区。因盛产食盐故名，古称盐泽、渤澥，亦称解池、盐池等。是我国开发利用最早的古老盐池之一，也是世界三大硫酸钠盐内陆湖之一。南依中条山，北临姚暹渠，东至东郭镇驻地，西达解州镇驻地，东西长约 35 千米，南北宽 3—5 千米，湖面面积 130 平方千米。最深处约 6 米，可汇集运城盆地内约 690 平方千米内的地表与地下径流。盐湖东西两侧低洼处分布着一连串湖沼浅滩，如鸭子池、北门滩、硝池、六小池、长乐滩等，形成以盐湖为中心的湖泊群。盐湖内自然资源丰富，除盐与芒硝外，还有硫酸镁、硫酸钙、碘、硼等稀有元素。盐湖开发历史十分悠久，至今已有 4000 余年。盐湖所产之盐，古称潞盐，亦称解盐。相传黄帝与蚩尤为争夺盐湖而大战于此，舜帝吟有《南风歌》，先民创造出“漫生法”“垦畦浇晒”法等食盐生产方法，历代封建王朝高度重视盐湖之利，每年征收大量税金，并长期设有盐运司专门的管理机构。现在的运城盐湖是山西省多种重要化工原料生产基地，亦是我国重要的无机盐化工原料基地之一。盐湖盐文化历史深厚，有池神庙、禁墙等，近年又发展出盐湖漂游等项目，成为重要旅游观光地。

22-H001 **娘子关瀑布**［Niángzǐguān Pùbù］在山西省阳泉市平定县东部，因位于娘子关城堡附近得名。瀑布最大落差可达 30 米。娘子关附近水资源丰富，泉眼甚多，形成悬泉，瀑布即由多股泉水汇流而成。水体沿悬崖峭壁倾泻而下，如白练挂壁，响声震耳。当前已与娘子关城堡、娘子关水上人家一起成为集自然、人文景观于一体的重要旅游景区。交通便利，西有阳泉市直达景区的旅游班车，东有河北井陉县开往景区的公共汽车。

22-H002 **银瀑潭**［Yínpù Tán］在山西省长

治市壶关县大峡谷镇。因瀑布在山涧飞流直下，恰似银河洒落而得名。最大落差为30米，最大宽度为11米，流量为8立方米/秒，潭水面积500平方米。银瀑潭是红豆峡最为壮观的瀑潭，吸引大量游客驻足观赏。景区内交通便利，可乘坐太行山大峡谷景区观光车前往。

22-H003 **太行第一瀑**［Tàihángdìyī Pù］在山西省长治市平顺县奥治村。亦名赤壁悬流，因水流自红色崖壁飞泻而下，故名。依浊漳河而行，东起鸳鸯岛，西至柳树湾，全长12千米。宽大水流自崖顶倾泻而下，场面壮观。可乘坐多路旅游大巴前往。

22-H004 **九重瀑布**［Jiǔchóng Pùbù］在山西省忻州市宁武县。因其地势高峻，如入天宇之感，由此而得名。瀑布最大落差为55米，最大宽度为100米，流量为300立方米/秒。瀑布雄伟壮观，具有极高的观赏价值。自宁武城区可乘坐出租车前往。

22-H005 **壶口瀑布**［Húkǒu Pùbù］在山西省吉县和陕西省宜川县交界的晋陕大峡谷中，但瀑布主体却悬泻于吉县一侧。被誉为“民族魂、黄河心”的壶口瀑布是中国第二大瀑布，也是世界上第一大黄色瀑布。因形如巨壶注水，故名壶口瀑布。黄河至此，由300余米宽的水面乍缩为50余米，河水由断层石崖上陡然跌落，倾泻而下，蔚为壮观，形成落差30余米的巨大瀑布。明代有诗人曾在《壶口》诗中赞道：“源出昆仑衍大流，玉关九转一壶收。”春秋季节水清之时，阳光直射，彩虹随波涛飞舞，风景独特。明陈维藩在《壶口秋风》诗中描写道：“秋风卷起千层浪，晚日迎来万丈红”，可谓美不胜收。壶口瀑布景区交通便利，东有临汾开往景区的客运汽车，西有延安通往景区的旅游班车。

22-I001 **水神堂泉**［Shuǐshéntáng Quán］冷泉。在山西省大同市广灵县城南0.5千米处。因泉源附近有古建筑水神堂而得名。又名壶泉。多年平均流量为1.2立方米/秒。泉水属重碳酸钙镁型水，每升泉水矿物质含量300毫克，为低矿化优质岩溶泉水。水神堂泉是广灵县工农业生产和城市生活的重要水源，既担负着广益灌区、蕙花灌区和水神堂灌区的供水任务，又担负着广灵县城数万居民的供水任务。依泉建有水神堂，又名洋水神祠，是我国古代建筑中的杰作、全国重点文物保护单位。这里涌泉成池，环抱山堂，琼楼玉宇，古木参天，景色旖旎，有“塞上小江南”之誉，广灵县古八景中的“壶泉春柳”“洋水月夜”均指此。自广灵城区有多路公交可达，亦可乘出租车前往。

22-I002 **城头会泉**［Chéngtóuhuì Quán］冷泉。位于山西省大同市灵丘县东南部高家庄村至门头南庄一带。因临近村庄曾设有庙会，故名。城头会泉以群泉形式出现，有桃花泉、高庄泉、南北水芦泉、新庄泉、大沙湖泉和南庄泉。泉水出露高程910—940米，泉水属重碳酸钙镁型水，每升泉水矿物质含量在278—450毫克之间，为低矿化优质岩溶泉水。多年平均流量约2.69平方米每秒，2012年流量为1.18立方米每秒。是唐河河谷松散层中的泉水及南部山区的岩溶裂隙泉水。泉域地下水天然资源量8514.7万立方米，年可利用资源5739.6万立方米。但随着人类对城头会泉的开发利用以及泉域内小规模的矿产开采，加之人类对岩溶地下水的开发利用，泉水流量呈持续下降趋势。泉域内有一处名为觉山寺的古迹，寺庙创建于北魏太和年间，依山而建，地方文献描述其“层楼阿阁，连亘山麓”。国道336以及省道201可达。

22-I003 **娘子关泉**［Niāngzǐguān Quán］冷泉。在山西省阳泉市平定县娘子关镇附近。泉眼繁多，流量充沛。泉群由坡底泉、五龙泉、水帘洞泉等11个主要大泉组成。多年平均出流量12.6立方米/秒，历史最大出流量16立方米/秒，最小出流量9.2立方米/秒，是我国北方最大的裂隙岩溶泉。娘子关泉是海河流域绵河的重要清水水源。泉域地跨阳泉、晋中、太原3市10个县区，总面积达7217平方千米。其中阳泉市泉域面积2430平方千米，占总面积的34%。泉域在泉口建成的阳泉和平定两大提水工程，总提水能力达到5.2立方米/秒。年供水能力达到1.6亿立方米。娘子关泉被称为阳泉人民的母亲泉，是阳泉市工农业和城市生活的重要供水水源。从阳泉市平定县西城客运站乘坐平定628路可达，亦可乘出租车前往。

22-I004 **辛安泉**［Xīn'ān Quán］冷泉。辛安泉位于山西省长治市潞城区东北部，是山西省第二大泉。泉域面积10950平方千米，泉水多年平均流量10.10立方米/秒，近几年泉水流量在3—4立方米/秒。辛安泉出露于山西省东南部，包括长治市的12个县（市、区），以及晋中市榆社县的部分地区。大气降水在碳酸盐岩裸露区的入渗是岩溶水主要补给来源，其次是灰岩区河段地表水及水库水的渗露补给。辛安泉是一个封闭的全排泄型岩溶大泉。其补给面积达到13500平方千米，在华北地区岩溶大泉中是最大的。泉域岩溶水是长治市城市生活及工业用水的重要水源。至1995年泉域内已建成岩溶水深井136眼，利用103眼，年开采量为6622万立方米，辛安泉可谓是长治人民名副其实的生命泉。沿山西324省道溯浊漳河逶迤西驶50多千米即可到达辛安村。

22-I005 **延河泉**［Yánhé Quán］冷泉。位于山西省晋城市阳城县东冶镇。延河泉系山西第一大泉，池内有众多小泉眼不断地向上喷涌泉水，在水中形成一串串水泡。延河泉形成于中更新世晚期至上更新世早期，距今约200万年历史。泉域补给面积3000平方千米，泉水温14.6℃，矿化度0.37克/升。延河泉年平均流量3.95立方米/秒，总量为1.1亿立方米。清乾隆及嘉庆年间为延河泉树立的两通石碑，记述延河泉“旱燥不竭，严寒不冰”。泉水流量稳定，水质良好，水利部专家经过多年考察，将其定为阳城电厂的水资源供应地，在泉水旁建起了规模宏大的提水工程。省道329可达阳县城。

22-I006 **神头泉**［Shéntóu Quán］冷泉。位于山西省朔州市朔城区神头镇。是山西省十九大岩溶泉水之一，主要有金龙池、五花泉、水围寺、三泉湾、黄道泉、玉龙泉和莲花池等泉组组成。一年四季水温恒定在14℃—14.5℃。盛夏炎热之天，清炎凉快；而每当隆冬，夜汽蒸腾，水雾缭绕。泉域面积4756平方千米，泉群分布面积5平方千米，大小泉眼100余处，呈散流状排泄，泉水流量大，年平均（1956—1984）达8.15立方米/秒，最大流量可达9.78立方米/秒。神头泉是秀丽的风景区，素有“塞上西湖”之美称。有303省道通过。

22-I007 **洪山泉**［Hóngshān Quán］冷泉。在山西省晋中市介休市区东南13千米的洪山之麓。古称鸑鷟泉。这一股源泉水质清澈，常年奔涌，它穿山越洞，灌溉着介休市11万亩农田，人们习惯地称之为洪山源泉。泉清见底，游鱼可数，渠道纵横如同，浮萍四季常青。洪山为绵山支脉，古称狐岐山。洪山泉为山下泉水主源之一，流量1.2立方米/秒。源泉之上有源泉神祠，俗称源泉庙，寺庙依山面水而筑，居于泉眼近侧，建造富丽，誉为“华宫”。宋、明多次重修，现存为明万历十六年（1588）移地重建之物。可乘坐介休9路洪山公交车到达。

22-I008 **马圈泉**［Mǎjuàn Quán］冷泉。位于山西省忻州市原平市区西北27千米处，出露位置在原平市马圈村，因而得名。分布在轩岗以东约5千米的阳武河峡谷两岸。出露地段自阳武口至芦庄长约1.5千米，出露高程1120—1150米，从两岸石灰岩基岩裂缝中溢出，较大泉点有34个。平均流量2.3秒立方米/秒。马圈泉的补给主要来自可溶岩区大气降水的入渗。该泉位于阳武河上游出山口，群众利用阳武河水灌溉农田已经有1000余年历史，历史上逐渐形成上、下薛古，施家野、南申等十八村水地，群众有冬汇、春浇的习惯。现在受益村庄扩大到30有余，保浇农田13.1万亩。泉域内岩溶地下水也是轩岗煤矿的供水水源。山西省内可通过215省道，沿崞五线可抵达。

22-I009 **坪上泉**［Píngshàng Quán］冷泉。位于山西省忻州市五台县城南约30千米的滹沱河，进入峡谷至坪上的滹沱河谷及耿家会至坪上的清水河河谷之中。出露高程为640—702米，多年平均出流量为4.9秒立方米/秒，枯水季平均流量为3.9秒立方米。主要有水泉湾泉组，流量占泉群流量的2/3，次为段家庄泉组，坪上泉组及李家庄泉组，水头沟泉组等。泉域总面积约2817平方千米。大气降水是泉组的主要补给方式。泉水经化验为优质泉水，矿化度平均为0.219克/升，水温为 12.5℃。李家庄泉在李家庄村上游的清水河河谷之中，泉水中出“金丝鲤鱼”的奇妙景观，素有“石窟邀鱼”的美称。坪上泉水作为西龙池抽水蓄能电站的补充水源，已为芳兰、蒋村、定襄一带工业发展提供水源。山西省内可通过正阳线抵达。

22-I010 **天桥泉**［Tiānqiáo Quán］冷泉。位于山西省忻州市保德县黄河天桥峡谷中，故而得名。出露于晋、陕、蒙三省接壤地区，黄河大北干流河谷中。大部泉源以河底泉形式向黄河排泄，只有少数泉水出露于岸坡，呈股状悬挂式泉。该泉是吕梁山西侧、山西省西北部忻州市辖区内黄河沿岸的最大一处岩溶泉。泉水流量 12 立方米 / 秒。据水资源研究成果资料，天桥泉岩溶水资源量为50680万立方米，可开采量为45440万立方米，其中山西省境内的资源量为 39420 万立方米，可开采量为 10.5 立方米 / 秒，约占总量的 75%。目前对岩溶水的开发利用程度不高，仅在天桥电站、兴县、偏关、河曲、保德等县局部地区有少量开采。古人有诗赞曰：“立马天桥久俯窥，黄河断崖势巍巍。北来贯穿华彝地，南去分开秦晋偎。”在此处的黄河干流峡谷中，建有天桥水库。自偏关、河曲等地有多条公路前往，交通便利。

22-I011 **龙子祠泉**［Lóngzǐcí Quán］冷泉。在山西省临汾市尧都区西部偏南 18 千米姑射山麓。刘渊斩断橛儿化作的金龙，泉水由此涌出，因称“龙子泉”。依泉筑池，名曰金龙池。龙子祠泉群泉争涌，如蜂房蚁穴，四周渠道纵横，密如蛛网，流量 6.25 立方米 / 秒，分 12 道官河，灌溉尧都区、襄汾县的汾西地带。分南池、北池、东池三个泉组。是汾西灌区和临汾市工业及城市生活的重要水源。依泉建有龙子祠，坐北向南，创建于唐，元、明、清各代都有增建修葺。现存山门、过殿、水母殿、康泽王殿等主要建筑。祠内还有碑碣 11 通，对研究当地的水利开发和祠宇沿革有一定价值。每年农历四月十五有传统庙会，四方农商云集，十分热闹。京昆高速可到达临汾尧都区，区内有公共交通及出租车可直达景区。

22-I012 **郭庄泉**［Guōzhuāng Quán］冷水泉。位于山西省临汾市霍州市南 7 千米处东湾村至郭庄村的汾河河谷中，南北分布长度约 112 千米，泉域部面积 5600 平方千米，其中裸露可溶岩面积 1100 平方千米。大部分出露于河漫滩上，少部分出露在一级阶地；南北出露长度约 1.2 千米。郭庄泉的泉域范围包括临汾市的汾西、霍州、洪洞，晋中市的灵石、介休，吕梁市的汾阳、文水、孝义、交口等县市。该泉群共有 6 个泉组，河西岸有累山泉（厂库区泉）、五龙泉（厂区泉）、马跑泉；河东岸有普济泉、海眼泉、方池泉。大部分以散泉形式出露。大小泉眼井有 60 多个。泉水多年平均出流量为 7.59 立方米 / 秒（1968 年—1984 年），由于泉域内岩溶水开采和采煤等人类活动的影响及降水量的减少，泉水流量呈明显下降趋势，2001—2003 年平均流量降为 2.12 立方米 / 秒。郭庄泉历史上就是当地农业灌溉及居民生活的重要供水水源，为霍州发电厂和临汾汾西灌区农田灌溉提供了充足的水源。国道 108 霍侯一级公路途经郭庄村。

22-I013 **霍泉**［Huò Quán］冷泉。在山西省洪洞县广胜寺镇霍山脚下，也称广胜寺泉。北魏郦道元《水经注》载“霍水出自霍太山，积水成潭，数丈之深。”泉域面积 1272 平方千米，泉水出露比较集中，于南北长 57 米、东西宽 16 米的方池内，泉水由池周围坡积层涌出。多年平均流量为 4.03 立方米 / 秒，动态稳定。泉水水质良好，是洪洞县重要的水源地。早在唐代贞观年间，霍泉水就被用来浇灌洪洞、赵城两县的农田。为开发利用及解决用水纠纷、礼拜水神，泉周边建有海场、分水亭、碑亭、水神庙等，是著名的旅游景点和灌溉水源。由临汾城区或洪洞县城均可乘客车前往。

22-I014 **柳林泉**［Liǔlín Quán］温泉。位于山西省吕梁市柳林县柳林镇东龙门会、寨东一带的三川河谷中，是数十处泉眼集中汇流而成，古名青龙泉。每到隆冬季节，水面蒸汽袅袅、白雾缭绕，甚为壮观，因此俗名“抖气河”。早在 1988 年，柳林泉就被命名为山西十大名泉之一。泉水呈集中和分散状出露，泉水海拔高度为 801 米，多年平均径流量 1.23 亿立方米，泉域范围

4400 平方千米，其中石灰岩裸露面积 1700 平方千米。泉水来自不同的方向，反映在水质上有明显的差别，河谷北侧的水质较好，南侧因受煤系地层的影响，水质略差。20 世纪 90 年代，柳林人民为了保护和利用这一神奇的泉水，在上青龙修建了柳林泉保护区，并在下游柳林县城沿河一带建设了清河公园。国道 307 以及省道 248 途经柳林县，县区内柳林 6 路公交亦可达。

第三编

交通运输设施

第三编 交通运输设施

30-A-a001 **大西高速铁路** [Dàxī Gāosùtiělù] 高铁。从山西省大同市至陕西省西安市。途经原平西站、忻州西站、太原南站、晋中站、平遥古城站、临汾西站、运城北站、渭南北站等站。在大同南站与张大高速铁路相接，在太原南站与石太高速铁路相交，在西安北站与徐兰高速铁路、银西高速铁路、西成高速铁路相接。营运里程859公里，2009年12月3日开工，2014年7月1日太原至西安段正式通车，2018年9月28日原平至太原段正式开通运营，2019年5月1日怀仁至原平段先期利用韩原铁路正式开行动车组列车，12月30日大同至怀仁段先期利用韩原铁路与张大客专正式开行动车组列车。途经晋陕黄河特大桥、马家庄隧道和乔家山隧道等大型桥梁和隧道，横跨黄河。“京昆通道”的重要组成部分、中国西部铁路建设重点工程，形成连接华北、华中、西北、西南的高标准铁路客运网络，促进了区域经济发展。

30-A-a002 **石太高速铁路** [Shítài Gāosùtiělù] 高铁。从河北省石家庄市至山西省太原市。途经石家庄西站、获鹿站、阳泉北站、太原东站、太原站。在太原南站与大西高铁相接，在石家庄站与京广铁路、京广高铁和石德铁路相接。营运里程190公里，其中河北省境内60公里，山西省境内130公里。2005年6月11日开工，2009年4月1日正式开通运营，2012年12月21日新石家庄火车站竣工运营，石太高速铁路东起点延长至石家庄站，2014年7月1日太原南站竣工运营，石太高速铁路西终点延长至太原南站。全线共有桥梁94座、隧道32座，穿越太行山复杂地形。山西省第一条高速铁路，大大缩短了太原与京津冀环渤海地区和河北、山东等省的时空距离，有效促进了太原与周边地区人流、物流、信息流、资金流的快速流动，对于推动山西旅游发展、提升投资环境、促进经济保持平稳较快发展具有重要意义。

30-A-a003 **张大高速铁路** [Zhāngdà Gāosù tiělù] 高铁。从河北省张家口市至山西省大同市。途经怀安站、天镇站、阳高南站。在张家口站与京包高铁、京包铁路相接，在大同南站与大西高铁相接。营运里程141.5公里。2015年11月18日正式开工，2018年6月3日开始全线铺轨，2019年12月30日全线开通运营。途经解家庄特大桥、京新高速特大桥和大梁山隧道等重要桥梁隧道。“京昆通道”的重要辅助通道，贯通京、津、冀、晋、陕的客运咽喉工程，晋北地区对外交流的“生命线”，为完善华北高铁网、助力区域协作发展提供重要的交通支撑。

30-A-a004 **郑太高速铁路** [Zhèngtài Gāosù tiělù] 高铁。从河南省郑州市至山西省太原市。共设17座车站，途经焦作站、晋城东站、长治东站、晋中站等主要站点。在太原南站与大西高铁、石太高铁相接，在郑州东站与徐兰高铁、京广高铁、陇海铁路等相接。营运里程432公里。2009年12月29日郑焦段举行动工仪式，2015年6月26日郑焦段开通运营，2016年6月16日焦太段动工建设，2020年12月12日焦太段开通运营，郑太高速铁路全线建成通车。途经郑焦城际铁路黄河大桥、白水河特大桥、晋中特大桥、神农隧道、襄垣隧道、珏山隧道、太谷隧道、云竹隧道等桥梁隧道，横跨黄河。“呼南通道”的重要组成部分，形成山西、河南两省间的快速客运通道，进一步完善区域路网布局，大大缩短晋东南、蒙西等地与中东部地区的时空距离，对促进沿线经济社会发展，助力中部崛起发展战略实施，具有重要意义。

30–A–b001 **大秦铁路** [Dàqín Tiělù] 国有铁路。从山西省大同市至河北省秦皇岛市。在大同站与京包铁路相接，在韩家岭站与同蒲铁路相接。营运里程 653 公里。一期工程（大同至大石庄段）1985 年动工建设，1988 年竣工运营；二期工程（大石庄至秦皇岛段）1989 年动工建设，1992 年竣工运营；三期工程（一亿吨配套工程）1995 年开工建设，1997 年完工运营；2003 年起连续开始实施 2 亿吨、4 亿吨扩能改造，2010 年 5 月 6 日全线完成 4 亿吨扩能改造。双线电气化重载运煤专线，途经军都山隧道等桥梁隧道，地形地貌复杂。大秦铁路是 I 级货运专线铁路、中国境内首条双线电气化重载铁路、首条煤运通道干线铁路，是中国铁路现代化建设的里程碑。

30–A–b002 **大准铁路** [Dàzhǔn Tiělù] 国有铁路。从山西省大同市至内蒙古自治区鄂尔多斯市准格尔旗。在大同东站与京包铁路相接。营运里程为 264 公里。1990 年 7 月开工建设，1997 年 11 月全线建成通车。I 级单线电气化铁路，1998 年随准格尔能源公司划归神华集团，是目前我国煤炭系统最长的企业自建自管的专用铁路，为缓解蒙西地区的煤炭外运紧张问题做出重大贡献。

30–A–b003 **邯长铁路** [Háncháng Tiělù] 国有铁路。从河北省邯郸市至山西省长治市。途经黎城站、潞城站。在长治北战与太焦铁路相接。营运里程 222 公里。1978 年开工建设，1984 年 5 月全线通车。邯长铁路跨越清漳河和浊漳河，穿越太行山区，地质情况复杂。连接晋东南与冀南最便捷的通道，与太焦线、阳涉线和邯济线等铁路相连，构成晋煤外运南通道的交通网络。

30–A–b004 **韩原铁路** [Hányuán Tiělù] 国有铁路。从山西省大同市韩家岭至山西省忻州市原平市。途经怀仁东站、应县站、山阴站等主要站点。在韩家岭站与同蒲铁路和大秦铁路相接，在原平站与京原铁路和同蒲铁路相接。营运里程 154 公里。2007 年开工建设，2014 年 2 月 25 日建成通车。2019 年 5 月 1 日，怀仁东站至原平动车组利用韩原线正式通车。为晋中、晋南的煤炭物流汇入大秦铁路直达出海，新辟了途经，疏通了渠道，对进一步扩充山西优质煤外运通道、构建物流网络及保障能源供应具有着十分重要的战略意义。

30–A–b005 **浩吉铁路** [Hàojí Tiělù] 国有铁路。从内蒙古自治区浩勒报吉至江西省吉安。途经河津西站、运城西站等主要站点。营运里程 1813.5 公里。原名蒙华铁路，2015 年 6 月开工建设，2019 年 8 月命名为浩吉铁路，2019 年 9 月 28 日全线通车投入运营。横贯中国中部南北，是“北煤南运”战略运输通道。

30–A–b006 **和邢铁路** [Héxíng Tiělù] 国有铁路。从山西省晋中市和顺县至河北省邢台市。在和顺站与阳涉铁路相接。营运里程 142.4 公里。2015 年 11 月 30 日正式开工建设，2021 年 12 月上旬全部建成完工。国铁 I 级单线铁路，穿越太行山区。以煤炭运输为主，山西省晋东地区重要的煤炭外运通路之一，东西干线铁路网的重要补充，途经邢台大峡谷、天河山、九龙峡等风景名胜区，有利于中部太行山地区区域发展。

30–A–b007 **侯月铁路** [Hóuyuè Tiělù] 国有铁路。从山西省临汾市侯马市至河南省焦作市博爱县月山镇。途径曲沃、翼城、沁水等主要站点。在侯马北站与同蒲铁路相接，在月山站与太焦铁路相接。营运里程 252 公里。1990 年 6 月开始全面开工，1993 年 12 月嘉峰至莲东段一期工程铺通，1994 年全线建成通车并进入二期复线工程，1997 年 3 月侯月铁路复线建成通车，1996 年 1 月 23 日开始开行旅客列车，2004 年起开展扩能改造，2005 年完成运量 1.03 亿吨。国家 I 级复线干线铁路，沿线桥梁和隧道众多，晋煤外运的南通路之一，向东的最终点是山东日照港，是与陇海铁路平行的一条铁路干线，可减轻陇海铁路负担，缩短西北与山东出海口的运距。

30–A–b008 **黄韩侯铁路** [Huánghánhóu Tiělù] 国有铁路。从陕西黄陵县经韩城市至山西侯马市。途经新绛、稷山、河津等主要站点。在侯马站与同蒲铁路相接。营运里程为 204.5 公里。2010 年 8 月 28 日陕西段正式开工建设，2010 年 9 月 21 日黄韩侯铁路山西段正式开工建设，2015 年 12 月 25 日全线开通。国家 I 级复线铁路，强化了陇海铁路两翼的分流功能，使陕北地区发往侯马以远的煤炭较经包西线、西延线、侯西线运输距离大大缩短，是晋陕两省煤炭运输的便捷通道。

30-A-b009 **京包铁路** [Jīngbāo Tiělù] 国有铁路。从北京至内蒙古包头市。途径天镇站、阳高站、大同站等主要站点。在大同东站与大准铁路相接，在大同站与同蒲铁路相接。营运里程786公里。旧称京张铁路、京绥铁路、平绥铁路，简称京包线，前身京张铁路是中国自行设计建造的第一条铁路，由詹天佑任总工程师，1905年9月4日正式开工，1906年9月30日丰台到南口的第一段工程全部通车，1908年9月完成了南口到康庄的第二段，1909年9月24日到张家口的第三段完工，1921年5月拓展到归绥，更名为平绥铁路，1923年1月绥远至包头段完工，1949年10月修复通车，正式更名为京包铁路。国家Ⅰ级复线电气化铁路，沿途经过怀来大桥、八达岭隧道等众多桥梁隧道。通向中国西北地区的铁路干线，沿线经过燕山、太行山、张北高原、大同盆地、内蒙古高原到达河套平原，既是一条晋煤外运线，又是一条与蒙古国、俄罗斯联邦相通的国际线的一部分。

30-A-b010 **京原铁路** [Jīngyuán Tiělù] 国有铁路。从北京市至山西省忻州市原平市。途经灵丘站、繁峙站、代县站等主要站点。在原平站与同蒲铁路相接。营运里程419公里。20世纪60年代至70年代“三线建设”背景下修建的重要战备铁路，1958年10月原平至枣林的西段开工建设，1960年10月铺轨完成并交付临时运营，1965年11月北京至枣林的东段工程开工，1971年10月30日全线完工。国铁Ⅰ级客货共线单线铁路，途经永定河特大桥、驿马岭隧道等众多桥梁隧道。晋煤外运中路通道的重要组成部分，沿线有十渡、野三坡、紫荆关、涞源等著名旅游景区，对发展北太行地区旅游、开发河北山西两省山区起到重要作用。

30-A-b011 **神朔铁路** [Shénshuò Tiělù] 国有铁路。从陕西省神木市至山西省朔州市。途经保德站、神池南站等重要站点。在朔州站与同蒲铁路相接，在神池南站与朔黄铁路相接。营运里程270公里。1988年10月开工建设，1996年7月1日正式开通运营，1999年7月成立神华神朔铁路有限责任公司，是神华集团公司按照现代企业制度组建的全资子公司，2002年3月开工建设复线，2004年5月建成。国家Ⅰ级电气化重载铁路，我国第二条西煤东运的大通道神黄线的一部分，主要担负着神府东胜煤田煤炭外运任务。

30-A-b012 **石太铁路** [Shítài Tiělù] 国有铁路。从河北省石家庄市至山西省太原市。途经娘子关站、阳泉站、寿阳站、榆次站等重要站点。在太原站与同蒲铁路相接。营运里程243公里。原名正太线，1904年开工建设，由中法两国合作，1907年10月全部竣工，1933年法国方面交还路权，1951年至1982年先后进行五次线路改造，由窄轨铁路到宽轨铁路再到电气化复线。全线为复线电气化铁路，沿线桥梁隧道众多，穿越太行山区，所经之处地势起伏较大。山西省第一条铁路，山西通往京、津、沪各地的主要通道，沟通省内外物流的重要运输线，晋煤外运的中路通道，也是新中国第一条双线电气化铁路。

30-A-b013 **朔黄铁路** [Shuòhuáng Tiělù] 国有铁路。从山西省忻州市神池南站至河北沧州黄骅港口。途经原平南站等重要站点。在原平南站与同蒲铁路相交。营运里程598公里。1997年11月25日正式开工，1999年11月1日全线建成，朔黄铁路横贯东西，穿越太行山、京广铁路、京九铁路和京沪铁路。我国西煤东运第二大通道，神华集团矿、路、港、电、航、油一体化工程的重要组成部分，对加快沿线地方经济发展、保证华东、东南沿海地区能源供应、扩大我国煤炭出口能力具有极其重要的战略意义。

30-A-b014 **朔准铁路** [Shuòzhǔn Tiělù] 国有铁路。从山西省朔州市至内蒙古自治区准格尔旗。在朔州店坪南站与同蒲铁路相接。营运里程215公里。2019年1月2日正式开通运营。横跨黄河，府谷县北部边缘的黄河特大桥是重点工程。使得山西、陕西、内蒙古西部地区的路网结构更加完善，成为大秦铁路运输增量的重要补给线，在内蒙古煤炭外运和铁路货运增量行动中发挥积极作用。

30-A-b015　太焦铁路［Tàijiāo Tiělù］国有铁路。从山西省太原市至河南省焦作市。途经榆社站、武乡东站、沁县站、长治北战、长治站、晋城北战、晋城站等重要站点。在修文站与同蒲铁路相接，在武乡东站与武左铁路相接，在沁县站与沁沁铁路相接。营运里程434公里。晚清时期，英国的福公司为掠夺山西煤炭资源，承建河南道口镇至山西泽州府（今晋城）的道泽铁路，但仅完成道口至清化镇一段（道清铁路），1935年6月祁县白圭镇至晋城的白晋铁路正式开始施工，抗战爆发后停止，1957年9月，太焦铁路全线开始修建，1974年初全线建成。晋煤外运的东南大通道，构成与京广铁路平行的中国南北交通干线之一。

30-A-b016　太兴铁路［Tàixīng Tiělù］国有铁路。从山西省太原市至吕梁市临县。途经古交站、娄烦站、岚县站。在太原北站与同蒲铁路相接。营运里程164公里。2010年3月开工建设，2014年12月30日全线通车，2018年6月21日开通客运列车。国铁Ⅰ级单线电气化铁路，穿越吕梁山区。沟通省城太原与山西西部吕梁山区，对吕梁山革命老区的社会经济发展起到重大作用。

30-A-b017　太中银铁路［Tàizhōngyín Tiělù］国有铁路。从山西太原至宁夏中卫，支线从定边至银川，正线太原至中卫也称太中线。途经清徐站、文水站、汾阳站、离石站等主要站点。在新鸣李、榆次与同蒲铁路相接。营运里程944公里，其中太原至中卫正线752公里，定边至银川支线192公里。2006年5月开工建设，2011年1月11日正式通车。太中银铁路三次跨越黄河，太原南站至定边站为双线电气化铁路，定边站至中卫站、定边站至银川站为单线电气化铁路。填补了包兰线、陇海线、宝中线、包西线等铁路范围内的路网空白，打通了华北至西北的新通道，结束了对陇海铁路干线过度依赖的状态，对西部能源外运意义重大。

30-A-b018　同蒲铁路［Tóngpú Tiělù］国有铁路。从山西大同至陕西渭南市华山站。途经原平站、忻州站、太原站、榆次站、介休站、临汾站、运城站、风陵渡站等主要站点。在大同站与京包铁路相接，在韩家岭站与大秦铁路相接，在原平站与京原铁路相接，在太原北站与太兴铁路相接，在太原站与石太线相接，在新鸣李和榆次站与太中银铁路相接，在修文站与太焦铁路相接，在侯马北站与侯月铁路相接，在侯马站与黄韩侯铁路相接，在华山站与陇海铁路相接。营运里程865公里。以太原为界，分为北同蒲铁路和南同蒲铁路，南同蒲段1933年5月开工，1935年12月竣工，北同蒲段1933年11月开工，1939年竣工，1951年8月同蒲铁路全线恢复通车。同蒲铁路从北向南贯穿山西省，跨过黄河与陇海铁路相接。山西南北大动脉，山西最早建设的铁路线路之一，晋煤外运的主要干线之一。

30-A-b019　瓦日铁路［Wǎrì Tiělù］国有铁路。从山西省吕梁市兴县瓦塘镇至山东省日照港。途经洪洞北站、长子南站等重要站点。营运里程1260公里，其中山西579公里，河南255公里，山东426公里。又称山西中南部铁路通道、晋豫鲁铁路、晋中南铁路，2009年12月23日正式开工，2014年12月30日建成通车。横穿山西、河南、山东三省，世界上第一条按30吨重载铁路标准建设的铁路。连接我国东西部的重要煤炭资源运输通道，显著提高山西中南部地区煤炭外运能力。

30-A-b020　阳涉铁路［Yángshè Tiělù］国有铁路。从山西省阳泉市至河北省邯郸市涉县。途经平定站、和顺站、左权站等重要站点。在白杨墅站与石太线相接。营运里程199公里。1986年7月10日开工，2004年5月建成通车。国家Ⅰ级单线铁路，大部分线路穿行在太行山区，桥梁隧道众多。沟通了晋冀两省的左权县、涉县等革命老区，为老区发展带来活力。

30-A-b021　准池铁路［Zhǔnchí Tiělù］国有铁路。从内蒙古自治区准格尔旗至山西省忻州市神池县。在神池站与朔黄铁路相接。营运里程180公里。2015年9月15日建成通车。大大强化蒙西能源基地外部通路，对于保障我国能源需求和国民经济可持续发展具有重要意义。

30-A-c001　宁静铁路［Níngjìng Tiělù］地方铁路。从山西省忻州市宁武县至静乐县。在宁武站与北同蒲线相接，在静乐站通过支线静静铁路可与太兴铁路相接。营运里程 93.6 公里。2000 年 12 月宁武至化北屯段开通运营，2008 年 3 月化北屯至静乐段建成运营。运煤为主的地方铁路，有助于推动忻州西部经济发展和交通运输。

30–A–c002 **武左铁路**［Wǔzuǒ Tiělù］地方铁路。从山西省长治市武乡县至晋中市左权县。在武乡东站与太焦铁路相接，在左权站与阳涉铁路相接。营运里程 84 公里。武乡至墨镫段武墨线 1987 年 9 月正式开工建设，武乡墨镫至左权 2003 年 10 月开工，2005 年年底建成。山西地方铁路集团有限公司的控股子公司山西武沁铁路有限公司投资兴建的单线地方铁路，沟通了太焦线与阳涉线铁路网络。

30–B–a001 **大同绕城西段高速**［Dàtóng Ràochéng Xīduàn Gāosù］高速。从大同市新荣区至云冈区。北与得大高速相接，南与大新高速相接。总长 32.401 公里。2005 年 6 月 9 日开工建设，2007 年 12 月 22 日建成通车。一级路，水泥混凝土路面，路基宽 26 米。统一编号为 G5501，G55 二广高速的支线，线路建成后，大同绕城高速全部完成，对于改善大同周边交通网络起到重要作用。

30–B–a002 **大新高速**［Dàxīn Gāosù］高速。从大同市云冈区冯庄村至朔州市山阴县新广武村。途经朔州市怀仁市、应县。在冯庄村与京大高速相接，在新广武与新原高速相接。总长 97 公里。2001 年 5 月 18 日开工建设，2002 年 10 月 7 日建成通车。一级路，沥青混凝土和水泥混凝土路面，路基宽 28.5 米。国家高速公路 G55 二广高速的一段，是大运高速最北端的一段，是南北贯穿晋北地区的最重要的一条高速公路。

30–B–a003 **得大高速**［Dédà Gāosù］高速。从晋蒙交界的大同市新荣区得胜堡至云州区党留庄乡蔡庄村。在党留庄乡与京大高速马连庄互通相接。总长 47.368 公里。2003 年 10 月 1 日开工建设，2005 年 10 月 18 日建成通车。一级路，水泥混凝土路面，路基宽 26 至 28 米。G55 二广高速的一段，加强了大同与内蒙古地区的区域联系，是贯穿山西南北的高速大动脉最北端的一段。

30–B–a004 **东吕高速**［Dōnglǚ Gāosù］高速。山西境内从吕梁市汾阳市义丰村至晋中市和顺县。途径平遥县、祁县、榆社县、左权县。分多段建设，汾阳至平遥段 2008 年 9 月 25 日开工，2010 年 11 月 18 日通车，长 41.7 公里；平遥至榆社段 2009 年 6 月 25 日开工，2012 年 12 月 25 日建成，长 83.066 公里；榆社至左权段 2009 年 12 月 21 日开工，2012 年 8 月 28 日建成，长 40.487 公里。一级路，沥青混凝土路面，路基宽 24.5 至 28 米。G2516 东吕高速的山西段，山西中部贯通东西的又一条交通要道，线路穿越太行山腹地，施工难度大，技术要求高。

30–B–a005 **汾离高速**［Fénlí Gāosù］高速。从吕梁市汾阳市河北村至离石区乔家塔。在汾阳与夏汾高速相接，在离石与离军高速相接。总长 77.8 公里。2003 年 1 月 6 日开工建设，2005 年 10 月 28 日建成通车。一级路，沥青混凝土路面，路基宽 24.5 米。国家高速公路 G20 青银高速的一段，是吕梁地区与东西部地区连接的重要通道。

30–B–a006 **高陵高速**［Gāolíng Gāosù］高速。从高平市河西镇常乐村至陵川县古郊乡营盘村。在常乐村与长晋高速相接。长 63.164 公里。2009 年 5 月 20 日奠基开工，2012 年 8 月 28 日通车运营。一级路，沥青混凝土路面，路基宽 24.5 米。S80 陵侯高速的重要一段，结束了陵川县没有高速公路的历史，有助于陵川县经济与旅游发展，也为东出河南的新通道提供了可能。

30–B–a007 **广源高速**［Guǎngyuán Gāosù］高速。从大同市广灵县蕉山工业园区晋冀界至浑源县南榆林乡。在浑源与同源高速相接，在广灵与北京至蔚县高速公路相接。全长 77.268 公里。2009 年 9 月 9 日开工建设，2013 年 11 月 18 日建成通车。一级路，沥青混凝土路面，路基宽 26 米。统一编号为 S36，成为大同市东部通往河北和北京的又一便利出口。

30–B–a008 **菏宝高速**［Hébǎo Gāosù］高速。山西境内从垣曲县蒲掌乡王古垛村晋豫界至万荣县范家庄村。途径闻喜县、绛县、稷山县。在闻喜与侯运高速相交。闻喜至垣曲段 2008 年 8 月 10 日开工建设，2010 年 12 月建成通车，长

83.904公里；闻喜至万荣段2009年9月9日开工建设，2012年1月9日建成通车，长75.981公里。一级路，沥青混凝土路面，路基宽24.5米。G3511荷宝高速的一段，是山西省西南部西通陕西，东至河南济源的主要运输通道。

30-B-a009　**侯禹高速**［Hóuyǔ Gāosù］高速。从襄汾县南史威村至陕西省韩城市大前村。途经新绛县、稷山县和河津市。在南史威村附近与临侯高速、侯运高速、晋侯高速相接。总长65.6公里。2006年12月28日建成通车。国家高速公路G5京昆高速的一段，是全省第二条利用亚洲开发银行贷款修建的高速公路，跨越龙门黄河大桥。它的建成通车对于完善山西省路网结构，加强晋陕两省经济文化交流，促进黄河金三角地区的崛起具有重要意义。

30-B-a010　**侯运高速**［Hóuyùn Gāosù］高速。从运城市新绛县店头村至运城市盐湖区南庄。途经侯马、闻喜、夏县。在店头村与大运高速临汾至侯马段、侯禹高速相接，在运城与运风高速、运三高速相接。总长100公里。2001年2月开工，2002年10月16日通车，12月1日正式运营。一级路，沥青混凝土路面，路基宽26.5—28.5米。途经特大桥1座，大桥10座，中桥8座。山西“人”字形高速公路主骨架的重要组成部分，其建成通车标志着晋南地区高速公路骨架已经具备雏形。

30-B-a011　**呼北高速**［Hūběi Gāosù］高速。山西省境内从大同市右玉县至运城市芮城县陌南镇黄河特大桥。在右玉与孙右高速相交，在平鲁与荣乌高速相交，在神池与灵河高速相交，在岢岚与五保高速相交，在临县与太佳高速相交，在离石与青银高速相交，在隰县与霍永高速相交，在吉县与青兰高速相交，在河津与京昆高速相交，在解州与运风高速相交。全线路分段建设，尚未完全完工。晋蒙界至右玉段与S30孙右高速共线，2010年12月26日通车，长22公里；右玉至平鲁段2019年6月2日通车，长68.664公里；平鲁至朔城段2014年7月25日通车，长37公里；神池至岢岚段2019年4月建成通车，长63.907公里；岢岚至临县段2014年10月16日通车，长124.071公里；临县至离石段2015年5月9日通车，长73.876公里；吉县至河津段2016年9月9日通车，长52.69公里；河津至运城段2012年12月7日通车，长80.319公里；解州至陌南段2015年12月31日通车，长31.3公里。一级路，沥青混凝土路面，路基宽24.5至26米不等，其余路段正在建设中。连通山西西部吕梁山区的南北向交通大动脉，对于发展吕梁革命老区社会经济有重要促进作用。

30-B-a012　**霍永高速**［Huòyǒng Gāosù］高速。从临汾市霍州市陶唐峪乡辛庄村至永和县王家坪。途径汾西县、隰县。在霍州与祁临高速相交。分两段建设，东段从霍州至隰县寨子乡，长81.481公里，2011年1月开工建设，2014年12月30日通车运营；西段从隰县至永和县王家坪，长47.718公里，2011年5月20日开工，2014年12月30日通车运营。一级路，沥青混凝土路面，路基宽24.5米。G2211长延高速在山西的一段，此线路尚未完全建成，是山西省中部地区东西贯通河北和陕西的又一条重要通道。

30-B-a013　**晋城绕城西北段高速**［Jìnchéng Ràochéng Xīběiduàn Gāosù］高速。从晋城市泽州县北义城镇张庄村东至南村。在张庄村与长晋高速相接，在南村与晋阳高速相接。全长30.812公里。2009年4月25日开工建设，2010年10月25日建成通车。一级路，沥青混凝土路面，路基宽24.5米。统一编号为S5503，与长晋高速、晋阳高速一起构成晋城绕城高速环线，有效改善晋城市区周边交通运输条件。

30-B-a014　**晋济高速**［Jìnjì Gāosù］高速。从山西晋城至河南济源。在晋城市泽州南路泽州互通与晋阳高速、长晋高速相接。总长约50公里，山西省内长30.224公里。2005年4月6日开工，2008年12月31日正式通车。山西省乃至全国地形最复杂、桥隧比例最高、施工难度最大、技术含量最高、公里造价最高的高速公路建设项目，途经仙神河大桥、南河特大桥、月泉湖隧道等重要桥梁隧道。G55二广高速的重要组成部分，是山西省东南部出省的一条黄金通道，对于促进地方经济发展、带动地区旅游业发展都具有着极其重要的意义。

30-B-a015 **晋焦高速** [Jìnjiāo Gāosù] 高速。从晋城市区东北东上庄村至韩家寨村进入河南焦作。在西蜀村以互通立交形式与长晋高速相接，以互通形式与G207国道相交。总长48公里。1997年10月29日开工建设，2000年7月完工，2002年12月22日正式开通。一级路，沥青混凝土路面，路基宽21.5至23米。晋焦高速穿越太行山区，沿线很多地方人烟稀少、地形结构复杂，共有大桥10座，中桥1座，小桥11座，涵洞53座，最重要的桥梁是全长425.6米的丹河特大石拱桥，最重要的隧道是牛郎河隧道。晋焦高速是山西东南部地区连接晋豫两省建设最早的高速公路，对于加深晋东南地区与河南的联系具有重要意义。

30-B-a016 **晋阳高速** [Jìnyáng Gāosù] 高速。从晋城市牛匠村至阳城县。在牛匠村与二广高速长晋和晋济段相接，在北音与阳侯高速相接。总长36.029公里。牛匠至润城为S86晋运高速的一段，润城至阳城为S8611润阳高速，1996年5月1日开工建设，1997年12月25日竣工通车。牛匠至润城为一级路，润城至阳城为二级路，沥青混凝土路面，路基宽21.5米。联通了晋南和晋东南地区，对于改善晋东南投资环境，突出晋城独特区位优势，建设经济强市，具有十分重要的意义。

30-B-a017 **离军高速** [Líjūn Gāosù] 高速。从吕梁市离石区乔家塔村至吕梁市柳林县军渡乡晋陕界。在乔家塔村与汾离高速相接，在军渡乡与陕西吴堡至子州高速相接。总长38.15公里。2005年12月19日开工建设，2007年12月18日建成通车。一级路，沥青混凝土路面，受地形限制部分路段采用分离式路基，单侧路基宽12.25米。G20青银高速的一段，是全省西跨黄河，通往陕西和四川的重要通道。

30-B-a018 **临汾绕城北环高速** [Línfén Rào chéngběihuán Gāosù] 高速。北环从洪洞县曲亭镇薄村西南到京昆高速祁临段明姜互通，故又称明曲高速。在曲亭镇与长临高速相交，在明姜互通与京昆高速祁临段相接。总长19.255公里。2009年8月5日开工建设，2012年8月28日通车运营。一级路，沥青混凝土路面，路基宽26米。高速统一编号为G0501，联通G5京昆高速和G22青兰高速，形成临汾北、东南和西高速环线，与临汾内环一级公路、大西高铁和机场共同构成临汾市立体交通网络。

30-B-a019 **临侯高速** [Línhóu Gāosù] 高速。从临汾尧都区泊庄至运城市新绛县店头村。途经襄汾县，在泊庄镇与祁临高速相接，在店头村与侯运高速相接。总长48公里。2001年3月1日开工建设，2002年10月14日建成通车。一级路，沥青混凝土路面，路基宽28.5米。G5京昆高速的一段，是山西南北高速公路骨架的重要路段。

30-B-a020 **临吉高速** [Línjí Gāosù] 高速。从临汾市襄汾县南辛店乡至吉县苇子湾黄河特大桥。途径乡宁县。在南新店乡与长临高速相接，与临侯高速相交。总长101.038公里。2009年8月5日开工建设，2012年8月23日通车运营。一级路，沥青混凝土路面，路基宽24.5米。G22青兰高速的一段，对于临汾地区横跨黄河、西联陕西有重要意义。

30-B-a021 **灵河高速** [Línghé Gāosù] 高速。从忻州市繁峙县至河曲县。途径代县、原平、宁武、神池、五寨、偏关。在繁峙与荣乌高速相交，在原平与二广高速相交，在神池与呼北高速相交。总长223.667公里。分三段建设，繁峙至原平大营段2011年3月31日开工，2014年11月19日通车；原平大营至神池段2013年5月开工，2016年12月通车；神池至河曲段2011年4月28日开工，2014年9月25日建成通车。一级路，沥青混凝土路面，路基宽24.5至26米。灵河高速是贯穿忻州市东西的一条辅助高速线路，对于打通忻州东西部交通，连接河北和陕西有重要意义。

30-B-a022 **吕梁绕城北段高速** [Lǚliáng Rào chéngběiduàn Gāosù] 高速。从吕梁市方山县大武镇闫家山村北至离石区田家会街办上楼桥居委会西。在闫家山村北通过大武枢纽与呼北高速临离段相接，在田家会通过交通枢纽与青银高速汾离段相接。全长43.276公里。2011年4月开工建设，2015年11月10日通车运营。一级路，沥青混凝土路面，路基宽24.5米。统一编号为S5502，与呼北高速、青银高速一起构成吕梁绕城高速环线，有效改善吕梁市区周边的交通运输条件。

30-B-a023 **祁临高速** [Qílín Gāosù] 高速。从晋中市祁县城赵镇至临汾市尧都区泊庄镇，途经晋中市平遥、介休、灵石及临汾霍州、洪洞。在城赵镇与太祁高速相接，在泊庄镇与临侯高速相接。总长 175 公里。2000 年 12 月 26 日开工建设，2003 年 9 月 28 日竣工通车。一级路，沥青混凝土路面，路基宽 24.5 米。G5 京昆高速的一段，也是晋中与晋南地区沟通的重要路段。祁临高速是山西省首次采用亚洲国家开发银行贷款修建的高速项目。

30-B-a024 **荣乌高速** [Róngwū Gāosù] 高速。山西境内从晋冀界大同市灵丘县驿马岭至晋蒙界朔州市平鲁区二道梁。途经浑源、应县、山阴。在山阴合盛堡与二广高速相交。东段从灵丘县驿马岭至山阴县合盛堡。2009 年 6 月 10 日开工建设，浑源至山阴段 2010 年 12 月 30 日建成通车，灵丘至浑源段 2012 年 3 月 12 日建成通车。西段从山阴县合盛堡至平鲁区二道梁。2010 年 11 月开工建设，2014 年 7 月 25 日建成通车。一级路，沥青混凝土路面，路基宽 26 米。国家高速公路山东荣成至内蒙古乌海的 G18 荣乌高速的一段，是横穿雄安新区的第一条高速公路，也是“一带一路”的重要组成部分，对于沟通晋北地区东西向交通，便利与河北和内蒙古之间交通有重要作用。

30-B-a025 **孙右高速** [Sūnyòu Gāosù] 高速。从大同市阳高县晋冀界孙启庄至朔州市右玉县右卫镇晋蒙界杀虎口村，途经阳高县、云州区、平城区、新荣区、左云县。在孙启庄与河北宣大高速相接，在右卫与内蒙古和林格尔至杀虎口高速相接。总长 162 公里。分两段，东段孙启庄至大同，1998 年 8 月 15 日开工建设，2000 年 9 月 21 日建成通车；西段大同至朔州市右玉县右卫镇杀虎口村，2009 年 1 月 5 日奠基，5 月 7 日开工建设，2010 年 12 月 25 日通车运营。一级路，水泥混凝土路面，东段路基宽 28.5 米，西段路基宽 24.5-26 米。编号为 S30，山西高速公路网络最北端的横线，便利了晋北地区与河北、内蒙古之间的交通联系，对推动晋北地区社会经济发展起到了积极作用。

30-B-a026 **太古高速** [Tàigǔ Gāosù] 高速。从太原绕城高速西北环东社枢纽至古交市河口镇。在东社枢纽与太原绕城高速相接。全长 23.404 公里。2007 年 11 月 11 日奠基，2008 年 12 月 26 日开工建设，2012 年 7 月 12 日通车运营。一级路，沥青混凝土路面，路基宽 24.5 米。经过太原西山，建有全长 13.65 公里的西山特长隧道，是山西省最长、全国第二长的公路隧道。太原通往重要的煤炭产地古交市的高速线路，对于古交市的经济发展，对于加强太原市区与古交市的交通联系有重要作用。

30-B-a027 **太旧高速** [Tàijiù Gāosù] 高速。从太原市武宿至省界阳泉市旧关。途经榆次区、寿阳县、阳泉市、平定县。在武宿与太原绕城高速公路相接。总长 158 公里。1993 年 5 月 18 日分东、中、西三段开工建设，1995 年 10 月 1 日东、西段建成通车，1996 年 6 月 25 日全线建成通车。一级路，水泥混凝土或沥青混凝土路面，路基宽度西段 26 米，中段 24.5 米，东段 21.5 米。跨石太铁路线、特大桥 3 座、大中桥 61 座、小桥 13 座。国家高速公路 G20 青银高速的一段，山西第一条高速公路，通向环渤海经济区，沟通东西部地区的重要交通干线，对振兴山西经济具有重要意义。

30-B-a028 **太临高速** [Tàilín Gāosù] 高速。从太原绕城高速向阳店互通至吕梁市临县黄河晋陕界。途径太原市尖草坪区、阳曲县、静乐县、娄烦县、岚县、兴县。在临县与呼北高速相交。全长 214.428 公里。2008 年 12 月开工，2010 年 12 月 24 日通车。过黄河后与陕西佳县联通，成为太原西部的又一重要出口，沿途通过吕梁山区腹地，对于发展吕梁革命老区的经济和旅游有促进作用。

30-B-a029 **太祁高速** [Tàiqí Gāosù] 高速。从太原市罗城经过夏家营至祁县城赵镇。途经太原市晋源区、清徐县、交城县、文水县。在罗城与太原绕城高速相接，在夏家营与夏汾高速相接，在祁县与祁临高速相接。总长 62 公里。2001 年 2 月 8 日开工建设，2002 年 10 月 25 日竣工通车。一级路，沥青混凝土路面，路基宽 28.5 米。太祁高速太原罗城至夏家营段属于 G20 青银高速和

G5 京昆高速重合的一段，夏家营至祁县段属于 G5 京昆高速的一段，也是沟通山西南北的“中纵主干线”大运高速的重要路段。

30-B-a030 **太阳高速** [Tàiyáng Gāosù] 高速。从山西省阳泉市平定县岔口乡神水泉东至太原市尖草坪区阳曲镇新兴村。途经平定县、阳泉市郊区、盂县、阳曲县、尖草坪区；西与太原绕城高速、二广高速相接。总长 124 公里。2010 年 3 月 28 日开工建设，2012 年 3 月 6 日正式通车。一级路，沥青混凝土路面，路基宽 33.5 米。横穿太行山区，建设难度大，技术要求高，全程设特大桥 2 座、大桥 49 座、中桥 2 座、分离式交叉 13 处、小桥和通道 79 座、涵洞 97 座、隧道总长 23 公里，其中特长隧道 3 座。G5 京昆高速的一段，故也称京昆高速平阳段，山西省投资最大的一条高速公路，对完善全省公路网布局、缓解山西东部出省交通压力、推动全省融入东部地区等具有重大意义。

30-B-a031 **太原绕城东环段高速** [Tàiyuán Ràochéng Dōnghuánduàn Gāosù] 高速，也称太原东山过境高速。从太原市阳曲县至武宿。在阳曲与原太高速相接，在武宿与太旧高速相接。全长 26 公里。1993 年 7 月 1 日开工建设，1996 年 10 月 27 日竣工通车。一级路，沥青混凝土路面，路基宽度 24.5 米。G55 二广高速的一段，也是 G2001 太原绕城高速的一段，全省大字形公路规划网的中心路段，在全省及太原市公路交通运输中起着极其重要的作用。

30-B-a032 **太原绕城南环段高速** [Tàiyuán Ràochéng Nánhuánduàn Gāosù] 高速，也称太原南过境高速。从太原市武宿到罗城。在武宿与太旧高速相接，在罗城与太祁高速公路相接。全长 14 公里。1998 年 3 月 28 日开工建设，1999 年 10 月 20 日竣工通车。一级路，沥青混凝土路面，路基宽度 28 米。G20 青银高速的一段，也是 G2001 太原绕城高速的一段，也是大运高速公路的组成部分，对于缓解太原市交通压力，减少城市污染，促进经济发展具有重要意义。

30-B-a033 **太原绕城西北环段高速** [Tàiyuán Ràochéng Xīběihuánduàn Gāosù] 高速。从太原市阳曲县至罗城。在阳曲与原太高速公路相接，在罗城与太祁高速公路相接。总长 42.9 公里。2003 年 3 月 28 日开工建设，2004 年 11 月 28 日开通运营。一级路，沥青混凝土路面，路基宽度 24.5 米。G5 京昆高速的一段，也是 G2001 太原绕城高速的一段，有效缓解太原市区交通压力，促进太原西北部经济发展。

30-B-a034 **太长高速** [Tàicháng Gāosù] 高速。从太原市小店互通立交至长治市潞州区下秦村。途经晋中市榆次区、太谷县、榆社县、长治市襄垣县、屯留区、潞城区。在小店与太原绕城高速相接，在下秦村与长晋高速相接。总长 199.5 公里。2003 年 10 月 18 日开工建设，2005 年 11 月 8 日竣工。一级路，沥青混凝土路面。沿线地形复杂，特大桥 77 座，中桥 31 座，小桥 104 座，涵洞 381 道，隧道 16 座。继大运高速之后投资最多、规模最大、线路最长的高速项目，它的建成通车标志着山西全省“人”字形高速公路骨架基本完成。

30-B-a035 **天黎高速** [Tiānlí Gāosù] 高速。从大同市天镇县到长治市黎城县。途径阳高县、云州区、浑源县、繁峙县、五台县、盂县、阳泉郊区、平定县、昔阳县、和顺县、左权县。在云州区与孙右高速相交，在浑源至王庄堡一段与荣乌高速共线，在五台与五保高速相交，在盂县与太阳高速相交，在阳泉与太旧高速相交，在左权与东吕高速相交，在黎城与青兰高速相交。分多段建设，尚未完全建成。天镇至大同段 2012 年 4 月 28 日通车，长 96.99 公里；大同至浑源段 2012 年 5 月 30 日通车，长 43.591 公里；王庄堡至繁峙段 2013 年 11 月 9 日通车，长 58.657 公里；五台至盂县段 2016 年 8 月 3 日通车，长 75.205 公里；盂县至阳泉段 2011 年 5 月通车，长 40.955 公里；阳泉至左权段 2014 年 7 月 28 日通车，长 91.252 公里；左权至黎城段 2016 年 7 月 12 日通车，长 78.003 公里。一级路，沥青混凝土路面，路基宽 24.5 米。天黎高速是山西东部新建的一条南北向的交通大动脉，贯穿了太行山腹地，对于太行山地区社会经济发展有重要促进作用。

30-B-a036 **五保高速** [Wǔbǎo Gāosù] 高速。从晋冀交界的五台长城岭至晋陕交界的保德县杨家湾乡前会村保德黄河大桥。途经忻州市五台县、定襄县、忻府区、静乐县、岢岚县。在忻州市部落村与二广高速相交。分二段建设，东段五台至忻州段于2009年1月开工建设，2011年12月06日建成通车，西段忻州至保德段2007年11月11日开工建设，2011年12月30日建成通车。五保高速是国家高速公路从沧州到榆林的沧榆高速G1812的一段，沧榆高速G18荣乌高速的联络线之一。

30-B-a037 **夏汾高速**［Xiàfén Gāosù］高速。从交城县义望村至汾阳市河北村。途经文水县。在河北村与汾离高速相接，在义望村与太祁高速的罗夏段相接。总长56公里。1998年10月12日开工建设，2000年10月28日竣工。一级路，水泥混凝土路面，路基宽26米。G20青银高速的一段，完善了太原至吕梁山区的交通联系，促进了吕梁革命老区的发展，完善了山西高速公路主骨架。

30-B-a038 **忻州绕城东南段高速**［Xīnzhōu Ràochéng Dōngnánduàn Gāosù］高速。从忻州市忻府区高铺村南至杨芳乡西营村东。在高铺村通过交通枢纽与原太高速相接，在西营村东与沧榆高速相接。全长31.704公里。2010年12月开工建设，2014年11月25日建成通车。一级路，沥青混凝土路面，路基宽26米。统一编号为S5502，与沧榆高速、原太高速一起构成忻州绕城高速环线，有效改善忻州市区周边交通运输条件。

30-B-a039 **新原高速**［Xīnyuán Gāosù］高速。从山阴县新广武村至原平市城东。途经代县。在新广武与大新高速相接，在原平与原太高速相接。总长57.5公里。2001年8月开工建设，2003年9月建成通车。沥青混凝土路面，路基宽24.5米。国家高速公路G55二广高速的一段，它的建成完成了从大同到太原的高速通道线路，晋北地区通往省会太原的高速主干道建设完毕。

30-B-a040 **阳泉绕城东段高速**［Yángquán Ràochéng Dōngduàn Gāosù］高速。从太阳高速K45+360处至旧街乡新店村。北与太阳高速相接，在新店村与太旧高速相接。总长22.5公里。2011年5月开工建设，2014年12月29日通车运营。一级路，沥青混凝土路面，路基宽24.5米，分离式路基宽12.25米。G5京昆高速与G20青银高速的连接线，统一编号为G2002，阳泉绕城环线全部贯通，对于完善阳泉市周边交通起到重要作用。

30-B-a041 **阳翼高速**［Yángyì Gāosù］高速。从晋城市阳城县到临汾市翼城县。在阳城县北音村与晋阳高速相接，在翼城县与翼侯高速相接。长64.8公里。2007年9月19日开工建设，2010年10月25日通车运营。一级路，沥青混凝土路面，路基宽23米。S80陵侯高速的一段，通过与东西两端的晋阳高速和翼侯高速相接将晋东南与晋南两地连在一起，便利了两地的交通运输往来。

30-B-a042 **翼侯高速**［Yìhóu Gāosù］高速。从临汾市翼城县至侯马市。在翼城县与阳翼高速相接，在运城市新绛县店头镇赵康枢纽与京昆高速临侯和侯禹段、侯运高速相接。全长66.791公里。2005年2月16日开工建设，2007年11月6日建成通车。一级路，沥青混凝土路面，路基宽24.5米。S80陵侯高速的一段，山西省第一条采用BOT模式建设的高速公路，将晋东南与晋南地区联系起来，便利了两地交通运输。

30-B-a043 **榆祁高速**［Yúqí Gāosù］高速。从榆次龙白村至祁县城赵镇修善村。在榆次与太旧高速相接，在祁县与太长高速相接。全长71.588公里。2009年9月1日开工建设，2012年7月19日通车运营。一级路，沥青混凝土路面，路基宽24.5米。太旧高速与太长高速的连接线，对于疏解太原南出口交通压力有积极意义。

30-B-a044 **原太高速**［Yuántài Gāosù］高速。从忻州市原平市张村西至太原市阳曲县，途经忻府区。在张村西与新原高速公路相接，在阳曲镇西与太原绕城高速相接。总长94.019公里。1996年11月26日开工建设，1998年9月15日建成，9月26日正式通车。一级路，沥青混凝土路面。G55二广高速的一段，也是大运高速最早建成运营的一段，是山西省第一条双向六车道、全封闭、全立交高速公路，改善了太原北向的交通运输条件，促进忻州地区与省会太原的联系。

30-B-a045 **运城绕城西南段高速**［Yùnchéng Ràochéng Xīnánduàn Gāosù］高速。从运城市

西北金井镇长江府村东至东郭南界滩村北。在长江府村东立交枢纽与运风高速相接，在东郭南界滩村北与运三高速相接。全长 81.224 公里。2007 年 2 月 9 日开工建设，2009 年 8 月 4 日建成通车。一级路，沥青混凝土路面，路基宽 24.5 米。统一编号 S5902，与侯运高速、运风高速和运三高速共同构成了运城绕城高速环线，有效改善运城市区周边的交通运输条件。

30-B-a046 **运风高速**［Yùnfēng Gāosù］高速。从运城市盐湖区西留村至芮城县风陵渡镇。途经永济市。在西留村与侯运高速相接，在风陵渡与西潼高速相接。总长 90 公里。运风高速是在原一级公路基础上改建，1998 年 6 月 29 日开工建设，1999 年 9 月 29 日竣工，2000 年 7 月正式运营。一级路，沥青混凝土路面，路基宽 21.5-24.5 米。省道编号为 S87，沟通了运城市与陕西潼关之间的交通，是南出山西的重要通道，打开了山西的西大门，对促进黄河金三角地区社会经济发展有重要作用。

30-B-a047 **运三高速**［Yùnsān Gāosù］高速。从侯运高速盐湖区燕家卓互通至平陆县三门峡大桥。途经夏县。在燕家卓互通与侯运高速相接。总长 42.6 公里。1998 年 6 月 29 日开工建设，2001 年 9 月 28 日竣工。一级路，沥青混凝土路面，路基宽 24.5 米。省道 S75 侯平高速的一段，跨越了中条山，沟通了运城与河南三门峡市，对于加强运城与周边省市联系起到重要作用。

30-B-a048 **长邯高速**［Chánghán Gāosù］高速。从长治市黄碾镇安阳村至晋冀交界处黎城下湾村。途经潞州区、潞城区、黎城县。在安阳村与太焦高速相接。总长 54.5 公里。2000 年 3 月 30 日开工建设，2002 年 9 月 28 日建成通车。一级路，沥青混凝土路面，路基宽 24.5 米。G22 青兰高速的一段，是晋东南连接河北邯郸进而连接北京、东北和沿海地区的重要政治和经济大通道。

30-B-a049 **长晋高速**［Chángjìn Gāosù］高速。从长治市下秦村至晋城市牛匠村。途经长治市上党区、晋城市高平市、泽州县。在下秦村与太长高速相接，在牛匠村与晋侯、晋济高速公路相接。总长 93 公里。2002 年 9 月 29 日开工建设，2004 年 11 月 16 日竣工。长晋高速沿线地形复杂，共有大桥 11 座，中桥 32 座，小桥 54 座，涵洞 226 道。长晋高速是晋东南长治和晋城两市之间的高速公路，也是全省“人”字形高速公路骨架的重要组成部分。

30-B-a050 **长临高速**［Chánglín Gāosù］高速。从长治市屯留区崔邵村至临汾市襄汾县南辛店乡。途径长子县、安泽县、古县、洪洞县、尧都区。在崔邵村与长邯高速相接，与太长高速相交；在南辛店与临吉高速相接，与临侯高速相交。总长 166.234 公里。2015 年 1 月 3 日开工建设，2019 年 2 月 4 日建成通车。一级路，沥青混凝土路面，路基宽 24.5 米。G22 青兰高速的一段，将晋东南与晋南两个区域连接起来，大大便利了两地之间交通联系。

30-B-a051 **长平高速**［Chángpíng Gāosù］高速。从长治市平顺县晋豫界到壶关县逢善村。在逢善村与长治绕城环线高速相接。全长 42.4 公里。2009 年 6 月开工建设，2013 年 5 月 29 日建成通车。一级路，沥青混凝土路面，路基宽 24.5 米。长平高速深入太行山区，建设难度大，对于发展平顺地区太行山区经济和旅游有促进作用，也有助于建设东出太行的新通道。

30-B-a052 **长治绕城东南段高速**［Chángzhì Ràochéng Dōngnánduàn Gāosù］高速。从长治市潞城区西贾村至上党区官道村。在西贾村与长邯高速相接，在官道村与长晋高速相接。总长 58.243 公里。2009 年 6 月开工建设，2011 年 4 月 12 日通车运营。一级路，沥青混凝土路面，路基宽 26 米。统一编号为 G2201，连接了 G22 青兰高速和 G55 二广高速，完善了长治市区周边的道路网，形成了长治绕城环线。

30-B-b001 108 **国道**［108 Guódào］国道。从北京至昆明，也称京昆线，途经河北、山西、陕西、四川和云南数省，全长 3447 公里，由山西灵丘下北泉入境，途经繁峙、代县、原平、忻州、太原、榆次、太谷、平遥、介休、灵石、霍州、洪洞、尧都区、襄汾、曲沃、侯马、新绛、稷山，至河津禹门口出境。全长 742 公里。太原以北，阳明堡至太原段始建于 1920 年，1932 年修建大营至阳明堡段，1959 年将小路改建为大营至下北泉段道路；太原以南，1920 年至 1933 年，太原至侯马公路分段修建，1929 年，侯马至河津公路完工。1949 年之后对这些道路进行全面整修。水泥或沥青路面。纵贯山西南北，在全省政治、经济、文化建设中发挥着极其重要的作用。

30-B-b002 109 **国道**［109 Guódào］国道。从北京到拉萨，也称京拉线，途经河北、山西、内蒙古、宁夏、甘肃、青海、西藏，全长 3763 公里，由山西阳高县孙启庄入境，途经大同县、南郊区、左云县、右玉县，至朔州市平鲁区二道梁出境。全长 224 公里。孙启庄至大同段，1953 年在古代驿道基础上修建公路，1934 年修建大同至云冈旅游公路，1937 至 1938 年修建拓宽大同至右玉的同右公路，1969 年在三线建设背景下，大同至二道梁国防公路竣工通车。沥青路面。山西北部东西走向的一条主要运煤路线，对于沿线云冈石窟文化遗产的保护和发展也起到积极作用。

30-B-b003 207 **国道**［207 Guódào］国道。从内蒙古锡林浩特至广东省海安市，也称锡海线。途经河北、山西、河南、湖北、湖南、广西，全长 3317 公里，由山西盂县盘口村入境，途经阳泉市郊区、平定县、昔阳县、和顺县、左权县、黎城县、潞城区、长治市、上党区、高平市、晋城市，至泽州县道宝河村出境。全长 443 公里。盘口村至阳泉郊区二院一段，1972 年建成国防公路，二院至五渡段为民国时期阳泉至盂县公路的一段，义井至左权县城段为 1920 年所建的平辽公路；左权县城至方向岭 1968 年建成国防公路；方向岭至黎城段 1953 年整修民国所建黎辽公路，黎城至长治市区段为始建于 1930 年的长邯公路的一段，长治市区至新房洼一段为 1930 年所建白晋公路的一段，新房洼至道宝河是 1987 年所建国防公路。水泥或沥青路面。山西东部太行山地区一条主要干线公路，所经过之地是八路军抗日根据地的主要区域，对于革命老区和红色旅游发展都具有重要意义。

30-B-b004 208 **国道**［208 Guódào］国道。从内蒙古二连浩特至山西省长治市，也称二长线，全长 737 公里，从大同新荣区得胜口入山西境，途经南郊区、怀仁、山阴、代县、原平、忻府区、太原、祁县、沁县、襄垣、屯留，至长治市。全长 420 公里，其中大同南郊区马站至小南头与 109 国道重合，阳明堡至太原市司徒村与 108 国道重合。主要由得胜口至阳明堡段和太原至长治段两段构成，1923 年太原至大同建成公路，1945 年对大同至得胜口简易道路进行整修，太原至祁县东观是 1973 至 1981 年新建的二级公路，东观至长治原为 1930 年建成的白晋公路，1995 年新建二级路。水泥或沥青路面。纵贯晋北到晋东南，与 108 国道线路一起构成山西“人”字形公路主骨架，在山西公路体系中占有重要地位。

30-B-b005 209 **国道**［209 Guódào］国道。从内蒙古呼和浩特至广西北海市，也称呼北线，全长 3315 公里，从山西偏关县水泉堡入境，途经五寨、岢岚、岚县、方山、离石、中阳、交口、隰县、大宁、吉县、乡宁、河津、万荣、临猗、运城盐湖区、平陆，至茅津渡出境。全长 767 公里。水泉堡至岢岚段为 1940 年修建的简易公路，岢岚至岚县段为 1971 年在官道基础上扩建的简易公路，岚县至方山段为 1958 年在马车路基础上扩建的公路，方山至大武段为 1921 年所建的离石至方山支线公路，大武至离石段是 1958 年改建的简易公路，离石至中阳段为 1971 年改建的简易公路，中阳至交口界凤尾山段为 1950 年在官道基础上改建的简易公路，凤尾山至交口县城 1966 年改建公路，交口至大宁段为民国时期所建简易公路，大宁至河津段为 1935 至 1955 年陆续修建的公路，河津至运城段为 1935 年修筑，运城至茅津渡段 1921 年改建为大车路，1942 年改建为公路。水泥混凝土或沥青混凝土路面。大部分线路经过吕梁山等山区路段，很多道路都经过几十年反复改修扩建，逐步完善，目前绝大部分道路达到二级公路以上水平。209 国道纵贯山西南北，是山西境内最长的国道线路，对于吕梁山地区众多交通不便的县来说是非常重要的交通动脉。

30-B-b006 307 **国道**［307 Guódào］国道。从河北黄骅市至宁夏银川市，也称黄银线，全长 1256 公里，从阳泉市平定县旧关入山西境，途经阳泉、寿阳、太原市、清徐、交城、文水、汾阳、离石、柳林，从军渡出境。全长389公里，其中在阳泉市郊与207国道重合，在吕梁离市区与209国道重合。太原至阳泉段为1932年改建的公路，阳泉至平定段为1920年兴建的平辽公路的一段，平定至旧关段为1932年兴建的简易公路，太原至汾阳段的公路为1920年采取以工代赈方式修建，汾阳至军渡段为1921年修建的黄河公路的一段。1950年整修太原至军渡公路，1958年对太原至军渡公路进行加宽扩建。东西向经过太原，打开了省会东出河北、西入陕西的东西大门，特别是太原至旧关段是山西经过河北通往京津地区的重要通道。

30-B-b007 309 **国道**［309 Guódào］国道。从山东荣成至甘肃兰州，也称荣兰线，全长1961公里，从黎城县下浣村入境，途经潞城、屯留、安泽、古县、洪洞、临汾尧都区、乡宁，至吉县七狼窝过黄河大桥。全长356公里。下浣至潞城段为1930年建的简易公路，潞城至黄碾段1952年建成简易公路，黄碾至常村段为1930年白晋公路的一段，常村至屯留段为1953年建的常屯线，屯留至花叶沟段为1945年建的临屯公路，花叶沟至洪洞甘亭段为日伪时期建设的简易公路，甘亭至临汾段与108国道重合，临汾至七狼窝段为1937至1943年建的简易公路，1968年被列为国防公路建设，1971年竣工通车。山西省南部连接河北、陕西的一条重要通道，是通往壶口瀑布的一条主要旅游公路。

30-B-c001 **省道川荫线**［Shěngdào Chuānyīn xiàn］省道。从长治市壶关县与林州市交界处的川底村至上党区荫城镇，编号为S327。全长68.636公里。始建于1988年，历时四年，1992年10月竣工通车，1997年进行拓宽改造。二级路或三级路标准，沥青混凝土路面。晋煤外运的出口公路之一，穿过太行山区通往河南，从层峦叠嶂的峡谷之中穿行，长治市通往林州市的最短路线。

30-B-c002 **省道大灵线**［Shěngdào Dàlíng xiàn］省道。从大同市水泊寺至灵丘县庄头，编号为S203。途径浑源，南与省道马走线相交。全长137公里。大同至灵丘古有驿道通行，但路况低劣，1915年民间集资进行修建，1943年建成公路通行汽车，1952至1965年对道路进行反复改修、扩建，1969年至1979年逐段铺装沥青路面，1990年至2004年逐段建成二级路。大同市通往浑源和灵丘两县的道路，对于加强两县与大同的交通联系有重要作用，途径北岳恒山，对于推动恒山和悬空寺的旅游有重要意义。

30-B-c003 **省道大石线**［Shěngdào Dàshí xiàn］省道。从大同市口泉至五台县石咀乡，编号为S205。途径怀仁、应县、繁峙，中与208国道，310、311、313省道相交。全长188公里。大同市郊区至榆林村段1941年在小道基础上改建大车道，怀仁鹅毛口至应县刘庄段始建于日伪时期，1952年整修，刘庄至石咀段是大石线忻州部分，山高坡陡，刘庄至砂河段1958年改建大车路，1969年建成国防路，砂河至台怀镇为1927年至1936年建的简易公路，台怀镇至石咀段1958年在原五台山朝拜的御道基础上改建，1965年列入国防公路。省道大石线途径佛教圣地五台山，对于五台山旅游发展有重要意义。

30-B-c004 **省道大忻线**［Shěngdào Dàxīn xiàn］省道。从大同市西花园至忻州市忻口，编号为S206。途径怀仁、山阴、朔城区、宁武、原平，中与208国道相交。全长231.6公里。西花园至西韩岭段为大同至阳明堡线起点段，西韩岭至秀女村为1989年新建二级路，从怀仁八里庄入朔州境至原平忻口段大部分为1989至1990年所建大运公路的一段，其中原平至马圈段为原来的县道，其它大部分为新建道路。省道大忻线大部分经过河谷平川地带，水泥混凝土或沥青混凝土路面，大部分达到二级路标准。省道大忻线的总体走向与208国道一致，是晋北大同至忻州两地市之间的又一重要通道，有效缓解高速和国道通行路线。

30-B-c005 **省道东夏线**［Shěngdào Dōngxià xiàn］省道。从晋中市祁县东观至灵石县夏门，编号为S221。途径平遥、介休。大部分路段与108国道伴行。全长102.801公里。原为108国道的一部分，1989至1990年改建二级公路时，由于这一段穿越城镇和村庄较多，又紧靠同蒲铁路，于是改线建设。二级路，沥青混凝土路面。108

国道的伴行线路，有效缓解 108 国道交通压力。

30-B-c006 **省道东长线**［Shěngdào Dōng chángxiàn］省道，从祁县东观镇至长治郊区北寨村，编号为 S220。途径武乡、襄垣。中与二广高速相交，大部分线路与 208 国道并行。全长 142 公里。东长线原为 1930 年所建白晋公路的一段，1948 年进行整修，1953 年至 1966 年陆续对道路进行改建、改造和拓宽，1974 年全线建成油路。1991 年修建东观至长治二级汽车专用公路，1995 年建成通车，新二级路建成后，原道路降为省道，交通量变少，路况也每况愈下。民国时期的白晋公路在东观与太原至风陵渡的公路相接，形成山西公路系统最主要的“人”字形骨架，1995 年 208 国道新二级路建成后，原道路成为 208 国道辅路，重要性下降，但对疏解交通压力也起到积极作用。

30-B-c007 **省道董榆线**［Shěngdào Dǒngyú xiàn］省道。从晋冀交界的和顺县董坪沟至榆次区北关，编号 S318。中与 207 国道相交。全长 155.5 公里。董坪沟至和顺县城为 1953 年在驮道基础上改建的简易公路，1965 年榆次区开始修建榆次至和顺县城的公路，其后陆续完工并升级改造，1979 年董榆线全线通车，2004 年改建工程完工，全线沥青路面，达到二级路标准。省道董榆线既是晋中市中部与东南部之间的重要通道，又是榆次区东出河北的一条辅助道路。

30-B-c008 **省道董元线**［Shěngdào Dǒng yuánxiàn］省道。从朔州市朔城区耿庄村元子河至右玉县董半川村，编号为 S241。途径平鲁区、山阴县。在董半川村与省道 211 相接。全长 62.55 公里。1996-1997 年新建的运煤专线公路。二级路，大部分路段为沥青混凝土路面。朔州市重要的运煤专线。

30-B-c009 **省道繁五线**［Shěngdào Fánwǔ xiàn］省道。从代县峨口镇西留属村至五台县豆村茹村，编号为 S213。途径繁峙县，北端与 G108 国道相接。全长 50.5 公里。西留属至大保段为 1958 年修建的铁矿专用道路；峨岭至豆村镇段是 1958 年修建的铺上至豆村简易公路，1965 至 1970 年修建战备公路时延伸到峨岭，与繁峙县道路接通；豆村至茹村 1965 年建成。五台县北通外县西干道，也是忻州东部重要循环公路，豆村至茹村段是五台山旅游公路的一部分，对于发展五台山旅游有重要意义。

30-B-c010 **省道汾介线**［Shěngdào Fénjiè xiàn］省道。从晋中市汾阳市至介休与孝义交界处的南姚村，编号为 S243。途径孝义市。在汾阳与 307 国道相接，在介休与 108 国道相接。全长 27.32 公里。2000 年开工建设，2001 年竣工通车。一级路，沥青混凝土路面。连接了 108 国道和 307 国道，便利了汾阳、孝义和介休几个县之间的交通。

30-B-c011 **省道汾柳线**［Shěngdào Fénliǔ xiàn］省道。从汾阳河北村至柳林，编号为 S340。全长 88.169 公里。途径孝义市、中阳县。原为国道 307，307 国道改线之后成为 307 复线，1993 年进行拓宽改造，1996 年竣工。大部分为二级公路，部分为一级公路，大部分为沥青混凝土路面。

30-B-c012 **省道汾屯线**［Shěngdào Féngtún xiàn］省道。从汾阳市至屯留张店镇，编号为 S222。途径平遥、沁源。西北与 307 国道相接，东南与 309 国道相接，中与 108 国道相交。全长 187.5 公里。汾阳至平遥段为 1921 年所建的平遥至军渡的黄河公路的一段，1959 至 1960 年平遥至沁源界建成简易公路，沁源至屯留段为 1924 年在古道基础上拓宽，新中国成立后做进一步拓宽，1990 至 2002 年分段进行二级路改造升级。省道冯屯线穿越太岳山区，很多线路沿沁河延伸，是除 208 国道等主要道路之外另一条晋中通往晋东南的重要道路，特别对沿线沁源县交通有重要意义。

30-B-c013 **省道汾张线**［Shěngdào Féng zhāngxiàn］省道。从吕梁市汾阳市至晋中市介休市张兰镇，编号为 S223。途径孝义市。在汾阳与 222 省道和 224 省道相接，在介休与 108 国道相交。全长 51.342 公里。汾阳至介休段为古官道，1935 年改为大车道，1950 年改为简陋公路。1990 年建为二级公路，1996—1998 年改为一级公路。介休至张兰段原为 108 国道的一段，改线以后完成改建。一级到二级公路，沥青混凝土或简易沥青路面。线路部分路段与 108 国道伴行，部分联通吕梁山区和汾河谷地，对于完善晋中盆地南部的交通网络起到重要作用。

30-B-c014 **省道古吴线**［Shěngdào Gǔwú xiàn］省道。从太原市古交市至吕梁市离石区吴城镇，编号为S219。途径交城县、文水县。在古交市与104省道相接，在吴城镇与307国道相接。全长119.836公里。太原市路段原为驮道，1958年建成铁厂的矿区铁路，1966—1967年建为国家战备公路。吕梁市路段原为1969年建设的国防公路。穿行于吕梁山区之中，古交通往吕梁市不再需要绕行太原市区，方便西出陕西的交通通道。

30-B-c015 **省道崞五线**［Shěngdào Guōwǔ xiàn］省道。从忻州市原平市崞阳镇至五寨县城，编号为S305。途径宁武县和神池县。在崞阳镇与108国道相接，在五寨县与209国道相接。总长117.484公里。分崞阳至宁武、宁武至阳方口、阳方口至神池、神池至五寨等几段分别修建，在原驿道、大车路、高脚路等道路基础之上分时段陆续修建而成。1996年确定为以五寨为终点的崞五线。二级或三级公路，沥青路面或水泥路面。108国道和209国道的东西向连接线，沟通了忻州中部地区的原平、宁武、神池和五寨四县，对于忻州西北部各县之间交通有重要意义。

30-B-c016 **省道韩河线**［Shěngdào Hánhé xiàn］省道。从五寨县韩家楼至河曲县城，编号为S308。在韩家楼与省道神保线相接。全长85公里。1952年始建，当时为在高脚驮道基础之上修建的大车路，1953—1956年进行拓宽整修。2005年进行二级路改造。二级路或三级路，水泥或沥青路面。穿行在晋西北黄土高原丘陵地带，直达黄河岸边，是晋西北地区通往陕北的重要通道之一。

30-B-c017 **省道河潞线**［Shěngdào Hélù xiàn］省道。从长治市平顺县晋豫界至潞城区微子镇，编号S324。在微子镇与207国道相接，在李庄与省道李东线相接。全长62.872公里。潞城区路段1954年建成简易公路，平顺县路段1956—1961年建为简易公路。二级、三级或四级公路不等，沥青简易路面。由207国道通往晋豫界的重要道路，长治穿越太行山东出河南的又一条重要道路。

30-B-c018 **省道洪永线**［Shěngdào Hóng yǒngxiàn］省道，从洪洞县堤村至永和关，编号为S328，途径蒲县、隰县、大宁、永和，东与108国道相接，其中隰县曹城至车家坡段与209国道重合。全长176.5公里。洪洞堤村至蒲县克城段原为赵克县道，1984至1985改建为三级路，克城至隰县曹城段原为乡道，车家坡至永和县城段20世纪50年代在大车道基础上改建，永和县城至永和关段原为县乡公路，1996年将上述几段道路整合为洪永线。省道洪永线为临汾北部通往陕西的交通路线，连接了108和209国道。

30-B-c019 **省道侯安线**［Shěngdào Hóuān xiàn］省道。从临汾市侯马市望桥街口至侯马闻喜两县市交界处，编号为S236。全长53.745公里。临汾市路段原为始建于1921年的太原至三门峡公路的一段，1990年大运线通车后成为辅助道路。运城市路段原为始建于1923年的太原至风陵渡公路。二级路至三级路标准，简易沥青路面。原为山西南部人字形交通网络的重要组成部分，逐步演变为辅助性道路，对于缓解同向高速压力有重要作用。

30-B-c020 **省道侯风线**［Shěngdào Hóufēng xiàn］省道。从临汾市侯马市林城至运城市芮城市风陵渡，编号为S235。侯马至运城盐湖区为二级路，运城盐湖区至风陵渡为侯风高速。全长175.317公里，侯马至运城盐湖区段长85.9公里。临汾市路段始建于1921年，1990年建成二级公路。运城市至盐湖区一段为1988-1990年新建的二级公路。侯马至运城盐湖区为二级路，沥青路面。侯马至运城盐湖区路段为原大运二级公路的一段，是山西人字形运输交通网络的重要组成部分，能起到缓解高速通行压力的作用。

30-B-c021 **省道虎山线**［Shěngdào Hǔshān xiàn］省道。从右玉县杀虎口至山阴县古城，编号为S211。中与二广高速、109、208国道相交，在古城镇与303省道相接。全长121公里。杀虎口至油坊段为原大同至杀虎口线的一段，1955年建成，1996年全部达到二级路标准，山阴县路段1951年在马车路基础上加宽整修，2005年建成二级路。省道虎山线已经实现沥青混凝土或水泥混凝土路面，全线达到二级路标准。省道虎山线出杀虎口进入内蒙古和林格尔，全线在朔州市境内，是一条重要的运煤路线。

30-B-c022 **省道积大线**［Shěngdào Jīdà xiàn］省道。从大同市天镇县晋冀界积儿岭至大同市御河桥，编号为S301。途径阳高县。全长103.095公里。原为1936年建成的大同至张家口简易公路，1970年为煤炭运输对线路进行改造和改线。全线建成二级路，水泥混凝土或沥青混凝土路面。线路沿线有丰富的煤炭、铁、铅、锌等矿藏，对于发展当地经济有重要意义。

30-B-c023 **省道九榆线**［Shěngdào Jiǔyú xiàn］省道。从晋冀交界的昔阳县九龙关至榆次北合流，编号S317。途径寿阳。中与207国道相交。全长162.5公里。全线由四段县乡路合并后组成，北合流至段延1987年在原有简易公路基础上改建而成，段延至芦家庄和芦家庄至昔阳县城段1959年建成公路，昔阳至九龙关段原为建国前的河滩路，通行困难，1955至1969年陆续分段修建为可通车的公路。晋中市中部与东部之间的重要通道，又是榆次区东出河北的一条辅助道路。

30-B-c024 **省道拒云线**［Shěngdào Jùyún xiàn］省道。从新荣区拒墙堡至云冈区，编号为S204。在云冈与G109国道相接。全长32.55公里。1942年修成简易公路，1962—1967年陆续对全线道路进行整修，1974至1977年对全线进行路基和路面技术改造，2003—2004年进行改建和升级。全线达到二级路标准，水泥混凝土和沥青混凝土各占一部分。晋蒙之间重要的交通线路，对于促进晋蒙之间的煤炭运输有重要作用。

30-B-c025 **省道岢大线**［Shěngdào Kědà xiàn］省道，从岢岚县至方山县大武镇，编号为S218，途径兴县、临县，南北两端均与209国道相接。全长199公里。忻州市路段为20世纪60年代中期所建的国防路，吕梁市路段由陆续兴建的四段公路构成，蔡家崖至青草沟公路全线、兴县县城至临县榆林段的临线公路、临县榆林至三交镇段的碛口公路，三交至大武段的三交西交公路，1996年对公路进行大规模改造。省道岢大线是209国道岢岚至方山县之间的一段绕行道路，大部分穿行在吕梁山区，弥补了209国道不通过兴县、临县两县县城的不足，方便了两县群众的出行。

30-B-c026 **省道岚马线**［Shěngdào Lánmǎ xiàn］省道。从吕梁市岚县至太原市娄烦县马家庄，编号为S217。在岚县与209国道相接。全长43.4公里。吕梁市路段原为白会线的一段，太原市路段本为驮路，日据时期建战地公路，1958年拓宽为简易公路。二级路至三级路不等，沥青混凝土和简易沥青路面。娄烦距离太原市区较远，又多为山区，岚马线沟通了娄烦县与209国道，大大便利了娄烦县的交通运输，

30-B-c027 **省道李东线**［Shěngdào Lǐdōng xiàn］省道。从长治市潞城区李庄至壶关县东长井，编号为S325。途径平顺县。在李庄与省道河潞线相接，在东长井与省道长平线相接。全长48.533公里。1954年在大车道和驮道基础之上将李庄至平顺路段修为简易公路，1956年修建长治至平顺公路。大部分为二级或三级公路。李东线连接了长治市区与壶关县、平顺县和潞城区，是长治市东部地区的重要道路。

30-B-c028 **省道临风线**［Shěngdào Línfēng xiàn］省道。从运城市临猗县至芮城县风陵渡，编号为S238。途径永济市。在临晋镇与省道万临线相接。全长93.282公里。临猗至永济市路段1950年在古驿道和大车道基础上建成简易公路，永济至风陵渡路段原为1927年修建的太原至风陵渡公路的一段。大部分路段为二级路，沥青混凝土路面居多。全线基本沿着黄河延展，对于完善黄河沿线公路交通网络有重要意义。

30-B-c029 **省道临磨线**［Shěngdào Línmó xiàn］省道。从临汾市解放东路至运城市绛县磨里村，编号为S230。途径浮山县和翼城县。在磨里村与省道沁东线相接。全长103.781公里。临汾市路段分为三段建设，临汾至浮山段为民国时期大车路，浮山至翼城段为50年代修建的县级公路，翼城至绛县界段原为县级公路。运城市路段为建于1962年的简易公路。联通临汾市东南部数县的重要交通路线，对于浮山和翼城等线南北向交通运输有重要意义。

30-B-c030 **省道临陌线**［Shěngdào Línmò xiàn］省道。从运城市临猗县至盐湖区解州镇陌南，编号为S239。在临猗县与省道临风线相接。全长61.7公里。1958年在原大车道基础上扩建为简易公路。1976-1978年重新规划线路改建。二级路到三级路标准不等，简易铺装路面。运城市区向临猗方向辐射的公路，与临猗南北向公路相接之后构成运城市西部的交通网络。

30-B-c031 **省道临午线**［Shěngdào Línwǔ xiàn］省道。从临汾市刘村至隰县午城镇，编号为S329。途径蒲县。在临汾刘村与108国道相接，在午城镇与209国道相接。全长91.828公里。1950年改建为三级公路，70年代以后分段陆续进行扩宽升级改造。沟通了108国道和209国道，成为临汾市西北部各县之间的重要交通路线。

30-B-c032 **省道临夏线**［Shěngdào Línxià xiàn］省道。从临汾至夏县庙前，编号为S232。途径襄汾、新绛、闻喜。北与309国道相接，南与209国道相接，中与侯运高速、108国道相交。全长143公里。临汾市所属路段是民国时期的大车道，新中国成立后进行拓宽改造，1997至1998年全线建成二级公路，临汾至闻喜段原为大车道，建国后改建为县道，闻喜至水头段为1923年所建太原至风陵渡道路的一段，水头经过夏县至庙前段为1954至1955年扩修改建而成。省道临夏线途经地区大部分为平川地区，道路平坦而交通繁忙，线路沟通临汾与运城两市，在两市之间缺乏国道的情况下，临夏线成为最重要的非高速公路之一，在山西的公路体系中有重要地位。

30-B-c033 **省道陵沁线**［Shěngdào Língqìn xiàn］省道，从陵川县杨寨河至沁水县龙港，编号为S322，途径泽州县、晋城城区、阳城县，东西均与省道坪曲线相接，中与二广高速、207国道相交。全长148公里。晋城至沁水段是1920年开始在清代驿道基础上修筑的公路，至1940年建成，晋城至陵川段也是清代驿道，民国年间开始修路，1941年建成，建国以后，多次进行整修拓宽，建成晋韩线和晋陵线，1996年合并调整为陵沁线。省道陵沁线是晋城市区通向沁水、阳城和陵川各县的主要道路，与省道坪曲线一起将晋城所属各县连接起来，是晋城市除高速国道外最重要的道路骨架。

30-B-c034 **省道马走线**［Shěngdào Mǎzǒu xiàn］省道。从天镇县马市口至河北涞源走马驿，编号为S201。途经河北阳原县、广灵县、灵丘县；中与孙右高速、109国道、省道大灵线相交。部分路段在河北省，在山西省境内155公里。马市口至一吐泉段1926年在原清代官道基础上通车，大湾至马头关段是1937年开通的土路，1964年重修改线，1986年国家建设天镇至走马驿的国防公路，1992年建成通车。沥青路面，大部分为二级路。大同市南北向道路，省内沟通大同东部几个县，省外联通大同与河北张家口市和保定市。

30-B-c035 **省道南沁线**［Shěngdào Nánqìn xiàn］省道。从晋冀交界处的左权县南岭村至沁源县交口镇，编号为S322。途径武乡、沁县。西与222省道相交通往沁源县城，中与208国道、207国道相交，其中左权县城至桐峪段与207国道重合。全长139公里。左权县所属路段除与207国道重合段外，左权至左武两县交界处、桐峪至南岭村两段均为20世纪80年代新建公路。左武交界至洪水为当地为煤炭运输在1974至1977自建公路，洪水至武乡县城建国前为马车道，建国后陆续改建为简易公路，武乡县城至沁县1940年在马车路基础上改建为简易公路，1956至1964进行了拓宽改造，沁县县城至沁源交口镇段1942至1943在原大车道基础上改建公路，目前省道南沁线大部分路段为沥青路面，达到二级路标准。省道南沁线沟通太行山区的沁源、沁县、武乡和左权等县，加强了它们之间的交通联系，途径麻田八路军总部，对红色旅游发展有重要作用。

30-B-c036 **省道南太线**［Shěngdào Nántài xiàn］省道。从晋冀交界的左权南坡至太谷县城，编号S319。途径榆社。西与108国道相接，中与207国道相交。全长175公里。左权至太原清代就有官道通行，1922年改建为大车道，1940年改建为汽车路，1950至1968年陆续对线路上难行路段进行改造、改线和拓宽，左权县城至南坡原为驮道，1956年至1976年分段陆续修建改建不同等级的公路。省道南太线既是晋中市中部与东南部之间的重要通道，又是榆次区东出河北的一条辅助道路，对改善沿线左权和榆社东西向交通条件有重要意义。

30-B-c037 **省道娘阳线**［Shěngdào Niáng yángxiàn］省道。从阳泉市平定县娘子关至郊区的白泉村，编号为S315。在白泉与207国道相接。全长31.843公里。20世纪70年代修建的国防公路，1972年9月动工，1974年6月10日建成通车。二级或三级路，沥青混凝土或水泥混凝土路面。联通207国道与晋冀界，是阳泉东出太行进入河北的辅助通道之一。

30-B-c038 **省道宁白线**［Shěngdào Níngbái xiàn］省道，从宁武县城至娄烦县白家滩，编号为S215，途径静乐县，北与省道崞五县相接，南与省道太克线相接。全长163公里。忻州段地形复杂，1958年宁武和静乐两县将沿线公路建为简易道路，2003年进行二级路改造，太原市路段为1958年建汾河水库时所建简易公路，2004至2005年进行了改造升级。大部分为二级公路，途径汾河水库是山西最大的水库，途径峰岭底村为山西早期革命家高君宇的故里，建有高君宇纪念馆。

30-B-c039 **省道宁应线**［Shěngdào Níngyìng xiàn］省道。从大同市左云县宁鲁至朔州市应县城，编号为S210。中与G208国道相交。全长96.839公里。1969年开工修建的国防公路，1972年建成通车，1980年划为省道，1994至1997年、2004年进行改建。大部分已经建成二级公路，沥青路面。对于左云县煤炭运输起到了重要作用，沿线曾有数十处煤矿，改建后有效缓解了道路运煤压力。

30-B-c040 **省道平风线**［Shěngdào Píngfēng xiàn］省道。从平陆县城至风陵渡，编号为S337。全长113.19公里。1941年日据时期在原大车道基础之上建成战时公路。1949年进行整修恢复。大部分为二级路，沥青路面。运城最南端沿黄河修建的公路，连接了运城南部运风和运三两条主要高速公路的终点，成为高速公路网的重要补充。

30-B-c041 **省道平朔线**［Shěngdào Píngshuò xiàn］省道。从朔州市平鲁区郑家营村至朔城区铺上村，编号为S212。北端与109国道相接，南端与208国道相接。全长53.988公里。原为日据时期修建的简易公路，1951年、1970—1974年、1981年、1993、1995年均有改建。全线路为沥青混凝土路面、二级公路，部分路段为一级路。平朔线是沟通两条国道的重要省道线路，便利了朔州市区与平鲁县之间的交通。

30-B-c042 **省道坪曲线**［Shěngdào Píngqū xiàn］省道。从晋冀交界的陵川坪上村至曲沃县苏村，编号为S331。途径高平、沁水、翼城。西与108国道相接，中与二广高速、207国道相交。全长236公里。沁高两县交界至陵川县道路为两县在原古道基础上陆续改造为简易公路，建国以后进行拓宽整修，1967年端氏至高平段列为国防道路，沁水县所属路段为1936年所修曲沃至高平公路的一段，临汾所属路段最早为建于1936年的大车路，1950至1958年进行拓宽改造。坪曲线横穿晋东南与晋南之间的高原丘陵地区，地势起伏，道路修建困难。线路东西分别与太焦、侯月两条重要的运煤铁路相交，联通晋城与临汾，是山西南部一条重要经济动脉。

30-B-c043 **省道祁方线**［Shěngdào Qífāng xiàn］省道。从祁县县城至方山县麻地会，编号S320。途径文水、交城。东与108国道相接，西与209国道相接，中与青银高速、307国道相交，其中文水县城至开栅与307国道重合。全长138公里。祁县至文水段建国前为马车路，建国后陆续改建，开栅至麻地会段为吕梁山区，建国前为驮道，1957至1958年陆续建成简易公路，2003至2004年分段进行二级路改造。省道祁方线沟通了108、307、209三条国道线路，途径的刘胡兰纪念馆是重要的红色旅游目的地，途径关帝山林区是山西四大林区之一，其中的木材、煤炭和药材等资源都依靠省道祁方线才能运出。

30-B-c044 **省道沁东线**［Shěngdào Qìndōng xiàn］省道。从晋城市沁水县五柳庄至运城市闻喜县东鲁村，编号为S334。途径绛县。在沁水与省道坪曲线相接。全长102.826公里。晋城市路段为20世纪60年代始建的县道，临汾市路段在原县乡道路基础上改建，运城市路段由多段道路组合而成，1996年将上述多段道路组合为省道。大部分为三级公路，部分二级公路或四级公路，以简易沥青路面为主。晋城市通往运城的一条捷径，在晋东南与晋南南部建立其一条便捷通道。

30-B-c045 **省道沁洪线**［Shěngdào Qìnhóng xiàn］省道。从长治市沁源县至洪洞县城，编号为S323。途径古县。在沁源县与省道南沁线和省道222相接，在洪洞与108国道相接。全长106.521公里。沁源至下庄口段原为1961年建成的县公路，下庄口至西乌岭段是1962年修建的简易公路，临汾县路段为1958年修成的简易公路。大部分为二级路或三级路。线路穿过太岳山脉，连接晋东南与晋南地区。

30-B-c046 **省道曲绛线**［Shěngdào Qǔjiàng xiàn］省道。从临汾市曲沃县苏村至绛县县城，编号为S234。在曲沃与省道坪曲线相接，在卫庄与省道沁东线相接。全长28.46公里。临汾市路段1953年在马车路基础上整修而成，1992年达到二级路标准。运城市路段日据时期在大车道基础上改建为战时公路，1996年建成二级路。全线二级路。连接曲沃和绛县两县，联通省道331和334两条东西向干线公路，便利了临汾运城两市交界处的交通运输。

30-B-c047 **省道神保线**［Shěngdào Shénbǎo xiàn］省道。从神池县腰店子村至保德县城，编号为S306。途径五寨县和河曲县。在腰店村与省道崞五线相接，在五寨县三岔镇与209国道相交。全长117.8公里。腰店镇至三岔镇始建于1935年，三岔至保德为1951年在高脚驮道基础上分段建设的公路。90年代为实现运煤目的进行了大量改造拓宽。全线达到二级路，水泥混凝土路面。忻州中西部连接陕北、跨越黄河的一条重要交通干线，是陕西神木、府谷等煤田往河北、北京运煤的主要通道，具有十分重要的经济价值。

30-B-c048 **省道石阳线**［Shěngdào Shíyáng xiàn］省道，从五台县石盆口至阳泉市，编号为S214，途径盂县，北与省道长原相接，南与207国道相接。全长158公里。忻州市路段为1966年作为国防公路建设，2003至2004年建成二级路，阳泉市路段分多段陆续建成，会里至下社路段1966年修建，下社至盂县段1954年建简易路，1967年建为国防公路，盂县至郊里段1957年至1958年建，荫营至李家庄段原为大车路，李家庄至五渡原系李白线的一段。省道石阳线穿越五台至阳泉之间的山区，使得两地不再需要绕行太原和忻州，方便了沿线群众生活。

30-B-c049 **省道双阳线**［Shěngdào Shuāng yángxiàn］省道。从阳泉市盂县仙人乡双山至太原市阳曲县城，编号S314。在东会里与207国道相交，在阳区县城108国道相接。全长123.41公里。阳泉市路段1964年建成简易公路，太原市路段是1955年在古道基础之上建成的简易公路。大部分路段为二级路，部分为一级路，大部分为沥青混凝土路面。太原至盂县之间的重要通道，整个线路走向与新建的太阳高速大体一致，可以缓解高速交通压力，改善晋东地区交通。

30-B-c050 **省道孙大线**［Shěngdào Sūndà xiàn］省道。从大同市阳高县晋冀界的孙启庄至大同市御河桥，编号为S302。途径云州区。全长56.133公里。元代开始就是大同至北京的驿道，1937—1939年建为公路，1953-1957年经过逐步整修，建为砂砾路面。改革开放以后，此线煤炭外运车流压力很大，线路进行了大规模整修。全线为一级路到三级路不等，水泥混凝土或沥青混凝土路面。线路原为109国道的北线，是大同煤炭外运的重要路线，现对缓解109国道和高速的交通压力有重要作用。

30-B-c051 **省道孙吴线**［Shěngdào Sūnwú xiàn］省道。从大同市阳高县晋冀界的孙启庄到吴官屯，编号为S339。小南头至西河河的一段与109国道重合。全长77.697公里。1983年开始为减少对市区干扰而改线修筑，1988年竣工通车。全线二级路，水泥混凝土路面。晋煤外运的重要通道，改革开放以后大同晋煤外运北出口的首批工程之一。

30-B-c052 **省道台乡线**［Shěngdào Táixiāng xiàn］省道。从临汾市乡宁县台头至乡宁寺院，编号为S342。在台头镇与309国道相接，在乡宁与209国道相接。全长41.923公里。1959年始建，从台头镇至乡宁城关，2005年延伸至寺院。全线为二级公路，沥青混凝土路面。309 国道与 209 国道之间的连接线，减少了绕行国道的时间，便利了乡宁北部的交通运输。

30–B–c053 **省道台襄线**［Shěngdào Táixiāng xiàn］省道。从乡宁县台头镇至襄汾县城，编号为 S231。在台头镇与 309 国道相接。全长 43.005 公里。1994—1995 年临汾市交通局贷款新建台头至光华段公路，光华至襄汾段 1989 年铺装为油路。全线为二级路，简易沥青路面。将襄汾与国道 309 国道相连，也便利了乡宁县东北部交通。

30–B–c054 **省道台忻线**［Shěngdào Táixīn xiàn］省道。从五台县台怀镇至忻州市，编号为 S311。途径定襄。东与 205 省道相接，西与 208 国道相接。全长 133 公里。台怀镇至茹村段原为民国时期的简易公路，1957 年进行改建整修，茹村至台城段为民国时期简易公路，五台县城至忻州原为清代驿道，1921 年、1936 年分段改建为公路，1984 年、1994 年至 1995 年，为发展五台山旅游对沿线公路进行改造升级，台忻线大部分升级为二级公路。省道台忻线从忻州是通往五台山中心位置台怀镇，是重要的旅游公路，对五台山旅游发展起到重要作用。

30–B–c055 **省道太克线**［Shěngdào Tàikè xiàn］省道。从太原市西铭至吕梁市临县克虎寨，编号为 S104。途径古交市、娄烦县、方山县。全长 228 公里。太原市路段为太原通往娄烦的太下线，后延伸至静乐，西铭至白家滩段为 1937 年在驮运道基础上修建，白家滩至马家庄段原为白会线，方山剪叶岭至马坊段 1971 年建成简易公路，马坊至焦家峪段与 209 国道重复，焦家峪至临县城郊的榆林段是 1968 年所建的国防公路，临县县城至克虎寨段是 1953 年在驮运道基础上改建。省道太克线从太原直达黄河边，全程穿行在吕梁山区，道路修建保养都非常困难，是太原通往黄河边最短的交通路线。

30–B–c056 **省道太小线**［Shěngdào Tàixiǎo xiàn］省道。从太原市坞城路南口到太原市小店镇大村，编号为 S103。全长 10.333 公里。1988 年开始规划踏勘选线，1989 年 7 月 1 日开工，1990 年 9 月 28 日竣工通车。水泥混凝土路面，路基宽 12 米。原国道 G208 辅道，太原南出口公路，能有效缓解太原市城区街道交通拥挤情况。

30–B–c057 **省道太长线**［Shěngdào Tàicháng xiàn］省道。从太原市至长治市，编号为 S102。途径榆次、太谷、榆社、武乡、襄垣。全长 215 公里。太原市小店区许坦至榆次段为 1920 年始建的太原至风陵渡公路的起点段，榆次至黄碾段始建于 1959 年，为给拟建的太焦铁路让路新建一条通往长治的公路，黄碾至长治段 1963 年在简易道路基础上加宽拓展。全线基本已铺装沥青路面，大部分建成二级公路。省道太长线是沟通太原和长治的重要经济通道，很多路段穿越工矿区，对于晋东南经济发展起到重要作用。

30–B–c058 **省道桃临线**［Shěngdào Táolín xiàn］省道。从吕梁市交口县桃红坡至临汾市马务，编号为 S224。途径汾西、霍州、洪洞。北与 321 省道相接，南与 309 国道相接。全长 152 公里。吕梁市路段为 1965 至 1966 在原小道基础上建成的简易道路，至霍县段 1952 至 1958 年修建的简易公路，霍州至马务段为 1990 年在原有道路基础上建成的大运二级公路的一段。省道桃临线南段大部分与 108 国道并行，北段经交口县进而与 209 国道相连，改善了吕梁山地区与汾河谷地的交通联系。

30–B–c059 **省道屯龙线**［Shěngdào Túnlóng xiàn］省道。从长治市屯留区至长子县龙泉村，编号为 S228。在屯留区与 309 国道相接，在龙泉村与 236 省道相接。全长 38.857 公里。屯留至长子县城段为 1957 年在原来驿道基础之上建成的简易公路，1978 年进行技术改造。长子县城至大堡头段 1955 年修为简易公路。大堡头至龙泉段原为乡村道路，1993–1994 年进行拓宽改造。大部分为二级公路，沥青路面。贯穿长子县南北的交通干线公路，对于长治市西南部的交通状况有很大改善。

30–B–c060 **省道万临线**［Shěngdào Wànlín xiàn］省道。从运城市万荣县城至临猗县临晋镇，编号为 S237。全长 67.588 公里。临晋至荣河段始建于 1926 年的沿黄军事线路。1957 年整修公路时从荣河延伸至万荣县城。大部分路段为二级路，少数为三级路或四级路，沥青混凝土或水泥混凝土路面为主。沿黄的万荣和临猗两县之间的主要交通路线，便利了两县之间的往来。

30-B-c061 **省道王大线**［Shěngdào Wángdà xiàn］省道。从大同市浑源县至忻州市繁峙县大营镇，编号为S240。在浑源县与省道大灵线相接，在大营镇与108国道相接。全长29.92公里。大同市路段1965年在原马车路基础上建成简易公路。2004年建成二级路标准。全线二级路，沥青混凝土路面。连接省道大灵线和108国道的重要支线线路，在抗战时期是晋察冀边区重要的交通路线，便利了大同市通往五台山旅游区的交通。

30-B-c062 **省道王横线**［Shěngdào Wáng héngxiàn］省道。从运城市垣曲县省界王古垛至横水，编号为S335。在横水与省道沁东线相接。全长98.645公里。1942年日据时期在原驿道、大车道和驮道基础之上建成战时公路。1953年为开采沿线矿产建设公路，此后不断改建完善。大部分为二级路或三级路，沥青混凝土或简易沥青路面。运城东南通往河南的重要出省公路，也是历史悠久的古道线路。

30-B-c063 **省道洗朔线**［Shěngdào Xǐshuò xiàn］省道。从广灵县洗马庄至朔州市，编号为S303。途径浑源、应县、山阴。中与208国道相交。全长197公里。洗马庄为晋冀交界处，洗马庄至应县罗庄段原为民国初广灵至保德公路的一段，原为马车路，1935年改建为公路，2003年进行二级路改建，罗庄至朔州段1937年建成公路，1992年至1995年大部分建成二级公路。省道洗朔线是朔州市通往河北的公路，加强了朔州与河北的直接联系，无需再绕道大同市区。

30-B-c064 **省道襄乡线**［Shěngdào Xiāng xiāngxiàn］省道。从襄汾县城至乡宁县樊家坪村，编号为S330。在襄汾县与108国道相接，在乡宁与209国道相接。全长74.348公里。20世纪30年代在马车路基础之上建成简易公路，新中国成立后不断维护改修。大部分为二级路或三级路，沥青混凝土或简易沥青路面。108国道与209国道之间的连接线，改变了乡宁交通不便的情况，便利了临汾市汾河谷地与西部吕梁山区之间的交通往来。

30-B-c065 **省道孝石线**［Shěngdào Xiàoshí xiàn］省道。从吕梁市孝义市城南至石楼县城，编号为S321。途径交口县。在孝义与省道223相接，在交口县城至石口与209国道共线。全长114.7公里。孝义至石口段1955年改建，石口至石楼段1959年在马车道基础上改建为简易公路。全线多为二级路和三级路，少部分为一级公路。道路沿线有煤炭、铝等重要矿产资源，是孝义及周边重要的经济动脉。

30-B-c066 **省道忻黑线**［Shěngdào Xīnhēi xiàn］省道。从忻州市至兴县黄河东岸的黑峪口，编号S313。途径静乐、岚县，东与二广高速、108国道相接，中与209国道相交。全长214公里。忻州至静乐段为1938年在大车道基础上改建的简易公路，1970年至1971年，忻州至静乐公路向岚县延伸至东村，为忻州至碛口公路的一段，东村至会里段为白家滩会里公路的一段，会里至蔡家崖段为1950至1951年在大车道基础上改建的简易公路，蔡家崖至黑峪口原为县乡道路，1996年，上述几段道路被划入省道忻黑线，2003至2005年对道路进行改造升级，全线达到二级路标准。省道忻黑线连接忻州市与晋陕交界黄河边，对开发旅游资源、改善投资环境、调整产业结构都有重要意义。

30-B-c067 **省道忻五线**［Shěngdào Xīnwǔ xiàn］省道。从忻州市新路村至五寨县城，编号S312。途径宁武。东与208国道相接，西与209国道相接。全长128公里。忻州至辛庄段为1938年在车马道基础上改建的公路，辛庄至宁武县界是1964至1965年修建的简易公路，宁武东寨至五寨县城段为1952年为开发芦芽山木材资源而修建的马车路，1958至1959年改建为简易公路。省道忻五线是南北走向的208、209国道之间东西向的连接线，方便了忻州市内部中部与西部之间的交通联络。

30-B-c068 **省道阎贾线**［Shěngdào Yánjiǎ xiàn］省道。从晋冀界的阎家庄至贾家峪大桥，编号为S345。在梁家寨与省道阳石线相接。全长29.504公里。1967年动工修建，1968年完工。二级路或三级路，沥青混凝土或简易沥青路面。部分路线沿着滹沱河北岸而建，山势险峻，是阳泉盂县通往河北的出省道路。

30-B-c069 **省道阳济线**［Shěngdào Yángjì xiàn］省道。从晋城市阳城县东河桥至省界三窑乡桥沟村，编号为S229。在阳城与省道332相接。全长42.86公里。1980年修成这条通往济源市的出口公路，因不能与河南接线长期搁浅，90后期进行升级改造。晋城通往河南济源市的重要交通通道，对于加强阳城县与河南济源市的联系有重要意义。

30-B-c070 **省道营运线**［Shěngdào Yíngyùn xiàn］省道。从临汾市乡宁县营里村至运城市盐湖区，编号为S233。途径稷山、万荣，南北均与209国道相接。全长135.7公里。营里至桥上一段为2005年路网改造中的新建道路，桥上至陈家山段原为1958年修建的简易公路，2005年进行翻修，陈家山至稷山段为1958年建成通车，1994至1995年整修，稷山至万荣段为1928年在大车道基础上修建，1955年建成运稷线，万荣至盐湖区段的运万线1959年建成，1978至1980年完成改造。营运线是209国道乡宁至运城段旁边的一条绕行线路，连接了稷山和万荣两县，改善了两县与运城市的交通联系。

30-B-c071 **省道盂榆线**［Shěngdào Yúyú xiàn］省道。从阳泉市盂县南关至晋中市榆次区，编号为S216。途径寿阳县。在盂县与214和314省道相接，在寿阳与307国道相交。全长84.936公里。阳泉市路段始建于1968年，为解决盂县煤炭运往寿阳火车站问题，1969年向榆次方向扩建。晋中市路段本为清代的一段官道，日据时期修建简易公路，1968年建成可通汽车公路。1983-1993年进行了技术改造。二级路至四级路不等，沥青混凝土路面。盂县煤炭可通过此路直达寿阳站和榆次站，转火车运输，对于区域经济发展有重要意义。

30-B-c072 **省道榆古线**［Shěngdào Yúgǔ xiàn］省道。从晋中市榆次区至太原市古交市，编号为S316。全长92.48公里。晋中市路段为1958年在民国时期榆次通往清徐铁路路基基础之上修建的公路，太原市路段由多条道路陆续修建组合而成，古交至西镇的战备公路最为著名。大部分路段为二级公路，沥青混凝土路面为主。太原市东西方向的大动脉，联通古交市与晋中市，使得古交去往晋中不再需要绕行太原市区。

30-B-c073 **省道运永线**［Shěngdào Yùnyǒng xiàn］省道。从运城市至永济市，编号为S336。在解州镇与省道239相交。总长56.233公里。历史悠久的运盐道路，1926年建成的太原到风陵渡公路的一段，1948年在抗战中断后恢复通车。全线为二级公路，沥青混凝土路面。运城市区通往永济市的重要道路，对于缓解并行的高速公路的通行压力有重要意义。

30-B-c074 **省道长安线**［Shěngdào Chángān xiàn］省道。从长治市西郊侯西庄村至临汾市安泽县城，编号S326。途径长子县。在安泽县城与309国道相接。全长105.995公里。长治市至长子县段为日据时期建的简易公路，长子县至于安泽交界处为20世纪50年代修建的几条公路组合而成。临汾市路段为1954年在建国以前大车道基础之上修建的公路。全线二级路，沥青混凝土路面。安泽是晋南与晋东南地区联络的重要节点，通过安泽的长安线是两地之间沟通的重要通道。

30-B-c075 **省道长晋线**［Shěngdào Cháng jìnxiàn］省道。从长治市米家庄至晋城市泽州县司徒村，编号为S227。途径上党区、高平市。在高平市与省道331相交，在司徒村与省道332相接。全长94.052公里。前身为民国时期的白晋公路，始建于1925年，1930年通车，是晋东南地区建设较早、影响很大的一条公路。抗战时期遭到破坏，建国后进行修整。大部路段为二级路，沥青混凝土路面。除207国道外沟通长治和晋城最重要的公路之一，晋东南地区的重要交通线路之一。

30-B-c076 **省道长陵线**［Shěngdào Cháng língxiàn］省道。从长治市南关至晋城市陵川县房山，编号为S226。途径上党区、壶关县。在荫城镇与省道川荫线相交，在杨寨村与省道长平线相接。全长51.2公里。长治市路段在长治建国后修为简易公路，1999年改建为二级公路。晋城市路段是新中国成立后改造的马车路，1953年改建为公路。大部分路段为二级路，部分为三级路，沥青混凝土路面为主。长治市沟通上党区、陵川县，通往河南林州、安阳等地的交通要道。

30-B-c077 **省道长平线**［Shěngdào Chángpíngxiàn］省道。从长治市北石桥至晋城市陵川县杨寨村，编号为S225。途径壶关县。在杨寨村与226省道相接。全长77.154公里。长治市路段解放初期为大车路，1955—1957年建成简易公路，此后陆续拓宽改造，2003—2005年改建为二级公路，部分路段为一级路。晋城市路段本为一条乡村小道，1970年改为简易公路，1998年改建为二级公路。大部分路段为二级路，少数为一级路，大部分为沥青混凝土路面，少数为沥青或水泥路面。贯穿太行山区长治晋城两市交界处，是太行山区通往河南的通道之一。

30-B-c078 **省道长神线**［Shěngdào Chángshénxiàn］省道。从阳高县长城乡至神泉堡，编号为S202。在长城乡与内蒙古自治区道路相接，在神泉堡与G109国道相接。全长65.714公里。长城至阳高县城段为古驿道，1968至1972年在原大车道基础上扩修；阳高至神泉堡段为民国时期大车道，日据时期建成公路。1992—1999年、2005年进行了多次拓宽、改造。全线大部分为二级路，部分为三级路，大部分为沥青混凝土路面，少数为水泥混凝土路面，路基宽12米。晋蒙之间重要的通道之一，在历史时期民族交往中起到了重要作用。

30-B-c079 **省道长原线**［Shěngdào Chángyuánxiàn］省道。从五台县晋冀交界的长城岭至原平市北，编号为S310。西与二广高速、208国道相接，中与大同至五台的省道大石线相交。全长137公里。长城岭至石盆口是1962年在原驮道基础上修建，石盆口至五台县城是1958年改建的简易公路，五台至原平段为1985年在原有简易道路基础上改建的运煤道路。省道长原线是忻州市中部和东部一条重要连接线，是向河北外运煤炭的又一重要通道，途径五台山佛教圣地，对推动旅游发展也有重要意义。

30-B-c080 **省道周琬线**［Shěngdào Zhōuwǎnxiàn］省道。从晋城市泽州县周村至晋豫界的琬子城，编号为S333。在黎川与207国道相交，在周村与省道陵沁线相接。全长49.7公里。1986年开工建设，1990年竣工通车。阳城、周村一带直达河南最便捷的公路，不必再绕行晋城市区，是山西东南部的出省公路之一。

30-C-a001 **大同南站**［Dàtóng Nánzhàn］铁路站，高铁站，位于山西省大同市平城区文瀛南路开源东街南侧。2018年6月11日开工建设，2019年12月30日投入运营。因位于大同市区南部而得名。截至2019年11月，大同南站站房工程总建筑面积为66151平方米，其中站房建筑面积39990平方米。交通设施主要有高铁站、站前广场及地下换乘枢纽、长途客运站、公交首末站、旅游集散中心、轻轨站等。截至2019年12月，大同南站站台规模为4台9线。大同南站是大西高速铁路的始发站、张大高速铁路的终点站，是晋北地区以铁路为主，集长途客运站、公交站、出租车、社会车、城市轨道交通站点等多种交通设施的综合交通枢纽。

30-C-a002 **大同站**［Dàtóng Zhàn］铁路站，特等站，位于山西省大同市平城区站前街4号。始建于1914年，1959年、1980年、1989、2015年共进行四次改扩建。截至2006年1月，大同站建筑面积33853平方米，主要建筑有主体工程三层，办公房屋五层，站台规模为7台48线。大同站是京包、同蒲和大秦三大铁路干线的交会点，是连接北京、天津、河北、山西、内蒙古五省级行政区和沟通华北、西北和山西的重要铁路枢纽。

30-C-a003 **代县西站**［Dàixiàn Xīzhàn］铁路站，高铁站，位于中国山西省忻州市代县阳明堡镇。2009年12月3日建成使用，站台规模为2台4线。代县西站是大西高铁沿线的一个火车客运站。

30-C-a004 **高平东站**［Gāopíng Dōngzhàn］铁路站，高铁站，位于山西省晋城市高平市河西镇官庄村。2020年12月12日投入使用，占地面积5.8万多平方米，整体以“寻根炎帝、梦回高平”为设计主题，站房地上主体为两层，两侧为三层，车站规模为2台4线。高平东站是郑太高铁在晋城市设立的两个车站之一，对发展晋城北部经济和旅游有重要意义。

30-C-a005 **古交站**［Gǔjiāo Zhàn］铁路站，

二等站，位于山西省太原市古交市迎宾路 1 号。1979 年投入使用。古交是太原重要的煤炭生产地区，古交站是太兴铁路沿线重要车站，对于加强古交市与太原联系起到重要作用。

30-C-a006 **洪洞西站**［Hóngtóng Xīzhàn］铁路站，高铁站，三等站，位于山西省临汾市洪洞县龙马乡龙张村。2014 年 7 月 1 日正式开通运营。站房 2996 平方米，主要建筑有站房和站前广场，车站规模为 2 台 4 线。洪洞西站是大西高铁沿线车站，对于推动临汾北部地区社会经济发展有积极作用。

30-C-a007 **侯马北站**［Hóumǎ Běizhàn］铁路站，一等站，原名大李站，位于山西省临汾市侯马市北郊大李村。始建于 1935 年。侯马北站是南同蒲铁路、侯月铁路的交会车站，承担着货物列车的改编和中转任务，是重要的货运枢纽车站。

30-C-a008 **侯马西站**［Hóumǎ Xīzhàn］铁路站，高铁站，三等站，位于山西省临汾市侯马市高村乡。2014 年 7 月 1 日投入使用，总建筑面积为 4743 平方米，主要建筑有站房和站台雨棚，车站规模为 2 台 4 线。侯马西站是大西高铁沿线铁路站，临近 108 国道，交通便利，是临汾和运城交界处各县的交通枢纽。

30-C-a009 **侯马站**［Hóumǎ Zhàn］铁路站，二等站，位于山西省临汾市侯马市路东街道新田路 1 号。始建于 1935 年，车站规模为 2 台 7 线。侯马站是黄韩侯铁路与南同蒲铁路的接轨站，承担转运任务。

30-C-a010 **怀仁东站**［Huáirén Dōngzhàn］铁路站，高铁站，三等站，位于山西省怀仁市海北头乡黎寨村。2008 年 3 月开工建设，2013 年底完工，2014 年 3 月 19 日投入使用，建筑面积 1056 平方米，主要建筑为新旧站房，新站房为迎接动车组开通而新建的过渡站房，车站规模为 2 台 4 线。2019 年 5 月 1 日，怀仁东站借用韩原铁路线路开行大西高铁动车组列车，使得晋北地区进入动车网络。

30-C-a011 **霍州东站**［Huòzhōu Dōngzhàn］铁路站，高铁站，三等站，位于山西省临汾市霍州市李曹镇李曹村。2014 年 7 月 1 日投入使用，建筑面积 2900 余平方米，车站候车厅吸纳和借鉴了久负盛名的元代建筑霍州署衙的风格特点，车站规模为 2 台 4 线。霍州东站是大西客运专线沿线上临汾市北部地区的火车客运站，对发展临汾北部地区社会经济有积极意义。

30-C-a012 **介休东站**［Jièxiū Dōngzhàn］铁路站，高铁站，三等站，位于山西省晋中市介休市三佳乡三佳村。2014 年 7 月 1 日投入使用，建筑面积 6044.6 平方米，介休东站的设计以晋商故里为元素，体现晋商文化与现代理念相结合，主要建筑包括站房、站前广场、客服中心等。介休东站是大西高铁沿线新建火车站，对介休的社会经济发展起到推动作用。

30-C-a013 **介休站**［Jièxiū Zhàn］铁路站，一等站，位于山西省介休市新建西路 370 号。始建于 1934 年 12 月，1935 年 6 月投入使用，1984 年改建，1998 年 8 月 1 日升为一等站，2008 年改造，2013 年 1 月 22 日重新启用，车站规模为站台 3 个，股道 8 个，站线 136 条。介休站是南同蒲沿线最大的货运站和第三大客运站，在同蒲线具有重要地位。

30-C-a014 **晋城东站**［Jìnchéng Dōngzhàn］铁路站，高铁站，位于山西省晋城市泽州县金村镇水东村。2019 年 10 月开工建设，2020 年 5 月 27 日建设完工，2020 年 12 月 12 日投入使用，建筑面积约 37800 平方米，截至 2020 年 9 月，车站规模为 3 台 7 线。晋城东站是郑太高铁晋城市两座车站之一，对于推动晋东南地区的旅游和社会经济发展有重要作用。

30-C-a015 **晋城站**［Jìnchéng Zhàn］铁路站，二等站，位于山西省晋城市城区迎宾街。始建于 1958 年，1961 年 1 月竣工，1989 年 10 月重新改建完工，建筑面积 3500 平方米，主要建筑有主站房、钟楼、售票厅、候车厅等，主站房以“人”字鸟瞰效果为基本形状，隐喻“以人为本，人文服务”。晋城站是太焦线上的客运大站，北达北京、太原，南到郑州、商丘、厦门，东到连云港，是晋城地区对外运输旅客的主要窗口之一。

30-C-a016 **晋中站**［Jìnzhōng Zhàn］铁路

站，高铁站，一等站，位于山西省晋中市榆次区张庆乡红马营村。2014 年 7 月 1 日。建筑面积 31440 余平方米，晋中站是郑太客专全线唯一一座高架站，其设计以晋商故里为元素，体现晋商文化与现代理念相结合。截至 2014 年 2 月，车站规模为 5 站台 11 股道，其中大西高铁 2 台 4 线，太中银 0 台 5 线，郑太高铁 2 台 4 线。晋中站兼做大西高铁和郑太高铁的车站，是山西中南部和东南部高铁线路交会之处。

30-C-a017 **临汾西站** [Línfén Xīzhàn] 铁路站，高铁站，一等站，位于山西省临汾市尧都区刘村镇周家庄村。2014 年 7 月 1 日投入使用。建筑面积 11380 平方米，设计方案以“展翅欲飞的尧都”为概念，寓意着未来的临汾将成为山西跨越式发展的城市典范。截至 2014 年 7 月，站台规模 2 台 5 线。临汾西站成为了临汾市商业、文化交流、休闲娱乐、交通运输的新中心，也成为临汾市的建筑标志之一。

30-C-a018 **临汾站** [Línfén Zhàn] 铁路站，一等站。位于山西省临汾市尧都区车站路 5 号。始建于 1935 年。总建筑面积 8920 平方米，设有售票厅、候车大厅、软席候车厅、母婴候车厅等主要建筑。车站规模为 4 台 16 线。临汾站是同蒲线在临汾市的中心车站，又联通侯西、侯月铁路，对于发展黄河壶口、洪洞大槐树等山西品牌旅游景区具有重要意义。

30-C-a019 **灵石东站** [Língshí Dōngzhàn] 铁路站，高铁站，三等站，位于山西省晋中市灵石县马和乡张蒿村。2014 年 7 月 1 日投入使用，站房面积 2300 平方米，站台规模为 2 台 4 线。灵石东站是大西高铁沿线新建的车站。

30-C-a020 **吕梁站** [Lǚliáng Zhàn] 铁路站，二等站，位于山西省吕梁市离石区下安村。2011 年 1 月 11 日投入使用。主站房占地 5906 平方米，车站规模为 3 台 7 线。吕梁站是太中银铁路在山西吕梁境内的火车站点，它的通车结束了吕梁山区没有客运火车站的历史。

30-C-a021 **平遥古城站** [Píngyáo Gǔchéng zhàn] 铁路站，高铁站，三等站，位于山西省晋中市平遥县侯冀村与杜村之间。2014 年 7 月 1 日投入使用。建筑面积 4998 平方米，站台规模 2 台 4 线。平遥古城站投入使用之后，平遥到北京的旅客列车的运行时间由原先的近 10 小时的车程缩短为 4 小时左右，为外地游客架设了一座直通千年古城的黄金旅游长廊。

30-C-a022 **祁县东站** [Qíxiàn Dōngzhàn] 铁路站，高铁站，三等站，位于祁县古县镇张名村。2014 年 7 月 1 日投入使用，站房面积 2700 平方米，站台规模为 2 台 40 线。祁县东站是大西高铁沿线新建车站。

30-C-a023 **山阴南站** [Shānyīn Nánzhàn] 铁路站，高铁站，位于朔州市山阴县安祥寺村南侧河阳大道。建筑面积 8000 平方米，站台规模为 2 台 4 线。山阴南站是大西高铁在晋北车站。

30-C-a024 **寿阳站** [Shòuyáng Zhàn] 铁路站，一等站，位于山西省寿阳县安定街 20 号。始建于 1907 年，是石太线沿线车站。

30-C-a025 **朔州东站** [Shuòzhōu Dōngzhàn] 铁路站，高铁站，二等站，位于朔城区贾庄乡里林庄村西。站台规模为 2 台 6 线。朔州东站是大西高铁沿线车站。

30-C-a026 **太谷东站** [Tàigǔ Dōngzhàn] 铁路站，高铁站，位于山西省晋中市太谷区胡村镇桑梓村和朝阳村之间。2020 年 12 月 12 日投入使用，建筑面积 4000 平方米，站台规模为 2 台 4 线。太谷东站为郑太高铁新建车站，是太原都市区“一主一副一区多组团”规划的重要组成部分。

30-C-a027 **太谷西站** [Tàigǔ Xīzhàn] 铁路站，高铁站，三等站，位于山西省晋中市太谷区水秀乡南六门村。2014 年 7 月 1 日投入使用，站房面积 3900 平方米，站台规模为 2 台 4 线。太谷西站为大西高铁新建车站。

30-C-a028 **太原南站** [Tàiyuán Nánzhàn] 铁路站，高铁站，一等站，位于山西省太原市小店区太榆路。2008 年 12 月 28 日开工建设，2014 年 7 月 1 日投入运营，2019 年 7 月 25 日东广场开通运营。占地面积约 42.7 万平方米，总建筑面积为约 15.7 万平方米，其中客运站房建筑面积 4.9 万平方米，太原南站整体建筑形式采用唐朝宫殿斗拱飞檐的形象特征，主要建筑包括西站房、高架站房和东站房三个区域，站台规模为 10 台 22 线。太原南站建成后成为太原市的标志建筑，也是山西省重要的交通枢纽之一。

30-C-a029 **太原站**[Tàiyuán Zhàn]铁路站，特等站，位于山西省太原市迎泽区建设南路 2 号。1907 年 10 月投入使用，1975 年 6 月 1 日，新太原火车站正式建成运营，1993 年 1 月 1 日升为特等站，同年 4 月 8 日高架候车楼开工奠基，2011 年被列入太原市历史建筑。2016 年迎泽大街下穿太原站工程开工建设，2021 年 4 月太原站东广场基本建成。建筑面积为 30599 平方米，太原站主体为三层建筑，局部两层，共设四个候车厅，高架候车厅内设四个普通候车厅，二个母子候车厅及其他配套设施。截至 2020 年 3 月，太原站站场规模为 5 台 12 线。太原站是山西省最重要的火车站之一。

30-C-a030 **天镇站** [Tiānzhèn Zhàn] 铁路站，高铁站，位于山西省天镇县谷前堡镇。天镇县火车站始建于 1943 年，2018 年 9 月 11 日，天镇老火车站停营。9 月 15 日，天镇老火车站开始拆除，改建天镇新高铁站，2019 年 8 月工程全面竣工，8 月 20 日起恢复运营普速客运，12 月 30 日张大高铁开通，新天镇站投入使用。建筑面积 4997 平方米，站台规模为 2 台 4 线。天镇站是张大高铁车站。

30-C-a031 **闻喜西站** [Wénxǐ Xīzhàn] 铁路站，高铁站，三等站，位于山西省运城市闻喜县郭家庄镇西宋村。2014 年 7 月 1 日投入使用，主要建筑为基本站台和侧式站台各 1 座；站台上均设风雨棚各 1 座，站台规模为 2 台 4 线。闻喜西站是大西高铁新建车站，闻喜西站正式运营。北京到闻喜仅需 6 小时左右，太原到闻喜 2 小时左右，而到西安仅需 1 个半小时左右，相对于普速列车旅行时间压缩近三分之二。

30-C-a032 **武乡站** [Wǔxiāng Zhàn] 铁路站，高铁站，原名武乡西站，位于中国山西省长治市武乡县西部丰州镇西城村东。2020 年 12 月 12 日投入使用，站房建筑面积 9999 平方米，车站按照“红色太行、华夏脊梁”的设计理念设计，站台规模为 2 台 6 线。武乡站是新建郑太高铁上的一个客运站，极大地促进革命老区经济建设的快速发展。

30-C-a033 **襄汾西站** [Xiāngfén Xīzhàn] 铁路站，高铁站，三等站，位于山西省临汾市襄汾县南贾镇南刘村西。2014 年 7 月 1 日投入使用，站房建筑面积 2298 平方米，站台规模为 2 台 4 线。襄汾西站是大西客运专线上临汾境内 5 座高铁站之一，襄汾西站为新建中间站。

30-C-a034 **襄垣东站** [Xiāngyuán Dōng zhàn] 铁路站，高铁站，位于襄垣县古韩镇东北阳村。建筑面积为 9996 平方米，襄垣东站站房整体设计以“生态襄垣、产业新生”为主题通过现代、简洁的建筑形体演绎新型工业城市特色传达绿色、腾飞的城市形象，站台规模为 2 台 4 线。襄垣东站的设立不仅极大拉近襄垣县与周边城市的时空距离，而且便捷了群众出行，也对全县物资外运产生重要影响，将有力推动襄垣县高质量转型发展。

30-C-a035 **忻州西站** [Xīnzhōu Xīzhàn] 铁路站，高铁站，一等站，位于山西省忻州市忻府区解原村站前街。始建于 2010 年，建筑面积 7957 平方米，2018 年 9 月 28 日投入使用，截至 2020 年 12 月，忻州西站站场规模为 3 台 5 线。忻州西站是大西高速铁路和拟建的雄忻高速铁路的交会车站，忻州西站建设预留了雄忻高铁接口，是晋北的重要交通枢纽。

30-C-a036 **忻州站**[Xīnzhōu Zhàn]铁路站，一等站，位于山西省忻州市忻府区云中南路 10 号。始建于 1935 年，站台规模为 3 台 18 线。忻州站是同蒲线重要车站。

30-C-a037 **阳高南站** [Yánggāo Nánzhàn] 铁路站，高铁站，位于山西省大同市阳高县天黎高速与 202 省道交叉口东北角。2019 年 12 月 30 日投入使用，站台规模为 2 台 4 线。阳高南站是张大高铁沿线车站。

30-C-a038 **阳曲西站** [Yángqǔ Xīzhàn] 铁路站，高铁站，位于山西省太原市阳曲县北留村。2013 年 3 月开工建设，2015 年 6 月完工，2018 年 9 月 28 日投入使用，站房建筑面积为 2287 平方米，站台规模 2 台 4 线。阳曲西站是大西高铁沿线车站。

30-C-a039 **阳泉北站**［Yángquán Běizhàn］铁路站，高铁站，一等站，位于山西省阳泉市盂县孙家庄镇大吉村和西吉村交界。始建于2005年，于2009年4月1日投入运营，建筑面积为17000平方米，站台规模为4台10线。阳泉北站是石太高铁沿线山西唯一中间站，是山西省最早通行高铁动车的车站之一。

30-C-a040 **阳泉站**［Yángquán Zhàn］铁路站，一等站，位于山西省阳泉市城区德胜东街244号。1991年10月9日投入使用，站台规模为4台9线。阳泉站是石太线历史悠久的车站，由于阳泉火车站的诞生和发展，才真正孕育了阳泉这座新型的能源重化工城市，并使之成为享誉中外的煤城，促进了山西全省经济和社会的腾飞与振兴。

30-C-a041 **应县西站**［Yìngxiàn Xīzhàn］铁路站，高铁站，位于朔州市应县臧寨乡胡家岭村金沙滩森林公园内。建筑面积2400平方米，站台规模为2台4线，应县西站是大西高铁沿线车站。

30-C-a042 **永济北站**［Yǒngjì Běizhàn］铁路站，高铁站，三等站，位于山西省运城市永济市张营镇丰乐庄村。2014年7月1日投入使用，站台规模为2台4线。永济北站是大西高铁沿线车站，也是全国少数县级市中有始发北京列车的车站。

30-C-a043 **榆次站**［Yúcì Zhàn］铁路站，一等站，位于山西省晋中市榆次区迎宾街103号。1906年4月动工兴建，1907年9月建成，10月投入使用。榆次站是石太、同蒲、太焦、太中银四条铁路干线交汇之枢纽。

30-C-a044 **榆社西站**［Yúshè Xīzhàn］铁路站，高铁站，位于榆社县河峪乡。2020年12月12日正式投入使用。占地面积为3999.7平方米，站台规模为2台4线。榆社西站是郑太高铁沿线车站。

30-C-a045 **原平西站**［Yuánpíng Xīzhàn］铁路站，高铁站，二等站，位于山西省忻州市原平市尚家庄村西。建筑面积为3961平方米，站台规模为2台4线。原平西站是大西高铁沿线车站。

30-C-a046 **原平站**［Yuánpíng Zhàn］铁路站，一等站，位于山西省原平市永兴南路。建于1935年，站台规模为3台14线。原平站是北同浦铁路韩原铁路京原铁路三线交汇点，是晋北地区重要的枢纽车站，具有晋北铁路金三角的称号。

30-C-a047 **运城北站**［Yùnchéng Běizhàn］铁路站，高铁站，一等站，位于山西省运城市盐湖区姚孟街道陶上村。2014年7月1日投入使用，建筑面积为7999平集，运城北站以“河东文化”为依托，总体概念设计为“河东掠影”，站台规模为4台8线。运城北站是大西高铁沿线车站。

30-C-a048 **运城站**［Yùnchéng Zhàn］铁路站，一等站，位于山西省运城市盐湖区潞村街2号。始建于1935年，站台规模为3台7线。运城站是同蒲线主要车站。

30-C-a049 **长治北站**［Chángzhì Běizhàn］铁路站，一等站，位于长治市潞州区马厂镇漳泽西街79号。始建于1960年，铁路专用线130条。长治北战是太焦线与邯长线的交汇点，隶属中国铁路郑州局集团有限公司管辖，北临太原局，东临北京局。

30-C-a050 **长治东站**［Chángzhì Dōngzhàn］铁路站，高铁站，位于长治市潞州区老顶山街道朝阳村东。2019年11月15日开工建设，2020年12月12日投入使用，建筑面积为40000平方米，站台规模为3台7线。长治东站是郑太高铁沿线车站。

30-C-a051 **长治南站**［Chángzhì Nánzhàn］铁路站，高铁站，位于山西省长治市上党区苏店镇南董村。建筑面积为20337平方米，站房总建筑面积为9985平方米。站台规模为2台4线。长治南站是郑太高铁长治市南部车站。

30-C-a052 **长治站**［Chángzhì Zhàn］铁路站，二等站，位于山西省长治市潞州区站前路与解放西街交叉口。1920年投入使用，建筑面积为4213，站台规模为4台8线，长治站是太焦线重要车站。

30-C-b001 **大同汽车客运站**［Dàtóng Qìchē Kèyùn Zhàn］长途汽车站，一等站。原在山西省大同市雁同西路，现已迁至大同工人体育馆旁。1991年开工建设，1995年1月18日建成并投入营运。占地面积 21652 平方米，主楼面积 7332 平方米，站前广场 1000 平方米，停车场 13320 平方米，站内设有候车厅、售票厅、行包厅、餐厅等，运营客运线路 54 条。大同汽车客运站是晋北地区最大的长途车站，是大同市公路汽车客运行业的重要枢纽站点之一。

30–C–b002 **太原汽车客运东站**［Tàiyuán Qìchē Kèyùn Dōngzhàn］长途汽车站，一等站。在山西省太原市杏花岭区五龙口街。2004 年 8 月太原东客站扩建。售票楼占 1835 平方米，候车厅 2600 平方米，站前广场 5000 平方米，发车位 2000 平方米，日发班车 200 余班次。太原汽车客运东站对提高太原市公路旅客运输服务质量，规范公路客运市场秩序，缓解市区交通压力，带动周边经济的发展发挥巨大的作用。

30–C–b003 **太原汽车客运站**［Tàiyuán Qìchē Kèyùn Zhàn］长途汽车站，一等站。在山西省太原市迎泽大街。全站面积 2.9 万平方米，候车大厅 4200 平方米，4500 平方米停车场，东侧有各种配套设施的交通大厦，车站设有售票厅、录像厅、游艺厅、舞厅、快餐厅、茶水滩、卫生所、储蓄所以及各类商品柜台，营运班线 160 余条，日均发送班次 250 个，辐射 20 余个省、直辖市。太原汽车客运站是全省最大的公路客运枢纽，是集服务、商业、文化、娱乐为一体的综合型车站。

30–C–b004 **运城汽车客运中心站**［Yùnchéng Qìchē Kèyùn Zhōngxīnzhàn］长途汽车站，一等站。在山西省运城市盐湖区解放北路。2002 年 12 月 19 日开工建设，2005 年 11 月底完工，12 月 28 日投入使用。占地面积为 89 亩，建筑面积 2 万余平方米，日始发车辆 650 班次。运城汽车客运中心站是秦、晋、豫黄河金三角地区的枢纽站，对于区域社会经济发展有重要推动作用。

30–C–b005 **长治市汽车客运站**［Chángzhìshì Qìchē Kèyùnzhàn］长途汽车站，一等站。在山西省长治市城区府后西街。1998 年 10 月开工建设，2000 年完工，2001 年投入使用。占地面积 33350 平方米，总建筑面积为 18250 平方米，候车楼面积 11000 平方米，停车场 6670 平方米，其它附属建筑 580 平方米，发车线路 176 条，南至福州，北到辽宁，东达沿海各主要城市，西抵四川成都等地，日发班车 500 余班。长治市汽车客运站是晋东南地区最大的长途客运站，对晋东南地区社会经济发展起到积极作用。2012 年 12 月 9 日长治市客运东站投入运营，长治市汽车客运站更名为长治汽车客运西站，路线班次有所减少。

30–D001 **北同蒲线段家岭二号隧道**［Běitóngpúxiàn Duànjiālǐng Erhào Suìdào］在山西省太原市娄烦县境内，北同蒲铁路沿线隧道。全长 3347.98 米，净高 6.55 米。1957 年开工建设，1959 年建成。因隧道所在线路和附近山脉名称而得名。

30–D002 **北同蒲线段家岭一号隧道**［Běitóngpúxiàn Duànjiālǐng Yīhào Suìdào］在山西省太原市娄烦县境内，北同蒲铁路沿线隧道。全长 3540 米，净高 6.55 米。1958 年开工，1961 年基本完工，1982 年改建，1987 年通车。因隧道所在线路和附近山脉名称而得名。

30–D003 **东石瓮隧道**［Dōngshíwèng Suìdào］在山西省晋城市境内，晋焦高速沿线隧道。右洞长 2003 米，左洞长 1921 米，净宽 8.5 米，限高 5 米。1998 年 3 月开工建设，2000 年 4 月竣工。因隧道位于山西泽州县柳树口镇东石瓮村附近而得名。

30–D004 **侯月线云台山二号隧道**［Hóuyuèxiàn Yúntáishān Erhào Suìdào］在山西省临汾市翼城县境内，侯月铁路沿线隧道。全长 8178 米，净高 6.55 米。1994 年开工建设，1996 年建成。因隧道所在线路和附近山脉名称而得名。

30–D005 **侯月线云台山一号隧道**［Hóuyuèxiàn Yúntáishān Yīhào Suìdào］在山西省临汾市翼城县境内，侯月铁路沿线隧道。全长 8144 米，净高 6.55 米。1994 年建成。因隧道所在线路和附近山脉名称而得名。

30–D006 **京原线平型关隧道**［Jīngyuánxiàn Píngxíngguān Suìdào］在山西省大同市灵丘县境内，京原铁路沿线隧道。全长 6190 米，净高 6.55 米。1973 年建成。因隧道所在线路和附近关隘名称而得名。

30–D007 **京原线小寨隧道**［Jīngyuánxiàn Xiǎozhài Suìdào］在山西省大同市灵丘县境内，

京原铁路沿线隧道。全长 2442.4 米，净高 6.55 米。1971 年建成，1973 年运营。因隧道所在线路和附近村落名称而得名。

30-D008 **岢瓦线二号田家崖隧道**［Kěwǎxiàn Erhào Tiánjiāyá Suìdào］在山西省吕梁市岢岚县境内，岢瓦铁路沿线隧道。单线洞，全长 2057 米。2008 年建成。因隧道所在线路和附近村落名称而得名。

30-D009 **亮马台隧道**［Liàngmǎtái Suìdào］在山西省大同市境内，得大高速沿线隧道。右洞长 2148 米，左洞长 2222 米，净宽 10.25 米，净高 5 米。因隧道位于亮马台村附近而得名。

30-D010 **牛郎河隧道**［Niúlánghé Suìdào］在山西省晋城市泽州县境内，晋焦高速沿线隧道。右洞长 3982 米，左洞长 3893 米，净宽 6.8 米，限高 5 米，2 车道。1997 年 12 月开工建设，1999 年 12 月竣工。因隧道位于牛郎河村而得名，相传古时常有放牛娃在此放牛，故名牛郎河。

30-D011 **太焦线北山头隧道**［Tàijiāoxiàn Běishāntóu Suìdào］在山西省晋中市太谷区境内，太焦铁路沿线隧道。单线洞，全长 2133.09 米，净高 6.55 米。1975 年建成通车，1986 年大修。因隧道所在线路和附近村落名称而得名。

30-D012 **太焦线小东沟隧道**［Tàijiāoxiàn Xiǎodōnggōu Suìdào］在山西省晋中市榆社县境内，太焦铁路沿线隧道。单线洞，全长 3283.9 米，净高 6.55 米。1979 年建成。因隧道所在线路和附近村落名称而得名。

30-D013 **太岚支线横岭二号隧道**［Tàilánzhīxiàn Hénglǐng Erhào Suìdào］在山西省太原市尖草坪区境内，太岚支线沿线隧道。单线洞，全长 2264 米，净高 6.55 米。1979 年建成，1983 年运营。因隧道所在线路和附近村落名称而得名。

30-D014 **太岚支线横岭一号隧道**［Tàilánzhīxiàn Hénglǐng Yīhào Suìdào］在山西省太原市尖草坪区境内，太岚支线沿线隧道。单线洞，全长 2240 米，净高 6.55 米。1979 年建成，1983 年运营。因隧道所在线路和附近村落名称而得名。

30-D015 **太岚支线峙头隧道**［Tàilánzhīxiàn Zhìtóu Suìdào］在山西省太原市尖草坪区境内，太岚支线沿线隧道。全长 2865.5 米，净高 6.55 米。1977 年建成，1983 年运营。因隧道所在线路和附近村落名称而得名。

30-D016 **太中银柳林隧道**［Tàizhōngyín Liǔlín Suìdào］在山西省吕梁市柳林县境内，太中银铁路沿线隧道。全长 7635.5 米，净高 6.55 米。2010 年建成。因隧道所在线路和附近城市名称而得名。

30-D017 **太中银王家会隧道**［Tàizhōngyín Wángjiāhuì Suìdào］在山西省吕梁市柳林县境内，太中银沿线隧道。双线隧道，全长 2284 米，净高 6.55 米。2010 年建成。因隧道所在线路和附近村落名称而得名。

30-D018 **太中银线离石隧道**［Tàizhōngyínxiàn Líshí Suìdào］在山西省吕梁市离石区境内，太中银铁路沿线隧道。全长 10236 米，净高 6.55 米。2010 年建成。因隧道所在线路和附近城市名称而得名。

30-D019 **太中银线吕梁山隧道**［Tàizhōngyínxiàn Lǚliángshān Suìdào］在山西省吕梁市境内，太中银铁路沿线隧道。分左右两线，右线全长 20772 米，左线全长 20785 米，净高 6.55 米。2010 年建成。因隧道所在线路和附近山脉名称而得名。

30-D020 **薛公岭隧道**［Xuēgōnglǐng Suìdào］在山西省吕梁市境内，青银高速沿线隧道。右洞长 2035 米，左洞长 2140 米，净宽 9.75 米，限高 5 米。2003 年 4 月开工建设，2005 年 10 月竣工。因隧道穿过薛公岭而得名。

30-D021 **雁门关隧道**［Yànménguān Suìdào］在山西省忻州市代县北岳恒山山脉西段，二广高速沿线隧道。左洞长 5160 米，右洞长 5235 米，净宽为 10.5 米，限高 5 米，2 车道。2001 年 8 月 1 日开工建设，2003 年 9 月 28 日竣工。因位于雁门关景区旁得名。

30-E-a001 **保德黄河大桥**［Bǎodé Huánghé Dàqiáo］江河桥梁，在山西省忻州市保德县城与陕西府谷县城之间跨黄河，连接省道神保线。主桥长 366.66 米，桥面净宽 7 米，两侧各有 1 米宽人行道，跨度 639 米，桥高在常水位以上 11 米。1970 年 4 月 23 日开工，1972 年 6 月 5 日竣工通车，1996 年省交通厅对大桥进行加固改造，1997 年 10 月竣工。结构型式为 T 型钢构或双曲拱桥。载荷为汽 -20、挂 -100。

30-E-a002 **二电厂特大桥** [Erdiànchǎng Tèdà qiáo] 公路桥，在山西省阳泉市平定县太旧高速线上，主桥长 1776 米，宽 2×9.5 米，中央分隔带 1 米。1994 年 12 月开工建设，1995 年 10 月完工。因靠近阳泉二电厂而得名。结构型式为 T 型梁桥。载荷汽 - 超 20、挂 -100。

30-E-a003 **风陵渡黄河大桥** [Fēnglíngdù Huánghé Dàqiáo] 江河桥梁，在山西省运城市芮城县风陵渡镇西王村和陕西省潼关县七里村之间跨黄河。主桥长 972 米，桥宽净宽 12 米。1990 年 7 月 1 日基础工程动工，1992 年 4 月 25 日主体工程开工建设，1994 年 10 月 21 日建成通车。结构型式为箱梁桥。载荷为汽 - 超 20、挂 -120。

30-E-a004 **晋祠特大桥** [Jìncí Tèdàqiáo] 公路桥，在山西省太原市太原绕城高速线上，主桥长 2612 米，宽 13—18.5 米、18.5—25.1 米，防撞护栏两边各 0.5 米，中央隔离带 2.1 米。2001 年 3 月开工建设，2001 年 11 月完工。因跨越晋祠而得名。结构型式为箱梁桥。载荷汽 - 超 20、挂 -100。

30-E-a005 **开发区特大桥** [Kāifāqū Tèdàqiáo] 公路桥，在山西省大同市得大高速线上，主桥长 2294.7 米，宽 28 米，净宽 24 米。2003 年 10 月开工建设，2005 年 10 月完工。因位于大同市经济技术开发区而得名。结构型式为箱梁桥。载荷汽 - 超 20、挂 -100。

30-E-a006 **离石特大桥** [Líshí Tèdàqiáo] 公路桥，在山西省吕梁市青银高速离石段线上，主桥长 2946.5 米，宽 22 米。2003 年 4 月开工建设，2005 年 10 月完工。因位于吕梁市离石区而得名。结构型式为箱梁和斜拉桥。载荷汽 - 超 20、挂 -100。

30-E-a007 **聂家庄特大桥** [Nièjiāzhuāng Tèdà qiáo] 公路桥，在山西省阳泉市平定县太旧高速线上，主桥长 2123 米，宽 2×9.5 米，中央分隔带 1 米。1995 年 1 月开工建设，1996 年 4 月完工。因靠近平定聂家庄而得名。结构型式为 T 型梁桥。载荷汽 - 超 20、挂 -100。

30-E-a008 **坡头特大桥** [Pōtóu Tèdàqiáo] 公路桥，在山西省阳泉市太旧高速线上，主桥长 1304 米，宽 2×9.5 米，中央分隔带 1 米。1994 年 11 月开工建设，1996 年 4 月完工。因靠近阳泉市平坦镇坡头村而得名。结构型式为 T 型梁桥。载荷汽 - 超 20、挂 -100。

30-E-a009 **三门峡黄河大桥** [Sānménxiá Huánghé Dàqiáo] 江河桥梁，在山西省运城市平陆县蒿店村与河南三门峡市后川村之间跨黄河。主桥长 850 米，桥面净宽 15 米，跨度 1310 米，桥高为 50 米。1990 年 11 月 4 日开工弓建设，1993 年 11 月 30 日竣工，12 月 30 日正式通车。结构型式为 T 型梁桥。载荷为汽 - 超 20、挂 -120。

30-E-a010 **武宿主线特大桥** [Wǔsùzhǔxiàn Tèdàqiáo]公路桥，在山西省太原市太旧高速线上，主桥长 1082 米，宽 15.47—20.41 米，中央隔离带 3 米。1994 年 11 月开工建设，1995 年 9 月全部完工。因靠近太原市小店区武宿村而得名。结构型式为箱梁桥。载荷为汽 - 超 20、挂 -100。

30-E-a011 **西矿街特大桥** [Xīkuàngjiē Tèdà qiáo]公路桥，在山西省太原市太原绕城高速线上，主桥长 1141.2 米，宽 2×11 米。2003 年 3 月开工建设，2004 年 11 月完工。因大桥跨过太原市万柏林区西矿街而得名。结构型式为箱梁桥。载荷汽 - 超 20、挂 -100。

30-E-a012 **小店特大桥** [Xiǎodiàn Tèdàqiáo] 公路桥，在山西省太原市太原绕城高速线上，主桥长 4359 米，宽 28.5 米，另有五条匝道桥，为连续梁桥。1998 年 3 月开工建设，1999 年 10 月完工。因位于太原市小店区而得名。结构型式为简支梁桥。载荷汽 - 超 20、挂 -100。

30-E-a013 **新绛汾河桥** [Xīnjiàng Fénhé Qiáo] 江河桥梁，在山西省运城市新绛县东环城路，南接 108 国道。主桥长 331 米，桥面净宽 9 米，两侧各 1.5 米宽人行道，跨度 1680 米。1983 年 11 月 8 日动工兴建，1985 年 12 月 15 日竣工，20 日通车。结构型式为 T 型梁桥。载荷为汽 -20、挂 -100。

30-E-a014 **杨兴河特大桥** [Yángxìnghé Tèdà qiáo] 公路桥，在山西省太原市阳曲县二广高速线上，主桥长 1086.1 米，宽 2×12 米，防撞护栏两侧各 0.5 米，中央隔离带 2 米。1996 年 11 月开工建设，1997 年 10 月完工。因大桥跨过太原市阳曲县杨兴河而得名。结构型式为 T 型梁桥。载荷汽 - 超 20、挂 -100。

30-E-a015 **淤泥河特大桥**［Yūníhé Tèdàqiáo］公路桥，在山西省大同市新荣区赵家窑村得大高速线上，主桥长 1087.5 米，宽 26 米，净宽 23 米。2003 年 10 月开工建设，2005 年 10 月完工。因大桥跨过大同市新荣区淤泥河而得名。结构型式为箱梁桥。载荷汽 - 超 20、挂 -100。

30-E-b001 **大秦线御河 1# 特大桥**［Dàqínxiàn Yùhé 1# Tèdàqiáo］铁路桥。在山西省大同市大秦铁路线上，跨越御河。1988 年建成，全长 2004 米；2004 年为提高运输能力，增建重车线桥梁，2008 年建成，全长 2010.2 米。因位于大秦线上并跨越御河而得名。结构型式为 T 型梁桥。桥梁荷载中 -22 级。

30-E-b002 **古大联络线 1# 特大桥**［Gǔdàliánluò xiàn 1# Tèdàqiáo］铁路桥。在山西省大同市古店至大同联络线上。全长 1062.5 米。2008 年建成。因所在线路而得名。结构型式为 T 型梁桥。桥梁载荷中 -22 级。

30-E-b003 **古大联络线 4# 御河特大桥**［Gǔdà liánluòxiàn 4# Yùhé Tèdàqiáo］铁路桥。在山西省大同市古店至大同联络线上，跨越御河。共两桥，全长分别为 2510.77 和 2674.59 米。2008 年建成。因所在线路和跨越河流而得名。结构型式为 T 型梁桥。桥梁载荷中 -22 级。

30-E-b004 **侯月线浍河大桥上行**［Hóuyuèxiàn Kuàihé Dàqiáo Shàngxíng］铁路桥。在山西省临汾市翼城县侯月铁路线上，跨越浍河。全长 1312.7 米。因所在线路和跨越河流而得名。结构型式为连续上桁梁和 T 型梁桥。桥梁载荷中 - 活载。

30-E-b005 **侯月线沁河 1# 特大桥**［Hóuyuè xiàn Qìnhé 1# Tèdàqiáo］铁路桥。在山西省晋城市沁水县侯月铁路线路上。全长 1271.4 米。1990 年开工，1992 年建成。因所在线路和跨越河流而得名。结构型式为 T 型梁桥。桥梁载荷中 - 活载。

30-E-b006 **货右特大桥**［Huòyòu Tèdàqiáo］铁路桥。在山西省晋中市同蒲线铁路线上。全长 4268.02 米。2010 年建成。因所在地点而得名。

30-E-b007 **货左特大桥**［Huòzuǒ Tèdàqiáo］铁路桥。在山西省晋中市同蒲线铁路线上。全长 4223.86 米。2010 年建成。因所在地点而得名。

30-E-b008 **岢瓦线 33# 岚漪河特大桥**［Kěwǎ xiàn 33# Lányīhé Tèdàqiáo］铁路桥。在山西省吕梁市岢瓦线铁路线上。全长 1223.99 米。2008 年建成。因所在线路和跨越河流而得名。结构型式为 T 型梁桥。桥梁载荷中 - 活载。

30-E-b009 **岢瓦线 35# 岚漪河特大桥**［Kěwǎ xiàn 35# Lányīhé Tèdàqiáo］铁路桥。在山西省吕梁市岢瓦线铁路线上，跨越岚漪河。全长 1006.43 米。2008 年建成。因所在线路和跨越河流而得名。结构型式为 T 型梁桥。桥梁载荷中 - 活载。

30-E-b010 **石太线特大桥桃河桥**［Shítàixiàn Tèdàqiáo Táohéqiáo］铁路桥。在山西省阳泉市石太线铁路线上，跨越桃河。全长 1001.6 米。2002 年建成。因所在线路和跨越河流而得名。

30-E-b011 **太中线北川河特大桥**［Tàizhōng xiàn Běichuānhé Tèdàqiáo］铁路桥。在山西省吕梁市太中线铁路线上，跨越北川河。全长 1892.92 米。2010 年建成。因所在线路和跨越河流而得名。结构型式为 T 型梁桥。

30-E-b012 **太中线跨石太铁路特大桥**［Tài zhōngxiàn Kuà Shítài Tiělù Tèdàqiáo］铁路桥。在山西省晋中市太中线铁路线上，跨越石太铁路。全长 7594.43 米。2010 年建成，是太中银线上最长的一座桥。因所在线路和跨越道路而得名。

30-E-b013 **太中线跨综合通道特大桥**［Tài zhōngxiàn Kuà Zōnghétōngdào Tèdàqiáo］铁路桥。在山西省晋中市太中线铁路线上。全长 1020.67 米。2010 年建成。因所在线路和跨越道路而得名。结构型式为 T 型梁桥。

30-E-b014 **太中线刘家堡国道特大桥**［Tài zhōngxiàn Liújiābǎo Guódào Tèdàqiáo］铁路桥。在山西省太原市清徐县太中线铁路线上。全长 2380.52 米。2010 年建成。因所在线路、靠近村落和跨越道路而得名。结构型式为 T 型梁桥。

30-E-b015 太中线柳林三川河特大桥［Tài zhōngxiàn Liǔlín Sānchuānhé Tèdàqiáo］铁路桥。在山西省吕梁市柳林县太中线铁路线上，跨越三川河。全长 3589 米。2010 年建成。因所在线路、靠近县和跨越河流而得名。结构型式为 T 型梁桥。

30-E-b016 太中线柳弯汾河特大桥［Tàizhōng xiàn Liǔwān Fénhé Tèdàqiáo］铁路桥。在山西省太原市清徐县太中线铁路线上，跨越汾河。全长 1393.07 米。2010 年建成。因所在线路、靠近村落和跨越河流而得名。结构型式为 T 型梁桥。

30-E-b017 太中线西崖底特大桥［Tàizhōng xiàn Xīyádǐ Tèdàqiáo］铁路桥。在山西省吕梁市太中线铁路线上。全长 1289.31 米。2010 年建成。因所在线路和附近村落而得名。结构型式为 T 型梁桥。

30-E-b018 太中线西宜亭文峪河特大桥［Tài zhōngxiàn Xīyítíng Wényùhé Tèdàqiáo］铁路桥。在山西省吕梁市文水县太中线铁路线上，跨越文峪河。全长 1764.69 米。2010 年建成。因所在线路、靠近村落和跨越河流而得名。结构型式为 T 型梁桥。

30-E-b019 太中线孝义跨太汾高速公路特大桥［Tàizhōngxiàn Xiàoyì Kuà Tàifén Gāosùgōnglù Tèdàqiáo］铁路桥。在山西省吕梁市文水县孝义镇太中线铁路线上。全长 1369.83 米。2010 年建成。因所在线路、靠近村落和跨越道路而得名。结构型式为 T 型梁桥。

30-E-b020 太中线义望跨大运高速公路特大桥［Tàizhōngxiàn Yìwàng Kuà Dàyùn Gāosùgōnglù Tèdàqiáo］铁路桥。在山西省吕梁市交城县太中线铁路线上。全长 2045.57 米。2010 年建成。因所在线路、靠近村落和跨越道路而得名。结构型式为 T 型梁桥。

30-E-b021 太中线赵家庄特大桥［Tàizhōng xiàn Zhàojiāzhuāng Tèdàqiáo］铁路桥。在山西省吕梁市太中线铁路线上。全长 1650.88 米。2010 年建成。因所在线路和附近村落而得名。结构型式为 T 型梁桥。

30-E-b022 同蒲大秦上联线 1# 西韩岭特大桥［Tóngpú dàqín Shàngliánxiàn 1# Xīhánlǐng Tèdàqiáo］铁路桥。在山西省大同市同蒲大秦上联线上。全长 1892.9 米。1988 年建成。因所在铁路线路和所在地而得名。结构型式为 T 型梁桥。桥梁载荷中 -22 级。

30-K001 大同云冈机场［Dàtóng Yúngāng Jīchǎng］在山西省大同市境东部。2001 年 7 月 29 日大同倍加皂机场正式开工，2005 年 12 月 26 日建成通航，2012 年 7 月 27 日正式更名为大同云冈机场，2009 年 7 月二期改扩建工程开工，2013 年 1 月 1 日二期改扩建正式完工并投入使用。为 4C 级国际支线机场、临时航空口岸机场，共有 2 座航站楼，其中 T1（国际）航站楼面积 6328.2 平方米，T2（国内）航站楼面积 10854 平方米，2021 年，旅客吞吐量为 88.52 万人次。2020 年累计开通国内航线 28 条，通航城市 31 个。

30-K002 临汾尧都机场［Línfén Yáodōu Jīchǎng］在山西省临汾市境东北部。旧临汾乔李机场于 1959 年 9 月 1 日建成通航，1960 年 11 月停航，2007 年 11 月，临汾市启动新临汾乔李机场重建，2010 年 9 月正式开工，2016 年 1 月 25 日新临汾乔李机场建成通航，2020 年 5 月 21 日，临汾乔李机场正式更名为“临汾尧都机场”。为 4C 级中国国内支线机场，航站楼面积 2.6 万平方米，停机坪面积 60840 平方米，2021 年，旅客吞吐量为 78.40 万人次。2020 年航线 25 条，通达城市 28 个。

30-K003 吕梁大武机场［Lǚliáng Dàwǔ Jīchǎng］在山西省吕梁市境北部方山县大武镇。2009 年 2 月 21 日，吕梁大武机场正式开工，2014 年 1 月 26 日正式通航。为 4C 级中国国内支线机场，航站楼面积为 13259.3 平方米，为一层式大跨度弧形钢桁架结构，建筑高度 17.85 米，2021 年，旅客吞吐量为 37.97 万人次。2020 年累计开通 15 条航线，通达 17 个城市。

30-K004 太原武宿国际机场［Tàiyuán Wǔxiǔ Guójì Jīchǎng］在山西省太原市境南。1939 年太原武宿机场始建，1959 年转民用，1969 年、1982 年、1992 年、2005 年先后进行四次改扩建，2006

年新建 T2 航站楼，2007 年“太原武宿机场”更名为“太原武宿国际机场”。为 4E 级民用机场，是区域枢纽机场，华北机场群成员，1 号航站楼面积 2.58 万平方米，2 号航站楼面积 5.5 万平方米。2021 年，旅客吞吐量为 999.53 万人次。截至 2020 年底，开通客运航线 168 条，通航城市 87 个，其中国内航线 156 条，国内城市 75 个，地区航线 3 条，地区城市 3 个，国际航线 9 条，国际城市 9 个。运营货运航线 2 条。

30–K005 **忻州五台山机场**［Xīnzhōu Wǔtáishān Jīchǎng］在山西省忻州市定襄县宏道镇无畏庄村。忻州五台山机场原为空军定襄机场，2013 年 6 月，军民合用改扩建工程正式开工，2015 年 12 月 25 日正式开通民航业务，2019 年 7 月 10 日，忻州五台山机场航空口岸正式对外开放。为 4C 级军民合用支线机场、临时航空口岸机场，航站楼面积 13340 平方米，2021 年，旅客吞吐量为 29.71 万人次。目前开通航线 13 条，通航 15 个城市。

30–K006 **运城张孝机场**［Yùnchéng Zhāngxiào Jīchǎng］在山西省运城市境北。2002 年 5 月动工兴建，2004 年 10 月竣工验收，2005 年 2 月 7 日建成通航，2007 年 5 月一期改扩建工程动工，2009 年 3 月 25 日二期改扩建工程动工，2012 年 5 月 27 日 T2（今 T1）航站楼启用。为 4D 级军民合用支线机场、航空口岸机场，T1 航站楼面积 2.7 万平方米，为两层前列式设计，T2 航站楼面积 2.8 万平方米，2021 年，旅客吞吐量为 191.93 万人次。目前，开通了 30 条航线，通达全国 35 个主要城市。

30–K007 **长治王村机场**［Chángzhì Wángcūn Jīchǎng］在山西省长治市境北。1958 年，长治王村机场始建，1967 年转为军民合用机场，2000 年 6 月停航，2003 年 9 月 8 日复航。为 4C 级军民合用国内支线机场，航站楼面积 22100 平方米，以“鼎、国槐”作为主要设计元素，2021 年，旅客吞吐量为 35 万人次。2021 年开通 7 条航线，通航 10 座城市。

第四编

科教文卫体等事业单位

第四编　科教文卫体等事业单位

A 科研单位

40-A-a001 **北方自动控制技术研究所**［Běifāng Zìdòng Kòngzhì Jìshù Yánjiūsuǒ］国家级军工研究单位。在山西省太原市小店区，因所在区域及职能而得名，并称中国兵器工业集团第二〇七研究所。创建于 1956 年，前身是中国人民解放军军械科学技术研究所指挥仪小组。1969 年，在山西省祁县正式组建研究所。1991 年迁至太原。占地面积约 10 万平方米，建筑面积约 12 万平方米。在榆次、祁县分别设有研发中心、试制中心、试验基地，主要从事指挥控制系统、火力控制系统、模拟训练系统、地面无人系统、通用计算机与军用软件系统、通信网络系统的研究与开发等。主办有《火力与指挥控制》《指挥与控制学报》等刊物，设有硕士学位授予点和博士后科研工作站。有体育南路通达，通 51 路、824 路等公交车。

40-A-a002 **中国辐射防护研究院**［Zhōngguó Fúshèfánghù Yánjiūyuàn］国家级辐射防护与应用研究单位。在山西省太原市小店区，因组织形式、业务范围而得名，简称“中辐院”。创建于 1962 年，是一家专门从事辐射防护研究与应用的综合科研机构。占地面积约 48 万平方米，建筑面积约 23 万平方米。主要从事辐射防护、核应急与核安全、放射医学与环境医学、核环境科学等领域的研究、应用及生产经营，为国家职能部门提供辐射防护与核安全管理技术支持。主办有《辐射防护》《辐射防护通讯》等刊物，有硕士、博士学位授予点及博士后科研工作站。曾为“两弹一艇”研制成功做出历史性贡献，编制国家及行业标准上百个。有学府街、南中环路通达，通 51 路等公交车。

40-A-a003 **中国电子科技集团公司第三十三研究所**［Zhōngguó Diànzǐ Kējì Jítuángōngsī Dì 33 Yánjiūsuǒ］国家级电磁防御技术研究和应用推广单位。在山西省太原市小店区，因其组织形式、字号和业务范围而得名。创建于 1958 年，前身为华北电磁防护技术研究所。1995 年更名为中国电子科技集团公司第三十三研究所，沿用至今。占地面积约 4 万平方米，建筑面积约 5 万平方米。是一家集标准研究、方案设计、产品研发、测试评估为一体的综合型电磁防护技术研究所，设有计算机应用技术、材料学、材料物理与化学硕士学位授予点。有坞城南路、彩虹路、唐槐路等通达，通 870 路、877 路外环、836 路公交车。

40-A-a004 **中国科学院山西煤炭化学研究所**［Zhōngguó Kēxuéyuàn Shānxī Méitàn Huàxué Yánjiūsuǒ］国家级煤炭化学研究单位。在山西省太原市迎泽区，因组织形式、业务范围和所在区域而得名。创建于 1954 年，为中国科学院煤炭研究室。1961 年，煤炭研究室扩建为中国科学院煤炭化学研究所，迁至太原。1978 年更名为中国科学院山西煤炭化学研究所，沿用至今。占地面积约 6 万平方米，建筑面积约 0.4 万平方米。有太原市桃南园区、小店园区 2 个研发中心，煤转化国家重点实验室、煤炭间接液化国家工程研究中心等国家级、省级重点实验室。主要从事能源环境、先进材料和绿色化工三大领域的应用基础和高技术研究与开发。主办有《燃料化学学报》和《新型炭材料》等刊物，设有硕士、博士学位授予点。有康乐街、桃园南路通达，通 801 路、851 路等公交车。

40-A-a005 **中国日用化学工业研究院**［Zhōngguó Rìyònghuàxuégōngyè Yánjiūyuàn］国家级日

用化学品研究单位。在山西省太原市迎泽区，因组织形式、业务范围而得名。1963 年定名重组，前身可追溯至成立于 1930 年的中央工业试验所，是我国最早从事表面活性剂 / 洗涤剂研究开发工作的专业机构。1999 年，并入中国轻工集团有限公司。占地面积约 7 万平方米，建筑面积约 6 万平方米。有表面活性剂国家工程研究中心、国家洗涤用品质量监督检验中心、全国表面活性剂 / 洗涤剂标准化中心、中国日用化学工业信息中心、表面活性剂和洗涤剂行业生产力促进中心、山西省表面活性剂重点实验室等。主办有《日用化学工业》《日用化学品科学》等刊物，设有硕士学位授予点，建有联合培养博士点和博士后科研工作站。有桃园南路通达，通 822 路、851 路等公交车。

40–A–b001 **山西省教育科学研究院** [Shānxī Shěng Jiāoyùkēxué Yánjiūyuàn] 省级教育管理与教育命题研究单位。在山西省太原市杏花岭区，因所在区域及职能而得名，并称山西省学业水平考试命题中心。创建于 1979 年，前身为山西省教育科学研究所。1987 年与省教研室合并，实行两块牌子一套班子的建制。2020 年，与山西省教育宣传中心正式整合为山西省教育科学研究院。占地面积约 0.2 万平方米，建筑面积约 0.6 万平方米。主办有《教育理论与实践》刊物，负责开展教育管理、教育决策及发展战略研究，并对全省教育科学研究和教学研究工作进行业务指导，开展全省基础教育教学质量监测与教育考试命题研究等。有东头巷道经此。

40–A–b002 **山西省社会科学院** [Shānxī Shěng Shèhuì Kēxuéyuàn] 省级哲学社会科学研究单位。在山西省太原市小店区，因所在区域及职能而得名，并称山西省人民政府发展研究中心。创建于 1959 年，前身是中国科学院山西分院哲学社会科学研究所。1983 年，更名为山西省社会科学院。2013 年位于小店区的新院开工，2017 年投入使用。占地面积约 13 万平方米，主要建筑包括综合办公楼、科研楼、科研服务楼、国际学术交流中心和图书馆等。2018 年，山西省人民政府发展研究中心并入，组建山西省社会科学院。设有经济研究所、能源经济研究所、历史研究所、哲学研究所、社会学研究所、语言研究所等。主办有《晋阳学刊》《经济问题》《五台山研究》《语文研究》等刊物。有大昌南路通达，通 304 路等公交车。

40–A–b003 **山西省农业机械化科学研究院** [Shānxī Shěng Nóngyèjīxièhuàkēxué Yánjiūyuàn] 省级农业机械应用技术研究单位。在山西省太原市小店区，因所在区域及职能而得名。创建于 1958 年，前身为山西省农业机械科学研究所。1963 年，更名为山西省农业机械化科学研究所。2007 年，更名为山西省农业机械化科学研究院，隶属于山西省农业机械管理局。占地面积约 6 万平方米，建筑面积约 9 万平方米。主办有《当代农机》等刊物，设有播种实验室、虚拟装配实验室和重金属检测实验室等。有龙城大街通达，通公交车。

40–A–b004 **山西省医药与生命科学研究院** [Shānxī Shěng Yīyàoyǔshēngmìngkēxué Yánjiūyuàn] 省级医药与生命科学研究单位。在山西省太原市小店区，因所在区域及职能而得名，并称山西省药品审评中心。创建于 1978 年，前身为山西省医药研究所。2020 年，调整设置为山西省药品审评中心，隶属于山西省食品药品监督管理局。占地面积约 0.7 万平方米，建筑面积约 1 万平方米。主要承担山西省药品、医疗器械、化妆品企业申请产品注册相关行政许可事项的技术审评工作及药品相关领域的研究工作。有平阳路通达，通 39 路、56 路等公交车。

40–A–b005 **山西省分析科学研究院** [Shānxī Shěng Fēnxīcèshìkēxué Yánjiūyuàn] 省级分析科学研究单位。在山西省太原市小店区，因所在区域及职能而得名，并称山西省大型科学仪器应用公共实验室。创建于 1981，沿用至今。占地面积约 1 万平方米，建筑面积约 0.6 万平方米。设有山西省商品检测司法鉴定中心、山西省贵金属首饰产品质量监督检验站等。主要承担食品、化工、节能、煤炭、环境、农业、冶金、地矿、油品、金银珠宝等领域的分析测试工作。有北园街经此。

40–A–b006 **山西省检验检测中心** [Shānxī Shěng Jiǎnyàn Jiǎncè Zhōngxīn] 省级计量技术和计量产品质量监督检验研究单位。在山西省太原市小店区，因所在区域及职能而得名，并称山西省标准计量技术研究院。创建于 1958 年，隶属于山西省质量技术监督局。2020 年，挂牌山西省检验检测中心。占地面积约 11 万平方米。主要承担标准、计量、检验检测、认证认可质量基础设施建设等公共技术服务。有坞城南路、化章街经此。

40–A–b007 **山西省安全生产科学研究院**［Shānxī Shěng ānquánshēngchǎnkēxué Yánjiūyuàn］省级安全生产科学研究单位。在山西省太原市小店区，因所在区位及职能而得名。创建于 1985 年，前身为山西省劳动安全卫生检测检验站。2000 年，更名为山西省安全技术检测检验所。2011 年，定名为现名。设有职业卫生检测室、非矿山检测室等科室。主要职能为开展工矿企业在用设备安全性能检测检验，非矿山安全和重大危险源监控，职业危害因素检测、评价与鉴定，建设项目职业危害评估等工作。有科技街通达，通公交车。

40–A–b008 **中共山西省委党史研究院**［Zhōnggòng Shānxīshěngwěi Dǎngshǐ Yánjiūyuàn］省级党史及地方志研究单位。在山西省太原市迎泽区，因所在区位及职能而得名，并称山西省地方志研究院。创建于 2020 年，前身是 1994 年由中共山西省委党史研究室、山西省地方志办公室和山西省社会科学院当代山西研究所合并成立的山西省史志研究院。2009 年，山西省史志研究院分设为中共山西省委党史办公室、山西省地方志办公室。2018 年，山西省委党史办公室与省地方志办公室合并，组建山西省委党史研究院（省地方志研究院）。2020 年，更名为现名。主办有《党史文汇》等期刊，负责山西省党史及地方史资料搜集、整理与出版工作。有五一路通达，通 615 路、805 路等公交车。

40–A–b009 **山西省考古研究院**［Shānxī Shěng Kǎogǔ Yánjiūyuàn］省级文物保护研究单位。在山西省太原市迎泽区，因所在区位及职能而得名，并称山西古建筑博物馆。创建于 2020 年，为原山西省考古研究所、山西省民俗博物馆等单位组建而成。负责全省地下文物的考古调查、勘探、发掘、保护和研究工作，占地面积约 3 万平方米，主要建筑有全国重点文物保护单位太原文庙等。设有古人类研究所、华夏文明研究所、晋文化研究所、民族融合研究所等学术研究部门。依托太原文庙展陈空间创建具有考古学特色的考古博物馆。有上官巷、文庙巷经此。

40–A–b010 **山西省古建筑与彩塑壁画保护研究院**［Shānxī Shěng Gǔjiànzhù Yǔ Cǎisùbìhuà Bǎohù Yánjiūyuàn］省级古建文物保护研究单位。在山西省太原市迎泽区，因所在区位及职能而得名，并称山西古建筑博物馆。创建于 2020 年，为原山西省古建筑保护研究所、山西省艺术博物馆、山西省古建筑维修质量监督站等单位组建而成。占地面积约 1 万平方米，主要建筑有全国文物保护单位纯阳宫等。主要职能为承担山西省地上不可移动文物的调查、勘探、发掘、保护和研究工作，并负责纯阳宫、佛光寺、南禅寺的保护、展示与研究工作。有迎泽大街、五一路等通达，通 103 路、901 路等公交车。

40–A–b011 **山西省气象科学研究所**［Shānxī Shěng Qìxiàngkēxué Yánjiūsuǒ］省级气候咨询与科研服务研究单位。在山西省太原市迎泽区，因所在区域及职能而得名。创建于 1958 年，隶属于山西省气象局。设有天气气候研究室、应用气象研究室、大气物理与大气化学研究室、区域环境规划研究室等。占地面积约 0.4 万平方米，建筑面积约 2 万平方米。负责山西省大气化学业务轨道和气象科技创新体系的组织设计工作，并承担有灾害性天气预测预报、气候分析预测、气象资源开发利用、遥感资料应用、农业气象以及专业气象等相关研究工作。有新建路通达，通 27 路、38 路等公交车。

40–A–b012 **山西省环境科学研究院**［Shānxī Shěng Huánjìngkēxué Yánjiūyuàn］省级环境科学研究单位。在山西省太原市尖草坪区，因所在区位及职能而得名。创建于 1978 年，沿用至今。设有山西省环境科学研究院测试中心、山西省污染土壤修复技术开发实验室、卫星环境应用中心山西遥感应用基地等。占地面积约 0.9 万平方米，建筑面积约 1.4 万平方米。主要从事环境保护与污染防治技术研究、矿山受损生态及污染土壤修复技术研究、环境经济政策及节能减排技术研究、流域生态健康与生态环境承载力研究，并开展有环境风险调查与评估、区域生态环境状况调查与评估等工作。有兴华街通达，通公交车。

40–A–b013 **山西省地方病防治研究所**［Shānxī Shěng Dìfāngbìngfángzhì Yánjiūsuǒ］省级地方病防治研究单位。在山西省临汾市尧都区，因工作职能得名。创建于 1958 年，前身是山西省卫生厅大骨节病调查研究组，常驻安泽县医院。同年 10 月，改名为山西省卫生厅地方病防治研究组，增加地方性甲状腺肿的防治研究任务。1960 年，更名为山西医学科学院地方病研究所，后因山西医学科学院撤销，改称山西省地方病研究所。1978 年，定名为山西省地方病防治研究所，沿用至今。占地面积约 2 万平方米，建筑面积约 0.7 万平方米。主要负责山西省地方病的防治、科研、监测、医疗与教学任务，是山西省唯一一家省级地方病防治科研单位。有环城南路通达，通 4 路公交车。

B 教育单位

40–B–a001 **山西大学**［Shānxī Dàxué］高等院校。在山西省太原市小店区，以所在区域及职能而得名。创建于 1902 年，前身为山西大学堂，历史可追溯至明清时期的晋阳书院、三立书院和令德堂书院。1912 年，改称为山西大学校。1918 年，确定为国立山西大学，是中国最早的三所国立大学之一。1931 年，更名为山西大学。1943 年，改称国立山西大学。1953 年，更名为山西师范学院。1959 年，恢复山西大学校名。占地面积约 200 万平方米，建筑面积约 117 万平方米，有坞城校区、大东关、东山 3 个校区。形成了“中西会通、求真至善、登崇俊良、自强报国”的优良传统，是中国办学历史最悠久的高等学府之一。2012 年入选国家“中西部高校综合实力提升工程”。2018 年成为教育部和山西省人民政府共同建设的部省合建大学。有坞城路、南中环路通达，通 103、39 路等公交车。

40–B–a002 **山西财经大学**［Shānxī Cáijīng Dàxué］高等院校。在山西省太原市小店区，因所在区域及专业特色而得名。创建于 1951 年，前身为山西省银行干部学校、商业干部学校、供销合作干部学校、财政干部学校和粮食干部学校。1958 年，五所学校合并成立山西财经学院。1984 年，成立山西经济管理学院。1997 年，山西财经学院和山西经济管理学院合并组建山西财经大学。占地面积约 120 万平方米，建筑面积约 60 万平方米，有坞城、迎泽 2 个校区。以“修德立信、博学求真”为校训，财经专业特色鲜明，入选国家“中西部高校基础能力建设工程”。有南中环街、坞城路等通达，通 103 路、849 路等公交车。

40–B–a003 **山西师范大学**［Shānxī Shīfàn Dàxué］高等院校。在山西省太原市小店区，因所在区域及专业特色而得名。创建于 1958 年，前身为晋南师范专科学校。1964 年，调整改建为山西师范学院。1984 年，更名为山西师范大学。2021 年，由临汾市迁至太原市办学。占地面积约 96 万平方米。以“团结、创造、求实、奋进”为校训，是培养山西省基础教育师资的重要基地，入选国家“中西部高校基础能力建设工程”。有太榆路通达，通 902 路等公交车。

40–B–a004 **太原学院**［Tàiyuán Xuéyuàn］高等院校。在山西省太原市小店区，因所在区域及职能而得名。创建于 2002 年，由原太原大学、太原师范学校、太原市教育学院合并而成。2013 年，升格为全日制普通本科院校，更名为太原学院。占地面积约 110.7 万平方米，有汾东、滨河、府东 3 个校区。以“博学弘毅，力行至善”为校训，是一所由太原市人民政府主办的全日制普通高等学校。有大昌南路、汾东大街等通达，通 304 路、881 路等公交车。

40–B–a005 **山西工商学院**［Shānxī Gōngshāng Xuéyuàn］民办高等院校。在山西省太原市小店区，因所在区域及专业特色而得名。创建于 1986 年，前身为自学考试业余辅导班。1993 年，更名为山西工商专修学校。2004 年，成立山西工商职业学院。2011 年，升格为全日制普通本科院校，更名为山西工商学院。占地面积约 47 万平方米，建筑面积约 31 万平方米，有龙城、北格 2 个校区。以“诚信、奉献、拼搏、争先”为校训，是一所民办应用型本科建设高校。有坞城南路通达，通公交车。

40–B–a006 **山西应用科技学院**［Shānxī Yīngyòngkējì Xuéyuàn］民办高等院校。在山西省太

原市小店区，因所在区域及专业特色而得名。创建于2001年，前身是1991年创办的山西文化艺术专修学校基础上建立的山西兴华职业学院。2014年，升格为全日制普通本科院校，更名为山西应用科技学院。占地面积约64万平方米，建筑面积约35万平方米，有主校区、太原龙城校区、太谷校区3个校区。以“求知、修德、强能、报国”为校训，是一所民办应用型本科建设高校。有金谷路通达，通305路公交车。

40-B-a007 **太原理工大学**［Tàiyuán Lǐgōng Dàxué］高等院校。在山西省太原市迎泽区，因区位及专业特色而得名。创建于1902年，前身是国立山西大学堂西学专斋。1953年，更名为太原工学院。1984年，改名为太原工业大学。1997年，山西矿业学院并入，定名为太原理工大学。占地面积约213万平方米，建筑面积约169万平方米，有明向、迎西、虎峪、柏林4个校区。以“求实、创新”为校训，办学特色以工为主、理工结合，注重多学科协调发展，是国家“211工程”重点建设高校。有迎泽西大街、千峰北路等通达，通813路、868路等公交车。

40-B-a008 **山西医科大学**［Shānxī Yīkē Dàxué］高等院校。在山西省太原市迎泽区，因所在区域及专业特色而得名。创建于1919年，前身是山西医学传习所。1932年，更名为私立山西川至医学专科学校。1940年，并入山西大学，为山西大学医学专修科。1946年，升格为国立山西大学医学院。1953年，独立建校为山西医学院。1996年，更名为山西医科大学。占地面积约94万平方米，建筑面积约40万平方米，有迎泽、中都2个校区。以“医理博精，德能高邃”为校训，以医学专业为主，是首批卓越医生教育培养计划试点高校，入选“中西部高校基础能力建设工程”。有新建南路、解放南路等通达，通65路、27路等公交车。

40-B-a009 **中北大学**［Zhōngběi Dàxué］高等院校。在山西省太原市尖草坪区，因所在区域及职能而得名。创建于1941年，前身为八路军创办的太行工业学校，被誉为“人民兵工第一校”。1958年，升格为太原机械学院。1993年，更名为华北工学院。2004年，更名为中北大学。占地面积约199万平方米，建筑面积约123万平方米。以“致知于行”为校训，是山西省人民政府与工业和信息化部、国家国防科技工业局共建高校，入选国家“中西部高校基础能力建设工程”。有滨河东路等通达，通835支路、G1路等公交车。

40-B-a010 **太原工业学院**［Tàiyuán Gōngyè Xuéyuàn］高等院校。在山西省太原市尖草坪区，因所在区域及专业特色而得名。创建于1954年，前身为华北第五工业学校。2007年，升格为全日制普通本科学校，更名为太原工业学院。占地面积约39万平方米，建筑面积约36万平方米。以“知行合一，行胜于言”为校训，以工程应用为特色，是山西省首批应用型本科高校建设院校。有迎新街、新兰路等通达，通841路、842路等公交车。

40-B-a011 **太原科技大学**［Tàiyuán Kējì Dàxué］高等院校。在山西省太原市万柏林区，因所在区域及专业特色而得名。创建于1952年，前身为山西省机械制造工业学校。1960年，更名为太原重型机械学院。2004年更名为太原科技大学。占地面积约77万平方米，有主校区、南校区、晋城、南社4个校区。以“负重奋进，笃行求实”为校训，入选国家“中西部高校基础能力建设工程”。有西中环路、兴华街等通达，通876路、18路等公交车。

40-B-a012 **山西警察学院**［Shānxī Jǐngchá Xuéyuàn］高等院校。在山西省太原市清徐县，因所在区域及专业特色而得名。创建于1949年，前身为山西省公安学校。1981年，成立山西省人民警察学校。2000年，建立山西警官高等专科学校。2006年，太原警官职业学院并入。2016年，建立山西警察学院。占地面积约69万平方米，建筑面积约29万平方米，有徐沟、晋祠路和小店3个校区。以“忠诚、正义、厚德、博学”为校训，设有全国公安民警心理训练山西实验中心等国家级训练基地，是一所“服从服务公安工作和公安队伍建设”的全日制普通本科院校。有人民路、环校南路等通达，通清徐206路等公交车。

40-B-a013 **山西大同大学**［Shānxī Dàtóng Dàxué］高等院校。在山西省大同市平城区，因其所在区域及职能而得名。创建于 2006 年，由雁北师范学院、大同医学专科学校、大同职业技术学院和山西工业职业技术学院 4 校合并而成。占地面积约 140 万平方米，建筑面积约 94 万平方米，有御东和新平旺 2 个校区。以“厚德、博学、慎思、笃行”为校训，是首批卓越医生教育培养计划试点高校、山西省首批应用型转型试点高校、山西省首批高水平应用型本科建设高校，是山西省教育厅与大同市人民政府共建高校。有兴云街、云山街通达，通 66 路等公交车。

40-B-a014 **山西工程技术学院** [Shānxī Gōngchéngjìshù Xuéyuàn] 高等院校。在山西省阳泉市郊区，因所在区域及专业特色而得名。创建于 1984 年，前身为山西矿业学院阳泉煤炭专科班。1986 年，成立阳泉煤炭专科学校。2001 年，挂名太原理工大学阳泉学院，招收本科生。2014 年，设立山西工程技术学院。占地面积约 73 万平方米，建筑面积约 33 万平方米。以“崇德尚能，行知合一”为校训，以工学为主，是山西省首批应用型本科高校建设院校。有学院路等通达，通 14 路等公交车。

40-B-a015 **长治学院** [Chángzhì Xuéyuàn] 高等院校。在山西省长治市潞州区，因所在行政区域及职能而得名。创建于 1958 年，前身为晋东南师范专科学校。1962 年，学校停办。1978 年，学校复建。2001 年，与山西师范大学联合办学，成立山西师范大学晋东南学院。2004 年，升格为全日制普通本科院校，定名为长治学院。占地面积 34 万平方米，建筑面积约 31 万平方米。以“求真、求实、求善、求美”为校训，设有太行文化生态研究院、赵树理研究所等科研机构。有太行东街、英雄北路、东环路等通达，通 K106 路等公交车。

40-B-a016 **长治医学院** [Chángzhì Yīxuéyuàn] 高等院校。在山西省长治市城区，因所在区域及专业特色而得名。创建于 1946 年，前身是晋冀鲁豫白求恩国际和平医院总院开办的护士学校。1948 年，改建为白求恩国际和平医科专门学校。1949 年，更名为太行白求恩国际和平医院和平医专。1950 年，成立山西省立长治医科专门学校。1951 年，更名为山西省立长治医士学校。1952 年，更名为山西省长治卫生技术学校。1958 年，改称晋东南医学专科学校。1986 年升格为全日制普通本科院校，定名长治医学院。占地面积约 64 万平方米，建筑面积约 30 万平方米，有校本部和五龙校区 2 个校区。以“厚德精业、济世报国”为校训，是省属全日制普通高等医学院校。有解放东街通达，通 24 路、33 路等公交车。

40-B-a017 **山西科技学院** [Shānxī Kējì Xuéyuàn] 高等院校。在山西省晋城市泽州县，因所在区域及专业特色而得名。创建于 2021 年，由太原科技大学华科学院和太原科技大学晋城校区合并而成。占地面积约 80 万平方米，建筑面积约 23 万平方米。以“崇德明理，精工求真”为校训，是一所理工类应用型高校。有日凤线通达，通 19 路等公交车。

40-B-a018 **山西工学院** [Shānxī Gōngxuéyuàn] 高等院校。在山西省朔州市朔城区，因所在区域及专业特色而得名。创建于 2021 年，前身是太原理工大学现代科技学院。占地面积约 85 万平方米，建筑面积约 49 万平方米。是一所理工类普通应用型高校。有长宁东街通达，通 1 路、5 路公交车。

40-B-a019 **晋中学院** [Jìnzhōng Xuéyuàn] 高等院校。在山西省晋中市榆次区，因其所在行政区域及职能而得名。创建于 2004 年，由晋中师范高等专科学校、晋中教育学院、晋中职工大学 3 校合并而成。占地面积约 59 万平方米，建筑面积约 39 万平方米。以“明德、博学、经世、创新”为校训，注重晋中本土文化研究。是山西省首批应用型本科高校建设单位。有大学街、魏榆路等通达，通 902 路、909 路等公交车。

40-B-a020 **山西中医药大学** [Shānxī Zhōngyīyào Dàxué] 高等院校。在山西省晋中市榆次区，因所在区域及专业特色而得名。筹建于 1982 年，前身为 1978 年创办的山西医学院中医大学班。1989 年，正式成立山西中医学院。2017 年，更名为山西中医药大学。占地面积约 65 万平方米，有太原、晋中 2 个校区，有 4 所直属附属医院。以“求真济世”为校训，是首批卓越医生（中医）教育培养计划试点高校，为山西省人民政府和国家中医药管理局共建高校。有定阳路、新建北路通达，通 902 路等公交车。

40-B-a021 **山西传媒学院** [Shānxī Chuánméi Xuéyuàn] 高等院校。在山西省榆次区，因所在区域及专业特色而得名。创建于 1983 年，前身为原广播电视部建立的华北广播电视学校。1990 年，更名为广播电影电视部管理干部学院。2000 年，改称广播电影电视管理干部学院。2013 年，定名为山西传媒学院。占地面积约 54 万平方米，建筑面积约 28 万平方米，有文华和东华 2 个校区。以“厚德博识，励学躬行”为校训，是国家广播电视总局和山西省人民政府共建高校。有文华街、新建北路、定阳路等通达，通 5 路、903 路等公交车。

40-B-a022 **山西能源学院** [Shānxī Néngyuán Xuéyuàn] 高等院校。在山西省晋中市榆次区，因所在区域及专业特色而得名。筹建于 2009 年，前身为山西煤炭管理干部学院基础上筹建的山西煤炭学院。2013 年，将正在筹建中的山西煤炭学院改为筹建山西能源学院。2016 年，建立山西能源学院。占地面积约 51 万平方米，建筑面积约 20 万平方米，有高校园区和太原市小店区 2 个校区。以“立德强能，笃学善行”为校训，是一所应用型普通本科高校。有新建北路、文津街、大学街等通达，通 902 路、新 202 路等公交车。

40-B-a023 **山西工程科技职业大学** [Shānxī Gōngchéngkējì Zhíyè Dàxué] 高等院校。在山西省晋中市榆次区，因所在区域及专业特色而得名。创建于 2020 年，由山西大学商务学院、山西交通职业技术学院、山西建筑职业技术学院合并组建而成。占地面积约 75 万平方米，建筑面积约 57 万平方米。以“厚德精技，励学笃行”为校训，是山西省省属公办本科职业大学。有文华街、乌金路、大学路、魏榆路通达，通 205 路、909 路等公交车。

40-B-a024 **山西晋中理工学院** [Shānxī Jìnzhōng lǐgōng Xuéyuàn] 民办高等院校。在山西省晋中市榆次区，因所在区域及专业特色而得名。创建于 2002 年，前身是中北大学信息商务学院。2021 年，更名为山西晋中理工学院。占地面积约 67 万平方米，建筑面积 30 余万平方米。以“谨信博学，经世致用”为校训，是一所民办应用型本科建设高校。有创业街通达，通 1 路、9 路等公交车。

40-B-a025 **太原师范学院** [Tàiyuán Shīfàn Xuéyuàn] 高等院校。在山西省晋中市榆次区，因所在区域及专业特色而得名。创建于 1999 年，由山西省教育学院、太原师范专科学校、山西大学师范学院合并组建而成。总占地面积约 13 万平方米，有新校区、中校区、南校区、北校区 4 个校区，其中，新校区占地面积约 11 万平方米，建筑面积约 55 万平方米。以“崇德、博学、团结、创新”为校训，是一所以本科师范教育为主的高等院校。有汇通北路等通达，通 902 路、901 路等公交车。

40-B-a026 **晋中信息学院** [Jìnzhōng Xìnxī Xuéyuàn] 民办高等院校。在山西省晋中市太谷区，因所在区域及专业特色而得名。创建于 2002 年，前身为山西农业大学信息学院。2020 年，更名为晋中信息学院。占地面积约 67 万平方米，建筑面积约 33 万平方米。以“乐教、乐学、创造、创业”为校训，是一所民办应用型本科建设高校。有东海北路通达，通 T05 路公交车。

40-B-a027 **山西农业大学** [Shānxī Nóngyè Dàxué] 高等院校。在山西省晋中市太谷区，因所在区域及专业特色得名，并称山西省农业科学院。创建于 1907 年，前身为私立铭贤学堂。1951 年，改私立为公办，成立山西农学院。1979 年，更名为山西农业大学。2019 年，山西省农业科学院并入。占地面积约 239 万平方米，建筑面积约 130 万平方米，有太谷、太原龙城 2 个校区，太谷校区“山西铭贤学校旧址”是全国重点文物保护单位。以“勤奋、求实、团结、进取”为校训，是山西省人民政府与农业农村部共建高校，入选国家“中西部高校基础能力建设工程”。有铭贤路等通达，通 801 路支线、119 路支等公交车。

40-B-a028 **运城学院** [Yùnchéng Xuéyuàn] 高等院校。在山西省运城市盐湖区西北部，因所在区域及职能得名。创建于 1989 年，前身是由运城师范专科学校、运城地区教育学院与河东大学

（筹）合并组建的运城高等专科学校。2002 年，更名为运城学院。占地面积约 206 万平方米，建筑面积约 60 万平方米。以“立德有为”为校训，注重服务区域经济社会发展与培养应用型人才。有运稷线、复旦大道等通达，通 23 路、33 路、103 路等公交车。

40-B-a029 **运城职业技术大学**［Yùnchéng Zhíyèjìshù Dàxué］民办高等院校。创建于 2006 年，前身是运城职业技术学院。2019 年，升格为职业本科学校。2020 年，更名为运城职业技术大学。占地面积约 68 万平方米，建筑面积约 34 万平方米。以“做学合一，厚实融通”为校训，是国家级煤矿安全培训基地，是一所民办全日制本科学历教育的职业院校。有涑水东街通达，通 13 路、25 路等公交车。

40-B-a030 **忻州师范学院**［Xīnzhōu Shīfàn Xuéyuàn］高等院校。在山西省忻州市忻府区，因所在区域及专业特色而得名。创建于 1958 年，前身是山西省忻县师范专科学校。1984 年，更名为忻州师范专科学校。1998 年，忻州地区教育学院、忻州职工大学、山西广播电视大学忻州分校合并组建忻州师范高等专科学校。2000 年，在原忻州师范高等专科学校、忻州师范专科学校合并基础上建立忻州师范学院。占地面积约 107 万平方米，建筑面积约 49 万平方米。以“厚学启智，修德树人”为校训，是一所省属本科师范院校。有七一北路、和平西街等通达，通 202 路、301 路、305 路等公交车。

40-B-a031 **山西师范大学现代文理学院**［Shānxī Shīfàn Dàxué Xiàndàiwénlǐ Xuéyuàn］民办高等院校。在山西省临汾市尧都区，因所在区域及挂靠山西师范大学而得名。创建于 2002 年。占地面积约 80 万平方米，建筑面积约 44 万平方米。以“崇德明理，知行合一”为校训，是一所民办全日制本科学历教育的师范类独立学院。有滨河西路通达，通 1 路、2 路公交车。

40-B-a032 **吕梁学院**［Lǚliáng Xuéyuàn］高等院校。在山西省吕梁市离石区，因所在行政区域及职能而得名。创建于 1978 年，前身为山西师范学院吕梁专科班。1984 年，成立吕梁师范专科学校。1989 年，与筹建中的吕梁理工专科学校合并成立吕梁高等专科学校。2010 年，升格为全日制普通本科院校，更名为吕梁学院。占地面积约 111 万平方米，建筑面积约 67 万平方米，有交口分院 1 个综合实习实训基地。以“弘毅行知”为校训，是一所省市共建的全日制普通高等学校。有临安路、纬三十一路等通达，通 103 路、104 路等公交车。

40-B-a033 **太原幼儿师范高等专科学校**［Tàiyuán Yòu'Ér Shīfàn Gāoděng Zhuānkē Xuéxiào］高等专科院校。在山西省太原市清徐县，因所在区位和学校职能而得名。创建于 2018 年。占地面积约 24 万平方米，建筑面积约 19 万平方米，有徐沟、兴华 2 个校区。以“美人美己，为师为范”为校训，是一所培养培训学前教育、早期教育、艺术教育及学前、小学公共服务类师资人才的普通高等专科学校。有人民路通达，通公交车。

40-B-a034 **大同师范高等专科学校**［Dàtóng Shīfàn Gāoděng Zhuānkē Xuéxiào］高等专科院校。在山西省大同市平城区，因所在区位和学校职能而得名。创建于 1913 年，前身为山西省立第三中学。1934 年，改称山西省立大同中学。1949 年，改称察哈尔省立大同中学。1952 年，更名为大同一中。1972 年，转为师范类学校，更名为大同师范学校。2006 年，挂名大同大学为大同大学大同师范分校。2018 年，更名为大同师范高等专科学校。占地面积约 32 万平方米，建筑面积约 15 万平方米，校内遗留的民国建筑群为全国重点文物保护单位。以“立志有为，弘毅笃行”为校训，是近代大同学生运动、大同地区爱国主义思潮发源地。有同泉东路等通达，通 38 路公交车。

40-B-a035 **阳泉师范高等专科学校**［Yángquán Shīfàn Gāoděng Zhuānkē Xuéxiào］高等专科院校。在山西省阳泉市平定县，因所在区域及学校职能而得名。创建于 2010 年，由原平定师范学校和阳泉教育学院合并而成。占地约 20 万平方米，建筑面积约 11 万平方米。以“勤奋俭朴，敬业求实”为校训，是一所全日制高等专科学校。有学院南大街、文兴路通达，通 611 路、612 路等公交车。

40-B-a036 **长治幼儿师范高等专科学校**［Chángzhì Yòu'Ér Shīfàn Gāoděng Zhuānkē Xuéxiào］高等专科院校。在山西省长治市潞州区，因所在区域及学校职能而得名。创建于2020年，由长治教育学院、长治学院师范分院和长治学院沁县师范分院合并成立。占地面积约33万平方米，建筑面积31万平方米。是一所以培养培训学前教育人才为主的普通高等专科学校。有捉马西大街通达，通公交车。

40-B-a037 **朔州师范高等专科学校**［Shuòzhōu Shīfàn Gāoděng Zhuānkē Xuéxiào］高等专科院校。在山西省朔州市朔城区，因所在区域及学校职能而得名。创建于1949年，前身是晋西北雁北中学。1949年起，先后称朔县师范学校、朔州师范学校、雁北师范学院朔州分院、山西大同大学朔州师范分校。2012年，更名为朔州师范高等专科学校。占地面积约37万平方米，建筑面积约23万平方米。是一所全日制普通高等职业学校。有长宁东街通达，通12路、17路等公交车。

40-B-a038 **晋中师范高等专科学校**［Jìnzhōng Shīfàn Gāoděng Zhuānkē Xuéxiào］高等专科院校。在山西省晋中市榆次区，因所在区位和学校职能而得名。创建于2010年，由原山西太谷师范学校和山西省太行师范学校合并组建而成。占地面积约28万平方米，建筑面积约14万平方米。以“爱满天下”为校训，是一所以培养小学、学前教育师资为主的全日制高等师范专科学校。有广安街等通达，通11路、207路等公交车。

40-B-a039 **运城师范高等专科学校**［Yùnchéng Shīfàn Gāoděng Zhuānkē Xuéxiào］高等专科院校。在山西省运城市盐湖区，因所在区域及学校职能而得名。创建于1905年，前身是河东师范学堂。1985年，更名为山西省运城师范学校。2012年，原运城师范学校和稷山师范学校合并办学，成立运城师范高等专科学校。以“端本诚中，乐善为师”为校训，是一所全日制普通高等职业学校。有学院西路通达，通23路等公交车。

40-B-a040 **运城幼儿师范高等专科学校**［Yùnchéng Yòu'Ér Shīfàn Gāoděng Zhuānkē Xuéxiào］高等专科院校。在山西省运城市盐湖区，因所在区域及学校职能而得名。创建于1978年，前身是山西省运城专区幼儿师范学校。2007年，成立运城幼儿师范高等专科学校。占地面积约21万平方米，建筑面积约17万平方米。以“求知、求是、为人、为师”为校训，是一所培养学前教育教师的高等专科学校。有司马温公路、花园西街、裴相路等通达，通66路等公交车。

40-B-a041 **山西工程职业学院**［Shānxī Gōngchéng Zhíyè Xuéyuàn］高等职业院校。在山西省太原市杏花岭区，因所在区域及学校职能而得名。创建于2019年，由山西工程职业技术学院与山西煤炭职业技术学院合并组建而成。2000年，原山西省煤炭职业中等专业学校和原山西省雁北煤炭工业学校并入。占地面积约60万平方米，建筑面积约40万平方米，有唐槐、龙潭、许坦3个校区。以“崇德尚能，励学重行”为校训，是一所全日制高等职业院校。有新建路通达，通10路、27路等公交车。

40-B-a042 **山西铁道职业技术学院**［Shānxī Tiědào Zhíyè Jìshù Xuéyuàn］高等职业院校。在山西省太原市杏花岭区，因地理位置及职能而得名。创建于2009年，前身是由山西综合职业技术学院轻工分院独立而成的山西省轻工业学校。2020年，更名为山西铁道职业技术学院。以“立德、强技、笃学、致远”为校训，是一所全日制普通高等职业学校。有马道坡街通达，通410路、915路等公交车。

40-B-a043 **太原旅游职业学院**［Tàiyuán Lǚyóu Zhíyè Xuéyuàn］高等职业院校。在山西省太原市小店区，因所在区域及学校职能而得名。创建于1985年，前身为太原旅游职业高中。1998年，更名为太原旅游学校。2004年，更名为太原旅游职业学院。占地面积约323万平方米，建筑面积约14万平方米，有大昌南路新校区、一中校区2个校区，有1座国家乙级体育馆。以“厚德、博文、谦恭、诚信”为校训，是一所旅游专业类高职院校。有大昌南路、晋华路通达，通304路、881路公交车。

40-B-a044 **山西财贸职业技术学院**［Shānxī Cáimào Zhíyè Jìshù Xuéyuàn］高等职业院校。

在山西省太原市小店区，因所在区域及学校职能而得名。创建于1978年，前身是山西省财贸学校。2002年，更名为山西财贸职业技术学院。占地面积10万余平方米，建筑面积9万余平方米。以“博学、敦行、诚信、创新”为校训，是一所全日制专科层次的普通高等学校。有民航南路通达，通25路公交车。

40-B-a045 **山西国际商务职业学院**［Shānxī Guójìshāngwù Zhíyè Xuéyuàn］高等职业院校。在山西省太原市小店区，因所在区域及学校职能而得名。创建于1985年，前身是山西对外经济贸易职工中等专业学校。1999年，更名为山西省国际商务学校。2004年，更名为山西国际商务职业学院。以“强学力行、教学相长”为校训，是一所全日制高等职业院校。有许东路通达，通公交车。

40-B-a046 **山西旅游职业学院**［Shānxī Lǚyóu Zhíyè Xuéyuàn］高等职业院校。在山西省太原市小店区，因所在区域及学校职能而得名。创建于1980年，前身是山西省计划统计学校。2001年，与山西财经大学联合举办山西财经大学经济信息学院。2004年，成立山西旅游职业学院。占地面积约22万平方米，建筑面积约11万平方米。以“厚德、修身、勤业、创新”为校训，是一所全日制旅游高等职业院校。有东润路通达，通837路公交车。

40-B-a047 **山西青年职业学院**［Shānxī Qīngnián Zhíyè Xuéyuàn］中高等职业院校。在山西省太原市小店区，因所在区域及学校职能而得名，并称山西经贸职业学院。创建于1950年，前身是共青团山西省委团校。1994年，更名为山西青年管理干部学院。2011年，更名为山西青年职业学院。以“怀德远志，博学力行”为校训，是培养青少年社会工作者和培训共青团干部的团属高校。有大昌南路通达，通304路、881路公家车。

40-B-a048 **山西体育职业学院**［Shānxī Tǐyù Zhíyè Xuéyuàn］高等职业院校。在山西省太原市小店区，因所在区域及学校职能而得名。创建于1956年，前身是山西省体育运动学校。2004年，升格为高职院校，更名为山西体育职业学院。占地面积约12万平方米，建筑面积约3万平方米。是一所体育类高职院校。有长治路通达，通地铁2号线与公交车。

40-B-a049 **山西药科职业学院**［Shānxī Yàokē Zhíyè Xuéyuàn］高等职业院校。在山西省太原市小店区，因所在区域及学校职能而得名。创建于1957年，前身是山西省药材公司职工培训班。1960年，改称广誉远中药技校。1962年，更名为山西省中药材职业学校。1965年，成立山西省中药材学校。2001年，升格为高职高专，更名为山西生物应用职业技术学院。2012年，更名为山西药科职业学院。占地面积约27万平方米，建筑面积约12万平方米。以“修德济世，精业立身”为校训，是一所药科类的高等职业技术学院。有民航街、民航南路通达，通25路、916路等公交车。

40-B-a050 **山西职业技术学院**［Shānxī Zhíyè Jìshù Xuéyuàn］高等职业院校。在山西省太原市小店区，因所在区域及学校职能而得名。创建于2003年，前身为山西综合职业技术学院，由山西省电子工业学校、山西省工业管理学校、山西省建材工业学校、山西省轻工业学校、太原工贸学校、太原化学工业学校合并而成。2010年，山西省物流技术学校并入，更名为山西职业技术学院。有坞城、南中环、长风、榆次4个校区。以“厚德载物，强能立身”为校训。有坞城路通达，通39路、103路、824路等公交车。

40-B-a051 **山西警官职业学院**［Shānxī Jǐngguān Zhíyè Xuéyuàn］高等职业院校。在山西省太原市迎泽区，因所在区域及学校职能而得名。创建于1964年，前身是山西省公安技校，后历经山西省公安学校、山西省劳改工作学校、山西省劳改警察学校、山西省第二人民警察学校等校名更迭。2004年，更名为山西警官职业学院。占地面积约15万平方米，建筑面积约4万平方米。以“明德、崇法、忠诚、敬业”为校训，是一所为政法系统培养、培训人民警察的高职院校。有西太堡街、双塔南路通达，通873路等公交车。

40-B-a052 **山西艺术职业学院**［Shānxī Yìshù Zhíyè Xuéyuàn］高等职业院校。在山西省太原市迎泽区，因所在区域及学校职能而得名。创建于2020年，由原山西艺术职业学院、原山西戏剧职业学院、山西省晋剧院、山西省京剧院等9家单位改组而成。有并东校区、奶生堂校区、影视传媒校区、大营盘校区 4 个校区。以“博学、尚美”为校训，是山西省文化艺术人才培养教育的重要基地，唯一一所高等职业艺术院校。有并州北路、并州东街通达，通 814 路、11 路等公交车。

40-B-a053 **太原城市职业技术学院**[Tàiyuán Chéngshì Zhíyè Jìshù Xuéyuàn] 高等职业院校。在山西省太原市尖草坪区，因所在区域及学校职能而得名。创建于 2003 年，是由原太原经济管理干部学院、太原市工业经济学校、太原市城市建设学校合并而成。占地面积约 13 万平方米，有兴华街、建设路 2 个校区。以“勤学唯实，厚德强能”为校训，是一所全日制高等职业院校。有兴华街通达，通 50 路、59 路等公交车。

40-B-a054 **山西金融职业学院** [Shānxī Jīnróng Zhíyè Xuéyuàn] 高等职业院校。在山西省太原市尖草坪区，因所在区域及学校职能而得名。创建于 1978 年，前身是山西银行学校。2003 年，更名为山西金融职业学院。占地面积约 3 万平方米，建筑面积约 3 万平方米，有校本部和南校区 2 个校区。以“晋商魂，金融道”为校训，是一所以金融为主的财经类全日制专科层次的高等职业院校。有迎新南一巷经此。

40-B-a055 **山西林业职业技术学院** [Shānxī Línyè Zhíyè Jìshù Xuéyuàn] 高等职业院校。在山西省太原市尖草坪区，因所在区域及学校职能而得名。创建于 1952 年，前身是山西林业学校。2002 年，更名为山西林业职业技术学院。占地面积约 12 万平方米，建筑面积约 9 万平方米，建有国家级示范性实训基地 10.57 万亩。以“厚德、笃学、精艺、果行”为校训，是一所林业类高等职业院校。有北中环街等通达，通 71 路、75 路公交车。

40-B-a056 **山西省财政税务专科学校**[Shānxī Shěng Cáizhèngshuìwù Zhuānkē Xuéxiào] 高等职业院校。在山西省太原市万柏林区，因所在区域及学校职能而得名。创建于 1963 年，前身是山西会计学校。1985 年，改称山西省财政税务专科学校。占地面积约 9 万平方米，建筑面积约 16 万平方米。以“至诚至信，至善至美”为校训，是一所培养高等财经应用型人才的全日制高等专科学校，是中国特色高水平高职学校和专业建设建设单位、国家示范性高等职业院校。有千峰南路、后王街等通达，通 863 路、824 路等公交车。

40-B-a057 **山西电力职业技术学院** [Shānxī Diànlì Zhíyè Jìshù Xuéyuàn] 高等职业院校。在山西省太原市晋源区，因所在区域及学校职能而得名。创建于 1955 年，前身是原太原电力学校。2004 年更名为山西电力职业技术学院。占地面积约 36 万平方米，有国家级生产性实训基地 4 个。以“立足电力、服务社会”为校训，是一所电力高等专科职业院校。有晋阳大道通达，通公交车。

40-B-a058 **山西经济管理干部学院** [Shānxī Jīngjìguǎnlǐ Gànbù Xuéyuàn] 高等职业院校。在山西省太原市晋源区，因所在区域及学校职能而得名，并称山西经贸职业学院。创建于 1984 年，2008 年，在山西经济管理干部学院基础上增设山西经贸职业学院。占地总面积约 31 万平方米，建筑面积约 19 万平方米，有南北东 3 个校区。以“真诚、严谨、善学、笃行”为校训，是一所以经济管理人才培养为重点、以高职教育为主体的职业类院校。有南内环西街、晋祠路通达，通 39 路、606 路等公交车。

40-B-a059 **大同煤炭职业技术学院**[Dàtóng Méitàn Zhíyè Jìshù Xuéyuàn] 高等职业院校。在山西省大同市云冈区，因所在区域及学校职能而得名。创建于 1975 年，前身为大同矿务局工人大学。1978 年，更名为大同矿务局职工大学。1999 年，与大同煤炭工业学校合并组建山西矿业职业技术学院。2001 年，更名为北岳职业技术学院。2008 年，更名为大同煤炭职业技术学院。占地面积约 25 万平方米，建筑面积约 17 万平方米。以“立德立身、修业修能”为校训，是一所以培养煤炭领域技术型人才为主的高等职业学院。有安居街、新胜街等通达，通 24 路等公交车。

40-B-a060 **山西通用航空职业技术学院** [Shānxī Tōngyòng Hángkōng Zhíyè Jìshù Xuéyuàn]高等职业院校。在山西省大同市云州区，因所在区域及学校职能而得名。创建于 2020 年。

占地面积 37 万平方米，总规划建筑面积约 24 万平方米，已投入使用建筑面积约 13 万平方米。以“明德、弘毅、求是、笃行”为校训，是一所以航空职业技术人才培养为主的全日制高等职业技术学院。有航苑路通达，通公交车。

40-B-a061 **阳泉职业技术学院**［Yángquán Zhíyè Jìshù Xuéyuàn］高等职业院校。在山西省阳泉市郊区，因所在区域及学校职能而得名。创建于 2018 年，前身是太原理工大学阳泉学院。占地面积约 33 万平方米，建筑面积约 14 万平方米，有主校区、新华东街、南庄西路 3 个校区。以“明德、尚志、笃学、强技”为校训，是一所集工科、医学、管理等学科为一体的综合性全日制普通高等职业院校。有北环路通达，通 42 路公交车。

40-B-a062 **长治职业技术学院**［Chángzhì Zhíyè Jìshù Xuéyuàn］高等职业院校。在山西省长治市潞州区，因所在区域及学校职能而得名。创建于 2000 年，由长治农业学校、晋东南工业学校、晋东南煤矿学校与长治职工大学 4 校合并而成。占地面积约 21 万平方米，建筑面积约 13 万平方米，有北校区、东校区、潞城校区 3 个校区。以“尚德强能，笃行致远”为校训，是一所全日制普通高等职业学校。有捉马东大街、延安北路通达，通 902 路、902 支等公交车。

40-B-a063 **山西机电职业技术学院**［Shānxī Jīdiàn Zhíyè Jìshù Xuéyuàn］高等职业院校。在山西省长治市潞州区，因所在区域及学校职能而得名。创建于 1958 年，前身是太原工学院附属机械工业学校。1965 年，在太原恢复办学，更名为太原机械学校。1973 年，在长治市恢复建校，定名为山西省机械工业学校。2002 年，成立山西机电职业技术学院。占地面积约 37 万平方米，建筑面积约 28 万平方米，由主校区、东湖校区、易通环能“厂中校”和长治高新区科技工业园“智能制造产教融合公共实训基地”组成。以“求实创新，知行至善”为校训，是一所全日制普通高等职业院校。有保宁门东大街、延安北路等通达，通 9 路、100 路内环等公交车。

40-B-a064 **潞安职业技术学院**［Lù'ān Zhíyè Jìshù Xuéyuàn］高等职业院校。在山西省长治市襄垣县，因所在区域及学校职能而得名。创建于 2004 年，前身是潞安煤矿技工学校。占地面积约 20 万平方米，建筑面积约 11 万平方米，有南北 2 个校区。以“立德、立志、自信、自强”为校训，是一所由潞安集团主办的高职学校。有潞安大街通达，通公交车。

40-B-a065 **晋城职业技术学院**［Jìnchéng Zhíyè Jìshù Xuéyuàn］高等职业院校。在山西省晋城市城区，因所在区域及学校职能而得名。创建于 2001 年，由原晋城市教育学院、晋城师范学校、晋城市中等专业学校与晋城市文化艺术学校合并而成。占地面积约 18 万平方米，建筑面积约 15 万平方米。以“诚明乐业”为校训，是一所全日制高等职业院校。有凤台东街、文博路通达，通 4 路外环、8 路外环等公交车。

40-B-a066 **朔州职业技术学院**［Shuòzhōu zhíyè Jìshù Xuéyuàn］高等职业院校。在山西省朔州市朔城区，因所在区域及学校职能而得名。创建于 1957 年，前身是山西省朔县农业合作干部学校。1959 年，改称山西省朔县农业学校。1973 年，改为山西省雁北地区农业学校。1989 年，改称山西省朔州农业学校。2004 年，与山西农大联合办学，成立山西农业大学朔州职业技术学院。2007 年，更名为朔州职业技术学院。占地面积约 37 万平方米，建筑面积约 15 万平方米。以“格物致知，明体达用”为校训，是一所综合性的全日制高等职业学校。有公路通达，通 7 路公交车。

40-B-a067 **朔州陶瓷职业技术学院**［Shuòzhōu Táocí Zhíyè Jìshù Xuéyuàn］高等职业院校。在山西省朔州市怀仁市，因所在区域及学校职能而得名。创建于 2020 年。占地面积约 31 万平方米，建筑面积约 16 万平方米，主要建筑有办公楼、教学楼、学生宿舍楼、图书馆、体育馆、教务中心等。是一所以培养培训陶瓷职业技术人才为主的普通高等职业学校。有北环路通达，通怀仁 2 路公交车。

40-B-a068 **晋中职业技术学院**［Jìnzhōng Zhíyè Jìshù Xuéyuàn］高等职业院校。在山西省晋中市榆次区，因所在区域及学校职能而得名。创建于 2004 年，前身是晋中农业学校、晋中财贸学校、晋中供销学校、晋中煤炭中专。2021 年，晋中卫生学校、晋中艺术学校、晋中体育运动学校并入。占地面积约100万平方米，建筑面积约13万平方米，有蕴华西街、东校区、新校区3个校区。以“修德、积学、精技、善行”为校训，是一所综合性的全日制高等职业教育学校。有龙湖大街通达，通201路公交车。

40-B-a069 **山西卫生职业健康学院**［Shānxī Wèishēng Jiànkāng zhíyè Xuéyuàn］高等职业院校。在山西省晋中市榆次区，因所在区域及学校职能而得名，并称山西省中医学校。创建于2018年，前身是山西职工医学院。占地面积约23万平方米，建筑面积约23万平方米，有太原双东、晋中文津和晋中太谷3个校区。以“精诚至善，德美行远”为校训，是一所集高等职业教育、中等职业教育于一体的医学职业院校。有文津街通达，通205路、902路等公交车。

40-B-a070 **运城护理职业学院**［Yùnchéng Hùlǐ Zhíyè Xuéyuàn］高等职业院校。在山西省运城市盐湖区，因所在区域及学校职能而得名。创建于2011年，前身是1970年创办的运城地区卫生学校。占地面积约25万平方米，建筑面积约12万平方米。以“精业尚能，厚德济生”为校训，是一所普通高等医学职业院校。有复旦大街通达，通23路、33路公交车。

40-B-a071 **山西水利职业技术学院**［Shānxī Shuǐlì Zhíyè Jìshù Xuéyuàn］高等职业院校。在山西省运城市盐湖区，因所在区域及学校职能而得名。创建于2002年，由原山西省水利学校和山西省水利职工大学合并组建而成。占地面积约26万平方米，建筑面积约13万平方米，有运城校区、太原胜利桥校区、太原小店区校区3个校区。以“上善若水，敦学笃行”为校训，以高职教育为主，兼办中职教育、成人教育和行业培训，是一所工科为主，文理结合的公办全日制普通高等职业学校。有禹都东街经此。

40-B-a072 **山西运城农业职业技术学院**［Shānxī Yùnchéng Nóngyèzhíyèjìshù Xuéyuàn］高等职业院校。在山西省运城市盐湖区，因所在区域及学校职能而得名。创建于1951年，前身是运城地区农业技术学校。2004年，成立山西运城农业职业技术学院。占地面积约65万平方米，建筑面积约5万平方米，有校本部、第一实习农场、货场培训基地等。以“厚德强技，求知笃行”为校训，是一所高等农业专科院校。有红旗东街通达，通5路、10路等公交车。

40-B-a073 **忻州职业技术学院**［Xīnzhōu Zhíyè Jìshù Xuéyuàn］高等职业院校。在山西省忻州市忻府区，因所在区域及学校职能而得名。创建于2004年。占地面积约32万平方米，主要建筑有教学大楼、实习实训中心、学生公寓楼、地下餐厅、中心广场等。是一所综合性的全日制高等职业教育学校。有七一北路、新建北路通达，通202路、203路公交车。

40-B-a074 **临汾职业技术学院**［Línfén Zhíyè Jìshù Xuéyuàn］高等职业院校。在山西省临汾市尧都区，因所在区域及学校职能而得名。创建于2002年，由原临汾地区卫生学校、临汾地区洪洞农业学校、临汾地区农业机械化学校、临汾地区工业学校合并组建而成。占地面积约22万平方米，建筑面积约17万平方米，有一校区、二校区2个校区。以“拥有一技之长、永与时代同步”为校训，是一所综合性的全日制高等职业教育学校。有乡道通达，通公交车。

40-B-a075 **山西管理职业学院**［Shānxī guǎnlǐ Zhíyè Xuéyuàn］高等职业院校。在山西省临汾市尧都区，因所在区域及学校职能而得名。创建于2003年，前身是1986年成立的原山西省行政管理学校。占地面积约18万平方米，建筑面积约6万平方米。以“厚积薄发，敬业笃行”为校训，是一所全日制普通高等职业院校。有滨河西路通达，通1路公交车。

40-B-a076 **吕梁职业技术学院**［Lǚliáng Zhíyè Jìshù Xuéyuàn］高等职业院校。在山西省吕梁市孝义市，因所在区域及学校职能而得名。创建于2013年。占地面积约36万平方米，建筑面积约26万平方米。是一所综合性的全日制高等职业教育学校。有敬德街通达，通公交车。

40-B-b001 **山西省司法学校**［Shānxī Shěng Sīfǎ Xuéxiào］中等职业院校。在山西省太原市小店区，因所在区域及学校职能而得名。创建于

1983年。占地面积约5万平方米，建筑面积约5万平方米。是一所全日制中等法律职业学校。有坞城路通达，通103路等公交车。

40-B-b002 **华北机电学校**［Huáběi Jīdiàn Xuéxiào］中等职业院校。在山西省长治市潞城区，因所在区域及学校职能而得名。创建于1948年，前身是华北兵工局工会职工子弟学校。1957年，更名为长治火星中学。1965年，改名为长治火星机械工业学校。1975年，更名为长治技工学校。1982年，更名为长治机电工业学校。1999年，更名为华北机电学校。占地面积约10万平方米，建筑面积约12万平方米。有延安中路通达，通17路、23路等公交车。

40-B-b003 **吕梁市卫生学校**［Lǚliáng Shì Wèishēng Xuéxiào］中等职业院校。在山西省吕梁市离石区，因所在区域及学校职能而得名。创建于1972年，前身是山西省吕梁地区卫生学校。1988年，原设于汾阳的市卫生人员进修学校并入。2004年，更名为吕梁市卫生学校。占地面积约2万平方米，建筑面积约4万平方米。承担着全日制中等卫生专业人员学历教育、吕梁市卫生系统技术人员在职培训和继续教育、社会医疗服务等方面的职能。有滨河北中路通达，通103路、105路等公交车。

40-B-c001 **平民中学**［Píngmín Zhōngxué］中小学。在山西省太原市杏花岭区，因提倡平民教育而得名。创建于1922年，由62位山西籍北大学子在国立北京大学礼堂共同发起教育救国、返乡兴教的倡议下诞生，校名由蔡元培题写，是山西第一所男女同校学校。1949年，改名为太原市四十四中。1995年，更名为太原市平民中学。2016年，晋安中学并入该校。占地面积约1万平方米，建筑面积约1.5万平方米，有平民、新民2个校区。以“敦品励学，精益求精”为校训。有北肖墙路、新民北街通达，通25路、615路等公交车。

40-B-c002 **太原市第十二中学**［Tàiyuán Shì Dì-12 Zhōngxué］中小学。在山西省太原市杏花岭区，因地理位置、学校职能及排序综合而得名。创建于1957年。占地面积5万平方米，有校本部、师爱校区、北大街校区、富力华庭校区、国樾龙城校区5个校区。以“厚德、博学、慎思、笃信”为校训。有府西街通达，通19路、805路公交车。

40-B-c003 **山西省实验中学**［Shānxī Shěng Shíyàn Zhōngxué］中小学。在山西省太原市杏花岭区，因所在区域及教学职能而得名。创建于1882年，前身为令德堂书院。1897年，更名为山西省会学堂。1912年，更名为山西师范学堂。1986年，更名为山西省实验中学。占地面积约15万平方米，建筑面积约112万平方米，有解放校区、高新校区2个校区，主要建筑有教学楼、艺术楼、体育馆、图书馆等。以“令德令才，实验实知”为校训。有解放路通达，通610路、809路公交车。

40-B-c004 **山西省实验小学**［Shānxī Shěng Shíyàn Xiǎoxué］中小学。在太原市杏花岭区，因地理位置及学校职能而得名。创建于1936年，原为太原市红十字会附属小学。1949年，更名为新道街小学。1989年，更名为山西省实验小学。占地面积约1万平方米，建筑面积约0.7万平方米，主要建筑有教学综合大楼、实验楼等。有新道街通达，通615路、851路、25路等公交车。

40-B-c005 **太原市外国语学校**［Tàiyuán Shì Wàiguóyǔ Xuéxiào］中小学。在山西省太原市万柏林区，因地理位置及学校职能而得名。创建于1909年，前身是太原女子速成师范。先后更名为太原官立女子学堂、太原女子师范学校、山西省立太原女子师范学校。1961年，更名为太原幼儿师范。1962年，更名为太原市第十八中学。1984年，定名为太原市外国语学校。占地面积约16万平方米，主要建筑包括教学实验楼、办公楼、图书馆和艺术楼等，有漪汾、摄乐、开城3个校区。有千峰北路通达，通6路、50路、865路等公交车。

40-B-c006 **山西大学附属中学**［Shānxī Dàxué Fùshǔ Zhōngxué］中小学。在山西省太原市小店区，因所在区域、教学职能及由山西大学领导管理而得名。创建于1955年，前身是太行、太岳解放区干部子弟学校迁入太原合并而成的山西省干部子弟学校。1962年，由山西大学选调一批高水平的大学讲师、助教、研究生充实到教学管理岗位。占地面积约 7 万平方米，建筑面积约 8 万平方米，主要建筑有展翅楼、卓越楼、知远楼、学生艺体中心、逸夫图书馆等。以“志存高远，脚踏实地”为校训。有坞城路、坞城中路等通达，通 103 路、812 路、868 路等公交车。

40-B-c007 **山西大学附属子弟小学**［Shānxī Dàxué Fùshǔ Zǐdì Xiǎoxué］中小学。在山西省太原市小店区，因地理位置、教学职能及学校隶属于山西大学而得名。创建于 1963 年。占地面积约 1.6 万平方米，建筑面积约 1 万平方米。以“崇实、乐学、明理、思进”为校训，形成了“明理教育”的办学特色。有南中环路通达，通 103 路、849 路等公交车。

40-B-c008 **太原市聋人学校**［Tàiyuán Shì Lóngrén Xuéxiào］中小学。在山西省太原市小店区，因所在区域、教学职能而得名。创建于 1957 年，前身是太原市聋哑学校。2002 年，更名为太原市聋人学校。占地面积约 0.5 万平方米，建筑面积约 2 万平方米。以“厚德、勤朴、励志、自强”为校训，是一所集小学、初中、高中为一体的聋人特殊教育学校。有王村北街通达，通公交车。

40-B-c009 **进山中学**［Jìnshān Zhōngxué］中小学。在太原市迎泽区，校名取自《论语·子罕篇》：“譬如为山，未成一篑，止，吾止也；譬如平地，虽覆一篑，进，吾往也。”创建于 1922 年，前身为山西私立进山学校。1931 年，改名为山西省私立进山中学。1949 年后，改为山西省立进山中学。1953 年，更名为太原市第六中学校。1985 年，改名为进山中学。占地面积约 10 万平方米，建筑面积约 4 万平方米，主要建筑有教学楼、实验楼、图书馆等。有府东街通达，通 19 路、73 路等公交车。

40-B-c010 **太原市成成中学**［Tàiyuán Shì Chéngchéng Zhōngxué］中小学。在太原市迎泽区，校名取自《中庸·自成》中“明德明理，成己成人”而得名。创建于 1924 年，由百余位北京高等师范山西籍毕业生发起创办。1953 年，更名为太原第三中学。1992 年，恢复成成中学校名。占地面积约 4 万平方米，建筑面积约 4 万平方米。以“明德明理，成己成人”为校训，在抗日战争初期，一度成为中共北方局、八路军驻晋办事处、中共山西工委的所在地。有后铁巷通达，通 51 路、808 路、10 路等公交车。

40-B-c011 **太原市第五中学**［Tàiyuán Shì Dì-5 Zhōngxué］中小学。在山西省太原市迎泽区，因地理位置、学校职能及排序综合而得名。创建于 1906 年，前身是山西公立中学堂。1910 年，改名为山西晋阳中学堂。1953 年，改称山西省太原市第五中学校。占地面积约 4 万平方米，建筑面积 4 万余平方米，有青年路校区、龙城新校区、羊市街校区、邮电校区 4 个校区。以“诚正明毅”为校训，中共山西省第一个党小组、第一个党支部诞生在这里，高君宇、彭真等人曾在这里就读。有青年路通达，通 814 路公交车。

40-B-c012 **太原市回民小学**［Tàiyuán Shì Huímín Xiǎoxué］中小学。在山西省太原市迎泽区，因地理位置及学校特色而得名。创建于 1910 年，前身是清真学堂。1912 年，更名为清真公立国民学校。1949 年，更名为太原市第十三完全小学。1952 年，与第二十五完小合并。1953 年，更名为回民小学。占地面积约 0.3 万平方米。是一所民族学校。有解放路、云路街经此。

40-B-c013 **太原市盲童学校**［Tàiyuán Shì Mángtóng Xuéxiào］中小学。在山西省太原市迎泽区，因地理位置、学校职能而得名，并称太原市盲人职业高中。创建于 1958 年。占地面积约 0.7 万平方米，建筑面积约 0.7 万平方米。是一所全日制寄宿制盲校，主要承担盲童及低视力学生教育教学任务。有新城南街经此。

40-B-c014 **太原师范附属中学**［Tàiyuán Shīfàn Fùshǔ Zhōngxué］中小学。在山西省太原市迎泽区，因所在区域、教学职能及由太原师范学院领导管理而得名。创建于 1997 年，前身是太原师范专科学校附属中学校。占地面积约 9 万平方米，有侯家巷、富力两个校区，设有初中、高中 2 个学部。侯家巷校区位于五一广场，校园里坐落有全国重点文物保护单位山西大学堂。以“大道不器，敦品励学”为校训。有侯家巷经此。

40-B-c015 **太原市青年路小学**［Tàiyuán Shì Qīngnián Lù Xiǎoxué］中小学。在山西省太原市

迎泽区，因地理位置及学校职能而得名。创建于1956年。占地面积约0.6万平方米，建筑面积约0.4万平方米。有邮电后街通达，通公交车。

40-B-c016 **太原市桃园小学**［Tàiyuán Shì Táoyuán Xiǎoxué］中小学。在山西省太原市迎泽区，因地理位置及学校职能而得名。创建于1958年。占地面积约1万平方米，建筑面积约0.4万平方米。以“创新、活泼、可爱”为校训。有桃园北路通达，通38路、831路等公交车。

40-B-c017 **太原市五一路小学**［Tàiyuán Shì Wǔyī Lù Xiǎoxué］中小学。在山西省太原市迎泽区，因地理位置及学校职能而得名。创建于1907年，前身为私立光华女子中学。1932年，更名为太原女子中学。1949年，更名为新开路小学。1956年，以街道命名，改称太原市北城区五一路小学。2005年，原半坡街小学并入，成为该校西校区。占地面积约1万平方米，有本校区和西校区2个校区。有府东街、五一路通达，通10路、602路等公交车。

40-B-c018 **徐沟中学**［Xúgōu Zhōngxué］中小学。在山西省太原市清徐县，因地理位置及学校职能而得名。创建于1946年，前身是金河学堂。1908年，改称高等小学堂。1912年，更名为县立第一高等学校。1946年，更名为山西省徐沟中学。1971年，改称清徐县徐沟中学。占地面积约20万平方米，建筑面积约8万平方米，主要建筑有教学楼、艺术馆、图书馆等。以“厚德笃志，博学敏思”为校训。有西关大街通达，通209路等公交车。

40-B-c019 **大同市第一中学**［Dàtóng Shì Dì-1 Zhōngxué］中小学。在山西省大同市平城区，因地理位置、学校职能及排序综合而得名。创办于1913年，前身是山西省立第四师范学校。1917年，改名为山西省立第三师范学校。1934年，改称山西省立大同师范学校。1972年，更名为大同市第一中学。占地面积约5万平方米，有校本部、北校区、南校区3个校区。有御河西路、向阳街等通达，通2路、201路等公交车。

40-B-c020 **大同市第二中学**［Dàtóng Shì Dì-2 Zhōngxué］中小学。在山西省大同市平城区，因地理位置、学校职能及排序综合而得名。创建于1946年，前身是由大同天主教会创办的大同育英中学校。1947年，改称私立大同育英中学校。1950年，更名为名为大同一中分校。1952年，改称察哈尔省大同第二中学校，同年底改为山西省大同第二中学校。占地面积约3万平方米，建筑面积约2万平方米。有重熙街、文兴路等通达，通公交车。

40-B-c021 **阳高县第一中学**［Yánggāo Xiàn Dì-1 Zhōngxué］中小学。在山西省大同市浑源县，因地理位置、学校职能及排序综合而得名。创建于1952年，前身是阳高中学。1972年，更名为阳高县第一中学。占地面积约20万平方米，建筑面积约6万平方米。有阳和大道经此。

40-B-c022 **浑源中学**［Húnyuán Zhōngxué］中小学。在山西省大同市浑源县，因地理位置及学校职能而得名。创建于1945年，前身是晋察冀第五师范学校。1948年，改称北岳第一中学。1949年，改称察哈尔省第一中学。1950年更名为山西省浑源中学。占地面积约7万平方米，主要建筑有实验楼、教学楼等。有永安大街、天峰北路经此。

40-B-c023 **阳泉市外国语学校**［Yángquán Shì Wàiguóyǔ Xuéxiào］中小学。在山西省阳泉市矿区，因地理位置及学校职能而得名。创建于1983年，前身是矿区中学。1999年，增办高中部，更名为阳泉市外国语学校。占地面积约1万平方米，建筑面积约2万平方米。有桃北中街通达，通10路、102路等公交车。

40-B-c024 **阳泉市第一中学校**［Yángquán Shì Dì-1 Zhōngxuéxiào］中小学。在山西省阳泉市郊区，因地理位置、学校职能及排序综合而得名。创建于1948年，前身是阳泉市立职业学校。1949年，更名为阳泉市立中学。1955年，更名为阳泉市第一中学。2011年启用新校区。占地面积约40万平方米，建筑面积约12万平方米，主要建筑有对外交流中心、科技图书楼、体育馆等。有义平路通达，通2路、18路、203路等公交车。

40-B-c025 **平定县第一中学**［Píngdìng Xiàn Dì-1 Zhōngxué］中小学。在山西省阳泉市平定县，

因地理位置、学校职能及排序综合而得名。创建于1903，前身是由冠山书院改办而成的官立平定中学堂。1912年，更名为平定中学校。1981年，更名为平定县第一中学。占地面积约8万平方米，建筑面积约5万平方米，分为南院、北院。有评梅西街通达，通201路、611路、612路等公交车。

40-B-c026 **盂县第一中学**［Yú Xiàn Dì-1 Zhōngxué］中小学。在山西省阳泉市盂县，因地理位置、学校职能及排序综合而得名。创建于1926年，前身是仇英中学。1927年，更名为盂县中学。1958年，改称盂县第一中学。1962年，盂县一中、二中合并，再称盂县中学。1997年，改称盂县第一中学。占地面积约24万平方米，建筑面积约13.5万平方米。有乡道经此。

40-B-c027 **长治市第一中学**［Chángzhì Shì Dì-1 Zhōngxué］中小学。在山西省长治市潞州区，因地理位置、学校职能及排序综合而得名。创建于1913年，前身是山西省立第四师范学校。1948年，更名为太行公立第三联中。1949年，更名为山西省立长治中学。1952年，更名为山西省立长治第一中学。占地面积约6万平方米，主要建筑有办公楼、教学楼、图书馆、科技馆、学生餐厅等。有解放西街通达，通6路、19路等公交车。

40-B-c028 **长治市第二中学**［Chángzhì Shì Dì-2 Zhōngxué］中小学。在山西省长治市潞州区，因地理位置、学校职能及排序综合而得名。创建于1904年，前身是潞安中学堂。1907年，改称潞安中学校。1935年，更名为长治初级中学。1952年，更名为长治市第二中学。占地面积约6万平方米，主要建筑有科学大楼、图书大楼等。有府后西街通达，通2路、17路等公交车。

40-B-c029 **山西省长治学院附属太行中学**［Shānxī Shěng Chángzhì Xuéyuàn Fùshǔ Tàiháng Zhōngxué］中小学。在山西省长治市潞州区，因地理位置及隶属关系而得名。创建于1939年，前身是晋东南路东干部学校。路东之得名源于在根据地时期为便于对敌斗争，以白晋路为界，太岳区域名路西，太行区域名路东。1940年，更名为太行中学。占地面积约7万平方米。有延安北路通达，通100路等公交车。

40-B-c030 **沁县中学**［Qìn Xiàn Zhōngxué］中小学。在山西省长治市沁县，因地理位置及学校职能而得名。创建于1944年，前身是沁县耕读简易师范。1945年，更名为沁屯襄师范。1946年，改名为沁屯中学。1949年，定名为沁县中学。占地面积约7万平方米，建筑面积约3万平方米。有育才街、沁州南路等通达，通沁县1路公交车。

40-B-c031 **晋城市第一中学**［Jìnchéng Shì Dì-1 Zhōngxué］中小学。在山西省晋城市城区，因地理位置、学校职能及排序综合而得名。创建于1929年，前身是崇实中学。1945年，易名为晋豫中学。1949年，改称山西省立晋城中学。1952年，更名为山西省晋城第一中学。1985年，定名为晋城市第一中学校。占地面积约10万平方米，主要建筑有综合实验楼、图书馆等。有太岳街、东大街通达，通2路、13路、52路等公交车。

40-B-c032 **晋城市实验中学**［Jìnchéng Shì Shíyàn Zhōngxué］中小学。在山西省晋城市城区，因地理位置及学校职能而得名。创建于1988年。2019年，高中部与晋城三中合并。占地面积约2万平方米，建筑面积约2万平方米，主要建筑有综合教学办公楼、科学实验楼、餐厅等。有建设路通达，通公交车。

40-B-c033 **泽州县第一中学**［Zézhōu Xiàn Dì-1 Zhōngxué］中小学。在山西省晋城市城区，因地理位置、学校职能及排序综合而得名。创建于1994年。占地面积约9万平方米，主要建筑有教学楼、办公楼、实验楼等。有育才街通达，通公交车。

40-B-c034 **高平市第一中学**［Gāopíng Shì Dì-1 Zhōngxué］中小学。在山西省晋城市高平市，因地理位置、学校职能及排序综合而得名。创建于1952年。1993年，更名为高平市第一中学。占地面积约20万平方米，有高平一中新校区和高平一中实验学校2个校区。以“严、实、细、新”为校训。有盖州街通达，通高平5路公交车。

40-B-c035 **朔城区第一中学**［Shuòchéng Qū Dì-1 Zhōngxué］中小学。在山西省朔州市朔城区，因地理位置、学校职能及排序综合而得名。创建于1955年，前身是朔县初级中学。1989年，更名为朔州市朔城区第一中学校。占地面积约 31 万平方米，建筑面积约 21 万平方米，有鄯阳、敬德 2 个校区。以“团结勤奋，求实创新”为校训。有鄯阳街通达，通 8 路公交车。

40-B-c036 **李林中学**［Lǐlín Zhōngxué］中小学。在山西省朔州市平鲁区，因纪念归国华侨、抗日民族女英雄李林烈士而得名。创建于 1956 年，前身是井坪中学。1959 年，更名为井坪一中。1985 年，改称李林中学。占地面积约 17 万平方米，建筑面积约 9 万平方米。有平阳西街通达，通 11 路公交车。

40-B-c037 **怀仁市第一中学**［Huáirén Shì Dì-1 Zhōngxué］中小学。在山西省朔州市怀仁市，因地理位置、学校职能及排序综合而得名。创建于 1955 年。占地面积约 11 万平方米，建筑面积约 9 万平方米。以“崇学、尚美、求实、创新”为校训。有怀安西街通达，通怀仁 1 路、怀仁 4 路公交车。

40-B-c038 **榆次第一中学校**［Yúcì Dì-1 Zhōng xuéxiào］中小学。在山西省晋中市榆次区，因地理位置、学校职能及排序综合而得名。创建于 1946 年，前身是榆次县初级中学校。1954 年，更名为山西省榆次区第一中学校。1955 年，增设高中部。占地面积约 13 万平方米，建筑面积约 5 万平方米，主要建筑有行政楼、综合电教实验大楼、教学楼、逸夫图书馆、学生食堂等。以“先做人，志成才”为校训。有迎宾街、蕴华街通达，通公交车。

40-B-c039 **太谷中学**［Tàigǔ Zhōngxué］中小学。在山西省晋中市太谷区，因地理位置及学校职能而得名。创建于 1952 年。1956 年，增设高中部。占地面积约 7 万平方米，主要建筑有教学楼、学生宿舍楼、图书阅览室等，校内有太谷县文庙。以“仁者乐山，智者乐水”为校训。有文昌庙巷经此。

40-B-c040 **介休市第一中学**［Jièxiū Shì Dì-1 Zhōngxué］中小学。在山西省晋中市介休市，因地理位置、学校职能及排序综合而得名。创建于 1943 年。占地面积约 19 万平方米，建筑面积约 14 万平方米。以“明辨博学，朴实求真”为校训。有三贤大道等通达，通公交车。

40-B-c041 **左权中学**［Zuǒquán Zhōngxué］中小学。在山西省晋中市左权县，以纪念左权将军而得名。创建于 1945 年，前身是晋中中学。1945 年，改称太行第二中学。1946 年，易名为太行公立第二中学。1949 年，为纪念左权将军，易名为太行区公立左权中学。1953 年，更名为山西省左权中学校，沿用至今。占地面积约 6 万平方米，建筑面积约 3 万平方米，主要建筑有实验楼、图书阅览综合楼等。有陵园街经此。

40-B-c042 **祁县中学**［Qí Xiàn Zhōngxué］中小学。在山西省晋中市祁县，因地理位置及学校职能而得名。创建于 1905 年，前身为祁县中学堂。1919 年，易名为祁县中学校。1949 年，更名为山西省立祁县中学。占地面积约 16 万平方米，建筑面积约 8 万平方米，主要建筑有教学楼、实验楼、综合楼等。有丹凤东路、东环路通达，通祁县 1 路、祁县 2 路等公交车。

40-B-c043 **平遥中学**［Píngyáo Zhōngxué］中小学。在山西省晋中市平遥县，因地理位置及学校职能而得名。创建于 1924 年，前身是励志中学。1928 年，更名为平遥县立初级中学。1949 年，与太岳中学合并，更名为山西省立平遥中学。占地面积约 16 万平方米，建筑面积约 12 万平方米。有学府东街经此。

40-B-c044 **康杰中学**［Kāngjié Zhōngxué］中小学。在山西省运城市盐湖区，为纪念革命烈士嘉康杰而得名。创建于 1945 年，前身是太岳行政干部学校第五分校。1946 年，更名为太岳公立晋南中学。1948 年，改名为运城中学校。1952 年，更名为山西省康杰中学校。占地面积约 33 万平方米，建筑面积约 18 万平方米，主要建筑有教学楼群、实验楼群、学生公寓楼群等。有康杰路通达，通 17 路、18 路等公交车。

40-B-c045 **运城中学**［Yùnchéng Zhōngxué］中小学。在山西省运城市盐湖区，因地理位置及学校职能而得名。创建于 1902 年，前身是河东中学堂。1934 年，改称山西省立运城中学校。1952 年，复建运城中学。占地面积约 14 万平方米，总建筑面积约 8 万平方米，有东、西 2 个校区。有魏风街通达，通 14 路、27 路公交车。

40-B-c046 **临晋中学**［Línjìn Zhōngxué］中小学。在山西省运城市临猗县，因地理位置及学校职能而得名。创建于1919年，前身是蒲坂中学。1943年，更名为河东道临晋初级中学。1957年，改称临猗一中。占地面积约17万平方米，建筑面积约5万平方米，主要建筑物有教学楼、办公楼、宿舍楼等。有丰喜大道通达，通103路、104路公交车。

40-B-c047 **新绛中学**［Xīnjiàng Zhōngxué］中小学。在山西省运城市新绛县，因地理位置及学校职能而得名。创建于1902年，前身是绛州中学堂。1912年，改称新绛中学校。1919年，易名为绛垣中学校。1949年，改称山西省立新绛中学。1955年，更名为山西省立新绛第一中学。1959年改称山西省运城市新绛中学。1961年，正式定名为山西省新绛中学。占地面积约21万平方米，建筑面积约13万平方米。有峨嵋路经此。

40-B-c048 **永济中学**［Yǒngjì Zhōngxué］中小学。在山西省运城市永济市，因地理位置及学校职能而得名。创建于1943年，前身是永济县七社初级中学校。1949年后，更名为山西省立永济中学。1954年，改称山西省永济中学。占地面积约16万平方米，主要建筑有科技实验楼、篮球场、阅览室等。有市府西街通达，通6路环线公交车。

40-B-c049 **忻州市第一中学**［Xīnzhōu Shì Dì-1 Zhōngxué］中小学。在忻州市忻府区，因地理位置、学校职能及排序综合而得名。创建于1902年，前身是忻州新兴中学堂。1912年，改称忻州中学堂。1949年，被命名为山西省立忻县中学校。1983年，改称忻州市第一中学。占地面积约16万平方米，建筑面积约11万平方米，主要建筑有教研办公楼、教学楼、实验室等。以“勤、慎、敏、爱”为校训。有和平西街通达，通201路、301路等公交车。

40-B-c050 **定襄中学**［Dìngxiāng Zhōngxué］中小学。在山西省忻州市定襄县，因地理位置及学校职能而得名。创建于1915年，前身是定襄县立初级中学校。1952年，更名为定襄县初级中学。1956年易名为定襄第二中学校。1963年定名为定襄中学。占地面积约10万平方米，建筑面积约4万平方米，主要建筑有教学大楼、学生宿舍、实验楼等。有解放大街经此。

40-B-c051 **沱阳中学**［Tuóyáng Zhōngxué］中小学。在山西省忻州市五台县，因校址坐落在滹沱河北畔，面向滹沱河，故取名为沱阳。创建于1905年，前身是沱阳学堂。1923年，改为称沱阳高小。1946年，更名为五台县第四高级小学。1958年，改称五台县东冶中学。1983年，定名为沱阳中学。占地面积约2万平方米，建筑面积约1.5万平方米。有乡道经此。

40-B-c052 **范亭中学**［Fàntíng Zhōngxué］中小学。在山西省忻州市原平市，为纪念著名爱国将领续范亭而得名。创建于1946年，前身是私立范亭中学。占地面积约7万平方米，建筑面积约2万平方米，主要建筑有教学楼、科技楼和续范亭纪念堂等，其中，续范亭纪念堂为山西省爱国主义教育基地、国防教育基地。形成了“为国为民，有文有武”的范亭精神。有文化北路、前进街通达，通原平1路、原平8路等公交车。

40-B-c053 **临汾市第一中学**［Línfén Shì Dì-1 Zhōngxué］中小学。在山西省临汾市尧都区，因地理位置、学校职能及排序综合而得名。创建于1896年，前身是临汾晋山书院改建的平阳中学堂，1913年更名为山西省立第六中学，1934年改名为省立临汾中学，1950年正式定名为山西省临汾第一中学校。占地面积30万平方米，建筑面积约16万平方米，有高中部（新校区）、初中部（老校区）2个校区。以“做人、求知、健身、尚美”为校训。有滨河西路通达，通1路、2路公交车。

40-B-c054 **临汾市第三中学**［Línfén Shì Dì-3 Zhōngxué］中小学。在山西省临汾市尧都区，因地理位置、学校职能及排序综合而得名。创建于1954年，前身是临汾第三初级中学。1958年，增设高中部，更名为临汾第三中学。占地面积约9万平方米，主要建筑有教学楼、文体馆、师生餐厅等。以“修德、笃学、健体、尚美”为校训。有三中巷经此。

40-B-c055 **临汾红丝带学校**［Línfén Hóngsīdāi Xuéxiào］中小学。在山西省临汾市尧都区，因地理位置及艾滋病认知符号红丝带而得名。创建于

2006年，前身是临汾市传染病医院绿色港湾病区“爱心小课堂”。2011年，成立临汾红丝带学校，纳入国家义务教育。是全国唯一一所专门收治艾滋病患儿的全日制学校，学校现有小学部，是临汾市第三中学设立的红丝带班承担高中教育。有乡道经此。

40-B-c056 **山西师范大学实验中学**［Shānxī Shīfàn Dàxué Shíyàn Zhōngxué］中小学。在山西省临汾市尧都区，因地理位置及由山西师范大学管理而得名。创建于1983年，1987年划归山西师范大学，更名为山西师范大学实验中学。占地面积约5万平方米，建筑面积约3.5万平方米。以“厚德、博学、求是、创新”为校训。有西赵路经此。

40-B-c057 **洪洞县第一中学**［Hóngtóng Xiàn Dì-1 Zhōngxué］中小学。在山西省临汾市洪洞县，因地理位置及学校职能而得名。创建于1943年，前身为太岳专署创办的岳南中学洪临分校。1950年，更名为山西省立洪洞第一中学。占地面积约15万平方米，建筑面积约12万平方米。有玉峰路通达，通洪洞21路、洪洞22路等公交车。

40-B-c058 **贺昌中学**［Hèchāng Zhōngxué］中小学。在山西省吕梁市离石区，因纪念历史人物而得名。创建于1945年，前身是晋绥建新中学，意为“建设新中国”。1946年，为纪念无产阶级革命家贺昌同志，更名为贺昌中学。2003年，将离石高级中学划归贺昌中学。占地面积约7万平方米；建筑面积约2万平方米，分东、西2个校区。以“严谨治学，勤学善导，勇于创新”为校训。有贺昌路通达，通305路、306路、308路等公交车。

40-B-c059 **刘胡兰中学**［Liúhúlán Zhōngxué］中小学。在山西省吕梁市文水县，因纪念历史人物而得名。创建于1956年，以女英雄刘胡兰之名命名。占地面积约13万平方米，建筑面积约2万平方米，隔英雄南路与刘胡兰纪念馆相邻。有胡兰西大街、英雄南路经此。

40-B-c060 **贺龙中学**［Hèlóng Zhōngxué］中小学。在山西省吕梁市方山县，因纪念历史人物得名。创建于1945年，前身是陕甘宁晋绥五省联防军驻晋随营学校，因校长为贺龙，后更名为贺龙中学。1949年后，更名为方山县第二中学。1985年，恢复贺龙中学校名。主要建筑有贺龙中学革命传统纪念馆，是山西省省级文物保护单位、山西省德育基地及吕梁市爱国主义教育基地。有临安路经此。

40-B-c061 **汾阳中学**［Fényáng Zhōngxué］中小学。在山西省吕梁市汾阳市，因地理位置及学校职能而得名。创建于1906年，前身为1906年汾州府创建的汾州府中学堂和1915年美国基督教公理会创办的教会学校铭义中学。1948年更名为汾阳中学。占地面积约7万平方米，建筑面积4万平方米，主要建筑有教学楼、实验楼等。有英雄北路通达，通汾阳5路、汾阳6路等公交车。

C 文化设施

40-C001 **山西晋韵艺术团**［Shānxī Jìnyùn Yìshùtuán］省级文化艺术团体。在山西省太原市小店区，因地理位置及职能而得名。创建于2016年。主要承担艺术创作、文化传承、艺术人才培养、文艺演出等方面的职责。

40-C002 **山西省历史学会**［Shānxī Shěng Lìshǐ Xuéhuì］省级文化艺术团体。在山西省太原市小店区，因地理位置及职能而得名。创建于1979年。设有会长、顾问、副会长、秘书长等职务，是山西省历史研究的组织者，在推动与繁荣历史创作方面起到了积极的作用。

40-C003 **山西省歌舞剧院**［Shānxī Shěng Gēwǔ Jùyuàn］省级文化艺术团体。在山西省太原市迎泽区，因地理位置及职能而得名。创建于1954年，前身是山西省歌舞团。占地面积约2万平方米。代表作有大型歌舞剧《哑姑泉》，歌剧《希望之火》，交响乐《五哥放羊》《壶口瀑布》，民乐《金沙滩》等。有解放南路通达，通公交车。

40-C004 **山西省话剧院**［Shānxī Shěng Huàjùyuàn］省级文化艺术团体。在山西省太原市迎泽区，因地理位置及职能而得名。创建于1953年，前身是八路军吕梁军区吕梁剧社。1953年更名为山西人民话剧团，1984年更名为山西省话剧院。占地面积约0.4万平方米，建筑面积约0.3万平方米。代表性剧目有《立秋》《立春》《刘胡兰》《朱小彬》《孔繁森》等。有纯阳路通达，通公交车。

40-C005 **山西省电影家协会**［Shānxī Shěng Diànyǐngjiā Xiéhuì］省级文化艺术团体。在山西省太原市迎泽区，因地理位置及职能而得名。创建于1957年，为中国电影工作者联谊会山西分会。1980年，改称中国电影家协会山西分会。1991年，改称山西省电影家协会。在普及与推广优秀电影艺术作品，繁荣人民文化生活方面发挥了一定的作用。

40-C006 **山西省电视艺术家协会**［Shānxī Shěng Diànshìyìshùjiā Xiéhuì］省级文化艺术团体。在山西省太原市迎泽区，因地理位置及职能而得名。创建于1985年，为中国电视艺术家协会山西分会。1991年，改称山西省电视艺术家协会。设有电视艺术理论研究部、管理工作部、视协联络部等工作机构。在普及与推广优秀电视艺术作品，繁荣人民文化生活方面发挥了一定的作用。

40-C007 **山西省晋剧院**［Shānxī Shěng Jìnjù Yuàn］省级文化艺术团体。在山西省太原市迎泽区，因地理位置及职能而得名。创建于1959年，由山西人民晋剧团第一、二分团和太原市晋剧一分团合并组建而成。占地面积约0.8万平方米，建筑面积约2万平方米。设有演出团、青年团等演出机构，主要演出剧目有《屠夫状元》《龙凤呈祥》《打金枝》《富贵图》《八义图》等。有新建南路通达，通公家车。

40-C008 **山西省京剧院**［Shānxī Shěng Jīng jùyuàn］省级文化艺术团体。在山西省太原市迎泽区，因地理位置及职能而得名。前身是天津市红风京剧团。1956年迁晋，更名为太原市京剧团。1968年，改称山西省京剧团。1992年，扩建为山西省京剧院。占地面积约0.9万平方米，建筑面积约2万平方米。代表性剧目是《玉堂春》《金玉奴》《四郎探母》《霸王别姬》等。有文源巷经此。

40-C009 **山西省美术家协会**［Shānxī Shěng Měishùjiā Xiéhuì］省级文化艺术团体。在山西省太原市迎泽区，因地理位置及职能而得名。创建于1949年，前身是中华全国美术工作者协会山西分会。1963年，成立中国美术家协会山西分会。1990年，更名为山西省美术家协会。负责组织、指导全省美术家进行美术创作和理论研究，承担省内重大展览的组织、实施、评选、评奖，举办大型的全省性美术展览和各种学术展览。在促进山西美术事业的发展和繁荣方面起到了一定的作用。

40-C010 **山西省曲艺家协会**［Shānxī Shěng Qǔyìjiā Xiéhuì］省级文化艺术团体。在山西省太原市迎泽区，因地理位置及职能而得名。创建于1958年，为中国曲艺工作者协会山西分会。1980年，改称中国曲艺家协会山西分会。1991年，更名为山西省曲艺家协会。在普及与推广优秀曲艺作品，繁荣人民文化生活方面发挥了一定的作用。

40-C011 **山西省舞蹈家协会**［Shānxī Shěng Wǔdǎojiā Xiéhuì］省级文化艺术团体。在山西省太原市迎泽区，因地理位置及职能而得名。创建于1959年，为中国舞蹈工作者协会山西分会。1980年，成立中国舞蹈家协会山西分会。1991年，更名为山西省舞蹈家协会。是山西省舞蹈家、舞蹈教育工作者、舞蹈组织工作者自愿结合的学术性、联谊性、服务性的群众舞蹈艺术团体，在繁荣舞蹈艺术文化方面起到了一定的作用。

40-C012 **山西省音乐家协会**［Shānxī Shěng Yīnyuèjiā Xiéhuì］省级文化艺术团体。在山西省太原市迎泽区，因地理位置及职能而得名。创建于1949年。设有表演艺术委员会、理论创作委员会、音乐教育委员会、民族民间音乐委员会、社会音乐活动委员会，以及小提琴学会、手风琴学会、长笛学会、铜管乐学会、二胡学会、琵琶学会、竹笛学会、钢琴学会及合唱联盟等。在繁荣创作、培养人才、开展理论研究、音乐表演、音乐教育以及规范音乐考级等方面具有一定作用。

40-C013 **山西省作家协会**［Shānxī Shěng Zuòjiā Xiéhuì］省级文化艺术团体。在山西省太原市迎泽区，因地理位置及职能而得名。创建于1949年。1984年，与省文联分署办公，为中国作家协会山西分会。1991年，更名为山西省作家协会。设有山西文学院、《山西文学》月刊社、《黄河》杂志社、《开心世界》杂志社等组织机构，在发展和繁荣山西文学事业，推动作家培养等方面具有一定作用。

40-C014　**山西省曲艺团**［Shānxī Shěng Qǔyì tuán］省级文化艺术团体。在山西省太原市迎泽区，因地理位置及职能而得名。创建于 1959 年。代表性成就有相声《花好月圆》、快板《弄巧成拙》、相声《小二黑结婚外传》、数来宝《信不信由你》等。有帽儿巷经此。

40-C015　**山西省摄影家协会**［Shānxī Shěng Shèyǐngjiā Xiéhuì］省级文化艺术团体。在山西省太原市迎泽区，因地理位置及职能而得名。创建于 1963 年。负责组织山西省摄影创作、摄影评奖、成果展示、理论研究、学术讨论、书刊出版等工作。在繁荣山西摄影事业、服务摄影家、满足人民大众的精神文化需求方面，发挥了一定的作用。

40-C016　**山西省戏剧家协会**［Shānxī Shěng Xìjùjiā Xiéhuì］省级文化艺术团体。在山西省太原市迎泽区，因地理位置及职能而得名。创建于 1949 年，前身是中华全国戏剧工作者协会山西分会。1956 年，更名为中国戏剧家协会山西分会。1991 年，改称山西省戏剧家协会。设有编辑部、组联部、著作权益保障办公室等工作机构。在推动戏剧创作、繁荣大众文化生活方面起到了一定的作用。

40-C017　**山西省民间文艺家协会**［Shānxī Shěng Mínjiānwényìjiā Xiéhuì］省级文化艺术团体。在山西省太原市，因地理位置及职能而得名。创建于 1959 年，前身为山西省民间文学研究会。1980 年，为中国民间文艺研究会山西分会。1987 年，更名为中国民间文艺家协会山西分会。1991 年，改称山西省民间文艺家协会。设有民间文学集成办公室、期刊编辑部等组织机构。

40-C018　**山西省书法家协会**［Shānxī Shěng Shūfǎjiā Xiéhuì］省级文化艺术团体。在山西省太原市，因地理位置及职能而得名。创建于 1959 年，前身为山西省书法篆刻研究会筹备小组。1979 年，称山西省书法研究会。1981 年起，改称中国书法家协会山西分会。1991 年，更名为山西省书法家协会。设有组联部、学术委员会、展览委员会、篆刻委员会、书法教育委员会等组织机构。在繁荣山西书法教育与普及等方面发挥了一定的作用。

40-C019　**山西省杂技艺术家协会**［Shānxī Shěng Zájìyìshùjiā Xiéhuì］省级文化艺术团体。在山西省太原市，因地理位置及职能而得名。创建于 1982 年，为中国杂技艺术家协会山西分会。1991 年，更名为山西省艺术家协会。在繁荣山西杂技艺术教育与普及等方面发挥了一定的作用。

40-C020　**太原市小店区图书馆**［Tàiyuán Shì Xiǎodiàn Qū Túshūguǎn］图书馆。在山西省太原市小店区，因地理位置及职能而得名。创建于 1992 年。2015 年新馆投入使用。占地面积约 0.5 万平方米，设有少儿阅览室、电子阅览室、残疾人阅览室、古籍与地方文献室等。馆藏图书文献 20 万余册 / 件。2018 年被评定为一级图书馆。有昌盛街通达，通公交车。

40-C021　**太原市图书馆**［Tàiyuán Shì Túshū guǎn］图书馆。在山西省太原市万柏林区，因地理位置及职能而得名。创建于 1953 年，前身是太原市第一区人民文化馆图书股。2017 年新馆投入使用。占地面积约 4 万平方米，建筑面积约 5 万平方米，设有社科借阅区、文学借阅区、报刊借阅区、亲子阅读馆、少儿借阅区、数字阅览区、数字文化信息资源共享室等。馆藏图书文献 140 万册 / 件。2013 年被评为一级图书馆。有滨河西路、望景路通达，通 865 路公交车。

40-C022　**山西省图书馆**［Shānxī Shěng Tú shūguǎn］图书馆。在山西省太原市晋源区，因地理位置及职能而得名。创建于 1909 年。1912 年，为山西省立第一通俗图书馆。1925 年，更名为山西公立图书馆。1960 年，成立山西省图书馆。2013 年，山西省图书馆长风新馆投入使用。2014 年，位于文源巷的旧馆改扩建为山西省少年儿童图书馆与山西省古籍保护中心。建筑面积约 5 万平方米，有各类阅览室 27 个，阅览座席 3000 个。是全国古籍重点保护单位、国家级古籍修复中心、国家古籍修复技艺传习中心。馆藏图书文献 374 万册 / 件。2013 年被评为一级图书馆。有广经路、广化路等通达，通 65 路公交车。

40-C023　**清徐县图书馆**［Qīngxú Xiàn Túshū guǎn］图书馆。在山西省太原市清徐县，因地理位置及职能而得名。创建于 1958 年。 2007 年动工建设新馆。建筑面积约 4 万平方米，设有电子阅览室、资源共享室，残疾人阅览室、典藏室、综合借阅室、期刊阅览室、少儿阅览室、地方文献室等。馆藏图书文献12万余册/件。2013年被评为一级图书馆。有文源路通达，通清徐202路、清徐218路等公交车。

40-C024 **大同市城区图书馆**［Dàtóng Shì Chéngqū Túshūguǎn］图书馆。在山西省大同市平城区，因地理位置及职能而得名。创建于1982年。1991年新馆投入使用。建筑面积约0.1万平方米。馆藏图书文献约5万册/件。2013年被评为二级图书馆。有帅府街经此。

40-C025 **阳泉市图书馆**［Yángquán Shì Túshūguǎn］图书馆。在山西省阳泉市城区，因地理位置及职能而得名。创建于1962年。2008年新馆正式投入使用。建筑面积约1万平方米，设有现代化功能的图书借阅室、报刊阅览室、少儿阅览室、自修室、电子阅览室、地方文献阅览室等，阅览座席750个。馆藏图书文献39万册/件。2013年被评为二级图书馆。有桃北中街经此。

40-C026 **长治市图书馆**［Chángzhì Shì Túshūguǎn］图书馆。在山西省长治市潞州区，因地理位置及职能而得名。创建于1946年，前身是太行区公立长治图书馆。1954年，更名为长治市人民图书室。1957年，改称长治市人民图书馆。1972年，更名为长治市图书馆。2005年新馆投入使用。占地面积约1万平方米，建筑面积约1万平方米，设有中文期刊阅览室、中文报纸阅览室、廉政文化综合阅览室等，阅览座席1200个。2013年被评为一级图书馆。有太行西街通达，通1路、5路等公交车。

40-C027 **长治县图书馆**［Chángzhì Xiàn Túshūguǎn］图书馆。在山西省长治市上党区，因地理位置及职能而得名。创建于1985年。2008年新馆投入使用。建筑面积约0.3万平方米，设有综合图书阅览室、多功能培训讲座大厅、电子阅览室、资源共享室、残障视听室、盲人阅览室、地方文献室等，阅览座席500个。馆藏图书文献10万余册/件。2018年被评定为一级图书馆。有光明路通达，通公交车。

40-C028 **襄垣县图书馆**［Xiāngyuán Xiàn Túshūguǎn］图书馆。在山西省长治市襄垣县，因地理位置及职能而得名。创建于1978年。建筑面积约0.1万平方米，设有报刊阅览区、少儿部、休闲阅读区等，阅览座席150个。馆藏图书文献约7万册/件。2013年被评为二级图书馆。有开元东街通达，通3路公交车。

40-C029 **平顺县图书馆**［Píngshùn Xiàn Túshūguǎn］图书馆。在山西省长治市武乡县西南部，因地理位置及职能而得名。创建于1979年。2014年新馆投入使用。占地面积约0.2万平方米，建筑面积约0.4万平方米，设有报刊阅览室、图书借阅室、特殊人群阅览室、读者自修大厅、展览厅、电子阅览室、资源共享室等。馆藏图书文献6万余册/件。2018年被评为二级图书馆。有兴华东街通达，通公交车。

40-C030 **武乡县图书馆**［Wǔxiāng Xiàn Túshūguǎn］图书馆。在山西省长治市武乡县，因地理位置及职能而得名。创建于1978年。占地面积约0.2万平方米，建筑面积约0.3万平方米，设有书报刊综合阅览与外借室、少儿阅览室、盲人综合阅览室、电子阅览室、地方文献室等。馆藏图书文献12万余册/件。2013年被评为二级图书馆。有红旗路通达，通武乡1路、武乡2路公交车。

40-C031 **沁源县图书馆**［Qìnyuán Xiàn Túshūguǎn］图书馆。在山西省长治市沁源县，因地理位置及职能而得名。创建于1982年。2012年新馆投入使用。建筑面积约0.6万平方米，设有综合阅览室、期刊阅览室、少儿阅览室、老年阅览室、盲人阅览室、电子阅览室、多媒体室、书画展览室等。2018年被评定为一级图书馆。有桥西街经此。

40-C032 **晋城市图书馆**［Jìnchéng Shì Túshū Guǎn］图书馆。在山西省晋城市城区，因地理位置及职能而得名。2014年新馆投入使用，由晋城职业技术学院主办，是在整合晋城市科技图书馆和晋城职业技术学院图书馆基础上成立的图书馆。建筑面积约1.5万平方米，有阅览座席1089个。馆藏图书文献60余万册/件。2018年被评定为一级图书馆。有文博路通达，通12路、

16 路等公交车。

40-C033　**朔州市图书馆**［Shuòzhōu Shì Túshū Guǎn］图书馆。在山西省朔州市朔城区，因地理位置及职能而得名。2012 年新馆投入使用。建筑面积约 1.5 万平方米，设有科技阅览室、社科阅览室、报刊阅览室和数字阅览室等，阅览座席 2000 个。馆藏图书文献 30 余万册 / 件。2018 年被评定为一级图书馆。有顺义路、振华街通达，通 9 路外环公交车。

40-C034　**应县图书馆**［Yìng Xiàn Túshū Guǎn］图书馆。在山西省朔州市应县，因地理位置及职能而得名。创建于 1984 年。2014 年新馆投入使用。总建筑面积约 0.4 万平方米，地上五层，地下一层，建筑高度 26 米，设施先进，功能完备。设有少儿阅览室、青少年阅览室、曹居台捐书专室、应县方志馆等 16 个功能室。阅览座位 400 多个，现有藏书 14 万多册，各种期刊报纸 120 多种，流动图书车两部。2018 年被评定为一级图书馆。有金城西街通达，通公交车。

40-C035　**晋中市图书馆**［Jìnzhōng Shì Túshū guǎn］图书馆。在山西省晋中市榆次区，因地理位置及职能而得名。2018 年投入使用。建筑面积约 2 万平方米，设有少儿、老年与视障阅读区、综合检索区、社会科学阅读区，自然科学与地方文献阅读区等，阅览座席 788 个。馆藏图书文献 35 万册 / 件。有广安街通达，通 11 路、207 路公交车。

40-C036　**祁县图书馆**［Qí Xiàn Túshūguǎn］图书馆。在山西省晋中市祁县东南部，因地理位置及职能而得名。创建于 1979 年，前身是山西祁县文化馆古籍部。占地面积约 0.5 万平方米，建筑面积约 0.3 万平方米。馆藏图书文献 20 余万册 / 件，其中宋版《昌黎先生集考异》系海内孤本，国家一级文物。是全国古籍重点保护单位。2013 年被评为一级图书馆。有新建北路通达，通祁县 11 路、祁县 15 路、祁县 18 路等公交车。

40-C037　**灵石县图书馆**［Língshí Xiàn Túshū guǎn］图书馆。在山西省晋中市灵石县，因地理位置及职能而得名。创建于 1984 年，前身是灵石县文化馆图书室。2011 年，迁入灵石县文化艺术中心大楼。建筑面积近 0.5 万平方米，设有报纸阅览室、期刊阅览室、亲子阅览室、学生阅览室、借阅部、盲人阅览室、电子阅览室等。馆藏图书文献 22 万册 / 件。2013 年被评为一级图书馆。有新建西街通达，通灵石 1 路、灵石 3 路等公家车。

40-C038　**永济市图书馆**［Yǒngjì Shì Túshū Guǎn］图书馆。在山西省运城市永济市，因地理位置及职能而得名。创建于 1978 年。2015 年，与文化馆分离独立建制。2016 年新馆投入使用。建筑面积约 0.5 万平方米，有各类阅览室 12 个，阅览座席 300 个。馆藏图书文献 70 余万册 / 件。2018 年被评定为一级图书馆。有舜都大道通达，通公交车。

40-C039　**临猗县图书馆**［Línyī Xiàn Túshū guǎn］图书馆。在山西省运城市临猗县，因地理位置及职能而得名。创建于 1978 年。2013 年新馆投入使用。建筑面积约 0.4 万平方米，有采编借阅部、地方文献部、报刊部、资源共享中心、古籍保护中心、流动书库管理部、少儿部等。馆藏图书文献约 15 万册 / 件。2018 年被评定为一级图书馆。有双塔北路通达，通公交车。

40-C040　**芮城县图书馆**［Ruìchéng Xiàn Tú shūguǎn］图书馆。在山西省运城市芮城县，因地理位置及职能而得名。创建于 1931 年，后毁于抗日战争时期。1978 年，复建芮城县图书馆。2013 年新馆投入使用。建筑面积约 0.6 万平方米，设有少儿借阅室、多功能厅、地方文献阅览室等，阅览座席 420 个。馆藏图书文献 14 万册 / 件。2018 年被评定为一级图书馆。有洞宾西街经此。

40-C041　**忻州市图书馆**［Xīnzhōu Shì Túshū guǎn］图书馆。在山西省忻州市忻府区，因地理位置及职能而得名。建筑面积约 1.5 万平方米，设有 15 个阅读区域，阅览座席 593 个。馆藏图书文献 11 万册 / 件。有广裕街通达，通公交车。

40-C042　**临汾市图书馆**［Línfén Shì Túshū guǎn］图书馆。在山西省临汾市尧都区，因地理位置及职能而得名。建筑面积约 3 万平方米，设有成人阅读区、儿童阅读区、少儿活动中心、视障阅读区、地方文献阅览区、特色馆藏文献阅览区等，拥有室内阅览座席 2300 个，室外阅览座席

1000 个。有滨河西路通达，通公交车。

40-C043 **侯马市图书馆** [Hóumǎ Shì Túshūguǎn] 图书馆。在山西省临汾市侯马市，因地理位置及职能而得名。建筑面积约 0.2 万平方米，设有电子阅览室、采编室、借阅室、彭真图书室、晋文化图书室、少儿图书室、报刊库。2018 年被评为二级图书馆。有市府路通达，通侯马 2 路等公交车。

40-C044 **曲沃县图书馆** [Qūwò Xiàn Túshūguǎn] 图书馆。在山西省临汾市曲沃县，因地理位置及职能而得名。创建于 1978 年。2017 年新馆投入使用。建筑面积约 0.5 万平方米，由一层公共活动区、二层和三层室内阅览区和四层户外阳光阅读区共同组成，包括报刊阅览室、图书借阅室、少儿阅览室、视障阅览室、电子阅览室、综合图书阅览室等，阅览座席 500 个。2018 年被评定为一级图书馆。有太和南路经此。

40-C045 **洪洞县图书馆** [Hóngtóng Xiàn Túshūguǎn] 图书馆。在山西省临汾市洪洞县，因地理位置及职能而得名。创建于 1984 年，2015 年新馆投入使用。建筑面积约 0.5 万平方米，设有读者服务部、盲人有声读物阅览部、报刊图书综合阅览部、综合图书借阅部、青少年阅览部、资源建设部、数字文化阅览部等。2018 年被评定为一级图书馆。有虹通南路通达，通 6 路、7 路、26 路公交车。

40-C046 **古县图书馆** [Gǔ Xiàn Túshūguǎn] 图书馆。在山西省临汾市古县，因地理位置及职能而得名。创建于 1979 年，前身是古县文化馆图书室。1989 年，设立古县图书馆。2011 年，新馆投入使用。建筑面积约 0.3 万平方米，设有 10 个阅览室，涵盖地方文献、少儿、社会科学、自然科学、文学 5 个方面。馆藏图书文献 37 万余册 / 件。2013 年被评为一级图书馆。有文化街经此。

40-C047 **安泽县图书馆** [Ānzé Xiàn Túshūguǎn] 图书馆。在山西省临汾市安泽县，因地理位置及职能而得名。建筑面积约 0.2 万平方米，阅览座席 300 个。馆藏图书文献 12 余万册 / 件。2013 年评为二级图书馆。有滨河中路经此。

40-C048 **吕梁市图书馆** [Lǚliáng Shì Túshūguǎn] 图书馆。在山西省吕梁市离石区，因地理位置及职能而得名。建筑面积约 1 万平方米，设有绘本阅览室、少儿阅览区、青少年阅览室、少儿手工坊等，阅览座席 400 个。馆藏图书文献 30 万册 / 件。有丽景街经此。

40-C049 **孝义市图书馆** [Xiàoyì Shì Túshūguǎn] 图书馆。在山西省吕梁市孝义市，因地理位置及职能而得名。创建于 1979 年，前身是孝义市文化馆图书室。1992 年，新馆正式对外开放。建筑面积约 0.5 万平方米，设有图书阅览室、期刊阅览室等。馆藏图书文献 18 万余册 / 件。2013 年被评为一级图书馆。有府南路经此。

40-C050 **汾阳市图书馆** [Fényáng Shì Túshūguǎn] 图书馆。在山西省吕梁市汾阳市，因地理位置及职能而得名。创建于 1979 年，1999 年新馆落成。建筑面积约 0.3 万平方米，设有少儿馆、电子阅览厅、盲人阅览厅、图书外借处、报纸阅览厅等。馆藏图书文献 15 万册 / 件。2013 年被评为一级图书馆。有鼓楼西街通达，通公交车。

40-C051 **柳林县图书馆** [Liǔlín Xiàn Túshūguǎn] 图书馆。在山西省吕梁市柳林县，因地理位置及职能而得名。创建于 1976 年。建筑面积约 0.3 万平方米，设有成人阅览室、公共电子阅览室、地方文献室、少儿阅览室、报刊阅览室、盲人阅览室等，阅览座席 500 个。馆藏图书 10 万余册 / 件。2013 年被评为二级图书馆。有青龙大街通达，通柳林 6 路等公交车。

40-C052 **晋商博物院** [Jìnshāng Bówùyuàn] 博物馆。在山西省太原市杏花岭区，因地理位置及职能而得名。2020 年投入使用。占地面积约 10 万平方米，建筑面积约 3 万平方米，展览面积约 2 万平方米，主要建筑有大门、工字楼、仪门、渊谊堂、内署院、御书楼、梅山等。是一座立体展示晋商文化的大型博物馆，展示内容以晋商历史以及晋商创造的商业文化为主，基本陈列为晋商源流、海内称雄、汇通天下、万里茶道、晋商精神等。有府东街通达，通地铁 2 号线、10 路等公交车。

40-C053 **山西博物院** [Shānxī Bówùyuàn] 博物馆。在山西省太原市万柏林区，因地理位置及职能而得名。创建于 1919 年，前身是山西教育图书博物馆。1953 年，改称山西省博物馆。2005 年新馆投入使用，更名为山西博物院。占地面积约 11 万平方米，建筑面积约 5 万平方米，展览面积 1.3 万平方米，文物库区 1.2 万平方米。是山西省最大的文物征集、收藏、保护、研究和展示的公共文化服务机构，现有藏品 50 余万件（组），其中，珍贵文物 约 4 万件（组），包括一级文物 2129 件（组），另有图书古籍 11 万余册，尤以青铜、瓷器、石刻、佛教造像、壁画、书画等颇具特色。是中央地方共建的国家级博物馆之一，为国家一级博物馆。有文兴路等通达，通 69 路公交车。

40-C054 **山西地质博物馆**［Shānxī Dìzhì Bówùguǎn］博物馆。在山西省太原市万柏林区，因地理位置及职能而得名。创建于 1958 年，前身是山西地质厅地质博物馆。1982 年，更名为山西地质矿产局地质矿产陈列馆。1995 年，更名为山西省地质矿产科学技术馆。2014 年，更名为山西地质博物馆。2017 年新馆投入使用。占地面积 3 万平方米，陈列面积 1 万平方米。馆藏具有山西本土特色的岩石、矿产、古生物化石珍品及世界各地矿物珍品瑰宝共计 5 万多件。基本陈列包括穿越时空、远古物种、大地宝藏和物华天宝 4 个主题展厅，以及测绘天地与衣被天下 2 个专题陈列。是一座普及矿产资源和地球科学知识的专业科技类博物馆，国家一级博物馆。有望景路、滨河西路辅路通达，通公交车。

40-C055 **中国煤炭博物馆**［Zhōngguó Méitàn Bówùguǎn］博物馆。在山西省太原市万柏林区，因地理位置及职能而得名。1989 年投入使用。占地面积 1 万平方米，展览大厅面积 0.5 万平方米。基本陈列包括煤的生成馆、煤炭与人类馆、煤炭开发技术馆、当代中国煤炭工业馆、煤炭艺术馆、煤炭文献馆、中外交流馆和模拟矿井等。是一座国家级煤炭行业博物馆，先后被评为全国科普教育基地、全国工业旅游示范基地、全国煤炭行业科普教育基地及国家 AAAA 级旅游景区，国家一级博物馆。有迎泽西大街通达，通 1 路、38 路等公交车。

40-C056 **太原市博物馆**［Tàiyuán Shì Bówù Guǎn］博物馆。在山西省太原市晋源区，因地理位置及职能而得名。创建于 2000 年。以展示太原历史、揭示晋阳文化内涵为主体，以太原历史脉络为主线，突出以“晋阳崛起”和“走向盛唐”为重点进行展陈，有文物保管区、展陈区、学术研究区、公共活动和休闲服务区等。基本展览有赵卿墓车马坑等。是一座综合性地方历史博物馆，国家二级博物馆。有广成路通达，通公交车。

40-C057 **山西青铜博物馆**［Shānxī Qīngtóng Bówùguǎn］博物馆。在山西省太原市晋源区，因地理位置及职能而得名。创建于 2019 年，由山西省公安机关在打击文物犯罪专项行动中追缴回的青铜文物为基础建设而成。展览面积 1 万平方米。展出青铜器物多达 2200 余件，上起陶寺，下至秦汉，跨越整个青铜时代，包括基本陈列、教育互动、数字青铜、临时展览和文创空间等。基本陈列分为华夏印迹、礼乐春秋、技艺模范 3 个部分。是一座省级青铜专题博物馆。有广成路通达，通公交车。

40-C058 **山西醋文化博物馆**［Shānxī Cùwénhuà Bówùguǎn］博物馆。在山西省太原市清徐县，因地理位置及职能而得名。1998 年开工，2000 年投入使用。占地面积约 0.9 万平方米，建筑面积约 0.4 万平方米，是一座酷似黄鹤楼的九层阁楼式仿古建筑。收集了山西历代制醋工艺手迹 200 余部，制醋器具 880 多件，整理出醋文化通史 500 多册，醋方、醋曲 200 余条。有文渊路通达，通清徐 201 路、清徐 202 路等公家车。

40-C059 **大同市博物馆**［Dàtóng Shì Bówùguǎn］博物馆。在山西省大同市平城区，因地理位置及职能而得名。创建于 1959 年。1963 年更名为大同市博物馆。2014 年新馆投入使用。占地面积 5 万平方米，建筑面积 3 万平方米。基本陈列分为沧桑代地、魏都平城、辽金西京、明清重镇，并设有大同恐龙、瓷路撷珍等专题展览。是一座综合性的地方历史博物馆，国家二级博物馆。有太和路通达，通 65 路、66 路等公交车。

40-C060 **中国雕塑博物馆**［Zhōngguó Diāosù Bówùguǎn］博物馆。在山西省大同市平城区，因地理位置及职能而得名。建筑面积 3 万平方米，展览面积 2.6 万平方米，展线长达 2100 米，位于大同市北城墙瓮城内。主要开展古今中外雕塑艺术品收藏、展览陈列、艺术研究、公众教育、艺术交流和社会服务等公益性事业。是一座专业主题博物馆，国家二级博物馆。有武定门内街经此。

40-C061 **阳泉市博物馆** [Yángquán Shì Bówùguǎn] 博物馆。在山西省阳泉市城区，因地理位置及职能而得名。创建于2009年。建筑面积约0.3万平方米，公共空间约0.1万平方米。基本陈列由2部分组成，其中关山烟云分为史前拓荒、东周往事、汉风醇俗和宋启人文4个单元，百年巨变分为保晋风云和红色沃土2个单元，另有妙相梵容、一眼千年、北方砂都、煤炭故事等专题展览。是一座综合性地方博物馆，国家二级博物馆。有泉中路、桃北中街通达，通10路支线公交车。

40-C062 **长治市博物馆** [Chángzhì Shì Bówùguǎn] 博物馆。在山西省长治市潞州区，因地理位置及职能而得名。1990年开工，1992年投入使用。占地面积1.3万平方米，建筑面积0.82万平方米，展厅面积0.52万平方米。基本陈列分为6个展厅，有上党古代文明、长治古代琉璃和战国车马坑4个固定陈列及2个活动性临时展厅。是一座综合性的地方历史博物馆，国家二级博物馆。有太行西街通达，通5路、15路等公交车。

40-C063 **沁县文物馆** [Qìn Xiàn Wénwùguǎn] 博物馆。在山西省长治市沁县，因地理位置及职能而得名。1989年投入使用，并称沁县南涅水石刻馆。占地面积3万平方米，建筑面积0.5万平方米，展厅面积0.3万平方米。主要陈列展示的藏品以南涅水村出土的石刻为主，积累了北魏、东魏、北齐、隋、唐、宋等朝代的民间石雕珍品，历时近6个世纪。基本陈列内容为造像塔、造像碑、单体造像、碑碣拓片、历代碑刻等。是一座以石雕为主的博物馆，国家三级博物馆。有东门街经此。

40-C064 **晋城市博物馆** [Jìnchéng Shì Bówùguǎn] 博物馆。在山西省晋城市城区，因地理位置及职能而得名。前身是晋城市古建筑艺术博物馆，2002年新馆投入使用。占地面积1.6万平方米，建筑面积1万平方米，展厅面积0.3万平方米。基本陈列为历史撷英、长平之战、出土侍俑3个部分，馆藏文物2万余件。是一座综合性地方历史博物馆，国家二级博物馆。有凤台东街通达，通4路、8路公交车。

40-C065 **朔州市博物馆** [Shuòzhōu Shì Bówùguǎn] 博物馆。在山西省朔州市，因地理位置及职能而得名。2014年投入使用。建筑面积1.6万平方米，展览面积0.35万平方米，设有4个展厅。基本陈列包括史前文明、烽火迭起、名人辈出、营造创奇、精品荟萃、边塞要地等，并设有朔州现代工业发展展示中心，反映朔州市经济发展概况。是一座综合性地方历史博物馆。有振华街通达，通公交车。

40-C066 **马邑博物馆** [Mǎyì Bówùguǎn] 博物馆。在山西省朔州市朔城区，因历史沿革得名。2012年投入使用。占地面积约0.5万平方米，设有序厅、造像厅、陶瓷厅、铜器厅、字画厅、石刻厅与杂项厅等7个展厅。是一座综合性地方博物馆，国家三级博物馆。有县左街通达，通公交车。

40-C067 **晋中市博物馆** [Jìnzhōng Shì Bówùguǎn] 博物馆。在山西省晋中市榆次区，因地理位置及职能而得名。2018年投入使用。占地面积约3万平方米，建筑面积约3万平方米，展厅面积约0.8万平方米。以“岁月风采”为主题，通过一村（晋中史前第一村）、一珍（晋中商周第一珍）、一境（佛教艺术第一境）、一街（天下晋商第一街）、一路（万里茶海第一路）、一彩（革命风采第一画）进行陈列体系规划。是一座综合性地方历史博物馆，国家三级博物馆。有凤鸣街通达，通公交车。

40-C068 **榆社县化石博物馆** [Yúshè Xiàn Huàshí Bówùguǎn] 博物馆。在山西省晋中市榆社县，因地理位置及职能而得名。1983年开工，2006年投入使用。占地面积约0.4万平方米，建筑面积0.2万平方米，展厅面积0.13万平方米。馆藏化石1000余件，对研究700万年至100万年前榆社盆地古地理、古气候及生物进化具有很高的科研价值和观赏价值，馆内陈列有古脊椎动物化石展等。是一所化石专题博物馆，国家二级博物馆。有迎春北路通达，通榆社18路、榆社19路等公交车。

40-C069 **运城博物馆**［Yùnchéng Bówùguǎn］博物馆。在山西省运城市盐湖区，因地理位置及职能而得名。创建于2013年。2016年新馆投入使用。占地面积2.5万平方米，建筑面积2.4万平方米，展厅面积1.5万平方米。基本陈列以大河之东为主题，由华夏寻根、馆藏珍品、鹽盐春秋、地灵人杰、土木华章、条山风云等6个历史专题展和运城农业、工业、城建和文化等4个特色主题展组成。是一座综合性地方博物馆，国家二级博物馆。有魏风街通达，通公交车。

40-C070 **盐湖区博物馆**［Yánhú Qū Bówùguǎn］博物馆。在山西省运城市盐湖区，因地理位置及职能而得名。创建于1958年，前身是运城县博物馆。1983年更名为运城市博物馆。2000年更名盐湖区博物馆。2007新馆投入使用。占地面积2.5万平方米，建筑面积0.96万平方米，展厅面积0.3万平方米。馆藏文物8586件，珍贵文物200余件，以青铜器、陶器、瓷器、玉器等最为典型。设有基本陈列、专题陈列、临时陈列、学术报告厅等，基本陈列有盐湖区历史文物陈列、虞舜文化专题展览等。是一座综合性地方历史博物馆，国家二级博物馆。有复旦大道经此。

40-C071 **芮城县博物馆**［Ruìchéng Xiàn Bówùguǎn］博物馆。在山西省运城市芮城县，因地理位置及职能而得名。创建于1982年。主体建筑有宋代大殿、元代看台、清代献殿、寝殿、东西两廊、乐房及附属建筑八蜡庙等。基本陈列有地方历史文物展、近代英烈展等陈列。是一座县级地方性综合博物馆，国家三级博物馆。有永乐南路等通达，通公交车。

40-C072 **忻州市博物馆**［Xīnzhōu Shì Bówùguǎn］博物馆。在山西省忻州市城区，因地理位置及职能而得名。2021年投入使用。建筑面积1.2万平方米，展厅面积0.5万平方米。基本陈列分为晋北锁钥、铁血英魂、壁上幻影、欣然意匠4个展览主题。是一座综合性的地方历史博物馆。有建设北路通达，通公交车。

40-C073 **河边民俗博物馆**［Hébiān Mínsú Bówùguǎn］博物馆。在山西省忻州市定襄县，因地理位置及职能而得名。创建于20世纪80年代，依托阎锡山故居成立。占地面积3.3万平方米，展览面积0.2万平方米，有700余间房屋。陈列以民俗文物为主，按照农、食、住、行、娱等布局，包括民间面塑、刺绣、雕刻、饮食、信仰、婚俗和元宵节民俗一条街等陈列室。是一座民俗类博物馆，国家AAAA级景区，国家二级博物馆。有乡道通达，通公交车。

40-C074 **临汾市博物馆**［Línfén Shì Bówùguǎn］博物馆。在山西省临汾市尧都区，因地理位置及职能而得名。创建于1993年。2013年新馆开工建设，2018年投入使用。建筑面积3万平方米，展厅面积0.2万平方米。馆藏文物14万件，以青铜器、陶瓷器、水陆画、木版年画为特色。基本陈列展陈分为远古足迹、最早中国、晋霸春秋、千秋平阳4个部分。是一座综合性的地方历史博物馆，国家一级博物馆。有迎宾大道等通达，通202路、302路等公交车。

40-C074 **晋国古都博物馆**［Jìnguó Gǔdū Bówùguǎn］博物馆。在山西省临汾市侯马市，因地理位置及职能而得名。2003年投入使用。占地面积2万平方米。基本陈列分2大部分4个展厅，反映了从叔虞封唐到春秋争霸、三晋崛起的历史过程。是一座集中展示晋国新田文化的专题性博物馆。有市府路通达，通公交车。

40-C075 **晋国博物馆**［Jìnguó Bówùguǎn］博物馆。在山西省临汾市曲沃县，因位于晋国遗址而得名。2009年开工，2014年投入使用。占地面积约12万平方米，建筑面积约1.3万平方米，主要包括下沉广场、遗址保护厅、出土文物陈列厅、临时展厅、嘉禾台、藏品库房及研究用房等，以晋文化为主线，呈现了晋国历史文化、“曲村—天马遗址”发掘史、晋侯墓地遗址等内容。是山西省首座大型遗址博物馆，是中国第一座晋文化专题博物馆、国家AAAA级旅游景区，国家一级博物馆。有乡镇公路经此。

40-C076 **吕梁汉画像石博物馆**［Lǚliáng Hànhuàxiàngshí Bówùguǎn］博物馆。在山西省吕梁市离石区，因地理位置及职能而得名。2002年投入使用。占地面积3万平方米，建筑面积0.7万平方米，主体建筑由古墓馆、汉画像石展厅、辅助展厅、文物中心库及文物科研培训中心等组成。馆藏文物2000余件，收藏了东汉中晚期的各类画像石，其中尤以石盘汉墓墓门石、车骑出行、夫妻对弈、宾主叙谈等汉画石最为典型。是一座汉画像石专题博物馆，国家二级博物馆。有龙凤大街通达，通301路、303路等公交车。

40-C077 **山西省档案馆**［Shānxī Shěng Dàng'àn guǎn］档案馆。在山西省太原市迎泽区，因地理位置及职能而得名。创建于1960年。2019年新馆开工建设，占地面积约4万平方米，建筑面积约5.6万平方米。是山西省永久保管档案的重要基地和社会各方面利用档案史料的中心。馆藏有中华人民共和国时期的档案、革命历史档案、1912至1949年间山西的军、政、警、宪机关和企业事业单位的档案，档案资料极为丰赡。有朝阳街通达，通814路、836路公交车。

40-C078 **太原市档案馆**［Tàiyuán Shì Dàng'àn guǎn］档案馆。在山西省太原市万柏林区，因地理位置及职能而得名。创建于1959年。馆藏全宗104个，档案资料12.6万卷/册，其中80%为文书档案，部分为会计、审计、医卫、知青、地籍、诉讼等专门档案。有南屯路通达，通65支路、76路等公交车。

40-C079 **山西大剧院**［Shānxī Dàjùyuàn］剧场。在山西省太原市晋源区，因地理位置及职能而得名。2008年开工，2012年投入使用。占地面积约8.5万平方米，建筑面积约6.2万平方米，主要包括主剧场、音乐厅和小剧场及排练厅、琴房、演播室、展台休息厅、化妆间、道具服装间等功能用房。可满足大型歌剧、舞剧、戏剧、大型魔术、杂技等综艺演出，以及大型交响乐、民族乐、室内乐等演出需求。有广经路通达，通65路公交车。

40-C080 **山西省科学技术馆**［Shānxī Shěng Kēxué Jìshùguǎn］科学馆。在山西省太原市晋源区，因地理位置及职能而得名。创建于1988年。2008年新馆开工，2013年新馆投入使用。占地面积4.6万平方米，建筑面积3万平方米。常设展览有数学展厅、宇宙与生命、机器与动力、儿童科学乐园等。有广经路通达，通65路公交车。

40-C081 **山西省工艺美术馆**［Shānxī Shěng Gōngyì Měishùguǎn］美术馆。在山西省太原市迎泽区，因地理位置及职能而得名。2010年开工，2013年投入使用。展厅面积0.5万平方米。基本陈列主要由三晋三雕文化墙、中国工美珍宝馆、剪纸馆、山西黄河画院画廊、山西工艺美术精品等组成。有迎泽大街通达，通1路、56路、611路等公交车。

40-C082 **太原美术馆**［Tàiyuán Měishùguǎn］美术馆。在山西省太原市晋源区，因地理位置及职能而得名。创建于1983年，前身是太原画院。2013年新馆投入使用。占地面积6.1万平方米，建筑面积3.2万平方米。主要建筑有中央大厅、多功能学术报告厅、会议室、艺术超市、培训教室、装裱室、修复室、艺术家沙龙、儿童美术天地、休闲咖啡厅等。有广经路通达，通65路公交车。

40-C083 **山西省展览馆**［Shānxī Shěng Zhǎn lǎnguǎn］展览馆。位于山西省太原市万柏林区，因地理位置及职能而得名。创建于1958年，1991年新馆投入使用。占地面积30万平方米，室内展厅面积4万平方米，可设标准展位2000个，主要建筑包括报告厅、餐厅及宾馆。有新晋祠路通达，通27路、308路、618路等公交车。

40-C084 **太原动物园**［Tàiyuán Dòngwùyuán］动物园。在山西省太原市杏花岭区，因地理位置及职能而得名。1955年开工，1957年投入使用。2003年新园开工，2004年新园投入使用。占地面积79万平方米，包括鸟禽区、热带亚热带动物区、灵长类区、自然山林区、食草动物区、服务休闲区、科普教育区等。有国家一二级保护动物170余种，3300余头/只，各种植物70余种，30余万株。有卧虎山路通达，通845路、855路等公交车。

40-C085 **太原工人文化宫**［Tàiyuán Gōngrén Wénhuàgōng］文化馆。在山西省太原市迎泽区，因地理位置及职能而得名，简称南宫。1958年投入使用。占地面积6万平方米，建筑面积3万平方米，可容纳6000人进行文化娱乐活动。有迎泽大街通达，通1路、859路等公交车。

40-C086 **太原市少年宫**［Tàiyuán Shì Shào niángōng］少年宫。在山西省太原市杏花岭区，因地理位置及职能而得名。1957年投入使用。建筑面积2.7万平方米，以面向学校、面向少先队、面向广大少年儿童为目的，设有科技类、体育类、文艺类、美术类、综合类等五大类多个专业项目活动场所。有解放路通达，通3路、4路、25路等公交车。

40-C087 **太原市青年宫**［Tàiyuán Shì Qīngniángōng］青年宫。在山西省太原市杏花岭区，因地理位置及职能而得名。1985年投入使用。设有培训中心、青年人才广场、国学中心、文艺部、乒乓球馆、棋牌馆、跆拳道馆、演艺中心等系列配套活动场所。有滨河东路、府西街通达，通602路、803路公交车。

40-C088 **太原植物园**［Tàiyuán Zhíwùyuán］植物园。在山西省太原市晋源区，因地理位置及职能而得名。2020年投入使用。占地面积约180万平方米。设有热带雨林馆、沙生植物馆、四季花卉馆、演艺中心、滨水餐厅、草地音乐节、采摘园、户外运动、露营基地、儿童乐园等。是集科学研究、科普教育、园艺观赏和文化旅游于一体的综合性植物园。有晋祠路等通达，通公交车。

40-C089 **朔州市金沙植物园**［Shuòzhōu Shì Jīnshā Zhíwùyuán］植物园。在山西省朔州市朔城区，因地理位置及职能而得名。2009年开工。占地面积173万平方米，水体面积13.3万平方米，分为东湖、西湖，库容量为16万立方米。是以圆形观景台为中心，三个环形景区组成的圆形公园。栽植各种树木75个科，115个属，2000多个品种；园区西部建有塞北烈士陵园，占地面积约7万平方米。有鄯羊西街通达，通6路公交车。

40-C090 **太原方特东方神画**［Tàiyuán Fāngtè Dōngfāng Shénhuà］游乐场。在山西省太原市阳曲县，因地理位置及主题特色而得名。2021年投入使用。占地面积约40万平方米。以中华历史文化传承为主，融合神话传说、历史典故、民俗风情和太原特色文化，有历史文化之旅、浪漫爱情之旅、魅力传说之旅等线路。有阳兴大道等通达，通公交车。

40-C091 **乌金山欢乐谷**［Wūjīn Shān Huānlè Gǔ］游乐场。在山西省晋中市榆次区，因位于乌金山国家森林公园区及主题特色而得名。2007年开工。占地面积约53万平方米。设有印象乌金山展馆、滑翔飞翼、极速飞车、快乐城堡、七彩飞船等主题项目，集人文生态景观、艺术表演、主题游戏等于一体。有旅游公路通达，通公交车。

40-C092 **大同方特欢乐世界**［Dàtóng Fāngtè Huānlè Shìjiè］游乐场。在山西省大同市平城区，因地理位置及主题特色而得名。2016年投入使用。占地面积约53万平方米。设有飞越极限、生命之光、星际航班、魔法城堡、海螺湾、熊出没历险、唐古拉雪山、逃出恐龙岛等20多个主题项目区，涉及主题项目、游乐项目、休闲及景观项目200多项。有南环东路等通达，通公交车。

D 医疗设施

40-D001 **太原市中心医院**［Tàiyuán Shì Zhōngxīn Yīyuàn］三级甲等综合医院。在山西省太原市杏花岭区，因地理位置及职能而得名，并称山西医科大学附属太原中心医院。创建于1902年，前身为若瑟医院。曾使用华北兵工局医院、中央第二机械工业部职工医院、山西机床厂职工医院等名称。占地面积21万平方米，建筑面积31万平方米，有汾东、府城2个院区，开放床位数2500张。有省重点学科神经内科，太原市医学重点学科骨科、呼吸科、检验科、生殖中心、影像科、肾内科、耳鼻咽喉科等。有新建路通达，通地铁2号线。

40-D002 **山西省儿童医院**［Shānxī Shěng Értóng Yīyuàn］三级甲等妇幼保健院。在山西省太原市杏花岭区，因地理位置及职能而得名，并称山西省妇幼保健院。创建于1947年。2020年，增挂山西省妇产医院。2021年，增挂山西医科大学附属儿童医院。建筑面积23万平方米，有五一路、长治路、晋源3个院区，开放床位数1600张。有国家临床重点专科建设单位小儿外科，儿科学、预防医学、小儿普外科等，山西省临床重点专科神经内科、新生儿内科、呼吸科、普外科等等。有新民北街等通达，通61路、73路等公交车。

40-D003 **山西医科大学第二医院**［Shānxī Yīkē Dàxué Dì-2 Yīyuàn］三级甲等综合医院。

在山西省太原市杏花岭区，因单位名称、职能及排序综合得名，并称山西医科大学第二临床医学院、山西红十字医院。创建于1919年，前身为中医改进研究会附设医院。1932年，改组为私立山西川至医学专科学校附属川至医院。1950年，并入山西大学医学院附属医院。1953年，更名为山西医学院附属医院。1957年，改称山西医学院第二附属医院。1996年，山西医学院第二附属医院更名为山西医科大学第二医院，成立山西医科大学第二临床医学院。开放床位数2700张。有国家临床重点建设专科骨科、肾内科、风湿免疫科，山西省卫健委临床重点专科妇科、产科、心血管内科等。有五一路通达，通864路等公交车。

40-D004 **山西省眼科医院**［Shānxī Shěng Yǎnkē Yīyuàn］三级甲等专科医院。在山西省太原市杏花岭区，因地理位置及职能而得名。创建于1978年，前身是原山西省工农兵医院。开放床位数300张。有国家眼耳鼻喉疾病临床医学研究中心山西省分中心、传染病预防控制国家重点实验室眼科微生物研究基地，省级重点学科玻璃体视网膜科、角膜病科、白内障科、斜视与小儿眼科等，省级重点专科眼底病科、白内障科等。有府东街通达，通4路、10路、602路等公家车。

40-D005 **山西省中西医结合医院**［Shānxī Shěng Zhōngxīyījiéhé Yīyuàn］三级甲等综合医院。在山西省太原市杏花岭区，因地理位置及职能而得名，并称山西中医学院中西医结合医院、太原铁路中心医院。创建于1939年，前身为太原铁路保健院。1945年，更名为太原铁路医院。1953年，改名为太原铁路中心医院。1988年，增挂太原市府东医院。2005年，更名为山西中医学院中西医结合医院。2017年，因山西中医学院更名为山西中医药大学，更名为山西中医院大学附属中西医结合医院。编制床位数600张。有国家级重点学科中西医结合临床、中医肾病，市级重点学科泌尿外科、普外科等。有府东街通达，通104路、105路等公交车。

40-D006 **山西省肿瘤医院**［Shānxī Shěng Zhǒngliú Yīyuàn］三级甲等专科医院。在山西省太原市杏花岭区，因地理位置及职能而得名，并称山西医科大学附属肿瘤医院、山西医科大学肿瘤医学院。创建于1952年，前身是山西省地方国营厂矿职工医院。1962年，挂牌山西省肿瘤医院。1994年，加挂山西省第三人民医院。2021年，加挂山西医科大学附属肿瘤医院、山西医科大学肿瘤医学院。占地面积12万平方米，建筑面积27万平方米，有南、北2个院区，开放床位2612张。有国家临床重点专科病理科，省临床重点专科胸外科、普外科、血液内科、肿瘤放射治疗中心、临床护理，省医学重点学科肿瘤科、普外科、病理科、影像科等。有凯旋街通达，通公交车。

40-D007 **武警山西总队医院**［Wǔjǐng Shānxī Zǒngduì Yīyuàn］三级甲等综合医院。在山西省太原市小店区，因隶属于武警总队而得名。创建于1968年，前身是中国人民解放军第326医院。1985年迁入太原。占地面积约7万平方米，建筑面积4.5万平方米，开放床位数750张。是医学院教学医院、太原市法医协作医院、高速公路急救中心。有师范街通达，通公交车。

40-D008 **山西白求恩医院**［Shānxī Báiqiú'ēn Yīyuàn］三级甲等综合医院。在山西省太原市小店区，为纪念白求恩大夫而命名，并称山西医学科学院。2009年开工，2011年投入使用，前身为山西大医院。2019年，更名为山西白求恩医院。2020年，挂牌华中科技大学同济医学院附属同济医院山西医院，加挂山西医科大学第三医院、第三临床医学院。占地面积29万平方米，建筑面积30万平方米，开设床位数3200张，主要建筑有科研教学楼、感染性疾病诊疗中心楼、综合医疗楼等。有山西省重点学科12个，山西省临床重点专科6个，国家级专科护士培训基地2个，省级专科护士培训基地15个。有龙城大街等通达，通公交车。

40-D009 **山西省针灸医院**［Shānxī Shěng Zhēnjiǔ Yīyuàn］三级甲等中医专科医院。在山西省太原市小店区，因地理位置及职能而得名，是山西省中医药大学附属医院。创建于1984年，占地面积约1.3万平方米，有北园街、建设南路2个院区。有国医大师吕景山传承工作室和山西中医学院脑病学石学敏院士工作站，新九针学术流派研究室、谢锡亮灸法研究室、头针康复训练研究室和贴敷研究室等特色专家门诊。有永康路、寇庄西街经此。

40-D010 **太原市第三人民医院**［Tàiyuán Shì Dì-3 Rénmín Yīyuàn］三级甲等传染病专科医院。在太原市迎泽区，因地理位置及职能而得名，并称太原市传染病医院、山西医科大学附属传染病医院、山西省公共卫生临床中心。创建于1950年。2009年，相继增挂山西省公共卫生临床中心、山西医科大学附属传染病医院。开放床位数850张。有省级临床重点专科肝病科1个，市级临床重点专科肝病科、感染性疾病科、临床护理，市级医学重点学科肝病科、药剂科等。有新建南路、双塔西街通达，通13路、27路等公交车。

40-D011 **太原市妇幼保健院**［Tàiyuán Shì Fùyòubǎojiànyuàn］三级甲等妇幼保健院。在山西省太原市迎泽区，因地理位置及职能而得名，并称太原市儿童医院。创建于1984年。占地面积约18万平方米，建筑面积22万平方米，有南内环院区、长风院区2个院区，开放床位数500张。以妇女儿童保健医疗为特色，开设妊娠糖尿病门诊、儿童成长身高促进门诊、孕产妇心理门诊等特色门诊，有太原市医学重点学科产科、妇科、新生儿科、儿内科等，市级临床重点专科产科、妇科、新生儿科、儿科等。有南内环街通达，通13路、25路等公交车。

40-D012 **山西省第二人民医院**［Shānxī Shěng Dì-2 Rénmín Yīyuàn］三级甲等专科医院。在山西省太原市迎泽区，因地理位置、职能及排序综合而得名。创建于1977年，前身为山西省劳动卫生职业病防治研究所附属医院。1984年，改建为山西省职业病医院。1995年，增挂山西省第二人民医院。占地面积1.5万平方米，建筑面积1.3万平方米，开放床位数274张。有省临床重点学科器官移植，省级临床重点专科肾移植、职业病中毒科、肾内科等。有寇庄西路通达，通3路、13路、25路等公交车。

40-D013 **山西省精神卫生中心**［Shānxī Shěng Jīngshénwèishēng Zhōngxīn］三级甲等精神疾病专科医院。在山西省太原市迎泽区，因地理位置及职能而得名，并称太原市精神病医院、山西医科大学附属精神卫生医院及精神卫生学院。1955年投入使用。占地面积4.2万平方米，建筑面积3.2万平方米，开放床数位625张。有精神分裂症科、中医科、普通精神病科、老年科、康复科等。有东中环路通达，通70路公交车。

40-D014 **山西省人民医院**［Shānxī Shěng Rénmín Yīyuàn］三级甲等综合医院。在山西省太原市迎泽区，因地理位置及职能而得名。1953年开工，1955年投入使用。总占地面积30万平方米，总建筑面积21万平方米，有北院、南院、西院3个区域，开放床位数2000张。有国家级临床重点专科护理学、中医科，省级临床重点专科普外科、神经外科、肾内科、消化科、口腔科，山西省级重点学科消化科、普外科、口腔科等。有双塔寺街通达，通801路、808路公交车。

40-D015 **山西医科大学第一医院**［Shānxī Yīkē Dàxué Dì-1 Yīyuàn］三级甲等综合医院。在山西省太原市迎泽区，因隶属单位、职能及排序综合得名，并称山西医科大学第一临床医学院。1955年开工，1957年投入使用，原名山西医学院第一附属医院。1996年，更名为山西医科大学第一医院、山西医科大学第一临床医学院。占地面积7万平方米，建筑面积约18万平方米，开放床位数2419张。有国家临床重点专科普外科、泌尿外科、重症医学科、急诊医学中心、老年病科5个，省级临床重点专科6个，省级重点学科19个。有解放南路通达，通3路、4路等公交车。

40-D016 **山西省中医院**［Shānxī Shěng Zhōngyīyuàn］三级甲等综合性中医医院。在山西省太原市迎泽区，因地理位置及职能而得名。创建于1957年，为山西省中医研究所、山西省中医研究所附属医院。1994年，更名为山西省中医院研究院。2005年，增挂山西省中医院。2007年，增挂北京中医药大学附属山西省中医院。占地面积8万余平方米，建筑面积5万余平方米，有胜利、和平2个分院。有中西医结合科、皮肤科、康复科、老年病科等。有并州西街、青年路通达，通25路、814路等公交车。

40-D017 **中国人民解放军联勤保障部队第九八五医院**［Zhōngguó Rénmín Jiěfàngjūn Liánqín bǎozhàng Bùduì Dì–985 Yīyuàn］三级甲等综合性中医医院。在山西省太原市迎泽区，因隶属于中国人民解放军联勤保障部队而得名。创建于1949年，前身是解放军二六四医院。2018年，更名为中国人民解放军联勤保障部队第九八五医院。一方面保证部队战士的医疗、身体健康，另一方面也积极参与到地方卫生体系建设，在医保、对抗各种自然灾害方面，发挥了积极的作用。有桥东街通达，通公交车。

40–D018 **山西医科大学附属太钢总医院**［Shānxī Yīkē Dàxué Fùshǔ Tàigāng Zǒngyīyuàn］三级甲等综合医院。在山西省太原市尖草坪区，因单位名称、职能及归属关系而得名，并称山西医科大学第六医院。创建于1952年。2017年，改称山西医科大学第六医院。有迎新街综合院区、尖草坪院区、胜利桥院区等院区，开放床位数1800张。是国家卫计委冠心病介入诊疗培训基地、山西省烧伤救治中心，形成了以迎新院区的肿瘤和微创治疗、尖草坪院区的心脑血管疾病诊治、胜利桥院区的烧伤救治为特色的格局，有省重点学科烧伤科、超声科、普外科、心内科，省级重点建设学科心血管内科等。有柏杨树街通达，通公交车。

40–D019 **太原市第四人民医院**［Tàiyuán Shì Dì–4 Rénmín Yīyuàn］三级甲等专科医院。在太原市万柏林区，因地理位置、职能及排序综合得名，并称山西医科大学附属肺科医院、太原市结核病医院。创建于1952年。2004年后，增挂山西医科大学附属肺科医院、太原市结核病医院。占地面积13万平方米，开放床位440张。是山西省、太原市政府指定的省市突发公共卫生应急后备医院，主要诊疗范围包括结核病、呼吸系统疾病、胸部外科疾病、艾滋病、突发公共卫生疾病等。有西矿街通达，通7路、67路等公家车。

40–D020 **山西省心血管病医院**［Shānxī Shěng Xīnxuèguǎnbìng Yīyuàn］三级甲等专科医院。在山西太原市万柏林区，因地理位置及职能而得名。创建于1980年。占地面积9.5万平方米，建筑面积11.5万平方米，开放床位数1600张。有国家临床重点建设专科及山西省医学重点学科心内科，国家卫计委冠心病和心律失常介入诊疗培训基地心导管室，山西省医学重点建设学科心外科、影像科等。有漪汾街通达，通865路公交车。

40–D021 **山西中医药大学附属医院**［Shānxī Zhōngyīyào Dàxué Fùshǔ Yīyuàn］三级甲等综合性中医医院。在山西省太原市万柏林区，因隶属山西中医药大学而得名，并称山西中医药大学第一临床学院。1983年开工，1988年投入使用。占地面积6万平方米，建筑面积9万平方米，编制床位数800张。有国家级重点学科2个、省级重点学科2个，国家级重点专科1个、国家中医药管理局重点专科4个、省级重点专科13个。有晋祠路通达，通52路、69路等公交车。

40–D022 **大同市第一人民医院**［Dàtóng Shì Dì–1 Rénmín Yīyuàn］三级甲等妇儿专科医院。在山西省大同市平城区，因地理位置、职能及排序综合得名，并称大同市妇女儿童医院。创建于1917年，前身是首善医院。1949年后，更名为大同市第一人民医院。2020年，大同市妇幼健康服务中心并入大同市第一人民医院。占地面积13.8万平方米，建筑面积12.3万平方米，开放床位数668张。有山西省级重点学科妇产科和儿科，山西省级重点专科新生儿重症医学科、肿瘤微创妇科，大同市级重点学科11个。有恒安街、兴云街通达，通62路、68路等公交车。

40–D023 **大同市第三人民医院**［Dàtóng Shì Dì–3 Rénmín Yīyuàn］三级甲等综合医院。在山西省大同市平城区，因地理位置、职能及排序综合得名。创建于1958年。开放床位数1150张。有山西省重点专科心血管内科、普通外科，山西省市共建重点学科心血管内科、神经内科、泌尿外科、医学影像科，大同市级重点学科心血管内科、神经内科、普通外科等。有魏都大道、迎宾街通达，通17路、31路等公交车。

40–D024 **大同市第五人民医院**［Dàtóng Shì Dì–5 Rénmín Yīyuàn］三级甲等综合医院。在山西省大同市平城区，因地理位置、职能及排序综合得。创建于1952年，是由原雁北地区人民医院、雁北地区中医院、原山西干部疗养院3个单位合并组成。占地面积约22万平方米，建筑面积约 19 万平方米，开放床位数 2500 张。有山西省重点建设学科 2 个、重点专科 5 个，大同市级重点建设学科 28 个。有文兴路、永固街等通达，通 63 路等公交车。

40-D025 **国药同煤总医院**［Guóyào Tóngméi Zǒngyīyuàn］三级甲等综合医院。在山西省大同市云冈区，因作为同煤集团所属医院而得名。创建于 1949 年，原为大同煤矿集团有限责任公司总医院。2020 年，更名为国药同煤总医院。占地面积 16.9 万平方米，建筑面积 19 万平方米，开放床位数 1250 张，有平旺、恒安 2 个院区。有山西省重点学科神经外科，山西省重点建设学科康复医学科，山西省重点专科心血管内科、康复医学科、呼吸内科等。有纬七路通达，有公交车经此。

40-D026 **阳泉市第一人民医院**［Yángquán Shì Dì-1 Rénmín Yīyuàn］三级甲等综合医院。在山西省阳泉市城区，因地理位置、职能及排序综合得名。创建于 1948 年，前身是晋察冀边区医院。占地面积 3.3 万平方米，建筑面积 8.8 万平方米，有东、西 2 个院区，开放床位数 1000 张。有省市共建重点学科骨科，省级重点专科内分泌科，省级重点建设学科心血管内科，市级重点专科内分泌科、心血管内科、骨科、老年内科、普通外科、麻醉科等。有南大街通达，通 205 路公交车。

40-D027 **阳煤集团总医院**［Yángméi Jítuán Zǒngyīyuàn］三级甲等综合医院。在山西省阳泉市矿区，因隶属于阳煤集团而得名，是山西医科大学、长治医学院等高校的教学医院。创建于 1950 年。占地面积 4.8 万平方米，建筑面积 8.6 万平方米，开放床位数 1187 张。有省级重点学科骨科，有省级重点学科骨科，省级临床重点专科呼吸与危重症医学科，省级临床重点建设学科肾病内科，市级重点专科肿瘤科、神经内科、乳腺外科等。有北大街通达，通 803 路公交车。

40-D028 **长治市妇幼保健院**［Chángzhì Shì Fùyòubǎojiànyuàn］三级甲等妇幼保健院。在长治市潞州区，因地理位置及职能而得名。创建于 1952 年，前身是长治工矿区妇幼保健站。占地面积 0.7 万平方米，建筑面积 2.1 万平方米，编制床位数 300 张。有市级临床重点专科产科、儿童保健科、新生儿科、儿内科、麻醉科、护理，市级医学重点学科妇科、医学遗传科、小儿外科等。有威远门中路通达，通 5 路、13 路等公交车。

40-D029 **长治市人民医院**［Chángzhì Shì Rénmín Yīyuàn］三级甲等综合医院。在山西省长治市潞州区，因地理位置及职能而得名。创建于 1915 年，前身是传教士创办的宏恩医院，先后经历了潞安医院、长治专区妇幼保健院和长治市人民医院三个阶段。占地面积 5.3 万平方米，建筑面积 17.6 万平方米，开放床位数 1300 张。有省重点建设学科眼科中心、心血管内科、口腔科，省级临床重点专科有神经内科、眼科中心等。有长兴中路通达，通 8 路、9 路等公家车。

40-D030 **长治市第二人民医院**［Chángzhì Shì Dì-2 Rénmín Yīyuàn］三级甲等综合医院。在长治市潞州区，因地理位置、职能及排序综合得名。创建于 1978 年，原为晋东南地区第二人民医院。1985 年，更名为长治市第二人民医院。占地面积 3.6 万平方米，建筑面积 8.6 万平方米，编制床位数 1000 张。有省级重点专科皮肤科，市级重点专科骨科、皮肤科、烧伤整形科、康复医学科、神经内科、护理等。有和平西街通达，通 18 路、20 路等公交车。

40-D031 **长治医学院附属和平医院**［Chángzhì Yīxuéyuàn Fùshǔ Hépíng Yīyuàn］三级甲等综合医院。在山西省长治市潞州区，因地理位置及职能而得名，并称长治医学院第一临床学院。创建于 1946 年，前身是晋冀鲁豫军区白求恩国际和平医院总院。占地面积 11 万平方米，建筑面积 22 万平方米，开放床位数 1600 张。有省级重点学科血液学科、心血管学科，省级临床重点专科神经外科、普通外科、心外科、内分泌科等。有延安南路通达，通上党区 222 路公交车。

40-D032 **长治医学院附属和济医院**［Chángzhì Yīxuéyuàn Fùshǔ Héjì Yīyuàn］三级甲等综合医院。在山西省长治市潞州区，因地理位置及职能而得名，并称长治医学院第二临床学院。创建于 1999 年。占地面积 10.9 万平方米，建筑面积 8.7 万平方米，开放床位数 755 张。以普通外科、神经内科、神经外科、肾脏疾病治疗、肿瘤治疗、创伤骨科、神经康复为特色，有省重点学科1个，省市共建学科1个，省级重点专科2个，省级标准化培训基地1个。有太行东街通达，通2路、7路、13路等公交车。

40-D033 **长治市中医医院**［Chángzhì Shì Zhōngyī Yīyuàn］三级甲等中医医院。在长治市潞州区，因地理位置及职能而得名，是山西中医药大学附属医院。创建于1952年，在长治市工业局职工医院的基础上改建而成。占地面积2.6万平方米，建筑面积4.3万平方米，开放床位数530张。有国家级重点专科肛肠科，省级重点专科糖尿病科、脑病科、肾病科，市级重点专科外科、康复医学科等。有府后西街通达，通606路公交车。

40-D034 **晋城大医院**［Jìnchéng Dàyīyuàn］三级甲等综合医院。在山西省晋城市城区，因晋城市人民政府与晋煤集团以晋煤集团总医院为基础，企地共建而得名，并称晋煤集团总医院。创建于2012年。占地面积14万平方米，建筑面积14万平方米，开放床位数1270张。有4个省级临床重点专科，27个晋城市重点专科。有畅安路通达，通6路、33路等公交车。

40-D035 **晋城市人民医院**［Jìnchéng Shì Rénmín Yīyuàn］三级甲等综合医院。在山西省晋城市城区，因地理位置及职能而得名，并称郑州大学第一附属医院晋城教学医院、山西医科大学附属晋城市人民医院、长治医学院晋城医院、晋城市红十字人民医院。创建于1986年。占地面积4万平方米，建筑面积6.7万平方米，有院本部、水陆院区、感染性疾病科病区等。有省市共建医学重点学科心血管内科、神经内科、神经外科，省级临床重点专科心血管内科、神经内科、骨科、消化内科，市级重点学科心血管内科、神经内科、呼吸内科、消化内科等。有文昌东街通达，通2路、11路等公交车。

40-D036 **晋城市妇幼保健院**［Jìnchéng Shì Fùyòubǎojiànyuàn］三级甲等妇幼保健院。在山西省晋城市城区，因地理位置及职能而得名，并称晋城市儿童医院。创建于1979年。2005年，增挂晋城市儿童医院。占地面积0.7万平方米，建筑面积1万平方米，开放床位数130张。有市级重点学科产科、儿童保健科，院级重点专科妇科、新生儿科等。有凤台西街通达，通4路、8路、12路、27路公交车。

40-D037 **北大医疗潞安医院**［Běidà Yīliáo Lù'ān Yīyuàn］三级甲等综合医院。在山西省晋城市襄垣县，因隶属关系而得名。原为潞安集团总医院。2018年，改由北大医疗产业集团与山西潞安矿业集团合建，更名为北大医疗潞安医院。占地面积约7万平方米，建筑面积约6万平方米，开放床位数1401张。有省市建设重点学科骨科，省市共建重点学科神经内科，市级重点学科医学影像科等。

40-D038 **晋中市第一人民医院**［Jìnzhōng Shì Dì-1 Rénmín Yīyuàn］三级甲等综合医院。在山西省晋中市榆次区，因地理位置、职能及排序综合得。创建于1949年。占地面积23万平方米，建筑面积22万平方米，开放床位数1500张。有省级重点学科口腔科，省级重点专科口腔颌面外科、耳鼻喉科，市级重点专科呼吸科、心内科、神经内科、骨科等。有凤栖大街、汇通南路通达，通2路、3路、8路等公交车。

40-D039 **山西省荣军精神康宁医院**［Shānxī Shěng Róngjūn Jīngshén Kāngníng Yīyuàn］三级甲等精神病专科医院。在山西省太谷区，因地理位置及职能而得名。创建于1959年，前身是由山西省军区后方医院、山西省疗养院、山西省康复医院分支合并演变而来。1960年，更名为山西省精神病疗养院。1975年，更名为山西省荣复军人精神病院。2005年更为现名。占地面积约6万平方米，建筑面积约4万平方米，开放床位数300张。有晋中市市级重点学科精神分裂症科、心境障碍科、精神康复科和司法鉴定科，院级重点学科临床心理科和老年精神科等。有箕城西街通达，通公交车。

40-D040 **运城市中心医院**［Yùnchéng Shì Zhōngxīn Yīyuàn］三级甲等综合医院。在运城市盐湖区，因地理位置及职能而得名。创建于1947年，前身为太岳三专署政民医院。占地面积约24万平方米，建筑面积约19万平方米，有东、西2个院区，编制床位数1500张。有省级重点建设学科妇产科，省级临床重点专科心内科、妇科、神经外科、肿瘤科及临床护理专业等。有河东东街通达，通 2 路、66 路、101 路公交车。

40-D041 **运城市妇幼保健院**［Yùnchéng Shì Fùyòubǎojiànyuàn］三级甲等妇幼保健院。在运城市盐湖区，因地理位置及职能而得名，并称运城市儿童医院。创建于 1985 年，由原运城地区妇幼保健所改建而来。2005 年，增挂运城市儿童医院。2019 年，儿童医院综合大楼投入使用。建筑面积约 3 万平方米，开放床位数 250 张。特色科室有妇保科、儿保科、妇产科、新生儿科、儿内科、儿外科、遗产科，市级重点专科为遗传科、儿童保健科、新生儿科等。有河东东街通达，通 2 路、14 路公交车。

40-D042 **忻州市人民医院**［Xīnzhōu Shì Rénmín Yīyuàn］三级甲等综合医院。在山西省忻州市忻府区，因地理位置及职能而得名，是山西医科大学附属忻州医院、第十临床医学院。创建于 1949 年。占地面积 10 万平方米，建筑面积 12 万平方米，开放床位数 1065 张。有省市级重点建设学科病理科、普通外科、骨外科、心血管内科、神经内科、血管外科等。有建设北路、公园西街通达，通 102 路、302 路公交车。

40-D043 **忻州市中医医院**［Xīnzhōu Shì Zhōngyī Yīyuàn］三级甲等中医医院。在忻州市忻府区，因地理位置及职能而得名，是山西中医药大学附属医院。创建于 1987 年。占地面积约 2 万平方米，建筑面积约 3 万平方米，编制床位数 400 张。有国家中医药管理局重点专科培育项目科室皮肤科，省级中医重点专科骨伤科，市级中医重点专科康复科。有和平西街通达，通 101 路公交车。

40-D044 **临汾市人民医院**［Línfén Shì Rénmín Yīyuàn］三级甲等综合医院。在山西省临汾市尧都区，因地理位置及职能而得名。创建于 1946 年，前身是晋南专区人民医院、临汾地区人民医院。2001 年，更名为临汾市人民医院。占地面积约 3 万平方米，建筑面积约 7 万平方米，开放床位数 700 张。有省级重点学科骨科、心血管内科、神经外科、普通外科，临汾市重点学科神经内科、呼吸科、麻醉科、检验科等。有鼓楼西大街、滨河西路通达，通 101 路、106 路、107 路等公交车。

40-D045 **临汾市第四人民医院**［Línfén Shì Dì-4 Rénmín Yīyuàn］三级甲等综合医院。在山西省临汾市尧都区，因地理位置、职能及排序综合得名。创建于 1950 年。有解放路、平阳、屯里 3 个院区，开放床位数 1760 张。有山西省级临床重点专科心内科、护理，山西省级重点建设学科骨科，临汾市级重点专科心脏大血管外科、妇产科、肿瘤科等 12 个。有解放路、广宜街通达，通 2 路、5 路、11 路等公交车。

40-D046 **临汾市妇幼保健院儿童医院**［Línfén Shì Fùyòubǎojiànyuàn Értóng Yīyuàn］三级甲等妇幼保健院。在山西省临汾市尧都区西北部，因地理位置及职能而得名。创建于 1976 年，前身为临汾市妇幼保健所。2004 年，更名为临汾市妇幼保健院。2006 年，增挂临汾市儿童医院。2009 年新院区投入使用。占地面积 0.8 万平方米，建筑面积约 2 万平方米，开放床位数 229 张。有临汾市重点专科儿科、新生儿科、产科、儿保科等。有环城北路通达，通公交车。

40-D047 **吕梁市人民医院**［Lǚliáng Shì Rénmín Yīyuàn］三级甲等综合医院。在山西省吕梁市离石区，因地理位置及职能而得名。1971 年开工，1974 年投入使用。占地面积约 3 万平方米，建筑面积约 4 万平方米，开放床位数 800 张。有山西省重点学科骨科，山西省重点建设学科护理学等。有滨河北中路、凤山路通达，通 103 路、105 路、107 路等公交车。

40-D048 **山西省汾阳医院**［Shānxī Shěng Fényáng Yīyuàn］三级甲等综合医院。在山西省吕梁市汾阳市，因地理位置及职能而得名，并称山西医科大学附属汾阳医院。创建于 1889 年，前身是美国基督教华北公理会创办的戒烟所。1901 年，更名为美国基督教华北公理会宏济施医院。1914 年，更名为汾州医院。1951 年，更名为山西省立汾阳医院。1982 年，更名为吕梁地区第二人民医院。1985 年，更名为山西省汾阳医院。2002 年，增挂山西医科大学附属汾阳医院。占地面积约 8 万平方米，建筑面积约 12 万平方米，开放床位数

1155张。有山西省级重点学科耳鼻咽喉头颈外科、消化内科、护理学科，山西省级医学重点建设学科呼吸与危重症医学科、心血管内科，山西省级临床重点专科心血管内科、呼吸与危重症医学科、产科。有狄青路通达，通孝义301路公交车。

E 体育设施

40-E001 **山西省全民健身中心体育场**［Shānxī Shěng Quánmín Jiànshēnzhōngxīn Tǐyùchǎng］体育场（馆）。在山西省太原市小店区，因地理位置及职能而得名。1989年开工，1994年投入使用，前身是山西省体育场。2010年，更名为山西省全民健身中心。占地面积15.5万平方米，建筑面积19万平方米，主要建筑包括体育场、综合健身楼、游泳馆等，设有3000个座席。其中，体育场建筑面积6万平方米，综合健身楼建筑面积4万平方米，游泳馆建筑面积0.5万平方米，网乒馆建筑面积1.4万平方米等。有体育路、王村南街等通达，通51路、816路、817路等公交车。

40-E002 **山西转型综合改革示范区体育中心**［Shānxī Zhuǎnxíng Zōnghégǎigé Shìfànqū Tǐyù Zhōngxīn］体育场（馆）。在山西省太原市小店区，因地理位置及职能而得名。2019年投入使用。建筑面积0.7万平方米，主要建筑有综合馆、游泳馆和健身中心等。其中，综合馆建筑面积为1.3万平方米，设有3000个座席。有龙盛街等通达，通公交车。

40-E003 **太原市水上运动中心**［Tàiyuán Shì Shuǐshàng Yùndòng Zhōngxīn］体育场（馆）。在山西省太原市小店区，汾河通达桥至晋阳桥之间，因地理位置及职能而得名。2018年开工，2019年投入使用。总占地面积60余万平方米，其中陆域面积10余万平方米，水域面积50余万平方米，河道全长约2.5公里，设有300个座席，主要建筑有终点塔及媒体中心。有滨河东路等通达，通公交车。

40-E004 **太原市滨河体育中心**［Tàiyuán Shì Bīnhé Tǐyù Zhōngxīn］体育场（馆）。在山西省太原市万柏林区，因紧邻汾河及职能而得名。1992年开工，1998年投入使用。2017年开始改扩建，2019年改扩建完成并重新投入使用。占地面积20万平方米，建筑面积10万平方米，主要建筑有比赛馆、全民健身馆、游泳馆、乒乓球训练馆、室外网球场、南北地下车库等。比赛馆建筑面积2万平方米，主要建筑有比赛场、运动员用房等，设有4650个观众座席；全民健身馆建筑面积3万平方米；游泳馆设有10条泳道。有滨河西路、漪汾街通达，通602路、807路等公交车。

40-E005 **山西体育中心**［Shānxī Tǐyù Zhōngxīn］体育场（馆）。在山西省太原市晋源区，因地理位置及职能而得名，又因其主体育场取大鼓之形、灯笼之构、剪纸之饰等地方元素抽象成型，别称“红灯笼”。2009年开工，2012年投入使用。2016年，射击射箭馆开工。2017年，山西国际体育交流中心开工，2018年投入使用。占地面积82万余平方米，建筑面积27万余平方米，主要建筑包括主体育场、体育馆、游泳跳水馆、自行车馆、综合训练馆、射击射箭馆、国际体育交流中心、体育训练基地等。其中，主体育场占地面积8万平方米，建筑面积9万平方米，比赛场地面积2万平方米，设有6万个观众座席；体育馆占地面积为2.6万平方米，建筑面积3.7万平方米，设有0.8万个观众座席；游泳跳水馆占地面积1.6万平方米，建筑面积2.9万平方米，设有0.3万个观众座席；自行车馆占地面积1.7万平方米，设有0.15个观众座席；射击射箭馆占地面积1.8万平方米，分为10米气枪馆、25米手枪馆、50米射击馆等；山西国际体育交流中心占地面积3.5万平方米，是集新闻发布、赛事转播、体育交流、运动员转训等功能为一体的综合体。被国家体育总局命名为“国家全民健身示范基地”，并被授予国家自行车队、游泳队、举重队、蹦床集训队训练基地以及中国武术基地等。有滨河西路、健康西路通达，通76路、318路、Y3路公交车。

40-E006 **山西极限运动中心**［Shānxī Jíxiàn Yùndòng Zhōngxīn］体育场（馆）。在山西省太原市阳曲县，因地理位置及职能而得名。2019年投入使用。由滑板街式区、热身区、观众区等4大功能分区组成，设置有台阶、斜台、断桥、扶手、弧面、金字塔等滑板街式场地常见障碍道具。

有乡镇公路经此。

40-E007 **大同体育中心**［Dàtóng Tǐyù Zhōngxīn］体育场（馆）。在山西省大同市平城区，因地理位置及职能而得名。2010 年开工，2019 年投入使用。占地面积 43 万平方米，建筑面积 10 万平方米，主要建筑包括体育场、体育馆、综合训练馆、游泳馆。其中，体育场建筑面积 4 万平方米，设有 3 万个座席；体育馆占地面积 1.4 万平方米，建筑面积 2.2 万平方米，设有 7511 座席；综合训练馆建筑面积 0.75 万平方米，设有 576 个活动座席；游泳馆建筑面积 2 万平方米，设有 1935 座席。有文瀛南路等通达，通公交车。

40-E008 **阳泉市体育中心**［Yángquán Shì Tǐyù Zhōngxīn］体育场（馆）。在山西省阳泉市城区，因地理位置及职能而得名。1985 年开工，1989 年投入使用。占地面积 7 万平方米，建筑面积达 3 万平方米，主要建筑有体育馆、体育场、游泳馆、网球馆、室外多功能综合训练场、室外网球场、室外音乐溜冰场、室外篮球场及全民健身路径等。有南大街通达，通 205 路公交车。

40-E009 **阳泉市射击射箭场馆**［Yángquán Shì Shèjīshèjiàn Chǎngguǎn］体育场（馆）。在山西省阳泉市郊区，因地理位置及职能而得名。2018 年开工，2019 年投入使用。占地面积 5 万平方米，主要建筑有射箭馆、射击馆等。其中，射箭馆建筑面积 0.3 万平方米，射击馆建筑面积约 1 万平方米，拥有射击 50 米 60 个靶位靶场、10 米 60 个靶位靶场、25 米 8 组靶位靶场、射箭 40 个靶位比赛场等。有李白路通达，通公交车。

40-E010 **长治市体育中心**［Chángzhì Shì Tǐyù Zhōngxīn］体育场（馆）。在山西省长治市潞州区，因地理位置及职能而得名。总占地面积 39 万平方米，总建筑面积 10 万平方米，主要建筑包括体育场、体育馆、游泳馆、综合训练馆等。体育场占地面积 5 万平方米，设有 3 万个座席；体育馆占地面积 1.5 万平方米，设有 6200 个座席；游泳馆占地面积 0.78 万平方米，设有 1000 个座席；综合训练馆建筑面积 2.2 万平方米，可供武术、体操、柔道、乒乓球等项目的训练及教学比赛等。有迎宾大道通达，通 5 路、32 路等公交车。

40-E011 **晋城市体育场**［Jìnchéng Shì Tǐyùchǎng］体育场（馆）。在山西省晋城市城区，因地理位置及职能而得名。2003 年开工，2005 年投入使用。占地面积约 3 万平方米，建筑面积 2 万平方米，设有 1.2 万个座席。主要用于大型田径、足球等体育运动项目的比赛。有凤台东街、太行路通达，通 5 路、13 路等公交车。

40-E012 **晋中市体育馆**［Jìnzhōng Shì Tǐyùguǎn］体育场（馆）。在山西省晋中市榆次区，因地理位置及职能而得名。2008 年投入使用。主要建筑包括体育场、体育馆两部分。其中，体育场占地面积 3.6 万平方米，包括田径场、篮球场、网球场、射箭训练场等，设有 1152 个座席；体育馆建筑面积 1 万平方米，设有固定座席 3200 个，活动座席 1000 个，共 4200 个，可承办篮球、排球、武术等比赛项目。有锦东大道通达，通 106 路公交车。

40-E013 **运城体育馆**［Yùnchéng Tǐyùguǎn］体育场（馆）。在山西省运城市盐湖区，因地理位置及职能而得名。占地面积 3 万平方米，建筑面积 2.5 万平方米，设有 3000 个座席。由体育馆、训练馆、游泳馆等组成，具有竞赛、训练、演出、展览、教学、培训、办公、餐饮、休闲多种功能。有河东东街通达，通 8 路公交车。

40-E014 **永济市体育馆**［Yǒngjì Shì Tǐyùguǎn］体育场（馆）。在山西省运城市永济市，因地理位置及职能而得名。2018 年开工，2021 年完工。建筑面积约 6 万平方米，有体育场、游泳馆、体育馆、训练馆等。体育场，建筑面积 2 万平方米，共设座椅 1 万个。游泳馆，建筑面积 2 万平方米，共设座椅 1519 个。体育馆—训练馆，建筑面积 2 万平方米，共设座椅 3470 个。有小凤线通达，通公交车。

40-E015 **吕梁市体育馆**［Lǚliáng Shì Tǐyùguǎn］体育场（馆）。在吕梁市离石区，因地理位置及职能而得名。2002 年开工，2004 年投入使用。占地面积约 5 万平方米，建筑面积约 2 万平方米，主要建筑包括比赛馆、训练馆、网球场、门球场、健身场等。其中，比赛馆设有 4000 个座席，是标准的手球、篮球、排球等比赛场地；训练馆可同时进行两场篮球训练，或羽毛球、乒乓球等体育项目训练与比赛。是集体育比赛、文艺演出、大型会展、全民健身和文化娱乐为一体的多功能活动中心。有长治路通达，通 308 路公交车。

40-E016 **孝义市体育馆**［Xiàoyì Shì Tǐyùguǎn］体育场（馆）。在山西省吕梁市孝义市，因地理位置及职能而得名。2012 年投入使用，占地面积 4.5 万平方米，建筑面积约 3 万平方米，主要建筑包括主馆和副馆 2 个场馆，配备有羽毛球场、排球场、乒乓球场、篮球场、艺术体操场等，设有 6200 个座席。有湖滨路通达，通公交车。

F 城市大型建筑

40-F001 **太原汾河公园**［Tàiyuán Fén Hé Gōngyuán］城市公园。在山西省太原市中部，因地理位置及依托汾河修建而得名。开工于 1998 年。北起上兰汾河漫水桥，南至迎宾桥南 2 公里，贯穿整个太原市，长达 43 公里，宽 220 米，总面积约 2000 万平方米。其中，绿地面积约 850 万平方米、水域面积约 1150 万平方米，蓄水总量约 3000 万立方米。是一座集休闲、旅游、健身、观光于一体的大型生态文化景观长廊，国家 AAAA 级旅游景区，主要景点有汾河晚渡、生命之源广场、沙滩碧水、晋汾古韵等。有滨河西路等经此。

40-F002 **龙潭公园**［Lóngtán Gōngyuán］城市公园。在山西省太原市杏花岭区，因太原市古称龙城，该公园为太原市建城 2500 年时建成而得名。2003 年开工，前身为太原市动物园。南北长 1000 余米，东西宽 520 米，占地约 40 万平方米，其中水域面积约 15 万平方米。以都市乐章、古韵风华、生态画廊和水上活动区等 4 个景观区为景观主线，体现了极强的地域文化特征。有新建路通达，通 10 路、27 路等公交车。

40-F003 **和谐公园**［Héxié Gōngyuán］城市公园。在山西省太原市小店区，因对美好生活的寄托而得名。2018 年投入使用。占地面积 13 万平方米，绿化面积约 9 万平方米，湖面面积 2 万平方米，分为活力都市、错落山谷、滨水湿地、自然律动 4 个区域。有真武路、昌盛街等通达，通公交车。

40-F004 **学府公园**［Xuéfǔ Gōngyuán］城市公园。在山西省太原市小店区，因地处学府街而得名。2007 年开工，在原坞城缓洪池基础上建设而成。占地面积 21 万平方米，其中水域面积 8.5 万平方米，植物种类达 130 余种。有滨水游览区、水体景观区、植物观赏区等 6 大功能区，兼有配套市政管网，可满足缓洪功能。有军民路、体育路、学府街等通达，通 39 路、849 路、812 路等公交车。

40-F005 **双塔寺公园**［Shuāngtǎ Sì Gōngyuán］城市公园。在山西省太原市迎泽区，因内有双塔寺而得名。2020 年开工，2021 年公园一期投入使用。占地面积约 90 万平方米，以再现古晋阳八景之“双塔凌霄”为设计理念，形成永祚寺、革命烈士纪念区、综合性公园 3 大功能区。园内永祚寺距今已有四百余年的历史，是太原的地标建筑。有东中环路、南内环东街通达，通公交车。

40-F006 **文瀛公园**［Wényíng Gōngyuán］城市公园。在山西省太原市迎泽区，因紧邻贡院而得名。创建于明清时期，前身是海子堰，是一片空旷低凹的湿地。史有“巽水烟波”之美誉，为阳曲八景之一。1912 年后，改称文瀛公园。1928 年，更名为中山公园。1937 年，更名为新民公园。1945 年，更名为民众公园。1950 年，更名为人民公园。1982 年，更名为儿童公园。2004 年，附称文瀛公园。占地面积 12 万平方米，文瀛湖面积 3.96 万平方米，有古迹参观、主题游览、文娱休闲、儿童活动等功能区。有海子边东街等通达，通公交车。

40-F007 **迎泽公园**［Yíngzé Gōngyuán］城市公园。在山西省太原市迎泽区，因位于古太原城迎泽门外而得名。1954 年开工，1957 年投入使用。占地面积约 63 万平方米，水域面积 20 万平方米，有科普区、风景区以及游乐区域等。园内建有晋商博物馆、盆景园和牡丹、芍药、玫瑰等多种专类植物园，并有古建筑藏经楼、望月阁、观澜阁、望远阁、天象台等。有迎泽大街通达，通地铁 2 号线、1 路、38 路等公交车。

40-F008 **南寨公园**［Nánzhài Gōngyuán］城市公园。在山西省太原市尖草坪区，因地理位置及职能而得名。2005 年投入使用，是在原南寨苗圃园基础上改造而成。占地面积 90 余万平方米，绿地面积约 34 万平方米，植物品种有 120 多种。有新兰路、大同路等通达，通 15 路、37 路、314 路公交车。

40-F009 **森林公园**［Sēnlín Gōngyuán］城市公园。在太原市尖草坪区，因地理位置及职能而得名。占地面积约 200 万平方米。2001 至 2004 年公园进行了改建，建成了占地面积约 26 万平方米的人工湖，蓄水量 28 万立方米。园内栽植常绿树、落叶乔木等树种达 10 万多株，有植物景观区、百鸟园、高尔夫球场等。有滨河东路通达，有公交车。

40-F010 **太原西山万亩生态园**［Tàiyuán Xī Shān Wànmǔ Shēngtàiyuán］城市公园。在太原市万柏林区，因地理位置及为西山生态综合整治建设而得名。2006 年开工。占地面积约 947 万平方米。该园已建成景观林十多处，栽种油松、白皮松、桃树、丁香等 29 万株，铺设沥青主干道 10 公里、次干道 8 公里。有园神街经此。

40-F011 **玉门河公园**［Yùmén Hé Gōngyuán］城市公园。在太原市万柏林区，因地理位置及玉门河流经而得名。2006 年开工，2007 年投入使用。占地面积约 19 万平方米，玉门河由西向东从公园中部穿过，绿地面积约 12 万平方米，水域面积 2.2 万平方米。有和平北路通达，通公交车。

40-F012 **玉泉山城郊森林公园**［Yùquán Shān Chéngjiāo Sēnlín Gōngyuán］城市公园。在太原市万柏林区，因地理位置及职能而得名。2011 年开工。占地面积约 470 万平方米。该园已栽植树木 200 余万株，完成绿化面积约 380 万平方米，建成旅游公路 15 公里，观光步道 20 公里，建有占地面积 66 万平方米、栽植 4 万余株樱花的樱花园。有西中环路通达，通 869 路、876 路公交车。

40-F013 **晋阳湖公园**［Jìnyáng Hú Gōngyuán］城市公园。在太原市晋源区，因历史传说而得名。2019 年公园一期建成投入使用。占地面积约 311 万平方米，环湖而建，分为东、南、西、北四个区域，可满足市民游览、休憩、娱乐、健身、儿童游戏等不同需求，南岸设有大型户外露天水岸剧场。有新晋祠路等通达，通公交车。

40-F014 **大同公园**［Dàtóng Gōngyuán］城市公园。在山西省大同市平城区，因地理位置及职能而得名。1951 年开工，1953 年投入使用。占地面积约 25 万平方米，水域面积约 8 万平方米。园内种植各种树木共 1.2 万余株，有 0.8 万平方米的花卉温室、0.5 万平方米的动物区及花圃区等。有魏都大道、云中路、苹果园街等通达，通 2 路、4 路、6 路等公交车。

40-F015 **阳泉城市中心公园**［Yángquán Chéngshì Zhōngxīn Gōngyuán］城市公园。山西省阳泉市城区，因地理位置及职能而得名。创建于 1965 年，由原儿童公园及城市中心广场改造而成。2011 年，更名为城市中心公园。占地面积 11 万平方米，水域面积 1.3 万平方米，分为科普文化娱乐区、植物展览区、儿童活动区、老人活动区、体育活动区等区域。有桃北中街通达，通公交车。

40-F016 **太行公园**［Tàiháng Gōngyuán］城市公园。山西省长治市潞州区，因地理位置及职能而得名。1976 年开工，前身是北郊公园。占地面积 28 万平方米，其中，水域面积 3 万平方米，绿地面积 22.5 万平方米。公园内设有游泳池、科研所、儿童活动场、温室花房等，种植树种 100 余种，树株 3 万余株。有太行西街通达，通 10 路、12 路、16 路等公交车。

40-F017 **长治市漳泽湖国家城市湿地公园**［Chángzhì Shì Zhāngzé Hú Guójiā Chéngshì Shīdì Gōngyuán］城市公园。在山西省市长治市潞州区，因地理位置及职能而得名。2008 年开工。占地面积 740 万平方米。园内河道纵横，森林茂密，遍布多种植物。是国家城市湿地公园，是一所集林业生态示范、湿地综合保护、生态观光旅游为一体的国家城市湿地公园。有迎宾大道通达，通公交车。

40-F018 **泽州公园**［Zézhōu Gōngyuán］城市公园。在山西省市晋城市城区，因晋城在古时被称为“泽州”而得名。20 世纪 80 年代开工。占地面积约 48 万平方米，主要景点有霞凤卜弓湖、游龙溪、泽州四景台、云岭春深植物观赏区等。以当地丰富的植物资源为主，突出自然山水园林景观，体现了晋城市人杰地灵、物产丰富、历史悠久的地域特征。有文博路、凤台东街通达，通8路、213路等公交车。

40-F019 **朔州市七里河敬德公园**［Shuòzhōu Shì Qīlǐ Hé Jìngdé Gōngyuán］城市公园。在山西省朔州市，因位于七里河与纪念尉迟敬德而得名。1991年开工，1998年投入使用。占地面积约75万平方米，水域面积43万平方米，绿化面积22万平方米。公园按照一环三轴四区布局，一环为滨水健身环步道，三轴为历史文化轴线、神话典故轴线、历史评价浮雕轴，四区为历史文化区、滨水景观区、健身活动区、亲水休闲区，以城市居民游览休闲为基本功能，是一处多功能的城市开放空间。有平朔路通达，通公交车。

40-F020 **晋商文化公园**［Jìnshāng Wénhuà Gōngyuán］城市公园。在山西省晋中市榆次区，因地理位置及职能而得名。2010年开工。占地面积50万平方米。是以晋商文化为主题的市级综合公园，园内有社火博物馆、社火文化广场、架火广场等。有中都北路、凤翔街通达，通公交车。

40-F021 **运城市天逸公园**［Yùnchéng Shì Tiānyì Gōngyuán］城市公园。在山西省运城市盐湖区，向市民征集而得名。2013年投入使用。占地面积约27万平方米。由“一湖二岛”构成，一湖为清越湖，水域面积达4万平方米，二岛分别为生态岛和人文岛。公园是一座集休闲赏景、儿童游乐、运动健身、生态文化为一体的多功能综合性城市公园。有解放北路通达，通3路、33路公交车。

40-F022 **忻州市九龙岗森林公园**［Xīnzhōu Shì Jiǔlóng Gǎng Sēnlín Gōngyuán］城市公园。在山西省忻州市忻府区，因地理位置及职能而得名。2009年开工。占地面积约300万平方米。公园以三轴九区三十六景为布局，中轴为文化娱乐休闲轴，西轴为植物专类观赏轴，东轴为森林生态游览轴；九区为主入口园区、康体园区、龙文化园区、珍奇果品采摘园区、历史文化园区、植物园区、古墓园区、纪念林园区、森林生态园区；三十六景包括主入口标志等人文景观点和森林花色等。有长征西街等通达，通公交车。

40-F023 **临汾汾河公园**［Línfén Fén Hé Gōngyuán］城市公园。在山西省临汾市尧都区，因地理位置及职能而得名。占地面积约16万平方米，南北长17公里。是一条综合生态休闲廊道，廊道包括六公里的精品公园及十公里的生态湿地段。精品公园段内设文化艺术区、科普活动区、素质拓展区、体育休闲区、青少年活动区、地域文化展示区等6大功能区。有滨河西路通达，通公交车。

40-F024 **孝义市胜溪湖森林公园**［Xiàoyì Shì Shèngxī Hú Sēnlín Gōngyuán］城市公园。在山西省吕梁市孝义市，因地理位置及职能而得名。2007年开工。占地面积约100万平方米。主要包括孝河景观区、观光休闲区、健身休闲区、生态过渡区等。园内栽植乔灌木100余种、19万株、草坪70万平方米，绿化面积约80万平方米。有时代大道通达，通公交车。

第五编

名胜古迹和纪念地

第五编 名胜古迹和纪念地

纪念地

50-A-a01 彭真生平暨中共太原支部旧址纪念馆［Péngzhēn Shēngpíng Jì Zhōnggòngtàiyuán zhībù Jiùzhǐ Jìniànguǎn］全国爱国主义教育示范基地。位于山西省太原市迎泽区。1924年，高君宇在此组建了山西省第一个党组织中共太原支部。纪念馆为该组织的成立以及缅怀高君宇、贺昌、彭真等老一辈无产阶级革命家的光辉业绩而设，故名。2012年被中宣部公布为全国爱国主义教育示范基地。该馆陈列的多位革命家之生平业绩有着重要的教育意义。通10、25、51、808路公交车。

50-A-a02 山西国民师范旧址革命活动纪念馆［Shānxīguómínshīfàn Jiùzhǐ gémìnghuódòng Jìniànguǎn］全国爱国主义教育示范基地。位于山西省太原市杏花岭区。旧址原为山西省立国民师范学校，是第一次、第二次国内革命战争和抗日战争初期中国共产党在山西开展革命活动、建立抗日民族统一战线、发动群众开展抗日救亡运动的重要基地之一，为山西革命活动的坚强堡垒之一，故名。1997年被中宣部公布为首批百个爱国主义教育示范基地。该馆对于展示国民师范不同阶段的光辉革命历史有着重要意义。通61、73、803、820路公交车。

50-A-a03 太原解放纪念馆（牛驼寨烈士陵园）［Tàiyuánjiěfàng Jìniànguǎn（Niútuózhài lièshì Língyuán）］全国爱国主义教育示范基地。位于山西省太原市杏花岭区。牛驼寨是凭险扼守太原的关隘，为阎锡山重兵把守的"四大要塞"之一。纪念馆展出428张历史照片和120多件实物，组成六大部分，反映了太原战役的全过程，结尾部分展现了太原新貌。墓区有2000名烈士长眠在此，呈一字形排列。前有纪念堂，堂内镌刻着5000多名为解放太原捐躯的烈士英名，周围陈列着省城人民敬献的花圈、挽联，寄托着对革命先烈的无限哀思。1997年被中宣部公布为首批百个爱国主义教育示范基地。该馆生动反映了太原人民建国前的苦难生活和反抗压迫、争取解放的斗争精神。通410、71路公交车。

50-A-a04 平型关大捷遗址［Píngxíng Guān Dàjié Yízhǐ］全国爱国主义教育示范基地。位于山西省大同市灵丘县西部偏南。平型关战役是八路军出师华北抗日战场后的首战大捷，也是全国抗战爆发以来中国军队的第一个大胜利，是国共合作、共同抵御外敌且配合默契的一次战役。因距古长城关隘平型关约5千米而得名，遗址所在位置为天然沟壑，两侧高山陡崖达数十米，地势险要。遗址包括平型关大捷纪念馆、纪念碑、将帅广场、主战场乔沟、老爷庙争夺战遗址和一一五师指挥所旧址、烽火台等景点。2001年被中宣部公布为全国爱国主义教育示范基地，2009年被国家国防教育办公室公布为国家国防教育示范基地，2014年被国务院列入第一批国家级抗战纪念设施、遗址名录。该馆真实形象地再现了震惊中外的八路军平型关大捷的历史场面，是全面系统反映平型关大捷这一经典战役的专题展馆。省道大灵线经此。

50-A-a05 百团大战纪念馆（碑）［Bǎituán dàzhàn Jìniànguǎn（bēi）］全国爱国主义教育示范基地。位于山西省阳泉市区西南部。1940年8月至12月，为粉碎日本侵略军的"囚笼政策"，八路军出动105个团约40万兵力在华北战场主要交通线上向日军发动大规模破击战，史称"百团大战"，故名。纪念馆分上、下两个展厅，展览分“惊世壮举，辉煌战果”、“英雄史诗，宏伟工程”、“不朽精神，深刻教益”和纪念百团大战的书画四大部分。纪念碑是由主碑、副碑、圆雕、题字碑、烽火台、“长城”等组成的建筑群。1997年被中宣部命名为全国首批百个爱国主义教育示范基地。该馆以100多幅珍贵照片、图片生动再现了百团大战的英雄业绩。307国道经此。

50-A-a06 **太行太岳烈士陵园**［Tàiháng Tàiyuè lièshì Língyuán］全国爱国主义教育示范基地。位于山西省长治市城区。园内主要有烈士纪念塔、纪念堂、陈列馆、烈士公墓等，是抗日战争胜利后全国最早建立的一处纪念革命烈士的建筑，故名。陵园中心耸立着高23米的太行太岳烈士纪念碑，是陵园内最突出的建筑物。纪念馆东侧建有爱国将领、原国民革命军98军军长武士敏将军墓。1986年被国务院确定为全国重点烈士纪念建筑物保护单位，1997年被中宣部公布为首批百个爱国主义教育示范基地。陵园让后人铭记抗日战争和解放战争时期太行太岳根据地发生的重大历史事件、主要战役战斗以及涌现出来众多的英雄烈士。通19、21路公交车。

50-A-a07 **黄崖洞革命纪念地**［Huángyá Dòng Gémìng Jìniàndì］全国爱国主义教育示范基地。位于山西省长治市黎城县北部。1941年，黄崖洞水窑山的八路军总部军工厂遭遇驻潞安地区日军的袭击，纪念地为此次保卫战中牺牲的革命烈士而设，故名。先后建成牌楼、纪念塔、展览馆等建筑，牌楼正中是原中共中央军委主席邓小平亲笔题写的“黄崖洞”金色大字，纪念塔正面工笔隶刻“黄崖洞殉国烈士永垂不朽”。展览馆收集了大量珍贵史料和实物，馆前依次竖立的14块石碑分别刻有薄一波、李雪峰、陈志坚、欧致富等领导人的题词。1997年被中宣部公布为首批百个爱国主义教育示范基地。纪念地向世人展示了黄崖洞的红色革命战斗事迹。207国道经此。

50-A-a08 **八路军总部王家峪旧址和纪念馆**［Bālùjūnzǒngbù Wángjiā Yù Jiùzhǐ hé Jìniànguǎn］全国爱国主义教育示范基地。位于山西省长治市武乡县南部偏东。抗日战争爆发后，朱彭总副司令率领八路军总司令部，东渡黄河来到太行山区，并于1939年移驻王家峪，其所属机关和部队住在周围村庄。朱德、彭德怀、左权、刘伯承、邓小平、杨尚昆、罗瑞卿、陆定一、何长工等老一辈革命家在此多次召开重要的军事、政治会议，部署“百团大战”作战计划，成为太行山抗日根据地的指挥中心，为抗日战争的最后胜利奠定了坚实基础，故名。1997年被中宣部公布为首批百个爱国主义教育示范基地。纪念馆共10个展厅、918件革命文物和400多张历史照片，反映了老一辈革命家艰苦战斗生活的真实情景，讲述了八路军英勇抗敌、保卫河山的英雄壮举。省道沁涉线经此。

50-A-a09 **李林烈士陵园**［Lǐlín Lièshì Língyuán］全国重点烈士纪念建筑物保护单位。位于山西省朔州市平鲁区。前身为平鲁县烈士陵园，为纪念、陈列抗日民族女英雄李林烈士及革命战争年代和社会主义建设时期牺牲的1366名平鲁籍革命烈士而建，故名。陵园由纪念广场、墓区广场组成。东侧为李林烈士事迹陈列室和平鲁革命斗争史纪念馆，室内陈列着3万余字的历史文献和300多幅照片及党和国家领导人薄一波、康克清、张国基的题词，还有李林手稿、照片等珍贵实物。1987年被山西省政府批准为省级重点烈士纪念建筑物保护单位，2009年被国务院批准为第五批全国重点烈士纪念建筑物保护单位。陵园利用声光点、电子翻书、弧幕投影、幻影成像、电子沙盘、场景复原、场景效果、多媒体触幕屏等高科技手段，展现了李林光辉事迹和平鲁革命斗争史。呼北高速经此。

50-A-a10 **左权将军殉难处**［Zuǒquán Jiāngjūn Xùnnànchù］国家级抗战纪念设施、遗址。位于山西省晋中市左权县北部。左权（1905年—1942年）原名左纪权，号叔仁，湖南醴陵市人，中国工农红军和八路军高级指挥员、著名军事家。1942年5月，日军对太行根据地发起“铁壁合围”大扫荡，左权将军在指挥八路军前方总部突围时不幸被日军炮弹击中壮烈牺牲。为纪念左权将军，辽县于1942年更名为左权县，其殉难处在1985年修建“左权将军殉难处纪念亭”，故名。纪念亭内竖立纪念碑塔，上面分别刻有周恩来、邓小平、刘伯承、叶剑英等中央领导人的悼念文章。亭前树立有左权将军铜像。纪念碑正面上书“左权将军永垂不朽”8个刚劲有力的金色大字，左侧为朱德总司令痛悼左权将军的七绝手迹“名将以身殉国家，愿拼热血卫吾华，太行浩气传千古，留得清漳吐血花”，右侧为邓小平同志题词的手迹“怀念左权同志”，背面刻有彭德怀副总司令于1942年“敬撰”的“左权同志碑志”，简要介绍了左权将军的战斗历程。2005年被全国红色旅游工作协调小组公布为全国红色旅游经典景区，2014年列入第一批国家级抗战纪念设施、遗址名录。殉难处让世人永远铭记左权将军的丰功伟绩。207国道经此。

50-A-a11 **忻口战役遗址**［Xīnkǒu Zhànyì Yízhǐ］全国爱国主义教育示范基地。位于山西省忻州市忻府区。忻口坐落于忻口山之断阙处，素为忻州北门户，是重要的军事防守基地。1937年10月，为抵抗沿北同蒲南下的日军，国共两党浴血奋战，23天内共歼灭敌人两万余人，取得了抗击日军的一次巨大胜利。忻口战役是中国军队抵抗日本侵略军进犯最激烈的战役，也是国共两党游击战、阵地战配合作战最成功的战役，故名。遗址现存有与日军作战时修筑的窑洞50余孔及204号激战地，至今战争遗物时有发现。除部分窑洞坍塌外，其余皆保存完整。2005年被中共山西省委命名为全省爱国主义教育基地，2014年被国务院确定为第一批国家级抗战遗址。遗址见证了中国军队对日本侵略者的殊死抵抗，也是国共合作的有力证明。108国道经此。

50-A-a12 **临汾烈士陵园**［Línfén lièshì Líng yuán］国家级烈士纪念建筑物保护单位。位于山西省临汾市尧都区。陵园根据徐向前元帅的提议为纪念临汾攻坚战中英勇牺牲的革命先烈而建，有塔、堂、馆、亭、墓、廊等大型纪念建筑物18座，故名。朱德元帅的亲笔题词“革命烈士永垂不朽”镌刻于纪念碑正面；左侧的“为人民利益而死无上光荣”题词是当年临汾攻坚战总指挥徐向前元帅的手迹；右侧为建国初期山西省省长王世英同志的题词“勇冠三军，气盖一世，抗日寇，歼顽敌，热血铸成胜利；汾流聚秀，姑射垂青，为和平，争自由，英雄造福社会”；背面为山西原省委书记陶鲁笳同志的题词“烈士壮志换来新天”。纪念碑背后的小广场上一字排列着5座存放烈士遗骨的砖砌圆顶公墓，墓前的石碑上镌刻着烈士英名，墓门两侧雕镂着书法名家撰写的楹联。园内还建有仿古式门楼、憩亭、“临汾攻坚”展览馆、《革命英雄纪念馆》《临汾建设成就》展厅、骨灰堂，以及回廊、假山、曲径、喷泉等。2001年被国务院批准为第四批全国重点烈士纪念建筑物保护单位，2011年被国务院列为重点国家级烈士纪念建筑物保护单位。陵园让世人铭记临汾攻坚战中英勇牺牲的革命先烈及其英雄事迹。通3、11、18、23路公交车。

50-A-a13 **刘胡兰纪念馆**［Liúhúlán Jìniàn guǎn］全国爱国主义教育示范基地。位于山西省吕梁市文水县东部。前身为刘胡兰烈士陵园。刘胡兰小小年纪参加革命，15岁遇害，是唯一一位由毛泽东、邓小平、江泽民三代领导人题词的革命烈士，故名。馆舍主要建筑物包括毛泽东题词纪念碑、刘胡兰事迹陈列室、七烈士纪念厅、刘胡兰雕像、陵墓和观音庙等。馆前广场的汉白玉石纪念碑上刻着毛泽东同志的亲笔题词：“生的伟大，死的光荣”。烈士墓前耸立着汉白玉烈士石雕像。1997年被中宣部公布为首批百个爱国主义教育示范基地。该馆让世人铭记革命先烈的英雄事迹，有着重要的教育意义。省道祁方线经此。

50-A-a14 **晋绥边区革命纪念馆**［Jìnsuíbiānqū Gémìng Jìniànguǎn］国家级国防教育示范基地。位于山西省吕梁市兴县北部偏西。晋绥边区又称晋绥解放区，由中国共产党领导的八路军、山西新军以及其他抗日部队、依靠广大人民群众的支持共同创建，是我国最早的敌后主要根据地之一，战略地位极其重要。馆址即原中共中央晋绥分局、晋绥边区政府、晋绥军区司令部旧址，故名。建筑物充分体现了20世纪3、40年代晋西北地方民居特色。纪念馆对外开放的原状陈列有毛泽东、周恩来、任弼时、贺龙同志的故居、旧居，“晋绥干部会议会址”“对晋绥日报编辑人员谈话旧址”以及“六柳亭”等；辅助陈列有“晋绥边区革命斗争史陈列室”“毛主席在蔡家崖革命活动展览”“贺龙同志生平事迹展览”“江泽民总书记视察兴县展室”等。馆内收藏有边区军民用过的兵器、工具、衣物、粮票等革命文物，以及不少弥足珍贵的图片实物。2012 年被国防教育办命名为第二批国家国防教育示 范基地。该馆为研究晋绥革命史提供了有利条件。省道苛大线经此。

50-A-a15 **晋绥烈士陵园**［Jìnsuí Lièshì Líng yuán］省级爱国主义教育示范基地。位于山西省吕梁市兴县中部偏北。陵园将散葬在全县的 21 处墓地的 410 位烈士遗骨进行收迁并集中安葬，故名。分上、下两院。上院正中矗立着晋绥解放区烈士纪念塔，塔身四周分别有毛泽东、贺龙、林枫、李井泉、武新宇同志的题词。纪念塔前两侧建有六角亭，塔后一排五孔窑洞为晋绥烈士纪念室。窑洞上方两层展室内陈列着抗日战争和解放战争时期英勇牺牲的晋绥烈士的英雄事迹和 166 位县、团以上晋绥烈士名录。下院有仿古大门、悼念大厅、各级保护标志等建筑。1989 年被国务院批准为第二批全国重点烈士纪念建筑物保护单位，2005 年被山西省委、山西省人民政府公布为省爱国主义教育示范基地。陵园让世人铭记解放区革命先辈的英雄事迹，有着重要的教育意义。省道忻黑线经此。

50-A-a16 **石楼红军东征纪念馆**［Shílóu Hóng jūn Dōngzhēng Jìniànguǎn］全国爱国主义教育示范基地。位于山西省吕梁市石楼县中部。是一座全面反映红军东征历史的纪念馆。毛泽东、彭德怀率领红一方面军以中国人民红军抗日先锋军的名义渡河东征，在山西境内转战 50 余县，期间与蒋阎军队展开激战，历时 75 天，故名。纪念馆包括主展馆、分序厅和四个展厅，布置有“红军东征”基本陈列，展厅设有巨大的红军东征电动沙盘模型，运用声、光、电科技手段直观再现了红军东征战斗的全过程。左右两厅陈列有老领导、老红军的题词 30 余幅。馆前有小号兵雕塑，馆后依山建有题名为“中国人民红军抗日先锋军纪念碑”的帆形纪念碑。1995 年被山西省委、省政府公布为省级爱国主义教育基地，2009 年被中宣部公布为第四批全国爱国主义教育示范基地。该馆生动再现了红军东征的战斗过程。省道孝石线经此。

50-A-b01 **堆云洞**［Duīyún Dòng］省级爱国主义教育示范基地。位于山西省运城市夏县西北。为道教名观，又河东特委革命旧址，是晋陕豫黄河金三角地区的著名景点。元代初年始建，因建筑群远观如云朵叠加而得名。1922 年，革命先烈嘉康杰在此创办“平民中学”，传布新思想新文化。1928 年，时任山西省委书记汪铭在堆云洞主持召开河东地区党组织会议，正式成立河东特委，1929 年根据形势需要改为特支。此后十年间，这里成为领导晋南人民开展革命斗争的秘密活动基地。2004 年被确定为山西省爱国主义教育基地，2008 年被确定为首批全省高校思想政治理论课实践教学基地。嘉康杰、柴泽民等革命前辈都曾在此学习、生活战斗，为晋南乃至全国革命活动的开展做出了不可磨灭的贡献，被后人誉为晋南革命的摇篮。侯平高速经此。

50-A-b02 **西河头地道战遗址**［Xīhétóu Dìdào zhàn Yízhǐ］省级爱国主义教育示范基地。位于山西省忻州市定襄县西部。是全国保存最完整的两大地道战遗址之一。地道开挖于 1942 年至 1947 年，挖成自东向西的 3 条主道总长 5 千米，是 3 条干线、52 条支道组成的地道网，纵横交错。地道分 3 层，2 层设有指挥所、休息室、储藏室；3 层有机要室、武器库、会议室。地道内还有翻口 22 个，卡口 8 个，陷阱和迷魂阵各 12 个，作战枪眼 22 个，出击口 10 个，出入口 11 个，连通水井 3 眼，地堡 15 座，高房工事 1 处。地道具有防水、防毒、防烟、射击等多种功能。地道筑成后武工队和地方民兵与敌人展开灵活的地道战，多次击退国民党阎锡山军队及地方武装的进攻。1995 年被中共山西省委、省人民政府和省教委首批命名为省级爱国主义教育基地和德育基地，1998 年被山西省国防教育委员会命名为国防教育基地。遗址让世人铭记中国军队和人民为解放战争胜利进行了艰苦卓绝的战斗。省道忻台线经此。

50-A-b03 **五台县晋察冀军区司令部旧址纪念馆**［Wǔtái Xiàn Jìnchájì Jūnqūsīlìngbù Jiùzhǐ Jìniàn guǎn］省级爱国主义教育示范基地。位于山西省忻州市五台县西部偏北。1938 年，聂荣臻司令员率军区指挥机关进驻五台县金岗库，并将司令部设在此，由此创建了第一个敌后抗日根据地，领导和组织了当时的抗日战争和地方革命，故名。纪念馆由三大部分组成：《铁血长城》即晋察冀军区司令部抗战史迹展，以抗日战争的发生和发展为主线，生动再现了晋察冀根据地军民舍生忘死、不屈斗争的民族精神和英雄气概；《千秋风流一元戎》为聂帅生平展，详尽阐述了其光辉的一生；晋察冀根据地五台山地区抗日机关分部模型展，再现了抗战时期该地区整个军区驻军，政府机关分布和日军据点、驻军分布以及发生过的重大战斗和重大惨案分布情况，是本地区唯一一个能反映五台山地形、地貌和名胜古迹的模型。1995 年被山西省委、省人民政府命名为省级爱国主义教育基地和德育教育基地。该馆为世人展示了我党、我军抗战初期深入敌后创建的第一个最前线的军事指挥机关，及其在整个抗日战争史上发挥的重要作用。省道大石线经此。

50-A-b04 **丁村民俗博物馆**［Dīngcūn Mínsú Bówùguǎn］省级爱国主义教育示范基地。位于山西省临汾市襄汾县中部偏南。是我国建立时间较早的民俗博物馆。丁村民居风格典雅，时代特征鲜明，是明清时期民居建筑的佳作，故名。博物馆现保存较好的有 40 座院落，分北院、中院、南院和西北院四大组，是我国北方以四合院为格局的民宅。北院以明代建筑为主，中院以清代雍正、乾隆时期为多，南院以道光、咸丰时期为首，西北院为乾隆、嘉庆时期所筑。馆藏文物 11000 余件，以明清字画、瓷器、家具为主，其中珍贵文物 70 余件。博物馆利用丁村民居中院做展室，分为七个小展院。一、二院展出晋南民间历代相承的岁时节令习俗；三、四、五院展出婚丧嫁娶、人生礼仪等内容；六、七院展出晋南地区广为流传的刺绣、剪纸、木版画等工艺品以及歌舞、小戏、木偶皮影戏、交通、纺织、农耕等实物或资料。1995 年被山西省委、省政府公布为省级爱国主义教育基地。博物馆对研究民间建筑及民俗具有重要价值。通 6 路公交车。

50-A-b05 **侯马彭真故居**［Hóumǎ Péngzhēn Gùjū］省级爱国主义教育基地。位于山西省临汾市侯马市中部。彭真同志是伟大的无产阶级革命家、政治家，杰出的国务活动家，坚定的马克思主义者，我国社会主义法制的主要奠基人，党和国家的卓越领导人。故居为其出生地，故名。现有院落 1 处，西窑 3 孔，北房 3 间，现有 4 个展厅，一、二展厅以彭真同志生平业绩为主线，展示了彭真同志为中华民族的解放和新中国的诞生，为社会主义革命建设和改革开放事业，特别是社会主义法治建设建立的历史功勋；三展厅为廉政展厅，集中展现了彭真同志在建设廉洁政治方面的卓越建树；四展厅为故居保护厅，对彭真同志出生和生活过 20 年的窑洞及小院进行了全封闭保护。2003 年被确定为山西省爱国主义教育基地。故居是先辈革命的象征，对后人有着重要的教育意义。108 国道经此。

50-A-b06 **吕梁汉画像石博物馆**［Lǚliáng Hàn huàxiàngshí Bówùguǎn］省级爱国主义教育基地。位于山西省吕梁市离石区。博物馆分地上二层和地下一层，由古墓展厅、汉画像石展厅、青铜器展厅、陶瓷器展厅、文物中心库及文物科研培训中心等部分组成。馆藏藏品中尤以吕梁离石马茂庄和柳林杨家坪出土的汉代画像石为重要收藏，出土于吕梁地区的商代方国青铜器和窑藏陶瓷器也是馆内珍贵文物。一层陈列有 100 余块汉画像石和 40 余件随葬器物；二层展出馆藏商周青铜器 50 余件和当地窑藏陶瓷器 80 余件；古墓厅复原了离石发掘的两座东汉典型画像石墓。2005 年被山西省委、省政府公布为爱国主义教育基地。博物馆向世人展示了汉代画像石的原貌，有助于了解当时的墓葬习俗与社会文化。通 101、102、104、109、301 路公交车。

50-A-b07 **太原晋商博物馆**［Tàiyuán Jìnshāng Bówùguǎn］省级爱国主义教育基地。位于山西省太原市迎泽区。博物馆建设的最大亮点在于吸取了全国各地晋商会馆传统建筑的精华，同时采用了具有山西特色的砖雕、石雕、木雕等工艺，成为富有独特人文内涵、商业文化和建筑艺术魅力的精品会馆建筑。博物馆集收藏、展览、议事、接待、外联等多项功能于一体，展示内容以晋商历史以及晋商创造的商业文化为主，展出形式辅以声、光、电等现代科技手段，让参观者能更好地感受晋商文化，感悟晋商精神。是我国第一个立体展示晋商文化的大型博物馆。2012 年被中共山西省委办公厅、山西省人民政府办公厅确定为第三批省级爱国主义教育基地。通 3、4、25、51、610 路公交车。

50-A-b08 **山西省工艺美术馆**［Shānxī Shěng Gōngyì Měishùguǎn］省级爱国主义教育基地。位于山西省太原市迎泽区。由大院“三晋三雕文化墙”、一层“中国工美珍宝馆太原店”、大院“活动中心剪纸馆”、二层“山西黄河画院画廊”、七层“山西工艺美术精品”组成，馆内主要陈列：中国各省工艺美术大师、山西省国家级、省级工艺美术大师、山西省国家级、省级非物质文化遗产手工技艺传承人、山西省历年国家级“百花杯”、“金凤凰”奖项获得者和山西省传统工艺美术保护与发展资金扶持项目、书画艺术与工艺美术相结合的艺术作品以及山西省工艺美术企业和手工艺人的精品力作 2000 余件，馆藏品 200 余件。美术馆秉持“传承三晋文化，弘扬华夏文明，服务公众文化需求，展示当代文明成果，致力建设文化强省”的宗旨，常年展示与定制销售具有我省民间特色的工艺美术品，并定期举办省内外工艺美术大师精品展。2012 年被中共山西省委办公厅、山西省人民政府办公厅确定为第三批省级爱国主义教育基地。通 1、308、611 路公交车。

50-A-b09 **山西大学集体化时代农村社会综合展览馆**［Shānxī Dàxué Jítǐhuà Shídài Nóngcūn Shèhuì Zōnghé Zhǎnlǎnguǎn］省级爱国主义教育基地。位于山西省太原市小店区。展馆依托山西大学中国社会史研究中心丰富的农村基层档案资料，辅以大量的图片和实物，形象再现了中国共产党带领亿万农民进行的集体化实践。为进一步加强党史学习教育，更好地发挥爱国主义教育基地在中国共产党成立 100 周年庆祝活动中的重要作用，中心师生充分发挥科研优势，开展了一系列有意义的学术与实践活动。2012 年被中共山西省委办公厅、山西省人民政府办公厅确定为第三批省级爱国主义教育基地。通 103、305、39、502 路公交车。

50-A-b10 **灵丘白求恩特种外科医院旧址**［Língqiū Báiqiúēn Tèzhǒng Wàikē Yīyuàn Jiùzhǐ］省级爱国主义教育基地。位于山西省大同市灵丘县南部。1938 年，国际共产主义战士、加拿大著名外科医生白求恩，率领晋察冀军区医疗队从阜平县到达灵丘县杨庄村。先后在石矾、串岭沟、黑寺、曲回寺、河浙等地抢救伤员，并根据抗日斗争的需要，在晋察冀军区医院一所驻地杨庄村创办了特种外科医院。白求恩在杨庄工作 3 个月后，率军区东征医疗队奔赴冀中抗日前线。为纪念伟大的国际共产主义战士白求恩大夫，灵丘县委、县政府于 1976 年在特种外科医院旧址建立了白求恩事迹展览馆，以原诊疗室作展览室，故名。特种外科医院设在杨庄村的一座四合院内，医院旧址现保存基本完好。三间正房为办公室，三间西房为诊疗室，三间东房为手术室，村东一座土木结构的二层小楼为白求恩大夫的休息室。小楼北侧 3 间瓦房为急救室，病房分散在村北的百余间民房里。医院成立了由干部、群众、伤员和医务人员组成的院务委员会，管理医院的日常工作。杨庄村干部群众还组织了义务输血队。2012 年被中共山西省委办公厅、山西省人民政府办公厅确定为第三批省级爱国主义教育基地。荣乌高速经此。

50-A-b11 **马邑博物馆**［Mǎyì Bówùguǎn］省级爱国主义教育基地。位于山西省朔州市朔城区。博物馆共分序厅、造像厅、字画厅、陶瓷厅、铜器厅、石刻厅、杂项厅七个展厅，展出自远古白垩纪时期至 20 世纪 40 年代的 783 件国家珍贵文物，其中包含有北魏曹天度千佛石塔塔刹、十六罗汉像、辽金彩绘石雕像、木雕贴金菩萨像、元代金耳杯、金饰件等国家一级文物 49 件，国家二、三级文物 233 件。采用全木结构仿古建筑，呈辽金建筑风格，其造型古朴雄伟，与崇福广场大戏台、尉迟敬德庙构成朔城区三大古建筑群落。是国家三级地方综合类博物馆。2012 年被中共山西省委办公厅、山西省人民政府办公厅确定为第三批省级爱国主义教育基地。通 1、19 路公交车。

50-A-b12 **右玉县博物馆**［Yòuyù Xiàn Bówù

guǎn］省级爱国主义教育基地。位于山西省朔州市右玉县北部。右玉县独特的边塞文化、军事文化、晋商文化、西口文化，为这座县级博物馆奠定了坚实厚重的基础，民族融合主题凸显。2012年被中共山西省委办公厅、山西省人民政府办公厅确定为第三批省级爱国主义教育基地。210国道经此。

50-A-b13 **平定固关长城遗址**［Píngdìng Gùguān Chángchéng Yízhǐ］省级爱国主义教育基地。位于山西省阳泉市平定县东部。固关是明朝京西四大名关之一（其余三关是居庸关、紫荆关、倒马关），为“京畿藩屏”。固关长城是国内保留较完整的现存唯一可考石砌内长城，是我国最早的明代内长城，著名长城专家罗哲文称之“有小八达岭之风韵”，是内长城重要的关隘。现存遗迹多为明代建筑。2012年被中共山西省委办公厅、山西省人民政府办公厅确定为第三批省级爱国主义教育基地。青银高速经此。

50-A-b14 **晋城赵树理文学馆**［Jìnchéng Zhàoshùlǐ Wénxuéguǎn］省级爱国主义教育基地。位于山西晋城市泽州县中部。展厅共有六个，主展一厅展示了赵树理光辉的一生，其中包括其文学作品在不同时期的各种版本，共有400余件，其中20世纪四五十年代珍贵版本60余册。东南一层展厅为书画美术摄影展。赵树理是20世纪大众文学的领军人物。他的作品真实再现了中国农村几十年来的巨大变革，具有独特的民族形式和民族风格，在弘扬我国优秀的民族文艺传统、促进革命文艺的大众化方面，做出巨大贡献。文学馆的建成，可以让世人全面了解赵树理的生平与成就，同时能深刻认识晋东南的人文现状和历史。2012年被中共山西省委办公厅、山西省人民政府办公厅确定为第三批省级爱国主义教育基地。通16、17、20路公交车。

50-A-b15 **交城吕梁英雄广场**［Jiāochéng Lǚliáng Yīngxióng Guǎngchǎng］省级爱国主义教育基地。位于山西省吕梁市交城县东部。主体工程即华国锋墓，配套工程即英雄纪念广场5000平方米、晋绥革命历史纪念馆1200平方米。广场中央原设计是华国锋站立铜像，现为高大的花瓶，底座刻有“吕梁英雄广场”六个大字。东侧是一座古建筑“文昌宫”，2011年11月2日，华国锋的骨灰由八宝山革命公墓运抵吕梁市交城县，暂放于其内。西侧是新建的“晋绥边区八分区革命历史纪念馆”。2012年被中共山西省委办公厅、山西省人民政府办公厅确定为第三批省级爱国主义教育基地。通1、805路公交车。

50-A-b16 **方山于成龙廉政文化园**［Fāngshān Yúchénglóng Liánzhèng Wénhuàyuán］省级爱国主义教育基地。位于山西省吕梁市方山县南部。是依托一代廉吏于成龙故居打造的集廉吏故里、廉政文化、廉政教育、廉政产业为一体的全国首家廉政文化主题园区，旨在建成我国廉政文化的展示平台、研究基地和体验中心。于成龙为清朝著名官员，被康熙皇帝誉为“天下廉吏第一”，生于永宁州（今方山县北武当镇来堡村），故名。文化园包括廉政文化教育展览馆、廉吏文化广场、于成龙故居区、于氏家族墓地、廉政教育体验园。2012年被中共山西省委办公厅、山西省人民政府办公厅确定为第三批省级爱国主义教育基地。通466县道。

50-A-b17 **潞宝毛主席博物馆和纪念园**［Lùbǎo Máozhǔxí Bówùguǎn hé Jìniànyuán］省级爱国主义教育基地。位于山西省长治市潞城区。博物馆坐落于潞宝生态工业园区，一馆为铸像馆、二馆为徽章馆、三馆为图片馆，展品为诗词、语录、像章、图片、油画、宣传画、工艺品等130多万件。二馆中央大厅建有汉白玉大型毛主席坐像，主背景为《开国大典》大型油画，三馆主背景为著名油画大师刘宇一创作的油画《良宵》实景大型蜡像，特别是此馆展出了千余幅毛主席专职摄影师侯波、吕厚民、杜修贤等中南海红色摄影大师的珍贵历史照片。博物馆大门是华国锋同志亲笔手书的“人民的领袖毛主席”题词。该馆是广大人民群众接受传统革命理想和爱国主义的一大教育基地。2012年被中共山西省委办公厅、山西省人民政府办公厅确定为第三批省级爱国主义教育基地。通7、619路公交车。

50-A-b18 **洪洞红军八路军纪念馆**［Hóngtóng Hóngjūn Bālùjūn Jìniànguǎn］省级爱国主义教育

基地。位于山西省临汾市洪洞县南部。纪念馆由抗战初期八路军总部驻洪洞县马牧村旧址和总部随营学校、343旅部驻洪洞县白石村温家大院旧址两部分组成。纪念馆位于洪洞县白石村，是辛亥革命山西起义领导人之一、国民政府山西副都督温寿泉先生的故居，又称白石温家大院。是我省唯一同时见证辛亥革命、红军东征、八路军抗日等重大历史事件的旅游胜地，大院文化、民俗文化与红色教育相结合的独特景观。馆内有红军、八路军为主要内容的纪念亭、纪念堂、纪念室，以及温寿泉辛亥资产阶级民主革命历史。西院有以传统文化为主要内容的女娲补天炼石处、儒释道讲经堂、五圣研佛殿。纪念馆能让世人感受到中国革命历史文化和传统文化的强大活力，且能观赏到晚清和民初的建筑风格。2012年被中共山西省委办公厅、山西省人民政府办公厅确定为第三批省级爱国主义教育基地。通26、27路公交车。

50-A-b19 **古县烈士陵园**［Gǔxiàn Lièshì Língyuán］省级爱国主义教育基地。位于山西省临汾市古县西部。前身为烈士公墓。新中国成立后，为纪念在伟大抗日战争和解放战争中牺牲的八路军、决死队和人民解放军，当地政府将烈士遗骨集中掩埋在湾里村北，建立烈士公墓，故名。纪念馆展厅内有不同时期具有传统教育的各种展品百余件，壁画、浮雕生动再现了革命前辈和革命老区人民的英雄业绩，起到了传承红色基因、弘扬民族精神的作用。2012年被中共山西省委办公厅、山西省人民政府办公厅确定为第三批省级爱国主义教育基地。通3、4路公交车。

50-A-b20 **安泽杜村太岳革命根据地旧址**［Ānzé Dùcūn Tàiyuè Gémìng Gēnjùdì Jiùzhǐ］省级爱国主义教育基地。位于山西省临汾市安泽县中部。安泽县是太岳革命根据地的重要组成部分，抗日战争时期是晋冀鲁豫边区的敌后根据地，现存有太岳行署、太岳司令部、行政干校、政治部、兵工厂等8处革命旧址。旧址充分挖掘红色资源，着力打造集历史研究、爱国主义教育和红色旅游于一体的红色革命旅游文化区，对加强爱国主义教育和公民道德建设起到了积极作用。2012年被中共山西省委办公厅、山西省人民政府办公厅确定为第三批省级爱国主义教育基地。326省道经此。

50-A-b21 **平陆六十一个阶级弟兄纪念馆**［Pínglù Liùshíyīgè Jiējídìxiōng Jìniànguǎn］省级爱国主义教育基地。位于山西省运城市平陆县西南部。1960年2月2日，平陆县一处工地上有61位筑路民工集体食物中毒，中央领导当即下令，动用空军将药品及时空投到事发地点，61名民工兄弟终于化险为夷。《为了六十一个阶级兄弟》通讯是新闻写作的范文，曾入选中学课本。纪念馆为大力宣传“一方有难、八方支援”的共产主义风格而建，故名。2012年被中共山西省委办公厅、山西省人民政府办公厅确定为第三批省级爱国主义教育基地。县道曹风线经此。

50-A-b22 **清徐县烈士陵园**［Qīngxú Xiàn Lièshì Língyuán］省级爱国主义教育基地。位于山西省太原市清徐县北部。1948年，为了保卫晋中麦收、解放晋中人民，徐向前率华北军区第一兵团发起晋中战役，为解放太原做好了充分准备。1958年，为将分散在全县各乡镇的烈士遗骸集中埋葬、供后人凭吊，始建清徐县烈士陵园，主要安葬在晋中战役中牺牲的革命先烈。1996年被山西省教委公布为山西省德育基地，2009年被山西省委、省人民政府公布为省爱国主义教育基地。县道西仁线经此。

50-A-b23 **大同市革命烈士陵园**［Dàtóng Shì Gémìng Lièshì Língyuán］省级爱国主义教育基地。位于山西省大同市平城区。原名大同市人民公墓，后更名为大同市民政局安置农场。是新中国成立后大同市最早的革命历史文物之一。园内安葬着抗日战争时期、解放战争时期和新中国成立后牺牲的革命烈士共296名，其中原晋察冀五地委敌工部副部长舒宏、《晋察冀日报》和新华社特派记者仓夷等革命烈士长眠于此。2009年被山西省委、省人民政府公布为省爱国主义教育基地，2013年被中共山西省委党史办公室公布为山西省党史教育基地。二广高速经此。

50-A-b24 **右玉烈士陵园**［Yòuyù Lièshì Língyuán］省级爱国主义教育基地。位于山西省朔州市右玉县。纪念碑居陵园中部，依山而建，坐北向南，由基座和碑身两部分组成。碑正面雕刻着“革命烈士永垂不朽”烫金大字，正上方镶嵌着由红旗、五星和齿轮组成的浮雕。纪念碑后侧建有东西一字排开的革命烈士墓，刻有 100 位烈士的英名。烈士墓的北侧建有革命烈士纪念馆，馆内陈列着抗日战争和解放战争时期右玉革命根据地和解放区的部分图片和资料，对后人有重要的教育意义。2009 年被山西省委、省人民政府公布为省爱国主义教育基地。县道虎山线经此。

50-A-b25 **寿阳尹灵芝烈士纪念馆**［Shòuyáng Yǐnlíngzhī Lièshì Jìniànguǎn］省级红色文化遗址。位于寿阳县朝阳大街东 307 国道北侧，因此陵园是为“尹灵芝”烈士而建，故命名。尹灵芝是名扬三晋的女英雄，1947 年，为保护公粮和掩护群众安全转移被敌人残忍杀害，年仅 16 岁。2021 年由山西省人民政府核定公布为第一批省级红色文化遗址。通 605 路公交车。

50-A-b26 **阳城晋豫边抗日纪念馆**［Yángchéng Jìnyùbiān Kàngrì Jìniànguǎn］省级爱国主义教育示范基地。位于山西省晋城市阳城县。抗战之初，这里是八路军总部通往延安党中央的交通枢纽，为护送我党我军重要领导人、国际友人及战略物资的运输起到举足轻重的作用。纪念馆史实资料珍藏力求真实，经得起历史考验，借以讴歌阳城革命老区的奋斗史、光辉史，大力弘扬老区革命精神。馆内收藏了唐天际、李钟玄、戚怀培、徐克林、李超等革命老前辈的题词十余幅。2007 年被山西省委、省政府授匾公布为省爱国主义教育示范基地，晋城市委、市政府授匾命名为市爱国主义教育基地、市党史教育基地、市廉政教育基地、未成年人教育示范基地、国防教育基地等。县道索横线经此。

50-A-b27 **柳林三交镇红色景区**［Liǔlín Sānjiāo zhèn Hóngsè Jǐngqū］省级爱国主义教育基地。位于山西省吕梁市柳林县西南。此地西临黄河，因地处中阳、石楼及陕西清涧三县之间，故名三交。自古就有“鼓击震两省、鸡鸣惊四县”之美誉。1936 年，红军东征在此地强渡黄河，拉开了东进抗日的序幕。周恩来莅临此地，亲自指导建立了山西省第一个红色政权。景区包括刘志丹烈士殉难处、三交镇红军东征纪念馆和坪上渡口纪念碑、红军东征强渡黄河浮雕等。1995 年被确定为山西省爱国主义教育基地。县道薛苇公路经此。

全国重点文物保护单位

太原市

50-B-a001 **崇善寺大悲殿**［Chóngshànsì Dàbēi diàn］位于山西省太原市迎泽区崇善寺街。原为隋炀帝行宫。唐初称白马寺，后改称延寿寺、宗善寺，后来又叫新寺。明代时，更名崇善寺。明洪武十四年（1381 年），朱元璋第三子朱棡为纪念其母，在原寺基础上进行了扩建。清同治三年（1864 年），崇善寺被火焚毁，仅存主体建筑大悲殿。大悲殿是中国现存较完整的明初官式木构建筑。面宽七间，进深四间，重檐歇山顶，黄绿琉璃瓦剪边，通高近 20 米。斗栱布局疏朗，殿内柱网布列规整，仍袭旧制。殿内设井口天花，施沥粉彩画，上部梁架全部用草栿做法。现存建筑主体结构及隔扇、板门等均为明初原物。大悲殿内供奉三大士像，中间为千手千眼观世音菩萨，左右为文殊、普贤菩萨。三尊塑像高达 8.5 米，色彩绚丽，造型端庄，也为明洪武年间遗存，有着很高的艺术价值。2013 年，被国务院公布为第七批全国重点文物保护单位。通 870、861 路等公交车。

50-B-a002 **山西大学堂旧址**［Shānxī Dàxué táng Jiùzhǐ］位于山西省太原市迎泽区文庙街道侯家巷 9 号。是中国最早设立的新型大学之一，创建于 1902 年，英国传教士李提摩太利用清政府“庚子赔款”兴建。现存校舍旧址包括山西大学堂西学专斋的主楼、门房及部分院墙。主楼坐北朝南，东西长 149 米，南北宽 36 米，占地面积 5364 平方米，由主楼及两侧翼楼组成。该建筑屋顶的塔楼、雉堞等构成高低起伏的轮廓线，中世纪风格的粗犷毛石窗套，体现出英国新都铎风格的特点，重复出现的倒梯形柱头演化自方圆柱头或墩块式柱头，具有鲜明的特点。门房是中国传统木柱梁形式与英国新都铎风格相结合的产物。作为中国最早的三座大学堂之一，2013 年被国务院公布为第七批全国重点文物保护单位。2017 年入选第二批中国 20 世纪建筑遗产。通 103、870 路等公交车。

50-B-a003 **太原纯阳宫** [Tàiyuán Chúnyáng Gōng] 位于山西省太原市迎泽区起凤街。宫址坐北向南，现存五进院落，南北长 170.63 米，东、西平均宽 58.83 米，占地面积 10038 平方米。据《山西历史地名录》记载，纯阳宫创建于宋朝末年，明万历二十五年（1597 年）进行了大规模的扩建，清嘉庆年间，又在后院窑洞顶上筑魏阁（玉皇阁），始具现有规模，现存建筑主要为明、清时期遗构。总计殿堂 70 余间，类型众多、布局严谨，沿中轴线自南而北现存建筑依次为宫门、吕祖殿、九窑十八洞、回廊亭、玉皇阁。2013 年被国务院公布为第七批全国重点文物保护单位。通 103、201 路等公交车。

50-B-a004 **太原大关帝庙** [Tàiyuán Dàguān dì Miào] 位于山西省太原市迎泽区西羊市街中段庙前街。因庙内有三幢高约三丈的“春秋楼”“禅堂”和“客堂”，故名“大关帝庙”。是太原市目前规模最大、形制最完整的关帝庙建筑群，占地约 3500 平方米。坐北朝南，为南北二重院落布局，中轴线上依次坐落有山门、崇宁殿、春秋楼，两侧分别为钟鼓楼、碑廊、厢房及围楼。是明代建筑，殿内梁架上还保存有明代彩绘。是建在金元时期基址上的明清建筑，金元时期基址也是目前已发现的宋代太原建城以来最早的实物史料。庙内共有十一座建筑。2013 年被国务院公布为第七批全国重点文物保护单位，2019 年被列入《中国世界文化遗产预备名单》的“万里茶道”遗产提名点之一。通 807、808 路等公交车。

50-B-a005 **太原清真寺** [Tàiyuán Qīngzhēn Sì] 位于山西省太原市迎泽区解放路。坐西朝东，二进院落布局，东西 52.52 米，南北 40.4 米，占地面积 2121 平方米。据碑文记载其始建于唐贞元年间（785 年—805 年），历代均有修缮，现存建筑为明、清遗构。寺院沿中轴线建有山门、省心楼、讲经堂和礼拜殿，轴线两侧为阿訇室、沐浴室、南北碑亭及牌楼。碑亭位于省心楼南北两侧，南亭立清同治七年（1868 年）碑一通，北亭立清康熙三十三年（1694 年）碑一通。礼拜殿位于轴线西端，高 10 米，面宽五间，殿内装饰富有浓厚的阿拉伯风格，凡拱门、圆柱均沥粉贴金彩绘。牌楼位于礼拜殿西墙南侧，是寺院原入口，是研究该院落布局演变的重要遗存。2013 年被国务院公布为第七批全国重点文物保护单位。通 51、808 路等公交车。

50-B-a006 **太原文庙** [Tàiyuán Wén Miào] 位于山西省太原市迎泽区文庙巷西。坐北向南，四进院落布局，占地 3.1 万余平方米，建筑面积约 8000 平方米。该庙原在城西，清光绪七年（1881 年），因汾水成灾，文庙被毁，遂移建于崇善寺被焚的废墟上，现存照壁、六角井亭、铁狮、铜狮、柏树等为原崇善寺遗物。以照壁、棂星门、大成门、大成殿、崇圣祠为核心，沿中轴线形成四进院落布局。大成殿面宽七间，进深五间，单檐歇山顶，檐下施五踩双昂斗栱，殿内采用移柱、减柱造。崇圣祠位于北端，正殿面宽五间，单檐硬山顶，殿前有砖砌月台。2013 年被国务院公布为第七批全国重点文物保护单位。通 3、870 路等公交车。

50-B-a007 **王家峰墓群** [Wángjiāfēng Mù qún] 位于山西省太原市迎泽区郝庄乡王家峰村。目前共有三座北齐时期墓葬，徐显秀墓是保存最完整的一座。该墓有夯筑封土堆，墓葬为穹隆顶砖券单室结构，由墓道、过洞、天井、甬道、墓室五部分组成。随葬品大部分发现于墓室，该墓墓室壁画保存完整，为研究北朝晚期的葬俗、葬制以及中西文化交流史提供了珍贵的资料。反映了太原地区在东魏北齐时期的重要地位，折射出西域文化的影响和民族文化的交融。2006 年被国务院公布为第六批全国重点文物保护单位。通 70 路公交车。

50-B-a008 **永祚寺** [Yǒngzuò Sì] 位于山西省太原市迎泽区郝庄镇郝庄村。始建于明万历二十七年（1599 年），现存大部分建筑为明代建筑。寺坐南朝北，包括寺院、塔院、碑廊院。建筑前低后高，错落有致。寺院主要建筑有山门、二门、三门、大雄宝殿（二层为三圣阁）、禅堂、客堂、方丈院、过殿、后殿。大雄宝殿为砖仿木无梁结构，内存三尊铜、铁质佛像，是无梁式殿阁中不可多得的珍品。阁内观音为明代彩塑。塔院有东西两塔，均平面八角形，13 层楼阁式空心砖塔。舍利塔高度 54.78 米，文峰塔高度 54.76 米。碑廊院内集有明清两代所刻《宝贤堂集古法帖》和《古宝贤堂法帖》石刻二百余通。2006 年被国务院公布为第六批全国重点文物保护单位。通 814、820 路等公交车。

50-B-a009 **中共太原支部旧址**［Zhōnggòng Tàiyuán Zhībù Jiùzhǐ］位于山西省太原市迎泽区海子边东街文瀛公园文瀛湖南岸。是山西省立第一中学旧址，坐北朝南，文物本体建筑面积 2500 平方米。旧址原为明清时期的贡院，后为山西大学堂校址，清光绪三十二年（1906 年）在此创立山西公立中学堂，1913 年更名为省立第一中学校。现主要为中共太原支部历史纪念馆。高君宇、王振翼、贺昌、彭真等曾在省立第一中学就读。对研究山西革命史具有重要价值。2013 年被国务院公布为第七批全国重点文物保护单位。通 3、61 路等公交车。

50-B-a010 **唱经楼**［Chàngjīng Lóu］位于山西省太原市杏花岭区鼓楼街。是旧时山西科考唱榜之处，建于明代初期，重修于明正德年间（1506 年—1521 年），明万历年间（1573 年—1620 年）扩建，清康熙三十五年（1696 年）增建春秋楼，清道光八年（1828 年）重修。现存唱经楼和主殿为明代所建，春秋楼和通廊为清代建筑。占地面积约 2000 平方米。唱经楼为主体建筑，唱经楼在南，以通廊连接北侧正殿，北殿之东连接春秋楼，四个建筑组合起来构成一 L 型建筑群。这种不对称 L 形布局，在山西境内不多见，楼与正殿有明代建筑特征，具有较高的历史价值。2013 年被国务院公布为第七批全国重点文物保护单位。通 25、615 路等公交车。

50-B-a011 **山西督军府旧址**［Shānxī Dūjūnfǔ Jiùzhǐ］位于山西省太原市杏花岭区府东街。北宋以前，这里是晋文公（重耳）庙。北宋太平兴国七年（982 年）改建为潘美的帅府衙门，元为中书省，明清为抚署，至辛亥革命前，这里一直是明、清两代山西抚衙门所在地。辛亥革命以后，为山西都督府。是在原清代衙门的基础上，从民国七年（1918 年）开始陆续改建的。1916 年阎锡山任山西省督军，以此作为督军衙门，故名督军府。旧址坐北朝南，占地约 2.5 万平方米。中轴线自南而北原排列有影壁、大门、仪门、东西二层廊楼、大堂（现渊谊堂）、二层砖石结构楼、二层木楼、“自省堂”（现梅山会议厅）、梅山。中轴线东侧为东花园、内北厅、勤远楼，西侧为西花园。除二层木楼，影壁（含两侧便门）、勤远楼已毁外，其余基本保存原貌。新中国成立后为山西省人民政府所在地。2019 年被国务院公布为第八批全国重点文物保护单位。通 10、851 路等公交车。

50-B-a012 **太原天主堂**［Tàiyuán Tiānzhǔ Táng］位于山西省太原市杏花岭区解放路。创建于 1870 年，1900 年义和团运动中被焚毁，1905 年重建。现存教堂、神父楼和修女院，建筑占地面积为 16860 平方米。主体建筑教堂由青砖砌筑。教堂坐东朝西，高 20 米，拉丁十字平面，中厅采用巴西利卡的结构形式，室内空间巨大，可容纳 3000 余人。正立面通体为砖红色，有鲜明的罗马风特征，两侧有钟塔，高 36 米，气势宏大。神父楼、修女院位于教堂东北，青砖砌筑，色彩和建筑风格与教堂主体部分一致，保存完整。是山西地区现存规模较大的天主堂，较为完整地保留了教堂、神父楼和修道院的功能组合，见证了天主教在山西地区传播的历史；建筑风格突出，是该区域内一处重要的天主教活动场所。2013 年被国务院公布为第七批全国重点文物保护单位。通 610、820 路等公交车。

50-B-a013 **窦大夫祠**［Dòudàifū Cí］位于山西省太原市尖草坪区上兰街道上兰村。始建年代不详，历史上有烈石神祠、英济侯祠和窦大夫祠三种称谓。宋元丰八年（1078 年）八月二十四日汾水涨溢，遂易今庙，重修于蒙古世祖至元四年（1267 年），明清续修，其中献亭、大殿均为元代遗构。祠坐北朝南，一进院落，呈带状形依山而建，占地面积 4428 平方米，中轴线上依次布列有乐楼、南殿、献亭、大殿，大殿两侧建有耳房、配殿，南殿两侧建钟、鼓二楼。祠外西北部为寒泉遗址，东部为保宁寺、观音阁和赵公馆等建筑。2001 年被国务院公布为第五批全国重点文物保护单位。通 G1、835 支路等公交车。

50-B-a014 **多福寺**［Duōfú Sì］位于山西省太原市尖草坪区马头乡庄头村。始建于唐，宋末毁于兵火。明洪武年间（1368 年—1398 年）重建。寺址坐北朝南，三进院落，占地面积 3153 平方米。主要建筑有天王殿、大雄宝殿、藏经阁、千佛殿、黑龙殿、文殊阁（红叶洞）。大雄宝殿面阔五间，进深三间，单檐歇山顶。殿内有彩塑 14 尊，两山及后墙满绘佛教故事壁画，与建筑同期，均为明代早期作品。2006 年被国务院公布为第六批全国重点文物保护单位。通 322 路公交车。

50-B-a015 **净因寺**［Jìngyīn Sì］位于山西省太原市尖草坪区上兰街道土堂村。创建于金太和五年（1205 年），因寺中有土雕大佛一尊，俗称"大佛寺"。寺院坐北朝南，三进院落，占地面积 5700 平方米。中轴线上依次排列着南殿、韦陀殿、大雄宝殿。大佛阁依崖而建，坐西朝东，建在高 1 米的月台上，面阔三间，重檐歇山顶，底层前檐施五踩异形斗。前半部为砖石券窑洞，后半部为土券窑洞，建筑面积 205.6 平方米。阁内土雕大佛——阿弥陀佛高 10 余米，结跏趺坐，左右各塑一尊胁侍菩萨，高 3.7 米。2006 年被国务院公布为第六批全国重点文物保护单位。通 G1、835 支路等公交车。

50-B-a016 **晋祠**［Jìn Cí］位于山西省太原市晋源区晋祠镇西仁线。是我国最早的纪念性祠宇，也是我国现存最古的园林建筑。相传为纪念周武王胞弟叔虞而建，因其封地晋国，故名晋祠。祠址坐西朝东，沿中轴线有山门、水镜台、会仙桥、金人台、对越坊、献殿、鱼沼飞梁和圣母殿，献殿两侧为钟鼓楼。其北为唐叔虞祠、昊天神祠和文昌宫，其南面是水母楼、难老泉亭和舍利生生塔。祠内的周柏、隋槐、唐槐与难老泉和宋塑侍女被誉为"晋祠三绝"。圣母殿是晋祠主体建筑，为国内规模较大的一座宋代建筑。创建于北宋天圣元年（1023 年），崇宁元年（1023 年）重建。寺内还保存有唐太宗李世民行书《晋祠之铭并序》碑、宋代铸造铁人、铁狮等，对于研究中国古代建筑、雕塑、书法艺术具有重要价值。1961 年被国务院公布为第一批全国重点文物保护单位。通 308、856 路等公交车。

50-B-a017 **晋阳古城遗址**［Jìnyáng Gǔchéng Yízhǐ］位于山西省太原市晋源区晋源镇龙泉南路。遗址面积大约 20 平方千米。遗址分为古城遗址和寺观墓葬遗址两部分。创建于春秋中晚期（497 年），战国时越国的都城、北齐时的陪都、北汉的都城、唐代的北京。宋太平兴国四年（979 年），宋灭北汉，一炬焚烧晋阳，继而引汾水灌之，古城被夷为平地。从资料和"东城角"的方位来看，古城长约 4500 米，东魏、北齐以及隋唐时期是晋阳古城的辉煌时代，盛唐时曾为三京之一。西部地区有天龙山石窟、蒙山大佛、圣寿寺、童子寺遗址、开化寺遗址等六朝和隋唐时期石窟遗存。在历史上有其特殊的地位和丰富的地下埋藏，赋予了它重大考古研究价值。2001 年被国务院公布为第五批全国重点文物保护单位。通 308 路公交车。

50-B-a018 **晋源阿育王塔**［Jìnyuán Āyùwáng Tǎ］位于山西省太原市晋源区晋源街道古城营村。始建于隋仁寿二年（602 年），为晋阳古城内惠明寺附属建筑，塔屡建屡毁。明洪武十八年（1385 年），在原址上重建惠明寺和阿育王塔。现惠明寺已毁，仅存阿育王塔，为单层砖砌喇嘛塔，通高约 25 米，占地面积 196 平方米。塔下为石砌方形塔基，边长 13.8 米。其上砖砌叠涩呈方锥平台基座，高 1.65 米。塔身为圆形覆钵状，上承相轮十三层，上置琉璃华盖承宝顶。反映了明代喇嘛塔的建筑形制特点，具有较高的历史价值。2013 年被国务院公布为第七批全国重点文物保护单位。通 839 路公交车。

50-B-a019 **晋源文庙**［JìnYuán Wén Miào］位于山西省太原市晋源区晋源东街。始建于明洪武六年（1373 年），为明代太原县城内遗构。坐北朝南，中轴线上依次排列有琉璃照壁、棂星门、泮池、献殿、大成殿、明伦堂、敬一亭、藏经阁以及各院东西两庑，另有崇圣寺等建筑。大成殿面宽五间，进深三间，单檐歇山顶。殿内东西两山绘有山水、花卉等图案壁画 60 余平方米。2013 年被国务院公布为第七批全国重点文物保护单位。通 856、905 路等公交车。

50-B-a020 **龙山石窟**［Lóngshān Shíkū］位

于山西省太原市晋源区西镇村。开凿于元太宗六年（1234 年），由全真道士披云子宋德芳主持营建的道教石窟。石窟共存三层九窟，因窟内供奉的雕像不同，分为虚皇龛、三清龛、卧如龛、玄真龛、三天大法师龛、玉帝龛、七真龛、辨道龛，共有雕像 87 尊。现存玄真龛、三天大法师龛内石雕像发髻突起，衣饰简练，体形修长，尚存金代风韵；其余几龛内雕像面相方圆，衣纹厚重，皆为元初风格，第 8 龛内存有明清泥塑三皇、关羽等像。石窟雕像风格粗犷，刀法简洁，且造像题材皆为道教诸神和玄门列祖，是十分罕见的道教石窟。可惜雕像头部大多于抗日战争时期被盗运国外，但躯体基本完好，是研究道教石窟艺术的珍贵实物资料。1996 年被国务院公布为第四批全国重点文物保护单位。通 308 路公交车。

50-B-a021 **蒙山开化寺遗址**［Méngshān Kāihuà Sì Yízhǐ］位于山西省太原市晋源区罗成街道办事处寺底村。属于晋阳古城宗教祭祀区，现存西山大佛、佛阁遗址、连理塔等历史遗迹。始建于北齐天保二年（551 年），与龙山童子寺同时为北齐文宣帝所创建。开化寺是北朝隋唐五代著名的佛教寺院。分为上下寺，蒙山为上寺，下寺在古晋阳城内。蒙山开化寺佛阁遗址具有重要的学术价值。分为早晚二期。早期遗迹：为阁内三排大型柱础，阁东西两侧台阶和垒砌规整的东西内侧阁墙。晚期重建遗迹：包括中央三间檐柱间的三对门砧石、石砌台明和东西阶、阁内铺地方砖（边长 35 厘米）、东西外侧阁墙。2019 年被国务院公布为第八批全国重点文物保护单位。通 58 路公交车。

50-B-a022 **明秀寺**［Míngxiù Sì］位于山西省太原市晋源区晋祠镇王郭村。始建于汉代，毁于兵火，明嘉靖二十一年（1541 年）重建。寺院坐西朝东，现存过殿、配殿和正殿，占地面积为 1144 平方米。正殿面阔五间，进深三间，单檐歇山顶，蓝琉璃剪边，施五踩斗，正殿和过殿内有彩塑 13 尊。正殿两山及后墙绘有佛教故事壁画 80 余平方米。2006 年被国务院公布为第六批全国重点文物保护单位。通 848 路公交车。

50-B-a023 **太山龙泉寺**［Tàishān Lóngquán Sì］位于山西省太原市晋源区风峪沟内的太山。寺院坐北朝南，南北长 129 米、东西宽 49 米，占地面积 6300 平方米。始建于唐武周时期（690 年—705 年），寺内除现存明、清时期建筑外，还保存了唐武周时期的碑刻、佛塔地宫及其出土文物。中轴线上建有山门、中门、大雄宝殿、观音阁和莲花洞，两侧为钟楼、鼓楼、东西厢房；寺院东侧还有太山龙泉寺唐代塔基遗址及龙神祠。其中大雄宝殿、观音阁、莲花洞等为明代建筑，其余为清代建筑。寺院塔林共有 10 座灵塔，5 座保存较完整，其中 2 座元塔，3 座明塔。另外，还有唐李存孝将军墓及若干古树名木。现存建筑格局保存较为完整。保存的明代悬塑和唐代地宫出土文物具有很高的历史文化价值。2013 年被国务院公布为第七批全国重点文物保护单位。通 329 路公交车。

50-B-a024 **天龙山石窟**［Tiānlóngshān Shíkū］位于山西省太原市西南 40 公里处天龙山腰。始凿于北朝时期的东魏，北齐、隋、唐历代开凿，现存石窟 25 洞，分列于东西两峰山崖间。其中唐代石窟最多，共 15 洞。洞窟自东而西排列，东峰分上下两层，上层 4 窟，下层 8 窟，第一窟面东而设；西峰 13 窟，11 窟面东，19、20 窟面西，其余洞窟皆坐北朝南。石窟平面大多为方形，三壁三龛式石窟占到全部石窟的一半以上。石窟共分四期开凿。石窟有许多早期建筑实物资料，如束莲式圆形或八角形柱、束莲式覆盆式柱础、人字和一斗三升等。其高超的雕造技法是石窟这种外来艺术逐渐中国化的典型实例，尤其是用圆雕技法雕出的造像，既具有印度佛像高雅、柔和的特点，又具有中国传统雕刻所固有的清新韵律和线条。2001 年被国务院公布为第五批全国重点文物保护单位。通 Y1 路公交车。

50-B-a025 **童子寺遗址**［Tóngzǐ Sì Yízhǐ］位于山西省太原市晋源区西镇村。是北朝至唐代著名的佛教寺院，创建于北齐天保七年（556 年）。童子寺遗址坐西朝东，分为南北两个部分：北部为佛阁区，南部为寺院区，寺院西面和北面为自然山体，崖壁上开凿有 5 个石窟。历年出土的遗物有石造像共有 50 余件，有佛头、菩萨头、佛耳残块、千佛等。建筑构件主要有莲花瓦当、兽面瓦当等。遗址的发掘对于研究这一时期寺院的形制布局以及佛教史都具有重要意义。2019 年被国务院公布为第八批全国重点文物保护单位。通 329 路公交车。

50-B-a026 **狐突庙**［Hútū Miào］位于山西省太原市清徐县西马峪村。为纪念春秋时晋国大夫狐突而建。始建于金明昌元年（公元 1190 年），庙址坐北朝南，由两进院落组成。现存献殿、正殿与碑廊等建筑，占地面积 1875 平方米。献殿面宽七间，进深六椽，单檐硬山顶，殿之明间辟板门，余间皆装直棂窗。殿内山墙绘壁画 60 余平方米，内容为利应侯布雨、回宫图。正殿面宽三间，进深四椽，明嘉靖年间扩建为前后二室，前为朝堂，后为寝宫。殿内现存元代彩塑 8 尊，狐突夫妇像高 2 米端坐中央，两侧为侍女像 6 尊，高 1 米。前檐明间悬“三晋名臣”横匾一方。左有配殿，内各塑黑白龙王夫妇坐像。献殿及两侧碑廊共存历代石碑 18 通，详细记载了狐突事迹及狐突庙建制沿革。2006 被国务院公布为第六批全国重点文物保护单位。通清徐 218 路、清徐 202 路公交车。

50-B-a027 **清徐尧庙**［Qīngxú Yáo Miào］位于山西省太原市清徐县孟封镇尧城村。创建年代不详，重建于金天会三年（1125 年），元至正年间重建，明、清屡有修葺。寺庙坐北朝南，占地面积约 4200 平方米。现存建筑帝尧殿为明代遗构，余皆为清代建筑。分为东、西两条轴线。东轴线仅存帝尧殿；西轴线由南至北有倒座戏台、娘娘殿，东西两侧分别为四星楼、狐仙楼。帝尧殿，亦称无梁殿，建于砖砌方形台基之上，通高约 12.4 米。殿内无柱，用檩、枋、斗栱构架叠置三层，底层、中层为正方形，上层为斗栱密布的八角形藻井，顶绘道教八卦阴阳图案。建筑保存较好，帝尧殿建筑形制独具特色，具有较高的历史价值。2013 年被国务院公布为第七批全国重点文物保护单位。乡村道路经此。

50-B-a028 **清源文庙**［Qīngyuán Wén Miào］位于山西省太原市清徐县东湖街道办事处迎宪村。始建于金泰和三年（1203 年），元、明、清均有修葺。占地面积 7000 平方米。庙坐北朝南，三进院落。大成殿为金泰和三年遗物。中轴线依次为棂星门、状元桥、泮池、戟门、大成殿。左右各置配殿七间，厢房各五间。大成殿面宽、进深各三间，单檐歇山顶，结构规整，殿顶琉璃剪边，前有月台。明伦堂及东西厢房不存。文庙大成殿是珍贵的早期建筑遗构，在金代建筑遗存中具有一定的代表性。2006 年被国务院公布为第六批全国重点文物保护单位。通清徐 10 路公交车。

50-B-a029 **不二寺**［Bùèr Sì］原位于山西省太原市阳曲县北留乡小直峪村。1989 年将大雄宝殿迁至县城首邑西路。大雄宝殿，始建于北汉乾九年（956 年），现为金明昌六年（1195 年）建筑。坐北朝南，面阔进深各三间，平面近正方形，建筑面积 147.6 平方米。单檐悬山顶，出檐有廊，殿前檐置五铺作斗拱。殿内释迦牟尼、弟子、菩萨等明代泥塑 9 尊，保存完好，其下佛台砖雕精美；两侧山墙存壁画 80 平方米。现存元至元三十年（1293 年）敕赐不二禅院碑一通。院内存塔两座，一为六角六面三层十一节石雕塔，高 3.8 米；另为八角五级砖塔，高 6 米。三圣殿、元代祖师塔、明代幢式塔，共计 3 座文物建筑。2006 年被国务院公布为第六批全国重点文物保护单位。通 904 路公交车。

50-B-a030 **前斧柯悬泉寺**［Qiánfǔkē Xuánquán Sì］位于山西省太原市阳曲县西凌井乡前斧柯村。建筑依崖壁而建，总长 150 余米，原为明朝晋王府的家庙，后改为寺院，现存建筑占地面积 241 平方米。悬泉寺自西向东依次为山门、钟鼓楼、伽蓝殿、大雄宝殿、地藏殿、三圣殿、观音堂、斋堂、七佛洞、龙王殿等，其中大雄宝殿、地藏殿、观音堂及七佛洞为明清遗构，其余为后期增建。大雄宝殿面宽三间，进深六椽，单檐歇山顶，檐下三踩单翘斗栱。寺庙布局别具特色，保存了明代以来的古建筑及明代塑像，具有较高历史和艺术价值。2013 年被国务院公布为第七批全国重点文物保护单位。乡村道路经此。

50-B-a031 **帖木儿塔**［Tiěmùér Tǎ］位于山西省太原市阳曲县杨兴乡史家庄村。由三座塔组成，中为石塔，东西为砖塔，呈三角形布局，东西塔相距 14 米，石塔距东西塔约 9 米，为元代帖木儿家族墓塔。中塔为史公仲显墓塔，是元大德九年（1305 年）也先帖木儿为纪念其父所建的石塔，高 3 米。塔基由八边形石座与圆形仰莲台组成，塔平面呈八边形，每面镌刻先祖姓名及《佛顶尊胜陀罗尼经》，顶部为八角攒尖式，上承仰莲座及宝瓶式塔刹。东塔为也先帖木儿墓塔，建于元至正十年（1350 年），西塔为也先帖木儿之弟拜延帖木儿墓塔，建于元至正十三年(1353 年)。两塔形制相同，平面均为八角形，三层楼阁式砖塔，高约 6.5 米。塔身各层均叠涩出檐，檐下施砖雕仿木斗栱，为四铺作单杪，二、三层施平座，塔顶为八角攒尖式，上施山花蕉叶及宝瓶塔刹。二层正面镶嵌建塔碑碣，上有墓主人及建塔题记。帖木儿塔保存完好并有确切纪年，是研究元代历史人物及建筑史重要的实物资料。2013 年被国务院公布为第七批全国重点文物保护单位。乡村道路经此。

50-B-a032 **辛庄开化寺**［Xīnzhuāng Kāihuà Sì］位于山西省太原市阳曲县高村乡辛庄村。始建年代不详，据庙内碑文记载，金皇统年间移建此处，明嘉靖年间（1522 年—1566 年）重修。坐北朝南，原为二进院落布局，现存一进，占地面积 365 平方米。开化寺中轴线上建有过殿、正殿，两侧有东、西配殿。过殿面宽三间，进深四椽，单檐歇山顶。正殿面宽三间，进深六椽，悬山筒瓦覆顶，檐下施五踩双昂斗栱，各间平身科均为两攒，檐柱施覆莲柱础。西配殿面宽四间，素瓦悬山顶，三踩单昂斗栱，前檐角柱为六角石柱。保存了明代以来的古建筑及明代塑像，具有较高历史和艺术价值。过殿、正殿、东西配殿，共计 4 座文物建筑。2013 年被国务院公布为第七批全国重点文物保护单位。通阳曲 2 路公交车。

50-B-a033 **阳曲大王庙大殿**［Yángqū Dàwáng Miào Dàdiàn］位于山西省太原市阳曲县东黄水镇范庄村。为盂县藏山神赵武之行宫。坐北朝南，占地面积 184 平方米。始建于明成化三年（1467 年）。庙内仅存大殿为明代遗构。大殿面宽三间，进深七架，单檐歇山顶。檐柱和角柱有侧脚，柱头有卷刹。明间设隔扇门，两次间置直棂窗。檐下斗栱五踩单翘单昂，外拽厢栱抹斜，平身科逐间各一攒。殿内不设柱，四角设抹角梁形成井架结构，承托山面与屋顶结构。殿内后方通宽设有供台，两山墙及后墙面绘大王出行、回宫图、尚膳、尚服等壁画 65 平方米。殿内存有明崇祯九年（1636 年）石幢 1 通、清康熙二十六年（1687 年）重修大王庙碑 1 通，及其他断碑、石幢等残件。大殿结构严谨，构筑巧妙，反映了明代建筑特征，具有较重要的历史价值。2013 年被国务院公布为第七批全国重点文物保护单位。省道阳平线经此。

50-B-a034 **阳曲轩辕庙**［Yángqū Xuānyuán Miào］位于山西省太原市阳曲县东黄水镇西殿村。为纪念中华始祖轩辕黄帝而建，创建年代不详。坐北朝南，二进院落布局，中轴线上建有戏台（兼作山门）、过殿、正殿，两侧为耳殿、配殿。庙院整体布局基本完整。正殿为明代建筑，其余建筑为清代建筑。基本保留了明清时期的寺院布局与建筑风格，文物建筑与附属文物真实性、完整性较好。正殿梁架、斗栱和柱与柱础等时代特征明显，是本地区明代建筑的代表作。戏台、献殿、正殿，东厢房、东西配殿、西耳房，共计 7 座文物建筑。2019 年被国务院公布为第八批全国重点文物保护单位。省道阳平线经此。

50-B-a035 **高君宇故居**［Gāojūnyǔ Gùjū］位于山西省太原市娄烦县静游镇峰岭底村。高君宇为中国共产党创始人和早期领导人之一，是中国共产党最早的 56 名党员之一。故居依山而建，坐北朝南，分东西两院。为窑洞式建筑，村民称“高家大院”。为纪念高君宇，教育后人，1995 年拨专款对故居进行了维修，现已辟为山西省爱国主义教育基地。2019 年被国务院公布为第八批全国重点文物保护单位。241 国道经此。

50-B-a036 **娄烦古城遗址**［Lóufán Gǔchéng Yízhǐ］位于山西省太原市娄烦县马家庄乡新城村。20 世纪 70 至 80 年代，遗址内曾出土大量陶器、青铜兵器等文物。古城遗址现残存城墙呈“Π”形，周长约 3500 米，总面积约 24 万平方米。城墙由版筑而成，层次明显，夯层约 0.12 米。残存的南城墙被南川河冲刷成东西两段，西段城墙残长 53 米，宽 3—5 米，高 6 米。东段城墙长约 1000 余米，宽 3—5 米，高约 4—11 米。南、北、西三面城墙外发现有护城河遗迹。城内出土器物有：陶盆、陶罐、陶鼎、青铜剑、戈、箭镞、马骨和被射入箭头的人头盖骨等。是一处内涵丰富的古代城址，对于研究春秋战国时期的城池建筑和布局特色具有重要意义，是我国古代北方少数民族与中原文化融合统一的重要例证。2013 年被国务院公布为第七批全国重点文物保护单位。省道岗马线经此。

50-B-a037 **古交千佛寺**［Gǔjiāo Qiānfó Sì］原位于山西省太原市古交市桃园街道。创自唐代，明末寺庙大部毁于战乱兵火。因殿内有千余尊石刻佛像而得名。1992 年因城市建设，搬迁至金牛东大街杨家坡。坐南朝北，一进院落，占地面积约 2500 平方米。中轴线上由北至南有天王殿和大殿，两侧为钟、鼓楼，耳殿、配殿。大殿面宽三间，进深七架，单檐悬山顶。外檐柱头施七踩三昂斗栱，横栱抹斜。明间平身科斗栱出斜昂；次间平身科一攒，形同柱头科；角柱斗栱也出斜昂。殿内后墙嵌有石雕佛像图 79 幅，雕刻小佛像 1016 尊。正殿后壁上的千尊石雕小佛是太原地区保存最完整并具有地方特色的石雕作品，具有较重要的历史价值。2013 年被国务院公布为第七批全国重点文物保护单位。通古交 1 路公交车。

50-B-a038 **古交遗址**［Gǔjiāo Yízhǐ］位于山西省太原市古交市市区西南约 1 千米后梁。分为王家沟、后梁和古钢，分布在东起古交镇、西至屯村、北到西曲、南达李家社的南北长约 7 千米、东西宽约 4 千米的范围内。遗址于 1959 年发现，1980 年、1983 年、1989 年、1990 年，山西省考古研究所等单位又陆续发现了王家沟等 5 处旧石器地点和一处石器制造场。共发现石制品近 700 件。原料有角页岩、砂岩、脉石英、石英岩等，种类有石核、石片、砍砸器、刮削器、尖状器和石锤等。地质年代为中更新世晚期。后梁发现石制品 459 件，砍砸器器形颇具地方特色。古钢发现石制品最典型的器物是三棱大尖状器。古交石制品类型有石核、石片、砍砸器、刮削器、尖状器等。器形普遍硕大，打制风格粗犷。其中 1 件石核长、宽、厚分别为 51、45、14 厘米，重 21500 克，是目前山西石核类中最大的 1 件。打制石器的发现，不仅丰富了汾河流域的旧石器文化内涵，而且填补了代表旧石器时代中期的丁村文化和代表新石器时代早期的鹅毛口文化之间大型打制石器的空白。2013 年被国务院公布为第七批全国重点文物保护单位。通古交 5 路公交车。

大同市

50-B-a039 **方山永固陵遗址**［Fāngshān Yǒnggùlíng Yízhǐ］位于山西省大同市城北 30 公里处的方山（今寺儿梁山）。是北魏文成帝拓跋睿之妻文明皇后冯氏的陵墓，太和五年（481 年）开始营建，十四年（490 年）入葬。墓室置于封土堆的中心，坐北朝南，为砖砌多室墓，由墓道、前室、甬道和后室四部分组成，南北总长 17.6 米，前室平面呈梯形，拱形顶，以甬道与后室相连。甬道前后各有一道大型石券门，制作工整细致，由拱尖门楣、门柱、门槛、虎头门墩、石门五部分组成。规模十分宏大，其附属建筑还有永固堂、斋堂、石阙、月寺、方山石窟、灵泉殿、灵泉池及御路等。2001 年被国务院公布为第五批全国重点文物保护单位。乡村道路经此。

50-B-a040 **山西省立第三中学**［Shānxī Shěnglì Dìsān Zhōngxué］位于山西省大同市西郊西岩山下的五周川。学校前身是始建于清光绪三十一年（1905 年）的“大同中学堂”，此后校址校名几经变迁，1972 年改为“大同师范学校”一直沿用至今。坐北朝南，校门由八根方形砖柱组合而成，形成正门和侧门。学校大礼堂富丽堂皇，其平面布局构图俨然一头头朝北方的巨型卧象。礼堂后面是 12 个独立的教室，位于校园中央，南北各 4 个，东西各 2 个，形成一个方阵。既保留了传统的建筑风格，又吸收了西洋建筑的特色。2006 年被国务院公布为第五批全国重点文物保护单位。通 6 路公交车。

50-B-a041 **大同鼓楼**［Dàtóng Gǔlóu］位于山西省大同市平城区大南街。始建于明朝，清代有重修。是三层出檐十字歇山顶的过街楼阁式建筑，平面近似方形，面阔、进深各三间，是明代楼阁式建筑的典型代表。底层用青石砌成四角，十字穿心辟门，以通车马行人。西北壁有木制楼梯，可升至二三层。一二层廊檐下置一斗二升交麻叶拱，三层檐下斗拱为单翘三踩，每层当心间均置三攒两次间。二三层楼阁均为满面门窗，周置回廊，外设凭栏。其是山西乃至全国保存较为完好，规模较大的明清鼓楼。2019 年被国务院公布为第八批全国重点文物保护单位名单。通 35 路公交车。

50-B-a042 **大同关帝庙大殿**［Dàtóng Guāndì Miào Dàdiàn］位于山西省大同市平城区鼓楼东街。始建年代不详，据记载，明代修建，清代增修。现仅存大殿为元代建筑，大殿前抱厦为清代增建。大殿平面呈方形，面阔三间，进深三间，单檐歇山顶，琉璃筒板瓦屋面。檐下柱头斗栱五铺作单杪单下昂，重栱计心造，柱头略有卷杀，檐柱侧脚明显。殿内顶部有平藻井，内柱为盘龙彩绘，各间均设木质重檐神龛，檐下密布斗栱。大殿的结构、装饰手法等具有鲜明的地方特色，为研究元代建筑及关帝文化提供了实物例证。2013 年被国务院公布为第七批全国重点文物保护单位。通 38 路公交车。

50-B-a043 **大同观音堂**［Dàtóng Guānyīn Táng］位于山西省大同市云冈区小站村。始建于辽重熙六年（1037 年），后毁于战火，清顺治八年（1651 年）重建，其后屡有修葺。大同观音堂坐北朝南，三进院落布局，沿中轴线建有戏台、腰门、观音殿、三真殿，两侧建钟楼、鼓楼、碑亭和山门等。观音殿面阔三间，前出抱厦，殿内保存有辽代塑像及清代壁画。三真殿楼高两层，一层为三孔窑洞，二层建面宽三间双坡硬山顶建筑。山门位于寺庙东南角，对面有琉璃三龙壁。大同观音堂建筑布局小巧别致，是研究晋北地区清代建筑的重要实物资料。2013 年，大同观音殿被国务院公布为第七批全国重点文物保护单位。通 3、10 路公交车。

50-B-a044 **大同九龙壁**［Dàtóng Jiǔlóngbì］位于山西省大同市平城区和阳街。据记载，创建于明洪武二十五年（1392 年），是明太祖朱元璋第十三子朱桂代王府前单面五彩琉璃照壁。九龙壁坐南朝北，使用黄、绿、蓝、紫、黑、白等色琉璃构件拼砌而成。壁体由三部分组成：底部为须弥座，中部为壁身，上部为壁顶。须弥座的束腰镶有两层琉璃神兽：第一层是麒麟、狮子、猛虎、梅鹿、飞马等；第二层是行龙，姿态各异，栩栩如生。壁身之上有仿木结构的琉璃斗六十二组，承托琉璃瓦顶。九条龙均为高浮雕制作，蜿蜒曲折突兀于壁上，大大增强了立体感。2001 年被国务院公布为第五批全国重点文物保护单位。通 35 路公交车。

50-B-a045 **华严寺**［Huáyán Sì］位于山西省大同市平城区下寺坡街。辽清宁八年（1062 年）建华严寺，后历经沧桑，清代几经修缮，始成今日之规模。寺内建筑依东西轴线布局，上寺以大雄宝殿为中心，分为两院，有山门、过殿、观音阁、地藏阁及两厢廊庑。下寺以薄伽教藏殿为中心，有辽代塑像、石经幢、楼阁式藏经橱和天宫楼阁等。大雄宝殿正脊上的琉璃鸱吻规模甚大，由八块琉璃构件组成，北吻系金代原物，南吻系清代补制，亦是我国古建筑最大的琉璃吻兽。殿内一座仿明代大同城乾楼制作的木构模型，是研究大同城明代古楼建筑的重要实物资料。薄伽教藏殿是下华严寺的藏经殿，殿顶举折平缓，出檐深远，檐柱升起显著，犹存唐代遗风。后檐明间与门楣之上制成拱桥与天宫楼阁，两侧壁藏浑然一体，是全国唯一保存完好的辽代壁藏。壁内佛坛上，满布辽代塑像 31 尊，为我国辽代彩塑艺术的珍品。华严寺集中了辽金建筑、小木作天宫楼阁、彩塑、壁画等各类文物，均为同类作品中的上乘，在中国建筑史、宗教史和艺术史研究中均占有重要地位。1961 年被国务院公布为第一批全国重点文物保护单位。通 38 路公交车。

50-B-a046 **平城兴国寺**［Píngchéng Xìngguó Sì］位于山西省大同市平城区兴国寺街。建于明万历二十三年（1595 年）；清康熙六年（1667 年），总兵彭有德、兵备道曹溶、知府高光拱重修；清康熙六年（1667 年）重修。寺坐西朝东，现仅存正殿。正殿分上下两层，下层为砖券窑洞三孔，外券为仿木结构建筑形式，檐下砌斗栱作装饰，窑前设有长廊；上层为木结构，面阔三间，进深两间，殿顶为重檐九脊歇山顶。2019 年被国务院公布为第八批全国重点文物保护单位。通 15 路公交车。

50-B-a047　**平城遗址**［Píngchéng Yízhǐ］位于山西省大同市平城区。魏王拓跋珪称帝，定都平城，模仿邺城、洛阳、长安而建。平城遗址北依方山，外靠长城。城分宫城、外城和廓城三部分：廓城周16公里，残存着一道夯土墙，为北魏初年所筑的鹿苑墙；宫城内外建有天文殿、天华殿、紫极殿、东宫、西宫、万寿宫等宫殿楼台大型建筑60多座。城北方山一带为文成明皇后冯氏营建的永固陵、永固石室、思远灵园、斋堂、石阙、灵泉殿、灵泉池以及石窟寺、御路等在内的庞大陵园；城南一带有墓葬区。1988年被国务院公布为第三批全国重点文物保护单位。通2、26路公交车。

50-B-a048　**沙岭墓群**［Shālǐng Mùqún］位于山西省大同市平城区水泊寺乡沙岭村。其为北魏时期墓群，在已发掘的壁画墓坐东朝西，为长斜坡墓道砖构单室墓，壁画布满了墓室四壁和甬道的顶、侧部。其表现手法是用红线起稿大体定位，再以黑线勾画整体轮廓后定稿，然后进行涂色。壁画主要有红、蓝、黑、三种色彩，内容主要有车马出行图、男女主人端坐图、宴饮图、武士图和伏羲女娲神话图以及造型各异的神兽图。墓中精美的壁画为研究我国民族风情、丧葬习俗、服饰装备等提供了宝贵的图像资料，填补了汉唐考古壁画没有北魏时期定型材料的空缺。2019年被国务院公布为第八批全国重点文物保护单位。通61路公交车。

50-B-a049　**善化寺**［Shànhuà Sì］位于山西省大同市平城区南寺街。始建于唐开元年间，辽末大部分毁于兵火，金重建，明更今名。其主要建筑依中轴线为天王殿、三圣殿、大雄宝殿，层层叠高；东有文殊阁（已毁），西为普贤阁。天王殿、三圣殿、大雄宝殿、普贤阁均为辽金时期原构，天王殿是我国现存金代时期最大的山门；三圣殿位于寺内中部，殿内两侧有金碑2通，是南宋使金通问副使朱弁所撰，文字优美，书法苍劲古朴；大雄宝殿是寺内主殿，殿内梁架为彻上露明造，正中有平藻井两间，雕刻精湛，其形制、手法属典型辽代形制。1961年被国务院公布为第一批全国重点文物保护单位。通35路公交车。

50-B-a050　**禅房寺塔**［Chánfáng Sì Tǎ］位于山西省大同市云冈区鸦儿崖乡。因其为丈峰顶上砖塔系禅房寺的一部分，故名禅房寺砖塔。塔为六角七级，塔座为须弥座，最上雕有莲瓣，再上面为束腰，雕有莲花、牡丹、童子等。六角各雕勇猛威武的力士，上枋每面各镌刻有一佛二菩萨的浮雕一幅、莲珠束腰两层。塔座以上是仿木结构的砖砌塔身，塔身斗、角均为磨砖镶砌。第二层塔壁每面各设门式小窗或四棂小窗，以上各层结构相同，每层逐渐向里迭收。禅房寺塔造型美观，稳健大方，整个雕刻粗犷简练而富有变化。2006年被国务院公布为第六批全国重点文物保护单位。乡村道路经此。

50-B-a051　**大同煤矿万人坑**［Dàtóng Méikuàng Wànrénkēng］位于山西省大同市云冈区同泉西路。1937年10月，日本帝国主义侵华占领大同煤矿后，野蛮地推行“以人换煤”的血腥政策，疯狂掠夺大同的煤炭资源。大批外地劳工被迫每天干十几个小时的重活，奄奄一息时就被扔到荒郊野外，日积月累便形成了一个个白骨累累的“万人坑”。万人坑位于煤峪口南沟北山坡，分上、下两洞。坑内层层叠叠地堆满了死难矿工的尸体，煤峪南沟是现存最大、最完整的“万人坑”。被确定为“爱国主义教育基地”。2006年被国务院公布为第六批全国重点文物保护单位。通9支路公交车。

50-B-a052　**云冈石窟**［Yúngāng Shíkū］位于山西省大同市云冈区云冈镇吴官屯村。石窟依山开凿，东西绵延1千米。现存主要洞窟53个，大小造像51000余尊，占地面积约40万平方米。按其时代早晚，石窟可分为早、中、晚三期。云冈石窟早期的代表为“昙曜五窟”，开凿时间在和平初年至和平六年（460年—465年）。早期石窟的特征为椭圆形的大像窟，草庐式窟顶。窟形和造像继承了印度、中亚的雕造特征和鲜卑拓跋草原牧场上穹窿顶的毡包形式，造像以道武、明元、太武、景穆、文成五帝为楷模塑刻五尊大佛，巧妙地将北魏佛教中“拜天子即礼”的实用宗教与石窟雕刻结合于一体。中期开凿时间为和平六年至太和十八年（465年—494年），此时为冯太后和孝文帝于平城执政期间，云冈石窟的雕造进入鼎盛阶段。它吸收了龟兹（新疆库车一带）、凉州（甘肃敦煌）石窟的艺术精华，结合中原地区的艺术特征进行了新的融合创造，窟形上出现了佛殿窟和塔庙窟，造像内容丰富多彩，汉化色彩渐趋浓厚。佛、菩萨面相丰瘦适宜，表情温和恬静，褒衣博带式佛装亦在北魏太和十年（486年）以后的造像中出现，从而开启了云冈乃至北方石窟造像中国化的帷幕。太和十八年（494年）北魏迁都洛阳，由留居平城的中、下层官吏和信仰佛教的民间团体开凿的中小型窟龛，如蜂窝般从东到西遍布崖面，这些石窟是云冈晚期石窟的代表，开凿时间为太和十八年至正光五年（494年—524年）。此期流行三壁三重龛行列式洞窟，窟内方整，窟外门楣处雕饰繁缛，佛像面形清瘦，长颈、削肩，均着褒衣博带式服装。是我国三大石窟中以造像气魄雄伟，内容丰富多彩见称。其雕刻艺术继承并发展了秦汉时代的艺术成就，吸收并融合了外来的艺术精华，具有独特的艺术风格，对后来隋唐艺术的发展产生了深远的影响，是北魏时期雕刻艺术的代表作，在我国艺术史上占有重要地位。1961年被国务院公布为第一批全国重点文物保护单位。通3、12路公交车。

50-B-a053 **古城堡汉墓**［Gǔchéngbǎo Hànmù］位于山西省大同市阳高县古城镇。古城堡墓群为汉代墓群，共发现58座，以许家窑、靳家洼、单家窑、安家皂一带墓冢较为集中。1941年9月，日本人开始在古城堡汉墓群发掘，先后两次共清理了六座墓葬。1943年，发表了一个简单的报告，介绍了发掘其中三座墓的情况。三座汉墓均为三椁墓，有墓道、天井、开井，上面用方木垒框。随葬器物非常丰富，有铜器、陶器、漆器、铜镜、麻布、靴、砚、罗、缯、印章、小型车马器模型等。从墓葬形制以及随葬器物来看，阳高古城汉墓群应为西汉早期墓葬。2006年被国务院公布为第六批全国重点文物保护单位。乡村道路经此。

50-B-a054 **许家窑遗址**［Xǔjiāyáo Yízhǐ］位于山西省大同市天镇县许家窑村。它是一处旧石器时代中期遗址，1974年首次发现，1976年开始先后对其进行了三次大规模的发掘。遗址内出土有人类化石20余件，石制品万余件以及大量的骨角器和哺乳动物化石。石器具有华北地区小石器文化传统，以石球数量众多为其特色。是旧石器文化的标尺性地点，它的发现弥补了旧石器时代早期“北京人”与旧石器时代晚期“峙峪人”之间的空白，对于研究中国古人类的迁徙、进化等方面具有重要的意义。1996年被国务院公布为第四批全国重点文物保护单位。512国道经此。

50-B-a055 **云林寺**［Yúnlín Sì］位于山西省大同市阳高县新华南街。其俗称“西大寺”，始建于明代，清代曾进行过修葺，现仅存大雄宝殿。大雄宝殿面阔五间，进深四间，殿内使用“移柱法”和“减柱法”，突出了佛坛的位置。内塑三世佛，身后有背光悬浮着人物、鬼神等，佛坛至背光高达九米。殿内现存明代壁画1000多平方米，后墙绘有诸佛、菩萨、十八明王。塑三世佛的后壁绘有观音、文殊、普贤菩萨，东西两壁是规模宏伟的水陆道场画，共计有123组画像，每组4-7人。2006年被国务院公布为第六批全国重点文物保护单位。通阳高11路公交车。

50-B-a056 **慈云寺**［Cíyún Sì］位于山西省大同市天镇县玉泉镇西大街。原名法花寺，始建于唐代，明宣德三年（1428年）重修。寺坐北朝南，占地面积约5600平方米，主要建筑有山门、金刚殿、大雄宝殿、毗卢殿、钟鼓二楼、观音殿、地藏殿、东西厢房和朵殿。整个建筑群左右对称，高低错落，主次分明，宏伟壮观。前院圆形钟、鼓二楼上下两层皆置五铺作双抄斗，用材较大，手法简练，有明显的元代建筑特征。其圆攒尖顶的建筑特征和风格，在国内现存的元明两代钟鼓楼中极为罕见。毗卢殿内有两座木质壁藏楼阁，是明代小木作中的佳品。2006年被国务院公布为第六批全国重点文物保护单位。通天镇10路公交车。

50-B-a057 **沙梁坡墓群**［Shāliángpō Mùqún］位于山西省大同市天镇县南河堡乡季冯窑村。现存有封士的汉代将士墓43座，大大小小的墓葬散落在沙土坡上。墓葬之间的距离近30多米，远的三五公里，错落有致，形成了规模庞大的墓群。墓葬形式有竖穴洞式墓、木椁墓、土坑墓、砖室墓等，随葬品有铜镜、“五铢”钱、带钩、印章、环首刀、玉饰品、砚台、陶罐、陶壶、陶虎等文物。从出土的文物来看有较大的考古价值，对研究我国的汉代史和汉代文化有重大意义。2006年被国务院公布为第六批全国重点文物保护单位。乡村道路经此。

50-B-a058 **水神堂**［Shuǐshén Táng］位于山西省大同市广灵县壶泉镇。其是丰水神祠和大士庵的合称，因建在壶山上，故又称壶山水神堂。建于清代乾隆年间，光绪二十五年（1899年）曾有修葺。坐北朝南，总平面呈八角形，边长各不相等，呈精巧的几何体。主要建筑有圣母殿、禅房、文昌阁、山门、左右钟鼓楼、配房、老君殿等，塔建在东侧前部，其它建筑围廊环抱。砖塔为水神堂内精华，塔通体用长砖砌筑，由塔座、塔身、塔刹组成。各层平面与高度，自下而上逐层递减缩短，使整个轮廓成为角锥体。砖塔形制玲珑轻盈，砖雕华丽精巧。2006年被国务院公布为第六批全国重点文物保护单位。通广灵2路公交车。

50-B-a059 **觉山寺砖塔**［Juéshān Sì Zhuāntǎ］位于山西省大同市灵丘县红石塄乡觉山村。其又名普照寺，现存砖塔为辽代原构，建于西轴线前院中部，是年代较早的一座密檐式砖塔。塔平面八角形，塔檐十三层，由须弥座、平座、仰莲三部分组成。塔基上各种雕刻十分精致，其余兽面、花卉、菩萨、力士、行龙、人物等，皆采用剔地突起或圆雕手法雕刻而成，造型丰满，刀法流畅洗练，虽为辽制，尚袭唐风。一层塔心室内八面墙壁均有辽代壁画，内容为菩萨、明王、飞天等像，面型、衣饰、手法尚沿袭唐画风格。辽代壁画见于寺观中极少，为研究辽代壁画提供了极其可贵的资料。2001年被国务院公布为第五批全国重点文物保护单位。336国道经此。

50-B-a060 **平型关战役遗址**［Píngxíngguān Zhànyì Yízhǐ］位于山西省大同市灵丘县白崖台乡白崖台村。平型关古名瓶形寨，是一条狭长的古道，为明代内长城关隘，地势险要，为兵家必争之地。抗日战争爆发后，侵华日军占据平、津后，继而向山西平型关、雁门关一线进攻，企图进取太原。八路军三个团设伏于平型关东北狭谷古道两侧崖顶，发起猛烈攻击，抢占有利地形，将日军分割包围，缴获大量武器弹药和军用物资。遗址内保存有一一五师指挥所、林彪、聂荣臻住所窑洞及平型关战役指挥所在地等革命遗址及革命纪念建筑物。1969年在此建立了平型关战役纪念馆。1961年被国务院公布为第一批全国重点文物保护单位。乡村道路经此。

50-B-a061 **曲回寺石像冢**［Qǔhuí Sì Shíxiàng Zhǒng］位于山西省大同市灵丘县三楼乡曲回寺村。其是一处珍贵的唐代石雕组群遗址，1980年文物普查时发现石像冢群遗址。1999年，山西省考古研究所发掘了3座，每座石像冢外形呈土石墓状，内石佛按1–2层封藏。佛像多少不一，少则30尊，多则50尊；佛像大小不等，最高5米，小者不足0.3米；有圆雕、半圆雕、浮雕，坐立不同，形态各异。这些石佛都用当地“贵妃红”或“芝麻白”花岗石雕刻而成，质地坚硬，保存完好。2001年被国务院公布为第五批全国重点文物保护单位。108国道经此。

50-B-a062 **浑源文庙**［Húnyuán Wén Miào］位于山西省大同市浑源县永安镇永安西街。据清乾隆版《州志》记载，文庙始建于辽，历代均有增葺，现存建筑为明清遗构。沿中轴线自南至北依次是大成坊、泮池泮桥、戟门、大成殿、明伦堂、敬一亭、尊经阁、崇圣祠，两侧有东西廊庑等。大成殿面宽五间，进深三间，单檐庑殿顶，檐下施三踩单昂斗栱，前后檐均施平身科两攒，角科有鸳鸯交手栱。为扩大殿内空间，采用了减柱造和移柱造，梁架为六架梁对单步梁。格局完整，规模宏大，大成殿保留有金元时期的构造特征，具有较高的价值。2013年被国务院公布为第六批全国重点文物保护单位。通浑源1路、浑源3路公交车。

50-B-a063 **浑源永安寺**［Húnyuán Yǒng'ān Sì］位于山西省大同市浑源县永安镇永安西街。始建于金代，后毁于火。元朝初年，永安军节度使高定邀归云禅师主持捐资重建，因高定官职是永安军节度使，归里后又号永安居士，得名“永安寺”。现存建筑传法正宗殿为元代遗构，余皆为明清所建。寺院坐北朝南，中轴线由南向北依次是山门、护法天王殿、传法正宗殿、两侧为东西垛殿、东西配殿。大殿内四壁满绘重彩工笔水陆画一堂，共17平方米，共绘各种人像882个，儒、释、道汇合一壁，集我国宗教各派中神祇之大成。2001年被国务院公布为第五批全国重点文物保护单位。通浑源1路、浑源3路公交车。

50-B-a064 **浑源圆觉寺塔** [Húnyuán Yuánjué Sì Tǎ] 位于山西省大同市浑源县永安镇永安西街。据记载，砖塔建于金代，明、清均有修葺。寺庙坐北朝南，寺内仅存砖塔。八角九级密檐式砖塔，全称为圆觉寺释迦舍利塔，由塔基、塔身、塔顶三部分组成。塔基砖砌须弥座，门及门柱子周雕荷花、牡丹、狮子等图案。塔身共有九层，塔体内部辟八边形塔心室，壁上为仿木构四铺作斗栱并承圆形天花藻井，藻井上绘制神灵佛祖。塔内壁绘有佛教人物壁画，斗栱及普拍枋上遍绘写生花，样式古朴。浑源圆觉寺塔造型古朴，砖雕、彩画等十分精美，具有重要的历史和艺术价值。2013年被国务院公布为第七批全国重点文物保护单位。通浑源1路、浑源3路公交车。

50-B-a065 **荆庄大云寺大雄宝殿** [Jīngzhuāng Dàyún Sì Dàxióng Bǎodiàn] 位于山西省大同市浑源县东坊城乡荆庄村。原名大云禅寺，据清乾隆二十八年（1763年）《浑源县志》载，大云寺的创建年代应在北魏后期，元、明、清均有修葺。寺院原规模宏大，为金代遗构。坐北朝南，共由三进院落组成，现仅存大雄宝殿。大殿面宽三间，进深四椽，单檐歇山顶，筒板瓦屋面。殿前设小型月台，殿内采用减柱造。梁架结构为彻上露明造，四椽通檐用二柱，平梁上用蜀柱、大叉手、合沓、栌斗、脊枋、承托脊。殿内东、西、南三壁存有壁画80余平方米，为明代作品。2001年被国务院公布为第五批全国重点文物保护单位。乡村道路经此。

50-B-a066 **栗毓美墓** [Lìyùměi Mù] 位于山西省大同市浑源县永安镇天峰北路。栗毓美，山西浑源人，是清代一位颇有建树的治河专家，创造了“抛砖筑坝法”。道光二十年（1840年），栗毓美积劳成疾，卒于任上，谥“恭勤”。栗毓美死后，清朝道光皇帝下谕为他在原籍修建了具有一定规模的陵墓。栗家坟砖券大门居中，门首镌刻“栗氏之城”。进入大门，迎面是一座汉白玉牌坊，牌坊前两侧，各有一汉白玉墓表。在墓道两侧，对称地排列着五组十尊石像生。墓室内有民族英雄林则徐为栗公所书的墓志铭。2006年被国务院公布为第六批全国重点文物保护单位。通浑源1路公交车。

50-B-a067 **律吕神祠** [Lǜlǚ Shéncí] 位于山西省大同市浑源县永安镇神溪村。始建于北魏时期，后代多次维修。坐北朝南，现存有大殿、山门、五龙影壁及钟鼓楼。根据现状推测，大殿应为元代建筑，其他建筑时代较晚。大殿面阔三间，进深六椽，单檐歇山顶，筒板瓦屋面。大殿在山墙使用减柱做法，本应为四柱三间，只用了三柱，变成二间。殿内墙面保存有壁画，梁架上保留有彩画。建筑格局较完整，大殿基本保存元代建筑的特征，特别是殿内的壁画甚为珍贵，具有较高的历史价值。2013年被国务院公布为第七批全国重点文物保护单位。乡村道路经此。

50-B-a068 **悬空寺** [Xuánkōng Sì] 位于山西省大同市浑源县大磁窑镇大磁窑村。始建于北魏晚期，后经历代重修，现存建筑皆明清遗构。全寺建筑悬挂在恒山之麓的峭壁上，建筑悬梁下面以几根碗口粗的木柱支承。每层以壁间中插木梁为基，梁柱上下一体，楼阁间设有栈道相连。悬空寺共分三组：第一组建筑以三官殿为主体，奉祀道教；中间一组建筑是以三圣殿为主体，殿内供奉佛教造像；最后一组建筑是以三教殿为主，奉儒、释、道三教之祖。悬空寺内铜铸、铁铸、泥塑、石雕等大小儒、道、佛像78尊和各种碑刻题咏。1982年被国务院公布为第二批全国重点文物保护单位。239国道经此。

阳泉市

50-B-a069 **关王庙** [Guānwáng Miào] 位于山西省阳泉市郊区荫营镇林里村。始建于北宋熙宁五年（1072），宋宣和四年（1122年）重修，元、明、清历代修葺、扩建。庙坐西南朝东北，随山势而筑。宽约45米，长约90米，占地面积4050平方米。中轴线上从前至后分为外院、下院、上院三部分，由低而高层叠而进。其主要建筑外院有乐楼、牌楼；下院有马殿（山门）、钟、鼓二楼，东西有配殿三间；自下院甬道可达上院，上院中轴线上有山门、献殿、正殿（关帝殿）。庙内建筑唯有上院正殿保存完整，配殿仅存北侧一厦。庙内现存经幢两块，元天历元年（1328年）残碑一通、明碑碣两块、清碑四通，为研究庙的历史沿革提供了宝贵资料。1996年被国务院公布为第四批全国重点文物保护单位。307国道经此。

50-B-a070 **冠山书院**［Guànshān Shūyuàn］位于山西省阳泉市平定县冠山镇后沟村。创建年代不详，据碑文记载，元至顺年间左丞相吕思诚重修并扩建，明、清屡有重修。书院依山而建，由资福寺、崇古书院、吕祖文昌阁、夫子洞组成。夫子洞为明代所建，其余三组均为清代建筑。吕祖文昌阁坐东朝西，分上下两层：上层文昌阁，面宽一间，单檐硬山顶；下层吕祖洞，为砖砌窑洞，洞深4米，洞内高3米，宽2米。夫子洞现存3窟，明嘉靖五年（1526年）开凿。是历代培育英才之地，并集儒、释、道于一体，建筑风格相异而又统一，具有较高历史和文化价值。2013年被国务院公布为第七批全国重点文物保护单位。通603路公交车。

50-B-a071 **冠山天宁寺双塔**［Guànshān Tiānníng Sì Shuāngtǎ］位于山西省阳泉市平定县冠山镇南营街。据清光绪《平定州志》记载，天宁寺始建于北宋熙宁年间（1068年—1077年），历经明、清两代多次维修。2005年重修时，在西塔发现了佛骨、舍利子、西塔记事碑等一批重要文物，判定西塔建造年代为北宋至道元年（995年）。双塔塔身每层均设平座，塔从第2层开始收分明显，通高约21米。塔身外壁做仿木构砖雕梁柱，檐下和平座饰有仿木构砖雕斗栱，上下均为五铺作出双杪。具有明确的建造年代，塔身造型及仿木构做法具有重要的历史价值。西塔内出土的佛教文物也具有较重要的历史和文化价值。2013年，冠山天宁寺双塔被国务院公布为第七批全国重点文物保护单位。通18路公交车。

50-B-a072 **开河寺石窟**［Kāihé Sì Shíkū］位于山西省阳泉市平定县岩会乡乱流村。开凿于东魏至隋初，约在清末遭到破坏，几乎所有头像均被凿毁。开河寺石窟规模不大，有3个小型洞窟及8个附龛，摩崖造像1处，题刻18处。由东而西分别为第1-3窟，分别开凿于东魏武定五年（547年）至北齐河清二年（563年）。3窟均为三壁三龛式，宽1.2—1.6米，深1.1—1.5米，高1.42—1.72米，共有石刻造像88尊。开河寺石窟是山西中部地区比较重要的石窟寺，雕刻精细，年代明确，为研究东魏至北齐造像样式的演变提供了实物资料。2013年被国务院公布为第七批全国重点文物保护单位。乡村道路经此。

50-B-a073 **平定马齿岩寺**［Píngdìng Mǎchǐ yán Sì］位于山西省阳泉市平定县东回镇马山村。建筑面积126平方米，坐北朝南，内有元代壁画，始建年代不详，因主殿大梁为樱桃木，故又名樱桃寺。金大定二十九年（1189年）补修，明嘉靖年间（1522年—1566年）、万历年间（1573年—1620年）、崇祯四年（1631年）以及清乾隆元年（1736年）屡有重修。现仅存南殿和过殿，其中过殿为金代遗构，南殿为清代遗构。殿前有栽种于清咸丰元年（1851年）的两颗奇松，倾于大殿顶上。2019年被国务院公布为第八批全国重点文物保护单位。乡村道路经此。

50-B-a074 **藏山祠**［Cángshān Cí］位于山西省阳泉市盂县苌池镇。因春秋时期程婴于此藏匿赵氏孤儿而得名。创建年代不详，现存为明清建筑。院落依地势展开布局，坐北朝南，平面呈矩形，东西长，南北短，有东、中、西三路，占地面积约4685平方米。主要建筑设置于中路，分两进，由南至北依次为影壁、牌坊、山门、正殿、献殿、寝殿；两侧分别是钟鼓楼、画廊、厢房、耳殿等附属建筑。格局比较完整，布局灵活，单体建筑风格多样，具有较重要的文物价值。2013年被国务院公布为第七批全国重点文物保护单位。239国道经此。

50-B-a075 **大王庙**［Dàwáng Miào］位于山西省阳泉市盂县西关村。为春秋时晋国上卿赵武之行宫，创建年代不详，元代《重修藏山庙记》有“重建于金，源之于承安五年”的记载。自汉、唐、宋、元历代均有修葺。现存建筑寝宫为金代原构，正殿为明代建筑，余皆清代所建。坐北朝南，南北长 56.48 米，东西宽 62.63 米，总占地面积 3537 平方米。依次排列有照壁、山门（后兼戏台）、正殿、寝宫，山门两侧为钟鼓二楼，碑廊和仪门分立二楼左右。庙内多通石碑镌刻细腻，笔工刚健，技艺精湛。2001 年被国务院公布为第五批全国重点文物保护单位。通盂县 216 路公交车。

50-B-a076 **府君庙** [Fǔjūn Miào] 位于山西省阳泉市盂县上社镇中社北村。创建年代不详，据正殿攀间枋题记，元延祐二年（1315 年）重修，明清时屡有修葺，占地面积 936 平方米。坐北朝南，一进院落，中轴线上建有过殿、正殿；两侧有东西配殿、耳殿。正殿为元代建筑，面阔三间，进深六椽，单檐悬山顶。梁架结构为四椽对前乳用三柱。前檐柱头斗为五铺作双下昂，补间出 45 度斜。后檐斗为四铺作出单抄。四椽下有“大元国延二年”题记。殿内绘有壁画，被白灰覆盖。2006 年被国务院公布为第六批全国重点文物保护单位。239 国道经此。

50-B-a077 **坡头泰山庙** [Pōtóu Tàishān Miào] 位于山西省阳泉市盂县北下庄乡坡头村。始建年代不详，庙内元代经幢记载，元至正七年（1357 年）重建。明天顺、清康熙、民国六年（1917 年）都曾进行过修缮。泰山庙，坐北朝南，占地面积 3240 平方米，三进院落。自南向北中轴线上依次为戏楼（建筑已毁）、石牌坊、山门、正殿、后殿；两侧分别对称布局有钟鼓楼、配楼、耳殿、禅房、关帝殿、奶奶殿等。庙宇前部开阔疏朗，后部紧凑严密，形成了疏密有序，高低错落有致，建筑形制多样，元、明、清各代建筑并存的群组建筑风格。2006 年被国务院公布为第六批全国重点文物保护单位。乡村道路经此。

50-B-a078 **西关三圣寺大殿** [Xīguān Sānshèng Sì Dàdiàn] 位于阳泉市盂县。始建年代不详，现仅存金代正殿 1 座，原为乡政府礼堂，据筒瓦上题记正殿在民国二十一年（1932 年）重修。正殿面阔五间，进深八椽，单檐悬山琉璃剪边筒板布瓦顶。梁架为前后乳栿对四椽栿通檐用四柱，脊部使用双叉手，上金部使用双托脚。正殿梁架双叉手及双托脚的合理构成，由力学上可看成是一个极具稳定性的梯形构架，具有很高的科学价值。正殿的水墨画、行龙图形象逼真，色彩清晰，具有较高的艺术价值。2019 年被国务院公布为第八批全国重点文物保护单位。通盂县 801 路公交车。

50-B-a079 **盂北泰山庙** [Yúběi Tàishān Miào] 位于阳泉市盂县孙家庄镇西盂北村。创建年代不详，据庙内现存石碑记载，该庙曾于清代进行过多次维修。现布局不完整，仅存正殿、戏台、西耳殿和西配殿。其中正殿为元代遗构，西配殿为明代建筑，其余为清代遗构。该庙曾于 2015 年进行整体维修。2019 年被国务院公布为第八批全国重点文物保护单位。乡村道路经此。

长治市

50-B-a080 **关村炎帝庙** [Guāncūn Yándì Miào] 位于山西省长治市潞州区老顶山镇关村。始建年代不详，据庙内碑石记载，清光绪二十年（1894 年）曾进行了维修，历时三年。坐北朝南，现存一进院落。南北长 47.76 米，东西宽 30.26 米，占地面积 1445.22 平方米。现存大殿主体结构为元代建筑，东耳殿为明代建筑，西耳殿、香亭则为清代建筑，其余建筑均为近现代。正殿既有晋东南地区元代建筑的特征，又有其独特性，其东西山墙的壁画、木构件上的彩画及屋顶明代琉璃等，均具有较高的历史价值和艺术价值。2013 年被国务院公布为第七批全国重点文物保护单位。通 13 路公交车。

50-B-a081 **观音堂** [Guānyīn Táng] 位于山西省长治市潞州区大辛庄镇梁家庄村。始建于明朝万历年间。观音堂是以敬奉观世音为主，集儒、释、道教和民间信仰的一座宗教建筑，而且各路神圣都应有尽有，例如观音、罗汉、玉皇大帝、八仙、孔子的七十二贤人等等，这在全国都十分少见。是我国明代时期宗教、思想文化的遗迹和载体，有着较高的历史、科学、艺术价值和深刻的文化内涵。它是明代晚期民间信仰的真实反映，充分体现出儒、释、道在普通人们心目中占有同样的位置。2001 被国务院公布为第五批全国重点文物保护单位。通 15 路公交车。

50-B-a082 **潞安府城隍庙**［Lù'ān Fǔ Chénghuáng Miào］位于山西省长治市大北街。始建于元朝初期，距今已有 780 余年的历史，明清两代曾多次扩建重修。整座建筑元代风格十分浓厚，是全国现存已知的府城隍庙中规模最大、保存最好的。坐北向南，一进三院，南北向中轴线长 408 米，三院占地 6850 平方米。中轴线主要有山门、重楼（玄鉴楼）、戏楼、献亭、中大殿、寝宫等建筑。中殿为元代原构，每年农历四月十五，为传统庙会日，主要祭祀城隍神。2001 年被国务院公布为第五批全国重点文物保护单位。通 6 路公交车。

50-B-a083 **潞安府衙**［Lùān Fǔyá］位于山西省长治市府坡街。又名上党门，建筑恢宏，是长治市的标志性古代建筑之一。从隋开皇年间始建伊始，历经多次重修，《潞安府志》《潞州修建钟鼓楼记》当中均有记载。上党门坐北朝南，门庭与钟、鼓楼平行排列在高峙的台基之上，错落有致，交相辉映，是一处地方衙署中极富民族风格的门庭式建筑。2006 年被国务院公布为第六批全国重点文物保护单位。通 5、14 路公交车。

50-B-a084 **马厂崇教寺**［Mǎchǎng Chóngjiào Sì］位于山西省长治市马厂镇故驿村。据寺内碑文记载，崇教寺原名淋山朝漳禅院，北宋太平兴国九年（984 年），宋太宗赵匡义赐额改为崇教禅院。明、清两代陆续有修葺。坐北朝南，南北长 54 米、东西宽 31 米，占地面积 1674 平方米，为一进院落布局，中轴线上现存山门、正殿，正殿两侧存耳殿。寺内存宋代太平兴国九年（984 年）赐额碑一通和清代乾隆三年（1738 年）的“吉义村崇教寺重修殿宇碑记”碑一通。2013 年被国务院公布为第七批全国重点文物保护单位。309 国道经此。

50-B-a085 **北和炎帝庙**［Běihé Yándì Miào］位于山西省长治市上党区北呈乡北和村。坐北向南，一进院落，占地面积约 800 平方米。相传始建于唐代，元代重建。据庙内现存碑碣记载，清乾隆、道光年间均有修葺。炎帝庙现存正殿、东西耳殿、东西配殿及东厢房。其中正殿为元代建筑，东西耳殿、东西配殿及厢房均为清代所建。格局完整，大殿具有当地元代建筑特征，具有比较重要的历史价值。2013 年被国务院公布为第七批全国重点文物保护单位。通上党区 201 路公交车。

50-B-a086 **上党西岩寺塔**［Shàngdǎng Xīyán Sì Tǎ］位于山西省长治市上党区荫城镇桑梓村。又名丈八寺塔，寺内大殿有石佛立像，高一丈八尺，故寺称丈八寺，塔亦称丈八寺塔。塔身一层西侧镶有清康熙四十四年（1705 年）四月《丈八寺重修塔记》碣一块。从碑中所载及塔的形制来看，塔除基部为清人补修外，余皆唐代原物。丈八寺塔，外观造型及内部结构分析与西安市小雁塔造型相似，确属唐代遗物，对研究上党地区寺院佛塔具有重要的艺术价值。2019 年被国务院公布为第八批全国重点文物保护单位。乡村道路经此。

50-B-a087 **上党长春玉皇庙**［Shàngdǎng Chángchūn Yùhuáng Miào］位于山西省长治市荫城镇长春村。创建年代不详，据观内碑碣记载，明成化九年（1473 年）大修，清康熙五十一年（1712 年），清乾隆三十五年（1770 年）屡有修缮。庙坐北朝南，东西长 31.4 米、南北宽 88.15 米，占地面积 2786.75 平方米，现存正殿为元代遗构，大佛殿为明代遗构，其余皆为清代建筑。2019 年被国务院公布为第八批全国重点文物保护单位。乡村道路经此。

50-B-a088 **长治玉皇观**［Chángzhì Yùhuáng Guān］位于山西省长治市上党区南宋乡南宋村。创建年代无考，据大殿正脊大吻、正门门扇题记，明万历四十一年（1613 年），清乾隆三十八年（1773 年）均有修葺，现存建筑五凤楼和东配殿为元代遗构，余皆为明清所建。坐北朝南，中轴线上依次有山门（五凤楼）、拜厅、后殿；两侧有配殿、钟鼓楼。占地面积 3500 平方米。2006 年被国务院公布为第六批全国重点文物保护单位。乡村道路经此。

50-B-a089 **正觉寺**［Zhèngjué Sì］位于山西省长治市上党区司马乡看寺村。始建于唐大和年间（827 年—835 年），金代重建，元、明时期均予重葺。现存建筑后殿为金代遗构，东西配殿为元代重建，过殿为明代建筑。坐北朝南，南北长 64 米，东西宽 32 米，占地面积 2448 平方米。2001 年被国务院公布为第五批全国重点文物保护单位。乡村道路经此。

50–B–a090 **石室蓬莱宫** [Shíshì Pénglái Gōng] 位于山西省长治市屯留区路村乡石室村。是一座道教宫阙，此宫正名玉皇庙，后因戏楼上屏风额部书“蓬莱宫阙”，周边群众又有“寺底好看楼，石室好戏楼”的说法，故而得名“蓬莱宫”。蓬莱宫主体建筑始建于北魏登国元年（386 年），历代均有修葺、增建，乾隆三十三年（1768 年）、四十年（1775 年）重修，但主要建筑风格未变。宫坐北朝南，占地面积 1210 平方米，有献殿、汪皇殿、角殿共计 28 间，整个建筑规模宏大，做工精巧。2013 年被国务院公布为第七批全国重点文物保护单位。208 国道经此。

50–B–a091 **宝峰寺** [Bǎofēng Sì] 坐落在山西省长治市襄垣县虒亭镇。始建于三国时期，历史悠久，规模宏大、建筑工艺精良、自然景色秀美。佛教传承鼎盛时期，曾受到文人墨客、官宦高僧、历史名流人物的青睐和赏识。东晋著名高僧法显、麻衣祖师法济曾在此出家修行，明代三部尚书刘龙登临宝峰寺留下七首绝句至今为世人传诵。抗日战争时期，宝峰寺被日军烧毁。2004 年 3 月，县委、县政府在原址上依照原貌修复重建，建筑风格和整体布局采用明清风格，重檐歇山，整新如旧，保持原貌。2006 年被国务院公布为第六批全国重点文物保护单位。208 国道经此。

50–B–a092 **先师和尚舍利塔**[Xiānshīhéshàng Shělì Tǎ] 位于山西省长治市屯留区。为方形九层密檐式砖塔。据《屯留区志》记载，金禅寺始建于唐代。方形平面，中空，边长约 2.5 米，高 9 层，塔刹已毁，残高 11.1 米。现塔身上保留有 1945 年上党战役所留下的弹痕，因此也成为上党战役的历史见证物。是山西为数不多的唐代密檐式砖塔，其造型、结构及塔身仿木构砖雕等，对于研究山西古塔发展演变具有重要历史价值。2013 年被国务院公布为第七批全国重点文物保护单位。乡村道路经此。

50–B–a093 **八路军总司令部北村旧址** [Bālù jūn Zǒngsīlìngbù Běicūn Jiùzhǐ] 位于山西省长治市潞城区店上镇北村。1938 年 10 月至 1939 年 7 月八路军开辟华北抗日根据地，朱德总司令由长治市郊区移驻北村，是八路军总司令部东征第一次长期驻扎的地方。老一辈无产阶级革命家，在这里领导和指挥了华北抗日根据地的游击战争，为抗日战争的彻底胜利奠定了坚实的基础。北村旧址现保存 6 个院落，共有房屋 175 间，分别是总部、北方局、膳食科和警卫连、总部军法处、鲁艺驻地，占地面积约 4800 平方米。2006 年被国务院公布为第六批全国重点文物保护单位。通潞城 608 路公交车。

50–B–a094 **东邑龙王庙** [Dōngyì Lóngwáng Miào] 位于山西省长治市潞城区东邑乡东邑村。创建年代不详，金代以后多次重修。现存主要殿宇属明清时期的建筑风格。坐北向南，共为两进院落，南北长 60 米，东西宽 26.2 米，占地面积 1572 平方米。中轴线上有山门、戏楼、正殿，两侧有耳殿、厢房等，共有殿宇 33 间。东邑村从古至今就有二月二在龙王庙举行大型民俗活动的传统。2006 年被国务院公布为第六批全国重点文物保护单位。乡村道路经此。

50–B–a095 **李庄文庙** [Lǐzhuāng Wén Miào] 位于山西省长治市潞城区黄牛蹄乡李庄村。据碑碣记载：创建于金兴定五年（1221 年），元中统四年（1263 年）重修。现存正殿为元代遗构，其余为清代遗构。该庙坐北朝南，南北长 36 米、东西宽 20 米，占地面积 720 平方米。庙内保存有金代石碣一方、元中统四年（1263 年）重修碑一通，另有“皇封碑”一通。正殿是山西省内保存较好的一处元代建筑，为研究山西省的元代寺庙建筑提供了实物资料。2013 年被国务院公布为第七批国家级文物保护单位。省道长李线经此。

50–B–a096 **李庄武庙** [Lǐzhuāng Wǔ Miào] 位于山西省长治市潞城区黄牛蹄乡李庄村。始建年代不详，据庙内光绪二十八年（1902 年）重修碑记及维修大殿时见元至大二年（1309 年）修造题记，应为元代建筑，清道光和光绪年间曾有修葺和增建。武庙现址东西长 57 米，南北宽 22 米，占地面积约 1254 平方米，现存鼓楼为明代遗构，余皆清代遗物。2013 年被国务院公布为第七批全国重点文物保护单位。省道长李线经此。

50-B-a097 **潦河头关帝庙**［Liáohétóu Guāndì Miào］位于山西省长治市潞城区黄牛蹄乡潦河头村。创建年代不详。坐北朝南，一进院落布局，中轴线现存山门、正殿。南北 27.15 米、东西宽 16.8 米，占地面积 456.12 平方米。现存正殿为元代遗构，余皆明、清建筑。正殿面阔三间、进深六椽，梁架为四椽栿对前乳栿通檐用三柱，单檐悬山顶，灰布筒板瓦屋面。檐下设四铺作单下昂计心造铺作，明间劈板门，次间设直棂窗装修。庙内遗存石碑 2 通。一通为明成化十五年（1479 年）碑，碑文模糊不清；一通为清康熙十七年（1678 年）“重修乐楼碑”。2019 年被国务院公布为第八批全国重点文物保护单位。省道长李线经此。

50-B-a098 **原起寺**［Yuánqǐ Sì］位于山西省长治市潞城区下黄乡辛安村。始建于唐天宝六年（747 年），寺院周围有砖砌花栏围墙，院内有佛殿三间，琉璃九脊屋顶，飞檐斗拱，雅致古朴，呈宋代建筑风格。殿前有四根方形石柱撑起一间香亭，前檐石柱上刻“雾迷塔影烟迷寺，暮听钟声夜听潮”。后檐石柱刻“飞阁流丹临极地，层峦耸翠出重霄”。殿西矗立着大圣宝塔，俗称青龙宝塔，建于北宋元祐二年（1087 年），距今已有 900 多年的历史，是一座不可多见的宋代密檐式砖塔。2001 年被国务院公布为第五批全国重点文物保护单位。省道潞林线经此。

50-B-a099 **灵泽王庙**［Língzéwáng Miào］位于山西省长治市襄垣县夏店镇太平村。据前檐金柱题记：为金大安二年（1210 年）创修，清咸丰十一年（1861 年）创建神楼七间。现存正殿为金代遗构，其余为清代遗构。庙坐北朝南，东西长 25.88 米，南北宽 34.67 米，占地面积为 897.3 平方米。现存建筑有大殿、角殿、耳楼、东西配殿、东西廊坊、山门、戏楼、钟鼓楼等。是一座保存完整，集金、明、清各代建筑为一体的建筑群。唐玄宗时，诎祠龙池，设坛官致祭，以祭雨师之仪祭龙王。宋太祖沿用唐代祭五龙之制。2006 年被国务院公布为第六批全国重点文物保护单位。乡村道路经此。

50-B-a100 **襄垣文庙**［Xiānyuán Wén Miào］位于山西省长治市襄垣县古韩镇。据碑碣记载始建于金，元代元贞二年（1296 年）重修。现存正殿（大成殿）为元代遗构。坐北朝南，东西长 22.58 米，南北宽 14.98 米，面积约 338 平方米。正殿面阔三间，进深六椽。殿顶为单檐悬山顶，梁架结构为四椽栿对后乳栿，通檐用三柱，柱头斗拱为六铺做单杪双下昂。前檐门窗新修。殿内山墙存壁画 40 余平方米。正脊琉璃瓦顶，梁架结构简洁明快，用材粗大，明次间五椽栿。2006 年被国务院公布为第六批全国重点文物保护单位。通襄垣 1 路公交车。

50-B-a101 **襄垣五龙庙**［Xiānyuán Wǔlóng Miào］位于山西省长治市襄垣县。其创建年代不详，元朝至正十年（1350 年）重建，明清时期均有修葺。坐北朝南，平面为方形，四合院，主要建筑有山门、乐楼、正殿、东西厢房，占地面积 800 平方米。2013 年被国务院公布为第七批全国重点文物保护单位。通 223 路公交车。

50-B-a102 **襄垣永惠桥**［Xiāngyuán Yǒnghuì Qiáo］位于山西省长治市襄垣县。据县志记载，桥始建于金天会九年（1131 年），明成化七年（1471 年）、明万历十九年（1591 年）和清代曾有修葺，至今仍是出入北门的唯一路径。桥体采用纵联式砌筑法拱券技术，桥孔跨度长 20 米，券口距河中心底部高度 15 米。拱顶两侧高浮雕盘龙、吸水兽。桥面两侧栏板雕刻花卉、人物故事、喜兽游弋等图案，工艺精湛，造型美观，仍为金代遗物，体现了山西南部的造桥工艺，具有重要的历史、艺术和科学价值。2013 年被国务院公布为第七批全国重点文物保护单位。通 808 路公交车。

50-B-a103 **昭泽王庙**［Zhāozé Wáng Miào］位于山西省长治市襄垣县王桥镇郭庄村。始建于金大定二十七年（1187 年），现存大殿主体结构为金代遗构，其余建筑为清代遗构。庙坐北朝南，二进院落布局，东西 26 米，南北 68 米，占地面积 1768 平方米，中轴线上从南到北仅存山门、大殿。2006 年被国务院公布为第六批国家级重点文物保护单位。乡村道路经此，通 3、8 路公交车。

50-B-a104 **襄垣昭泽王庙**［Xiāngyuán Zhāozéwáng Miào］位于山西省长治市襄垣县城南街。创建于唐乾宁元年（894年），唐至明清皆有修葺，现仅存大殿、献殿，其中大殿为元代建筑。献殿为明万历二十六年（1598年）建筑。坐北朝南，南北长16.97米，东西宽15.32米，占地面积约255平方米。2013年被国务院公布为第七批全国重点文物保护单位。通襄垣2路、襄垣205路公交车。

50-B-a105 **北甘泉圣母庙**［Běigānquán Shèngmǔ Miào］位于山西省长治市平顺县北甘泉村。创建年代不详，坐北朝南，东西宽23.5米，南北长44.7米，占地面积1050平方米。中轴线自南而北依次为戏楼、献殿、正殿，两侧分布有东西夹屋、东西配殿、东西厢房。整体布局完整，具有较高的历史、科学、艺术价值。2013年被国务院公布为第七批全国重点文物保护单位。341国道经此。

50-B-a106 **北社大禹庙**［Běishè Dàyǔ Miào］位于山西省长治市平顺县北社乡北社村。创建年代不详，清嘉庆八年（1803年）重修，坐北朝南，一进院落布局，东西长23.4米，南北宽42.3米，占地面积989.8平方米，现存建筑正殿为元代遗构，其它皆为清代建筑。整体布局保存完整，结构稳定，具有较高的历史价值。2013年被国务院公布为第七批全国重点文物保护单位。207国道经此。

50-B-a107 **北社三嵕庙**［Běishè Sānzōng Miào］位于山西省长治市平顺县北社乡北社村。创建年代不详，清道光二十五年（1845年）、清光绪十八年（1892年）重修，坐北朝南，一进院落布局，东西长25.71米，南北宽33.52米，占地面积862平方米。现存建筑正殿为元代遗构，其它皆为清代遗构。平面布局保存基本完整，主体结构保存较好，具有较高的历史价值。2013年被国务院公布为第七批全国重点文物保护单位。207国道 经此。

50-B-a108 **淳化寺**［Chúnhuà Sì］位于山西省长治市平顺县阳高乡阳高村。寺坐北朝南，东西9.23米、南北8.47米，占地面积79平方米。现仅存佛殿1座，为金代遗构。佛殿前保存宋建隆元年（960年）、开宝三年（970年）石经幢2座，刻有陀罗尼经文。依现存正殿建筑形制判断，原中轴线至少有两进院，现除正殿保存完整外，其余殿堂均塌毁无存。寺虽布局不全，现存建筑时代早，结构完整，为研究宋《营造法式》的流布以及上党地区宋、金建筑地方手法提供了科学的依据。2001年被国务院公布为第五批全国重点文物保护单位。省道潞林线经此。

50-B-a109 **大云院**［Dàyún Yuàn］位于山西省长治市平顺县石会村。院创建于五代后晋天福三年（938年）。原名仙岩院，亦称大云寺，后周显德元年（954年）建寺外宝塔，至北宋建隆元年（960年）已有殿堂一百余间。太平兴国八年（983年）奉敕改名大云禅院。现存建筑除大佛殿与七宝塔为五代遗构外，余皆为清代所建。寺址坐北朝南，主要建筑有山门（天王殿）、中殿（弥陀殿，亦称大佛殿）、后殿及两庑。弥陀殿是大云院的正殿，始建于五代后晋天福五年（940年），是中国仅存的三座五代木构建筑之一。1988年被国务院公布为第三批全国重点文物保护单位。省道潞林线经此。

50-B-a110 **佛头寺**［Fótóu Sì］位于山西省长治市平顺县阳高乡车当村。寺院紧临浊漳河，背依佛爷垴。《平顺县志》（康熙版）："因山似佛头，故名。"佛头寺创建年代不详，现存一座过殿，为宋代遗构。该殿坐北朝南，东西长13.6米，南北宽11米。建于高0.3米的石质台基上。佛头寺由于地处偏僻，历代修缮改动不算大（"文革"期间，殿外檐华栱昂嘴部分被当地红卫兵锯掉），比较完整地保存了宋代建筑特征和地方建筑手法，具有较高的建筑艺术研究价值。2006年被国务院公布为第六批全国重点文物保护单位。省道潞林线经此。

50-B-a111 **回龙寺**［Huílóng Sì］位于山西省长治市平顺县阳高乡侯壁村。回龙寺现仅存佛殿一座，坐北面南，面阔三间，进深四椽，殿内存在壁画50余平方米。2001年11月北京大学考古文博学院文物建筑专业师生在山西省平顺县进行古建筑测绘实习期间，偶然发现了回龙寺大殿。经测绘分析并参照碳十四报告推断，该大殿始建年代上限不早于北宋初，下限不晚于金，即11世中后期至北宋末年。大殿是古代晋东南地区民间信仰的小型庙宇，反映了宋、金时期民间建筑的多样性和民间工匠的创造性。2006年被国务院公布为第六批全国重点文物保护单位。省道潞林线经此。

50-B-a112 **金灯寺石窟**［Jīndēngsì Shíkū］位于山西省长治市平顺县杏城镇北泉村。始凿于北齐天保年间（550年—557年），明弘治至万历年间(1506年—1620年)进行扩建。石窟依崖设置，自东向西长条形平面布局，一进七院，占地面积2000余平方米。现存大小石窟17个，雕像281尊，浮雕像1200余尊。是全国最大的明代石窟群，规模宏大，雕造精美，是中国石窟艺术上的尾声华章之作。2006年被国务院公布为第六批全国重点文物保护单位。乡村道路经此。

50-B-a113 **九天圣母庙**［Jiǔtiān shèngmǔ Miào］位于山西省长治市平顺县北社乡东河村。创建的确切记年已无从稽考，据院内中统二年(1261年)碑载“隋唐以来有之迄今五百余霜矣”。庙宇坐落在10米余高的土丘之上，分为上下两院，庙貌高耸，建筑雄伟，古人赞其“接天连云，庄严肃穆，气势非凡”。上院系供奉、朝拜包括九天圣母娘娘在内各方神祇的木构殿宇，整个布局紧凑有序，错落有致，层次分明，是集宋、元、明、清木构古建筑群。庙内存有大量的石碑、碣石，记载有丰富的社会史实。2001年被国务院公布为第五批全国重点文物保护单位。省道长李线经此。

50-B-a114 **龙门寺**［Lóngmén Sì］位于山西省长治市平顺县石城镇源头村。寺创建于北齐天保年间（550年—559年），五代后唐及宋金时期曾予大规模扩建，尤其是北宋建隆元年（950年），规模达到极盛，“殿堂寮舍数百盈”。寺坐北朝南，占地面积5070平方米。布局为东、中、西三路轴线，各条轴线又分为前院、中院和后院，建筑依地形而建，高低错落，主次分明。龙门寺历史久远，规模宏大，在中国现存的古代建筑中是仅存的集五代、宋、金、元、明、清建筑于一寺的建筑群，具有很高的历史、艺术、科学价值。1996年被国务院公布为第四批全国重点文物保护单位。乡村道路经此。

50-B-a115 **明惠大师塔**［Mínghuì Dàshī Tǎ］位于山西省长治市平顺县不兰岩乡虹霓村。原为“海惠院”中建筑，寺院早毁，唯塔独存。塔为方形石塔，是我国现存仅有的一座五代时期石塔。据该塔背面墙上嵌有后唐长兴三年（932年）石碣记载，唐乾符四年（877年）明惠大师主持海惠院，正月十八日突然被杀，事后由北子崇诏奉潞州节度使命，捧舍利为大师建塔。2001年被国务院公布为第五批全国重点文物保护单位。平长高速经此。

50-B-a116 **天台庵**［Tiāntái Ān］位于山西省长治市平顺县王曲村。寺院坐北朝南，现存弥陀殿一座、唐碑一通，总占地面积约450平方米。正殿平面正方形，面阔三间，通面阔7.05米，进深三间四椽，总进深7.03米，单檐歇山顶。当心间较大，次间仅及当心间之半，为我国现存早期建筑平面中所罕见。宋《营造法式》谓之“斗口跳”，是国内较罕见的实例。1988年被国务院公布为第三批全国重点文物保护单位。乡村道路经此。

50-B-a117 **西青北大禹庙**［Xīqīngběi Dàyǔ Miào］位于山西省长治市平顺县北社乡西青北村。创建年代不详，据碑载清雍正八年（1730年）、清道光二十八年（1848年）、民国二十一年（1932年）均有重修，坐北朝南，一进院落布局，东西长23.38米，南北宽32.03米，占地面积748.9平方米，现存正殿为明代遗构，其它建筑皆为清代遗构。整体布局完整，结构保存完好，时代特征明显，是较重要的明清建筑实例。2013年被国务院公布为第七批全国重点文物保护单位。341国道经此。

50-B-a118 **西社卫公庙**［Xīshè Wèigōng Miào］位于山西省长治市平顺县北社乡西社村。创建年代不详，明、清多次维修，现存正殿为元代遗构，其它建筑均为明、清遗构。坐北朝南，现存一进院落布局，东西长23米、南北宽41.9米，占地面积963.7平方米。中轴线自南依次为山门（上有倒座戏台）、献殿、正殿，两侧分布有西妆殿、东厢房、东耳殿，剩余建筑均已坍塌。正殿面阔三间，进深六椽，平面近方形，单檐硬山顶。

2019年被国务院公布为第八批全国重点文物保护单位。207国道经此。

50-B-a119 **夏禹神祠**［Xiàyǔshén Cí］位于山西省长治市平顺县阳高乡侯壁村。创建年代不详，现存正殿为元代遗构，其余建筑皆为清代遗构。祠坐北朝南，东西长18.5米、南北宽31米，占地面积570.7平方米。一进院落布局，中轴线由南向北依次分布为山门（上为倒坐戏台）、正殿，两侧分布为东、西厢房。2006年被国务院公布为第六批全国重点文物保护单位。省道潞林线经此。

50-B-a120 **黄崖洞兵工厂旧址**［Huángyá dòng Bīnggōngchǎng Jiùzhǐ］位于山西省长治市黎城县黄崖洞镇上赤峪村。1939年八路军军工一所，在水窑山设兵工厂，当时有职工700余人，是华北地区最大的兵工厂。1940年春正式制造出第一支步枪，同年恰逢朱德总司令55周岁，故定名为五五式步枪，1940年9月改制为“八一”式步枪，军械库设在崖壁上的黄龙洞内。黄崖洞兵工厂旧址主要包括黄崖洞兵工厂厂区旧址，黄崖洞保卫战战场遗址，黄崖洞保卫战烈士公墓三部分。2001年被中宣部公布为全国爱国主义教育基地。2006年被国务院公布为第六批全国重点文物保护单位。207国道经此。

50-B-a121 **黎城城隍庙**［Líchéng Chénghuáng Miào］位于山西省长治市黎城县。据县志载城隍庙原为三进院落，创建于宋天圣三年（1025年），元至正年间毁于兵火，明洪光武二年（1369年）重建，其后经历数次修缮。占地面积1914平方米，建筑面积1015平方米。现仅存一进院落，坐北朝南，主要建筑有门楼、正殿、东西廊房、东西厢房、东西角门。是黎城的地标建筑，保存了主要建筑，山门规制宏大，形态秀美，具有较高的历史和艺术价值。2013年被国务院公布为第七批全国重点文物保护单位。通黎城10路公交车。

50-B-a122 **西下庄昭泽王庙**［Xīxiàzhuāng Zhāozé wáng Miào］位于山西省长治市黎城县上遥镇西下庄村。坐北朝南，平面为长方形，为一进院落，南北长36.5米，东西宽21.5米，占地面积约710平方米，正殿面积约149平方米。庙内建筑共3座，平面布局采用中轴线左右对称的格局，中轴线上仅存正殿，两侧为东西廊房。现庙宇规模已非原制，但其主体建筑大殿仍为元代遗构，东西廊房为清代建筑。2019年被国务院公布为第八批全国重点文物保护单位。乡村道路经此。

50-B-a123 **西周黎侯墓群**［Xīzhōu Líhóu Mùqún］位于山西省长治市黎城县。东邻县城500米，2005至2006年，山西省考古研究所等单位进行了调查、勘探和抢救性发掘。钻探面积近3万平方米，探明的墓葬有92座，其中带墓道的大型墓3座、中型墓15座，其余为小型墓。共发掘墓葬10座，其中大型墓葬2座、中型墓葬5座、小型墓葬3座，西周黎侯墓地的大型墓葬属于诸侯级别的规模，考古发掘与有关文献中记载的黎侯多有印证，为研究西周时期黎国的历史提供了详实的材料，出土的铁器也为中国古代科学技术研究提供了宝贵的资料。2013年被国务院公布为第七批全国重点文物保护单位。乡村道路经此。

50-B-a124 **辛村天齐王庙**［Xīncūn Tiānqí wáng Miào］位于山西省长治市黎城县东阳关镇辛村。又称东岳庙，据庙内碑碣载，创建于元至正元年（1341年），明、清屡有修葺，寺庙坐北朝南，一进院落，占地面积1340平方米。中轴线上由南向北现存有山门（倒座戏楼，戏楼正中下部南向辟门）、大殿；东西两侧由南向北有倒座夹房、廊房、耳殿等建筑。现存大殿为元代遗构，其余为明、清建筑。庙内还有元、明、清创修、重修碑记5通。2013年被国务院公布为第七批全国重点文物保护单位。乡村道路经此。

50-B-a125 **长宁大庙**［Chángníng Dà Miào］位于山西省长治市黎城县东阳关镇长宁村。创建年代不详，据《黎城县志》记载“在县东北二十余里长垣村，庙侧有井泉，其水清澈，遇旱取水，祈祷则雨，前代士人因立庙祀之。宋崇宁四年（1105年）诏封灵应侯，赐‘惠应’，皆非正礼。”长宁大庙创建年代不晚于宋代，且历年对庙宇都有修葺。两进院布局，坐北朝南，占地面积1519平方米，建筑面积730.91平方米。整体布局严谨，具有重要的历史价值。2013年被国务院公布为第七批全国重点文物保护单位。乡村道路经此。

50-B-a126　三嵕庙［Sānzōng Miào］位于山西省长治市壶关县黄山乡南阳护村。创建年代不详，据明万历二年（1574年）重修碑载，金大定八年（1169年）修葺，坐北向南，中轴线上有山门、献亭、正殿；两侧有钟、鼓二楼、廊房、耳殿、占地面积1140平方米，正殿为金代结构。虽历代屡有修葺，却完整地保存着宋金木结构建筑之风格。在国内宋辽金木结构建筑中占有举足轻重的地位，是壶关县有木结构建筑中时代最早、艺术与文物价值最高的一处古建筑。2001年被国务院公布为第五批全国重点文物保护单位。长治绕城高速经此。

50-B-a127 真泽二仙宫［Zhēnzé Èrxiān Gōng］位于山西省长治市壶关县树掌镇神郊村。俗称二仙庙、奶奶庙，始建于唐昭宗乾宁二年（895年）、宋、元、明、清历代均有修葺，至清乾隆三十年（1765年）形成五进院建筑格局。坐北朝南，依地势而建，三进院落布局，建筑面积9600平方米。现存建筑正殿为元代遗构，余皆明清时期建筑。殿内木质构件均为明代遗物，正殿、寝宫、后殿均保存有壁画。现存宋、元、明、清、民国历代碑碣27余通。2001年被国务院公布为第五批全国重点文物保护单位。省道晋长线经此。

50-B-a128 庄头天仙庙［Zhuāngtóu Tiānxiān Miào］位于山西省长治市壶关县晋庄镇庄头村。据庙内碑文记载，该庙始建于宋建隆元年（960年），现存正殿为元代遗构，其余为明清时期建筑。庙坐北朝南，现存二进院，占地面积约为1550平方米。庙院由南向北依次为山门、正殿，两侧有钟、鼓楼及东西耳殿，庄头天仙庙正殿主体保存基本完整，元代结构特征明显，具有较为重要的历史价值。2013年被国务院公布为第七批全国重点文物保护单位。长治绕城高速经此。

50-B-a129　布村玉皇庙［Bùcūn Yùhuáng Miào］位于山西省长治市长子县慈林镇布村。始建年代不详，史料与碑刻均无相关记载。通过对庙内殿宇与晋东南地区相同建筑对比，该庙中殿为北宋晚期，后殿为金代，后殿东朵殿为明代建筑，其余建筑为清代。坐北朝南，建于台地之上，长61.5米，宽38.2米，占地面积约为2300平方米。庙宇反映出当地宋金时期庙宇布局的特点，特别是中殿，对研究北宋晚期建筑形制演变提供了珍贵的史料，具有重要的历史价值。2013年被国务院公布为第七批全国重点文物保护单位。省道长晋线经此。

50-B-a130　崇庆寺［Chóngqìng Sì］位于山西省长治市长子县。始建于北宋大中祥符九年（1016年）。宋元丰二年（1079年）完备塑像，明清均有扩建和修葺。据清嘉庆三年碑载："千佛殿居其北，卧佛殿居其东，大士殿居其西，天王殿居其南"现存建筑总体布局基本与之相符。寺分前后两院，前为护国灵贶王庙，后为崇庆寺，前、后寺相距200米。总占地面积2081.13平方米，建筑面积1256.83平方米。中轴线上建筑有山门、王殿（正殿）、王宫（寝殿），山门两侧建有夹楼、掖门，前院东西两侧为廊房，后院东西两侧分别为厢房（东侧已塌毁，但基址尚存），寺内存有清代碑碣9通（方）。千佛殿为寺内主殿，面宽三间，进深六椽，平面近方形。单檐歇山顶。殿内佛坛上塑一佛二菩萨，背后为倒座观音，塑像具有宋塑风格。1996年被国务院公布为第四批全国重点文物保护单位。乡村道路经此。

50-B-a131 大中汉三嵕庙［Dàzhōnghàn Sānzōng Miào］位于山西省长治市长子县常张乡大中汉村。始建年代不详，大殿为元代遗构，其余皆为清代建筑。坐北朝南，一进院落，占地面积约为730平方米，大殿位于庙院北端，紧邻大殿两侧为东西朵殿，大殿前分列东西厢房，南端为二层山门，一层辟门道，二层为倒座戏台。建筑格局较为完整，大殿基本保持着元代建筑特征，具有重要的建筑历史研究价值。2003年被国务院公布为第七批全国重点文物保护单位。乡村道路经此。

50-B-a132 法兴寺［Fǎxīng Sì］位于山西省长治市长子县。始建于后凉神鼎元年（401年），初名慈林寺，唐上元元年（760年）改名广德寺，北宋治平年间（1064年—1067年）始称法兴寺，宋、元、明、清历代屡有修葺。坐北朝南，现存平面布局为唐代特征，寺内现存石塔6座，均为唐代遗构。经楼、佛塔在殿之前部，中轴线依次布列山门、舍利塔、圆觉殿和菩萨殿，两厢为关公殿、伽蓝殿和碑廊。现存自唐迄清碑刻十七通，记载了寺史沿革和建制情况。寺内唐塔、宋代建筑和彩塑荟萃，是研究古代建筑、石刻、雕塑艺术的珍贵实物资。1988 年被国务院公布为第三批全国重点文物保护单位。省道长晋线经此。

50-B-a133 **韩坊尧王庙大殿**［Hánfāng Yáowángmiào Dàdiàn］位于山西省长治市长子县大堡头镇韩坊村。始建年代不详。南北长 37.5 米，东西宽 25 米，占地面积 938 平方米。坐北朝南，一进院落，现存有大殿、山门、东西厢房等。

现存大殿为金代建筑，附属建筑均已坍塌，仅存基址。庙内现存有元至元戊寅年（1388 年）重修碑碣。大殿面阔、进深均为三间，单檐歇山顶，筒板瓦屋面。大殿中现存斗栱、梁架等大木作构件仍为金代遗构，具有重要的历史价值。2013 年被国务院公布为第七批全国重点文物保护单位。乡村道路经此。

50-B-a134 **前万户汤王庙**［Qiánwànhù Tāngwáng Miào］位于山西省长治市长子县丹朱镇前万户村。始建年代不详，现仅存大殿为元代遗构，朵殿为清代建筑。坐北朝南。汤王庙大殿面阔三间，进深六椽，单檐悬山顶，筒板瓦屋面，建筑面积约 90 平方米。前万户汤王庙大殿保存基本完好，其梁架部分、斗栱等大木作构件基本为原物，带有晋东南地区元代建筑的典型特征，具有较重要的历史价值。2013 年被国务院公布为第七批全国重点文物保护单位。乡村道路经此。

50-B-a135 **天王寺**［Tiānwáng Sì］位于山西省长治市长子县城南大街。据光绪八年《长子县志》及碑载，元、明、清共九次修葺和增建。现存建筑有中殿和后殿，占地面积 1140.8 平方米。中殿面阔进深各三间，单檐歇山顶。斗五铺作单抄单下昂。后殿面阔五间，进深三间，单檐悬山顶。两殿均使用减柱造，建筑布局及用材体现了金代建筑风格。2006 年被国务院公布为第六批全国重点文物保护单位。通长子 315 路公交车。

50-B-a136 **下霍护国灵贶王庙**［Xiàhuòhùguó Língkuàng Wáng Miào］位于山西省长治市长子县丹朱镇下霍村。庙始建年代不详，仅存大殿和献殿。大殿檐柱上有金大定甲辰（1184 年）施柱题记，门枕石上有金明昌五年（1194 年）题记，历代均有修葺。坐北朝南，现存一进院落，南北长 61.5 米，东西宽 47 米，占地面积 2891 平方米，现存大殿为金代遗构，献殿为清代建筑。大殿结构具有较明显金代建筑的特征，其斗栱、梁架等构件应为金代遗构，具有重要的历史价值。2013 年被国务院公布为第七批全国重点文物保护单位。乡村道路经此。

50-B-a137 **小张碧云寺大殿**［Xiǎozhāng bìyún Sì Dàdiàn］位于山西省长治市长子县丹朱镇小张村。始建年代不详，清代称为三教堂。庙院长 59.4 米，宽 23.3 米，占地面积约 1180 平方米，布局随三层台地而建，坐北朝南，大殿位于最上层，建于北宋时期。大殿脊槫上有清康熙二十七年（1688 年）重修三教堂题记。建筑规制符合晋东南地区北宋中晚期建筑的特点，是珍贵的北宋木构建筑，具有重要历史价值。2013 年被国务院公布为第七批全国重点文物保护单位。乡村道路经此。

50-B-a138 **义合三教堂**［Yìhésān jiàotáng］位于山西省长治市长子县大堡头镇义合村。始建年代不详，庙内现存清道光三年（1823 年）重修碑记和大殿中道光十七年（1837 年）重修题记。坐北朝南，现存一进院落，南北长 53.9 米，东西宽 20.84 米，占地面积 1123 平方米。三教堂中轴线保存有：献殿、大殿。大殿两侧设朵殿，殿前仅存东厢房。现存大殿为金代建筑，献殿为元代建筑，其余皆为清、民国时期建筑。建筑格局基本完整，大殿、献殿的时代特征也较明显，为研究这一地区金元时期建筑提供了重要实物。2013 年被国务院公布为第七批全国重点文物保护单位。省道屯龙线经此。

50-B-a139 **长子崔府君庙大殿**［Zhǎngzǐ Cuīfǔ jūnmiào Dàdiàn］位于山西省长治市长子县丹朱镇东大街。据《潞安府志》《长子县志》及庙内重修题刻记载，庙始建于北宋大观二年（1108 年）前后，元、明、清时期重修，明万历四十一年（1613 年）增建舞楼。庙坐北朝南，南北长 28.7 米，东西宽 26.7 米，占地面积 766 平方米。寺内原有山门、舞楼、献亭、大殿、寝宫等，现仅存大殿为金代建筑。大殿的斗栱、梁架等大部分构件为金代原物，保持金代建筑的风格，具有重要历史价值。2013 年被国务院公布为第七批全国重点文物保护单位。通长子 311 路公交车。

50-B-a140 **长子文庙大成殿**［Zhǎngzǐ Wénmiào Dàchéng Diàn］位于山西省长治市长子县城东大街。始建于宋建中靖国元年（1101 年）。元、明、清历代均有修葺。现存建筑除大成殿保留元代特征外，余皆明清遗构。文庙坐北朝南，临街而建，为两进院落。中轴线上依次有大成门、大成殿、明伦堂，两侧有厢房、配殿等，占地面积 2700 平方米。大成殿位居文庙中端，面阔五间，进深三间，单檐歇山顶，琉璃脊饰，梁架为彻上露明造，元代特征显著。2019 年，长子文庙大成殿被国务院公布为第八批全国重点文物保护单位。通长子 311 路公交车。

50-B-a141 **中漳伏羲庙**［Zhōngzhāng Fúxī Miào］位于山西省长治市长子县南漳镇中漳村。始建年代不详，据庙内碑文记载，明崇祯、清乾隆、同治年间均有重修。坐北朝南，现存一进院落，占地面积约为 1600 平方米，庙内仅存献殿和大殿，大殿为元代建筑，献殿为明代建筑。主要建筑保存基本完整，大殿斗栱、梁架等大木作部分均为原构，具有晋东南地区元代建筑的典型特征，为研究当地元代建筑提供了实例。2013 年被国务院公布为第七批全国重点文物保护单位。乡村道路经此。

50-B-a142 **洪济院**［Hóngjì Yuàn］位于山西省长治市武乡县东良乡东良侯村。创建年代不详。元、明、清历代屡有修葺，现存主体建筑正殿为金代风格。余皆明、清重建。坐北朝南，两进院落，占地面积 1036 平方米。主要建筑正院有戏楼、钟鼓楼、南殿、正殿、东西配殿；偏院内主要建筑为关公殿。正殿和南殿内存有壁画九十二幅，内容为人物、山水、建筑风景等，共约 120 平方米，为清代绘制。院内千佛塔，平面方形，高约 2 米，每边宽 0.8 米，各面浮雕坐佛一千余尊。2001 年被国务院公布为第五批全国重点文物保护单位。乡村道路经此。

50-B-a143 **会仙观**［Huìxiān Guān］位于山西省长治市武乡县北社村监漳村。创建年代不详，据庙内碑文记载：明正德七年（1512 年）和明嘉靖七年（1528 年）两次重修。观坐北向南，东西 31.8 米，南北 65.6 米，占地面积 2086 平方米。会仙观的现存建筑是经历多个历史时期形成的，三清殿始建于金，清代增建了两旁的耳房，东西配殿似建于明晚期，玉皇殿建于元，关帝殿和戏楼建于明。2001 年被国务院公布为第五批全国重点文物保护单位。乡村道路经此。

50-B-a144 **武乡大云寺**［Wǔxiāng Dàyún Sì］位于山西省长治市武乡县故城镇故城村。创建年代不详。据寺内北宋治平元年（1064 年）重修碑记载，寺曾为东汉涅氏县治所，初名岩静寺。北齐河清四年（565 年）重修。北宋治平元年（1064 年）改称今名。金大定年间重建三佛殿。元、明、清时期均有修葺。现存主体建筑大雄宝殿为金代原构，余皆为明清所建。坐北朝南，两进院落，总占地面积 7900 平方米。主要建筑有观音殿、大雄宝殿，两侧为东西配殿。东为十八罗汉殿，西为十殿阎罗殿。观音殿亦为南殿，寺内各殿共保存有壁画 200 余平方米。2001 年被国务院公布为第五批全国重点文物保护单位。乡村道路经此。

50-B-a145 **武乡福源院**［Wǔxiāng Fúyuán Yuàn］位于山西省长治市武乡县故城镇北良侯村。坐北朝南，现存建筑有佛殿、东廊房、西配殿，总面积 130.62 平方米。北朝梁候寺残碑北齐（439 年—589 年）建梁侯寺，金大定（1161 年—1189 年）年间改修。隋唐时初具规模，宋金时盛况空前，有殿堂、房舍、马棚、钟鼓楼共一百余间。值元朝大德七年（1303 年）大地震全部损毁。元代地震碑碑文提到寺庙在元大德地震后重建，记录了历史上著名的赵城大地震。清代管泉院改称福源院。康熙九年（1671 年）重修东殿。现存正楼和东西配殿，2019 年被国务院公布为第八批全国重点文物保护单位。乡村道路经此。

50-B-a146 **武乡真如寺**［Wǔxiāng Zhēnrú Sì］位于山西省长治市武乡县韩北乡土河村。原名真如院，清代改为现名。坐北朝南，现存一进院落。据有关文献记载，元至治三年（1323 年）、至顺四年（1333 年）在宋代祭祀真如场所的基础上扩大建筑规模，增建大殿和南殿。明、清两代均有增补。现存大殿为元代建筑，南殿为明代建筑，其余则为清代所建。寺院由南至北依次为：南殿、大殿，西侧廊房，东侧仅存廊房遗址。大殿基本保持着元代建筑特征，具有较为重要的历史价值。2013 年被国务院公布为第七批全国重点文物保护单位。乡村道路经此。

50-B-a147 **南涅水洪教院**［Nánnièshuǐ Hóngjiāo Yuàn］位于山西省长治市沁县南涅水村。洪教院原名弘教寺，始建年代不详，金大定九年（1169 年）赐额，元至元八年（1271 年）重建，明清两代均有修葺。现为三进院落，坐北朝南，南北长 89.3 米，东西宽 27.8 米，占地面积 2483 平方米，现存大雄宝殿为元代遗构，天王殿、伽蓝殿和关帝殿为明代，二佛殿为清代。南涅水洪教院建筑规模较大，格局基本完整，历史沿革可考，尤其是保存着金元交替时期的木构建筑，具有重要历史价值。2013 年被国务院公布为第七批全国重点文物保护单位。乡村道路经此。

50-B-a148 **南涅水石刻**［Nánnièshuǐ Shíkè］位于山西省长治市沁县牛寺乡南涅水村。是近代发现的重要佛教石刻大型窖藏，因其出土地南涅水村命名。石刻中纪年最早的为北魏永平三年（510 年），最晚的为北宋天圣九年（1031 年），包括了北魏，东魏，北齐，隋，唐，北宋时期的佛教石刻精美作品。现存造像塔共 53 座，以佛、菩萨为主像，为国内稀有。单体造像有 1161 尊，多为佛、菩萨和罗汉。石刻表现了当地悠久的佛教传播历史，为研究佛教艺术、古代建筑与书法等各方面提供了丰富的实物资料，具有较高的考古研究价值与文物价值。2013 年被国务院公布为第七批全国重点文物保护单位。乡村道路经此。

50-B-a149 **普照寺大殿**［Pǔzhào Sì Dàdiàn］位于山西省长治市沁县开村。据县志记载，普照寺始建于北魏太和十二年（488 年），唐元和年间修，金大定年间重修，清顺治、雍正年间屡有修葺。现仅存大雄宝殿，为金代建筑。大雄宝殿面阔三间，进深六架椽，单檐歇山顶。梁架结构为六椽对前乳通檐用三柱，为典型的金代建筑。2006 年被国务院公布为第六批全国重点文物保护单位。省道沁涉线经此。

50-B-a150 **沁县大云院**［Qìnxiàn Dàyún Yuàn］位于山西省长治市沁县郭村乡郭村。始建于宋代，金大定年间（1161 年—1189 年）重修，并命名大云禅院。现仅存正殿、前殿。山门为清代所建。院址坐北朝南，占地面积 927.2 平方米，一进院落。正殿面宽三间，虽规模不大，但梁枋、斗布局疏朗，用材硕大，梁架结构简练，手法古朴，主体结构保留了宋代形制。院内保存有金碑 2 通。2001 年被国务院公布为第五批全国重点文物保护单位。乡村道路经此。

50-B-a151 **灵空山圣寿寺**［Língkōng Shān Shèngshòu Sì］位于山西省长治市沁源县。据《沁源县志》及碑文载，该寺创建于唐景福二年（893 年），明正德九年（1514 年）清嘉庆十六年（1811 年）两次重修，民国二十三年（1934 年）补修，现存建筑基本为明清遗构。坐北向南，因地势横排五院，殿堂共六十五间，占地面积 3010 平方米。中大殿为主体建筑，面阔五间，进深三间，硬山顶，柱头科五踩单抄单昂。2013 年被国务院公布为第七批全国重点文物保护单位。乡村道路经此。

50-B-a152 **太岳军区司令部旧址**［Tàiyuè Jūnqū Sīlìngbù Jiùzhǐ］位于山西省长治市沁源县。太岳军区正式成立于 1940 年 6 月 7 日。是根据朱总司令指示，率决死一纵队在晋东南开辟抗日根据地，在沁源开展游击战，粉碎阎锡山“十二月事变”以后，为了适应新的斗争形势，根据黎城会议整编建立的。旧址由三孔院落平行布列组成，通面宽 60 米，通进深 22 米。建筑依山开凿窑洞 10 孔，主体 8 孔，坐北朝南，为陈赓、警卫班、参谋部等办公室和居室，窑洞总占地面积 215 平方米。薄一波、陈赓等老一辈革命家曾在此生活、指挥战斗，领导太岳区的根据地建设工作，具有重要历史价值。2013 年被国务院公布为第七批全国重点文物保护单位。341 国道经此。

晋城市

50–B–a153　**怀覃会馆**［Huáiqín Huìguǎn］位于山西省晋城市东巷街。创建于清早期。坐北朝南，一进院落，由大小两个院落组成，占地1841平方米，现存中轴线上为献殿、正殿，两侧为耳楼、廊房，献殿前存石狮一对。大殿为面阔三间，进深七椽的悬山建筑，梁架采用八架前廊式结构。献殿为面阔三间，进深六椽的歇山顶建筑，梁架结构采用七架无廊式。2019年被国务院公布为第八批全国重点文物保护单位。通2路公交车。

50–B–a154　**窦庄古建筑群**［Dòuzhuāng Gǔ jiànzhùqún］位于山西省晋城市沁水县嘉峰镇窦庄村。于崇祯二年历时九年告成，80%的古建筑保存完好。建筑除大量民宅外，还有庙宇、楼阁、祠堂、书房、校场、法庭、地牢、城墙、城门楼、牌坊、店铺和大量的碑刻等。除佛庙主殿及配殿为元代遗构，其它多为明、清建筑。建筑脉络清晰，特色鲜明，被前来考察的专家学者誉为研究明清时期北方民居建筑的最具典型代表作。开启了乡村城堡建筑的先河；是乡村城堡建筑的代表作；是研究当地社会生活、经济发展、民俗民风的重要物证。2006年被国务院公布为第六批全国重点文物保护单位。乡村道路经此。

50–B–a155　**郭壁村古建筑群**［Guōbìcūn Gǔ jiànzhùqún］位于山西省晋城市沁水县嘉峰镇郭壁村。郭壁古建筑群，现存明、清民宅3400余间，窑洞数百孔，庙宇7座、阁楼10座，有进士宅院13处，行宫建筑1处，祠堂二处，古井18眼。整体建筑素有“三城”、“三寨”之说，南北长约2500米，一条古商贸街贯穿其中。主要建筑群有府君庙、镇行宫、古渡口、张姓、赵姓民宅群、三槐里等。郭壁古村落，集居住、商贸、文化、防御、祭祀等建筑于一体，建筑种类繁多，是一处明清时期乡村集镇的代表作，是研究该时期社会政治、经济、文化、军事的实物资料。2006年被国务院公布为第六批全国重点文物保护单位。乡村道路经此。

50–B–a156　**柳氏民居**［Liǔshì Mínjū］位于山西省晋城市沁水县土沃乡西文兴村。创建于明嘉靖二十九年（1550年）。院中一石牌坊迎风板上尚存有楷书题迹：“明嘉靖二十九年庚戌冬十月立”。清代屡有修葺、增建。建筑坐北朝南，南北长84米，东西宽48米，占地面积4032平方米。院落分为两组，以东西走向的村中街道为中线，南北两侧并列两院。原建筑有13座院落，现仅存4座。除两座石牌坊为明代所建，其余皆为清代建筑。具有代表性的院落是“司马第院”，两进四合院，中轴线上依次有倒座、正房、上房。院内两座石牌坊，青石筑成，二柱单楼悬山式。迎风板两块。一坊题“丹桂传芳”，一坊题“青云楼武”。2006年被国务院公布为第六批全国重点文物保护单位。乡村道路经此。

50–B–a157　**湘峪古堡**［Xiāngyù Gǔbǎo］位于山西省晋城市沁水县郑村镇湘峪村。为明万历年间户部尚书孙居相、都察院右副都御史孙鼎相孙氏兄弟的故里。因孙鼎相在兄弟行第三，其故居便称“三都堂”，又称“三都古城”。始建年代不详，竣工于明崇祯七年。古堡东面积约32500平方米，是一个完整的城堡式建筑。古城依山而建，分为内城和外城，城内主要建筑由东西向两条街和南北九条巷道将其分割有序。现存主要建筑有三都堂、帅府、十大宅院、大小男院等民居建筑以及寺院、祠堂、私塾等公共设施。另外还有孙居相墓等。2006年被国务院公布为第六批全国重点文物保护单位。乡村道路经此。

50–B–a158　**陈廷敬故居**［Chéntíngjìng Gùjū］位于山西省晋城市阳城县北留镇皇城村。建于明宣德四年（1429年）至清康熙五十三年（1714年）之间。故居由内城和外城两部分组成，占地面积2万多平方米，另有花园及陈廷敬墓地等附属建筑。内城建于明崇祯六年（1633年），平面呈长方形，设五道城门。外城紧依内城西城墙而筑，修建于清康熙年间，平面呈正方形。陈廷敬墓地位于皇城村北，主要建筑有石牌坊、御书挽诗碑亭、神道碑、石像生、祭亭和陈廷敬墓等。规模宏大，格局完整，生活、战备设施齐全，建筑历史沿革清楚，是研究该类型历史建筑的重要实例。2013年被国务院公布为第七批全国重点文物保护单位。乡村道路经此。

50-B-a159 **砥洎城**［Dǐjì Chéng］位于山西省晋城市阳城县润城村。亦称润城小城，始建于明朝。城内建筑至今保存完整，均为明代遗构。城设有水、旱二门。城内主街分十大街坊，沿城墙筑有环城路，其余通道则为住宅巷道，所有巷街口皆为“丁”字形。城墙上筑有望楼、炮口、女儿墙、藏兵洞等防护设施。城内宅院建筑多为四合院形式，院门偏于一角，院内多为二至三层的楼阁式建筑，面阔三间，进深四椽，重檐硬山顶。城内文昌阁现存“山城一览”碑一通，刻此城建设规划图，是了解城池原貌的实物资料。2006年被国务院公布为第六批全国重点文物保护单位。通208路公交车。

50-B-a160 **郭峪村古建筑群**［Guōyùcūn Gǔ jiànzhùqún］位于山西省晋城市阳城县北留镇。修建于明崇祯八年（1635年），现存建筑大多是明、清之遗构。郭峪城是为避难自保而修的防御性建筑，城中央有防御建筑“豫楼”；元至正年间创建，复修于万历年间规模宏大的汤帝庙；保存较好的40多幢明清古宅。城墙雄伟，雉堞林立，豫楼高耸，古庙森严，官宅豪华，民居典雅。各种建筑在郭峪村小小的乡间聚落中形成了有机的系统，成为独具特色的北方乡村古代建筑群。村中现存碑碣一百余块，保存了大量的明清史实。2006年被国务院公布为第六批全国重点文物保护单位。通阳城801路公交车。

50-B-a161 **海会寺**［Hǎihuì Sì］位于山西省晋城市阳城县北留镇大桥村。寺始建于唐代。海会寺双塔，是现存主要建筑。其一是宋式砖塔，六角十级，高约二十余米，檐作迭涩式，每层交叉辟有洞门，塔身外壁嵌满小坐佛（现仅留洞龛）。其二为明代建舍利塔，八角十三级，高约五十米。第一层前端出单面抱厦，第十层支出平座，上置八根擎檐柱，成为高塔中的一层悬空楼阁。塔身各面仿宋塔设有佛龛。寺内重要碑记、名人诗刻甚多，现存三十余块，除记载寺院的演变，重修补修事迹外，多为抒发情感与描绘寺院景色的。2006年被国务院公布为第六批全国重点文物保护单位。晋运高速经此。

50-B-a162 **开福寺**［Kāifú Sì］位于山西省晋城市阳城县。始建于北齐天保四年（553年），后历代均有修建。开福寺原为三进院，现存大雄宝殿、献殿、戏台，占地面积1095，建筑面积500平方米。大雄宝殿为金代遗构，献殿为元代建筑，余皆明清所建。献殿面阔三间，进深六椽，单檐歇山顶。大雄宝殿面阔五间，进深六檐，单檐悬山顶。寺内建筑琉璃脊饰独具特色，除献殿因天灾而塌毁了部分琉璃外，其余琉璃脊饰均保存较好，尤其是戏台的琉璃有明嘉靖年号及工匠题记，从琉璃烧造工艺看，大雄宝殿和献殿均早于戏台，均是阳城乔氏琉璃存世的代表作。2006年被国务院公布为第六批全国重点文物保护单位。通818路公交车。

50-B-a163 **润城东岳庙**［Rùnchéng Dōngyuè Miào］位于山西省晋城市阳城县润城村。始建于宋代，明万历二十一年（1593年）重修，现存建筑为明代风格。坐北朝南，原是一个三进院的大型庙宇，现仅存献亭、天齐殿、后宫等建筑。献亭为明代建筑，殿身面宽、进深各三间，十字歇山顶。天齐殿，面宽五间，进深六椽，悬山式顶，殿顶脊饰及两山博风板、悬鱼、惹草皆琉璃制作，色彩艳丽。后宫面宽五间，进深六椽，重檐歇山顶，殿顶琉璃脊饰，吻兽齐备，皆为明代所作。2006年被国务院公布为第六批全国重点文物保护单位。通107路公交车。

50-B-a164 **下交汤帝庙**［Xiàjiāo Tāngdì Miào］位于山西省晋城市阳城县河北镇下交村。始建于金大安二年（1210年），明清两代均有大规模修缮。庙为二进院，总面积2106平方米。前院面积较小，前为山门，后为马王殿。后院有戏台、献亭、成汤大殿。成汤大殿为元代所建，面宽三间，进深三间，单檐歇山顶。献殿面宽三间、进深三间，单檐歇山顶，屋顶举折平缓，出檐深远。柱头斗五铺作双下昂，梁架结构为四椽对后乳通檐用三柱。寺内存石碣九方。2006年被国务院公布为第六批全国重点文物保护单位。乡村道路经此。

50-B-a165 **寿圣寺及琉璃塔**［Shòushèng Sì Jí Liúlí Tǎ］位于山西省晋城市阳城县芹池镇阳陵村。据清同治年旧志记载，寺建于后唐，毁于真宗年间。天禧年间僧人法澄等重建。寺内布局为二进院落，现存主要有大雄宝殿和琉璃塔，大雄宝殿为清康熙三十六年（1691年）所建。琉璃塔为寺内主体建筑，八角十级，高约27米。塔身平直，收刹甚微。塔基为两层，皆为砂石岩。上有浮雕花饰，角上雕侏儒力士。塔身各层皆为琉璃构件镶嵌，外壁嵌满佛教故事琉璃浮雕像。塔身一层后门洞左侧，嵌琉璃题记一方，上刻“大明万历三十七年五月二十二日阳城琉璃匠人乔永丰男乔常飞乔常远”。2019年被国务院公布为第八批全国重点文物保护单位。通阳城808、阳城831路公交车。

50-B-a166 **阳城文庙**［Yángchéng Wén Miào］位于山西省晋城市阳城县。始建于宋，明洪武年间重建，清代大成殿灾毁进行了修缮，扩建大成殿为五间，增修了崇圣祠、东西庑和戟门等，包括孔圣庙、明伦堂和文昌宫。现仅存孔圣庙、房屋二十余间，为明清建筑。孔圣庙为二进院，面积约1000平方米。前院有畔池、戟门、名宦祠、乡贤祠，后院有大成殿、东西庑。主体建筑大成殿，石砌台基，面宽五间，进深八椽，重檐歇山顶，施琉璃瓦脊。九檩前廊式构架，下檐柱头斗五踩双翘，上檐平身科斗三踩单翘。脊檩下有道光十九年郭扬、王业重建题记。2019年被国务院公布为第八批全国重点文物保护单位。乡村道路经此。

50-B-a167 **白玉宫**［Báiyù Gōng］位于山西省晋城市陵川县潞城镇郊底村。前檐柱为方形抹角石柱，似白玉一般，故称“白玉宫”。金大安至崇庆年间重修，后历代均有修葺。共分三进院落，占地面积2750平方米。主要建筑有山门、倒座戏台、过殿、正殿、东西配殿、东西配房等。正殿为金代建筑，面阔三间，进深六架椽，单檐歇山顶，屋顶琉璃剪边。斗为四铺作单下昂，梁架结构为三椽对前搭牵通檐用三柱。2006年被国务院公布为第六批全国重点文物保护单位。乡村道路经此。

50-B-a168 **北马玉皇庙**［Běimǎ Yùhuáng Miào］位于山西省晋城市陵川县附城镇北马村。原名仁里馆，该庙始建年代不详，明清均有重修。坐北朝南，一进院落，现存正殿、西耳殿、东西廊房。据现状判定正殿应为金代遗构，其他为清代建筑。正殿坐落于石砌须弥座上，面阔五间，进深三间，单檐悬山顶，筒板瓦屋面。北马玉皇庙格局基本保持完整，正殿大木作形制规矩，尤其是七铺作斗栱在金代建筑中较为少见，具有重要历史价值。正殿须弥座上的雕刻为金代风格，具有一定历史、艺术价值。2013年被国务院公布为第七批全国重点文物保护单位。乡村道路经此。

50-B-a169 **崇安寺**［Chóngān Sì］位于山西省晋城市陵川县。创建年代无考，从现存建筑结构看，大部分为明、清遗物，部分构件仍保留着宋、金、元特征。坐北朝南，二进院落，主要建筑为山门、过殿、大雄宝殿、西插花楼。山门系明代建筑；过殿为面阔五间单檐歇山建筑；西插花楼为楼阁式建筑，平面方形，面宽、进深均三间，二层三重檐，歇山顶，具有元代风格；大雄宝殿为五间单檐悬山建筑。殿龛内有一佛二弟子二菩萨浮雕石刻，为隋唐作品。2006年被国务院公布为第六批全国重点文物保护单位。通陵川1路公交车。

50-B-a170 **崔府君庙**［Cuīfǔjun Miào］位于山西省晋城市陵川县礼义镇北街。又名显应王庙。据庙内民国年间《重修府君庙碑》及《长治县志》载，府君姓崔，名珏，字元靖，唐贞观进士，为长子县令，有功德于潞地，故建庙祀之。创建于唐，金大定二十四年（1148年）重修，明洪武二年（1369年）及清末民国初年均有修葺。现存山门为金代遗构，余皆明、清建筑。坐北朝南，为两进院落，中轴线上依次有山门、戏台、拜亭、府君殿。府君殿面阔五间，进深八椽，单檐悬山顶。山门高居庙宇正中，且筑于高台之上，砖台突起，两侧石阶对称而上，形制独特，为我国高台建筑的实例。2001年被国务院公布为第五批全国重点文物保护单位。通陵川501路公交车。

50-B-a171 **龙岩寺**［Lóngyán Sì］位于山西省晋城市陵川县礼义镇梁泉村。创建年代不详，现存过殿建筑为金代遗物，其余皆为明代建筑。坐北朝南，分为上下两院，上下两院拾级而上，各院建在平台之上，中轴线上依次排列有山门（仅存基址）、过殿、正殿，东西两侧为垛楼、耳殿、禅房。寺内主体建筑过殿为金代所建。面宽、进深各三间，平面呈方形，单檐悬山顶，屋顶灰布瓦覆盖。正殿前檐下保存有金碑2通，记载了龙岩寺的历史沿革，碑文以草、篆、隶、楷、行等多种字体镌刻，书写流畅，刻工精湛，具有较高的书法艺术价值。2001年被国务院公布为第五批全国重点文物保护单位。乡村道路经此。

50-B-a172 **北吉祥寺**［Běi Jíxiáng Sì］位于山西省晋城市陵川县礼义镇西街村。创建于唐大历五年（770年），宋太平兴国、元至元和明洪武、天顺、成化年间及清代均屡有修建。现存建筑前殿、中殿为宋代遗构，余皆明、清重建。坐北朝南，主要建筑有前殿、中殿、后殿、东西配殿、左右廊庑等。1996年被国务院公布为第四批全国重点文物保护单位。乡村道路经此。

50-B-a173 **南吉祥寺**［Nán Jíxiáng Sì］位于山西省晋城市陵川县礼义镇平川村。原名吉祥院，唐贞观年间奉敕修建，宋淳化三年（992年）十月三日敕赐院额，宋天圣八年（1030年）迁至今址。明、清两代均有增建和补葺。坐北朝南，布局完整，呈前后二进院落，中轴线上依次排列有山门、过殿、圆明殿，东西两侧分布钟楼、鼓楼、东西配殿、禅房、夹楼。现存建筑过殿为宋代遗构，其余为金、元、明、清时所建。1996年被国务院公布为第四批全国重点文物保护单位。乡村道路经此。

50-B-a174 **南神头二仙庙**［Nánshéntóu Èrxiān Miào］位于山西省晋城市陵川县潞城镇石圪峦村。创建年代无考。清代进行过大规模修葺。庙为一进院，坐北朝南，占地面积1000平方米，建筑面积343平方米。现存建筑有正殿、东西廊房、垛殿。正殿为金代遗构，余皆明清所建。正殿面阔三间，进深六架椽，平面正方形，单檐歇山顶，柱头卷刹较缓，斗用材硕大，为五铺作单抄单下昂。前檐当心间施板门，两次间置直棂窗。殿内两山墙绘有20余平方米壁画，为清代作品。2006年被国务院公布为第六批全国重点文物保护单位。乡村道路经此。

50-B-a175 **南召文庙**［Nánzhào Wén Miào］位于山西省晋城市陵川县平城镇南召村。始建年代不祥，明、清均进行维修。坐北朝南，一进院落，正殿应为元代遗构，其余建筑均具有明、清风格。该庙现保存有山门、正殿。正殿面阔五间，进深六椽，单檐悬山顶，筒板瓦屋面。山门面宽三间，进深四椽，单檐硬山顶，筒板瓦屋面，前出抱厦。妆楼面宽三间；东西看楼面宽均为五间；耳殿面宽二间。庙内现存有碑刻3通。南召文庙建筑格局保存较为完整，正殿的元代建筑特征比较明显，庙内保存有精美木雕，具有较高的历史价值。2013年被国务院公布为第七批全国重点文物保护单位。342国道经此。

50-B-a176 **三圣瑞现塔**［Sānshèng Ruìxiàn Tǎ］位于山西省晋城市陵川县西河底镇积善村。俗称积善塔，此塔原为藏舍利而建，创建于隋而再建于金。塔平面形制正方形，共十三层，高约30米，为密檐式砖塔。每边长为6米，第一层塔身为平素的砖墙砌筑，每层迭涩出檐，各层逐渐缩小，从第五层收分较大，从第三层仰视塔内，像是一个倒悬之井，空洞直达顶端，塔正面各层均有通风窗口，塔内可循层攀登其上。2006年被国务院公布为第六批全国重点文物保护单位。乡村道路经此。

50-B-a177 **石掌玉皇庙**［Shízhǎng Yùhuáng Miào］位于山西省晋城市陵川县潞城镇石掌村。创建年代不详，现存建筑为金、明、清时代。一进院落，依地势分为三层院落，主要建筑有山门、正殿，两侧有东西配殿、耳房、配房。正殿为金代遗构，余皆明清所建。正殿建在高1.2米石砌台基上，面宽三间，进深六架椽，单檐歇山顶。斗为四铺作单下昂，梁架结构为四椽对前乳用三柱。前檐当心间施板门，两次间安直棂窗。2006年被国务院公布为第六批全国重点文物保护单位。乡村道路经此。

50-B-a178 **寺润三教堂**［Sìrùn Sān Jiàotáng］位于山西省晋城市陵川县杨村镇寺润村。始建年代不详，现仅存大殿一座为金代遗构。大殿为重檐歇山式建筑，平面正方形，建在长13.5米，宽11.9米、高1.4米的石台之上，面阔进深各三间，下层出廊，石质廊柱，斗用材较大，为四铺作单下昂，琴面式真昂。灰色筒板布瓦屋顶，四角柱侧脚明显。梁架结构为四椽通檐用二柱，前檐当心间施板门。石台前刻有“重修石台袁世节施舍石窝”题记，无年号留存。2006 年被国务院公布为第六批全国重点文物保护单位。省道曲辉线经此。

50–B–a179　**塔水河遗址**［Tǎshuǐhé Yízhǐ］位于山西省晋城市陵川县夺火乡塔水河村。是一处岩洞型的岩棚遗址。遗址出土了人类头盖骨化石、哺乳动物化石、石制品、烧骨等，还发现有大量破碎骨片及灰烬层。石制品多为黑色燧石制成的各式刮削器、尖状器、锥钻等，尖状器制作细致规整。动物化石有犀、马、鹿、斑鹿、岩羊和绵羊等。据测定，遗址距今约 2.6 万年。塔水河遗址文化内涵丰富，既有大量的石制品和动物化石，又有人类化石及灰烬层、烧骨，是一处重要的旧石器遗址。2006 年被国务院公布为第六批全国重点文物保护单位。乡村道路经此。

50–B–a180　**田庄全神庙**［Tiánzhuāng Quánshén Miào］位于山西省晋城市陵川县附城镇田庄村。创建年代不详，据正殿西山墙存碣记载，明万历三十九年（1611 年）重修，坐北朝南，一进院落。南北长 30.1 米，东西宽 18.2 米，占地面积 548 平方米。中轴线分布有舞楼（不存）、正殿，两侧分布有妆楼、钟楼（东）、厢房房、耳殿。现存建筑正殿为元代风格，其他为明清遗物。正殿石砌台基，面阔三间，进深六椽，单檐悬山顶，前檐斗拱五铺作双抄，琴面昂，补间隐刻斗拱。梁架采用四椽栿对乳栿，通檐用三柱。2019 年被国务院公布为第八批全国重点文物保护单位。乡村道路经此。

50–B–a181　**西溪二仙庙**［Xīxī Èrxiān Miào］位于山西省晋城市陵川县城关镇西溪村。亦称真泽宫，创建于唐乾元年间，后历代皆有修葺。现存建筑后殿、东西梳妆楼为金代遗构，余皆明清所建。坐北朝南，二进院落，整个院落呈长方形。中轴线上依次建有山门、拜亭、中殿、后殿，山门和中殿之间的东西两侧设廊，中殿至后殿之间的东西两侧建梳妆楼及配殿，后殿两侧各置耳房三间。东西梳妆楼是二仙庙中最具代表性的建筑物，建于后殿与中殿的东西两侧，均为两层三檐歇山顶楼阁式建筑。寺内还保存历代碑碣 20 余通。2001 年被国务院公布为第五批全国重点文物保护单位。乡村道路经此。

50–B–a182　**小会岭二仙庙**［Xiǎohuìlǐng Èrxiān Miào］位于山西省晋城市陵川县附城镇小会村。庙内奉冲惠、冲淑二仙女。创建年代不详，现存建筑正殿为宋代遗构，余皆明、清所建。坐北朝南，一进院落，中轴线上依次为山门、献厅、正殿，东西两侧分布有垛楼、廊庑、配殿、耳殿。献厅为清代建筑，面宽三间，进深一间，单檐卷棚顶。正殿面宽三间，进深六椽，平面方形，单檐歇山顶，屋顶举折平缓，出檐深远。梁架结构简洁严谨，用材粗大，主体梁架为五椽对后搭牵通檐用三柱。整个殿宇的建筑形制、结构手法为宋代建筑风格。2001 年被国务院公布为第五批全国重点文物保护单位。342 国道经此。

50–B–a183　**玉泉东岳庙**［Yùquán Dōngyuè Miào］位于山西省晋城市陵川县附城镇玉泉村。创建年代无考，明清均有修葺。坐北朝南，一进院落，主要建筑有山门（戏楼）、拜殿、正殿、配房、配殿等。正殿为金代遗构，山门为明代建筑，余皆清代所建。正殿面阔三间，进深六架椽，单檐歇山顶，屋顶筒板布瓦，琉璃剪边。斗四铺作单下昂，梁架结构为四椽对前乳通檐用四柱。2006 年被国务院公布为第六批全国重点文物保护单位。342 国道经此。

50–B–a184　**北义城玉皇庙**［Běiyìchéng Yùhuáng Miào］位于山西省晋城市泽州县北义城镇北义城村。始建年代不详。现存建筑有玉皇殿、献殿、耳殿、东西配殿、舞楼、厢房，除正殿尚为宋代遗物外，其余均为后世风格。玉皇殿建于高 1.2 米的砖砌台基之上，深广各三间，平面正方形，单檐九脊顶，琉璃剪边，外观庄重稳健。前檐柱四根，青石质，八棱，侧角生起明显，斗四铺作出单抄。殿内梁架彻上露明造，结构为三椽对前搭牵通檐用三柱。玉皇殿完好保存了宋代木构建筑风格，与檐柱上大观四年题记相互佐证，是研究宋代木构建筑的重要实例。2006 年被国务院公布为第六批全国重点文物保护单位。208 国道经此。

50-B-a185 **碧落寺**［Bìluò Sì］位于山西省晋城市泽州县巴公镇南连氏村。创建于北朝时期，后经多次鼎新扩建，名列古泽州四大古寺之首，其“碧落卧云”为古泽州八景第一景。现存北齐石窟一座、唐代石窟两座。唐代及武周石龛10余龛、明代古桥两座。北魏至民国历代摩崖题记、碑刻百余方。现存最早为一方“北魏太和元年”（477年）的摩崖题记。碧落寺古建筑保存不多，且多为清代建筑。2006年被国务院公布为第六批全国重点文物保护单位。342国道经此。

50-B-a186 **川底佛堂**［Chuāndǐ Fótáng］位于山西省晋城市泽州县川底乡川底村。创建年代不祥，元代重修。佛堂坐北朝南，一进院落，东西宽13.1米，南北长17.8米，占地面积233平方米。现存有正殿、山门、东厢房、西厢房。正殿应为元代建筑，其他为清代建筑。正殿面阔三间，进深两间，单檐歇山顶，筒板瓦屋面。殿内梁架为四架椽屋四椽栿通檐用两柱。川底佛堂建筑格局基本完整，正殿虽经元代修葺但大部构件为金代原构，具有重要的价值。2013年被国务院公布为第七批全国重点文物保护单位。342国道经此。

50-B-a187 **大阳汤帝庙**［Dàyáng Tāngdì Miào］位于山西省晋城市泽州县大阳镇西街。始建年代不详，现存为元、明、清时期建筑。汤帝庙坐北朝南，二进院落，中轴对称布局，南北长64.95米，东西宽46.75米，占地面积3037平方米。自南而北依次为：戏楼、山门、中门、成汤殿，两侧分别为东西耳楼、东西耳房、东西掖门、三殿、虫王殿等。成汤殿，元代建筑，是庙内主要建筑。其构造充分体现了元代减柱造、移柱造的风格特征。庙内现存明清重修碑、记事碑数通。2006年被国务院公布为第六批全国重点文物保护单位。乡村道路经此。

50-B-a188 **府城关帝庙**［Fǔchéng Guāndì Miào］位于山西省晋城市泽州县金村镇府城村。创建年代不详，清代屡有修建。庙坐北朝南，四进院落布局，南北长154.08米，东西宽28.53米，占地面积4395.9平方米。轴线之上由南向北依次是山门、戏台、关帝殿、三义殿，西侧建筑有廊庑、钟鼓楼、僧楼，均为清代建筑。正殿为关帝殿，面宽三间，进深八椽，单檐悬山顶，前廊四根滚龙柱，雕刻精美。三义殿面宽三间，进深六椽，单檐歇山顶，内檐两山绘有壁画，前廊四根石柱上雕儒、释、道三教人物故事。府城关帝庙关帝殿和三义殿保存比较完好，石雕和木雕装饰比较突出，工艺精良，具有较高的历史和艺术价值。2013年被国务院公布为第七批全国重点文物保护单位。通19路公交车。

50-B-a189 **高都景德寺**［Gāodū Jǐngdé Sì］位于山西省晋城市泽州县高都镇高都村。寺始建于唐代，后代均有修葺。该庙坐北朝南，二进院落，建筑主要有：南殿、中殿、正殿，西侧为厢房、东侧为廊房，正殿两侧带耳殿。现存正殿应为宋金遗构，南殿为元代建筑，中殿为明代建筑，其它建筑时代为清代。正殿面阔五间，进深六椽，单檐悬山顶，筒板瓦屋面。正殿檐下石柱及额枋为宋元年间遗物，其上架大木构是金代建筑的做法，具有重要的历史价值。2013年被国务院公布为第七批全国重点文物保护单位。208国道经此。

50-B-a190 **河底成汤庙**［Hédǐ Chéngtāng Miào］位于山西省晋城市泽州县大东沟镇河底村。创建年代不祥，宋、明、清均有重修。该庙坐北朝南，一进院落，占地面积1320平方米。中轴线上现存山门、舞台、正殿，两侧为耳房、配殿、偏殿，其中正殿为宋代遗构，山门中保存有宋代构件，其余均为清代建筑。正殿面阔、进深均为三间，单檐悬山顶，筒板瓦屋面。山门面阔三间，山门外檐斗栱大部分构件均保留北宋时期特征。庙内现存重修碑碣及明清重修碑、记事碑数通，山门内保存有早期雕金钱纹砂石柱二根。是研究晋东南地区宋金交替时期建筑形制演变的珍贵实例，具有重要的历史价值。2013年被国务院公布为第七批全国重点文物保护单位。乡村道路经此。

50-B-a191 **晋城二仙庙**［Jìnchéng Èrxiān Miào］位于山西省晋城市泽州县金村乡南村。创建于宋绍圣四年（1097年），元、明、清各代均有修葺。现存建筑除正殿外，余均明、清所建。庙坐北朝南，东西长44米，南北宽28米，占地面积为1232平方米。中轴线上依次排列着山门（基址）、过厅、献殿、正殿，两侧为东西厢房、垛殿。殿内木制“天宫楼阁拱桥壁藏”，雕刻精致。后槽神台上塑二仙姑泥像，两侧立胁侍四尊，为宋塑中的佳作。1996 年被国务院公布为第四批全国重点文物保护单位。乡村道路经此。

50-B-a192 **坪上汤帝庙**［Píngshàng Tāngdì Miào］位于山西省晋城市泽州县周村镇坪上村。始建年代不详，正殿和香亭为明代建筑。庙坐北朝南，现存一进院落。该庙由南至北依次为香亭、黑虎殿、正殿，两侧有山门、钟鼓楼、厢房、耳殿。正殿面宽五间，进深六椽，单檐悬山顶，筒板瓦屋面，琉璃脊饰。殿前设一低矮月台。殿身檐柱使用大通额，前檐施八棱抹角青石柱，柱身有收分。香亭，建于石砌台基之上，四角设青石八棱抹角柱，侧角、收分显著，下设覆盆柱础。坪上汤帝庙正殿和香亭均具有元代建筑风格，有较高的历史价值。2013 年被国务院公布为第七批全国重点文物保护单位。342 国道经此。

50-B-a193 **青莲寺**［Qīnglián Sì］位于山西省晋城市泽州县金村镇。创建于北齐天保年间（550 年—559 年），初名“硖石寺”，至唐太和二年（828 年），创建上院即今青莲寺。咸通八年（867 年），敕赐“青莲”为额。北宋太平兴国三年（987 年），上院被赐名为“福岩禅院”，下院仍称古青莲寺，至此两寺分立。福岩禅院明代复称青莲寺，之后青莲寺、古青莲寺之名沿袭至今。上院，寺前为平台，上建东西阁，阁后依次为天王殿、藏经阁、释迦殿、大雄宝殿。寺内现存唐、宋、明、清诸代碑刻十通，真、草、隶、篆各种字体齐备，是研究寺庙历史及书法艺术的珍贵资料。下院坐北朝南。现存建筑有正殿和南殿，原有的东西配殿仅存基址。正殿，亦称大佛殿。面宽三间，进深六椽，单檐歇山顶。殿内方形佛坛上塑有释迦、阿难、迦叶、文殊、供养人 6 尊彩塑，唐风犹存。南殿，面宽进深各三间，平面长方形，单檐歇山顶。殿内保存有唐、宋、金碑各 1 通。1988 年，青莲寺被国务院公布为第三批全国重点文物保护单位。通 5 路公交车。

50-B-a194 **史村东岳庙**［Shǐcūn Dōngyuè Miào］位于山西省晋城市泽州县下村镇史村。创建年代不详，清康熙、乾隆修葺。坐北朝南，占地面积 1163 平方米。中轴线上由南至北依次为山门、中殿、正殿，轴线两侧为钟鼓楼、东西厢房、东西偏殿、碑廊。现存建筑正殿为元代遗构，面阔七间，进深六椽，单檐悬山顶，琉璃筒瓦屋面。中殿是清代建筑，保存有部分明代构件，单檐悬山顶，灰筒瓦屋面，琉璃剪边，门枕石上有线刻石雕，廊柱木质圆柱，下设方形青石柱础。其它厢房、偏殿等为清代建筑。2013 年被国务院公布为第七批全国重点文物保护单位。乡村道路经此。

50-B-a195 **水东崔府君庙**［Shuǐdōng Cuīfǔjūn Miào］位于山西省晋城市泽州县金村镇水东村北街。始建年代不详，元、明曾多次重修。坐北朝南，一进院落，正殿应为元代遗构，拜殿及东西耳殿为明代建筑，其余建筑则为清代。正殿面阔三间，进深两间，单檐悬山顶，筒板瓦屋面。庙内还保存有木雕和石刻。建筑布局保存比较完整，正殿具有晋东南地区金代后期的建筑风格，特别是正殿当心间东侧檐柱柱础上刻有元至元三十年（1293 年）重修题记，具有重要的历史价值。2013 年被国务院公布为第七批全国重点文物保护单位。通 50 路公交车。

50-B-a196 **坛岭头岱庙**［Tánlǐngtóu Dài Miào］位于山西省晋城市泽州县北义城镇坛岭头村。创建年代不祥，金、清均有修葺。庙宇坐北朝南，原为二进院落，东西宽 29 米，南北长 44 米，占地面积 1276 平方米。现后院已毁，仅存前院。由南至北主要有：山门、月台、中殿，两侧为梳妆楼、廊房、朵殿。现存中殿为金代遗构，其余均为清代建筑。庙院格局规整，中殿带有典型的金代建筑特征，是研究本地区金代建筑的重要实例。2013 年被国务院公布为第七批全国重点文物保护单位。乡村道路经此。

50-B-a197 **西顿济渎庙**［Xīdùn Jìdú Miào］位于山西省晋城市泽州县高都镇西顿村。始建于宋金时期。坐北朝南，一进院落，中轴线上依次为舞楼、正殿，两侧为妆楼、东耳殿等附属建筑。正殿面阔、进深均为三间，单檐悬山顶，筒板瓦屋面，殿内厅堂构架，六架椽屋四椽栿对乳栿用三柱。正殿的柱础、前檐柱和梁架部分构件应为北宋宣和年间原物，但斗栱和部分构架已非北宋形制，其中斗栱不晚于元代。正殿保存了金元时期基本格局和部分木构形制，并保持有同一建筑上不同时期的做法，对研究该地区金元时期建筑具有重要的历史价值。2013 年被国务院公布为第七批全国重点文物保护单位。乡村道路经此。

50-B-a198 **薛庄玉皇庙**［Xuēzhuāng Yùhuáng Miào］位于山西省晋城市泽州县高都镇薛庄村。始建年代不祥。坐北朝南，一进院落，南北长 35.8 米，东西宽 22.2 米，占地面积 795 平方米。现存正殿应为元代遗构，其他建筑具有清代风格。由南至北有舞楼、正殿，两侧有妆楼、厢房、廊房、耳殿。正殿面阔三间，进深六椽，单檐悬山顶，琉璃筒板瓦屋面。庙内还保存有石刻、壁画、塑像及古树。整体布局保存较为完整，建筑结构上富于变化，反映了晋东南地区元代建筑特征，特别是正殿内后墙及两山墙明清壁画，保存基本完整，具有较重要的历史价值。2013 年被国务院公布为第七批全国重点文物保护单位。乡村道路经此。

50-B-a199 **尹西东岳庙**［Yǐnxī Dōngyuè Miào］位于山西省晋城市泽州县北义城镇尹西村。创建年代不祥，金、清曾有修葺。坐北朝南，一进院落，南北长 50.8 米，东西宽 46.8 米，占地面积 2378 平方米。中轴线上从南至北依次为山门、天齐殿，两侧为妆楼、廊房、耳殿。东跨院为关帝庙。现存天齐殿为金代遗构，玉皇殿为元代建筑，其他建筑则为明清时期所建。建筑格局保存基本完整，天齐殿带有典型的金代建筑特征，具有重要的历史价值。2013 年被国务院公布为第七批全国重点文物保护单位。通 312 路公交车。

50-B-a200 **玉皇庙**［Yùhuáng Miào］位于山西省晋城市泽州县府城村。创建年代不详，宋元重建，明清两代屡次修葺。坐北朝南，三进院落，占地面积 4000 余平方米。中轴线上由南向北依次排列有头道山门、仪门、成汤殿、献亭、玉皇殿、东西配殿；两庑二十八宿殿、十二辰殿、十三曜星殿、关帝殿、蚕神殿及厢房、钟鼓二楼。玉皇殿建于宋，汤帝殿建于金，东西配庑为元建，余皆明清所筑。各殿内保存有宋、元、明三代塑像 300 余尊，其中元塑二十八宿星君像为全庙之冠。庙外碑廊内宋、金、元、明、清各代碑刻十余通，是研究道教史及道教艺术的珍贵史料。1988 年被国务院公布为第三批全国重点文物保护单位。通 319 路公交车。

50-B-a201 **泽州崇寿寺**［Zézhōu Chóngshòu Sì］位于山西省晋城市泽州县西郜村。始建于北魏，北宋重建，金、元、明、清屡有修建。现存建筑布局山门内为天王殿，两侧有钟、鼓楼，中为释迦殿，东西配殿为地藏、罗汉殿，最后为雷音殿。释迦殿为宋代遗构，殿身三间见方，单檐歇山顶。寺内有唐代八角形石幢两座，须弥座上雕宝装莲瓣及石狮，幢身刻陀罗尼经，镂刻精细。寺内还保存有北魏造像碑一通，另有宋、金、元、明历代石碑十二通。1986 年被国务院公布为第二批全国重点文物保护单位。通 104 路公交车。

50-B-a202 **泽州岱庙**［Zézhōu Dài Miào］位于山西省晋城市泽州县南村镇冶底村。创建于北宋元丰三年（1080 年），金、明、清历代曾多次补葺。现存建筑天齐殿为宋代原构，余皆明、清遗物。坐北朝南，由两进院落组成，占地面积 3720 平方米。庙最前端的山门，内有东西廊庑，中有一方形水沼，沼北建舞楼一座，楼北后院正中为天齐殿，两侧东西配殿、东西垛殿各三间。天齐殿是寺内主殿，面阔三间，进深三间，单檐歇山顶。舞楼平面正方形，单檐十字歇山顶。总体平面沿袭金元古制，明代重修。2001 年被国务院公布为第五批全国重点文物保护单位。南高线经此。

50-B-a203 **周村东岳庙**［Zhōucūn Dōngyuè Miào］位于山西省晋城市泽州县周村镇周村。始建年代无考，宋元丰五年（1083 年）重建。一进两院，占地 2200 平方米。现存正殿、关帝殿、财神殿、钟鼓楼。正殿、关帝殿为宋代遗构，财神殿为元代遗构，余皆明清所建。正殿建在高 1.5 米砖石台基上，面阔三间，进深六椽，单檐歇山顶。关帝殿建在高 1.3 米石砌台基上，面宽三间，进深四椽，单檐悬山顶。庙内现存宋、明、清不同时期壁画，大小碑刻 20 余通。2006 年被国务院公布为第六批全国重点文物保护单位。国道 342 经此。

50-B-a204 **崇明寺**［Chóngmíng Sì］位于

山西省晋城市高平市河西镇郭家庄村。俗称狼谷寺，创建于北宋开宝年间（968 年—976 年）。现存建筑中殿为宋代遗构，余皆明清所建。坐北朝南，由两进院落组成，现存山门、钟鼓楼、中佛殿、后佛殿及东西配殿。后佛殿元建明修，面宽五间，进深六椽，单檐悬山顶。中佛殿面宽三间，进深六椽。殿内梁架为两段六椽对接，外端伸出檐外，由于檐出负荷较大，殿内半截梁的负荷全部由檐头挑承，形成“断梁构造”。大殿举折平缓，出檐深远，建筑规制仍沿袭着唐、五代风格，具有重要历史价值。2001 年被国务院公布为第五批全国重点文物保护单位。省道石河线经此。

50-B-a205 **大周村古寺庙建筑群**［Dàzhōucūn Gǔ Sìmiào Jiànzhùqún］位于山西省晋城市高平市马村镇大周村。由资圣寺、五虎庙、汤王庙、元帝阁组成。资圣寺居村落中央，坐北面南，二进院落，占地面积 2112 平方米。现存毗卢殿应为北宋遗构，雷音殿为明代建筑，其余皆为清代建筑。五虎庙位于大周村南，现存建筑皆为清代。庙内现存佛教造像碑和金、元、明、清时期碑刻。汤王庙位于大周村中，正殿为元代遗构，配殿具有明代风格。元帝阁位于大周村西，坐西朝东，一进院落，清代建筑。建筑群类型丰富，宋以后各时代建筑均有，具有重要的历史价值和文化价值。2013 年被国务院公布为第七批全国重点文物保护单位。通 603 路公交车。

50-B-a206 **定林寺**［Dìnglín Sì］位于山西省晋城市高平市米山镇大粮山。创建年代不详，金元两代曾兴工重建，以后明清屡有修葺。现存建筑除雷音殿为元代遗构外，其余大多为明、清建筑。坐北朝南，依山而建，南北长 90 米、东西宽 87 米，占地面积约 4191 平方米。中轴线从南至北依次有：观音阁、雷音殿、止涓、门津二洞、七佛殿。雷音殿面宽进深各三间，单檐歇山顶。寺内保存碑碣 20 余通，具有重要的历史价值和文化价值。2001 年被国务院公布为第五批全国重点文物保护单位。省道坪曲线经此。

50-B-a207 **董峰万寿宫**［Dǒngfēng Wànshòu Gōng］又名圣姑庙，位于山西省晋城市高平市原村乡上董峰村。创建于元代，元、明、清历代均有修缮。庙坐北朝南，二进院落，占地面积约 1285 平方米。中轴线上从南至北建有山门、三教殿、倒座戏台、玉宇石亭、圣姑殿。三教殿、圣姑殿为元代建筑，其余皆建于清代。庙内现存元代壁画，历代重修碑 14 通，其中元碑 4 通、明碑 3 通、清碑 7 通。对研究宋元时期的古建筑有较高价值。2013 年被国务院公布为第七批全国重点文物保护单位。通 123 路公交车。

50-B-a208 **二郎庙**［Èrláng Miào］位于山西省晋城市高平市寺庄镇王报村。创建年代不详，唐代已存，历代屡有修葺。坐北朝南，现存建筑有戏台、献殿、正殿、东西垛殿、廊房等。戏台为金代遗构，其余均为明清遗物。戏台面阔一间，进深四椽，单檐歇山顶。台基高 1.1 米，略呈长方形，长 7.4 米，宽 5.9 米。台身四周立柱，四柱上设大额枋，柱头上施有转角斗，每面补间各两朵，昂皆为真昂，后尾挑于平之下，形成方形框架承托屋架。台基束腰处刻有“时大定二十年岁次……”的题记。是我国目前发现最早的古代戏台。2006 年被国务院公布为第六批全国重点文物保护单位。省道长晋线经此。

50-B-a209 **高平嘉祥寺**［Gāopíng Jiāxiáng Sì］位于山西省晋城市高平市三甲镇赤祥村。始建年代不详，元、明、清均有重修。坐北朝南，二进院落，东西宽 46 米，南北长 70 米，占地面积约 1620 平方米。中轴线上排列有：天王殿、毗卢殿、大雄宝殿，中轴线两侧为钟鼓楼、观音殿、地藏殿、西厢房、西禅房、寮房、五观堂。寺内毗卢殿为金代建筑、大雄宝殿为元代建筑、天王殿为明代建筑，余皆清代所建。规模宏大，历史悠久，建筑格局完整，主体建筑仍为金元时期的木构建筑，具有较高的历史价值。2013 年被国务院公布为第七批全国重点文物保护单位。乡村道路经此。

50-B-a210 **高平铁佛寺**［Gāopíng Tiěfó Sì］位于山西省晋城市高平市米山镇米西村。据正殿青石门墩上题记“金大定二年（1167 年）七月十三日铸造铁佛，修铁佛寺”，现存建筑为明代遗构。坐北朝南，主要建筑有铁佛殿、南殿、东西配殿、厢房等。正殿面阔三间，进深六椽，平面长方形，单檐悬山顶，七檩前后廊式构架，柱头斗五踩双昂。殿内保存有泥塑 27 尊，为明代作品。2019 年被国务院公布为第八批全国重点文物保护单位。省道坪曲线经此。

50-B-a211 **古中庙**［Gǔzhōng Miào］位于山西省晋城市高平市神农镇下台村（现称中庙村）。创建年代不详。坐北朝南，分为上下两院，上院有山门、太子殿、正殿、耳殿、厢房等。山门为三道门洞，有明代石刻一块，上面刻有“古中庙”三个大字。太子殿为元代遗构，面阔三间，进深四椽，殿内无梁，所以亦称无梁殿。建筑形制独特，是有关祭祀始祖炎帝现存最早的建筑。正殿为清代遗构，面阔三间，进深六椽，悬山式屋顶。殿内东山墙上，有一块清康熙年间的碑刻，记叙了始祖炎帝开粒食之源的伟大功勋。2006 年被国务院公布为第六批全国重点文物保护单位。省道浩王线经此。

50-B-a212 **姬氏民居**［Jīshì Mínjū］又称姬氏老宅，位于山西省晋城市高平市陈区镇中庄村。又称姬氏老宅。坐北朝南，建在一高 0.42 米的砂岩台基上，平面呈矩形，面宽三间，进深六椽，悬山式屋顶，屋顶举折平缓，屋面覆以板瓦。梁架为彻上露明造，四椽前压搭牵用三柱。加工粗糙，使用自然弯材制成，为典型元代手法。是迄今全国发现年代最早的民居建筑。1996 年被国务院公布为第四批全国重点文物保护单位。省道坪曲线经此。

50-B-a213 **建南济渎庙**［Jiànnán Jìdú Miào］位于山西省晋城市高平市建宁乡建南村。创建年代不详，清康熙三十一年（1691 年）重修。三进院落，中轴线上有一道山门、二道山门，献殿遗址、济渎殿、后宫，两侧为便门、夹殿、耳殿、钟楼、鼓楼、配殿等。济渎殿为元代建筑，面阔五间，进深六椽，悬山顶。后宫为元代建筑，面阔五间，进深六椽。其他建筑多为建于清代的小式建筑。筑空间疏朗开阔，具有较高的历史价值。2013 年被国务院公布为第七批全国重点文物保护单位。乡村道路经此。

50-B-a214 **开化寺**［Kāihuà Sì］位于山西省晋城市高平市陈区镇王村。创建于唐末。初名清凉寺，后易名开化寺。宋、金、元、明、清历代屡有修葺。现存主要建筑，前有大悲阁为明代建筑、中为大雄宝殿宋代建筑、东隅观音阁为金代遗构，后院东配殿及东西角楼为元代建筑，余皆明、清建筑。大雄宝殿内梁架斗上彩画亦为宋时原物，为古钱纹、海石榴、龙牙、惠草等图案，与宋《营造法式》中的彩画纹样极为相似。是我国古建筑中保存最完整的宋代彩绘图案，为研究宋代绘画艺术提供了宝贵资料。2001 年被国务院公布为第五批全国重点文物保护单位。通 902 路公交车。

50-B-a215 **良户玉虚观**［Liánghù Yùxū Guān］位于山西省晋城市高平市原村乡良户村。坐北朝南，三进院落，现存有正殿及西耳殿、中殿、西配殿、南房、魁楼。其中，正殿、西配殿为元代建筑，中殿为明代建筑，其余皆为清代建筑。正殿面阔五间，进深三间，单檐悬山顶，筒板瓦屋面。是晋城地区现存规模较大的道观，保存基本完好，寺内现存碑刻、壁画和元代的木构建筑，具有重要的历史和文化价值。2013 年被国务院公布为第七批全国重点文物保护单位。通 121 路公交车。

50-B-a216 **南庄玉皇庙**［Nánzhuāng Yùhuáng Miào］位于山西省晋城市高平市河西镇南庄村。始建于东汉建武二年（26 年），自唐至清皆有修缮。现存正殿为元代遗构，其余均为明清时期建筑。坐北朝南，依地形分为上下两院，占地面积约 1840 平方米。现存有舞楼、山门、献殿、正殿、东西配殿、东西厢房、东西看楼等。殿面阔、进深均为三间，单檐悬山顶，筒板瓦屋面。规模较大，建筑时代特征较明显，具有重要的历史价值。2013 年被国务院公布为第七批全国重点文物保护单位。省道石河线经此。

51-B-a217 **清梦观**［Qīngmèng Guān］位于山西省晋城市高平市陈区镇铁炉村。据清《高平县志》记载：“金姬志真，号洞明子，皇统中游五岳，归语所亲曰‘人生一梦耳，’舍宅作观名清梦”，清梦观即由此而得名。该观创建于南宋景定六年（1211 年），现存主要为元明建筑。坐北朝南，二进院落。现存建筑有：山门、三官殿、阎王殿、三清殿、玉皇楼，两侧有厢房、钟鼓楼、耳殿等。三清殿为观内主体建筑，为元代建筑，面阔三间，进深六椽，单檐歇山式屋顶。殿内四壁满绘壁画，内容为道教故事，以连环画的形式绘制而成。观内现存有元中统二年（1261 年）所立创修碑 1 通，明清重修碑 2 通，具有重要的历史价值。2006 年被国务院公布为第六批全国重点文物保护单位。乡村道路经此。

50-B-a218 **三王村三嵕庙**［Sānwáng Cūn Sānzōng Miào］位于山西省晋城市高平市米山镇三王村。始建年代不详。重修于宋代，主祭三嵕兼祀道教诸神。坐北朝南，现存一进院落，西侧为主院，东侧是偏院，占地面积约为 1592 平方米。正殿应为金代建筑，其余皆为清代建筑。主院自南而北依次有：倒座戏台的山门、献殿、三嵕殿、东西廊庑；偏院北侧建祖师殿。三嵕殿平面呈正方形，面阔、进深均为三间，单檐歇山顶。建筑格局比较完整、清晰，正殿为金代木构建筑，时代特征较为明显，具有重要历史价值。2013 年被国务院公布为第七批全国重点文物保护单位。通 5 路公交车。

50-B-a219 **石末宣圣庙**［Shímò Xuānshèng Miào］位于山西省晋城市高平市石末乡石末村。创建于元朝。坐北朝南，占地面积约 1230 平方米。中轴线上建有山门、正殿，两侧为妆楼、配殿、耳殿。正殿为元代遗构，余皆为清代建筑。正殿面阔五间，进深六椽，单檐悬山顶。东、西配殿，面阔七间，六架前檐廊，悬山顶。庙内现存元朝碑刻 2 通。建筑布局完整，正殿梁架彩绘精美，具有较高的历史价值、艺术价值和科学价值。2013 年被国务院公布为第七批全国重点文物保护单位。通 191 路公交车。

50-B-a220 **清化寺**［Qīnghuà Sì］位于山西省晋城市高平市神农镇团池村。据寺内原有残碑记载，创建于唐代，元明均有重修。该寺为羊头山清化寺之下寺，整个寺院因地势而建筑于村中的高地上。坐北朝南，四进院落，规模宏大，殿阁高低有序，显得别致可观。现存建筑有山门、天王殿、如来殿、三佛殿、七佛殿、两侧有钟鼓楼、罗汉、观音、地藏、祖师等配殿相衬托。如来殿为宋代遗构，余皆清代所建。如来殿，面阔三间，进深六椽，单檐歇山式屋顶，琉璃脊饰。寺庙结构规则，具有重要的历史价值。2019 年，清化寺被国务院公布为第八批全国重点文物保护单位。省道浩王线经此。

50-B-a221 **西李门二仙庙**［Xīlǐmén Èrxiān Miào］位于山西省晋城市高平市河西镇西李门村。创建年代不详，金、元、明、清各代屡有修葺，其中中殿为金代遗构。坐北朝南，两进院。现存建筑有山门、中殿、后殿、钟鼓楼、东西配殿及廊庑等。中殿居院内中央，创建于金正隆二年（1157 年）。殿身坐落在高 1.15 米石砌台基上，面阔三间，进深六椽，单檐九脊顶。殿前月台宽敞，在其束腰处刻有力士、兽头，并有两幅珍贵的线刻画，一为“金人巾舞图”，一为“宋金对戏图”。2006 年被国务院公布为第六批全国重点文物保护单位。通 703 路公交车。

50-B-a222 **仙翁庙**［Xiānwēng Miào］位于山西省晋城市高平市寺庄镇伯方村。创建年代不详，元、明、清均有重修，现存建筑主要为明、清遗构。庙沿中轴线自南向北建有山门、乐楼、过廊、献殿、正殿。正殿面宽五间，进深六椽，筒瓦悬山顶，琉璃脊饰。献殿进三间，面宽八架，明代建筑。乐楼二层，面宽、进深各三间，歇山顶。南端为两层山门，面宽三间，一层为通道，二层为倒座戏台，戏台悬山顶，梁架结构为六架带前后廊。庙内现存明代道教壁画 143 平方米。2013 年被国务院公布为第七批全国重点文物保护单位。省道长晋线经此。

50-B-a223 **羊头山石窟**［Yángtóushān Shíkū］位于山西省晋城市高平市神农镇羊头山顶。始建于北魏太和年间（477 年—499 年），山腰至山顶共计有 40 余洞窟，雕凿于大型的砂岩上，洞窟大小不一，平面多为方形一般为一石一窟，个别有一石二窟或三窟不等。其中第六窟最大。石窟内龛面整齐，四面满雕佛像，或一佛二弟子，或一佛二菩萨。洞外有许多小龛，有佛、菩萨、天王、力士、供养人等，形制各异，雕工精细。山腰至山顶有千佛造像碑一通，唐制石塔 6 座，高约 4—6 米不等。山顶四面造像塔形制独特，为北魏所造，塔座为伏羊。羊头山石窟开凿于北魏至唐。2006 年被国务院公布为第六批全国重点文物保护单位。通 802 路公交车。

50-B-a224 **游仙寺** [Yóuxiān Sì] 位于山西省晋城市高平市河西镇宰李村。寺因山而得名，曾名慈教寺。创建于宋淳化年间(990 年—994 年)，后历代屡有修葺。现存建筑毗卢殿为宋代原构，三佛殿为金代遗物，其余均为明清所建。坐北朝南，三进院落。中轴线上为山门、春秋楼、毗卢殿、三佛殿、七佛殿。三佛殿面阔五间，进深六椽，单檐悬山筒板瓦顶。毗卢殿面阔三间，进深六椽，单檐歇山顶。殿顶举折平缓，出檐深远。梁架结构全部为宋代原制，具有重要的历史价值。2001 年被国务院公布为第五批全国重点文物保护单位。通 706 路公交车。

50-B-a225 **中坪二仙宫** [Zhōngpíng Èrxiān gōng] 位于山西省晋城市高平市北诗镇中坪村。创建于唐天佑年间（ 904 年—970 年 ）。金大定十二年（ 1172 年 ）重修，后历代均有修葺、增建。现仅存正殿，主体结构为金建元修。坐北朝南，一进院落，东西宽 80 米，南北长 68 米。中轴线上有山门（ 上建倒座戏楼 ），正殿，两侧有东西翼楼、廊庑、配殿、角殿。正殿座于石砌台基上，面阔三间，进深三间，单檐歇山顶，殿内有砖雕须弥座式神台，束腰处有金大定十二年（ 1172 年 ）题记，具有重要历史价值。2006 年被国务院公布为第六批全国重点文物保护单位。省道建董线经此。

朔州市

50-B-a226 **崇福寺** [Chóngfú Sì] 位于山西省朔州市朔城区东大街。创建于唐高宗麟德二年（ 655 年 ），金天德二年（ 1150 年 ）海陵王完颜亮赐额“崇福禅寺”。后经元、明、清各代重修，始成现有规模。坐北朝南，占地面积 2.4 万平方米。现存建筑中除弥陀殿、观音殿为金代遗构外，余皆明清建筑。寺内主体建筑弥陀殿，面宽七间、进深四间，单檐歇山顶。弥陀殿规模庞大，气势雄伟，其建筑形制、雕刻艺术、塑像绘画艺术以及琉璃烧造工艺等均有较高的历史、科学、艺术价值。1988 年被国务院公布为第三批全国重点文物保护单位。通 6、19 路等公交车。

50-B-a227 **峙峪遗址** [Zhìyù Yízhǐ] 位于山西省朔州市朔城区下团堡乡峙峪村。遗址面积南北长 100 米，东西宽 15 米。1963 年调查发现并进行局部发掘。发现的遗物有：人类枕骨一块，石制品 15000 多件，烧石和烧骨等多块，装饰品 1 件、各类动物牙齿 5000 余枚。该遗址以细小石制品为主要特征。峙峪遗址文化遗物包括石制品、骨器和装饰品。是华北地区发现的一处重要的旧石器时代晚期遗址，对研究旧石器晚期文化及细石器文化的起源，有不可替代的作用。2019 年被国务院公布为第八批全国重点文物保护单位。通 8 路公交车。

50-B-a228 **广武汉墓群** [Guǎngwǔ Hàn Mù qún] 位于山西省朔州市山阴县城南 40 千米处。东临桑干河，西靠旧广武辽代古城，是我国最大的汉墓群之一。南北 3.5 千米，东西 1.5 千米，占地面积 10.5 平方千米，共存封土堆 288 个。封土堆分大、中、小三种。墓堆越大，显示死者的官位越高，反映了当时的等级制度。明代曾把高大的烽火台建在封土堆上边，墓群之大，封土之高。山阴是古代战争重地，汉代军队与匈奴族屡战于此。整个墓群为当时汉代戍边将领的陵园。1988 年被国务院公布为第三批全国重点文物保护单位。208 国道经此。

50-B-a229 **广武城** [Guǎngwǔ Chéng] 位于山西省朔州市山阴县广武镇旧广武村。距离雁门关 5 千米。始建于辽乾亨元年（ 917 年 ），明洪武及万历年间（ 1374 年—1619 年 ）重建，原为夯土城墙，明代重修包砖。古城东西宽 338 米，南北长 498 米，城周长 1654.94 米，城墙高 8 米，顶宽 3.4 米，有马面 12 座，望楼 4 座，东、南、西城门楼 3 座，古城墙除城垛口损坏严重外，其余保存较完整。盘踞在雁门关外，是我国古代北方少数游牧民族进入中原的唯一通道；是古代边塞军事防御体系的重镇；是古代军事战略防御体系之精华。2006 年被国务院公布为第六批全国重点文物保护单位。208 国道经此。

50-B-a230 **净土寺** [Jìngtǔ Sì] 位于山西省

朔州市应县县城内东北隅。创建于金天会二年（1124 年），金大定二十四年（1184 年）重修。建筑分布在东西两条轴线上。现仅存大雄宝殿。大殿天花、藻井及天宫楼阁的混金作法，是金代少见的珍品。整个天花藻井的构图繁复，反映了金代室内装饰绚丽多彩的时代特点。天宫楼阁，既是精制的建筑模型，又是出色的工艺品，其仿木构建筑形式，比较真实地反映了当时的建筑形制，对研究金代建筑具有参考价值。2006 年被国务院公布为第六批全国重点文物保护单位。通 2、13 路等公交车。

50-B-a231 **应县木塔**［Yìngxiàn Mùtǎ］位于山西省朔州市应县金城镇西街。建于辽清宁二年(1056年),金昌明二年至六年(1191年—1195年),元、明、清各代屡有修葺。塔的位置在寺内中轴线前隅，这种以塔为中心的平面布局是南北朝时期佛寺建制的延续。塔坐北朝南，平面呈八角形，外观五层，夹有暗层四级，实为九层，通高 67.31 米。900 多年间木塔经受了强烈地震和战火袭击，至今巍然屹立。塔内曾发现辽代佛经、画卷“神农采药图”等珍贵文物，为研究辽代佛教活动和我国雕刻印刷技术提供了重要资料。1961 年被国务院公布为第一批全国重点文物保护单位。通 2、13 路等公交车。

50-B-a232 **右玉宝宁寺**［Yòuyù Bǎoníng Sì］位于山西省朔州市右玉县右卫镇东街。俗称大寺庙。始建于明天顺四年(1460年),弘治元年(1488年）、清康熙四十八年（1709 年）重修。坐北朝南，东西宽约 150 米，南北长约 200 米，中轴线上原有四进院落、五座殿宇。现仅存明代大雄宝殿和过殿。大雄宝殿又称严华殿，在寺院后部，为宝宁寺主殿。大殿面宽七间，进深六间，平面呈长方形，单檐歇山顶。大殿内原有水陆画一堂，共计 139 幅，内容有神佛鬼魅、天堂地狱、因果报应等，均为明代佳作。2019 年被国务院公布为第八批全国重点文物保护单位。乡村道路经此。

晋中市

50-B-a233 **什贴墓群**［Shítiē Mùqún］位于山西省晋中市榆次区什贴村。现存地面六座封土堆，当地人俗称“王墓”。墓葬散布在黄土高原的塬峁之上，面积约 8 万平方米。据史料记载，古墓中其一为北齐中书令韩轨之墓。该六座封土墓和已探明的另 1 座无封土墓，同为韩轨家族墓葬。墓葬均为带天井、过洞、斜坡墓道的土洞墓。2006 年被国务院公布为第六批全国重点文物保护单位。省道高源线经此。

50-B-a234 **榆次城隍庙**［Yúcì Chénghuáng Miào］位于山西省晋中市榆次区东大街。据碑文记载，庙创建于元至正二十二年（1362 年），初建时仅大殿、山门、东西廊房。明正德十年（1516 年）增建玄鉴楼，正德十五年（1521 年）建乐楼、山门、钟、鼓楼、影壁。明嘉靖、万历年间及清代均进行过修葺。现存大殿为元代遗构，山门、玄鉴楼为明代重修，余皆清代建筑。坐北朝南，为三进院落，占地面积 4000 余平方米。主要建筑有山门、玄鉴楼、乐楼、戏台、影壁、大殿、后殿、钟鼓楼及东西廊房等。1996 年，榆次城隍庙被国务院公布为第四批全国重点文物保护单位。通 10、新 202 路等公交车。

50-B-a235 **崇圣寺**［Chóngshèng Sì］位于山西省晋中市榆社县城上赤峪村。初名崇严寺，又名禅山寺。创建于唐，宋嘉祐年间改名崇圣寺，南宋毁于战火，金大定十五年至二十六年（1175 年—1186 年）重新修建，元、明、清均有修葺。坐北朝南，分为上、下两个院落，建筑面积 1840 多平方米。中轴线上依次为山门、过殿（南殿）、大雄宝殿及厢房等，西南有明代实心砖塔 1 座，元代石塔 2 座。东面有白龙庙，南面为戏台，具有重要的历史价值。2006 年被国务院公布为第六批全国重点文物保护单位。乡村道路经此。

50-B-a236 **福祥寺**［Fúxiáng Sì］位于山西省晋中市榆社县河峪乡岩良村。创建于后晋开运三年（946 年），金大定时重修，历代均有修葺。现仅存大雄宝殿、天王殿。寺址一面背山、三面环水。占地面积 844.6 平方米。大雄宝殿为寺内主殿，面阔五间，进深三间，单檐悬山顶。檐下斗为六铺作双抄双下昂。殿内采用减柱造，空间宽大。梁架为彻上露明造，用材硕大，举折平缓，出檐深远，保留了金代建筑风格，具有重要的历史价值。2006 年被国务院公布为第六批全国重点文物保护单位。乡村道路经此。

50-B-a237 **八路军前方总部旧址**［Bālùjūn Qiánfāng Zǒngbù Jiùzhǐ］位于山西省晋中市左权县麻田镇麻田村。1941 年 7 月至 1945 年 8 月整整四年时间，八路军前方总部及中共中央北方局等机关驻扎于此。旧址由总部大院、邓小平旧居、左权旧居三部分组成。总部大院坐北朝南，一进四合院落。正面为砖木结构楼房，两侧为平房共 30 间。彭德怀、左权、刘伯承、邓小平等领导同志长期生活、工作、战斗在这里，领导与指挥太行山、晋冀鲁豫边区以至华北军民英勇抗战，为中华民族的独立和解放作出了卓越贡献。1996 年被国务院公布为第四批全国重点文物保护单位。省道沁涉线经此。

50-B-a238 **八路军一二九师司令部旧址**［Bālù jūn YīèrjiǔSīlìngbù Jiùzhǐ］位于山西省晋中市左权县辽阳镇西河头村。旧址建于 20 世纪 30 年代，分为两个部分—主院及马棚，主院为三进院落的四合院，除三进院主房为砖制拱券窑洞外，其他房屋均为单檐硬山顶砖木结构。1937 年至 1940 年间，一二九师司令部设在此宅院内，刘伯承师长、徐向前副师长、张浩政委、倪志亮参谋长及 1938 年接替张浩的邓小平政委在这里领导了抗日战争的众多战役，为抗日战争的最后胜利奠定了基础。2006 年被国务院公布为第六批全国重点文物保护单位。340 国道经此。

50-B-a239 **寺坪普照寺大殿**［Sìpíng Pǔzhào Sì Dàdiàn］位于山西省晋中市左权县拐儿镇寺坪村。据寺内碑刻记载，该寺始建于后晋天福三年（944 年）。坐北朝南，原布局为三进院落，建筑面积 376 平方米。现仅存大殿为元代建筑，大殿建于 0.4 米高的青石砌筑台基上。面阔七间，进深六椽，单檐歇山顶。大殿规模较大，保存状况完好，梁架举折平缓，用材粗大，多为自然材，是研究当地早期建筑特征和发展演变规律的重要实物资料。2013 年被国务院公布为第七批全国重点文物保护单位。省道松店线经此。

50-B-a240 **苇则寿圣寺**［Wěizé Shòushèng Sì］位于山西省晋中市左权县桐峪镇苇则村。坐北朝南，始建年代不详，现存一进院落。由南向北有：南殿、正殿，两侧为钟楼及东配殿。南殿面阔五间，进深五椽，前檐带廊，单檐悬山顶。正殿面阔五间，进深六椽，单檐悬山顶。寺庙格局保持基本完整，主体建筑结构简洁，用材粗大，举折平缓，是研究当地早期建筑特征和发展演变规律的重要实物资料。2013 年被国务院公布为第七批全国重点文物保护单位。207 国道经此。

50-B-a241 **左权文庙大成殿**［Zuǒquán Wén Miào Dàchéng Diàn］位于山西省晋中市左权县城内辽阳街。创建年代不详，相传为晋代所建。据明“《永乐大典》辽州志”记载，宋政和八年（1118 年）已有。据元代石碑记载，该殿重建于元大德元年（1297 年）。大成殿坐北朝南，面阔五间，进深三间，重檐歇山顶。占地面积 458.9 平方米。屋顶瓦、脊、仙人、走兽全为绿色琉璃，殿内使用减柱法，梁架结构为四椽对乳通檐用三柱。为典型的元代建筑风格，具有重要的历史价值。2006 年被国务院公布为第六批全国重点文物保护单位。通 201、202 路等公交车。

50-B-a242 **懿济圣母庙**［Yìjì Shèngmǔ Miào］位于山西省晋中市和顺县平松乡合山村。据重修碑载：“宋朝建至，宋金兵劫火焚之余”，元代重修，历代均有修葺。坐南朝北，分上下两院。中轴线上依次为木牌坊、山门、乐楼、圣母殿。下院山门戏楼两侧有钟鼓楼、灵官庙、东西禅院、廊房；上院两侧有东西配殿、痘疹殿、眼光殿；东南角有“显泽侯神祠”。总占地面积 3000 平方米。圣母殿为寺内主体建筑，面宽、进深各三间，平面方形，单檐歇山顶。2006 年被国务院公布为第六批全国重点文物保护单位。省道高坪线经此。

50-B-a243 **大寨人民公社旧址**［Dàzhài Rén míngōngshè Jiùzhǐ］位于山西省晋中市昔阳县大寨镇大寨村。旧址建于 1966 年，现存东窑 10 孔，北窑 3 孔，北排房 3 栋，大门一座。大寨梯田在大寨村东南虎头山上，分布面积约 47 万平方米，建于 20 世纪 50—70 年代。由于当时自然环境恶劣，群众生活十分艰苦，后进行治山治水，在坡地上开辟层层梯田，并通过引水浇地改变了靠天吃饭的状况，成为全国农业的一面旗帜。大寨人民公社旧址体现了大寨人民奋发图强和立志改变贫穷面貌的精神，是新中国建立后农业、农村、农民发展的重要历史见证。2013 年被国务院公布为第七批全国重点文物保护单位。通 105 路公交车。

50-B-a244 **石马寺石窟**［Shímǎ Sì Shíkū］位于山西省晋中市昔阳县大寨镇石马村。始凿于北魏永熙三年（534 年），后镌刻不断至隋唐。由石窟和摩崖造像组成，石窟、摩崖造像。石窟现存 3 座，造像总数 1300 余尊，分布于三块巨石的七块崖面上。崖面最高处 7 米，总长 70 余米。造像大多为北魏镌造，少数北齐、隋唐所为。保存基本完好，突出反映了外来艺术与中国民族艺术融为一体，形成独具风格的中国造像艺术。雕刻工艺精湛，题材丰富，是一批富有历史和艺术价值的佳作。2013 年被国务院公布为第七批全国重点文物保护单位。乡村道路经此。

50-B-a245 **昔阳崇教寺**［Xīyáng Chóngjiào Sì］位于山西省晋中市昔阳县下城街北路。据《昔阳县志》载，创建于宋熙宁二年（1069 年），明洪武十四年（1381 年）与寿圣寺合并称北寺，元、明、清各代屡有修缮。坐北朝南，占地面积 550 平方米，包括前后大殿、左右配殿。四殿梁架融为一体，屋顶殿身互相衔接，中间围成天井式院落。面向院内的四周檐部斗拱共计 33 朵，保存完好。2006 年被国务院公布为第六批全国重点文物保护单位。通 103、108 路等公交车。

50-B-a246 **昔阳离相寺**［Xīyáng Líxiàng Sì］位于山西省晋中市昔阳县赵壁乡川口村。创建年代不详，据寺内现存石碑载，明正统、万历，清康熙、乾隆、嘉庆、道光、光绪和民国均有修缮，占地面积约 500 平方米。坐北朝南，一进院落布局，中轴线由南向北建有天王殿、正殿，两侧有东西配殿、钟楼、鼓楼，除轴线建筑为原寺物外，两侧建筑均为后人新建。现存建筑中正殿为宋代遗构，天王殿为清代建筑。庙内现存重修碑、碣共计 9 通（方），院内存残幢 1 座。离相寺大殿是昔阳县仅存的四座元以前木构建筑之一，对于研究昔阳县元以前木构建筑的结构形制提供了实物资料，是山西晋中区域保存为数较少的宋代建筑，弥足珍贵。2019 年被国务院公布为第八批全国重点文物保护单位。省道界李线经此。

50-B-a247 **福田寺**［Fútián Sì］位于山西省晋中市寿阳县平头镇黑水村。始建于唐，金代毁于兵火，大元至顺四年（1333 年）重建。主要建筑有南过殿、东西配房及正殿等。正殿面阔三间，进深三间，单檐悬山顶。殿顶琉璃瓦剪边，斗为五铺作双下昂，殿内采用减柱移柱法，元代特征显著。是有确切纪年的元代建筑，建筑物结构用材上都体现了元代建筑特点，是保存较好的元代建筑精品，具有重要的历史价值。2006 年被国务院公布为第六批全国重点文物保护单位。乡村道路经此。

50-B-a248 **孟家沟龙泉寺**［Mèngjiāgōu Lóngquán Sì］位于山西省晋中市寿阳县南燕竹镇孟家沟村。始建于明代，寺依山势上下叠建而起，共有 8 层。现有砖砌窑洞 37 眼，砖木结构房舍 49 间、古戏台一个、凌泾塔一座，总占地面积约 2400 平方米。凌泾塔在龙泉寺之东约 100 米处，砖砌笔尖式，高 13 层，约 25 米。塔上嵌碑，书有“凌泾塔”，为傅山先生所题，具有重要的历史价值。2006 年被国务院公布为第六批全国重点文物保护单位。省道榆盂线经此。

50-B-a249 **普光寺**［Pǔguāng Sì］位于山西省晋中市寿阳县西洛镇白道村。始建年代无考，清光绪八年版和 1989 年《寿阳县志》均有记载。主要建筑包括正殿、东西配殿、东西厢房、东西耳房等。布局规整，中轴线对称，总占地面积约 1100 多平方米。正殿为宋代遗构，余皆为明、清建筑。正殿面阔三间，通面阔 12.92 米，进深三间，通进深 14.1 米，平面近方形。进深大于面阔，这种布局尚属少见。内壁壁画共三层，中间一层为明代所绘，底层尚不知何时代，具有较高的艺术价值。其结构形制和用材规范上保留了宋代建筑的特点。2006 年被国务院公布为第六批全国重点文物保护单位。乡村道路经此。

50-B-a250 **安禅寺**［Ānchán Sì］位于山西省晋中市太谷区西道街。寺院始建于唐大中十年（857 年），宋咸平四年（1001 年）再建，元延祐三年（1316 年）重修，清光绪年间再次修葺。现仅存藏经殿、后殿。藏经殿为北宋早期建筑，后殿为清代建筑。藏经殿坐北朝南，面宽进深各三间，平面近方形，单檐歇山顶，占地面积 209 平方米。坡度平缓，出檐较深，栏额至角柱不出头。殿内无柱，梁架结构为四椽通檐用二柱。2006 年被国务院公布为第六批全国重点文物保护单位。通 T01 外环路等公交车。

50-B-a251 **曹家大院**［Cáojiā Dàyuàn］位于山西省晋中市太谷区北洸乡北洸村。创建于明朝末期，建成于清朝中期，南北长 98 米，东西宽 108 米，占地为 10600 平方米。整座建筑从北向南，东西并排有 3 个穿堂大院，内套 15 个小院，共有房屋 277 间，鸟瞰为“寿”字形，附属建筑西花园建有地下厨房，地面建造餐厅，附带建有长廊及正楼，三多堂院落宽阔明亮。砖雕、石刻、木雕图案清晰细致，形象逼真。馆内展出内容为曹家经商史、明清家具展、明清瓷器、珍宝展及根雕艺术展等。2006 年被国务院公布为第六批全国重点文物保护单位。通 T06 路公交车。

50-B-a252 **范村圆智寺**［Fàncūn Yuánzhì Sì］位于山西省晋中市太谷区范村镇范村旧村。寺名源于佛教谛义。建于唐代，金天会九年（1131 年）重建，明、清多次重修补葺。坐北朝南，二进院落，东西宽 33.5 米，南北长 73.8 米，占地面积 2472.3 平方米。中轴线上自南而北依次布列天王殿、过殿、正殿等，两侧建钟鼓 2 楼、东西配殿及禅房院。正殿面宽五间，进深九架，单檐悬山顶。经清代数次维修，至今格局清晰，建筑形制、风格统一，是研究明代建筑的较重要实例。2013 年被国务院公布为第七批全国重点文物保护单位。省道太长线经此。

50-B-a253 **光化寺**［Guānghuà Sì］位于山西省晋中市太谷区北洸乡白城村。始建于唐贞观十三年（639 年），原名隆兴寺，北宋咸平二年（999 年）重修后更为现名。元、明、清各代屡有修葺。坐北朝南，占地面积 2402 平方米。现仅存建筑大雄宝殿、后殿、西配殿。大雄宝殿为元代遗构，余皆清代所建。大雄宝殿居寺院正中，面阔五间，进深八椽，单檐歇山顶。殿内梁架为彻上露明造，为四椽对前后乳用四柱。2006 年被国务院公布为第六批全国重点文物保护单位。通 T16 路公交车。

50-B-a254 **净信寺**［Jìngxìn Sì］位于山西省晋中市太谷区阳邑乡阳邑村。据寺内碑记创建于唐开元元年（713 年），原为尼庵后改僧院，经历代修葺扩建，现存为明清建筑，寺坐北朝南，宽 38.2 米、长 94.5 米，占地 3610 平方米。由两进院落组成。寺前立砖构“福”字影壁，其后为一间山门与戏台相连。戏台、三佛殿、毗卢殿、钟鼓楼、配殿等数十座建筑均有年代可考，保存了明清风格。中轴线上有戏台、三佛殿和毗卢殿三座建筑。较完整地保存了明清建筑、彩塑、壁画及琉璃作品。是太谷区规模最大，保存最完整的古建筑群。2006 年被国务院公布为第六批全国重点文物保护单位。通 T21 路公交车。

50-B-a255 **孔家大院**［Kǒngjiā Dàyuàn］位于山西省晋中市太谷区水秀镇南大街。建于清乾隆至咸丰年间，1925 年孔祥熙（1880 年—1967 年）将其购买后，曾进行过大规模维修。坐南向北，东西宽约 91 米，南北长约 69 米，总面积 6324.5 平方米。整座宅院东西共六条轴线，分为正院、书房院、厨房院、戏台院、墨庄院、西偏院和东、西花园等 8 个院落，现存单体建筑共 33 座。建筑古朴、厚重、亭台楼榭布局合理，回廊飞檐钩心斗角，代表了清、民国时期山西民居建筑的较高水平，具有较高历史和艺术价值。2013 年被国务院公布为第七批全国重点文物保护单位。通 T01 外环路等公交车。

50-B-a256 **山西铭贤学校旧址**［Shānxī Míngxián Xuéxiào Jiùzhǐ］位于山西省晋中市太谷区侯城乡杨家庄村。原为太谷区望族孟氏的别墅，又称孟家花园，始建于清中期，包括孟家花园、教学建筑和宿舍别墅群三个部分。遗存由崇圣楼东、中、西院和曲尺水榭院组成。教学建筑包括杭氏楼、田氏楼、韩氏楼、亭兰图书馆和嘉桂科学楼。宿舍别墅群于 1931 年开始陆续建成，为学生宿舍、外教宿舍，现存 16 栋，均为二层砖构。旧址承载的大量历史信息，为研究北方私家园林、中西文化交流、建筑艺术等提供了不可多得的实证。2013 年被国务院公布为第七批全国重点文物保护单位。通 T01 路公交车。

50-B-a257 **无边寺**［Wúbiān Sì］位于山西省晋中市太谷区南寺街。寺址原为白塔村，北齐时迁县址于此。创于晋泰始八年（272年），原名无边寺，北宋治平年间重修，改名“普慈寺”。北宋元五年（1090年）续修，清光绪三十二年（1906年）改建，复名无边寺。寺中建塔，顶有尊胜石幢，垩久而白不减，俗称白塔。元明清各代屡经修补。现存建筑除白塔为宋代遗构外，余皆为清代所建。塔平面八角形，七层，高43米，为楼阁式空心塔。每层皆出塔檐，檐下皆有斗拱，各层券门洞与檐外相通，并雕有假门窗。2006年被国务院公布为第六批全国重点文物保护单位。通T01路公交车。

50-B-a258 **新村妙觉寺**［Xīncūn Miàojué Sì］位于山西省晋中市太谷区阳邑乡新村。始建年代无考，现存建筑为明代所建，其后屡有重修，清道光二十五年（1845年）大修。坐北朝南，原由两进院落和一个西院组成。现存寺院一进院落，东西宽40米，南北长40米，占地面积1600平方米。现存仅一进院，前院的山门及钟、鼓楼已毁。轴线上由南向北依次为过殿、大雄宝殿，两侧分布东西配殿、东西耳房。西院有正殿和东西耳房。具有明代木构建筑的特征，是研究我国古代木建筑形制演变较重要的实例。2013年被国务院公布为第七批全国重点文物保护单位。通T03路公交车。

50-B-a259 **真圣寺**［Zhēnshèng Sì］位于山西省晋中市太谷区范村镇蚍蜉村。始建于金正隆二年（1157年），后经明清多次修葺。正殿整体梁架及建筑部件仍保留金代原貌。石窑（入寺之门）为清代遗存。寺内保留有东西配殿遗址。正殿面阔三间、进深三间，单檐硬山顶，柱头斗为五铺作单抄单下昂计心造。梁架彻上露明造，结构为四椽对前乳用三柱，乳前端与铺作相交出耍头。结构简洁规整，特征与金代形制相符。2006年被国务院公布为第六批全国重点文物保护单位。省道太长线经此。

50-B-a260 **梁村洪福寺**［Liángcūn Hóngfú Sì］位于山西省晋中市祁县古县镇梁村。据寺内山门、南殿墙上嵌石匾记载，始建于唐开元元年（713年），坐北朝南，一进院落布局，中轴线建有山门、南殿、正殿，两侧为东西配殿，东配殿东南隅辟僧院，僧院内有一进院西配殿、过厅，二进院落布局，现仅存过厅、西配房。现存建筑正殿为元代遗构，南殿为明代建筑，余均为清代建筑。是祁县现存规模最大、保存最为完整的佛教寺庙之一，具有较高的历史研究价值，是研究晋中地域元代乡村寺庙建筑的宝贵实例。2019年被国务院公布为第八批全国重点文物保护单位。通祁县11路公交车。

50-B-a261 **梁村遗址**［Liángcūn Yízhǐ］位于山西省晋中市祁县古县镇梁村。面积约24万平方米。1954年发现，1955年由山西省文管会进行发掘。遗址地表平坦，文化层厚0.3-1米，断崖上暴露有灰坑、陶窑等。采集到的器物有泥质红陶折唇壶和夹砂灰陶绳纹筒形罐等，另出土有石、凿、蚌刀等。遗址面积大，遗存丰富。文化内涵包括了仰韶文化庙底沟类型和庙底沟二期文化，在汾河流域史前考古学文化的演进历史中起着重要的桥梁纽带作用，对山西及其周边的史前文化研究具有重要的价值。2013年被国务院公布为第七批全国重点文物保护单位。通祁县11路公交车。

50-B-a262 **祁县镇河楼**［Qíxiàn Zhèn Hé Lóu］位于山西省晋中市祁县贾令镇贾令村。该楼是为镇煞昌源河“河灾”而修建，故称“镇河楼”。始建于明宣德年间（1426年—1435年）、嘉靖、清乾隆年间屡有修葺。为两层四檐歇山顶阁楼式建筑。坐北朝南，面阔五间，进深四间，通高15米。台基为砖石结构，中间拱券门洞通南北。楼上的两块匾额寄托着百姓安居乐业愿望，楼正面匾书“永镇昌源”，背面匾书“恩庇张姓”，也反映了古时百姓的信仰习俗。2019年被国务院公布为第八批全国重点文物保护单位。通祁县26路公交车。

50-B-a263 **乔家大院**［Qiáojiā Dàyuàn］位于山西省晋中市祁县东观镇乔家堡村。又名在中堂，是清代著名的商业金融资本家乔致庸的宅第，为全封闭的城堡式建筑群。始建于清乾隆年间，以后曾多次增修扩建，民国初年逐成今日规模。大院占地8700平方米，建筑面积4175平方米，分6个大院，19个小院，313间房屋。布局严谨、设计精巧，俯视成双“喜”字形，建筑考究，砖瓦磨合，精工细做、斗飞檐，彩饰金装，砖木石雕、工艺精湛，充分显示了我国古代高超的建筑工艺水平，被专家学者誉为："北方民居建筑史上一颗璀璨的明珠"。2001 年被国务院公布为第五批全国重点文物保护单位。通祁县 29 路公交车。

50-B-a264 **渠家大院**［Qújiā Dàyuàn］位于山西省晋中市祁县东大街。明清时期晋商巨贾渠氏家族所建的院落。始建于清乾隆年间，目前修复开放的渠家大院面积 5317 平方米。院落为城堡式，内分 8 个大院、19 个四合小院，共有 240 间房屋。院落之间有牌楼、过厅相隔、形成院套院、门连门的格局。其中石雕栏杆院、五进式穿堂院、牌楼院、戏台院错落有致主次分明，堪称渠家大院的四大建筑特色。现辟为晋商文化博物馆。2006 年被国务院公布为第六批全国重点文物保护单位。通 2、12 路公交车。

50-B-a265 **兴梵寺**［Xìngfàn Sì］位于山西省晋中市祁县东观镇东观村。据大殿正脊下题记"大宋天圣三年（1025 年）始建西管村，大清康熙二十六年（1687 年）移建东观镇"。建筑面积 287.3 平方米。现仅存大雄宝殿。大殿坐北朝南，坐落在砖石结构的台基上，面阔五间、进深六椽，单檐歇山顶，屋面琉璃瓦剪边。斗为四铺作出单抄，梁架结构为四椽对前后搭牵用四柱。2006 年被国务院公布为第六批全国重点文物保护单位。通祁县 29 路公交车。

51-B-a266 **北依涧永福寺过殿**［Běiyījiàn Yǒngfú Sì Guòdiàn］位于山西省晋中市平遥县朱坑乡北依涧村。创建年代不详，据过殿脊檩题记及碑文记载，明成化五年（1469 年）重建，明弘治、万历及清康熙、乾隆年间几经修葺。现仅存过殿为明代建筑。面宽五间，进深三间，单檐歇山顶。前檐明、次间为隔扇门，梢间为槛墙、直棂窗。柱头卷刹有侧脚，角柱生起，下设素面覆盆柱础。保存了明代重建题记和少量明代壁画，具有较高建筑史学研究价值。2013 年被国务院公布为第七批全国重点文物保护单位。省道南平线经此。

50-B-a267 **慈相寺**［Cíxiàng Sì］位于山西省晋中市平遥县沿村堡乡冀郭村。据寺内金泰和元年（1201 年）碑载：创建年代不晚于唐肃宗时期（756 年—763 年），古名圣俱寺，宋皇三年（1041 年）改现名。宋末兵燹，仅存正殿。金天会年间（1123 年—1137 年）在旧址上建麓台塔并修建殿宇、楼亭十多座。金代至清历代重修，现存建筑正殿与塔为宋金时期原构，余皆明清所建。坐北朝南，三进院，总占地面积 18365.5 平方米。分别由山门、乐楼（只存高台基）、关帝庙及庙之两山墙并列的钟、鼓二楼、正殿、东两两侧窑洞、麓台塔（无名大师灵塔）组成。2001 年被国务院公布为第五批全国重点文物保护单位。乡村道路经此。

50-B-a268 **干坑南神庙**［Gànkēng Nánshén Miào］位于山西省晋中市平遥县古陶镇干坑村。坐北朝南，三进院落布局，占地面积 1907 平方米。创建年代不详，据庙碑记载，明正德年间（1506 年—1521 年）已有，明嘉靖、清康熙、乾隆、嘉庆、道光、光绪年间屡有修葺。沿中轴线自南至北依次建有山门、戏台、正殿和后殿，两侧建东西配殿、厢房及耳殿。山门面宽三间，进深四椽，硬山顶，明间为门道。格局完整，保存了明代以来的古建筑及明代塑像，具有较高历史和艺术价值。2013 年被国务院公布为第七批全国重点文物保护单位。通 1、21 路公交车。

50-B-a269 **金庄文庙**［Jīnzhuāng Wén Miào］位于山西省晋中市平遥县岳壁乡金庄村。元延二年（1315 年）创建，明万历、清乾隆、嘉庆、咸丰年间几经重修，民国十一年（1922 年）补修。庙坐北朝南，前后共二进院落，现存殿堂 6 座，占地 1056.4 平方米，建筑面积 406.4 平方米。中轴线上建筑有大成殿、明伦堂、泮池等。东西两侧为舍房。最前为明伦堂，面阔三间，带前廊，硬山顶，前院东西厢房各三间，单坡硬山顶。前后院之间有泮池，上建状元桥，池西有厢房 4 间，池东有"五爪柏"1 株。2006 年被国务院公布为第六批全国重点文物保护单位。通 22 路公交车。

50-B-a270 **雷履泰旧居**［Léilǚtài Jiùjū］位于山西省晋中市平遥县书院街。坐北向南，由东、西主院及东、西偏院组成，建于清嘉庆末年至道光初年，共有房屋 40 余间，占地面积约 5000 平方米。西主院为旧居的主体，两进院落，中轴线上依次建有南厅、过道厅、内宅门、正房，东西两侧建厢房，厢房的后檐墙外设夹道。南厅面宽三间，五檩前后廊式，东明堂处建院门。是保存较为完整的大型金融资本家住宅，是研究晋商文化为数不多的实物依据之一。2013 年被国务院公布为第七批全国重点文物保护单位。通 1、22 路公交车。

50-B-a271 **利应侯庙**［Lìyīnghóu Miào］位于山西省晋中市平遥县襄垣乡郝洞村。金泰和六年（1206 年）建成，元至元二十九年（1292 年）修葺。坐北朝南，占地 2325.96 平方米，现仅存正殿，其余建筑已毁。正殿为元代建筑，建在高 1 米余的台基上，面阔三间，进深四椽，单檐悬山顶，斗五铺作单抄单昂。殿内有彩塑 11 尊，均为元代作品。东、西、南三壁有清代壁画，具有重要的历史价值。2006 年被国务院公布为第六批全国重点文物保护单位。省道东夏线经此。

50-B-a272 **梁家滩白云寺**［Liángjiātān Báiyún Sì］位于山西省晋中市平遥县卜宜乡梁家滩村。创建年代不详，据寺内碑文记载，重修于明嘉靖十六年（1537 年），清乾隆、嘉庆、道光及民国年间增修补葺。坐北向南，四进院落布局，占地面积 7792.6 平方米。中轴线上由南向北依次建有山门、南殿、正殿、禅堂和古佛殿，东西两侧建有钟鼓楼、配殿、耳房等。山门为二层结构，底层为砖券窑洞三孔，明间辟拱券门洞，二层建春秋楼三间，四檩硬山加前廊。依山筑基，就岩建屋，格局别具特色，建筑保存现状较好，具有较高的建筑史学研究价值。2013 年被国务院公布为第七批全国重点文物保护单位。通 21 路公交车。

50-B-a273 **南政隆福寺**［Nánzhèng Lóngfú Sì］位于山西省晋中市平遥县南政乡南政村。坐北向南，三进院落布局，占地面积 2954 平方米。清光绪《平遥县志》载，创建于元大德二年（1298 年），明代重修，现存建筑为清代遗构。中轴线上由南至北依次建有影壁、山门、护法殿、大佛殿台基及大雄宝殿，东西两侧建有钟鼓楼、禅房、配殿、耳殿等。山门面宽五间，进深四椽，悬山顶，明间为门道，次、梢间纵向有隔墙，墙前塑像，墙上绘四大天王像。南政隆福寺布局规整，清代格局保存完好，存有多幅清代精美壁画，正殿用料考究，做工精细，具有较高历史和艺术价值。2013 年被国务院公布为第七批全国重点文物保护单位。省道襄平线经此。

50-B-a274 **平遥城隍庙**［Píngyáo Chénghuáng Miào］位于山西省晋中市平遥县城隍庙街。创建年代无考，明嘉靖年间重修。清咸丰九年（1859 年）遭火焚，幸存寝殿，同治三年至八年（1864 年—1869 年）续修，并塑像 160 余尊。坐北朝南，总占地面积 7302 平方米，前后三进院落。庙前有牌坊、影壁，庙外之左右，各有过街牌坊 1 座。自南而北有山门、乐楼、钟鼓二楼，献殿、正殿、娘娘殿、土地殿、六曹府及游廊等建筑。庙内保存清代壁画及清代塑像 160 余尊。2006 年被国务院公布为第六批全国重点文物保护单位。通 18、102 路公交车。

50-B-a275 **平遥城墙**［Píngyáo Chéngqiáng］位于山西省晋中市平遥县照壁南街。据史料记载，自公元前 221 年中国实行“郡县制”以来，一直是县治所在地。按照“因地制宜、用险制塞”的原则和“龟前戏水，山水朝阳，城之修建，依此为胜”的传说，南城墙随中都河蜿蜒而筑，缩如龟状，故又有“乌龟城”之称。其余三面直列砌筑，周长 6.4 千米，墙高 12 米，平均宽 3.5 米。城内保留着街道、市楼、寺观、庙宇、店铺、酒肆、茶坊等明清街道格局规制，是研究明清时期县城建制、规模等级、布局设置、社会人文景观和商贸发展的重要实物资料。1988 年被国务院公布为第三批全国重点文物保护单位。通 102、211 路公交车。

50-B-a276 **平遥惠济桥**［Píngyáo Huìjì Qiáo］位于山西省晋中市平遥县古陶镇东城村。横跨于惠济河下游，九孔联拱石桥，俗称九眼桥。据碑文记载，原为木板桥，清康熙十年（1671 年），始建五孔石拱桥，康熙三十六年（1697 年）增为九孔拱桥。乾隆、同治、光绪年间曾予补筑修葺。南北走向，桥全长 80 米，宽 7.4 米，各拱券净跨 4.2—4.9 米不等，桥墩高 5—7 米，桥面略呈弧形，条石铺墁。桥在平遥古城东关之东侧，是平遥古城的重要组成部分，其跨度长，设计合理，结构精良，砌法稳固，是北方清代石拱桥中的重要实物。2013年被国务院公布为第七批全国重点文物保护单位。通15、102路公交车。

50-B-a277 **平遥清凉寺**［Píngyáo Qīngliáng Sì］位于山西省晋中市平遥县卜宜乡永城村。元至正二年（1342年）建，明清两代均有修葺。坐北朝南，前后两进院，现存建筑有山门、中殿、七佛殿、东西配殿及东西廊房等。七佛殿为正殿，在后院北端，面阔五间，进深六椽，单檐悬山顶，斗五铺作双下昂。殿内砌有倒凹字形的佛台，7尊坐像通高近3米，背光金碧辉煌，为明代彩塑之精品，具有重要的历史价值。2006年被国务院公布为第六批全国重点文物保护单位。通21路公交车。

50-B-a278 **平遥市楼**［Píngyáo Shìlóu］位于山西省晋中市平遥县平遥古城中心南大街。始建年代不详，据清光绪《平遥县志》载，清康熙二十七年（1688年）重修，后世多有补葺。坐北朝南，平面呈方形，占地面积133.4平方米。市楼为砖木结构两层过街楼建筑，高18.5米，面宽、进深各三间，三重檐歇山顶，孔雀蓝、黄、绿三色琉璃瓦覆顶，并饰琉璃脊饰、宝刹。处于平遥城中心，是古城内唯一的楼阁式高层建筑，风格别具特色，是研究平遥城市发展史、建筑史的重要实物。2013年被国务院公布为第七批全国重点文物保护单位。通206、209路公交车。

50-B-a279 **平遥文庙**［Píngyáo Wén Miào］位于山西省晋中市平遥县城隍庙街。始建年代不详，据殿内梁架题记载，大成殿重建于金大定三年（1103年），其余东西两殿及前后院建筑皆明清所建。坐北朝南，庙区占地8649.6平方米，建筑面积3472.3平方米。现存四进院落，中轴线上排列有：棂星门、大成门、大成殿、明伦堂、敬一亭、藏经阁等建筑，具有重要的历史价值。2001年被国务院公布为第五批全国重点文物保护单位。通102、209路公交车。

50-B-a280 **清虚观**［Qīngxū Guān］位于山西省晋中市平遥县东大街。创建于唐显庆二年（657年），后历代均进行过修葺、增修。坐南朝北，前后三进院落，总占地面积5890.9平方米，建筑面积2210.2平方米。主要建筑有牌坊、山门、龙虎殿、纯阳宫、三清殿、玉皇阁。牌坊在中轴线上，为木结构二柱式，前后置戗柱、歇山顶、斗七踩；匾额上书“清虚仙迹”“古陶胜境”。山门面宽五间，三檩中柱式，悬山顶，清代遗物，具有重要的历史价值。2006年，清虚观被国务院公布为第六批全国重点文物保护单位。通22、102路公交车。

50-B-a281 **日升昌旧址**［Rìshēngchāng Jiùzhǐ］位于山西省晋中市平遥县平遥古城内西大街。票号旧址坐南朝北，前临西大街，后达东郭家巷，左右各与兴义隆钱庄、蔚泰厚票号旧址毗邻。日升昌票号是中国第一家票号。旧址包括中、东、西三院，当年的东院是“美和居”炉食铺，西院是日新中票号，三者均为日升昌票号财东所营。中院铺面五间，三进院，临街铺面与中厅以及西院后厅、东西厢房，为上下两层的木结构房舍，现存格局完整。日升昌票号在我国商业史和金融发展史上占有重要地位。2006年被国务院公布为第六批全国重点文物保护单位。通1、21路公交车。

50-B-a282 **双林寺**［Shuānglín Sì］位于山西省晋中市平遥县中都乡桥头村。原名中都寺，因平遥县古时曾为“中都”城而得名。创建年代不详，现存建筑多为明代建造，塑像亦多为明代作品。坐北朝南，建在3米多高的土台基上，四周围以夯土高墙，形成寺堡，建筑面积3711平方米。布局完整，有两条轴线，经堂、禅院在东，寺宇殿堂居西，由三进院落组成。中轴线上依次排列着堡门、天王殿、释迦殿、大雄宝殿和佛母殿。寺内的彩塑现存完好者1500余尊。为我国彩塑的精华，专家誉为“东方彩塑艺术的宝库”，在我国美术史上占有重要的一页。1988年被国务院公布为第三批全国重点文物保护单位。省道东夏线经此。

50-B-a283 **襄垣慈胜寺**［Xiāngyuán Císhèng Sì］位于山西省晋中市平遥县襄垣乡襄垣村。据庙碑记载，重修于元至顺三年（1332年），清乾隆五十五年（1790年）重修禅院。坐北朝南，两进院落布局，现存正殿、东西配殿、西小殿、东西禅院正房、西禅院东西厢房、戏台等建筑。正殿为明代遗构，面宽三间，进深六椽，单檐悬山顶，屋顶布灰瓦，琉璃方心剪边。格局基本完整，具有重要的历史价值。2013 年被国务院公布为第七批全国重点文物保护单位。省道襄平线经此。

50-B-a284 **长则普明寺**［Zhǎngzé Pǔmíng Sì］位于山西省晋中市平遥县襄垣乡长则村。创建年代不详。坐北朝南，一进院落。中轴线上由南向北依次建有山门、正殿，院内两侧为东西配殿、东西厢房，院落整体呈四合院形式。现存建筑全部为明代建筑。山门面宽三间，进深四椽，单檐悬山顶。前后檐施三踩单昂斗拱，里拽五踩双翘偷心造，柱头、平身科各一攒，前后檐明间设四扇六抹隔扇门，后檐两次间设直棂窗。是在晋中地区现存的明代寺庙中极为少见，是晋中地区保存最完整的明代寺院之一，对研究本区域佛寺建制提供了重要实物例证。2019 年被国务院公布为第八批全国重点文物保护单位。乡村道路经此。

50-B-a285 **镇国寺**［Zhènguó Sì］位于山西省晋中市平遥县襄垣乡郝洞村。原名京城寺，始建于五代北汉天会七年（962 年），清雍正九年（1731 年）、乾隆二十九年（1764 年）和嘉庆年间（1796 年—1816 年）多次补建修葺。寺内建筑多为明清风格，万佛殿及殿内彩塑保存了五代原貌。坐北朝南，由前后两进院落组成，占地面积 4500 平方米。万佛殿居中，前院有天王殿、钟鼓楼、碑廊等，后院建三佛楼，两侧为观音殿、地藏殿。万佛殿平面近方形，广深各三间，殿前无月台，台基较矮。前后檐当心间辟门，前檐次间设窗，余皆筑以厚壁。1988 年被国务院公布为第三批全国重点文物保护单位。通 203 路公交车。

50-B-a286 **晋祠庙**［Jìncí Miào］位于山西省晋中市灵石县马和乡马和村。创建于元惠宗至正年间（1341 年—1368 年），明世宗嘉靖（1522 年—1566 年）、明穆宗隆庆（1567 年—1572 年）、明神宗万历（1573 年—1620 年）年间，曾先后三次补修。现存建筑有正殿、献亭、戏台及钟鼓楼、配殿等。正殿称“昭济圣母殿”，单檐悬山顶，建筑面积为 132 平方米。献殿为元代所建，平面正方形，单檐歇山顶。整体建筑物由四角柱加八辅柱支撑，柱子顶端设五铺作双下昂斗。祠内保存石碑数通，最早为明万历十七年(1619 年)所镌，具有重要的历史价值。2006 年被国务院公布为第六批全国重点文物保护单位。通 6 路公交车。

50-B-a287 **旌介遗址**［Jīngjiè Yízhǐ］位于山西省晋中市灵石县静升镇旌介村。除商代文化遗址外，还分布有新石器、东周及汉代以后的文化堆积。1976 年发现商代晚期墓葬一座，出土有鼎、爵、觚、觥等铜器 30 余件。1985 年 1 月，在村东取土场又发现两座商代墓和一座车马坑，经考古发掘出土了一大批青铜器等。灵石一带在晚商时期为鬲族方国所在地。两座墓主为其统治者。另外 2 件爵有铭文羌字，说明这一带当时也在羌人活动范围之内。一件青铜簋底铸有阳线条马的图案，这与甲骨文中常见的马羌有关联，具有重要的历史价值。1996 年被国务院公布为第四批全国重点文物保护单位。通 1 路公交车。

50-B-a288 **静升文庙**［Jìngshēng Wén Miào］位于山西省晋中市灵石县静升镇静升村。坐北朝南，占地面积 3500 平方米。据明万历《灵石县志》及庙内碑文记载，静升文庙始建于元至顺三年（1332 年），至元二年（1336 年）竣工。现多为明清时期建筑。该庙为四进院落布局。中轴线上由前向后依次排列着万仞宫墙、棂星门、泮池、大成门、杏坛、大成殿、寝殿、尊经阁等，左右排列有廊庑。布局完整，是研究元、明、清建筑艺术的重要实例，具有重要文物价值。2013 年被国务院公布为第七批全国重点文物保护单位。通 7 路公交车。

50-B-a289 **灵石后土庙**［Língshí Hòutǔ Miào］位于山西省晋中市灵石县静升镇静升村。据正殿悬梁记载，元大德八年（1304 年）七月十四日重修。坐北朝南，单进院落布局，总占地面积 1088 平方米，建筑面积 421 平方米。现仅存献殿和正殿。中轴线上仅存献亭、大殿。献殿平面方形，单檐歇山顶。四向敞朗，覆盆式柱础，檐下斗密致，为七踩三下昂，斗里转承井口枋、抹角梁形成斗八藻井。现存明正德五年（1510 年）碑 1 通、清乾隆四十六年（1718 年）碣 1 方。2006 年被国务院公布为第六批全国重点文物保护单位。通 7 路公交车。

50-B-a290 **王家大院**［Wángjiā Dàyuàn］位于山西省晋中市灵石县静升镇静升村。现有高家崖、红门堡、孝义祠堂三组建筑群，先后建于清康熙、雍正、乾隆、嘉庆年间，共有大小院落123座，房屋1118间，建筑面积45000平方米，总面积达15万平方米。是黄土高坡上的全封闭式建筑，外观，顺物应势；其内，窑洞瓦房，巧妙连缀。总的特点是：依山就势，随形而变，层楼叠院，错落有致，气势宏伟，功能齐备，继承了我国西周时期即已形成的前堂后寝的建筑风格。2006年被国务院公布为第六批全国重点文物保护单位。通1路公交车。

50-B-a291 **资寿寺**［Zīshòu Sì］位于山西省晋中市灵石县静升镇苏溪村。唐咸通十一年（870年）创建，金末被焚毁，元泰定三年（1326年）重修，明初寺院再度荒废。明成化三年（1467年）重建，至天启二年（1622年）初具规模。清代又曾补葺。现存的建筑、彩塑、壁画均为明代作品。坐北朝南，南北长400米，东西宽300米，平面呈长方形，占地面积12000平方米。分前、后两院，前院中轴线上有山门、仪门、金刚殿、天王殿。寺中主要殿宇内均塑有彩塑，满绘精美的壁画，皆明代作品，具有重要的历史价值。2001年被国务院公布为第五批全国重点文物保护单位。通1路公交车。

50-B-a292 **祆神楼**［Xiānshén Lóu］位于山西省晋中市介休市顺城路。是原祆神庙的组成部分，楼因庙而得名。明嘉靖十一年（1532年）庙毁，万历年间改建为三结义庙，清顺治十七年（1660年）至康熙七年（1668年）又对结义庙进行重建。乾隆五十年（1786年）建祆神楼。祆神楼位居庙前，既是山门，又是点缀街心的过街楼。平面呈“凸”字形，凸出的部分为过街楼，面宽进深各三间，东、西、南三面通道，高二层，中设平座，上施重檐。楼较宽的部分下层为山门，上层为乐楼。是一座门楼、乐楼与过街楼相接合的楼阁式建筑，具有重要的历史价值。1996年被国务院公布为第四批全国重点文物保护单位。通103、208路公交车。

50-B-a293 **洪山窑址**［Hóngshān Yáozhǐ］位于山西省晋中市介休市洪山镇洪山、磨沟村。遗址以喊车沟为中心，周围依地势分布有众多的瓷片和厚厚的匣钵堆积层，东西约250米，南北100米的分布区，总面积达2.5万平方米。在洪山镇的喊车沟、磁窑沟、龙王沟、琉璃窑村、采皮沟等地均有古窑址发现。窑场创烧于北宋初年，历经金、元盛烧，明清走向衰败。洪山窑品种丰富，有细白瓷、粗白瓷、黑釉瓷及黄釉瓷、柴釉瓷、青釉瓷等，以细胎白瓷的烧造量较大。是一处延续时间较长、保存较完整的遗址，为研究山西古代陶瓷业的起源、发展、兴盛等提供了重要资料。2006年被国务院公布为第六批全国重点文物保护单位。乡村道路经此。

50-B-a294 **回銮寺**［Huíluán Sì］位于山西省晋中市介休市绵山镇兴地村。据金大定二十五年（1185年）碑记：原为空王灵溪寺，建于唐中年间（881年—885年），唐太宗欲登山礼佛至此回銮，唐僖宗时（873年—887年）改名为回銮寺。廊下有明清碑数十通，记载了明嘉靖、清康熙、乾隆时维修情况。坐北朝南，占地近10000平方米。现存山门、天王殿、正殿、垛殿、东西配殿、胁配殿等建筑二十余间。主体大雄宝殿为悬山造，面阔五间，进深六楹，屋面琉璃剪边。山墙用土坯砌筑，外墙用白灰泥抹面，尚残存绘画痕迹。2006年被国务院公布为第六批全国重点文物保护单位。通11路公交车。

50-B-a295 **介休城隍庙**［Jièxiū Chénghuáng Miào］位于山西省晋中市介休市东大街。创建年代不详，据庙碑记载，明弘治八年（1495年）、隆庆六年（1572年）及清代均有重修。坐北朝南，一进院落布局，占地面积3415平方米。中轴线由南向北依次为戏台、正殿，两侧为钟楼、鼓楼、配殿及耳殿。现存正殿为明代遗构，余皆为清代建筑。主要部分格局保存比较完整，大殿宏伟，形制等级较高，修缮沿革有据可考，是较重要的古代木建筑实例。2013年被国务院公布为第七批全国重点文物保护单位。通1、103路公交车。

50-B-a296 **介休东岳庙**［Jièxiū Dōngyuè Miào］位于山西省晋中市介休市绵山镇小靳村。始建年代不详，据现存碑记，蒙古至元七年（1270年）与大德七年（1303年）地震后重修过。最晚为清光绪三十四年（1908 年）重修。中轴线为山门、戏台、献殿、大殿、寝殿、三进院落，中院的东西为窑洞。介休东岳庙是现存较为完整的山村古道教宫观之典型，且庙内的彩塑、壁画、石雕、石碑等，均为珍品。2006 年被国务院公布为第六批全国重点文物保护单位。通 203 路公交车。

50–B–a297 **介休后土庙**［Jièxiū Hòutǔ Miào］位于山西省晋中市介休市庙底街。始建年代无考，据明正德十四年（1519 年）重建碑记载：南朝宋孝武帝大明元年（457 年），梁武帝大同二年（536 年）皆重修之。创建当早于北魏，历经各代重修，现存规模为明正德年间扩建。坐北朝南，总占地 9196 平方米。主要建筑有：三清殿、后土庙、吕祖庙等。主体建筑献楼、戏楼与三清楼组合联结为一体，结构精巧，堪称明清楼阁式建筑中罕见之精品，后土庙所有建筑均饰以精致华美之琉璃，烧造技术和造型艺术俱臻完美，具有重要的历史价值。2001 年被国务院公布为第五批全国重点文物保护单位。通 2、107 路公交车。

50–B–a298 **介休五岳庙**［Jièxiū Wǔyuè Miào］位于山西省晋中市介休市东大街草市巷。创建年代不详，元、明、清历代均有修葺，是一处建筑宏伟的道教古建筑群。坐北朝南，总面积为 2158 平方米。现存建筑有临街影壁、八字影壁、山门、戏楼、钟鼓楼、正殿、献殿、东西配殿、后寝殿等。正殿面阔五间，进深三间，单檐硬山顶。五岳庙的建筑顶部脊饰全部以孔雀蓝为主调的琉璃饰件装饰，色泽纯正，造型优美，均为当地烧造，具有重要的历史价值。2006 年被国务院公布为第六批全国重点文物保护单位。通 103、107 路公交车。

50–B–a299 **介休源神庙**［Jièxiū Yuánshén Miào］位于山西省晋中市介休市洪山镇洪山村。因源泉而建得名。创建年代不详，据庙内碑文记载，北宋、元两次重建，明、清屡有重修，1989 年亦进行过维修。坐东南朝西北，二进院落布局，占地面积 1623 平方米。介休源神庙建筑格局较为完整，并保存有北宋以来的维修碑，具有较重要的建筑史学研究价值。《源神碑记》碑文为研究古代水利、陶瓷生产水平提供了史料。2013 年被国务院公布为第七批全国重点文物保护单位。通 218 路公交车。

50–B–a300 **太和岩牌楼**［Tàihéyán Páilóu］位于山西省晋中市介休市义安镇北辛武村。据牌楼题记载，清光绪二十三年（1897 年）造。该牌楼坐北朝南，为四柱三门三楼式，建于石砌束腰须弥座上，宽 5 米，高 4.5 米，歇山黄琉璃瓦顶。通体由黄、绿、蓝琉璃构件搭套安装而成。充分体现出古人超凡的智慧和才能，是我国琉璃艺术发展到明清鼎盛时期的典型佳作，在中华古代琉璃建筑中独树一帜，堪称文物瑰宝。2006 年被国务院公布为第六批全国重点文物保护单位。通 202 路公交车。

50–B–a301 **云峰寺石佛殿**［Yúnfēng Sì Shífó Diàn］位于山西省晋中市介休市绵山镇绵山抱腹岩。始建于唐贞观年间（627 年—649 年），宋、元、明、清历代均有修葺。坐北朝南，占地 3932 平方米。建筑分上、下两层布局，并以石梯栈道相连，上层寺院现存建筑石佛殿为明代遗构。下层全部为 1995 年—1998 年复建。石佛殿坐北朝南，石木混合建筑，面宽三间，进深一间，歇山顶。两山与后檐包砌石墙，前檐明间施两扇小板门，次间施槛墙与直棂窗。檐下柱头科三踩单昂斗栱，斗栱与梁架不对位，具有重要的历史价值。2013 年被国务院公布为第七批全国重点文物保护单位。通 7 路公交车。

50–B–a302 **张壁古堡**［Zhāngbì Gǔbǎo］位于山西省晋中市介休市龙凤镇张壁村。地处绵山北麓，地势偏僻险要，为兵家守备筑垒之地。堡内现存有可罕庙、空王佛祠、三大士殿、二郎庙、真武庙、关帝庙等庙堂建筑和数十座具有晋中山地民居特色的明清宅院。堡中地下满布立体三层，攻、防、退、守、藏功能设施齐全的古军事防御壁垒地道遗址，具有重要的历史价值。2006 年被国务院公布为第六批全国重点文物保护单位。通 301 路公交车。

运城市

50–B–a303 **常平关帝庙**［Chángpíng Guāndì Miào］位于山西省运城市盐湖区常平乡常平村。坐北朝南，建筑布局上沿袭“前朝后寝”之制，主体建筑依轴线顺次布列，余则对立两侧。庙前为“灵钟盐海”、“秀毓条山”木坊两座，钟鼓楼相对两旁，石雕牌坊在钟鼓楼之中央，正面雕“关王故里”，为明嘉靖三年（1524 年）立。中轴线上有山门、午门和献殿，三座建筑均面宽三间，进深四椽，悬山顶。现存碑碣 20 余通，对于关羽历代封号、家族历史、庙宇沿革等均有详细记述，具有重要的历史价值。2006 年被国务院公布为第六批全国重点文物保护单位。通 21 路公交车。

50-B-a304 **池神庙及盐池禁墙**［Chíshén Miào Jí Yánchíjìnqiáng］位于山西省运城市盐湖区解放南路。自唐以来为供奉盐神而建的庙宇，历代多有维修。坐北朝南，南北长 250 米，东西宽 85 米，分布面积 21600 平方米。现存建筑主要为明、清遗构。现仅存三大殿、戏台、西厢房和偏院等古建筑，另有唐至清碑刻四十多通。三大殿并行一字排列的布局，为现存不多的建筑实例。禁墙始建年代早、规模大，与池神庙同时保存下来，属不可多得的实例，具有较高的历史价值。2013 年被国务院公布为第七批全国重点文物保护单位。通 14、33 路公交车。

50-B-a305 **泛舟禅师塔**［Fànzhōu Chánshī Tǎ］位于山西省运城市盐湖区大渠乡寺北曲村。寺已毁，现仅存唐代报国寺泛舟禅师墓塔。始建于唐贞元九年（793 年），长庆二年（822 年）镌造墓铭。塔为单层圆形砖塔，总高 10 米，底面直径 5.75 米。由塔基、塔身、塔刹三部分组成，每部分高度约占三分之一。塔身北面嵌有高 1 米，宽 0.73 米的“安邑县报国寺故大德泛舟禅师塔铭”，详细记载了泛舟禅师的生平及建塔的经过，具有重要的历史价值。2001 年被国务院公布为第五批全国重点文物保护单位。通芮城 701 路公交车。

50-B-a306 **郭村泰山庙大殿**［Guōcūn Tàishān Miào Dàdiàn］位于山西省运城市盐湖区上王乡郭村。创建年代不详，元、明、清均有修葺。庙内建筑大多已毁，现仅存元代大殿一座。坐北朝南，面宽五间，进深六椽，单檐硬山顶，斗拱四铺作单下昂。无栏额，前檐明间和次间施粗圆木通面额，上施斗七朵为四铺作单下昂。稍间无补间，为明清改建。殿内梁架彻上露明造，结构为四椽对后乳用三柱。梁上均绘有彩绘。檩上有元至正七年（1347 年）、明成化、嘉靖、万历、清道光五年（1825 年）重修题记，具有重要的历史价值。2006 年被国务院公布为第六批全国重点文物保护单位。通运城上王专线公交车。

50-B-a307 **解州关帝庙**［Hàizhōu Guāndì Miào］位于山西省运城市盐湖区解州镇西关。创建于隋（587 年—618 年），宋代扩充，明代曾予重建，清康熙四十一年（1702 年）毁于火，经十余年修复如故。现存建筑均为清代所建。全庙占地近 66600 平方米。南以结义园为中心，由牌坊、君子亭、三义阁、假山等组成。北部为正庙，仿宫殿式布局，分前殿和后宫两部分。前殿中轴线上依次排列着端门、雉门、午门、御书楼、崇宁殿，东西两侧配以钟鼓二楼、崇圣祠、追风伯祠、胡公祠、木坊、碑亭、钟亭、官库等附属建筑。后宫以“气肃千秋”牌坊为屏，春秋楼为中心，左右刀楼和印楼对称而立。整体建筑，布局严谨，轴线分明。前后有廊庑百余间围护，既像庙堂，又像庭院，为全国“关庙”中绝无仅有。庙内外牌坊七座，形制有别，还保留有满镌纹样的万斤铜钟，制作精巧的铁铸焚香炉及铁狮、铁人、铁旗杆等，均为艺术精品，具有重要的历史价值。1988 年被国务院公布为第三批全国重点文物保护单位。521 国道经此。

50-B-a308 **解州同善义仓**［Haìzhōu Tóngshàn yìcāng］位于山西省运城市盐湖区解州镇解州村红旗街。据碑碣资料记载，清光绪三年（1877 年）河东大旱，光绪六年（1880 年）建此粮仓。整体布局为坐南朝北，二进院布局，为前院后仓。东西宽 59.5 米，南北长宽 164.403 米，占地面积 9782 平方米。大门面宽七间，进深四椽，明间辟双扇板门。大门迎面为面宽七间的仓房，中间辟为通道。东西两侧均为形制相同的粮仓，面阔十七间 62 米，进深四椽 11 米，单檐硬山顶。采取了独特的立木框架结构，墙体厚实，粮仓顶设有通风口，地下设架空的厚木地板，墙体宽厚，使粮仓具有冬暖夏凉和防虫、防鼠、防霉等功能，具有重要的历史价值。2019 年被国务院公布为第八批全国重点文物保护单位。521 国道经此。

51-B-a309 **舜帝陵庙**［Shùndìlíng Miào］位于山西省运城市盐湖区北相镇西曲马村。据庙内明清重修碑记载，创建于唐开元年间，元末毁于兵火，明万历年间重建，清多次重修。现存建筑基本保持了原有布局。坐北朝南，面积 2.7 万平方米，由外城、陵园、皇城三部分组成。享殿面宽三间，进深二间，前后檐敞朗，西山墙嵌“鸣条舜陵者略”石碑 4 通。后部为皇城，中轴线上布列戏台、献殿、正殿，两厢为配殿、钟鼓楼，主从有序，布局严谨。现存明、清、民国时期重修碑刻 7 通，具有重要的历史价值。2006 年被国务院公布为第六批全国重点文物保护单位。通 33 路公交车。

50-B-a310 **运城关王庙**［Yùnchéng Guānwáng Miào］位于山西省运城市盐湖区红旗西街。创建于元代，坐东朝西，占地面积 2100 平方米。现仅存中轴线上的山门、献殿、正殿，为明清遗构。沿轴线西面为山门，台基高 1.2 米，面积 70 平方米，面宽三间，进深二椽，单檐悬山顶。保存了明清以来的格局和建筑，修缮沿革可考，建筑装饰风格多样，具有较高的历史和艺术价值。2013 年被国务院公布为第七批全国重点文物保护单位。通 8、66 路公交车。

50-B-a311 **运城太平兴国寺塔**［Yùnchéng Tàipíngxìngguó Sì Tǎ］位于山西省运城市盐湖区安邑街道。根据塔身构造和与同类型砖塔对比，始建年代应当不晚于北宋。坐北朝南，占地面积 130 平方米。八角形十三层楼阁式砖塔，现存 11 层，残高 59 米。塔身向上逐层收分，每层均叠涩出檐，底层四面辟门，南门通塔室，塔内为单壁中空。注重装饰手法，对研究晋南地区北宋砖塔演变具有重要价值。2013 年被国务院公布为第七批全国重点文物保护单位。209 国道经此。

50-B-a312 **寨里关帝庙献殿**［Zhàilǐ Guāndìmiào Xiàndiàn］位于山西省运城市盐湖区泓芝驿镇寨里村。创建年代不详，现仅存元代献殿一座。大殿坐北朝南，面宽五间，进深四椽，单檐悬山顶，无栏额，前檐施粗圆木通面额，额上施斗 11 朵为四铺作单下昂，梁架结构彻上露明造，其上施驼峰承接平梁，平梁上立脊瓜柱与叉手，四椽与平梁上皆施彩绘，与大殿同期，为四椽通达前后檐，具有重要的历史价值。2006 年被国务院公布为第六批全国重点文物保护单位。通 106 路公交车。

50-B-a313 **程村遗址**［Chéngcūn Yízhǐ］位于山西省运城市临猗县庙上乡程村。地处涑水河西岸台地上，是一处东周时期的遗址。遗址东西宽约 1100 米，南北长 1150 米，面积 126.5 万平方米。断崖上暴露有文化层和大量陶片。墓地在遗址西南部，南北长约 200 米，东西宽约 140 米，占地面积 2.8 万平方米。经钻探确认墓葬和车马坑共 226 座，程村遗址保存较好，历史较长，对东周时期考古学文化分期与年代、墓葬制度、东周时期车制等问题的研究具有重要意义。2013 年被国务院公布为第七批全国重点文物保护单位。乡村道路经此。

50-B-a314 **临晋县衙**［Línjìn Xiànyá］位于山西省运城市临猗县临晋镇。是一处元至近代的古建筑，坐北朝南，占地面积 16000 平方米。中轴线布局分三层台阶式，依次为大堂、二堂、三堂，周围配以廊房。大堂面阔五间，进深六椽，当心间较宽。采用“减柱造”，梁架为彻上露明造，四椽对接前后乳用四柱。二堂面阔五间，进深三间，单檐硬山顶。三堂面阔三间，进深三间，堂前带廊，为清代建筑。对研究古代县衙营造格局以及元代的建筑方法有重要意义。2001 年被国务院公布为第五批全国重点文物保护单位。通 17 路公交车。

50-B-a315 **闾原头永兴寺塔**［Lǚyuántóu Yǒngxìng Sì Tǎ］位于山西省运城市临猗县猗氏镇闾原头村。俗称闾原头塔，方形九层楼阁式砖塔，残高 15 米。原为永兴寺的一部分，抗日战争期间寺院被毁，仅存此塔。始建年代不详，根据造型及与同类型砖塔对比分析，该塔建造年代应为北宋时期。坐北向南，平面呈四边形，底层每边长 2.93 米，塔身向上逐层收分，每层均叠涩出檐，第 2 至 5 层塔身每面用砖雕刻出三开间仿木构立柱。闾原头永兴寺塔造型简洁，比例匀称，具有唐代砖塔特征，同时又保持了北宋建筑的风格，具有重要历史价值。2013 年被国务院公布为第七批全国重点文物保护单位。通 11 路公交车。

50-B-a316 **妙道寺双塔**［Miàodào Sì Shuāng Tǎ］位于山西省运城市临猗县双塔北路。据西塔地宫出土的地宫碑记载，西塔创建于北宋熙宁二年（1069 年）。东塔形制与西塔相近，建造年代应相隔不远。两塔东西对峙，相距约 80 余米，皆方形楼阁式砖塔。西塔坐西朝东，原九级，现存六级，余高 22 米。一层西壁辟有拱券门，塔中为佛龛，二至七层为实心。东塔坐东 向西，七级，高 23 米，现保存完好。西塔原属妙道寺内建筑，东塔在寺外，寺已毁，仅双塔幸存。2006 年被国务院公布为第六批全国重点文物保护单位。342 国道经此。

50-B-a317 **猗氏故城**［Yīshì Gùchéng］位于山西省运城市临猗县牛杜镇铁匠营村。是西汉时期的一处古遗址，城址平面呈长方形，面积约 125 万平方米。现存城墙最高处达 8.7 米，一般厚 19—21.3 米，城墙夯筑，夯层厚 9—10 厘米。除西墙分为长 180 米、236 米两段外，其余均保存完好。遗址规模较大，保存完好，使用时间长，对研究中国古代城池、筑城技术，以及先秦两汉南北朝时期晋东南地区政治、经济、军事等具有重要的意义。2013 年被国务院公布为第七批全国重点文物保护单位。省道临陌线经此。

50-B-a318 **张村圣庵寺塔**［Zhāngcūn Shèng ān Sì Tǎ］位于山西省运城市临猗县北景乡张村。平面为六边形，七层，塔底层每边长约 1.5 米，残高约 11.62 米。据清康熙三十八年（1700 年）《猗氏县志》记载，此塔始建于北宋时期。圣庵寺塔坐北朝南，塔身向上逐层收分，每层均叠涩出檐，1958 年，圣庵寺被毁，仅存此塔。20 世纪 70 年代，塔身第 7 层和塔刹遭雷击损毁，现仅存部分刹木。张村圣庵寺塔造型简洁匀称，其结构与雕饰时代特征明显，具有较高的历史价值。2013 年被国务院公布为第七批全国重点文物保护单位。通 13 路公交车。

50-B-a319 **北辛舍利塔**［Běixīn Shělì Tǎ］位于山西省运城市万荣县荣河镇北辛村。塔原是崇圣禅院内附属建筑，创建于明洪武十六年（1383 年）。现寺已毁，唯塔尚存。塔为三级覆钵式砖塔，通称喇嘛塔，高 21 米。平面为正方形，边长 7.8 米。一、二层为正方形，三层为圆形覆钵，塔顶相轮已毁。2019 年被国务院公布为第八批全国重点文物保护单位。乡村道路经此。

50-B-a320 **南阳村寿圣寺塔**［Nányángcūn Shòushèng Sì Tǎ］位于山西省运城市万荣县里望乡南阳村。八角形九层楼阁式砖塔，残高 30 余米。寿圣寺已毁，仅存此塔。另外，院内遗存有金大定十二年（1172 年）铸铁大钟 1 口。坐北朝南，塔身向上逐层收分，每层均叠涩出檐，塔基八边形，每边边长 2.8 米，直径 6.6 米，占地面积 34.2 平方米。塔体量宏大，造型简洁，时代特征较明显，为研究晋南地区北宋砖塔提供了重要实例。2013 年被国务院公布为第七批全国重点文物保护单位。乡村道路经此。

50-B-a321 **万泉文庙**［Wànquán Wén Miào］位于山西省运城市万荣县万泉乡万泉村。大成殿为明正统四年（1439 年）所建。坐北朝南，占地面积 2784 平方米。现仅存大成殿和影壁。面宽五间，进深三间，单檐歇山顶，建筑面积 282.48 平方米。前檐斗五踩双昂，后檐及两侧均为五踩单昂。梁架结构简洁，为六椽通达前后檐。庙内有几株长相奇特的古柏，树干旋转生长，树皮呈现千丝缠绕的景观。2006 年被国务院公布为第六批全国重点文物保护单位。通 2 路公交车。

50-B-a322 **万荣东岳庙**［Wànróng Dōngyuè Miào］位于山西省运城市万荣县西大街。亦称岱岳庙、泰山庙。始建年代不详，唐贞观年间（627 年—649 年）置汾阴郡时即有此庙，元至元廿八年至大德元年（1291 年—1297 年）重建，明景泰、天顺、万历年间和清代屡有扩建修葺。现存建筑飞云楼为明建清修，其余多为元建明修。坐北朝南，占地面积 10600 平方米。现存主要建筑有飞云楼、午门、献殿、享亭、东岳大帝殿、阎王殿等。飞云楼在建造技术、结构力学与造型艺术方面独具特色，堪称我国明清木构楼阁建筑精品，具有重要的历史价值。1988 年被国务院公布为第三批全国重点文物保护单位。通 2 路公交车。

50-B-a323 **万荣旱泉塔**［Wànróng Hànquán Tǎ］位于山西省运城市万荣县高村。据民国版《万泉县志》记载，该寺与塔均始建于北宋宣和二年（1120 年）。方形十一级密檐式砖塔，残高约 31.2 米。原属槛泉寺一部分，寺毁后仅存此塔，亦称槛泉塔。坐北朝南，平面方形，塔身向上逐层收分，每层均叠涩出檐。下衬方形须弥座塔基，底层每边边长均为 4.55 米，高 1.4 米，占地面积 20.70 平方米。塔身底层最高，南向辟砖券拱龛，造型挺拔，外形美观，对研究本地区北宋砖塔演变具有重要历史价值。2013 年被国务院公布为第七批全国重点文物保护单位。荷宝高速经此。

50-B-a324 **万荣后土庙**［Wànróng Hòutǔ Miào］位于山西省运城市万荣县荣河镇庙前村。俗称后土祠。西、北两面紧临黄河、汾河，依山傍水，地势开阔。现存建筑以晚清所建居多，山门仍为元建，秋风楼为明代遗构，上存有汉武帝《秋风辞》元代碑刻。坐北朝南，总平面呈南北长的矩形，占地面积约 17600 平方米。庙内存铁钟、铁缸、石香炉、抱鼓石，以及宋刻“萧樯碑”、金刻“庙貌碑”、元刻“秋风辞”碑等珍贵文物，具有重要的历史价值。1996 年被国务院公布为第四批全国重点文物保护单位。乡村道路经此。

50-B-a325 **万荣稷王庙**［Wànróng Jìwáng Miào］位于山西省运城市万荣县南张乡太赵村。相传上古时后稷始教民稼穑于此，因名稷神山，俗称稷王山，为纪念后稷而建庙。始建年代不详，现仅存中轴线上的正殿、戏台。正殿是稷王庙的主殿，金元时期建筑，坐北朝南，面阔五间，进深六椽，建筑面积 252 平方米。单檐庑殿顶，殿顶筒板瓦覆盖，脊刹、吻兽完好无损。殿内后壁上镶有元至元时创修舞台碑碣一通。是研究稷王庙历史沿革和当地戏曲史的重要资料。2001 年被国务院公布为第五批全国重点文物保护单位。通 107 路公交车。

50-B-a326 **万荣稷王山塔**［Wànróng Jìwáng shān Tǎ］位于山西省运城市万荣县三文乡稷王山顶峰。八边形七级密檐式砖塔，残高 23 米。据塔内碑铭记载，始建于北宋元祐二年（1087 年），原属后稷庙的一部分，现庙毁，仅存此塔。塔平面八边形，底层每边边长 2 米，塔身向上逐层收分，每层均叠涩出檐。塔内中空，第 1 层顶部做叠涩藻井。因地震和风雨侵害，塔刹已残毁。始建年代可考，造型简洁，时代特点明显。2013 年，万荣稷王山塔被国务院公布为第七批全国重点文物保护单位。乡村道路经此。

50-B-a327 **薛瑄家庙及墓地**［Xuēxuānjiā Miào Jí Mùdì］位于山西省运城市万荣县里望乡平原村。家庙在村中心，原有前后两院，现仅存前院，为薛瑄的第六代世孙薛兰于明万历四十七年（1619 年）创建。坐南朝北，一进院落布局，占地面积 243 平方米。中轴线上建有过厅、正房，两侧有东西厢房，整体布局保存完整。薛瑄墓地保存完整，体现了明代陵墓形制，家庙中的文物为研究地方史、家族史提供了实物史料，具有较高的历史价值。2013 年被国务院公布为第七批全国重点文物保护单位。乡村道路经此。

50-B-a328 **闫景李家大院**［Yánjǐng Lǐjiā Dà yuàn］位于山西省运城市万荣县高村乡闫景村。建于清道光至民国年间。主要包括道北一号院、道北二号院、道南一号院、道南二号院、私塾院、李道荣宅院、李子用宅院、李氏祠堂、李家花园，现有院落 11 组，房屋 230 间，共占地 8.3 万平方米。道北一、二号院，两院形制相同，建造时间有别，一号院创建于光绪二十九年（1903 年），二号院创建于民国十年（1921 年）。作为近代晋商发迹史的实物例证，其建筑风格、院落布局既富有地方传统特色，又融入了西方元素，体现了中西文化交流的时代特征。2013 年被国务院公布为第七批全国重点文物保护单位。209 国道经此。

50-B-a329 **中里庄八龙寺塔**［Zhōnglǐzhuāng Bālóng Sì Tǎ］位于山西省运城市万荣县荣河镇中里庄村。方形七层实心楼阁式砖塔，高约 23.9 米，寺现仅存此塔。据民国《荣河县志》记载：“宋大中祥符五年（1012 年），真宗祀汾阴过此，见八龙垂像之瑞，因建寺”。塔北一层中间曾镶有宋熙宁七年（1074 年）重修碑碣。寺内还存有一口金正隆元年（1156 年）铸铁大钟。建造年代可考，造型挺拔秀丽，对研究本地区北宋时期砖塔发展与演变等具有一定的历史价值。2013 年被国务院公布为第七批全国重点文物保护单位。省道万临线经此。

50-B-a330 **郭家庄仇氏石牌坊及碑亭** [Guōjiāzhuāng Qiúshì Shípáifāng Jí Bēitíng] 位于山西省运城市闻喜县郭家庄镇郭家庄村。牌坊坐北朝南，是清光绪年间，为清盐提举仇嘉谟之母孙宜人所建。旁有仇氏碑亭5座，为清同治、光绪年间所建。牌坊为石质，六柱五门式，三重檐歇山顶，高约15米，立柱建在长3.16米，宽2.58米，高1.5米的块石垒砌的两个石台基上。整体造型优美，雕刻精致，装饰考究，同时碑刻多，内容集中，具有较高的史学和艺术价值。2013年被国务院公布为第七批全国重点文物保护单位。342国道经此。

50-B-a331 **后稷庙** [Hòujì Miào] 位于山西省运城市闻喜县阳隅乡吴吕村。创建年代无考，中轴线上仅存有后稷殿、戏台。后稷殿坐东朝西，面阔三间，进深四椽，单檐悬山顶。斗四铺作单下昂，右门墩石上有"至元二十九年（1292年）五月"所建题记。戏台上有明清两代重修题记。记载着客家先辈的文化意念和创业历程，同时也展示着客家文化的深厚内涵，具有重要的历史价值。2006年被国务院公布为第六批全国重点文物保护单位。乡村道路经此。

50-B-a332 **上郭城址和邱家庄墓群** [Shàngguōchéngzhǐ Hé Qiūjiāzhuāng Mùqún] 位于山西省运城市闻喜县邱家庄与上郭村。南北长5000米，东西宽1500米，总面积750万平方米。为春秋时期的古曲沃城址。上郭村向北的墓葬为西周、东周时期；遗址出土有青铜器、陶器、玉器等遗物。邱家庄墓地在闻喜县官庄乡邱家庄村北100米战国汉墓群，出土青铜器有鼎、豆、壶、剑、镞。玉器有琮、环。陶器有鼎、豆、壶等，墓地保存较完整。2006年被国务院公布为第六批全国重点文物保护单位。乡村道路经此。

50-B-a333 **北阳城砖塔** [Běiyángchéng Zhuāntǎ] 位于山西省运城市稷山县清河镇北阳城村。始建于北宋宝元二年（1039年），平面呈正方形，每边长1.68米，原为9层，现存8层，高约10米。体量较小，外观不做仿木构装饰，塔身向上逐层收分，每层檐部均叠涩出檐，檐口微曲。造型简洁，时代特征明显，为研究宋代砖塔和当地民间佛教活动提供了实物例证，具有重要历史、文化价值。2013年被国务院公布为第七批全国重点文物保护单位。省道运稷线经此。

50-B-a334 **稷山大佛** [Jìshān Dàfó] 位于山西省运城市稷山县大佛路。大佛寺坐北面南依崖而建，始创于金皇统二年（1142年），现存寺院建筑均为新建仿元木构建筑。稷山大佛为金皇统二年（1142年）土雕彩塑大佛一尊，佛像依土崖而作，下部为土雕，上身为泥塑。通高16.68米，宽6.8米。双足下踩莲花台，右手上举呈"说法印"，左手扶于膝上。是研究金、元时期雕塑艺术、佛教造像、佛教文化传播及宗教信仰珍贵的实物资料，具有较高的文物价值。2013年被国务院公布为第七批全国重点文物保护单位。通稷山1路公交车。

50-B-a335 **稷山稷王庙** [Jìshān Jìwáng Miào] 位于山西省运城市稷山县西大街。庙坐北朝南，占地面积约4000平方米。现存建筑中轴线依次有献殿、正殿、姜殿、两侧配有钟、鼓楼。献殿面阔六间，单檐悬山顶，琉璃瓦饰，东西两面山墙嵌有巨幅石雕。正殿重檐歇山顶，面阔三间，进深三间，姜殿面阔三间，单檐悬山顶，筒板瓦覆顶。庙内现存清代碑碣8通，具有重要的历史价值。2006年被国务院公布为第六批全国重点文物保护单位。通稷山1路公交车。

50-B-a336 **马村砖雕墓地** [Mǎcūn Zhuāndiāo Mùdì] 位于山西省运城市稷山县下迪乡马村。据"段楫预修墓记"和对墓葬形制的判断，为金大定以前的段氏墓地。共发现墓葬14座，已发掘9座，墓皆南北方向，结构形制近同，仅有大小和繁简之别。墓道有斜坡、阶梯、竖穴三种形式，较狭窄。墓门外仿木构门楼装饰华丽，或设重台勾栏，或雕武士、镇兽。门洞内砌筑板门。墓室平面多为长方形，部分为方形，墓顶均为方形覆斗顶。马村金墓仿木构砖雕精美，结构复杂，装饰富丽，文化内涵丰富，对研究建筑、雕刻、戏剧历史具有重要的意义。2001年被国务院公布为第五批全国重点文物保护单位。108国道经此。

50–B–a337 **南阳法王庙**［Nányáng Fǎwáng Miào］位于山西省运城市稷山县稷峰镇南阳村。创建年代不详，据庙内梁架题记及碑文记载明、清均有修葺或增建。坐西朝东，一进院布局，东西长 68.3 米，南北宽 46 米，占地面积 3141.8 平方米。现存山门、乐楼、正殿，两侧分别为七星殿、九曜殿、十帅殿、后土圣母殿、瘟神药王殿、牛王马王殿、南厢房及掖门，周圈院墙。2013 年被国务院公布为第七批全国重点文物保护单位。108 国道经此。

50–B–a338 **青龙寺**［Qīnglóng Sì］位于山西省运城市稷山县马村。寺始建于唐龙朔二年（626 年），元至元二十六年（1289 年）重建腰殿，至正十一年（1351 年）重修大雄宝殿，明、清两代屡有修葺。现存建筑腰殿、大雄宝殿及垛殿为元代原构，余皆明、清所建。坐北朝南，占地面积 6790 平方米，呈二进院落。前院有山门、十王殿、腰殿，腰殿两侧有祖师殿和无名殿。后院有大雄宝殿，两侧为伽蓝殿、护法殿及东西厢房。2001 年被国务院公布为第五批全国重点文物保护单位。108 国道经此。

50–B–a339 **玉壁城遗址**［Yùbìchéng Yízhǐ］位于山西省运城市稷山县太阳乡白家庄、均安村。该城始建于西魏大统四年（538 年），西魏大统十二年（546 年），东魏丞相高欢倾全国之力，与西魏在玉壁城进行了一场历时六十多天的战争。该城地形险要，是我国著名的古战场之一。城址整体略呈“凹”字形，东西长 1850 米，南北宽 1430 米，总面积 264.6 万平方米。现存残长约 300 米的南墙，宽 3—8 米，残高 2—8 米，墙体为夯筑。玉壁城遗址，对研究北朝时期的政治史、民族史、军事史、经济史等具有重要的意义。2013 年被国务院公布为第七批全国重点文物保护单位。省道运稷线经此。

50–B–a340 **白台寺**［Báitái Sì］位于山西省运城市新绛县泉掌乡光马村。寺创建年代不详，据碑刻记载，重修于唐开元十四年（726 年），金大定明昌间重建，元至正十五年（1355 年）局部重葺，明清两代补修。寺址坐北朝南，两进院落布局。中轴线依次有山门、三滴法藏阁、释迦殿、后大殿。寺内存有唐、宋、元、明、清碑碣 7 通，唐九级造像幢一座，北宋经幢和云牌等珍贵文物，具有重要的历史价值。2006 年被国务院公布为第六批全国重点文物保护单位。乡村道路经此。

50–B–a341 **北池稷王庙**［Běichí Jìwáng Miào］位于山西省运城市新绛县阳王镇北池村。据庙内正殿脊枋题记，为明弘治十六年（1503 年）创建，后多有重修扩建。庙内正殿和戏台为明代建筑，其余全为清代建筑。中轴线上南为戏，台北为正殿，两侧有配殿、耳殿等东西配殿为天王殿、财神殿，东西耳殿分别为关爷殿、圣母殿。戏台西侧有土地庙，东侧的钟楼已毁。戏台建于 1.25 米高的砖包夯土基座上，面宽三间，进深四椽，单檐悬山顶。北池稷王庙保存有明确的明代纪年，具有较重要的历史价值。2013 年被国务院公布为第七批全国重点文物保护单位。省道临夏线经此。

50–B–a342 **冯古庄墓地**［Fénggǔzhuāng Mùdì］位于山西省运城市新绛县三泉镇冯古庄村。为一处西周中晚期的古墓葬。在长 700 米，宽 9 米的范围内发现竖穴土坑墓葬 80 座，车马坑 4 座。发掘了 15 座墓葬。墓葬的方向多为北向，均为竖穴土坑，墓口一般长 2 米，宽 1–2 米，最深约 7 米。葬具除一座为两棺一椁外均为一棺，葬式为仰身直肢，该墓葬出土文物丰富、精美。从勘探发现应属西周诸侯封国的墓地，对研究西周时期晋南诸国的分布地域具有十分重要的意义。2013 年被国务院公布为第七批全国重点文物保护单位。省道新苏线经此。

50–B–a343 **福胜寺**［Fúshèng Sì］位于山西省运城市新绛县北泽掌镇光村。寺建于唐贞观年间（627 年—649 年），金天眷年间（1138 年—1140 年）废，二年后修复。金大定三年（1163 年）赐名“福胜寺”，元至正十四年（1345 年）增补修建，明、清两代皆有修葺。寺址坐北朝南，占地面积 5549.8 平方米。现存建筑释迦殿、后大殿下部窟洞为元代遗构，余皆明清所建。前后两进院落。前院中轴线上排列有山门、天王殿、释迦佛殿，东西两侧分布有钟鼓二楼、十殿阎君等建筑。后院由藏经阁、左右厢房等组成，规模较大，排列有序。2001 年被国务院公布为第五批全国重点文物保护单位。乡村道路经此。

50-B-a344 **稷益庙** [Jìyì Miào] 位于山西省运城市新绛县阳王镇。为祀奉后稷（教民稼穑）和伯益（辅佐大禹治水）的纪念性建筑，因地处阳王镇，又俗称阳王庙。创建年代不详，元至元年间重建，明弘治、正德年间扩建重修。坐北朝南，呈长方形，占地2380平方米。现仅存正殿、舞台，为明代建筑。正殿，面阔五间，殿内东、南、西三壁满布壁画，面积130多平方米，内容为后稷教民稼穑和伯益辅佐大禹治水为民造福的事迹，同时也描绘了官民朝圣、乡村生活等各种人间事态，具有较重要的历史价值。2001年被国务院公布为第五批全国重点文物保护单位。通11路公交车。

50-B-a345 **绛州大堂(包含三楼)** [Jiàngzhōu Dàtáng]位于山西省运城市新绛县西北高垣上(今新绛中学校内）。始建于唐代，据史载唐太宗时出征高丽，命左将军张士贵在此设帐募军，故亦称“帅正堂”。此后成为历代州署衙门的办事机构。现存大堂为原绛州州署衙门内大堂，为元代遗构。堂内北壁嵌宋徽宗建中靖国元年（1101年）镌刻的文臣训诫七条碑。1996年11月被国务院公布为第四批全国重点文物保护单位。绛州三楼系指钟楼、鼓楼、乐楼。钟楼创建于宋乾德元年（963年），明弘治元年（1488年）修葺，平面近方形，单檐十字歇山顶。乐楼位于钟楼东北，创建于明洪武年间（1368年—1398年），后屡有修葺。鼓楼雄居衙坡顶端，创建于元至正年间（1341-1370年）清康熙、乾隆、光绪年间曾修葺。2001年被国务院公布为第五批全国重点文物保护单位。通36路公交车。

51-B-a346 **三官庙** [Sānguān Miào] 位于山西省运城市新绛县龙兴镇韩家巷。俗称葫芦庙。据庙内彩塑主像胸中木柱上纪年，元至正元年（1341年）创建，明清均有修葺。现仅存献殿和正殿，为元代所建。坐东朝西，两建筑紧密相连。献殿面阔一间，进深二间，平面呈方形，屋顶为十字歇山顶，正面设六扇板门。庙内存清代重修碑二通。殿内塑三清与诸神将、侍女等彩色泥塑像十一尊，与建筑同期，具有重要的历史价值。2006年被国务院公布为第六批全国重点文物保护单位。通36路公交车。

50-B-a347 **绛州文庙** [Jiàngzhōu Wén Miào] 位于山西省运城市新绛县龙兴镇四府街。坐北朝南，南北长146.2米，东西宽50.3米，占地面积7354平方米。创建年代不详，据民国十七年版《新绛县志》及庙内石碣记载，宋咸平二年（999年）、元、明多次有重修。现中轴线上由南至北依次有影壁、泮池、棂星门、大成殿，东西两侧有厢房。保存了明代纪年建筑，大成殿具有明代建筑特征，具有较高的历史价值。2013年被国务院公布为第七批全国重点文物保护单位。通运城到绛县特快专线公交车。

50-B-a348 **龙香关帝庙** [Lóngxiāng Guāndì Miào] 位于山西省运城市新绛县店头乡龙香村。创建于宋，后历代予以重修。现仅存戏台、献殿、正殿，正殿为元代遗构，余皆清代所建。坐北朝南，自南向北中轴线上依次有戏台、献殿、正殿。正殿面阔三间，进深三间，悬山式屋顶，四铺作单下昂斗，补间仅施一朵斗，殿内用减柱法，梁架结构为四椽通檐用三柱，用材粗大。殿内有关羽、周仓、关平等彩塑7尊，均为元代作品，具有重要的历史价值。2006年被国务院公布为第六批全国重点文物保护单位。通侯马9路公交车。

50-B-a349 **乔沟头玉皇庙** [Qiáogōutóu Yùhuáng Miào] 位于山西省运城市新绛县泽掌镇乔沟头村。创建于唐，金元时期、明嘉靖四十一年（1562年）重修。现存大殿、舞台、马王殿、献殿等建筑。大殿为元代遗构，面阔三间，进深四椽，单檐悬山顶。与大殿相对的连三舞台（中舞台已拆除），为明代遗构，后台留有清光绪时演出题记。马王殿内东西墙留有清代壁画17平方米。2006年被国务院公布为第六批全国重点文物保护单位。乡村道路经此。

50-B-a350 **泉掌关帝庙** [Quánzhǎng Guāndì Miào] 位于山西省运城市新绛县泉掌镇泉掌村。坐北向南，东西长19.6米，南北宽21米，占地面积412平方米。现存正殿，创建年代不详。据殿内梁脊板及石刻记载，明弘治八年（1495年）、弘治十年（1497年）、嘉靖二十六年（1547年）、雍正八年（1730 年）、雍正九年（1731 年）、乾隆五年（1740 年）均有修葺。正殿保存完整。建于高 0.9 米的砖石台基上，面宽五间，进深五间，平面近方形，重檐歇山顶。2013 年被国务院公布为第七批全国重点文物保护单位。乡村道路经此。

50-B-a351　**新绛龙兴寺**［Xīnjiàng Lóngxìng Sì］位于山西省运城市新绛县北大街。始建于唐，原名碧落观。唐高宗（670 年）改称龙兴宫。后因宋太祖赵匡胤寓此，改名龙兴寺。坐北朝南，大殿前左右有关公殿、娘娘殿，左侧留有山门，前有韦陀楼及西厢房三间，殿后有十三级龙兴宝塔。大殿面阔五间，进深三间，单檐悬山顶，斗五铺作双下昂，为元代遗构。殿内后槽设佛坛，内塑有三世佛及胁侍菩萨 9 尊彩塑。寺内存清康熙四十七年（1708 年）重修及民国时重修碑记 3 通，经幢 1 座，具有重要的历史价值。2006 年被国务院公布为第六批全国重点文物保护单位。通 36 路公交车。

50-B-a352　**新绛寿圣寺大殿**［Xīnjiàng Shòushèng Sì Dàdiàn］位于山西省运城市新绛县泽掌镇北苏村。宋建隆二年（961 年）创建，后历代均有修葺。现仅存元代大殿。大殿面阔五间，进深六椽，单檐悬山顶，建筑面积 250 平方米。檐下斗四铺作单下昂，补间斗一朵。殿内使用减柱造，后槽施大内额一根，梁架结构为六椽对前乳通檐用三柱。三椽与四椽上皆施彩绘。2019 年被国务院公布为第八批全国重点文物保护单位。省道临夏线经此。

50-B-a353　**董封戏台**［Dǒngfēng Xìtái］位于山西省运城市绛县安峪镇董封村。初建于明万历四十年（1612 年），后历代均有不同程度修缮，清嘉庆四年（1799 年）增建三面观抱厦。坐北朝南，砖砌台基，石条压面，高 0.9 米，面宽、进深均三间，平面近方形，建筑面积 102.4 平方米，单檐歇山式屋顶。檐口施用粗大的额枋，五铺作双下昂斗，当心间施五铺作双抄斗，后檐斗五铺作双抄。四架椽屋用三柱结构，四椽上施月梁式平梁。原为泰山庙内建筑，现庙已毁，仅存戏台。2006 年被国务院公布为第六批全国重点文物保护单位。乡村道路经此。

50-B-a354　**横北倗国墓地**［Héngběi Péngguó Mùdì］位于山西省运城市绛县横水镇横北村。为一处西周时期的古墓葬，2004 年发现。墓地面积约 35000 平方米，共发掘墓葬 1326 座，其中西周早期偏晚一直到西周晚期墓葬 1299 座，西周时期的车马坑或马坑 35 座。墓地年代明确，规模大，级别高，大型礼器众多。考古发掘工作揭开了倗国这个史书没有记载的小封国的地理谜团，对于研究西周时期晋南地区的封国及其与晋国间的关系具有非常重要的价值。2013 年被国务院公布为第七批全国重点文物保护单位。乡村道路经此。

50-B-a355　**绛县文庙**［Jiàngxiàn Wén Miào］位于山西省运城市绛县古绛镇文庙路。据清乾隆版《绛县志》和有关碑文记载，绛县文庙始建于后唐长兴三年（932 年），元、明、清历代分别进行了重修和扩建。坐北朝南，南北长 95 米，东西宽 44 米，占地面积 4180 平方米。现仅存大成殿和明伦堂。大成殿面阔三间，进深四椽，单檐歇山式屋顶，属厅堂型构架，仍保留有元代建筑的特征。明伦堂，面宽五间，进深六椽，前檐内廊，单檐悬山顶，现为清代遗构。保存完整，具有重要的历史价值。2013 年被国务院公布为第七批全国重点文物保护单位。通侯马—绛县专线公交车。

50-B-a356　**景云宫玉皇殿**［Jǐngyúngōng Yùhuángdiàn］位于山西省运城市绛县横水镇东灌底村。创建于唐贞观八年（634 年），明嘉靖年间进行过大修，清乾隆十年（1746 年）再次进行修葺。原建筑规模宏大，现仅存元代玉皇殿。玉皇殿面宽五间，进深三间，单檐悬山顶，斗五铺作双下昂，梁架结构为四椽对后乳用三柱。殿内现存唐贞观八年（634 年）元始天尊孝碑一通。2006 年被国务院公布为第六批全国重点文物保护单位。342 国道经此。

50-B-a357　**南樊石牌坊及碑亭**［Nánfán Shí páifāng Jí Bēitíng］位于山西省运城市绛县南樊镇西堡村。建于清嘉庆九年（1804 年），是时任山东盐运滨乐分司司运贾宗洛奉圣旨旌表，为其祖母诰封中宪大夫贾凝端继妻李恭人所建的节孝牌坊。牌坊为石质仿木构结构，南北向，双面六柱五门三重檐，高 12 米，宽 8.50 米。牌坊上雕“圣旨”和“旌表”石匾，从基座到顶部均浮雕走兽、花卉、人物等形式多样的石雕装饰，牌坊夹杆石为圆雕石狮。是集建筑、雕刻、书法艺术为一体，具有较高历史和艺术价值。2013 年被国务院公布为第七批全国重点文物保护单位。省道曲绛线经此。

50-B-a358 **南柳泰山庙**［Nánliǔ Tàishān Miào］位于山西省运城市绛县南樊镇南柳村。庙院始建年代不详，据有关史料记载：明代和清康熙四十六年（1707 年），雍正十三年（1735 年），乾隆二十九年（1764 年）曾多次修缮。坐北朝南，占地面积 7342.8 平方米。现仅存有正殿、道士房、后土殿、牛龙马王殿、阎王殿、虎头门、圣母殿、火神殿和娘娘殿。现存正殿、后土殿及圣母殿主体结构为元代建筑。建筑格局保存比较完整，三座主殿元代建筑的特点较为突出，为研究晋东南早期建筑提供了实物。2013 年被国务院公布为第七批全国重点文物保护单位。省道曲绛线经此。

50-B-a359 **乔寺碑楼**［Qiáosì Bēi Lóu］位于山西省运城市绛县横水镇乔寺村。建于清道光十七年（1873 年），是周氏家族为资政大夫周万钟所建的功德碑楼。乔寺碑楼坐西朝东，平面长方形，面宽六间，单檐歇山顶，檐下饰砖雕仿木斗栱。石砌台基长 17 米，宽 2.60 米，高 1.50 米。楼身高约 15 米，正面设五碑室立七通碑，每室之间有通柱石雕对联，上嵌石匾额。乔寺碑楼集建筑、砖雕、石雕、书法艺术于一体，保存状况良好，具有较高历史和艺术价值。2013 年被国务院公布为第七批全国重点文物保护单位。乡村道路经此。

50-B-a360 **太阴寺**［Tàiyīn Sì］位于山西省运城市绛县卫庄镇张上村。寺坐南朝北，二进院落。占地面积 8748 平方米。中轴线由北向南依次有山门、北殿、南殿。南大殿面阔五间，进深三间，单檐悬山顶。檐下悬挂“大雄宝殿”木匾乃金大安二年（1086 年）镌刻。殿内中部设木制佛龛，龛内有木雕释迦牟尼卧像一尊。雕造于金大定十年（1170 年）。是研究我国古代建筑、壁画、雕刻艺术以及佛教历史的珍贵遗产。2001 年被国务院公布为第五批全国重点文物保护单位。通绛县汽车站—侯马汽车西站公交车。

50-B-a361 **长春观**［Zhǎngchūn Guān］位于山西省运城市绛县陈村镇东荆下村。始建于元延祐七年（1320 年）。坐北向南，现存一进院落，南北长 71 米，东西宽 24.5 米，占地面积 1739.5 平方米。由南向北依次为献殿、混元宝殿，两侧保存东廊房和东配殿。混元宝殿为元代建筑，东配殿为明代建筑，其余则为清代建筑。长春观内保存了元、明、清各代的建筑，特别是混元宝殿保留有较明显的元代建筑风格，具有较重要的历史价值。2013 年被国务院公布为第七批全国重点文物保护单位。通绛县汽车站—侯马汽车西站公交车。

50-B-a362 **周家庄遗址**［Zhōujiāzhuāng Yízhǐ］位于山西省运城市绛县横水镇周家庄村。为仰韶中晚期、庙底沟二期、二里头期和二里岗期多个时期的遗存，有灰坑、墓葬和壕沟，以由环壕围绕的龙山时期聚落面积最大。遗物主要是陶器。陶器以泥质红陶为主，其次是夹砂红褐陶和泥质灰陶。器型有鼓腹盆、双唇口尖底瓶、壶、敛口罐或瓮等。对探索本地区早期复杂社会的发展和文明的起源具有重要意义。2013 年被国务院公布为第七批全国重点文物保护单位。乡村道路经此。

50-B-a363 **二郎庙北殿**［Èrláng Miào Běidiàn］位于山西省运城市垣曲县蒲掌乡北阳村。创建年代不详。坐北朝南，东西长 9 米，南北宽 6.2 米，占地面积 55.8 平方米。现存为元代建筑，面阔三间、进深四椽、单檐悬山顶结构。元代建筑，柱头、斗拱等木结构构建均为元代遗物，雕刻有精美花纹，极为珍贵。是现存的具有较高的历史艺术科学价值的元代建筑之一，其造型浑厚古朴，木构建筑特色明显，具有重要的历史价值。2006 年被国务院公布为第六批全国重点文物保护单位。乡村道路经此。

50-B-a364 **埝堆玉皇庙**［Niànduī Yùhuáng Miào］位于山西省运城市垣曲县皋落乡埝堆村。创建年代不祥，现仅存戏台与正殿，为元代遗构。坐北朝南，总占地面积 481 平方米。戏台面宽、进深各三间，单檐悬山顶。前檐施圆木大额，梁架结构为四椽通达前后檐用二柱。正殿面宽三间，进深二间，单檐悬山顶，斗五铺作双下昂。2006年被国务院公布为第六批全国重点文物保护单位。省道王横线经此。

50-B-a365 **宋村永兴寺**［Sòngcūn Yǒngxìng Sì］位于山西省运城市垣曲县华峰乡宋村村。始建年代不详，明、清、民国时期曾多次修葺。寺北面南，一进院落，南北长121米，东西宽40米，占地面积为4840平方米。现存正殿为金代建筑，东耳房、永兴砖塔为清代建筑，原山门、过庭、献殿等皆已毁。正殿主体结构比较完整，建筑形制具有特色，具有较重要的历史价值。2013年被国务院公布为第七批全国重点文物保护单位。乡村道路经此。

50-B-a366 **崔家河墓群**［Cuījiāhé Mùqún］位于山西省运城市夏县埝掌镇崔家河村。墓区东接崔家河水库，北接东下冯遗址，西接埝掌河，南接崔家河遗址。墓地面积12.5万平方米。墓葬多为竖穴墓，随葬品以铜鼎、豆、壶为主，还有铜编钟、石磬、玉、骨圭和铜贝、石贝、骨贝、贝币以及玉饰等。根据墓葬结构和随葬器物的形制，墓群时代为东周时期或偏早，对研究东周早期的历史文化有着重要的价值。2006年被国务院公布为第六批全国重点文物保护单位。通5路公交车。

50-B-a367 **大洋泰山庙**［Dàyáng Tàishān Miào］位于山西省运城市夏县瑶峰镇大洋村。创建年代不详，据梁架题记，元大德八年（1304年）、明隆庆五年（1571年）均有修葺。坐北朝南，占地面积1500平方米，建筑面积90平方米。庙宇建筑毁坏严重，现仅存元代大殿一座。大殿面宽五间、进深四椽，单檐悬山顶，前檐插廊，斗五铺作单抄单下昂。殿内四椽底部有“元大德八年重修”等题记。2006年被国务院公布为第六批全国重点文物保护单位。通5路公交车。

50-B-a368 **东下冯遗址**［Dōngxiàféng Yízhǐ］位于山西省运城市夏县埝掌镇东下冯村。为一处新石器至商代的遗址。遗址共分六期，其中一至四期属东下冯类型文化遗存，遗迹有灰坑、房子、墓葬、水井、沟槽、陶窑等。遗物以陶器为主，陶质有夹砂灰陶、夹砂褐陶、泥质灰陶、泥质褐陶及其他杂色陶。东下冯遗址一至四期在年代上与二里头文化一至四期基本上一致，为二里头文化东下冯类型或东下冯类型文化。遗址正处在文献记载的“夏墟”范围，其大致年代又在夏纪年内，对于探索夏文化有着极其重要的意义。2001年被国务院公布为第五批全国重点文物保护单位。通5路公交车。

50-B-a369 **墙下关帝庙**［Qiángxià Guāndì Miào］位于山西省运城市夏县裴介镇墙下村。始建于清康熙十六年（1677年）。坐北朝南，占地面积25000平方米。中轴线上现存乐楼、看亭、献亭、正殿、寝殿，正殿西侧建有配殿两座，为观音殿，牛马王祠。东侧建有配殿一座，为土地殿。乐楼梁脊板上有“大清康熙二十年岁次辛酉十社灯酒会重修戏楼谨志”题记，具有重要的历史价值。2019年被国务院公布为第八批全国重点文物保护单位。乡村道路经此。

50-B-a370 **上冯圣母庙**［Shàngféng Shèngmǔ Miào］位于山西省运城市夏县埝掌镇上冯村。始建于元延祐三年（1316年）。坐北朝南，现存有圣母殿、配殿、香亭各一座。圣母殿为元代建筑，香亭为明代建筑，配殿为清代所建。圣母殿面阔三间，进深四椽，单檐悬山顶，当心间立柱采用八楞柱，柱头有卷刹，斗栱为四铺作单下昂，蚂蚱形耍头，当心间有补间斗栱一朵，并出45°斜昂，稍间无补间斗栱。复杂的结构，密布的斗拱，细腻的雕刻，优美的造型，彰显了古人高超的建筑艺术和精细的工匠精神。2013年被国务院公布为第七批全国重点文物保护单位。通5路公交车。

50-B-a371 **司马光墓**［Sīmǎguāng Mù］位于山西省运城市夏县水头镇小晁村。司马光（1019年—1086年），字君实，夏县人。著名史学家、政治家。著有《资治通鉴》《司马文正公集》等。陵园东西长约290米、南北宽190米，占地约5.5万平方米。墓前两侧侍立石人、石羊、石猪、石马、石虎等27件。茔内有苏轼和王安石撰文的墓碑4通，墓南有明嘉靖年间所建碑亭一座，内立《忠清粹德之碑》一通。碑额原为宋哲宗御篆，碑文原为苏轼撰并书，现碑为明嘉靖年间依照宋碑复制的。全碑正文计2266字，记述了司马光一生功绩，为人及其家世。1988年被国务院公布为第三批全国重点文物保护单位。通 6 路公交车。

50-B-a372 **西阴村遗址**［Xīyīncūn Yízhǐ］位于山西省运城市夏县尉郭乡西阴村。为一处新石器时代遗址，面积约 30 万平方米。1926 年由李济先生发现并主持第一次发掘，这是中国人首次独立主持的田野考古工作，具有划时代意义。1994 年进行了第二次发掘。为新石器时代仰韶庙底沟文化、西王村三期文化、庙底沟二期文化、三里桥类型文化和商代二里冈文化，是庙底沟类型文化和庙底沟二期文化遗存最为丰富的。1996 年被国务院公布为第四批全国重点文物保护单位。通 5 路公交车。

50-B-a373 **夏县文庙大成殿**［Xiàxiàn Wén Miào Dàchéngdiàn］位于山西省运城市夏县解放南路。据清乾隆二十七年（1762 年）《夏县志》记载，文庙始建于宋，元至元十四年（1354 年）重修，明清时期屡次增建修葺。现仅存大成殿。夏县文庙大成殿，面阔七间，进深八椽，单檐歇山顶。大成殿是山西境内保存规模最大的县级文庙大成殿，其琉璃脊饰保存完好，具有较重要的历史价值。2013 年被国务院公布为第七批全国重点文物保护单位。通 102 路公交车。

50-B-a374 **薛嵩墓**［Xuēsōng Mù］位于山西省运城市夏县水头镇大张村。薛嵩，讳高，字嵩，河东万泉人。累官至唐尚书右仆射，封平阳郡王。薛嵩墓于唐大历八年（773 年）营造，薛园坐西向东，东西长 600 米，南北宽 100 米，现存大墓冢一座，墓碑一通，石羊两尊。墓冢平面呈圆形，高 2.45 米，底直径 34 米，墓前神道长达 390 米，宽近 25 米。是研究唐代墓葬形制与唐代历史的珍贵参考资料，且碑文字体为隶书，运书劲健流畅，为研究唐代历史与书法艺术提供了珍贵的实物资料。2013 年被国务院公布为第七批全国重点文物保护单位。乡村道路经此。

50-B-a375 **禹王城遗址**［Yǔwáng Chéng Yízhǐ］位于山西省运城市夏县禹王乡的禹王村、庙后辛庄、郭里村。古城址有大、中、小三座城垣。大城平面近似梯形，周长约 15.5 千米，总面积为 13 平方千米。北墙、西墙和南墙的西段保存较好，东墙大部分仅存断续残基。西墙北段之外有宽约 30 米的护城壕痕迹。出土春秋战国遗物有鬲、盆、罐、浅盘豆、盖豆、甑、筒瓦和板瓦等，还有汉代的卷云纹瓦当、绳纹板瓦等。遗址出土的瓦当，对于认识东周秦汉时期禹王城建筑规模和建筑材料，了解黄河中下游的瓦当情况有重要的意义。1988 年被国务院公布为第三批全国重点文物保护单位。通 6 路公交车。

50-B-a376 **黄河栈道遗址**［Huánghé Zhàn dào Yízhǐ］位于山西省运城市平陆县三门乡至曹川镇老鸦石沿河北岸。为汉代至清代的重要遗迹，古栈道遗迹 20 余处，累计长 3000 余米。栈道大多数先依山腰向内开凿成“凹”型通道。然后在通道岩石上开壁孔，再插以木梁，梁上铺板，形成完整的栈道。在山崖凸出的栈道拐弯处、内侧岩壁上均发现纤夫挽船时绳磨下的深深槽痕。在绳槽最多的位置还发现一种立式转筒状机械装置痕迹。在五一石膏厂和老鸦石村附近栈道岩壁上分别发现“唐总章三年”和“宋绍圣元年”题记。2006 年被国务院公布为第六批全国重点文物保护单位。522 国道经此。

50-B-a377 **下阳城遗址**［Xiàyángchéng Yí zhǐ］位于山西省运城市平陆县张村镇太阳渡村。为一处周代的古城址。遗址平面南北长约 3500 米，东西宽 2000 米，面积 700 万平方米。地表残存墙垣数段，其中最长一段长约 200 米，宽 3—5 米，残高 4—6 米，墙体为夯筑。城内发现西周到春秋时期的墓葬，出土铜编钟、鼎、簋、豆、壶、车马器以及编磬、铜贝、包金贝、货贝、骨贝、铲币、玉器等随葬品。遗址对研究两周时期的古代城址的建造、形制、贵族墓的埋葬习俗、规制以及虢国历史等提供了珍贵的资料。2013 年被国务院公布为第七批全国重点文物保护单位。乡村道路经此。

50-B-a378 **虞坂古盐道**［Yúbǎn GǔYándào］位于山西省运城市平陆县张店镇坪头铺至盐湖区东郭镇磨河村。为西周和明代的重要遗迹。地处城北 20 千米的中条山北麓，是历史上河东（运城）盐池的产品运销秦、豫的主要通道。该盐道南从平陆县张店镇坪头铺下山，经儿女洞、锁阳关、青石槽、伯乐识处、小鬼额头、踏三迭浪、猴儿牙楂骨，避大石斜，过十八盘至盐湖区东郭镇磨河村南山底出。沿途山势险峻，怪石林立，坡道盘曲，路面坎坷不平。开凿年代久远，留存有众多重要文化遗迹，是探索河东（运城）盐池开发史、古代交通史以及解盐或潞盐运销史的重要遗迹。2013 年被国务院公布为第七批全国重点文物保护单位。乡村道路经此。

50–B–a379 **虞国古城遗址**［Yúguó GǔChéng Yízhǐ］位于山西省运城市平陆县张店镇古城村、张店村。为春秋时晋献公所灭古虞国的都城。遗址发现于 20 世纪 50 年代初。平面呈长方形，东西长约 1500 米，南北宽约 1000 米，面积 150 万平方米。南、北城墙保存较好。城址内发现火膛与文化层，城内曾钻探出大型夯土基址。城址附近还发现枣园村西周墓群、尧店滑里春秋墓群、北横尖“冢圪塔”（疑为虞君墓）等。目前城址基本轮廓清楚，埋藏丰富，文化遗存保存较好，对研究周代晋文化等问题提供了实物依据。2013 年被国务院公布为第七批全国重点文物保护单位。乡村道路经此。

50–B–a380 **东庄遗址**［Dōngzhuāng Yízhǐ］位于山西省运城市芮城县永乐镇岳村。为一处新石器时代遗址，遗址分布面积约 20 万平方米。遗址东西长约 1000 米，南北宽约 200 米，中部有一条南北向的路沟将遗址分割为东西两部分。文化层厚 0.4—1 米。遗迹有房址、窖穴、墓葬等，遗址内仰韶时代遗存发现的房基平面呈圆形，居住面为白灰地面；另有椭圆形居住面，径 3.8—4.8 米。遗址的发掘丰富了对仰韶时代的认识，因 1958 年发掘芮城县东庄村遗址最为典型而得名。2013 年被国务院公布为第七批全国重点文物保护单位。通芮城 702 路公交车。

50–B–a381 **古魏城遗址**［Gǔwèi Chéng Yízhǐ］位于山西省运城市芮城县城关镇柴涧村、铁家庄、后龙泉村、城南沟村。为一处周代的古城址。城址平面呈方形，方向正北，周长约 4500 米，东西宽 1197 米，南北长 1203 米，面积约 144 万平方米。城墙由夯土版筑而成，城基宽度一般在 13—15 米之间。北城墙保存最好，东、南两城墙现存残段与基址，西城墙残存很少。遗址出土西周时期青铜器、战国时期筒瓦、板瓦等，另见有少量汉代堆积。遗址保存完好，是研究我国早期城址的宝贵资料。2013 年被国务院公布为第七批全国重点文物保护单位。通芮城 1 路公交车。

50–B–a382 **广仁王庙**［Guǎngrénwáng Miào］位于山西省运城市芮城县城关镇龙泉村。因庙内奉水神，封号“广仁王”而得名。创建年代不详，现存建筑正殿为唐太和五年（833 年）遗构，是国内现存四座唐代木构建筑之一。坐北朝南，规模较小，由戏台、厢房和正殿组成。正殿殿身面宽五间，进深三间，单檐歇山顶。正殿前檐两稍间墙壁上嵌记事石碣 4 块，其中唐碣 2 块，一为元和三年（808 年）河东裴少徽“广仁王龙泉庙记”，一为大和六年（832 年）“龙泉记”，是研究广仁王庙历史沿革及中国古代水利发展史的重要史料。2001 年被国务院公布为第五批全国重点文物保护单位。通芮城 1 路公交车。

50–B–a383 **金胜庄遗址**［Jīnshèngzhuāng Yízhǐ］位于山西省运城市芮城县大王乡金胜庄村。为一处新石器时代遗址，1955 年发现，1958 年由中国科学院考古研究所发掘。遗址文化层厚 1–3 米，断崖上暴露有灰坑，地表采集到大量的彩陶、泥质红陶、夹砂红陶、夹砂灰陶残片。彩图图案有圆点、弧形三角纹，器表纹饰有绳纹、划纹及附加堆纹，器形有尖底瓶、钵、罐、鬲等。另外还采集有石斧、石铲等。遗址的主体内涵属于庙底沟文化遗存。遗址的分布范围广，文化层包涵器物丰富，对研究晋南新石器时代的历史文化提供了宝贵资料。2013 年被国务院公布为第七批全国重点文物保护单位。乡村道路经此。

50–B–a384 **匼河遗址**［Ēhé Yízhǐ］位于山西省运城市芮城县风陵渡镇匼河村。为旧石器时代早期的一出代表遗址。是从西侯度文化和蓝田文化发展而来的，其地质时代为距今 60 万年的中更新世早期，文化时代属旧石器时代早期。1962 年—1980 年由中国科学院古脊椎动物与古人类研究所等单位发现了旧石器和化石地点 11 处，在距地表 20 米深的红色土层之下的砂、砾石和泥沙灰层中，分别出土了砍斫器、刮削器、三棱大尖状器等石器。同时发现了扁角鹿、肿骨鹿等七种哺乳动物化石。是研究我国旧石器时代考古发展序列的重要参考资料。2013 年被国务院公布为第七批全国重点文物保护单位。乡村道路经此。

50–B–a385 **坡头遗址**［Pōtóu Yízhǐ］位于山西省运城市芮城县陌南镇坡头村。为新石器时代遗址，早期属庙底沟二期文化，晚期属龙山文化。墓地的基本范围分布在清凉寺及其以北的山脊东侧，该墓地的总面积近 5000 平方米。清凉寺墓地共发现墓葬 350 余座。墓地整体排列有序，南北成行，东西成列，均为长方形土坑竖穴墓，墓地中出土的器物包括了玉琮、玉璧、玉环、玉石钺、五孔石刀、七孔石刀等珍贵文物。是研究我国新石器时代考古学文化的演变规律重要的参考价值，而且对研究晋南地区文明起源具有重要作用。2013 年被国务院公布为第七批全国重点文物保护单位。省道临陌线经此。

50–B–a386 **清凉寺**［Qīngliáng Sì］位于山西省运城市芮城县西陌镇坡头村。据寺内碑文载，创建于元大德七年（1303 年），明清两代均有修葺。原有建筑大部已毁，现仅存大雄宝殿一座，为元代遗构。坐北朝南，大雄宝殿在寺院正北方，面阔五间，进深三间，单檐悬山顶，建筑面积 572 平方米。殿前月台宽敞，殿顶筒板瓦覆盖。梁架为彻上露明造，草袱作法，前后乳对四椽用四柱，前后金柱上各施大额枋横跨三间，元代特点显著，具有重要的历史价值。2001 年被国务院公布为第五批全国重点文物保护单位。乡村道路经此。

50–B–a387 **芮城城隍庙**［Ruìchéng Chénghuáng Miào］位于山西省运城市芮城县古魏镇永乐南街。据碑文记载，始建于宋大中祥符年间（1008 年—1016 年），元、明、清屡有修葺。现存大殿为宋代原构，享亭为元代建筑，余皆清代所建。坐北朝南，两进院落。中轴线依次为享亭、献殿、大殿、寝殿。前院东西两侧为廊房，后院东西两侧为厢房。大殿面宽五间，进深三间，单檐歇山顶。是集中了宋、元、清三代建筑风貌的城隍庙能保存至今，是非常珍贵的历史建筑。2001 年被国务院公布为第五批全国重点文物保护单位。通 109 路公交车。

50–B–a388 **西侯度遗址**［Xīhóudù Yízhǐ］位于山西省运城市芮城县风陵渡镇西侯度村。为一处新石器时代遗址，1961 年和 1962 年山西省文物工作委员会作过两次发掘，发现石制品、烧骨、带切痕的鹿角和动物化石。其时代属早更新世，据古地磁断代初步确定，年代为距今 180 万年，是中国迄今发现最早的旧石器时代遗存之一。分布在黄河中游左岸，高出河面约 170 米的古老阶地上。文化遗物和动物化石集中分布在平均约 1 米厚的交错砂层中。遗址中发现了带有人工砍砸或刮削过的鹿角和用火烧过的动物化石，大大提早了人类用火的历史。1988 年被国务院公布为第三批全国重点文物保护单位。521 国道经此。

50–B–a389 **西王村遗址**［Xīwángcūn Yízhǐ］位于山西省运城市芮城县风陵渡镇西王村。属新石器时代庙底沟文化向龙山文化过渡的代表性遗存，遗迹现象包括仰韶早期灰坑和瓮棺葬以及仰韶晚期、龙山时期的灰坑等。出土的器物包括陶刀、石铲、陶纺轮等工具类和陶盆、钵、碗、杯、釜、罐、小口瓶、器座、器盖等生活用具。另外有猪、狗、兔等动物骨骼，龙山时代遗存有瓮、罐、尖底瓶等器物，为庙底沟二期文化遗存。是代表中原地区仰韶文化晚期发展阶段的标志性遗存。2013 年被国务院公布为第七批全国重点文物保护单位。乡村道路经此。

50–B–a390 **巷口寿圣寺砖塔**［Xiàngkǒu Shòushèng Sì Zhuāntǎ］位于山西省运城市芮城县古魏镇巷口村。八角十三层楼阁式砖塔，残高约 47 米，为寺内仅存建筑，始建于北宋熙宁八年（1075 年）。坐北朝南，塔身向上逐层收分，每层均叠涩出檐，每面宽 3 米。塔身底层较高，第 1–3 层檐下用砖雕刻出仿木构斗栱，下施砖普柏枋，转角铺作与补间铺作均五铺作出双杪，4 层以上各层为砖叠涩檐。塔内中空，底层内因空间高隔为两层，共计 11 层楼板。砖塔的造型、结构具有北宋时期的鲜明特点，具有重要的历史价值。2013 年被国务院公布为第七批全国重点文物保护单位。乡村道路经此。

50–B–a391 **永乐宫**［Yǒnglè Gōng］位于山

西省运城市芮城县永乐镇龙泉村。为目前保存最为完整的一组元代建筑。坐北朝南，占地 86000 多平方米。沿中轴线上依次排列着山门、龙虎殿、三清殿、纯阳殿和重阳殿五座主体建筑。除山门为清代重建外，余皆元代遗物。尤为重要的是这里保存着举世罕见的元代壁画，面积达 1000 余平方米，题材丰富，笔法高超，为我国绘画史上的杰作。壁画中绘有许多建筑，宫廷、城门、民居、府第、酒肆、饭店、寺院、亭台、楼阁、桥梁、牌坊、古塔等，是研究元代建筑艺术的重要资料。1961 年被国务院公布为第一批全国重点文物保护单位。通 1 路公交车。

50-B-a392 **东姚温牌坊**［Dōngyáowēn Páifāng］位于山西省运城市永济市城西街道东姚温村。牌坊共有两处，分别是姚温石牌坊与东姚温砖牌坊。其中东姚温石牌坊是明崇祯元年（1628 年）旌表蒲州故民卫武之妻张氏的节孝坊。该牌坊由 80 余块青石构成，中柱及边柱皆为方形石柱，下各置束腰须弥式基石和抱柱石，其上雕刻幼狮相戏。东姚温砖牌坊为旌表故太学士孟庭之妻王氏的节孝坊。坊身砖雕二十四孝图、八仙人物及飞禽走兽等图案，共计 164 幅，内容丰富，每幅砖雕细腻传神，雕刻精湛，堪称民间砖雕艺术之瑰宝。2019 年被国务院公布为第八批全国重点文物保护单位。通永乐 2 路公交车。

50-B-a393 **董村戏台**［Dǒngcūn Xìtái］位于山西省运城市永济市卿头镇董村。戏台创建于元至治二年（1322 年），清乾隆十六年（1761 年）、嘉庆二十年（1819 年）两次重修。戏台面宽三间，进深三间，单檐歇山顶。下有石砌台阶，高 1.3 米，东西长 11.4 米，南北宽 11.4 米，台上建筑分前后台，前台宽 4 米，后台宽 2.6 米。2019 年被国务院公布为第八批全国重点文物保护单位。通 210 路公交车。

50-B-a394 **解梁故城遗址**［Hàiliánggùchéng Yízhǐ］位于山西省运城市永济市开张镇古城村。据传故城为春秋时期晋国六卿之一的智伯所建。智伯乃春秋末年晋国的四卿之首，身材魁梧，力气过人，才思敏捷，能文善辩，刚强果断。城垣保存尚好，高 4—5 米，周长 4.65 千米，共设九座城门。城墙上宽 4 米，下宽 15 米，夯层明显，厚 0.08 米，土中夹杂有陶片。是东周列国时期智氏最为兴盛时建造的。2019 年被国务院公布为第八批全国重点文物保护单位。通永济 206 路公交车。

50-B-a395 **蒲津渡与蒲州故城遗址**［Pújīndù Yǔ Púzhōu Gùchéng Yízhǐ］位于山西省运城市永济市蒲州镇西厢村。为唐代至明代的一处古遗址，蒲津渡为黄河一渡口，河桥始建于春秋时期鲁昭公元年（前 541 年），唐开元十二年（724 年），改建为铁索连舟固定式曲浮桥。因黄河改道，渡口废弃，被淤泥埋没。相传为尧、舜帝故郡，是一座具有政治、经济、文化和军事意义的历史名城。现存蒲州城为明嘉靖三十四年（1555 年）地震后坐落在唐故城基址上屡次修葺的内城遗迹。内城周长 5400 米。外城为唐代夯土城墙，城周长约 5700 米。2001 年被国务院公布为第五批全国重点文物保护单位。通 2 路公交车。

50-B-a396 **普救寺塔**［Pǔjiù Sì Tǎ］位于山西省运城市永济市蒲州镇西厢村。在永济市普救寺内。本为舍利塔，唐话本《莺莺传》与著名的《西厢记》故事素材均源于此。建于明嘉靖四十三年（1564 年），距今有 400 余年的历史，塔身高 39.5 米，十三层，有奇特的回音效应，与北京天坛的回音壁、河南三门峡宝轮寺塔、四川潼南区大佛寺的“石蹬琴声”被誉为我国古典园林的四大回音建筑，在方志中被称为“普救蟾声”，是古永济八景之一。2019 年被国务院公布为第八批全国重点文物保护单位。通永济 2 路公交车。

50-B-a397 **栖岩寺塔林**［Qīyán Sì Tǎlín］位于山西省运城市永济市韩阳镇下寺村。清乾隆年间《蒲州府志》记载，栖岩寺初名“灵居寺”，分上、中、下三寺，中、下寺已废。现存上寺宏伟的塔群建筑。现存有唐天宝建圆形实心禅师塔一座，五代后唐同光建石塔一座，宋建密檐式六角五层高 17 米舍利塔一座，元建平面六角双层塔两座，明、清禅师塔 17 座，除宋塔高居西峰外，其余各塔深居东草坪，形成各代集聚的禅师塔群。另存有隋、宋、金、元、明、清等各代碑刻 10 余通。

2019 年被国务院公布为第八批全国重点文物保护单位。通永济 302 路公交车。

50–B–a398 **永济扁鹊庙**［Yǒngjì Biǎnquè Miào］位于山西省运城市永济市清华乡洗马村。坐北朝南，占地万余平方米。中轴线上有山门、献殿、正殿，两侧为东西厢房。献殿面宽五间，进深二间。单檐硬山顶。正殿面宽三间，进深二间，单檐硬山顶。正殿及两侧耳室内塑扁鹊、十大名医及侍从彩塑 20 尊，为明代佳作。2019 年被国务院公布为第八批全国重点文物保护单位。通永济 219 路公交车。

50–B–a399 **永济万固寺**［Yǒngjì Wàngù Sì］位于山西省运城市永济市蒲州镇鹿峪村。始建于北魏时期，原名“繇哉寺”，曾遭兵火焚毁，隋代复修，更名为万固寺，取“万年固”之意。据殿外的历代碑文记载：殿内正中依崖就塑的大佛，高达五丈许，外罩金粉，人站殿内望不见佛头，大佛脚上可坐四人打牌，壁上还塑有万佛小像。同治年间的一场大火使大雄宝殿仅留下四周殿墙和佛龛。新修复的观音殿，气势非凡。2019 年被国务院公布为第八批全国重点文物保护单位。通永济 13 路公交车。

50–B–a400 **古垛后土庙**［Gǔduǒ Hòutǔ Miào］位于山西省运城市河津市樊村镇古垛村。创建于元元贞二年（1296 年），延五年（1318 年）增建，明代重修。现仅存元代大殿和戏台。大殿面宽三间，进深四椽，单檐悬山顶，斗四铺作单下昂。大殿正面为戏台，台基为正方形，台前檐施四根檐柱。后墙施四根后檐柱，中间施木隔扇，把戏台分为前后场。2006 年被国务院公布为第六批全国重点文物保护单位。209 国道经此。

50–B–a401 **河津台头庙**［Héjīn Táitóu Miào］位于山西省运城市河津市新耿南街。据现存碑文记载，明成化四年（1469 年）和九年（1474 年）、清道光十年（1830 年）均有重修。现存庙址东西宽 80 米，南北长 360 米，面积近 3 万平方米，现存建筑面积 1000 余平方米。现存 10 座殿宇，自南向北轴线依次有大门、中门、献殿、东岳殿；两侧配有后土祠、西岳殿、东西过殿、东西耳殿。是现存较完整的早期古建筑群，具有较高的历史价值。2013 年被国务院公布为第七批全国重点文物保护单位。通河津 5 路公交车。

50–B–a402 **阮氏双碑楼**［Ruǎnshì Shuāng Bēilóu］位于山西省运城市河津市小梁乡西梁村。为清代武德左骑尉阮廷实与其子阮凌云的德行碑楼，系父子双碑楼，西边为父，东边为子，两者相距 1.27 米，分别建于清光绪三年（1877 年）和清光绪五年（1879 年）。两座碑楼坐西北朝东南，形制相同，均为仿木结构砖雕碑楼。砖砌方形台基，边长 3.51 米，高 2.6 米。碑楼通高约 8.7 米，单檐歇山顶。四边砖砌方形角柱，须弥座柱础。2019 年被国务院公布为第八批全国重点文物保护单位。乡村道路经此。

50–B–a403 **山王墓地**［Shānwáng Mùdì］位于山西省运城市河津市柴家乡山王村。属于西周中晚期墓葬群，出土的青铜礼器等级较高，且有铭文，年代明确，可以认定为西周时期诸侯级别的墓葬。2007 年发现。墓地范围东西约 150 米，南北约 100 米，占地面积 15000 平方米。村东断崖上暴露有土坑竖穴墓。2007 年出土一批青铜器，其中青铜鼎、盘、壶盖三件器物上均有铭文。铭文明确有“共王”字样，应为周共王器物。这组青铜器的发现为研究西周历史、河东地区古代文化提供了珍贵的实物资料和新的文字资料。2013 年被国务院公布为第七批全国重点文物保护单位。通河津 16 路公交车。

50–B–a404 **玄帝庙**［Xuándì Miào］位于山西省运城市河津市樊村镇樊村。据碑文记载，创建于明隆庆三年（1570 年），明万历三十二年（1603 年）竣工。三进院落，南北长 87 米，东西宽 24.5 米，占地面积 2131.5 平方米。中轴线上从南向北依次排列有山门、香亭、中殿、正殿，两旁不设廊房。现存古建筑均使用精美的琉璃屋脊，部分建筑屋面局部塌损。整体布局保存完整，庙内建筑保留有明代纪年题记，具有较重要的历史价值。2013 年被国务院公布为第七批全国重点文物保护单位。乡村道路经此。

忻州市

50-B-a405 **金洞寺**［Jīndòng Sì］位于山西省忻州市忻府区合索乡西呼延村。据寺内经幢铭文记载，始建于北宋元八年（1093 年），明清时期进行修葺。坐北朝南，占地面积约 3551 平方米。两进四合院布局，依地形而建。中轴线上依次为山门、奶奶殿、文殊殿，西侧有转角殿、僧舍，东侧为普贤殿、三教殿。寺内转角殿为北宋元八年（1093 年）建筑；文殊殿为明嘉靖七年（1558 年）重建，两壁存明代壁画 4.9 平方米；其余均为清代建筑。2006 年被国务院公布为第六批全国重点文物保护单位。乡村道路经此。

50-B-a406 **忻口战役遗址**［Xīnkǒu Zhànyì Yízhǐ］位于山西省忻州市忻府区高城乡忻口村。忻口战役是中国军队抵抗日本侵略军进犯的一次最激烈的战役。1937 年 10 月初，日本华北方面军坂垣师团约三万余人，由北至南直取太原，行至忻口时遭到埋伏于此中国军队的顽强抗击，经过一个多月激烈战斗，日本侵略军伤亡惨重。忻口战役是国共两党游击战、阵地战配合作战最为成功的一次战役。遗址南北长 1000 米，东西宽 500 米，现存有与日军作战时修筑的窑洞 50 余孔及 204 号激战地。1986 年被山西省人民政府公布为第二批省级文物保护单位，2019 年，忻口战役遗址被国务院公布为第八批全国重点文物保护单位。108 国道经此。

50-B-a407 **定襄关王庙**［Dìngxiāng Guānwáng Miào］位于山西省忻州市定襄县晋昌镇北关村。始建于宋徽宗宣和五年（1123 年），元至正六年（1346 年）、明嘉靖三十四年（1555 年）、清康熙二十八年（1689 年）均有修葺，但均未改变宋代木构特点和风格。现仅存无梁殿，坐西朝东，面宽三间，进深两间，明间稍宽，平柱与后檐次间中线相对，是一座外观似庑殿，但顶部特征为歇山顶琉璃脊饰的建筑。是我国北方现存较早的武庙之一，无梁殿的奇特建筑结构堪称我国古代建筑中的瑰宝。2006 年被国务院公布为第六批全国重点文物保护单位。乡村道路经此。

50-B-a408 **洪福寺**［Hóngfú Sì］位于山西省忻州市定襄县宏道镇北社东村。创建年代不详，据寺内康熙四十七年碑载："宋宣和、金天会年间，此院已称古院，则其创建之由邈乎远已。"现存建筑大雄宝殿为金代原构，东西配殿为清代所建。寺坐北朝南，建在高 7 米的土台上，占地面积 3300 平方米，寺域由周长 400 米的堡墙环护。大雄宝殿总建筑面积 414 平方米，殿内佛坛上塑有 9 尊塑像，为明代作品。大雄宝殿左侧有东配殿，面宽五间，悬山顶。殿内塑地藏王菩萨、十殿阎君，均保存完整，与配殿同为清代作品。2001 年被国务院公布为第五批全国重点文物保护单位。通定襄 5 路公交车。

50-B-a409 **留晖洪福寺**［Liúhuī Hóngfú Sì］位于山西省忻州市定襄县南王乡留晖村。始建年代不详。重建于元泰定元年（1324 年），明、清、民国时期均有修葺。总体平面为长方形，占地面积 3655 平方米。现存建筑主要有天王殿（山门）、正殿、东西配殿、四角亭（攒尖阁）等。正殿为元代建筑，面阔五间，进深两间，单檐悬山顶。2019 年被国务院公布为第八批全国重点文物保护单位。乡村道路经此。

50-B-a410 **西河头地道战遗址**［Xīhétóu Dìdàozhàn Yízhǐ］位于山西省忻州市定襄县晋昌镇西河头村。地道战遗址 1942 年开凿，1947 年形成现有规模。西河头村地道全长 5 千米，南、北、中 3 条主干线横贯东西，纵横交错的 52 条支线网络全村。在抗日战争和解放战争时期，西河头人民和定襄武工队依托地道，多次展开了大规模的地道战，同日军和阎锡山反动军队进行了英勇顽强的斗争。2006 年被国务院公布为第六批全国重点文物保护单位。乡村道路经此。

50-B-a411 **阎锡山故居**［Yánxīshān Gùjū］位于山西省忻州市定襄县河边镇河边一村。大院是阎锡山（1883 年—1960 年）的住所，始建于 1913 年，停工于 1937 年，在此期间，先后建成了都督府、得一楼、上将军府、二老太爷府、穿心院、新南院、东、西花园等院落，近千间房屋，总占地面积约 23148 平方米。建筑围绕阎氏老宅逐步扩展而成，建筑中的装饰形式多样，题材丰富，工艺精美，具有鲜明的民间民俗色彩和中西结合的建筑艺术风格，是研究阎氏家族繁衍兴衰的珍贵实物。2013 年被国务院公布为第七批全国重点文物保护单位。省道台忻线经此。

50-B-a412 **白求恩模范病室旧址**［Báiqiúēn Mófàn Bìngshì Jiùzhǐ］位于山西省忻州市五台县耿镇镇松岩口村。抗日战争初期，松岩口是晋察冀军区后方医院。为改善战场伤员救治工作和培养医务干部，白求恩亲自设计并参加施工，利用松岩口村龙王庙改建成有手术室、消毒室、医务室、洗涤室、病房等设施的外科病室，被晋察冀军区司令部命名为“白求恩模范病室”。白求恩模范病室旧址坐北朝南，系一座四合院式的龙王庙改建而成。长 41 米，宽 28 米，占地面积 1148 平方米。模范病室对改进晋察冀边区医疗卫生工作和救治伤病员，起了积极的示范作用，具有重要的历史价值。1982 年被国务院公布为第二批全国重点文物保护单位。337 国道经此。

50-B-a413 **佛光寺**［Fóguāng Sì］位于山西省忻州市五台县豆村镇佛光村。据《古清凉传》记载，寺创建于北魏孝文帝时期（471 年—499 年），唐武宗会昌五年（845 年）大灭佛教，寺宇被毁。唐宣宗继位后重复佛法，至唐大中十一年（857 年）由京都女弟子宁公遇布施重建。坐东朝西，依山而造，气势雄伟。占地面积 3.4 万平方米。寺内殿、堂、楼、阁 120 余间。现存建筑有北魏遗物祖师塔，依山而建的唐代建筑东大殿，前院的金代建筑文殊殿，其余建筑山门、伽蓝殿、万善堂、香风花雨楼及厢房、窑洞等皆为明清所建。寺内还保存唐代墓塔 4 座、经幢 2 座及唐、金彩塑等珍贵文物，具有重要的历史价值和艺术价值。1961 年被国务院公布为第一批全国重点文物保护单位。乡村道路经此。

50-B-a414 **广济寺大雄宝殿**［Guǎngjì Sì Dàxióng Bǎodiàn］位于山西省忻州市五台县城内西大街北，俗称西寺。始建于元至正（1341 年—1368 年）年间，明清两代局部予以修葺。现存建筑大雄宝殿及殿内塑像为元代原作，殿内塑像与大殿同期，正中佛坛为一佛二菩萨，扇面墙背塑三大士坐骑兽一字形布列；两山砌长形砖台，分塑十八罗汉，为元代遗物。殿前有唐代八角形石经幢一座，高约 4 米，幢身刻有“尊胜陀罗尼经”，具有重要的历史价值。2001 年被国务院公布为第五批全国重点文物保护单位。乡村道路经此。

50-B-a415 **金岗库村晋察冀军区司令部旧址**［Jīngǎngkùcūn Jìnchájìjūnqū Sīlìngbù Jiùzhǐ］位于山西省忻州市五台山风景名胜区金岗库乡金岗库村。1937 年 7 月抗日战争全面爆发，中共中央革命军事委员会主席毛泽东根据抗日战争形势发展的需要，提出了以五台山为中心的华北地区建立敌后抗日根据地的战略构想，同年 11 月 7 日，八路军第一一五师副师长聂荣臻根据党中央和中央军委的决定，在五台山石咀普济寺成立了晋察冀军区，建立了全国第一个敌后抗日根据地。1986 年，山西省人民政府公布为山西省重点文物保护单位，2019 年被国务院公布为第八批全国重点文物保护单位名单。省道砂石线经此。

50-B-a416 **罗睺寺**［Luóhóu Sì］位于山西省忻州市五台山风景名胜区台怀镇杨林村。坐北向南，由中院及东西偏院组成，占地面积 15725 平方米。创建于唐代，明万历年间重修，清代再经大规模改建，并由青庙改为黄庙。中轴线上自南而北依次为天王殿、文殊殿、大雄宝殿、大藏经阁，两翼是钟鼓楼、文殊塔、东西配殿和禅房。是五台山佛寺群的重要组成部分，格局比较完整，具有较高历史和艺术价值。2013 年被国务院公布为第七批全国重点文物保护单位。省道砂石线经此。

50-B-a417 **南禅寺大殿**［Nánchán Sì Dàdiàn］位于山西省忻州市五台县阳白乡李家庄。我国现存最早的唐代木结构建筑，创建年代不详，重建于唐德中建中三年（782 年），据寺内大殿西缝平梁下保存“因旧名大唐建中三年岁次壬戌月居戊申丙寅朔庚午癸未时重修法显等谨志”，是寺重建年代之证。宋、元、明、清历代均有修葺。现存大殿为唐代原构，余皆后人所建，具有重要的历史价值。1961 年被国务院公布为第一批全国重点文物保护单位。乡村道路经此。

50-B-a418 **南茹八路军总部旧址**［Nánrú Bālùjūn Zǒngbù Jiùzhǐ］位于山西省忻州市五台县茹村乡南茹村。全国抗战爆发后，八路军总部东渡黄河，于 1937 年 9 月 23 日至 10 月 22 日驻扎在南茹村。在这里指挥平型关战斗，部署配合国民党军进行忻口战役，对在华北八路军战略部署进行调整等。旧址建于民国初期，总占地面积2400平方米，房屋80间，建筑面积119平方米，为典型的北方四合小院。八路军总部政治部、后勤部曾设在这里，朱德、彭德怀、任弼时曾在此居住。是研究全国抗战初期八路军斗争史重要史料来源。2013年被国务院公布为第七批全国重点文物保护单位。337国道经此。

50-B-a419　**五台山建筑群（显通寺、碧山寺、塔院寺、菩萨顶）**［WǔtáiShān Jiànzhùqún（Xiǎntōng Sì、Bìshān Sì、Tǎyuàn Sì、Púsà Dǐng）］显通寺，位于山西省忻州市五台山风景名胜区台怀镇北侧，五台山五大禅处之一。始建于东汉永平年间（69年），初名大孚灵鹫寺，与洛阳白马寺同为佛教传入中国时所建的早期寺宇。1982年被国务院公布为第二批全国重点文物保护单位。碧山寺，位于山西省忻州市五台县台怀镇东北，是五台山最大的十方禅处。创建于北魏，高僧法聪禅师曾在此讲经，明成化年间（1465年—1487年）重建，曾名普济寺、护国寺、北山寺等。塔院寺，位于山西省五台县台怀镇显通寺南，五台山五大禅处之一。据载，魏唐时期，此为大孚灵鸳寺（显通寺）塔院。菩萨顶，位于山西省忻州市五台县台怀镇灵鸳峰上。寺创建于北魏孝文帝时（471年—499年），称为真容院。是研究五台山佛教发展历程重要的庙宇建筑。2006年，碧山寺、塔院寺、菩萨顶被国务院公布为第六批全国重点文物保护单位。省道砂石线经此。

50-B-a420　**五台山南山寺**［Wǔtáishān Nánshān Sì］位于山西省忻州市五台山风景名胜区台怀镇南坡村。南山寺北距台怀约2公里，依山势而建。始创于梁重创建于元代，时称“大万圣佑国寺”。清光绪年间再行修建，称为极乐寺。清末，寺院主持普济和尚募得巨资，将原有的三部分合建成一体，称为南山寺。海拔在1700米以上，共有殿堂窑房300余间，占地6公顷，规模之大在五台山首屈一指，而且悬于陡峭山坡，更增添了宏伟气势。南山寺整个建筑群由七层三大部分组成，下三层名为极乐寺，上三层叫做佑国寺，中间一层称作善德堂。2019年被国务院公布为第八批全国重点文物保护单位名单。239国道经此。

50-B-a421　**五台山尊胜寺**［WǔtáiShān Zūnshèng Sì］位于山西省忻州市五台县茹村乡北湾子村。据记载，始创时寺曰“翠山院”。唐仪凤元年（676年），改称“善住阁院”。北宋天圣四年（1026年）予以重建，曰“真容禅院”。明万历年间改名尊胜寺。现存建筑多为民国初期遗物。坐北朝南，依山而建，占地面积3.23万平方米。中轴线上依次有观音殿、天王殿、三大士殿、大佛殿、藏经殿、毗卢殿、文殊殿、万藏塔。殿宇层层升高，直达塔院。其余殿堂楼阁、厢房配殿分布于东西两侧，对称排列，形成一个庞大的建筑群。因佛顶尊胜陀罗尼经，而被全世界尊为“尊胜法门”的祖厅。寺内建有铭刻佛顶尊胜陀罗尼经的宋代经幢，已有近千年的历史。2019年被国务院入选第八批全国重点文物保护单位名单。239国道经此。

50-B-a422　**徐向前故居**［Xúxiàngqián Gùjū］位于山西省忻州市五台县东冶镇永安村。始建于清道光初年。徐向前是中国人民解放军的十大元帅之一。1901年徐向前元帅就出生在这里。由于年久失修，故居早已破落。徐向前去世后，当地各级部门共同集资恢复了故居原貌。2016年12月，徐向前故居入选《全国红色旅游景点景区名录》。2006年被国务院公布为第六批全国重点文物保护单位。乡村道路经此。

50-B-a423　**延庆寺**［Yánqìng Sì］位于山西省忻州市五台县阳白乡善文村。始建年代不详，占地1040平方米。坐北朝南，前后两进院落。中轴线上现存二门、大佛殿、东西配殿。大佛殿为金代遗构，余为后人在原址上改建。大佛殿面宽三间，进深六椽，平面略呈方形，单檐歇山顶。斗五铺作，单抄单下昂。殿之梁架结构简洁奇巧，柱头斗后尾出三跳华，上承六椽，作月梁造，下平缝下置方木承坐斗素枋及上平，巧妙地节省下一条四椽。大殿在建筑形制、结构与制作手法上具有典型的金代风格，具有重要的历史价值。2006年被国务院公布为第六批全国重点文物保护单位。乡村道路经此。

50-B-a424 **阿育王塔**［ĀYùwáng Tǎ］位于山西省忻州市代县上馆镇西南街村。原为圆果寺中建筑，又称圆果寺塔，寺已毁，塔独存。塔为圆锥形，通高 40 米。台基平面为长方形，南北长 50 米，东西宽 30 米，高 1.5 米。塔建于台基中央。塔座平面圆形，砖砌，周长 60 米，作仰覆莲瓣及重涩混肚与方涩的须弥座式，四周刻有花饰、莲瓣和陀罗尼经。塔身为上肩略宽的圆形覆钵式，刹身为砖作相轮 11 层，刹顶为宝盖，中连极顶宝珠。清康熙二十年（1681 年）地震毁坏塔刹九尺余，二十三年（1694 年）补修。是我国藏式塔中的佳作，具有重要的历史价值。2001 年被国务院公布为第五批全国重点文物保护单位。乡村道路经此。

50-B-a425 **边靖楼**［Biānjìng Lóu］位于山西省忻州市代县十字街心。名谯楼、鼓楼。据清《代州志》载：边靖楼建于明洪武（1374 年）七年，成化七年（1471 年）被焚，成化十二年（1476 年）重建。清康熙、雍正、嘉庆、道光年间均有维修，现存结构仍为明代遗构。坐北朝南，由高大的砖券门洞台基和三层四檐木结构歇山顶楼身两部分组成。台基底平面东西长 43.3 米，南北宽 33.3 米，高 13.3 米。中券门洞南北贯通。楼身通高 26.7 米。面宽七间，进深五间，重檐歇山顶。是历史上以边靖楼为中心的古代州城长城险隘雁门关的重要依托和支撑点。为守望了敌、指挥作战之军事设施，有万里长城第一楼之美誉。2001 年被国务院公布为第五批全国重点文物保护单位。乡村道路经此。

50-B-a426 **长城雁门关段**［Chángchéng YànménGuān Duàn］位于山西忻州市代县雁门关镇雁门关村。又名西陉关，是明代长城的重要关隘之一。据清乾隆《宁武府志》载，旧关在雁门山上，明洪武七年（1374 年）移至今址。明万历二十五年（1579 年）、清同治六年（1867 年）重修，现存雁门关为明代所筑。雁门关关城，周长 1 公里余，由关城、瓮城、围城三大部分组成。墙高 10 米，石座砖身，内为夯土，开门三重，即东门、西门、小北门。东门即天险门，石座砖券，额匾书刻“天险”二字，门上有楼，为雁楼。面阔五间，进深四间，重檐歇山顶。墙垣设垛口，门洞内原有板门一道，青石板铺路。雁门楼是驻守官兵巡察、瞭望、休息的场所。西门即地利门，石座砖身，额匾书刻“地利”二字，门楼为杨六郎祠，已毁。围城随山势而建，城周长约 10 余里，墙为石砌。天险门外建有靖边祠，祀战国名将李牧。白草口长城，又名猴岭长城，为明代建筑。与宁武关、偏头关合称内三关。2001 年被国务院公布为第五批全国重点文物保护单位。208 国道经此。

50-B-a427 **代县文庙**［Dàixiàn Wén Miào］位于山西省忻州市上馆镇西南街。始建年代不详，元至正十八年（1358 年）毁于战火，至正二十七年（1367 年）重建，明洪武二年（1369 年）竣工，成化、嘉靖年间扩建，清代屡有修葺。至此，文庙已有殿、亭、祠、廊、池、桥、坊等建筑。坐北朝南，占地面积 14400 平方米。布局基本完整，规模颇具。现存建筑为明代遗构，个别建筑为清代所筑。2006 年被国务院公布为第六批全国重点文物保护单位。108 国道经此。

50-B-a428 **繁峙琉璃塔**［Fánshì Liúlí Tǎ］位于山西省忻州市繁峙县岩头乡庄子村。始建于明万历十四年（1586 年），前有石狮一对，内有琉璃高塔，后为佛殿，配殿和禅堂。近年修复前，寺宇残坏，琉璃塔独存。塔平面八角十三级，高三十二米，基座石质，束腰须弥式雕仰覆莲瓣，塔身中空，可登至五层。塔身外表全用黄绿蓝三彩琉璃装饰，除脊兽瓦垅外，周身镶嵌琉璃佛像约万尊，故又名万佛塔。2019 年被国务院公布为第八批全国重点文物保护单位名单。239 国道经此。

50-B-a429 **繁峙正觉寺大雄宝殿**［Fánshì Zhèngjué Sì Dàxióng Bǎodiàn］位于山西省忻州市繁峙县繁城镇二道街。始建年代不详，北宋宣和三年（1121 年）赐名正觉禅院，明代时属于五台山北台外九寺之一。原址位于滹沱河南岸旧城西关，明万历四十一年（1613 年）将正觉寺迁到现址。现仅存大雄宝殿，进深三间，单檐歇山顶，筒板瓦屋面，建筑面积 243 平方米。室内构架采用减柱和移柱造做法。大雄宝殿梁架结构和斗栱中仍保留着金代建筑的特点，具有较重要的历史价值。2013年被国务院公布为第七批全国重点文物保护单位。108国道经此。

50-B-a430 **公主寺**［Gōngzhǔ Sì］位于山西省忻州市繁峙县杏园乡公主村。据记载，建于北魏，为北魏文成帝第四女诚信公主所建，故名公主寺。明弘治十六年（1505年）落架重修，清代、民国期间屡有修葺。坐北朝南，三进院落，占地面积7700平方米。中轴线上依次有山门、过殿、韦陀殿、大雄宝殿，东西两侧有伽蓝殿、马王殿、财神殿、二郎殿，寺院东南隅有奶奶庙、戏台。现存建筑大雄宝殿，面阔三间，进深六椽，单檐悬山顶。过殿为明代遗构，余皆为清代所建。殿内四壁存有内容为佛传故事的壁画，共233.6平方米。殿内佛坛上塑有三世佛及侍者像5尊，与壁画均属明代作品，具有重要的历史价值。2006年被国务院公布为第六批全国重点文物保护单位。乡村道路经此。

50-B-a431 **秘密寺**［Mìmì Sì］位于山西省忻州市繁峙县岩头乡岩头村。创建于北齐。亦称秘魔岩。主体为三进院落，中轴线上依次为天王殿、大雄殿、文殊殿、藏经阁遗址。寺东1公里处有中庵，原有建筑已毁，石壁上现存雕像17尊，从中庵向东北上行2公里，有秘密寺最负盛名的龙洞。大雄殿为寺内主殿，面阔五间，进深三间，单檐悬山顶，前设廊。大雄殿、文殊殿内均有塑像。唐武则天时为远近闻名的禅宗道场，金代以前为五台山十大寺之一，明代属西台外九寺之一。2006年被国务院公布为第六批全国重点文物保护单位。239国道经此。

50-B-a432 **三圣寺**［Sānshèng Sì］位于山西省忻州市繁峙县砂河镇西沿口村。始建年代无考，可考之建年为元代，明清两代屡有修葺。坐北朝南，地势较高，由前后两进院落组成。中轴线上依次有影壁、前院山门、钟鼓楼、东西配殿和地藏殿及后院东西配殿、大雄宝殿与禅堂。西侧为清建五谷神庙和奶奶庙。大雄宝殿（即三圣殿）为寺内主体建筑，位于后院。殿内有塑像14尊，其中6尊为元代所塑，8尊为明代所塑。殿内四壁满绘壁画，为明清作品，具有重要的历史价值。2006年被国务院公布为第六批全国重点文物保护单位。乡村道路经此。

50-B-a433 **岩山寺**［Yánshān Sì］位于山西省忻州市繁峙县东山乡天岩村。原名灵岩院。据寺内碑刻记载，创建于金正隆三年（1158年），元延二年（1315年）重修，明清屡有补葺。现存建筑文殊殿为金代建筑，余皆为明清遗构。寺院坐北朝南，占地面积8000平方米。中轴线上现存文殊殿、伽蓝殿、地藏殿、马王殿及东侧的钟楼一座。寺内主体建筑文殊殿，面宽五间，进深三间，单檐歇山顶。殿内宽大的砖砌佛坛上塑有佛、菩萨、弟子、金刚等塑像共8尊，均为金代原作。四周墙壁上保存有壁画97.71平方米，是金大定七年（1167年）宫廷画师王逵所作。是我国金代壁画中优秀作品。1982年被国务院公布为第二批全国重点文物保护单位。乡村道路经此。

50-B-a434 **汾阳宫遗址**［Fényáng Gōng Yízhǐ］位于山西省忻州市宁武县余庄乡马营村。汾阳宫筑于隋大业三年（607年），分外城、内城，环天池的建筑有亭、台、楼、阁等，总面积约2万平方米。隋炀帝曾四度来此避暑游览。隋末，刘武周造反起兵，袭破楼烦郡，进取汾阳宫，将宫城焚毁，后再未修复。遗址主殿坐落在天池之南的老马沟东侧，长170米，宽140米，占地2万多平方米。柱基石直径一米左右。宫城遗址内随处可俯拾残砖断瓦，调查发现陶瓷残片及建筑构件等均为隋代遗物。2019年被国务院公布为第八批全国重点文物保护单位名单。乡村道路经此。

50-B-a435 **静居寺石窟**［Jìngjū Sì Shíkū］位于山西省忻州市静乐县丰润镇丰润村。雕造于唐仪凤二年（677年）。坐东朝西，凿于离地面25米的半山崖上。共有石窟九座，总体特征皆平面方形，每窟约为2平方米，窟高0.6—0.7米，四壁垂直，顶部为平顶或略带弧度。第一、三、五窟门楣雕有火焰纹装饰。每窟内雕有佛像十尊，四壁三龛，每龛一佛二菩萨或一佛二弟子，造像面相丰润、颐颊饱满、体形健美，唐风尤甚。2019年被国务院公布为第八批全国重点文物保护单位名单。241国道经此。

50-B-a436 **静乐文庙**［Jìnglè Wén Miào］位于山西省忻州市静乐县城内鹅城镇儒林街村。

始建于宋大观年间，明洪武二年（1545 年）迁建于此，万历十五年（1587 年）重建，万历九年（1581 年）增建岑山书院（即明伦堂）、文庙，后历代屡有维修、增建。坐北朝南，为两座院落，文庙院内仅存大成殿、东西厢房。大成殿面阔五间，进深三间，单檐歇山顶。岑山书院内有明伦堂及东西两侧存心、养心二斋。2019 年被国务院公布为第八批全国重点文物保护单位名单。337 国道经此。

50-B-a437 **崞阳文庙**［Guōyáng Wén Miào］位于山西省忻州市原平市崞阳镇文庙街。始建于元代，明清均有修葺。现存建筑主要有影壁、棂星门、泮池、戟门、大成殿等，占地面积 2.1 万平方米。历经明清两朝多次修葺，建筑庞大、气势恢宏、规制完备。大成殿为元代建筑，面阔七间，进深五间，单檐歇山顶。殿顶施绿、黄、蓝琉璃饰件。2019 年被国务院公布为第八批全国重点文物保护单位名单。乡村道路经此。

50-B-a438 **阳武朱氏牌楼**［Yángwǔ Zhūshì Páilóu］位于山西省忻州市原平市大牛店镇阳武村。是由晚清中议大夫、陕西延榆绥兵道加盐运使武坊畴为其母朱氏所修的节孝牌坊。原为三座，现存两座。主坊建于清咸丰五年（1855 年）九月，为四柱三楼，重檐歇山顶，总高 10.54 米，面宽 15 米。配坊位于该村的南部，高 8 米有余，为四柱三门，单檐歇山顶，规模略小，造型风格与主坊皆为石雕艺术精品。2019 年被国务院公布为第八批全国重点文物保护单位。338 国道经此。

50-B-a439 **原平惠济寺**［Yuánpíng Huìjì Sì］位于山西省忻州市原平市中阳乡练家岗村。创建于唐，重建于宋，明清修葺。坐北朝南，总体平面呈长方形布局，占地面积约 3600 平方米。现存主体建筑文殊殿为明代建筑，其余为清代建筑。中轴线上现存文殊殿、南殿，两侧为东西配殿和钟楼，另存石碑 5 通。整体保存较为完整，文殊殿建筑形制独具匠心，具有较重要的历史价值。现存的彩塑、木雕等文物，亦具有较高的艺术价值。2013 年被国务院列为第七批全国重点文物保护单位。乡村道路经此。

50-B-a440 **原平普济桥**［Yuánpíng Pǔjì Qiáo］位于山西省忻州市原平市崞阳镇平定街村南桥河上。俗名南桥，普济桥创建于金泰和三年（1203 年），以后历代曾予补修。桥全长 30 米，跨度 8 米，券高 7 米。至今仍保持了宋、金时期的石桥雄姿和瑰丽艺术。桥用行錾石和雕刻石砌成，主两端各有一引桥，二小券，以分洪水。浮雕均典雅古朴，寓意深远，造型优美，精巧别致。2019 年被国务院公布为第八批全重点文物保护单位。108 国道经此 。

临汾市

50-B-a441 **东羊后土庙**［Dōngyáng Hòutǔ Miào］位于山西省临汾市尧都区土门镇东羊村。始建于元至元二十年（1282 年），元大德七年（1303 年）地震毁，元至正五年（1345 年）重修。现存大殿、献亭、戏台等，其中戏台仍保持元代风格。戏台坐南朝北，正面敞廊，三面封闭，十字歇山顶。台阶高 1.75 米，台宽 7.75 米，深 3.5 米，台前竖有二根圆形抹角石柱，下有覆莲柱础，柱上浮雕莲花和牡丹花生童子的图案，内檐梁架斗三层，叠成八卦形藻井，结构别致精巧，故戏台又称八卦亭。是研究元杂剧在平阳一带发展历史和金元时期戏台建造规制的重要实物资料。2006 年被国务院公布为第六批全国重点文物保护单位。乡村道路经此。

50-B-a442 **牛王庙戏台**［Niúwáng Miào Xì tái］位于山西省临汾市尧都区魏村镇魏村。戏台建于元至元二十年，明、清两代屡有修葺。现存戏台建筑为元代原构，余皆明清所建。坐北朝南，现存三王殿、献亭、垛殿、廊庑、戏台等建筑。戏台建在高 1 米余的砖砌台基上，面宽 7.45 米，进深 7.55 米，平面近方形，单檐歇山顶。梁架结构独具特色，既有荷载能力，又具装饰效果。戏台周身三面敞朗，仅后檐与两山后部砌墙，为早期戏台的固有形式，具有重要的历史价值。1996 年被国务院公布为第四批全国重点文物保护单位。通 101 路公交车。

50-B-a443 **铁佛寺**［Tiěfó Sì］位于山西临汾市尧都区城内西南隅。始建于唐贞观六年（632

年），历代屡有修葺。现存主要建筑有山门、过厅、金顶琉璃宝塔、藏经楼及配殿。金顶宝塔系大云寺建筑之精粹，高 30 米，塔基 12 米见方，外观形似楼阁，逐次收缩。宝塔一至五层为方形，六层为平面八角形，顶端刹置镏金宝珠。宝塔二层以上镶有 58 幅浮雕琉璃图案，内容均为佛教神祇及佛传故事。宝塔底层中空，室内供奉着唐代铁铸释迦牟尼佛头一尊，佛头中空。塔内南北两侧嵌有两方重修大云寺的碑铭，记录了清康熙三十四年临汾八级大地震的实况。2006 年被国务院公布为第六批全国重点文物保护单位。108 国道经此。

50-B-a444 **王曲东岳庙**［Wángqǔ Dōngyuè Miào］位于山西省临汾市尧都区吴村镇王曲村。戏台始建于元代初年，明清两代均有修葺。原属东岳庙的附属建筑，现庙毁，仅存舞台。坐南朝北，分前后两部分，前檐为民国年间重修时增建，后部建筑为元代遗构，平面略呈方形，台宽 7.25 米，面宽 7.25 米。屋顶为单檐歇山顶。台前及两侧前部敞朗，为台口。背面及两侧后部筑以墙壁，无前后场之分。前檐两根粗大的木柱支撑大额，后墙及两山为土坯砌筑，形成了三面砌墙正面敞口的形式，斗为重双下昂计心造作法，内檐梁架结构尤为别致。2006 年被国务院公布为第六批全国重点文物保护单位。通 105 路公交车。

50-B-a445 **尧陵**［Yáo Líng］位于山西省临汾市尧都区尧庙镇郭村。相传为唐初改建，明、清曾多次对尧陵重修过。据金代泰和二年（1202 年）碑载，唐太宗李世民破刘武周屯军于此，曾晋谒尧陵并祀之；唐显庆三年（658 年）重修；元中统年间真人姜善信奉元世祖之命，再次重修尧陵。坐北朝南，背依古崖，面濒涝水，占地面积 1.35 万平方米。墓冢圆形，为黄土堆积，高 50 米，周长 300 米，四周有古柏葱茂，俗称“神林”。现存古建筑山门、牌坊、碑亭为一轴线，左右两侧建有厢房、耳房、献殿、古窑、看楼等附属建筑 28 间，现存碑碣石刻 19 通，具有重要的历史价值。2006 年被国务院公布为第六批全国重点文物保护单位。通 10 路公交车。

50-B-a446 **大悲院**［Dàbēi Yuàn］位于山西省临汾市曲沃县曲村镇曲村。创建于唐大和元年（827 年），北宋治平四年（1067 年）重修，金大定二十年（1180 年）、清乾隆二十三年（1758 年）进行过修葺。坐北朝南，布局为长方形，东西长 50 米、南北宽 80 米，占地面积 4000 平方米。主要建筑有献殿、过殿、天王殿、东西厢房。现存建筑献殿为金代原构，余皆清代所建。献殿面阔三间，进深三间，单檐歇山顶。献殿东侧墙上存金大定二十年（1180 年）《大悲院新修卢舍那佛记》、明万历十六年《大悲院记》碑等 4 通。2001 年被国务院公布为第五批全国重点文物保护单位。乡村道路经此。

50-B-a447 **东许三清庙献殿**［Dōngxǔ Sānqīng Miào Xiàndiàn］位于山西省临汾市曲沃县高显镇东许村。元元统元年（1333 年）重修，后代屡有修葺。坐北朝南，庙内仅存献殿。献殿位于庙的北端，前檐面阔三间，后檐面阔五间，进深四椽，单檐悬山顶，筒板瓦屋面。前檐墙经后人改造，原有形制不存。前檐柱头施大额枋，并使用减柱做法，减去二根檐柱。檐下均施斗栱，为四铺作单下昂，蚂蚱头。梁架为殿内厅堂做法。献殿内梁架保留有彩画，山尖部分存有壁画。东许三清庙献殿虽经历代几次维修，但主体仍为元代建筑遗构，具有较重要的历史价值。2013 年被公布为第七批全国重点文物保护单位。乡村道路经此。

50-B-a448 **南林交龙泉寺**［Nánlín Jiāolóngquán Sì］位于山西临汾市曲沃县北董乡南林交村。始建年代为元延五年（1318 年），明清两代屡次修葺。坐北朝南，现存影壁、大殿和东、西厢房。大殿为元代建筑，影壁为明代建筑，东、西厢房则为清代所建。大殿面阔五间，进深六椽，单檐悬山顶，筒板瓦屋面，琉璃脊饰；前檐柱头斗栱为五铺作出双下昂；梁架结构为殿内厅堂做法。殿内金柱上部施卷刹，柱础石保留有线刻图案。大殿年代明确，元代建筑特征突出，具有较重要的历史价值。2013 年被国务院公布为第七批全国重点文物保护单位。省道院裴线经此。

50-B-a449 **曲村—天马遗址**［Qǔcūn-tiānmǎ Yízhǐ］位于山西省临汾市曲沃县曲村镇曲村、北赵村、三张村、翼城县天马村之间。遗址总面积约为 10.64 平方公里，居住遗迹有房址、水井、陶窑和灰坑，并有大量墓葬。墓葬遗址的重要组成部分，包括曲村村北和村西的墓地和北赵晋侯墓地，前者为晋国的“邦墓”区，后者为晋国的“公墓”区。遗址时代从西周早期一直延续到春秋早期，是二十世纪我国西周考古最重要的发现之一，是一处以晋文化为主的西周时代遗址，为研究晋国历史和晋文化的起源提供了重要的实物资料。1996 年被国务院公布为第四批全国重点文物保护单位。乡村道路经此。

50-B-a450 **曲沃薛家大院**［Qǔwò Xuējiā Dàyuàn］位于山西临汾市曲沃县西城巷。建于清代，坐北朝南，三进四合院，占地面积 1011.60 平方米。现存建筑沿中轴线依次有：南房、过厅、过厅楼、北楼。前院均为平房，由山门、东西厢房、南房、过厅组成；中院经过厅楼与后院相连，由东西楼、北楼组成。东西楼形制相同，面阔三间，建筑面积为 91.8 平方米。北楼为明三暗五的建筑格局。大院建筑中保存有精美的石雕、木雕及彩绘。2019 年被国务院公布为第八批全国重点文物保护单位。省道呼北线经此。

50-B-a451 **羊舌墓地**［Yángshé Mùdì］位于山西省临汾市曲沃县史村镇羊舌村。地处滏河南岸二级台地上，为西周时期的晋国国君墓地，墓地东西 400 米，南北 300 米，总面积 120000 平方米。初步探明整个墓地由大型墓葬和中、小型墓葬组成。大型墓两组 5 座，为带南北墓道的中字形土圹竖穴大墓，北墓道为台阶状，南墓道是斜坡状。墓室平面近方，壁较直，墓底积石积炭。在 M1、M2 的墓室南部和南墓道上，有大规模的祭祀遗迹。是目前山西发现的两周时期最大的墓葬。对于研究两周时期的墓葬制度，晋国历史等方面具有重要价值。2013 年被国务院公布为第七批全国重点文物保护单位。省道张高线经此。

50-B-a452 **大河口遗址**［Dàhékǒu Yízhǐ］位于山西省临汾市翼城县隆化镇大河口村。为新石器时代、周代、汉代时期。遗址面积约 80 万平方米。新石器遗址位于西部，西周遗址位于中部，东周遗址位于东北和北部，墓群位于遗址的中部偏北，汉代遗址位于遗址的南部。遗址中还发现一个不见于传世文献记载的西周封国——霸国。对研究西周时期晋南地区的封国及其与晋国间的关系有重要的价值。2019 年被列为第八批全国重点文物保护单位。省道曲辉线经此。

50-B-a453 **樊店关帝庙**［Fándiàn Guāndì Miào］位于山西省临汾市翼城县南唐乡樊店村。明弘治十八年（1505 年）创建，清道光十一年（1831 年）重修。坐北朝南，东西 35.86 米，南北 45.8 米，占地面积 1642 平方米。一进院落，中轴线上南为戏台，北为正殿。戏台两侧有掖门和倒座房。戏台和正殿为明代建筑，倒座房、山门为清代。正殿用大额，面宽三间，进深五架，单檐悬山顶。保存有明、清纪年题记，正殿具有明代建筑特征，具有较重要的历史价值。2013 年被国务院公布为第七批全国重点文物保护单位。通翼城—侯马公交车。

50-B-a454 **南撖东岳庙**［Nánhàn Dōngyuè Miào］位于山西省临汾市翼城县隆化镇南撖村。约创建于元至元二十七年（1290 年），清康熙年间修葺，大殿、献殿仍保留着元代建筑风格。现存建筑物主体是大殿和献殿，大殿两侧有配殿，献殿两侧为厢房。大殿屋架举折平缓，出檐深远。斗拱是古建筑上常用的一个重要构件，明清以后的斗拱只为装饰之用，而东岳庙的斗拱在设计上独具匠心，昂嘴前身支撑前压，昂尾与檩条相连，起到了很好的平衡支撑作用。2006 年被国务院公布第六批全国重点文物保护单位。乡村道路经此。

50-B-a455 **南梁古城遗址**［Nánliáng Gǔchéng Yízhǐ］位于山西省临汾市翼城县南梁镇南梁村。南边跨故城水库至水库南岸，北边抵南庙村南沟壑，东边伸入上、下二涧峡，西边与北常村接壤，遗址为新石器时代，是龙山文化中晚期遗存相当丰富。南北长 2100 米，东西宽 1900 米，总面积约 4 平方千米。遗址为新石器时代，尤其是龙山文化中晚期遗存相当丰富。周文化遗存在遗址文化堆积中为主，分布最为广泛，遗迹、遗物最为丰富，延续时间较长，自西周早期至春秋战国。古城城址位于遗址的中心，城四垣尚存有遗迹。2019 年被国务院公布为第八批全国重点文物保护单位。乡村道路经此。

50-B-a456 **乔泽庙戏台**［Qiáozé Miào Xìtái］位于山西省临汾市翼城县南梁镇武池村，亦称水神庙，庙已毁，戏台独存。始建于元泰定元年（1324 年），1984 年重修。坐南朝北，台基高 1.6 米，沿袭宋金舞亭建筑规制。平面方形，面阔 9.4 米，进深 9.35 米，单檐歇山顶。台前及两侧前部敞朗，四角立角柱四根，两侧后半部与背面墙内立撑柱四根，为八根柱子支撑顶部荷载。角柱之上施大兰额结成井字形框架，八根由外向内支撑华丽的八卦藻井，结构精巧，设计合理，是我国现存元代戏台中规模最大的一座，具有重要的历史价值。2006 年被国务院公布为第六批全国重点文物保护单位。乡村道路经此。

50-B-a457 **石四牌坊**［Shísì Páifāng］位于山西省临汾市翼城县唐兴镇城内村。始建于明万历年间，清乾隆年间重修，总建筑面积 36 平方米。八柱五楼式石牌楼，楼身用青石，楼顶为木构灰瓦十字歇山顶，通高约 11 米。楼身方形，四面皆可通行。主楼设四根方形抹棱石柱，四角呈 45° 各立一柱，上建次楼。主楼与次楼间用石质额枋相连接，其上浮雕许多人物、禽兽、花卉等。八根石柱下用抱鼓石式夹杆石，每一抱鼓石，首雕坐狮，腰刻爬狮，共计 33 尊，形态各异，气势威严。2013 年被国务院公布为第七批全国重点文物保护单位。通翼城 21 路公交车。

50-B-a458 **木四牌坊**［Mùsì Páifāng］位于山西省临汾市翼城县唐兴镇城内村，创建年代不详，重建于明万历年间，清代屡有修葺。八柱五楼式，楼身方形，两层滴水檐，十字歇山顶。二层楼顶用十字歇山顶，四角出飞檐。上下层共出翼角檐十二个，成为造型奇特的八柱五楼式牌楼。上下两层檐下施密致排列的斗栱，与檐头十二个翼角飞檐错落交织，使其更加蔚为壮观。木四牌坊下立有二通明碑。保存较好，造型独特，具有较高的历史、艺术、科学价值。2013 年被国务院公布为第七批全国重点文物保护单位。通翼城 21 路公交车。

50-B-a459 **四圣宫**［Sìshèng Gōng］位于山西省临汾市翼城县西闫镇曹公村。因宫内供奉尧、舜、禹、汤而名。创建于元代，明、清均有修葺。坐北向南，中轴线上舞台、献殿（不存）、正殿两旁三间耳殿，殿前东西配殿各三间、东西廊房各六间。舞台为宫中之冠，始建于元至正年间（1341 年—1368 年），坐南朝北，平面近方形，台宽 7.71 米，台深 7.21 米，通高 13 米。井字形梁架结构，单檐歇山式。整个建筑用材硕大规整，为元代建筑中的佳作。是我国现存较早的戏台之一，对研究我国戏曲发展史具有重要的价值。2006 年被国务院公布为全国重点文物保护单位。342 国道经此。

50-B-a460 **苇沟—北寿城遗址**［Wěigōu-běi shòuchéng Yízhǐ］位于山西省临汾市翼城县。东西长约 2900 米，南北宽约 3000 米，总面积近九百万平方米。遗址地形大体可分为南北两部分，北部指后苇沟村与苇沟村之间，主要遗存为龙山和东下冯类型文化，凤架坡村中和村北坡地上为墓葬区，村民居住的院落内和窑洞中以及冲沟断崖上，到处可见土坑竖穴墓葬的痕迹。南部指苇沟村以南、老君沟村以东，包括南寿城在内，与翼城县城连成一片，以晋文化为主的遗迹，遗物丰富，战国至汉代的遗存较集中在东半部。2019 年被国务院公布为第八批全国重点文物保护单位。乡村道路经此。

50-B-a461 **丁村民宅**［Dīngcūn Mínzhái］位于山西省临汾市襄汾县新城镇丁村。明清建筑，民居群落分北、中、南三个建筑组群。北区为明代建筑群，最早的建筑为明万历年间所建。以单体四合院为主，由正厅、厢房、倒座和门楼四部分组成，宽阔的天井，低矮的台阶踏石形成其显著的明代特色。中、南区为清代建筑组群，多为二进四合院落。中轴线上自南而北依次为影壁、大门、前院、中厅、后院和后楼，前后院两侧为对称的东西厢房。木雕、瓦作艺术也是丁村民居的一大特色，是中国明、清民居中雕刻艺术的佳作。1988 年被国务院公布为第三批全国重点文物保护单位。乡村道路经此。

50-B-a462 **丁村遗址**［Dīngcūn Yízhǐ］位于山西省临汾市襄汾县新城镇丁村。地质时代属晚更新世早期，系华北地区旧石器时代中期遗址。遗址中出土有人类化石、文化遗物和伴生的动物化石。人类化石包括三枚牙齿，其形态介于北京人与现代人之间，在人类发展史上属早期智人阶段。丁村各地点发现的2000多件石制品，原料95%为角质岩，以石片和石核最多。石器类型有砍砸器、刮削器、尖状器。是华北地区旧石器文化两大传统之一，即“汾河—丁村系”的代表。1961年被国务院公布为第一批全国重点文物保护单位。乡村道路经此。

50-B-a463 **汾城古建筑群**［Fénchéng Gǔjiàn zhùqún］位于山西省临汾市襄汾县汾城镇。唐初为尉迟恭的封地鄂公堡，唐贞观七年县城由古城迁于此，名为太平县，历朝均有修建。现存建筑以鼓楼为中心，由北向南依次为城隍庙、文庙、鼓楼、学前砖塔、县衙大堂、关帝庙、社稷庙、洪济桥、城墙等，共有40余座古建筑，时代从金大定二十三年（1184年）至清代末期，总面积约2万平方米。是一组保存较完整的古建筑群。其整体建筑与规制，仍保持着我国县级城市建筑的布局，是研究当时社会县级城市的政治、经济、文化等方面的珍贵史料。2006年被国务院公布为第六批全国重点文物保护单位。通襄汾7路环线公交车。

50-B-a464 **灵光寺琉璃塔**［Língguāng Sì Liúlí Tǎ］位于山西省临汾市襄汾县邓庄镇北梁村。金代建筑，该塔为灵光寺仅存建筑，八角十三层楼阁式砖塔，中空，现存7层，残高22.44米。第1层塔身南侧辟券门，其余七面设假门，塔身各层檐部均施木构砖雕，琉璃斗栱为五铺作出双下昂，单栱计心造，琴面昂，耍头斜杀内凹。塔身3层檐下饰以双层仰莲，琉璃莲瓣上均镶嵌佛像。第4层塔身作仿木楼阁的平座。塔内夹墙内设螺旋状楼梯，各层设木楼板，现楼板已不存。是我国保存至今为数不多的早期琉璃塔之一，具有重要的历史价值和艺术价值。2013年被国务院公布为第七批全国重点文物保护单位。通201路公交车。

50-B-a465 **普净寺**［Pǔjìng Sì］位于山西省临汾市襄汾县赵康镇史威村。又称南史寺。现存建筑为元、明遗物。坐北朝南，中轴线上依次建有山门、天王殿、菩萨殿、大雄宝殿。天王殿面阔五间，单檐悬山顶，内塑四大天王像。菩萨殿又称罗汉殿，面阔五间。佛台塑千手菩萨像，墙后塑地藏、道明、冥公，两侧塑十殿阎君。墙两侧塑十六罗汉坐像。大雄宝殿为全寺主体建筑，面阔五间，进深六椽。原为单檐悬山顶，后改为硬山顶，元代遗构。是保存完好的一组元明时期的建筑群，其结构是研究元明时期古建筑的珍贵标本。2006年被国务院公布为第六批全国重点文物保护单位。乡村道路经此。

50-B-a466 **陶寺北墓地**［Táosì Běi Mùdì］位于山西省临汾市襄汾县陶寺乡陶寺村。墓地总面积24万平方米左右。墓地面发现1283座墓葬，大型墓葬有120余座，已发掘七座。从墓葬分布情况来看，陶寺北墓地应该有统一的规划，墓葬因等级的不同存在小的分区：大型墓葬通常沿西北—东南主线排列，中小型墓葬集中散布于大墓周围，并与大型墓葬小有间隔。西北部墓葬年代较早，有的墓葬属西周晚期，东南部已至战国时期，墓地延续约500年。是侯马以北临汾盆地发现的春秋时期的重要墓群，为晋文化的深入研究提供了新的重要资料。2019年被国务院公布为第八批全国重点文物保护单位。乡村道路经此。

50-B-a467 **陶寺遗址**［Táosì Yízhǐ］位于山西省临汾市襄汾县陶寺乡陶寺村。其年代约公元前2600—前2000年，系新石器时期遗址。发现于20世纪50年代，1978年—1985年发掘面积6000平方米，发现墓葬1000余座，及灰坑、陶窑、房址等遗迹。房址多为窑洞式，少数为白灰面居室。大型墓葬发掘6座，呈南北排列，稍有错落。随着考古发掘工作的进一步进行，发现了规模巨大的城址，和目前发现时代最早的观像台及明显具有暴力色彩的特殊现象。出土礼器种类齐全，等级严密，对研究中国古代文明起源提供了珍贵的资料。1988年被国务院公布为第三批全国重点文物保护单位。乡村道路经此。

50-B-a468 **襄陵文庙大成殿**［Xiānglíng Wén Miào Dàchéng Diàn］位于山西省临汾市襄汾县

襄陵镇粮站内。始建于金大安元年，经地震塌毁，元大德十年重建，明清时期屡次修葺。殿身面阔五间，进深十椽，单檐歇山顶，筒板瓦屋面。前檐柱头斗栱为五铺作出双杪，皆做琴面假昂头，耍头斜杀内凹，当心间补间铺作施二朵，其余逐间用一朵。后檐柱头斗栱为五铺作出双杪，第二杪做琴面假昂头，补间铺作逐间施一朵。有明显的元代建筑特征，保存基本完整，具有较高的历史价值。2013 年被国务院公布为第七批全国重点文物保护单位。通襄汾 202 路公交车。

50-B-a469 **广胜寺**［Guǎngshèng Sì］位于山西省临汾市洪洞县广胜寺镇。始建于东汉桓帝建和元年（147 年），原名俱庐舍寺，亦称育王塔院，唐代改称广胜寺。唐大历四年（769 年）奏请重建。宋、金时期，广胜寺被兵火焚毁，随之重建。元成宗大德七年（1303 年）寺庙建筑全部毁于地震。大德九年（1305 年）秋又予重建。明嘉靖三十四年（1555 年）和清康熙三十四年（1695 年），平阳一带又发生地震，除上寺飞虹塔及大雄宝殿明代重建外，其余均为元代建筑。广胜寺分上、下两寺和水神庙三处建筑。上寺在霍山巅，琉璃构件金碧辉煌。下寺在山麓，随地势起伏而建。水神庙与下寺毗邻，墙垣相连，内奉明应王，其中元代戏剧壁画在国内外享有盛名。建筑在建筑科学和结构力学方面都有其独到之处。寺内保存的元明时代壁画、木雕、泥塑及琉璃作品等都具有较高的历史、艺术价值。特别是现存于北京图书馆的金代皇统版的《赵城藏》数千卷，对研究中国印刷史和宗教史具有十分重要的价值。1961 年被国务院公布为第一批全国重点文物保护单位。通洪洞 22 路公交车。

50-B-a470 **洪洞关帝庙**［Hóngtóng Guāndì Miào］位于山西省临汾市洪洞县大槐树镇关帝街。现存正殿保留元代遗构，献殿为明代遗构，其余为清代建筑。坐北朝南，占地 2072 平方米。中轴线由南向北依次为关帝楼、戏台、献殿、正殿，两侧分别有东西廊房和钟鼓楼。关帝楼又名春秋楼，为一座四面贯通的过街楼。钟、鼓楼，位于戏台东西两侧，高约 13 米，十字歇山顶，两层建筑。戏台坐南朝北，面阔三间，进深三间，卷棚式屋顶。献殿面阔三间，进深三间，单檐卷棚式悬山屋顶。正殿面阔五间，进深三间，歇山式琉璃屋顶。2013 年被国务院公布为第七批全国重点文物保护单位。通洪洞 27 路公交车。

50-B-a471 **洪洞商山庙**［Hóngtóng Shāngshān Miào］位于山西省临汾市洪洞县赵城镇孙堡村。又名三皇庙，因正殿内供奉伏羲、神农、轩辕三皇而得名。创建年代不详，万历、乾隆、道光均有修葺。坐北面南，四合院布局，占地面积 2363 平方米。现存正殿、东朵殿、西朵殿、东配殿、西配殿、东西厢房。正殿为明代建筑，砖砌台明，面宽三间，进深四椽，五檩无廊式构架，单檐悬山顶。西朵殿，面宽前三后二间，进深四椽，前檐设廊，单檐悬山顶，琉璃瓦剪边。东朵殿为元代建筑风格。庙整体保存完整，具有较高的历史价值。2013 被国务院公布为第七批全国重点文物保护单位。108 国道经此。

50-B-a472 **洪洞玉皇庙**［Hóngtóng Yùhuáng Miào］位于山西省临汾市洪洞县城马牧乡辛北村。元太宗己丑年（1229 年）建，明、清和民国历代均有修葺。现存主体建筑玉皇殿、关公殿、二郎殿均为元代建筑。坐北向南，分前后二进院落，总建筑面积 4128 平方米。后院中轴线上由南向北依次排列为正门、仪门、月台、八卦台、玉皇殿。二郎殿和关公殿位于玉皇殿东西两侧，舞台置于前院南侧，东侧为玉皇庙大门。三座大殿内梁架均为草栿，保持了典型的元代风格。殿内均有壁画，画面粗犷，线条流畅、保存尚好，与大殿同为元代作品。2001 年被国务院公布为第五批全国重点文物保护单位。省道桃临线经此。

50-B-a473 **净石宫**［Jìngshí Gōng］位于山西省临汾市洪洞县堤村乡干河村。又称宫观庙。创建于明弘治年间，明清均有修葺。东院狭长，北端设大门。南端有窑洞三孔，旁设门通往西院。西院为主院，高出东院一米。正殿建于西院北端，坐北向南，面宽三间，进深六椽，悬山筒瓦顶，前置月台。南端为戏楼，坐南向北，楼高两层，面宽三间、进深六椽，悬山琉璃瓦覆顶，下层明间设门通往净石山，上层为戏台。格局比较完整，保存了明代以来的古建筑及明代悬塑、清代壁画，具有较高历史和艺术价值。2013 年被国务院公布为第七批全国重点文物保护单位。乡村道路经此。

50-B-a474 **热留关帝庙**［Rèliú Guāndì Miào］位于山西省临汾市古县热留村。据碑文记载，创建于宋，后世屡有修葺。坐北向南，四合院布局，砖木结构。现存建筑有山门、戏台、献殿、正殿和东西廊房，占地面积 1200 余平方米。山门、戏台为民国后重修。戏台坐南面北，平面呈方形，面对献殿。献殿紧靠正殿，单檐木伏栅顶，面阔三间，进深三间。保存较为完整，整体结构严谨，技术精湛，有浓郁的元、明、清时期的建筑风格和特点，为县内现存唯一较为完整的古建筑群。2019 年被国务院公布为第八批国家重点文物保护单位。省道沁洪线经此。

50-B-a475 **郎寨砖塔**［Lángzhài Zhuāntǎ］位于山西省临汾市安泽县马壁镇郎寨村。砖塔为八角九级密檐式实心砖塔，现残存 8 层，高 12.07 米。据记载，此塔建造年代应不晚于唐代。塔基座平面呈八边形，各层塔壁呈内凹弧面。底层塔身饰以简洁的仿木结构装饰，底层正南设券洞门，东、西、北三面设有相掩的砖雕板门，其余四面设砖雕破子棂窗。第一层塔檐由数层叠涩和两层砖雕仰莲组成，2–8 层塔檐均叠涩出檐，9 层及塔刹已毁。塔身基座为须弥座，束腰逐面开门。塔造型独特，是研究中国古代佛塔发展与演变的重要实例。2013 年被国务院公布为第七批全国重点文物保护单位。省道长安线经此。

50-B-a476 **麻衣寺砖塔**［Máyī Sì Zhuāntǎ］位于山西省临汾市安泽县岭南村。金代修建，为八角九层密檐式砖塔。塔刹已毁，残高 20.2 米。此塔第 1 层很高，从第 2 层起变矮，并逐层向内收分。第 1 层塔檐下用砖雕做仿木构斗栱，为五铺作单杪单下昂，单栱计心造，琴面昂，蚂蚱头，令栱为翼形栱，补间铺作施三朵。第 2–9 层均叠涩出檐，其塔身除第 4 层外，逐层错落镶嵌砖雕佛像 318 尊。砖塔下设地宫。塔外观收分明显，造型优美，塔身保存了大量完整的金代砖雕佛像，具有重要历史和艺术价值。2013 年被国务院公布为第七批全国重点文物保护单位。241 国道经此。

50-B-a477 **小李村太岳行署旧址**［Xiǎolǐcūn Tàiyuèhángshǔ Jiùzhǐ］位于山西省临汾市安泽县杜村乡小李村。太岳行署由沁源迁往安泽杜村小李村，行署主任牛佩琮等在此主持工作，领导人民开展革命斗争。旧址存院落 4 处，分别为正院、东西跨院及原行政干校所在院，院内建筑皆为清代所建。正院为四合院，院内分布北房、东西厢房及南房、影壁，南房主体已坍塌，存台明及局部墙体；北房为正房，二层建筑，面阔五间，为行署办公室；西跨院内现存西厢房及南房；东跨院坐北朝南，存建筑 6 座；原行政干校院坐东朝西，存建筑 7 座。2019 年被国务院公布为第八批全国重点文物保护单位。省道长安线经此。

50-B-a478 **老君洞**［Lǎojun Dòng］位于山西省临汾市浮山县梁村。又名混元石梁殿。据碑文记载，始建于唐武德二年（619 年），明嘉靖四十三年（1564 年）重修，万历三年（1575 年）完工，是一座砖石混砌仿木构建筑。坐北朝南，殿高 4 米，面宽三间，单檐歇山顶。殿内正中券有一洞通向内殿，四壁满绘壁画，总面积 77.86 平方米，共分 115 组，612 尊神像，现仅存 87 组，神像 500 余尊。壁画内容为道家故事题材，为明嘉靖四十年（1561 年）绘制，具有较重要的历史价值。2006 年被国务院公布为第六批全国重点文物保护单位。乡村道路经此。

50-B-a479 **挂甲山摩崖造像**［Guàjiǎ Shān Móyá Zàoxiàng］位于山西省临汾市吉县挂甲山。始凿于隋开皇二年（582 年），唐、宋、金时期多有补刻。现存摩崖石刻隋、唐风格尤甚，个别龛为金代风格，宋代摩崖造像无实物保存，唯有石刻题记存留于此。凿刻于坐南朝北的山崖下端，由西至东共有造像 5 区，每区 2–3 龛，多为火焰式或尖拱形。雕饰手法基本采用剔地突起与线雕相结合，与其它石窟中圆雕相比，别具一格。2019 年被国务院公布为第八批全国重点文物保护单位。309 国道经此。

50-B-a480 **柿子滩遗址**［Shìzitān Yízhǐ］位于山西省临汾市吉县壶口镇。遗址距今 1–2 万年，东西分布约 10 千米，面积约 6 万平方米。文化遗物有石制品和岩画两部分。石制品大部分以石英岩为原料，器形有削状器、尖状器、锥钻、石锯、琢背石片等。岩画发现于遗址西北侧石崖南端“岩棚”下，这两方岩画虽因年深日久风化严重，但赤铁矿的赭红色及所绘形象，尚能依稀可见。是一处重要的旧石器时代晚期遗址，具有中国西部风格，代表了旧石器时代晚期之末广泛分布于黄土高原和黄河中游一种独特的区域文化。2001 年被国务院公布为第五批全国重点文物保护单位。309 国道经此。

50-B-a481 **乡宁寿圣寺**［Xiāngníng Shòushèng Sì］位于山西省临汾市乡宁县南环街。创建于宋皇祐元年（1049 年），元明清均有修葺，现仅存正殿和钟楼。正殿为宋代原构，钟楼为元代所建。坐北朝南，正殿面阔三间，进深两间，单檐悬山顶，柱头斗拱四铺作单昂，补间斗拱明间两朵，次间一朵，为四铺作单昂。钟楼创建于元代皇庆元年（1312 年），上下二层，歇山顶。下层带围廊，面阔、进深各三间。现存结构保留了元代风格。2006 年被国务院公布为第六批全国重点文物保护单位。通乡宁 2 路公交车。

50-B-a482 **营里千佛洞石窟**［Yínglǐ Qiānfó Dòng Shíkū］位于山西省临汾市乡宁县营里村。原修筑时代不详，明万历二十四年李逢春等重修。石窟为单窟，窟门向南，在民国时期经过修葺，使用条砖砌了砖墙，整面砖墙呈圆拱形。砖墙内的石窟门框仍为原物，为长方形。石刻门框为四块条石雕凿对接而成，浑然一体，风格古朴，应为窟门原物。洞窟平面呈椭圆形，圆拱形顶，面宽 420、进深 440、高 310 厘米，左右后三壁向里凿进，使其呈三壁三龛样式。洞内现存佛像 951 尊，刀法简练，各不相同，具有北朝至隋唐期间的风格。2019 年被国务院公布为第八批全国重点文物保护单位。通乡宁 1 路公交车。

50-B-a483 **七里脚千佛洞石窟**［Qīlǐjiǎo Qiānfó Dòng Shíkū］位于山西省临汾市隰县七里脚村。始凿于北魏晚期，止于唐代。千佛洞石窟共有 2 个洞窟，南北并列，窟口均西向，窟内造像 70 余躯。南窟属北魏洞窟，平面呈马蹄形，穹隆顶。窟门两侧各雕一力士像，主室正壁雕一佛二菩萨像，左右壁各雕一佛一弟子一菩萨像。北窟为唐代开凿。平面横长方形、平顶。正壁前设高坛基，坛上雕一佛二菩萨像，正壁及左右壁雕五十三佛题材的造像。具有较高的历史和艺术价值，为研究这一地区北魏和唐代佛教及造像艺术提供了珍贵的实物资料。2013 年被国务院公布为第七批国家重点文物保护单位。乡村道路经此。

50-B-a484 **千佛庵**［Qiānfó Ān］位于山西省临汾市隰县。又名小西天，庵始建于明朝，由东明禅师主持兴建，千佛庵坐西朝东，有山门二重，布局分为上、下两院。上院主要建筑有大雄宝殿；下院主要建筑有无量殿、韦陀殿、摩云阁、八卦亭。大雄宝殿是庵内的精华所在，面阔五间，进深六椽，前檐插廊，单檐悬山顶，殿顶筒板布瓦覆盖，琉璃剪边，中设琉璃方心。殿内梁架彻上露明造，六椽七檩前后单步梁用四柱，梁架彩画沥粉贴金，近似龙凤和玺画法。是山西明清建筑彩画中高等级装饰，弥足珍贵。1996 年被国务院公布为第四批全国重点文物保护单位。通隰县 1、2 路等公交车。

50-B-a485 **隰县鼓楼**［Xíxiàn Gǔlóu］位于山西省临汾市隰县北大街。隰县鼓楼居东、南、西、北四条大街交汇中心，创建于明万历年间，清有所修葺。由墩台和台上楼阁构成，梁架结构、牌匾等存有明代原物。墩台为方形，由青砖砌筑，外涂朱红色。台下设十字券门洞，东侧有露天梯可达台上。台上木结构楼阁为二层重檐十字歇山顶。上层四面檐下分别悬挂“龙泉古郡”“长寿遗封”“三晋雄邦”“河东重镇”等巨匾四桢。造型独具特色，保留了明代建筑原物，修葺演变可考，具有较重要的建筑史学研究价值。2013 年被国务院公布为第七批全国重点文物保护单位。通隰县 1 路等公交车。

50-B-a486 **永和文庙大成殿**［Yǒnghé Wén Miào Dàchéng Diàn］位于山西省临汾市永和县正大街。始建于元至元年间（1335 年—1340 年），坐北朝南，现仅存大成殿，仍保留有元代建筑特征。大成殿，面阔五间，进深五间，单檐歇山顶。前檐柱头斗栱五铺作双杪，皆做琴面假昂头，要头斜杀内凹，补间铺作明次间各 施一朵，形制与柱头铺作相同。柱头铺作里转出两跳，重栱计心造。殿内厅堂造，六架椽屋四椽栿对乳栿通檐用三柱，部分梁栿上仍保存有彩画。大成殿梁架保存较完整，具有较高的历史价值。2013 年被国务院公布为第七批全国重点文物保护单位。通永和 2 路公交车。

50-B-a487 **柏山东岳庙**［Bǎishān Dōngyuè Miào］位于山西省临汾市蒲县。创建年代不详。坐北朝南，占地面积 2 万平方米。由东岳行宫、地狱、华清池、太蔚庙五部分组成。现存建筑除献亭柱础为金代遗物外，行宫大殿为元代建筑，其余殿阁、楼、廊等，皆为明、清遗物。献亭位居行宫大殿之前，方形，单檐九脊顶。四角立盘龙石柱，前两根为元代所雕。四角的柱础石雕，为宋、金遗物中罕见的精品。地狱府内的 140 余尊明代塑像最为珍贵，大小与真人相同，是封建社会神权统治中意识形态的真实反映，具有珍贵的历史、艺术价值。2001 年被国务院公布为第五批全国重点文物保护单位。520 国道经此。

50-B-a488 **师家沟古建筑群**［Shījiāgōu Gǔ jiànzhùqún］位于山西省临汾市汾西县僧念镇师家沟村。村中的宅院均为师氏家族所有。路外散布着师家的祠堂、节孝牌坊、油房、染房、酒醋房和长工院等，占地面积约 1.6 万平方米。民居院落的组合以中国传统的四合院为主，结合地形的变化和窑洞式建筑的特点，出现了一些与四合院组合的三合院和立体组合的二层多进合院形制，体现了汾西地区民宅的特点。整个宅院除通过共同的交通通道联系外，还在各个院落间用较为隐蔽的踏道、侧门、隧道、甚至设在窑洞中的暗洞相互贯通，总体布局中有着防御特点。2006 年被国务院公布为第六批全国重点文物保护单位。省道桃临线经此。

50-B-a489 **侯马晋国遗址**［Hóumǎ Jìnguó Yízhǐ］位于山西省临汾市侯马市望桥街。系东周时期遗址，面积约 35 平方公里。遗址仅残共发现 6 座，仅存宫殿台基。位于遗址西北部的牛村、平望、台神 3 座古城，规模较大，相互毗连，呈品字结构。盟书遗址在晋国遗址的东南部，出土盟书 5000 余件，盟书记载了春秋战国之际晋国贵族集团之间的斗争。遗址范围内发现三处古墓群，均属“邦墓”；发现柳泉墓地为晋公室墓区。晋国遗址范围内主要发现有古城遗址、铸铜遗址、祭祀遗址、盟誓遗址、宗庙建筑遗址和墓地，具有重要的历史价值。1961 年被国务院公布为第一批全国重点文物保护单位。通 1、8 路等公交车。

50-B-a490 **霍州鼓楼**［Huòzhōu Gǔlóu］位于山西省临汾市霍州市北大街。又称文昌阁，明万历十一年建，清代重修。楼总高 29 米，虽经历史沧桑，其历史魅力犹存。鼓楼台基高峙，砌成十字券拱形通道，四向贯通。上筑木构楼阁两层，面宽进深各五间，二层三滴水，十字歇山式屋顶。四周围廊雕刻有花卉、禽兽等图案阁楼一层四周屋面楣额上方各悬挂贴金匾额一块，楼上二层回廊外沿设有观景台，木制围栏，刻有各式图案，做工精细，是明代雕刻之杰作。瓦顶安装有二十八宿琉璃造像和三彩琉璃脊兽。2019 年被国务院公布为第八批全国重点文物保护单位。通霍州 2 路公交车。

50-B-a491 **霍州观音庙**［Huòzhōu Guānyīn Miào］位于山西省临汾市霍州市赵家庄村。现存有宋、元、明、清不同时期大小殿八座，均为筒瓦硬山顶式建筑，琉璃瓦脊。观音庙院坐北朝南，总体布局为两条平行轴线，符合了中国传统的对称理念。其东轴线为一进院，轴线上分布有山门、三圣殿，东侧有厢房、廊屋、耳殿，东南角二层有文昌阁。西轴线为两进院，轴线上分布有过街阁楼、戏台、过殿、观音殿（分正殿和东西配殿），轴线西侧分布有廊屋。其三圣殿与观音殿之间建有土地殿。2006 年，霍州观音庙被国务院公布为第六批全国重点文物保护单位。通霍州 1 路公交车。

50-B-a492 **霍州窑址**［Huòzhōu Yáozhǐ］位于山西省临汾市霍州市陈村村。建造于宋代。窑址现存面积约 15 万平方米，文化层堆积厚约 1—3 米。窑址出土器型以碗、盘、碟、高足杯为主。装饰手法有酱划花、酱划花加印花、刻花、印花等。装饰图案有松鹤、鱼、鸭、卷草、花木、太湖石、龙以及文字等。霍州窑白瓷以粗瓷为主，细白瓷中的高足杯、折腰盘、碟较具特色，胎质粉白。烧造工艺上除开圈叠烧者外，外有垫砂、垫圈及支钉支烧，尤以五支钉支烧独具特色。碗有黑釉及外黑内白两种，碗的圈足根及碗内涩圈皆施化妆土。2006 年被国务院公布为第六批全国重点文物保护单位。省道桃临线经此。

50-B-a493 **霍州州署大堂**［Huòzhōu Zhōushǔ Dàtáng］位于山西省临汾市霍州市东大街。霍州署创建年代不详，元代州署已具一定规模。现存建筑大堂为元代原构，仪门、戒石亭为明代建筑，余皆清代所建。霍州署坐北朝南，占地面积6000平方米。中轴线上依次有谯楼、仪门、甬道、戒石亭、大堂等建筑。霍州州署大堂为衙署主体建筑，建在 1.2 米高的台基上，月台宽 21.20 米、深 18 米。前置面宽三间、进深一间的卷棚悬山式抱厦。大堂面宽三间，进深八椽，梁架结构为六椽栿对乳栿通檐用三柱。前檐开敞，后檐明间辟板门，两山辟低矮板门通左右厢房。1996 年被国务院公布为第四批全国重点文物保护单位。通霍州 1 路公交车。

50-B-a494 **祝圣寺**［Zhùshèng Sì］位于山西省临汾市霍州市前进街。原名东福昌寺。始建于唐贞观四年（630 年），后毁，明景泰元年重建，明万历、清乾隆年间又重修。现存建筑大雄宝殿、后大殿及东西厢房，占地面积 11333 平方米。大雄宝殿面宽五间，进深三间，单檐悬山顶。2019 年被国务院公布为第八批全国重点文物保护单位。通霍州 1、2 路等公交车。

50-B-a495 **娲皇庙**［Wāhuáng Miào］位于山西省临汾市霍州市大张镇贾村。建造于明代，后毁，清代有重修。坐北朝南，规模小巧，占地面积 1300 平方米。中轴线上现存建筑有戏台、娲皇圣母殿，东西两侧有厢房、钟鼓楼。圣母殿为主殿，面宽三间，进深六椽，单檐悬山顶。前檐廊深一架。左右垛殿各面宽二间，为单檐歇山顶，与圣母殿连为一体。明间后墙原有娲皇圣母神塑像，上置天宫楼阁，塑像已毁，唯天宫楼阁依然华丽如故。殿内两山墙及北壁两次间绘满壁画，为清人所绘。2006 年被国务院公布为第六批全国重点文物保护单位。通霍州 1 路公交车。

吕梁市

50-B-a496 **安国寺**［Anguó Sì］位于山西省吕梁市离石区。寺创建于唐贞观十一年（637 年）。原名安吉寺，曾为唐代宗之女昌化公主食邑地。宋嘉三年（1058 年）改今名。金、元、明历代皆有修葺。清初，被康熙皇帝誉为“廉吏第一”的于成龙曾就读于寺中，后世进行了大型修建，始成今日之规模。依山而建，坐北朝南，平面呈曲尺形，总占地面积约 4700 平方米。现存建筑多为明清遗构。共计四进院落，主院分上下两层，偏院分内外两进。主要建筑有：大雄宝殿、铜塔楼、钟、鼓楼、十王殿、东厢房、关帝阁、观音阁、吕祖阁、于成龙读书楼、于中丞公祠、于清端公祠、莱公别墅、石牌坊、砖塔等。大雄宝殿又称大佛殿，是寺内的主要建筑，面阔五间，进深三间，单檐悬山顶。殿内供奉三世佛，佛像高达 4.8 米，殿内绘壁画 60 平方米，为清代所作，具有重要的历史价值。2001 年被国务院公布为第五批全国重点文物保护单位。乡村道路经此。

50-B-a497 **马茂庄汉墓群**［Mǎmàozhuāng Hàn Mùqún］位于山西省吕梁市离石区城关镇马茂庄村。墓群分布范围约 2 平方公里。1990 年冬，山西省考古研究所首次科学发掘 3 座汉画像石墓，出土 42 块汉画像石。画像石墓分南部和北部两个区域。发掘的 6 座汉画像石墓皆出自于北部，有 4 座墓向南，1 墓向西，1 墓向北，且相距不远。墓室皆以绳纹条砖（36×18×6 厘米）泥浆错缝砌筑，墓室内壁平直或略外弧。墓门外均以条砖错缝封砌。墓室地面多为纵向人字形铺地砖，也有错缝横铺条砖的地面。以上 6 座汉画像石墓，每墓必有墓门画像石五块，即门楣石、两侧立框石及两扇门扉石。墓门画像石内容极其稳定单纯，即门楣石上均刻画车骑出行，显耀墓主人生前仕途等级；两侧门框石上皆刻画东王公西王母、拥盾持彗的门吏；两扇门扉石上都刻画朱雀展翅与铺首衔环，具有重要的历史价值。2001 年被国务院公布为第五批全国重点文物保护单位。通离石 101、306 路等公交车。

50-B-a498 **天贞观**［Tiānzhēn Guān］位于山西省吕梁市离石区。俗称凤山道院。创建于宋，是为祭祀宋代道祖陈希夷和其门徒明代道士孙云际而建。元代遭兵火焚毁，明洪武、宣德、景泰年间进行过较大维修、扩建。分上下两院，建筑依山就势，现存主要建筑有三清殿、孙真人殿、读书楼、陈抟殿、黄宝坛玉皇楼、雷公殿、三官楼，附属建筑有老爷庙、土地庙、五道庙、石碑坊等。陈抟殿又称白云洞，是道院主要建筑之一，面阔三间，进深二间，单檐悬山顶。殿内现存明永乐十一年（1413 年）《修建武当山宫观感应之图》壁画 30 余平方米，具有重要的历史价值。2006 年被国务院公布为第六批全国重点文物保护单位。通离石 103、309 路等公交车。

50-B-a499 **上贤梵安寺塔**［Shàngxián Fànān Sì Tǎ］位于山西省吕梁市文水县孝义镇上贤村。塔俗称上贤塔，八角七层楼阁式砖塔，残高 45 米。据《山西通志》和《文水县志》等地方志书记载，始建于北宋崇宁五年（1106 年），明隆庆五年（1571 年）重修。梵安寺现已毁，仅存此塔。塔坐北朝南，塔身下无基座。底层每面边长均为 6.3 米，直径 16.6 米，顶层直径 8.3 米。塔身 1 层内设塔心室，塔心室与塔壁间有回廊，外 7 层内 13 层，其内分设天宫、地宫，原有楼板、楼梯可登临。逐层收分，每层檐部均叠涩出檐，1–7 层在檐下及平座用砖雕仿木构斗栱，造型别致，内容丰富，表现出批竹昂头和底面上卷昂头共存等重要特征。2013 年被国务院公布为第七批全国重点文物保护单位。307 国道经此。

50-B-a500 **则天庙**［Zétiān Miào］位于山西省吕梁市文水县南徐村。庙始建于唐，金皇统五年（1145 年）重建，明正统十三年（1448 年）、清康熙、乾隆、光绪年间屡有修葺，基本奠定了现有规模。现存建筑则天圣母殿为金代原构，余皆明清所建。坐北朝南，占地面积 1800 平方米。建筑布局为：山门下部为砖券拱门、上部为乐楼，圣母殿位居院内正北面，左右东西厢房、钟鼓楼对称。规模较小，布局严谨。圣母殿面宽三间，进深六椽，单檐歇山顶。殿内后槽二金柱，巧妙地安置在神龛两侧，使殿内空间宽敞。梁架结构简明，殿内神龛装饰彩绘富丽，内奉则天圣母像。大殿板门上部有“金皇统五年”重建题记。大殿内梁架、斗、门窗、门墩等均属金代原制。庙内碑廊现存明、清碑刻 10 余通，具有重要的历史价值。1996 年被国务院公布为第四批全国重点文物保护单位。307 国道经此。

50-B-a501 **卦山天宁寺**［Guàshān Tiānníng Sì］位于山西省吕梁市交城县。卦山，因山形如卦象而得名。有“卦岳爻峰”之称，位居交城十景之首。依山建造，创建于唐贞观元年（627 年）坐北朝南，由天宁寺、石佛堂、书院、朱公祠、圣母庙、文昌宫等六组建筑组成，同时还有环翠亭、戏台、华严塔、墓塔等附属建筑。寺内有殿堂楼阁 200 多间，建筑面积 4000 多平方米。位于中轴线南端，建于清顺治十一年（1654 年）的 66 级台阶和石牌楼。前院有明代嘉靖四年（1525 年）重建的千佛阁，面阔五间，重檐歇山顶。中院正面大雄宝殿重建于清代嘉庆九年（1804 年），保持了明代风格。殿内三尊金身大佛结跏趺坐，通身金妆，是释迦牟尼的三身佛像，为明永乐五年（1407 年）之作品。毗卢阁在后院，是天宁寺的最高建筑，重建于清康熙四十七年（1708 年），重檐歇山顶。三教堂重建于清代康熙五十二年（1713 年），为二层楼阁式，面阔三间，布瓦歇山顶，佛、道、儒三教主端坐殿中，这种布局形式极为罕见。2006 年被国务院公布为第六批全国重点文物保护单位。通交城 1 路、6 路等公交车。

50-B-a502 **交城玄中寺**［Jiāochéng Xuánzhōng Sì］位于山西省吕梁市交城县洪相乡洪相村。始建于北魏延兴二年（472 年），初名石壁寺。占地面积约为 12000 余平方米，其中建筑面积 6500 平方米，主要由寺院殿堂、秋容塔、塔院、迁安桥、摩崖石刻、历代石刻等构成。寺院殿堂现存建筑包括天王殿，建于明代万历三十三年（1605 年）；钟鼓楼，始建于清顺治十四年（1675 年），其余皆现代重建。寺院内还保留有碑刻 80 余通，其中著名的有：北魏延昌四年造像碑（残）、北齐四面千佛幢、隋开皇造像碑、唐石壁寺铁弥勒像颂并序碑、唐石壁寺甘露无碍义坛碑、唐特赐寺庄山林地土四至记碑、元帕思巴文圣旨碑、大谷莹润显彰之碑等。交城玄中寺历史悠久，文物遗存类型丰富，被日本净土宗与净土真宗奉为祖庭，在佛教史和中日交流史上占有重要地位，具有重要的历史和文化价值。2013 年被国务院公布为第七批全国重点文物保护单位。307 国道经此。

50-B-a503 **竖石佛摩崖造像**［Shùshífó Móyá Zàoxiàng］位于山西省吕梁市交城县岭底乡竖石佛村。始凿于“北齐至唐”。石窟凿刻于一巨石之上，巨石呈金字塔形，坐西朝东，高 7.3 米，底部宽 8.8 米，厚 2.7 米，立面面积约 64 平方米，共计石窟 62 个，洞窟内圆雕释迦牟尼佛等百余尊造像。2019 年被国务院公布为第八批全国重点文物保护单位。307 国道经此。

50-B-a504 **北坡中共中央晋绥分局旧址**［Běipō Zhōnggòngzhōngyāng Jìnsuífēnjú Jiùzhǐ］位于山西省吕梁市兴县蔡家崖乡北坡村。1942 年 8 月，中共中央晋绥分局正式成立，驻北坡村，关向应任书记，林枫任副书记，委员有贺龙、周士第等人。晋绥分局成立后，对党政军民各级领导机构进行了精简，重新调整了行政区划，统一了党政军组织的辖区，实现了党的一元化领导，加强了党组织、政权和国防建设。建筑均建造于清代，坐北面南，占地面积约 30000 平方米，建筑面积约 1982 平方米。现存 4 处院落，分别为：上院、东院、中院、下院。作为晋绥边区中共最高领导机关的驻地，统一领导了晋西北、晋西南、大青山三个地区的党政军民各项工作，与数百米外的蔡家崖村党政军领导机关一道作为晋绥边区的政治、军事、文化中心，曾在抗日战争的反攻时期和解放战争时期，将晋绥边区打造成为后方支援与战略缓冲的重要革命根据地，是新民主主义革命得以胜利的保障。2019 年被国务院公布为第八批全国重点文物保护单位。337 国道经此。

50-B-a505 **碧村遗址**［Bìcūn Yízhǐ］位于山西省吕梁市兴县高家村镇碧村。地处蔚汾河与黄河交汇处。该遗址包括城墙圪垛、殿乐梁、小玉梁、寨峁梁等四个台地，分布范围西至黄河，南达蔚汾河，北抵猫儿沟，东部横亘一道石城，形成一个相对封闭的地理单元，现存面积约 75 万平方米。龙山时代在这里出现了一股强烈的筑城风潮，出现了大大小小数十个石城遗址，这些石城主要分布于蔚汾河及黄河沿岸地区的开阔地带，个别位于深山之中，面积在 2 万平方米至 120 万平方米之间。大体可以分为两大群：以白崖沟为中心的蔚汾河上游石城遗址群和以碧村为中心的蔚汾河下游石城遗址群。是目前北方地区龙山时期规模最大的石砌房址。2019 年被国务院公布为第八批全国重点文物保护单位。337 国道经此。

50-B-a506 **胡家沟砖塔**［Hújiāgōu Zhuāntǎ］位于山西省吕梁市兴县蔡家崖乡胡家沟村。塔为七层八角实心砖雕塔，总高 12 米。塔基为三层，石质，高 1.1 米，周长 10.4 米；塔身四层为砖结构，各层塔檐均仿木构砖雕斗椽飞，塔身窗棂隔扇雕工精细，望柱、栏板上浮雕花草、人物、鱼虫；塔顶为逐渐收缩的八卦形，塔刹为叠涩状，高约 1 米。2019 年被国务院公布为第八批全国重点文物保护单位。乡村道路经此。

50-B-a507 **晋绥边区政府及军区机关旧址**［Jìnsuíbiānqū Zhèngfǔ Jí Jūnqū Jiguan Jiùzhǐ］位于山西省吕梁市兴县蔡家崖村。院子正中是“六柳亭”，又名“六角亭”，由六棵柳树和石桌、石墩组成，因呈六角形状，故得名。1940 年 2 月，晋西北行政公署（后改为晋绥行政公署）在这里成立。一二〇师和晋绥军区司令部也进驻这里，直至 1948 年下半年撤离南下。旧址原为晋绥开明绅士牛友兰的宅院和花园，抗日战争时期全部捐献抗日民主政府。坐北朝南，分东西两个相对独立的院落，并相互串通。总占地面积 4500 平方米，建筑面积 1180 平方米。东院为四合式小院，原晋绥行署正副主任续范亭、牛荫冠长期居住和工作在这里。院子的正北面为倚山建造的石窑洞三孔，紧连东侧又建一孔。东西厢各有石窑两孔。正南原为普通瓦房数间，70 年代改建为砖木展厅。1941 年一二〇师暨晋绥军区司令部进驻此院后，军区主要领导人贺龙、吕正操等长期居住在这里。1948 年春，毛泽东、周恩来、任弼时等率中央机关迁往西柏坡时曾路居这里。在这些普通的窑房内，毛泽东同志主持召开了著名的“晋绥干部会议”和“对《晋绥日报》编辑人员的谈话”。1962 年建立纪念馆。现为山西省、吕梁地区和兴县的爱国主义教育基地。1996 年被国务院公布为第四批全国重点文物保护单位。省道岢大线经此。

50-B-a508 **晋绥日报社旧址**［Jìnsuí Rìbào shè Jiùzhǐ］位于山西省吕梁市兴县高家村镇高家

村。《晋绥日报》（原名《抗战日报》）是中国共产党中央晋绥分局机关报。为了统一根据地宣传工作，中共晋西区党委于 1940 年 9 月 18 日创办了机关报——《抗战日报》，贺龙亲笔为之书写了“人民呼声”的题词。《抗战日报》于 1946 年 7 月 1 日改名为《晋绥日报》，内容主要是社论、国际国内新闻、地方消息等。宣传中国共产党的政策，指导地方的工作。晋绥日报社下设编辑部、总编室、采访通讯部、采买供给部和印刷厂。晋绥日报社积极宣传党的抗日民族统一战线的政策、方针，是中国共产党开展抗日武装斗争、推动全国解放战争的重要宣传阵地。是晋绥日报宣传精神文化的物质依托，是统一根据地宣传工作的载体，是有特色价值的爱国主义教育基地。2019 年被国务院公布为第八批全国重点文物保护单位。337 国道经此。

50-B-a509 **临县陕甘宁晋绥联防军指挥部旧址**［Línxiàn Shǎngānníng Jìnsuí Liánfángjūn Zhǐhuībù Jiùzhǐ］位于山西省吕梁市临县林家坪镇沙垣村。1942 年 5 月 13 日，中共中央军委决定成立陕甘宁晋绥联防军司令部，任命贺龙为联防军司令员，关向应为政治委员，徐向前为副司令员兼参谋长。1947 年 8 月，当国民党 23 万大军围困陕北、进犯延安之际，贺龙、习仲勋根据党中央的战略部署，率部东渡黄河进驻临县，中共中央西北局、陕甘宁晋绥联防军和边区政府机关就近驻扎在山西省临县沙垣、南圪垛一带。旧址为清代建筑，坐北面南，东西长 60.60 米，南北宽 59 米，分为四处院落，分别为：上院、下院、卫生所院、伙房院。陕甘宁晋绥联防军在 1947 年国民党大举围困陕北、进犯延安的极端困难之际，面对国民党经济封锁的严峻革命形势，通过财政政策、土地改革等多种方式筹措军粮与物资，出色地完成了统筹后方、支援前线的任务，为西北野战军的南下提供了强大的后方保障，为解放战争时期西北战场转入战略反攻提供了后勤支持。2019 年被国务院公布为第八批全国重点文物保护单位。乡村道路经此。

50-B-a510 **临县中央后委机关旧址**［Línxiàn Zhōngyānghòuwěijīguān Jiùzhǐ］位于山西省吕梁市临县三交镇双塔村。1947 年初，随着党中央撤离延安的战略转移，中央后方委员会应运而生，中央前委、工委、后委成为党中央指挥全国解放战争的三个工作中心。1947 年 3 月，从延安撤离的中央机关和军委机关 3000 余人陆续到达临县。由叶剑英、杨尚昆组成的中央后方委员会、后委机关驻扎在双塔村，其他人员驻扎在双塔及湫水河沿岸的 40 多个村庄，中央后委机关是当时收集情报的机构；是中央前委、工委和全国各方面的联络中心；是人员和物资的中转站；并负责城工、对外宣传和出版外事资料等。直至 1948 年 4 月转移至西柏坡与中央前委、工委合并，时间长达一年之久。毛泽东 1948 年 3 月经吕梁赴西柏坡时曾路居于此。中央后委机关旧址包括 7 处院落，分别为：中央外事组旧址、作战部旧址、中央书记特别会计室旧址与邓颖超旧居、毛泽东路居、杨尚昆旧居、叶剑英旧居、粮草院旧址。是全国解放战争的重要地标之一，是人民解放军粉碎国民党反动派的全面进攻、重点攻击、由战略防御转入战略反攻的重要历史见证。2019 年被国务院公布为第八批全国重点文物保护单位。339 国道经此。

50-B-a511 **碛口古建筑群**［Qìkǒu Gǔjiànzhù qún］位于山西省吕梁市临县碛口镇。东依吕梁山，西临黄河水。从明末清初起，商业日益发达，“九曲黄河第一镇”、“水旱码头小都会”的美名传遍南北。清道光年间有商业店铺 60 余家，民国五年达 260 多家。碛口保存有七处基本完好的明清民居建筑群：西湾村、碛口、高家坪、自家山、垣上、寨子山、李家山。黑龙庙位于碛口镇卧虎山，创建于明代，后清乾隆道光及民国年间均有修葺，主要建筑有正殿、戏台等，占地面积 1219 平方米。古镇从清初大规模修建，形成了由三条主街道和众多民居、商号、店铺、客栈、寺庙等组成的格局。碛口古镇作为黄河中游清代至民国年间重要的水运码头，及其周边相关古村落和古商道是黄土高原人与自然和谐的人居文化典型，具有杰出的世界性文化与历史价值。2006 年被国务院公布为第六批全国重点文物保护单位。省道三大线经此。

50-B-a512 **善庆寺**［Shànqìng Sì］位于山

西省吕梁市临县歧道乡府底村。创建于隋开皇三年（583 年），古称善训府。坐北朝南，依山而建。主要建筑有山门（复建）、大雄宝殿、诸佛殿等。总面积为 1200 平方米。大雄宝殿面阔五间，进深三间，单檐悬山顶。现存主体建筑正殿尚为完好。附属文物共有：9 尊泥塑，主像三尊，胁侍六尊，造型丰满，比例均匀，线条流畅且保存完好；元代石碑 1 块；柳树 1 棵，树龄 150 年左右，树高 34 米，冠幅 21 米。2006 年被国务院公布为第六批全国重点文物保护单位。乡村道路经此。

50-B-a513　**义居寺**［Yìjū Sì］位于山西省吕梁市临县枣圪达乡枣圪达村。始建于宋代，旧称“佛堂寺”，原为天官寺下院。现存建筑正殿为元代建筑，余皆明清所建。坐西朝东，三进院，占地面积为 5981 平方米。中轴线依次为山门、前殿、正殿、藏经楼、万佛洞（石窟），两侧建有偏殿、廊房二十余间。正殿面阔七间，进深四架椽，单檐歇山顶。万佛洞石窟面积为 59.78 平方米，窟顶为平面，雕有卧牛、伏虎、灵猴、玉兔、莲花、灵芝等图案。2006 年被国务院公布为第六批全国重点文物保护单位。省道三大线经此。

50-B-a514　**香严寺**［Xiāngyán Sì］位于山西省吕梁市柳林县柳林镇贺昌大街。又称香严院，俗称阁则寺。始建于唐贞观年间（627 年—649 年），唐德宗贞元年间（785 年—804 年）赐名香严寺。金、元、明、清及民国年间均有修建。坐北朝南，东、西、南三面临崖，由东西向并列的两座院落组成，占地面积 6160 平方米。现存大雄宝殿为金代建筑，天王殿、毗卢殿、十王殿、伽蓝殿、东西配殿等七座建筑为元代，余皆明代所建。大雄宝殿为寺内主殿，面阔五间，进深六椽，单檐歇山顶。毗卢殿坐落在高大的砖砌台基上，面宽五间，进深三间，单檐歇山顶。梁架为草做法，元代特征显著。东轴线西侧，毗卢殿、十王殿、崇宁殿（关帝殿）、伽蓝殿，均为元代遗构。藏经殿为西院主殿，面宽三间，进深三间，单檐悬山顶。是集金、元、明三朝建筑为一体，建筑特征有着明显的对比性。寺内建筑的琉璃饰件，造型色釉均佳，其中四座大殿的黑釉琉璃制品，色泽、烧造尤精，均为稀有作品。寺内现存元碑 2 通，明碑 3 通，清碑 6 通，民国碑 1 通，经幢 1 座，均有重要的历史价值。2001 年被国务院公布为第五批全国重点文物保护单位。通柳林 3 路公交车。

50-B-a515　**玉虚宫下院**［Yùxū Gōng Xiàyuàn］位于山西省吕梁市柳林县柳林镇青龙村。坐南朝北，依山势而建，分上、下两院，东西长 64.5 米，南北宽 56 米，占地面积 3612 余平方米。始建年代不详。据玄天殿脊檩题记和重修碑文记载，明万历二十八年（1600 年）重建，清顺治十一年（1654 年）修葺。现存玉虚宫下院分东西两院，东院中轴上由北向南依次有石砌台阶、山门、玄天殿，西院设有偏门、药王殿、观音堂、弥陀殿。多为清代建筑。玄天殿建于双层台基之上，面宽五间，进深四椽，单檐悬山顶，琉璃屋脊，为明万历二十九年烧造。明间檐下悬明正德五年（1510 年）玄天殿木匾 1 方。药王殿，位于西院北侧，三孔连造砖券窑洞，前檐有砖雕斗栱。观音堂在药王殿之上，面宽三间，进深五架，单檐悬山顶。弥陀殿为三孔连造砖券窑洞。玉虚宫整体布局保存较为完整，经近年维修后，主体建筑结构稳定。玉虚宫下院为研究晋西地区的历史及文化发展提供了实例。2013 年被国务院公布为第七批全国重点文物保护单位。通柳林 5 路、2 路等公交车。

50-B-a516　**后土圣母庙**［Hòutǔ Shèngmǔ Miào］位于山西省吕梁市石楼县前山乡张家河村。坐北向南，占地面积 1500 平方米。创建年代不详，元至正七年（1348 年）重修，之后历代均有维修。中轴线由南向北依次为山门、乐楼、正殿，东西两侧配殿各三孔，社窑各三孔。正殿为明代所建，属于无梁殿砖石结构建筑，前有木结构插廊，面阔三间，进深两间，大殿内有彩塑 13 尊，明代泥塑 5 尊，后墙壁有悬塑亭台楼阁、人物花卉等。屋顶形制为单檐硬山顶。殿外设有木结构回廊。戏台为元代所建，面宽 5.25 米，进深 5.15 米，面积 27 平方米，单檐歇山顶。是迄今发现元代戏台中面积最小的一座，具有重要的历史价值及艺术价值。2013 年被国务院公布为第七批全国重点文物保护单位。省道孝石线经此。

50-B-a517　**兴东垣东岳庙**［Xīngdōngyuán Dōngyuè Miào］位于山西省吕梁市石楼县兴东垣

村。始建年代不详，金代已有，元至元四年（1388年）、明崇祯十四年（1641年）及清代均进行过修葺。现存建筑大殿为金代原构，余皆明清所建。坐西北朝东南，占地面积2800平方米，呈两进院落布局。中轴线依次为影壁、山门、戏台和大殿。大殿为庙内主体建筑，面阔三间，进深六椽，单檐歇山顶。殿顶黄、绿、蓝三色琉璃覆盖，为明清遗物。殿内东西两壁有明末壁画36平方米。大殿脊下有大明崇祯十四年（1641年）重修题记。2001年被国务院公布为第五批全国重点文物保护单位。省道孝石线经此。

50-B-a518 **大武鼓楼**［Dàwǔ Gǔlóu］位于山西省吕梁市方山县大武镇大武二村。又名观音楼、大武木楼。始建于明景泰四年（1453年），后屡加修葺。平面方形，通高18.5米，面阔进深各三间，三檐十字歇山顶，布瓦覆盖，黑色琉璃瓦剪边。第一、二层檐下三踩出单昂；第三层檐下单翘单昂出五踩；平座三踩出单翘。2019年被国务院公布为第八批全国重点文物保护单位。209国道经此。

50-B-a519 **南村城址**［Náncūn Chéngzhǐ］位于山西省吕梁市方山县南村。始建于战国，先后为战国皋狼邑、西汉皋狼县治所，十六国汉刘渊起兵反晋在此建都，得名左国城。城址平面呈不规则形状，南北长约3.5千米，东西宽约2.5千米，总面积近900万平方米。战国的皋狼城位于中部，城址平面呈梯形。汉代的皋狼县城和十六国时期的左国城系皋狼城内外套城，内城继续沿用战国皋狼城。外城城址平面呈喇叭型。为加强防守，在套城基础上扩充城的东部——东城。独特的布局，为研究战国至晋的历史以及各民族之间的文化交流等方面提供了重要资料。2006年被国务院公布为第六批全国重点文物保护单位。209国道经此。

50-B-a520 **于成龙故居**［Yúchénglóng Gùjū］位于山西省吕梁市方山县北武当镇来堡村。于成龙故居即为其幼年至44岁考取贡生之前在此居住。现存三座宅院。始建年代不详，现由其后人居住。第一座宅院，清代建筑，坐北朝南，原为四合院，现被后人分为三个院落。现存正房与大门，正房是由方砖垒砌的拱券窑洞，共10孔，其中西侧7孔为原建筑，东侧3孔是后人新修。第二座宅院，清代建筑，坐北朝南，为四合院。正房为砖垒砌的拱券窑洞，共4孔，平顶；东西厢房为单坡硬山顶；西厦房在西厢房与正房之间。第三座宅院，清代建筑，坐北朝南，为四合院。现存正房和西厢房，北窑正房为四孔窑房，西侧窑洞共5孔。是于成龙出仕前，45年耕读生活的重要场所，见证了于成龙的成长、成熟及其优秀品格的养成。故居传统的建筑形制、简单淳朴的建筑风格，印证了于成龙为官清廉的历史事实。2019年被国务院公布为第八批全国重点文物保护单位。乡村道路经此。

50-B-a521 **山神峪千佛洞石窟**［Shānshényù Qiānfódòng Shíkū］位于山西省吕梁市交口县石口镇山神峪村。始凿于元初。石窟深5.5米，宽3.1米，高3米，窟内正中为释迦牟尼大型石刻造像，左右各有菩萨和侍者。四周刻有高16厘米，宽8厘米，排列整齐的佛龛，每个佛龛内分别刻有14厘米高的小石佛，共有1055尊，故名千佛洞。2019年被国务院公布为第八批全国重点文物保护单位。209国道经此。

50-B-a522 **孝义慈胜寺**［Xiàoyì Císhèng Sì］位于山西省吕梁市孝义市崇文街道苏家庄村。始建于金天会九年（1131年）。坐北向南，分东、中、西三院，占地面积2479.02平方米。现存主院大雄宝殿为明代遗构，其余建筑皆为清代建筑。西院为主院，轴线之上由南向北依次是山门、大雄宝殿，东西有配殿，山门顶部有东、西钟鼓楼；中院仅存财神殿；东院北端仅存大殿，两侧仅存东西配殿。大雄宝殿通面宽17.78米，进深13.345米，建筑面积237.27平方米，面宽三间前出廊，砖砌拱券，布瓦绿琉璃剪边硬山顶，殿内尚存明代彩塑。格局比较完整，保存了明代以来的古建筑及明代塑像，具有较高历史和艺术价值。2013年被国务院公布为第七批全国重点文物保护单位。通孝义16路公交车。

50-B-a523 **孝义三皇庙**［Xiàoyì Sānhuáng Miào］位于山西省吕梁市孝义市贾家庄村三皇庙街。创建年代不详，清与民国年间屡有修葺。坐西向东，二进院落，东西长84米，南北长59米，占地面积4956平方米。庙分东西两院，东院现存山门（三门），西院有赛神戏楼、掖门、三皇殿；南北廊房、马王殿、财福殿。完整的石碑五通。两院之间自然地平落差较大，掖门前设踏步十八级，现存建筑除三皇殿仍保存元代原构外，余皆清代修建。三皇殿，面阔三间，进深四椽，梁架为三椽 前压搭牵用三柱，单檐硬山顶。赛神戏楼坐东向西，面阔三间，进深五架椽，单檐卷棚顶，台口四周有木、砖、石雕刻。戏台南有化妆室马王殿、财福殿，均一间硬山顶。南北廊房已毁，存遗址。2013年被国务院公布为第七批全国重点文物保护单位。通孝义5路公交车。

50-B-a524 **孝义天齐庙**［Xiàoyì Tiānqí Miào］位于山西省吕梁市孝义市梧桐镇中王屯村。坐北向南，北高南低，一进院落，南北长88.8米，东西宽54米，占地面积约4790平方米。沿中轴线由南向北依次建有影壁、戏台、正殿，戏台东南侧辟有偏门，余皆毁坏无存。正殿木构形式整体上具有元代特征，后经清代重修，戏台为清代建筑。正殿位于庙院轴线北端，面阔五间19.62米，进深六椽11.79米，前廊式单檐悬山顶。明次间为前搭牵后乳 用四柱，稍间为四椽 前后搭牵用四柱。后内柱前移，形成移柱造，梁栿为自然弯材，梁架举折平缓，殿内所用梁栿均自然弯材，且加工粗糙，结构简洁稳固，为元代原物。反映了晋中和吕梁地区道教庙宇建筑平面总布局，正殿是吕梁保存至今较完整的元代木结构遗构，具有较高的历史价值。2013年被国务院公布为第七批全国重点文物保护单位。乡村道路经此。

50-B-a525 **中阳楼**［Zhōngyáng Lóu］位于山西省吕梁市孝义市古城镇古城大街。据碑记所载，中阳楼始建于汉魏。元大德七年（1307年）地震坍毁，清同治七年（1868年）又遭雷火，清宣统元年（1909年）重建，1957年、1983年又进行了修葺。楼为木结构，四层四檐十字歇山顶。通高23.14米。平面方形，坐落于3米见方，1.5米高的四个石砌礅台之上。底层高5米，通穿四向。礅台设楼梯，列碑刻，绘文王后天八卦图。二层高3.64米，建神台，列四方佛坐像。三层高4米，设莲花台，塑以5尺高观音大士泥像。四层高3米，为游人眺望全城之处。顶高4米，吻高2米，为琉璃制品。全楼上下于南北双向悬挂大小牌匾14块，皆为历代书法名人手迹。楼底内有碑刻6通，志记修葺事项，具有重要的历史价值。2006年被国务院公布为第六批全国重点文物保护单位。通孝义101路公交车。

50-B-a526 **柏草坡龙天土地庙**［Bǎicǎopō Lóngtiān Tǔdì Miào］位于山西省吕梁市汾阳市峪道河镇柏草坡村。据史料记载，该庙始建于金代，元以后屡次维修。坐北向南，一进院落，东西28.81米，南北49.71米，占地面积1432平方米。中轴线上由南向北主要有：戏台、献殿、龙王殿，东面配殿3座。龙王殿为金代始建、元代重建，其余皆为清、民国时期建筑。龙王殿面阔三间，进深二间，单檐悬山顶，殿内梁架为四架椽屋搭牵对三椽栿用三柱，梁上设驼峰承大斗，斗内出捧节令栱承槫，平梁上叉手交捧节令栱直抵脊槫。脊槫下皮有金承安五年（1200年）始建年代题记，顺脊串下有元至正二十七年（1367年）维修题记，门枕石刻有延祐元年（1314年）题记，殿内砖雕神台上饰壶门造型。现存建筑形制分析，此殿主体结构基本为元代建筑。建筑格局基本完整，建筑形制具有特色，特别龙王殿年代明确，对研究这一地区金元时期建筑发展与演变，具有重要历史价值。2013年被国务院公布为第七批全国重点文物保护单位。乡村道路经此。

50-B-a527 **东龙观墓群**［Dōnglóng Guān Mùqún］位于山西省吕梁市汾阳市汾孝大道。墓群东南与东龙观村相望，北临阳城河。2008山西省考古研究所进行了发掘。南北长320米，东西宽238米，面积为76，160平方米。目前发现宋金墓葬27座，其中16座砖室墓，11座土洞墓，有八角形8座，六角形5座，四边形3座。其中7座砖雕、彩绘、壁画类墓葬，分属于两个家族墓地。北边的一组以M1、M48、M42为代表。其中M1墓室为四边形，面积6平方米。长条形阶梯式南墓道，墓门为券顶。推测墓葬时代为北宋末年至金代早期。墓主人姓氏根据出土物推测为“周氏”。南边的一组以M2、M5、M6为代表，其中 M2 墓室为八角形，面积 8.41 平方米；砖雕内容为墓主人夫妇对坐、妇人启门等。推测墓葬时代为金代早期。从出土的明堂、买地券等文字资料来看，墓主人是生活在金代早期的“王氏”家族。墓地砖室墓砖雕、彩绘、壁画保存基本完好，工艺精湛，内容丰富，细致反映了宋金时期的世俗文化，特别是壁画中疑为用纸币兑换铜钱的场景，是研究中国金融史和晋商的重要资料。另外在发掘 M5 时附近发现家族墓地明堂 1 处，对宋金墓葬制度、葬俗等问题的研究，具有十分重要的意义。2013 年被国务院公布为第七批全国重点文物保护单位。东吕高速经此。

50-B-a528 **汾阳关帝庙**［Fényáng Guāndì Miào］位于山西省吕梁市汾阳市文峰街道办事处鼓楼社区庙前街。南门关帝庙，原名关王庙，俗称铁马老爷庙。创建于明代。坐北朝南，二进院布局，东西长 82.19 米，南北宽 73.27 米，占地面积为 6315 平方米。现存主要建筑有：关帝殿及其偏殿、中殿及左右朵殿、献殿、东西配殿、藏经楼、斋房院、照壁等。正殿为砖石台基，面宽三间，进深三间，单檐悬山顶。殿顶为筒板瓦覆盖，脊刹为兽驮宝珠，背后题迹：“大明嘉靖二十四年五月建”。中殿与献殿采用勾连搭手法相连，面阔三间、进深四间。中殿为单檐悬山顶、献殿为单檐歇山顶。现存大部分琉璃为明代遗物，色彩纯正、造型生动，具有较高的艺术价值。庙内保存有明万历九年重修碑 1 通。2019 年被国务院公布为第八批全国重点文物保护单位。通汾阳 3 路公交车。

50-B-a529 **汾阳后土圣母庙**［Fényáng Hòutǔ Shèngmǔ Miào］位于山西省吕梁市汾阳市栗家庄乡田村。创建于唐，明嘉靖二十八年（1549 年）、清乾隆年间均有重修。坐北朝南，占地面积 2089 平方米。现存为明清建筑，原为四合院布局，中轴线上现仅存正殿，东侧存东耳殿（马王殿）。正殿面宽三间，进深三间，单檐悬山顶，五檩前廊式构造。正殿内后墙及两山墙上保存有明代 59.46 平方米壁画。北壁为《宴乐图》，东壁《迎驾图》，西壁《巡幸图》，均为工笔重彩，沥粉贴金。2019 年被国务院公布为第八批全国重点文物保护单位。乡村道路经此。

50-B-a530 **汾阳五岳庙**［Fényáng Wǔyuè Miào］位于山西省吕梁市汾阳市三泉镇北榆苑村。金天得三年（1151 年）重建，元、明、清均有修葺。坐北朝南，四合院布局，总占地面积 7200 平方米。现存五岳殿、水仙殿为元代建筑，余皆清代所建。五岳殿为庙内主体建筑，单檐悬山顶，面阔进深各三间。梁架为彻上露明造，皆用草栿作法。梁上有：“时大元大德拾年岁次丙午十月己亥二十二日巳未庚午时重建志”题迹。水仙殿位于五岳殿东侧，面阔三间，进深三间。殿内须弥座砖雕，保存基本完好，束腰部雕历史故事、花草人物、窗格图案等，刀法传神。梁枋题记：“大元大德四岁次庚子三月壬申朔初十日辛巳甲午时创建”。两殿内均保存有精美的壁画，五岳殿壁画分绘于殿内三面墙和门额、眼壁等，计 40 平方米。水仙殿壁画内容反映水仙出行、回归图，具有重要的历史价值。2006 年被国务院公布为第六批全国重点文物保护单位。乡村道路经此。

51-B-a531 **太符观**［Tàifú Guān］位于山西省吕梁市汾阳市杏花镇上庙村。始建年代不详，金承安五年（公元 1200 年）在观内创建醮坛，明、清时期屡有修葺。坐北朝南，占地面积 8875 平方米。现存建筑昊天玉皇上帝殿为金代原构，余皆明代所建。中轴线由南至北依次建有照壁、牌楼、倒座戏台（下层为山门）、昊天玉皇上帝殿。牌坊至戏台之间，东设关帝庙，西设二郎殿；戏台至昊天玉皇上帝殿之间，东设后土圣母殿，西设五岳殿，在后土圣母殿、五岳殿南侧各设有窑洞十孔，窑顶分别建有钟、鼓楼。昊天玉皇上帝殿位于观内最北端，俗称大殿。大殿面宽进深各三间，平面近方形。五岳殿为西配殿，面宽五间，进深三间，单檐悬山顶。殿内神坛之上塑五岳四渎神像，两侧山墙上方塑“五岳巡幸”和“四渎出行”悬塑。后土圣母殿为东配殿，面宽五间，进深三间，单檐悬山顶。殿内神坛及两山墙下供奉彩塑 35 尊。后壁及两山面墙上绘有“燕乐图”壁画，描绘圣母宫中生活场面。两山墙壁满布悬塑，为圣母“出行”与“回宫”场景。五岳殿与后土圣母殿内壁画、彩塑均为明清两代作品。观内还保存有金碑 1 通、明碑 5 通、清代及民国碑 3 通。2001 年被国务院公布为第五批全国重点文物保护单位。307 国道经此。

50-B-a532 **文峰塔** [Wénfēng Tǎ] 位于山西省吕梁市汾阳市阳城乡建昌村。由明天启二年（1623 年）进士汾阳人朱之俊（曾任明清两代国子监司业）率众集资捐助而建。塔平面为八角形，青石须弥座，塔身为砖砌。内为空筒式构造。塔自下而上收分至塔顶，共 13 层，外廓每层之间以砖雕椽飞、斗组成的檐相隔。塔室之间以转折回廊式阶梯塔道相通。为八角十三层楼阁式砖塔，高 84.93 米，为山西现存砖塔中最高的一座。2006 年被国务院公布为第六批全国重点文物保护单位。乡村道路经此。

50-B-a533 **杏花村汾酒作坊** [Xìnghuācūn Fénjiǔ Zuōfáng] 位于山西省吕梁市汾阳市杏花村镇东堡村卢家街。据《北齐书》记载，杏花村的酿造史自北齐河清年间（561 年—564 年）始，历经唐、宋、元、明、清，至今 1500 年没有间断。遗址为宋代“甘露堂”原址。现存作坊遗址为堡墙式院落，由南北两组院落组成，总占地面积 9000 平方米。北院为酿酒作坊原址。有五个院落，面积约 7000 平方米。现遗存清代酿酒作坊，且遗存有埋入地下的发酵地缸。院内有一古井，为元代，古井上建亭，名曰“古井亭”，亭依墙而构，墙上嵌有傅山手书“得造花香”碑一块，此井至民国间一直是汾酒酿造专用水源。院内还保存明代酿酒所用的甑筒一个。作坊遗址保存完整，反映了汾酒文化的传承，是一处十分珍贵的酿酒业实物遗址。2006 年被国务院公布为第六批全国重点文物保护单位。乡村道路经此。

50-B-a534 **峪口圣母庙** [Yùkǒu Shèngmǔ Miào] 位于山西省吕梁市汾阳市峪道河镇峪口村。创建年代不详。坐北朝南，占地面积 8405.60 平方米。主要建筑有山门、献殿、正殿及东西耳殿、东西配殿等建筑。正殿为元代遗构，面阔三间，进深四架椽，单檐悬山顶。斗五铺作双下昂，梁架结构为三椽袱前压乳用三柱。2019 年被国务院公布为第八批全国重点文物保护单位。乡村道路经此。

山西省级文物保护单位

太原市

50-B-b001 **延圣寺** [Yánshèng Sì] 位于山西省太原市小店区小店街办孙家寨村。清道光六年（1826 年）《太原县志》记载，该寺始建于唐代，初名圣人庙，明代中期被水淹没，万历二十二年（1594 年）重建。寺院坐北朝南，二进院落布局，占地面积 1512 平方米。中轴线建有山门、过殿和正殿，两侧为东西配殿南耳房、东西配殿、碑廊及耳房，其余均为新建。是小店区保存最完整的古建筑群。2016 年被山西省人民政府公布为第五批省级文物保护单位。通 306 路公交车。

50-B-b002 **晋恭王墓** [Jìn gōngwáng Mù] 位于山西省太原市小店区北营街道办事处老峰村。是明代晋恭王朱棡的墓地。朱棡（1358 年—1398），为朱元璋第三子，明朝第一代晋王，谥号恭。平面呈长方形，东西长约 400 米，南北宽约 500 米，墓园分布范围约 200000 平方米。墓前原有牌坊、献殿等，均毁。现存文物本体包括墓室、墓室彩画、封土堆及东、南、北侧夯土墙 3 段。其中：墓室在南北中轴线上分置前、中、后三座横列的砖券窑洞式墓室。前、中室两侧各有耳室 6 间，墓室内门洞洞顶出檐部位绘制彩画。据道光《阳曲县志》记载，晋恭王墓在清初康熙年间已经多次被盗掘，加之后人的取土、开垦等行为，墓室保存一般。是山西省最早的明代晋王墓葬，也是山西明代晋王墓葬中丧葬等级最高、保存最为完整的墓葬。2021 年被山西省人民政府公布为第六批省级文物保护单位。乡村道路经此。

50-B-b003 **西蒲甘露寺** [Xīpú Gānlù Sì] 位于山西省太原市小店区北格镇西蒲村。原名甘露庵，创建年代不详，据碑载，清光绪四年重修。坐东朝西，二进院落布局，东西长 40.3 米，南北宽 18.11 米，占地面积 729.83 平方米。由西向东，中轴线依次建有山门、过殿和正殿，两侧为钟、鼓楼，南、北便门，一进院南、北配殿，二进院南、北配殿，及南、北耳殿。现存建筑除一进院南、北配殿为民国建筑外，其余全部为清代遗构。寺内存清光绪年间（1875 年—1908 年）功德碑通，古树 1 棵。明代木刻雕像三尊。布局完整，各建筑构架规整，用材严谨，正殿前檐木1柱、平板枋等构件仍保留有明代建筑构件特点，为研究太原地区明清寺院布局及建筑构造提供了实物例证。2021年被山西省人民政府公布为第六批省级文物保护单位。通306、910路公交车。

50-B-b004 **东太堡遗址**［Dōngtàibǎo Yízhǐ］位于山西省太原市迎泽区郝庄乡东太堡村。面积约2-3平方公里，保存较完整。1975年，在狄村东南侧平整土地时发现了一批陶器，距地表深1-2米，与陶器共存的还有人骨残骸。陶器出土时分为两层，排列整齐，其种类有：鼎、鬲、豆、罐、角、盆等，共计20件。1980年东太堡村村民在村东掘土时，又发现了一座带有各类随葬陶器的竖穴土圹墓，陶器种类有鼎、壶、罐、豆、角、盆等，共计14件。这两批陶器出土地点相距仅300米，从陶器形制、风格上看，与河南二里头文化特别是夏县东下冯类型文化有更多的共性。1986年被山西省人民政府公布为第二批省级文物保护单位。遗址现已消失。通837路公交车

50-B-b005 **孟家井瓷窑遗址**［Mèngjiājǐng Cíyáo Yízhǐ］位于山西省太原市孟家井村。村北以烧造黑、白、青、紫釉瓷器为主，村西大道东侧主要烧造白釉印花瓷器。瓷片堆积面积约有2000多平方米。从采集标本看，器型以民间实用的碗、碟为多，同时还有罐、钵、灯、枕等器物。所烧瓷器古朴浑厚，在器物造型、纹饰釉色、工艺等方面都具有地方特色。1957年被山西省人民政府公布为第一批省级文物保护单位。307国道经此。

50-B-b006 **太原文瀛湖辛亥革命活动旧址（革命烈士纪念塔并入）**［Tàiyuán Wényínghú Xīnhàigémìng Huódòng Jiùzhǐ］位于山西省太原市迎泽区柳巷街道办事处海子边西街社区儿童公园。建于1911年，是一处有着光荣传统的革命历史纪念地。从明代激进人士评论时政的聚集地，到民国元年孙中山先生在此倡导革命，发表消除旧思想，建设新国家的演讲地；从民国十四年的学生打房税运动，到声援上海“五卅”惨案的反帝集会大游行；从山西抗日救国的牺盟会到高君宇创建的山西社会主义青年团；从彭真等老一辈革命家领导的中国共产党山西党组织活动到周恩来发表的抗战宣传演说，都是在这里进行的。现有建国后最早的纪念性建筑——革命烈士纪念塔；光绪三十一年（1905年）的劝工陈列所——孙中山纪念馆；省立一中前身—中共太原支部旧址；民国二十六年（1937年）阎锡山建的子明图书馆——万字楼，以及清代琉璃塔等，形成了一个以文瀛湖为中心的近现代重要史迹群。2004年被山西省人民政府公布为第四批省级文物保护单位。通870、103路等公交车。

50-B-b007 **赵树理旧居**［Zhàoshùlǐ Jiùjū］位于山西省太原市杏花岭街道办事处精营东边街社区南华门。赵树理为著名作家、人民艺术家。赵树理（1906年—1970年）旧居，建于民国时期。包括相邻的14、18号院，三院相通相连，占地面积1500平方米。为典型的北方四合院民居，现存院门、南房、东房、垂花门。赵树理居东房，面阔三间，硬山顶。现已辟为赵树理故居陈列馆。房屋3座（正房、东房、西房），门1座，共四处文物。2004年被山西省人民政府公布为第四批省级文物保护单位。通861路公交车。

50-B-b008 **山西省立川至医学专科学校旧址**［Shānxīshěnglì Chuānzhìyīxué zhuānkēxuéxiào Jiùzhǐ］位于山西省太原市杏花岭区精营东二道街。建于1919年，前身是山西省医学院校，是山西省创建最早的一所高等医学院校。原占地面积8.4万平方米，现仅存二层主楼一座，为两层砖木结构建筑。平面呈凹形，长37.7米，宽13.7米，高13.35米，占地面积520平方米，四周门窗为西式木质门窗，正中一层门、二层窗两边饰西式半圆柱。楼内大厅及二层厅设西式圆柱各两根。装饰细腻考究，华丽典雅。建筑风格为中国传统建筑与西式建筑的结合。2004年被山西省人民政府公布为第四批省级文物保护单位。通861、864路等公交车。

50-B-b009 **山西国民师范革命活动旧址**［Shānxī Guómínshīfàngémìnghuódòng Jiùzhǐ］位于山西省太原市杏花岭区坝陵桥街道办事处五一路。始建于民国时期，是省城保存较完整的一处近现代重要史迹及纪念性建筑。主要建筑坐北朝

南，前有西洋式大门，中有加固维修后的歇山卷棚式二层办公楼和资料室，西侧为临街展览厅，东侧有卷棚式陈列廊。主楼、东图书馆、第九学生宿舍共三处文物。整个建筑古朴典雅，是民国初年中国传统建筑与西方建筑相结合的典范。从五四运动开始，这里很快成为传播新思想，宣传马列主义，发展革命组织，从事反帝反封建革命运动的重要阵地。1936 年冬至 1937 年秋，在中共山西省工作委员会公开的直接领导下，“山西牺牲救国同盟会”在这里设置了培训机构，举办了“军政训练班”“民训干部教练团”等，先后培养了四千余名优秀干部，同时还成为山西新军的策源地，为促进和坚持山西乃至华北的统一战线与抗日战争的胜利做出了重要贡献。1996 年被山西省人民政府公布为第三批省级文物保护单位。通 803、864 路等公交车。

50-B-b010　**山西机器局旧址**［Shānxī Jīqìjú Jiùzhǐ］位于山西省太原市杏花岭区胜利街以北、五一路以西的山西北方机械控股有限公司内。始建于清光绪二十四年（1898 年）。民国期间被阎锡山接管后扩建成为太原兵工厂，此后相继更名为太原修械所、壬申制造厂、西北实业公司、西北制造厂，建国后更名为国营 247 厂，其后逐渐发展并更名为山西北方机械控股有限公司。总占地面积约 25500 ㎡，现保留民国建筑 6 座，“一五”时期建筑 15 座。是山西省唯一一处清末官办兵器制造工业旧址，是山西省最早的近代军事工业，对抗日战争、解放战争、新中国成立后的省内外军事工业影响深远。旧址内保存有清末至今的附属设施，数量庞大、类型多样、历史文化信息丰富，在山西省的兵器工业遗产中独一无二。在 2008 年、2009 年、2017 年，相继设立了山西机器局旧址展馆、现代火炮陈列馆、晋造工业博物馆、太原兵工工人运动纪念馆。旧址建筑规模宏大，布局巧妙，是工业厂房建筑中的典型代表，具有一定的科学、历史和艺术价值。2021 年被山西省人民政府公布为第六批省级文物保护单位。通 864 路公交车。

50-B-b011　**阎氏家宅**［Yánshì Jiāzhái］位于山西省太原市杏花岭区杏花岭街道办事处精营东边街社区南华门东四条 3 号。又称阎氏故居。建于 1935 年前后，是阎锡山为其家属所建，除中式建筑以外，还建有西式建筑。坐北朝南，东西总宽 44.61 米，南北总长 42.04 米，占地面积 1875.4 平方米。现存东、西及北楼三幢楼房，均为砖混结构。东、西两幢楼房为平顶，北楼为双坡灰陶质筒板瓦屋面。东楼中间三层，两侧二层；西楼二层，一层台帮为条石砌筑，亦为地下室露明外墙，前檐西侧石制台阶，通往楼底地下室。楼房平面布局、立面造型等按照西式住宅建设，室内装修讲究，当时即建有现代化的卫生间和厨房设备，保存完好。北楼为二层砖混仿古建筑。2021 年被山西省人民政府公布为第六批省级文物保护单位。通 864 路公交车。

50-B-b012　**山西私立进山学校图书馆旧址**［Shānxī Sīlì Jìnshānxuéxiào Túshūguǎn Jiùzhǐ］位于山西省太原市尖草坪区上兰街道办事处华工社区学院路 3 号中北大学院内。1922 年阎锡山召开“进山会议”后，创办“山西私立进山学校”，阎锡山任校长，赵一峰任校务主任，初创时在太原城步弓街。1929 年开始在当时属于阳曲县的上兰村（即现址）建设新校舍；1932 年 8 月，学校全部迁往上兰村；1937 年抗日战争开始后停办。坐北面南，民国时期占地面积约 10 万平方米，原校舍建筑 30 多处，现仅存工字型卷棚硬山顶式瓦房一座，为山西私立进山学校旧址的图书馆，东西宽 18.75 米，南北长 23.93 米，建筑面积 462.48 平方米，拱形窗，圆券形门。是山西省现存的唯一一所由阎锡山主导建设的民国中学，也是山西省现存 3 处民国时期的中学旧址中时代特色最鲜明、建筑风格最独特的建筑。目前该建筑保存尚好。2021 年被山西省人民政府公布为第六批省级文物保护单位。通 835 路公交车。

50-B-b013　**东街村秦氏民宅（东街村秦氏民宅）**［Dōngjiēcūn Qínshì Mínzhái］位于山西省太原市晋源区晋源街道办事处东街村。创建于清朝末年。坐西朝东，南北长 75 米，东西宽 54 米，由 4 座院落及偏院组成，占地面积约 4050 平方米。1 号院，三进院落布局，中轴线有倒座、正房，两侧有一、二、三进院南北厢房均三间，院门位于东北角。2号院，二进院落布局，中轴线有倒座、过厅、正房，两侧有一进院南北厢房各三间、二进院南北厢房各五间，院门位于东北角。3号院，二进院落布局，中轴线有倒座、过厅、正房，两侧仅存一进院北厢房三间，院门位于东北角。4号院，三进院落布局，中轴线建有倒座、正房，两侧为一进院南北厢房各两间、二进院、三进院南北厢房均三间，院门位于东北角。院落布局、单体建筑的结构类型和建筑风格能够反映本区域当时民居建筑的营造水平。秦氏祖辈经商，其住宅的规模和建筑形式均体现清代这一历史时期太原区域晋商的物质生产、生活方式、思想观念、风俗习惯和社会风尚。2016年被山西省人民政府公布为第五批省级文物保护单位。通905、856路等公交车。

50-B-b014 **古城营九龙庙**［Gǔchéngyíng Jiǔlóng Miào］位于山西省太原市晋源区晋源街道办事处古城营村。据碑载，始建于宋初，金皇统七年（1147年）、大定十六年（1176年）及清代重修。坐西朝东，一进院落布局，东西长59.3米，南北宽43.23米，占地面积2563.54平方米。中轴线有戏台（兼作山门）、正殿，两侧有钟、鼓楼，南、北耳殿，南、北配殿及配殿两侧的南、北偏殿。现存建筑为清代遗构。1991年由村民集资修缮九龙庙，庙内新增四角亭，两侧新建偏院，庙内碑已不存，正殿内后檐墙存清代龙虎图壁画20平方米，古槐树1株。是目前山西省占地面积最大、建筑等级较高、保存完整的清代九龙庙；戏台建筑形制较殊，是太原市现存清代道教神庙戏台中的精品之一。2021年被山西省人民政府公布为第六批省级文物保护单位。通839、317路等公交车。

50-B-b015 **严香寺**［Yánxiāng Sì］位于山西省太原市清徐县西马峪乡都沟村。又名都沟石窟。宋元三年（1088年）十月十五日凿出石洞。北宋绍圣年间（1094年—1098年）在洞外建慈云禅寺，形成礼拜窟与附近建禅院的石窟寺院组合，清末更名为严香寺。此后屡有增修，建玉泉阁、罗汉堂、龙王庙、观音阁等建筑。现寺院已废，仅存小型洞窟五处和明嘉靖二十一年（1542年）慈云禅寺重修碑一通。坐北朝南，在长10米、宽5米的崖面上开凿东、西二窟。西窟仅凿大样未完成。东窟称千佛洞，面宽5米，进深3米，高3米，平面方形，三壁三龛式。寺基大殿后崖面上另有三窟，造像已毁，中窟“元三年十月十一日开洞，元四年七月六日毕功”的题记仍清晰可辨，为石窟断代提供了确凿的依据。1986年被山西省人民政府公布为第二批省级文物保护单位。通清徐218、202路等公交车。

50-B-b016 **清徐香岩寺**［Qīngxú Xiāngyán Sì］位于山西省太原市清徐县马峪乡东马峪村。俗名无梁殿。创建于金明昌元年（1190年），明、清时期屡有修葺。依山而建，主体建筑为石结构无梁殿三座，由东到西依次排列，分别为地藏殿、释迦殿和观音殿。占地面积约3600平方米。三大殿外檐均施仿木石构件，殿内四角石雕单翘斗拱，其殿顶用抹棱石梁由大到小逐层迭涩成八角藻井，不用梁架，故称：“无梁殿”。2004年被山西省人民政府公布为第四批省级文物保护单位。307国道经此。

50-B-b017 **清泉寺**［Qīngquán Sì］位于山西省太原市清徐县清源镇平泉村。因寺前清泉昼夜长流，故名。始建于元至正二十四年（1365年），明清时期屡有修葺。寺依山而建，分为三院。主要建筑有大雄宝殿、观音阁、正殿、五福洞、九莲洞等。大雄宝殿面宽五间，进深三间，单檐歇山顶，殿内正中塑主佛像三尊，周围有木雕像二十余尊。观音阁为双层楼阁式重檐歇山顶建筑，下层四周围廊，上层塑有莲台坐佛观音，莲台下塑四大天王像。2004年，清泉寺被山西省人民政府公布为第四批省级文物保护单位。307国道经此。

50-B-b018 **文殊塔**［Wénshū Tǎ］位于山西省太原市清徐县马峪乡碾底村。坐北朝南，石砌二层方形佛塔，下承台基二层，边宽8.5米，上有塔座，边长3.3米，占地面积101.40平方米。塔身第一层边长3米、第二层边长2米，总高约5米。南向有龛。每层均石雕出檐，檐下枋上有石雕莲形图案，上覆二层仰莲，塔刹已毁。是清徐梵宇寺创建以来，迄今保留唯一唐代的建筑实物。结构形式独特，造型美观，在本地区数量稀少，具有区域特色，具有较高的艺术和历史价值。

2016 年被山西省人民政府公布为第五批省级文物保护单位。339 国道经此。

50-B-b019 **徐沟城隍庙与文庙**［Xúgōu Chénghuáng Miào Yǔ Wén Miào］位于山西省太原市清徐县徐沟镇西北坊村。始建于金大定年间（1161 年—1189 年），明初被水淹没，景泰年间（1450 年—1456 年）重建，清康熙十二年（1673 年）除戏台外，建筑又被火焚后再建。坐北朝南，三进院落布局，占地面积约 3500 平方米。中轴线建有戏台（下为山门）、大殿和寝宫，两侧为钟楼、鼓楼、配殿等。戏台建于明成化年间（1465 年—1487 年），又称栖云楼，坐南朝北，建筑面积 71 平方米。文庙始建于金大定年间（1161 年—1189 年），明洪武三年（1370 年）重修。坐北朝南，一进院落布局，占地面积约 4600 平方米。中轴线建有棂星门、戟门和大成殿，两侧为厢房、廊庑等。大成殿为明代建筑，面宽五间，进深六椽，单檐悬山顶。城隍庙与文庙规模较大、布局独特，栖霞楼、奎星楼、大成殿、过殿、配殿等保存了其修建时的原构，历史悠久，反映了本地人民在当时的宗教信仰和精神追求。整体布局、各建筑的结构形式均反映了本地寺庙建筑在当时的营造水平，具有较高的历史价值。2016 年被山西省人民政府公布为第五批省级文物保护单位。乡村道路经此。

50-B-b020 **宝梵寺**［Bǎofàn Sì］位于山西省太原市清徐县东于镇东于村。始建于宋宣和元年（1119 年），金、元时期屡有补葺，明成化十一年（1475 年）、嘉靖四十五年（1566 年）、万历年间（1573 年—1620 年）三次重修，清光绪十八年（1892 年）又重建，现存建筑为清代遗构。坐北朝南，二进院落布局，院落东西长 82.7 米，南北宽 43.2 米，占地约 3600 平方米。中轴线上从南到北依次建有戏台、山门、韦陀殿（过殿）和正殿，旁门位于山门与钟鼓楼之间，两侧从南到北依次为钟鼓楼、东西配殿及东西耳殿。作为清徐县一处保存较完好的清代寺庙，其规模较大、布局完整。总体布局、单体建筑的结构形式和艺术造型代表了本区域当时的营造水平，是本区域清代寺庙比较典型的代表。为研究本区域清代寺庙建筑提供了实物例证，具有较高的历史价值。是集建筑、壁画、彩画为一体，文物价值较高，基本保留了清代时期的寺院布局与建筑风格，文物建筑与附属文物真实性、完整性较好。2016 年被山西省人民政府公布为第五批省级文物保护单位。307 国道经此。

50-B-b021 **大常寿宁寺**［Dàcháng Shòuníng Sì］位于山西省太原市清徐县集义乡大常村。又称太微观。创建年代不详，据寺内清道光九年“续修寿宁寺碑记”碑刻记载内容可知明成化年间、清嘉庆二年（1797 年）、清道光六年（1826 年）曾对寺内建筑进行修缮。二进院落布局，占地面积约 2521.23 平方米。中轴线由北向南依次为大雄宝殿、大悲殿、山门，两侧为东西耳殿、伽蓝殿西方三圣殿、东西配殿、五爷财神殿地藏殿、东西碑廊、钟鼓楼。现存为明、清时期建筑。大雄宝殿、大悲殿、山门为寿宁寺主要建筑。大雄宝殿面阔五间，进深五椽，大悲殿面阔五间，进深六椽。寺院保存有壁画、彩画、碑刻（4 通）、古树（6 棵）等附属文物。保留有太原地区极少的有明确纪年的明代木结构建筑遗存，且留存清代彩绘，是太原地区重要的明清寺院及明清古建筑群。2021 年被山西省人民政府公布为第六批省级文物保护单位。乡村道路经此。

50-B-b022 **南高庄城址**［Nángāozhuāng Chéngzhǐ］位于山西省太原市阳曲县大盂镇南高庄村。建于明代，占地 11 万平方米。平面呈长方形，现存东墙、西墙、北墙及护城壕、城垛等，北城门外现存瓮城，南城门西侧有“三和长屏”石匾，题记“万历二年岁在甲戌秋八月吉日”。城址平面呈长方形，南宽北窄，保存基本完整。周长约 2000 米，厚 5 米，高约 10 米。北城门和南城门均系石砌墙基，北城门高 6 米，宽 4 米，进深 13 米；南城门高 5.4 米，宽 3.8 米，进深 13.45 米，西侧有“三和长屏”石匾，并有“万历二年岁在甲戌秋八月吉日”题记。东城墙保存较为完整，城垛大部分保存；南城门两侧建有较多民房，对城址亦有破坏；北瓮城西墙部分坍塌；南瓮城已毁。在抵御外侵、防止战乱、屯兵防守等方面曾起到积极作用。城址扼守太原盆地北大门，是山西现存明代城堡中保存比较为完整的一座，在同类城址中具有代表性。2016 年被山西省人民政府公布为第五批省级文物保护单位。通阳曲 4 路公交车。

50-B-b023 **明泰大师塔**［Míngtài Dàshī Tǎ］位于山西省太原市阳曲县东黄水镇盘威村。建于元至元三十一年(1294 年)，原为宝岩院附属建筑。八角五层楼阁式砖塔，塔通高约 8 米，平面呈八边形。塔身为砖砌实体塔，每层叠涩向内收分，檐下施砖仿木斗栱。一层檐下斗栱为五铺作双翘单昂，二层以上为四铺作单抄斗栱，并施有平座，平座栏板上浮雕万字纹、菱形等图案。二层塔身正中嵌石碣 1 方，三层正中设拱券门。是元代楼阁式实心砖塔，历史悠久、造型独特优美，砖饰仿木斗栱精致美观。反映了本地人民在当时的宗教信仰和精神追求，具有较高的艺术价值和历史价值。2016 年被山西省人民政府公布为第五批省级文物保护单位。乡村道路经此。

50-B-b024 **中共阳曲县委员会旧址**［Zhōnggòng Yángqūxiàn Wěiyuánhuì Jiùzhǐ］位于山西省太原市阳曲县黄寨镇黄寨村。建于 1948 年，是阳曲县解放前夕所成立的中共阳曲县委办公场所。旧址原为当地刘氏民宅，1948 年 11 月 3 日被征用作为中共阳曲县委办公场所，直至 1953 年政府迁至黄寨村南坪。原中共中央主席、中共中央军委主席华国锋同志于 1948 年 11 月至 12 月担任阳曲县县委书记时在此办公、居住。坐北朝南，二进院落布局，占地面积 1386.72 平方米。中轴线建有南房、正房，两侧为东西厢房、耳房。旧址基本保留了解放前夕中共阳曲县委办公时期的建筑风格和布局，文物建筑真实性、完整性较好。2016 年被山西省人民政府公布为第五批省级文物保护单位。208 国道经此。

50-B-b025 **石岭关城址**［Shílǐngguān Chéngzhǐ］位于山西省太原市阳曲县大盂镇上原村石岭关自然村北约 300 米处。古称“白皮关”“石岭镇”。大运路穿村而过，经石岭关即与忻州市境相通。石岭关与天门关、赤塘关合称太原三关。东靠小五台山，西连官帽山，山势雄伟险峻，关隘狭窄，为历代兵家据险必争之地，系并、代、云、朔之交通要道。创建年代不详，据碑文记载明万历二十二年（1594 年）外包石块；清光绪《山西通志》载：“唐以来旧关也，明设巡检司、今仍之。”2021 年被山西省人民政府公布为第六批省级文物保护单位。108 国道经此。

50-B-b026 **山城峁遗址**［Shānchéngmǎo Yízhǐ］位于山西省太原市娄烦县娄烦镇旧娄烦村。以汾河水库西岸的旧娄烦镇古城墙遗址为起点，依山形成，向西缓坡延伸约 800 米，南北宽 350 米，遗址总面积约 35 万平方米，分布密集、面积较大。经测定，时代距今约 5000 至 4300 年之间。遗址以新石器中晚期为主，最晚到夏商时期，包含了仰韶、庙底沟二期、龙山等文化内涵。曾出土仰韶晚期高领罐、盆、泥质红陶磨光敛口钵及骨器、石器等器物；龙山文化泥质灰陶篮纹折沿盆、折肩罐、夹砂灰褐绳纹及附加堆纹罐。另外还采集到石斧、石刀等器物。是一处仰韶晚期文化和龙山早期文化遗址。2004 年被山西省人民政府公布为第四批省级文物保护单位。省道岚马线经此。

50-B-b027 **罗家曲观音寺**［Luójiāqǔ Guānyīn Sì］位于山西省太原市娄烦县杜交曲镇罗家曲村。创建年代不详。坐北朝南，一进院落布局，南北总长 44.23 米，东西总宽 29.47 米，占地面积 1272.69 平方米。寺内现仅存正殿、东西耳殿 3 座文物建筑，部分碑刻、壁画、彩画等附属文物。现存各建筑均为明代遗构。正殿、东西耳殿现存状况较好。正殿面阔三间，进深六椽，单檐筒瓦悬山顶建筑。殿内梁架木构件存有明代彩绘，山花、象眼及拱眼壁保留有明代壁画。整体构架虽为明代所建，但局部仍有元代遗风。东、西耳殿对称位于正殿两侧，面阔三间，进深四椽，东耳殿为单檐硬山顶建筑，西耳殿为单檐悬山顶建筑。观音寺正殿及东西耳殿保存完整，结构严谨，工艺纯熟，明代建筑特征明显，对研究娄烦地区明代寺院具有重要参考价值。2021 年被山西省人民政府公布为第六批省级文物保护单位。乡村道路经此。

50-B-b028 **晋绥边区八专署旧址**［Jìnsuíbiānqū Bāzhuānshǔ Jiùzhǐ］位于山西省太原市古交市岔

口乡关头村。坐北朝南，二进院落布局，南北37.33米，东西28米，占地面积1045.24平方米。中轴线自南向北仅存有大门、过殿，两侧有东、西配殿。院内现存杨树为原八分区政委罗贵波亲植。1943年—1945年，晋绥边区八分区地委、专署在村西庙内办公，领导十个县的军民开展抗日斗争，进行大生产运动和整风运动。1944年春，根据延安整风精神，在此进行了县团级以上主要领导干部参加的干训队学习。晋绥八分区还组织了著名的“关头整风”，完成了运送伤员、粮食、弹药、文件等重要人员及物资的艰巨任务，安全护送了刘少奇、朱德、彭德怀、陈毅、刘伯承、邓小平、杨尚昆、陆定一、陈赓、薄一波等中央领导同志和七大代表以及其他干部3000多人，被党中央誉为“钢铁走廊”。八分区是晋绥根据地的南大门，是陕甘宁边区通往各抗日根据地的交通要道，战略地位十分重要。2021年被山西省人民政府公布为第六批省级文物保护单位。乡村道路经此。

大同市

50-B-b029 **万泉庄遗址** [Wànquánzhuāng Yízhǐ] 位于山西省大同市新荣区花园屯乡万泉庄村。遗址地表暴露的遗物非常丰富，遗存具有新石器时代、汉代两种文化特征。在遗址东边缘崖头发现新石器时代墓葬1处，新石器时代文化层2处。地面采集遗物有新石器时代夹砂红陶、夹砂灰陶、泥质灰陶及石斧2件和汉代泥质灰陶。该遗址面积分布范围较大，地表遗物较为丰富，在晋北地区发现的为数不多的新石器时代遗址中具有一定的代表性，对厘清晋北地区新石器时代文化面貌具有重要意义。2016年被山西省人民政府公布为第五批省级文物保护单位。乡村道路经此。

50-B-b030 **宣宁顾城遗址** [Xuānníng Gùchéng Yízhǐ] 位于山西省大同市新荣区堡子湾乡拒墙堡村。宣宁县为金代名称，辽始建宣德县，金大定八年（1168年）更名宣宁县。城址现存北墙，文化层深约2米，地表遗物丰富，采集有陶盏托、黑釉瓷瓶底、白釉碗底、剔花瓷罐片、残坩埚等。是辽宣德、金宣宁县故城址，为当时汉蒙边贸重镇，是反映内地商人在边贸生意的实物遗存，对探讨辽金时期的城镇布局。2016年被山西省人民政府公布为第五批省级文物保护单位。省道云丰线经此。

50-B-b031 **北宋庄龙母寺** [Běisòngzhuāng Lóngmǔ Sì] 位于山西省大同市南郊区古店镇北宋庄村。始建年代不详。现仅存正殿和玄天殿为清代遗构，现存清代壁画118.5平方米。正殿三间，明间为龙母殿，后檐及两山墙绘龙母及四大龙王。东次间为关帝殿，后檐墙绘有关公像，两山墙绘“单刀赴会、义释华容、活捉王忠”等三国演义故事彩绘壁画。西次间为三观殿，后檐墙彩绘尧、舜、禹三帝，两山墙彩绘为出行图、回宫图。玄天殿两山墙及后檐墙均彩绘壁画。建筑梁架保存较好，其中价值最大的为清代壁画。2016年被山西省人民政府公布为第五批省级文物保护单位。二广高速经此。

50-B-b032 **赵彦庄龙王庙** [Zhàoyànzhuāng Lóngwáng Miào] 位于山西省大同市新荣区花园屯乡赵彦庄村。现仅存戏台、正殿，均为清代建筑。正殿面阔三间，进深五椽，殿内两山墙及后檐墙均存清代壁画，其色彩柔和、线条流畅，壁画保存较好。戏台面阔三间，进深三椽，单檐硬山筒板布瓦顶；前出抱厦面阔三间，进深三椽，单檐硬山卷棚筒板布瓦顶；戏台梁架结构为前四架梁对后四架梁，通檐用三柱，属于一殿一卷式勾连搭式建筑，现内檐装修不存。2016年被山西省人民政府公布为第五批省级文物保护单位。208国道经此。

50-B-b033 **破鲁堡宁静寺** [Pòlǔbǎo Níngjìng Sì] 位于山西省大同市新荣区破鲁堡村。创建于嘉靖壬子岁季初（1552年），明嘉靖四十一年（1562年）二月宁静寺修缮完工；大清康熙四十年秋季重修并可知宁静寺曾用名“宁靖寺”；公元2000年八月十四日重修，后屡有局部补修、翻修至今。坐西北朝东南，占地面积1114.02平方米。现有大雄宝殿、天王殿、山门、地藏殿、观音殿等15间，现寺庙为主院（二进院落）带东侧两座新建院落。中轴线上自南而北现存有山门、天王殿、大雄宝殿，两侧分布耳殿，二进院两侧分列观音殿、地藏殿，其中山门、天王殿及其耳殿、大雄宝殿为古建筑。大雄宝殿内的“横三世佛”为明代旧物，东山墙内侧为明代彩绘壁画。保留有明确纪年的明代木结构建筑遗存，且留存了明代彩绘、彩塑，是晋北地区重要的寺院及明清古寺院。2021 年被山西省人民政府公布为第六批省级文物保护单位。乡村道路经此。

50-B-b034 **许从墓**［Xǔcóng Mù］位于山西省大同市新添堡村。为辽代景宗乾亨四年（982 年）大同军节度使许从夫妇合葬墓，1986 年 8 月发掘。墓为仿木结构建筑的砖砌单室墓，坐北朝南，由墓道、高大的墓门楼、甬道、墓室组成。墓室平面呈圆形，苍穹顶，顶部绘有残存的天象图，周壁有彩绘壁画，绘有文臣、侍女像等十四个人物，是辽代绘画艺术的精品。出土文物有精致的制药用具铁器六件，另外还有造型奇特的彩绘陶器和灰陶器各一组，墓志铭一合。是辽代早期上层官吏墓葬的重要发现，对研究辽史以及民族融合有着重要意义。1996 年被山西省人民政府公布为第三批省级文物保护单位。二广高速经此。

50-B-b035 **大同古城墙**［Dàtóng Gǔchéng qiáng］位于山西省大同市城区。现存城墙为明洪武五年（1372 年），大将军徐达奉命依辽、金、元旧城基础增筑新城，略呈方形。城墙一律以规整有制的石条、石板、石方为基础，在原城墙基础上用“三合土”夯成，外包青砖。四周修筑了 54 座望楼，96 座窝铺。四角建有角楼，四角墩外各建控军台一座。城设四门，四门之上分别建有城楼，其月楼、箭楼、望楼、角楼间隔而立。四门之外建有瓮城、月城、护城河。城墙布防严密，各种防御设施齐备，自成一体，是我国古代军事建筑史上颇具特色的重镇名城。2016 年被山西省人民政府公布为第五批省级文物保护单位。通 27、59 路等公交车。

50-B-b036 **法华寺塔**［Fǎhuá Sì Tǎ］位于山西省大同市城区塔寺街。始建于明代，因年久失修，寺院殿宇毁坏，唯存法华寺塔。塔为覆钵式白塔，由基座、塔身、塔顶组成，塔的体量较小。塔建在一处六角平台之上，塔座为两层束腰八角须弥座，其上为覆钵式的塔身，下部细、中部粗，塔身秀气，更接近于瓶状，四面开焰光门，塔身逐渐减瘦，相轮上下直径逐渐减小，为典型的明代塔特征。形式优美，建筑工艺精巧，具有区域特色。2016 年被山西省人民政府公布为第五批省级文物保护单位。通 27、59 路等公交车。

50-B-b037 **玄真观**［Xuánzhēn Guān］位于山西省大同市城区正殿街。建筑台基始建于明洪武年间（1368 年—1398 年），台基上建筑为清代顺治年间增筑，是在代王府广智门旧址上新建的一座道观。坐北朝南，建筑在广智门砖券门洞台基之上。台基北侧门洞上现存宽 1.98 米，高 1.18 米砖雕门额一幅，内书阳刻“广智门”三字。现存台基正殿面阔五间，进深五椽。东配殿面阔三间，进深三椽，单坡硬山筒板布瓦顶。地域特征明显，是见证府城历史发展的实例，具有极高的历史价值。2016 年被山西省人民政府公布为第五批省级文物保护单位。通 35、61 路等公交车。

50-B-b038 **大同开化寺**［Dàtóng Kāihuà Sì］位于山西省大同市城区师校街。坐北朝南，该寺院毁于姜瓖兵变，后又在遗址上重建，寺院原有布局不明，现仅存大雄宝殿，为清代建筑，属于一殿一卷式勾连搭。大雄宝殿平面呈“凸”字形，前檐设抱厦，抱厦面阔三间，卷棚歇山筒板布瓦顶，殿身面阔三间，进深八椽，五架梁通达前后通檐用两柱，单檐硬山筒板布瓦顶，后檐柱头卷刹明显，荷叶角背及丁华抹颏拱雕刻精美。2016 年被山西省人民政府公布为第五批省级文物保护单位。通 38、61 路等公交车。

50-B-b039 **朝阳宫**［Cháoyáng Gōng］位于山西省大同市城区朝阳寺街。建于明弘治年间。现存建筑为清代遗构。二进院落布局，中轴线建有山门、过殿、正殿，两侧有东西配殿。山门两侧建钟楼、鼓楼。原为佛寺，后改为道院，为道教活动场所。正殿二层，面宽三间，进深五椽。大殿为前廊式结构，构思巧妙，是研究当地当时工艺、艺术的实物例证。对研究当地清代宗教活动、社会经济、民众生活、民俗文化都有一定的作用。2016 年被山西省人民政府公布为第五批省级文物保护单位。通 15、36 路等公交车。

50–B–b040 **纯阳宫**［Chúnyáng Gōng］位于山西省大同市城区鼓楼西街。阳宫创建年代不详，现为清代遗构。规模宏大，供奉道教始祖吕洞宾。现存建筑中轴线由南至北依次为山门、灵官殿、祖师殿、献殿、正殿，东西两侧分别为钟鼓楼、东西配殿等附属建筑。建筑梁架保存较好，木雕雀替雕刻精美，砖雕鸱吻和莲花正脊装饰外观优美。记载了当地的宗教活动，提供了实物例证，对道教研究具有意义。2016 年被山西省人民政府公布为第五批省级文物保护单位。通 35、61 路等公交车。

50–B–b041 **清真大寺**［Qīngzhēn Dàsì］位于山西省大同市城区清远街。又名清真寺。创建于唐贞观二年，现存建筑均为清代遗构。坐西朝东，三进院落布局，中轴线建有山门、省心楼、礼拜殿，南北两侧为配殿。礼拜殿是寺内的主体建筑，由四组殿堂毗连而成，前为卷棚式抱厦，后为歇山顶和硬山顶两组大殿，最后一组为卷棚顶和圆攒尖顶的混合结构，整座建筑屋顶形式多样。殿内为伊斯兰教独特陈设，中设壁龛，西北墙设演讲台。礼拜殿建筑外形独特，具有少数民族特色，是典型的阿拉伯建筑风格。2016 年被山西省人民政府公布为第五批省级文物保护单位。通 35、61 路等公交车。

50–B–b042 **十字大街五龙壁**［Shízìdàjiē Wǔlóngbì］位于山西省大同市城区大十字东街。创建于清雍正二年（1724 年），原位于大同县文庙正门前。坐南朝北，青砖砌筑，长 33.6 米，高 5.7 米，厚 1.22 米，占地面积 41 平方米。壁座为砖砌须弥座，壁心是以剔地起突雕刻的五条团龙，屋顶为仿木结构庑殿顶，檐下施三踩斗拱 24 攒。两侧置八字墙，壁心以剔地起突雕刻的两幅鲤鱼跳龙门的吉祥图案。五龙壁为清代遗构，布局完整，画面生动逼真，硕大的壁身厚重、沉稳、大气磅礴，具有很高的历史、科学、艺术价值。2016 年被山西省人民政府公布为第五批省级文物保护单位。通 27、59 路等公交车。

50–B–b043 **大同文庙**［Dàtóng Wén Miào］位于山西省大同古城东南隅。明初时由云中驿改建而成。建筑群体原先布局分为三个组群：一是供祭祀的场所。孔庙，云路坊、大成坊、棂星门、泮池、戟门、大成殿和尊经阁，从前到后依次排列在中轴线上。东西两侧分别建有义路坊、礼门坊、斋明厅、洁清厅、东庑、西庑、神库、神厨，另外还有乡贤祠。二是讲学场所。在中轴线上的有大门、仪门，明伦堂和东西斋房。三是府治的教育机构，即教授署和训导署。后仅存戟门、大成殿、神库和神厨。大成殿是文庙的主要建筑物，为明代所建。清顺治、乾隆时期多次进行修葺。整个建筑置于月台上，坐北朝南，呈“凸”字形。2005—2010 年，文物部门和大同市政府对大同府文庙神厨、神库两大配殿进行了大修，依史籍原样重建了府文庙的尊经阁、东西配殿、东西廊庑、碑亭、碑廊、泮池、棂星门、义门，对尚存的六处古建进行了修复，使得整个文庙占地面积达到 4 万平方米。2016 年被山西省人民政府公布为第三批省级文物保护单位。通 27、59 路等公交车。

50–B–b044 **首善医院旧址**［Shǒushàn Yīyuàn Jiùzhǐ］位于山西省大同市城区雁同西路。旧址坐北朝南，由主楼和教堂两座建筑组成，为欧式风格建筑。民国六年（1917 年），大同发生鼠疫，英国圣公会派教徒史梅礼大夫等 10 余人来大同进行防治，回国后史梅礼向圣公会建议在大同建一所医院。1922 年开始筹建，1924 年竣工开诊，命名为“首善医院”。教堂旧址（圣益多雅堂）位于医院主楼后，据教堂东侧外墙所镶之碑碣记载，此堂系由友人集资建筑以纪念穆以皆雅会长之妻穆玛利亚夫人。2016 年被山西省人民政府公布为第五批省级文物保护单位。通 27、59 路等公交车。

50–B–b045 **大同展览馆**［Dàtóng Zhǎnlǎnguǎn］位于山西省大同市城区西街。始建于 1969 年，是诞生于特殊历史时期的特殊建筑。1969 年中国共产党第九次全国代表大会召开，受当时政治风潮影响，大同毛泽东思想万岁展览馆也于当年正式奠基开工。全市党政军领导和工农兵学商各界人士怀着极大的政治热忱参加了建馆的义务劳动。从初始设计到施工完成仅用了一年多时间，创下了当时令人难以置信的“大同速度”。建筑外部多处书写有“中华人民共和国万岁”、“世界人民大团结万岁”等标语，建筑富有时代特征，现已成为大同标志性建筑之一。2016 年被山西省人民政府公布为第五批省级文物保护单位。通 27、59 路等公交车。

50-B-b046 **赵承绥旧居** [Zhàochéngshòu Jiùjū] 位于山西省大同市城区户部角街。1928 年建。赵承绥（1891 年—1966 年），五台县槐荫村人。1928 年任晋绥军骑兵司令，驻防大同。1948 年 6 月，晋中战役中被俘投诚。1952 年任中华人民共和国水利部参事。坐北朝南，二进院格局，南房、过厅、正房各七间，东西房各五间，均为硬山顶木结构建筑。院门、室内装饰具有西式特征。现保存状况基本完好，且建筑风格独特，融合了欧式建筑的装修式样，为当时的社会环境及历史变迁提供了实物例证。2016 年被山西省人民政府公布为第五批省级文物保护单位。通 27、59 路等公交车。

50-B-b047 **李怀角 31 号民居** [Lǐhuáijiǎo 31hào Mínjū] 位于山西省大同市平城区东街街道办事处东门大巷社区李怀角。李怀角之名，传说始于晚唐。《纲鉴易知录》载："唐懿宗咸通十年（869 年），以李国昌为大同军节度使，治云州城"。李国昌是唐末名将，为皇族李氏家族的后裔，骁勇善战，为晚唐屡建功勋。其子李克用受封为晋王，镇守三晋大地。后人为纪念他们的政德，就在东南角修建了"李王庙"，而李怀角原来就是通往李氏家庙的一条大道，并把此道命名为李怀角。位于大同城内东南角，北起大东街，南至朱衣阁，是一条南北走向的巷子。创建年代不详，现存建筑为清代建筑，一进院落，坐北朝南，文物建筑包括大门、影壁、二门、正房、东房，西房，南房，碾房。南北长 20.91 米，东西宽 25.52 米，共占地面积 447.10 平方米。整体院落空间错落有致，建筑体量造型有别，是晋北地区四合院重要的代表性建筑。是大同四合院民居分布的集中地区的一部分，是大同地域民居建筑的重要组成部分。2021 年被山西省人民政府公布为第六批省级文物保护单位。通 68、70 路公交车。

50-B-b048 **大同和平解放谈判旧址** [Dàtóng Hépíngjiěfàng Tánpàn Jiùzhǐ] 位于山西省大同市平城区水泊寺乡西坟村。旧址位于西坟村内，东西宽约 25.4 米，南北长约 36.65 米，占地面积约 931 平方米。仅存正房 5 间保持原状，硬山顶木结构建筑。其中明间与次间为当时的谈判地点。1949 年 4 月 29 日中午，在中国人民解放军强大的攻势下，驻大同国民党守军十兵团副司令兼大同军事指挥官于镇河、大同行署主任孟祥祉和暂编三十八师师长田尚志等 10 余人，乘车来到西坟村，与围城的解放军察哈尔军区副司令员詹大南、中共大同市委书记赵汉及叶修直、杨正等正式谈判。谈判结果是于镇河等无条件接受华北军区提出的五项条款，促成大同市和平解放，使人民免遭战争的摧残。在该址正式达成和平解放大同的五项条款。大同国民党守军放下武器，开进大同城，大同和平解放。"和谈"的成功，使千年古城免受战火，文物古迹得以保护。该址记录和见证了大同历史上庄严而重要的一刻。2021 年被山西省人民政府公布为第六批省级文物保护单位。109 国道经此。

50-B-b049 **高山遗址** [Gāoshān Yízhǐ] 位于山西省大同市高山镇。遗址属新石器时代末期。属于典型细石器文化。遗址丰富，类型较多，既有我国细石器遗址中的常见类型，如细石叶、锥状石核、圆头刮削器、石镞等，也有一些很少见的类型，如扁平梯形楔状石核、带棱脊的石核长石片石器等，尤其是带棱脊的细石核，在高山遗址中占有一定比例，为高山遗址细石器的突出特点之一。陶片数量较少，多为灰黑色，质地坚硬，含砂较少，细夹砂者居多，纹饰有兰纹、绳纹、篦纹等。1965 年被山西省人民政府公布为第一批省级文物保护单位。109 国道经此。

50-B-b050 **焦山寺石窟** [Jiāoshānsì Shíkū] 位于山西省大同市南郊区高山镇高山村。开凿于北魏年间，辽金时期在窟前增建木构窟檐。坐北朝南，依山势辟五层平地，窟龛分布在东西长约 60 米，高约 15 米的崖面上。北魏窟龛主要集中在三至四层，洞窟形制有大像窟、僧房窟、禅窟等共有 11 个洞窟。窟内造像主要有坐佛、二佛并坐题材，但是造像均已风化。五层寺院的制高点建塔 1 座，为六角三层楼阁砖塔，通高 10 米，各层正面砌拱券门，檐部雕三踩仿木斗栱，内砌梯道可以登临。其中位于山体东侧的第6窟规模最大，平面为马蹄形的模式，主像占据窟内主要位置，这些情形与云冈早期洞窟相似。其他洞窟残存的“二佛并坐”则是云冈石窟最流行的造像形式，且佛像雕刻精美绝伦，为佛教造像中的艺术精品。2016年被山西省人民政府公布为第五批省级文物保护单位。109国道经此。

50-B-b051 **胡氏宅院**［Húshì Zháiyuàn］位于山西省大同市云冈区口泉乡店村内。俗称“东大院”。始建年代不详，现存建筑为清代遗构。坐北朝南，二进院落布局，东西宽23.15米，南北长37.04米，占地面积约857平方米。中轴线上依次建南房、过厅、正窑房，两侧建厢房、碾房。1968年一进院大部分被毁，大门无存，仅存过厅与碾房。二进院正窑面宽五间（明五暗六），平顶。内为窑洞，券顶。券面用方砖烧制，上雕仿木垂莲柱、八仙人与盆景等贴面。明间开间最大，设六扇木制格扇门。次间、稍间面宽依次减小，窗户为棱形窗与直棂窗。东西厢房各面宽三间，单坡硬山顶。过厅面宽三间，进深三椽。2021年被山西省人民政府公布为第六批省级文物保护单位。乡村道路经此。

50-B-b052 **高店关帝庙**［Gāodiàn Guāndì Miào］位于山西省大同市云冈区西韩岭乡高店村。创建于大清乾隆年间。一进院落布局，整体坐北朝南，东西宽23米，南北长41.6米，占地面积约910平方米，建筑面积421平方米。中轴线上由南而北依次建有戏台和大殿，大殿两侧建有马王庙、财神庙、院落东西两侧有东西配殿、东西廊房，东西廊房最北间为钟鼓楼，戏台两侧设东西掖门。2021年被山西省人民政府公布为第六批省级文物保护单位。乡村道路经此。

50-B-b053 **晋华宫矿**［Jìnhuágōngkuàng］位于山西省大同市矿区晋华宫街道晋南里社区。地处大同煤田东北端，与世界文化遗产云冈石窟隔河相望，地理位置优越，环境清静优美，交通十分便利。矿井于1956年建成投产，是由我国自己设计、自己施工建设的大型煤矿。全矿原来由大井和南山井两对生产井口组成，曾是同煤集团唯一的一个多井口矿井。目前拥有在册员工7160人，为高瓦斯矿井。全矿共有14个井筒，其中10个进风井筒，4个回风井筒。矿井通风方式为混合分区抽出式，各采区全部设置专用回风巷，各采掘工作面实现分区通风，矿井通风系统合理、稳定、可靠。矿井全部实现机械化采煤，安全生产调度实现计算机实时监控指挥，通讯实现程控化，质量标准化工作达部颁标准。显著特点是点多、面广、战线长、管理跨度大、安全管理难度大。曾代表同煤集团多次接受党和国家领导的亲临视察指导。2021年被山西省人民政府公布为第六批省级文物保护单位。通3路公交车。

50-B-b054 **西册田遗址**［Xīcètián Yízhǐ］位于山西省大同县许堡乡西册田村。断崖处发现两处文化层，地面和断崖沟底收集的遗物有：三种不同形式的兽面纹灰陶半瓦当残片；含有“代”“岁”“万”字的灰陶圆瓦当残片；三种不同规格及形式的筒瓦残片；砖、板瓦残片；两种规格特大的灰陶罐残片；烧结粘连扭曲的板瓦数块。根据遗址地表采集标本分析，可能是一处北魏时期专门烧造皇家建筑材料的陶窑遗址，具有官营性质，对北魏时期建筑构件和烧制建筑构件有重要研究价值。2016年被山西省人民政府公布为第五批省级文物保护单位。乡村道路经此。

50-B-b055 **吉家庄遗址**［Jíjiāzhuāng Yízhǐ］位于山西省大同市吉家庄乡吉家庄村东南吉家庄村。属新石器时代遗址，遗址地面残存遗物非常丰富。根据地面的遗留物辨认，初步认为：遗址中的陶器质料主要是夹砂陶、泥质陶两种。大部分为灰陶，还有一些红陶和黑红相间的彩陶。陶器上的纹饰主要有粗绳纹、细绳纹、磨断绳纹、兰纹、弦纹及素面纹。器型有：大口瓮、罐、盆、石锛、石斧、石杵等。器型口沿有侈口、敞口、直口几种，有很多器物的口沿上均为绳纹，从遗址的包含物来判断，主要为龙山时期文化，也有仰韶时期的文化遗存。1965年被山西省人民政府公布为第一批省级文物保护单位。省道大灵线经此。

50-B-b056 **辛寨龙王庙**［Xīnzhài Lóngwáng

Miào］位于山西省大同市云冈区口泉乡辛寨村。坐北朝南，现存建筑有5座。中轴线上由南向北依次为倒座戏台、正殿，正殿两侧有东、西耳殿，现东耳殿已毁，倒座戏台东、西两侧分别设有掖门1座。1989年对正殿、戏台进行过维修，现存建筑均为清代遗构。正殿明间前檐伸出歇山卷棚顶抱厦的建筑形制为该地区同时期建筑之特征，戏台为勾连搭式建筑，展现了这一历史时期当地民间建筑结构技术发展的演变过程。整体建筑保存完好，为研究当地清代建筑提供了实物资料。2016年被山西省人民政府公布为第五批省级文物保护单位。208国道经此。

50-B-b057 **李汪涧遗址**［Lǐwāngjiàn Yízhǐ］位于山西省大同市云州区西坪镇李汪涧村。大秦铁路北的东沟内，沟的南边有泉水发育，以前应为坊城河的一个小支流。地理坐标为：39° 59′ 53.7–57.1″ N，113° 32′ 13.7–18″ E，海拔997–1009米。遗址位于泥河湾盆地西端—大同盆地东北部的一个地层堆积较为完整的晚更新世露天遗址。该遗址于2016年7月在大同市云州区李汪涧村南发现的，其文化层的土质、土色、包含物及深度都显示出与许家窑遗址的相似性。目前为止，2018年清理共发现3个文化层，20个水平层；文化层位于地表下14米，厚约2米左右。其中上文化层的光释光测年数据为6–3.8万年，中文化层和下文化层推测年代应早于6万年或与之相当，地质时代应属于晚更新世中晚期。2021年被山西省人民政府公布为第六批省级文物保护单位。乡村道路经此。

50-B-b058 **东水地城址**［Dōngshuǐdì Chéngzhǐ］位于山西省大同市云州区许堡乡东水地村西约200米处。始建于战国，沿用至汉代。城址平面呈长方形，现存东、西墙及南墙部分墙基，北墙不详。东墙残长约500米，残高3.3米，最宽处厚10.5米，夯层厚约0.2米。西墙残长335米，东西墙相距455米，占地面积约22.75万平方米。地表采集遗物有陶片、瓦片，陶质以泥质灰陶为主，战国时期遗物纹饰有粗绳纹，器型有豆、釜，汉代遗物纹饰有抹断绳纹、瓦楞纹、方格纹，器弄有罐、筒瓦、板瓦等。城址地表遗物丰富，为研究大同地区城市建置发展史提供了实物资料。2021年被山西省人民政府公布为第六批省级文物保护单位。乡村道路经此。

50-B-b059 **陈庄墓群**［Chénzhuāng Mùqún］位于山西省大同市云州区西坪镇陈庄村。俗称双圪瘩。东西约300米，南北约100米，分布面积约3万平方米，为北魏遗存。墓群地表存封土两座，M1位于墓群西北部，封土堆圆形，直径43米，高7米，M2位于墓群东南部，封土圆形，直径31米，高4米，两墓相距245米，M3封土已不存。2011年对M1进行了发掘，该墓为长斜坡墓道砖砌双室墓，墓内原绘有壁画，现仅存顶部部分星云图案。随葬器物有陶罐、石灯、陶俑等。根据出土遗物推测此处为北魏贵族墓地。2021年被山西省人民政府公布为第六批省级文物保护单位。乡村道路经此。

50-B-b060 **青瓷窑遗址**［Qīngcíyáo Yízhǐ］位于山西省大同市云冈区青瓷窑街道。发现于二十世纪七十年代，八十年代初进行了考古发掘，出土旧石器1000多件和一批动物化石。石器包括石锤、石凿、刮削器、尖状器等，动物化石有三门马、羚羊、古棱齿象、扭角羊等8个种类。这一遗址距今约十万年左右，地质年代暂定为中更新世后段，时代为旧石器时代早期后段。1986年被山西省人民政府公布为第二批省级文物保护单位。通12、3路等公交车。

50-B-b061 **李峪遗址**［Lǐyù Yízhǐ］位于山西省大同市浑源县东坊城乡李峪村东南1200米处的依山坡地上。东西长150米，南北宽200米，分布面积约3万平方米。是一处战国时代聚落遗址。断崖上暴露有文化层，文化层厚0.5–1米。从地表和断崖上采集有战国时代的夹砂灰陶绳纹陶罐、泥质灰陶绳纹罐、素面陶豆等残片。2021年被山西省人民政府公布为第六批省级文物保护单位。乡村道路经此。

50-B-b062 **西留龙王庙戏台**［Xīliú Lóngwáng Miào Xìtái］位于山西省大同市浑源县西留乡西留村。创建年代不详。整体坐南朝北，东西长10.68米，南北宽8.74米，占地面积93平方米。现存建筑为明代风格。建在条石砌台基上，高约1.03

米。东西两侧台口现存石雕栏板，雕刻有花鸟、动物、螭龙等吉祥图案。是浑源县保存较好的一座明代戏台，为研究浑源县的明代建筑提供了实物资料。2021 年被山西省人民政府公布为第六批省级文物保护单位。乡村道路经此。

50-B-b063 **杨塔村砖塔**［Yángtǎcūn Zhuāntǎ］位于山西省大同市阳高县狮子屯乡杨塔村。创建年代不详，现存建筑为辽代风格。坐北朝南，属六角五级密檐式实心砖塔，由塔身、塔基、塔刹三部分组成，通高约 8 米，塔基平面呈六边形，边长约 2 米，二重束腰须弥座叠置，高约 1 米，上枭为仰莲瓣，束腰部每面均设倚柱，不设门窗，各层塔檐下设仿木构件砖雕额枋、斗栱、椽飞等，一层檐下斗栱均为五铺作斗栱，二、三层檐下斗栱均为四铺作斗栱，各层塔檐砖砌叠涩，重叠密致，收分明显。杨塔村塔塔身结构稳固，小巧玲珑，造型优美，比例协调。2016 年被山西省人民政府公布为第五批省级文物保护单位。乡村道路经此。

50-B-b064 **阳高县署旧址**［Yánggāo Xiànshǔ Jiùzhǐ］位于山西省大同市阳高县龙泉镇西北街。1912 年淮军途经阳高，火烧玉皇阁及商店铺面，祸及县衙，将建筑化为灰烬。1929 年，县长马维珍重修县衙，后历经多次修缮，现为阳高县政府办公场所。旧址有三座建筑大堂、二堂、三堂。现存遗址记载着县城的历史，有助于我们了解阳高地区历史发展的演变过程，具有历史价值和社会意义。2016 年被山西省人民政府公布为第五批省级文物保护单位。通阳高 11、12 路等公交车。

50-B-b065 **阳高东风高灌站**［Yánggāo Dōngfēng Gāoguànzhàn］位于山西省大同市阳高县友宰镇东册田村西约 1000 米。20 世纪 60 至 70 年代初，在毛主席“全民动员，兴修水利”的方针指导下，阳高县友宰镇为解决东册田村农田灌溉缺水的问题，于 1966 年兴建此站，现在仍正常运转。由汲水泵房和灌渠两大部分组成。呈南北走向，从北部桑干河经泵站提水向输送到灌渠中，再分渠灌溉耕地。是石砌拱券桥式建筑，现渠总长约 1000 米，宽约 3 米，高约 7 米，上部水槽宽约 0.3 米。北段渠为桥拱式，上置水槽，共 119 个桥拱，大的净跨约 10 米，小的净跨约 6 米。中部的拱桥上部两面写有“友宰公社东册田大队、东风高灌站”的字样，时代特征明显。作为友宰镇 20 世纪 60 年代水利灌溉工程之一，曾为友宰镇东册田村农业灌溉的发展起到重要作用。2021 年被山西省人民政府公布为第六批省级文物保护单位。省道神丰线经此。

50-B-b066 **新平玉皇阁**［Xīnpíng Yùhuánggé］位于山西省大同市天镇县新平堡镇新平村。又名镇边楼，创建于明万历十一年，在清康熙、乾隆、1992 年均有修葺。面阔三间，进深四椽，原为重檐歇山筒板布瓦顶，后人修葺，改成黄琉璃屋面。东西山墙绘有道教众神壁画。梁架中各构件均绘有卷云纹的水墨画，栱眼壁上绘有旋花、瑞草、人物等吉祥水墨图案。天镇县为蒙古游牧民族兵马经常南下侵扰争战之地，故修筑玉皇阁，派兵驻守，是兵家登高远望观察兵情战事指挥作战的地方，具有非常重要的历史战略价值。2016 年被山西省人民政府公布为第五批省级文物保护单位。省道马走线经此。

50-B-b067 **盘山石窟**［Pánshān Shíkū］位于山西省大同市天镇县玉泉镇滹沱店村。明弘治五年（1492 年）由游击将军董公主持开凿。凿于盘山东山崖上，坐东朝西，南北两窟。俗称大石洞、小石洞。北边一窟为大石洞，亦名“仙人洞”。洞口凿在峭壁上，形势险要，攀登艰难。入洞需过栈道独木桥即“仙人桥”方可进入。南边一窟为小石洞亦名“观音洞”。洞内壁面皆为高浮雕像。正壁雕文殊、普贤、观音菩萨，两侧雕十八罗汉，保存完好。2004 年被山西省人民政府公布为第四批省级文物保护单位。521 国道经此。

50-B-b068 **洗马庄遗址**［Xiǎnmǎzhuāng Yízhǐ］位于山西省大同市广灵县蕉山乡洗马庄村东北与加斗乡上恩庄村。遗址内遗物丰富，地表暴露的遗物有刮削、尖状器、石片等，石质为红白相间的燧石等，为旧石器时代晚期。在大同盆地，旧石器时代晚期遗存较为少见，该遗址在一定程度上填补了空白，且出土遗物具有典型性，有刮削器、尖状器、石片等，保存现状较好。该遗址与河北西北部泥河湾盆地旧石器文化的关系也有待进一步解释，其发现和深入研究将为研究晋北地区旧石器时代晚期文化提供重要实物遗存。2016年被山西省人民政府公布为第五批省级文物保护单位。省道朔蔚线经此。

50-B-b069 **洗马庄汉墓群**［Xiǎnmǎzhuāng Hànmùqún］位于山西省大同市广灵县城东洗马庄村。布在村北较平坦的耕地中，东西长约2公里，南北宽约0.5公里。共有十一座汉墓。现存九座封土堆，呈圆形，高4—7米，周长130—400米。保存基本完整，另外两座墓的封土已毁。1992年发掘了其中的一座，墓为汉代多室砖墓，穹窿顶。墓室总长6.2米，宽1.53米，距地面1.8米，出土文物有罐、勺、耳杯、壶、灶、井、案、仓等陶器及铜镜，铁带钩和两枚“大泉五十”、四十四枚“五株”钱币。1986年被山西省人民政府公布为第二批省级文物保护单位。省道朔蔚线经此。

50-B-b070 **千福山汉墓群**［Qiānfúshān Hàn Mùqún］位于山西省大同市广灵县城西千福山南麓。为汉代聚族而葬之墓群。墓群南低北高依山而葬。明显暴露地表上的封土堆有9冢，民间俗称“谎粮堆”。墓群占地面积约333000平方米，南北向排列，东西向并穴。其中1、2号和3、5号墓封土直径为30至35米，高15至20米；另5冢直径为17至20米，高14至17米。保存尚好。1984年清理两座砖室多室墓，出土器物有陶楼、壶、罐、案、勺、盘、人佣、猪俑和部分铁器、铜镜、钱币等。1988年清理一座石圹木椁墓葬，出土器物有铜鼎、洗镜勺、骰、鎏金弩机和少量陶器等。2004年被山西省人民政府公布为第四批省级文物保护单位。239国道经此。

50-B-b071 **直峪圣佛寺塔林**［Zhíyù Shèngfó Sì Tǎlín］位于山西省大同市广灵县宜兴乡直峪村。始建于金章宗泰和年间（1201年—1206年），明嘉靖四十二年（1563年）大修，清代多次重修。寺内各建筑毁于1967年，现仅存寺院基址和塔林等。现存舍利塔16座，舍利塔由台基和覆钵塔身及相轮塔刹构成，其中台基多为两层八角形须弥座砌筑。壶门砖雕精致，是宝峰寺院历代主持的墓地。保存较好，壶门砖雕精致，是研究当地宗教史的珍贵宝藏，具有重要的历史价值。2016年被山西省人民政府公布为第五批省级文物保护单位。省道马走线经此。

50-B-b072 **安坚寺**［Ānjiān Sì］位于山西省大同市广灵县加斗镇东留疃村。始建年代不详，现存建筑均于明代，坐北向南，原为两进院落布局，现存一进院落，占地面积970平方米。中轴线依次为过殿、正殿，正殿前为西配殿。现寺内保存清代壁画153平方米、石碑2通、石碣2方。寺内各殿内壁画保存较好其中绘有“华容小道挡曹、峪阳关斩韩福”等三国演义故事清代壁画，线条流畅，色彩鲜艳，人物栩栩如生，从壁画的规模和制作工艺以及人物造型来看，堪称大同地区明代壁画之最。2016年被山西省人民政府公布为第五批省级文物保护单位。乡村道路经此。

50-B-b073 **西蕉山古建筑群**［Xījiāo Shān Gǔjiànzhùqún］位于山西省广灵县蕉山乡西蕉山村。村子以清代古戏台为中心，古民居建筑群位于村西北隅。始创年代不详，现存建筑为清代遗构。村内保存完整的古民居有3处，房屋40间，门楼4座，便门3座，影壁2座，阁楼1座，占地面积1200多平方米。走进古村落，古堡屹立，深宅大院众多，入眼的便是门楼耸峙，甬道幽长，照壁精美，院落民居对称。房屋基本保存原貌，未被破坏。2016年被山西省人民政府公布为第五批省级文物保护单位。239国道经此。

50-B-b074 **翟疃三身寺**［Zháituǎn Sānshēn Sì］位于山西省大同市广灵县壶泉镇翟疃村。始建年代不详，坐北向南，整体院落为二进院。中轴线上由南向北依次为山门，天王殿，正殿。天王殿东西两侧为掖门，东掖门前置关帝殿，正殿前为东西配殿，占地面积为1471平方米。现寺院内存石碑1通，蟠龙碑首1块，残损经幢1座。寺内建筑均为清代遗构，正殿、关帝殿均保存有清代壁画，绘有三国演义故事壁画等，人物栩栩如生，风格清淡雅致，线条流畅，色彩鲜艳。2016年被山西省人民政府公布为第五批省级文物保护单位。省道马走线经此。

50-B-b075 **殷家庄古民居**［Yīnjiāzhuāng Gǔ

mínjū］位于山西省大同市广灵县蕉山乡殷家庄村。创建年代不详，现存建筑为清代遗构。古城门石匾上题“殷家庄”，右上角题“大明嘉靖癸卯年创建”（1534 年），左上角题“大清咸丰甲寅年重修”（1854 年），中间下部题“壬丙门”。均为马世路宅院，均以二进院或并列东西跨院为主，院落均为坐北朝南二进或三进。目前保存有共有门楼 7 座、影壁 3 座、房屋 26 栋，占地面积 4880 平方米。各院构思巧妙，布局严谨，建筑考究，规范而有变化，体现了当地的独特风格，是建筑学、民俗学、工艺美学的体现。2016 年被山西省人民政府公布为第五批省级文物保护单位。239 国道经此。

50-B-b076 **涧西古民居**［Jiànxī Gǔmínjū］位于山西省大同市广灵县壶泉镇涧西村。古堡内保存较完整的古民居 5 处，院落或二进或三进，房屋 80 多间，门楼 5 座，便门 4 座，影壁 2 座，占地面积 4317 平方米。碑文记载：“我涧西王家自西加门村徙居以来，时居四世，溯曾祖（王守先）卜宅之初，斩土除茅、足胼手胝，经营数十年，规模始有可观。”在此基础上，“祖醒世公（王醒世）相承继起，恪守遗训，九展宏图，易其田疇，浚其溝澮，修葺垣墉”。王家第一代王醒世及其父王守先购买了这片荒地，一边耕作，一遍建村，兴修了大量农田水利工程和民居民宅、庙宇楼堂。后王醒世的三个儿子明善、圣善、成善继承父亲遗志，续建新建工程，在正堡门阳刻“涧西庄□光绪甲申年”。以后又建起西堡门“逢吉门”和东堡门“康强门”。于光绪丁未年（1907 年）夏天建成有三座堡门和东西南北堡门墙，内有诸多祠、楼、殿、院的建筑精美、功能完整的涧西庄。清光绪年间，鼎盛时期的涧西王家发展了商业、酿酒业、养殖业、运输业积累了大量的钱物，成为同一时期广灵远近闻名的富裕村。是反映地区家族文化的兴衰史，也集中体现了清代不同时期方山地区民居建筑的特色、风格和演变过程，同时也记载着涧西村由一个名不见经传的小村落发展为商贾密集、名冠全县的大村落的发展历程。2021 年被山西省人民政府公布为第六批省级文物保护单位。乡村道路经此。

50-B-b077 **城新城隍庙**［Chéngxīn Chénghuáng Miào］位于山西省大同市广灵县壶泉镇城新村。据清代乾隆《广灵县志》记载，明正德九年（1514 年）重修，清代康熙年间（1666 年—1772 年）重建。坐北朝南，两进院落布局。东西长 29.8 米，南北宽 51 米，占地面积 1520 米。现存大殿、西垛殿、西配殿和寝宫。大殿面宽三间，进深七椽，勾连搭式建筑。西垛殿面宽三间，进深五椽，勾连搭式建筑，山墙外侧砖雕花卉图案。西配殿面宽三间，进深四椽，双坡硬山顶，墀头、悬鱼砖雕动物和花草图案。寝宫面宽三间，进深四椽，双坡硬山顶屋面。大殿前有大清乾隆二十一年（1756 年）重修碑 1 通。2021 年被山西省人民政府公布为第六批省级文物保护单位。239 国道经此。

50-B-b078 **枪头岭冶银遗址**［Qiāngtóulǐng Yěyín Yízhǐ］位于山西省大同市灵丘县柳科乡刁泉村的自然村枪头岭村。初炼年代不详，据村中义勇庙碑记载，明代这里就有冶炼的矿场。可知最晚在明代这里就是土法炼银之地。该遗址分布范围广、规模大，地表遗物丰富，发现有炼银废碴、矿碴、石磨盘、石碌碡、坩埚等。我省目前发现的以冶银为主的矿冶遗址为数极少，该遗址保存较好，具有一定的代表性，填补了我省在这一领域的空白。2016 年被山西省人民政府公布为第五批省级文物保护单位。乡村道路经此。

50-B-b079 **赵武灵王墓位**［Zhàowǔlíngwáng Mùwèi］位于山西省大同市灵丘县武灵镇城道坡村。赵武灵王（公元前 340—前 295 年），名雍，战国时赵国第六代国君，公元前 325 年至前 299 年在位。他推行的“胡服骑射”在中国古代战争史上具有划时代的意义。其修筑长城、迁民北疆、开发边地、设置郡县等重大措施，促进了华夏与北方少数民族的大融合，被现代史学界誉为中国历史上最有影响的百名伟人之一。灵丘县因赵武灵王墓而得名。其墓目前为现保存有高大的墓冢，是目前国内发现的唯一遗存的武灵王墓。1965 年被山西省人民政府公布为第一批省级文物保护单位。336 国道经此。

50-B-b080 **白求恩特种外科医院旧址**

［Báiqiúēn Tèzhǒng Wàikēyīyuàn Jiùzhǐ］位于山西省大同市灵丘县下关乡杨庄村。1938 年 12 月，白求恩大夫在晋察冀军区医院第一所驻地的基础上，创办了特种外科医院，医院设在一处坐东向西的一进四合院民居内，坐东朝西，大门正对面为东房，两侧分别为南房、北房。东房四间为办公室（伤员接待室），南房三间为手术室，北房三间为处置室。为纪念伟大的国际主义战士白求恩大夫，灵丘县委、县政府于 1976 年维修了医院旧址，并建立了白求恩事迹展览馆。医院旧址已成为青少年爱国主义教育示范基地，是展示国际主义的教育场所。2016 年被山西省人民政府公布为第五批省级文物保护单位。乡村道路经此。

50-B-b081 **刘庄“三一”惨案纪念地**［Liúzhuāng “31” Cǎn'àn Jìniàndì］位于山西省大同市灵丘县上寨镇刘庄村。1943 年 3 月 1 日凌晨，驻上北泉据点的日伪军 80 余人，突然将刘庄村包围，大部分群众被活活烧死，民兵刘贵全及部分冲出的群众也被敌人架起的机枪打死。1946 年 5 月 9 日刘庄群众将死难者遗骨合葬于村西，并建纪念碑楼，内立石碑一通，记载当年惨案发生经过和死难者姓名。1971 年村民与驻军重修碑楼，并在碑楼南侧新建纪念亭一座，内立汉白玉复制碑一通。“三一”惨案殉难者达 243 人，见证了日本军国主义，是爱国主义教育基地。2016 年被山西省人民政府公布为第五批省级文物保护单位。239 国道经此。

50-B-b082 **灵丘故城遗址**［Língqiū Gùchéng Yízhǐ］位于山西省大同市灵丘县落水河乡新庄村。俗称昭格城、赵国城。始建年代不详。平面呈不规则方形，东西长约 1000 米，南北宽约 1100 米，分布面积约 110 万平方米。现存城墙为汉代遗存，唐代开元年间被唐河水淹后废弃。现存墙基宽 8—10 米，顶宽 5—6 米，残高 2—5 米，夯土层厚 0.15—0.18 米。北侧、东侧墙体保存较好，西侧残存遗迹。城门位置不详。城址内采集有汉代的绳纹陶片。2021 年被山西省人民政府公布为第六批省级文物保护单位。乡村道路经此。

50-B-b083 **八路军三五九旅旅部石矾旧址**［Bālùjūn 359lǚlǚbù Shífán Jiùzhǐ］位于山西省大同市灵丘县上寨镇石矾村。1938 年 6 月中旬，王震旅长接八路军总部命令，率一二〇师第三五九旅经繁峙进驻灵丘，七一七团、七一八团、七一九团均先后在灵丘驻扎。驻扎期间经常在外线与日军作战，10 月上旬旅部由灵丘县城移驻至石矾村。三五九旅旅部驻石矾村近 1 年时间。院落整体坐西朝东，东西长 27.1 米，南北宽 15.3 米，面积约 415 平方米。旧址所在院落除门楼外，其他建筑均在 1940 年被日军烧毁，现存建筑均为 1945 年后重建。王震旅长和夫人王冀清住在村民张进清的四合院上房，住在同院的还有机要员警卫员和副官处。三五九旅司令部、政治部、卫生部、后勤部等分别住在张进清院落的东侧的民房内，同时还协助雁北地委领导雁北各县的抗日斗争，对建设和巩固雁北抗日根据地起到十分重要的作用。2021 年被山西省人民政府公布为第六批省级文物保护单位。108 国道经此。

50-B-b084 **古磁窑窑址**［Gǔcíyáo Yáozhǐ］位于山西省大同市浑源县青磁窑乡古磁窑村。遗址现存面积约 6000 平方米，堆积厚约 1–3 米。散布在地面的残瓷片随处可见，烧造期为中晚唐至金元时期。器型有碗、钵、瓶、罐、注子等。釉色有白、黑、青三种。唐代以后，烧造规模小，品种单一，以白瓷为主，主要器型有碗、盘。装饰以黑画花为主。一般器物无花纹，也有个别的黑彩绘画、刻花、剔花等。器物全部为支珠垫烧。1986 年被山西省人民政府公布为第二批省级文物保护单位。239 国道经此。

50-B-b085 **界庄遗址**［Jièzhuāng Yízhǐ］位于山西省大同市浑源县青磁窑乡界庄村。窑址现存面积约 1 万平方米，堆积厚约 2 米左右。窑址区已被民居蚕食。遗址文化面貌比较单纯，全部为中晚唐遗物。器型有碗、钵、瓶、罐、盏托、注子、炉、研磨器、玩具等。釉色有白、青、黑、三彩、绿釉 5 种，还有绞胎器物盏托、碗、瓷塑等。碗身较浅，底有平底、玉璧底、环底 3 种。钵有白、黑、青等几种，钵口部皆有一唇，鼓腹平底，均施半釉。是目前所知唐代烧造三彩器、绞胎瓷最北部的一个窑口。1986 年被山西省人民政府公布为第二批省级文物保护单位。239 国道经此。

50-B-b086　**麻庄汉墓群**［Mázhuāng Hàn Mùqún］位于山西省大同市浑源县下韩乡麻庄村。1973年发掘清理了两座汉墓群。两座墓群的形制均为斜坡墓道的长方形土坑竖穴木墓。一座有两具漆棺，木周围填有沙子和卵石。出土的随葬物有铜钉、铜熏炉、铜博山炉、铜绢、石砚等，推测此墓应是官吏夫妇合葬墓。另一座有棺具一付，骨架为男性，出土的随葬物品有素面铜釜、洗、筒形器、熏炉、刷把等。在尸骨下有很多碎铁片，推测死者身份可能为武职官吏。1965年被山西省人民政府公布为第一批省级文物保护单位。336国道经此。

50-B-b087 **恒山建筑群**［Héng Shān Jiànzhù qún］位于山西省大同市浑源县大磁窑镇停旨岭村。建于北魏太武帝太延元年，后经唐、金、元重修，到明清时仅主峰即有大小祠庙60余处。但惜多数已不存，现仅存20余处，为明清所建。主要殿宇有：恒宗殿、寝宫、会仙府、九天宫、纯阳宫、关帝庙、文昌庙、灵官庙、龙王庙、山神庙、疮神庙、马神殿、十王殿、得一庵、阎道祠、紫微阁、魁星楼、羽化堂、接官厅、龙泉观等。建筑规模宏大，文化底蕴深厚，自古就是我国道教圣地，号称“第五小洞天”。1986年被山西省人民政府公布为第二批省级文物保护单位。239国道经此。

50-B-b088 **永兴北岳行宫**［Yǒngxìng Běiyuè Xínggōng］位于山西省大同市浑源县永安镇永兴社区南顺街。又称南宫、恒岳庙，创建于北魏，唐太宗李世民派大将尉迟敬德进行扩建，并封该宫为太贞宫。原为三进院落布局，山门已毁，现为二进院落，中轴线上自南而北依次为天王殿、太贞宫、九天宫，天王殿前东南角为前殿，一进院与二进院分别设西配殿和东西厢房。现存清代石碑2通。是一处保存较完整的清代寺观，文物建筑与附属文物真实性、完整性较好，太贞宫为一殿一卷式勾连搭建筑，简朴疏朗，整个外观稳固庄严，对于研究我国古建筑艺术和宗教艺术具有重要意义。2016年被山西省人民政府公布为第五批省级文物保护单位。239国道经此。

50-B-b089 **麻家大院**［Májiā Dàyuàn］位于山西省大同市浑源县永安镇永安社区孙家巷。麻为清末举人麻席珍建造。坐北朝南，三进院带东西跨院布局，正院中轴线建有大门、过厅、正房、阁楼，东西两侧建厢房。西跨院现存两进院。东跨院现存后院。是浑源县境内规模较大，规格较高保存较完整的一处古民居，其建筑中砖、木、石雕刻精美，工艺考究，是晋北古民居的精品，既有晋北古民居的共性，又有其独特的风格。每处院落既独立封闭又有侧门与旁院相通，形成了古代独特的防御体系，对研究晋北古民居提供了实物佐证。2019年被山西省人民政府公布为第五批省级文物保护单位。乡村道路经此。

50-B-b090　**古城墓群**［Gǔchéng Mùqún］位于山西省大同市左云县三里屯乡后八里村。距汉代武州古城（王莽时为恒州）相距只有1公里，可能为当时官吏的墓群。范围包括六处：（1）古城墓，现存地面无封土。（2）后八里汉墓群，现存地面无封土。（3）双官屯汉墓群，地面封土堆三个。（4）云西堡汉墓，现存地面无封土。（5）旧高山汉墓，地面封土堆一个。（6）乔家窑汉墓群，地面封土堆三个。在六处汉墓群之间分散有许多汉墓，但地面封土堆很少。在兴修水利工程时，曾发现1座汉代砖室墓，墓中出土了2件灰色陶罐，素面，高约17厘米。在古城村中的废墟中发现有许多汉代的陶片、砖及一些生活用具和建筑材料。1986年被山西省人民政府公布为第二批省级文物保护单位。省道应凉线经此。

阳泉市

50-B-b091 **石评梅祖居**［Shípíngméi Zǔjū］位于山西省阳泉市义井镇小河村。石评梅女士是我国20世纪20年代的著名作家、妇女运动的先驱。始建于清雍正年间，距今已有270多年历史。坐西朝东，背山面水。院落布局呈阶梯状分布，有很多精致的建筑雕饰。砖雕、木雕、石雕均非常精致，多分布于门楣、雀替、门柱石、柱础石、前檐上。这些雕饰不仅构图优美，栩栩如生，而且用意、形、音的方式，表示吉祥富贵，既反映了院主人对人生（尤其是对子孙）的良好祝愿和热切期盼，又充分展示了中华民族民俗文化的深厚底蕴。2016年被山西省人民政府公布为第五批省级文物保护单位。307国道经此。

50-B-b092 **百团大战狮脑山战斗遗址**［Bǎi tuándàzhàn Shīnǎoshān Zhàndòu Yízhǐ］位于山西省阳泉市区西南部，距市中心5公里。占地面积60余亩，海拔1060米，是抗战期间闻名中外的“百团大战” 主战场之一。战役第一阶段，在实施对正太路的破袭中，为牵制阳泉日军第四混成旅团，使其不能出动增援西段守敌，八路军一二九师三八五旅十四团、七六九团奉命扼守在狮脑山。八路军第一二九师第三八五旅第十四团奉命攻克狮垴山高地，瞰制正太铁路（正定至太原）西段的咽喉。在奇峰陡立的狮脑山上，第一二九师三八五旅七六九团和十四团的勇士们，经过六个昼夜的浴血奋战，共毙伤日军400余人。为百团大战第一阶段的全面胜利立了首功。彭德怀副总司令在百团大战第一阶段总结中，高度肯定了“守卫狮脑山的部队英勇顽强”的战斗精神。遗址是大抗战时期国内保留为数不多的八路军修建的战争工事，具有极高的革命历史价值，也是爱国主义教育极为重要的基地之一。2021年被山西省人民政府公布为第六批省级文物保护单位。307国道经此。

50-B-b093 **平坦垴古井及城墙遗址**［Píngtǎn nǎo Gǔjǐng Jí Chéngqiáng Yízhǐ］位于山西省阳泉市高新技术产业开发区平坦垴村西、桃河北岸的台地之上。平面布局不明，现存北墙残长近百米，东西走向，墙基宽约4—5米，顶3—4米，墙残高5.1米。墙体夯筑，夯层厚0.06—0.09米，也有一种厚0.10—0.12米，夯窝直径5厘米，版筑而成。地表曾采集战国绳纹罐、汉代素面罐及绳纹板瓦残片。结合出土了铁锛、筒板瓦等文物、构件和木构件测年数据，可知该井的使用时间为战国—汉，与古城的年代相吻合，可知该井应该为古城的一处附属设施，为我们探讨古城的南部范围提供了依据。该井对于古井砌筑工艺、早期木构建筑研究、平坦垴古城探索都有重要的意义。2021年被山西省人民政府公布为第六批省级文物保护单位。通708路公交车。

50-B-b094 **石评梅故居**［Shípíngméi Gùjū］位于山西省阳泉市平定县姑姑寺巷。石评梅是中国著名女作家，是民国四大才女之一，乳名心珠，学名汝璧。因爱慕梅花之俏丽坚贞，自取笔名石评梅。故居是一座清代民居建筑，坐东朝西，占地面积约1000平方米，建筑面积约700平方米，由前院、里院和偏院组成。前院有倒座、照壁和大门，里院有正房及南北厢房，偏院有三间二层小木楼一座，曰“栖云阁”，为石评梅居住的“绣楼”。石评梅在此居住生活期间，创作了《素心》《归乘》等散文名篇。石评梅的革命精神及对封建思想不妥协的精神，以及对爱情执著的精神将永远激励后人。2004年被山西省人民政府公布为第四批省级文物保护单位。307国道经此。

50-B-b095 **承天寨军城遗址**［Chéngtiānzhài Jūnchéng Yízhǐ］位于山西省阳泉市平定县娘子关镇城西村西北4公里的紫金山顶。坐西朝东，东西340米，南北270米，占地面积91800平方米。唐“安史之乱”后，唐王为防河朔地区的叛乱，于唐大历元年（766年）命河东节度使张奉璋在紫金山上修筑军城。修成后唐代宗以“信承于天”嘉赐“承天军城”。承天军城修筑于紫金山峰顶，地理位置险绝，可扼控桃、温两河，防止东来之敌。唐游击将军胡伯成在《承天军城记》中云：“缭崇墉于岩半，百鸩云耸；冠小城于峰巅，万仞天削”，历代被称为“天上堡垒”。历史上裴度、韩愈、李克用、李存勖都在此用兵。2021年被山西省人民政府公布为第六批省级文物保护单位。乡村道路经此。

50-B-b096 **上董寨寿圣寺**［Shàngdǒngzhài Shòushèng Sì］位于山西省阳泉市平定县娘子关镇上董寨村。坐北朝南，由上寿圣寺和下寿圣寺组成，占地面积约1500平方米。下寿圣寺位于山西省阳泉市平定县娘子关镇上董寨村东侧，与上寿圣寺相距约90米，坐北朝南，占地面积约820平方米。上寿圣寺始建于宋真宗大中祥符年间（1008年—1016年），明成化五年（1469年）重修，明嘉靖二十六年（1547年）再次重修，之后屡有修葺。现存建筑由南殿（前殿）、钟鼓楼、东西廊庑、方丈、僧舍、东西库及附属建筑组成。下寿圣寺始建年代不可考，重建于宋元丰六年（1078

年），明嘉靖二十九年（1550 年）进行重修，明隆庆六年（1572 年）再次重修，之后屡有修葺。现存建筑由正殿、南殿、伽蓝殿、关帝殿、钟楼及附属建筑组成。寺院内还保留有大量石刻等附属文物。上、下两寺保留有宋代风格的础石、重唇板瓦，元代风格的铺作等构件，并将之融汇于明代建筑中，使单体建筑保存有多种时代特征，是晋东地区古建筑保留历代构件及特征的典型代表。2021 年被山西省人民政府公布为第六批省级文物保护单位。乡村道路经此。

50–B–b097 **正太窄轨铁路桥及娘子关站**［Zhèngtài Zhǎiguǐtiělùqiáo Jí Niángzǐguānzhàn］位于山西省阳泉市平定县娘子关。正太铁路，1904 年动工兴建，1907 年全线竣工通车，原计划由河北省正定县的柳林堡修至太原，铁路因此得名，后因线路经滹沱河架桥困难，改由石家庄修起，所以又称石太铁路。娘子关村正太铁路窄轨桥、正太铁路在平定县现存有娘子关火车站旧址、正太铁路娘子关站给水池三部分，其主体结构均为原状。2021 年被山西省人民政府公布为第六批省级文物保护单位。省道阳井线经此。

50–B–b098 **烈女祠**［Liènǚ Cí］位于山西省阳泉市盂县孙家庄镇大吉村。因祭祀周世宗柴荣之女柴花公主而得名，亦称柴花圣母祠。据现存碑记载，该庙至迟建于金泰和二年（1202 年），以后元、明、清三代历加修缮，坐北朝南，依山就势，主要建筑依中轴线自南向北依次为影壁、木牌楼、仪门、圣母殿，东西两侧建耳殿、东西配殿、钟鼓楼。祠西北有两天然石洞，号曰修真洞、藏身洞，洞南山崖边建抱泉楼三间。祠内现存清代壁画 105 平方米、塑像 2 尊。2004 年被山西省人民政府公布为第四批省级文物保护单位。省道阳平线经此。

50–B–b099 **大铁钟**［Dàtiězhōng］位于山西省阳泉市盂县长池镇藏山村。原为盂县县城内西寺大殿之物，后移至大王庙保存，现悬挂于藏山祠南洞钟亭。宋宣和六年（1124 年）铸。高 210 厘米、口径 286 厘米、围长 900 厘米、壁厚 4 厘米，重约 2000 公斤。龙纽身躯盘曲成环状。钮下一圈覆莲，再下是两栏铸铭，以线条分隔成方格，葵形口沿。铭文记载了铸造时间和铸地及助缘人姓名等内容。1965 年被山西省人民政府公布为第一批省级文物保护单位。239 国道经此。

50–B–b100 **庄里龙天庙**［Zhuānglǐ Lóngtiān Miào］位于山西省阳泉市盂县下社乡庄里村。坐北朝南，东西 11.4 米，南北 8 米，占地面积约 91.2 平方米。据殿内梁架题记记载，该殿重修于明弘治十年（1497 年）布局不明，现仅存正殿一座，元代建筑。石砌台基，宽 114 米，深 8 米，0.2 米。面宽三间，进深四椽，悬山顶，筒板瓦覆盖。梁架三椽栿对前搭牵，柱头有卷杀，前檐铺作 7 朵，四铺作单昂，明间出 45° 斜拱。庙内有碑 2 通。2021 年被山西省人民政府公布为第六批省级文物保护单位。乡村道路经此。

50–B–b101 **李庄藏山祠**［Lǐzhuāng Zàngshān Cí］位于山西省阳泉市盂县西潘乡李庄村。据祠内现存碑记载，始建于元至正十六年（1356 年），明代、清代均有修葺。坐北朝南，一进院落布局，占地面积约 1400 平方米。正殿坐落于院落西北端；戏台位于正殿南侧 25 米处，与正殿相对；院落西侧设二层鼓楼，紧邻鼓楼的是窑房；院门位于院落东南角，院门是近年来安置的大铁门。正殿为元代遗构，戏台、鼓楼及窑房为清代遗构。正殿西侧的耳房及戏台西侧的耳房均为 20 世纪 50 年代砌筑。现存正殿、戏台、鼓楼及窑房，其余建筑均毁于 20 世纪 50 年代。2021 年被山西省人民政府公布为第六批省级文物保护单位。乡村道路经此。

50–B–b102 **交口村大王庙**［Jiāokǒu Dàwáng Miào］位于山西省阳泉市盂县仙人乡交口村。始建年代不详。坐北朝南，一进院落布局，东西 20 米，南北 15 米，占地面积约 300 平方米。现仅存正殿一座，为元代遗构，面宽三间，进深四椽，单檐悬山顶，筒板瓦覆盖，四椽栿通搭前后檐构架，前檐置四铺作单昂斗栱。庙内存清碑 9 通。2021 年被山西省人民政府公布为第六批省级文物保护单位。乡村道路经此。

长治市

50–B–b103 **壁头遗址**［Bìtóu Yízhǐ］位于山

西省长治市潞州区壁头村。1956 年调查发现，壁头村村西断壁上暴露有灰色泥质夹砂绳纹和蓝纹陶片，采集到鬲口沿、鼎足、石斧、石镰、石刀等人类生活用品和石制生产工具，为新石器时代龙山文化类型。1985 年夏又在小神村西发现一处遗址，1986 年进行试掘，清理出古代房屋居址两座、汉墓数座，出土了大量的陶片和一些随葬物。经综合分析，遗址除龙山文化类型外，还有夏、商、周时期的文化类型。1965 年被山西省人民政府公布为第一批省级文物保护单位。519 国道经此。

50–B–b104 **柏后神农庙**［Bǎihòu Shénnóng Miào］位于山西省长治市城区常青办事处柏后村。创建年代不详，依据现存建筑的特征推定，最迟明代该寺庙就存在。现存庙院二进院落布局，坐北朝南，总面积 953 平方米。中轴线建有献殿、正殿、寝宫，两侧有东西耳殿、东西廊房等建筑，正殿面宽三间，进深二间，四椽栿通达前后檐用三柱，减柱造法，斗栱五踩，圆形的大斗，耍头为龙头形状，前檐使用圆形的额枋，四根檐柱的柱头为斜砍面，檐柱下是鼓形的柱础石，悬山式屋顶。2016 年被山西省人民政府公布为第五批省级文物保护单位。208 国道经此。

50–B–b105 **小罗灵仙庙**［Xiǎoluó Língxiān Miào］位于山西省长治市潞州区老顶山镇小罗村，距长治市 8 公里。始建于元代，具体年限无法考证，清乾隆七年（1742 年）进行了一次维修，因碑碣字迹漫漶，维修内容不详。碑碣中记载庙为灵泽王庙，灵仙庙是俗称。坐北朝南，中轴线上有山门和大殿，两侧排列有厢房、廊房、耳殿，均东西对称。大殿面阔三间，进深六椽，单檐悬山式建筑，都是元代建筑的典型特征。2016 年被山西省人民政府公布为第五批省级文物保护单位。乡村道路经此。

50–B–b106 **张村府君庙**［Zhāngcūn Fǔjūn Miào］位于山西省长治市潞州区大辛庄镇张村。始建年代不详，庙内存元至治元年（1321 年）创建新堂（大殿）石碣，“至顺元年（1330 年）功毕”。明万历三十四年（1606 年）“重新修理南角殿三间”碑记。坐北朝南，现存建筑有大殿，东西耳殿，从建筑的用材和内部个别构件组合特点观察，东耳殿为明代中期建筑，西耳殿为清代晚期建筑。2016 年被山西省人民政府公布为第五批省级文物保护单位。519 国道经此。

51–B–b107 **抗日五专署及刘伯承兵工厂旧址**［Kàngrìwǔzhuānshǔ Jí Liúbóchéng Bīnggōngchǎng Jiùzhǐ］位于山西省长治市潞州区五马街道办事处南石槽村。原称山西第五行政区督察专员公署。旧址为一进院落布局，坐北朝南，有正房五间，东西厢房各六间，南房七间。一九三八年十月至一九三九年七月，领导组织长治地区抗日斗争的政权机构“山西省第五专区行政主任公署”后改称“山西省第五行政区督察专员公署”（简称“抗日五专署”），正式成立以专员戎子和、主任秘书杨献珍为核心的专署，为晋冀豫抗日根据地的建立和发展作出杰出的贡献。一九四五年底，长治解放后，平顺兴安里兵工厂（前身是黎城县黄崖洞八路军兵工厂），迁往此地，成立刘伯承兵工厂，逐成为刘伯承兵工厂办公所在地。2016 年被山西省人民政府公布为第五批省级文物保护单位。通 24、19 路等公交车。

50–B–b108 **八路军总部办事处故县旧址**［Bālùjūn Zǒngbù Bànshìchù Gùxiàn Jiùzhǐ］位于山西省长治市潞州区黄碾镇故县村。1937 年 11 月 8 日，朱德总司令、彭德怀副总司令率八路军总司令部挺进上党后，办事处就驻扎在故县村二仙庙内。先后有电话局、抗大一分校等机关在此进行办公和抗日活动。1946 年，八路军前方总部在此创建了太行根据地第一个军工铁厂——刘伯承铁厂（现长治钢铁厂前身），当时日出铁 200 吨，造炮弹 100 多发，为解放战争作出过较大贡献。铁厂迁走后，中国人民解放军 7016 厂又将二仙庙作为建厂筹备场地多年使用。二仙庙始建于清康熙年间，坐北朝南，分上下两进院落，现存正殿、耳殿等殿宇 40 余间，占地面积为 2000 平方米。2004 年被山西省人民政府公布为第四批省级文物保护单位。309 国道经此。

50–B–b109 **捉马昭泽王庙**［Zhuōmǎ Zhāozé wáng Miào］位于山西省长治市城区捉马村。据碑碣记载：始建于五代后唐清泰二年（935 年），明嘉靖三十年（1551 年）、清顺治十四年（1657

年）、乾隆四年（1739 年）、乾隆四十二年（1777 年）、嘉庆七年（1802 年）、同治十一年（1872 年）均有重修。坐北朝南，东西长 28.68 米，南北长 59.4 米，占地 1770.97 平方米。1945 年秋，上党战役中毁于战火，现仅存昭泽王殿（元代遗构）和真武阁（明、清遗构），其余建筑为 1994 年村委会在原址上新建。布局二进院，中轴线上由南向北依次有戏楼、昭泽王殿、真武阁，前院东西廊房各 5 间，东西庑房各 1 间，后院有东西厢房各 3 间，东西耳殿各 3 间，明清重修碑 3 通。昭泽王殿面阔三间，进深六椽。真武阁由上下两部分组成，下层为砖券房屋三间，拱形顶。是研究当地古建筑的实物资料。2021 年被山西省人民政府公布为第六批省级文物保护单位。通 902、309 路等公交车。

50–B–b110 **南垂府君庙**［Nánchuí Fǔjūn Miào］位于山西省长治市郊区老顶山镇南垂村。原址为唐代“二仙庙”，宋末因战乱渐断香火，元代初期，饱经战乱之苦的南垂村民为祈福苍生、消弭灾祸，在“二仙庙”旧址新建府君大殿，形成二进院落庙宇模式，清乾隆三十一年（1766 年）、同治十三年（1874 年）、民国二二年（1923 年）进行了 3 次大规模重修，后迭补修。使府君庙虽历经沧桑却依然保留完整，是我区现存的十余座府君庙中历史最早、保存最完整的一座。坐北朝南，二进院落，现山门保留民国时期单墙尖顶造型，山门厢房建筑为 20 世纪 90 年代建造。一进院东厢房为 20 世纪 90 年代在原址上建造，一进院西厢房不存。二进院门不存，两侧现状为 20 世纪 90 年代西厢房及石台上东、西偏房为 50–80 年代做学校时在原址上建造。二进院东、现大殿南侧遗留有献殿柱础石，现大殿、东、西耳房、东、西偏房均建在石台上。2021 年被山西省人民政府公布为第六批省级文物保护单位。通 13 路公交车。

50–B–b111 **关村静乐宫**［Guāncūn Jìnglè Gōng］位于山西省长治市郊区老顶山镇关村。创建年代不详。坐北朝南，南北 47.1 米、东西 30.6 米，占地面积 1420 平方米。现存建筑为清代遗构。一进院落布局，中轴线建有山门、正殿；两侧有东、西配殿（原貌已不存，现已新建），东、西耳殿，屋顶均已重新修建。正殿面宽三间、进深六椽、琉璃筒瓦屋面，琉璃脊兽，隔扇门装修。正殿内存彩塑 3 尊，壁画 21.70 平方米，内容为人物故事。正殿门前现存碑 1 通，清道光七年（1827 年）立石。现为村中老年人活动中心。是研究当地清代建筑的实物资料。2021 年被山西省人民政府公布为第六批省级文物保护单位。通 28 路公交车。

50–B–b112 **南垂村玉皇庙**［Nánchuí Yùhuáng Miào］位于山西省长治市郊区老顶山镇南垂村。创建年代不详。坐北朝南，东西 34.75 米、南北 38.8 米，占地面积约 1348.3 平方米。现存建筑为清代遗构。一进院落布局，中轴线依次建有戏台、献亭、正殿，两侧为东、西配殿，东、西耳殿。正殿建于高为 1.1 米的砂岩石台基上，面宽三间，进深四椽，单檐硬山顶，柱头斗栱五踩双下昂，六抹头格扇装饰。西配殿门前有“重修玉皇庙工程碑”一通，阴刻龙形碑首，清嘉庆八年（1803 年）立石。2021 年被山西省人民政府公布为第六批省级文物保护单位。通 13 路公交车。

50–B–b113 **西长井灵泽王庙**［Xīchángjǐng Língzéwáng Miào］位于山西省长治市郊区老顶山镇西长井村。创建年代不详，元、明、清曾多次进行修建。坐北朝南，南北 54.15 米、东西 31 米，占地面积 1700 平方米。现存正殿为金代遗构，其余建筑为清代遗构。一进院落布局，中轴线上现存有山门、献殿、正殿；两侧建东、西偏殿各五间，东、西配殿各五间，东、西耳殿各三间，均砖木结构建筑。正殿面宽三间，进深六椽，单檐悬山顶。献殿内存清道光乙巳年（1845 年）、清乾隆五十六年（1791 年）的“重修灵泽王庙碑记”碑各一通，清代的佈施碑一通。明隆庆四年（1570 年）的“重修佛殿记”碑一通，大元国元统二年（1334 年）的“重修祖□记”碑一通，大清嘉庆四年（1799 年）年“重修古佛堂碑记”碑一通。山门东山墙上有康熙十八年（1679 年）的碑碣一方。2021 年被山西省人民政府公布为第六批省级文物保护单位。通 302、108 路等公交车。

50–B–b114 **申家大院**［Shēnjiā Dàyuàn］位于山西省长治市郊区西白兔乡中村。又称申家棋盘二十四院。建村年代久远，据史料记载，早在三千五百年前的殷商时期，就有先民在这里定居。商周时期建村，隋唐设县制后，为潞城管辖。明朝末年，立村名中村，解放前由山西省潞城县管辖，在1976年划为现在的长治市郊区西白兔乡。占地约45万平方米，现存居住性院落和古手工作坊店铺庙宇60余座。是明清晋商先驱、潞商杰出代表申氏家族居住地。规模宏大、布局严谨、造型独特、巍峨壮观，修建工艺精湛，其经济活动具有家族性经营和产业变革特征，堪称古代经济社会转型期一个具有划时代意义的产业园。具有重要的历史、文化、艺术研究价值，是建立原生态潞商古产业园和研究明清时期山西省晋东南地区民俗风情商业活动的活标本，也是目前所知潞商辉煌时期的唯一实物见证。2015年入选国家第三批传统村落，2016年通过万里茶道申遗办专家遴选考察被确定为，中俄蒙三国联合申请，中村申家大院为“万里茶道”世界文化遗产的申遗点之一。2021年被山西省人民政府公布为第六批省级文物保护单位。乡村道路经此。

50-B-b115 **八路军总政治部宣传部旧址**［Bālùjūn Zǒngzhèngzhìbù Xuānchuánbù Jiùzhǐ］位于山西省长治市郊区西白兔乡中村。1938年10月25日八路军总部和野战政治部从山西省长治市郊区故县村转战来到中村八路军总部驻扎在中村东北的龙泉山龙王庙内，野战政治部和八路军总部政治部宣传部以及抗大一分校等总部机关分别驻扎在中村村内。到1939年7月八路军总部机关转战武乡，朱德总司令、彭德怀副总司令、左权副总参谋长，以及薄一波、陆定一、康克清、杨尚昆等老一辈革命家，在这里生活、战斗了256天。朱德总司令曾在民国28年（1939）于此挥毫吟颂著名诗篇《太行春感》。是华北抗战的重要实物资料。2021年被山西省人民政府公布为第六批省级文物保护单位。55国道经此。

50-B-b116 **八义窑址**［Bāyì Yáozhǐ］位于山西省长治市上党区八义镇八义村，50年代进行过调查发掘，共发现了18座瓷窑遗址，对采集到的瓷器和瓷片进行考证，确认窑址为宋代瓷窑。窑址分布在村北，东西长300米，南北宽200米。窑址生产的瓷器，品种多，釉色纯正，属北方磁州窑系。瓷窑已毁，地表可见残存大量白釉褐花瓷片，从遗址上采集到的瓷片和出土器物来看，窑址烧造以碗、盘、杯等日常生活用品为主，以玩具、佣、尊为辅。瓷器的釉色有红釉、白釉、黑釉、绿釉等，尤其是该窑独特的釉上红和绿彩装饰堪称一绝。1965年被山西省人民政府公布为第一批省级文物保护单位。乡村道路经此。

50-B-b117 **东泰山庙**［Dōngtài Shān Miào］位于山西省长治市上党区苏店镇原家庄村。始建年代不详，明嘉靖年间重修，后历代屡有修葺。坐东朝西，三进院落，总占地面积约4000平方米。中轴线上依次建有山门、重楼、戏楼、献亭、正殿、后殿等七座建筑，两侧建有钟、鼓楼、厢房、南北阁楼（梳妆楼）、南北垂花门、配殿、廊房、耳殿等建筑，均为明代遗构，屋面正脊上有“嘉庆十九年重修”题记。2004年被山西省人民政府公布为第四批省级文物保护单位。通201路公交车。

50-B-b118 **南宋村秦氏民宅（含南宋高楼）**［Nánsòngcūn Qínshì Mínzhái（Hán Nánsòng Gāolóu）］位于山西省长治市上党区南宋乡南宋村，大院建于明代中叶，为当地一商人住宅。现尚存4处院子、六进院落，其中东、西院较为完好。大院平面布局紧凑 合理，院与院既分隔又相通，且在建造中刻意注重防火、防盗等功能的设计。大院所有门窗装修、柱础、博风、悬鱼、惹草等木石砖雕十分精美，别具一格。高楼始建年代不详，现存为一座明代的防御性高层建筑。高20余米，上下分五层，面阔五间，进深四椽，悬山顶。通体青砖砌筑。2004年被山西省人民政府公布为第四批省级文物保护单位。通206路公交车。

50-B-b119 **长治县都城隍庙**［Chángzhìxiàn dū Chénghuáng Miào］位于山西省长治市上党区西火镇南大章村。创建于东汉，后历代多次重建，现存建筑为明清遗构。坐北朝南，一进院，现存山门、戏台、献亭、正殿、夹殿、钟楼、鼓楼、厢房、廊坊、耳房等古建筑50余间。正殿面阔三间，进深五椽，单檐硬山顶。2004年被山西省人民政府公布为第四批省级文物保护单位。通220路公交车。

50-B-b120 **赵村玉皇庙**［Zhàocūn Yùhuáng

Miào］位于山西省长治市上党区南宋乡赵村。创建年代不详，据庙内现存碑刻记载，清乾隆四十八年（1783 年）重修。现存建筑皆为清代遗构。一进院布局，坐北朝南，该庙现存大殿及东西耳殿、山门及东西妆楼、东西配殿，院外西南处有观音殿一座。玉皇庙包含观音殿，坐北朝南，创建年代不详，现存梁架为金代遗构，该殿为研究晋东南地区的早期建筑提供了实物资料。2016 年被山西省人民政府公布为第五批省级文物保护单位。通 211 路公交车。

50–B–b121 **王坊三神庙**［Wángfāng SānShén Miào］位于山西省长治市上党区荫城镇王坊村，王坊三神庙院落基本保持原有形制，四合院布局。主要建筑 3 座，保存建筑有大殿，东西厢房等。大殿现在用钢架棚保护，面宽五间，进深二间，梁架结构为四椽栿压后乳栿用三柱，斗栱为五铺作。大殿梁架组合规整，斗栱制作规范，明间梁架脊槫处两侧出现了垂莲柱以及若干形如翼形栱的构件，是典型的明代风格。2016 年被山西省人民政府公布为第五批省级文物保护单位。通旅游 6 号线公交车。

50–B–b122 **辛庄三嵕庙**［Xīnzhuāng Sānzōng Miào］位于山西省长治市上党区苏店镇辛庄村。创建年代不详，据庙内碑碣记载，明正德十二年（1517 年）、隆庆四年（1570 年）重修，现存正殿梁架有元代风格，屋顶题记。清同治六年（1867 年）曾整修屋顶。坐北朝南，东西长 15.8 米、南北宽 8.3 米，占地面积 131 平方米。一进院落，现仅存正殿，正殿面阔五间，进深六椽，屋顶单檐悬山顶，琉璃脊饰，四椽栿对前乳栿通檐用三柱，前廊式构架，柱头铺作为五铺作双下昂，门窗装修新换。是研究晋东南地区的寺庙建筑的重要实物资料。2021 年被山西省人民政府公布为第六批省级文物保护单位。省道长晋线经此。

50–B–b123 **北宋村玉皇庙**［Běisòng Cūn Yùhuáng Miào］位于山西省长治市上党区南宋乡北宋村。创建年代不详，据庙内碑刻记载，清乾隆元年（1736 年）重修。坐北朝南，东西宽 15.1 米、南北长 34.397 米，占地面积 519.4 平方米。现存正 153 殿为元代遗构，其余皆为清代建筑。一进院落布局，中轴线上遗存有山门、正殿，其他建筑皆毁坏无存。正殿面阔五间，进深六椽，单檐悬山顶，琉璃脊饰，四椽栿对后乳栿用三柱构架，柱头铺作为六铺作三下昂，原装修不存，后人砌筑前墙，设门窗。庙内遗存重修碑 2 通。是研究当地早期古建筑重要的实物资料。2021 年被山西省人民政府公布为第六批省级文物保护单位。通 206 路公交车。

50–B–b124 **大峪关帝庙**［Dàyù Guāndì Miào］位于山西省长治市上党区荫城镇大峪村东南。创建年代不详，据庙内现存碑碣记载：明万历十六年（1588 年），清道光四年（1824 年），光绪三十年（1904 年）均有修葺。坐北朝南，东西长 92.75 米、南北宽 20.58 米，占地面积 1908.8 平方米。现存正殿为明代遗构，其余皆为清代建筑。两进院落布局，中轴线上由南向北依次为倒座戏台（基址）、正殿，东、西两侧现存西廊房、配殿。正殿建于沙石砌筑的台基之上，台基长 11.26 米、宽 2.85 米、高 1.03 米。殿身面宽七间，进深六椽，单檐悬山顶。殿内正中石砌神台，三面墙体存有三国故事壁画（东山墙壁画被盗割）。庙内存明、清重修碑 4 通，碣 3 方。是研究晋东南地区的寺庙建筑重要的实物资料。2021 年被山西省人民政府公布为第六批省级文物保护单位。省道荫林线经此。

50–B–b125 **东呈古佛堂**［Dōngchéng Gǔfó Táng］位于山西省长治市上党区韩店镇东呈村。创建年代不详，据原存碑碣记载，明嘉靖三年（1524 年）、清嘉庆元年（1796 年）均有修葺。坐北朝南，一进院落布局，东西长 26.6 米、南北宽 31.28 米，占地面积 832.05 平方米。现存南殿、正殿为元代遗构，其余皆为清代建筑。中轴线上由南向北依次为南殿、正殿，两侧仅存东、西配殿各三间。南殿建于高 0.45 米的石砌台基之上，面阔五间，进深六椽，单檐悬山顶。正殿建于高 0.25 米的石砌台基之上，面阔五间，进深六椽，单檐悬山顶，梁架结构四椽栿对前乳栿用三柱，梁栿均为圆木原材，柱头铺作六铺作单抄双下昂，装修不存。2021 年被山西省人民政府公布为第六批省级文物保护单位。208 国道经此。

50-B-b126 **李坊洪福寺**［Lǐfāng Hóngfú Sì］位于山西省长治市上党区荫城镇李坊村村北。据现存碑碣记载，创建于宋太平兴国五年（980年），金、元、明、清屡次修缮。坐北朝南，东西长27.04米、南北宽72.25米，占地面积1953.64平方米。现存眼光殿、罗汉殿为金代遗构，后大殿为元代遗构，其余皆为明、清遗构。庙为三进院落布局，中轴线上由南向北现存眼光殿、罗汉殿、后大殿；东、西两侧存配殿、东廊房。寺内存清乾隆三十二年（1767年）《重修眼光圣殿碑记》碑1通，金泰和八年（1208年）《尚书礼部牒》碣1方，清乾隆三十二年（1767年）布施碣3方。是研究晋东南地区的寺庙建筑重要的实物资料。2021年被山西省人民政府公布为第六批省级文物保护单位。通220路公交车。

50-B-b127 **赵村观音庙**［Zhàocūn Guānyīn Miào］位于山西省长治市上党区南宋乡赵村。创建年代不详。坐南朝北，东西长10.3米、南北宽8.45米，占地面积87平方米。现存建筑为元代遗构。一进院落布局，现仅存小殿，该殿建于高0.85米石砌台基之上，面阔三间，进深四椽，单檐歇山顶，三椽栿对前搭牵通檐用三柱构架，柱头铺作四铺作单下昂，门窗隔扇新设。殿内存青石质束腰须弥式神台，线刻莲花图案，赵村烈士碑立于小殿之内。是研究晋东南地区的寺庙建筑重要的实物资料。2021年被山西省人民政府公布为第六批省级文物保护单位。通211路公交车。

50-B-b128 **横河玉皇庙**［Hénghé Yùhuáng Miào］位于山西省长治市上党区荫城镇横河村。坐北朝南，东西长34.9米、南北宽25.5米，占地面积886.46平方米。据庙内碑碣记载，创建于明景泰五年（1454年），清康熙四十五年（1706年）大修，现存正殿为明代建筑，其余皆清代遗构。一进院落布局，中轴线上仅存正殿，东、西两侧遗有配殿、碑廊、耳殿。正殿建在高1.35米的石砌台基之上，面宽五间，进深三间，单檐悬山顶，琉璃剪边，柱头科五踩双下昂，因殿内吊顶，梁架结构不明，新设隔扇门窗。碑廊内存明重修碑2通。2021年被山西省人民政府公布为第六批省级文物保护单位。通旅游6号线公交车。

50-B-b129 **上党战役指挥部北天河旧址**［Shàngdǎng Zhànyì Zhǐhuībù Běitiānhé Jiùzhǐ］位于山西省长治市上党区苏店镇北天河村。坐北向南，东西长14.6米、南北宽21.6米，占地面积315.36平方米。现仅存正房，面宽五间，进深四椽，单檐硬山顶棚楼式建筑，斗栱为一斗二升，一层明间装修设板门，次间与稍间设窗，二层明间设四扇四抹头隔扇窗。大门前10米处有影壁一座。1945年9月初，上党战役期间，晋冀鲁豫军区指挥部设在姜王锁宅院。刘伯承司令员和邓小平政委在此签发了“晋冀鲁豫军区作战第七号命令”，决定上党战役由攻坚战变为“围城打援战”。2021年被山西省人民政府公布为第六批省级文物保护单位。乡村道路经此。

50-B-b130 **脑张遗址**［Nǎozhāng Yízhǐ］位于山西省长治市屯留区城南六公里西贾乡西魏村。遗址地处平坦，东连东魏村，南接司徒，北靠翠屏山，玉溪河环绕而过，总面积约77.5千平方米，从遗址内的断崖和地面可以看见文化层，包含有大量的灰土、陶片。陶片以灰陶片为主，纹饰以绳纹、蓝纹为主，可辨器型有新石器时期的陶鬲足、罐的口沿、石铲等；商周时期陶豆柄、豆盘以及汉代常见细绳纹陶罐、磨光陶器残片。整个文化层厚约0.5—2.0米，同时遗址保护范围内埋藏有大量战国、汉代古墓葬。1996年被山西省人民政府公布为第三批省级文物保护单位。省道屯龙县经此。

50-B-b131 **崇福院**［Chóngfú Yuàn］位于山西省长治市屯留区路村乡王村。断代为金、元。坐北朝南，一进院落。正殿三间，厢房、配殿十间，占地面积726平方米。正殿面阔三间，进深四椽，单檐悬山顶，四架椽屋。梁架为彻上露明造，结构为前三椽袱对后搭牵用三柱，柱头斗拱四铺作单抄，屋面平缓，殿内梁栋规整，为宋金建筑风格。1996年被山西省人民政府公布为第三批省级文物保护单位。通屯留206路公交车。

50-B-b132 **上村双桥**［Shàngcūn Shuāng qiáo］位于山西省长治市屯留区积石河上村镇小河北村、积石村。积石桥（东桥）创建于元至正十五年（1355年），南侧为上村，北侧为积石村，桥面长 53 米，宽 6.12 米，采用纵联成栱技术，无吸水兽，券脸亦无雕饰，是典型的明代石拱桥；另一桥桥面长 38 米，宽 6.45 米，采用分节并列法砌筑券栱，是古老的栱券技术，北方地区后世已较少使用，其吸水兽和望柱栏杆的雕饰都表现出早期风格，是一座宋金风格石拱桥。2016 年被山西省人民政府公布为第五批省级文物保护单位。208 国道经此。

50–B–b133 **老爷山革命战斗遗址**［Lǎoyé Shān Gémìng Zhàndòu Yízhǐ］位于山西省长治市屯留区上莲乡老爷山。1945 年，闻名中外的“上党战役”主战场就发生在这里，共歼俘敌援部队 2.2 万余人。为上党战役的最后胜利起了决定性作用，从而揭开了解放战争的序幕。山上原有唐代至清代的寺庙 8 处，137 间，尽毁于战争中，现除部分基础遗存外，（断垣残壁改作它用），仅剩一座莲花舍利塔，满身弹痕累累，是“上党战役”的一个重要标志。1965 年被山西省人民政府公布为第一批省级文物保护单位。乡村道路经此。

50–B–b134 **抗大一分校北岗旧址**［Kàngdà Yīfēnxiào Běigǎng Jiùzhǐ］位于山西省长治市屯留区渔泽镇北岗村。中国人民抗日军事政治大学第一分校队旧址，简称抗大一分校旧址，为两进四合院。于 1939 年 2 月 23 日进驻该村。抗大一分校旧址主要包括抗大一分校直属队旧址、抗大一分校直属队女生队旧址、抗大一分校特科营营部旧址。占地面积约 5347 平方米。2016 年被山西省人民政府公布为第五批省级文物保护单位。208 国道经此。

50–B–b135 **上党关遗址**［Shàngdǎngguān Yízhǐ］位于山西省长治市屯留区西南摩坷岭之巅。是古时上党西通平阳的必经之路，上党的西大门，有秦晋通衢之称。上党关历史悠久，最早的记载是《汉书・地理志》：“上党郡，有上党关”。现状摩坷岭山巅遗存属于上党关的明清时期驿站 1 处。驿站旧址坐北朝南，南北 21.3 米，东西 16.33 米，占地面积 347.83 平方米。院落围墙、建筑、院面均使用条石砌筑而成，以青石和黄砂石为主。驿站原有南房、北窑等建筑，历经岁月风雨，现状南房仅残存后墙，北窑 3 孔窑洞全部塌顶，尚存部分墙体。东、西两侧围墙各留存石砌拱券门 1 座，西墙外留有水井。东侧拱券门向东延伸留存有古驿道，砂石路面，宽约 2.6 米左右，顺山势而下，在山腰处还留有一段，现状可较明显辨析的古驿道总长约 200 余米。驿站旧址向西约 560 米，还有历史上同属上党关的龙王庙一处。龙王庙坐北朝南，现存窑洞 3 孔和神龛 1 座。驿站旧址向南约 180 米的山石峭壁上，留存石刻佛像一处，同属于上党关旧址。2021 年被山西省人民政府公布为第六批省级文物保护单位。乡村道路经此。

50–B–b136 **魏拯民烈士故居**［Wèizhěngmín Lièshì Gùjū］位于山西省长治市屯留区路村乡王村。现存两进院落，一进院内保留有水井 1 处和二层厢房 1 座，二进院保留了院门 1 座，北房 5 间，东房、西房各 3 间，现存建筑是晚清至民国时期典型的晋东南民居。魏拯民，屯留区人，著名抗日英烈。在抗日战争时期，于 1936 年 6 月任中共南满省委书记兼东北抗日联军第一路军政治委员，带领抗联抗日力量多次击败日本侵略军。1941 年 3 月 8 日，在吉林省桦甸县牡丹岭抗联密营病逝。2021 年被山西省人民政府公布为第六批省级文物保护单位。乡村道路经此。

50–B–b137 **上党战役前方医院旧址**［Shàngdǎngzhànyì Qiánfāngyīyuàn Jiùzhǐ］位于山西省长治市屯留区余吾镇北街村。旧址坐西朝东，一进院布局，东西长 32.3 米，南北宽 24.6 米，占地面积 95 平方米，院内建筑共三座，保存较完整，分别是东房、西房和北房，建筑均为两层，在东房一层设门洞。上党战役，是中共领导的晋冀鲁豫军区部队在上党地区对国民党军进行的自卫反击作战，主战场位于今长治境内，1945 年 9 月 10 日 2 时 30 分，共产党部队太行纵队在秦基伟司令员指挥下向屯留、上村发起攻击，上党战役正式打响。在这场战役中，部队前方医院设立在了屯留区余吾镇中的村民李金榜家院内，用于伤员救治。2021 年被山西省人民政府公布为第六批省级文物保护单位。乡村道路经此。

50–B–b138 **长治航空俱乐部旧址**［Chángzhì Hángkōng Jùlèbù Jiùzhǐ］位于山西省长治市屯留

区麟绛镇沙庄村。成立于1958年，为长治市体委代管的科级事业单位，1970年单位撤销，1975年单位恢复，升格为省体委直属正处级单位，更名长治航空运动学校，1986年改名长治航空训练基地，2006年又更名为长治航空运动学校。沙家庄飞机场1965年正式立项，历经4年，在屯留人民的大力配合帮助下，于1969年建成了我国当时机场面积大、净空条件好、建筑规模庞大、功能齐全、设施设备一流、有利于滑翔、跳伞、航模等项目开展的一流航空运动训练基地。利用其优良的场地条件培养出滑翔全国冠军50余人次，跳伞世界冠军3人，跳伞亚洲冠军7人，航模全国冠军10余人次，并向跳伞、航模国家队输送数十名优秀运动员，保证了山西省航空体育事业保持全国一流水平40多年。与此同时，还为海空军代训飞行员10余期，向社会输送了数以千计的飞行人才，不少精英已经成为部队、民航、通航、航空运动等领域的中坚力量。1969年11月，经军委办事组军事第55号文件批准，在沙家庄机场兴办国家体委“五七干校”。2021年被山西省人民政府公布为第六批省级文物保护单位。乡村道路经此。

50-B-b139 **合室遗址**［Héshì Yízhǐ］位于山西省长治市潞城区北5千米的合室村。遗址范围东西400米、南北各150米，面积约6平方米。1996年调查发现断崖暴露有灰坑和文化层，并采集到石斧、石铲、石镰等多种生活用具。同时发现地面断崖暴露有泥质夹砂、绳纹、素面纹、灰陶、红陶陶片和石器。可辨器形有仰韶文化钵的口沿，龙山文化罐的口沿等。1987年，长治市文物普查在境内捡回30余件打制石器，经省考古所鉴定，确定为旧石器时期人类生活遗物，该洞确系旧石器时期人类生活遗址，此发现对研究上古人类的衣食住行及社会生活提供了宝贵史料。1965年被山西省人民政府公布为第一批省级文物保护单位。乡村道路经此。

50-B-b140 **潞河古城及墓地**［Lùhé Gǔchéng Jí Mùdì］位于山西省长治市潞城区辛安泉镇续村至古城村。历史上西周潞子国，春秋潞子婴儿国建都于古城村。古城址现残存有西城墙和北城墙的一部分。古墓地分布在古城址北、潞河村背山面水的向阳坡上。墓区中部一条沟将墓地分为东西两部分。东部墓葬密集，多中型墓。从出土文物分析，墓葬时代略早，属春秋中、晚期。西部墓地大，中型墓少，多为小型墓，属战国至秦汉时期。1983年、1991年对该墓地进行过抢救性发掘，出土文物颇丰，达上千余件。出土青铜器以鼎、豆、壶、盘等为主要组合，还有鉴、罐、编钟（明器）、甬钟、戈、矛、剑、镞及车马器等。此外，还有许多玉器、石器、骨器、陶器等。1986年被山西省人民政府公布为第二批省级文物保护单位。309国道经此。

50-B-b141 **贾村玉皇庙**［Jiǎcūn Yùhuáng Miào］位于山西省长治市潞城区翟店镇贾村。创建年代不详，一进院布局，坐北朝南，东西长21米、南北宽10米，占地面积210平方米。现存正殿为元代遗构。正殿位于高0.32米石砌台基上，面阔三间，进深六椽，西耳殿为清代遗构，正殿内下平槫下悬有木制匾额，上楷书“灵雨”，为清乾隆十三年（1748年）制。正殿内山墙嵌明嘉靖二十二年（1543年）碣1方，内容为重修庙碑记。2016年被山西省人民政府公布为第五批省级文物保护单位。乡村道路经此。

50-B-b142 **辛安玉皇庙**［Xīn'ān Yùhuáng Miào］位于山西省长治市潞城区黄牛蹄乡辛安村。创建年代不详，坐北朝南，一进院落布局，南北长48米、东西宽22.25米，占地面积1068平方米。中轴线现存山门、献亭及正殿；两侧有东、西妆楼，东、西厢房，东、西廊房，东、西耳殿，现存正殿为明代遗构，斗栱之下兰额采用通替，雕饰花卉图案，显现明代建筑明快亮丽的风格，殿内梁架以梁、柱、檩等构件组合，形式简洁，结构合理。庙内存有民国11年（1922年）“重修玉皇庙碑”1通。为研究潞城市的明代寺庙建筑提供了实物资料。2016年被山西省人民政府公布为第五批省级文物保护单位。省道潞林线经此。

50-B-b143 **潞城县人民大礼堂旧址**［Lùchéng Xiàn Rénmín Dàlǐtáng Jiùzhǐ］位于山西省长治市潞城区潞华街道南街社区。现存建筑中由山门和礼堂两部分组成，整体坐北朝南，南北长71.15米，东西宽15.59米，占地面积为1109.2平方米。是一座具有浓郁时代特征的仿苏建筑。1951 年初，由本地工程队施工，采用当时由苏联专家提供的建筑图纸，共花费旧人民币四亿多元，历时一年多建成，是当时晋东南最好的集会场所。礼堂平面布局呈长方形，为仿苏联式建筑。2016 年被山西省人民政府公布为第五批省级文物保护单位。通 313、13 路等公交车。

50-B-b144 **八路军太南办事处台东情报站旧址** [Bālùjūn Tàinán Bànshìchù Táidōng Qíngbào zhàn Jiùzhǐ] 位于山西省长治市潞城区成家川办事处台东村，现存旧址南北长 29 米，东西宽 19 米，一进院落布局，占地面积 551 平方米。中轴线现存正房、南房。正房为依土崖而建的窑洞三孔。1941 年 10 月成立了国民革命军第十八集团军太南办事处情报站，在抗日前沿村庄设立观察哨，当时的台东村就是情报处设立的重要情报站之一，现辟为“八路军太南办事处情报站展览馆”。2016 年被山西省人民政府公布为第五批省级文物保护单位。乡村道路经此。

50-B-b145 **潞城县抗日民主政府旧址** [Lùchéng Xiàn Kàngrì Mínzhǔ Zhèngfǔ Jiùzhǐ] 位于山西省长治市潞城区黄牛蹄乡土脚村。坐南朝北，南北长 26 米，东西宽 18 米，占地面积 468 平方米。1939 年，潞城县抗日民主政府正式成立，为适应当时的抗日斗争形势，1940 年以邯（邯郸）长（长治）公路为界，设立潞东县抗日民主政府，机关住在土脚村的民房内，领导者潞城县的抗日武装都斗争。是一处重要的爱国主义教育基地。2016 年被山西省人民政府公布为第五批省级文物保护单位。省道潞林线经此。

50-B-b146 **八路军军工部垂阳兵工厂旧址** [Bālùjūn Jūngōngbù Chuíyáng Bīnggōngchǎng Jiùzhǐ] 位于山西省长治市潞城区史廻乡垂阳村。地处县城的西北，距县城 2 公里。旧址位于玉皇庙，南北长 47 米，东西宽 28 米，占地面积 1316 平方米。是潞城区抗战时期保存较好的兵工厂。当时兵工厂有 200 多人，主要制造子弹头、60 炮弹等，机械设备安装在玉皇庙大殿内，搅冲机、皮带床、发电机安装庙的东面，配备铁匠、锻工、电工等，兵工厂试验场选在安居村北。在革命战争艰苦的岁月里，垂阳八路军军工部第六兵工厂旧址生产了大量的枪弹，有力地支持了前线的作战，为革命战争的胜利作出了重大贡献，其历史功绩将永垂史册。2016 年被山西省人民政府公布为第五批省级文物保护单位。乡村道路经此。

50-B-b147 **东天贡玉皇庙** [Dōngtiāngòng Yùhuáng Miào] 位于山西省长治市潞城区翟店镇东天贡村。坐北朝南，一进院落布局，南北长 51 米，东西宽 36 米，占地面积 1836 平方米。创建年代不详，现存正殿为元代遗构，其余均为清代遗构。中轴线上仅存正殿。两侧从南向北依次为东、西偏殿，东、西配殿，东、西厢房，东、西耳殿。现庙内存清咸丰七年（1857 年）“重修玉皇庙碑记”碑一通。该庙是潞城区保存较好的一处元代建筑，为研究元代寺庙建筑提供了重要的实物资料。2021 年被山西省人民政府公布为第六批省级文物保护单位。乡村道路经此。

50-B-b148 **郭家庄大禹庙** [Guōjiāzhuāng Dàyǔ Miào] 位于山西省长治市潞城区成家川街道郭家庄村。据庙内碑记载创修于元大德十一年（1307 年），至元四年（1338 年）、清嘉庆十二年（1807 年）、道光十五年（1835 年）屡有修葺。坐北朝南，东西长 35 米，南北宽 32 米，占地面积 1120 平方米。现存正殿为元代遗构，其余皆为清代建筑。一进院落布局，中轴线依次建有山门（倒座戏台）、献殿、正殿，两侧为东西耳殿、东西夹楼。正殿石砌台基，高 1.5 米，面阔三间，进深六椽，单檐悬山顶，山墙内存壁画约 20 平方米，梁架彩绘。存碑六通，分别为明洪武四年“重修大禹庙碑记”碑、明隆庆四年（1570 年）“孔圣碑记”碑、清嘉庆十年（1805 年）“创修香亭碑记”碑、清道光十五年（1835 年）“创修大禹庙舞楼碑记”碑，其余两通字迹模糊不清。是潞城区保存较好的一处元代建筑，为研究潞城区的元代寺庙建筑提供了重要的实物资料。2021 年被山西省人民政府公布为第六批省级文物保护单位。乡村道路经此。

50-B-b149 **贾村碧霞宫** [Jiǎcūn Bìxiá Gōng] 位于山西省长治市潞城区翟店镇贾村。创建年代不详，现存正殿为元代遗构，其余皆为清代遗构。

一进院落布局，中轴线现存正殿（东、西耳房不存）、过殿遗址、山门（新建）、两侧存有东、西厢房。东厢房下存放有“重修碧霞宫”碑4通。从一个以祭祀碧霞元君为主的庙宇，后来将晋东南一地的地方神二仙奶奶（冲淑、冲惠真人）以及子孙娘娘、眼光娘娘、阎王、马王、蝗王、五瘟、六丁、六甲、昭泽、三峨、龙王、三清、三皇等大小神灵一并纳入，逐渐形成了今天的规模。2021年被山西省人民政府公布为第六批省级文物保护单位。207国道经此。

50–B–b150 **翟店大禹庙**［Zháidiàn Dàyǔ Miào］位于山西省长治市潞城区翟店镇翟店村。创建年代不详。坐东朝西，一进院落布局，东西长35米、南北宽20米，占地面积约700平方米。现存建筑正殿为明代遗构，其余为清代遗构。中轴线上由西向东依次分布有戏台、献亭及正殿；两侧为北妆楼，南、北厢房，南、北耳殿。正殿建于高1.2米的石砌台基之上，面宽三间，进深六椽。戏台有上下两部分组成，下为砖砌台基，明间为入庙门，上建戏台。庙内存碑2通，分别为清嘉庆七年（1802年）“增修大禹庙碑记”碑和清道光十八年（1838年）“议和神祀碑记”碑。是潞城区保存较好的一处明、清代建筑，为研究潞城区的明、清代寺庙建筑提供了重要的实物资料。2021年被山西省人民政府公布为第六批省级文物保护单位。207国道经此。

50–B–b151 **董天知烈士殉难处**［Dǒngtiānzhī Lièshì Xùnnànchù］位于山西省长治市潞城区合室乡王郭庄村。包括纪念碑和指挥所两个部分，指挥所位于村东侧高地的关帝庙内，纪念碑位于村西侧的山上。董天知（1911年—1940年），又名董亮，河南荥阳人，历任共青团北平市委组织部干事兼儿童局书记，决死3纵队政治部主任、纵队军政委员会书记、山西第5行政区保安司令部政治部主任等职。1940年8月19日夜，董天知率领50余人的小分队，进入王郭庄村，将指挥所设在王郭村关帝庙内，被日伪密侦队发现并通知日军宪兵队，第二天早晨被日军和伪军200余人包围，为掩护部分战士突围，董天知带领警卫排以西比干岭方向的有利地形做掩护吸引日军，打死打伤敌人90余人，终因寡不敌众，最后壮烈牺牲，时年29岁。董天知牺牲后，中共中央北方局、八路军及太行区的领导杨尚昆、陈锡联等参加了在黎城桂花村举行的追悼会。牺盟会在悼词中称赞他“是最优秀的牺盟会领导者，是最优秀的青年模范，是最优秀的青年军事干部”。1945年，王郭庄村全体村民追悼烈士事迹，在崖垴凹山董天知牺牲地立碑一通，记载了董天知烈士在“百团大战”等战斗中的功绩。碑文用油漆书写。1992年，潞城县人民政府在烈士牺牲地立碑一通。碑题为“董天智烈士纪念碑”，占地面积1.2平方米。碑高1.7米，宽1米，厚0.16米。2021年被山西省人民政府公布为第六批省级文物保护单位。乡村道路经此。

50–B–b152 **神头岭战斗八路军三八六旅指挥所申家山村旧址**［Shéntóulǐng Zhàndòu Bālùjūn Sānbāliùlǚ Zhǐhuīsuǒ Shēnjiāshāncūn Jiùzhǐ］位于山西省长治市潞城区辛安泉镇申家山村西高地上。现存旧址坐西向东，东西长16.5米，南北宽17.69米，占地面积292平方米。一进院落，中轴线上为正房、大门，南房为后人近期新盖。正房为三孔窑洞，土坯墙，面宽3.5米、进深6.5米。整体基本保持原貌。1938年3月16日，八路军一二九师三八六旅旅长陈赓指挥了著名的神头岭伏击战，歼灭日军第十六师团下元兵团柏谷联队精锐部队和第一〇八师团部队共1500余人，并缴获长短枪550余支，击毙骡马600余匹，而我军伤亡仅240余人。战斗过程中指挥所设在申家山村西杜继善院内。神头岭战役的胜利，在中国人民抗日史上谱写了光辉的一页，不仅让我们铭记革命先辈和死难烈士的不朽功业，还昭励后人，继承革命传统，发扬爱国主义精神。2021年被山西省人民政府公布为第六批省级文物保护单位。207国道经此。勒(Lè)

50–B–b153 **太行区第四军分区及三十二团石梁旧址**［Tàihángqū Dìsìjūn Fēnqū Jí Sānshíèrtuán ShíliángJiùzhǐ］位于山西省长治市潞城区石梁村。因“曲梁古桥”而盛名三晋，因春秋“曲梁之战”而传世至今。1940年6月，根据中共北方局黎城会议的决定，撤销晋冀豫军区，正式成立太行军区，由八路军第一二九师部兼军区机关。据史料记载，在潞城1941年太行军区第四军分区32团一部配合县独立营在神头附近伏击日军，击毙日军20余名，炸毁日军汽车3辆。同年冬，县委、县抗日民主政府在全县开展扩兵运动，三区区长郝钦带头参军，全县扩兵200余名，编入八路军太行第四军分区32团。1942年7月中旬，县独立营配合太行军区四军分区武装工作队，由蔡世凯、李达九、蔡定金指挥，在寨上、史回、王里堡、熬脑一带连续与敌作战，粉碎了敌人的“蚕食”和“扫荡”据分析，太行军区第四军分区及32团在石梁村驻扎。这里有浊漳河南北横贯村东，有山西古桥东西飞渡，整个村西北高而东南低，沟壑纵横村东西，且背靠有西寺岭和大小马鞍山作屏障，实为战略理想之地。2021年被山西省人民政府公布为第六批省级文物保护单位。207国道经此。

50-B-b154 **石勒城遗址**［Shílèchéng Yízhǐ］位于山西省长治市襄垣县城东北二十八公里的西营镇城底村。遗址西面的西营镇为石勒屯兵之所，遗址东北面的护驾脑村为石勒的护兵驻地。坐北朝南，南北长1000米，东西宽500米，现存城墙呈东西走向。墙残长27米，残高6米，底宽6米，遗址内保存有天子庙、古井、洞穴遗址及各类陶器残片、建筑构件及三菱形箭镞兵器等遗物，文化层堆积最厚处达4米之多。遗址保护完好，是研究东晋十六国时期羯族进居中原建都兴国的重要实物遗存。1996年被山西省人民政府公布为第三批省级文物保护单位。乡村道路经此。

50-B-b155 **仙堂山古建筑群**［Xiāntángshān Gǔjiànzhù Qún］位于山西省长治市襄垣县城东北25公里仙堂山，又名九龙寺。据寺内碑文记载，明嘉靖九年（1530年）、清道光三十年（1850年）、咸丰六年（1856年）及民国年间屡有修葺。现存建筑均为明清遗构。依山势而建，坐北朝南，中轴线由低向高，三进院落。主要建筑有山门、关圣殿、中殿、三佛殿等。寺前有126阶踏道。三佛殿位居后院，面阔三间，进深二间，单檐歇山顶，斗栱三踩单翘，建筑风格仍保留宋代遗风。寺内还保存有宋代碑刻、经幢3通，明、清、民国年间重修碑数通。1996年被山西省人民政府公布为第三批省级文物保护单位。通襄垣210路公交车。

50-B-b156 **古韩镇古建筑群**［Gǔhánzhèn Gǔjiànzhù Qún］位于山西省长治市襄垣县城内。是长治地区府、县奉诏创立城隍庙的唯一遗存。现存各建筑皆明代遗构。崇福寺，又名净福寺、靖福寺，别名上寺楼，创建于唐，坐南朝北，占地面积1530平方米，是长治地区三大明楼之一。关岳庙，创建于元泰定甲子年（1324年），1916年将南宋抗金英雄岳飞与关羽并祀，遂改称关岳庙，大殿为元代创建，是反映元、明时期建筑风格转型的重要实例。通济桥，清朝所建，桥面以青石条铺设，是出入县城南关的唯一交通枢纽，沿用至今。2016年被山西省人民政府公布为第五批省级文物保护单位。通808、襄垣210路等公交车。

50-B-b157 **常隆三嵕庙**［Chánglóng Sānzōng Miào］位于山西省长治市襄垣县侯堡镇常隆村。坐北朝南，为一进院布局。庙址东西长29米，南北宽36米，占地面积约1044平方米。中轴线上建筑依次为山门（倒座戏台）、正殿，两侧为东西妆楼、东西廊房、东西厢房、东西朵殿。现存正殿为元代创建，明代大修。坐落于1.5米高的月台上。面阔三间，单檐悬山顶，筒板瓦覆顶，黄绿色琉璃吻兽，龙凤、牡丹雕花脊。梁架为“四椽栿通檐用两柱，四架椽屋”，四椽栿上前后蜀柱承平梁，平梁中部设侏儒柱。斗栱四朵设于前檐柱头，后檐和补间未设斗栱，斗栱四铺作单下昂，琴面式，令栱看面为斜面，蚂蚱形耍头，具有典型的元代特征。2016年被山西省人民政府公布为第五批省级文物保护单位。208国道经此。

50-B-b158 **上党战役指挥部大丰当旧址**［Shàngdǎng Zhànyì Zhǐhuībù Dàfēngdāng Jiùzhǐ］位于山西省长治市襄垣县城东大街，1945年秋日本投降后，阎锡山为抢夺抗战胜利果实，侵入长治及周边县城，引发了著名的上党战役。1945年8月底至10月初，刘伯承、邓小平同志在此布置率领我军晋冀豫军区部队在上党战役中歼灭阎锡山军队三万余人，收复了长治及周边县城。晋冀豫军区布置上党战役会议旧址现为二进院落，由一进院东西下厢房、一进院东西上厢房、过殿和二进院东西厢房、正楼等组成。2016 年被山西省人民政府公布为第五批省级文物保护单位。通襄垣 5 路内外环、808 路公交车。

50-B-b159 **中共襄垣县工委成立大会旧址**［Zhōnggòng XiāngyuánXiàn Gōngwěi Chénglì Dàhuì Jiùzhǐ］位于山西省长治市襄垣县城东街，1937 年 11 月，中共襄垣县工委在天益当正式成立，该处对外称“八路军工作团”。八路军第一一五师工作团团长符竹庭主持成立大会，这次会议接受了上级党组织移交来的襄垣境内发展的 47 名党员组织关系。并根据党员的居住条件和工作范围，组建了司马、郭庄、西营、城关等 6 个支部、12 个党小组。2016 年被山西省人民政府公布为第五批省级文物保护单位。通襄垣 5 路内环、808 路公交车。

50-B-b160 **太平周成王庙**［Tàipíng Zhōuchéngwáng Miào］位于山西省长治市襄垣县夏店镇太平村。创建年代不详，据庙内维一保存的元大德元年（1297）《重修周成王庙记》载，周成王庙重修于元至元二年（1265）。正殿现存构架形制分析，梁栿、斗栱为金代大定以后明昌以前原构，其余建筑均为清代重建和修葺。坐北朝南，一进院落布局，东西长 19.5 米、南北宽 34.5 米，占地面积 672.75 平方米。供奉周武王之子姬诵，为西周王朝第二代国王。中轴线上现存建筑由北向南依次为正殿、山门（戏台），两侧分别有，东、西耳殿，上院东、西厢房，下院东、西厢房。周成王庙整体布局规整，庄重和谐，左右对称，错落有致，是一处集金、元、明、清建筑于一身珍贵的古代建筑群，是研究宋、金以来建筑形制和周成王历史实物资料。2021 年被山西省人民政府公布为第六批省级文物保护单位。208 国道经此。

50-B-b161 **流渠观音庙**［Liúqú guānyīn Miào］位于山西省长治市襄垣县上马乡流渠村。创建年代不详，据正殿脊檩题记载“民国九年四月二十二日总理……重修”，戏台脊檩题记载“民国七年……总理……”，可知正殿和戏台分别重修于民国九年（1920 年）和民国七年（1918 年）。坐北朝南，一进院落布局，南北 35.2、东西 25.8 米，占地面积 13 平方米。现存构架形制分析，正殿主体构架为元代遗构，其余为清代遗构。中轴线上由南向北现存有戏台、正殿，东侧有配楼三间，配楼南侧接钟楼，西侧配窑三孔，戏台东侧为山门。正殿东西两侧山墙墙体上留有塌毁的奶奶殿与土地殿的遗迹，戏台西侧留有妆楼的遗迹。大门东侧有禁赌石碣 1 方。正殿面阔三间，进深六椽，梁架四椽栿前后搭牵，用四柱，柱头斗科四铺作单昂，单檐悬山顶。戏台倒坐，二层，面阔三间，进深四椽，平面为矩形。正殿基本保留了元代时期建筑我国晋东南地区的建筑风格，是晋东南地区体现地方特定做法及审美追求的实例，为研究当地元代寺庙建筑提供了实物资料。对研究晋东南地区早期建筑形制及风貌具有深远的历史价值和科学研究价值。2021 年被山西省人民政府公布为第六批省级文物保护单位。乡村道路经此。

50-B-b162 **八路军三漳口会议旧址**［Bālùjūn Sānzhāngkǒu Huìyì Jiùzhǐ］位于山西省长治市襄垣县西营镇城底村。创建年代不详，从现存建筑构架形制分析，主体建筑为清代晚期遗构。南侧外是现村委会，西侧是学校，东北两侧相临道路与民居建筑，院落总体地势略平，为一进院落，东西总宽约 20.3 米，南北总深约 31 米，占地面积约 538 平方米。旧址现存建筑共五座，正殿一座、东西配房各一座、戏台一座、大门一座。八路军干部会议（城底宝成寺）旧址是当时八路军中干部（指战员）开会、学习的地方。因为靠近当时的八路军总部（王家峪旧址），朱德、彭德怀、左权、邓小平、刘伯承、杨尚昆、陆定一、杨立三等老一辈革命家曾在这里长期生活、战斗，指挥华北各抗日根据地的游击战争和政治斗争。1939 年 11 月 11 日，八路军总司令部从砖壁进驻王家峪。中共中央北方局驻王家峪（前庄），八路军总政治部驻下合，总供给部驻西堡，抗大总校驻蟠龙、北方局党校驻上北漳，总部特务团驻西营镇（包括城底村），鲁迅艺术学校驻下北漳，总部直属队驻枣林村。总部在王家峪期间，朱彭总副司令坚定不移地执行党在统一战线中独立自主的原则，对国民党顽固势力，进行了“有理、有利、有节”的斗争。1939 年 12 月至 1940 年 1 月，总部电台曾先后发出《朱彭总副司令通电全国反对枪口对内、进攻边区》、《朱德同志就山西“十二月政变”发表谈话》等电讯、晓以民族大义，电请国民党中央杜绝摩擦，巩固团结，坚持抗日，并制止了阎锡山进攻山西新军势态的扩大；1940年2月，朱彭总副司令、左权副总参谋长和杨尚昆、陆定一等，在总部和国民党九十七军军长、“摩擦专家”朱怀冰进行谈判。1940年3月1日在城底村宝成寺召开了晋东南各界群众反汪大会，并于3月5日至8日，集中我八路军十三个团的优势兵力，一举歼灭朱怀冰三个师，击退了国民党顽固派的第一次反共高潮。这一时期，朱彭总副司令在王家峪总部指挥我太行军民进行大小反顽战斗共135次，进一步巩固了我太行山抗日阵地。1941年2月，八路军总司令部在该村老爷庙召开了全军干部会议。为保守军事机密，根据城底村位于南漳、北漳、监漳三村之口，化名为“三漳口会议”。彭德怀副总司令作了“关于茂林事变”的报告，解除了人们担心国共两党关系破裂、抗日战争能否坚持下去的顾虑，坚定了广大军民继续抗战的信念。八路军三漳口会议旧址（宝成寺）1981年被公布为县级文物保护单位。2021年被山西省人民政府公布为第六批省级文物保护单位。乡村道路经此。

50-B-b163 **中共北方局宪政促进会旧址**［Zhōnggòng Běifāngjú Xiànzhèng Cùjìnhuì Jiùzhǐ］位于山西省长治市襄垣县西营镇西营村。旧址设在西营村关爷庙。据正殿前檐廊部现存明万历三十九年（1611年）石碣载：“西营镇西地为……，创修关爷庙宇，万历三十八年起工建西正殿三间，塑圣像妆尽，接檐抱厦，南北两廊房各三间，二门即戏台，北角僧道住厦二间，大门砖券大照壁磨砖雕，内外阶级甬路俱备，本年四月终其工毕焉……”，可知关爷庙创建于明万历三十八年。庙宇坐西向东，主院为单进四合院，南侧并列跨院一座，东西长37.02米，南北宽30.82米，占地面积约1140.96平方米。1940年6月1日，中共中央北方局在西营镇西营村关爷庙召开第二次宪政促进会。1943年7月，由襄垣县第五区抗日政府生产部在西营镇关爷庙创办以驮骡为主要运输工具的“太行运输线”。1945年4月，晋冀鲁豫边区成立太行运输公司，太行运输线归其管理，改称“太行运输公司西营站”。解放后，中共北方局宪政促进会旧址（西营关爷庙）归晋冀鲁豫边区成立太行运输公司管理，改称“太行运输公司西营站”，是在抗日烽火中诞生的全国第一家人民运输企业，为人民交通运输事业培养了一批运输工作业务干部和技术人员，为国家交通运输事业的发展奠定了扎实的基础。是抗日战争的见证物，本身也是当地明清代建筑风格的代表作之一，不仅具有文物本身的价值，更具备着历史意义的特殊价值，为研究八路军干部会议、活动、发展提供了珍贵的实物资料，也为研究当地明清时期建筑风格、构造的发展等提供了例证。2021年被山西省人民政府公布为第六批省级文物保护单位。通襄垣212路公交车。

50-B-b164 **中共襄垣县第一支部成立旧址**［Zhōnggòng Xiāngyuánxiàn Dìyī Dǎngzhībù Jiùzhǐ］位于山西省长治市襄垣县侯堡镇邕子村。旧址设在百宝寺。创建年代不详，据东院正殿正脊枋题记：清光绪年间（1875年—1908年）重修，现存建筑为清代遗构。东西并列两院组成，坐北向南，南北长49.28米，东西宽41.91米、占地面积约为1928.8平方米。1927年10月，党中央委派中共党员梁品青创建了中央襄垣县第一个支部——中共襄垣支部。当时的中共襄垣支部共4人，由梁品青担任支部书记。中共襄垣支部建立之后，梁品青以百宝寺为活动地，领导并开展襄垣、屯留边界的革命斗争，先后迅速组建了以羊工为主的工会和农民协会，成立了以进步学生为主的话剧队。从邕子村一路唤醒了襄垣、屯留边界安沟、暴庄等十余个村庄。是研究中国共产党党建重要的实物资料。2021年被山西省人民政府公布为第六批省级文物保护单位。通襄垣212路公交车。

50-B-b165 **南社玉皇庙**［Nánshè Yùhuáng Miào］位于山西省长治市平顺县北社乡南社村。现存四合院布局，坐北朝南，中轴线上自南而北依次有献殿、正殿，东西有耳殿、厢房。正殿坐落在高0.98米的石砌台基上，面阔三间，进深六椽，平面近方形，单檐硬山顶，柱头斗栱五铺作单抄单昂，耍头呈昂形，出 45° 斜栱，无补间铺作。梁架为六椽栿对前乳栿用三柱，前一间辟廊，门窗装修均已不存，依其现存结构形制判断应为元代遗构。2016 年被山西省人民政府公布为第五批省级文物保护单位。省道长李线经此。

50-B-b166 **虹梯关铭**［Hóngtīguān Míng］位于山西省长治市平顺县在虹梯关乡碑滩村，高 7 米，宽 2.25 米，厚 0.3 米，碑座埋于地下，碑身近方形，碑帽呈半圆形，平放地面未及安装。碑上原设计建造四角形碑亭一座，因故仅放置了柱础而未建造屋顶。相传，明时严嵩与夏言明争暗斗，严嵩奏夏言在太行山为自己树碑立传，居心叵测，后夏言被贬，立碑之事由此终止。1986 年被山西省人民政府公布为第二批省级文物保护单位。平常高速经此。

50-B-b167 **实会龙王庙**［Shíhuì Lóngwáng Miào］位于山西省长治市平顺县北耽车乡实会村。坐北朝南，创建年代不详，正殿为元代遗构，其余建筑均为清代遗构。东西 22.24 米，南北 40.36 米，占地面积 897.6 平方米。一进院落布局，中轴线自南向北依次分布为山门（上为倒坐戏台）、献殿、正殿，两侧分布为东西夹殿、东西耳殿。正殿建于高 0.72 米的石质台基上，面阔五间，进深五椽，四椽栿对前搭牵通檐用三柱，柱头斗栱四铺作，补间斗栱每间一朵，单檐硬山顶，灰筒板瓦屋面，门窗改建。山门由二部分组成，一层为山门过道，设对开板门；二层为戏台，面宽三间，进深四椽，六檩前廊式构架，单檐悬山顶，前插翼角，灰筒板瓦屋面。柱头科五踩双翘式，平身科每间一攒。2021 年被山西省人民政府公布为第六批省级文物保护单位。省道潞林线经此和通平顺 619 路公交车。

50-B-b168 **王曲龙王庙**［Wángqǔ Lóngwáng Miào］位于山西省长治市平顺县北耽车乡王曲村西。坐北朝南，东西 13.8 米，南北 11.63 米，占地面积 160 平方米。创建年代不详，现存正殿为元代遗构，献殿为清代遗构。正殿建于高 1.1 米的石质台基上，面阔三间，进深六椽，梁架四椽栿对前乳栿通檐用三柱，柱头斗栱五铺作单抄单昂，补间斗栱每间一朵，单檐悬山顶，灰布筒板瓦屋面，明、次间均设格扇门。献殿建于高 1.1 米的石质台基上，面宽三间，进深三椽，四檩式无出廊构架，柱头科三踩单翘式，翘作昂形，平身科明间三攒，次间各二攒，单檐硬山卷棚顶，灰筒板瓦屋面。石碑位于正殿东侧，记述了清光绪十年（1884 年）重修西厢房的经过。该庙是平顺县一处元、清代的庙宇，保存程度一般，为研究平顺县的寺庙建筑提供了实物资料。2007 年市政府公布为第四批市级文物保护单位。2021 年被山西省人民政府公布为第六批省级文物保护单位。乡村道路经此。

50-B-b169 **南峧唐王庙**［Nánjiāo Tángwáng Miào］位于山西省长治市平顺县北耽车乡南峧村。创建年代不详。坐北朝南，东西长 13.53 米，南北宽 21.2 米，占地面积 285.3 平方米。一进院落布局，中轴线由南向北依次为山门（上为倒坐戏台）、正殿，两侧有东、西夹殿。现存正殿为元代遗构，其它建筑为清代遗构。正殿建于高 0.57 米的石质台基上，面阔三间，进深四椽，梁架三椽栿对前搭牵通檐用三柱，单檐硬山顶，灰筒板瓦屋面。柱头斗栱五铺作单抄单昂，无补间斗栱。明间设对开板门，次间设直棱窗。山门由两部分组成，一层为山门过道，设对开板门；二层为戏台面宽三间，进深四椽，五檩式构架，单檐硬山顶，灰板瓦屋面。柱头科三踩单翘式，平身科明间二攒，次间各一攒。2021 年被山西省人民政府公布为第六批省级文物保护单位。乡村道路经此。

50-B-b170 **东禅牛王楼**［Dōngchán Niúwáng Lóu］位于山西省长治市平顺县北社乡东禅村。创建年代不祥，现存木结构二层楼阁一座，元代遗构。平面方形，南北、东西各 7 米，占地 49 平方米。该楼建于 0.8 米高的石台基上，面阔一间，进深四椽，重檐歇山顶筒板瓦屋面。2021 年被山西省人民政府公布为第六批省级文物保护单位。207 国道经此和通壶关 227 路公交车。

50-B-b171 **南五马卫公庙**［Nánwǔmǎ Wèigōng Miào］位于山西省长治市平顺县苗庄镇南五马村。创建年代不详。坐北朝南，东西长 23.84 米，南北宽 51.19 米，占地面积 1220.4 平方米。一进院落布局，中轴线由南向北依次为戏台、正殿，两侧分布为东、西妆楼，东、西耳殿。现存正殿为元代遗构，其它皆为清代遗构。正殿建于高 0.36 米的石质台基上，面阔三间，进深六椽，六架椽屋四椽栿对前乳栿通檐用三柱，单檐硬山顶，灰筒板瓦屋面。柱头斗栱，四铺作单抄，补间斗栱，每间一朵。戏台面宽三间，进深四椽，单檐卷棚顶，灰板瓦屋面。柱头科三踩单下昂，平身科明间二攒，次间各一攒。正殿前墙嵌碑、碣各 1 方，石碣长 0.71 米，宽 0.42 米，首题“重修庙宇碑记”，碑文楷体，满行 23 字，共 13 行，清雍正十年（1732 年）立石，记述重修该庙的经过及村民捐款情况。是平顺县保存较好的一处清代庙宇，为研究平顺县的寺庙建筑提供了实物资料。2021 年被山西省人民政府公布为第六批省级文物保护单位。341 国道经此和长治绕城高速经此。

50–B–b172 **红旗渠源**［Hóngqíqú Yuán］位于山西省长治市平顺县石城镇崔家庄村。为了改变因缺水造成的穷困，林县人民从 1960 年 2 月开始修建红旗渠（原称“引漳入林”工程），竣工于 1969 年 7 月。建筑成了举世瞩目的“红旗渠”，水源便是平顺县浊漳河，红旗渠在平顺境内延伸了 25 公里。红旗渠源，东西走向，石砌拱门，东侧正中题“红旗渠源”，券高 3.9 米。上为纪念碑，首题“军民共建红旗渠技改工程纪念碑”，碑通高 3.7 米，碑身高 2 米，宽 0.7 米，记述因年久失修及风吹雨淋，造成渠渗漏现象，河南省 56439 部队、54776 部队和林州民兵团奋战重修该渠首情况。李鹏于 1994 年 3 月题“军民情谊身，红旗渠流长”，李长春于 1994 年三月题“军民情深红旗渠”。2021 年被山西省人民政府公布为第六批省级文物保护单位。省道潞林线经此。

50–B–b173 **李顺达旧居**［Lǐshùndá Gùjū］位于山西省长治市平顺县西沟乡西沟村。坐北朝南，一进院落布局，东西长 17.4 米，南北宽 19.7 米，占地面积 342.78 平方米。1930 年修建。院内分布正房及东、西厢房，东南角设院门，内侧建影壁。正房为窑洞三孔，东、西厢房各三间，大门题“劳动起家”四字。李顺达（1915 年—1983 年），平顺县西沟村人，祖籍河南林州市东山底村，抗日战争爆发后，他任本村民兵队长，1948 年在西沟村成立了全国第一个互助组。新中国成立后当选，中国共产党八大、九大、十大代表，中共九届、十届中央委员会委员，一至四届人大代表，第四届全国人民代表大大常务委员会委员。并先后担任西沟村支部书、平顺县委书记、晋东南地区革命委员会副主任、山西省革命委员会常委等职务。在社会主义建设新时期（1951 年），他代表互助组向全国 29 个省、市、自治区发出了爱国丰产竞赛的，推动了全国大搞农业生活活动。李顺达旧居此旧居为研究西沟村及李顺达同志提供了实物资料。2021 年被山西省人民政府公布为第六批省级文物保护单位。省道平龙线经此。

50–B–b174 **路堡龙王庙**［Lùbǎo Lóngwáng Miào］位于山西省长治市黎城县程家山乡路堡村，据庙内碑记载创建于元大德二年（1298 年），明、清历代重修。据碑记载原叫圣源王庙。坐北朝南，一进院落布局，面积 1028 平方米。中轴线上建有山门、龙王殿、三宝殿，两侧为妆楼、厢房、关爷庙、土地庙。现存建筑龙王殿、三宝殿为元代遗构，其梁架、檐柱、斗栱等均保留了原有构件，其余均为明、清时所建。庙内保存有元创建碣、重修碣各一方，清重修碣一方，字迹清晰，整体建筑规模宏大，保存较好。2016 年被山西省人民政府公布为第五批省级文物保护单位。乡村道路经此。

50–B–b175 **抗日三周年纪念塔**［Kàngrì Sānzhōunián Jìniàn Tǎ］位于山西省长治市黎城县程北 35 公里西井镇后寨村。该塔全称为：“国民革命军第十八集团军坚持敌后抗战三周年纪念塔”。始建于 1940 年 9 月，因其地基水土流失严重，危及塔基，于 1986 年 6 月迁于本镇下寨村边的小山岗上，距原址 3 公里，紧临黎左公路。纪念塔为五面直体尖顶式，高 6.3 米，呈长方形，长 13.3 米，宽 11.3 米，高 1.5 米。塔身底部五面以石碑镶砌。1965 年被山西省人民政府公布为第一批省级文物保护单位。207 国道经此。

50–B–b176 **上党战役指挥部旧址**［Shàngdǎng Zhànyì Zhǐhuībù Jiùzhǐ］位于山西省长治市黎城县县城正街。上党战役时，邓小平曾在这里作战前部署。指挥部旧址，坐西朝东，并列两个单元，皆为两进院落，两院皆保持清末民初地方民居建筑风格，总计房屋54间，占地面积1652平方米，正楼位于最西端地势最高处，突出了重要地位。两侧由南、北厢房等建筑组成。院落整体排列有序，房屋错落有致，民居建筑做法朴实、简约，保持了中国传统木结构建筑的特征，真切的表现了时代风格。2016年被山西省人民政府公布为第五批省级文物保护单位。通黎城1路公交车。

50-B-b177 **冀南银行小寨旧址**［Jìnán Yínháng Xiǎozhài Jiùzhǐ］位于山西省长治市黎城县北43公里的小寨村。冀南银行成立于1939年10月15日，是我党在抗日战争、解放战争时期晋冀鲁豫边区的主力银行，由邓小平同志亲自领导创建并题写行名。冀南银行1948年并入中国人民银行，为抗日战争与解放战争的经费支撑和发展根据地经济起到了坚实的保障作用，为中国人民银行的诞生和中国金融事业的发展奠定了坚实的基础。目前旧址由冀南银行总行旧址、总行政治部旧址、总行印钞厂旧址、总行金库旧址、总行材料库旧址等组成。2016年被山西省人民政府公布为第五批省级文物保护单位。通黎城809路公交车。

50-B-b178 **北流龙王庙**［Běiliú Lóngwáng Miào］位于山西省长治市黎城县程家山乡北流村。创建年代不详，据庙内碑文载：清乾隆二十一年（1756年）、同治五年（1866年）修葺，正殿为元代遗构，其余建筑为清代遗构。坐北朝南，一进院落布局，东西27.14米，南北36.86米，占地面积1000平方米。中轴线上由南至北依次遗有山门、献殿、正殿，东、西两侧对称有妆楼、廊房、厢房、耳殿。庙内存有清重修碑4通。正殿栱眼壁为琉璃质地，图案有龙纹、花卉、人物，有较高的艺术价值。为研究黎城县的寺庙建筑提供了实物资料。从选址、布局、建筑都展现着祖国传统建筑的科学技术水平和艺术造诣。为我国古建筑研究提供了极有价值的信息，具有丰富的科学价值。2021年被山西省人民政府公布为第六批省级文物保护单位。通黎城206路公交车。

50-B-b179 **黎城文庙大成殿**［Líchéng Wén Miào Dàchéng Diàn］位于山西省长治市黎城县黎侯镇大南街第三中学校园内。据史料记载，黎城文庙大成殿创建于宋，金毁于兵燹，元宪宗乙未年再建，此时为三间，明成化年间增葺为五间，康熙年后重修为七间，之后七间的规模一直保存至今。建于1.5米高台上，殿宇坐北朝南，根据民国版《黎城县志》描述，此处原为黎城孔子庙“孔子庙在大南街迤东旧儒学之西，大成殿七稳，东西庑各九稳，戟门三稳，泮池一，桥一，棂星门三，名宦乡贤祠在戟门之外东西”。由此可见当时黎城孔子庙规模空大的完整格局，历经数百年，庙宇仅剩大成殿昂然矗立，殿宇周边还保存了一些石质的附属文物，由石狮子、碑座、龙头水口、夹杆石、抱鼓石以及《黎城重修宣圣庙记》碑记等。2021年被山西省人民政府公布为第六批省级文物保护单位。通黎城1路公交车。

50-B-b180 **平头安泽庙**［Píngtóu Ānzé Miào］位于山西省长治市黎城县上遥镇平头村。南北长40.5米，东西宽24.5米，占地面积992.25平方米，现仅存元代大殿及清代东大殿，其余为后代新建。大殿为元代遗构，坐北朝南，建于石砌台基之上，面阔三间，进深四椽，单檐悬山顶，筒板瓦屋面，梁架结构为四椽栿通檐用两柱，前檐下设有铺作七朵，柱头铺作四朵，补间铺作三朵，均为四铺作单下昂，昂下设有异形华头子，耍头蚂蚱型，里转后尾出踏头呈蝉肚状；墙体青砖砌筑，原置双扇板门改制，窗户形制被后人改制为现代玻璃窗户。东大殿为清代遗构，建于石砌台基之上，面阔三间，进深四椽，单檐硬山顶，筒板瓦屋面，前檐下设斗栱七攒，柱头科四攒，平身科三攒，均为三踩单跳，为研究当地元、清建筑提供了实物资料。大殿梁架结构及铺作的选材与形制，都保留了其原有构件的时代特征和风格，对研究传统古建筑和地方历史风俗有重要的价值。是一座集元、清等不同历史时期建筑信息的综合体，保留了长治市黎城县地区传统建筑发展演变的历史信息，具有极其重要的历史价值。2021年被山西省人民政府公布为第六批省级文物保护单位。乡村道路经此。

50-B-b181 **西下庄佛爷庙**［Xīxiàzhuāng Fóyé Miào］位于山西省长治市黎城县上遥镇西下

庄村。创建年代不详。坐北朝南，东西 15.8 米，南北 26.5 米，占地面积 418.7 平方米。一进院落布局，中轴线上现有正殿一座；西侧为戏台，两侧为南、北妆楼。正殿建于石砌台基之上，面阔三间，进深四椽，单檐悬山顶，板瓦屋面；梁架结构为三椽栿后压劄牵用三柱无廊式；前檐下设有斗栱 4 朵，四铺作单昂，计心造，里转单抄，耍头蚂蚱形，后尾呈□头状承梁栿。正殿共用柱 12 根，其中内柱 2 根，前后檐及两山墙为圆形木柱，内柱为方形抹棱石柱；前檐墙体为土坯墙外包砖，明间设双扇板门，次间设直棂窗。元代遗构。从选址、布局、建筑都展现着中国传统建筑的科学技术水平和艺术造诣。正殿空间布置为典型的移柱法和减柱法；戏台因地制宜的建造理念，是中国古代建筑民间建造艺术的重要建筑实证；同时对研究中国传统道教文化、礼制及建筑的营造技术的特点、传承与变迁具有重要意义。2021 年被山西省人民政府公布为第六批省级文物保护单位。乡村道路经此。

50-B-b182 **三教三官关帝庙**［Sānjiàosānguān guāndì Miào］位于山西省长治市黎城县东阳关镇枣镇村。创建年代不详，据现存碑及石碣载：明万历十八年（1590 年）重修三教神庙及东西廊房；清道光七年（1827 年）重修三教神庙；中华民国四年（1915 年）重修碑记载“三官三教关帝殿七楹规模，狭隘位偏不足以妥，神明士民共议扩而充之，广其基址，大其垣墉，高其门墙，正其位置。因重修大殿九楹、东西廊房十楹、山门五楹、耳房六楹、乐楼三楹、社房七楹，工程浩大，一竟越二十载而工始……”。坐北朝南，一进两院，东西 33.06 米，南北 52.17 米，占地面积约 1725 平方米。中轴线上由南向北现存倒座戏台三间、过厅五间、正殿九间，过殿东西耳房各三间，过殿、正殿间东西廊房各五间。大殿重修于明、清，扩建于民国，其现存遗构保留明、清特征；过殿及西廊房保留明代特征；西耳房、戏台为清代遗构；东廊房、东耳房为后人改制。保留有晋东南地区有明确纪年的明代木结构建筑遗存，是晋东南地区重要的寺院及明清古建筑遗存。2021 年被山西省人民政府公布为第六批省级文物保护单位。309 国道经此。

50-B-b183 **望北三官庙**［Wàngběi Sānguān Miào］位于山西省长治市黎城县黎侯镇望北村。坐北朝南，一进院落，东西长 15.39 米，南北长 21.92 米，占地面积 337.24 平方米。院落格局非常规整，平面整体呈矩形，以中轴线划分，东西对称，现存大殿，东西耳殿、东西厢房，山门。2021 年被山西省人民政府公布为第六批省级文物保护单位。乡村道路经此。

50-B-b184 **八路军一二九师随营学校正社旧址**［Bālùjūn Yīèrjiǔshī Suíyíng Xuéxiào Zhèngshè Jiùzhǐ］位于山西省长治市黎城县上遥镇正社村。现存随营学校旧址有两处院落，第一处旧址为民居，棋盘四院布局，坐北朝南，东西 35.9 米，南北 40.2 米，占地面积 1443.8 平方米。东西并列两院，东院建有街门、过厅、正楼，两侧建有厢房、配楼。西院建有街门、过厅、天主堂，两侧建有厢房、配楼。第二处旧址为正社村文庙，坐北朝南，东西长 33.57 米，南北长 22.50 米，占地面积 627.89 平方米。现存建筑有正殿、东西耳殿、东西厢房（西厢房局部坍塌）、山门戏台等。共产党队伍于 1938 年初入驻正社村，朱德曾在正社村小住一段时间，一二九师师部驻正社村，刘伯承（师长）、邓小平（政委）、徐向前（副师长）、宋仁穷（政治主任）、陈赓（三八六旅旅长）等都曾在正社村长驻，开展了著名的“神头岭伏击战”等战役。1939 年 6 月，八路军一二九师在黎城县上遥镇正社村开办“随营学校”，对内称“总部教导队”。随营学校在战火中流动办学，有效补充了正规学校教育的不足，培养了大批人才。1939 年 9 月，从抗大一分校支队长分配到一二九师工作的杜义德被任命为随营学校的副校长。2021 年被山西省人民政府公布为第六批省级文物保护单位。通黎城 202 路、黎城 203 路公交车。

50-B-b185 **中共中央北方局高干会议北社旧址**［Zhōnggòngzhōngyāng Běifāngjú Gāogàn Huìyì Běishè Jiùzhǐ］位于山西省长治市黎城县洪井乡北社村。会议会场设在北社村二仙庙内。坐北朝南，一进院落，东西 23.6 米，南北 31.55 米，占地面积 744.58 平方米。现存有会场（正殿 5 间），东西房各 5 间（新建），大门（倒座戏台）。1940 年 4 月 17 日至 26 日，中共中央北方局为总结抗日、反顽斗争经验教训，制定今后巩固和建设根据地的方针和政策，统一根据地政权、政策和法令，在黎城北社、霞庄村召开了高级干部会议。中共中央北方局书记杨尚昆主持会议，并作了《目前政治形势与统一战线中的策略问题》的报告。一二九师师长刘伯承作了《党的建设问题》报告。朱德、邓小平、聂荣臻、宋任穷、薄一波等领导同志参加了这次会议。会议重点讨论了根据地的统一与政权问题。提出了建党、建军、建政三大建设与打击日军“囚笼政策”的任务与方针。会议决定改太行行政委员会为太行军政委员会。同事成立冀南、太行、太岳行政联合办事处（简称冀太联办）。2021 年被山西省人民政府公布为第六批省级文物保护单位。207 国道经此。

50-B-b186 **太行区第一届群英大会旧址**［Tàihángqū Dìyījiè Qúnyīngdàhuì Jiùzhǐ］位于山西省长治市黎城县西井镇南委泉村。现存有 2 处旧址，第一处为平地，位于今南委泉村委会大院、东西约 200 米，南北约 150 米，占地面积 30000 平方米。木石搭台，坐北朝南，现仅存遗址，立有纪念石 1 块；第二处为南委泉村城隍庙，坐北朝南，坐北朝南，东西长 46.69 米，南北 53.17 米。占地面积 1413.50 平方米。1944 年 11 月，太行区在南委泉村召开了盛况空前的“太行区第一届杀敌英雄、劳动模范暨战绩生产展览联合大会”，简称“太行区第一届群英大会”。邓小平、李雪峰以及太行区政府副主席戎伍胜、太行军区总司令员李达等领导同志先后讲了话，会议号召武状元要向文状元学习，开幕仪式结束之后，先后又组织了参观展览，进行了大会交流，群英会一共开了 17 天才结束。太行群英会是一次历史性的总结大会，这次大会为足食足兵，准备抗日大反攻、夺取抗日战争最后胜利奠定了基础，是太行人民革命斗争史上光辉的里程碑。2021 年被山西省人民政府公布为第六批省级文物保护单位。207 国道经此和通黎城 805 路公交车。

50-B-b187 **八路军一二九师整军会议乔家庄旧址**［Bālùjūn Yīèrjiǔshī Zhěngjūn Huìyì Qiáojiāzhuāng Jiùzhǐ］位于山西省长治市黎城县黎侯镇乔家庄村。旧址包括两处院落，第一处为民居四合院布局，坐北朝南，南北 33.18 米，东西 25.24 米，占地面积 837.5 平方米。现仅存后院正窑四孔，西窑 3 孔，前院仅存建筑基址。第二处为乔家庄龙王庙，庙宇坐北朝南，东西长 29.35 米，南北长 23.97 米，平面呈矩形，占地面积 690.63 平方米。现存建筑有大殿（会议室）、东西耳殿（资料室）、西厢房（展览室）、戏台、东西妆楼、影壁。1939 年国民党反共顽固派，制定了“溶共、防共、限共、反共”的方针。在黎城根据地内制造摩擦，刺探我党、我八路军情报，暗杀抗日干部，力图控制我根据地。为彻底粉碎国民党反共阴谋，一二九师于 1939 年 3 月在黎城县乔家庄召开了干部会议，讨论整军问题，师长刘伯承就整军的内容、方式、要求及意义作了报告。由此，开始了长达半年之久的“黎城整军”运动。根据总部指令，刚刚结束了香城固战斗的 一二九师主力部队于 3 月初返回太行抗日根据地中心县黎城县，师部进驻乔家庄村（乔恒泰家）。3 月 18 日，一二九师在黎城县乔家庄村关帝庙召开干部会议，部署整军工师长刘伯承就整军的内容、方式、要求及义务作了报告。由此，一二九师开始了长达半年多的整军工作，史称“黎城整军”，又称“乔家庄整军”。2021 年被山西省人民政府公布为第六批省级文物保护单位。通黎城 507 路公交车。

50-B-b188 **冀南银行宽章旧址**［Jìnán Yínháng Kuānzhàng Jiùzhǐ］位于山西省长治市黎城县黄崖洞镇宽章村。旧址包括三处旧址院落，印钞厂旧址、资财所旧址以及进村道路两旁的防卫碉堡。1938 年至 1939 年间，八路军一二九师以太行山为依据，开创晋南根据地，并向冀豫平原发展，开辟了大片冀南根据地，组建了“冀南行政主任专属”民主政权。当时日寇对根据地实施严密封锁，疯狂“扫荡”，加之国民党对我军实行限制措施，断绝供给，制造摩擦，我根区财政经济处于严重困难境地。冀南行政专署以财字 17 号通令宣告成立冀南银行，9 月在黎城县卜牛村筹建。10月 15 日冀南银行总行在黎城县小寨正式成立。同时在黄崖洞镇宽章村设印钞厂和资财所。院落格局保存较完整，建筑完整性较差，亟待修复整理；进村的山路上保留着两处碉堡，内部空间保存完整，流线清晰，射击孔洞保留完整，残存着原来战争留下的痕迹。2021 年被山西省人民政府公布为第六批省级文物保护单位。乡村道路经此。

50-B-b189 **八路军总部及抗大总校霞庄旧址**［Bālùjūnzǒngbù Jí Kàngdàzǒngxiào Xiázhuāng Jiùzhǐ］位于山西省长治市黎城县停河铺乡霞庄村。总共有 3 处院落，北院、南院以及卫生处旧址。北院旧址为一进院落，坐北朝南，东西 15.56 米。南北 11.7 米，占地面积 190.14 平方米，现存建筑有二门、东厢房、西厢房、影壁。南院旧址为四合院，一进院落，坐北朝南，东西 13.5 米，南北 17.97 米，占地面积 238.36 平方米，现存有大门、正房、东西厢房、南房，当时正房和西房为教室，南房和东房为罗瑞卿和张际春的办公室。卫生处旧址为二进院落，院落坐北朝南，东西长 15.98 米，南北 39.56 米，占地面积 632.17 平方米，现存建筑有大门、一进院东西厢房（东厢房仅存基址）、过厅、二进院东西厢房，二进院正房只残存基址。1940 年抗日军政大学总校（对外称黄海部）进驻黎城县霞庄村，校址设在该村王玉德家。为红色文化建设提供了实物依据和场所，弘扬红色文化的精神价值，具有重要的历史价值和社会人文价值。八路军总部霞庄旧址：八路军总部霞庄旧址位于黎城县停河铺乡霞庄村，在黎城县北社、霞庄召开了高级干部会议（简称黎城会议）时，八路军总部设在霞庄村王魁业家，当时朱德总司令住在该址。现存院落坐南朝北，一进院落，东西 12.47 米、南北 16.49 米，占地面积 196.53 平方米。现仅存正房、大门、南房、影壁。1940 年 2 月晋冀豫省委，以及所属省委党校、新华书店、“先锋剧团”、抗日文化接待站也先后进驻霞庄。使得霞庄成为共产党、八路军抗日根据地的核心。2021 年被山西省人民政府公布为第六批省级文物保护单位。天黎高速经此和通黎城 503 路公交车。

50-B-b190 **八路军总部河南村旧址**［Bālùjūn zǒngbù Hénáncūn Jiùzhǐ］位于山西省长治市黎城县上遥镇河南村王家“旗杆院”。原址为民居，整个大院由五部分组成，分为布局各异的 5 个小院，砖石结构，总面积 1200 平方米。河南村志的大事记中记载：“1939 年 7 月，八路军总部由襄垣开往武乡途经河南村，因为漳河水涨水，朱德、彭德怀、左权等总部首长在曾经在板仗门口的客位院内居住”的记载。抗日战争爆发后，八路军挺进晋东南不久即于 1938 年春天进驻这里。1938 年 3 月 15 日，八路军一二九师三八六旅七七二团从这里出发潜伏潞城神头岭，于 3 月 16 日伏击日军，歼灭日军第十六师团、一〇八师团各一部共 1500 余人，击毙与缴获骡马 600 余匹。战斗胜利后，一部分部队又带着战利品回到河南村，其中上百匹缴获的日军战马拴在石坡岭一带。在中国共产党抗日主张感召下，河南村于 1938 年 10 月建立党支部，当时有党员 15 名，之后党支部又发动群众建立武委会、农会、工会、青救会、妇救会等抗日组织，使河南村较早的成为具有良好群众基础的抗日堡垒村。1939 年 7 月，八路军总部同中共中央北方局从潞城县北村转移到河南村。朱德总司令、彭德怀副总司令、左权副总参谋长等八路军首长住在村内旗杆院，后率部于村北强渡漳河天险，突破日军的包围安全转移。2021 年被山西省人民政府公布为第六批省级文物保护单位。乡村道路经此。

50-B-b191 **太行造纸总厂旧址**［Tàihángzào zhǐzǒngchǎng Jiùzhǐ］位于山西省长治市黎城县西井镇石壁底村。现有遗存包括指挥部旧址、卫生院旧址、发电机房旧址、水磨房旧址（两处）、压光房旧址、库房旧址（观音堂和关帝庙）、技工宿舍旧址、采办处旧址、厂房旧址、职工食堂旧址。1938 年，八路军第一二九师六分校在源泉、源庄等村原来纸作坊基础上，在石壁底村成立晋华纸厂。1939 年 10 月冀南银行成立后，专门设立纸厂试验所，进行试验，改进造纸工艺，为冀南银行制造生产印钞纸。1945 年太行区将晋华造纸厂扩建，更名为太行造纸公司。设总厂和 4 个分厂统一经营，分厂专管生产，工人达 1402 人，年生产印钞纸 2352 令。成为我根据地八路军最大的造纸厂，有力地保障了根据地军民用纸和冀南银行的印钞用纸。太行造纸总厂随着华北银行第二印刷局和中国人民银行第二印刷局的成立，先后隶属于两局领导。1949 年 10 月，太行造纸总厂撤销。2021 年被山西省人民政府公布为第六批省级文物保护单位。乡村道路经此。

50-B-b192 **沙窟遗址**［Shākū Yízhǐ］位于山西省长治市壶关县黄山乡沙窟村。依地势分布梯田间，东西长 150 米，南北长 100 米，面积约 15000 平方米。断崖处暴露灰坑，文化堆积层达 1.5 米厚，遗址内发现大量陶片，以绳纹、网纹、弦纹俱多，可辨器型有鬲足、豆柄、口沿等，质地均属泥质夹砂陶。并发现完整的陶鬲、陶釜、骨锥、石铲、石锤、石斧。遗址南有一条石坡可通往玉皇七佛观，当地老百姓称之为“石鱼坡”，在“石鱼坡”上发现有鱼、海螺、树叶等化石标本。1996 年被山西省人民政府公布为第三批省级文物保护单位。207 国道经此。

50-B-b193 **秦庄东岳庙**［Qínzhuāng Dōngyuè Miào］位于山西省长治市壶关县龙泉镇秦庄村。创建年代不详，明万历二十七年（1599 年）重修。坐北朝南，二进院，中轴线上有过亭、正殿。占地面积 1100 平方米。正殿建在 1 米高的台基上，为元代建筑，面阔五间，进深六椽，单檐悬山顶，殿内采用减柱造。2004 年被山西省人民政府公布为第四批省级文物保护单位。通壶关 10 路、壶关 2 路公交车。

50-B-b194 **逢善天齐庙**［Féngshàn Tiānqí Miào］位于山西省长治市壶关县集店乡逢善村。创建年代不详，现存主体建筑正殿为元代遗构，其余为清代建筑。坐北朝南，二进院布局，占地面积为 1220 平方米。中轴线上现存建筑由南向北依次为山门、正殿，两厢有东西妆楼、钟鼓二楼、东西配殿、东西廊房以及东耳殿等。正殿面阔三间，进深四椽，平面呈近方形。单檐悬山顶。主体比较完整地保留着元代建筑风格，是一处比较典型的元代建筑遗构。庙内保存着清道光十九年（1839 年）“天齐庙铸钟记”碑 1 通。2016 年被山西省人民政府公布为第五批省级文物保护单位。平长高速和长治绕城高速经此。

50-B-b195 **辛村大禹庙**［Xīncūn Dàyǔ Miào］位于山西省长治市壶关县集店乡辛村。创建年代不详，坐北朝南，一进院布局，占地面积为 790 平方米。现存主体建筑正殿为元代遗构。其余为清代建筑。中轴线上建有新建山门、献殿、正殿，两侧为耳殿，西配楼，东配殿。正殿面阔三间，进深六椽，平面近方形。殿内梁架为四椽栿对前乳栿，用材粗犷，梁架上结点施驼峰，为彻上露明造。殿内金柱也为不规则方形石柱，梁架用材粗狂，梁架构件稍加砍做。斗栱肥硕，具有典型的元代遗风。主体结构比较完整地保留着元代风格。2016 年被山西省人民政府公布为第五批省级文物保护单位。通壶关 227 路公交车。

50-B-b196 **常行村民兵抗日窑洞战斗遗址**［Chángxíngcūn Mínbīng Kàngrì Yáodòng Zhàndòu Yízhǐ］位于山西省长治市壶关县东井岭乡常行村。旧址坐北朝南，西南环山，北为村民居舍，由窑洞、碉堡、展厅三部分组成，占地面积 1600 平方米。展厅内布设展版 50 块，展线 60.55 米，展版总面积 75.49 平方米，并配有纪录片、解说词供游人参观，展览以“永远的丰碑”为主题，图文并茂，史物结合，以详实的历史资料再现了当年民兵抗日的战斗场面。抗日战争时期，常行村处于敌、伪、顽交汇地区，也是共产党领导的抗日政府的前沿阵地。1965 年，被山西省人民政府公布为第一批省级文物保护单位，1995 年确定为爱国主义和国防教育基地。省道长平线经此。

50-B-b197 **东旺庄二仙真人庙**［Dōngwàngzhuāng Erxiānzhēnrén Miào］位于山西省长治市壶关县集店乡东旺庄村。俗称“九天圣母庙”。始建规模和年代不详。坐北朝南，一进院布局，东西宽 23.53 米，南北长 40.57 米，总建筑面积为 679.37 平方米，占地面积为 954.61 平方米；中轴线由南向北依次建有山门（戏楼）、献殿、正殿，东西两侧分列东、西妆楼、东西廊房和东西耳房，文物建筑共计 9 座。现存正殿为金代遗构，献殿为明代遗构，其余为清代与民国遗构。正殿单檐悬山顶，琉璃脊刹，面阔三间，进深六椽；梁架保留有彩绘，西山墙有壁画，前檐装修为板门、直棂窗。献殿为卷棚顶，面阔三间，进深三椽，四檩构架，梁架保留有彩绘，柱头科三踩单昂。山门由两部分组成，下部明间为山门通道，上为倒坐戏楼。戏楼台口高 3 米，面阔三间，进深四椽，单檐悬山顶。庙内存明、清、民国重修碑3通。为研究当地的传统建筑提供了实物资料。2021年被山西省人民政府公布为第六批省级文物保护单位。通壶关227路公交车和207国道经此。

50-B-b198 **骞堡汤王庙**［Qiānbǎo Tāngwáng Miào］位于山西省长治市壶关县龙泉镇骞堡村。创建年代不详。坐北向南，现存二进院落，东西宽22.4米、南北长47.8米，总建筑面积为465.02平方米，占地面积1070.72平方米。现存主体建筑正殿为明代遗构。中轴线现仅存正殿，东西两侧由南向北分列着东西厢房、东西配房、东西耳殿（东耳殿已不存）。为研究当地的宗教建筑提供了实物资料。正殿为骞堡汤王庙主体建筑，建筑面积为108.08平方米，较完整地保留了明代建筑原构，该殿面宽三间，进深六椽，屋顶单檐悬山顶，琉璃剪边施琉璃脊兽，七檩前廊式构架，柱头科三踩单下昂，灰板瓦屋面，前墙新砌装修已改。西耳殿为面阔一间、进深一间窑洞，清代遗构。东西配殿主体建筑为清代遗构。正殿保持了明代结构形制、建筑材料和工艺做法，对研究该地区早期木构建筑和艺术发展史，了解当时的社会文化、宗教信仰等具有重要意义。2021年被山西省人民政府公布为第六批省级文物保护单位。207国道经此。

50-B-b199 **西归善大明寺**［Xīguīshàn Dàmíng Sì］位于山西省长治市壶关县龙泉镇西归善村。创建年代不详，据庙内碑刻记载，清乾隆二十二年（1757年），乾隆三十四年（1769年）均有修葺。坐北向南，现存一进院落，东西宽20.4米、南北长25.8米，总建筑面积为279平方米，占地面积526平方米。正殿为元代遗构，东西厢房为清代遗构，山门为后加建筑。中轴线上由南向北依次为山门、正殿，两侧分列着东、西厢房。西归善大明寺原有规模甚大，为二进院落，中轴线由南至北依次布置有戏台（带通道）、献殿、正殿，两侧分列着钟鼓楼、东西配房、东西厢房和东西耳殿。现存的正殿为大明寺主要建筑，为元代遗构，面阔三间，进深六椽。东西厢房为清代遗构。西归善大明寺历史悠久，是晋东南地区早期祭奠的祠庙。几经维修，现仍保存了元代遗构，为研究当地同时期寺庙建筑提供了实物资料。2021年被山西省人民政府公布为第六批省级文物保护单位。省道长平线经此。

50-B-b200 **四家池唐王庙**［Sìjiāchí Tángwáng Miào］位于山西省长治市壶关县龙泉镇四家池村。创建年代不详。坐北向南，一进院落布局，东西宽25.7米，南北长27.7米，占地面积684平方米。现存正殿为元代遗构，其余均为清代遗构，清乾隆五十六年（1791年）、清乾隆五十九年（1794年）均有重修。中轴线上最北端建有正殿，轴线两侧对称有东、西配房。山门与南房已毁不存。庙内保存较好且价值较高为正殿，该殿为元代遗构，建筑面积为306.57平方米，面阔七间，进深六椽，四椽栿对前乳栿，通檐用三柱，单檐悬山顶，柱头铺作为五铺作双下昂。东西配房为清代遗构。庙内现存清代石碑4通。庙内正殿的梁架和铺作是现存元代建筑的典型之作，为研究晋东南地区早期建筑提供了实物资料。2021年被山西省人民政府公布为第六批省级文物保护单位。207国道经此。

50-B-b201 **郭家坨朱德路居**［Guōjiātuó Zhūdé Lùjū］位于山西省长治市壶关县石坡乡郭家驼村。原名“郭家驼佛爷庙”。创建年代不详，现存建筑为清代遗构。旧居坐北朝南，原为二进院落（二进院有北房五间，东西房三间，现已不存）。一进院落东西长19.24米、南北宽29.54米，总建筑面积为479.83平方米，占地面积568.3平方米。中轴线上由南向北依次有山门（倒座戏台）、正殿；东西两侧由南向北分列东、西妆楼，东、西配殿，东、西耳殿，共计文物建筑8座，石碑两座。民国29年（1940年）4月23–25日，朱总司令住在此东湾子大院，划定了八路军与国民党军队在本县的管辖区。2021年被山西省人民政府公布为第六批省级文物保护单位。省道荫林线经此。

50-B-b202 **长子古城址及墓地**［Zhǎngzǐ Gǔ chéngZhǐ Jí Mùdì］位于山西省长治市长子县城西南3公里城关镇孟家庄。坐落在孟家庄村北的一块东西开阔又较周围地区高出3–4米的台地上。1977年、1988年在此地发掘24座墓。牛家坡墓地，出土了战国青铜器、玉器、陶器等珍贵文物。

1986 年被山西省人民政府公布为第二批省级文物保护单位。通长子 336 路公交车。

50-B-b203 **西旺墓群**［Xīwàng Mùqún］位于山西省长治市长子县南漳镇西旺村。墓地北高南低，东西长约 400 米，南北宽约 250 米，总占地面积约 10 万平方米。由于砖厂取土，墓群遭到严重破坏，十分严重。1995 年文物普查时在断崖上发现四座长方形土坑墓，土为五花土，据专家勘察，为殷周时期古墓群。1965 年被山西省人民政府公布为第一批省级文物保护单位。通长子 326 路公交车。

50-B-b204 **团城唐王圣帝庙**［Tuánchéng Tángwáng Shèngdì Miào］位于山西省长治市长子县南陈乡团城村。据庙内现存《文皇庙重修碑记》《唐太宗庙重修碑记》《重修唐王圣帝庙碑》等清碑 5 通记载，庙内大殿为元代建筑，其余皆为清代建筑，且明清时期寺庙多有增修。坐北朝南，现存一进院落。沿中轴线依次布置倒座戏台（已坍塌）、石经幢、大殿。大殿两侧设左右朵殿，殿前东西两侧为五开间厢房。大殿月台前现残存形制古朴的石经幢一座，字迹残损，未见纪年。2016 年被山西省人民政府公布为第五批省级文物保护单位。乡村道路经此。

50-B-b205 **北庄唐太宗神庙**［Běizhuāng Tángtàizōng Shénmiào］位于山西省长治市长子县丹朱镇北庄村。创建年代不详，据现存碑刻可知，道光八年创修东西角殿，解放后做过学校，搬出后一直荒废至今。坐北朝南，一进院落布局，中轴线由南向北依次为山门（倒座戏台）、正殿、两侧为东西妆楼，东西厢房，东西耳殿，西厢房与东妆楼坍塌仅存遗址。正殿面阔三间，进深六椽，单檐悬山顶，梁架为四椽栿后乳栿通檐用三柱，柱头铺作为四铺作单下昂，明间设板门，次间设直棂窗。大殿斗栱、梁架等大木作基本为原构，是晋东南地区典型的元代早期建筑，具有重要的历史价值。2021 年被山西省人民政府公布为第六批省级文物保护单位。省道长平线经此。

50-B-b206 **两水护国灵贶王庙**［Liǎngshuǐ hùguó Língkuàngwáng Miào］位于山西省长治市长子县大堡头镇两水村。创建年代不详，寺内现存明天启二年（1622 年）重建碑记，记载了明朝寺院的维修历史，现存献殿脊槫下有中华民国二十四年补修全庙的题记，戏楼于 1963 年重修。坐北朝南，现存两进院落，沿中轴线依次分布山门（倒座戏台）、过殿、大殿，两侧为东西夹楼、东西配殿、东西廊房、东西耳殿。大殿为明代遗构，其余皆为清代遗构，东西夹房坍塌不存。庙宇东侧为小学，南侧为学校操场，西侧为民居，北侧为饲料厂。寺庙格局和主体建筑基本保存完整，但厢房等附属建筑多有破损。2021 年被山西省人民政府公布为第六批省级文物保护单位。通长子 321 路东线、长子 321 路西线公交车。

50-B-b207 **崇瓦张三嵕庙**［Chóngwǎ Zhāng sānzōng Miào］位于山西省长治市长子县慈林镇崇瓦张村。据碑碣记载，清康熙四十八年（1709 年）、咸丰九年（1859 年）、光绪二十四年（1898 年）均有修葺。坐北朝南，二进院落，东西 21.8 米、南北 46.4 米，占地面积 1011.5 平方米。结合长治地区宋、金建筑结构特征考证分析，正殿为金代遗构，其余建筑为清代遗构。中轴线由南至北遗有山门、献殿基址、正殿，山门东、西两侧遗有配楼、一院东西厢房基址、二院东西厢房、正殿东西耳房。庙内有清康熙二十八年（1689 年），光绪二十四年（1898 年）重修碑各 1 通，清咸丰九年（1859 年）重修碣 1 方。是上党地区一位影响极为深远的大神，同时，三嵕神崇拜也是上党地区所独有的一种民俗现象与文化现象。2021 年被山西省人民政府公布为第六批省级文物保护单位。省道屯龙线经此。

50-B-b208 **南鲍村汤王庙**［Nánbàocūn Tāng wáng Miào］位于山西省长治市长子县城东南 4.5 公里丹朱镇南鲍村。北宋大观三年（1109 年）《大宋故汤王庙之碑》记：“盖闻祠堂古建舞楼新修前涖□□不住而寒潭往刁黄白□烟光而暮山紫南眺秦关连云之横□□□……路丹朱之右隍长川相接府邑□□人杰移风仕清易俗时惟九月叙应三秋……”。宋大观有之，后代历修。坐北向南，一进院落，东西 24 米、南北 42 米，占地面积 1008 平方米。中轴线由南至北遗有倒座戏台、献殿、大殿，大殿及戏台东西遗有耳殿，院内东西遗有厢房。大殿元代遗构，献亭、戏台为清代遗构，余皆民国建筑。2021 年被山西省人民政府公布为第六批省级文物保护单位。通 603 路、长子 326 路公交车。

50-B-b209 **柳树紫薇庙**［Liǔshù Zǐwēi Miào］位于山西省长治市长子县大堡头镇柳树村。创建年代不详，清康熙二十二年（1683 年）《创修紫薇庙乐舞楼记》、清康熙二十七年（1688 年）《重修紫薇庙碑记》碑记载，弘治十三年、万历三十四年及清康熙年间重修。坐北向南，一进院落，东西 22 米、南北 47 米，占地面积 1034 平方米。中轴线上仅存大殿一座，大殿东、西遗有耳殿基址，院东、西遗有厢房。正殿元代遗构，厢房清代遗构。2021 年被山西省人民政府公布为第六批省级文物保护单位。通长子 321 路东线公交车。

50-B-b210 **青仁二仙庙**［Qīngrén Erxiān Miào］位于山西省长治市长子县大堡头镇青仁村东北。据庙内碑载：创建于金大定（1115 年—1234 年）中期，明万历二十年（1952 年）、清道光十二年（1832 年）均重修。坐北朝南，东西长 21.5 米，南北宽 46.249 米，占地面积 994.3 平方米。现存的正殿的为元代遗构，其余建筑为清代遗构。现存一进院落，中轴线由南至北遗有山门（倒座戏台）、大殿，大殿东西遗有耳殿，戏台左右设耳楼，院落两侧为东西配殿。大殿建于高 0.75 米的砖石台基之上，面阔三间，进深六椽，单檐硬山顶，梁架为四椽栿搭前乳栿通檐用三柱，檐柱为砂石质，柱头铺作为四铺作单下昂，新建前墙，门窗有改制。庙内存明万历二十年（1952 年）、清道光十二年（1832 年）重修碑及功德碑 3 通。2021 年被山西省人民政府公布为第六批省级文物保护单位。通长子 321 路西线公交车。

50-B-b211 **王郭三嵕庙**［Wángguō Sānzōng Miào］位于山西省长治市长子县宋村乡王郭村。北宋崇宁年间后羿被封为“灵贶王”，故三嵕庙又称灵贶王庙、护国灵贶王庙。创建年代和历史沿革不详。坐北朝南，一进院布局，东西 27.941 米、南北 45.6 米，占地面积 1274.1 平方米。结合长治地区金至清代建筑结构特征考证分析，为金代遗构，其余建筑为清代遗构。中轴线遗存倒座戏台、献殿、三嵕殿；三嵕殿两侧遗有东、西耳殿，院内东、西厢房，东、西山门及耳房。是祀奉后羿的庙宇，传说后羿射日的地点在屯留区三嵕山，相传尧时十日并出，羿提弓于屯留三嵕山射去九日，又射杀猛兽长蛇，为民除害，故而百姓敬奉，大兴土木、建庙祀之。院落布局完整，三嵕殿保留金代风格，是上党地区有关三嵕信仰早期建筑的珍贵实例。对研究早期三嵕庙的庙宇形制以及上党地区三嵕文化信仰等具有非常重要的意义。2021 年被山西省人民政府公布为第六批省级文物保护单位。省道长安线经此。

50-B-b212 **西上坊成汤王庙**［Xīshàngfāng Chéngtāngwáng Miào］位于山西省长治市长子县丹朱镇西上坊村。据现存金石碑刻、题铭和各版长子县志可知，金皇统元年寺庙重建，置门楼、献殿、大殿、后殿、东西挟屋、东西廊屋等，规模宏大。金正隆、元至正、明嘉靖、清乾隆年间屡修。成汤王庙现仅存大殿一座，殿明间前廊东石柱上有：“皇统元年□□村和宝□柱一条记”，考建筑构架，为金代遗构。坐北朝南，原有院落垦为农田，布局不清。据大殿台基保存唐代经幢（博物馆收存），“……天宝十载正月……”铭记，创建时代不晚于唐天宝十年（751 年）。大殿梁栿自然，加工较细，栿间以蜀柱栌斗顶承，檩枋多螳螂榫卯，晋东南金代建筑结构共性特点突出。反映了金代早期木结构营建技术，是研究宋、金木构建筑技术传承之实物资料。后檐柱头铺作施以上昂造，为山西最早上昂之实例（孤例）。2021 年被山西省人民政府公布为第六批省级文物保护单位。通长子 326 路公交车。

50-B-b213 **岳阳广化寺**［Yuèyáng Guǎnghuà Sì］位于山西省长治市长子县石哲镇岳阳村。据县志载该庙创建于宋治平元年（1064 年），明、清历代均有重修。坐北朝南，二进院落布局，东西长 35.5 米、南北宽 61.3 米，占地面积 2176.2 平方米。现存过殿为元代遗构、大雄宝殿为明代建筑，西配殿为清代所修。现庙内存一对宋代柱础，一块唐代碑座。2021 年被山西省人民政府公布为第六批省级文物保护单位。省道长安线经此。

50-B-b214 **大南石村千佛寺**［Dànánshícūn Qiānfó Sì］位于山西省长治市长子县南陈乡村。坐北朝南，二进院落，中轴线上建有山门、过殿和大雄宝殿，两侧为过殿耳房、东西厢房和东西朵殿。寺院东侧为民居，南侧为下沉空场，面积约 400 平方米，空场前有一条宽约 10 米的河流，庙西、北两侧为玉米地。大南石村千佛寺创建年代不详，1997 年修缮，新砌四壁砖墙。寺内仅大殿为元代遗构，过殿为明清建筑，其余为新建。2021 年被山西省人民政府公布为第六批省级文物保护单位。省道长安线经此。

50-B-b215 **善村龙王庙**［Shàncūn Lóngwáng Miào］位于山西省长治市长子县南陈乡善村。创建年代不详，现仅存的正殿为元代遗构，戏台为清代遗构。正殿建于砖砌台基之上，长 8.5 米，宽 6.5 米，高 2.2 米；面宽三间，进深六椽，单檐悬山顶，梁架为四椽栿前乳栿通檐，檐柱为石质；柱头斗栱为四铺作单下昂，出 45 度斜拱；前后檐均施斗栱，明间施板门，两次间施直棂窗。庙内现存大清顺治四年（1647 年）重修碑一通，正殿内墙上存约 4 平方米的壁画。2021 年被山西省人民政府公布为第六批省级文物保护单位。乡村道路经此。

50-B-b216 **壁村三嵕庙**［Bìcūn Sānzōng Miào］位于山西省长治市长子县常张乡壁村村西的壁村中学内。创建年代不详。坐北朝南，现存一进院落，尚存有正殿、西耳房、献殿遗址以及院落中部倒座戏台遗址。院落位于高大台地上，西、南、北三侧为陡坎，东侧为壁村中学校舍。修建沿革无文献稽考。结合长治市金元木结构建筑遗存分析，正殿为金—元代遗构，余皆清代遗构。正殿建于砖砌台基之上，面宽三间、进深六椽，单檐不厦两头造，灰布筒板瓦屋面；梁架为四椽栿前压乳栿用三柱。现存格局和主体建筑基本完整，但厢房、朵殿等附属建筑已荒废。2021 年被山西省人民政府公布为第六批省级文物保护单位。乡村道路经此。

50-B-b217 **西南呈帝宝阁**［Xīnán Chéngdì Bǎogé］位于山西省长治市长子县南漳镇西南呈村。据阁碣载：该阁创建于明万历三年（1575 年），现存建筑为明代遗构。坐北朝南，东西长 14.7 米，南北宽 11.1 米，占地面积 163.1 平方米。阁分为二层，用青砖砌筑而成。一层为长方形阁基，中设拱券过洞，高 3.6 米，跨度 3 米，宽 11.1 米，券额南刻“灵台宝阁”北凿“远镇北方”，基檐下四周为砖雕斗栱，三踩单翘。二层为重檐歇山顶阁楼，阁内四周成回廊，主体阁置中央，面宽三间，进深四椽，五檩架构；重檐下均设斗栱，柱头科为五踩重拱双下昂，四面拱眼上墨书：“南眺慈林”、“威镇北方”、“西依白云”、“东临漳水”。阁南墙东垛嵌“大明万历三年二月十九日建立”创修碣 1 方。是研究长子县亭台楼阁类建筑重要的实物资料。2021 年被山西省人民政府公布为第六批省级文物保护单位。通 609 路公交车。

50-B-b218 **色头炎帝庙**［Sètóu Yándì Miào］位于山西省长治市武乡县色头镇色头村。坐北朝南，一进院落布局，东西长 40.8 米，南北宽 22.4 米，占地面积 913.9 平方米。中轴线上由南向北依次有戏台、献亭、正殿，东、西两侧有厢房、妆楼。正殿建于高 1 米砖石台基之上，面宽五间，进深六椽，单檐悬山顶，琉璃脊饰，七檩前廊式构架。其中献亭柱础为浮雕青狮，雕刻精美，戏台整体为人物、鸟兽、花草，木雕精致。庙内存清咸丰三年（1853 年）重修碑 1 通，同治五年（1866 年）重修碑 2 通，民国十六年（1926 年）重修碑 1 通。是研究长子县坛庙祠堂类建筑重要的实物资料。2021 年被山西省人民政府公布为第六批省级文物保护单位。通长子 321 路东线公交车。

50-B-b219 **石勒寨遗址**［Shílèzhài Yízhǐ］位于山西省长治市襄垣县故县乡故县村。石勒城，又名“石勒寨”“石赵故城”。清康熙版《武乡县志》载：石勒寨修于西晋永嘉六年，十六国后赵王石勒曾屯兵于此。近几十年来，城址被拆毁严重，现虽城池塌毁，但整个遗址尚在，部分城墙尚存。依山势所建，夯筑特色明显，文物遗存比较丰富，采集大量建筑构件。现存城门、城墙以及大型夯土建筑基址等，周边现状保存较好。遗址文物遗存比较丰富，采集有板瓦、筒瓦等大型建筑构件。史载为十六国后赵皇帝石勒屯兵之所，具有重要的历史价值。2016 年被山西省人民政府公布为第五批省级文物保护单位。乡村道路经此。

50-B-b220 **武乡玉贞观**［Wǔxiāng Yùzhēn Guān］位于山西省长治市武乡县丰州镇城关村宝塔街。创建年代不详，据碑记载（原碑已失）清康熙十六年（1677年）重修。原为一进院落布局，现为二进院。坐北朝南，东西长22.3米，南北宽48.2米，占地面积959.5平方米。一进院中轴线现存山门和正殿为清代遗构，正殿东、西耳房及山门两侧二楼均为复建。二进院落为新建院落，分后殿与二进院东、西厢房。后殿为二层单檐硬山顶，东、西厢房为单檐卷棚硬山顶；二进院落建筑均为砖混结构，石质台明。正殿面阔三间，砖木结构，单檐悬山顶。2016年被山西省人民政府公布为第五批省级文物保护单位。通武乡2、3路公交车。

50-B-b221 **八路军兵工厂蟠龙镇旧址**［Bālùjūn Bīnggōngchǎng Pánlóngzhèn Jiùzhǐ］位于山西省长治市武乡县蟠龙镇石门村、柳沟村。旧址包括北方局旧址，杨尚昆、刘锡五、李大章、杨献珍旧居。是华北抗日救国运动的精神中枢，指挥了华北敌后各抗日根据地游击战争和政治、经济、文化斗争，组织了著名的百团大战，为中国抗日战争和世界反法西斯战争的胜利作出了卓越的贡献。列入全国12个红色旅游景区之一和全国百个红色旅游经典景区之一，成为我国著名的爱国主义教育基地。2016年被山西省人民政府公布为第五批省级文物保护单位。乡村道路经此。

50-B-b222 **北良侯村造像**［Běiliáng Hóucūn Zàoxiàng］位于山西省长治市武乡县城西北35公里处的北良候村。石刻为佛教创始人释迦牟尼的立体造像。石像高3.9米，腰围2米，手长40厘米，背北面南，立于50厘米高的石雕莲花座上。石像刻线明显，披巾搭胸，细腰束带，雕线棱角分明，刀法洗练，在个体石像中甚为罕见，为我国古代石雕珍品。1965年被山西省人民政府公布为第一批省级文物保护单位。乡村道路经此。

50-B-b223 **监漳应感庙**［Jiānzhāng Yīnggǎn Miào］位于山西省长治市武乡县监漳镇北社村监漳自然村。创建于宋元祐七年（1092年），据庙内碑文记载大清嘉庆七年（1802年）重修。坐北朝南，东西25.4米，南北25.9米，占地面积657.9平方米。现存正殿为金代遗构，戏楼为明代建筑，其余皆为清代建筑。一进院落布局，中轴线上有戏楼、正殿，戏楼两侧为东、西耳楼，院落两侧分布东西厢房。正殿建于高1米石砌台基之上，面宽五间，进深六椽，单檐悬山顶，四椽栿对前乳栿用三柱，前廊式构架，柱头铺作为四铺作单抄，补间铺作一朵。是研究当地金、明清时期寺庙建筑重要的实物资料。2021年被山西省人民政府公布为第六批省级文物保护单位。乡村道路经此。

50-B-b224 **太行工业学校旧址**［Tàiháng gōngyèxuéxiào Jiùzhǐ］位于山西省长治市武乡温庄村。1941年1月，八路军总部决定武乡温庄村创办太行工业学校，专门为各军工厂培养技术人才。5月1日，太行工业学校正式开学。开设机械专科、采矿专科、冶金专科和预科、财务科。在此驻扎3年多时间。校长由军工部刘鼎部长兼任，总部还派柳沟铁厂副厂长、英国留学生、冶金工程师刘致中担任副校长，并主持日常工作；李非平任教务主任，厉瑞康任副政治教导员，夏明任教职干部党支部书记。1942年5月反“扫荡”中，学校转移到武乡山区、黎城西头和南陌村一带，后又转移到辽县青城白寺蛟。反“扫荡”结束后，学校又返回武乡温庄村。1944年5月，历时3年的太行工校奉命停办，部分教师开到延安，留下的员工安排在兵工厂。1946年2月，由于国民党积极内战，战争形势非常紧张，晋冀鲁豫军区军工处决定，恢复太行工业学校，继续为军工生产培养人才，改名为长治工业学校。该校是今天的太原中北大学前身。2021年被山西省人民政府公布为第六批省级文物保护单位。乡村道路经此。

50-B-b225 **八路军野战总政治部下合旧址**［Bālùjūn Yězhàn Zǒngzhèngzhìbù Xiàhé Jiùzhǐ］位于山西省长治市武乡县韩北乡下合村。旧址坐北朝南，东西19.7米，南北20.1米，占地面积396平方米。现存北窑3孔，南房3间（稍间为门），东西房各3间。1939年7月15日，八路军野战总政治部驻扎烟里村，正是国民党顽固派发动第一次反共高潮的时刻，阎锡山蒋介石的授意下，发动了“晋西事变”，在南京，大汉奸汪精卫和日寇签定了《日支新关系调整纲要》的卖国密约，投降危机十分严重。值此“抗战紧急，内战又起，国人皆忧”的危急关头，八路军野战政治部于12月16日，在此召开了总直机关千余人参加的朱总祝寿大会，借以宣传德高望重的总司令，赞扬在华北前线艰难转战、英勇杀敌的八路军，充分揭露国民党顽固派对我八路军将士的诽谤。指挥了磁武涉林反顽战役，击退了国民党顽固派的第一次反共高潮。为打破日伪顽对抗日根据地的经济封锁，朱彭总副司令和野战政治部主任傅钟、副主任陆定一，发出关于开展生产运动的训令。生产自救运动的开展，保障了部队的供给，减轻了人民负担，使根据地度过难关。2021年被山西省人民政府公布为第六批省级文物保护单位。乡村道路经此。

50-B-b226 **八路军一二九师司令部石板旧址**［Bālùjūn Yīèrjiǔshī Sīlìngbù Shíbǎn Jiùzhǐ］位于山西省长治市武乡县蟠龙镇石板村。1939年夏至1941年，一二九师司令部曾四次在石板村驻扎。四次全部驻扎在“三先生”家，三先生大名王全瑾，因其排行老三，人们尊称他为三先生，王家是石板村最富的大户，老大王全璋，老二王全珍，老三王全瑾，老大住新院，由于王全璋去世早，家产由其子王跃元继承，老二王全珍住东院，老三王全瑾住转角院。1939年晋东南反第二次九路围攻战斗之后，一二九师来到石板村，师部住王全瑾家转角院西院，刘伯承师长、邓小平政委住转角院东院，师政治部住三官庙。为了解决军队的服装问题，师部在王跃元家创办了纺织厂；还成立了修枪所。纺织厂主要生产毛毯、袜子、毛巾等，一直到1945年以后才离开。是太行抗日根据地著名的革命圣地，是一二九师师部长期驻扎地。见证了八路军一二九师开辟、发展、巩固太行抗日根据地的战斗历程；一二九师在这里指挥了多次重要的战役战斗；具有很高的红色革命文物价值。2021年被山西省人民政府公布为第六批省级文物保护单位。乡村道路经此。

50-B-b227 **日本人觉醒反战联盟东枣林旧址**［Rìběnrén Juéxǐng Fǎnzhànliánméng Dōngzǎolín Jiùzhǐ］位于山西省长治市武乡县东枣林村。旧址坐北朝南，东西21米、南北15米，占地面积315平方米。一进院落布局，中轴线上现存正窑，两侧有东、西房各3间。1939年1月2日，山西省武乡县王家峪村，在由八路军前线司令部召开的庆祝元旦集会上，3名日军俘虏杉本一夫、小林武夫、冈田义雄走上舞台，当场宣布要参加八路军。1939年11月7日，由杉本一夫在山西省辽县（现为左权县）麻田镇发起建立了华北日本士兵觉醒联盟。觉醒联盟，是由日本战俘杉本一夫、小林武夫、冈田义雄、高木敏雄、松井英男、吉田太郎、石冢修等人发起，于1939年11月7日在武乡成立，机关驻地枣林村。是中国战场上，日本俘虏转变立场后成立的第一个日本人反战组织。反战士兵加入八路军作战，在抗日战争中发挥了积极的作用。这一组织是敌后第一个日本人反战组织。在此影响下，反战组织陆续在各地建立，遍及敌后抗日战场，这一组织对瓦解日本士兵、涣散军心起到很大作用。2021年被山西省人民政府公布为第六批省级文物保护单位。乡村道路经此。

50-B-b228 **中共中央北方局党校上北漳旧址**［Zhōnggòngzhōngyāng Běifāngjú Dǎngxiào Shàngběizhāng Jiùzhǐ］坐落在山西省长治市武乡县上北漳村。又叫太行党校，是八路军总部和北方局办的一所训练部队和地方干部的专门学校，校址先在潞城县中村，后来较长时间住在武乡县的堙里村和上北漳村。在上北漳村驻扎时，八路军朱德总司令兼任校长，刘华清任专职党校总支书记。旧址现仅存有九座完整院落，其余或塌毁或改建。现存院落分别命名为1—9号院（分院详见图纸），这九处院落均为坐北朝南，面临河谷，背靠山坡。作为中共中央北方局党校上北漳旧址承载着将士奋战太行的革命事迹，体现了中共中央北方局党校在太行山区抗战的生活环境，是我国近现代历史的实物载体，见证了老一辈无产阶级革命家奋战的事迹。2021年被山西省人民政府公布为第六批省级文物保护单位。208国道经此。

50-B-b229　八路军一二九师师部宋家庄旧址［Bālùjūn Yīèrjiǔshī Shībù Sòngjiāzhuāng Jiùzhǐ］位于山西省长治市武乡县贾豁乡宋家庄村。旧址为一处二进四合院落式传统民居，坐北朝南，东西总宽 15.52 米，南北总长 26.7 米，占地面积 388 平方米。院落南倒座与院门一字并列，最北侧贴土崖砌五开间二层楼式正房，轴线两侧分别建三开间的配楼、厢房，院中设掖门及影壁围墙分隔前、后院，建筑檐墙及山墙间用围墙围合形成规整的四合院。1937 年国民政府军事委员会正式宣布红军主力改编为国民革命军第八路军（简称八路军），下辖 一一五、一二〇、一二九三个师。八路军第一二九师属于国军战斗序列，受中国共产党领导，是中共领导的三个主力师之一。1937 年 11 月 13 日，一二九师师部在山西和顺县召开石拐会议：动员华北抗战，传达贯彻中共中央、毛泽东主席关于创建以太行、太岳山脉为依托的晋冀豫边区抗日根据地的指示，具体布置了开展游击战争的各项工作任务。为了粉碎日军对华北各抗日根据地的进攻，打击其“囚笼政策”，八路军挥师挺进太行山区，总司令部迁移至武乡县东部的砖壁村，成为我国北方抗日战争的指挥中心，宋家庄也就是在百团大战第二阶段指挥榆辽战役期间成为刘伯承、邓小平、陈赓等老一辈无产阶级革命家的指挥部，指挥八路军对日军进行抗争。2021 年被山西省人民政府公布为第六批省级文物保护单位。乡村道路经此。

50-B-b230　八路军总部寨上旧址［Bālùjūn zǒngbù Zhàishàng Jiùzhǐ］位于山西省山西省长治市武乡县寨上村。八路军总司令部从 1938 年 4 月 10 日入村到 5 月 13 日出村。在寨上村共驻扎了整整 33 天，在此之间八路军总部以抗日持久战、游击战为主要内容，运筹帷幄，决胜千里，南征北战，指挥若定，为民族解放事业做出了重大贡献。当时国共合作一致抗日，为适应抗日战争之需，通过抗日持久战、游击战为国民党也训练了大批军官。旧址承载着八路军将士奋战太行的革命事迹，体现了太行山区抗战的生活环境，是进行“爱国主义教育基地”之一，具有较高的历史文化价值。2021 年被山西省人民政府公布为第六批省级文物保护单位。519 国道经此。

50-B-b231　八路军白和煤矿旧址［Bālùjūn Báihé Méikuàng Jiùzhǐ］位于山西省武乡县洪水镇白和村。1938 年 4 月，八路军一二九师在武乡县进行的长乐村战斗结束后，部队转入休整，八路军七六九团在团长陈锡联、政委黄振棠的带领下，来到白和村。了解到白和村地下有煤，决定在此开挖煤矿。由于没有启动经费，丁先国提出捐款集资，指战员们把自己积攒下的钱拿出来，总共凑了二十六块大洋。陈锡联决定又从团部的生活费中拿出二十四块，加起来共五十元大洋，就是煤矿的起步资金。此时一二九师决定派徐向前率七六九团挺进冀南。军需处处长李峰带领几个人就留下来办矿，他们分别住在梁文、梁二贵、梁林祥、孙培绪等人家。矿长李峰以 50 块大洋作启动资金，开始建矿打井。生产方式仍是人工开采，煤矿工人先是 60 多人，最多时达 120 人之多，当时白和村有 50 多人参加了矿井建设和采煤。井下采煤开始是拉驮，后来改成拉小车运输，井上是人利用大花车提升，日产原煤 2.5 吨左右，年产 500 余吨。生产出的原煤大部分运往黎城、左权、榆社、太谷等地，服务于抗战前线和黄崖洞的军工生产，有力支援了晋冀鲁豫边区的抗日战争。是八路军在太行山最早建立经营的企业；是克服困难解决军饷的历史见证。该煤矿不仅为八路军军工企业的发展起到奠基作用，也为八路军发展壮大起到不可估量的作用，在解放战争时期仍然贡献巨大。具有很高的文物价值。2021 年被山西省人民政府公布为第六批省级文物保护单位。省道沁涉线经此。

50-B-b232　中共中央北方局妇女干部训练班旧址［Zhōnggòngzhōngyāng Běifāngjú Fùnǚgànbù Xùnliànbān Jiùzhǐ］位于山西省长治市武乡县韩北乡石圪垤村东。旧址所在为村内旧庙，名为“时飨亭”。坐北朝南，一进院落。庙院布局规整紧凑，东侧设有一小门，中轴线上建筑有山门（倒座）戏台和大殿；中轴线两侧由南向北依次排布厢房和耳殿。八路军总部和中共中央北方局妇委在武乡驻扎期间，为锻炼、培养妇女干部，于 1940 年初，在石圪垤村时飨殿，举办了两期妇女干部训练班（简称妇训班）。妇训班的班长是邓小平的夫人卓琳，支部书记是左权将军的夫人刘志兰，浦安修任北方局妇委负责人。朱德、彭德怀等领导曾先后到妇训班来作报告，号召妇女干部要帮助广大妇女从族权、神权、夫权的封建统治下解放出来，积极为抗战作贡献。妇训班的学习内容，主要是马列主义理论、抗战形势、统一战线、党的基本知识及根据地妇女工作、妇女解放的道理和内容、妇女解放和民族解放运动的关系，同时还适当讲一些军事知识。这两期妇训班，对培养妇女干部，组织妇女抗战，开辟和创建太行抗日根据地，都发挥了积极的作用。妇训班毕业的学员，大部分赴太行山等地，采取“滚雪球”的方式，层层抓培训妇女干部的工作，收到了良好的效果。2021 年被山西省人民政府公布为第六批省级文物保护单位。乡村道路经此。

50-B-b233 **鲁迅艺术学校下北漳旧址**［Lǔxùn yìshùxuéxiào Xiàběizhāng Jiùzhǐ］位于山西省长治市武乡县下北漳村。于 1940 年 1 月 1 日在山西省武乡县下北漳村正式成立，学校归中共中央北方局与八路军野战政治部双重领导，设立有校务委员会、教务处、总务处和党支部等机构，由李伯钊校长、陈铁耕副校长，牛犇任教务主任。下设三个系：戏剧系、音乐系、美术系，分别由伊林、常苏民、杨角等同志任系主任。并设有普通科，校刊编委会。有彦涵、洪荒、朱杰民、吕班等一大批著名文学艺术家任教。为了提高学员业务水平，学校组建了鲁艺实验剧团和戏曲团，组织师生创作结合战斗形势的剧本，并由老师和学员共同演出。在李伯钊同志的提示下，无论是歌曲、木刻、版画，还是剧本，都结合现实生活，创作出了一大批优秀的作品。百团大战结束以后，由于战争形势变化，八路军总部与北方局等机关转移到了辽县，前方鲁艺也跟着转移到了辽县上武村。2021 年被山西省人民政府公布为第六批省级文物保护单位。208 国道经此。

50-B-b234 **长乐村战斗遗址**［Chánglècūn Zhàndòu Yízhǐ］位于山西省长治市武乡县故县乡里庄村，是抗战时期八路军主力粉碎日寇对太行山根据地实行“九路围攻”的主战场之一。长乐急袭战是抗战时期我党我军的一次经典战例。1938 年 4 月初，日军以第 一〇八师团为主力，并纠集第十六师团、二十师团、一〇九师团、一一六 师团和酒井旅团各一部，共十多个联队 3 万多人，南自邯长公路、北自正太路、西自同蒲路、东自平汉路，由博爱、邯郸、邢台、石家庄、阳泉、榆次、太谷、沁县、长治九个城镇向晋东南地区大举进攻，面对日军的大举进攻，八路军晋东南根据地的群众和八路军部队坚决粉碎这次“九路围攻”。八路军总部决定，以部分兵力和地方游击队采取广泛的游击战，发动群众空室清野，消耗敌人，以箝制各路敌军，掩护主力，隐蔽待击日军主要一路，在运动中歼灭之。长乐村战斗给日军主力以沉重的打击，迫使其他各路日军纷纷撤退。八路军乘胜追击，扩大战果。4 月 27 日自长治撤退的敌人在高牛以北的张店、张度岭和高牛以西的町店，又连续遭到八路军第三四四旅和决死一纵队的截击，伤亡 1000 余人。至此，日军对晋东南抗日根据地的“九路围攻”被八路军彻底粉碎，共消灭日军 4000 多人，收复县城 18 座，最后将日军全部赶出晋东南，使晋冀豫抗日根据地得到完全巩固。战斗遗址作为抗日革命遗址，承载着将士奋战太行的革命事迹，是八路军在太行山区抗战的历史见证，是我国近现代历史的实物载体，见证了老一辈无产阶级革命家奋战的事迹。2021 年被山西省人民政府公布为第六批省级文物保护单位。乡村道路经此。

50-B-b235 **阏與古城及墓地**［Yùyú Gǔchéng Jí Mùdì］位于山西省长治市沁县册村乡乌苏村。是古代一处十分重要的聚落遗址，为兵家必争之地。阏與古城战国时属韩，后属赵。1973 年在村北发现了多处战国墓群。1979 年在村东的古城遗址内发现大量的东周陶片和古城墙遗迹，经考证，为阏與古城址。原地形地貌未有建设性破坏。1986 年被山西省人民政府公布为第二批省级文物保护单位。省道沁涉线经此。

50-B-b236 **仁胜洪济寺**［Rénshèng Hóngjì Sì］位于山西省长治市沁县郭村镇仁胜村。始建年代不详，据庙内现存碑刻记载，该庙于金代重修。坐北朝南，二进院落，原规模较大。现存前殿、献亭、后殿，有碑二通。后殿位居献亭之后，面阔三间，进深六椽，悬山式屋顶。寺内现存金、清重修碑 2 通，惟金贞祐二年（1214 年）赐额重修碑较为珍贵，碑为青石制，通高 2.7 米，龟形碑座，碑身光洁如镜，碑首呈半圆形，碑额为双龙交替戏珠，刻工精细，碑文记载了赐额及重修寺院之详情，为沁州碑刻第一品，堪称“四绝碑”。2016 年被山西省人民政府公布为第五批省级文物保护单位。省道沁涉线经此。

50-B-b237 **八路军总部小东岭旧址**［Bālùjūn zǒngbù Xiǎodōnglǐng Jiùzhǐ］位于山西省长治市沁县段柳乡小东岭村。旧址坐东朝西，长 68.35 米、宽 39.25 米，占地面积 2682.7 平方米。原为村中阎氏宅院，民国时期民居建筑。现存有南北向五排房屋，四串一进院落，东侧有窑洞 12 孔（已坍塌 3 孔）。抗战时期总部领导居住院落由南向北依次为：邓小平、刘伯承用房，左权用房，朱德用房，彭德怀用房。西北侧有总部领导使用的水井一口。室内保存有当年生活工作使用的土炕、桌子、椅子等物品。八路军总部于 1938 年 3 月 15 日至 4 月 10 日在小东岭短暂驻扎了 26 天。在获悉日军准备围攻晋东南地区的阴谋后，东路军指挥部于 3 月 24 日，在沁县小东岭村召开了著名的东路军高级将领军事会议。会议在小东岭村的关帝庙里召开。由彭德怀主持，朱总指挥首先作了重要讲话。小东岭高级将领会议，制定了坚持华北抗日战争的军事纲领和政治纲领，对粉碎敌人“九路围攻”，建立晋东南抗日根据地奠定了基础。是中国抗战史上一次极其重要的军事会议，是国共第二次合作的杰作，也是沁军人民革命斗争光辉的一页。2021 年被山西省人民政府公布为第六批省级文物保护单位。乡村道路经此。

50-B-b238 **《新华日报》（华北版）创刊地旧址**［Xīnhuárìbào Huáběibǎn Chuàngkāndì Jiùzhǐ］位于山西省长治市沁县南里乡东林村后沟自然村。旧址原为时任曲沃县县长王克仁修建，呈田字格局，坐北向南，二进院落布局，东西长 41.51 米，南北宽 48.4 米，占地面积 1947 平方米。一进院有大门、南房（倒坐），二进院分东、西两院，东、西两院中轴线有过厅、正窑，两侧为东厢房、西厢房。《新华日报》是中国共产党在国民党统治区创办的唯一大型报纸。周恩来同志定名为《新华日报》，并请国民党元老于右任题写了报头，于 1938 年 1 月 11 日在汉口府东路（今前进五路）成功创刊。1938 年 12 月 8 日《新华日报》（华北版）编印一期试刊，何云在《新华日报》华北版发刊词中明确指出：“《新华日报》华北分馆任务有三：一是立足华北，坚持敌后抗战，鼓励、推动全国团结抗战及进步；二是创造、巩固和扩大华北抗日根据地；三是团结华北文化战士，开展敌后文化运动与敌苦斗到底。”这是全国各大报在敌后发行地方版的创举，在中国新闻史上具有非凡意义。1939 年元旦《新华日报》（华北版）成功创刊，四开四版，隔日刊，属中共中央北方局机关报。报纸一出版，发行量就达两万份。一年后，发行量就达到 5 万余份。北方局书记杨尚昆同志曾高度赞扬：“《新华日报》（华北版）的努力，替我们新闻史上写下了光辉的一页，开辟了敌后新闻事业的新纪录。”刘伯承同志在报纸创刊一周年时题词“华北抗战的向导。”中共北方局机关报《新华日报》（华北版）的创刊问世。见证了旧中国风雨如晦的峥嵘岁月，见证了新中国诞生时开天辟地的喜悦和豪情，是中共中央北方局的机关报，也是党在敌后区域创办的第一张铅印的大型日报。2021 年被山西省人民政府公布为第六批省级文物保护单位。乡村道路经此。

50-B-b239 **抗日阵亡将士纪念碑**［Kàngrì Zhènwáng Jiàngshì Jìniànbēi］位于山西省长治市沁源县城南 8 公里的阎寨村。原系山西青年抗敌决死纵队阵亡将士纪念碑，由太岳军区、太岳行署于民国三十年（1941 年）12 月 15 日立，1981 年为保护碑加建纪念亭。坐北朝南，占地面积 48 平方米，由砖石水泥砌成。纪念碑共四块，存放于碑亭内，背向而立。四块碑大小等同，高 1.3 米，宽 0.53 米，厚 0.2 米。第一块为碑名，第二块刻碑文，第三块刻决死纵队、抗战四年阵亡指挥员名录 500 余人名，并记有牺牲烈士 4879 人，第四块为陈赓、牛佩琮等题词。1965 年被山西省人民政府公布为第一批省级文物保护单位。341 国道经此。

50-B-b240 **决死三纵队二十五、三十八团团部旧址**［Juésǐ Sānzòngduì 25、38Tuán Tuánbù Jiùzhǐ］位于山西省长治市沁源县灵空山镇下兴居村。旧址坐西朝东，六进院布局，乃清代秦姓武举创建，现存建筑为清代遗构。1940 年决死 3 纵队 25、38 团团部驻扎在下兴居清代秦姓武举修建的六进院内，在太岳军区的领导下，指挥部队抗击日军，并参加了著名的“沁源围困战”。2016 年被山西省列为第五批省级文物保护单位。341 国道经此。

50-B-b241 **太岳行署赵寨旧址**［Tàiyuè Xíngshǔ Zhàozhài Jiùzhǐ］位于山西省长治市沁源县沁河镇赵寨村。太岳军区行署、各处处长旧居是为窑洞组群。现存牛佩琮、裴丽生等太岳军区行署领导人旧居窑洞 8 孔，配房三间，大门一间，各处处长旧居窑洞 7 孔，警卫连旧居窑洞 6 孔，其它机构窑洞旧址 4 孔，共计窑洞 25 孔。2016 年被山西省人民政府公布为第五批省级文物保护单位。341 国道经此。

50-B-b242 **中共太岳区党委阎寨旧址**［Zhōnggòng Tàiyuèqū Dǎngwěi Yánzhài Jiùzhǐ］位于山西省长治市沁源县沁河镇阎寨村。1940 年 6 月，根据北方局黎城会议决定，成立太岳军区，由八路军第一二九师第三八六旅兼军区领导机关，对外称太岳纵队。该军区组成后，先后参加了“百团大战”和太岳区冬季反“扫荡”作战。1939 年 9 月迁驻沁源县柏木村，1940 年 4 月在阎寨村正式成立“太岳区党委”，驻阎寨所属自然村——西岭上。是一处近现代重要史迹及代表性建筑——窑洞组群，现存 6 个院落，第一院现存窑洞 6 孔，第二院现存窑洞 3 孔，第三院现存窑洞 3 孔，第四院现存窑洞 4 孔，第五院现存窑洞 2 孔，第六院现存窑洞 3 孔，共计 21 孔。2016 年被山西省人民政府公布为第五批省级文物保护单位。341 国道经此。

50-B-b243 **贾郭石窟**［Jiǎguō Shíkū］位于山西省长治市沁源县王和镇贾郭村。始凿年代不详，现存石窟造像为北魏至隋唐风格。石窟位于东西长约 145 米、高约 2.5 米的崖壁上。坐北朝南，由东向西依崖开凿 11 窟，分布面积约 364 平方米。窟内造像多为三壁三龛式，窟门侧雕有金刚或菩萨立像，窟内壁造像均为一铺三身，或一佛二菩萨，或一佛二弟子。东侧第一窟原有题记，现模糊不清。造像风格既有北魏的秀骨清像，也有隋唐的丰圆广颐。2016 年被山西省人民政府公布为第五批省级文物保护单位。241 国道经此。

50-B-b244 **沁源县衙**［Qìnyuán Xiànyá］位于山西省长治市沁源县沁河镇城西村。旧县衙大堂现为岳北烈士陵园南展厅。创建年代不详，现存为明代遗构。大堂坐北朝南，面阔五间，进深六椽，单檐歇山顶，梁头作耍头，门窗和屋顶因多次维修面貌已毁坏。县衙粮库，南北 21.9 米、东西 18.25 米，占地面积 400 平方米。创建年代不详，现存建筑为清代遗构，中轴线上现存东西粮房各一座，该建筑为砖木结构拱券式窑洞，上建阁楼，面宽六间，进深四椽，五檩前廊式，单檐歇山顶柱头斗栱三踩单翘，装修已改。整个建筑结构为砖木结构，用材大方，做工精细。2021 年被山西省人民政府公布为第六批省级文物保护单位。通沁源 2 路公交车。

50-B-b245 **汾孝战役祝捷大会旧址**［Fénxiào zhànyì Zhùjiédàhuì Jiùzhǐ］位于山西省长治市沁源县王和镇古寨村。始建于康熙四十六年（1707 年），清处士孙显盛院落。坐北朝南，二进院布局，东西 14 米、南北 31 米，占地面积 434 平方米。现存建筑为清代遗构。中轴线上现存大门、中门楼各 1 座、后院北房前廊式砖窑 1 排 3 孔；两侧存前院东、西厢房各 4 间，后院东、西厢房各 4 间。北窑为砖券窑洞三孔，前设行廊，木制隔扇门窗装修。该民居为研究当地清代时期的传统民居提供了实物资料。是汾孝战役之后，陈赓司令员在沁源古寨村休整期间以及召开“中国人民解放军第四纵队汾孝战役祝捷大会”时的住址。2021 年被山西省人民政府公布为第六批省级文物保护单位。241 国道经此。

50-B-b246 **沁源围困战指挥部旧址**［Qìnyuán wéikùnzhàn Zhǐhuībù Jiùzhǐ］位于山西省长治市沁源县李元镇马森村。1942 年 9 月至 1945 年 2 月，沁源围困战指挥部设在村内郭文忠院，由抗敌决死一纵队 38 团团长蔡爱卿和参谋长李懋之指挥对日军进行作战。该院坐北向南，一进院落布局，东西 17.1 米，南北 18.9 米，占地面积约为 320 平方米。中轴线上现存有南房、正房，两侧有东、西房各三间，均为土木结构建筑，其中南房、正房为二层单檐悬山顶，阁楼式建筑，灰布仰瓦屋面。正房石砌台基，面宽三间，进深四椽，单檐悬山顶，五檩式构架，灰布瓦屋顶，明间装修设隔扇门，次间设隔扇窗。棚楼式建筑是当地营造做法，即一层居住，二层用于储物。2021 年被山西省人民政府公布为第六批省级文物保护单位。通沁源 8 路、9 路公交车。

晋城市

50–B–b247　**景德桥**［Jǐngdé Qiáo］位于山西省晋城市泽州县（原晋城市城区）城西关沙河上。又称西大桥，始建于金代，清代重修。新中国建立初期，桥身拱券崩塌，后增筑栏板，使桥恢复旧貌。主拱券两侧，各设泄洪小券一个，由十五道拱石构成，采用了镶边纵联错缝砌置法砌造，别具匠心。整体造型平坦舒展，形制与隋代赵州桥基本相似。是一座敞肩式单孔圆弧弓形石拱桥，主拱券由十五道等截面独立圆弧拱石圈纵向并列错缝砌置而成，上、下各拱石接面处及相邻拱圈内部，均采用银锭卯腰铁相连，增强了各拱石及十五道拱券内的纵、横向联系。1965 年被山西省人民政府公布为第一批省级文物保护单位。通 1 路、11 路公交车。

50–B–b248　**景忠桥**［Jǐngzhōng Qiáo］位于山西省晋城市泽州县（原晋城市城区）城东门外沙河上。又名永济桥，始建于元代，初建时为木构桥梁，明代仿晋城西关景德桥大券拱式样，改建为石桥。是一座单孔弓形石拱桥，桥长 16.55 米，桥宽 5.7 米，桥面略有弧度。桥身为单孔拱券，桥拱宽 6.5 米，共由 99 道石圈采用并列自由错缝法砌造而成。拱石厚 0.62 米，上、下接面处不设露明腰铁，拱背上设有护拱石一层，拱外券面石素平面无雕饰，拱顶锁口石刻作兽面。桥身两侧各设一根长条石，外端刻作龙首形。桥面栏杆低矮无奇，是清代桥梁上常见的形制。1986 年被山西省人民政府公布为第二批省级文物保护单位。通 19 路、38 路公交车。

50–B–b249　**晋冀鲁豫野战军十二纵队整军地旧址**［Jìnjìlǔyù Yězhànjūn Shíèr Zòngduì Zhěng jundì Jiùzhǐ］位于山西省晋城市泽州县（原晋城市城区）北石店镇南石店村。1946 年 10 月，中原解放军粉碎国民党的围堵，主动进行战略转移，在李先念司令员、郑位三政委的率领下驻扎晋城，司令部设在南石店村。经过十个月左右的休整后，1947 年 7 月下旬，突围部队被改编为晋冀鲁豫野战军第十二纵队，8 月初，李先念亲率十二纵队从晋城出发，强渡黄河，开始了反攻中原的胜利进军。南石店村至今仍保留有李先念寓所、郑位三寓所、陈少敏寓所、召开誓师大会的会址、中共中央中原局党校旧址等大批红色文物点。2016 年被山西省人民政府公布为第五批省级文物保护单位。通 12 路、38 路公交车。

50–B–b250　**东上地祇庙**［Dōngshàng Dìzhī Miào］位于山西省晋城市城区北石店镇东上村。俗称西庙、土地庙。创建年代不详。坐北朝南，一进院落，南北长 39.9 米，东西宽 24.9 米，占地面积 993.5 平方米。现存正殿须弥座式台基和青石门框为金代风格，正殿梁架下有清道光八年（1828 年）重修题记，余皆清代建筑。中轴线上由南至北依次为山门（上为倒座戏楼）、正殿，两侧分别建有妆楼、看楼、配殿（西配殿已毁）、耳殿。正殿须弥座式台基和青石门框为晋东南地区典型的金代建筑特征与风貌，虽然其建筑在后代维修时改造程度较大，但仍不失为一处难得的金代遗构，为晋城地区金代建筑的研究又添新例，同时对研究该地区的信仰具有十分珍贵的历史及科学价值。2021 年被山西省人民政府公布为第六批省级文物保护单位。通 34 路公交车。

50–B–b251　**下川遗址**［Xiàchuān Yízhǐ］位于山西省晋城市沁水县城西 70 公里的下川乡。距今二万三千年到一万六千年前。下川文化以石器为代表，石器分为两大类，一类为粗大石器，以砂岩、石英岩、脉石英为原料；一类为细石器，主要以燧石为原料。细小石器为下川文化最具代表性器物，除了细小石器外，还有一定数量的粗大石器，计有尖状器、刮削器、砍砸器、石锤、研磨盘等，其中以磷刀状削器最具有特色。对于探索与之相同技术传统和广泛分布于中国、蒙古人民共和国、苏联西伯利亚、朝鲜、日本、北美拉斯加等地细石器的起源和演化，具有重要意义。1986年被山西省人民政府公布为第二批省级文物保护单位。通沁水旅游公交车。

50-B-b252 **八里坪遗址**［Bālǐpíng Yízhǐ］位于山西省晋城市沁水县城东郑庄镇八里村。遗址由西北向东南倾斜，形成阶梯状。从暴露地面的灰层、灰坑、石灰面、墓葬等迹象表明，内涵遗存比较丰富。在遗址内发现三处规整的灰面，东南一处长达20余米。墓葬居于遗址的北部，地形呈凹形。断壁上有袋形竖穴墓多处。在灰层中发现的石器有石核、杏叶状石箭头和磨光石斧石铲，双孔石镰等；陶器有带足鬲、小口罐、平口缸、深腹罐、豆、碗等器形。纹饰有绳纹、竺纹、磨光素面、方格纹、附加堆纹；陶质有泥质灰陶，夹砂灰陶以及褐陶和红陶。1986年被山西省人民政府公布为第二批省级文物保护单位。省道曲辉线经此。

50-B-b253 **石塔**［Shí Tǎ］位于山西省晋城市沁水县城东70公里玉溪村。创建于唐，明重修。石塔平面方形，高五层，密檐式，青石塔身，通高6.29米。塔基砌筑三层，中层基座束腰部四周刻建塔缘起并施财人姓名。塔身高3.4米，通体收分，共有五层。塔一层较高，南向辟门，门二侧雕守门力士，拱券上雕飞天坐佛、云彩等。塔室中刻释迦佛、迦叶、阿难及二胁侍菩萨。自二层起塔身显著低矮。各层四面均开尖拱龛，内雕坐佛一尊。1986年被山西省人民政府公布为第二批省级文物保护单位。省道曲辉线经此。

50-B-b254 **上阁龙岩寺**［Shànggé Lóngyán Sì］位于山西省晋城市沁水县中村镇上阁村。创建年代不详。坐北朝南，一进院落，占地面积792平方米。现存建筑南殿为宋代建筑，正殿为元代建筑，其他建筑为清代风格。中轴线上由南至北依次建有南殿、正殿，两侧建有东门、西角房、厢房、耳殿。正殿石砌台基，面阔五间，进深六椽，单檐悬山顶。南殿面阔三间，进深四椽，歇山顶建筑。梁架采用四椽栿通檐用两柱形式，斗栱为五铺作。2016年被山西省人民政府公布为第五批省级文物保护单位。324国道经此和通沁水旅游公交车。

50-B-b255 **上木亭大庙**［Shàngmùtíng Dà miào］位于山西省晋城市沁水县龙港镇木亭村上木亭自然村。创建年代不详，据庙内存碑记载东西廊建于明嘉靖十八年（1539年），清乾隆四十年（1775年）、嘉庆十七年（1810年）曾有修葺，1964年揭顶瓦维修。坐北朝南，一进院落布局，占地面积1023平方米。现存建筑正殿、献殿为元代遗构，其余建筑为清代风格。中轴线上建戏台、献殿、正殿，两侧为妆楼、厢房、配殿、耳殿。正殿建于石砌台基上，面阔三间，进深五椽，单檐悬山顶，柱头斗拱三踩单昂，门窗改制。2016年被山西省人民政府公布为第五批省级文物保护单位。乡村道路经此。

50-B-b256 **中国抗日军政大学太岳分校旧址**［Zhōngguó Kàngrì Junzhèng Dàxué Tàiyuè Fēnxiào Jiùzhǐ］位于山西省晋城市沁水县土沃乡南阳村。创建年代不详，现存建筑为清代风格。旧址原为南阳大庙，为二进院落布局，坐北朝南。中轴线上建有戏台、中殿、正殿（新建），两侧为看楼、廊房、耳殿，戏台东、西两侧均辟门，西山门正南为琉璃照壁一座。1943年，中国抗日军政大学太岳分校、沁南乡政府设于此地，在这里进行抗日活动，留下邓小平、陈赓等老一辈革命家活动的足迹。旧址含有大量抗战时期的历史文物，对研究我国抗战历史具有不可替代的价值。2016年被山西省人民政府公布为第五批省级文物保护单位。乡村道路经此。

50-B-b257 **赵树理故居**［Zhàoshùlǐ Gùjū］位于山西省晋城市沁水县嘉峰镇尉迟村。由东西院落组成。西院为两进院落，典型的北方四合院。前院有门楼、东西厢房；穿过庭可入后院，东、西、南、北房均为两层三间，为清中期建筑。赵树理出生于此院北房内。东院亦为两进院，为清乾隆乙酉年（1790年）所建，木构件雕刻精美。为赵树理祖父居所。2004年被山西省人民政府公布为第一批省级文物保护单位。在太原市杏花岭区南华门15号有赵树理旧居，包括相邻的14、18号院，三院相通相连，占地面积1500平方米。为典型的北方四合院民居，现存院门、南房、东房、垂花门。赵树理居东房，面阔三间，硬山顶。现已辟为赵树理故居陈列馆。1996年被山西省人民政府公布为第五批省级文物保护单位。通嘉峰公交车。

50-B-b258 **东峪造像**［Dōngyù Zàoxiàng］位于山西省晋城市沁水县城东90公里东峪村。原为丈八寺内造像，现木构建筑全部被毁，只留石佛造像一尊。造像高达4米，站立于莲盆之上，右手下垂（已断），身穿僧衹大边作折带垂纹，莲座下刻有“北齐天统三年”字样，造型大方庄重，神态肃穆。1965年被山西省人民政府公布为第一批省级文物保护单位。通沁水52路、53路公交车。

50-B-b259 **下李庄二郎神庙**［Xiàlǐzhuāng Erlángshén Miào］位于山西省晋城市沁水县城东六十公里嘉峰镇下李庄村。创建年代不详，元、明、清履有修葺。坐北朝南，一进院落布局，中轴线由南向北依次为戏台、正殿，两侧有东、西耳殿、东、西厢房、戏台东西耳房以及山门。正殿为元明遗构，耳殿为明代遗构，其余为清代遗构。院落内西耳殿及西厢房现已坍塌，由于西耳殿坍塌，在其位置处近期被占用修建民房；西厢房坍塌仅存两堵山墙，后檐一层六七十年代开设窑洞，现已荒废。院落山门两侧设圆拱券门两处，为2000年修缮时添加，东、西配殿与东西配楼之间设有窑洞一孔，窑洞门近期使用时改制，正殿两侧有东、西耳房现坍塌仅存遗址，一进院西南角遗有厕所，在正殿东侧遗有旧围墙一段，一进院落围墙均为2000修缮时修建红机砖围墙，正殿与西廊房之间留有券门一处、与东廊房之间墙内嵌碑一通。2021年被山西省人民政府公布为第六批省级文物保护单位。通106路、嘉峰公交车。

50-B-b260 **嘉峰汤帝庙**［Jiāfēng Tāngdì Miào］位于山西省晋城市沁水县嘉峰镇嘉峰村。创建年代不详，据现存碑碣记载，清道光十九年（1839年）重修一次。中轴线上由北向南分别为正殿、献殿、戏台、大门，东西两侧分别为五土殿（东）、白龙宫（西）、药王殿（东）、马王殿（西）、东西禅房、关帝庙（东）、文庙（西）、文庙配房（西）、东西妆楼、关帝庙山门。坐北朝南，平面呈长方形，东西宽42.35米，南北长48.03米，占地面积1577.03平方米。是嘉峰村古建筑群中的一处，属于嘉峰村古建筑群的重要组成部分，是为祭祀商汤而修建的庙宇。现存建筑格局完好。2021年被山西省人民政府公布为第六批省级文物保护单位。通116路、嘉峰公交车。

50-B-b261 **武安惠济寺**［Wǔān Huìjì Sì］位于山西省晋城市沁水县嘉峰镇武安村。创建年代不详。正殿与东廊房间镶嵌大清乾隆三十三年（1768年）《武安惠济寺公议寺规碑》碑中记载“惠济古寺，创建失传，考之断碑残碣，奉敕赐名于金定年间，基址宏阔，佛像庄严，号一时之盛，耐沁邑五峰之一名区也，历元、明，至圣朝，……”金代赐牒，元、明、清履有修葺。坐北面南，二进院落布局，东西33.76米，南北54.26米，占地面积1570平方米。中轴线由南向北依次为山门、过殿、正殿，两侧有一进院东、西廊房、东、西配楼、二进院东、西配殿。正殿、过殿为元明代遗构，山门为明代遗构，其它均为清代遗构。2021年被山西省人民政府公布为第六批省级文物保护单位。通208路和沁水51路公交车。

50-B-b262 **武安关帝庙**［Wǔān Guāndì Miào］位于山西省晋城市沁水县嘉峰镇武安村。创建于明，坐北面南，二进院落布局，东西28.67米，南北56.28米，占地面积1562.14平方米。中轴线由南向北依次为戏台、拜亭、正殿，戏台两侧遗有妆楼（山门）。正殿、拜亭为明代遗构，颇具元代风格，其余为清代遗构。战国秦赵长平之战时，秦将白起曾在此屯兵，白起又获封武安君，因名武安，现村北遗有武安寨遗址。2021年被山西省人民政府公布为第六批省级文物保护单位。通208路和沁水51路公交车。

50-B-b263 **屯城东岳庙**［Túnchéng Dōngyuè Miào］位于山西省晋城市阳城县屯城村。创建于金，明清时期均有修葺。坐北朝南，为单进四合院落布局。现存建筑仅中轴线上舞台、正殿，两侧存垛殿、西廊房、钟楼。正殿为金代遗构，余皆为明清时期所建。正殿面阔三间，进深六椽，前檐设廊，单檐悬山顶，殿顶筒板瓦覆盖。建于一须弥式长方形台基之上，中间束腰石上浮雕人物、桥梁、花卉、云龙等图案。间柱石上各雕侏儒力士，为金代原物。大殿前檐廊柱为方形抹楞石柱，上遍刻游龙花卉图案。庙内现存清碑 3 通。1986 年被山西省人民政府公布为第二批省级文物保护单位。通嘉峰公交车。

50-B-b264 **上伏大庙**［Shàngfú Dàmiào］位于山西省晋城市阳城县润城镇上伏村。创建年代不详，现存建筑为明清建筑。坐北朝南，北高南低，共有三庙、五院、十六殿组成。大庙分别为成汤庙、夫子庙、关圣庙组成，平面呈“品”字形。成汤殿面阔五间，进深五椽，单檐悬山顶。梁架结构为四椽栿下搭牵，通檐用三柱。整个梁架结构简洁实用，殿内空间空阔。2016 年被山西省人民政府公布为第五批省级文物保护单位。安阳高速经此。

50-B-b265 **中庄古建筑群**［Zhōngzhuāng Gǔjiànzhù Qún］位于山西省晋城市阳城县润城镇中庄村。全村辖区总面积 2.60 平方公里，共有居民 650 人。中庄现存传统建筑面积 10381 平方米，是一座以明代官宅、商宅为主的古建筑群。街巷整体基本呈横平竖直状，格局比较清晰，可以概括为“一条横轴、四条纵轴”。“一条横轴”为中庄古街，呈东西方向贯穿全村。沿着这条主轴，村历史的精华浓缩于此，自东向西分别分布有前七宅、后七宅，棋盘八院、汤帝庙、曹氏宗祠等历史建筑。“四条纵轴”分别是村东的佛堂沟巷、棋盘八院旁的丁字巷、庙后巷和村落往西的关沟巷。是国家住房和城乡建设部、文化部、国家文物局等部委命名的“中国传统村落”“山西省历史文化名村”。2021 年被山西省人民政府公布为第六批省级文物保护单位。安阳高速经此。

50-B-b266 **上庄古建筑群**［Shàngzhuāng Gǔjiànzhù Qún］位于山西省晋城市阳城县上庄村。分为樊家庄园和王国光故居两部分。樊家庄园坐北朝南，主要由树德居、图麟院、樊圃、樊氏宗祠等几所院落组成，总占地面积 3008.31 平方米。其中树德居建于明代，是樊家于清代时从村中王氏家族购得，其余建筑均为清末至民国年间修建。樊家庄园内大量匠心独具的砖雕、木雕、石雕，装饰典雅，内涵丰富，对研究我国封建社会的建筑体系，以及中国古代农村的政治、经济、社会、文化、生产、传统工艺、风俗习惯等具有极其重要的价值。王国光故是万历年间杰出的政治家、改革家、“万历改革”的重要参与者王国光及其家族建造的官居院落群。故居沿古河街两岸分布，现有保存完好的官宅民居等 20 处，时代从元至清，其中元代民居 1 处，明清民居 15 处，明清祠庙 4 处。古河街南岸有尚书第、教胄府、易安山房、进士第、炉峰院；北岸有沿街院、司农第、司徒第、王氏宗祠、钦嘉楼、望月楼、参政府等。整个故居群布列有序，规模宏伟，青山环绕，涵盖了居住、宗教、祭祀等建筑类型。是目前我国发现的保存完好的早期古民居实例。是一组历史序列完整、规模宏大的古建筑院落群，是中华民族优秀历史文化遗产。建筑群现为“中共晋城市党史教育基地”、“晋城市爱国主义教育基地”、“晋城市青少年思想道德实践基地”。其所在地阳城县润城镇上庄村是国家住房和城乡建设部、国家文物局、文化部等部委命名的第四批“中国历史文化名村”、首批“中国传统村落”。2021 年被山西省人民政府公布为第六批省级文物保护单位。安阳高速经此。

50-B-b267 **潘沟关帝庙**［Pāngōu Guāndì Miào］位于山西省晋城市阳城县润城镇李街村。古称潘沟大庙。创建年代不详，据碑文记载，重修于明天启七年（1627），从现存建筑形制上判断为清代建筑风格。坐东朝西，一进院落布局，庙宇依山筑基，就岩起屋，建筑物高低错落有致，南北长 28.6 米，东西宽 25.8 米，占地面积 966.5 平方米。中轴线上由西而东建有戏台、拜殿、关帝殿，戏台两侧建有妆楼，庙院南北两侧建有观音阁、祖师殿、夫子殿、五谷殿，关帝殿两侧分别建有牛王殿、高媒殿、蚕姑殿，山门居庙院西北，朝北开设，门对面建砖雕照壁，建筑均为砖木结构。2021 年被山西省人民政府公布为第六批省级文物保护单位。乡村道路经此。

50-B-b268 **杨继宗府第**［Yángjìzōng Fǔ dì］位于山西省晋城市阳城县匠礼村。是匠礼村合族而祀的老故居，建于明朝景泰 1451 年。由明朝第一清官杨继宗带领四支族人修建占地约 3000 平方的祠堂祭拜先祖。祠堂紧邻故居，坐北向南，因山而建，一连三院，高低分明，错落有致。院内共有房子 27 间。杨继宗（1426 年—1488 年），字承芳，号直斋，又号祠庵，山西阳城匠礼村人。天顺元年进士。授刑部主事，擢嘉兴知府，大兴社学，子弟八岁不就学者，罚其父兄，超迁浙江按察使，旋以右佥都御史巡抚顺天，乙巳年历指中官及文武诸臣贪残，左迁云南副使，累官左佥都御史，巡抚云南。成化年间，被称为“明朝天下第一清官”。故居进士第、郎官第、牌楼院均为杨氏祖先的故居，一进院布局，现为清代建筑，一进院落，坐北朝南，中轴线由北房、南房，两侧有东房、西房，东西房北侧有配房，配房与正房之间均有夹房。故居的历年修葺延续是廉政文化传承的一种体现，无论古代还是当今都密切关系着老百姓的生活。2021 年被山西省人民政府公布为第六批省级文物保护单位。通阳城 819 路公交车。

50-B-b269 **南留成汤庙** [Nánliú Chéngtāng Miào] 位于山西省晋城市阳城县北留镇南留村。创建年代不详，据庙内碑刻记载，元延祐二年（1315 年）重修。坐北朝南，一进院落，南北长 35.41 米，东西宽 33 米，占地面积 1023 平方米。现存建筑为明清风格。中轴线上由南至北建有山门（舞楼）、拜殿、正殿，两侧有妆楼、廊房、配殿、耳殿。正殿面宽三间，进深四椽，抬梁式梁架，单檐悬山顶，柱头斗栱五踩双下昂。南留成汤庙整体布局完整。东、西耳殿、配殿、廊房全部改建。正殿主体结构尚好，且留存部分元代构件，屋顶瓦面曾经改修，现有塌漏，前檐被砌墙封堵，原有门窗缺失。献殿柱间砌墙，开设门窗。保留有元代碑刻一块，明确纪年的明代山门一座，为研究晋东南地区的汤帝文化提供了不可或缺的实物资料。2021 年被山西省人民政府公布为第六批省级文物保护单位。通 108 路、阳城 802 路公交车。

50-B-b270 **封头汤帝庙拜亭** [Fēngtóu Tāng dì Miào Bàitíng] 位于山西省晋城市阳城县河北镇封头村东。据柱身题记记载，创建于金大安二年（1210 年），清代有加固。坐北朝南，平面呈正方形，长宽各 8.6 米，占地面积 74 平方米。现存建筑为金代建筑。拜亭青石台基，四柱单间，进深四椽，单檐歇山顶，柱头斗栱四铺作，石柱有雕花，东侧柱头有“大安岁次庚午六月中旬施石柱壹条，李愿谨施”题记，梁架保留彩绘，屋顶覆灰筒瓦。2021 年被山西省人民政府公布为第六批省级文物保护单位。通 818 路、阳城 819 路公交车。

50-B-b271 **羊泉汤帝庙** [Yángquán Tāngdì Miào] 位于山西省晋城市阳城县芹池镇羊泉村。创建年代不详，正殿门礅石上有元“至治元年（1321 年）八月一日”、“至治元年（1321 年）十一月”题记。坐北朝南，一进院落，南北长 39.53 米，东西宽 28.2 米，占地面积 1115 平方米。现存正殿为元代建筑，其余皆为明清风格。中轴线上由南而北建有舞台、正殿，两侧有山门、看楼、配殿、耳殿。山门两所，分居舞台左右。院子中间位置原来有献亭一座，现已无存。羊泉大庙（汤帝庙）正殿建于 1.3 米高的砂石台基上，面阔五间，进深六椽，建筑占地 189.78 平方米单檐悬山顶，覆灰筒瓦，琉璃脊饰，殿内彻上露明造，梁架结构为四椽栿对前乳栿前后通檐用三柱，柱头斗栱五铺作单抄单下昂，昂形耍头，补间各置 1 朵，前檐解放后有改修。庙内存一块北魏造像残碑，保存较好的北魏“屯田碑”碑移至县博物馆保存，是阳城县现存最早的石刻，另有清乾隆 44 年、清道光 23 年重修碑 3 通。2021 年被山西省人民政府公布为第六批省级文物保护单位。通阳城 808 路、阳城 831 路公交车。

50-B-b272 **刘西府君祠** [Liúxī Fǔjūn Cí] 位于山西省晋城市阳城县芹池镇刘西村。创建于五代后唐天成年间，据明成化五年《创塑圣像之碣》记载：“后唐明宗同光四年，改天成元年，岁在丙戌，因泉敕建此寺，名日灵泉也。修寺以后，本镇人民不安，因建府君庙宇三清殿堂，与寺对冲相压，本镇人民方息。”坐北朝南，一进院落，南北长 40.3 米，东西宽 36.3 米，占地面积 1463 平方米。戏台石柱和正殿座后分别有金大定、元至元年间题款，明成化、清道光、咸丰年间曾经有过重修、补修。中轴线上由南而北为影壁、戏台、拜亭、正殿，两侧有妆楼、看楼、厢房、偏殿，山门在戏台两侧。正殿砂石台基，面宽五间，进深六椽，七擦前廊式构架，单檐悬山顶，顶覆灰筒瓦，柱头斗栱三踩单昂，平身科明间出斜拱，施格扇门、槛窗。拜亭面宽、进深各三间，单檐歇山顶，山面朝前，顶覆灰筒瓦，琉璃剪边，柱头斗栱三踩单昂，明间出斜拱，前檐柱柱础为动物造型。内存石碑 6 通。2021 年被山西省人民政府公布为第六批省级文物保护单位。342 国道经此。

50–B–b273 **王曲成汤庙**［Wángqǔ Chéngtāng Miào］位于山西省晋城市阳城县西河乡王曲村。建年代不详，依现存建筑形制及金石资料记载其创建最晚不应晚于金泰和年间。坐北朝南，东西横跨两个院落，南北长 38.54 米，东西宽 28.9 米，占地面积 1114 平方米。创西院为主院，中轴线上由南而北建有影壁、山门（舞台）、正殿，两侧有妆楼、看楼、配殿、耳殿。山门前出悬山顶抱厦，柱头斗栱五踩双下昂，平身科明间出斜拱。正殿砂石台基，面宽三间，进深六椽，单檐悬山顶。东院为偏院，建有北殿、厢房等，北殿已毁。在 1940–1950 年期间，分别为太岳军区、太岳四军分区教导团、太岳师范所占用。2021 年被山西省人民政府公布为第六批省级文物保护单位。通阳城 7 路公交车。

50–B–b274 **中寨成汤庙**［Zhōngzhài Chéngtāng Miào］位于山西省晋城市阳城县西河乡中寨村。据庙内现存碑刻记载，始创于大元中统年间（1333 年— 1335 年），曾于明万历三十九年（1611 年）、天启五年（1625 年）、清康熙、雍正、乾隆年间多次维修。坐北朝南，一进院落，南北长 36.85 米，东西宽 28.95 米，占地面积 1067 平方米。现存为明、清建筑。中轴线上由南而北分设山门、舞台、拜殿、正殿，山门两侧为东西掖门、大殿两侧建有耳殿、配殿、厢房、看楼、舞台、倒座，两侧建有妆楼。山门、掖门披檐已毁，山门门额题有："成汤大庙"四字，庙内现存碑 6 通，碣 1 方。2021 年被山西省人民政府公布为第六批省级文物保护单位。阳济高速经此。

50–B–b275 **望川开明寺**［Wàngchuān Kāimíng Sì］位于山西省晋城市阳城县润城镇望川村。据寺内现存碑记记载，创建于隋开皇十四年（594 年），明正统、弘治，清康熙、乾隆以及民国年间先后多次重修、增修、扩建。坐北朝南，由东西两座院落组成，南北长 52.7 米，东西宽 53.4 米，占地面积 2814 平方米。现存东院藏经楼为明弘治初年（1488 年—1490 年）所建，三节楼为明代风格，余皆清代风格。东院中轴线上由南向北分布有云中楼、垂花门、藏经楼、三节楼，两侧有厢房、禅房。西院中轴线上由南而北建牌楼门、罗汉殿、大雄宝殿（已毁），两侧有钟鼓楼、耳殿、厢房等。东院东侧原有马房院，今不存。寺内现存碑碣 16 通（方）。寺前有清泉两眼，终年不息。开明寺历史悠久，是阳城县建寺较早的寺院之一，曾与毗邻的国保单位海会寺齐名。乾隆版《阳城县志》卷二载："开明寺，在县东北三十五里，隋开皇中建，明正统中重修。其地林木蓊蔚，双泉风涌。"明季曾设开明书院，"万历初刘鸿训相国、张慎言太宰、孙鼎相尚书、孙居相中丞四人同时读书寺中，后皆大贵，寺僧每诧为盛事。"2021 年被山西省人民政府公布为第六批省级文物保护单位。通阳城 805 路公交车。

50–B–b276 **屯城古建筑群**［Túnchéng Gǔ jiànzhù Qún］位于山西省晋城市阳城县东 15 公里，西临山西省第二条大河—沁河。因长平之战时秦将白起屯兵屯粮于此而得名。黄河流域是中华民族的发祥地，作为黄河的重要支流之一的沁河，其流域分布着众多人类早期生活遗址。据《山西省晋城市阳城县第三次全国文物普查名录》，在与屯城古建筑群一河之隔的望川村，以及下游 8 公里润城村、10 公里河头村等处均曾发现旧石器及新石器时期遗址。自北而南大体为赵家、郑府、刘家、程家、王家、张府、陈府、高家等，中间杂有其他姓住宅。其中郑府、张府和陈府规模宏大，村内至今还有"郑半街，张半道，陈一角"之说。以"四大八小五天井"四合院的形式为最，院落接近正方形有正房、厢房、倒座、厦房（耳房）、大门六个部分，对于前后进的院落还有厅房（过厅）。公共建筑有二郎庙、古寨（寨中寨）、关帝庙（古社仓）、张公阁、东岳庙及各宗族的祠堂等。具有较高的历史文化价值，保存有从金代到清代直至民国初年的各个历史阶段的建筑，反映了本地区不同历史时期的经济、政治、文化的发展和演化。村内还保留了精美的石雕、砖雕、木雕、匾额等艺术品。还有 8 眼古井，以及许多古泉、古桥、石碾、石磨等遗存。2021 年被山西省人民政府公布为第六批省级文物保护单位。乡村道路经此。

50-B-b277 **孙文龙纪念馆**［Sūnwénlóng Jìniànguǎn］位于山西晋城市阳城县河北镇孤堆底村。由纪念馆、故居、孙氏祠堂、墓地四部分组成。始建于 1985 年，景观 23 处，风景秀丽、依山拓建，红墙碧瓦，古香古色、庄严肃穆。占地面积 18000 平方米，建筑面积 3710 平方米，孙文龙生平事迹展览厅、缅怀堂故事厅、红色影视厅、中国清官纪念馆，展陈面积 910 平方米，展线长度 1736 米，实物展示 120 余件、图片 560 副、雕塑 4 座。孙文龙同志被老百姓誉为“农民书记”“现代嫘祖”、“太行山上的焦裕禄”，是中共山西省委树立的“清廉典范”。孙文龙精神是中国共产党人的一缕圣魂，是宝贵的民族精神财富，颇具学习、研究、弘扬和保护的价值。被命名为“中国关心下一代教育示范基地”、“国家级 AAA 景区、“山西省爱国主义教育基地”、“山西省党史教育基地”、“共青团山西省委社会主义核心价值教育基地”，“晋城市党员干部廉政教育基地”。是国家级乡村旅游模范村、中国乡村旅游与休闲农业示范点、中国传统古村落、山西省历史文化名村、山西省美丽乡村、山西省蚕桑习俗非物质文化传承地。孙文龙故居分为上下两院，上院始建于清道光三年二月初八，为一进四合院，占地面积 500 平方米。中轴线上为倒座、正房，两侧为倒座耳房、配楼、耳房，大门开于院落东南角。下院占地面积约 500 平方米，具有明清风格。中轴线上为倒座、正房，两侧为倒座耳房、配楼、耳房。孙氏祠堂为一进院落，创建于清咸丰二年，占地面积 300 余平方米，典型的清代风格。孙文龙墓地位于纪念馆西北 300 米处，占地面积约 100 平方米。2021 年被山西省人民政府公布为第六批省级文物保护单位。通 203 路公交车。

50-B-b278 **南庙宫**［Nánmiào Gōng］位于山西省晋城市陵川县潞城镇东掌村。创建于北宋，明、清、民国年间屡有修葺。三进院落，主要建筑有戏楼、东西看楼、五瘟殿、石佛殿、高祠、三仙殿、东西垛殿。五瘟殿面宽三间，进深四架椽，单檐五脊顶。前檐柱头额枋雕刻精美，玲珑剔透，殿内神台刻有龙、风、狮子及各种动物，雕刻精美。2004 年被山西省人民政府公布为第四批省级文物保护单位。陵侯高速经此。

50-B-b279 **千佛造像碑**［Qiānfó Zàoxiàng bēi］位于山西省晋城市陵川县礼义镇平川村。碑由沙石制成，高 3.2 米，宽 1.1 米。前后左右共有大小佛像 400 多尊。碑正面分为上下两部分，上部分有 13 层小坐佛，下部分有一佛龛，龛内有一佛二弟子二菩萨，佛龛两侧刻有 3 层小佛像；背面亦分为上下两部分，上部分有 14 层小坐佛，下部分有 2 层供养菩萨立像。配有清代正方形砖砌碑亭，亭前有 1.5 米高砖券门一道，门顶端刻有“嘛呢”三字，亭后刻有“叭咪哞”三字，保存完整。1982 年被山西省人民政府公布为第二批省级文物保护单位。通 109 路公交车。

50-B-b280 **白陉古道**［Báixíng Gǔdào］位于山西省晋城市陵川县。是太行八陉之第三陉。创建年代无从稽考，现存明嘉靖十四年（1535 年）重修碑记，以及清乾隆、嘉庆年间重修山神庙碑记。北起山西省陵川县城，南至河南省辉县市薄壁镇鸭口村，全长一百多华里，沿途经两省四乡镇，十六个行政村及自然村。现存最完整的一段位于陵川县马圪当乡横水村至双底村，总体走向呈东西向，长约 4 公里，宽 2–3 米，主要由行颠第一桥、古道、山神庙等构成。保存基本完整，现已被开发为旅游景点，由陵川县黄围山秦家磨湖旅游开发公司管理使用。是古代晋豫两地人员往来和物资交流的重要通道，承载着政治、经济、军事和文化交融的巨大功能，是贯穿太行山脉和中原大地的一条血脉。对研究古代道路、经济、军事历史具有重要的历史价值。2021 年被山西省人民政府公布为第六批省级文物保护单位。通陵川 701 路公交车。

50-B-b281 **德义先师庙** [Déyì Xiānshī Miào] 位于山西省晋城市陵川县秦家庄乡德义村。创建年代不详，据正殿镶碣记载，元至正九年（1349 年）、明正德十一年（1516 年）、万历十九年（1591 年）重修。坐北朝南，两进院落。东西宽 15.8 米，南北长 23.8 米，占地面积 376 平方米。现存正殿为元代风格，其他建筑为明清风格。中轴线上建南殿、正殿，两侧有大门、耳楼、廊房。庙内存碣 2 方。现存状况较差，各建筑均存在不同程度的损毁。尤其是正殿，因年久失修，屋面局部塌漏。正殿形制宏伟，具有典型的元代风格，有很高的历史价值和科学价值。2021 年被山西省人民政府公布为第六批省级文物保护单位。省道曲辉线经此。

50-B-b282 **西尧村观音殿** [Xīyáocūn Guānyīn Diàn]位于山西省晋城市陵川县礼义镇西尧村。创建年代不详。坐南朝北，单体建筑。南北长 6 米，东西宽 7.4 米，占地面积 44 平方米。现存建筑为元代风格。面阔三间，进深四椽，单檐悬山顶。西尧村观音殿保存较差，后檐明间西侧梁架已出现下栽，墙体改砌，屋面改制。2021 年被山西省人民政府公布为第六批省级文物保护单位。通 118 路公交车。

50-B-b283 **附城陵邑会馆旧址** [Fùchéng Língyì Huìguǎn Jiùzhǐ] 位于山西省晋城市陵川县附城镇附城村。坐西朝东，三进院落，东西长 77.25 米，南北宽 30.19 米，总面积 2332.18 平方米。中轴线上从东向西依次为倒座戏台、二进院过殿、三进院正殿、两侧为一进院大门、一进院南厢房、一进院南偏房、二进院南北妆楼、二进院南北廊房、二进院南北夹室、三进院南北月亮门、三进院南北配楼、三进院南北耳楼。是一处规模较大、布局完整、保存较好的清代古建筑群。附城镇自古以来便是陵川的商业重镇，附城村陵邑会馆旧址更是这座商业重镇的标志性建筑，是万里茶路上具有节点意义的会馆。2021 年被山西省人民政府公布为第六批省级文物保护单位。乡村道路经此。

50-B-b284 **礼义会馆** [Lǐyì Huìguǎn] 位于山西省晋城市陵川县礼义镇北街村。据碑载，创建于清道光十一年（1831 年）。坐北朝南，两进院落。东西宽 23.59 米，南北长 57.9 米，占地面积 1365 平方米。中轴线上为正殿、过殿、戏台，两侧为耳楼、廊房、妆楼。现存建筑为清代风格。2021 年被山西省人民政府公布为第六批省级文物保护单位。乡村道路经此。

50-B-b285 **杨村玉皇观** [Yángcūn Yùhuáng Guān] 位于山西省晋城市陵川县杨村镇杨村。创建年代不详，据碑文记载，清道光十二年（1832 年）至二十年（1840 年）重修。坐北朝南，一进院落。南北长 46.3 米，东西宽 22.4 米，占地面积 1037 平方米。现存建筑为清代风格。中轴线上现有戏台、正殿，两侧分布有耳殿、配殿、配房。2021 年被山西省人民政府公布为第六批省级文物保护单位。通 109、118 路公交车。

50-B-b286 **黄庄节孝牌坊** [Huángzhuāng Jié xiào Páifāng] 位于山西省晋城市陵川县西河底镇黄庄村。创建年代不详。坐北朝南，单体建筑。东西宽 6.6 米，南北长 2.2 米，占地面积 15 平方米。现存建筑为清代风格。牌坊全部为砂石，歇山顶，斗栱为三踩单翘出斜拱。正面书“恩荣”“节孝兼全”“皇清旌长节妇待赠登侍郎杜怀典之妻冯氏”，左右两侧分别书“章龙”“锡宠”，背面左右两侧分别书“管彤”、“辉流”。2021 年被山西省人民政府公布为第六批省级文物保护单位。乡村道路经此。

50-B-b287 **积善村遇真观** [Jīshàncūn Yùzhēn Guān]位于山西省晋城市陵川县西河底镇积善村。创建于至元十七年（1280 年）庚辰月，历经修葺。坐北朝南，一进院落，东西两跨院。东西宽 44.95 米，南北长 60.45 米，占地面积 2717.23 平方米。现存建筑为明代风格。西跨院为主院，中轴线上由北向南有正殿、舞楼，两侧依次为东西耳殿、东西廊房、东西夹室、东西掖门、东西妆楼、东西偏房；东跨院中轴线由北向南依次为关爷殿、南殿，两侧依次为关爷殿东西耳房、大门、南殿东耳房；共计由 20 座单体建筑组成。2021 年被山西省人民政府公布为第六批省级文物保护单位。乡村道路经此。

50-B-b288 **苏村唐太宗庙** [Sūcūn Tángtài zōng Miào]位于山西省晋城市陵川县礼义镇苏村。

始建于金皇统九年（1149 年），历经修葺。坐北朝南，一进院落。东西宽 23.84 米，南北长 39.5 米，占地面积 941.68 平方米。现存建筑为清代风格。中轴线上由北向南有正殿、山门，两侧依次为正殿东西耳殿、东西过廊、东西廊房、山门东西耳楼，共计由 10 座单体建筑组成。2021 年被山西省人民政府公布为第六批省级文物保护单位。乡村道路经此。

50–B–b289 **太和村天主教堂**［Tàihécūn Tiānzhǔ Jiàotáng］位于山西省晋城市陵川县杨村镇太和村。清光绪十六年（1890 年）修建教堂，光绪二十七年（1901 年）荷兰神甫掌管重建。1993 年曾有修葺。清光绪三年（1877 年），河南林县田家村天主教民郭玉和等迁居远望村（后改名为太和村）进行传教活动。坐北朝南。东西宽 25.3 米，南北长 38.1 米，占地面积 964 平方米。教堂内有祭台、神功楼、钟楼等。该建筑为典型的哥特式建筑。是陵川地区唯一的一座教堂，也是唯一的一座哥特式建筑，其巧妙的结构、精美的装饰、中西合璧的建筑形式，具有重要的历史、科学、艺术价值。同时，也为研究天主教的传播提供了珍贵的实物资料。2021 年被山西省人民政府公布为第六批省级文物保护单位。乡村道路经此。

50–B–b290 **高都遗址**［Gāodū Yízhǐ］位于山西省晋城市泽州县城东北 21 公里的高都镇保伏村。1955 年曾出土新石器时期的陶片、瓦片、骨针等物品。1996 年调查，断面上可看到灰坑 5 座及文化层。文化层距地表深 50 厘米左右，厚度约 2 米。从采集的陶片看，陶片的陶质有夹砂灰陶、泥质灰陶和少量红陶、红褐陶、纹饰以篮纹和绳纹为多。另外有石刀、石铲等残石器。时代单纯，均属龙山文化遗存。1965 年，高都遗址被山西省人民政府公布为第一批省级文物保护单位。208 国道经此。

50–B–b291 **高都东岳庙**［Gāodū Dōngyuè Miào］位于山西省晋城市泽州县城东北高都村。始建于金大定年间，清代重修。现存建筑为山门、东西廊庑、大齐殿、藏经阁及两侧垛殿等。其中大齐殿为金代原构，余皆明清重建。大齐殿内奉齐天大帝，殿前月台上建卷棚顶抱厦一座，大齐殿面宽三间，单檐悬山顶筒板瓦顶，前檐为一间敞廊，廊柱上刻有金大定年间布施题记。殿内泥塑五尊，基本完好。板门四周立额、门额、门槛皆为石质，上雕线刻荷花、牡丹、化生童子等各种纹样，图案精细，刀法洗练，堪称金代佳作。1986 年被山西省人民政府公布为第二批省级文物保护单位。通 316 路公交车和二广高速经此。

50–B–b292 **天井关**［Tiānjǐng Guān］位于山西省晋城市泽州县晋庙铺镇。又名太行关，因关南有三眼自然形成的深穴（天井）而得名。汉建武二年，遣司空王梁北守天井关，击赤眉，至此战事频繁。井关南延 25 公里，分大、小二口两个关隘达省界，沿途关城、古道、堡寨甚多，现存建筑遗址有天井关、孔子庙、星轺驿、横望隘、碗子城、羊肠坂、盘石长城、古寨等十余处，是利用太行天险而修筑的重要关隘，晋豫两省穿越太行之交通要道，是古代重要的军事遗址。2004 年被山西省人民政府公布为第四批省级文物保护单位。省道周沁线经此。

50–B–b293 **高都二仙庙**［Gāodū Èrxiān Miào］位于山西省晋城市泽州县高都镇湖娌。始建年代不详，现存建筑为金、元、明、清历代遗构。中轴线主要建筑有佛龛照壁、山门、献殿、正殿、耳殿、东西配殿，偏院内建三教殿、白衣大士殿。正殿为金代原构，献殿为元代所建。正殿面宽、进深各三间，单檐悬山顶，殿顶举折平缓，出檐较远。前檐青石柱与方形覆莲柱础同为金代遗物，当心间西侧檐柱上有金泰和五年题记。献殿（即舞亭）山面透空，平面呈正方形，宽、深均 6 米，单檐歇山顶。2004 年被山西省人民政府公布为第四批省级文物保护单位。208 国道经此。

50–B–b294 **泽州汤帝庙**［Zézhōu Tāngdì Miào］位于山西省晋城市泽州县南岭乡神后村。俗称南大庙。创建于元至正年间（1341 年—1368 年），历代均有修葺、扩建。坐北朝南，三进院落。主要建筑有正殿（汤王殿）、东西偏殿（东为关帝庙，西为高禖）、龙王殿、蚕姑殿、药王阁、五瘟殿、库楼、东西廊、厢房、角楼等。正殿汤王殿，面阔三间，进深六椽，单檐悬山顶，举折平缓，殿前檐施通额枋。斗七铺作双下昂，补间铺作出 45 度斜。殿内存有壁画。2004 年被山西省人民政府公布为第四批省级文物保护单位。通 301 路公交车。

50-B-b295 **陟椒三教堂**［Zhìjiāo Sānjiāo táng］位于山西省晋城市泽州县李寨乡陟椒村。建于明嘉靖十五年（1536 年），其后屡有修葺。坐北朝南，一进院落，占地面积为 1321 平方米。主要建筑山门、舞楼、献亭、正殿，东西偏殿、配殿等。正殿为三教殿，台基高 1.9 米，面宽三间，进深四椽，单檐悬山顶，内塑儒、释、道三教像。三教殿及偏殿后墙、山墙尚存明清时期壁画近百平方米。寺内建筑梁枋、斗拱、雀替等皆雕刻精美，整个殿宇遍施琉璃脊饰。2004 年被山西省人民政府公布为第四批省级文物保护单位。通 217 路公交车。

50-B-b296 **大南社土地神祠**［Dànánshè Tǔdì shén Cí］位于山西省晋城市泽州县高都镇大南社村。创建年代不详。据庙内现存碑碣记载，明、清均有修葺，现存建筑正殿为宋代遗构，其它建筑为清代风格。坐北朝南，一进院落。南北长 39 米，东西宽 23 米，占地面积 897 平方米。南北中轴线上由南至北依次有舞楼、拜殿、正殿，两侧依次有妆楼、看楼、厢房、耳殿。大殿为面阔三间，进深六椽的悬山顶建筑。梁架结构采用四椽栿前对乳栿，通檐用三柱，柱头铺作采用五铺作计心造。2016 年被山西省人民政府公布为第五批省级文物保护单位。342 国道经此。

50-B-b297 **西四义普觉寺**［Xīsìyì Pǔjué Sì］位于山西省晋城市泽州县巴公镇西四义村。创建于唐天宝元年（742 年），后经历朝维修，终成今日之貌。坐北朝南，两进院落，东西长 64.61 米，南北宽 36.36 米，占地面积 2204.87 平方米。现存主要建筑及殿宇有四大天王殿（南殿）、三佛殿（中殿）、关圣殿（正殿）、藏经楼等，各神殿前后照映，相互贯通。三佛殿位于砖砌台基之上，前有方形月台，面宽五间，进深六椽，单檐悬山顶。关圣殿，该殿面阔三间，进深六椽，单檐悬山顶。2016 年被山西省人民政府公布为第五批省级文物保护单位。通 318 路公交车。

50-B-b298 **高都玉皇庙**［Gāodōu Yùhuáng Miào］位于山西省晋城市泽州县高都镇北街村。又称城隍庙、西庙。高都为泽州旧治所在，玉皇庙的前身即城隍庙。城隍庙之设，外御盗贼敌寇，内佑百姓安康幸福，正所谓“城隍是保，氓庶是依”。后来府治迁移，高都故城“城皆夷为屋，隍皆犁为田，而城隍祠尚在，无人敢夷而犁之”（乾隆二十二年《重修城隍庙记》）。另据清乾隆四十七年《补修玉皇庙碑记》，可知在当时已被改为玉皇庙，城隍遂成旧制。现在仍称玉皇庙。坐北朝南，一进院落，南北长 40.2 米，东西宽 43.9 米，总占地面积 1766 平方米。中轴线上由南而北分布有山门（上为戏楼）、拜殿（复建）、正殿，两侧建有东西掖门、妆楼、耳房、配殿、偏殿、耳殿等建筑，布局规整。其中东偏殿金代所建，西偏殿为元代风格，其余均属后世重修之物。庙内现存碑碣数通（方），除补修、重修碑外，还有关于该庙旧时用作社仓的诸多事宜记载。较好地保存了历史风貌。东偏殿原供奉二仙，今改祀城隍；西偏殿原祀城隍，今改祀龙王。偏殿两侧又各有耳殿东侧三间、西侧五间，院内左右配殿各九间，耳殿、配殿分别奉祀三清、二仙、三佛、二菩萨、十八罗汉、二十八宿等诸神。可谓佛道交互，融会贯通。2021 年被山西省人民政府公布为第六批省级文物保护单位。通 316 路公交车和二广高速经此。

50-B-b299 **郭庄三清殿**［Guōzhuāng Sānqīng Diàn］位于山西省晋城市泽州县川底乡郭庄村。创建年代不详。坐北朝南，单体建筑。东西宽 13.34 米，南北长 12.32 米，占地面积 164 平方米。据现存《重修栖真碧云二观记》记载，应为栖真、碧云观之中的一座建筑，具体属于哪一观，有待再考证。现存主体为元代风格，部分构件仍呈现金代形制。现存三清殿为石砌台基，面宽三间，进深六椽，单檐歇山顶，当心间置板门，破子棂窗，柱头双抄五铺作斗栱。具有典型的元代建筑特征与风貌，是古建研究的重要实物资料，具有十分珍贵的历史及科学价值。2021 年被山西省人民政府公布为第六批省级文物保护单位。通 221、308 路公交车。

50-B-b300　马坪头天仙庙［Mǎpíngtóu Tiānxiān Miào］位于山西省晋城市泽州县川底乡马坪头村。创建年代不详。坐北朝南，原为前后二进院落，20世纪70年代，在天仙庙前院开办制衣厂，将前院所有建筑（包括戏楼、看楼、厢房、耳房等）全部改建为厂房或办公室，将后院用作职工活动中心。2015年，将前院所有已改建的新建筑全部拆除，在原山门、戏楼位置新建戏台1座。现仅存原后院建筑，东西宽23.3米，南北长28.5米，占地面积664平方米。现存建筑正殿为元代风格，其他建筑为清代风格。中轴线上由南而北依次为山门（上为倒座戏楼，不存）（其基址改建作新的戏台）、二门（不存）（其基址改建作新的山门）、献厅、正殿，两侧仅存耳殿、配楼，其他建筑不存。庙内现存北齐造像石1方，其正面雕神像1尊，侧面有年代不详题记和唐代武周壬辰年（即天授三年，692年）题记数则。庙宇历史悠久，自古为当地重要的祈报之所。其正殿具有典型的元代建筑特征与风貌，为泽州地区的早期建筑再添实例。近年维修时新发现北齐造像石1方，为研究天仙庙的历史演变和地方信仰提供了新的珍贵的实物资料，具有重要的历史文化价值。2021年被山西省人民政府公布为第六批省级文物保护单位。乡村道路经此。

50-B-b301　下麓汤帝庙［Xiàlù Tāngdì Miào］位于山西省晋城市泽州县川底乡下麓村。明嘉靖三十七年《重修汤帝庙记》中称其“乃修於太和年之始，重修於至正年”，现正殿后金柱上有金泰和三年（1203年）施柱题记。元至元四年（1344年），又值大旱，三季不雨，地方长官奏请重修汤帝庙，圣谕敕建，由是，郡中旧有之汤帝庙慨而新之。庙亦于此时改建、增高、补葺、更新。正殿梁架下现存清咸丰七年（1857年）重修时的墨书题记。坐北朝南，上下两进院落，南北长57米，东西宽28.3米，占地面积1613平方米，平面布局规整。中轴线上由南而北建山门（上为倒座戏楼）、中门（改建）、月台（复建）、正殿，两侧分别有妆楼、耳房、看楼、廊房、耳殿等数十间。其中年代最早的是正殿，整体外观仍保留着元代风格，殿内后金柱上更有金泰和三年（1203年）题记。其余皆为清代建筑。历史久远，且较好地保存了历史风貌，是古建研究的重要实物资料，具有十分珍贵的历史及科学价值。2021年被山西省人民政府公布为第六批省级文物保护单位。乡村道路经此。

50-B-b302　成庄汤帝庙［Chéngzhuāng Tāngdì Miào］位于山西省晋城市泽州县下村镇成庄村。俗称大庙。创建年代不详，据殿内梁架下墨书题记记载，祖师殿曾于清康熙三十五年（1696年）重修，正殿重修于清乾隆十九年（1754年）。坐北朝南，原为二进院落布局，现前院仅存祖师殿，后院保存尚好。占地面积1225平方米。现正殿仍存元代遗构，其余建筑为明清风格。中轴线上由南至北依次为戏台（改建）、祖师殿、舞楼（拆毁不存）、正殿，两侧分别建山门（拆毁不存）、妆楼（拆毁不存）、前院东西廊房（拆毁不存）、后院东西掖门、耳楼（改建）、后院东西厢房、东西配殿（东厢房及配殿改建）、东西耳殿等。庙内现存清代记事碑2方。历史久远，其正殿具有典型的元代建筑特征与风貌，是元代遗构无疑，为泽州地区元代建筑的研究又添新例，同时对研究该地区的汤帝信奉与崇祀具有十分珍贵的历史及科学价值。2021年被山西省人民政府公布为第六批省级文物保护单位。342国道经此。

50-B-b303　北村佛堂［Běicūn Fótáng］位于山西省晋城市泽州县大东沟镇北村村。俗称堂。坐北朝南，一进院落，南北长18.11米，东西宽11.17米，占地面积202.3平方米。中轴线上由南至北依次为南殿、正殿，两侧分别建有山门、厢房（西厢房已毁）、耳房。正殿创建年代不详，现存为元代风格；南殿据梁架下墨书题记记载，创立于明万历四十七年（1619年），清康熙四十七年（1708年）重修，现存为清代风格。1953年，在院落东南角修建五层广播楼1座。正殿前存清代碑刻3通（方）。正殿元代建筑特征与风貌显著，虽然后来作其它用途时对其局部有所改动，但主体结构仍为元代遗构，为晋城地区元代建筑的研究又添新例。东厢房南侧山墙上保存有明代砖雕座山影壁1座，堪称精品。2021年被山西省人民政府公布为第六批省级文物保护单位。342 国道经此。

50-B-b304 **紫金山大云院石窟**［Zǐjīnshān Dàyúnyuàn Shíkū］位于山西省晋城市泽州县柳树口镇中村。据现存元至元三十年（1293 年）的《重修老师洞记》记载，五代后唐清泰元年（934 年）始有禅师道逸居洞修行，金代时在洞前建三圣殿，其后历代均有增修、重修。占地面积 1000 余平方米。由于地处偏僻，历来鲜为人知，在历代史籍中也未见记载。现建筑全毁，仅存基址，遗存文物主要是后院五代时僧人最早修行的老师洞和崖壁间的元代摩崖造像与题刻等。依据地势变化，大云院分为前院、后院、上院三个院落。结合村民回忆与碑刻资料，大云院原有建筑布局情况为：前院是大云院的主院，中轴线上依次有山门、三圣殿，两侧为钟鼓楼、娲皇宫、碑廊、耳殿，钟楼外侧为塔林。后院有老师洞、水月观音造像、凝公长老说法像、摩崖线刻等。上院建有药王殿、奶奶殿。碑刻散落于前后院。大云院虽原有建筑仅存基址，但其附属文物：老师洞、水月观音及“西游记”题材摩崖造像、摩崖题刻等，却有很高的历史和艺术价值。特别是西游记石刻造像，是首次在晋城发现的以石刻形式描写了唐僧取经的故事，对研究西游记故事的演变历史、流传区域和晋城地区佛教的发展、石刻艺术等具有十分重要的意义。2021 年被山西省人民政府公布为第六批省级文物保护单位。乡村道路经此。

50-B-b305 **金峰寺**［Jīnfēng Sì］位于山西省晋城市高平市城西南西山。亦名灵严院，创建年代不详。曾毁于兵火，元时又进行大规模的重修。坐西朝东，依山势而建，四进院落。现存建筑有山门、雷音殿、七佛殿、后殿、配殿、僧堂、厢房等共计 80 余间。山门面阔三间，悬山式屋顶，门前有砖雕对联一副：“金峰月似灯，石室云为幕”。雷音殿为元代建筑，面阔五间，进深八椽，单檐悬山顶。七佛殿为重檐歇山顶，面阔五间，进深八椽，副阶周匝，柱头斗五铺作。寺内存元代重修石碑一通，背阴刻有崇果院历代祖师相传谱系，正面碑文记载：“高平是神农尝五谷之地”。1986 年被山西省人民政府公布为第二批省级文物保护单位。省道长晋线经此。

50-B-b306 **团西炎帝庙**［Tuánxī Yándì Miào］位于山西省晋城市高平市神农镇团西村。创建年代不详，据庙内碑文记载，清康熙十一年（1672 年）补修。坐北朝南，现存二进院落，占地面积约 1523 平方米。中轴线上建有戏台、炎帝殿、寝宫，两侧分别建有为耳殿、配殿等。炎帝殿面宽三间，进深八椽，单檐悬山顶，琉璃脊饰，斗拱五铺作双昂并 45℃斜栱，为元代建筑。其余古建筑为清代建筑风格。庙内现存清代重修碑 1 通，民国布施碑 1 通。2016 年被山西省人民政府公布为第五批省级文物保护单位。208 国道经此。

50-B-b307 **良户古建筑群**［Liánghù Gǔjiànzhù Qún］位于山西省晋城市高平市西部距县城 17 公里原村乡良户村。现存文物建筑众多，有 27 处保存较好的传统民居，2 处庙宇。民居集中分布于良户村的新村北侧旧村内的正街、东街、西街、太平街、报厦底街，庙宇分布于村东。民居平面类型主要为四合院，组合方式有穿堂院、二进院、三进院等。房屋多数为二层、耳房或有三层，房屋之间有胡同、甬道相连接。庙宇的主体建筑尚存，附属建筑有部分坍塌或后人改建。村落真实地体现了明清时期丹河流域太行古村落农耕商贾的生活场景。2016 年被山西省人民政府公布为第五批省级文物保护单位。省道曲辉线经此。

50-B-b308 **千佛造像碑**［Qiānfó Zàoxiàng Bēi］位于山西省晋城市高平市城东北 15 公里的建宁乡。该碑系北魏太和二十年（496 年）镌刻，距今已有 1500 多年的漫长历史。碑高 2.5 米，梯形，碑首半圆形，底宽 1.08 米，厚 0.68 米，碑身四面皆雕佛像，约有 1608 余躯。碑的正面下部为一大龛，内置一佛二弟子，碑的阴面同正面相同，大龛两侧均有字迹。碑的左右两个侧面，底部雕刻有捐赐施主姓名，字迹清晰可辨。中部有上下两层佛龛，佛龛两旁雕刻有字。造型别致，佛像雕刻工艺精湛，是雕刻艺术宝库中的珍贵艺术品，现风化严重。1986 年被山西省人民政府公布为第二批省级文物保护单位。通高平 161 路公交车。

50-B-b309 **长平之战遗址**［Chángpíngzhī zhàn Yízhǐ］位于山西省晋城市高平市东西诸山之间。为战国时代遗址，长平之战是我国古代战争史上著名的一场战争，秦将白起坑杀赵降卒 40 余万，血流成河，尸骨遍野，头颅成山，成为古今中外最为残酷的杀害战俘的一次战役。遗址范围广阔，西起头颅山、马鞍壑，东到鸿家沟、邢村，宽 10 余里，北起丹朱岭，南到米山，东西两山之间，丹河两岸的河谷地带，长 30 余公里。遗址内人文景观、文物古迹十分丰富，百里长城、营防岭、空仓岭、骷髅庙、尸骨坑等遗址遗迹尚存。骷髅王庙创建于唐代，现存建筑为清代遗构。历代文人墨客对此次战争多有咏词作赋，形成了独特的吟咏长平之战的诗词文化。1986 年被山西省人民政府公布为第二批省级文物保护单位。通公交 111 路公交车。

50-B-b310 **河西玉皇庙** [Héxī Yùhuáng Miào] 位于山西省晋城市高平市河西镇河西村。创建年代无文件可考，据庙内碑文记载，皇清康熙十一年、大清康熙五十五年、大清康熙五十六年、大清乾隆十七年七月初七屡有修葺。坐北朝南，一进院落布局，占地面积 929.95 平方米，中轴线上由南向北依次有山门（为村民新建）、献殿、正殿，两侧为东、西厢房，东、西夹房及东、西耳殿。结合晋东南金、元木构建筑梁架结构，考其正殿为元代遗构，余皆清代遗构。庙内现存清代补修碑 2 通。2021 年被山西省人民政府公布为第六批省级文物保护单位。省道长晋线经此。

50-B-b311 **西窑头姬氏民居** [Xīyáotóu Jīshì Mínjū]位于山西省晋城市高平市陈区镇西窑头村。坐北朝南，一进院落，南北长 26.77 米，东西宽 14.62 米，占地面积约 379.61 平方米。由南向北遗有南房、大门及正房，正房东侧遗有耳房、院东侧建有厢房。正房为元代遗构，南房及耳房为清代遗构，东厢房为近年新建。大门原为南房东尽间，上世纪 80 年代利用原北墙改为随墙门。是高平发现的第二处元代民居，具有重要的历史价值。2021 年被山西省人民政府公布为第六批省级文物保护单位。通太行一号旅游公交车。

50-B-b312 **古寨汤王庙** [Gǔzhài Tāngwáng Miào] 位于山西省晋城市高平市马村镇古寨村。原名为汤王庙、俗称南庙。因正殿廊柱为金代雕花石柱，故当地村民又称之为花石柱庙。据庙内正殿前檐廊石柱题记及修补石碣记载，创建于金泰和七年（1207 年），清嘉庆八年（1803 年）“补修汤王大殿”，1986 年，修复正殿（汤王殿）、东耳殿（文昌殿）、西耳殿（三义殿），相继建起东、西屋厢房，2005 年村民集资维修正殿，2006 年修建南大门。坐北朝南，一进院落，占地面积约 1080 平方米。中轴线上北端遗有正殿、南端建有山门，院内东、西两侧建有厢房，正殿东西建有耳殿。现存正殿为元代遗构，清代大修。面阔三间、进深六椽，前廊式单檐悬山顶，梁架为四椽栿前压乳栿用三柱，前檐铺作四铺作单秒计心造、里转出榻头木。正殿前檐四根方形抹角青石柱，四面雕花卉、动物、仙人菩萨、历史故事等，为金代民间石雕精品，对研究金元石刻及美术有较高参考价值。其中东侧平柱内侧刻有金泰和七年（1207 年）施柱题记。庙内现存清代碑 2 通。2021 年被山西省人民政府公布为第六批省级文物保护单位。陵侯高速经此。

50-B-b313 **建北文庙** [Jiànběi Wén Miào] 位于山西省晋城市高平市建宁乡建北村。明代称宣圣庙、圣人殿，清代始称文庙、先师庙。创建于北宋治平丙午年（1066 年），金、元信息无文献稽考，明正德十三年（1518 年）、隆庆二年（1568 年），清乾隆三十一年（1766 年）均有修建。坐北朝南，一进院落，东西 26.7 米、南北 49.95 米，占地面积 1333.67 平方米。1984 年至今将山门和戏楼改建为现代二层楼房建筑，并建东西厢房等。中轴线上由南向北依次有改建的二层楼房（中间为院门）、大成殿，两侧有厢房（新建造）。结合晋东南地区元、明建筑结构特征，考其大成殿为元代遗构，余皆 1984 年以后新建。2021 年被山西省人民政府公布为第六批省级文物保护单位。省道坪曲线经此。

50-B-b314 **府底玉皇庙** [Fǔdǐ Yùhuáng Miào] 位于山西省晋城市高平市建宁乡府底村。创建时代无文献可考，元代有之，明、清均有不同程度的修建。坐北朝南，东、西并排两院组成。西院为主院，主奉玉皇大帝，故称玉皇庙。东西 20.3 米、南北 41.8 米，占地面积约 848.54 平方米。一进院落，中轴线由南至北依次遗有山门、正殿，两侧遗有妆楼、厢房、配殿及耳殿。东院为偏院，主奉关羽，故称关帝庙。东西2.03米、南北25.5米，占地面积517.65平方米。现存南殿、北殿和东配殿，为清乾隆九年（1744年）及清光绪年三十年（1904年）修建。庙内遗存光绪三十年（1904年）“重修玉皇庙关帝庙创建戏房驿屋记”及乾隆九年（1744年）“关帝庙碑记”石碑两通。2021年被山西省人民政府公布为第六批省级文物保护单位。通太行一号旅游公交车。

50-B-b315 **邢村炎帝庙**［Xíngcūn Yándì Miào］位于山西省晋城市高平市三甲镇邢村。创建年代不详，院落现存碑记两通，据碑文记载，明宣德元年（1426年）重修，民国二十一年（1932年）补修，2000年、2004年维修。一进院落布局，东西26.28米、南北37.150米，占地面积976.42平方米，中轴线上由南向北依次遗有山门、正殿，两侧遗有东、西厢房及耳殿。考其正殿为元代风格，其余建筑皆为清代遗构。院落现存碑记两通。2021年被山西省人民政府公布为第六批省级文物保护单位。208国道经此。

50-B-b316 **米西显圣观**［Mǐxī Xiǎnshèng Guān］位于山西省晋城市高平市米山镇米西村。创建年代不详。坐北朝南，一进院落，占地面积约850平方米。现仅存正殿（三清殿）和文昌阁（西楼）。结合高平地区元、明木结构梁架中的用材、结构手法及结构关系分析，正殿梁架结构及铺作当为元代遗构，文昌阁为明清遗构。正殿面阔五间、进深六椽，单檐九脊顶，琉璃脊饰。梁架为四椽栿前压乳栿用三柱，梁栿间施蜀柱顶承，槫缝处施攀间栱及短替木扶承，平梁之上立蜀柱置栌斗捧节令栱及丁华抹颏栱，两侧叉手稳固，充分体现了晋东南金元建筑梁架构造之惯用手法；前檐施五铺作双下昂计心造铺作，角铺作正身二跳昂为插昂造，次间柱头铺作瓜子栱头制成昂形（实属孤列），老角梁前下倾斜置式，尾部直承下平槫，不设抹角梁。统考分析其大木作结构体系及手法为元代遗构，亦显金代风格。东西两侧为二层的楼阁式建筑，东楼于近年坍塌，西楼文昌阁为明清遗构。在古建筑院落中，一殿两阁的布局比较稀少，对于研究晋东南寺院格局具有较高的研究价值。2021年被山西省人民政府公布为第六批省级文物保护单位。通高平133路等公交车。

50-B-b317 **高平瑞云观**［Gāopíng Ruìyún Guān］位于山西省晋城市高平市北城办城西新建南路40号。据《乾隆高平县志》记载，瑞云观旧在城东，名白鹤观，建于唐开元二十七年（739年），院落布局无明确记载，明代洪武年间迁至该巷西端，更名瑞云观。坐北朝南，一进院落，占地面积1420平方米。现仅存前殿和后殿，其余建筑皆为解放后新建，结合晋东南地区宋至元建筑遗构特征，考其前殿、后殿均为元代遗构。宋至元代观内情况无文字稽考，观内现存石碣三方，记载清乾隆十年（1745年）、三十二年（1902年）、六十年（1795年）修缮。2021年被山西省人民政府公布为第六批省级文物保护单位。通高平3路公交车。

50-B-b318 **秦庄玉皇庙**［Qínzhuāng Yùhuán Miào］位于山西省晋城市高平市东城街道办事处秦庄村秦庄岭自然村。创建年代暂无文献可考。坐北朝南，二进院落，占地面积1495平方米。中轴线由南向北依次为戏台、过殿、正殿，两侧遗有东西妆楼、东西看楼、东西夹房、过殿东西耳殿、东西配殿（2005年新建）及东西耳殿，东妆楼东侧开设山门。庙内现存明代重修仙姑庙碣1方，清代补修碑2通，民国恢复义学碑1通，佐证庙宇明、清、民国皆有修葺。正殿大额枋及移柱造，结合晋东南明代遗构特征分析，判断正殿为明代遗构，其余皆为清代遗构，西配殿于2007年修缮时建造。2021年被山西省人民政府公布为第六批省级文物保护单位。乡村道路经此。

50-B-b319 **南赵二仙庙**［Nánzhàozhuāng Èrxiān Miào］位于山西省晋城市高平市南城街道办事处南赵庄村。据庙内碑碣记载，创建于宋乾德五年（968年），政和乙未四月（1115年）、元中统二年（1261年）、元至元二十一年（1284年）至明、清均有修建。坐北朝南，一进院落，东西宽27.7米，南北长46.70米，占地面积约1227.61平方米。中轴线上由南至北遗有山门（倒座戏台）、正殿，两侧遗有东、西妆楼、厢房。结合长治地区宋至清木构建筑结构特征分析考证庙内建筑，正殿平梁以下为宋代遗构，其它建筑均清代修建遗构。20 世纪 80 年代和 2000 年村民捐资对庙内建筑进行了修缮。2021 年被山西省人民政府公布为第六批省级文物保护单位。通高平 3 路公交车。

50-B-b320 **焦河东华观**［Jiāohé Dōnghuá Guān］位于山西省晋城市高平市河西镇焦河村。创建年代不详，因“前院正殿塑东华帝君神像，故称为东华观”（民国五年《重修东华观碑记》），明代《山西通志》、清代雍正年版《泽州府志》清顺治版《高平县志》上均有著录。明、清、民国时期屡有修缮。占地面积 1076 平方米，坐北朝南，三进院落，后殿坍塌，中殿改建为学校教室，中轴线上现存有山门（戏台）、前殿，山门两侧有钟鼓楼。其中山门与倒坐戏台为一体，门额有“明隆庆壬申年（1572 年）三月吉日创建”题记。东华观前殿石砌台基，面宽三间，进深六椽，单檐悬山顶。建筑形制承袭元代风格，采用大额枋和粗壮的原木。内部梁架为乳栿对四椽栿用三柱。右板门的铁饰上有“维大明成化七年七月二十八日”题记。左板门铁饰上有“木匠□□□铁匠张□□”题记。门框混作承袭元代形制。2021 年被山西省人民政府公布为第六批省级文物保护单位。乡村道路经此。

50-B-b321 **王降洞真观**［Wángjiàngdòng Zhēn Guān］位于山西省晋城市高平市北城街道办事处王降村。创建年代不详。结合晋东南地区金至清建筑结构特征，考其庙内建筑均为明清遗构。坐北朝南，一进院落，占地面积 1372 平方米。中轴线上由南向北一次遗有山门（倒座戏台）、正殿，两侧遗妆楼、厢房、配殿、耳殿；东侧遗有偏院，东偏院由南向北依次为南房、正房及东西耳房、院落东侧为东偏房（近期新建），2021 年被山西省人民政府公布为第六批省级文物保护单位。乡村道路经此。

50-B-b322 **河西三嵕庙**［Héxī Sānzōng Miào］位于山西省晋城市高平市河西镇河西村北。又称羿神庙、护国灵贶王庙，主祭之神为中国神话传说中的射日英雄羿。创建年代不详，宋代有之。坐北朝南，占地面积约 1067 平方米。现存正殿为宋、金遗构，其余建筑为清代遗构。一进院落，中轴线上由南至北依次遗有山门、献殿、正殿，两侧遗有妆楼、配殿、耳房等。庙内北宋天圣十年（1032 年）《三嵕庙门楼下石砌基阶铭》是目前发现最早的有确切纪年的三嵕神庙碑刻文献，正殿前檐明间东石柱镌刻的宋政和辛卯（1111 年）“政和辛卯孟秋五日。重瓦正殿、五道殿、三门、行廊，新修扑檐、献楼、殿阶谨记”等字迹，也是目前发现的北宋时期神庙修建献楼的唯一记载，较为珍贵。另三普资料登录有，大定九年（1169 年）村民捐造醮盆一座，盆幢亦记载：“旧日宋朝春秋省祭愿施醮盆已俊”。2021 年被山西省人民政府公布为第六批省级文物保护单位。乡村道路经此。

50-B-b323 **双泉迎神馆**［Shuāngquán Yíngshén Guǎn］位于山西省晋城市高平市石末乡双泉村。创建年代不详，结合晋东南金元遗构特征分析，判断该庙元代有之，后历代均有不同程度的修建。坐北朝南，一进院落，东西 23.2 米、南北 36.74 米，占地面积 852.37 平方米。中轴线上由南至北依次遗有倒座戏台（兼山门）、正殿，两侧遗有妆楼、看楼及东耳殿；后人南接妆楼建厢房。正殿为元代遗构，厢房建国后建造，其余为清代遗构。庙内正殿地面遗有残碑 4 通，字迹漫漶不清。双泉村，因村内有一八角井池，井壁上有两个石雕龙头，不断的向井里流出清澈的泉水而得名。村内除迎神馆外，还有龙王庙、东庙、关帝阁、文昌阁等多处古迹，均为清代风格。2021 年被山西省人民政府公布为第六批省级文物保护单位。乡村道路经此。

50-B-b324 **南杨贾氏民居**［Nányáng Jiǎshì Mínjū］位于山西省晋城市高平市野川镇南杨村。坐北向南，一进院落，东西 22.19 米、南北 24.88 米，占地面积 552.09 平方米。中轴线由南至北遗存遗有倒座、正房，两侧遗有东、西耳房和厢房。正房为元代遗构，正房东西耳房明代遗构，余皆清代遗构。贾氏祖辈为贾鲁，高平人，是元代著名的河防大臣，也是一位在治理黄河上卓有成效的水利专家。二十八岁时，任东平路儒学教授，又被选为丞相东曹椽、户部主事。后又奉诏专修辽、金、宋三史，担任宋史的局官。人们为了纪念他，山东、河南有两条河均名贾鲁河。是高平发现的第三处元代民居。2021 年被山西省人民政府公布为第六批省级文物保护单位。乡村道路经此。

50–B–b325 **高庙山石窟**［Gāomiàoshān Shíkū］位于山西省晋城市高平市晋东南太行山西麓。北朝时期，佛教兴盛，开凿石窟亦蔚然成风。石窟利用山腰间暴露出的垂直崖面进行开凿。先凿出较浅的长方形框，框内正中开窟门，窟门向东，呈圆拱龛形，石窟内三面雕刻佛像，窟门两侧各雕一身力士像及 3 个摩崖小龛。因洞窟开凿于质地细腻的石灰岩体上，故窟内雕刻保存尚好。尤其是窟内壁面镌刻了众多的供养人题记，涉及到许多地名、职官等，对于我们研究北朝石窟造像、佛教史以及古地名等均有重要的学术价值。2021 年被山西省人民政府公布为第六批省级文物保护单位。乡村道路经此。

朔州市

50–B–b326 **梵王寺墓群**［Fànwáng Sì Mùqún］位于山西省朔州市朔城区窑子头乡梵王寺村，墓群西北 0.5 公里为西汉娄烦古城的故址。这里分布着战国、汉、北朝时期的墓群多处，现在地面有明显封土 21 处。封土呈圆锥体，残高 2–4 米，底边周长 20–60 米。其中以照壁山巅的北朝土冢最为壮观，保存也完好。1985 年清理了村南山坡上的一座北朝砖室墓，随葬品已被盗。墓的形制为方形，墓顶为穹隆顶，墓砖上雕有花纹图案。村民们在耕田时曾发现过战国铜剑、汉代陶器等。1986 年被山西省列为第二批省级文物保护单位。乡村道路经此。

50–B–b327 **马邑墓群**［Mǎyì Mùqún］位于山西省朔州市朔城区城关至神头电厂附近，分布于朔城区周围 20 公里范围内，包括照什八庄、司马泊、木寨、南邢家河、仓房坪、南榆林等墓群在内。现有完整的大型封土堆 150 处，呈圆锥体和覆斗型两种。保存状况较完整。墓葬形制有长方形土坑竖穴墓，单墓道或双墓道竖穴木椁墓、洞室木椁墓、小土洞墓、单室砖墓及多室砖墓等。出土文物 20000 余件，大部分为陶器，有壶、罐、灶、鼎、盒等。在这批汉墓中，还发现有匈奴、鲜卑墓葬。出土了具有古代少数民族特色的文物近百件。1986 年被山西省人民政府公布为第二批省级文物保护单位。通 7 路公交车。

50–B–b328 **朔州古城墙**［Shuòzhōu Guchéng qiáng］在山西省朔州市朔城区古北大街以南。朔州秦时称马邑，秦始皇三十二年（公元前 215 年）大将蒙恬在此筑城养马，抗击匈奴。古城垣的建筑年代，创建于北齐天保八年（557 年），是在秦汉马邑城旧址上扩建而成的。北齐天保年间（550 年—559 年）迁朔州治于马邑，并在秦汉故城废址上重新筑城，朔州之名自此始。该城墙时代为北齐，是国内现存时代较早，保存较完整的古城墙之一。1996 年被山西省人民政府公布为第三批省级文物保护单位。通 3 路等公交车。

50–B–b329 **吉庄三大王庙**［Jízhuāng Sāndàwáng Miào］位于山西省朔州市朔城区神头镇吉庄村。据碑文记载，创建于辽应历五年（955 年），金天会十二、十三年（1134 年、1135 年）及清代均有重修。坐北向南，一进院落布局，占地面积 1188 平方米。由正殿、东西耳殿、东西配殿、乐楼、钟楼、山门等组成。现存建筑为清代。正殿砖砌台基，高 0.5 米，面宽三间，进深五椽，五架梁前出廊式，单檐硬山顶。殿内建有神龛 3 座，塑有大王塑像三尊。东、西山墙存有诸神彩绘壁画，面积约 42 平方米，东耳殿三间为奶奶庙，西耳殿三间为马王庙，二殿内东、西山墙存有壁画 36 平方米。庙内原存金天会十三年（1135 年）重建神庙之记石碑一通。2021 年被山西省人民政府公布为第六批省级文物保护单位。乡村道路经此。

50–B–b330 **张马营古城遗址**［Zhāngmǎyíng Gǔchéng Yízhǐ］位于山西省朔州市平鲁区井坪镇张马营村。因地势而建，南北长 600 余米，东西宽 380 余米，城垣存高约 3—4 米的土梁。保存最好的地段为东南角，城墙高约 6.8 米，瓮城边长 30 米。1987 年、1990 年、1992 年三次对古城实地调查，发现大量战国时期的陶豆、陶罐等残片，西汉时期的陶罐、陶壶残片，有少量石斧、石刀。古城北高南低，是一处战国以及西汉时期的古遗址。2004 年被山西省人民政府公布为第四批省级文物保护单位。乡村道路经此。

50-B-b331 **井坪南梁战国、秦汉墓群**［Jǐngpíng Nánliáng Zhànguó、Qínhàn Mùqún］位于山西省朔州市平鲁区井坪镇南山梁地带。墓群东西长15公里，南北宽1公里，均被森林覆盖。1986年至1991年为配合露天煤矿工程建设，在墓群东部地段发掘战国墓200余座，秦汉墓170余座，出土文物近1000件，专家、学者认为这批墓葬应为战国时期北方少数民族“楼烦族”墓群。1994年以来配合小型工程建设发掘10余座战国、秦汉墓群，出土文物40余件。2004年被山西省人民政府公布为第四批省级文物保护单位。乡村道路经此。

50-B-b332 **刘诏墓**［Liúzhào Mù］位于山西省朔州市平鲁区下水头乡东昌峪村北西高东低的缓坡地带。墓为东西向，墓地东西长45米，南北宽30米，时代为清代康熙三十六年（1697年），墓前原有的石人、石马、石狮和石羊1999年被盗不存，墓地仅存石牌坊1座，碑刻2通，其中一通残断为三截，碑面阴刻“皇帝谥谕书”，另一通，螭首龟座，螭首正中阴刻篆书“康熙鼎建”四字，碑面阴刻楷体“皇清诰封荣禄大夫镇守广东顺德镇统辖水陆等处地方总兵官左都督世袭三等阿达哈哈番显考魁吾刘府君暨元配一品夫人显妣单氏墓志铭”，为刘诏暨夫人墓志铭，记载了刘昭（1627年—1694年）生平及官职。石牌坊四柱三门，中门石坊上阴刻楷体“恩荣四代”两侧偏门石坊上阴刻楷体“龙赐有加”。背面中门石坊上阴刻楷体“世代君恩”两侧偏门石坊上阴刻楷体“恩覃锡赐”。2021年被山西省人民政府公布为第六批省级文物保护单位。乡村道路经此。

50-B-b333 **沙彦珣墓**［Shāyànxún Mù］位于山西省朔州市山阴县马营庄乡沙家寺村。沙彦珣，生卒年不详，山阴县沙家寺村人。始任圣都指挥使，累迁应州刺史、大辽平军节度使。墓地南北长500米、东西宽300米，封土堆无存。据明正德年间《大同府志》记载，正德六年（1511年）墓地曾出土碣一通，记载有墓主人姓名及官职等。现墓地存有长0.9、高0.7米的石羊两只。有石碣长5尺余，额篆书“沙公碣铭”。1986年被山西省人民政府公布为第二批省级文物保护单位。乡村道路经此。

50-B-b334 **王家屏墓**［Wángjiāpíng Mù］位于山西省朔州市山阴县安荣乡河阳堡村。王家屏（1535年—1603年），山阴县北周庄人，明隆庆二年（1568年）初选翰林院庶吉士，后授编修，官至吏部左仕郎，礼部尚书兼东阁大学士，明万历十二年（1584年）至二十年（1592年）为内阁辅相，后任首辅。墓地南北长150米、东西宽90米、封土高2米，建有围墙、享堂，神道上立有石羊、石马、石虎、石人、石柱各一对。陵园内有万历年间石碑五通，隆庆、泰昌年间石碑各一通，碑文记载圣旨加封及墓主生平事迹等。1986年被山西省人民政府公布为第二批省级文物保护单位。乡村道路经此。

50-B-b335 **繁峙古城遗址**［Fánshì Gǔchéng Yízhǐ］位于山西省朔州市应县镇子梁乡城下庄村。城址为长方形，长1120米，宽120米，城墙残高0.5—2米。1958年调查，地面暴露遗物有铜镞和陶豆、陶罐等残片，陶器纹饰为绳纹，未发掘。城垣遗迹尚存，夯土层15厘米左右。城内地面平坦，土质松软，已为耕地。地表散有零星陶片和残砖破瓦。陶片以夹砂灰陶为主，有少量夹沙黑陶，偶尔有红陶。纹饰有绳纹、方格纹、划纹等，多为轮制，火候较高，器形可辨。1986年被山西省人民政府公布为第二批省级文物保护单位。336国道经此。

50-B-b336 **田蕙墓**［Tiánhuì Mù］位于山西省朔州市应县大临河乡圣水塘村，田蕙，号绎斋，明代应州人，嘉靖四十年中乡试，万历二年中进士。其宦历是：初任蒲城知县，后升任户部主事，又担任过通政司左参议，左通政使。晚年家居时撰修《应州志》，世称“田志”。据墓碑铭记，皇帝下旨修建此墓地。墓地占地2.6万平方米，由于常年瘀水、风沙侵蚀，暴露在地表的石人、石马、石碑仅有6块，余皆隐埋于地下。2004年被山西省人民政府公布为第四批省级文物保护单位。荣乌高速经此。

50-B-b337 **花寨关帝庙**［Huāzhài Guāndì Miào］位于山西省朔州市应县臧寨乡花寨村。坐北向南，二进院落布局，占地面积1264平方米，建筑面积287平方米。中轴线建有正殿、戏台、两侧为东西配殿等文物建筑，现遗存有正殿、戏台、东配殿3座文物建筑。正殿、戏台梁架主体结构为清代建筑特征，结构完整。在建筑的装修、墙体等部位保存有较多的砖雕、木雕等，雕刻精美，寓意丰富。它是一处保存较为完整的传统式庙院建筑群，是当地清代建筑水平的体现，是研究当地当时工艺、艺术的实物例证。2016年被山西省人民政府公布为第五批省级文物保护单位。乡村道路经此。

50-B-b338 **丁堡龙王庙**［Dīngbǎo Lóngwáng Miào］位于山西省朔州市应县下社镇丁堡村。创建年代不详。坐北向南，一进院落布局，东西22.7米，南北52米，占地面积1180.4平方米。现仅存龙王殿、乐楼和钟亭，均为清代遗构。龙王殿面宽五间，进深四椽，前置廊，硬山顶，筒板瓦覆盖。墀头砖雕瑞兽和花卉精致，前檐门窗后人改制。两梢间后檐墙及两山墙绘有清代人物画约125平方米。乐楼坐南向北，台基基本埋没，面宽三间，进深七椽，卷棚顶，筒板瓦覆盖。额枋状木雕卷草花纹。龙王殿前东侧建钟亭，内悬清光绪八年（1882年）铁钟1口。2021年被山西省人民政府公布为第六批省级文物保护单位。乡村道路经此。

50-B-b339 **钗里五神庙**［Chāilǐ Wǔshén Miào］位于山西省朔州市应县南泉乡钗里村内。创建年代不详。坐北向南，东西宽14.4米，南北长14.9米，占地面积214.6平方米。清代建筑风格。一进院落布局，中轴线建有山门、正殿，两侧有钟楼、鼓楼、正殿面宽五间，进深四椽，悬山顶，前置廊，檐下四明柱三檩一枋式梁架，各间均辟六抹菱形隔扇门，两侧墀头饰有砖雕盘头。殿内存清代壁画110平方米，画面较为完整清楚。钟、鼓楼均呈正方形，四柱三檩式梁架，攒角硬山顶。山门面宽一件，前后置廊，悬山顶，置板门。2021年被山西省人民政府公布为第六批省级文物保护单位。乡村道路经此。

50-B-b340 **中陵古城遗址**［Zhōnglíng Gǔchéng Yízhǐ］位于山西省朔州市右玉县城西12.5公里威远镇西2.5公里处。古城平面长方形，中有一墙，将城分为东西二城。古城占地总面积为135万平方米。东、西、南、北四道城墙和中段城墙的城门遗址明显，但城垣面目全非，东南城墙被苍头河水冲去一角。城内地面暴露的汉代遗物如云纹瓦当、方格瓦当、五铢钱、半两钱及大量残陶片。周围村民在城内地下发现了一块半两钱的石质钱范，上有四个半钱范，清晰完整，是汉雁门郡中陵县城遗址。1986年被山西省人民政府公布为第二批省级文物保护单位。乡村道路经此。

50-B-b341 **威远墓群**［Wēiyuǎn Mùqún］位于山西省朔州市右玉县威远镇树儿照村。原为汉时中陵县，四周分布有许多汉代墓。包括树儿照、南八里、进士湾诸墓群。在树儿照村东北隅的五侯山上，有墓冢封土堆40余座，每座高约2—9米，周长50—70米，最高的可达10米左右。在进士湾村、威远镇周围，封土堆达30余座，在此发现一些汉代的铜币、带钩、陶器等随葬品。在南八里村西南的坡地上，现存封土堆10座左右，1973年曾发掘3座，出土遗物200多件，均为汉代器物。1986年被山西省人民政府公布为第二批省级文物保护单位。乡村道路经此。

50-B-b342 **西口古道**［Xīkǒu Gǔdào］位于山西省朔州市右玉县杀虎口风景名胜区杀虎口村。据《三云筹俎考》记载，杀虎堡筑于明嘉靖二十三年（1574年），随后边关贸易兴起，又修筑了平集堡和中关，形成了三堡相联的格局。包括西口古道、广义桥、通顺桥。古道大致呈南北走向，东南至杀虎口堡南梁上起，经广义桥进入古堡内（平集堡、中关），出西门至通顺桥（此古道民间叫敞坡路）止，全长约1500米，分布面积约9249平方米，道路与桥面全部为块石铺砌，部分石块上有深约0.05米的车辙印迹。西口古道和广义桥、通顺桥也随之修筑，以后多有增修。过去是中原通向草原的唯一通道，是兵道、驿路、商道、茶马古道、走西口之道，由于其所处的地理位置及保存较为完整，历史价值和文物价值较高，更是研究万里茶路、晋商兴起、西口移民必不可少的实物史料。2021年被山西省人民政府公布为第六批省级文物保护单位。241国道经此。

50-B-b343 **马营河老爷庙戏台**［Mǎyínghé Lǎoyé Miào Xìtái］位于山西省朔州市右玉县右卫镇马营河村。又称马营河乐楼。始建年代不详，据戏台现存碣记载，清乾隆九年（1744 年）重修，1997 年维修。坐南朝北，东西长 11.15 米，南北宽 11.1 米，占地面积 124 平方米。现存为明代遗构。台基石砌，高 1.2 米，台基三侧设石质栏杆。戏台面宽三间、进深六椽，前卷棚后歇山，筒板瓦覆盖。戏台后部设木槅扇将戏台分为前后两部分。西山墙嵌清乾隆九年（1744 年）重修碣 1 方。后檐墙正中嵌圆形砖雕龙 1 尊。2021 年被山西省人民政府公布为第六批省级文物保护单位。乡村道路经此。

50-B-b344 **中共右玉县委旧址**［Zhōnggòng Yòuyù Xiànwěi Jiùzhǐ］位于山西省朔州市右玉县右卫镇南街。原为右玉城礼拜堂。该礼拜堂为清代瑞典传教士在右玉城传教时所建，义和团运动时被烧毁。1900 年《辛丑条约》签订后，当地政府重建。坐南向北，现东西长 49.67 米，南北长 25.74 米，办公用房总共不到 50 间，占地面积 1346.97 平方米。现存为清代遗构。1949 年右玉城解放，礼拜堂作为右玉县县委办公场所一直沿用到 1972 年县委迁入梁家油坊新建县城。2021 年被山西省人民政府公布为第六批省级文物保护单位。乡村道路经此。

50-B-b345 **鹅毛口遗址**［Émáokǒu Yízhǐ］位于山西省朔州市怀仁市（原怀仁县）城西北 10 公里。1963 年发现。遗址范围约 2 万平方米，并有大量的打制石器分布。石制品分为石核、石片和石器。从巨大的岩块上或从岩石的露头处直接打击石片的制作方法，证明当时的人已能较熟练地从原生岩层上开采石料。绝大多数的石片疤短而深，说明打制石片的技术还很原始。器型其特点多数是用歪尾石片进行加工的，因此，歪尾石片是这一文化的重要特征之一。是华北地区发现的一处大型石器制造场。1986 年被山西省人民政府公布为第二批省级文物保护单位。省道大石线经此。

50-B-b346 **金沙滩墓群**［Jīnshātān Mùqún］位于山西省朔州市怀仁市（原怀仁县）城南 25 公里金沙滩镇第三作村。墓群包括黄花梁、和尚头及日中城附近的墓群。保存有数以千计的大封土堆，形状均为半园形馒头状，大小不等，均为汉代墓葬。墓室分单室与多室两种，平面呈长方形，墓壁略向外凸。随葬品主要有陶盆、陶案、陶井、陶楼、五铢钱等。10 号墓还出土了一件陶猪，栩栩如生，十分精致。此墓地铺地砖颇具特色，40 厘米见方，厚 4 厘米，正面印有鱼纹、钱纹、方格纹、菱形连壁纹混合组成的图案。1986 年被山西省人民政府公布为第二批省级文物保护单位。省道二浙线经此。

50-B-b347 **丹阳王墓**［Dānyángwáng Mù］位于山西省朔州市怀仁市（原怀仁县）城北 4 公里。该墓分墓道、甬道、前室、后室和东西侧室。墓室平面均呈弧边方形。四角攒尖顶。墓室高 7.2 米、墓室面积前后室为 35 平方米，东西测室为 28 平方米，墓内有少量的砖丁头制有阳文魏体“丹扬王墓砖”五字。四条甬道壁及前后甬道、前后室的地面都是考古资料上未见的花纹砖。花纹有类似宝相花瑞兽、各种忍冬、变形龙、凤纹及着少数民族服饰的武士纹等共十五种类型。1986 年被山西省人民政府公布为第二批省级文物保护单位。二广高速经此。

50-B-b348 **清凉山华严寺砖塔**［Qīngliáng shān Huáyán Sì Zhuāntǎ］位于山西省朔州市怀仁市何家堡乡悟道村西北 2 公里处清凉山。创建年代不详，据其建筑形制、风格推断，应为辽代建筑。塔为七檐八角密檐式砖塔，总高 10.8 米。最下层为单层须弥座，平面八角形。束腰上有门，门内雕有乐伎、菩萨等图案，八个转角处均有神态各异的力士砖雕。束腰的上下有砖刻制的莲瓣纹饰。塔身一层正南面辟门，内有塔心室，室高 2.9 米，长宽各 1 米。神台上塑有手握朱笔、脚踏金龟的魁星像。其余七个面均用砖砌筑成假直棂窗和拱形门。1996 年被山西省人民政府公布为第三批省级文物保护单位。乡村道路经此。

晋中市

50-B-b349 **猫儿岭墓群**［Māoér lǐng Mùqún］位于山西省晋中市榆次区旧城东北。1984 年配合基本建设进行发掘清理，出土文物几千件，尚有大量古墓待发掘。已出土文物有春秋陶鬲，战国汉代青铜剑、铁剑、各式带钩，陶制鼎、豆、壶等，有秦代的篆刻铜印。此外有春秋贝币、战国刀币、汉代五铢和唐代墓志铭，墓中出土谷种菜籽现仍能发芽生长，彩陶绘制精美，栩栩如生，对研究春秋以来的断代和榆次的发展史有重要的史学价值。古墓群面积之大，出土器物之丰富，跨越年代之久为国内罕见。1986 年被山西省人民政府公布为第二批省级文物保护单位。省道榆邢线经此。

50-B-b350 **宣乘寺正殿**［Xuānchéng Sì Zhèngdiàn］位于山西省晋中市榆次区长凝镇西见子村。据明万历版《榆次县志》记载，宣乘寺正殿始建于唐咸亨二年（671 年），宋熙宁七年（1074 年）重修，金大定二年（1162 年）赐今额，现存建筑为宋代。正殿建于高台基之上，平面近似方形。坐北朝南，面阔三间，进深六椽，单檐硬山顶，屋面举折平缓，出檐深远。正殿平面近似方形，屋面举折平缓；大木构架形制古朴，宋代建筑的特征显著，具有较高的历史价值。是榆次区现存为数较少的宋代木构建筑之一，对于研究榆次区早期木构建筑的结构形制提供了实物资料。2016 年被山西省人民政府公布为第五批省级文物保护单位。乡村道路经此。

50-B-b351 **蒲池寿圣寺**［Púchí Shòushèng Sì］位于山西省晋中市榆次区庄子乡蒲池村。始建年代无考，据寺内碑载，明正德、清乾隆、道光、光绪年间均有修葺。坐北朝南，一进院布局，中轴线上由南向北依次建有山门、正殿，山门东侧为钟楼，院内东、西两侧为配殿，共有建筑 5 座。现存建筑均为明代遗构。正殿面阔三间，进深六椽，单檐悬山顶，七檩前廊式，平面近似方形。院面规模小巧，布局完整，现存五座建筑均保留了明代建筑特征，清代虽有修葺，各建筑主体构架明代遗风显著，具有较高的历史研究价值。2016 年被山西省人民政府公布为第五批省级文物保护单位。乡村道路经此。

50-B-b352 **永康东岳庙**［Yǒngkāng Dōngyuè Miào］位于山西省晋中市榆次区张庆乡永康村。据明万历版《榆次县志》记载，始建于元中统三年（1262 年），由村民胡福等建，清光绪元年（1875 年）曾重修。现存建筑为清代遗构。坐北朝南，一进院落布局。中轴线上由南向北依次建有山门、正殿，山门两侧为东西耳房、东西掖门、钟鼓楼。院落布局完整、严谨，时代特征明显，建造工艺精细。榆次区内如此庙规模较大、布局完整、各建筑显现同一时期的清式木构建筑群仅此一例，弥足珍贵。2016 年被山西省人民政府公布为第五批省级文物保护单位。乡村道路经此。

50-B-b353 **高壁资圣寺**［Gāobì Zīshèng Sì］位于山西省晋中市榆次区乌金山镇高壁村。创建年代不详，嘉庆六年（1801 年）大修南殿，整体落架抬高，重做石砌基础。道光、同治、民国都维修过。一进院落布局，坐北朝南，占地面积 584.31 平方米。现存为明、清建筑风格。据《榆次县志》民国版记载：原存石经幢，石八面，高三尺余，刻佛及尊胜陀罗尼经，末署后唐长兴二年（931 年）十月初七建造。坐北朝南，通长 28.98 米，通宽 30.91 米，占地面积 896 平方米。中轴线建南殿、正殿带耳房、两侧为钟鼓楼、配殿带耳房。南殿面宽三间，进深四椽，单檐悬山顶。庙内存有清嘉庆六年（1801 年）《重修碑记》、清道光二十三年（1843 年）《重修乐楼碑记》、清同治四年（1865 年）《重修菩萨庙古佛堂碑记》、民国元年（1912 年）《重修碑记》。作为榆次境内保存较为完整的一处明清寺院，明代风格显著，局部保留金元时期早期建筑构件。古建群历史悠久，独具风格，景观优美，对于研究晋中地域的佛教传播与乡村寺庙的建筑特色与传承变迁具有重要价值。2021 年被山西省人民政府公布为第六批省级文物保护单位。乡村道路经此。

50-B-b354 **颉纥法宝寺**［Xiéhé Fǎbǎo Sì］位于山西省晋中市榆次区什贴镇镇颉纥村村西。创建年代不详，据寺内清碑记载，明宣德年间（1426 年—1435 年）、清顺治九年（1652 年）重修。坐北朝南，二进院落布局，南北长 52.7 米，东西宽 20 米，占地面积 1054 平方米。中轴线由南而北建有山门，过殿和正殿，东、西两侧为配殿。现存正殿、过殿为明代遗构，其余均为清代建筑。寺院东北约 100 米处，建有舍利塔一座。西配殿内存清代重修碑 1 通。正殿东西山墙绘制佛教题材壁画，过殿内塑悬塑，均为明代遗物。作为榆次境内保存较为完整的一处明清寺院，明代风格显著，兼具金元时期早期建筑特征。正殿内的水陆法会壁画与过殿内的悬塑，其风格、题材稀有，对于研究晋中地域的佛教传播与乡村寺庙的建筑特色具有重要价值。2021 年被山西省人民政府公布为第六批省级文物保护单位。乡村道路经此。

50–B–b355 **石塔**［Shí Tǎ］位于山西省晋中市榆社县城西北 40 公里杨家沟村。据传此地为张果老得道之处，故名果老峰。峰顶有石槽，半山之中有直径约 10 米的凹地，名为驴打滚。石塔建在峰顶之上，塔身呈方形，通高 3.53 米，由整块麦矾石凿成，束腰厚 10 公分，顶略平，分为四层，每层四面雕龛，龛内雕有佛、菩萨、弟子像数尊（自上而下，南北向为三、三、二、五尊，东西向为三、三、三、五尊）。除侍者外均置于平台之上。石塔四周有巨石三块，西北一块高 2 米，长 2.5 米，一侧刻有“僧皇”二字。一侧刻有“大齐天统三年四月州日立”等。是研究北齐雕刻和建筑艺术的珍贵实物资料。1986 年被山西省人民政府公布为第二批省级文物保护单位。乡村道路经此。

50–B–b356 **庙岭山石窟**［Miàolǐngshān Shíkū］在山西省晋中市榆社县城西南 5 公里庙岭山寺沟。又称石室方丈。坐东朝西，依崖而凿，方形覆斗顶。宽 2.4 米、深 2.55 米。窟内雕较大造像 6 尊，四周千佛环绕计 1090 尊。主佛像（东壁）通高 1.33 米，像高 0.9 米。身披褒衣博带袈裟，内着僧抵支，结咖趺坐于束腰长方形平台上。摩崖造像在原大雄宝殿的后墙崖壁上，像高 1.8 米，身披轻薄透体袈裟，线条简洁流畅。双手残，结跏趺坐于高 1.2 米的莲台上。寺东北山顶有砖砌禅师塔 1 座，平面方形，通高 4.3 米，为唐代所建。1965 年被山西省人民政府公布为第一批省级文物保护单位。乡村道路经此。

50–B–b357 **邓峪村石塔造像**［Dèngyùcūn Shítǎ Zàoxiàng］位于山西省晋中市榆社县城南 9 公里的邓峪村。造像雕刻于唐开元八年（720 年），单层楼阁式，高 3 米，平面方形，周长 3.65 米，基座为八角形，周围刻有莲花等图案。塔身中部四周饰以石栏、石柱，柱身刻有二龙戏珠，四面中部刻有大小佛像 10 余尊，顶部边檐刻有花纹图案，塔身下侧佛座以上刻有“大唐开元八年岁次庚申三月寅朔十五日戊辰云骑尉耿立”。1965 年被山西省人民政府公布为第一批省级文物保护单位。乡村道路经此。

50–B–b358 **南村造像**［Náncūn Zàoxiàng］位于山西省晋中市榆社县城西部 15 公里方竹镇南村。建于唐代，毁于抗日战争时期，仅存沙页岩石佛两尊。站像缺手，高 4.6 米，圆面大耳。坐像高 1.3 米，无头，雕刻精细，纹理逼真，栩栩如生，唐风犹存。1965 年被山西省人民政府公布为第一批省级文物保护单位。乡村道路经此。

50–B–b359 **郝北寿圣寺**［Hǎoběi Shòushèng Sì］位于山西省晋中市榆社县郝北镇郝北村。据碑记载，宋熙宁元年（1068 年）寺庙已存，明正德十年（1515 年）、清康熙（1662 年—1722）、乾隆（1736 年—1795）、宣统（1909 年—1911）屡有修葺。坐北朝南，二进院落布局，占地面积 699.2 平方米。中轴线由南向北建有山门（天王殿）、过殿和大雄宝殿，两侧为东西配殿（二郎殿、关帝殿）及澄真和尚灵塔，寺院西北隅建龙王殿、缮壇。现存山门为宋代遗构，澄真和尚灵塔、西配殿为明代建筑，过殿、龙王殿为清代建筑，大雄宝殿、东配殿、缮壇为近年复建。寺内现存明重修碑 1 通，清重修碑 3 通。山门又称天王殿，面阔三间，进深四椽，单檐灰质筒瓦悬山顶。过殿面阔三间，进深四椽，五架梁通达前后檐通檐用两柱，单檐灰质筒瓦悬山顶。西配殿面阔三间，进深四椽，四架梁对前单步梁通檐用三柱。龙王殿面阔三间，六檩前出廊式，单檐灰质筒瓦悬山顶。澄真和尚灵塔平面六边形，五层密檐式砖塔，通高 6.5 米，六角攒尖顶，上置琉璃宝珠塔刹。山门为宋代遗构，梁架构件制作规整，结构严谨，是研究宋代建筑重要的实物遗存。2001 年，郝北寿圣寺被晋中市人民政府公布为市级文物保护单位。2021 年被山西省人民政府公布为第六批省级文物保护单位。乡村道路经此。

50–B–b360 **连家庄文峰塔**［Liánjiāzhuāng Wénfēng Tǎ］位于山西省晋中市榆社县箕城镇连家庄村。据碑载，建于清雍正三年（1725 年）。

据榆社县志记载，明末清初榆社文风不振、经济萧条，郡守王公登城视察认为“塔在巽峰则文运胜”，于是建议在巽山建塔以求振兴榆社文风，即于清康熙六十一年动员全县绅士筹资，终于在雍正三年大功告成。初期曰“文风塔”，其后讹名“文峰塔”。现已成为榆社县的地标和文化图腾，象征着榆社人对文化的追求。塔为八边形十三层楼阁式砖塔，坐南朝北，通高38米，由塔身、塔刹两部分组成。塔前立清创建碑2通，塔内嵌清石碣4方。2021年被山西省人民政府公布为第六批省级文物保护单位。通榆社2路南线公交车。

50-B-b361 下赤峪资福寺［Xiàchìyù Zīfú Sì］位于山西省晋中市榆社县河峪乡下赤峪村。创建年代不详，据大雄宝殿梁架题记记载，元至正十年（1350年）重修，清康熙五十八年（1719年）、民国初年（1912年）曾予修葺。一进院落布局，占地面积1006平方米。中轴线由北向南依次为大雄宝殿、南殿，两侧为东西配殿、东西厢房。现存建筑大雄宝殿为元代遗构，南殿、东西配殿及东厢房为清代建筑，西厢房为民国时期建筑。大雄宝殿山墙山尖内壁保存有精美的壁画，西山廊心墙保存有一通石碑，大雄宝殿及南殿梁架木构件保存有彩画。2021年被山西省人民政府公布为第六批省级文物保护单位。通榆社21路公交车。

50-B-b362 马定夫烈士故居［Mǎdìngfū lièshì Gùjū］位于山西省晋中市榆社县箕城镇东汇村。故居坐北朝南，现存正房、大门。占地面积358.74平方米。马定夫（1915年—1943年）又名马镇西，号马丁，榆社县东汇村人。中共党员，1939年后历任中共榆社县委宣传部长、组织部长、晋中独立支队政治部科长、太行二分区政治部主任、30团政委等职。1943年6月，率军到太谷县南山根据地中北岭一带，参见夏收保卫战。他指挥部队在民兵配合下，采用阻击、伏击战法，粉碎了驻太谷日伪军的偷袭，击毙敌人30余人，大获全胜。同年7月23日，日伪军200余人偷袭南山枫子岭，直接威胁着千余名群众的生命安全，他迅速组织部队抗击敌人。他身先士卒，与敌展开血战，抢占了山头，掩护了千余名群众安全转移，而他在战斗中，腹部中弹，壮烈牺牲，年仅28岁。该故居是革命烈士精神的文化遗存，对于缅怀英烈，激励后人具有重要的历史作用。2021年被山西省人民政府公布为第六批省级文物保护单位。340国道经此。

50-B-b363 八路军总部韩庄修械所旧址［Bālùjūnzǒngbù Hánzhuāng Xiūxièsuǒ Jiùzhǐ］位于山西省晋中市榆社县讲堂乡韩庄村。由于韩庄村地处榆社县与左权县的交界处，是当时抗日根据地的中心地带，遂将厂址选定在山西省榆社县韩庄村。成立于1938年9月，现存建筑为民国时期建筑。1938年4月，八路军在晋东南粉碎日军的九路围攻后，开辟了太行抗日根据地，同年8月，八路军总部决定对分散在太行抗日根据地的我军各随军修械所实行“统一领导集中生产”的方针，委派总部第四科副科长徐长勋筹办制造步枪的兵工厂。同年9月，将原一一五师第三三四旅修械所、一二九师补充团修械所与一一五师唐天际支队修械所随军修械人员分三批从各地调往韩庄开展工作，至此八路军总部韩庄修械所成立。设立铁厂、木工厂、后勤部等部门。朱德、彭德怀、刘伯承等多次到韩庄修械所视察工作，鼓励职工发挥创造精神，加紧造枪。后期由于日本军队进犯榆社，韩庄修械所受到威胁。为了隐藏目标、保存力量，创建长久而稳固的军火生产基地，根据总部的命令，韩庄修械所于1939年9月迁至黄崖洞。是黄崖洞兵工厂的前身，是抗日战争时期八路军总部在太行山区创建最早、规模最大的一座兵工厂。2021年被山西省人民政府公布为第六批省级文物保护单位。通榆社18路南线公交车。

50-B-b364 八路军后方医院河窊旧址［Bālùjūn Hòufāngyīyuàn Héwā Jiùzhǐ］位于山西省晋中市榆社县河峪乡河窊村。1944年随太行军区第二军分区司令部由和顺县迁入榆社县，当时医疗条件十分艰苦，就在这里临时建起了一个抗日后方医院。对太行军区第二军分区部队进行医疗服务。为打破日军对我抗日根据地的严密封锁，1940年8月，八路军总部决心集中主力发动一次大规模的破袭作战，以摧毁华北日军对根据地的囚笼政策。这就是闻名中外的百团大战，距今已经整整83年。9月16日，八路军总部发出第二阶段作战命令，要求各部队继续破坏日军交通线，摧毁深入抗日根据地内的日伪军据点。第一二九师的任务是：实施榆（社）辽（县）战役，拔除榆社至辽县（今左权县）公路沿线之敌军据点，相机收复榆社、辽县两县城。战前，一二九师各战斗部队，后勤部队都显得那么紧张，急促。八路军后方医院对进行了多处抢救任务。在这里治好了许多为国家流血负伤的英雄，司令员曾多次亲临病房探视慰问。八路军后方医院是榆社县红色文化的主要体现。2021年被山西省人民政府公布为第六批省级文物保护单位。乡村道路经此。

50-B-b365 **左权将军殉难处**［Zuǒquán Jiāngjūn Xùnnànchù］位于山西省晋中市左权县城关镇。泽城乡大岩北艾铺十字岭。左权，湖南醴陵人，八路军总司令部副总参谋长，1942年在反扫荡战斗中牺牲于此。1987年5月25日建“左权将军殉难处纪念亭”一座，四角攒尖顶，琉璃瓦覆盖，周筑围廊，建筑面积295平方米。内竖4.5米高之汉白玉纪念碑一通，正面镌刻“左权同志永垂不朽”8个大字，左侧镌刻邓小平题词“怀念左权将军”，右侧镌刻朱德题诗，后面镌刻彭德怀撰写的左权将军碑志，徐向前题写的“左权将军纪念亭”匾额悬于亭前檐。主碑四周竖立8块附碑。1965年被山西省人民政府公布为第一批省级文物保护单位。乡村道路经此。

50-B-b366 **山庄新华日报社旧址**［Shānzhuāng Xīnhuá Rìbàoshè Jiùzhǐ］位于山西省晋中市左权县麻田镇山庄村。1940年至1945年，新华日报社进驻山庄村。旧址内现有建筑4座，其中正房五间，东、西厢房各两间，南房五间，院内居中铺设砂石板甬道。是抗战时期新华日报扩版和发展的遗留与见证，是抗日战争全面反攻时期共产党在华北区域文化宣传的载体。在山庄村所刊发的重要领导人的讲话与社论，对于抗日思想的文化宣传、对敌侵略的舆论抨击、抗战军民战斗力的凝聚起到了重要作用。2016年被山西省人民政府公布为第五批省级文物保护单位。乡村道路经此。

50-B-b367 **南会八路军前方总部旧址**［Nánhuì Bālùjūn Qiánfāng Zǒngbù Jiùzhǐ］位于山西省晋中市左权县麻田镇南会村。占地面积860平方米，包括：彭德怀旧居院、左权参谋长办公院、贾火林旧居院、巩敬庭旧居、马房5处院落。由于战争形势的变化，1940年11月八路军总部进驻武军寺，年底因日军扫荡，武军寺被日军放火烧毁，八路军前方总部与中共中央北方局移驻南会村。是抗日战争时期，中国共产党领导八路军奋勇抵抗日本侵略军的历史见证，在中国抗战史上有重要地位，对中国共产党革命史的研究具有重要意义。2016年被山西省人民政府公布为第五批省级文物保护单位。省道沁涉线经此。

50-B-b368 **晋冀鲁豫边区临时参议会旧址**［Jìnjìlǔyù Biānqū Línshí Cānyìhuì Jiùzhǐ］位于山西省晋中市左权县桐峪镇桐滩村桐峪自然村，1941年7月7日至8月15日，晋冀鲁豫边区临时参议会在桐滩村西老爷庙开幕，历时40天，会议采取“三三制”原则，参加大会的议员共133名，其中共产党员占三分之一。会议通过了边区政府施政纲领和各种重要条例、法令，选出了临时参议会驻会委员、正副议长以及边区组成人员。晋冀鲁豫边区临时参议会所颁布的74部法律、法规、条例，系统建立了解放区的法治制度，为以后新中国各项法律的颁布和法治社会的构建奠定了基础。2016年被山西省人民政府公布为第五批省级文物保护单位。省道沁涉线经此。

50-B-b369 **粟城寿圣寺**［Sùchéng Shòushèng Sì］位于山西省晋中市左权县粟城乡粟城村。创建年代不详，历代均有修葺。坐北朝南，一进院落布局。中轴线由南向北有南殿、正殿，两侧为东西配殿，南殿两侧建有钟鼓楼。总占地面积843.34平方米。现存正殿为明代遗构，前檐柱头和台明形制保留了元代建筑的特征，由此判断至迟正殿在元代已有之。除正殿为庙之原构外，其余建筑均为近年复建。正殿为明代遗构，面宽五间，进深六椽，五架梁对后双步梁构架，斗栱五踩双昂，单檐灰陶筒板瓦悬山顶。正殿殿身比例和谐，屋面举折较为平缓，结构严谨，构件制作手法承袭元代，前檐柱头卷刹和缓，工艺纯熟，虽为明代遗构，但仍保留有元代遗风。2021年被山西省人民政府公布为第六批省级文物保护单位。东吕高速经此。

50-B-b370 **八路军兵工厂高峪旧址**［Bālùjūn Bīnggōngchǎng Gāoyù Jiùzhǐ］位于山西省晋中市左权县芹泉镇高峪村。旧址占地面积约5500平方米，现存加工车间旧址、原料库旧址、兵工厂食堂旧址、所部旧址等14处院落，锅炉房遗址、煤场遗址等4处遗址及军民共建水井、兵工厂自建水井2处附属文物。1939年10月，为适应战争规模的扩大和武器弹药量与日俱增的需求，落实党中央提出的“提高军事技术，建立必要的军火工厂，准备反攻实力”的指示要求，八路军军工部在高峪村组建“军工部三所”。高峪军工部三所建立初期，为便于隐蔽，厂区建在凸起的山崖下，共有职工303人，主要生产步枪和掷弹筒，下设锅炉房、锻工房、机工房、钳工房、仓库等。1940年3月军工部二所在高峪村与三所合并。合并后职工人数达到400余人，机器增至20多部，下设工务科、材料科、管理股、直属队、机工队和钳工队。1942年日军扫荡时转移，后日军对厂房进行了破坏。军工部三所逐步转移至小清泉村继续进行军工生产。在抗日战争艰苦的岁月里，高峪军工部三所生产了大量的枪支弹药，有力地支持了前线的作战，为抗日战争的胜利作出了重大贡献，其历史功绩将永垂史册。2021年被山西省人民政府公布为第六批省级文物保护单位。乡村道路经此。

50-B-b371 **八路军兵工厂杨家庄旧址**［Bālùjūn Bīnggōngchǎng Yángjiāzhuāng Jiùzhǐ］位于山西省晋中市左权县县城东。太行山是共产党领导抗日战争，建立抗日武装的重要支撑点。它是除延安党中央所在地之外对日斗争的前敌指挥中心，时间长达5年之久。八路军各主力师团对日作战后，分兵建立根据地，积极开展以游击战为主要作战样式的战斗，以土地改革为依托建立红色民主政权，发动群众坚持持久战，八路军的兵源源源不断，根据地也逐渐集中连片。1937年11月13日，八路军总部在山西省和顺县石拐村召开干部会议，传达中共中央关于创建以太行山为依托的晋、冀、豫抗日根据地。石拐会议后，辽县被刘伯承、徐向前率领的八路军一二九师纳入视野，11月15日，一二九师师部就选择在辽县城西五华里的西河头村，随着指挥机关的落帐，师指各个机关部所都相应在周边村庄扎营。为了落实党中央毛主席10月21日“我们必须在一年内增加步枪一万只，主要方法自己造”的指示，1938年2月，一二九师先遣队利用由河北峰峰煤矿机修车间护厂队队长王夺元（中共地下党员）动员来并潜伏在杨家庄村的40余名技术骨干及携带来的机器设备和精细材料，由老红军杨锡禄任厂长，成立了军工厂。2021年被山西省人民政府公布为第六批省级文物保护单位。乡村道路经此。

50-B-b372 **八路军一二九师野战卫生所旧址**［Bālùjūn Yīèrjiǔshī Yězhàn Wèishēngsuǒ Jiùzhǐ］位于山西省晋中市左权县桐峪镇莲花岩自然村。坐北朝南，东西长1000米，南北宽15米，总占地面积约为15000平方米。总体沿崖体呈一字型三层布列。旧址内由西至东依次为食堂、护士室、院长室、资料室、发现处、崖居、药房、伤员室、医务教室共10座建筑。1939年，一二九师野战卫生院院长何正清为了避开日军扫荡，解决伤病员居住分散的问题，将伤员转移到莲花岩，将此地设为一二九师第五秘密卫生所。2021年被山西省人民政府公布为第六批省级文物保护单位。乡村道路经此。

50-B-b373 **八路军总部军事测绘室河北沟旧址**［Bālùjūnzǒngbù Jūnshì Cèhuìshì Héběigōu Jiùzhǐ］位于山西省晋中市左权县麻田镇河北沟村。创建于民国二十九年（1940年）。坐南面北，二进院落布局，占地面积682.3平方米。中轴线由南向北依次为正房（已塌毁）、过厅、北房及大门、影壁，两侧为一进院东西厢房、二进院东西厢房，正房东侧建有耳房，马厩位于过厅东侧。主要印刷抗战时期太行北部军事作战地图、军号谱、电报密码、武器设计图，为我方侦察敌情，取得抗战胜利发挥了重要作用。2021年被山西省人民政府公布为第六批省级文物保护单位。乡村道路经此。

50-B-b374 **荣华寺**［Rónghuá Sì］位于山西省晋中市和顺县城南10公里的东喂马村。创建年代不详，据寺内碑文载，宋元祐八年（1093年）

已有寺院，现存为明清建筑。坐北朝南，四合院布局，占地面积1000平方米。轴线上自南而北建有山门、正殿。山门两侧建有钟鼓楼。院内东西两侧建配殿各五间。正殿于明嘉靖四十二年（1563年）重建，面宽三间，进深六椽，单檐悬山顶。殿内石佛3尊，呈一字形排列。佛均站姿，砂石质，其造像手法和风格上应为南北朝时期作品。寺内还保存有明代碑碣各1通，清代残碑10通。1996年被山西省人民政府公布为第三批省级文物保护单位。乡村道路经此。

50-B-b375 **石牌坊**［Shí Páifāng］位于山西省晋中市和顺县城中和街，全名“兵宪石坊”。明末山东按察司昌平兵备道付使药济众的门生——巡按山西监察御史刘弘光为药济众所立。牌坊建于明崇祯四年（1631年）。石牌坊，由八十八块巨石建成。明间宽3.3米，次间宽1.7米。主坊通高9.57米，面阔8.5米。重檐歇山顶，由四根霸王柱支撑。中间两柱高5.9米，旁边两柱高4.6米。每根柱前后各护有戗石两块。每块戗石上雕有大狮一，小狮二，共24只。石柱前后两面刻茶花、牡丹花纹。1996年被山西省人民政府公布为第三批省级文物保护单位。207国道经此。

50-B-b376 **大佛头香山寺**［Dàfótóu Xiāngshān Sì］位于山西省晋中市和顺县喂马乡大佛头村。据碑记载，创建于北宋熙宁三年（1070年），明嘉靖五年（1526年）、清乾隆五年（1740年）、道光四年（1824年），民国九年（1920年）、十三年（1924年）、2005年均有修葺。一进院落布局，占地面积839.3平方米。现存正殿为明代建筑，其余为清代建筑。坐北朝南。中轴线由南向北依次为山门、南殿、正殿，东西两侧为钟鼓楼及配殿。正殿建于石砌台基之上，台基高0.14米，面宽五间，进深六椽，单檐悬山顶，七檩无廊式构架，檐下斗栱为三踩单昂。寺内立明、清、民国时期重修碑7通。2021年被山西省人民政府公布为第六批省级文物保护单位。乡村道路经此。

50-B-b377 **邢村昭懿圣母庙**［Xíngcūn Zhāoyìshèngmǔ Miào］位于山西省晋中市和顺县义兴镇邢村。据碑记载，创建于元至元三十年（1293年），清乾隆五十九年（1794年）、道光二年（1822年）、道光二十三年（1843年）、同治八年（1869年）、民国七年（1918年）均有修葺。现存为清代建筑。1997年当地村委会组织维修。坐北朝南。上下两院布局，占地面积205.7平方米。中轴线由南向北依次为戏台、正殿，东西两侧为配殿、钟鼓楼及厢房。正殿建于石砌台基之上，台基高0.46米。面宽三间，进深五椽，单檐硬山顶，六檩前出廊式构架。檐下斗栱为一斗二升交麻叶。戏台建于条石台基之上，台基高1.3米。面宽三间，进深五椽，单檐歇山顶，六檩无廊式构架。庙内存元、清、民国重修碑6通。2021年被山西省人民政府公布为第六批省级文物保护单位。乡村道路经此。

50-B-b378 **福严寺**［Fúyán Sì］位于山西省晋中市昔阳县赵壁乡黄岩村，据明嘉靖二十七年《乐平县志》、清雍正十二年《山西通志》、民国4年《昔阳县志修编》及重修碑记载，创建于元至正五年（1345年）。坐北面南，一进院落布局，原有大殿、南殿、戏台、钟鼓楼、东西配殿、东西配房、东西廊庑等建筑，现仅存大殿、钟鼓楼、东西配殿、东配房、东廊庑。大殿为元代遗构，其余均为清代建筑。大殿前檐补间的六铺作斗栱，采用米字形斜拱与鸳鸯交首栱做法，使力学功用和艺术形式巧妙组合成有机整体，是研究晋中地区元代山寺建筑的宝贵实例。2016年被山西省人民政府公布为第五批省级文物保护单位。乡村道路经此。

50-B-b379 **卧佛寺**［Wòfó Sì］位于山西省晋中市昔阳县城东40公里的孔氏乡孔氏村。据寺内《重修卧佛岩记》石碑载：“元至正年间凿石佛，长数丈，卧于岩下。明嘉靖四年，道人王续绵募捐主持，创建大殿四楹，刻石为佛者三，菩萨二、罗汉者三十有六，经始于正德庚午正月，落成于嘉靖壬午十月。”现存卧佛寺为一天然岩洞，从东向西，宽36米，深34米，高20米。洞后壁凿一卧佛，身长5.2米，肩宽1.4米，螺纹内髻，面相方圆，高鼻大耳，身着袈裟，右臂上曲托头成卧状。另有二十余尊石雕像均缺臂少头，面目全非。木构建筑也荡然无存。1996年被山西省人民政府公布为第三批省级文物保护单位。339国道经此。

50-B-b380 **北界都梵乘寺**［Běijièdōu Fàn chéng Sì］位于山西省晋中市昔阳县界都乡北界都村。创建年代无考，据寺内碑载，金皇统、正隆、元天历、明嘉靖、清康熙年间均有修葺。东西总宽 19.15 米，南北总深 56.85 米，占地面积为 1088.68 平方米。现存山门为民国所建，余者皆为明代遗构。坐北朝南，二进院落布局，中轴线由南向北依次建有山门，天王殿，梵王殿，大佛殿。一进院中轴线两侧建有钟、鼓楼、东、西配殿；二进院东面由南至北为文昌财神殿、观音殿、二郎殿，西面由南至北为药王殿、地藏殿、伽蓝殿。两院之间还建有若干座便门。寺内另存有碑刻、壁画、彩画等附属文物，具有较高的文物价值。布局完整，各建筑修缮信息清晰，与金石资料相互验证，对研究昔阳地区佛教寺庙的建筑演变提供了实物例证。2021 年被山西省人民政府公布为第六批省级文物保护单位。339 国道经此。

50-B-b381 **西大街村大庙大殿**［Xīdàjiēcūn Dàmiào Dàdiàn］位于山西省晋中市昔阳县城区西大街村。创建年代不详，据碑文记载，清康熙、道光、咸丰年间均有修葺。坐北朝南，四进院落布局，占地面积 4720 平方米。中轴线上由南而北建有前殿、大殿、阎王殿、碑亭、子孙殿、菩萨殿，两侧分布有大王殿、观音殿、配殿、耳房等建筑。现存大殿为元代遗构，其余各建筑均为清代建筑。院内还保存有历代重修及布施碑刻近十通，是研究寺院历史传承的珍贵史料。大殿是元代遗构，创建年代早于庙内其它建筑，保存现状较好，价值较高，地方风格和时代特征显著。大殿为元代遗构，面阔三间，进深七椽，单檐灰陶质筒板瓦悬山顶。梁架结构为四椽栿对前后劄牵，通檐用四柱，前檐置斗栱七朵，其中柱头四朵，补间各一，均为六铺作单抄双昂结构。2021 年被山西省人民政府公布为第六批省级文物保护单位。通昔阳 103 路东、昔阳 105 路东等公交车。

50-B-b382 **西峪惨案烈士纪念地**［Xīyùcǎnàn Lièshì Jìniàndì］位于山西省晋中市昔阳县三都乡西峪村。坐北朝南，主要包括烈士殉难坑、烈士纪念塔两部分，占地面积约 169.81 平方米。1940 年 10 月 18 日，驻昔阳日伪军对抗日根据地进行疯狂扫荡，将西峪村民驱赶集中，用机枪、手榴弹、刺刀杀死西峪村民 386 人于殉难坑，26 户灭门绝户，烧毁房屋 400 余间，掠走牲畜 100 余头，制造了骇人听闻的西峪惨案。1977 年昔阳县委在殉难坑北侧建立西峪惨案烈士纪念塔 1 座，竖碑 1 通，以示纪念。2021 年被山西省人民政府公布为第六批省级文物保护单位。乡村道路经此。

50-B-b383 **大寨展览馆旧址**［Dàzhài Zhǎn lǎnguǎn Jiùzhǐ］位于山西省晋中市昔阳县乐平镇东关村南县城中心。坐东朝西，主要由中部大厅和南北两侧展厅构成，南北宽 84 米，东西深 30 米，占地面积 1857.36 平方米。1964 年毛主席发出农业学大寨的号召之后，全国各地到大寨参观的人越来越多，为了便于更多的人了解大寨，1969 年 -1971 年昔阳县委在县城建成大寨展览馆。展览馆以图片、版面等多种形式展示了大寨人独立自主、艰苦奋斗的一系列场景，成为学大寨时期的代表性建筑物。2021 年被山西省人民政府公布为第六批省级文物保护单位。通昔阳 101 路公交车。

50-B-b384 **松罗院**［Sōngluó Yuàn］位于山西省晋中市寿阳县平头镇董家庄村。创建年代无考。庙院基本呈方形，现存格局是正殿三开间，左右挟屋各三间（左侧殿挟屋已毁），正殿对面是舞楼和左右山门，院内东西两侧是各四间厢房。正殿为元代建筑，面阔三间，进深三间，单檐硬山顶，正殿前檐下用木柱，而后檐用石柱，前檐柱不卷杀，普柏枋单薄而阑额壮实，2004 年被山西省人民政府公布为第四批省级文物保护单位。太原二环东环高速经此。

50-B-b385 **段王村罗汉寺**［Duànwángcūn Luóhàn Sì］位于山西省晋中市寿阳县平舒乡段王村。创建年代不详，据清光绪八年（1882 年）版《寿阳县志》记载“罗汉寺，在县西五十里段王镇”。坐北朝南，两进院落布局，中轴线由南向北依次有山门、过殿和正殿，两侧仅存一进院东侧钟楼、东西厢房，二进院东配殿，其余建筑均已不存。现存建筑中正殿、过殿为元代建筑，山门为明代建筑，余为清代建筑。是寿阳县保存较为完整的集元、明、清建筑技法于一体的寺院，保存有各朝代建筑营造的工艺，蕴含丰富的历史文化信息，是研究建筑结构发展的宝贵实例。2016 年被山西省人民政府公布为第五批省级文物保护单位。乡村道路经此。

50-B-b386 **平舒崇福寺**［Píngshū Chóngfú Sì］位于山西省晋中市寿阳县平舒乡平舒村。创建年代不详，据清光绪八年（1882 年）《寿阳县志》记载，唐神功元年（697 年）崇福寺已有。坐北朝南，一进院落布局，中轴线上建有过殿、正殿，两侧为东西配殿，过殿东侧建有关帝殿一座。现存建筑中过殿为元代遗构，其余为清代建筑。寺之山门原存于过殿南侧，现已毁。过殿为元代建筑，石砌台基，面阔三间，进深六椽，单檐硬山顶。寺庙丰富的历史资料、过殿现存梁架题记、有待发掘的经幢及建筑实物载体，为研究寺院历史提供重要依据。2016 年被山西省人民政府公布为第五批省级文物保护单位。通寿阳 306 路公交车。

50-B-b387 **圣母五龙行祠**［Shèngmǔ Wǔlóng xíng Cí］位于山西省晋中市寿阳县宗艾镇范村。原名为范村大庙。因新发现的碑刻证明该大庙即为圣母五龙行祠，所以进行了更名。坐北朝南，由并排的相互连通的三个院落组成，整体院落为长方形，中间为主殿院，两旁为客房院，东西 46 米，南北 29.8 米，总占地面积 1370.8 平方米，由门楼、正殿、关帝庙、伽蓝殿、东西配殿、东西厢房、南厢房、东院、西院厢房组成，戏台在七十年代被拆除，仅余台基。现存旧殿房共 30 间，始建年代不详，据正殿廊下所存碑石记载，明万历五年（1577 年）、大清康熙四十年（1701 年）有过修缮记载。现存正殿保留有元代建筑特征，其余殿房均为清代建筑，庙院内还保留有石刻等附属文物 7 件。正殿三间为圣母五龙行祠主体建筑，始建年代不详，建筑面积 102.9 平方米，砂石条砌须弥座式台基，其前檐柱柱头有明显卷刹，柱础雕刻有覆莲花纹，东西山墙有明显收分，是早期做法，较为少见，有多处早期宋元建筑形制特点，保留了元代建筑构件风格，进深五椽，单檐硬山顶。整体规模较大，正殿基座、柱础、檐柱、墙体保留有元代木结构建筑特征，整体布局和建筑形制保存相对完整，是寿阳县乃至晋中地区现存庙宇中保存相对完整的古建筑。2021 年被山西省人民政府公布为第六批省级文物保护单位。乡村道路经此。

50-B-b388 **冯家山关帝庙**［Féngjiāshān Guān dì Miào］位于山西省晋中市寿阳县平舒乡东郭义冯家山村中。创建年代不详，现存大清康熙五十年（1711 年）、大清乾隆七年（1742 年）碑文记载曾有修缮。坐北朝南，一进院落布局，中轴线上由南向北建有戏台、山门、正殿，两侧为钟楼、东西配殿、东西耳房。正殿为明代木结构，余皆为清代建筑。山门内存重修碑及布施碑 4 通。院落为长方形，东西 22.4 米，南北 79.6 米，总占地面积 1784 平方米，总建筑面积 340.2 平方米。正殿为冯家山关帝庙主体建筑，始建年代不详，建筑面积 75.5 平方米，保留了明代建筑原构，殿内东、西山墙及后檐墙上绘有关云长故事题材的通景壁画，总体基本完整。整体建筑较为完整地保留了明代建筑布局，选址讲究，形制规整，清代至少两次维修，体现了古建筑的历史信息和痕迹，保留了明、清木结构建筑，正殿三面墙上保存较为完整的壁画，融故事与山水一体，难得而珍贵，是明清同时期庙宇中，壁画保存相对完整的古建筑。2021 年被山西省人民政府公布为第六批省级文物保护单位。乡村道路经此。

50-B-b389 **纂木皇恩寺**［Zuǎnmù Huáng'ēn Sì］位于山西省晋中市寿阳县西洛镇纂木村。创建年代不详。坐北朝南，院落长方形，二进院落布局，中轴线由南向北依次为天王殿、过殿、正殿，两侧为东西配殿及耳房，总占地面积 1392.9 平方米，总建筑面积 534.2 平方米。正殿木结构为元代，天王殿、过殿现存为明代建筑，东西配殿及耳房为清代建筑，天王殿右侧原有禅院一处，窑洞 9 间，已经坍塌，原有碑石已无存。正殿为皇恩寺主体建筑，建筑面积 123.7 平方米，保留了元代建筑原构。斗栱用材较大，形制简洁，具有元代特征。过殿创建年代不详，建筑面积 75.2 平方米，保留有明代建筑遗构，面宽三间，进深四椽，单檐悬山顶。天王殿创建年代不详，建筑面积 124.3 平方米，据天王殿内大梁一侧悬挂长方形木牌，墨书大清乾隆二十五年（1760 年）重修，保留有明代建筑遗风，面宽三间，进深四椽，单檐硬山顶，保存较完整，装修有改动。保留了元、明、清木结构建筑遗存，整体布局和木结构保存相对完整，是寿阳县乃至山西晋中地区现存元明清庙宇中，木结构年代较早、布局相对完整的古建筑精品。2021 年被山西省人民政府公布为第六批省级文物保护单位。乡村道路经此。

50-B-b390 **武家村关帝庙**［Wǔjiācūn Guāndì Miào］位于山西省晋中市寿阳县解愁乡方山村武家村。创建年代不详，碑文记载，关帝庙在顺治十七年（1660 年）重修。坐北朝南，由庙院和戏台区组成，呈长方形，东西 28.7 米、南北 71.8 米，总占地面积 1123.6 平方米，总建筑面积 293.3 平方米。一进院落布局，由山门、正殿、钟鼓楼、东西配殿、厢房及东耳房组成。院内现存清顺治十七年“重修关圣帝君庙宇碑记”碑 1 通。正殿为武家村关帝庙的主体建筑，始建年代不详，建筑面积 85.2 平方米，保留了清代建筑原构，较为完整地保留了早期清代建筑遗风。保留了清代木结构建筑遗存，在整体布局还是在建筑形制上保存相对完整，建筑物规整对称，清早期特征显著，是寿阳县乃至晋中地区现存清代庙宇中，布局和规模保存相对完整的古建筑。2021 年被山西省人民政府公布为第六批省级文物保护单位。乡村道路经此。

50-B-b391 **东郭义清微观**［Dōngguōyì Qīngwēi Guān］位于山西省晋中市寿阳县平舒乡东郭义村。创建年代不详，清康熙年的《寿阳县志》有对清微观的记载，据现存清微观旁请宫中保存有三通石碑，其中明万历三十三年（1605 年）“重修清微观碑记”和中华民国十六年（1926 年）“重修清微观，移盖吕祖庙、钟鼓楼，新建女学校、平房、大门、请宫、麻河、看台、乐楼下处”碑文记载，“至正、万历、乾隆、康熙，重修凡五，前碑可睹”，说明该庙在元至正年间已创建，明清五次维修，并在民国十六年有过继续维修的记载。坐北朝南，一进院布局，东西 27.3 米，南北 48.2 米，总占地面积 1315 平方米。现存基础及木构架显示正殿应为元代建筑，明代有所改动，西配殿有明代柱头砍削的典型做法，东配殿及山门应为清代木构架，钟鼓楼为民国移建。中轴线由南向北依次建有山门、正殿，吕祖庙、两侧为配殿、钟鼓楼，现存大小殿宇 15 间，山门前现存清重修及布施碑 2 通，院内砂石碑座 2 个，青石龟座 1 个，形制较大。正殿三间为老君殿，主体建筑，始建年代不详，碑文记载，元代至正年曾有维修，建筑面积 90.7 平方米，较完整地保留了元代建筑特征，殿内后檐墙上绘有部分壁画，整体壁画已不完整，建筑较为完整地保留了元明建筑遗风。正殿基础、檐柱显示出该建筑创建年代较早，现存木结构保留了元、明风格，整体选址、布局建筑形制上保存相对完整，所有现存建筑均采用明代流行的孔雀蓝琉璃构建琉璃，是寿阳县乃至山西范围内元、明道教庙宇中的建筑精品。2021 年被山西省人民政府公布为第六批省级文物保护单位。乡村道路经此。

50-B-b392 **大落坡反偷袭战旧址**［Dàluòpō Fǎntōuxízhàn Jiùzhǐ］位于山西省晋中市寿阳县马首乡大落坡村。1940 年 8 月 20 日，为牵制华北日军，八路军在正太段（正定至太原）发起著名的百团大战，其所属的太岳纵队二十五团团部及八连连部于当晚驻扎在大落坡村团部及连部旧址内，以马首乡（马首乡于 2021 年 4 月整建制并入朝阳镇）为敌据点，按照总部规定时间，准备发起对日军的围歼战。21 日晚上，日军登木队长率领部队潜入 72 大落坡村东侧深沟，意图偷袭二十五团团部，八连炊事员张生旺发现敌人后立即向团部报告。团参谋长李懋之、连长任尚琮、指导员张万清分别带队从沟南、北、中部堵击敌人。经过激烈的白刃格斗，八路军二十五团八连浴血奋战，将偷袭日军全部歼灭，取得了反偷袭战胜利。1941 年，在团部总结大会上，一二九师司令部、政治部联名表彰二十五团八连，并奖励“坚决顽强”一面锦旗。2021 年被山西省人民政府公布为第六批省级文物保护单位。乡村道路经此。

50-B-b393 **灵嵩寺石窟**［Língsōng Sì Shíkū］位于山西省晋中市寿阳县解愁乡羊摩寺村。原名灵嵩寺摩崖造像，经进一步考证，该寺现定名为灵嵩寺石窟更符合实际。据石窟中现存题记的纪年可知，灵嵩寺摩崖石刻最早开凿于东魏武定三年（545 年），到北汉天会四年（960 年）一直都有开凿、补刻痕迹，还有大唐大历、元和、天宝年的题记，时间跨度至少 400 余年。呈东向西向分布，绵延 300 余米，包括石窟寺下建筑遗迹，总占地面积约 6000 平方米，分布着不同时期的窟及摩崖造像 13 余处。历史上曾经处于连接大同、洛阳、邺城、太原等地数条文化交流的十字路口，其造像北承云冈、南衔龙门，融合了邺城响堂山、太原等地造像特点，规模较大，雕刻精美，造像风格新颖，从窟及摩崖造像分布方位来看，共四窟 9 区摩崖造像，第 2 窟为平顶方形，一壁三龛式，这种形制东魏以来晋中地区流行的主要窟形之一。规模较大，内涵丰富，题记部分较多，部分窟龛的功能和造像题材就反映出北朝和唐代佛教的很多内容，特别是沙门形地藏像、地藏菩萨和阿弥陀像组合，既与同类造像有相同的地方，又有自己的特点，与寿阳县城内出土的东魏武定时期上百尊青铜鎏金造像属于东魏同一时期，说明当年该地域佛事昌盛，政治人文发达，所以该石窟是寿阳境内遗留下来的珍贵遗产。2021 年被山西省人民政府公布为第六批省级文物保护单位。乡村道路经此。

50–B–b394 **白燕遗址**［Báiyàn Yízhǐ］位于山西省晋中市太古区（原太谷县）城东北约 15 公里的白燕村西北的河滨阶地上。是新石器时期遗址，发现于 1956 年。南临乌马河，东西长约 830 米，南北长约 430 米，总面积约 35 万平方米。1980 年到 1981 年组织进行了三次大规模的发掘，发掘总面积达 3000 平方米。文化层堆积较厚，可达 5 米之多。遗存丰富，有大量的灰坑和少量的房址、陶窑、墓葬等。出土的陶器有新石器时代的甑、钵、壶、鼎、釜灶、瓮、尊等。夏商时代有鬲、瓮、簋、鼎、敛口三足瓮等；周代的鬲、瓮。另外还有大量的石骨、牙、蚌器和少量的青铜、金质器物。延续时间较长，上自新石器时代，下至西周晚期。是一处系统了解晋中地区从仰韶时代晚期到龙山时代早期比较完整、连贯的文化遗产序列遗址。1965 年被山西省人民政府公布为第一批省级文物保护单位。乡村道路经此。

50–B–b395 **太谷鼓楼**［Tàigǔ Gǔlóu］位于山西省晋中市太古区（原太谷县）旧城十字街中心。明万历四十三年（1625 年）修建，清康熙、乾隆年间均有修葺。鼓楼为二层三重檐楼阁式木构建筑，高 20 米。建于方形的砖券台基上，台基高 8 米，开十字交叉四个门洞，可通县城东西南北。楼身二层，面宽、进深皆三间，每层四面辟门，楼外围以明廊。楼内东有楼梯可达二层。建筑古朴大方，设计构造体现了古代劳动人民的高超智慧。是晋汾地区鼓楼建筑中的代表作品。鼓楼是太谷的象征，有凤眼之称。2004 年被山西省人民政府公布为第四批省级文物保护单位。通 T01 路公交车。

50–B–b396 **法安寺**［Fǎ'ān Sì］位于山西省晋中市太古区（原太谷县）水秀乡北郭村。据清乾隆、光绪及民国版《太谷区志》记载，创建于元至大二年（1309 年）。坐北朝南，二进院带禅院布局，中轴线建有山门（“文革”时期被毁）、过殿及正殿，一进院两侧为钟鼓楼、东西配殿（“文革”时期被毁），二进院两侧为东西配殿、耳殿，禅院现存禅堂一座。正殿、东西配殿（二进院）、钟鼓楼为清代遗构，耳殿（二进院）为民国建筑，体现了元至民国时期法安寺 600 余年的发展历史，在太谷区域内此类跨时代长、保存完整的佛寺建筑较为稀有，是研究晋中地区佛寺建筑发展史的实物例证。2016 年被山西省人民政府公布为第五批省级文物保护单位。乡村道路经此。

50–B–b397 **迁善庄寨址**［Qiānshànzhuāng Zhàizhǐ］位于山西省晋中市太谷县侯城乡范家庄村。由清代北洸乡曹家为避暑、避乱所建。建于清咸丰年间，历时五年于咸丰八年（1858 年）落成，光绪丙申年（1896 年）大修，光绪二十五年（1899 年）部分重修。寨址依山势而建，北、东、西三面为悬崖，南面较缓。坐北朝南，东西长 80 米，南北宽 62 米，占地面积 4960 平方米。现存寨墙、寨门及石窑等建筑。寨墙石砌，保存较完整，墙高 10—15 米，底宽约 1.5 米，上宽 0.8 米。南部寨墙偏东用砂石券筑 1 寨门，上书“迁善庄”。石窑由砂条石砌筑而成，部分建筑坍塌，现存券筑石窑 5 座 33 孔。寨址基本保留原有格局。是晋商曹家鼎盛的标志，也是晋商曹家没落的见证。

其现存遗构是历史真实性的反映。2021 年被山西省人民政府公布为第六批省级文物保护单位。乡村道路经此。

50-B-b398 **太谷文庙**［Tàigǔ Wén Miào］位于山西省晋中市太谷县白塔区管理委员会文庙社区太谷中学院内。创建年代不详。据清光绪版《太谷县志》记载，宋崇宁三年（1104 年）、元至元二年（1336 年）曾予修缮，明代多次维修，现存建筑为明代遗构。占地面积 3425.3 平方米。坐北朝南，二进院落布局。中轴线仅存照壁、戟门、大成殿，两侧建筑不存。大成殿建于 0.8 米高的砖砌台基上，面宽七间，进深八椽，重檐歇山顶，九檩四面环廊式建筑。上层檐下斗栱五踩重翘，下层为三踩单翘，门窗装修已改。殿顶黄、绿琉璃瓦剪边。2002 年，太谷中学对其进行了修缮复原，现由太谷中学管理、使用。2021 年被山西省人民政府公布为第六批省级文物保护单位。通 T03、T05 路公交车。

50-B-b399 **范村东阁**［Fàncūn Dōng Gé］位于山西省晋中市太谷县范村镇范村。据梁枋题记及碑文记载，创建于明嘉靖二十年（1541 年），清代屡有修葺，现存建筑为明代遗构。坐东朝西，南北长 14.1 米，东西宽 17.44 米，占地面积 246 平方米。为砖木结构二层三重檐楼阁式建筑。阁楼通高 22 米，建在高 5.5 米的砖砌台基上，中央辟拱券门洞供通行，其上为二层木构楼阁，平面呈方形，四周围廊，一层三间见方，二层面宽五间，进深六椽，两层均挑出勾栏平座，外檐斗栱三踩单翘或单昂，顶层斗栱为五踩重昂，各层间以木楼板相隔，四根通柱作为楼体骨骼，整体性极强，三重檐歇山顶覆各色琉璃瓦剪边。一层前檐明间设板门，次间为槛墙、直棂窗。一层后墙廊内存附属文物清代石碑 3 通。从结构意义上讲，特别是在砖木结构的楼阁发展史上有重要的历史价值，它的构架形式是明清北方楼阁的代表形式，是技术与艺术的完美结合体。2021 年被山西省人民政府公布为第六批省级文物保护单位。省道太长线经此。

50-B-b400 **北田受奶奶庙**［Běitiánshòu Nǎinai Miào］位于山西省晋中市太谷县范村镇北田受村。创建维修年代不详，现存奶奶殿为明代建筑，戏台为清代遗构。坐南朝北，南北长 35.2 米，东西宽 11.7 米，占地面积 412 平方米，一进院布局，现中轴线有戏台、奶奶殿。戏台建于 1.7 米高的砖砌台基之上，明间台基辟过道可通行，台身面宽三间，进深五椽，单檐卷棚悬山顶，六檩分心结构，台内设屏风将其分为南、北两台，外檐斗栱三踩单昂，耍头木雕龙首、象鼻，拱眼壁均施彩画；奶奶殿坐南朝北，面宽三间，进深四椽，单檐悬山顶。整体保存状况较好，奶奶殿历史久远，戏台布局新颖，梁枋题记及具有地方特色的“汉纹锦”彩画等附属文物的价值深远而悠长，是研究明、清时期建筑发展历史、工艺做法不可多得的实物资料。2021 年被山西省人民政府公布为第六批省级文物保护单位。省道太长线经此。

50-B-b401 **胡村狐爷庙**［Húcūn Húyé Miào］位于山西省晋中市太谷县胡村镇胡村北。创建年代不详，现存为明代建筑。坐北朝南，一进院落布局，原有其他建筑已毁，现仅存正殿，东西 12.9 米，南北 11.9 米，建筑面积 153.5 平方米。正殿面宽三间，进深六椽，单檐硬山顶，七檩前廊式构架，斗栱五踩重昂，皮竹昂，蚂蚱形耍头，拱眼壁施有彩绘。现殿内存壁画 50 平方米。殿宇历史悠久，具有较高的历史和文物价值。该庙与村落融于一体为重要建筑，殿宇内梁架用材硕大，结构独特，梁枋均施条龙彩绘，是该乡村主要的风貌景观。同时也是研究明清时期古村堡规划、选址、建筑、民俗风情的珍贵史迹。其彩绘及壁画附属文物实为研究彩绘、壁画史的良好素材，具有极高的欣赏价值和研究价值。2021 年被山西省人民政府公布为第六批省级文物保护单位。通 T15 路公交车。

50-B-b402 **中咸阳圣果寺**［Zhōngxiányáng Shèngguǒ Sì］位于山西省晋中市太谷县北洸乡中咸阳村。据碑记载，北汉广运三年至宋雍熙三年（976 年—986 年）创建，清乾隆五十年（1785 年）、道光十年（1830 年）重修，现存为清代遗构。坐北朝南，二进院落布局，占地面积 1460.3 平方米。中轴线有山门、石牌坊和正殿，两侧有钟、鼓楼及东西厢房、配殿、碑廊。正殿建于0.6米高的石砌台基上，面宽三间，进深五椽，单檐硬山顶，六檩前廊式构架，斗栱三踩单昂，麻叶形耍头，前檐各间均施四扇六抹隔扇门，殿内两山墙及后墙存清代工笔重彩壁画75平方米，以佛教故事及人物画为内容。寺中轴线建四柱三门石牌坊，雕刻精细做工考究，保存完好。寺内存清代维修碑6通，汉槐1株。圣果寺布局结构完整，保存状况好，整座寺院方正对称，轴线清晰。2021年被山西省人民政府公布为第六批省级文物保护单位。通716路公交车。

50-B-b403 **李顺庭宅院**［Lǐshùntíng Zhái Yuàn］位于山西省晋中市太谷县北洸乡果树所社区居委会果树研究所。院主李顺庭世代经商，宅院建于清末民初，又称“纯一堂”。坐北朝南，由五座并置四合院组成，前为长方形庭院，共有房屋120间，占地面积4078平方米。各院形制相同，均为中轴线建院门和正房，两侧建厢房，建筑形制简明，多为面宽五间，进深一间，鼓镜式柱础，缓坡平屋顶，前院建南房20间，东第二间为拱形大门，四周院墙围护，形成一个统一整体，院后建有花园。现已开辟为影视剧拍摄基地。已拍过《朱德》《双枪李向阳》等影视剧40余部。2021年被山西省人民政府公布为第六批省级文物保护单位。乡村道路经此。

50-B-b404 **祁奚父子墓**［Qíxī Fùzǐ Mù］位于山西省晋中市祁县城南3公里的阎名村。东周时期晋国大夫祁奚和其子祁午（晋悼会时中军尉）的墓葬。祁奚一生历经晋景公、晋厉公、晋悼公和晋平公四代，他父子二人，一度相继担任“中军尉”这样的要职。两墓东西排列，相距30米左右。祁奚墓为圆形，封土高4.5米，直径16米。祁午墓方形，封土高3.2米，东西16米，南北14.5米。保存完好。祁奚是祁县历史上自“信史”开始，第一个被载入史册的人。他的高尚事迹被载入《左传》《史记》中，被孔子、司马迁传颂。1965年被山西省人民政府公布为第一批省级文物保护单位。乡村道路经此。

50-B-b405 **聚全堂药铺旧址**［Jùquántáng Yàopù Jiùzhǐ］位于山西省晋中市祁县城内东大街。旧址为砖木结构建筑，为明代店铺。坐北朝南，为前后两进院，前院有东西房各五间，中间是过厅，后院为二层小统楼，占地858.29平方米。临街为铺面，面阔五间进深五椽，单檐硬山筒板瓦顶，明间为入院通道，次、梢间为铺面，店内梁架为六檩前廊式构架，前檐柱头斗栱为一斗二升交蚂蚱头，门窗装修已改。过厅面宽五间，进深五椽，单檐硬山顶，前檐设廊，六檩前廊式构架，砍。统楼为上、下二层，下层为砖券窑洞，上层为木构，单檐硬山顶。2004年被山西省人民政府公布为第四批省级文物保护单位。通祁县5路等公交车。

50-B-b406 **祁县文庙**［Qíxiàn Wén Miào］位于山西省晋中市祁县城内桂林巷。创建于金大定中期。坐南面北，二进院落布局，中轴线自南至北依次建有泮池、状元桥（新建）、戟门、大成殿，两侧分别为一进院东西廊房、东西偏殿、东西配殿；二进院东西廊房、东西配殿。现存建筑除大成殿为明代遗构，余为清代建筑。现辟为祁县中学的校史展览室。院落布局完整，规模较大，是晋中市域现存县级文庙中保存较为完整的文庙之一，对于研究儒学文化发展、明清时期文庙建制及建筑结构特色具有重要意义。2016年被山西省人民政府公布为第五批省级文物保护单位。通祁县11路、祁县20路等公交车。

50-B-b407 **荣仁堡址**［Róngrénbǎo Zhǐ］位于山西省晋中市祁县古县镇荣仁堡村。据说是咸丰年间为防太平军袭扰，由合盛元票号财东郭源逢出资在自己家乡所建的防御工事。修建于清代（1853年—1856年），距今有一百六十多年的历史，现仅存堡墙。堡址就地施材，黄土夯砌而成。正南开有堡门，形状依存。2016年被山西省人民政府公布为第五批省级文物保护单位。乡村道路经此。

50-B-b408 **谷恋真武庙**［Gǔliàn Zhēnwǔ Miào］位于山西省晋中市祁县贾令镇谷恋村。创建年代不详，清代乾隆、光绪年间曾重修，现存为清代建筑。占地面积1140平方米，坐北朝南，二进院落布局。是祁县所有保存完整的寺庙中，面积最大、保存最完整的，具有重要的历史价值。

2021 年被山西省人民政府公布为第六批省级文物保护单位。通祁县 18 路等公交车。

50-B-b409 **张北延寿寺**［Zhāngběi Yánshòu Sì］位于山西省晋中市祁县东观镇张北村。据《祁县志》和碑刻记载，延寿寺始建于元延祐三年（1316 年），清代屡有修葺，民国十三年（1924 年）重修，1997 年曾进行整体维修，现存为清代建筑。二进院落布局，占地面积约 1670.26 平方米。坐北向南，中轴线由北向南依次为正殿（三圣殿）、过殿、天王殿（山门），两侧为东西耳殿、二进院东西配殿、二进院东西厢房、东西碑廊、一进院东西配殿。寺院围墙外，天王殿（山门）正对面为戏台。寺院正殿、过殿、戏台、二进院东西配殿均保存有通景壁画及彩画。正殿前檐下存有碑刻（2 通）。正殿（三圣殿）是主要建筑，面阔三间，进深五椽，前檐踩飞，梁架结构为五架梁对前单步梁，单檐双坡灰陶质筒板瓦硬山顶建筑。两山墙及后檐墙内壁保存有精美、完整的墙面壁画，梁架木构件表面保存有大幅彩画。过殿面阔三间，进深五椽。天王殿面阔三间，进深五椽。保留有完整的通景壁画，且保存有清代彩绘，是晋中地区重要的寺院及清代古建筑群。2021 年被山西省人民政府公布为第六批省级文物保护单位。208 国道经此。

50-B-b410 **苗家堡关帝庙**［Miáojiābǎo Guāndì Miào］位于山西省晋中市祁县城赵镇苗家堡村。创建年代不详，据现存建筑结构与特征判定为清代中期遗构。坐西朝东，一进院落布局。南北总宽约 14.95 米，东西总纵深约 24.9 米，总面积 372.26 平方米。主体建筑崇宁殿保存较好，大殿面阔三间，进深一间，斗栱三踩，梁架构造简略；殿顶为硬山式布瓦顶，屋顶脊饰已毁坏无存，前檐无廊；山墙上部墀头雕刻精致；殿内左右山墙上残留有《三国演义》连环画；左右垛殿内山墙上也残留完整的壁画，可能也是清代中晚期作品。2021 年被山西省人民政府公布为第六批省级文物保护单位。乡村道路经此。

50-B-b411 **王贤关帝庙**［Wángxián Guāndì Miào］位于山西省晋中市祁县古县镇王贤村北。又名万圣寺。创建年代不详，据正殿梁架题记载，清雍正年间（1723 年—1735 年）重修，1999 年曾进行维修，现存为清代建筑。占地面积 1719 平方米，坐北朝南，二进院落布局。王贤关帝庙 2021 年被山西省人民政府公布为第六批省级文物保护单位。乡村道路经此。

50-B-b412 **加乐茶壶庙**［Jiālè Cháhú Miào］位于山西省晋中市祁县东观镇加乐村北。原名仁寿庵，据说当时该庙常摆有一把大茶壶，供大家免费饮茶歇脚，久而久之，人们就把这座庙称为"茶壶庙"，如今又称"加乐茶壶庙"。创建年代不详，现存为清代、民国时期建筑。坐北朝南，一进院落布局，占地面积 605 平方米。2021 年被山西省人民政府公布为第六批省级文物保护单位。乡村道路经此。

50-B-b413 **涧壑真武庙**［Jiànhè Zhēnwǔ Miào］位于山西省晋中市祁县东 25 里的古县镇涧壑村。创建年代不详，现存正殿为明代遗构，其余均为清代建筑。清道光元年（1821 年）对正殿、菩萨庙、东、西配殿进行维修。坐北朝南，总占地面积 1743.63 平方米。据清道光元年（1821 年）"重修神祠碑记"碑记载：原始院落为四进院布局，共计 12 座建筑。现存 8 座建筑：中轴线由北向南为正殿、菩萨殿、山门，东西两侧为三进院东、西配殿、二进院东、西配殿、便门，其余建筑北殿、过厅、厦棚均不存。是一典型的明清时期古建筑，正殿梁架的两个明显特征（脊部节点构造为丁华抹颏栱托接叉手并承载脊檩；五架梁、三架梁、随檩枋等均为侧面弧状，上下留有砍平痕迹）与明代建筑特征基本吻合，为研究同时代、同区域真武庙提供了珍贵实例。庙内的碑刻，丰富了该寺的历史、文化信息，具有较高的文物价值。2021 年被山西省人民政府公布为第六批省级文物保护单位。乡村道路经此。

50-B-b414 **晋恒银号旧址**［Jìnhéng Yínhào Jiùzhǐ］位于山西省晋中市祁县昭馀镇西大街社区居委会西大街 23 号。创建于民国十八年（1929 年），由祁县人罗东诚与东高堡武姓合股，在民国初改组晋恒通钱庄设立。在曲沃、安化、太原三处设有三处分号，1939 年歇业。主要经营汇兑银票以及存款、放款业务，兼营布匹、茶叶、烟草、百货等。晋恒银号旧址坐北向南，三进院落，占地约 1083.9 平方米。中轴线由南向北依次为临街铺面、过厅、二进院正房、三进院正房，两侧为一进院东西厢房、二进院东西厢房、三进院东西厢房，均为民国时期建筑。院内现保存有精美的木雕、砖雕、石雕。2021 年被山西省人民政府公布为第六批省级文物保护单位。208 国道经此。

50-B-b415 **东大闫墓群**［Dōngdàyán Mùqún］位于山西省晋中市平遥县洪善镇东大闫村。墓主情况不详，墓地原有坟丘 7 座，占地百亩。今存封土 4 座，大者直径 35.4 米，小者 26 米。2001 年，高速公路建设涉及墓群东南隅的墓葬 1 座，进行了抢救性发掘。墓为并列式砖券多室墓，全长约 40 米，由南向北，分别由墓道、墓门、中 1、中 2、中 3、中 4 室及中 1 左、右耳室、中 2 右侧室和 7 条甬道组成。墓道呈斜坡状，长约 25 米。券顶墓门上有一高大的砖墙。该墓葬规模宏大，结构复杂，在山西省首次发现。2004 年被山西省人民政府公布为第四批省级文物保护单位。京昆高速经此。

50-B-b416 **北常普音寺**［Běicháng Pǔyīn Sì］位于山西省晋中市平遥县段村镇北常村。创建年代不详，据《平遥县志》载，普音寺建于唐代，明天启年间（1621 年—1627 年）重修，清代补葺。坐北向南，一进院落布局、中轴线由南向北建有山门、正殿，两侧为东西配房，东西配殿。现存建筑中正殿为明代遗构，其余为清代建筑。是集明清建筑、彩塑、壁画于一寺，在现存明清寺庙中为数较少，壁画、彩塑也为山西现存明清佛寺较为珍贵的附属物，历史、艺术价值突出。2016 年被山西省人民政府公布为第五批省级文物保护单位。乡村道路经此。

50-B-b417 **东卜宜先师庙**［Dōngboyí Xiānshī Miào］位于山西省晋中市平遥县卜宜乡东卜宜村。创建年代无考。明、清时期均有维修、补葺。占地面积 2714 平方米。坐北向南，前后两进院落，中轴线上依次建有影壁、戏台、过殿、正殿，两侧为山门、罗汉殿、地藏殿、经堂。戏台为明代建筑遗构，坐南朝北，建在 1.7 米高的砖砌台基上，重檐歇山顶，四周回廊，前檐明间出歇山顶抱厦台口，并施垂柱。戏台后檐墙之里外两面，有影壁式的仿木构砖雕。戏台外观优美、结构独特，砖雕造型古朴、技法精湛，是研究明代早期戏台及砖雕艺术的实物标本。庙内现存古柏 1 株，清碑 3 通。2021 年被山西省人民政府公布为第六批省级文物保护单位。通平遥 21 路公交车。

50-B-b418 **杜村玉皇庙**［Dùcūn Yùhuáng Miào］位于山西省晋中市平遥县中都乡杜村。创建年代不详，现存建筑为明清遗构。据庙碑记载，清康熙、乾隆、道光、咸丰、光绪及民国时期屡有修葺。总占地面积 1272 平方米。北堡门位于杜村堡北端，创建年代无考，现存门洞为明初遗构，玉皇庙建于北堡门城（堡）台之上，坐北朝南，一进四合院落布局，中轴线上由南向北建有南殿、正殿，两侧建钟鼓楼、东西配殿、东西垛殿、东西耳殿。建筑多为上下两层结构形式，下层为砖券窑洞，上层为砖木结构。庙内存清代维修与布施碑 6 通，庙前古槐 2 株。该庙保存完整，是乡村堡墙与庙宇结合的实例。杜村村委占用多年，近年自筹经费进行了简单修缮。2021 年被山西省人民政府公布为第六批省级文物保护单位。乡村道路经此。

50-B-b419 **梁村积福寺**［Liángcūn Jīfú Sì］位于山西省晋中市平遥县岳壁乡梁村古西街。据寺内清嘉庆五年（1800 年）石碣记载，始建于大唐贞观二年（628 年），并在元朝元年（1271 年）有修缮，元贞二年（1296 年）扩建正殿，大明嘉靖十六年（1537 年）、大清乾隆十九年（1754 年）、乾隆五十二年（1787 年）均有修缮。坐北朝南，左右为东西禅院，总占地面积 1240 平方米。中轴线由南向北依次建有影壁、山门、前殿（天王殿）、正殿、后殿（仅存台基）、渊公塔，两侧建有钟鼓楼、东西禅院正窑及东禅院东窑。正殿为双坡悬山顶，钟鼓楼为下窑上楼式结构，楼顶为十字歇山顶，钟楼内挂清光绪二十八年（1902 年）古钟 1 口。现存石碑 3 通，分别为：明万历三十一年（1603 年）《捨地碑》、清乾隆五十二年（1787 年）《增修积福寺钟鼓楼碑记》、清道光十二年（1832 年）《重修神池碑记》，清嘉庆五年（1800 年）石碣 1 方。整体保存状况完好，环境优美。

2021 年被山西省人民政府公布为第六批省级文物保护单位。乡村道路经此。

50-B-b420 **庞庄普恩寺**［Pángzhuāng Pǔēn Sì］位于山西省晋中市平遥县朱坑乡庞庄村。据清光绪《平遥县志》及庙碑记载，创建于唐贞观七年（633 年），明正德年间（1506 年—1521 年）至万历十七年（1589 年）、清康熙年间（1662 年—1722 年）、乾隆十六年（1751 年）屡有修葺。坐北朝南，三进院落布局，占地面积 3052 平方米。中轴线上由南向北依次建有天王殿、中殿和正殿，两厢建有娘娘殿、龙王殿及配殿、厢房。娘娘殿、龙王殿南原均建有戏台，现仅存龙王殿南 40 米处戏台 1 座。寺西禅院，建筑不存。天王殿、龙王殿、娘娘殿均为明代遗构，前后廊式悬山顶，是研究明代早期建筑的珍贵实物标本。寺内存明万历十七年（1589 年）重修寺碑、清乾隆十八年（1753 年）重金寺诸佛圣像碑各 1 通。2021 年被山西省人民政府公布为第六批省级文物保护单位。乡村道路经此。

50-B-b421 **赵壁子夏庙**［Zhàobì Zǐxià Miào］位于山西省晋中市平遥县东泉镇赵壁村。当地人俗称"高庙""文庙"。创建年代无考。现存建筑具有明、清风格。坐北朝南，一进院落布局，占地面积 941 平方米。中轴线上建有戏台、正殿，两侧为山门、东西配殿、东耳殿。正殿建在 1.6 米高的砖砌台基上，双坡悬山顶，山墙较厚且收分明显，该殿具有明代建筑特征。殿内两山墙残存壁画 15 平方米。戏台倒坐，窑洞带前廊式，木构件完整且雕刻精美。2021 年被山西省人民政府公布为第六批省级文物保护单位。通平遥 22 路公交车。

50-B-b422 **七洞关帝庙**［Qīdòng Guāndì Miào］位于山西省晋中市平遥县段村镇七洞村。创建年代不详。据庙内碑文记载，清道光九年（1829 年）重修。清乾隆四十一年（1776 年）重修戏台，道光九年（1829 年）增修文昌宫（又名吉星楼）于关帝庙前。坐北朝南，二进院落布局，占地面积 2032 平方米。中轴线上由南向北依次建有文昌宫、戏台、二门、献殿及正殿，东西两侧为配殿、碑亭、耳房，山门辟于庙院东南。正殿建在高 0.45 米的台基上，双坡硬山顶，五檩前廊式构架。殿内塑像不存，现存木雕神龛 1 座，工艺精湛，保存完好。庙内现存清、民国时期碑碣 13 通。关总体布局完整，附属文物比较丰富，实属清代乡村关帝庙之精品。2021 年被山西省人民政府公布为第六批省级文物保护单位。通平遥 15 路公交车。

50-B-b423 **岳封五岳庙**［Yuèfēng Wǔyuè Miào］位于山西省晋中市平遥县宁固镇岳封村。创建年代不详。据正殿梁栿题记载，明洪武十七年（1384 年）、嘉靖三十六年（1557 年）、清康熙五十二年（1713 年）、乾隆五十六年（1791 年）屡有修葺。坐北朝南，两进院落布局，占地面积 950 平方米。中轴线上由南向北依次建有山门、中殿、正殿，两侧为钟鼓楼、配殿、耳殿，庙南建戏台 1 座，与庙隔道相望，现仅存正殿、二进院之西配殿和东耳殿。正殿为明代建筑，建在高 0.8 米的砖砌台基上，单檐歇山顶，前檐明间出卷棚歇山式抱厦，殿内两山墙绘水墨壁画 10 余平方米，是研究明代建筑的珍贵实物标本。西配殿、东偏院正房均为清代遗构。2021 年被山西省人民政府公布为第六批省级文物保护单位。通平遥 17 路公交车。

50-B-b424 **梁官洪济寺**［Liángguān Hóngjì Sì］位于山西省晋中市平遥县襄垣乡梁官村。创建年代不详。元、明、清历代有过修葺。现存主体建筑是具有元代特色的明代遗构。坐北朝南，两进院落布局，占地面积 3094 平方米。中轴线上由南向北依次建有戏台、山门（不存）、中殿、后殿，两侧为钟鼓楼（不存）、东西配殿、东耳房。寺院之西有禅院，民国大修。戏台倒座于寺外路南，为清代遗构。后殿为七檩前后廊式悬山顶，中殿为五檩悬山顶，后殿、中殿檐下均施斗栱，两殿内残存明代人物壁画约 80 平方米。是研究早期建筑及绘画艺术的珍贵实物资料。2021 年被山西省人民政府公布为第六批省级文物保护单位。乡村道路经此。

50-B-b425 **北长寿关岳庙**［Běichángshòu Guānyuè Miào］位于山西省晋中市平遥县洪善镇北长寿村。创建年代无考。据碑载，清乾隆年间（1736 年—1795 年）重修，同治年间（1862 年—

1874 年）被汾水淹没，民国十一至十三年（1922 年—1924 年）又重修。现存建筑为清、民国遗构。坐北向南，两进院落布局，占地面积 1149 平方米。中轴线上由南向北依次建有戏台、山门、二门牌楼（不存）及正殿，两侧建有钟鼓二楼、厢房、配殿及耳殿。戏台位于山门外正前方约 70 米处。正殿为双坡硬山顶前廊式结构，殿内明间设木雕神龛，山墙绘关羽生平故事壁画约 70 余平方米，梁架清代地方杂式彩绘，色彩艳丽，保存完好。庙内现存清代功德碑 5 通，民国十四年（1925 年）重修庙碑 1 通，古柏 4 株。是平遥境内唯一一座关羽、岳飞合祀庙，体裁独特，建筑布局紧凑，壁画、彩画及砖、木、石雕工艺精湛，保存基本完好。2021 年被山西省人民政府公布为第六批省级文物保护单位。通平遥 206 路公交车。

50-B-b426　**平遥鸣凤书院**［Píngyáo Míng fèng Shūyuàn］位于山西省晋中市平遥县城西南三畛冀氏花园（今平遥火柴厂内）。据清代《冀氏族谱》及近几年调研成果显示，清乾隆中期、清道光十七年（1837 年）、清咸丰六年（1856 年）均有关于鸣凤书院的记载，故可推断书院创建年代不晚于清初。为平遥城内上西门街冀氏家族私家创设之书院，主要供本族及亲友子弟读书学习。坐北朝南，由主院、东西偏院三座院落组成，主院与东偏院均为二进院落布局，西偏院原为花圃、鱼池，总占地面积 1830 平方米。主院中轴线上由南向北依次建有院门、过厅、正房，两侧建厢房。正房面宽五间，进深四椽，单坡硬山顶，明间前建月台；东偏院讲堂面宽三间，进深四椽，四周回廊，单檐庑殿顶。正房为师长房；西偏院由正房、花圃、鱼池等组成。三院相对独立，又相互贯通。虽属私家创办，但在历史上曾发挥过重要的作用，不仅为冀氏宗族培养了诸多人才，也为振兴当地之文风做出了积极的贡献。是平遥境内唯一保存完整的清代私家书院。2021 年被山西省人民政府公布为第六批省级文物保护单位。通平遥 15 路公交车。

50-B-b427　**西赵观音堂**［Xīzhào Guānyīn Táng］位于山西省晋中市平遥县东泉镇赵村西赵自然村。据清康熙五十一年（1712 年）“观音庙史考碑”记载：“……大金明昌六年（1195 年）……塑粧观音一會至大元大德七年（1303 年）十一月初六日夜经大地震堂像俱圮又於大元至大元年（1308 年）岁次戊申重建”。据此可推，该庙始建年代不晚于金。元至大元年（1308 年）、清康熙年间（1662 年—1722 年）曾有重建。清乾隆、嘉庆、道光、宣统年间均有修葺。现存建筑大部分为清初遗构。坐北向南，一进院落布局，占地面积 1692 平方米。中轴线上由南向北依次建有戏台、正殿，两侧建山门、配殿、耳房。庙之东、西为禅院。正殿为二层结构，下为砖券枕头窑三孔带前廊，上建木构殿宇，双坡硬山顶，殿内壁画、梁架彩画保存尚好。戏台倒坐，建于 1.5 米高的砖砌台基上，双坡硬山顶，前檐明间存清光绪匾联一套，为清代“宁夏八大商号”之一“祥泰隆”股东董樞所题。庙内存清代维修碑碣 5 通（方），清及民国水利碑碣 5 通，地亩碣、史考碣各 1 方。布局紧凑，功能齐备，用材讲究，保存完整，是县境内现存俗神庙之佼佼者。2021 年被山西省人民政府公布为第六批省级文物保护单位。通平遥 22 路公交车。

50-B-b428　**梁奔前烈士墓及就义处旧址**［Liángbēnqiánlièshì Mù Jí Jiùyìchù Jiùzhǐ］位于山西省晋中市平遥县东泉镇千庄村三岔口自然村。坐东朝西，两进院落带后院布局，总占地面积 603 平方米。中轴线上建有二门、正房，南北两侧建厢房。里院正房为砖石窑洞 5 孔，南北厢房均为砖石窑洞各 3 孔，正房南明堂设窑道通窑顶；后院为空地。梁奔前被日寇杀害于正房屋顶。梁奔前烈士就义后，原葬于三岔口山崖，民国 35 年（1946 年），中共平遥县委、平遥民主政府将其遗体移葬于三岔口村东南山坳中。墓地与就义处旧址隔路相对。2021 年被山西省人民政府公布为第六批省级文物保护单位。乡村道路经此。

50-B-b429　**夏门古堡**［Xiàmén Gǔbǎo］位于山西省晋中市灵石县城南十公里处夏门镇夏门村，始建于明朝万历中期（1573 年—1620 年），止建于清光绪年间（1875 年—1908 年），历时三百余年，建成以城堡式建筑群为核心区的民居建筑。堡内地下分布多条攻、防、退、守、藏功能设施齐全的古地道网。古堡内现存的明清时期的建筑遗存，记录了古堡近三百年的历史变迁过程，是了解当时社会生活、人文历史及民俗民风的重要物证，对于研究梁氏家族的居住文化、北方士大夫栖居地文化具有重要价值。2016 年被山西省人民政府公布为第五批省级文物保护单位。通灵石 2 路等公交车。

50-B-b430 **郭有道墓** [Guōyǒudào Mù] 位于山西省晋中市介休市城区东门外。郭泰，字林宗，人称“有道先生”，山西介休人，东汉末太学生首领，位居“八顾”之首。因看到东汉王朝腐败将灭，不应征召。归乡执教，弟子达数千人。不慕高爵，乐与士人为伍，被世人视为楷模。建宁二年（169 年），病殁于家，时年四十一岁。墓地南北长 50 米、东西宽 35 米。墓向南，夯筑封土，下方上圆，高 4 米，下边边长 13 米，上圆周长 52 米。墓前原有东汉建宁四年（171 年）蔡邕撰文并书丹《郭有道碑》一通，至明代已佚。1965 年被山西省人民政府公布为第一批省级文物保护单位。乡村道路经此。

50-B-b431 **广济寺** [Shītúnběi Guǎngjì Sì] 位于山西省晋中市介休市义棠镇师屯北村。又名“广济禅林”。据庙碑记载，始建于唐代，明清屡有修葺。坐西朝东，一进院落布局，总占地面积 2358.5 平方米，总建筑面积 852.75 平方米。中轴线上由东向西依次为过殿、正殿，两侧为南北配殿。正殿为元代遗构，南北配殿均为明代遗构，过殿为清代遗构。寺内残存明代彩塑 4 尊，正殿前存清雍正八年（1730 年）《敕建广济禅林重修鼎新碑记》、乾隆元年（1736 年）《金妆碑记》碑 2 通。无论是寺院内各建筑结构，还是塑像手法，都有其独特之处，是研究我国元代、明清建筑和明代泥塑不可多得的实物资料。2021 年被山西省人民政府公布为第六批省级文物保护单位。通介休 209 路公交车。

50-B-b432 **介休龙泉观** [Jièxiū Lóngquán Guān] 位于山西省晋中市介休市北关街道办事处顺城路社区东大街 295 号。坐北朝南，南北总长 54.95 米，东西总宽 23.13 米，占地面积 1271 平方米。据民国版《介休县志》载，创建于隋代，唐、宋、元、明、清历代均有修葺。现存为明清建筑。二进院落布局，中轴线由南向北依次为山门（不存）、过殿（明代）、正殿（明代），两侧为一进院东、西配殿（清代）及二进院东、西配殿（清代）。庙内还保留有清代碑刻 1 通。正殿为龙泉观主体建筑，始建年代不详，建筑面积 182.68 平方米，正殿现存主体木构架时代为明代风格，屋顶为清代重修，单檐悬山顶，抬梁式构架。过殿始建年代不详；现存主体木构架为明代风格，屋顶为清代重修，单檐悬山顶，抬梁式构架。一进院东、西配殿沿中轴线对称建造，清代风格。面宽三间，进深一间，明间出抱厦，单檐硬山顶，无廊。二进院东、西配殿为清代风格，位于二进院落东西两侧，对称建造。面宽五间，进深一间，单檐单坡硬山顶。是一座主祭真武帝君兼祀道教诸神祇的庙宇。是介休古邑创建最早的寺庙，见证了隋朝以来介休地域的宗教发展、城市规划、建筑营造，是衡量介休市历史文化底蕴的标尺。2021 年被山西省人民政府公布为第六批省级文物保护单位。通介休 1 路公交车。

50-B-b433 **渠池棲云庵** [Qúchí Qīyún Ān] 位于山西省晋中市介休市龙凤镇渠池村。创建年代不详，东西配殿、西厢房、山门为清代建筑。坐北朝南，一进院布局，建筑面积约 318 平方米。中轴线由南向北依次为山门、献殿、正殿（现已不存），两侧为东、西厢房、东、西配殿。献亭平面呈方形，为元代遗构。东厢房为民国建筑。庵内西厢房脊部存墨书题记“旹大清乾隆贰拾玖年（1764 年）岁次甲甲五月庚午初二日癸丑寅时立柱巳时上梁永遠扶梁大吉”。东配殿脊部存墨书题记“大清乾隆五十六年（1791 年）八月甘日巳时上梁大吉”。东配殿存石碣 2 方，内容为清道光五年（1825 年）补修庙宇，光绪二年（1876 年）重修正殿。20 世纪 70 年代重修正殿，1985 年重新彩绘献亭。2021 年被山西省人民政府公布为第六批省级文物保护单位。乡村道路经此。

50-B-b434 **龙头古龙寺** [Lóngtóu Gǔlóng Sì] 位于山西省晋中市介休市龙凤镇龙头村。俗称南庙。创建年代不详，神殿据形制判断为元代遗构，另据大清咸丰五年十一月初三吉立《重修古龙寺》碑载："道光二十六年里中善士复议修葺……咸丰二年鸠工庀材土木皆与神殿献亭鼎新……咸丰五年孟冬工竣"，可知神殿为大清咸丰五年（1822 年）重修。现存后寝殿为清代砖券窑洞。坐北朝南，占地面积约 2520 平方米。中轴线原建有戏台、献亭、神殿、后寝殿，两侧有东西配殿。现仅存神殿 1 座和清代窑洞 4 座。现存大清咸丰五年（1855 年）《重修古龙寺》碑 1 通。神殿前存献亭柱础石 8 基，疑为献亭基址。神殿石砌台基，台基高 0.17 米，平面近方形，殿身面阔三间，进深四椽，单檐悬山顶，殿内东西山墙、隔墙两侧，明间东西两侧后墙、山花象眼、栱眼壁等部位绘制有壁画，分布面积共 177.42 平方米；后寝殿为砖券窑洞，包括后窑、东窑和西窑三部分。2021 年被山西省人民政府公布为第六批省级文物保护单位。乡村道路经此。

50-B-b435 **龙凤三明寺**［Lóngfèng Sānmíng Sì］位于山西省晋中市介休市龙凤镇龙凤村中。坐北朝南，占地面积 1840 平方米。二进院落布局，中轴线自南而北依次建有山门、过殿和正殿，两侧为八字影壁、东、西窑房、东西配殿及耳殿。寺内存大清乾隆十一年（1746 年）、光绪二十二年（1896 年）记事碣 2 方。据正殿梁架题记载，大唐先天二年（713 年）修建，大清道光二十九年（1849 年）重建。是晋中地区占地面积第三的清代佛寺建筑，是晋中地区占地面积大、保存完整的清代佛寺之一。2021 年被山西省人民政府公布为第六批省级文物保护单位。通介休 301 路公交车。

50-B-b436 **洪山关帝庙**［Hóngshān Guāndì Miào］位于山西省晋中市介休市洪山镇洪山村中。创建年代不详，据庙内碑载，清乾隆四十五年（1780 年）重修，现存为清代建筑。坐南朝北，二进院落布局，占地面积 1762 平方米。中轴线由北向南依次为戏台、牌楼、献殿、正殿及春秋楼，两侧为庙门（兼钟鼓楼）、碑廊、厢房及配殿。庙内存碑刻 16 通，旗杆石 2 件等附属文物。戏台坐落于高 1.52 米的砖砌台基之上，面宽三间，进深四椽，单檐硬山顶，明间出抱厦。牌楼木构，四柱三楼屋脊式，单檐歇山顶。献殿，面阔三间，进深三椽，单檐卷棚悬山顶。正殿，面阔三间，进深六椽，单檐悬山顶。春秋楼为二层，下层为砖砌窑洞 5 孔，前建木结构单坡插廊，施通间镂雕雀替，东西设踏步；上层为砖木结构，面宽三间，进深二椽，单檐硬山顶，明间出卷棚顶抱厦。1986 年，介休县人民政府公布为县级文物保护单位。2003 年，晋中市人民政府公布为市级文物保护单位。洪山关帝庙选址与平面布局科学合理，建筑形式地域特征明显，石雕、木雕、脊饰雕刻精细，是介休地区为数不多且保存尚好的清代庙宇之一，为研究晋中地区清代古建筑形制特征与建筑沿袭、传承提供了重要的实物例证。2021 年被山西省人民政府公布为第六批省级文物保护单位。通介休 218 路公交车。

50-B-b437 **介休文庙**［Jièxiū Wén Miào］位于山西省晋中市介休市东南街道办事处南大街社区 19 号。据《介休县志》（清乾隆、嘉庆版）记载，唐咸亨三年（672 年）创建，元初毁于兵乱，元至元八年（1271 年）重建（迁于东南隅民居），明万历二十五年（1597 年）重修，清代屡有修葺。坐北朝南，南北总长 80.27 米，东西总宽 49.08 米，占地面积 3472.35 平方米。现为清代建筑。一进院落布局，中轴线由南向北依次为棂星门、大成殿，两侧为东西配殿及钟鼓楼。大成殿为介休文庙主体建筑，始建于唐咸亨三年，现存为清代建筑，建筑面积 372.46 平方米。大成殿面宽、进深各五间，平面近方形。棂星门始建于唐咸亨三年，现存为清代建筑，建筑面积 62.78 平方米。四柱三间歇山顶。东西配殿始建于唐咸亨三年，现存为清代建筑，建筑面积 235.40 平方米，面阔七间，进深四椽。钟鼓楼始建于唐咸亨三年，现存为清代建筑，建筑面积 99.58 平方米。对称建造，面宽进深各三间，重檐四角攒尖。是一地文化的象征，是一座城池中儒家文化的精神家园，介休文庙既是尊孔崇儒的殿堂，也是教育学子的地方，是儒学传教场所。2021 年被山西省人民政府公布为第六批省级文物保护单位。通介休 105 路公交车。

50-B-b438 **板峪三皇庙**［Bǎnyù Sānhuáng Miào］位于山西省晋中市介休市张兰镇板峪村。又称龙王庙。始建年代不详，据庙碑及梁架题记载，清嘉庆四年（1799 年）重修，道光八年（1828 年）扩建。坐北朝南，二进院落布局，东西总宽 31.97 米，南北总长 70.05 米，占地面积 2239.50 平方米。中轴线由南向北依次为山门（关公殿）、三开戏台（乐楼）、正殿（龙王殿），两侧为东西厢房、配殿及耳殿，东耳殿东侧建有文昌殿。现存三开戏台、正殿为清代建筑，其余建筑均为后人修缮时原址重建而成。三开戏台俗称乐楼，建于高约 2.6 米的砖砌台基上，中央辟拱券门洞以供通行，台身平面近方形，面宽三间，进深五椽，单檐歇山卷棚顶，四角柱外置 45° 小型影壁。三开戏台台口三开，四角为化妆室，演戏时打开其中一个台口便可登台表演，为山西地区戏台建筑形式较为独特的一处。正殿俗称龙王殿，二层砖木建筑。面宽三间，五檩前廊式构架，单檐硬山顶。二层殿内明间正中浓墨重彩绘玉皇神位，左右分别以屏风的形式绘春夏秋冬四季花卉，并配以诗文，东西山墙绘龙、虎水墨画。壁画面积约 79 平方米。庙内存清道光八年（1828 年）《建立三皇尧舜禹庙碑记》碑 1 通。2021 年被山西省人民政府公布为第六批省级文物保护单位。通介休 220 路公交车。

50-B-b439 **师屯南弘济寺塔**［Shītúnnán Hóngjìsì Tǎ］位于山西省晋中市介休市义棠镇师屯南村银锭山坡上的弘济寺内。据庙碑记载，该塔兴建于明万历十八年（1590 年），清康熙年间（1662 年—1722 年）重修。寺塔为八角九层仿木楼阁式砖塔，总高 37 米左右，由塔基、塔身、塔刹三部分组成。塔基面积 67.7 平方米。塔基石砌，塔身平面为八边形，逐层叠涩出檐，仿木构雕出额枋、椽飞、瓦，一、二层斗栱五踩双下昂，平身科及角科斜昂密致，并于转角处饰垂莲柱。一层东面辟拱门，上部砖雕垂花门，二层周匝挑出勾栏平座。每层各面辟拱形门或窗，内设折上式楼梯可登临。塔顶为八角攒尖顶，宝瓶形塔刹。整座砖塔上有琉璃塔顶，下有浮雕莲花石座，内为木结构阶梯楼板，雕刻工艺精美，堪称砖雕精品。因此，具有较高的历史、艺术和科学价值。2021 年被山西省人民政府公布为第六批省级文物保护单位。通介休 201 路公交车。

50-B-b440 **介休马王庙**［Jièxiū Mǎwáng Miào］位于山西省晋中市介休市北关街道办事处北大街社区西大街 139 号政府院内。创建年代不详，据庙内梁架题记，该庙现存建筑为清光绪二十三年（1897 年）所修建，距今已有 120 多年的历史。坐北朝南，一进院落布局，南北总长 33.20 米，东西总 16.97 米，占地面积约 563.40 平方米。中轴线由北向南依次为正殿、献殿，两侧仅存西配殿。献殿面阔三间，进深三椽，单檐卷棚硬山顶，檐部装修被后人改制。正殿面阔三间，进深四椽，单檐硬山顶，六檩前廊式构架，前檐装修被后人改制，殿内存有 13 尊宋金彩塑。西配殿面阔三间，进深两椽，单坡硬山顶。庙内戏台、钟鼓楼、东配殿等建筑虽然缺失，但现遗存的正殿、献殿、西配殿梁架主体结构基本完好，木雕、梁架大木构件、墙体建筑形式，简洁、独特，山花壁画及正殿存放的彩塑等都具有独特的艺术特色和历史价值，是研究介休历史文化难得的实物遗存。2021 年被山西省人民政府公布为第六批省级文物保护单位。通介休 103 路等公交车。

50-B-b441 **介休关帝庙**［Jièxiū Guāndì Miào］位于山西省晋中市介休市北关街道办事处北大街社区东大街 95 号。创建年代不详。据清嘉庆版《介休县志》记载，清乾隆五十二年（1787 年）修缮扩建。现存均为清代建筑。坐北朝南，二进院落布局，建筑占地面积约 700 平方米。中轴线现存影壁、正殿及春秋楼，两侧仅存西垛殿。庙内存重修碑 1 通。正殿建于高 0.53 米的砖砌台基上，面宽五间，进深六椽，单檐悬山顶，七檩前廊式构架，外檐斗栱五踩双下昂，额枋下施透雕龙形雀替，前檐各间均施四扇六抹槅扇门。春秋楼分上下两层，下层为窑洞，上层为砖木式五檩前廊单檐悬山顶，下层为五间带前插廊窑洞，上层为面阔五间，进深四椽，三架梁对前后单步梁。影壁位于东大街关帝庙之外，与东大街关帝庙隔东大街相望。2021 年被山西省人民政府公布为第六批省级文物保护单位。通介休 105 路公交车。

50-B-b442 **西刘屯镇河楼**［Xīliútún Zhènhé Lóu］位于山西省晋中市介休市义棠镇西刘屯村。

又名玉皇楼。据碑载，创建于明嘉靖十九年（1540年），清雍正九年（1731年）重修，2008年曾予维修。石基木柱、三层飞檐、四面叠起。楼下现存明嘉靖十九年（1540年）《新建镇河楼记》及清雍正九年（1731年）《重修镇河楼碑记》碑各1通。是二层重檐琉璃歇山顶过街楼，南北走向，通高13米，占地面积74.11平方米，楼南侧出二层琉璃歇山顶抱厦。过街楼主体分上下两层，一层三间见方，二层砖木结构楼阁建筑；抱厦一层面宽三间，进深两间，二层面宽一间，进深两间。楼顶覆黄绿琉璃脊饰和琉璃瓦剪边，方心点缀。现状保存基本完好，建筑结构稳定。但由于长期风雨侵蚀，木构件局部有裂缝、槽朽，屋面瓦件、脊饰个别脱釉。2021年被山西省人民政府公布为第六批省级文物保护单位。通介休304路公交车。

50–B–b443 **石屯环翠桥**［Shítún Huáncuì Qiáo］位于山西省晋中市介休市洪山镇石屯村。又称玉皇桥。据桥头石望柱题记记载，环翠桥创建于明嘉靖十九年（1540年），清咸丰四年（1854年）增建楼阁，2003年维修。桥身为东西走向，桥身全长20米，宽6.1米，桥拱净跨5.1米，矢高4.5米，环翠桥占地面积124.09平方米。由底部并列的三孔石孔桥、中部纯木构的四周檐廊、双层檐歇山式阁楼、顶部高耸的十字歇山顶方亭组合而成的桥、廊、楼、亭四合一式建筑。石孔桥由桥拱、桥身、桥面三部分组成。廊、楼为木构，共计两层，下层为廊，上层为楼，方亭是在楼顶部高耸而建，从外观上看，形成了三重檐廊、楼、亭式合体建筑。现存石桥为明代遗构，桥上楼阁为清代建筑，楼阁二层现存清代塑像七尊。是由桥、廊、楼、亭四部分组合而成的合体建筑，造型独特，在山西明代石桥中属孤例，具有独特的文物价值与景观价值，也是研究山西省内为数不多的桥廊合体式建筑的重要范例。2021年被山西省人民政府公布为第六批省级文物保护单位。通介休218路公交车。

50–B–b444 **龙凤凌空塔**［Lóngfèng Língkōng Tǎ］位于山西省晋中市介休市东南隅龙凤镇龙凤村。因其高大而得名，又因其坐落在龙凤村头，人们习惯称它为龙凤塔，为镇河塔，当地的村民又称其为姑姑塔，原因是在塔西侧土塬上曾建过一座庙宇叫“石鼻庵”，它本是因山势和地形似人鼻而得名。庵内供奉的是姑嫂成仙的塑像，所以人们又叫它姑姑庵，古塔也就随姑姑庵而改姓更名为姑姑塔。始建于清代雍正十三年（1735年），乾隆四十三年（1778年）竣工。整个工程历时四十三年完成。凌空塔为九层正八边形楼阁式砖塔，下设八边形塔基，塔基之上为八边形须弥塔座，高1.85米。塔身一层外墙收分明显，其余各层均无明显收分。塔身层层出砖雕仿木结构垂花廊檐，廊檐上覆砖檐并出砖雕勾滴，每个角装饰有砖雕莲花垂柱，第二层、第九层还有砖雕栏杆、栏板。塔内呈八边形空筒状上下贯通，每层均安装楼檩承木地板，一层、二层设砖质踏步，以上各层均设木楼梯，采用塔壁内折上式，顺楼梯可攀至九层，九层塔壁内设廊道，绕廊道通过八处透窗可远目畅怀。塔顶八角攒尖顶，上覆黄色琉璃方砖，八角处施八条琉璃垂脊、垂兽，塔顶宝瓶收刹。塔高九层达三十八米，此高度是介休古塔之冠。2021年被山西省人民政府公布为第六批省级文物保护单位。通介休301路公交车。

运城市

50–B–b445 **西曲樊遗址**［Xīqǔfán Yízhǐ］位于山西省运城市盐湖区金井乡西曲樊村。据《平阳府志》载，曲樊村为古郇城遗址，分布较广，遗址纵横超过一公里。普通文化层堆积均超过4米，出土了大量东周、西周、汉代陶片，遗址的位置、规模、堆积厚度、出土遗物以及文化性质基本上都与文献记载相吻合。2004年被山西省人民政府公布为第四批省级文物保护单位。乡村道路经此。

50–B–b446 **安邑古城遗址**［ānyì Gǔchéng Yízhǐ］位于山西省运城市盐湖区安邑办事处安邑水库。魏豹城是战国时期魏文侯（公元前446年）所筑的都城，到魏惠王十年（公元前361年），魏迁都大梁后才称之为安邑古城。公元前205年，楚汉战争爆发，汉将魏豹认为楚必胜，汉必败，遂找借口率兵数万，回到安邑，占据此城，自立为王，称霸一方，后人便称此古城为魏豹城。城址四周长2500米，分前后两城。城墙残迹高5米，厚7米，夯土层厚度6—8厘米不等。2004年被山西省人民政府公布为第四批省级文物保护单位。通88路等公交车。

50-B-b447 **张村墓葬群**［Zhāngcūn Mùzàng qún］位于山西省运城市盐湖区北相镇张村。北相镇古为相城，又呼相里者，晋大夫理里者，晋大夫理克被晋献公所戮，司城氏挟少子逃避于此而得名，理克后裔在此繁衍生存卒葬于此。墓葬区南北宽1000米，东西长1500米，面积数万平方米，且有大型贵族墓葬发现，出土有青铜器、玉器等文物。2004年被山西省人民政府公布为第四批省级文物保护单位。乡村道路经此。

50-B-b448 **侯村墓群**［hóucūn Mùqún］位于山西省运城市盐湖区金井乡侯村。据《平阳府志》载：河东“运司”周为郇城，郇城在猗氏县南二十里。解县西北有郇城。郇城百姓生息卒葬于此，后代因之延续至汉。南北宽300米，东西长500米。墓葬形制长方形竖穴墓，南北走向，墓葬大小、形制不一。出土器物多为陶器，有陶鼎、陶豆、陶壶，汉代绿釉陶楼、陶仓、陶豆、绿釉陶壶、绿釉耳杯等物。2004年被山西省人民政府公布为第四批省级文物保护单位。省道临阳线经此。

50-B-b449 **三官庙戏台**［Sānguān Miào Xì tái］位于山西省运城市盐湖区三路里镇三路里村。始建年代无考，据元代残碑记载，戏台创建于元代以前，明清时期多次重修。大梁上还有清晰的文字重修记录。明正德十五年（1520年）、崇祯十年（1637年）、清康熙五年（1666年）、道光二十二年（1842年）均有修葺。面宽三间，进深二间，前歇山、后硬山顶。建筑平面呈“凸”字形，分前沿和后台两部分。2004年被山西省人民政府公布为第四批省级文物保护单位。通运城到三路里专线公交车。

50-B-b450 **牛家院古盐道**［Niújiāyuàn Gǔ yándào］位于山西省运城市盐湖区东郭镇刘范村南2000米的中条山悬崖上。开凿于北周大象二年，石刻在一块竖立的高6米，宽5米的巨大石块上。由两部分组成，楷书，记述修筑旁边道路的经过和具体事项，字迹不太清晰。碑载：路开修于周大象二年（580年），两山夹道，曲折回旋，只可驮运，又称车辋峪。是中条山上多条古盐道中的一条。当地有“打开牛家院，能发九州十八县”的俗语，可见盐运在当时的重要性。2021年被山西省人民政府公布为第六批省级文物保护单位。通2、22路公交车。

50-B-b451 **河东书院藏书楼**［Hédōng Shū yuàn Zàngshū lóu］位于山西省运城市盐湖区大渠街道办事处大渠村。据民国《安邑县志》和碑刻记载，明正德九年（1514年）御史张士隆创建河东书院；万历八年（1580年）改名三圣祠、十三年（1585年）改为崇圣祠；清初复名河东书院，光绪二十八年（1902年）更名为河东中学堂。辛亥革命后，又将其改为“省立第二中学校”，后又改为“省立运城中学校”。1937年抗战爆发，10月奉令停办。沦陷后被日军占据，后被焚毁，现仅存藏书楼。坐北朝南，占地面积437.12平方米，建筑面积81平方米。藏书楼为二层砖石结构，下层为砖砌基座，上层为歇山顶仿木结构。现存明代碑刻4通。从明代保存至今，久负盛名，其建筑形制、结构及雕刻是研究明代砖石结构建筑及审美意识的典型实物例证，也见证了河东地区儒学文化发展与兴盛。2021年被山西省人民政府公布为第六批省级文物保护单位。通22路公交车。

50-B-b452 **解州文庙**［Jiězhōu Wén Miào］位于山西省运城市盐湖区解州镇解州村东部。创建年代不详。坐北朝南，占地面积770平方米，建筑面积218平方米。现仅存大成殿，为清代建筑。面宽七间，进深六椽，单檐歇山顶筒板瓦屋面，琉璃剪边。解州文庙主体建筑为清代遗构，殿内柱采用减柱造，额枋、梁架、檩枋上绘有彩画，拱眼壁绘有壁画，为研究清代文庙建筑形制及装饰艺术提供了实物例证，具有较高的历史、艺术、科学价值。解州文庙是儒学文化的载体，对研究儒学极具参考价值。2021年被山西省人民政府公布为第六批省级文物保护单位。通11路公交车。

50-B-b453 **河东盐务稽核分所**［Hédōngyánwù Jīhé Fēnsuǒ］位于山西省运城市盐湖区东城街道办事处东阜居委会红旗东街64号（运城宾馆

内）。因1913年袁世凯政府根据与英、德、法、俄、日等五国银行团代表签订的《善后借款合同》有关规定而设立。坐北朝南，占地面积887平方米，建筑面积2661平方米。建于民国二年（1913年），原有房屋三栋，现存东、西两栋，具有典型的欧式建筑风格，均为两层建筑。东楼面宽五间，进深三间，前有廊房。西楼面宽五间，进深四间。是袁世凯政府丧权辱国的产物。它与近代海关一样，同为列强对中国进行经济掠夺的工具。从1913年到1947年，在国民政府历次盐务改革中得以保留，与近代中国的重大历史事件联系密切。为我国盐务产业的历史变迁提供了实物资料，具有一定的历史价值。2021年被山西省人民政府公布为第六批省级文物保护单位。通1、4路等公交车。

50-B-b454 **猗顿墓**［Yīdùn Mù］位于山西省运城市临猗县牛杜镇王寮村。猗顿，春秋鲁国人，奔走天涯，寻求致富，后驻郇瑕之地。生前以畜牧育桑，兼营盐化，成为与范蠡齐名的富翁。死后葬于王寮村。墓地东西长100米，南北宽70米，砖砌方形墓，高2米，东西长20米，南北宽18米，中心有一圆形土冢，高1米，周长15米，未发掘。清道光年间重修茔宅，竖墓碑。保存完整。1996年被山西省人民政府公布为第三批省级文物保护单位。乡村道路经此。

50-B-b455 **王卓墓**［Wángzhuó Mù］位于山西省运城市临猗县庙上乡城西村。王卓历任魏晋河东太守，迁司空，封猗氏侯，葬于河东猗氏县故解城西隅。王卓墓冢已毁，仅存唐碑一通。碑楼通高4.73米，面宽1.78米，进深1.10米。碑高3.43米，宽1.05米，三面刻字。碑首篆额“追树十八代祖晋司空河东太守猗氏侯太原王公神道碑”，碑文历叙自晋至唐王氏族人变迁之梗概。2004年被山西省人民政府公布为第四批省级文物保护单位。通临猗10路、临猗11路公交车。

50-B-b456 **陈茂墓**［Chénmào Mù］位于山西省运城市临猗县卓里乡陈平村。据《金石萃编》载：“茂生于北魏永熙三年（534年），薨于隋开皇十四年（594年），即以其年归葬，碑当立于是年”。陈茂历经北周、隋两朝，为隋朝的建立和巩固作出过贡献，卒后赐葬故里。墓地原有陵园规模很大，南北宽约100米，东西长约200米。现仅存陈茂墓冢和陈茂碑。墓冢坐北朝南，冢高4米，周径约10米。陈茂碑立于墓冢正南方，碑高1.95米，宽0.75米。正书篆额“大隋上开府梁州刺史陈公碑”。2004年被山西省人民政府公布为第四批省级文物保护单位。通临猗12路公交车。

50-B-b457 **薛道实墓**［Xuēdàoshí Mù］位于山西省运城市临猗县北辛平宜村。为隋代尚书礼部侍郎薛道实及其家族墓地。薛道实卒于唐初，葬于此。墓地现存唐玄宗十七年（729年）墓碑一通，石人、石羊、石狮各一对。墓碑通高3.4米，宽1.13米。碑额高1.03米，中间篆额“大唐隋故尚书礼部侍郎临汾公薛公碑”。墓地还保存其孙薛宝积墓碑一通，大部分埋没地下，碑首上篆额“大唐扬州长府薛府君碑”。2004年被山西省人民政府公布为第四批省级文物保护单位。通临猗6路公交车。

50-B-b458 **临晋文庙大成殿**［Línjìn Wén Miào Dàchéng Diàn］位于山西省运城市临猗县临晋镇。始建于元至元年间（1280年—1294年），明、清两代予以重修。大成殿坐北向南，殿前设长13.5米、宽9米的大月台，月台周边以石栏围护，望柱与石栏板上皆有花草瑞兽浮雕图案。月台中部设甬道，上铺浮雕双龙青石。大成殿面阔五间，进深六椽，单檐歇山顶，黄、绿、蓝琉璃筒板瓦覆顶，琉璃脊饰。楼阁式脊刹，层层矗立，其两侧为琉璃象、狮驮宝塔。檐下四周置柱头科和平身科，平身科1攒，形制相同，均为三踩单昂，明间出45度斜昂。2016年被山西省人民政府公布为第五批省级文物保护单位。通临猗16、301路等公交车。

50-B-b459 **东姚庄樊紫微碑楼**［Dōngyáo zhuāng Fánzǐwēi Bēilóu］位于山西省运城市临猗县三管镇东姚庄村。创建于清咸丰六年（1856年），坐东向西，砖石结构，单檐歇山顶筒板瓦屋面，占地面积30平方米，建筑面积14平方米。檐下砖雕仿木构椽飞、斗栱、额枋，墙体四角砌筑砖柱，柱下为须弥座石柱础，墙面多处砖雕人物、动物、花卉、勾栏、望柱。楼内线刻八卦藻井，下立石碑1通。碑青石质，螭首龟趺，通高2.8米，宽1.5米，首题“皇清”二字，中间大字一行“乡饮介宾国学生帝室樊公德行碑”，碑文楷书，小字8行，行19字，碑文记载了樊紫微行驼为业，家业炽昌及扶贫济困、乐善好施的美德。白珩撰文，樊邦檀书丹。碑阴记录了为其立碑的字号及邑人亲友。字号有987家之多，乡人亲友有756家之多。碑楼四面均有雕刻，构图精美，线条流畅，造型形态多样、精细别致，具有较高的艺术价值。2021年被山西省人民政府公布为第六批省级文物保护单位。乡村道路经此。

50-B-b460 **城西人民舞台**［Chéngxī Rénmín wǔtái］位于山西省运城市临猗县庙上乡城西村。坐南朝北，占地面积1240平方米，建筑面积561.6平方米，现有舞台、礼堂两座建筑。舞台面阔三间，前檐为垂花屋檐；礼堂面阔十间，双坡单檐硬山顶。1968年正值“文化大革命”时期，城西村时为公社驻地。为举行集会、演出样板戏，村革委会建造了这座集舞台、礼堂于一体的多功能建筑。整个舞台设计巧妙，装饰具有“文化大革命”时期鲜明的时代特色。2021年被山西省人民政府公布为第六批省级文物保护单位。通临猗10路、临猗11路公交车。

50-B-b461 **荆村遗址**［Jīngcūn Yízhǐ］位于山西省运城市万荣县万泉乡荆村。地处峨眉岭北侧。西南紧靠孤山，北望汾河，东北逐渐下降，地势呈西南高东北低的平缓坡地，面积约10万平方米，文化性质为仰韶庙底沟类型和庙底沟二期文化并存的遗址。1931年进行过发掘。文化层厚约2米，覆盖层1米，暴露有窑址、灰坑。采集有红陶、灰陶、彩陶、夹砂陶片。遗址保存完整。1965年被山西省人民政府公布为第一批省级文物保护单位。乡村道路经此。

50-B-b462 **汾阴古城址及墓地**［Fényīn Gǔ chéngzhǐ Jí Mùdì］位于山西省运城市万荣县宝鼎乡庙前村。地势北高南低，仅存东墙的北段（约0.75公里）和东北角两处。城东北角不明显，东墙残存部分保存尚好。高1.5—4.2米，宽7—9米不等。夯层厚8厘米。夯窝直径5.5厘米。城址约保留三至四千平方米。地面多沟洼不平，断面上随处可见灰层和灰坑。附近墓地系春秋战国墓群，出土有铜鼎、甑、编钟。1986年被山西省人民政府公布为第二批省级文物保护单位。乡村道路经此。

50-B-b463 **薛怀吉家族墓地**［Xuēhuáijí Jiāzú Mùdì］位于山西省运城市万荣县贾村乡西思雅村。据墓志记载，墓主人系北魏时期河东薛氏家族重要成员薛怀吉，生前先后受封北魏镇远将军、恒农太守、益州刺史、梁州刺史、汾州刺史等。墓葬全长50米，由墓道、过洞、天井、墓门、甬道、石门、墓室及耳室等组成。墓道方向210°，墓道与墓室不在同一轴线，墓室方向222°。墓门位于天井北壁下，原应砌筑了门额建筑，现仅存直墙，残高2.2米，封门砖残高0.9米。甬道长2米、宽1.6米，两侧砌砖，条砖菱形铺地。甬道北端两侧各有一个长方形耳室，对称砌筑，长1.5米，进深0.48米，砌砖残高约0.7米。石门位于甬道北端，与墓室内以砖券过洞相连，过洞长1.5米、宽1.6米。墓葬共出土陶质、瓷质、铁质、铜质、石质等各类遗物共计380件（套）是山西南部地区经科学发掘的第二处大型北魏墓葬，该墓具有明确纪年，为北朝隋唐时期墓葬断代，提供了又一座准确的年代标尺。也是山西南部地区经科学发掘的第二处大型北魏墓葬，时代早、规模大，为北魏隋唐墓葬制度、随葬品研究增添了珍贵的考古资料。2021年被山西省人民政府公布为第六批省级文物保护单位。乡村道路经此。

50-B-b464 **荣河吕祖庙戏台**［Rónghé Lǚzǔ Miào Xìtái］位于山西省运城市万荣县荣河镇荣河村。现庙内大殿已毁，仅存戏台，坐南朝北，占地面积250平方米，建筑面积83平方米。面宽三间，进深四椽，单檐硬山顶，为清代遗构。戏台形制规整，对研究清代戏剧演出场所的形制特点以及晋南戏剧班社活动提供了重要的实物例证。斗栱构件、砖雕等雕刻精美，是研究清中期晋南地区工匠技艺和绘画工艺的重要实物。2021年被山西省人民政府公布为第六批省级文物保护单位。省道小风线经此。

50-B-b465 **回坑遗址**［Huíkēng Yízhǐ］位于

山西省运城市闻喜县阳隅乡回坑村。地处运城盆地的东北部边缘，紫金山南侧的山前坡地上，地势北高南低。1954 年发现，现存面积 15000 平方米。遗址中发现的遗迹仅有灰坑一种，地面与断崖暴露大量陶片，可辨器形有仰韶文化的钵、盆、罐、碗、杯、瓶等，龙山文化的鬲、折沿罐、杯、盆等。其文化面貌应属仰韶文化庙底沟类型。遗址保存完整。1965 年被山西省人民政府公布为第一批省级文物保护单位。通闻喜 7 路公交车。

50-B-b466 **裴氏墓群**［Péishì Mùqún］位于山西省运城市闻喜县东镇仓底村。据清光绪年版《闻喜县志》载，“凤凰塬方圆数十里，为三晋望族裴氏祖茔地”，墓地分别在东西 10 米、南北宽 8 公里的凤凰塬上，未发掘。墓冢高如小丘，共二百余座。1986 年发现唐吏部侍郎裴皓墓。墓道长 39 米，四个天井。出土有兵马彩陶俑二十余件（残）、瓷罐 2 个，墓志铭 2 合。1996 年被山西省人民政府公布为第三批省级文物保护单位。乡村道路经此。

50-B-b467 **裴行俭墓**［Péihángjiǎn Mù］位于山西省运城市绛县郝庄乡永青村。唐史载，裴行俭（619 年—682 年），字守约，闻喜县人，吏部侍郎，礼部尚书，唐朝初年军事家、政治家、书法家，隋朝礼部尚书裴仁基次子。其墓原有冢，有石人、石马，均于 60 年代平田整地时破坏，现仅存唐代石碑一通，字迹模糊不清，额篆“唐故礼部尚书”字迹。1965 年被山西省人民政府公布为第一批省级文物保护单位。乡村道路经此。

50-B-b468 **伯里合不花墓**［Bólǐhébúhuā Mù］位于山西省运城市闻喜县东镇西街村。伯里合不花，姓忽神氏，大元故镇国上将军，河南淮北蒙古军都万户府副都万户赠辅国上将军、枢密副使获军、追封云中郡公、谥襄懋。墓地南北长 80 米，东西宽 50 米。未发掘。墓冢坐北朝南。墓前有元至正五年立《忽神公神道碑铭》一通。石人、石兽数个。墓葬保存完整。1965 年被山西省人民政府公布为第一批省级文物保护单位。通闻喜 5 路公交车。

50-B-b469 **杨深秀墓**［Yángshēnxiù Mù］位于山西省运城市闻喜县下阳乡仪张村。杨深秀（1848 年—1898 年）清末维新派，字漪村，山西闻喜人。戊戌年间，因主张变法维新，被慈禧太后杀害，为戊戌六君子之一。墓冢呈圆形，高 3 米，下部用石条砌成，上部为封土堆，直径 6 米。冢旁立有墓碑，碑额《戊戌志士杨深秀之墓》。1996 年被山西省人民政府公布为第三批省级文物保护单位。省道侯风线经此和通闻喜 5 路公交车。

50-B-b470 **保宁寺塔**［Bǎoníng Sì Tǎ］位于山西省运城市闻喜县东镇北街村。保宁寺初名唐兴寺，创建于唐开元六年（718 年），宋治平二年（1065 年）重修后改为今名，清雍正三年（1725 年）重修，现寺已不存，仅存宋代砖塔 1 座。塔坐北朝南，方形砖砌塔基，宽 6.27 米，高 6.20 米，占地面积 39.3 平方米。塔为八角六层楼阁式砖塔，残高约 20 米，作为闻喜县留存珍贵的宋代砖石建筑，历史研究价值突出，较为完整地保存了创建时期的原貌，真实性较好。2016 年被山西省人民政府公布为第五批省级文物保护单位。省道侯风线经此和通 1 路公交车。

50-B-b471 **中共太岳三地委陈家庄旧址**［Zhōnggòng Tàiyuè sāndìwěi Chénjiāzhuāng Jiùzhǐ］位于山西省运城市闻喜县郭家庄镇陈家村。1945 年 7 月至 1948 年底，陈家庄村曾是中共稷麓三区区委会、区政府、中共稷麓抗日民主县委、县政府，中共太岳三地委、三专署、三分区司令部等党政军机关驻地。期间嘉康杰、柴泽民、金长庚、王镛等一大批党政军领导干部都曾在这里居住并开展对敌斗争。政治部、司法科、晋南报社、电台、银行、贸易公司、邮局等 30 余家机关单位分布在该村。是闻喜县抗日战争和解放战争时期的重要遗存，是运城市唯一一处综合性革命纪念地。2016 年被山西省人民政府公布为第五批省级文物保护单位。乡村道路经此。

50-B-b472 **裴柏碑馆**［Péibǎi Bēiguǎn］位于山西省运城市闻喜县礼元镇裴柏村。始建年代无考。据清光绪年版《闻喜县志》载：“迭遭兵火，历代重修”。坐北朝南，占地面积 2550 平方米。现有碑室五间，系 20 世纪 70 年代初重建，保存有唐明皇敕张九龄撰裴光庭神道碑；北周天和三年裴鸿碑；唐裴镜民铭；金大定裴氏续谱碑；

清道光二十年平淮西碑等15通，保存完整。1986年被山西省人民政府公布为第二批省级文物保护单位。省道侯风线经此和通1路公交车。

50-B-b473 **闻喜文庙**［Wénxǐ Wén Miào］位于山西省运城市闻喜县牌楼东街。坐北朝南，占地面积25308平方米。中轴线依次为大成门、泮池、戟门、大成殿。两侧有传道斋、授业斋。大成门前有五龙影壁，影壁后有砚池。大成殿面阔五间、进深三间、斗为五踩双昂，歇山顶。有明弘治四年梁记题款。庙内现有明孔丘线刻石像及宋、元、明、清碑碣四十余通。其中元大德七年（1303年）地震碣记事尤为重要。1996年被山西省人民政府公布为第三批省级文物保护单位。通6路公交车。

50-B-b474 **大马古城址**［Dàmǎ Gǔchéng Zhǐ］位于山西省运城市闻喜县畖底镇东大马村东约100米、西大马村北、栗村与下官张村南约400米的范围内。时代为东周至汉代。平面略呈方形，东西长约998米，南北宽约980米，面积97.81万平方米。城墙底宽8—10米，残高2—5米，墙体夯筑，夯层厚8—10厘米。据史料记载，大马古城址即春秋时晋国之清原城。古城址延续时代长，为东周至汉代。城址的保存对于对研究古代人类城址文化有重要的参考意义，对研究晋国史提供了实物资料。2021年被山西省人民政府公布为第六批省级文物保护单位。通闻喜7路公交车。

50-B-b475 **千金耙矿冶遗址**［Qiānjīnbǎkuàngyě Yízhǐ］位于山西省运城市闻喜县石门乡玉坡村西南千金耙地。通过多次调查及两次发掘，已判明自下玉坡村至焦家沟村的闻垣路沿线，并向东至篦子沟矿通风井的三角地带皆有古代采冶遗迹、遗物分布，遗址总面积约479839平方米。遗址所在区域，古属冀州，在夏墟范围。商代，为桐宫，有葛国，有景山……《闻喜县志》载：《诗》云“景员维河”，垣曲面景山，濒大河，桐在其西北，即伊尹放太甲处（《史记》：伊尹放太甲于桐宫）；葛，今亦有葛寨村，西去千金耙直线距离仅13公里。《史记》亦载：“桀敗於有娀之虛，桀奔於鳴條，夏師敗績。湯遂伐三㚇……”。是目前国内发现年代最早的铜采冶遗址，为深入研究中条山地区古代采矿、冶金及金属原料流通，以及夏商青铜器原料产地提供了重要的考古学证据，具有极为重要的历史价值和学术意义。2021年被山西省人民政府公布为第六批省级文物保护单位。乡村道路经此。

50-B-b476 **南白石遗址**［Nánbáishí Yízhǐ］位于山西省运城市闻喜县后宫乡南白石村西约50米直至十八堰村东石人沟前的台地及此台地南侧名为“麻坡”、“庙嘴圪塔”、“老泉圪塔”、“苹果园（十八堰村地名）”的多个磨盘岭上。南至闻垣路，北到南白石沟，西至十八堰村东的石人沟，东至南白石村西约50米，包括了南白石村西的整个台地和台地南侧几个独立的磨盘岭以及十八堰村的“苹果园”磨盘岭，遗址东西长约2500米，南北宽约1000米，总面积约250万平方米。文化层厚约1—3米不等。包括了新石器时代仰韶文化、龙山文化和周代遗存。断崖暴露有十分丰富的灰坑和白灰面居址等遗迹。南白石遗址对研究古代人类文化的延续等有重要的参考意义。2021年被山西省人民政府公布为第六批省级文物保护单位。乡村道路经此。

50-B-b477 **官庄墓地**［Guānzhuāng Mùdì］位于山西省运城市闻喜县东镇官庄村南的凤凰塬上。南北长约650米，东西宽约500米，面积约32.5万平方米。时代为西周、东周。2007年因盗墓暴露土坑竖穴墓1座，出土有铜鼎、铜壶、铜甗以及铜车马器等遗物。官庄南墓地是西周、东周时代墓葬，从发现的器物来看应为两周时期的贵族墓葬，对于研究两周时期丧葬制度、生活习俗提供了实物性资料。2021年被山西省人民政府公布为第六批省级文物保护单位。乡村道路经此。

50-B-b478 **酒务头墓群**［Jiǔwùtóu Mùqún］位于山西省运城市闻喜县河底镇酒务头村西北台地上，北临沙渠河，地势东高西低，距闻喜县城约20公里。为商代晚期墓群，面积约40000平方米，发现墓葬、车马坑18座。经过细致考古勘探和科学发掘，在5500平方米墓地范围内发现商代晚期墓葬12座，车马坑6座以及灰坑5个，共出土铜、玉、陶、骨等各类材质的文物500余件（组），是古代从河南进入山西最便捷的通道之一，亦是考古学文化交融的关键地带。墓地出土的青铜器组合以及器型纹饰风格均与殷墟青铜器相同，但大墓形制又有差异，表现了商文明演进过程的同一性与复杂性，这对于认识晚商文化的区域类型，以及商王朝西部势力范围的变迁、中央对地方管控方式和国家政治地理结构等课题的深入研究意义重大。2021 年被山西省人民政府公布为第六批省级文物保护单位。乡村道路经此。

50–B–b479 **康村碑楼**［Kāngcūn Bēilóu］位于山西省运城市闻喜县畖底镇康村。康村石碑楼包括一号碑楼和二号碑楼，分别位于村东北隅与东南隅。创建于清光绪十三年（1887 年）。坐东朝西，占地面积 11.5 平方米。为双碑楼，碑楼通体石构，面阔二间，进深一间，仿木结构单檐歇山顶。康村雷氏碑楼位于山西省运城市闻喜县畖底镇康村东南隅，坐东朝西，占地面积 12.4 平方米。创建于清同治七年（1868 年），为单碑楼，四面露明，碑楼通体石构，面阔一间，进深一间，仿木结构单檐歇山顶。两座碑楼四面均有雕刻，构图精美，线条流畅，造型形态多样、精细别致，具有较高的艺术价值。对研究当地社会人文历史和旌表史有重要意义。2021 年被山西省人民政府公布为第六批省级文物保护单位。通闻喜 11 路公交车。

50–B–b480 **岭东孙氏祠堂**［Lǐngdōng Sūnshì Cítáng］位于山西省运城市闻喜县桐城镇岭东村。据梁脊板记载，创建于明万历三十八年（1610 年），清乾隆五年（1740 年）重修，明清屡有修葺。坐北朝南，方向北偏西 45°，占地面积 529.8 平方米，建筑面积 240.54 平方米。二进院落布局，自南向北中轴线上原依次建有大门、二门和祭祖堂，祭祖堂两侧为东西耳房，院落两侧为东西廊房。现存祭祖堂、二门、西廊房和大门。孙氏家族是闻喜历史上的名族，其始祖孙良辅自元初由临汾迁至闻喜，至民国初年已有二十九世。在清代，家族入县学者 56 人，出进士 1 人，举人 4 人，副贡 2 人。祠堂仍保存完整，木雕、砖雕、石雕精美，极富地方特色，是研究明清地方建筑艺术的实物资料。是闻喜县一处明代家族祠堂，布局较完整，有明确纪年，是珍贵的明代木结构建筑遗存，并代表了地方特定做法及审美追求；木雕、砖雕、石雕精美，极富地方特色，是研究明清地方建筑艺术的实物资料。具有重要的历史、艺术、社会民俗研究价值。2021 年被山西省人民政府公布为第六批省级文物保护单位。乡村道路经此。

50–B–b481 **李老庄玉帝庙**［Lǐlǎozhuāng Yùdì Miào］位于山西省运城市稷山县西社镇李老庄村。创建年代不详。据庙内现存碑记载：赵国大将李牧曾在此驻兵防守。公元前 233 年，李牧率军攻秦大胜，因有功被封武安王，后人为纪念李牧将军，特建李牧庙奉祀。坐北朝南，东西宽 25 米，南北长 46 米，占地面积 1150 平方米，现仅存正殿、献殿。其中正殿门枕石上有“元泰定二年”题记，为正殿的年代鉴定提供了真实可靠依据，献殿为清代建筑。2016 年被山西省人民政府公布为第五批省级文物保护单位。乡村道路经此。

50–B–b482 **平陇城址**［Pínglǒngchéng Zhǐ］位于山西省运城市稷山县稷峰镇南阳村北约 1 公里。又名“高欢寨”，俗称“南阳堡”。据清康熙四十七年版《平阳府志》载：“东魏高欢筑（535 年—542 年）与西魏韦孝宽对敌处，南隔汾河与玉壁城相望。”城址平面呈“凸”字形，东西长 320 米，南北宽约 215 米，分布面积 68800 平方米。城墙宽 5—8 米，残高约 12 米。墙体夯筑，夯层厚约 0.23 米。东墙中部设 1 砖券门洞，高 3 米，宽 2.3 米，深 8.8 米。2021 年被山西省人民政府公布为第六批省级文物保护单位。108 国道 经此。

50–B–b483 **太杜后稷庙**［Tàidù Hòujì Miào］位于山西省运城市稷山县稷峰镇太杜村。创建年代不详。坐北面南，南北长 51 米，东西宽 41.55 米，占地面积 2119.05 平方米，原为二进院落，有正殿、过厅、春秋楼、戏台、东西垛殿及“代天行化”牌楼。现仅存正殿、东垛殿及“代天行化”牌楼，牌楼外存石狮一对。正殿为后稷庙主体建筑，元代遗构，面阔五间进深四椽，彻上露明造，前檐斗栱五铺作双下昂计心造，后檐斗栱四铺作单下昂计心造，布瓦屋面单檐悬山顶。东垛殿面宽三间，前带廊进深一间，布瓦屋面单檐硬山顶，东次间脊檩下题记记载为清雍正三年（1725 年）修缮后遗构。“代天行化”牌楼坐东朝西，位于寺院西围墙，为后稷庙侧门。据明楼走马板题记记载为清咸丰三年（1853 年）所创建，四柱三楼式，次楼平面为八字形，前后均立柱；单檐庑殿顶，布瓦屋面绿琉璃剪边。石狮与牌楼同期。2021 年被山西省人民政府公布为第六批省级文物保护单位。乡村道路经此。

50-B-b484 **范家庄关帝庙**［Fànjiāzhuāng Guāndì Miào］位于山西省运城市稷山县西社镇范家庄村。创建于明代，据庙内檐柱题记及碑文记载，明弘治十八年（1505 年）、清康熙三十二年（1693 年）、乾隆十九年（1754 年）、道光十二年（1832 年）、道光十六年（1836 年）均有过修葺。东西宽 20.25 米，南北长 25.77 米，占地面积 521.84 平方米，建筑总面积 169.36 平方米。坐北面南，一进院落布局，现存文物建筑有由南至北依次为献厅、正殿，正殿东侧为东岳祠，西侧为牛王马王殿，献厅两侧有古井两眼，前有石狮一对，东岳祠山墙镶碑刻两块，牛王马王殿山墙镶碑刻一块，献厅室内存石碑一通。正殿为范家庄关帝庙主体建筑，清代遗构，坐北面南，面阔三间，进深三椽，前檐为单檐歇山顶，后檐为单檐硬山顶，布瓦屋面。献厅为明弘治十八年（1505 年）遗构，面阔一间，进深四椽，南北通透，单檐十字歇山顶，布瓦屋面。东岳祠及牛王马王殿，形制规格相同，面宽一间，进深三椽，单檐硬山顶，布瓦屋面。2021 年被山西省人民政府公布为第六批省级文物保护单位。乡村道路经此。

50-B-b485 **吴壁村后土庙**［Wúbì Hòutǔ Miào］位于山西省运城市稷山县清河镇吴壁村南隅，全名“后土圣母庙”，俗称“娘娘庙”。庙内碑文记载“……启创于汉武 134 也……”，明景泰六年（1455 年）、嘉靖十一年（1532 年）有过修缮、嘉靖十九年（1540 年）修复殿内神像并彩绘贴金、嘉靖二十五年（1546 年）刻碑记录了历次修缮，现存建筑均为明代遗构。后土庙坐北面南，建于高 2.5 米的土台之上，南北长 47.45 米，东西宽 45 米，占地面积 2137.5 平方米。中轴线由南至北依次为山门、戏台、献殿、正殿，正殿两侧有东、西耳房及西配房，庙内存明嘉靖二十三年（1544）修缮记事碑一通。2021 年被山西省人民政府公布为第六批省级文物保护单位。乡村道路经此。

50-B-b486 **稷山县抗日民主政府旧址**［Jìshān xiàn Kàngrìmínzhǔzhèngfǔ Jiùzhǐ］位于山西省运城市稷山县西社镇马家沟村。原为玉皇庙。该庙创建于雍正年间，重修于光绪年间，现庙宇布局为民国十五年所重建。旧址坐北面南，一进院落，东西长 26 米，南北宽 25.1 米，占地面积 652.6 平方米。现存门楼、戏台、东房、西房、北房和东西耳房，另外院墙根存烈士纪念碑两块。北房二层设为办公室、县长室，西房设为山西省牺盟会稷山分会办公室等。民国二十七年（1938 年）稷山县抗日民主政府成立，民国二十八年（1939 年）3 月 4 日进驻马家沟村，办公地点设于村西北玉皇庙内，领导全县人民进行抗战，直到 1945 年 8 月抗战胜利，县政府才迁回县城。2006 年 8 月 18 日被稷山县人民政府定为“爱国主义教育基地”。2014 年 3 月被稷山县县委、县政府定为“稷山县党员干部教育基地”。2021 年被山西省人民政府公布为第六批省级文物保护单位。省道台运线经此。

50-B-b487 **八路军总部北阳城旧址**［Bālùjūn zǒngbùBěiyángchéng Jiùzhǐ］位于稷山县清河镇北阳城村，村委会南 50 米。是一座清代民居四合院，原功能为当铺，分两进院落，前院无建筑，由东院墙辟门进入走道随后拐入二进院，前院存残损院门及围墙一段。院坐北向南，南北长 24.73 米，东西宽 18.21 米，占地面积 318.3 平方米。现存正房、南房、东厢房、西厢房、东西耳房、门楼。1937 年 9 月 6 日朱德总司令率领八路军总部从陕西云阳镇出发，东渡黄河开赴华北前线北上抗日。9 月 18 日抵达稷山县北阳城村，八路军总部驻扎在此四合院内。八路军总部驻扎期间正房设为指挥部，正房两侧耳房为通讯部，任弼时和左权同志分别在东西厢房办公。当晚，左权参谋长夜不成寐，他想起今天是“九・一八”东北沦陷六周年的日子，日寇蹂躏东北人民的惨景，一幕幕浮现在脑海，于是给远在湖南醴陵的叔父写了一封家书，鼓励在后方的亲属艰苦奋斗，抗战到底。2021 年被山西省人民政府公布为第六批省级文物保护单位。乡村道路经此。

50-B-b488 **光村遗址**［Guāngcūn Yízhǐ］位于山西省运城市新绛县光村。地形北高南低，面积约 50 万平方米。20 世纪 50 年代发现，1993 年和 1994 年进行了较详细的调查。遗存以仰韶文化为主并涵盖了仰韶早期至庙底沟文化、西王村上层文化和西王村二期文化。其文化特征，以陶器为主。陶器主要有红陶、灰陶，器型以素面为主，彩陶次之。庙底沟二期文化则以灰陶为主，器表以蓝纹、绳纹常见，主要器类以、釜灶、鼎、小口高领罐、侈口夹砂罐、盆、盖缸、瓮等为主要组合，由此构成不同于仰韶时代的新特征。1965 年被山西省人民政府公布为第一批省级文物保护单位。乡村道路经此。

50-B-b489 **西尉遗址**［Xīwèi Yízhǐ］位于山西省运城市新绛县横桥乡西尉村。地处临汾盆地的西部边缘，属于汾河南岸台地。1954 年调查，1996 年复查，未发掘。断崖上暴露有大量灰坑遗迹，遗物有罐、碗、盆、壶等，多为泥质红陶、夹砂灰陶及部分彩陶片，纹饰为绳纹、篮纹。并有石斧、石犁、石锄等生产工具。是一处庙底沟二期文化遗存，遗址保存较完整。1965 年被山西省人民政府公布为第一批省级文物保护单位。乡村道路经此。

50-B-b490 **马庄遗址**［Mǎzhuāng Yízhǐ］位于山西省运城市新绛县马庄村。在峨眉岭北侧，地势南部略高，是较为平坦的坡地，西侧有南北向大断沟与稷山相邻，北近汾河。现存面积约 30 万平方米。1995 年发现，发现的文化遗存、遗迹有灰坑、窖穴等。采集遗物以陶器为主，红陶居多，灰陶次之。彩陶多为黑彩，有少数用白彩套边。花纹有圆点、弧线、三角、垂幢、流星索等。主要器型有钵、盆、碗、罐、尖底瓶、釜、灶等。1996 年被山西省人民政府公布为第三批省级文物保护单位。乡村道路经此。

50-B-b491 **绛守居园池**［Jiàngshǒujū Yuánchí］位于山西省运城市新绛县。据民国十八年《新绛县志》载，系隋开皇十六年（596 年）内军将军临汾县令梁轨导古水开渠灌田，引余波贯牙城蓄为池沼。东西长 200 米，南北宽 100 米，占地面积为 20000 平方米。园中建回莲亭，旁植竹木花柳，园中央有子午梁横贯南北，切割为东西两半。园内设亭台楼榭、假山、池沼等。是我国现存最早的园囿建筑之一。1965 年被山西省人民政府公布为第一批省级文物保护单位。通侯马到万荣特快专线公交车。

50-B-b492 **净梵寺大殿**［Jìngfàn Sì Dàdiàn］位于山西省运城市新绛县泽掌镇泽掌村。创建于宋嘉八年（1063 年），后历代均有修葺。现仅存元代大殿。大殿面阔五间，进深六椽，单檐悬山顶，建筑面积 235 平方米。斗五铺作双下昂，殿内使用减柱造，施大内额，梁架结构为六椽通达前后檐，元代特征显著。2004 年被山西省人民政府公布为第四批省级文物保护单位。乡村道路经此。

50-B-b493 **苏阳稷王庙**［Sūyáng Jìwáng Miào］位于山西省运城市新绛县阳王镇苏阳村。坐北向南，一进院落布局，东西宽 32.6 米，南北长 50 米，占地面积 1630 平方米。原平面布局保存不完整，现仅存正殿及东西配殿。正殿又叫后稷殿，东西配殿分别设为武圣殿、慈恩宫。后稷殿为元代遗构，面宽三间，进深四椽，单檐悬山顶。庙内有千年古槐 1 株，开出花朵呈五种颜色，人称“五色槐”，枝叶繁茂，有较高的社会知名度。2016 年被山西省人民政府公布为第五批省级文保单位。乡村道路经此。

50-B-b494 **大益成纺纱厂旧址**［Dàyìchéng Fǎngshāchǎng Jiùzhǐ］位于山西省运城市新绛县桥西村。坐南朝北，东西宽 168 米，南北长 280 米，占地面积 4.7 万余平方米。该厂横跨三个世纪，经历了绛州纺纱厂、新绛工艺公司、新绛大益成纺织股份有限公司等多次变革。1997 年改制后，成立了山西新绛纺织有限责任公司。是具有代表性的近现代工业遗存，空间结构、建筑布局和空间尺度仍保留了历史原状，周边环境未发生较大改变，真实性较好，现有工业遗存仍保持原功能结构，并被继续使用，完整性较好。2016 年被山西省人民政府公布为第五批省级文物保护单位。通侯马到万荣特快专线公交车。

50-B-b495 **新绛天主教堂**［Xīnjiàng Tiānzhǔ Jiàotáng］位于山西省运城市新绛县龙兴镇。所在位置原为明代灵丘王府。该教堂以尖顶为特色，两边钟楼高约 43 米，中间三角屏风。教堂长 52 米，宽 28 米，跨度 25 米，并有九道巨型拱券。屋顶采用中国歇山顶形式，屋脊高 27 米，是中西合璧式教堂建筑。现为山西八大教区，运城主教区。是中国现存大哥特式教堂中的精品，与上海、广州、青岛的天主教堂并称中国四大哥特式教堂，其建筑形制及风格在同类建筑中具有典型代表性。2016 年被山西省人民政府公布为第五批省级文物保护单位。通侯马到万荣特快专线公交车。

50-B-b496 **东蔡村公所**［Dōngcàicūn Gōngsuǒ］位于山西省运城市新绛县泽掌镇东蔡村。据过厅石碣记载，该公所建于民国十三年（1924 年）。坐北向南，为二进院落，占地面积 503.58 平方米，建筑面积 434.74 平方米。呈中轴对称布局，由南向北中轴线依次建有南房、过厅、议事大厅，东西厢房分列于前院东西两侧。皆为单檐双坡硬山顶，筒板瓦屋面。议事厅为封火山墙，各建筑之间砌筑围墙封护。该院外围南侧与东侧有砖砌排水沟，便于排水。延续至今一直为村委办事机构，建筑保存完整，如此公所的功能性建筑在运城乃至晋西南一带保存至今者仅此孤例，是研究晋南地区近现代村公所建制及村民自治的重要实物例证，具有珍贵的村级基层组织建设发展演变的研究价值。2021 年被山西省人民政府公布为第六批省级文物保护单位。乡村道路经此。

50-B-b497 **车厢城城址**［Chēxiāngchéng Chéngzhǐ］位于山西省运城市绛县古绛镇南城村。因其形如车厢，故称为车厢城。现存古城墙高约 15 米，长 150 米，全部由夯土层构筑。车厢城地处中条山东段北面，被深约 30 米的东、西两沟夹峙其间。城南北长约 400 米，东西宽为 50 米，面积约 20 万平方米。在车厢故城址的保护范围内，留存城墙、烽火台等遗存，全部由夯土构筑，地表散落有大量陶片，城址内发现大量灰坑。2016 年被山西省人民政府公布为第五批省级文物保护单位。乡村道路经此。

50-B-b498 **晋献公墓**［Jìnxiàngōng Mù］位于山西省运城市绛县南樊镇槐泉村西。晋献公，春秋时期晋国国君名诡诸，武公之子。娶妻贾氏，齐姜，生秦穆公夫人及太子申生，后再娶生重耳，夷吾，偏听骊姬谗言逼死太子申生，陷害重耳，夷吾。在位 26 年。现存墓冢高 40 余米，宛如山丘，孤寝无祠，墓形似无柄木铎，五花土堆成。未发掘，保存完好。1965 年被山西省人民政府公布为第一批省级文物保护单位。通绛县—侯马公交车。

50-B-b499 **晋文公墓**［Jìnwéngōng Mù］位于山西省运城市绛县卫庄镇下村西。晋文公（公元前 697—公元前 628）名重耳，晋献公次子，春秋五霸之一，被迫在外逃亡 19 年后归国即位，励精图治，使晋国成为实力强大的霸主。墓依地势而设，墓冢圆形，周长约 200 米，高 40 余米，墓前有清代乾隆五十一年（1786 年）竖“晋文公墓”石碑一通，未发掘。保存基本完整。1965 年被山西省人民政府公布为第一批省级文物保护单位。省道曲绛线经此。

50-B-b500 **晋灵公墓**［Jìnlínggōng Mù］位于山西省运城市绛县磨里镇南刘家村。晋灵公名夷吾，耽于酒色，荒于朝政，后被赵穿所杀。墓冢如馒头状，长 50 米，宽 40 米，高 30 余米，五花土堆成，未发掘。保存基本完整。灵公生前荒淫无道，朝纲败坏，残酷地剥削人民，大肆陷害劝谏之臣，引起了臣民的反抗，最后被赵盾之弟赵穿杀死，成为后人不齿的昏庸之主。墓前有石碑一通，上刻“景冢”二字，由于灵公生前十分残暴，所以死后，历代不列祀典。1996 年被山西省人民政府公布为第三批省级文物保护单位。乡村道路经此。

50-B-b501 **横水成汤庙**［Héngshuǐ Chéngtāng Miào］位于山西省运城市绛县横水镇横东村。创建年代不祥，乾隆十四年（1749 年）重修，十六年（1751 年）重妆圣母全身，十八年（1753 年）重修戏楼；清嘉庆十九年（1814）创建文昌阁；清咸丰二年（1852 年）重修并创建山门、北房、门楼。坐北朝南，现存为两进院落布局，东西宽 34 米，南北长 89.2 米，占地面积 3033 平方米。原平面布局保存不完整，中轴线上现存建筑自南向北有献殿、汤帝殿、圣母殿，圣母殿东、西两侧建有马王庙和财神庙各一座。其中，献殿为明代遗构，其余均为清代遗构。2016 年被山西省人民政府公布为第五批省级文物保护单位。通 24 路公交车。

50-B-b502 **居太遗址** [Jūtài Yízhǐ] 位于山西省运城市绛县横水镇居太庄村。文化类型为龙山文化、庙底沟二期、仰韶文化中期。遗址范围约1平方公里，分布集中，规模较大，包含物丰富。遗址地面暴露有灰坑及大量的陶片，陶片以红陶为主，灰陶次之。红陶多以黑色彩绘，纹饰以变形鱼纹、几何纹居多；灰陶纹饰以粗绳纹、篮纹为主。从采集陶片看，器形主要有钵、尖底瓶、曲腹盆、折腹盆、罐等。另外，还发现有动物骨骼、磨制石器。2004年，居太遗址被山西省人民政府公布为第四级省级文物保护单位。乡村道路经此。

50-B-b503 **北步康墓地** [Běibùkāng Mùdì] 位于绛县古绛镇北步康村北。处于古绛镇紫金山下，距离县城15公里，处于黄土台塬上，北隔宽大的冲沟与紫金山相望，南面和西面地势较为开阔，且向南地势逐步下降，属涑水河北部黄土台塬，也是涑水流域和浍水流域的分水岭。墓群为西周时期墓葬，地表现无封土，未发现暴露遗物。2021年被山西省人民政府公布为第六批省级文物保护单位。乡村道路经此。

50-B-b504 **雎村墓地** [Jūcūn Mùdì] 位于山西省运城市绛县卫庄镇雎村村北500米的台塬地上。是一处西周时期的墓群，该墓群西距绛县县城约5公里，距横水墓地约20公里。墓地地势平坦，南望中条山，西北依紫金山，西南为季节性河流，属浍河水系。2011年6月，该墓群因被盗而首次发现，经对被盗墓葬的初步调查和追缴文物的鉴定，判定该墓地为一处西周时期墓地。2015年7月雎村墓地联合考古队开始对墓地进行正式发掘，共清理墓葬437座，出土文物1500余件。该墓地包括陶器、青铜器、漆器以及海贝、毛蚶等。2021年被山西省人民政府公布为第六批省级文物保护单位。乡村道路经此。

50-B-b505 **沸泉九龙庙** [Fèiquán Jiǔlóng Miào] 位于山西省运城市绛县南樊镇沸泉村。坐落在距沸水源头500米的沸泉河岸台地之上。始建年代不详，依形制判断正殿为元代建筑。现仅存正殿。坐北朝南，面阔三间，进深四椽，单檐悬山顶，三椽栿对后搭牵梁，通檐三柱，占地面积500平方米，建筑面积95.8平方米。正殿元代建筑时代特征明显，是研究本区域元代建筑形制特征和建筑风格、民间宗教信仰、当地水利发展史的珍贵实物例证，具有较高的历史价值。前檐四根八棱石柱简洁粗壮，两次间石柱线刻行龙，前后檐均施通檐普拍枋，三椽栿前端出麻叶头，后尾插于金柱内，结构坚固稳定，具有较高的科学价值。沸泉九龙庙正殿是研究当地水利发展史、宗教信仰和建筑形制的重要参考资料。2021年被山西省人民政府公布为第六批省级文物保护单位。乡村道路经此。

50-B-b506 **韩庄净居寺** [Hánzhuāng Jìngjū Sì] 位于山西省运城市卫庄镇韩庄村。创建年代不详，明间脊部攀间枋存有部分墨书题记，但严重漶漫，仅有“重修謹誌”四字可识，其年代无法辨认。坐北朝南，占地面积280平方米，建筑面积93.3平方米。现仅存正殿，根据其建筑形制、主体结构、风格特点以及同地区古建筑对比研究，该殿为元代建筑，山墙、屋顶、地面为明清代重修。正殿元代建筑时代特征明显，是研究本区域元代建筑形制特征和建筑风格的珍贵实物例证，具有较高的历史价值。其前檐施通檐普拍枋，柱头铺作耍头后出榻头托四椽栿，结构坚固稳定，具有较高的科学价值。2021年被山西省人民政府公布为第六批省级文物保护单位。241国道经此和通侯马—南樊—绛县专线公交车。

50-B-b507 **龙庆院** [Lóngqìng Yuàn] 位于山西省运城市绛县古绛镇东仇张村。处在涑水河北岸黄土台垣上，北距紫金山4公里，南距东仇沟100米。据碑文和梁架记载，东仇张龙庆院为元大德复建，明成化十九年（1483年），明正德八年（1513年），清康熙二十七年（1688年）均有重修。坐北朝南，占地面积760平方米，建筑面积126.5平方米。原建筑大部分已毁，现仅存正殿及“龙庆院寺碑”一通。正殿为元代建筑，面阔三间，进深四椽，单檐悬山顶。正殿元代建筑时代特征明显，是研究本区域元代建筑形制特征和建筑风格的珍贵实物例证，具有较高的历史价值。其前檐施通檐大檐额，四椽栿下设后金柱，柱头铺作耍头后出榻头托四椽栿，结构坚固稳定，屋面举折缓和，具有较高的科学价值。2021年被山西省人民政府公布为第六批省级文物保护单位。乡村道路经此。

50-B-b508 **横水探花府**［Héngběi Tànhuā Fǔ］位于山西省运城市绛县横水镇横北村中心处。乔晋芳于清道光十五年（1835年）乙未科殿试中，钦点一甲三名，高中探花。其府第被后人称为横水探花府。坐北朝南，是一处以古科举时代称号命名的府第。原有11座四合院、书院、祠堂、花园、场院、莲池等建筑，现仅存3座四合院。东西长58米，南北宽49.5米，占地面积2871平方米，建筑面积557.8平方米。一号院现存门楼、北房、南房、西房；二号院现存北房、南房、西房、过厅；三号院现存门楼、北房、西厢房、耳房。横水探花府木雕及石雕构件如一号院门楼斗栱、额枋、过厅柱础石雕刻精美，刀功精湛，手法细腻，是清代民居中难得的木雕佳品；门楼上方为扇面石刻劝学诗句，门楼两侧嵌两通长方形石刻七言诗碑，书体为行草，具有较高的艺术价值。横水探花府对研究清中期官宦院落布局、社会地位等问题具有重要历史价值。2021年被山西省人民政府公布为第六批省级文物保护单位。通侯马—绛县专线公交车。

50-B-b509 **南海峪遗址**［Nánhǎiyù Yízhǐ］位于山西省运城市垣曲县毛家镇店头村。是目前山西省旧石器早期唯一的一处洞穴遗址。遗址由相邻的三个地点组成，洞穴基岩为震旦纪矽质石灰岩，遗物和化石出自黄褐色的角砾岩中。第一地点含有动物化石，第二地点有石制品和用火遗迹，第三地点动物化石和石制品皆有。1957年发现，1958年局部发掘。该遗址的地质时代应属于中更新世或稍晚，文化期为旧石器时代早期或稍晚。1986年，南海峪遗址被山西省人民政府公布为第二批省级文物保护单位。乡村道路经此。

50-B-b510 **北峪铜矿遗址**［Beiyù Tóngkuàng Yízhǐ］位于山西省运城市垣曲县中条山。是汉代的一处遗址，铜矿遗址早在50年代就有发现，有矿洞及冶炼矿石的工作面，洞内出土的采矿工具主要有铁锤、铁钎等。采集有铜矿石、冶炼矿渣等。另在洞内发现有大量木炭，估计当时是用加热法开采矿石的。1996年被山西省人民政府公布为第三批省级文物保护单位。乡村道路经此。

50-B-b511 **丰村遗址**［Fēngcūn Yízhǐ］位于山西省运城市垣曲县华峰乡丰村。遗址在中条山南麓亳清沙与允西河之间高原丘陵上。地势北高南低，东、西、南三面临沟，北面靠村，部分遗址压在村住宅宅基之下。东西约500米，南北约1000米，总面积约50万平方米，文化层厚0.5—5米。其文化内涵包括：仰韶文化、庙底沟二期文化、龙山文化、二里头文化东下冯类型。出土器物主要有各种陶器、石器、骨器及动物骨胳。2004年被山西省人民政府公布为第四批省级文物保护单位。乡村道路经此。

50-B-b512 **上亳城址**［Shàngbó Chéngzhǐ］位于山西省运城市垣曲县王茅镇上亳村。城址面积120万平方米，分东西二城，现存北墙、南墙、东墙，中墙为二城合用。北墙长1530米，南墙880米，东墙890米，中墙600米。是一处战国早期—汉代的一座古城址。西城墙西段有部分残留，残长26米，残高1.5米。该城址遗物丰富，分布范围较大，文化层堆积厚，时代为战国早期至汉代，在同类城址中保存较为完整，价值更为突出。2016年被山西省人民政府公布为第五批省级文保单位。通垣曲11A路等公交车。

50-B-b513 **北白鹅城隍庙**［Běibáié Chéng huáng Miào］位于山西省运城市垣曲县英言乡北白鹅村。创建年代不详。坐北向南，占地面积1024平方米，建筑面积131.14平方米。现存建筑有阎王殿、戏台，殿内存放唐代经幢一通。阎王殿创建年代不详，依形制可知为元代建筑，面宽三间，进深四椽，单檐悬山顶。戏台为清代建筑，面阔三间，进深四椽，单檐硬山顶。阎王殿元代建筑时代特征明显，是研究本区域元代建筑形制特征和建筑风格的珍贵实物例证，具有较高的历史价值。戏台前檐木雕精美，雕技精湛，是研究清代时期绘画工艺及社会审美水平的重要实物，具有较高的艺术价值。2021年被山西省人民政府公布为第六批省级文物保护单位。乡村道路经此。

50-B-b514 **东型马纯阳观**［Dōngxíngmǎ Chúnyáng Guān］位于山西省运城市垣曲县华峰乡东型马村。坐北朝南，占地面积440平方米，建筑面积 87.36 平方米。现仅存正殿（又名老君殿），创建年代不详，面阔三间、进深四椽，单檐悬山顶，从建筑形制判断，为元代遗构。存有清嘉庆十三年（1808 年）重修碑一通。东型马纯阳观是晋南地区保存极少的元代建筑，对于研究晋南早期古建的形制演变，建筑规制以及地方手法构造都有着珍贵的参考价值。2021 年被山西省人民政府公布为第六批省级文物保护单位。乡村道路经此。

50-B-b515 **同善同心会馆**［Tóngshàn Tóngxīn Huìguǎn］位于山西省运城市垣曲县历山镇同善村。创建于清乾隆四十五年（1780 年）。坐北朝南，占地面积 1974 平方米，建筑面积 531.94 平方米。中轴线自南向北依次建有山门、照壁、戏台、月台、献殿、关帝殿；两侧自南向北依次建有掖门、廊房、火神祠、财神殿，周围建有围墙。存有碑刻多通。是晋南地区现存极少的清代会馆建筑遗存，是晋南重要的会馆古建筑群，为研究晋商文化提供了较重要的实物资料。2021 年被山西省人民政府公布为第六批省级文物保护单位。通垣曲 15A 路公交车。

50-B-b516 **第十八集团军北垛兵站旧址**［Dìshíbājítuánjūn Běiduòbīngzhàn Jiùzhǐ］位于山西省运城市垣曲县历山镇北垛村北垛自然村。坐北朝南，南北长 29.3 米，东西宽 50.4 米，占地面积约 1476.7 平方米，建筑面积 236.9 平方米。是一座清代末期建筑群，包括大门、西院二进院、中院二进院、东院二进院。大门为砖砌而成的圆拱门，西院现已毁，不可考；中院现存一进院西厢房，二进院东、西厢房及正房基址；东院现存一进院南房、东厢房、二进院东厢房。此建筑群为原北垛村开明绅士王玉书所建。1939 年，中国共产党部队被改编为“八路军”，后整编为国民第十八军。“十八兵站”是国民革命军第十八集团军设立在垣曲县北垛村的“第十八集团军第二办事处”的简称，其主要任务是组织和雇用民工，及时转运由大后方供应我军前方作战的军用物资以及护送我党高级领导干部和一般工作人员由延安到晋东南根据地，或由根据地到延安的来往人员。至 1940 年 7 月撤销，为时两年，护送过刘少奇、朱德、邓小平、彭德怀、杨尚昆和大批地下工作者，有力的支援了前方抗日战争。是一处现存不可多见的红色革命文物建筑群，对进行爱国主义教育，引导人民充分认识无产阶级的爱国主义和社会主义的一致性，明确建设有中国特色的社会主义是新时期爱国主义的主题，有着巨大的推动作用。2021 年被山西省人民政府公布为第六批省级文物保护单位。乡村道路经此。

50-B-b517 **裴介遗址**［Péijiè Yízhǐ］位于山西省运城市夏县裴介镇裴介村。在裴介村“芦河”两岸台地之上，文化层厚 2—3 米，遗址面积约 36 万平方米，是一处属仰韶文化至商代时期的古文化遗址。2001 年对一座商代陶窑遗址进行了发掘。出土器物有陶制鬲、钵、折肩罐、大口尊、瓮、罐、盆等。2004 年被山西省人民政府公布为第四批省级文保单位。通运城 102 路公交车。

50-B-b518 **崔家河遗址**［Cuījiāhé Yízhǐ］位于山西省运城市夏县埝掌镇崔家河村。出土有石斧、石刀、石犁、陶鬲、陶盆、陶壶、骨针等文物，2003 年 12 月发生崔家河遗址盗窃案，大批文物被盗，包括青铜鼎 4—5 尊、青铜编钟一套 7 件、青铜甬钟、青铜、匜等。属春秋以前方国贵族墓地，属于新石器晚期的仰韶文化，对研究三晋文化特别是华夏文化具有重要价值。1965 年被山西省人民政府公布为第一批省级文保单位。乡村道路经此。

50-B-b519 **夏县关帝庙**［Xiàxiàn Guāndì Miào］位于山西省运城市夏县城内解放南路。创建于元，增建于明，历代县令相继修葺增制。坐西朝东，占地面积 9000 平方米。中轴线依次建有山门、牌坊、献殿、正殿，二进院内现存配楼各一座，三进院内献殿东西两侧各有厢房一座，正殿后的圣母殿毁于民国时期火灾。现存建筑均为明建清修。牌坊为二柱单楼式木牌坊，单檐歇山顶，琉璃脊饰。正殿面宽三间，进深六椽，四周回廊，重檐歇山顶。大殿平棊彩画精致，绘制内容丰富。庙内现存清代石碑 4 通。2016 年被山西省人民政府公布为第五批省级文保单位。通夏县 1 路、运城 102 路公交车。

50-B-b520 **河东特委革命活动旧址**［Hédōng

Tèwěi Gémìng huódòng Jiùzhǐ］位于山西省运城市夏县水头镇上牛村。1922年著名的革命活动家，嘉康杰同志在此创办了平民中学，1929年“中共河东特委”在此成立，嘉康杰任书记。旧址堆云洞是一座全真教道观，为元、明时期建筑，现有北极台、笔峰、三皇阁、牛马祠、三清殿、真武殿、山门、牌坊等。主体建筑三清殿，面阔五间，进深二间，硬山顶。存有堆云洞全景石刻图碑一通。1986年被山西省人民政府公布为第二批省级文物保护单位。乡村道路经此。

50–B–b521 **嘉康杰烈士墓**［Jiākāngjié Lièshì Mù］位于山西省运城市夏县胡张乡其毋村。嘉康杰，字寄尘，1889年生于夏县胡张乡其毋村农民家庭，参加多次革命斗争，创办山西平民中学和“河东中学”等学校，1927年加入中国共产党，曾任河东特委书记，建立了河东党组织，组织和参加多次革命斗争。1983年，夏县人民政府对烈士墓进行了修缮，新修后的墓地占地5亩，墓冢呈圆形，直径5米，石体砌边，高2.5米，墓前树立汉白玉墓碑，正面镌刻“嘉康杰烈士之墓”，北面镌刻烈士生平简介。2016年被山西省人民政府公布为第五批省级文保单位。通夏县5路公交车。

50–B–b522 **苏村五虎庙正殿**［Sūcūn Wǔhǔ Miào Zhèngdiàn］位于山西省运城市平陆县瑶峰镇苏村。梁脊板题记有明万历、清乾隆、道光年间重修记载。现存正殿一座，坐北面南，面宽三间，进深六椽，单檐悬山顶结构，柱头施五踩斗栱，雕饰华丽复杂，结构精巧，前檐斗栱形制不同，主次有别，梁架结构粗犷大方，前檐设通额枋，保留了元代建筑遗风。该建筑对研究元、明时期，古建形制发展演变规律具有十分珍贵的参考价值。2021年被山西省人民政府公布为第六批省级文物保护单位。省道临夏线经此。

50–B–b523 **赵家滑遗址**［Zhàojiāhuá Yízhǐ］位于山西省运城市平陆县西候乡赵家滑村。遗址南北长1500米，东西宽500米，据断层观察，文化层堆积厚0.4—2米。遗址东部和北部发现有白灰面居住遗迹。采集到的器物残片主要有彩陶钵、罐、尖底瓶口沿和底部以及陶环、石镰、石纺轮等。1996年被山西省人民政府公布为第三批省级文保单位。乡村道路经此。

50–B–b524 **前庄遗址**［Qiánzhuāng Yízhǐ］位于山西省运城市平陆县坡底乡崖底村。面积约1万平方米。沿河公路从遗址台地横穿而过，切挖破坏约3000平方米。遗址第二层为商代文化层，厚约0.80—3米。其文化内涵为商代二里冈类型。出土器物有青铜礼器、各种陶器、石器、骨器及蚌器、卜骨等。发现的文化遗迹主要有灰坑、半地穴式房子等。2004年被山西省人民政府公布为第四批省级文保单位。乡村道路经此。

50–B–b525 **枣园村古墓群**［Zǎoyuáncūn Gǔ mùqún］位于山西省运城市平陆县张店镇枣园村。东西长350米，南北宽250米，1959年6月发掘汉代砖室墓一座，为规模较小的半圆弧形券顶砖室墓，墓保存完整，出土部分随葬器物。主墓室内出土有绿釉陶壶、绿釉陶仓，内有腐朽谷物。还清理出铁刀、大泉五十铜币。耳室内出土有灰陶罐，及铜质车马饰件和羊骨架等。1986年又发现西周车马坑两个，出土有銮铃、当卢、铜戈等28件铜器。1996年被山西省人民政府公布为第三批省级文保单位。乡村道路经此。

50–B–b526 **寺头关帝庙**［Sìtóu Guāndì Miào］位于山西省运城市平陆县曹川镇寺头村。创建年代不详。坐北朝南，三进院落布局，东西宽40米，南北长70米，占地面积2800平方米。中轴线上从南至北建有山门、献殿、正殿殿和春秋楼；一进院山门两侧建有钟鼓楼及厢房，二进院正殿两侧建有耳房各一座、院内建东西厢房。正殿为元代建筑，献殿为明代建筑，除山门西侧厢房为新建外，其余皆为清代建筑。2016年被山西省人民政府公布为第五批省级文保单位。乡村道路经此。

50–B–b527 **下坪关帝庙**［Xiàpíng Guāndì Miào］位于山西省运城市平陆县曹川镇下坪村。创建年代不详。坐西朝东，东西宽56米，南北长31.4米，占地面积1758平方米。现存共三进院落，中轴线上从东到西依次建有戏台、献殿、正殿、娘娘殿，戏台两侧建有妆楼各一座，一进院南北两侧建有廊房各一座，现北廊房毁失，仅存遗址；二进院内原有南北官厅各一座，现北官厅已毁失，南官厅局部坍塌；正殿南侧南耳房局部坍塌，北耳房已毁失。现存建筑中，正殿为元代建筑，其他为清代遗构。2016 年被山西省人民政府公布为第五批省级文保单位。522 国道经此。

50-B-b528 **平陆朱总司令路居**［Pínglù Zhū zǒngsīlìng Lùjū］位于山西省运城市平陆县曹川镇太寨村。在一处四合院内，院内存北房、北房东耳楼及东房。1939 年秋与 1940 年春，朱总司令先后两次与第二战区前敌总司令卫立煌商谈中条山对日作战时，居住于院内北房。北房面阔三间，进深二椽，四檩无廊式构架，悬山顶。屋内陈设有朱总司令使用过的一张八仙桌、两把椅子等。朱总司令平陆路居真实体现了朱总司令和卫立煌会商时的环境，可重温抗战历史，对于深入了解国共合作共同抗击日本侵略者有一定的教育意义。2016 年被山西省人民政府公布为第五批省级文物保护单位。乡村道路经此。

50-B-b529 **北横涧虞国墓地**［Běihéngjiàn Yúguó Mùdì］位于山西省运城市平陆县张店镇横涧自然村西约 1300 米，面积约 2 万平方米。西周初年，周武王克商后，封堂兄虞仲于虞国，即今平陆县张店镇古城村，春秋初期，被晋国所灭，历时五百余年。其公族墓地在横涧村。虞国地处晋国和虢国之间，发生过假虞灭虢著名历史故事。2021 年被山西省人民政府公布为第六批省级文物保护单位。乡村道路经此。

50-B-b530 **冯家老宅**［Féngjiā Lǎozhái］位于山西省运城市平陆县。坐北朝南，面宽三间，进深两间，前面一间为双坡筒板瓦屋面，进深四椽。梁架题记：民国拾叁年拾月拾日立柱上梁（1924 年）。整座建筑为二层木结构阁楼。建筑面积 220 平方米。2021 年被山西省人民政府公布为第六批省级文物保护单位。乡村道路经此。

50-B-b531 **坑头墓地**［Kēngtóu Mùdì］位于山西省运城市芮城县古魏镇坑头村。墓地范围集中在坑头村南民宅，场地和果园内，其中果园内墓地面积约 2.88 万平方米，场地和民宅内的墓地面积约 0.6 万平方米。2007 年芮城县文物局在坑头村南场地抢救性清理了一座古墓葬，出土器物有青铜鼎、簋、盉、编钟等，据出土器物的特征和墓葬形制判断，为西周贵族墓。该墓地分布规模较大，为研究西周封国制度提供了重要实物资料，价值突出。2016 年被山西省人民政府公布为第五批省级文物保护单位。522 国道经此。

50-B-b532 **东吕关帝庙**［Dōnglǚ Guāndì Miào］位于山西省运城市芮城县东垆乡东吕村。东西宽 27.1 米，南北长 41.8 米，占地面积 1133 平方米。现存戏台和大殿。庙内现存清康熙三十三年（1694 年）《重修关帝庙碑》1 通，表明连三戏台是关帝庙内的戏台。戏台坐南朝北，建于高 1.85 米的砖砌方台之上，面宽九间，三台并列，建筑面积 223 平方米。中台下为进庙通道，上铺木板，形成俗称的“过路台”。每三间形成一座戏台，形成前檐三台连袂之状。各戏台均为面宽三间，进深三椽，单檐硬山顶，五檩前廊式构架。2016 年被山西省人民政府公布为第五批省级文物保护单位。522 国道经此。

50-B-b533 **礼教遗址**［Lǐjiào Yízhǐ］位于山西省运城市芮城县古魏镇窑头村礼教自然村西 200 米的黄河北岸台地上，东西长约 500 米，南北宽约 300 米，面积约 15 万平方米，为新石器时代、夏代二里头、东周文化遗存。2021 年被山西省人民政府公布为第六批省级文物保护单位。乡村道路经此。

50-B-b534 **柴涧墓地**［Cháijiàn Mùdì］位于山西省运城市芮城县古魏镇柴涧村涧西自然村古魏城遗址上。东西长 1293 米，南北宽 1003 米，面积约 130 万平方米。2021 年被山西省人民政府公布为第六批省级文物保护单位。乡村道路经此。

50-B-b535 **芮城文庙大成殿**［Ruìchéng Wén Miào Dàchéngdiàn］位于山西省运城市芮城县政府大院内。据民国版《芮城县志》记载：“圣庙旧址在城东南隅，金天会六年（1128 年）兵毁、八年（1130 年）芮城知县事朱洗马建于城东现址。”明代进行过较大的改建。创建于金代，明代改建。庙内原有山门、泮池、棂星门、琉璃团龙影壁、明伦堂及大成殿，现仅存大成殿。坐北朝南，占地面积 2000 平方米，建筑面积 369.6 平方米。面宽七间，进深六椽，单檐歇山顶。采用多攒金代斗栱，梁架明代建筑特征明显，为研究金、明两代建筑形制特征提供了重要的实物例证，具有较高的历史、科学价值。2021 年被山西省人民政府公布为第六批省级文物保护单位。通芮城 1 路、芮城 2 路公交车。

50-B-b536 **景耀月故居**［Jǐngyàoyuè Gùjū］位于山西省芮城县陌南镇寺前村。坐北朝南，南北长 93.8 米，东西宽 30.5 米，占地面积 2860.9 平方米，建筑面积 1852.71 平方米。1923 年开始兴建，至 1936 年大体建成，是一组四进四合院建筑。四进院落相联相通，从南至北中轴线依次为门厅、前厅、大厅、藏书楼，两侧配有厢房、耳房、抄手回廊，共计 80 余间，房屋建筑均系硬山顶形制。前厅廊檐上墨书题记："民国十二年……"。这组院落是由当地建筑学家史可鉴设计建造的。史氏在受到景家邀请之后遍访北京四合院，结合当地民居建筑的风格，设计了景家花园，即景耀月故居。景耀月是辛亥革命风云人物，曾任中华民国教育次长。故居保存比较完整，是研究名人故居的重要实物资料。景耀月故居选址考究、布局严谨合理、建筑主次分明、高低错落，其砖雕有二十四孝图，狮象宝瓶（世象升平）图，仙鹤、麒麟等瑞应图，以及人物故事图案；木雕有八仙人物故事、牡丹荷花、富贵不断头图案，门枕石、柱础石雕为线刻花草、鸟兽等纹饰。具有较高的科学、艺术价值。2021 年被山西省人民政府公布为第六批省级文物保护单位。乡村道路经此。

50-B-b537 **石庄遗址**［Shízhuāng Yízhǐ］位于山西省运城市永济市蒲州镇石庄村。西近黄河干流，南临运梁河，地势属河旁二级阶地，地面较平坦，面积约 200 万平方米。1954 年调查并局部发掘。文化层厚 0.2—3 米。出土和采集陶器有罐、盆，石器有斧、锛、凿等以及大量彩陶残片。属于典型庙底沟类型文化。1965 年被山西省人民政府公布为第一批省级文物保护单位。运风高速经此。

50-B-b538 **叔夷伯齐墓**［Shūyíbóqí Mù］位于山西省运城市永济市首阳乡长旺村。《史记·伯夷列传》载："……伯夷叔齐耳心，义不食周粟，隐于首阳山，采薇而食之，及饿且死。"现存二冢，各高 4 米，周长 45 米。墓之东面原有二贤庙，已毁。现存"采薇歌"、"伯夷颂"碑记两通和"伯夷叔齐庙碑"等，具有重要的历史价值。1996 年被山西省人民政府公布为第三批省级文物保护单位。521 国道经此。

50-B-b539 **赵杏古墓群**［Zhàoxìng Gǔmùqún］位于山西省运城市永济市北城区。古墓群西至永临公路西 100 米，南至晓朝公路，北至席村村南 100 米，东至席村村东，范围 9 平方公里。该墓群时代跨越东周、秦、汉。东周墓葬为竖穴土坑墓，葬式为仰身直肢葬，出土器物多为鼎、豆、壶组合；汉墓多为砖砌墓室，为东汉时期遗存，墓内多出土釉陶仓、壶、灶以及家禽家畜。墓葬多数早期被盗毁。1996 年被山西省人民政府公布为第三批省级文物保护单位。运风高速经此。

50-B-b540 **小朝村汉墓群**［Xiǎocháocūn Hàn Mùqún］位于山西省运城市永济市赵柏乡小朝村。墓群南北长 1.5 公里，东西宽 0.5 公里，原有大、小墓冢 9 座，兴修水利中被平 7 座。现仅存 2 座，一高 4.5 米，周长 45 米，另一高 3.5 米，周长 32 米。分前后室，为圆拱顶，出土有陶罐、陶灶等随葬品。是汉代墓群遗址。1965 年被山西省人民政府公布为第一批省级文物保护单位。省道临风线经此。

50-B-b541 **高市村汉墓群**［Gāoshìcūn Hàn Mùqún］位于山西省运城市永济市栲栳镇高市村西。原墓冢分布在高市村西的黄土高原上，共计大、小 8 座，每冢面积约 200 平方米。占地南北长 300 米，东西宽 150 米。现存仅一大冢，高 3 米，周长 150 米。余皆夷为平地。是一处汉代墓群遗址。1965 年被山西省人民政府公布为第一批省级文物保护单位。省道临风线经此。

50-B-b542 **杨博墓**［Yángbó Mù］位于山西省运城市永济市蒲州镇王庄村。杨博（1509 年—1574 年）蒲州新乐庄人，字惟约，明嘉靖八年（1529 年）进士，历隆庆、万历两朝，累迁蓟辽总督吏部尚书兼理兵部事等职，谥襄毅。东西长 300 米，南北宽 150 米。原有十三冢，巨碑 24 通。地面建筑原有内墙，为砖石结构，外墙为夯土修筑。墙内前有山门，中有石象生、献殿、左右配殿，后为墓地，两侧为桃园。有 13 个墓冢，历史上多次被盗，兵燹中建筑物被毁。墓室大部分遭严重破坏。现地面建筑无存，仅留部分残碑。1965 年被山西省人民政府公布为第一批省级文物保护单位。512 国道经此。

50-B-b543　**韩楫墓**［Hánjí Mù］位于山西省运城市永济市韩阳镇祁家坡村。韩楫（1528 年—1605 年），蒲州人，字伯通，明嘉靖四十四年（1565 年）进士。墓地东西长 180 米，南北宽 80 米。墓室为水磨青石砌成，分主室、左右侧室与耳室、前室。东西通深 16 米，南北通宽 22 米。墓室内有：“明故中议大夫通政使司右通政元川韩公墓志铭”、“皇明中议大夫提督腾黄通政使朝公行状”、“南山逸叟自志”、“奉天效命”、“明韩孺人圹记”碑碣五方。出土有瓷罐、碗等 10 多件随葬品。1986 年，韩楫墓被山西省人民政府公布为第二批省级文物保护单位。乡村道路经此。

50-B-b544　**孟桐墓**［Mèngtóng Mù］位于山西省运城市永济市蒲州镇王庄村。为明代礼部尚书、翰林院大学士孟桐及其家族墓地。孟桐之子孟时芳 天资聪慧，才识卓异。万历 十九年（1591 年）中举，二十六年（1598 年）登进士。官至南京礼部尚书。坐南朝北，背依中条山面朝黄河，南北长 190 米，东西宽 80 米。陵墓四周用青砖围墙，神道两旁有石人、石马、石狮等石象生。墓园内依次排列大门、石台阶、石牌坊、原祭庙石柱基石遗址以及大墓冢 7 座、墓碑 7 通。2004 年被山西省人民政府公布为第四批省级文物保护单位。521 国道经此。

50-B-b545　**杨瞻墓（包括墓地石刻）**［Yángzhān Mù（Bāokuò Mùdì Shíkè）］位于山西省运城市永济市蒲州镇襄义庄。杨瞻墓为明代宰相杨博之父、四川巡按使杨瞻及其家族的墓地。杨瞻，山西蒲坂人，进士出身，1519 年（明正德乙卯十四年）举人。授河南扶沟知县，复除授陕西扶风县知县，拜贵州道监察御史，改大理寺评事。以子博贵，封通议大夫，兵部左侍郎，五赠光禄大夫，柱国少师，兼太子太师，吏部尚书，祀乡贤。墓坐南朝北。南北长 200 米，东西宽 80 米，两旁有碑 8 通，石人、石马、石狗、石狮、石羊等石象生各一对。墓冢 5 米见方，高 3 米。2004 年被山西省人民政府公布为第四批省级文物保护单位。521 国道经此。

50-B-b546　**赵睿冲墓**［Zhàoruìchōng Mù］位于山西省永济市城东街道办事处孙常村。赵睿冲（659 年—711 年），唐代天水人，官至同州河西县（今陕西省大荔县东南）县丞，赠虢州（今河南省灵宝县）刺史、太常卿。清光绪《山西通志》载：“太常卿赵睿冲墓……并在虞乡县西五老原”。赵睿冲墓位于永济市城东街道办事处孙常村西天沟内，面积 1000 平方米。墓葬封土夷平，地表现存神道碑 1 通。2021 年被山西省人民政府公布为第六批省级文物保护单位。521 国道经此。

50-B-b547　**张允龄及其家族墓地**［Zhāngyǔn líng Jiāzú Mùdì］位于山西省永济市蒲州镇侯家庄村。面积 9000 平方米。张允龄（1506 年—？），明代蒲州人，以“盐商”起家，累赠官至吏部尚书，张四维之父。张四维（1526 年—1585 年），字子维，号凤磐，永济蒲州人，生而颖异，年十五举秀才，名列优等。嘉靖二十八年（1549 年）乡试，以第二名中举。三十二年（1553 年）中进士，因其文章、书法兼优，入翰林院为第一名庶吉士。三十四年（1555 年）授翰林院编修。隆庆间，张四维以熟悉边防事务，促成与俺答议和而为内阁首辅高拱器重，历官翰林学士、吏部左侍郎。万历十年张居正逝世，遂代为内阁首辅。次年，以父丧离职，卒谥文毅。张四维出生于山西盐商世家，父亲张允龄为蒲州豪贾，早年即外出经商，足迹半天下，舅父王崇古官居兵部尚书、陕西总督，善谈兵事，四维受其影响，亦熟知边防事务。张四维历明朝三代，为当时朝廷重要大员，其父张允龄及家族墓葬与碑刻的保存为研究明朝历史及明代蒲州“盐商”的历史提供一定的史料价值。张允龄及其家族墓地墓地表原存圆形墓冢 9 座，碑 14 通。现存墓冢 1 座，明隆庆、明嘉靖、明万历年间碑刻 10 通。1955 年曾出土有《明徵仕张公暨配孺人孙氏、王氏、景氏合葬墓志》1 方。该墓葬与碑刻的保存为研究明朝历史及明代蒲州“盐商”的历史提供了一定的史料价值。2021 年被山西省人民政府公布为第六批省级文物保护单位。521 国道经此。

50-B-b548 **镇风塔**［Zhènfēng Tǎ］位于山西省运城市河津市清涧镇康家庄村。创建年代不详，重建于宋，明万历十一年（1583 年）由村民吕自公等人重修。塔体为方形实心砖结构，十三级密檐式，高 27 米。上窄下宽收分明显，一至三层为仿木结构腰檐，施有椽飞、斗拱，四层以上叠涩出檐。下层高 6 米、边长 4.6 米，周长 18.4 米，北向辟拱形洞门，高 2.3 米，以上各层南北向辟有小窗。宝瓶铁质塔刹，上铸有头西尾东凤鸟。现存有“明万历十一年村民吕自公等经理重建”石碣 1 通。1996 年被山西省人民政府公布为第三批省级文物保护单位。乡村道路经此。

50-B-b549 **樊村戏台**［Fáncūn Xìtái］位于山西省运城市河津市樊村镇樊村。亦称戏楼，原为关帝庙附属建筑。创建于明洪武二十四年（1391 年），明成化、清康熙、乾隆年间均有修葺，基本结构仍为明代建筑。坐南朝北，筑于高 1.5 米的砖砌台基上。面宽五间，进深三间，单檐歇山顶。梁架结构为四椽后乳，通檐用三柱，前檐设檐柱四根，两檐柱向两侧移动，使明间较为宽敞。檐柱上承阑额、普柏仿。前檐置三踩单昂平身科斗五攒。1986 年被山西省人民政府公布为第二批省级文物保护单位。209 国道经此。

50-B-b550 **真武庙**［Zhēnwǔ Miào］位于山西省运城市河津市九龙大街。亦称玄武庙、玄帝庙，俗称九龙庙。创建年代不详，明清两代屡有修葺。有殿宇、楼、阁、亭、廊舍、牌坊、坡阶、栈道等共三十余处。所有亭台楼阁皆依山势而造，从灵宫楼至朝天宫，中经 200 余级台阶和 80 余米长的栈道，总面积约 3350 平方米，建筑面积 2500 平方米。2004 年被山西省人民政府公布为第四批省级文物保护单位。通 4、13 路公交车。

50-B-b551 **高禖庙**［Gāoméi Miào］位于山西省运城市河津市阳村乡连伯村。俗称高庙。始建于商朝，自宋、元以来皆重修，后历代均有修葺。主殿供奉着女娲、大禹、后稷三位中华先祖。西旁黄河；南临汾水；北依吕梁山；东望白虎岭，庙坐北朝南，主要建筑有山门、戏楼、香亭、献殿、正殿及东西配殿。正殿中奉高，左祀后稷，右典大禹。献殿东西墙壁绘有后土教民稼穑及大禹治水等内容的清代壁画。2004 年被山西省人民政府公布为第四批省级文物保护单位。乡村道路经此。

50-B-b552 **禹门口抗日纪念摩崖石刻**［Yǔménkǒu Kàngrì Jìniàn Móyá Shíkè］位于山西省运城市河津市清涧街道办龙门村。此处于民国 27 年（1938 年）12 月发生的战役给日军以重创，粉碎了其进犯大西北的侵略计划，六十一师的 271 名官兵阵亡。1939 年 9 月 18 日，为纪念阵亡将士，国民党六位军政要员在禹门口石崖上留下巨幅石刻。是中华民族奋起抗击日寇侵略、国共第二次合作共同抗日的见证，与历史上著名的禹门口战役有关。2016 年被山西省人民政府公布为第五批省级文物保护单位。108 国道经此。

50-B-b553 **固镇瓷窑址**［Gùzhèn Cíyáo Zhǐ］位于山西省运城市河津市樊村镇固镇村，为宋金时期瓷窑遗址，遗址主要分布于固镇村西、遮马东岸台地上。2016 年 3 月至 9 月，山西省考古研究所对河津瓷窑址进行了系统的区域性调查，并对固镇瓷窑址进行局部考古发掘，共发掘面积 1039 平方米，清理制瓷作坊 4 处、瓷窑炉 4 座、墓葬 1 座、水井 1 处、灰坑 35 个。出土完整及可复原瓷器 1326 件，瓷片、窑具标本达 6 吨之多。固镇瓷窑址分布相对密集，延续时间长，瓷器品类多样，有鲜明的地域特色，是宋金时期制瓷手工业较发达的窑场之一，窑址发现的制瓷作坊及瓷窑炉，填补了山西地区无相关制瓷遗迹的空白，为研究宋金时期河津窑的制瓷流程、烧窑技术、装烧方法提供了重要材料。固镇瓷窑址的考古研究工作被评为 2016 年“全国十大考古发现”之一。2021 年被山西省人民政府公布为第六批省级文物保护单位。209 国道经此。

50-B-b554 **老窑头瓷窑址**［Lǎoyáotóu Cíyáo Zhǐ］位于山西省运城市河津市下化乡老窑头村，紧邻老窑头至下化公路，地处山沟之间，周围民居依山而建，呈阶梯状，遗址东 500 米为老窑头煤矿。老窑头瓷窑址东西 700 米，南北宽 80 米，面积 56000 平方米。窑址从明清时期延续至上世纪七十年代一直生产。现存两口瓷窑，其中馒头形碗窑基本完整。该窑址的发现为研究当地瓷碗烧制艺术和瓷窑文化提供了珍贵的实物资料。2021年被山西省人民政府公布为第六批省级文物保护单位。209国道经此。

忻州市

50-B-b555 **向阳遗址**［Xiàngyáng Yízhǐ］位于山西省忻州市忻府区豆罗镇向阳村。遗址东西长800米，南北宽600米，1957年发现，未发掘。文化层堆积厚0.5—2.5米，包含有仰韶、龙山文化，以龙山文化为主，遗址有半地穴及白灰地面等。出土遗物有盆、罐等，陶片有红陶，灰陶、夹砂陶等。现被牧马河水冲刷一部分，余皆保存完整。1965年被山西省人民政府公布为第一批省级文物保护单位。乡村道路经此。

50-B-b556 **连寺沟墓地**［Liánsìgōu Mùdì］位于山西省忻州市忻府区庄磨镇连寺沟村。1966年11月，在村南里许的羊圈坡发现青铜器5件，其中有铜爵1件、铜觚1件、鼎3件。据记载，民国27年（1938年）在连寺沟村东约半里的牛子坪沟崖上也曾发现过同一类型的铜器，一部分铜器已遗失，一部分铜器建国后被太原文物商店收购，共5件，有铜鼎1件、铜瓿1件、铜1件、铜爵1件、铜簪1件。从这两个出土地点自然环境看，应属于墓葬随葬品。从铜器纹饰和造型风格初步判断该墓时代为商代。1986年被山西省人民政府公布为第二批省级文物保护单位。乡村道路经此。

50-B-b557 **元好问墓**［Yuánhǎowèn Mù］位于山西省忻州市忻府区西张乡韩岩村。元好问（1190年—1257年）字裕之、号遗山，太原秀容（今忻府区）人，金元时期著名诗人，曾任镇平、内乡、南阳县县令，后入朝为左司都事，编著有《壬辰杂编》等。墓区分墓地和野史亭两部分，坐北朝南，面积约4096平方米。封土高3米，直径6米，墓前设有卷棚顶享堂三间，元代石虎、石羊、石翁仲各一对。野史亭又名青来轩，创建于元代，民国十三年（1924年）重修，东西宽144米，南北长171.7米，占地面积2.47万平方米。一进院落，中轴线上有大门、野史亭、正厅（青来轩），东西建有厢房。墓地保存有元、明、清历代碑碣25通。1965年被山西省人民政府公布为第一批省级文物保护单位。乡村道路经此。

50-B-b558 **九原冈墓群**［Jiǔyuángāng Mù qún］位于山西省忻州市忻府区兰村乡下社村。九原岗墓群近年来有被盗现象，2013年6月抢救性发掘其中被盗最为严重的一座北朝砖室壁画墓，共清理壁画二百余平方米。壁画主要分布于墓道东、西、北三壁，甬道及墓室仅残存较少。壁画内容极为丰富，狩猎场面也非常逼真。墓道北壁壁画中的木结构建筑在同时期墓葬中是首次发现。该墓葬填补了忻州地区没有北朝墓葬的空白，对研究北朝社会生活、绘画艺术以及我国古代建筑史都具有非常重要的意义。2016年被山西省人民政府公布为第五批省级文物保护单位。乡村道路经此。

50-B-b559 **北城门楼**［Běi Chéngmén Lóu］位于山西省忻州市忻府区光明西街。忻州城原有城门四个，城门上均有城楼，今仅存北城门楼，为明万历二十四年（1596年）建。门楼坐落在12米高的城墙之上，东西长46.2米，南北宽24米。楼身面阔七间，进深四间，高17米，三檐歇山顶，四周围廊。门楼上悬挂大匾，书“晋北锁钥”大字。2004年被山西省人民政府公布为第四批省级文物保护单位。通102、305路公交车。

50-B-b560 **秀容书院**［Xiùróng Shūyuàn］位于山西省忻州市忻府区秀容街。建于清乾隆四十年（1774年）。书院建成后，取代了忻州儒学，成为当时忻州的最高学府。清光绪二十八年（1902年），改称“新兴学堂”，创山西书院改学堂之首例。是以自然地形而精巧设计，西高东低，六角亭、四角亭、八角亭一线三亭雄距至高处。主院为两进院，正中为过厅，后为文昌祠，左右为配房、南面有戏台。主院以东下部建筑更为壮观，顺台阶西向拾级而上，步步登高，有小巧玲珑的木牌坊、四角亭、八角亭、六角亭。站在六角亭眺望，可一览市区全景。2004年被山西省人民政府公布为第四批省级文物保护单位。通303、305路公交车。

50-B-b561 **连寺沟泰山庙**［Liánsìgōu Tàishān Miào］位于山西省忻州市忻府区庄磨镇连寺沟村。创建年代不详，现存建筑为清代。坐落于土丘之上，南低北高，建筑依地势而建，坐北向南，南北长 95 米，东西宽 40 米，占地面积为 3800 平方米。中轴线依次为戏台、山门、过殿、正殿，东西两侧分别为东西耳房、东西配殿及东耳殿，西耳殿残毁不存，山门外设倒座戏台，是忻州市现存具有较高的历史和艺术价值的古戏台。2016 年被山西省人民政府公布为第五批省级文物保护单位。通 303、305 路公交车。

50-B-b562 **西社遗址**［Xīshè Yízhǐ］位于山西省忻州市定襄县宏道镇西社村。遗址东西长 500 米，南北宽 400 米，文化层厚 0.5—1 米。遗迹有半地穴白灰房址、陶窑及同时期墓葬等。采集遗物有石器、骨器和陶器等残片。石器有斧、铲、球、环、刀等，骨器有骨针等，陶器残片以灰陶为主，器形较大，三足器居多，有鬲、三足瓮、罐、豆、盆等。其纹饰有绳纹、篮纹、弦纹及少数附加堆纹。遗址北部为墓葬区，葬式有多人合葬和单体葬。遗址东部因河水冲刷破坏严重。1986 年被山西省人民政府公布为第二批省级文物保护单位。乡村道路经此。

50-B-b563 **白村遗址**［Báicūn Yízhǐ］位于山西省忻州市定襄县受禄乡白村。东西长 1500 米，南北宽 500 米，文化层厚 1—2 米。地面暴露陶器有罐、盆、三足瓮、细瓮，陶质有夹砂、泥质，以灰陶居多，红陶次之，纹饰有绳纹、篮纹等。遗物中石器较多，有石球、斧、凿、三棱尖状器等，以石球居多。石器大部为刃部磨光，二次加工较粗糙。遗址现保存较好，未发掘。1986 年被山西省人民政府公布为第二批省级文物保护单位。乡村道路经此。

50-B-b564 **白佛堂**［Báifó Táng］位于山西省忻州市定襄县河边镇继成村。始建于宋代，元代兵焚，现存寺庙为明清所建。主要建筑有正殿（石殿）、东西配殿、关帝庙、钟楼等，占地面积 3715 平方米。正殿，又名石殿，建于明嘉靖二十二年（1543 年）。坐北朝南，开凿于千仞绝壁上，面阔三间，进深两间。整个殿宇全部为石雕仿木结构，所有飞檐斗、滴水脊兽均利用崖岩雕凿而成。殿内中央镌造释迦牟尼佛像一尊，在弯窿式的殿壁上，以殿顶为核心，分层雕出大小不等的佛像 104 尊。整个石殿、石柱、石佛连成一体，浑然天成。2004 年被山西省人民政府公布为第四批省级文物保护单位。乡村道路经此。

50-B-b565 **迴凤砖塔**［Huífèngzhuān Tǎ］位于山西省忻州市定襄县受禄乡回凤村。始建于宋元祐元年（1086 年），原在普济寺内，现寺已早毁，仅存此塔，为宋代遗构。塔为仿木结构楼阁式塔，主体砖砌，占地面积约 20 平方米。塔高约 7 米，共七层，各层均有向阳门。底层呈四面，边长 4.5 米，高 2.5 米，出檐为平砖一出，又尖砖四出，再布瓦收檐。上面六层皆呈六面，由下而上，逐层渐矮渐小，每层出檐均作砖雕仿木斗栱，上作仿木檐飞，再布瓦，尖端置铁刹。是保存较为完好的宋代砖塔，是国内现存宋代砖塔的珍贵实例，反映了古代仿木结构楼阁式塔的形制特点，体现了古代高超的建筑技艺和水平，是研究中国古代砖塔发展演变历史的重要材料。2021 年被山西省人民政府公布为第六批省级文物保护单位。乡村道路经此。

50-B-b566 **殊像寺**［Shūxiàng Sì］位于山西省忻州市五台县明清街。殊像寺是五台山五大禅林之一，因寺内供奉着文殊菩萨而得名。创建于东晋初年，唐代重建，元泰定二年（1325 年）又予重建，后毁于大火。明代弘治九年（1496 年）再建，万历年间又予重修，寺内有重修碑记。1983 年被定为汉族地区全国重点寺庙。1986 年被山西省人民政府公布为第二批省级文物保护单位。省道大石线经此。

50-B-b567 **金阁寺**［Jīngé Sì］位于山西省忻州市五台县台怀镇杨柏峪村。据《资治通鉴·唐纪》载，唐大历五年（770 年），代宗李豫诏高僧印度来华的三藏法师不空赴五台山修功德，建寺铸铜为瓦，涂金瓦上，饰佛阁为金阁，故得名金阁寺。五代后几经重修，虽基址未变，但建筑风格已非原貌。明嘉靖四年（1525 年）重修，清至民国年间多次修葺。现存建筑为明、清遗构。坐北朝南，占地面积 2.11 万平方米，有殿堂房屋 160 余间。寺内建筑布局分两进院落，前院中轴线上有天王殿，左右分为钟鼓二楼，院之正中为观音阁，面阔七间，进深六间，四周围廊，重檐歇山顶。寺内存有明嘉靖碑2通，民国碑1通。1986年被山西省人民政府公布为第二批省级文物保护单位。省道大石线经此。

50-B-b568 **圆照寺**［Yuánzhào Sì］位于山西省忻州市五台县台怀镇杨柏峪村。古称普宁寺。始建于元代，明永乐年间重修，宣德年间再行修建，清代曾予补葺。坐北朝南，一进三院，占地面积达1.26万平方米。中轴线上依次布列有山门、天王殿、毗卢殿、都纲殿。山门三间，掖门两道，称为五朝门，为五台山诸寺庙中独特布局。寺内主体建筑为明代遗物，毗卢殿最大。殿宇梁架规整，殿内供奉三世佛，两侧有胁侍菩萨、帝释天、大梵天和护法金刚等塑像。寺内还遗存有大铁钟2座，分别铸于明宣德九年（1434年）和天顺元年（1457年）。1986年被山西省人民政府公布为第二批省级文物保护单位。省道大石线经此。

50-B-b569 **龙泉寺**［Lóngquán Sì］位于山西省忻州市五台县台怀镇杨柏峪村。相传，昔有九龙作恶，文殊菩萨将其压在山下，清澈的水底可见九条小龙的影子，寺因此而得名。始建于宋代，明嘉靖年间（1522年—1566年）重修，清末民国初年又重建，现存建筑多属民国初年建筑，现存建筑多属民国初年建筑。坐北朝南，现存有牌楼、影壁、台阶和三座院落。主要建筑中院有天王殿、观音殿、大佛殿，西侧两院分别为门殿、宗堂殿和祖师堂及普济墓塔。另一院有文殊殿，东侧为厢房配殿。寺内建筑虽为民国年间建造，但寺内外石雕建筑雕凿精致，为罕见的石雕精品。1986年被山西省人民政府公布为第二批省级文物保护单位。省道大石线经此。

50-B-b570 **槐荫两级小学**［Huáiyīn liǎngjí Xiǎoxué］位于山西省忻州市五台县东冶镇槐荫村。学校前身是在原村内大寺基础上扩建而成的，后来由于该寺年久失修，破败不堪，遂在辛亥革命期间，将大寺改建成槐荫村公立学堂。现存整个建筑至今保存完好。坐北向南，总占地面积约57000平方米。依地势规划设计，南低北高，平面建筑布局呈现为五个平台、七个院落，建有四排教室，一个大礼堂，还有图书室、仪器室、操场等。整个学校建筑风格既丰富多彩又完整统一，具有艺术价值。特别是大礼堂，其抱厦和整体造型均采用中国传统的技术，礼堂内主席台装饰风格都是中西结合的典范。建成后时称华北第一名校，期间为国家和社会培养出了众多有用人才。2016年被山西省人民政府公布为第五批省级文物保护单位。337国道经此。

50-B-b571 **徐氏宗祠**［Xúshì Zōngcí］位于山西省忻州市五台县建安乡大建安村西。堂号“明远堂”。始建于清同治年间（1862年—1874），毁于战乱。今存祠庙系族人一清公集族人择地1290平方米于民国二十二年（1933年）所建。坐北朝南，一进两院。前院临街筑有砖瓦影壁，东西侧门为二柱九踩牌坊式木栅。院中分立双斗旗杆乃因徐继畬获头品顶戴为同治帝所赐。正门上悬“徐氏宗祠”，原为赵铁山手书，两侧立石阴刻《五台徐氏家训》及先贤功德。西厢房三间是接待室，东厢房三间为存放祭祀用品的库房。北院二门为二柱牌楼式，门侧石鼓对称。正殿为“祭祀大厅”，正墙悬挂鼻祖若木、始祖才甫及一至五世祖牌位和后辈名人画像，陈列着同治帝所赐继畬公半副銮驾（仿制）。抱厦三厅上悬“祖德宗功”，两边圆柱套有：“祠宇尊崇辑缉螽斯食先德，声灵赫濯绵绵瓜瓞启后昆”的楹联。是五台县境内保存较为完整的民国风格建筑，建筑布局严谨、合理，体现了民国时期宗祠建筑的基本格局和建筑形制特点。五台徐氏人才辈出，徐氏家风是厚重的传统文化精华，极具研究推广价值。2021年被山西省人民政府公布为第六批省级文物保护单位。乡村道路经此。

50-B-b572 **东段景遗址**［Dōngduànjǐng Yízhǐ］位于山西省忻州市代县聂营镇东段景村。遗址位于滹沱河南岸，大丘陵地上，东西长800米，南北宽500米。据遗址断层观察，第一层为耕土层，厚二十厘米，第二层灰黄土层，是文化层，厚一米以上。部分地段文化层距地表0.7厘米，文化层厚度达2.5米。遗址中部发现有墓葬，陪葬器物有陶罐、陶壶、陶鬲、陶豆、陶碗，陶器的陶质有夹沙灰陶、泥质灰陶、红陶。遗址中的遗迹有灰坑、陶窑，遗址中的遗物有大量的陶片、石器。

1986 年被山西省人民政府公布为第二批省级文物保护单位。乡村道路经此。

50-B-b573 **晋王墓** [Jìnwáng Mù] 位于山西省忻州市代县阳明堡镇七里铺村。李克用天佑五年（908 年）葬于此地。该陵墓于金朝天眷年间（1138 年—1140 年）被柏林寺和尚盗掘，以后元朝、明朝、清朝又多次被盗。1975 年封土被毁，1985 年发掘。墓室为园角方形，石券穹隆顶，直径 9.7 米，壁饰彩绘石雕门窗，底砌须弥座棺床。出土有墓志铭和部分遗物，地面尚存石羊两件和“晋王李克用墓”石碑一通。2004 年被山西省人民政府公布为省级文物保护单位。108 国道经此。

50-B-b574 **赵杲观** [Zhàogǎo Guān] 位于山西省忻州市代县新高乡洪寺村。创建于北魏，明成化、万历年间重修，清康熙年间增修。相传春秋末，赵襄子灭代，代君夫自杀，其余姬妾由丞相赵杲引护外逃，隐居天台山洞，后人纪念其功德，建祠祀奉，曰赵杲观。观分南北两洞，长 138 米，宽 55.5 米，占地面积 7600 平方米。现存北洞中正殿为明代，其余均为清代建筑。一院为东西走向，有山门，北侧有佛殿、碑房；二院东南有二门，北侧有僧舍，西面有佛殿；三院南北走向，中轴线上为韦陀殿、正殿，东侧有东配殿，依山而建的五层楼，名曰“朝阳洞”，西侧有西配殿、禅房。观内还保存有明、清、民国期间碑碣 23 通。1996 年被山西省人民政府公布为第三批省级文物保护单位。乡村道路经此。

50-B-b575 **杨忠武祠** [Yángzhōngwǔ Cí] 位于山西省忻州市代县枣林镇鹿蹄涧村。亦称杨令公祠，俗称杨家祠堂，是杨业后代为祭祀杨业夫妇暨杨氏后代英烈而建造的祠堂。坐北朝南，占地面积 1134 平方米。祠堂分为两进院落，中轴线依次有戏台、祠门、过厅、正殿；东西两侧对称分布有牌楼、石狮、旗杆，现存建筑、塑像多为明清遗物。杨家父子兵从五代北汉时就为抵御外族侵略而征战，长期驻守在雁代这片土地上，并在此传宗接代，延续后裔至今。是杨业在雁代一带活动的纪念和见证。1996 年被山西省人民政府公布为第三批省级文物保护单位。乡村道路经此。

50-B-b576 **永和堡等三十九堡军事防御遗迹** [Yǒnghébǎo Děng 39 Bǎo Jūnshì Fángyù Yíjì] 位于山西省忻州市代县。始建于汉，宋明兴盛，元清衰落。东西绵延约 40 千米，与雁门关长城几乎平行相向，各堡大部分设置在滹沱河北岸人口稠密的村庄，三十九堡中较大的十二堡俗称十二连城。堡墙根据村庄大小，人口多少，规模不一，有的东西长 300 米至 400 米，南北宽 100 米至 120 米；有的东西长 500 米至 600 米，南北宽 100 米至 200 米。永和堡、清泰堡、清淳堡、清平堡、清宁堡保存较好。其是历史上重要军事设施之一，为边塞第二道防线。2004 年被山西省人民政府公布为第四批省级文物保护单位。灵河高速经此。

50-B-b577 **洪济寺砖塔** [Hóngjì Sì Zhuān tǎ] 位于山西省忻州市代县磨坊乡东若院村。始建于隋仁寿初年（600 年），宋乾德五年（967 年）大修，金正隆、元延、明天顺年间均有修葺。塔由塔基、塔身、塔顶三部分组成，通高 4 米。塔基平面呈六边形，砖雕圆柱支撑；塔身由水磨砖构筑，呈六棱体，每面均精雕形态各异的窗户；塔顶中段为正四面体，饰有锐喙、圆眼、口鸣图案化十分强烈的鸟纹和太阳纹，十分罕见。2004 年被山西省人民政府公布为第四批省级文物保护单位。乡村道路经此。

50-B-b578 **代县钟楼** [Dài Xiàn Zhōnglóu] 位于山西省忻州市代县东大街。其为二层三檐十字歇山顶木结构建筑，通高 18.5 米，砖石台基高 4 米。台基之上为木结构楼身，面宽、进深均为五间，宽 11 米。一层副阶周匝，设有回廊，二层出平座。二层内悬大铁钟一口，钟口直径 1.66 米，上铸铭文“金大定八年岁次戊申八月十三日造”。2004 年被山西省人民政府公布为第四批省级文物保护单位。乡村道路经此。

50-B-b579 **洪福寺砖塔** [Hóngfú Sì Zhuān tǎ] 位于山西省忻州市代县峪口乡峪口村。建于明嘉靖四十五年（1566 年），为八角五层五檐楼阁式砖塔，通高 18 米。塔基为方形石砌须弥座，由三部分组成：底层为石条砌边的正方体；中层为小于底层的正方体，正南面开券洞门，踏旋转楼梯可通塔顶；第三部分砌以雕花砖栏杆，栏杆内三层莲瓣承托塔身。塔身工艺更为精湛，平面呈八角形，每层檐均砖雕仿木构椽飞、斗等构件，塔顶为攒尖顶。2004 年被山西省人民政府公布为第四批省级文物保护单位。乡村道路经此。

50-B-b580 **广武古城遗址**［Guǎngwǔ Gǔchéng Yízhǐ］位于山西省忻州市代县城西十五里，遗址背靠勾注山，面临滹沱河。周约 20 华里，南北约 5 华里，东西约 4 华里。东西北 3 面有断续土筑残墙，高达七公尺，东北角达 30 公尺，夯土层 8-10 公分不等。是战国时期赵武灵王在代县兴建的一座规模宏大的古城。城址据《代州志》考证“盖秦旧县也”。广武县的最早记载，见于《史记》。光绪版《代州志・序》说：“州西之故城为汉旧县也”。广武县的名称来自广武君李左车的封号。《唐书》载：“李左车，赵将李牧之孙也……左车事赵王歇，封广武君”。广武县的名称后于城址的建筑，即建城早于立县命名，即始建于战国时的赵国。汉高祖三年（公元前 204 年）开始设立广武县。并为太原郡都督驻地，三国魏，雁门郡驻地由阴馆县（在今朔县汴子町公社里仁村）南度勾注迁来。整个遗址现为耕地。广武古城子城：以广武古城为中心向四周辐射又建有许多小城，西北方有宇文城，西南有羊头城，正南有清宁堡城，正东有小西关城，正北则是雁门关城。古城有三座子城：宇文城位于现在宇文村北，城址南北长 100 余米，东西宽 50 米，东南角有烽火台一座，城墙基础和上半部分由石头堆砌。羊头老城，是阳明堡镇政府所在地，堡内老城南存南关城，东存东关城，堡内城墙有少量残存。小古城。小古城东西向城墙 300 米，西部东关城，东部清宁堡（马站村）城。之四：清宁堡城。北城墙基本完好，西北角城墙上有玉楼建筑群，为城墙角楼建筑之演绎和延伸。2021 年被山西省人民政府公布为第六批省级文物保护单位。乡村道路经此。

50-B-b581 **阳明堡羊舌祠**［Yángmíngbǎo Yángshé Cí］位于山西省忻州市代县阳明堡镇堡内村。据碑载：明景泰四年（1453 年）重建，明成化十四年（1487 年）重修，清代屡有修葺。坐北向南，二进院落布局，中轴线上过去依次建有山门、大雄宝殿和文殊殿。两侧为僧舍和东西配殿。原来是春秋时期晋国羊舌叔向大夫的祠堂。据《代州志》载：“羊舌大夫祠，在城西二十里阳明堡，祀晋大夫叔向”。叔向也就是晋国大夫羊舌叔向。叔向历事晋悼公、晋平公、晋阳公三世。叔向本姓杨，周襄王时，其爷爷名叫杨突，官拜羊舌大夫，以封地为氏，人称羊舌突，人们称呼习惯了，后来就慢慢演化为复姓羊舌。为何唤做羊头城？因为杨舍叔向是头领，为方便记之，直接呼为羊头城。后来一位主政代州的耿直官吏听闻此事，感慨不已。认为羊舌叔向功德无量，应流芳万代，于是改“羊头城”为“羊名堡”。随着时间的流逝，人们又觉得羊名堡在滹沱河之阳，顺应人得阳气而生，于是，在宋治平二年又改为“阳明堡”，并修建了羊舌祠。2017 年 10 月，代县人民政府公布“羊舌传说”为县级非物质文化遗产。2021 年被山西省人民政府公布为第六批省级文物保护单位。乡村道路经此。

50-B-b582 **代县毛泽东路居**［Dàixiàn Máozédōng Lùjū］位于山西省忻州市代县上官镇东北街村。坐北向南，一进院落布局，占地面积 654 平方米。现存正房六间，西厢房六间，正房基宽 20.8 米、深 6 米。均为硬山顶结构建筑。分别为“毛主席路居纪念室”和“周恩来、任弼时路居室”各三间。1948 年 4 月 6 日，毛泽东、周恩来、任弼时、陆定一、胡乔木等率中央机关由陕北赴河北西柏坡时，途径住宿。毛主席曾在此接见了时任代县县委书记苏黎和土改工作团团长郝德青同志，对代县的工作作了重要指示，还了解了当地的历史和民俗。4 月 7 日下午，中央领导离代前，周恩来在园果寺阿育王塔前摄影留念。毛主席路居纪念室“古城有幸迎伟哲，小室何妨出弘猷”对联，表达了代县人民对毛主席的深切缅怀和无限敬仰之情。东间为毛主席的卧室，陈设着毛主席当年用过的座椅、书桌、砚台和仿制的行李。中间陈设着当年中共代县县委书记兼县长苏黎和代县土改工作团团长郝德青两位同志会见毛主席时的座椅和办公桌。西间为江青的卧室。西厢房为展厅一室、二室。现开设代县革命史展厅、代县旅游景区景点展示、代县非物质文化遗产展示。均为硬山顶木结构建筑。现室内陈设有毛泽东主席当年用过的物品。任弼时路居室“十年面壁破此屋，三怕作风化郡人”对联，上联深刻表现了周恩来青年时代决心为拯救祖国而英勇献身的豪情壮志；下联赞颂了任弼时对自己工作、生活严格要求的崇高品质。1995 年 3 月，中共山西省委、山西省人民政府公布为山西省党性教育基地、山西省爱国主义教育基地。现在是代县党性教育基地、廉政教育基地和代县干部培训党性教育现场教学点。2021 年被山西省人民政府公布为第六批省级文物保护单位。乡村道路经此。

50-B-b583 **八路军夜袭阳明堡机场遗址**［Bālùjūn Yèxí Yángmíngbǎo Jīchǎng Yízhǐ］位于山西省忻州市代县阳明堡镇堡内村西南约 2 千米处。遗址东西约 1500 米，南北约 1000 米，分布面积约 150 万平方米。1935 年，阎锡山在该地建阳明堡飞机场。日军占领代县后，改其为日军机场。1937 年 10 月 19 日夜，陈锡联团长率领八路军一二九师三八五旅七六九团夜袭机场，经过近 1 小时激战，第七六九团以伤亡 30 余人的代价，取得了歼敌 100 余人，摧毁敌机 24 架的战果。战斗中，营长赵崇德壮烈殉国。此次战斗创造了震惊中外的用机枪、手榴弹打飞机的世界军事奇迹，其胜利沉重地打击了日军的嚣张气焰，再次打破了日军不可战胜的神话，有力地配合和支援了忻口战役，扩大了我党我军的政治影响，进一步振奋了全国军民的抗战士气。八路军夜袭阳明堡机场遗址是夜袭阳明堡飞机场战斗的发生地，较好地保存了战斗原址等历史遗存，对研究抗战历史具有重要的价值和纪念意义。遗址作为爱国主义教育基地，对广大党员、干部、群众，特别是青少年具有重要的教育作用。2021 年被山西省人民政府公布为第六批省级文物保护单位。108 国道经此。

50-B-b584 **八路军雁门关伏击战遗址**［Bālùjūn Yànménguān Fújīzhàn Yízhǐ］位于山西省忻州市代县雁门关乡黑石头沟村附近。南北长约 1000 米，东西宽约 200 米，占地面积约 20 万平方米。1937 年 10 月 13 日，为配合国民党军在忻口的防御作战，八路军一二〇师师长贺龙命令三五八旅七一六团深入日军侧后，在雁门关一带破坏公路运输线，打击日军运输队，截断日军补给。10 月 17 日黄昏，七一六团团长贺炳炎、政委廖汉生率部到达雁门关西南十余里的老窝、吴家窑一带，18 日和 21 日，两次设伏于雁门关以南黑石头沟公路两侧高地，共毙伤 500 余人，击毁汽车 30 余辆，一度中断了日军运输补给线，使进攻忻口日军的弹药、油料濒于断绝，攻势顿挫。战斗结束后，七一六团特务连被八路军总部授予“雁门关伏击战英雄连”荣誉称号。是继平型关大捷后八路军打的又一个大胜仗，此战吹响了国共合作的冲锋号，切断了日军由大同经雁门关至忻口的后方补给线，直接有效地配合了山西忻口正面作战部队，鼓舞了抗日军民的士气。是国共合作抗日的经典战例，从实践上促进了国共两党的成功合作，验证了国共合作抗战的重要性。2021 年被山西省人民政府公布为第六批省级文物保护单位。208 国道经此。

50-B-b585 **作头天齐庙**［Zuòtóu Tiānqí Miào］位于山西省忻州市繁峙县繁城镇作头村。创建年代不详，在明嘉靖二十二年（1543 年）、清康熙十八年（1679 年）、清嘉庆二十二年（1817 年）、民国 24 年（1936 年）屡有修葺。坐北朝南，南北长 68.8 米，东西宽 29.4 米，占地面积 2023 平方米，院落布局为二进院落。现存建筑 11 座，庙院布局基本完整，建筑保存较好，均为清代遗构。正殿、廊房内墙壁上保存的彩画及水墨画，特别是正殿后檐墙上的十二音会壁画，是研究清代音乐的实物证据，具有很高的历史价值和艺术价值。2016 年被山西省人民政府公布为第五批省级文物保护单位。108 国道经此。

50-B-b586 **繁峙南关故城**［Fánshìnánguān Gùchéng］位于山西省忻州市繁峙县繁城镇南关村西 150 米的滹沱河南岸台地上。创建于唐圣历二年（699 年），金贞祐二年（1214 年）改称坚州，明洪武二年（1369 年）复繁峙县，万历十四年（1586 年）因迁县于河流北岸石龙岗而废。城址所处地形南高北低，呈缓坡状。平面呈不规则状，南北最长约 600 米，东西最宽约 340 米，分布面积为 18 万平方米。城墙残高 5—8 米，底宽 5 米，顶宽 2 米。墙体夯筑，夯层 0.08—0.25 米。北、西、南三面城墙上均有3–5座马面，宽10米，厚6米。发现城门4座，西门保存较好，宽约24米，深约8米，门西15米处另有一截南北向墙体，长约30米，残高8米，应属瓮城城墙。故城内部有大观圣作之碑，北宋大观元年（1107年）立石。额题“大观圣作之碑”。记载宋徽宗制定的科举制度。保存有较为完整的城墙，还存有大观圣作之碑，在故城遗址区叠压有夏代遗址，在周边有两座省级文物保护单位杏园烽火台和南关烽火台，还有一处南关堡址。与周边的烽火台和堡址形成了完整的军事防御体系，它不仅仅承载着繁峙县近800年的建城史，更是蕴含着丰富的文化、军事、社会信息，为古代繁峙县人民生产生活劳作提供特殊的佐证，体现了古代劳动人民向往美好生活，迁城奋斗的历史。2021年被山西省人民政府公布为第六批省级文物保护单位。108国道经此。

50–B–b587 **中庄寨宝藏寺**［Zhōngzhuāngzhài Bǎozàng Sì］位于山西省忻州市繁峙县东山乡中庄寨村。亦称大吉祥宝藏禅寺。始建年代不详，根据寺院碑文记载，金大定二十四年（1182年）重建、明万历十年（1582年）和清嘉庆二十三年（1818年）重修。坐北朝南，院落呈长方形，占地面积4921平方米。沿中轴线依次为山门、天王殿、千佛殿和龙王殿，中轴线东侧有东跨院，有斋堂、观音殿、东西配殿和佛堂。除千佛殿为明代建筑、观音殿为清代建筑外，其他都为新建建筑。千佛殿砖石台基，基高1.5米，前设长11.5米，宽5米的月台，面宽三间，进深四椽，单檐歇山顶，斗栱三踩蚂蚱形耍头，补间斗栱两攒，额枋平板枋皆出头，梁架为五架梁通搭，殿内山墙绘有壁画6平方米。观音殿面阔三间，进深四椽，单檐悬山顶，殿内东西北三壁有清代壁画约70平方米。千佛殿前有明万历十年（1582年）及清嘉庆二十三年（1818年）重修碑各一通。千佛殿和观音殿保存完整，体现了明清寺庙建筑的构造特点和风格，反映了晋北地域古建筑做法和审美追求。寺内壁画构图别致，色彩明丽，结构合理，有着独特的艺术价值和深刻的文化内涵。2021年被山西省人民政府公布为第六批省级文物保护单位。乡村道路经此。

50–B–b588 **东文殊寺大雄宝殿**［Dōngwénshū Sì Dàxióngbǎodiàn］位于山西省忻州市繁峙县大李牛村。东文殊寺因位于大李牛村又名李牛寺。始建于北宋。坐北朝南，东西长31.5米，南北宽10.6米，占地面积504平方米。中轴线仅存大雄宝殿，为元代遗构，其他建筑都为新建建筑。宋《广清凉传》划为西台寺院，原寺院为二进院，一进院原有山门、过殿、东西配殿，二院原有大雄宝殿、东西配殿，后除大雄宝殿和东殿外全部被拆毁，东殿于近些年自然倒塌。大雄宝殿座于石砌台基，基高0.3米。面阔三间，进深四椽，建筑面积110平方米，五檩前后廊式构架，单檐悬山顶。前檐柱头斗栱单昂四铺作，补间斗栱两朵，明间斗栱出45度斜拱，次间斗栱单抄四铺作，蚂蚱形耍头，阑额、普柏枋皆出头。板门，直棂窗。殿内东、西山墙及后墙彩绘佛道场壁画113平方米，东西壁上笔画分为128小幅，共有700余人物，内容丰富，为清代遗存，每小幅壁画旁侧有榜题，部分残缺；南壁除板门和直棂窗外，均有壁画。院内存清重修碑2通。大雄宝殿是现存数量有限的元代建筑，造型古朴，保存完好有较高的技术水平，展现了独特的建筑风格。殿内壁画保存完好，内容丰富，用色考究，造型独特，有极大的历史、科学和艺术价值，对于研究佛教文化有较大的价值。2021年被山西省人民政府公布为第六批省级文物保护单位。乡村道路经此。

50–B–b589 **山会洪福寺**［Shānhuì Hóngfú Sì］位于山西省忻州市繁峙县砂河镇山会村。又称山会寺。始建年代不详，根据寺院碑刻记载，金大定十年（1170年）已有僧人居住，明洪武二十五年（1392年）扩建，天顺年间成为五台山显通寺下院，嘉靖十年（1531年）和清咸丰二年（1852年）重修。坐北朝南，主体院落西院呈长方形，二进院布局，中轴线依次建有山门、过殿、正殿，两侧为东西殿和东西配殿，现存建筑中东殿为金代，正殿为明代，过殿、西殿等为清代建筑，寺院内其余建筑都为新建建筑。寺内有明代重修碑一通和清代重修碑三通，经幢一个。正殿和东殿造型古朴，保存完整，能够极好的反映出当时的建筑时代特色，尤其是东殿为现存不多的金代建筑，有较高的技术水平，展现了独特的建筑风格，反映金代风格和晋北地域特色，有极大的历史、科学和艺术价值，有着独特的艺术价值和深刻的文化内涵。2021 年被山西省人民政府公布为第六批省级文物保护单位。乡村道路经此。

50-B-b590 **北关永泉寺**［Běiguān Yǒngquán Sì］位于山西省忻州市繁峙县砂河镇第二村。因寺后有泉水涌出又名涌泉寺。始建年代不详，元、明、清历代重修。坐北朝南，南北长 108 米，东西宽 21 米，占地面积 2268 平方米。三进院布局，中轴线依次为戏台、过殿、正殿和大雄宝殿，正殿和大雄宝殿两侧有东西殿。正殿为元代遗构，西配殿、西僧舍和东西耳殿为清代建筑，戏台为民国建筑，其余为新建建筑。寺内现存清代嘉庆三年（1798 年）重修碑一通、光绪三十一年（1905 年）重修碣一块和民国十四年（1925 年）重修碑两通。始建年代不详，根据寺院碑刻记载，明弘治年间创建（与正殿 117 梁架结构不符，因是记载错误），清嘉庆三年（1798 年）、光绪三十一年（1905 年）块和民国十四年（1925 年）多次重修。保存完整，格局规整，完整的保存下了原有的寺院格局，再现了当时寺院风采。正殿造型古朴，能够极好的反应出当时的建筑时代特色，有较高的技术水平，展现了独特的建筑风格，反映元代风格和晋北地域特色，有极大的历史、科学和艺术价值，有着独特的艺术价值和深刻的文化内涵。2021 年被山西省人民政府公布为第六批省级文物保护单位。乡村道路经此。

50-B-b591 **宁化古城遗址**［Nínghuà Gǔchéng Yízhǐ］位于山西省忻州市宁武县化北屯乡宁化村。据史书记载：古城初建于隋，唐代以后，由于地理位置的特殊，开始向军事城堡演变。朝廷不时着重兵守卫，曾为山西“卧牛城”（忻州）的“犄角”之一，乃历代兵家必争之地。宋太平兴国四年（979 年），正式置宁化县，金大定二十二年（1182 年）宁化县升为宁化州。古城建于宋太平兴国四年（979 年），后历代均有修葺。城池依山而建，由东向西倾斜，西城紧邻汾河，古城周长约 2.5 公里，城墙高 10.33 米，城墙现存大部分完整。保存有古代瓮城两座，一北一南，其平面布局呈正方形，置有二进重门，是明代在宋旧址上修复并加筑而成。古城历史悠久，现存文物古迹十分丰富，除了隋“汾阳宫”宫城遗址之外，还有宋、明、清三代修筑的城池建筑旧址，明清砖砌城墙遗存及关帝庙，宁化万佛洞明代石窟寺、朝阳洞、旦板洞等古建筑。1996 年被山西省人民政府公布为第三批省级文物保护单位。241 国道经此。

50-B-b592 **万佛寺**［Wànfó Sì］位于山西省忻州市宁武县凤凰镇万佛洞街。又称万佛禅寺，俗称万佛洞。背依万佛梁山，前临桑干河支流恢河。始建于明万历二十八年（1600 年），清顺治年间又予扩建，始成今日规模，现存为明、清建筑风格。坐北朝南，分前后两进院落，总占地面积约 3000 平方米。中轴线上依次建有牌楼、山门、钟楼、过殿、正殿、毗卢殿、观音楼，左右为东西配殿、僧房。现存建筑除牌楼、钟楼在“文革”期间被拆除外，余皆保存完好。1996 年被山西省人民政府公布为第三批省级文物保护单位。通 1、2 路公交车。

50-B-b593 **赵王城遗址**［Zhàowángchéng Yízhǐ］位于山西省忻州市静乐县鹅城镇赵王城村。城址所处丘陵地带东高西低，呈阶梯状。平面呈长方形，南北长 1500 米，东西宽 1000 米，分布面积 150 万平方米。遗址由四部分组成。西墙不存，东墙和南墙外侧均有马面，墙体夯筑。墙基宽 2—5 米，残高 5—7 米，夯层厚 0.08—0.15 米。采集有绳纹瓦残块。依据采集物及夯土层判断这是一处战国时期至汉代延续使用的城址。相传此城为赵武灵王所建。点将峁遗址（位于静乐县鹅城镇赵王城村南 50 米处。遗址所处地形东高西低，呈缓坡状。东西长 350 米，南北宽 150 米，分布面积 5.25 万平方米。断崖上暴露有文化层，厚 0.5—0.8 米。采集有泥质绳纹、弦纹、素面灰陶片。依据采集物判断这是一处战国时期遗址。）点将峁墓群（位于静乐县鹅城镇赵王城村南 100 米处。东西长 350 米，南北宽 100 米，分布面积 3.5 万平方米。封土无存，地表可见到绳纹砖及瓦片。这是一处汉代、宋代的墓地。）赵王城墓群，东西长 200 米，南北宽 100 米，分布面积 2 万平方米。

战国时期封土无存，据调查，此处出土过铜匜、铜镜等物。地表现存封土堆3座，底径0.8—1.5米，残高0.5—0.8米，存清康熙二十三年（1684年）墓碑1通。2021年被山西省人民政府公布为第六批省级文物保护单位。乡村道路经此。

50-B-b594 **百团大战康家会战斗遗址**［Bǎituándàzhàn Kāngjiāhuì Zhàndòu Yízhǐ］位于山西省忻州市静乐县康家会镇康家会村南150米处。战壕南北向，平面均呈月牙形，分别：长80米，宽3米，深2米。分布面积750平方米。1940年8月22日，我八路军一二〇师三五八旅一部将康家会日军据点包围，激战2小时，歼敌140余人。此役揭开了百团大战序幕。原日军在康家会村设立红部（指挥部）。建有炮台，现仅存炮台遗址及外围战壕2道。遗址所在地康家会村南靠丘陵，北临东碾河，东临季节河，西临冲沟。属温带大陆性气候，年平均温度6—8℃，年降水量200—450毫米。2021年被山西省人民政府公布为第六批省级文物保护单位。337国道经此。

50-B-b595 **五王城遗址**［Wǔwángchéng Yízhǐ］位于山西省忻州市五寨县杏岭子乡前五王城村、东秀庄乡后五王城村。遗址四面环山，平面呈长方形。城墙依山而建，东西长约2500米，南北宽约1500米，周长约8000米。城内的建筑集中于城南，发现有半地穴式白灰面房址等。遗址断面发现有陶器、石器、骨器等，陶质以泥质陶为主，夹砂陶次之。在城西北发现有大片墓地，面积约1.5平方千米，从地表看发现有口大底小的方坑墓，深度可达7米以上。公安机关追缴回被盗的铜剑、铜镜和陶器等器物，经鉴定时代属于战国。2004年被山西省人民政府公布为第四批省级文物保护单位。乡村道路经此。

50-B-b596 **武州城遗址**［Wǔzhōu Chéng Yízhǐ］位于山西省忻州市五寨县小河头镇大武州村。据记载，东周的赵惠王置武州塞，魏置神武县，唐末置武州，后唐改毅州，辽重熙九年复武州，号宣威军。城址的西北坡地有约4—5平方千米墓地，近年来发现有许多砖、石券的壁画墓。墓内出土有宋辽瓷器，有碗、罐、梅瓶、陶仓、铜镜、铁铧、铁炉等，壁画内容有侍女图、墓主宴饮图、狩猎图、出行图、和尚说法图等场面。是历代兵家屯兵要塞，也是历代少数民族与汉族杂居之地。2004年被山西省人民政府公布为第四批省级文物保护单位。乡村道路经此。

50-B-b597 **北寺塔**［Běi Sì Tǎ］位于山西省忻州市岢岚县民生东街。塔院寺北寺塔原名舍利塔，始建于明正统九年（1444年）。抗日战争时期，城内的学校曾迁到此处，后来寺院被毁坏，原寺庙布局遗迹均已不存，仅存砖塔一座。坐北朝南，通高约17米，六角七层密檐式实心砖塔，由塔座、塔身、塔刹三部分组成，其建筑风格具有辽金遗风。据碑文记载北寺塔为明代建造，但是其建筑风格具有辽金遗风，具有较高的历史价值。北寺塔结构稳固，造型优美，比例协调，是研究明代塔的实物佐证。2016年被山西省人民政府公布为第五批省级文物保护单位。通1、8路公交车。

50-B-b598 **岢岚毛主席路居馆**［Kělán Máo zhǔxí Lùjū Guǎn］位于山西省忻州市岢岚县鼓楼街。是一座民国年间建造的二进四合院民居建筑。坐南面北，占地面积913平方米，建筑面积503平方米。二进院中轴线上为正房，东西两侧为东西厢房。正房面宽七间，进深五椽，六檩前出廊，单檐硬山筒板布瓦屋面。东厢房面宽七间，进深三椽，单檐四檩单坡硬山筒板布瓦屋面。西厢房面宽六间，进深四椽，单檐五檩硬山筒板布瓦屋面。是老一辈无产阶级革命家工作过、战斗过的地方，具有光荣的革命传统，现已成为爱国主义教育和革命传统教育的重要场所。其年接待观众约三万人次，被山西省委、省政府公布为“山西省爱国主义教育基地”。2016年被山西省人民政府公布为第五批省级文物保护单位。通1、5路公交车。

50-B-b599 **岢岚州故城**［Kělánzhōu Gùchéng］位于山西省忻州市岢岚县岚漪镇西街村。始建于五代后汉，宋元丰八年（1085年）增建，明洪武七年（1374年）镇西卫指挥使张兴大规模扩建后始成今日之规模。文物构成包括：现存城墙墙体约2410米，东、南、北3座城门与东、西、南、北4座瓮城及瓮城门，东北角台和6个马面。平面整体呈长方形，现存东段城墙残长约 500 米，西段城墙残长约 420 米，南段城墙残长约 670 米，北段城墙残长约 820 米。现存东瓮城墙体残长 153.80 米，残高 8.50—12.00 米，东城门门洞宽 6.45 米、高 9.03 米，东瓮城门门洞宽 5.46 米、高 6.36 米；西瓮城墙体残长 148 米、残高 6.04—11.50 米；南瓮城墙体残长 373.20 米，残高 5.60—11.50 米，南城门洞宽 6.30 米，高 8.11 米，南瓮城门门洞宽 5.9 米，高 5.9 米；北瓮城墙体残长 157.90 米、残高 6.11—12.78 米，北城门洞宽 6.40 米、高 8.38 米，北瓮城门洞宽 5.04 米、高 6.00 米。现存东北角台边长约 20 米，基本与附近墙体顶部齐平，凸出墙体约 7 米。现存 6 个马面。东线全线残存马面二座，11# 城墙段现存马面宽度为 12.63—12.77 米、凸出墙体外表面 19.16 米；13# 城墙段现存马面宽度为 19.06—19.80 米，凸出墙体外表面 3.52—5.90 米。南线全线残存马面一座，14# 城墙现存马面宽度为 5.63—6.69 米、凸出墙体外表面 4.82—7.14 米。北线全线残存马面三座，7# 城墙段现存马面宽度为 9.25—11.59 米、凸出墙体外表面 9.97—13.08 米；9# 城墙段现存马面宽度为 12.63—12.77 米、凸出墙体外表面 1.56—5.93 米；10# 城墙北段现存马面宽度为 14.20—12.32 米、凸出墙体外表面 4.96—5.58 米。是晋西北地区现存城墙长度最长、宽度最大、高度最高、附属设施保存最为完整的明代关城遗址，东城门是晋西北地区现存的明代城防设施中高度最高的城门券洞之一。2021 年被山西省人民政府公布为第六批省级文物保护单位。乡村道路经此。

50-B-b600 **太原卫星发射中心旧址**[Tàiyuán Wèixīngfāshè Zhōngxīn Jiùzhǐ] 位于山西省忻州市岢岚县东北部。建造于 1967 年，旧址总面积 64251 平方米，包括 7 号发射工位、五部时期营房旧址、13 号测试厂房、1 号发射工位、6 号山指挥所、17 号山洞、8 号老营房、烈士陵园。旧址内还保存有 400 多件 1967 年至 1999 年期间训练使用的火箭、掉落的残骸、发动机、参试车辆、测控设备、文件、公章等等。是我国太阳同步轨道卫星的重要发射场，也是我国发射工位最多、发射方式最全、可满足多种型号火箭卫星发射试验的四大航天发射场之一。旧址由发射、指挥、测试、营房及烈士陵园构成的全系统的整体航天工业遗产，为我国的航天事业作出了重要贡献。2021 年被山西省人民政府公布为第六批省级文物保护单位。209 国道经此。

50-B-b601 **岱岳庙** [Dàyuè Miào] 位于山西省忻州市河曲县城关镇岱岳殿村。据寺内金大定十七年（1177 年）功德幢记载，创建于金天会十二年（1134 年），后历代均有修葺。现存建筑多为明清遗物。坐北朝南，建筑规模不大，自成格局，占地面积 3250 平方米。中轴线上分布山门、乐亭、天齐殿、后土殿，西侧便门内建龙王殿、灵官殿、地藏殿、圣母殿，东侧便门内建禅房、关帝殿、岳武殿、玉皇阁、包公祠等。道教与诸风俗神汇聚一宇，是一处具有中国民间诸神崇拜性质的庙宇。庙内共保存壁画 104 平方米，内容丰富。此外还保存塑像 15 尊，碑碣 11 通。1986 年被山西省人民政府公布为批省级第二文物保护单位。乡村道路经此。

50-B-b602 **海潮庵** [Hǎicháo Ān] 位于山西省忻州市河曲县旧县乡。其又称海潮禅寺，始建于明万历年间（1573 年—1620 年），明末毁于兵火，后于清代顺治、道光、咸丰、光绪、民国年间屡加修葺、臻于完善。坐北朝南，北枕高坡，南临大涧，左右水绕山环，楼阁依崖而立。建筑多为砖券窑洞，部分木构亦为清代小式建筑。寺庙的整体布局，以司房窑、观音殿、藏经殿三点一线为中轴，东有碾磨院、菩提院、九师塔院，西有十方院、牛椇院、方丈院、水月院，其间以院墙曲折分割，以洞门豁然通达，洞门下不是层层石级，便是鹅卵石铺就的小路，把亭台楼阁系在一起。1986 年被山西省人民政府公布为省级第二批文物保护单位。乡村道路经此。

50-B-b603 **北元护城楼** [Běiyuán Hùchéng lóu] 位于山西省忻州市河曲县文笔镇北元村。明代“土木堡之变”后，朝廷为了抵御瓦剌鞑靼的入侵，先后在甘肃、宁夏、固原、延绥、大同、宣府、蓟州、辽东、太原“九边”地区派重兵把守，并沿线即东起山海关，西至嘉峪关筑起 13000 多里的长城。河曲护城楼就是明长城上的军事防御设施一敌楼。据城楼匾额记载，护城楼建于明万历年，南北长 27 米，东西宽 21 米，占地面积 567 平方米，坐北朝南，一层台基高 3.5 米，中部设拱券门，券脸石雕刻花卉，前有石砌台阶相连，券门门额石匾“镇虏”二字。二层玉皇阁面宽三间，进深五椽，六檩前出廊，单檐硬山筒板布瓦屋面，柱头斗栱为一斗二升交麻叶，明、次间装修均为六抹槅扇门四扇。其东西各建配殿一座，南侧东西为钟鼓楼，单檐十字歇山顶。其内券栱顶砖窑，置九窑十八洞，是研究明代河曲军事防卫设施及几千次战事和河曲明代历史文化与古代砖结构建筑的实物资料，具有较高的历史价值和科学价值。2016 年被山西省人民政府公布为第五批省级文物保护单位。乡村道路经此。

50-B-b604 **林遮峪遗址**［Línzhēyù Yízhǐ］位于山西省忻州市保德县林遮峪乡林遮峪村。该地背山面水，地势平坦，遗址长 1000 米，宽 500 米，面积约为 50 万平方米。从断崖观测文化层厚 0.5—1 米，器形有鬲、罐等，以夹砂灰陶为主，泥质红陶为次。1971 年在此遗址内清理出一座商代晚期墓葬，出土了 30 多件青铜器，有铜鼎、铜爵等随葬品，为商代代表性器物，具有重要的历史价值。1965 年被山西省人民政府公布为第一批省级文物保护单位。乡村道路经此。

50-B-b605 **保德故城关帝庙**［Bǎodé Gùchéng Guāndì Miào］位于山西省忻州市保德县杨家湾镇故城村。始建年代不祥，现存建筑均为清代。坐北朝南，东西并列三个院落：东为奶奶殿，中为关帝殿，西为观音殿，各自独立开门，并设掖门相互连通。东西并列三个院落，院落布局基本完整，现存建筑均为清代遗构，梁架保存较好。关帝殿平面方形，面宽三间，进深三椽，举折平缓，梁架制作规整考究，斗栱及雀替雕刻精美，壁画保存较为完整，价值较高。2016 年被山西省人民政府公布为第五批省级文物保护单位。沧榆高速经此。

50-B-b606 **吴城遗址**［Wúchéng Yízhǐ］位于山西省忻州市偏关县楼沟乡吴城村。其又名“吴王城”，文化内涵包括庙底沟二期、龙山晚期、东周、秦、西汉时期。城垣南北 1000 米，东西 500 米，残高 3.5 米，夯层 9—12 厘米。地表采集物有陶片、瓦和瓦当，可辨器型有罐、盆、鬲、瓮等，纹饰有篮纹、绳纹、方格纹和附加堆纹等。城周围有秦、汉时期墓地，出土物有铜镞、铜镜、印章、剑、弓盖帽、鼎、薰炉等。1986 年被山西省人民政府公布为第二批省级文物保护单位。乡村道路经此。

50-B-b607 **护宁寺**［Hùníng Sì］位于山西省忻州市偏关县天峰坪镇寺沟村。创建年代不详。坐北朝南，北高南低，依地势而建，主要建筑有正殿、南殿、东西配殿、瘟神庙、山神殿、文昌阁、关帝庙、地藏殿、罗汉殿、比丘庙等。其中南殿、正殿为元代遗构，余皆明清所建。南殿面阔三间，进深二间，单檐悬山顶。正殿为寺内主体建筑，面阔三间，进深三间，单檐悬山顶。2004 年被山西省人民政府公布为第四批省级文物保护单位。336 国道经此。

50-B-b608 **隆岗寺**［Lónggǎng Sì］位于山西省忻州市偏关县寺庙街。创建于唐，历代均有修葺。据清雍正八年（1730 年）《偏关志》记载：“隆岗寺在城东南，旧名隆岗禅院，代远，碑碣为风雨磨灭，仅存‘唐总管绛州龙门郡薛皋’题寺十字而已，建于唐时，金皇统元年重修，有石塔存记，明宣德三年，释定远重修，曲廊峻殿，楼阁凌空。”创建于唐，金皇统元年（1141 年）重修，明宣德三年（1428 年）重建，康熙十八年（1679 年）重修，20 世纪 50 年代初期，隆岗寺被偏关县粮食局占用至今，正殿、钟鼓楼为粮食库房，天王殿为办公室。坐北向南，现仅存一进院落，南北长 95 米，东西宽 70 米，占地面积 6650 平方米，中轴线自南向北依次为天王殿、正殿，天王殿东西两侧为钟鼓楼。正殿殿身比例和谐，手法古朴，曲线刚劲有力，结构严谨，斗栱制作工艺纯熟，具有较高的艺术价值。正殿、钟鼓楼脊部陡峻，檐部平缓，出檐深远，为明代建筑的特征，具有较高的历史价值。2016 年被山西省人民政府公布为第五批省级文物保护单位。乡村道路经此。

50-B-b609 **土圣寺**［Tǔshèng Sì］位于山西省忻州市原平市闫庄镇水油沟村。始建于唐朝，历代均有修葺。现存建筑为正殿（新建）、东西廊庑、南楼、钟楼以及万佛塔等，占地面积3500平方米。南楼为楼阁式建筑，面阔五间，进深三间，单檐歇山顶，上下层四周围廊。万佛塔建于金泰和五年（1205年），为八角密檐式砖塔，通高15米。基座为砖砌束腰须弥座，塔身四层，一层塔东北面置拱券门，内有泥塑释迦牟尼佛像一尊；二、三层四周有砖雕小佛像；第四层四面设拱券门，内置铜佛八尊，塔顶部为铁制塔刹。2004年被山西省人民政府公布为第四批省级文物保护单位。乡村道路经此。

50-B-b610 **佛堂寺**［Fótáng Sì］位于山西省忻州市原平市西镇乡前沙城村。始建于宋代，元、明、清历代均有修葺。坐北朝南，沿中轴线依次有过殿、佛殿，两侧有神棚、罗汉殿、关帝庙等，占地面积2500平方米。其中佛殿为元代建筑，过殿为明代建筑。佛殿为大雄宝殿，整个殿宇置于台基之上，前有月台，面阔进深各三间，平面正方形，单檐悬山顶，殿内塑有三世佛。2004年被山西省人民政府公布为第四批省级文物保护单位。乡村道路经此。

临汾市

50-B-b611 **高堆遗址**［Gāoduī Yízhǐ］位于山西省尧都区刘村镇高堆村。遗址东临汾河，西靠吕梁山，属于吕梁山东麓的山前坡地，地势西高东低，地层断面较多。50年代调查时发现。总面积达7万平方米。其文化面貌由其红褐色筒状罐与庙底沟二期接近，釜灶和釜形又具有陶寺类型早期特征，而单把鬲则属陶寺类型晚期的典型器物。2001年春，进行了4000平方米的发掘，发现了主要属于新石器时代庙底沟文化和陶寺文化的遗存，精致的房子、陶窑和规模较大的窑穴，说明这里在上述两个阶段是当时的中心区域和重要聚落，对解读临汾盆地史前时期的兴盛情况和原因具有重要意义。1965年被山西省人民政府公布为第一批省级文物保护单位。通101路公交车。

50-B-b612 **金城堡遗址**［Jīnchéngbǎo Yízhǐ］位于山西省临汾市尧都区刘村镇金城堡村。位于临汾盆地西边缘，西依吕梁山，汾河从其东面流过，系新石器时期遗址。50年代调查时发现，1993年全省文物普查时复查，遗址现存面积15万平方米，遗址从断崖上观察到的遗迹主要有灰坑及白灰面房址，遗物采集陶器以夹砂陶为多数，纹饰多饰绳纹，器形主要有釜灶、盆、罐、豆、杯、鬲等。遗址文化面貌与特点与陶寺遗址同类器物十分相似，应为龙山时代陶寺文化的又一处重要遗存。1965年被山西省人民政府公布为第一批省级文物保护单位。通101路公交车。

50-B-b613 **下靳遗址**［Xiàjìn Yízhǐ］位于山西省临汾市尧都区尧庙镇下靳村。遗址位于临汾市区西南约10公里处，东南距陶寺遗址约25公里，西隔汾河与吕梁山相望，南北为平坦开阔的临汾盆地，海拔高度450米。是新石器时期古遗址，因砖厂连年取土，1998年5月对已暴露的墓地进行抢救性发掘，累计清理墓葬533座。墓葬依头向不同可分为A、B两类：A类墓有随葬品，其中以玉器为主，还有少数陶器、骨器等小件饰品，器型主要有陶罐、瓶、玉蝉、玉器、绿松石腕饰品等；B类墓无任何随葬品。下靳墓地西侧紧靠汾河，北侧被一条深50米、西向宽10米的冲击沟破坏，因砖厂连年取土，墓地仅存西部，呈不规则梯形，南北宽20—45米，东西长85米，面积约12500平方米。东半部墓葬分布稠密，往西则较稀疏。该墓地属于庙底沟二期文化的晚期阶段，与陶寺遗址的早期接近，是近年来十分重要的新发现。2004年被山西省人民政府公布为第四批省级文物保护单位。乡村道路经此。

50-B-b614 **仙洞沟碧岩寺**［Xiāndòng Gōu Bìyán Sì］位于山西省临汾市尧都区金殿镇峪口村。曾名南仙洞，唐武德元年（618年）开始修建，历代均有修葺，现存建筑为明、清遗构。碧岩寺分布在环形山凹中，依次有山门、二门、靠山廊、观音阁、大雄宝殿、钟楼、鼓楼、愿来殿、南北厢房、又一山禅院、崇道庙等建筑。大雄宝殿、观音阁、神居洞为碧岩寺主体建筑，庙内有佛、道、儒三教泥塑89尊，均为清代作品。2004年被山西省人民政府公布为第四批省级文物保护单位。乡村道路经此。

50-B-b615 **尧庙**［Yáo Miào］位于山西省临汾市尧都区尧庙镇尧庙村。相传陶尧建都平阳，有功德于民，后人遂建庙祭祖。始建于晋，唐显庆三年（658年）重建，宋、元泰定、明正德和万历年间屡有修葺，规模渐增，分别建成尧、舜、禹庙，明末清初称三圣庙。康熙三十四年（1695年）平阳一带地震强烈，庙宇坍毁，康熙四十二年（1703年）敕令重修并御书匾额。咸丰年间尧庙遭兵焚，光绪十七年（1891年）修复。抗日战争中尧庙再次被劫，1987年进行了大规模维修，恢复明代规制。1998年4月广运殿被焚，当地政府进行重建。坐北朝南，规模宏敞，占地面积65万平方米，主要建筑有广运殿、五凤楼、寝宫、尧井亭、仪门及尧舜禹三座宫门等，现存建筑为清代遗构。1965年被山西省人民政府公布为第一批省级文物保护单位。通11、23路公交车。

50-B-b616 **里村西沟遗址**［Lǐcūn Xīgōu Yízhǐ］位于山西省临汾市曲沃县城西北约11公里的高显镇里村。遗址为旧石器时代遗址，于1956年发现，同年7月和1983年先后进行过两次小型发掘。1956年7月对其进行调查发掘时，获石制品172件，计有石核、石片、砍砸器、刮削器、尖状器和石球等。专家根据地层、动物化石以及石制品的特点判断，其文化性质与丁村文化有着较为密切的关系。1986年被山西省人民政府公布为第二批省级文物保护单位。乡村道路经此。

50-B-b617 **方城遗址**［Fāng Chéng Yízhǐ］位于山西省临汾市曲沃县曲村镇西南距县城约17公里。北靠塔尔山，南临滏河，和襄汾陶寺遗址仅一山之隔。地势北高南低，由于山洪的长期冲刷，地面形成多条大小不等、基本上垂直于塔尔山呈南北走向的沟，为典型的黄土地貌。是新石器时代遗址，于50年代末发现，1984年对该遗址进行了发掘，总面积约300万平方米。遗址发现遗迹有房址、陶窑、灰坑和墓葬：房址有地面建筑、半地穴建筑和洞穴式建筑；陶窑由平面排列的窑室、火膛两部分组成，窑室为圆形袋状，有主火道、支火道各三条，火膛基本呈方形；灰坑以圆形、不规则形比较常见；遗物主要有陶器、石器、骨器，陶器陶质绝大多数是泥质灰陶和夹砂灰陶，纹饰以绳纹、篮纹为主，制法有轮制、模制和手制。1986年被山西省人民政府公布为第二批省级文物保护单位。乡村道路经此。

50-B-b618 **曲沃古城遗址**［Qǔwò Gǔchéng Yízhǐ］位于山西省临汾市曲沃县西北2公里与侯马市交界处。其是一处西周时期晋国古城址，1982年考古工作者对遗址范围概况进行了勘察，古城总面积约10平方千米。在西韩村至东韩村之间，发现有古城墙遗迹，城墙厚4米。古城遗址内城呈方形，长宽各1500米，古城址外城城墙东西长约2500米，南北长约2000米，多为汉代文化堆积物。古城遗址的下面是东周文化堆积层，上面是二米厚的汉代文化堆积层。出土物是汉代的瓦的残片，完整的器物有：云纹圆瓦当、五铢钱和铁犁等。1965年被山西省人民政府公布为第一批省级文物保护单位。乡村道路经此。

50-B-b619 **东许遗址**［Dōngxǔ Yízhǐ］位于山西省临汾市曲沃县高显镇东许、靳庄、听城三个村之间。遗址由听城村西的高阜向西、向北各延伸约1500米。遗址于五六十年代发现，1986年夏和1995年春先后两次发掘，发现遗址总面积超过200万平方米，其中心位置在东许村约800米处的苹果园附近，主要遗迹有灰坑、袋状窖穴。主要文化内涵属于龙山时期的陶寺文化类型，另外还有零星的仰韶时期庙底沟文化遗存。2004年被山西省人民政府公布为第四批省级文物保护单位。乡村道路经此。

50-B-b620 **望绛墓地**［Wàngjiàng Mùdì］位于山西省临汾市曲沃县史村镇望绛村。墓地位于村北岭头高地，地势北高南低，东西宽250米，南北长300米，面积达75000平方米。经勘探调查，墓葬总数在1000座以上。墓葬分大、中、小三种类型：大、小墓多东西向，分布于墓地西部；大型墓多两两成对，大部分有附属车马坑或将车直接放在墓坑中；中型墓居多，南北向，多是两两成对。发掘的38座东周墓葬和车坑中，出土大量的青铜器、玉器、陶器、车马器。是一处东周士大夫一级的大型墓葬，具有重要的历史价值。2004年被山西省人民政府公布为第四批省级文物保护单位。乡村道路经此。

50-B-b621 **四牌楼**［Sì Páilóu］位于山西省临汾市曲沃县城贡院街。其又名望母楼，始建于明万历四十三年（1615 年），由邑人李济沆兴建，清代以来曾多交修缮。四牌楼建筑为楼阁式与牌楼式相结合结构，为三重檐三层楼身，一、二层四面均面阔三间，进深三间。牌坊上下坊，雀替，板件雕有精美的浅浮雕塑，有较高的艺术价值。第二层有挑出的抱厦，三层作一十字歇山顶，把四个牌坊收拢形成了一个整体，使整个建筑看上去又像一个楼阁。精雕细琢的雀替、花板和艳丽的彩绘、琉璃把整个建筑物修饰得令人眩目，造成了强烈的视觉冲击。2004 年被山西省人民政府公布为第四批省级文物保护单位。乡村道路经此。

50-B-b622 **感应寺塔**［Gǎnyīng Sì Tǎ］位于山西省临汾市曲沃县乐昌镇西南街村。创建于金大定五年（1165 年），高 12 级，其形制为辽金时期北方地区盛行的密檐式塔。现存塔体仅余七层，平面呈八角形，塔身造型端正。一层较高，塔檐部为砖雕仿木结构造型，斗栱硕大；二层以上檐部均为叠涩檐。塔身一层以上的密檐部分随高度将每一层出檐深度都向内作不等量递减，塔内空间较大，南面设砖券门道，北面砖砌小佛龛，顶部砖砌藻井。内壁上部除东西两面外，其余六面都有构件榫洞，可以判断楼板梁架结构为井字形，用以承载木梯攀登。2016 年被山西省人民政府公布为第五批省级文物保护单位。乡村道路经此。

50-B-b623 **方城黄帝庙**［Fāngchéng Huángdì Miào］位于山西生临汾市曲沃县曲村镇方城村。始建年代不详，在元、明、清、民国年间屡经兴废，多次毁坏后又修建。明弘治十四年（1501 年）方城黄帝庙大修。东西 30.4 米，南北 56.9 米，占地 1730 平方米。大殿木构殿宇为元构。创建年代不详，据大殿脊板题记记载于明弘治十四年（1501 年）重建，坐北朝南，二进院落布局，中轴线依次建有戏台、大殿，一进院两侧为关公殿（东厢房）、财神殿（西厢房）、关公殿的北耳房为土地殿、财神殿的北耳房为灶王殿；二进院分别为华佗殿（东厢房）、娘娘殿（西厢房），大殿西耳房为阎王殿、大殿东耳房为龙王殿；戏台两侧设有庙门。现存北大殿，为明重修，但仍然保留了许多元代的建筑特点和构件，是研究方城黄帝庙历史沿革的重要史料。彩色壁画是晋南地区保存较为完整的清代珍品。整体布局虽遭破坏，但现存的北大殿是晋南地区为数不多的元代建筑之一。2021 年被山西省人民政府公布为第六批省级文物保护单位。乡村道路经此。

50-B-b624 **冶南冶炼遗址**［Yěnán Yěliàn Yízhǐ］位于山西省临汾市翼城县唐兴镇冶南村。距县城约 6 公里。遗址地处浍河干流与其支流翟家河交汇处浍河西岸台地上，北高南低，中南部有两条南北向冲沟。分布面积约 200 万平方米。遗址北部为墓葬区，南部为冶炼厂区。遗址分布面积约 200 万平方米，北部主要为墓区，发掘汉代墓葬 27 座，墓形制有土洞和砖墓两类，都带有墓道。其中，打夯的墓道填土和台阶式墓道在以往汉代墓葬发掘中极为少见，出土陶器有罐、樽、灶等，铁器有罐、釜、灶、三联鼎等。东南有大量冶铁炉渣，有铁矿块、陶范残块、耐火砖等遗物。是一处西汉时期冶铁遗址，在我省发现数量极少，保存相对较好，对认识西汉时期铁器发展史具有重要价值。2016 年被山西省人民政府公布为第五批省级文物保护单位。省道曲辉线经此。

50-B-b625 **南石遗址**［Nánshí Yízhǐ］位于山西省临汾市翼城县里砦镇南石村。由于长年山洪冲刷和平整农田及村民取土，在遗址范围内的路沟和田头断崖上随处可以见到暴露的灰层、灰坑和文化遗物。1979 年 10 月调查并清理部分遗迹，出土遗物主要有陶器和石器。陶器以泥质灰陶为主，夹砂灰陶次之。纹饰主要为绳纹，依次为素面磨光陶及个别的附加堆纹、“S”形纹等，器形有鬲、甑、鼎、中口罐、球腹罐、盆、豆等，石器有磨制石镰和盘状石器。从采集和清理的文化遗物看，该遗址包括了龙山文化和东下冯类型文化，龙山文化较丰富。1986 年被山西省人民政府公布为第二批省级文物保护单位。乡村道路经此。

50-B-b626 **枣园一南撖遗址**［Zǎoyuán-nánhàn Yízhǐ］位于山西省临汾市翼城县隆化镇南撖村。包括南撖、北撖、南卫、枣园四个村庄之间的部分区域，重点为四个遗址区，总面积约 130 万平方米。1957、1982、1986 年进行过三次调查，1991 年复查了北撖、南撖、殿儿垣等遗址，新发现了枣园、南撖遗址。1999 年秋进行了小规模发掘，揭露面积约 190 平方米，发现的主要遗迹有房址和窑穴，主要遗物为陶器，以钵、盆、壶、尖砂罐等器物为主要组合，是庙底沟文化早期的遗存。为重新认识晋南地区仰韶时代的考古学文化面貌及其渊源和归属提供了珍贵的资料。1996 年被山西省人民政府公布为第三批省级文物保护单位。乡村道路经此。

50-B-b627 **河云遗址**［Héyún Yízhǐ］位于山西省临汾市翼城县南唐乡河云村。地处浍河下游北岸之阶地上，地势较平，东与南丁遗址，西与下阳遗址几乎相接，东西长约 1900 米，宽约 900 米，总面积 171 万平方米，包括居住区和墓葬区。村东为聚落区，断崖上随处可见暴露的灰坑、灰层和文化遗物，文化堆积层厚约 0.6—2.5 米，主要为仰韶、龙山文化遗存，遗物以红陶、彩陶为主，灰陶次之，器型有罐、盆、尖底瓶、豆、鬲、簋等；村西主要为东周、汉代文化遗存，曾出土过西汉墓和春秋时期的编钟、编磬、钟鼎等重要随葬品。1996 年被山西省人民政府公布为第三批省级文物保护单位。乡村道路经此。

50-B-b628 **中贺水泰岱庙**［Zhōnghèshuǐ Tàidài Miào］位于山西省临汾市翼城县南梁镇贺水村。俗名东岳庙。坐北向南，两进院落布局。中轴线上由南至北依次建有山门、戏台，献殿（已毁）、正殿，是翼城现存规模最大、最完整的一组清代建筑。正殿始建年代不详，重建于清嘉庆十二年（1807 年），面阔三间，进深二间，前面设廊，单檐悬山顶，灰陶筒瓦屋面，灰陶脊饰，殿内后檐墙上身残存壁画约 20 平方米。戏台为庙中主要建筑，创建于清康熙三十四年（1695 年），坐南向北，现已塌毁，仅存台明及山墙。庙内现存《创建岱岳庙记》、《重修东岳庙碑记》2 通。2016 年被山西省人民政府公布为第五批省级文物保护单位。乡村道路经此。

50-B-b629 **裕公和尚道行碑**［Yùgōng Héshàng Dàohéng Bēi］位于山西省临汾市翼城县城关镇。据碑侧面题记和民国十八年《翼城县志》记载，原立于翼城县旧城同颖坊东隅金仙寺内。寺毁后，于明万历元年（1577 年）移置旧城东部高阜上的后土圣母庙内。1938 年，圣母庙被日寇焚毁，独此碑幸免。1992 年新建了六角碑亭、围墙和大门，加以保护。碑为青灰色石灰岩，碑首方形，雕刻二龙戏珠，碑额篆书“金仙裕公和尚道行碑”三行九字，楷书，间有行书，字径寸余。碑身高 2.54 米，宽 1.14 米，厚 0.34 米。碑文主要记述了裕公和尚的功德和才华，是元朝大书画家赵孟撰文并书篆的。1986 年被山西省人民政府公布为第二批省级文物保护单位。乡村道路经此。

50-B-b630 **感军遗址**［Gǎnjūn Yízhǐ］位于山西省临汾市翼城县里砦镇感军村西南约 150 米，西距北唐城村约 100 米，水库两岸及西北侧，分布面积约 24 万平方米。遗址 1962 年春由中国社会科学院考古研究所山西工作队调查发现，1962 年秋，中国社会科学院考古研究所和山西文管会进行试掘，试掘探方两个，面积为 34 平方米，采集有石杵、石铲、石刀及陶器（鬲、豆、瓮、甗、缶、盆等），判断其为二里头文化东下冯类型。1979 年 9 月初，北京大学历史系考古专业山西实习组与山西省文工会合作进行了复查。邹衡主持，同时到实地调查。1982 年、1987 年、2018 年文物普查时复查。遗址内断崖上暴露有灰坑，距地表 0.5 米—0.9 米不等，文化层厚度不详，地面和灰坑内采集有夏代的泥质灰陶绳纹罐等；东周时期的夹砂灰陶绳纹鬲、绳纹甗和泥质灰陶绳纹罐等残片。2021 年被山西省人民政府公布为第六批省级文物保护单位。乡村道路经此。

50-B-b631 **上韩遗址**［Shànghán Yízhǐ］位于山西省临汾市翼城县里砦镇上韩村西南约 1 公里处，呈北高南低的缓坡地带。北依塔儿山，东邻绵山，西南距天马—曲村遗址约 6 公里，东距苇沟—北寿城遗址约 6 公里，西与东午寄遗址隔沟向望，分布面积北边东西长 509 米，南边东西长 648 米。南北宽 548 米，总面积约 32 万平方米。遗址西为冲沟（澄金河支流），东 2 公里处有澄金河（曲沃县境内叫滏河）。2016 年 3 月至 9 月，山西省考古研究所和翼城县文物旅游局组成联合考古发掘队伍，对上韩遗址以盗洞为中心向四周进行了重点考古调查勘探和试点发掘，发现除古墓葬外还有大量的灰坑。采集有夏代和东周时期的陶片，器形为鬲、罐、盆、豆，同时还有贝币、蚌饰、蛤饰、玉饰件、铜泡等，墓葬区位于遗址西部，所试掘墓葬的时代初步判断为战国晚期。2021 年被山西省人民政府公布为第六批省级文物保护单位。乡村道路经此。

50-B-b632 **东午寄普润院**［Dōngwǔjì Pǔrùn Yuàn］位于山西省临汾市翼城县里砦镇东午寄村。创建年代不详，据正殿脊板题记，明正德十一年（1516 年）重建，清道光二十九年（1849 年）重修，现存建筑为明代。坐北向南，占地面积为 269.16 平方米，中轴线上自南向北依次为禅房、正殿，轴线两侧为东西山门、东西配殿、东西耳殿。现仅存正殿、东西耳殿。2021 年被山西省人民政府公布为第六批省级文物保护单位。乡村道路经此。

50-B-b633 **西阎汤王庙**［Xīyán Tāngwáng Miào］位于山西省临汾市翼城县西阎镇西阎村。据庙内"创建汤圣明君庙宇碑"载，清康熙十二年（1673 年）创建，另据庙内其它碑载，清道光元年（1826 年）、民国五年（1916 年）重修或补修，现存建筑为清代。坐北朝南，占地面积 1087 平方米。中轴线上自南向北依次为戏台、献殿、正殿，轴线两侧为东西山门、东西看楼、东西配殿、东廊房、东西耳殿、东偏殿。庙内还保留大量石刻附属文物。戏台为庙中之冠，它与相距不远的四圣宫元代舞楼形制相似，是清代匠师仿元代舞楼之佳作。建于清乾隆四十七年（1782 年），坐南向北，建筑面积 77.4 平方米。建在高 1.7 米石砌台基上，面阔、进深均为一间，单檐歇山顶，琉璃脊兽并剪边，檐下四周斗栱二十攒，均为重昂五踩斗栱，四面各施墙，两侧山墙前端作八字形敞开。后檐墙内用撑柱两根，两山墙内各用撑柱一根，八根柱子支撑"井"字形大额枋，东山墙上外侧设踏步，山墙上券门，通往戏台之上。保留有山西晋南临汾地区极少的有明确纪年的清代木结构建筑遗存，是晋南临汾地区重要的庙宇及清代保存完整的古建筑群。2021 年被山西省人民政府公布为第六批省级文物保护单位。乡村道路经此。

50-B-b634 **高家洼千佛窟塔**［Gāojiāwā Qiānfó Tǎ］位于山西省临汾市翼城县南梁镇北梁村高家洼自然村。创建年代不详。据碑文记载："自天成二年（927 年）复现……"，宋绍圣（1094 年—1098 年）年间、崇宁四年（1105 年）、元至元三十一年（1294 年）、清乾隆十六年（1751 年）均有修葺。坐北朝南，平面方形，占地面积 30 平方米。现存塔为宋代建筑，是翼城县唯一的一座宋代佛教砖塔，为研究佛教在翼城及周边地区的传播和宋代建筑提供了重要的实物资料。"佛窟钟声"被誉为翼城县古八景之一。明张宪赋《佛窟钟声》诗云："古刹荒祠锁敝垣，仙迹辽渺尚今存。云深牛吼通山谷，风细鲸音到野村。惊散五更舡上客，唤回一梦枕中魂。当时千佛归何处？重塔巍峨镇洞门。"2021 年被山西省人民政府公布为第六批省级文物保护单位。乡村道路经此。

50-B-b635 **城南村老君庙**［Chéngnán Lǎojūn Miào］位于山西省临汾市翼城县唐兴镇城南村南。创建年代不详，抵碑文载明万历年间（1573 年—1620 年）清乾隆十七年（1752 年）均有重修。坐北朝南，占地面积 492 平方米。现存东配殿为明代建筑，献殿为清代建筑。是翼城县已知现存的唯一的一座老君庙。2021 年被山西省人民政府公布为第六批省级文物保护单位。通 27 路公交车。

50-B-b636 **沙女遗址**［Shānǚ Yízhǐ］位于山西省临汾市襄汾县新城镇沙女沟村。属于旧石器时期遗址，1984 年 10 月发掘。文化遗物为石核、石片和石器，均系角页岩质。石核分为规则状和不规则状两大类；石片宽大于长者居多数，台面为劈裂面者约占一半以上，打击点多数清晰；打击石器采用锤击和摔碰法，石器主要有石锤、砍斫器、刮削器、手斧、尖状器和石矛头等类型。遗址石制品，普遍棱角锐利，其中石核石片数以万计，而石器所占比例甚小。1986 年被山西省人民政府公布为第二批省级文物保护单位。乡村道路经此。

50-B-b637 **寺头遗址**［Sìtóu Yízhǐ］位于山西省临汾市襄汾县与尧都区交界的邓庄乡寺头村。属于新石器时期遗址，于 50 年代末期。1996 年进行了复查，总面积在 10 万平方米以上。遗址暴露在外的主要遗迹有灰坑和白灰面房址两种，遗物主要是陶器，以绳纹和夹砂灰陶为主，器形有鬲、豆、盆、罐、钵等；另外还采集有铲、刀等石质工具。从采集陶器看与陶寺遗址出土的器物基本相同，是龙山时代陶寺文化的一处重要遗存。1965年被山西省人民政府公布为第一批省级文物保护单位。青兰高速经此。

50-B-b638 **南大柴遗址**［Nándàchái Yízhǐ］位于山西省临汾市襄汾县南贾镇大柴村。属于夏代遗址，于1959年发现，面积约8万平方米。1986春进行了发掘，发掘面积约100平方米。遗址文化堆积较厚，遗迹仅见灰坑，文化内涵单一。遗物主要为陶器，陶质以泥质灰陶和夹砂灰陶为主。陶器多为手制，主要炊具是鬲、甗、大口深腹罐等。纹饰主要是绳纹，另有附加堆纹、弦纹、卷云纹等。陶器形状以圆底器和三足器为最多，平底和圈足器较少。1986年被山西省人民政府公布为第二批省级文物保护单位。乡村道路经此。

50-B-b639 **赵康古城遗址**［Zhàokāng Gǔchéng Yízhǐ］位于山西省临汾市襄汾县赵康镇。古城址东距汾河5公里余，西距九原山4公里，面积约5万平方公里。相传为春秋时期的"古绛都"和汉的"临汾城"，当地人称"古晋城"。古城平面近似长方形，南部较宽，周长约8480米。城内地形北高南低，形成层层台地，高差约在10米上下，有一条明显路迹自北墙城门外向南延伸千余米；城外周有明显的护城河遗迹，至城的右下角处向南汇成巨川，今称泰山沟。古城墙址大体保存完好，南墙西段破坏较甚，北墙保存较好，东西二墙皆无城门痕迹。1965年被山西省人民政府公布为第一批省级文物保护单位。省道临夏线经此。

50-B-b640 **大张遗址**［Dàzhāng Yízhǐ］位于山西省临汾市襄汾县南贾镇大张村。属于新石器—东周时期古遗址，1994年4—9月进行了大规模的发掘，共揭露面积700平方米，发掘战国墓19座，其中大型墓7座。出土青铜器近200件，其中有狩猎纹大铜壶、鼎、匜、扁钟等。2004年被山西省人民政府公布为第四批省级文物保护单位。京昆高速经此。

50-B-b641 **晋襄公墓**［Jìnxiānggōng Mù］位于山西省临汾市襄汾县赵康镇东柴村。晋襄公名，为晋文公重耳之子，在位六年。据《史记》载，晋国建都襄汾、曲沃一带。晋襄公陵建于襄陵县（今襄汾县）城北30公里（今刘庄），县由此得名。晋襄公墓现存墓冢高18米，东西长40米，南北宽40米。墓南北排列有太子、太妃两座墓冢，墓地保存有清乾隆四十六年（1781年）墓碑一通。是春秋时期墓地，具有重要的历史价值。1965年被山西省人民政府公布为第一批省级文物保护单位。京昆高速经此。

50-B-b642 **关帝楼**［Guāndì Lóu］位于山西省临汾市尧都区陶寺乡陶寺村。其始建于元代，总高22.6米，正身面阔4.7米见方，周匝围廊，廊深2.1米。关帝楼砖木结构，为重檐歇山顶楼阁式建筑，明为三层，实为四层。底座为拱券式洞形十字通道，二、三层有回栏环绕，三层上有神龛，内有关公夜读春秋塑像，主楼两边配有造型清丽的钟、鼓楼。楼阁两角柱上横架内额以承围廊屋面，梁架、斗栱仍系元代原物。2004年被山西省人民政府公布为第四批省级文物保护单位。乡村道路经此。

50-B-b643 **赵曲文庙大成殿**［Zhàoqǔ Wén Miào Dàchéng Diàn］位于山西省临汾市襄汾县新城镇赵曲村。据史料记载，赵曲文庙最早为夫子庙，明代时称礼殿，清时改称宣圣殿。赵曲文庙创建年代不详，明弘治十二年（1499年）、清康熙二十九年（1690年）、雍正十年（1732年）、乾隆五十七年（1792年）及咸丰二年（1852年）多次予以维修，现仅存大殿一座，有元代建筑遗风。坐北面南，建于高约1米的台阶之上，四周回廊，面阔五间，通面阔16.23米，进深五间，通进深16.15米。其为重檐歇山顶建筑，灰陶筒瓦屋面，黄绿琉璃脊饰，绿色琉璃剪边。殿内使用井字梁加藻井，形成无梁殿。2016年被山西省人民政府公布为第五批省级文物保护单位。乡村道路经此。

50-B-b644 **北焦彭东岳庙大殿**［Běijiāopéng Dōngyuè Miào Dàdiàn］位于山西省临汾市襄汾县古城镇北焦彭村。始建年代不详，东明、清两代屡有修葺，建国后未曾修缮。岳庙其余建筑已全部毁失，现仅存大殿一座，随檩枋下有明崇祯十一年（1638年）"重修移建"题记。大殿面阔三间，进深两间，单檐悬山顶，灰陶筒瓦屋面，脊饰全部毁失。明间梁架结构为五檩无廊式，次间梁架为五檩中柱式；柱头及补间各施斗栱1朵，为单翘单昂五踩斗栱；前檐斗栱之下施通檐的大额枋；后檐平板枋、额枋成“T”形结构。从大殿的梁架结构、斗栱用材及做法分析判断，大殿为元代建筑。2016年被山西省人民政府公布为第五批省级文物保护单位。乡村道路经此。

50-B-b645 **仓头伯王庙**［Cāngtóu Bówáng Miào］位于山西省临汾市临汾市襄汾县南贾镇仓头村。创建年代不详。仅存正殿，坐南向北，占地面积102.7平方米。门枕石捐献题记为元代“至正十五年（1355年），捐献者苗仲温、苗祐之等苗氏四人”。正殿面阔三间，进深四椽，四椽栿通檐两柱，前檐用大额枋两侧略有升起（东侧重修），四铺作单昂下斗栱。明间设板门，两次间设直棂窗，灰筒板瓦屋面悬山顶，五脊直筒花脊饰。门枕石两块，正面分别雕刻团龙图一副，形象各异。侧面雕刻题记、捐献者、石匠等。月台东西长与大殿面阔同宽，南北长3.5米。2021年被山西省人民政府公布为第六批省级文物保护单位。乡村道路经此。

50-B-b646 **敬村观音庙**［Jìngcūn Guānyīn Miào］位于山西省临汾市襄汾县新城镇敬村。据殿内石碣及梁架题记载创建于金天会年间（1123年—1137年），金皇统二年（1142年）、明万历六年（1578年）、清康熙五十八年（1719年）均有修缮，现存建筑遗构为金代原构。坐北向南，占地面积45平方米。仅存大殿一座，面阔三间，进深四椽，灰筒板瓦悬山顶，四架椽屋通檐用二柱，明间中部设板门次间设直棂窗，殿内存金代、明重修石碣2方。2021年被山西省人民政府公布为第六批省级文物保护单位。乡村道路经此。

50-B-b647 **西徐三教庙**［Xīxú Sānjiào Miào］位于山西省临汾市襄汾县南辛店乡西徐村。创建年代不详，据正殿题记载大元元统三年（1335年）重建，大清康熙四十年（1701年）、大清嘉庆十六年（1811年）重修。坐北朝南，占地面积1432平方米。现存戏台、月台、大殿及东、西耳殿。戏台砖砌台基，面阔三间，进深六椽，七架檩无廊卷棚顶建筑，八字形台口墙体，为20世纪60年代曾予以重修；砖砌月台，正殿面阔三间、进深三椽，四檩前檐硬山顶建筑，斗栱三踩单昂，明间设隔扇板门；东、西垛殿均面阔三间、进深四椽，五檩无廊硬山顶建筑，东垛殿屋顶已坍塌。是研究元代建筑重要的实物例证。2021年被山西省人民政府公布为第六批省级文物保护单位。乡村道路经此。

50-B-b648 **侯村遗址**［Hóucūn Yízhǐ］位于山西省临汾市洪洞县赵城镇侯村。属于新石器时期遗址，发现于1984年春，1986年进行了发掘，遗址总面积在40万平方米以上。遗址的文化堆积厚，内涵丰富，发现有陶窑、灰坑、墓葬等遗迹，其文化特征与陶寺遗址为代表的文化最接近。同时晋中地区龙山文化某些陶器也在这里出现，从而说明该遗址融合了晋中地区的一些文化因素，并在晋南与晋中的文化交流中起着桥梁作用。考古工作者将其称为“陶寺文化侯村类型”。1986年被山西省人民政府公布为第二批省级文物保护单位。乡村道路经此。

50-B-b649 **上村遗址**［Shàngcūn Yízhǐ］位于山西省临汾市洪洞县万安镇双昌村。属于商周时期古遗址，面积为东西1000米，南北800米。1984年考古工作者曾对遗址作了全面的专题调查和试掘，揭露的遗迹有灰坑，出土的遗物有铜器和陶器。1986年又在遗址中采集到一些陶器残片，其文化类型为商周时代。1986年被山西省人民政府公布为第二批省级文物保护单位。乡村道路经此。

50-B-b650 **坊堆遗址**［Fāngduī Yízhǐ］位于山西省临汾市洪洞县广胜寺镇坊堆村。属于西周时期古遗址，1954年试掘时，遗址南北长210米，东西宽72米，北、西两面高出地平面1-2米，南、东两面与现在的地面相平。在遗址中部偏西发掘清理西周墓葬18座，出土器物有陶器、铜器、玉器、蚌贝器等。陶器有夹砂灰陶、细绳纹鬲；铜器有鼎、簋、戈、铜鱼；玉器有璜、环等。遗址中西部出土的一鼎器口沿下内壁有铭文“父乙”。坊堆村出土了卜骨，其中一片刻有一条卜辞，共8个字，这是西周甲骨文在国内首次发现。1965 年被山西省人民政府公布为第一批省级文物保护单位。乡村道路经此。

50-B-b651 **永凝堡遗址**［Yǒngníngbǎo Yízhǐ］位于山西省临汾市洪洞县大槐树镇永凝堡村。属于西周时期古遗址，1957 年 3 月，该村村民取土时发现了重要铜器 300 余件。1980 年 6 月及 10 月，考古工作者对其进行考古发掘，共发现墓葬 56 座。这些墓多为西周时期墓葬，均为长方形竖穴土坑墓，出土的随葬品主要是铜器、陶器、玉石器、骨、蚌贝器等。依据对墓葬形制及随葬器物的组合、形制、纹饰的分析，这批墓葬的年代当为西周，可大致分为早、中、晚三期。其文化特征与天马—曲村遗址西周时期的文化遗存完全一致。1965 年被山西省人民政府公布为第一批省级文物保护单位。乡村道路经此。

50-B-b652 **师村遗址**［Shīcūn Yízhǐ］位于山西省临汾市洪洞县曲亭镇、大槐树镇、苏堡镇。属于西周—汉时期古遗址，以师村为中心，东西长 5 千米，南北长 3 千米，总面积为 15 平方千米，有古文化遗址及古墓葬。其暴露在地表的文化层随处可见，范村杨侯国古城遗址文化层内发现有陶鼎、陶豆、陶盆、陶下水管道等；在西尹壁村古墓区盗洞内出土有陶鼎、陶壶、陶盆及彩绘陶器等。追缴回被盗施绿釉陶楼一座、青铜平盖四钮鼎 1 件、青铜三钮带盖鼎 3 件。2004 年被山西省人民政府公布为第四批省级文物保护单位。乡村道路经此。

50-B-b653 **上张遗址**［Shàngzhāng Yízhǐ］位于山西省临汾市洪洞县淹底乡上张村。属于春秋时期遗址。范围以上张村为中心，东西 1500 米，南北 1000 米，总面积 1.5 平方千米。遗址内分布有古文化遗址及古墓葬：古文化遗址以绳纹灰陶为主，器物有陶豆、陶罐等；古墓葬区出土器物有青铜盘、带盖鼎、双耳钵等。2004 年被山西省人民政府公布为第四批省级文物保护单位。乡村道路经此。

50-B-b654 **女娲陵**［Nǚwā Líng］位于山西省临汾市洪洞县赵城镇侯村。又称娲皇陵。始建年代无考，据《平阳府志》载唐天宝六年（747 年）重修，唐以后历代屡有修葺。女娲陵原规模宏大，建筑风格极具皇家气派。宋代碑文载："南北百大，东西九筵"，原有建筑现已不存。陵墓内现存宋开宝六年（973 年）和元至元十四年（1277 年）巨碑两通，千年以上古柏三株，"补天石"一块，以及明清时期石碑三十多通。2004 年被山西省人民政府公布为第四批省级文物保护单位。乡村道路经此。

50-B-b655 **泰云寺**［Tàiyún Sì］位于山西省临汾市洪洞县广胜寺镇石桥村。据碑文记载，始建于唐天宝十年（751 年），北宋雍熙四年（987 年）重建，现仅存大殿，主体结构为宋代建筑。大殿坐北朝南，面阔三间、进深六椽，单檐悬山顶。梁架为六架椽屋四椽对前乳通檐用三柱，柱头斗五铺作单抄单下昂。殿内四壁存壁画约 25 平方米，为泥皮覆盖，内容不详。1996 年被山西省人民政府公布为第三批省级文物保护单位。乡村道路经此。

50-B-b656 **碧霞圣母宫**［Bìxiá Shèngmǔ Gōng］位于山西省临汾市洪洞县广胜寺镇坊堆村。始建于明嘉靖二年（1523 年），现存主体结构为明代建筑。坐北朝南，二进院布局，中轴线上现存木牌坊、圣母殿，两侧仅存西厢房三间，占地面积 888 平方米。大殿面宽三间、进深三间，单檐歇山顶，殿顶饰琉璃脊兽、瓦件。七檩梁架，柱头科七踩重翘单昂，平身科一攒。前檐明间施隔扇门，两次间隔扇窗。殿内设凹字形神坛，上塑圣母，两侧塑宫女及侍者像，两山及后墙均塑有悬塑，为明代作品。1996 年被山西省人民政府公布为第三批省级文物保护单位。乡村道路经此。

50-B-b657 **明代监狱**［Míngdài Jiānyù］位于山西省临汾市洪洞县古槐北路。始建于明洪武二年（1369 年），因北京名妓苏三蒙冤落难囚禁于此及戏剧《玉堂春》的流传而闻名，也是现存最早的监狱。主要由普通牢房、死囚牢房组成。两排 12 间普通牢房中间上空，铁丝网密布，铜铃高悬，牢内陈列着明代律法和各种刑具实物与陈列着苏三蒙难的实物。死囚牢俗称"虎头牢"，牢门上刻画着的"狴犴"头像。死囚牢院内有枕头窑一孔，隔为三间，牢门共有两道，牢房墙厚达 1.7 米，其内填满流砂，以防死囚犯挖墙逃跑。1965 年被山西省人民政府公布为第一批省级文物保护单位。通 26、301 路公交车。

50-B-b658 **马牧华严寺**［Mǎmù Huáyán Sì］位于山西省临汾市洪洞县辛村乡马牧村。俗称北寺，北宋建隆三年（962 年）创建，历代屡有修葺。现存建筑有正殿、东西配殿。正殿为大雄宝殿，元代遗构，面阔五间，进深六椽，单檐悬山顶，举折平缓，出檐深远，殿内东、西、北三面墙上均有壁画。2004 年被山西省人民政府公布为第四批省级文物保护单位。乡村道路经此。

50-B-b659 **北马驹三结义庙**［Běimǎjū Sānjiéyì Miào］位于山西省临汾市洪洞县龙马乡北马驹村。坐北朝南，一进院落布局。中轴线从北至南依次有大殿及两侧耳房、献亭、戏台及东西妆楼，院落东南角建观音堂一座。大殿面阔三间，进深两间，单檐不厦两头造屋面，灰陶筒瓦屋面，灰陶脊饰。大殿梁架、斗栱具有明显的元代建筑特征。献亭为元代遗构，平面呈方形，四角式，单檐十字歇山顶。戏台坐南向北，始建年代不详，清康熙三十五年重修，现存为清道光二十五年重修后遗构面，面阔三间，进深三间，单檐悬山顶，筒瓦屋面，灰陶脊饰。2016 年被山西省人民政府公布为第五批省级文物保护单位。乡村道路经此。

50-B-b660 **明代移民遗址**［Míngdài Yímín Yízhǐ］位于山西省临汾市洪洞县公园路。碑亭位于原古汉槐处，坐北朝南，单檐歇山顶，筒板布瓦覆盖。亭内碑一通，高 3.5 米，宽 0.8 米，厚 0.3 米，碑首作盘龙雕饰，中刻“纪念”二字。碑阳刻“古大槐树处”五个隶书大字，碑阴所刻碑文概述明初迁民始末。碑亭后窑顶上立有金承安五年石经幢，为广济寺仅存的遗物。是明朝洪武、永乐年间大规模、长时间广泛移民历史的一组纪念性建筑。1996 年被山西省人民政府公布为第三批省级文物保护单位。通 26、301 路公交车。

50-B-b661 **北铁沟三结义庙**［Běitiěgōu Sānjiéyì Miào］位于山西省临汾市洪洞县苏堡镇北铁沟村。正殿脊檩题记：“时大元国延祐元年（1314 年）... 创建谨志”。另据碑记，明、清重修。坐北面南，二进四合院布局，占地面积 649.2 平方米。中轴线上现存过殿（明代）、正殿（元代），两侧存东耳殿、东配殿、西厢房，均为清代建筑。过殿前墙嵌清同治八年（1869 年）“义妇王贺氏重修废井并建优伶寓所记”碑 1 通，正殿前存清咸丰九年（1859 年）记事碑 1 通、光绪十四年（1888 年）“重修三义庙”碣 1 方。正殿前墙有“文革”时期宣传标语“毛主席万岁”“共产党万岁”“向着共产主义社会前进”等。2021 年被山西省人民政府公布为第六批省级文物保护单位。341 国道经此。

50-B-b662 **早觉二郎庙**［Zǎojué Erláng Miào］位于山西省临汾市洪洞县广胜寺镇早觉村中。创建年代不详，据正殿脊檩题记及碑记，清康熙七年（1668 年）、乾隆四十七年（1782 年）均有修葺，正殿主体结构保留元代风格，余为清代建筑。占地面积 801 平方米。坐北面南，一进院落布局，中轴线上仅存正殿，两侧存东西配殿、西厢房；山门建在院西南，门额题“众灵垂应”。正殿前存清代维修记事碑、“清水渠碑”各 1 通。正殿砖砌台明，高 1 米，面阔五间，进深七椽，悬山顶。梁架结构为二椽袱通檐用三柱造法，前檐用五铺作斗栱七朵承挑出檐，举折平缓。明间辟板门，次间设直棂窗。2006 年对正殿顶部进行了维修，并重建戏台，立新碑 2 通。1985 年被洪洞县人民政府公布为第二批县级文物保护单位。现存建筑基础稳固，保存较好。2021 年被山西省人民政府公布为第六批省级文物保护单位。341 国道经此。

50-B-b663 **韩侯东岳庙**［Hánhóu Dōngyuè Miào］位于山西省临汾市洪洞县万安镇韩侯村中。创建年代不详，据形制分析为明代建筑。坐西面东，一进院布局，占地面积 1224 平方米。中轴线上仅存正殿，两侧建筑不存。正殿砖砌台明，条石包边，高 1.2 米，面宽三间，进深六椽，悬山顶，七檩前檐廊构架；柱头斗栱五踩单昂，平身科一攒，明间辟格扇门，次间设直棂窗；殿内南北山墙及后墙绘人物壁画，共约 85 平方米，八尊塑像为新塑，门前存石雕门墩 2 个，雕青龙白虎。2007 年在正殿前新建献厅，并建山门、围墙、戏台。现存正殿用材考究，做工精致，殿内壁画精美，具有较高的历史、艺术价值。2021 年被山西省人民政府公布为第六批省级文物保护单位。乡村道路经此。

50-B-b664 **师庄东岳庙**［Shīzhuāng Dōngyuè Miào］位于山西省临汾市洪洞县堤村乡师庄村。创建年代不详，据形制分析为元代和明代遗构。另据碑记，清乾隆元年（1736 年）、嘉庆十七年（1812 年）均有修葺。坐北面南，一进院落布局，占地面积 1896.04 平方米。中轴线上仅存戏台，两侧存龙王殿、娘娘殿。龙王殿、娘娘殿保留元代遗构，戏台为明代遗构。庙院存清代维修记事碑 3 通、碣 1 方、石醮盆 2 个。龙王殿砖砌台明，高 1.2 米，殿身面阔三间，进深四椽，悬山顶，檐柱上施通间大额枋，上置四铺作斗栱，殿内 7 尊塑像及山墙壁画均为新塑。2009 年对现存建筑进行了维修，并重建山门，门额题“东岳庙”，庙内建筑装修彩饰一新。2021 年被山西省人民政府公布为第六批省级文物保护单位。108 国道经此。

50-B-b665 **王绪东岳庙**［Wángxù Dōngyuè Miào］位于山西省临汾市洪洞县万安镇王绪村。正殿门枕石题记：“口元八年”，疑为元至元八年（1271 年）。据此推测该建筑创建于元代。现存建筑为明代遗构。坐西朝东，一进院布局，占地面积 594 平方米。中轴线上仅存正殿，两侧建筑不存。正殿砖砌台明，高 0.9 米，面宽三间，进深四椽，单檐悬山筒板瓦顶，琉璃脊饰，五檩无廊式构架，柱头斗栱五踩单翘单昂，平身科每间一攒。前檐明间辟板门，两次间为后人改建的圆窗。2021 年被山西省人民政府公布为第六批省级文物保护单位。乡村道路经此。

50-B-b666 **伏珠弥勒寺**［Fúzhū Mílè Sì］位于山西省临汾市洪洞县刘家垣镇伏珠村。据碑文记载，始建于唐，后屡废屡兴，现存正殿为明代遗构，余皆为清代建筑。坐北面南，一进院布局，占地面积 2700 平方米。中轴线上建有山门、正殿，两侧建有东西耳殿、东西厢房。西北部存梵王殿及东西耳殿。庙院存碑 8 通、碣 2 块，石经幢 1 通。正殿砖砌台明，高 0.5 米，面阔五间，进深六椽，单檐悬山筒板瓦顶，七檩前后廊式构架，柱头斗栱五踩双昂，次、梢间平身科斗栱一斗二升交麻叶斗科。殿内脊檩上有“清乾隆二年重修”题记。是洪洞境内时代较早、保存较好的古建筑之一，是研究明、清寺庙建筑的实例。分别于每年农历四月初一至初五、九月初九至九月十五举办夏、秋庙会，2017 年庙会被评定为临汾市非物质文化遗产。2021 年被山西省人民政府公布为第六批省级文物保护单位。省道洪水线经此。

50-B-b667 **谁园藏书楼（张瑞玑旧居）**［Shuíyuán Zàngshūlóu（Zhāngruìjī Jiùjū）］位于山西省临汾市洪洞县赵城镇西街。原赵城镇政府院。张瑞玑（1872 年—1928 年），字衡玉，号窕窟野人，自号谁园主人，是近代山西著名的民主主义革命家、爱国诗人、书画家、藏书家。清光绪进士，历任陕西韩城、长安等知县，早期同盟会员，辛亥革命后，任山西省财政司长、署山西省民政长、第一届国会参议院参议员。1913 年，因对时局不满，离京归乡，建造“谁园”。坐北面南，占地面积 3134.2 平方米。分南北两院。南院现存东、西厢房，南院西南部为绣楼。北院为四合院，建有大门、正房、南房及东西厢房，正房两侧为东西看楼。正房即谁园藏书楼，上下两层均砖窑 5 孔，庑殿顶，前檐设木栏，圆拱形门窗，檐部装饰具有西方建筑风格。北院南房和东西房均为面宽三间，进深四椽，硬山顶。南院东、西厢房均为面宽三间，进深二椽，单坡硬山顶。绣楼为面宽三间砖木构二层楼阁式建筑。建筑群是典型的中西合璧式建筑，其藏书曾达 10 余万卷，新中国成立后全部捐献给省图书博物馆。2021 年被山西省人民政府公布为第六批省级文物保护单位。乡村道路经此。

50-B-b668 **八路军总部马牧旧址**［Bālùjūn zǒngbù Mǎmù Jiùzhǐ］位于山西省临汾市洪洞县辛村乡马二村。旧址曾是原赵城县首富马牧许家的书院，院落占地面积 1436.6 平方米，现存大门（后门）、东西影壁、正房和东、西厢房共 5 栋 20 间，为清代中晚期建筑。正房和东西厢房均为砖木构硬山顶房屋。1937 年 12 月至 1938 年 2 月，朱德率八路军总部驻扎该院 52 天。在此期间，朱德会见了斯特朗、卫立煌，提出著名的十六条战术原则。还经常前往白石村，为八路军随营学校的学员讲授军事、政治课，参加军民联欢。1938年2月5日，下达八路军一二九师出平汉线向津浦线日军出击命令，2月8日和14日，两次赴临汾与阎锡山会晤商讨作战计划。2月20日，总部向太行山区转移。2012年，白石村退休干部胡天定先生筹建了“洪洞红军八路军纪念馆”，筹资维修了八路军总部驻马牧旧址，修复了南房、前门等。旧址现由洪洞红军八路军纪念馆管理使用，与白石温家大院一并打造精品红色旅游品牌、景区。2021年被山西省人民政府公布为第六批省级文物保护单位。乡村道路经此。

50-B-b669 **太岳区第一军分区贾寨旧址**［Tàiyuèqū Dìyījūnfēnqū Jiǎzhài Jiùzhǐ］位于山西省临汾市古县北平镇贾寨村。现存旧址共分为8处院落，分别为：医院旧址（3处院落）、太平间旧址（1处院落）、病房旧址（1处院落）、薄一波旧居（1处院落）、军分区旧址（1处院落）、军分区司令部旧址（1处院落）。1940年1月，为了建立强大的革命根据地，中共太岳区委在贾寨村成立，安立子文任书记，组织部长王一新，宣传部长顾大川，党的工作迅速在这里开展。1943年1月，晋豫区与太岳区并合，组建新的中共太岳区委员会。同时组建了新的太岳军区，司令员陈赓，副司令员谢富治，薄一波为政委。原太岳区一、二、三地委、专署、军分区合并为新的太岳一地委，一专署、一分区。3月，军分区在贾寨成立，到1945年5月，驻贾寨近二年半。地委、专署在宝丰成立。为抗日战争的最后胜利，发挥了巨大作用，做出了很大贡献。2021年被山西省人民政府公布为第六批省级文物保护单位。乡村道路经此。

50-B-b670 **太岳军区司令部桑曲旧址**［Tàiyuè Junqū Sīlìngbù Sāngqǔ Jiùzhǐ］位于山西省临汾市安泽县杜村乡桑曲村。1942年秋，太岳军区司令员陈赓，率军区司令部由沁源换防至安泽杜村乡桑曲村，在此驻扎两年多，指挥太岳军区部队与日军作战，著名战役有柳寨伏击战、关圣岭战斗等。刘少奇、邓小平同志曾来桑曲指导工作；陈赓司令员与国民党九十八军军长武士敏将军在此达成两军联防合作协议。现存建筑4座，分别为北房、东西厢房及南房。北房为正房，曾为陈赓同志办公旧址，现各建筑仍保持当时风貌。2016年被山西省人民政府公布为第五批省级文物保护单位。省道长安线经此。

50-B-b671 **海东摩崖造像**［Hǎidōng Móyá Zàoxiàng］位于山西省临汾市安泽县马壁乡海东村村北约200米的连绵不断的高崖石壁上。坐东面西，整体形状呈不规正的长方形，共有北、中部、南三部分组成，总长约10米。总立面积约10平方米。北部一组长1.26米，高约0.9米，计有造像37尊，其中最高的佛像约7厘米，分四行排列。南边的一组长约4.2米，高约1米，可见造像47尊。龛外四周也有散刻佛像造像，长约4.54米。其下有数人骑马行进，为线刻。左侧佛龛像高位刻有“北齐国主”，再下距河面1.2丈高处，刻有文字，表述了造像时代与经过。是安泽县最早的内容最丰富的石刻造像群。2021年被山西省人民政府公布为第六批省级文物保护单位。乡村道路经此。

50-B-b672 **上寨摩崖造像**［Shàngzhài Móyá Zàoxiàng］位于山西省临汾市安泽县良马乡上寨村西1公里泗河西岸老庙上岭山腰处。据现存题记记载，“大齐河清二年（563年）”雕凿。摩崖造像坐西向东，目前发现的总长约7米，高约1.8米，总面积约13平方米。由两块南北相接自然砂石组成，南侧摩崖造像内容丰富，有佛、菩萨、人物、狮兽、马匹等造像及供养人姓名的约数百文字，其右侧留有“大齊河清二年（563）六月癸巳朔八日”；北侧摩崖造像石刻风化严重，仅残留题记“天保二年（551年）……”，“……‘曰（下部为曰）’元年”和一似跪拜人形 。北魏仅孝昌一个年号由“曰”字组成，故应为孝昌元年（525年）。上寨摩崖造像雕凿时间前后共用最少38年。2021年被山西省人民政府公布为第六批省级文物保护单位。乡村道路经此。

50-B-b673 **桥北遗址**［Qiáoběi Yízhǐ］位于山西省临汾市浮山县北王乡桥北村。分布于村西、西南方向，系新石器、商、周时期遗址。遗址南北长720米，东西宽1550米，呈不规则形，文化层距地表1米，厚度1—1.5米。两个遗址区域内有一古堡墙横贯南北，南段在南疙瘩地区，残存长 20 米，中间一缺口约 9 米，再接残堡墙 15 米；崔家疙瘩一段长 30 米，宽 1—7 米，夯土层约 10 厘米。主要暴露遗迹有灰坑，包含物有石斧、石铲残片、绳纹灰陶片及烧骨等。2004 年被山西省人民政府公布为第四批省级文物保护单位。乡村道路经此。

50–B–b674 **文庙大成殿**［Wén Miào Dàchéng Diàn］位于山西省临汾市浮山县尧山路。元至元二年（1265 年）创建，大德年间重修，现存建筑为元代原构。大成殿筑于高台之上，面宽五间，进深三间，单檐歇山顶。斗五铺作出双昂计心造，平面采用减柱和移柱法，设金柱四根，梁架为草，采用原木稍加砍伐，殿内施巨大内额。1996 年被山西省人民政府公布为第三批省级文物保护单位。通 1、4 路公交车。

50–B–b675 **清微观**［Qīngwēi Guān］位于山西省临汾市浮山县诸葛村。始建于唐武德三年，宋朝重建，元、明、清几经修缮，仍不免颓圮，最近一次为 2014 年重修。坐北朝南，单进四合院布局，中轴线上依次建有山门（上为舞台，下为山门）、老君殿，东西两侧为配殿、廊房。老君殿为庙内主殿，立于一长方形台基之上，面阔五间，进深六椽，重檐歇山顶，五踩斗拱二十六攒，檐下斗栱五铺作。梁架为彻上露明造，结构为四椽栿对前后乳栿通檐用四柱，梁枋断面比例与宋《营造法式》基本相符。老君殿前存有宋、元、明、清各代碑刻 9 通。1996 年被山西省人民政府公布为第三批省级文物保护单位。乡村道路经此。

50–B–b676 **义尖 – 安坪遗址**［Yìjiān–ānpíng Yízhǐ］位于山西省临汾市吉县中垛乡安坪和义尖两个自然村范围。是新石器时代晚期聚落遗址，总面积为 6 平方公里。村西村东沟畔有陶窑灰坑及黄土小窑洞遗迹，村西至村北为墓地。墓地中器物有双耳陶罐，拆肩盆等，墓地曾出土玉壁、陶盆等物。安坪为西周时期墓地，曾出土青铜甗等青铜器，现存台湾故宫博物院，为周叔硕和周叔姞时器物。1996 年被山西省人民政府公布为第三批省级文物保护单位。乡村道路经此。

50–B–b677 **狄城遗址**［Díchéng Yízhǐ］位于山西省临汾市吉县文城乡同乐村。南北临沟，西俯黄河，东接土垣的独立台地，分仰韶和东周两个时期，面积 26400 平方米。仰韶时期采集到的器物器型有泥质红陶盆（方格纹）、重唇尖底瓶、钵等；东周时期的有灰陶豆、碗、罐等。其东壕沟至同乐村曾发现同期墓葬，出土器物有鼎、舟和玉器等残片，为东周时期遗物。1996 年被山西省人民政府公布为第三批省级文物保护单位。乡村道路经此。

50–B–b678 **大墓塬墓地**［Dàmùyuán Mùdì］位于山西省临汾市吉县吉昌镇上东村与洪北沟之间。是商周时期墓地，属管头山南与清水河谷地间黄土残垣前沿。墓地发现于 1982 年，总面积约 3 平方千米，有青铜器簋、鼎等器物出土，为西周典型器物。墓地北部上东村曾发现商代青铜器及小墓一座，出土器物有青铜斧、钺、兽头带环饰勺和铃首刀，为鄂尔多斯风格。1996 年被山西省人民政府公布为第三批省级文物保护单位。乡村道路经此。

50–B–b679 **克难坡**［Kènán Pō］位于山西省临汾市吉县壶口镇南村坡村。东连南村，西邻黄河，南面是深沟，北面为土塬，为抗日战争时期阎锡山第二战区长官司令部和山西省省政府、民族革命同盟会所在地，因阎锡山避“难存”之谐音。克难坡东西长约 1 千米，南北宽 0.5 千米。阎锡山在入住前的两年里，周密规划，修建了窑洞层叠、颇具规模、可容纳二万多人居住办公的山巅小城。现存建筑有望河亭、阎公馆、进步室、竞赛室、忠烈祠、洪炉台、窑洞、上城墙及 200 余孔窑洞。2004 年被山西省人民政府公布为第四批省级文物保护单位。乡村道路经此。

50–B–b680 **坤柔圣母庙**［Kūnróu Shèngmǔ Miào］位于山西省临汾市吉县吉昌镇谢悉村。始建于宋天圣元年（1023 年），元、明局部重建，现存坤柔圣母殿为元代遗构，面宽进深各三间，单檐歇山式屋顶。殿内减柱造，四根金柱移于次间，柱头施大雀替，额枋两层，分置上下，形成井字形梁架。下层设抹角梁，上层施栏额和普柏坊，前后檐及两山由爬梁承托荷载，中心由斗栱挑承着垂莲柱，结成疏朗的藻井。圣母殿结构之奇巧，为我国古代建筑中所少见。1986 年被山西省人民政府公布为第二批省级文物保护单位。乡村道路经此。

50-B-b681 **芝麻滩遗址**［Zhīmátān Yízhǐ］位于山西省临汾市大宁县徐家垛乡李家垛村。其文化层面积约 1500 平方米，距地表深度 0.3—10 米，位于昕水河二级阶地的底部，地层剖面自上而下为：（1）三叠系砂岩基座（2）砾石层（3）砂层夹小砾石。该遗址暴露的主要遗物，以粗壮石器和细小石器为代表，前者采自砾石层，后者采自阶地顶面。共采集标本有石核、石片、刮削器、砍斫器等 47 件，根据采集标本，可确定为旧石器时代晚期遗存。1996 年被山西省人民政府公布为第三批省级文物保护单位。乡村道路经此。

50-B-b682 **翠微山遗址**［Cuìwēi Shān Yízhǐ］位于山西省临汾市大宁县城关镇南关村。遗址范围 1 平方千米，文化层距地表约 4 米，厚度 2 米。暴露遗迹主要是灰坑，黄土断层，暴露主要遗物有绳纹灰陶，泥质红陶、夹砂陶片。采集标本有彩陶钵、尖底瓶口、底、陶环、泥质绳纹灰陶、泥质红陶、磨光黑陶片。是新石器时期仰韶文化晚期与龙山文化初期遗址。1996 年被山西省人民政府公布为第三批省级文物保护单位。通大宁 1 路公交车。

50-B-b683 **古城村遗址**［Gǔchéngcūn Yízhǐ］位于山西省临汾市隰县龙泉镇北村古城自然村。遗址文化层堆积很厚，也很丰富，主要为半圆形素面瓦当和圆形瓦当的筒瓦以及极多见的板瓦，时代为战国、汉代。尤为重要的是，采集到一枚西汉“万”字圆形文字瓦当残片，全文为“千秋万岁”，这类吉祥文字非一般民居和一般建筑物所能拥有，表明这座古城在西汉时期存在着“官署”一类的机构。遗址与战国汉代的“蒲阳古城”有关，是晋西吕梁山区留存的该时期城址中保存较为完整、典型的一座，对研究当时城址布局有重要价值。2016 年被山西省人民政府公布为第五批省级文物保护单位。乡村道路经此。

50-B-b684 **决死二纵队司令部义泉村旧址**［Juésǐ 2 Zòngduì Sīlìngbù Yìquáncūn Jiùzhǐ］位于山西省临汾市隰县黄土镇义泉村。决死二纵队成立于 1937 年 12 月，1938 年至 1939 年期间，决死二纵队司令部驻扎于此。下辖决死第四、五、六总队，决死二纵队和汾西游击队互相配合打赢了午城战斗，粉碎了敌人侵占黄河渡口的企图，对开辟晋西南抗日根据地和巩固陕甘宁边区黄河河防都有重要意义。坐北朝南，占地面积约 680 平方米，该旧址由司令部（正房）、后勤部（东厢房）、保卫处（东厢房）、参谋部（西厢房）、政治部（西厢房）、门楼组成。2016 年被山西省人民政府公布为第五批省级文物保护单位。341 国道经此。

50-B-b685 **均庄遗址**［Jūnchuān Yízhǐ］位于山西省临汾市隰县下李乡均庄村中城川河两岸台地上，以北岸为主。均庄村由上均庄和下均庄两个自然村组成，2009 年第三次文物普查时，分作“上均庄北遗址”、“上均庄东遗址”和“下均庄北遗址”、“下均庄遗址”四处。2014 年 2 月 27 日，隰县文物局组织力量又一次调查了这四处遗址，在上均庄北遗址发现被盗的战国墓葬近十座、明代砖室墓一座，最后发现四处遗址是一个遗址的各个部分，因而合并为“均庄遗址”。北（西）岸遗址北高南低，遗址分布东达上均庄东，2009 年第三次文物普查时编为“上均庄东遗址”，东西约为 100 米、南北约为 120 米，分布面积约 12000 平方米；南是 2009 年第三次文物普查时的“下均庄遗址”，位于下均庄自然村东 100 米 209 国道南麦地山下，南高北低，南北约为 200 米、东西约为 600 米，面积 120000 平方米；北到上均庄北，2009 年第三次文物普查时编为“上均庄北遗址”，南北约为 300 米、东西约为 200 米，分布面积约 60000 平方米，西部终止于“上均庄北遗址”的西界。其间含有“下均庄北遗址”，当时调查的范围是东西约为 200 米、南北约为 250 米，面积约 50000 平方米。2009 年第三次文物普查时的四处遗址之间，冲沟以外的地带，都有或多或少的遗迹和遗物，这也是我们将四处遗址合并为“均庄遗址”的主要原因。遗址东西约为 600 米，南北约为 1070 米，总面积 642000 平方米。2021 年被山西省人民政府公布为第六批省级文物保护单位。乡村道路经此。

50–B–b686 **楼山古建筑群**［Lóushān Gǔjiànzhù Qún］位于山西省临汾市永和县楼山乡楼山。建筑群依山势点缀在主峰之上，参差错落，分为上下院。上院楼山岳庙建在山顶石崖之上，坐西北朝东南，主要建筑有龙王殿、观音殿、戏台、土地殿。还有龙王殿耳殿、窑洞等附属建筑。龙王殿创建年代最迟可追溯到五代之末，重修于元至元二十七年（1290 年）。观音殿、土地殿为清代建筑。岳庙戏台始建于清道光二十三年。下院圣母庙建在半山腰，始建于清道光二十二年。清宣统二年重修。坐北朝南，两进院落，前院为厢房；后院轴线上建有圣母殿、戏台，西侧是厢房。现有的布局基本上是历史的原貌。2021 年被山西省人民政府公布为第六批省级文物保护单位。乡村道路经此。

50–B–b687 **上退干毛泽东路居**［Shàngtuìgàn Máozédōng Lùjū］位于山西省临汾市永和县乾坤湾乡东征村。1971 年，临汾地区第一届全委会曾在现毛泽东路居旧址召开，1972 年在关帝庙旁建起红军东征纪念馆，2006 年进行整修、扩建。占地面积达到 7200 平方米。1936 年 2 月 20 日，毛泽东主席率中国工农红军抗日先锋军渡河东征，到 5 月 5 日回师陕北，历时 75 天，转战山西 50 余县，实现了补充供给和扩军壮大队伍，宣传党的抗日主张和扩大党的政治影响等战略任务。永和县是当时红军东征的主战场和重要根据地，毛主席曾在永和战斗和生活了 13 天，主持召开了赵家沟、前龙石腰等重要军事会议，指挥红军胜利回师陕北，并将“渡河东征，抗日反蒋”的战略方针改变为“回师陕北，逼蒋抗日”，最终经西安事变实现“联蒋抗日”，建立起抗日民族统一战线，壮大了抗日力量，打开了抗战局面，史称“永和决策”。是对红军东征历史实事的准确定义，是对永和县在中国革命历史上所占据的重要地位的高度概括。是展示红军东征研究的重要展馆，是领略东征历程，感受东征精神的第一视窗，是进行爱国主义教育、廉政教育的最佳课堂。2021 年被山西省人民政府公布为第六批省级文物保护单位。乡村道路经此。

50–B–b688 **薛关遗址**［Xuēguān Yízhǐ］位于山西省临汾市蒲县薛关镇西约 1 公里的听水河右岸。薛关遗址的石制品包括细石器和粗大石器两类，以细石器为主。细石器的类型达 30 余种，有楔状、船底形、半锥状、似锥状、漏斗状等各种类型的典型细石，其中尖状器是薛关遗址的代表性器物。薛关细石器石制品以打片技术兼用直接法和间接法，石制品中的一些大型石器与整个石器的加工方法、风格一致，是薛关文化遗存中不可分割的组成部分。是一处以楔状石核为特征的细石器技术传统的文化遗址。1986 年被山西省人民政府公布为第二批省级文物保护单位。520 国道经此。

50–B–b689 **腰东汉墓群**［Yāodōng Hàn Mùqún］位于山西省临汾市蒲县坪垣乡腰东村。是汉代墓群，墓区东西约 500 米，南北约 1000 米，总面积 0.5 平方千米。五、六十年代曾先后发现过几十座墓葬，发掘过墓葬一座，清理出石棺 1 副，石棺为红砂石，经过打磨拼砌而成，做工较粗糙，墓内随葬品主要有陶罐、陶鼎、铜镜等。1996 年被山西省人民政府公布为第三批省级文物保护单位。乡村道路经此。

50–B–b690 **蒲县真武祠**［Púxiàn Zhēnwǔ Cí］位于山西省临汾市蒲县县城翠屏山山腰。据祠内明嘉靖二十六年（1547 年）碑文记载“创建无梁殿一所，岿高宏深，奥处有邃室，中祷铜像，旁列玉女”，“肇造于嘉靖庚子□仲，竣事于癸卯之夏”。1993 年补修，现存为明代建筑。坐南朝北，占地面积 1000 平方米，原布局不详，据碑文记载曾建有门楼、戏台、静堂。现为一进院布局，仅存大殿、东西耳殿，建于高 1 米的砖石台基上。大殿面阔进深各 15 米，屋面为单檐歇山顶，琉璃脊饰。殿内顶部为砖砌八角攒尖顶。檐下及殿内顶部设有砖雕斗栱，前檐正中有拱券门。殿内神坛安放明代铜铸真武帝君坐像一尊，高 1.5 米，宽 1 米。两侧耳殿为单孔砖券窑洞，歇山顶。院中立有明代碑 1 通、清代碑 2 通、1993 年重修碑 2 通。真武祠殿内顶部明代砖砌八角攒尖顶和明代铜铸真武大帝像在全国较为罕见，具有一定的艺术研究价值。2021 年被山西省人民政府公布为第六批省级文物保护单位。通 2 路公交车。

50-B-b691 **真武祠** [Zhēnwǔ Cí] 位于山西省临汾市蒲县昌平大街。创建年代不详，金大定年间（1161 年—1189 年）改称青山龙王庙，元大德二年（1298 年）改称青山庙，宋、元均有重修，清顺治年间创建真武祠，改称真人庙，现存主体建筑结构为元明清建筑。依山而建，中轴线建有南门戏台、看亭、韦驮殿、真武殿、文殿、铜殿、玉皇楼，文殿两侧建有库房院、禅院。庙内保存有元碑 1 通，明清重修碑、记事碑 70 余通，具有较重要的历史价值。2004 年被山西省人民政府公布为第四批省级文物保护单位。通 1 路公交车。

50-B-b692 **追封吉天英碑** [Zhuīfēng Jítiānyīng Bēi] 位于山西省临汾市汾西县城东门外。元至治二年（1322 年）立石，是吉祥之子吉天英、吉天益、吉天弼立石记载朝廷追封吉天英两代先人的缘由及其父吉祥生平之碑。碑为青石质，璃首，龟趺，通高 2.80 米，首高 0.70 米，趺高 0.50 米，碑身宽 0.91 米。碑阳额题篆书“大元赠嘉议大夫礼部尚书冯翊郡侯吉公墓碑铭”，首题“大元赠嘉议大夫、礼部尚书、上轻车都尉，追封冯翊郡侯吉公墓碑铭并序”。碑文楷书碑阳 23 行，漫行 54 字。碑阴额篆“口口吉氏谱系之图”，正义 9 行，380 字，记录古氏族谱，赵孟撰文并书丹。2004 年被山西省人民政府公布为第四批省级文物保护单位。2211 国道经此。

50-B-b693 **李安庄观音阁** [Lǐānzhuāng Guānyīn Gé] 位于山西省临汾市汾西县永安镇李安庄村西部。创建年代不详，据碑记，明弘治九年（1496 年）、明嘉靖十一年（1532 年）、万历五年（1577 年）、清雍正十年（1732 年）、清乾隆四年（1739 年）、道光四年（1824）均有修葺。坐北面南，三进东西院布局。占地面积 1428 平方米。东院为主院，中轴线上建有山门、戏台、观音阁，两侧存阎君殿、千手殿，院东南角设东门。西院建有西门、神佛洞（院中院）、老君堂、龙王殿，东西院之间建有中门。西院神佛洞院内建有洞门、正房、东西侧窑。戏台西侧（西院和神佛洞院外）建有衬窑七孔。现存观音阁和戏台为明代建筑，余皆为清代遗构。占地面积 1428.25 平方米。观音阁内残存清代壁画约 20 平方米，戏台山墙残留清代壁画约 30 平方米。依山而建，面临汾河，庙宇布局整体呈一字排开，历经明、清增建修葺，窑洞、佛洞、楼阁、戏台等应有尽有，属明代寺庙的佳作，具有一定的科学和艺术研究价值。2021 年被山西省人民政府公布为第六批省级文物保护单位。乡村道路经此。

50-B-b694 **下团柏九天圣母庙** [Xiàtuánbǎi Jiǔtiān Shèngmǔ Miào] 位于山西省临汾市汾西县团柏乡下团柏村。创建年代不详，九天圣母殿内额下有元至治三年题记。坐北面南，二进四合院布局，中轴线自南而北依次建有照壁、山门、戏台、献殿遗址、九天圣母殿、十王殿，东侧存三王殿、庙管房遗址、黑龙魁祠，西侧存城隍殿、送子娘娘殿、四圣母殿、西客房、蒋鸣龙祠堂。其中九天圣母殿为元 - 明遗构、山门为明代遗构，余为清代建筑。占地面积 2724.3 平方米。庙内石碑 11 通，石碣一块。作为为数不多的九天圣母庙信仰地，下团柏九天圣母庙历经元、明、清，院落格局仍能完整地保存下来，在晋南地区有较高的价值。2021 年被山西省人民政府公布为第六批省级文物保护单位。乡村道路经此。

50-B-b695 **汾西抗日游击支队地下党活动旧址** [Fénxī Kàngrìyóujīzhīduì Dìxiadǎnghuódòng Jiùzhǐ] 位于山西省临汾市汾西县对竹镇刘家庄村。旧址包括 1 座马王庙、29 座革命故居、村内 28 个土窑洞、以及村周七沟八梁一面坡上零星分布的 67 个土窑洞。其中中包括贾长明旧居、贾耀详旧居、贾在中旧居、贾小厮旧居等。马王庙占地面 809.20 平方米，29 座民居院落积占地面积约 301500 平方米。是革命战争年代（1937 年—1946 年）经过 9 年汾西县地下党活动的地区之一，汾西县第一任县委书记贾长明、抗日英雄贾耀祥、刘金龙、贾福元、王玉环等先烈都曾生活、战斗在这里，为汾西的解放事业做出了很大贡献。抗战时期，革命先人在此日夜作战，白色恐怖下，贾在中以刘家庄为据点，秘密掩护，联络周围二十多个村庄的地下党员进行了革命活动。在此期间，西游击支队利用刘家庄村七沟八梁一面坡的 67 个土窑洞有效打击敌人，保护印刷厂，十三县的解放区流通币，对阎锡山反动统治经济上进行打击，使解放区的粮食物资源源不断运到解放前线，为抗日战争争取胜利。2021 年被山西省人民政府公布为第六批省级文物保护单位。乡村道路经此。

50-B-b696 **南堡通济桥**［Nánbǎo Tōngjì Qiáo］位于山西省临汾市侯马市新田乡南堡村。又称浍水桥，创建年代不详，金、元、清多次予以重修。建于浍水河上，桥身呈南北走向，是一座用黄砂岩块石砌成的敞肩七孔石桥。桥面总长 107.78 米，宽 17.79 米，高 8.03 米，桥孔呈拱券状。拱券正面由券脸石、伏券石、仰天石组成，拱券之间撞券石 17 层。每孔龙门石上方的蹬券石伸出汲水兽各一，拱券下砌分水金刚墙及分水尖，其下为桥基。桥面整体略为弧形，原用砂岩铺砌，现为柏油，两侧仰天石上安装石雕勾栏。2016 年被山西省人民政府公布为第五批省级文物保护单位。乡村道路经此。

50-B-b697 **西台神台骀庙**［Xītáishén Táidài Miào］位于山西省临汾市侯马市高村乡西台神村。是为祭祀治水大师台骀而建。坐北朝南，坐落于高约 10 米的翠岭上。外围以青砖砌筑，围墙垒砌成城堡形式，中轴线布局，院落整体呈椭圆形。沿中轴线自南向北，依次为山门、献殿、台王宝殿、春秋楼；中轴线东西两侧分布有三曹殿、东西阎罗殿、娘娘殿及其献殿等。台王宝殿是建筑群的主体建筑，建于明崇祯八年，两座献殿屋面相联，在两山墙处形成一通道，与建筑群内最北侧建筑“春秋楼”相对。春秋楼为清道光年间重修，庙内现存石碑 3 通，清代重修碑 2 通，怀古碑 1 通。2016 年被山西省人民政府公布为第五批省级文物保护单位。侯平高速经此。

50-B-b698 **彭真故居**［Péngzhēn Gùjū］位于山西省临汾市侯马市新田乡垤上村。其为两孔土窑洞，曾是彭真同志儿时居所。彭真，山西省曲沃县人，1923 年加入中国社会主义青年团，同年加入中国共产党，是山西省共产党组织的创建人之一。窑洞坐西朝东，一字排列，东西 7.5 米，南北 13 米，窑洞内宽 3 米，进深 6.5 米。两孔中壁有券洞串通，北孔有长 2.5 米，宽 1.7 米的土坑，南孔前边为灶房，后为库房。2004 年被山西省人民政府公布为第四批省级文物保护单位。乡村道路经此。

50-B-b699 **西城唐太宗庙**［Xīchéng Tángtài zōng Miào］位于山西省侯马市凤城乡西城村。据石碣记载为元至正二十二年（1363 年）创建。坐北朝南，占地面积 127.2 平方米，现仅存正殿一座，大梁题记内容与石碣相印证。单檐悬山顶，琉璃脊饰；面阔三间，进深四椽，殿内采用金、元时期典型的的减柱、移柱法，大殿柱头上承普柏枋，仅前檐设斗栱，五铺作双下昂，补间斗栱做 30° 和 60° 斜昂 。殿内西壁有依稀可辨的“太岳五松”壁画。东西两壁各镶石碣一方。建筑风格在晋南亦属少见，是研究山西南部元代建筑风格的实物资料。2021 年被山西省人民政府公布为第六批省级文物保护单位。通 2、11 路公交车。

50-B-b700 **韩壁遗址**［Hánbì Yízhǐ］位于山西省临汾市霍州市李曹镇韩壁村。属于新石器时代古遗址，遗址地势东高西低，南北为冲沟，东西均为梯田。遗址面积东西长约 800 米，南北宽约 300 米，文化层厚 0.8—2 米，断崖上有白灰地面。暴露主要遗物有陶鬲罐、盆、壶，石器有石斧、石刀等。纹饰有绳纹、方格纹、素面纹、附加堆纹，龙山文化类型。2019 年被国务院公布为第八批全国重点文物保护单位。乡村道路经此。

50-B-b701 **大张遗址**［Dàzhāng Yízhǐ］位于山西省临汾市霍州市大张镇大张村。遗址东高西低，西、北均临冲沟。分布面积约 37 万平方米，断崖上暴露有 1 个灰坑，灰坑长约 0.7 米，厚约 0.4 米，距地表 0.8—1.5 米。灰坑内采集有新石器时代庙底沟文化的泥质红陶双唇口线纹尖底瓶口沿、腹片和仰韵晚期的鸡冠耳绳纹夹砂灰陶罐、夹砂灰陶鸡冠耳罐、绳纹灰陶碗等残片，遗址中还有东周、汉代文化遗物。2021 年被山西省人民政府公布为第六批省级文物保护单位。乡村道路经此。

50-B-b702 **柏木川遗址**［Bǎimùchuān Yízhǐ］位于山西省临汾市霍州市三教乡梁子节村柏木川自然村。分布面积约 37 万平方米，地势北高南低。文化层厚 0.5—1.5 米，暴露有灰坑 1 个、白灰地面 1 座，灰坑长 1.5 米，厚 0.6 米，白灰地面长 1.3

米。采集有新石器时代龙山文化的夹砂绳纹灰陶鬲口沿、足及夹砂绳纹灰陶鸡冠耳釜灶、夹砂绳纹灰陶罐等残片，该遗址遗迹和遗物均比较丰富。2021 年被山西省人民政府公布为第六批省级文物保护单位。乡村道路经此。

50-B-b703 **西张圣王庙**［Xīzhāng Shèngwáng Miào］位于山西省临汾市霍州市大张镇西张村。创建年代不详。坐北朝南，现仅存正殿及西耳殿。正殿为元、清遗构，西耳殿为清代建筑。正殿与西耳殿南北长 13.46 米，东西宽 16.76 米，总面积 225.60 平方米。2021 年被山西省人民政府公布为第六批省级文物保护单位。乡村道路经此。

50-B-b704 **王庄三教庙**［Wángzhuāng Sānjiào Miào］位于山西省临汾市霍州市退沙街道办事处王庄村。始建年代不详，根据碣载元至元二十年（1289 年）硕修，延祐元年（1314 年）维修。坐北朝南，一进院布局，平面呈长方形，占地面积约 1000 平方米。原有过亭、正殿、东、西配殿。现仅存正殿。根据其梁架结构及部分遗留的构件手法，确定正殿为金代遗构。殿内梁架木构件、铺作上残留彩绘，模糊不清。两山壁画约 90.90 平方米，后檐墙体残留壁画约 35.28 平方米。壁画、塑像均为明代遗物。2021 年被山西省人民政府公布为第六批省级文物保护单位。乡村道路经此。

50-B-b705 **陈村玉皇庙**［Chéncūn Yùhuáng Miào］位于山西省临汾市霍州市白龙镇陈村。创建年代不详。坐北朝南，平面呈长方形，占地面积约 3226 平方米。现存有影壁、山门、戏台、过厅，关帝殿、东厢房、正殿、王母娘娘殿、将军祠。其中正殿、将军祠为元代建筑，其余皆为清代建筑。2021 年被山西省人民政府公布为第六批省级文物保护单位。通 1 路公交车。

50-B-b706 **下乐坪关帝庙**［Xiàlèpíng Guāndì Miào］位于山西省临汾市霍州市大张镇下乐坪村。创建年代不详。据献亭内碣载：清乾隆五十五年（1790 年），乾隆四十五年（1780 年）、乾隆五十二年（1787 年）、道光三十年（1850 年）分别予以曾建或补修。建筑结构分析正殿、献厅为明代建筑。坐北朝南，占地面积 1447.7 平方米。现存建筑主要有：正殿、献亭。正殿又名崇宁殿，砖砌台基高 1.1 米，面宽三间，进深六椽，七檩无廊式，悬山顶，斗栱双昂五辅作；献亭面宽、进深均为一间，灰布筒板瓦，琉璃脊饰残存，重檐十字歇山顶。斗栱五辅作，殿内存碣 5 方，院内现存铁旗杆 1 对。2021 年被山西省人民政府公布为第六批省级文物保护单位。通 2 路公交车。

吕梁市

50-B-b707 **离石文庙**［Líshí Wén Miào］位于山西省吕梁市离石区迎新街。创建于元初，重修于明洪武七年（1374 年），明万历、清乾隆、同治年间屡有修葺，现存大成殿、东庑、西庑等建筑。大成殿为元代建筑，建在高 2 米的石砌长形台基上，面阔七间，进深五间，单檐歇山顶，斗五铺作双抄双下昂。2004 年被山西省人民政府公布为第四批省级文物保护单位。通 102 路公交车。

50-B-b708 **晋绥军区高级军事会议高家沟旧址**［Jìnsuíjūnqū Gāojíjūnshìhuìyì Gāojiāgōu Jiùzhǐ］位于山西省吕梁市离石区交口街道高家沟村。旧址为清代民居，是高家沟村民高迎祥家传宅院。旧址坐西朝东，东西长 33.36 米，南北宽 32.69 米，总占地面积为 1090.54 平方米。中轴线由东至西依次为议事厅、正房，中轴线北侧分别为北房、柴房、大门、马厩，南侧分别为南房、厕所、厨房、便门，共 10 座建筑。1946 年秋，晋绥军区司令员贺龙从陕西进入山西境内，途经交口街道办，居住于此。在此期间，向当地群众宣传了当时的国内形势，并在此召开解放战争期间一次较高级别的军事会议“高家沟高级军事会议”。是解放战争时期，在国民党胡宗南集团调集重兵准备偷袭延安的危急关头，紧急召开的一次军事会议。1946 年 12 月 11 日，中央军委副主席兼总参谋长彭德怀及陕甘宁晋绥联防军政治委员习仲勋受党中央和毛泽东派遣，从延安启程东渡黄河，传达中央军委和毛泽东关于陕甘宁和晋绥联合作战的决定，协调陕甘宁边区、晋绥和晋冀鲁豫部队的统一作战。1946 年 12 月 16 日，彭德怀、习仲勋在山西省离石高家沟村主持召开了陕甘宁边区和晋绥军区及晋冀鲁豫太岳地区的高级干部会议，贺龙、陈赓、李井泉、罗贵波、王震等参加会议。会议就加强统一领导黄河东西两个解放区的联防部署和密切配合进行了研究，是一次迟滞胡宗南集团突袭延安计划、保卫党中央、保卫毛泽东主席的重要会议，在我党军事史上有重要意义。2021 年被山西省人民政府公布为第六批省级文物保护单位。209 国道经此。

50-B-b709 **离石烈士楼**［Líshí Lièshìlóu］位于山西省吕梁市离石区莲花街道城内村。始建于明代，原为关帝楼，1949 年更名为烈士楼。坐北朝南，占地面积 2620.16 平方米。楼内陈列有中共中央委员会委员贺昌、晋绥边区第八分区地委书记崔一生、离石县长韩昌秦的画像和在抗日战争中牺牲的 1507 名烈士纪念篆刻名录，墙壁和天花板上绘有抗日战争活动纪念画。1958 年增建思源亭，烈士楼原有烈士纪念碑 20 通，现已搬至凤山烈士陵园。城内烈士楼一进院布局，中轴线为烈士楼、思源亭，烈士楼东侧为偏殿、大门，共四座建筑。烈士楼为明代二层建筑，清代屡有修葺，建于砖砌高台之上，中辟十字拱券过街洞；二层楼身面宽五间，进深六椽，周檐出廊，单檐歇山顶。城内烈士楼内存有大幅面的抗日战争活动纪念画和 11 通烈士纪念篆刻名录碣，其艺术与历史相融合，具有很高的研究价值和展示功能，城内烈士楼是进行爱国主义教育的重要场所，是解放战争时期珍贵的文化遗产，具有一定的社会研究价值。2021 年被山西省人民政府公布为第六批省级文物保护单位。通 901 路公交车。

50-B-b710 **战地总动员委员会旧址**［Zhàndì zǒngdòngyuán Wěiyuánhuì Jiùzhǐ］位于山西省吕梁市离石区马茂庄村。战动总会是由中国共产党参与、国民党元老续范亭领导的“第二战区民族革命战争战地总动员委员会”，简称“战动总会”，也于 1937 年 9 月 20 日在太原成立。战动总会的主要任务是发动，组织和武装群众，协调各个部队和抗日组织之间的关系，为抗日部队提供物资和兵源，组织武装力量配合主力部队开展游击战。战动总会由续范亭任主任委员，邓小平、程子华、彭雪枫、南汉宸为中共委员；程子华和南汉宸为常驻委员，程子华为高级党团书记和人民武装部部长。它也是一个统一战线的半政权半群众性质的抗日革命组织。战动总会组织了训练班，由续范亭，程子华和南汉宸为主要教官，为主力部队培养军事领导人才，并且在不到半年时间，组织了 25 支游击纵队，共计 3.5 万，自卫队 6.5 万，形成了山西主要的抗战力量。1937 年 11 月 8 日，日军逼近太原，太原成成中学师生毅然集体投笔从戎，随战动总会转移至离石，正式编为战动总会游击第四支队，移驻盛地村进行整训。1938 年 2 月，支队奉命靠拢一二零师，开赴抗日战场。2021 年被山西省人民政府公布为第六批省级文物保护单位。通 306 路公交车。

50-B-b711 **上贤遗址**［Shàngxián Yízhǐ］位于山西省吕梁市文水县孝义镇上贤村。遗址范围东至太军公路西侧的土坡，西至上贤梁顶部，北至马村界沟，南至上贤村南，面积 2 万平方千米。遗址距地表深 60 厘米，文化层厚度 2—3 厘米左右，遗址地层断面多灰坑，地面散存绳纹灰陶片，采集到的标本有石斧、石削、陶鬲、灰陶片、红陶片等。遗址东部多是灰坑，发现陶窑址两处；西部为山坡地带，有穴居房屋遗迹。是一处新石器时代文化遗存。1965 年被山西省人民政府公布为第一批省级文物保护单位。307 国道经此。

50-B-b712 **开栅能仁寺**［Kāishān Néngrén Sì］位于山西省吕梁市文水县开栅镇开栅村。创建年代不详，据寺内石碣记载，乐楼、关帝殿为清代重建，2002 年村民集资对该寺进行了修缮。坐北朝南，二进院落布局，中轴线由南至北分别为乐楼、关帝殿、正殿，关帝殿两侧建有耳殿，乐楼两侧建有东西侧门。现存正殿为明代建筑，其余为清代遗构。正殿石砌台基，面宽三间，进深四椽，单檐悬山顶。关帝殿石砌台基，面宽三间，进深四椽，单檐硬山顶。乐楼石砌台基，高 1.8 米，面宽三间，进深五椽，单檐前歇山顶后卷棚式顶。柱头斗拱三踩单昂，龙头耍头。楼之两侧各建东西侧门一座，石砌台基，面阔一间，进深四椽。一斗二升雕花拱，龙头耍头，东侧门额书“存浩气”，西侧门额书“显英气”。西侧门两侧墙壁嵌有清道光二十一年（1841 年）续捐文峪河水夫工食田碑 2 通，关帝殿西墙上嵌石碣 1 方。2016 年被山西省人民政府公布为第五批省级文物保护单位。307 国道经此。

50-B-b713 **麻家堡关帝庙**［Májiābǎo Guāndì Miào］位于山西省吕梁市文水县南庄镇麻家堡村。据庙内清代碑载，始建于清康熙初年，清乾隆三十年（1765 年）、道光十年（1830 年）、十八年（1838 年）、同治五年（1866 年）、同治十三年（1874 年）、光绪三十一年（1905 年）均有修葺。坐北朝南，二进院落布局，中轴线依次建有山门、过厅、正殿，两侧建有东西耳殿、东西碑廊、东西配殿、东西厢房、钟鼓楼。庙外南侧依中轴线建有戏台，与庙宇相对而立。现存建筑均为清代遗构，庙内现存清代重修碑 10 通。正殿内东西山墙、东西耳殿山墙及廊墙绘有工笔重彩、水墨连环人物壁画 40 平方米。正殿为砖砌台基，面宽三间，进深六椽，单檐硬山顶。殿内东西山墙绘有工笔重彩绘人物故事连环画 40 平方米。戏台倒座，砖砌台基，面宽五间，进深六椽，单檐卷棚顶。是一处集清代建筑、壁画、彩画于一庙的完整古建筑群，历史脉络清晰，院落布局完整，时代特征明显，建造工艺精细，是文水县现存较早、规模较大、布局最为完整的关帝庙，是研究关帝庙宇建制和清式营造手法的珍贵实例。2016 年被山西省人民政府公布为第五批省级文物保护单位。乡村道路经此。

50-B-b714 **石永市楼**［Shíyǒngshì Lóu］位于山西省吕梁市文水县下曲镇石永村。据市楼碑记载，明弘治十年（1497 年）重修，清康熙五十三年（1714 年）、乾隆四十一年（1776 年）、光绪十七年（1891 年）屡有修葺。平面布局呈方形，长 10.75 米，宽 10.75 米，占地面积 115.56 平方米。市楼为二层三重檐十字歇山顶建筑，台基高 0.25 米，一层面宽，进深均为三间，二层出平座，面宽二间，进深三间，周檐设廊，十字歇山顶。现存建筑为明代遗构。西侧有匾额三块分别为："西竺王城"无年款，"便是西天"，落款是明弘治十年重修制匾，"白云台"，南侧有匾额两块分别为："佛慈广大"无年款、"南阳楼"。东面有匾额两块分别为："大慈大悲"、"永光楼"，北面有匾额两块分别为："圆通圣境"、"极北斗"。共计牌匾九块。一层有清代乾隆年间和光绪年间碑 9 通，二层曾供有佛像 5 尊，解放初遭毁坏，现均不存。市楼体量较大，保存完整，结构精巧，是山西省现存明代木质楼阁十字歇山建筑中体量较大的过街楼阁。2021 年被山西省人民政府公布为第六批省级文物保护单位。乡村道路经此。

50-B-b715 **瓦窑遗址**［Wǎyáo Yízhǐ］位于山西省吕梁市交城县城关镇瓦窑村。遗址分布于瓦窑河口两岸的台地黄土层中，河东区北至卦山西顶，东至文昌宫，南至驮煤道，西至瓦窑河。河西区北至碌碡坪，西至神头凹，南至瓦窑村，总面积约 70 万平方米。属于新石器时代仰韶文化、龙山文化范畴。文化遗存丰富，遗址内含有陶窑、墓葬、居室、灰坑以及地表散落的大量打制石器、磨制石器、彩陶、灰陶、黑陶等。彩陶有典型的尖底瓶口沿等残片；黑陶有鬲、盂罐等残片；石器有石刀、石斧、石锛、石凿、纺轮等。同时还有小型玉璧骨器的发现。1986 年被山西省人民政府公布为第二批省级文物保护单位。307 国道经此。

50-B-b716 **古瓷窑址**［Gǔcí Yáozhǐ］位于山西省吕梁市交城县天宁镇磁窑村。唐宋窑址叠压于磁窑遗址之上，磁窑遗址属新石器时代晚期，距今 6000—4000 年左右。唐宋窑址有河东区和河西区两处，河东区南北长 200 米，东西宽 200 米；河西区南北长 300 米，东西宽 200 米。有大量黑、白、青、黄褐等瓷器残片堆集，部分区段厚达 1 米，器型多以盆、碗、罐等生活用瓷为主，也有少量白釉绿斑标本和白釉红斑稀有标本。交城窑腰鼓的发现，为唐代花瓷腰鼓产地的研究提供了重要的信息资料。1996 年被山西省人民政府公布为第三批省级文物保护单位。乡村道路经此。

50-B-b717 **永福寺**［Yǒngfú Sì］位于山西省吕梁市交城县天宁镇阳渠村。创建于隋开皇二年（583 年），金大定二十八年（1188 年）重修，后元、明、清历代均有修葺。现存建筑面积 2250 余平方米，均为明清遗构。全寺布局严整，坐北朝南，前后两进院落。寺前南端有清光绪十五年（1889 年）重建的乐台一座，歇山顶与悬山顶相结合。乐台迎面正对山门（天王殿），左右设边门，两角为钟、鼓楼。山门前有较高的通宽月台，山门面阔三间，进深两间、歇山顶，中间板门将天王殿分为内外两部分。山门于明万历间重修，清乾隆四十二年（1777 年）重建，光绪十三年（1887 年）再次重建。前院正面为大雄宝殿，面阔三间，进深三间，单檐歇山顶。斗五踩双昂，粗壮简略，平身科补间一朵。木构用材较大，举架坡度较缓，为明代遗构。面北正中有倒座观音龛，形制较小。大雄宝殿两侧各有掖门通往后院，后院正面为三教堂，面阔三间，开间较大。硬山顶，东为圣母庙、西为文昌宫，东西偏殿各五间。后院两翼为东西配殿，各为六间，东为伽兰殿，西为地藏殿，寺内现存碑刻 5 通。1996 年被山西省人民政府公布为第三批省级文物保护单位。通 6 路公交车。

50-B-b718 **交城广生院**［Jiāochéng Guǎngshēng Yuàn］位于山西省吕梁市交城县天宁镇东关居委会槐树街 4 号。清康熙十五年（1676 年）创建，乾隆二十九年（1764 年）、五十七年（1792 年），2000 年重修。坐南朝北，东西长 24.18 米，南北宽 48.485 米，占地面积 901.83 平方米。现存建筑为清代遗构。一进院落，中轴线北端为山门，南端为正殿；左右两侧建有东西配殿。山门面宽三间，进深四椽，五架梁式梁架，北檐廊步架屋顶为歇山顶，廊步架以南为硬山顶，施三踩单昂斗栱，明间檐柱柱头彩塑装饰一面。正殿高两层，下层砖碹窑洞，面宽三间，上层木构，进深四椽，四架梁前廊式梁架，单檐硬山顶。环神阁高两层，一层整体砖砌台基，纵向开碹洞北侧有砖梯上下通行；二层以砖砌台基为院落，中轴线南端建正殿，正殿左右为东西耳殿。2021 年被山西省人民政府公布为第六批省级文物保护单位。通 1、5 路公交车。

50-B-b719 **交城弥陀寺**［Jiāochéng Mítuó Sì］位于山西省吕梁市交城县天宁镇东关居委会东关街麻叶寺巷。俗称麻叶寺。创建年代无考，明万历十四年（1586 年）、清康熙五十四年（1715 年）重修，乾隆二十六年（1761 年）建东禅院，乾隆四十一年（1776 年）建西禅院，嘉庆二十年（1815 年）再修。坐北朝南，东西长 43.29 米，南北宽 61.49 米，占地面积 2662 平方米。现存七佛殿为明代建筑，其它建筑为清代遗构。两进院落，中轴线自南向北依次为山门、大雄宝殿、七佛殿；西侧自南向北依次为一进院西配殿、二进院西配殿、西耳殿。大雄宝殿面宽三间，进深六椽，七檩前廊式梁架，施五踩单昂斗栱，单檐悬山顶。七佛殿面宽五间，进深六椽，七檩前后廊式梁架，悬山顶，前檐柱头砍刹，施五踩双昂斗栱。2021 年被山西省人民政府公布为第六批省级文物保护单位。通 1、5 路公交车。

50-B-b720 **梁家庄狐偃祠**［Liángjiāzhuāng Húyǎn Cí］位于山西省吕梁市交城县天宁镇梁家庄村。创建年代无考，清康熙三十九年（1700 年）、乾隆十三年（1748 年）、同治十三年（1874 年）重修，现存建筑为清代遗构。坐北朝南，东西长 23.3 米，南北宽 32.02 米，占地面积 721.29 平方米。一进院落，中轴线南端为山门，北端建正殿，两侧分别为配殿、耳殿。山门两侧建有钟鼓楼，“文革”时遭到不同程度的损坏，现仅存钟楼。狐偃祠现无人使用。2021 年被山西省人民政府公布为第六批省级文物保护单位。通 5 路公交车。

50-B-b721 **“四八”烈士殉难处**［“48” Lièshì Xùnnànchù］位于山西省吕梁市兴县岭底乡寨上村。1946 年 4 月 8 日，中共中央委员王若飞、秦邦宪、新四军军长叶挺、中共中央职工委员会书记邓发、贵州老教育家黄齐生、十八集团军参谋李少华和随行人员魏万合、赵登俊、黄晓宏、高琼等 16 人，由重庆飞往延安途中，因天气恶变，迷失航向，于下午二时左右，在此山失事，不幸遇难。为了纪念诸烈士和教育后代，山上立有“殉难处”石刻一处，山下立有石质保护标志，当地政府在殉难处专门建立了纪念馆。纪念馆建筑为四合院形式，四面有硬山顶大厅 5 间，东西有配房 6 间，南有大门，简单的斗结构和绘画装饰，室内陈列有烈士灵位、记事碑、简历碑。1965 年被山西省人民政府公布为第一批省级文物保护单位。乡村道路经此。

50-B-b722 **晋绥边区政府及军区机关旧址**［Jìnsuíbiānqū Zhèngfǔ Jí Jūnqūjīguān Jiùzhǐ］位于山西省吕梁市兴县蔡崖乡蔡家崖村。是抗日战争时期晋西北政府及军区所在地。军区司令部驻扎在蔡家崖牛家大院。1942年晋绥军区司令部驻扎蔡家崖，军区主要所属机关及附属机关在此办公。旧址坐北朝南，占地面积3248平方米，建筑面积835平方米。现存为清代遗构，共有三院，均为砖砌。是抗日战争时期重要的政府及军区所在地，是抗战相持阶段领导边区人民进行艰难抗战、开展大生产、加强基层民主政权建设重要的实物见证。晋绥边区党政军老一辈无产阶级革命家在蔡家崖生活和战斗时间最长的将近十个春秋，在抗日战争和解放战争晋西北地区的民主建政工作及生产生活建设方面做出了突出的贡献。2016年被山西省人民政府公布为第五批省级文物保护单位。337国道经此。

50-B-b723 **乌突戍古城遗址**［Wūtūxū Gǔchéng Yízhǐ］位于山西省吕梁市临县白文镇郝峪塔村与南庄村之间丘陵地带。遗址依连绵起伏的山梁，沿崖壁周缘自沟底向顶部用素土夯筑。居山临水，高低相差悬殊。系古代重要军事设施，用于屯集兵马。据民国六年县志载：“汉武帝元朔三年（公元前126年）置为临水县，北齐天保三年（552年）立‘乌突戍’”。乌突戍是从长城的黄栌岭起，北至社于戍四百余里，为所立三十六戍中的其中一戍。遗址从沟底向顶部夯筑，垂直高度约20—60米，顶部加筑夯土墙体。由内城、外城和城外防御设施三部分组成，呈不规则梯形，用平夯法素土筑成。内城周长2880米，外城周长4980米。城内主要有4条自然沟，沟内两壁崖面夯筑成圆形夯土建筑。现存基址较多，大小不等，高低不一，层叠交错直通沟口、河岸边。城外东、南、北三面城墙外侧，峭壁陡直，沟壑纵横，除夯筑坚固高耸的脊墙外，又与相邻的高山峻岭组成天然屏障，成为南北通行的要塞。外城墙以南内城东顶部为墓葬区。2004年被山西省人民政府公布为第四批省级文物保护单位。省道苛大线经此。

50-B-b724 **中共中央西北局旧址**［Zhōnggòng zhōngyāng Xīběijú Jiùzhǐ］位于山西省吕梁市临县林家坪镇南圪垛村。1947年8月，中共中央西北局和陕甘宁边区政府奉命东渡黄河，移驻临县，习仲勋为中共中央西北局书记和陕甘宁晋绥联防军政治委员，住在临县林家坪镇南圪垛村，即现在中共中央西北局旧址，亦称习仲勋旧居。贺龙为陕甘宁晋绥联防军司令员，住在与南圪垛村一河之隔的沙垣村。中共中央西北局旧址坐北面南，二进院落布局，其中：一进院居于北部，包括一进院正房、一进院东窑房、一进院南厢房及大门；二进院居于南部，包括二进院过门、二进院北厢房、二进院东窑房、二进院西厢房。中共中央西北局驻临县期间，召开财经会议、联席会议、政务会议，动员群众支援前线，出色地完成了统筹后方、支援前线的任务，为保卫党中央、解放全中国、做出了贡献。2016年被山西省公布为第五批省级文物保护单位。省道临夏线经此。

50-B-b725 **前曲峪李鼎铭旧居**［Qiánqūyù Lǐdǐngmíng Jiùjū］位于山西省吕梁市临县曲峪镇前曲峪村。李鼎铭（1881年—1947年），原名丰功，是“精兵简政”军事思想的提出者，是“三三制”民主政权参政议政的先驱者，是中西医结合的首议者，是北方民族史研究的首创者，是教育救国的倡导者。1947年，李鼎铭曾在前曲峪村工作和居住。前曲峪李鼎铭旧居，清代建筑，坐北面南，东西长25米，南北宽21.50米。1947年陕甘宁边区政府东渡黄河驻扎临县的军事战略，是解放战争西北战场上一项远大的军事决策。李鼎铭作为陕甘宁边区副主席，为新中国的解放事业做出了贡献。2016年被山西省人民政府公布为第五批省级文物保护单位。乡村道路经此。

50-B-b726 **宿皇寺**［Sùhuáng Sì］位于山西省吕梁市临县第八堡乡麻峪沟村宿皇寺自然村。原名皇宿寺，为观音寺的下院，后更名为宿皇寺。创建年代不详，元至元、明天顺、成化、隆庆，清乾隆、嘉庆、同治年间（1861年—1875年）屡有重修。现存建筑除正殿为明代遗构外，余皆为清代建筑。坐北向南，三进院落布局，现存文物建筑14座，中轴线从南向北依次建有戏台、韦驮殿、正殿；中轴线两侧各建有钟、鼓楼，二进院东西配殿、东西掖门，三进院东西僧房、西偏殿、东耳殿、东耳房。寺内存碑刻5通、经幢2座，正殿内两山墙及后檐墙存有佛教题材壁画，梁架上存有彩画。正殿为寺内主殿，面宽三间，进深六椽，单檐硬山顶。两山墙及后檐墙有佛教内容“释氏源流图”“十大明王图”壁画 97.06 平方米。戏台建在高 0.65 米的台基之上，面宽三间，进深五椽，硬山卷棚顶。是一处保存相对完整的明清佛教寺观，作为当地唐代著名寺观观音寺的下院，在元、明、清多个历史时期屡有修葺，保存有丰富的历史文化信息，是研究晋西地域民间佛教传承和封建社会晚期佛寺建制的宝贵实例。2016 年被山西省人民政府公布为第五批省级文物保护单位。乡村道路经此。

50-B-b727　**晋绥军区第一野战医院前青塘旧址**［Jìnsuíjūnqū Dìyīyězhàn Yīyuàn Qiánqīngtáng Jiùzhǐ］安位于山西吕梁市省临县城前青塘村。当时“拔贡院”作为医院院部，天主教堂院、前楼院、后楼院、后花园院以及天主教堂东房作为医护人员工作室、病房、药房、手术室等。五先生下院作为伙房。前青塘村位于县城以南 10 公里处，安业乡政府以西南 3 公里处，交通方便，自然条件优越。1943 年到 1948 年间晋绥军区医院（1945年8月改称晋绥野战医院）在前青塘村驻扎。这在当时是医疗条件相对较好的一所医院，主要接收解放战争中受伤的革命战士。民族英雄续范亭病逝于此并在此举行追悼会，后埋葬于青塘，1950 年迁葬于太原市双塔寺烈士陵园；湖南省原地下党省委书记刘文烈士，也是在此病逝并安葬，2019 迁葬于晋绥解放区烈士陵园。据不完全统计，住院医治的伤病员因抢救无效死亡人数就有上百人，至今仍有百余名革命英烈长眠于此。2021 年被山西省人民政府公布为第六批省级文物保护单位。乡村道路经此。

50-B-b728　**八路军一二〇师指挥部曜头旧址**［Bālùjūn Yīèrlíngshī Zhǐhuībù Yàotóu Jiùzhǐ］位于山西省吕梁市临县白文镇曜头村。该指挥部旧址坐落于曜头村半山腰，建于高约 2.9 米的台基上，主要由正房（八孔窑洞）、东房、西房（两孔窑洞）、西南房、南房及大门组成，院落占地面积 1327.92 平方米。抗日战争时期，一二〇师师长贺龙带领部队驻扎此地，多次召集秘密会议。2021 年被山西省人民政府公布为第六批省级文物保护单位。省道苛大线经此。

50-B-b729　**八路军一二〇师医务干部训练队故县旧址**［Bālùjūn Yīèrlíngshī Yīwùgànbùxùnliànduì Gùxiàn Jiùzhǐ］位于山西省吕梁市临县白文镇故县村。1940 年初，抗日战争进入艰苦时期。八路军一二〇 师贺龙师长、关向应政委率部转战晋西北，为解决医务人员奇缺问题，在山西临县故县村创建医务干部训练队，先后培训三期近 200 名医务骨干，为抗战胜利做出重要贡献。后在医训队基础上，成立晋西北军区卫生学校，即第四军医大学前身。2021 年被山西省人民政府公布为第六批省级文物保护单位。省道苛大线经此。

50-B-b730　**坪上遗址**［Píngshàng Yízhǐ］位于山西省吕梁市柳林县三交镇坪上村。遗址东面连山，南北临沟，地形较平缓，大致呈不规则长方形，东高西低，南北长约 2500 米，东西宽约 800 米，总面积约 200 万平方米。文化层厚度为 0.5—1 米，地面暴露有灰坑和多种类形的遗物。遗址东部有一段残墙，随地形起伏，呈南北走向，长约 2500 米，宽约 5 米，高约 4 米，夯层比较清晰，为板筑平夯。年代分期与文化遗存大致可分为龙山晚期至夏、战国、汉。遗物有三足瓮、豆柄及一些素面泥质红陶残片、绳纹罐、板瓦、绳纹砖、光面泥质灰陶残片、瓷片、兽头、瓦当等。2004 年被山西省人民政府公布为第四批省级文物保护单位。乡村道路经此。

50-B-b731　**高红遗址**［Gāohóng Yízhǐ］位于山西省吕梁市柳林县薛村镇高红村。又称寺枣垣遗址，发现于 1983 年，东西长约 250 米，南北宽约 217 米。属新石器—商代文化遗存。地表采集有龙山文化的燕类型质夹沙灰陶片，其纹饰有绳纹、篮纹，器形有瓮、钵、罐、鬲、甗等。2004 年—2006 年，山西省考古研究所确定了高红遗址是全国不可多得的保存较好的商代早期遗址。目前，原考古发掘的台面，已回填保护并被全部硬化，树立保护标志，遗址西、南坡现被平整为三阶护坡，护坡表面种植植物被予以保护。2006 年被评选为年度全国十大考古新发现。发现的商代大型夯土基址是目前中国北方发现的唯一一处殷商时期有着大型夯土建筑，反映了当时北方时期存在过强有力的政治集团，且该遗址就是这一政治集团的活动中心，是商王朝或方国的都城遗址。2016 年被山西省人民政府公布为第五批省级文物保护单位。307 国道经此。

50-B-b732 **南山寺**［Nánshān Sì］位于山西省吕梁市柳林县孟门镇南山。始建于唐贞观十三年，金大定年间敕赐“灵泉寺”额。清乾隆年间遭火焚毁，嘉庆年间重修，道光年间补葺。寺院坐北朝南，长 99.3 米，宽 42.6 米，占地面积 8860 平方米。分为寺内、寺外两部分，寺内有大雄宝殿、地藏十王殿、三贤殿、观音殿、藏经殿等建筑。寺外有源神殿、观音殿、圣境殿、眼观庙、火神庙、文昌庙、五檻祖祠堂、木牌楼等四个院落。寺西、南两侧有僧塔 600 多座，为元、明、清时期遗构。2004 年被山西省人民政府公布为第四批省级文物保护单位。乡村道路经此。

50-B-b733 **柳林双塔寺**［Liǔlín Shuāngtǎ Sì］位于山西省吕梁市柳林县城贺昌大街。始建年代不详，重建于元至正年间（1341 年—1368 年），明成化、正德、清嘉庆、光绪年间续修。寺院坐北朝南，依中轴线建正殿、戏台、山门，左右两侧建偏殿、配殿、鼓楼、双塔。占地面积 1612 平方米。双塔屹立于山门东西两侧，俗称“雌雄塔”，两塔相距 17 米，用青砖砍磨砌筑而成，呈八角形，总高约 19 米，二至五层每隔一面开拱券形窗口。东塔内空可攀登。2004 年被山西省人民政府公布为第四批省级文物保护单位。通 5 路公交车。

50-B-b734 **观音庙**［Guānyīn Miào］位于山西省吕梁市柳林县薛村镇薛村。观音庙，又名观音堂、白衣庵。因山腰有一清泉，又被称为清泉寺。始建年代不详，重修于明万历四十二年（1614 年），清康熙五年（1665 年）重修僧舍，康熙三十二年（1695 年）对庙内各殿再度补葺，雍正八年（1730 年）至九年（1731 年）重修韦陀楼并山门，乾隆二十八年（1763 年）本庙住持圆贵广募财物再修殿宇并于乾隆三十年（1765 年）工程告竣。坐东南朝西北，占地近 1000 平方米，布局为两进院落，中间以照壁相隔，两侧随墙开门，由山门入内为前院，建钟鼓楼及僧舍三间。后院之东建正殿，南北两侧建偏殿，中建韦陀楼。正殿为观音殿，面阔三间，单檐硬山顶，前檐插廊，为明代建筑。南北偏殿分别为老君殿和三光殿，面阔各三间，前廊式单檐硬山屋顶的砖卷窑洞，属清代重修之作。后院现存的三座殿前廊均为木制结构。偏殿木雕风格独特，艺术精巧，正殿四十二块天花板排列有序，画面勾线流丽，色彩古朴典雅，两廊壁画保存完整。庙院龙口吐水，古柏参天，横挂在山门的“山明水秀”名匾描述着清泉山宜人的风光景色。1996 年被山西省人民政府公布为第三批省级文物保护单位。307 国道经此。

50-B-b735 **刘志丹将军殉难处**［Liúzhìdān Jiāngjūn Xùnnànchù］位于山西省吕梁市柳林县三交镇党家寨村。刘志丹（1903 年—1936 年），陕西省保安县人，1925 年加入中国共产党，1932 年创建中国工农红军第二十六军，任军长，开辟了陕北革命根据地。1936 年 3 月 23 日，刘志丹将军率红二十六军东征抗日到山西，遭国民党军队阻击，在三交镇战斗中不幸牺牲，时年 33 岁。1986 年被山西省人民政府公布为第二批省级文物保护单位。乡村道路经此。

50-B-b736 **离石县抗日民主政府旧址**［Líshí xiàn Kàngrì Mínzhǔzhèngfǔ Jiùzhǐ］位于山西省吕梁市柳林县孟门镇石安村。1940 年 1 月，离石县抗日民主政府在孟门镇石安村成立，下设离石县抗日民主政府旧址、财政局旧址、司法科旧址、税务科旧址、公安局旧址等机构。抗日战争期间，石安村为离石的抗日指挥中心，组织发动群众建立了抗日救国各救会组织，以抗日救国为宗旨，动员全县人民抗战，先后有 2200 余名青壮年参加了中共领导的抗日军队，为保护延安和晋绥分局作出了不可磨灭的贡献。1945 年 9 月中旬县政府机关迁出石安村。离石县抗日民主政府在中国共产党的领导下，在抗日战争时期成为一块可靠巩固的抗战大后方，积极开展各项工作，组织领导抗日反顽、减租减息、土地改革等，把一个穷乡僻壤的晋西建成了一处沸腾着抗日救亡的热潮、回响着民主运动涛声的一个团结、民主、进步的抗日大后方。2016 年被山西省人民政府公布为第五批省级文物保护单位。乡村道路经此。

50-B-b737 **贺昌故居**［Hèchāng Gùjū］位于吕梁市柳林县柳林镇贺昌村。贺昌同志于1906年1月19日在东窑出生，1935年在江西会昌与国民军的作战中壮烈牺牲。贺昌故居，坐北向南。东西长24米，南北宽28.4米。属于清代风格。旧址原布局不详，现存砖券正窑、东窑各3孔，东窑青条砖砌筑，券脸两伏两券，上砌十字花挡墙；东南侧为大门，青条砖砌筑，劈设板门两扇，大门上嵌有“耕读传家”的木匾。贺昌是中国共产党早期杰出的无产阶级革命家，是党史上最年轻的中央委员，是山西省早期青年运动、工人运动的先驱，中共早期的高级党务工作者，红军高级指挥员和整治工作者。2016年被山西省人民政府公布为第五批省级文物保护单位。乡村道路经此。

50-B-b738 **柳溪寺舍利塔**［Liǔxīsì Shèlì Tǎ］位于山西省吕梁市柳林县庄上镇辉大峁村李家庄自然村。建于清代乾隆三十一年（1766年）。原为柳溪寺附属建筑，现寺毁仅存塔。塔坐东朝西，通高约23米，八角八层楼阁式砖塔，由塔身、塔基、塔刹三部分组成。塔基平面八边形，由条形砂石垒砌；塔身平面八边形，八层，逐层收分，各层檐下仿木构砖雕额枋、斗栱、椽飞、勾滴等，每层檐下斗栱均为三踩单翘，一层西面设拱券门，塔内中空，各层叠涩穹隆顶，循壁内设双螺旋式楼梯可登临塔顶，二至六层各面均设拱券窗，七至八层东西南北四面均设拱券窗；塔刹为八角攒尖顶，其上叠置仰莲、宝瓶、宝珠收刹。塔东侧存清代《永宁州柳溪寺新建舍利塔记并铭》碑1通。塔内存残石碣4方。2016年被山西省人民政府公布为第五批省级文物保护单位。省道临夏线经此。

50-B-b739 **仁泉寺**［Rénquán Sì］位于山西省吕梁市石楼县义碟镇下河村。始建于明万历年间，清康熙八年重修。坐西北朝东南，占地面积34200平方米。主要建筑有山门、正殿、献亭、乐楼。正殿为无梁殿，面宽三间，进深一间，单檐悬山顶，前檐插廊。乐楼建造在三门洞之上，面宽5.9米，进深5.4米，单檐歇山顶。天花板上绘有封神演义故事，与建筑同期，均为明代作品。2004年被山西省人民政府公布为第四批省级文物保护单位。省道孝石线经此。

50-B-b740 **下洼城址**［Xiàwāchéng Zhǐ］位于山西省吕梁市石楼县前山乡下洼村。遗址东西长约5000米，南北宽约3000米，占地面积约15000000平方米，遗址结构为东部为前防卫设施（圆形建筑）距圆形建筑西500米为城门楼，中间有石筑道路相连，门楼两侧为城墙，城墙内往西均为遗址区，遗址区内，从南到北有明显三道石墙分割，分为不同功能区域。前防卫设施（圆形建筑）残存面积约100平方米，高约3米，由石块与泥土混筑而成。城墙南北走向，长度约3000米，宽约1.2米，最高处城门楼距地面约8米，城墙最高处约6米，最低处到根基。城墙内部有夯土修筑，外部有石块与泥土混筑而成。内部夯土层次分明，应为早期夯筑。遗址内现有龙山时期、东周时期、汉代遗存，文化层厚约2米，龙山时期遗存有篮纹、绳纹、夹砂、磨光、素面灰陶片；器形有陶罐、陶盆等；东周时期遗存有绳纹素面灰陶片；器形有罐、盆、甑等；汉代遗存有绳纹、素面陶片、绳纹板瓦、筒瓦。遗址东南部裸露有灰土遗存，厚约1米，内有灰土烧土块等。遗址东部现存一舂米石器，保存完整。2021年被山西省人民政府公布为第六批省级文物保护单位。乡村道路经此。

50-B-b741 **秀容古城遗址**［Xiùróng Gǔchéng Yízhǐ］位于山西省吕梁市岚县古城乡古城村。秀容古城为北魏鲜卑族秀容郡（国）南迁岚县境时，郡主尔荣在汉汾阳县城的基础上，于北魏明帝永兴二年（410年）扩建而成。现存古城东西长1300米，南北宽1100米，周长4800米。城墙土砌夯筑，墙基宽20米，顶部窄处宽2米，最宽处达7米，墙高3—13米，夯土层厚6—8厘米，最厚达15厘米。城墙四角除西南角外，余均破坏。城墙东、西、南三面保存较好，北墙西半段被破坏。在西墙外约50米处，有一条平行于西墙的夯墙基础。城内采集有陶器、铁器等。陶器多泥质灰陶，有绳纹、圆点纹，素面的瓦、盆、罐等。铁器多为工具，朽蚀严重。1996年被山西省人民政府公布为第三批省级文物保护单位。省道岗马线经此。

50-B-b742 **隋城遗址**［Suíchéng Yízhǐ］位于山西省吕梁市岚县岚城镇岚城村。隋城始建于隋大业十年（614年），唐武德四年（621年）改为州城，经唐、五代、北宋延续460余年，宋元丰二年（1097年）在旧城南筑新城，即今岚城。宋城建成后隋城遂废。坐北朝南、西高东低，东西长800米，南北长1000米，城外有护城壕，深3米。保存较好的西城墙宽6—12米，残高2—10米。夯层厚6厘米，夯土为黄色沙性土和粘土。城内遗物丰富，灰坑较多，所含遗物有绳纹及素面陶片，陶器有瓦、盆、罐等。2004年被山西省人民政府公布为第四批省级文物保护单位。209国道经此。

50-B-b743 **岚城八路军一二〇师司令部旧址**［Lánchéng Bālùjūn "Yīèrlíng" Shī Sīlìngbù Jiùzhǐ］位于山西省吕梁市岚县岚城镇岚城村。1938年10月至12月，八路军一二〇师驻进岚县，司令部设立在五龙庙。贺龙、关向应、甘泗淇、周士第等首长均居住于此。旧址坐北面南，南北长41.2米，东西宽19.5米，一进院落布局，原为一处完整的庙宇，建有正房、南房、东房与西房，现仅存正房、南房、西房，均为清代遗构。近年来在旧址东侧新建围墙与院门，旧址院内长有古柏6株。作为八路军在岚县区域的抗日活动指挥中心，在岚城村驻扎期间，全面指挥八路军一二〇师阻击日军，积极组织当地群众参与抗日，成立抗日自卫队、农救会与游击大队，举办军政训练班，广泛开展抗日民族统一战线工作，有力地巩固了晋西北抗日根据地，阻滞了日军对华侵略的脚步，为日后的持久抗战与对敌反攻争取了宝贵时间、积蓄了重要力量。2016年被山西省人民政府公布为第五批省级文物保护单位。209国道经此。

50-B-b744 **于成龙故居及墓地**［Yúchénglóng Gùjū Jí Mùdì］位于山西省吕梁市方山县北武当镇来堡村。始建年代不详，现由其后人居住。现存三座宅院。第一座宅院，清代建筑，坐北朝南，原为四合院，现被后人分为三个院落。现存正房与大门，正房是由方砖垒砌的拱券窑洞，共10孔，其中西侧7孔为原建筑，东侧3孔是后人新修。第二座宅院，清代建筑，坐北朝南，为四合院。现有正房、东西厢房、西厦房。正房为砖垒砌的拱券窑洞，共4孔，平顶；东西厢房为单坡硬山顶；西厦房在西厢房与正房之间。第三座宅院，清代建筑，坐北朝南，为四合院。现存正房和西厢房，北窑正房为四孔窑房，西侧窑洞共5孔。墓地位于吕梁市方山县峪口镇横泉村。墓地由墓室各墓园两部分，墓室平面呈长方形，长3.5、宽1.5、高2米，拱券顶；墓室用盛有白灰和松香的瓷碗砌筑而成，碗与碗纵横交错，坚硬如石；墓室设有石门；墓室内两侧放置数方墓志铭碑；一棺一椁，木质坚硬，表面涂有一层红色桐油护漆。墓园坐东向西，平面呈正方形，占地2200平方米，四周筑有高2.5米的青砖花栏围墙，正西有一座花岗岩牌坊门；封土堆位于墓园东部正中央，距牌坊约120米，占地约50平方米；墓前树立龙头墓碑，左右两侧共竖立12通青石古碑；神道为青砖立铺，两侧立有石人、石马、石羊等石像生；墓园内有古松、老榆百余棵。2016年被山西省人民政府公布为第五批省级文物保护单位。209国道经此。

50-B-b745 **贺龙中学**［Hèlóng Zhōngxué］位于山西省吕梁市方山县大武镇大武村。学校于1945年9月在贺龙元帅领导下于文水县成立，称"陕甘宁晋绥五省联防军驻晋随营学校"，贺龙元帅亲任校长。1945年10月迁驻方山县大武村。1945年7月1日改称"贺龙中学"。直至1948年夏扩建为"西北军政大学"后，校址随即南迁临汾。贺龙中学，以大武为本部。在静乐县设二部、朔县设三部。设在大武贺龙中学本部旧址原为大武村最大的宫庙建筑，称"紫花宫"。内有真武大殿、配殿、过殿、戏台、献殿、道舍、山门等建筑十几座，占地约4000平方米。现由方山县直中学—贺龙中学（1985年复名）占用，保存较好。1996年被山西省人民政府公布为第三批省级文物保护单位。209国道经此。

50-B-b746 **离东县抗日民主政府旧址**［Lídōng xiàn Kàngrìmínzhǔ Zhèngfǔ Jiùzhǐ］位于山西省吕梁市方山县北武当镇新民村。抗日战争时期，新民村是当时离东县抗日民主政府驻地，也是八路军各根据地通往延安红色交通线的一个重要通道。包括：1.华国锋路居旧址；2.彭德怀路居旧址；3.离东县抗日民主政府驻地旧址；4.交通局旧址；5.公安局旧址；6.贸易局旧址；7.民政科旧址；8.司法科旧址；9.建设科旧址；10.财政科旧址；11.粮食科旧址；12.教育科旧址。“晋西事变”后，日军在汾离公路和离岚公路沿线设立据点，将离石分割成三块，地方党的活动受挫。1940年9月，为了便于对离石东部地区抗日斗争的领导，中共晋西区党委、山西省第二游击区行署决定，组建离东县，将离石县汾离公路以北、离岚公路以东的东山地区划归离东县管辖，成立中共离东工委。1941年11月，离东工委改建为离东县委，下设组织部和宣传部。离东县佐公署改建为离东县抗日民主政府。1942年11月，离东县抗日民主政府驻地从离石千年里迁至鸦儿崖（今新民村）。1945年8月15日，日本政府宣布无条件投降。9月，离石、离东两县全境解放，离东县抗日民主政府进驻离石城，离石县抗日民主政府迁至柳林镇。1946年1月31日，离石、离东两县合并为离石县。中共离东县委、离东县政府领导的离东地区的对敌斗争，在敌人四面封锁，斗争局面十分困难的条件下，不仅解除了敌人对八分区西侧的威胁，而且使这里成了连接延安与华东华中各抗日根据地的唯一通道，在当时具有及其重要的战略意义。先后有华国锋彭德怀等多位首长在这里居住，是吕梁重要的红色革命根据地。2021年被山西省人民政府公布为第六批省级文物保护单位。乡村道路经此。

50-B-b747 **张叔平烈士故居**［Zhāngshūpíng Lièshì Gùjū］位于山西省吕梁市方山县大武镇大武二村。据《张氏家谱》记载，创建于清乾隆二十五年（1760年），现存为清代建筑。依山而建，坐西向东，南北长约200米，东西宽约100米，占地面积约20000平方米。故居以砖砌窑洞为主，分为张氏祠堂、张氏一号民宅、张氏四号民宅、张氏五号民宅、张氏六号民宅共五处院落，主体基本保存完好。张叔平（1897年—1928年），又名张秉铨，山西省方山县大武镇人，出生于1897年，革命英烈。1923年10月加入社会主义青年团，1924年5月加入中国共产党，曾任太原团地委组织主任、中共太原小组负责人、中共太原支部书记、上海杨树浦部委书记、浙江省委组织部长。1928年在杭州牺牲。他用31个春秋，谱写了一曲灿烂的人生篇章，为中国无产阶级革命事业作出了杰出贡献。张叔平是中国共产党早期领导人之一，是山西省共产主义运动的发展做出了不可磨灭的贡献，张叔平烈士在山西乃至全国具有特殊的历史意义。故居作为记录和展示张叔平烈士生前最主要的物质载体，保护和展示张叔平烈士故居对于我们了解历史、缅怀先烈、引导弘扬和继承革命前辈爱国奉献的大无畏精神具有重要的现实意义。2021年被山西省人民政府公布为第六批省级文物保护单位。通109路公交车。

50-B-b748 **柏洼山龙泉观**［Bǎiwāshān Lóngquán Guān］位于山西省吕梁市中阳县宁乡镇柳沟村柏家峪自然村。创建年代不详，据观内碑文记载，金大定十五年（1175年）重修，元中统二年（1261年）、明清两代曾扩建。为全真道观，道观依山而建，分上中下三组建筑，上为玉皇庙（单体），中为昭济圣母庙建筑群，下为真武庙。坐北向南。占地面积约1.6万平方米。现存建筑中除昭济圣母庙建筑群中老君庙为元代遗构外，余皆为明、清建筑。清康熙八年（1669年），傅山曾在此旅居一年。真武庙，位于柏洼山南部龙泉观南端，坐北向南，占地面积约1237平方米。创建年代不详，清康熙、道光、咸丰、民国年间均有修缮。四合院布局，中轴线建有山门（带钟鼓楼）、正殿，两侧建东西配殿、藏经楼、便门。正殿现存清代泥塑5尊。昭济圣母庙建筑群，位于柏洼山龙泉观中部，坐北向南，占地面积约4000平方米。创建年代不详，据碑文载金大定十年（1218年）、元中统二年（1261年）、明清两代屡有维修。依山而建，中轴线有戏台、昭济圣母庙、扶桑大帝庙，两厢建有配殿，两侧有土地庙、老君庙、三官庙、山神庙及傅山真迹碑亭等。玉皇庙位于柏洼山龙泉观北，坐北向南，建筑面积33.63平方米。创建年代不详，清康熙十三年（1674）重修，2005年扩建。2021年被山西省人民政府公布为第六批省级文物保护单位。省道汾柳线经此。

50-B-b749 **山西枪弹厂旧址** [Shānxī Qiāng dànchǎng Jiùzhǐ] 位于山西省吕梁市中阳县车鸣峪乡车鸣峪村。代号“9141”。创建于1966年。20世纪60年代，为固我边防，保家卫国，毛主席提出“备战，备荒，为人民”的口号，在国内建立三条防范战线，山西枪弹厂就是这一时期建成，属于“国防三线”建设的典型产物。由生活区、办公区和生产区三个区域组成，每个区域间设一道大门区分。生活区位于第一道大门之后，是当时职工及家属居住区域，包括居住区、学校、供销社、礼堂遗址等基本的生活设施与其它的一些附属建筑。办公区位于第二道大门之后，是当时的办公人员使用。生厂区包括机械加工厂、三个车间和靶场，位于第三道大门之后，三个车间共由8个石洞组成，隐蔽于山体之内。每年生产7.62毫米子弹一亿余发，是当时重要的枪弹供给基地之一。在生产区的西北侧为靶场，半埋于地下，是当时针对不同枪械子弹试验场所。1991年6月，枪弹厂搬迁至晋中市榆次区，并实现了“军转民”。数千兵工人员在车鸣峪前后生产生活了26年，枪弹厂记载了那段非常历史时期难以磨灭的红色记忆，也是目前全国保存下来的、少有的以山为掩体、以山洞作厂房的兵工厂遗址。2021年被山西省人民政府公布为第六批省级文物保护单位。209国道经此。

50-B-b750 **韩极石牌坊及韩极碑** [Hánjí Shípáifāng Jí Hánjí Bēi] 位于山西省吕梁市交口县回龙镇韩家沟村。韩极（1780年—1854年）字天枢，号玉衡，咸丰皇帝皓封奉政大夫、国子监大学士，并赐世袭“骑都尉”，咸丰四年（1854年）病故，其子（袭四川省通判）建韩极墓楼。咸丰五年（1855年），皇帝御赐，建天枢之坊于河畔。墓楼为四柱明楼歇山顶式仿木结构建筑，石质。高6.8米，楹联遍刻四柱。牌坊为三楼四柱歇山顶式仿木结构建筑，石质。高6.5米，宽4.4米，基座高1.2米，四柱遍刻楹联，坊梁横书“皓封奉政大夫韩翁韩极字天枢之坊”和“大清咸丰五年岁次乙卯夏六月中翰吉旦敬立”。2004年被山西省人民政府公布为第四批省级文物保护单位。209国道经此。

50-B-b751 **红军东征总指挥部旧址** [Hóng jūn Dōngzhēng Zǒngzhǐhuībù Jiùzhǐ] 位于山西省吕梁市交口县桃红坡镇大麦郊村。1936年3月，中国工农红军东征总指挥部在这里进行过重要活动。1936年2月20日，红军主力分两路突破山西中阳南三交和石楼辛关渡的碉堡封锁线强渡黄河，迅速进入晋西地区，横扫三交、石楼、中阳的敌军。随即在大麦郊村设立东征军总指挥部，毛泽东、周恩来等曾在此指挥作战。东征总指挥部旧址主要由上、下两层院落组成，下层为四眼普通窑洞，上层为木结构建筑。内部有简陋的桌椅陈设。1986年被山西省人民政府公布为第二批省级文物保护单位。汾石高速经此。

50-B-b752 **西庄民居古建筑群** [Xīzhuāng Mínjū Gǔjiànzhùqún] 位于山西省吕梁市交口县双池镇西庄村。又称“吴家大院”。是西庄吴氏家族于明嘉靖年间至清同治十一年（1522年—1872年）创建，吴氏先辈与许多晋商一样，在家乡大兴土木，兴建家宅大院。西庄民居西庄民建筑规模达到“一塔一祠一庙一门十堂”，一塔为文笔塔，一祠为吴氏祠堂，一庙为关帝庙，一门为吴氏家族，十堂为麟厚堂、守约堂、回音堂、清源堂、宁善堂、积德堂、裕德堂、五福堂、树德堂、怀德堂等其它一些宅院，同时还修建堡墙、堡门、地下通道等防御设施，以及墓葬等其它建筑，占地3万多平方米。古建筑群坐落在交口县双池镇以西的丘陵地区，海拔890余米。处在两座山脉间的山谷腹地处，地势较为平坦，村址西北高东南低。现存村落由吴氏大院古建筑群十二座宅院为主体，皆为清代合院式民居。以及关帝庙和吴氏祠堂为公共建筑。1936年3月，毛主席率领中国工农红军东征，总部机关路居西庄村时就住在吴家的“麟厚堂”，毛主席看到村民们生活饮水十分困难，给村里打了一口井，群众取名“幸福泉”。2003年9月，山西省人民政府公布的第一批省级历史文化名村。2012年12月，住建部、文化部、财政部公布为首批“中国传统村落”。2021年被山西省人民政府公布为第六批省级文物保护单位。乡村道路经此。

50-B-b753 **交口红军东征革命遗址**［Jiāokǒu Hóngjūndōngzhēng Gémìng Yízhǐ］位于山西省吕梁市交口县城东大麦郊村。俗称“城门里”。始建于清道光十七年（1832 年）。旧址上下 3 院阶梯状布局，中轴线自南向北有下院南房会址、毛泽东旧居、中院正窑、上院彭德怀和杨尚昆旧居。1936 年 2 月 17 日，毛主席签发东征宣言，2 月 20 日，正式下达渡河命令。5 月 21 日，毛主席、周恩来率领红军总部回到瓦窑堡，红军渡河东征胜利结束。从 1936 年 2 月 20 日，红军一举突破黄河天险，到 5 月 5 日，红军东征胜利，全部渡过黄河。东征红军在山西共计 75 天中有 62 天在交口完成重要的战役和会议。从 1936 年 3 月 2 日，毛主席及红军总部机关进入交口后水头，到 5 月 2 日，毛主席从永和清水关回师西渡。毛主席在山西共计 62 天中有 42 天在交口主持会议和指挥战役。交口目前保留东征红军纪念地共 12 处，其中毛主席路居 6 处。东征红军先后进入交口的部队有红十五军团、红一军团、红军总部和党中央机关、红二十八军、红三十军。东征期间发生在交口的重大事件和决策有——中央政治局扩大会议，兑九峪战役，“晋西会议”，兵分三路，开展地方工作等。毛主席率红军总部和中路军走遍了交口 7 个乡镇，曾在 7 个村庄驻扎，指挥三路大军转战山西南北，取得了红军东征战役的胜利。毛主席用四句话来概括东征，就是“打了胜仗，唤起了民众，扩大了红军，筹集了财物”。2021 年被山西省人民政府公布为第六批省级文物保护单位。汾石高速经此。

50-B-b754 **临黄塔**［Línhuáng Tǎ］位于山西省吕梁市孝义市大孝堡镇大孝堡村。创建于隋开皇四年（584 年），原为阿育王塔，后历代皆有修葺。清雍正十四年（1732 年）重建，始成今日之造型。塔为八角七层楼阁式砖塔，高 18 米。塔体一、二层为实心，以上五层檐下均仿木构砖雕斗飞椽，塔顶为攒尖顶，用黄色琉璃脊瓦覆盖。2004 年被山西省人民政府公布为第四批省级文物保护单位。通孝义 210 路公交车。

50-B-b755 **寂照寺**［Jìzhào Sì］位于山西省吕梁市孝义市高阳镇三多村。据碣载，寺创建于明万历四十五年（1617 年），清代曾有修葺。坐北向南，二进院落布局。中轴线上由南到北依次为山门、天王殿、大雄宝殿及两侧观音殿和伽蓝殿，由北向南两侧依次有龙王殿、祖师殿，罗汉殿、地藏殿，二进院东厢房、西厢房，一进院东厢房、西厢房、东禅房、西禅房。现存建筑中山门与大雄宝殿为明代遗构，余皆为清代建筑。伽蓝殿与观音殿内保存明清壁画 30 余平方米。天王殿面阔三间，进深五椽，前檐出廊，单坡硬山顶。大雄宝殿砖砌窑洞三孔，前插廊式，单步梁插入券墙中，形成单坡硬山顶。观音殿、伽蓝殿形制相同，均面宽三间，进深四椽，前出廊，单檐硬山顶。殿内绘有壁画，面积约 34 平方米。寺内山门南墙现存石碣 2 方，其中 1 方上书“寂照禅林”。现存建筑为明清遗构，时代特征鲜明，文化内涵丰富，其创建、演变的历史脉络清晰，是研究这一地区佛教文化和寺院建筑的实物例证。2016 年，寂照寺被山西省人民政府公布为第五批省级文物保护单位。乡村道路经此。

50-B-b756 **小垣西庙**［Xiǎoyuánxī Miào］位于山西省吕梁市孝义市西 5 公里的高阳镇小垣村。创建年代不详，庙内建筑为清代遗构。坐北朝南，一进四合院布局，总占地面积 622.3 平方米。中轴线上建有南殿及山门、正殿，两侧为东西配殿，南殿正中设券洞门，为庙之山门。正殿上层阁内塑像中为关圣帝君，两侧为关平、周仓护卫。正殿下层券窑内为佛教塑像七尊，正中塑镏金释迦摩尼坐像，左右分别塑镏金菩萨像。由此可知，小垣西庙为下寺上庙，即下层为佛教寺院，上层为道教庙宇。正殿内设券洞的神龛内悬有一木质匾额，其上正文书：献古佛阁，题额书“丁亥季春朔日”，尾题“□□祖张大孟父女□□□□”。2021 年被山西省人民政府公布为第六批省级文物保护单位。通 205 路公交车。

50-B-b757 **杏花村遗址**［Xìnghuācūn Yízhǐ］位于山西省吕梁市汾阳市杏花镇东堡村。遗址范围较广，东至窑头、辛庄，北至冯郝沟缓坡丘陵地带，后连起伏的吕梁山脉，地势北高南低，遗址面积约 15 万平方米。文化层距地表深度 2 米，厚度 1 米。为一处新石器时代、东周时期的文化遗存。遗址南部断崖上暴露有房址 1 处、石斧 1 件及少量残陶片。1982 年进行了发掘，经调查发现，内容极为丰富，分布广泛，地面灰层比比皆是，遗迹、遗物众多。根据层位关系对其内涵分析，遗址堆积形成八个阶段，时代跨越较长，从新石器时代仰韶文化中期一直到商代。1986 年被山西省人民政府公布为第二批省级文物保护单位。通 0、1 路公交车。

50-B-b758 **峪道河遗址**［Yùdàohé Yízhǐ］位于山西省吕梁市汾阳市峪道河镇。属于仰韶文化（庙底沟类型）龙山（晚期）文化时期遗存。遗址分布广阔，由南向北，李贞沟纵深到田褚、水泉，东扩至崖头、峪口等几个自然村，面积约 680 万平方米，与东堡、上贤遗址连成一线。文化遗存丰富，暴露遗物有瓮棺葬，长方形竖穴坑，东西向。经调查，发现瓮棺 2 件，口对口对扣在一起于墓穴内，遗物有陶器残片，小口尖底瓶，弦纹罐、彩陶钵、陶盆一泥质盆，以线纹为多。采集标本有石斧、陶环、石刀、陶刀、盘状器、鬲、豆、甑等陶器物。1986 年被山西省人民政府公布为第二批省级文物保护单位。通 3 路公交车。

50-B-b759 **北垣底遗址**［Běiyuándǐ Yízhǐ］位于山西省吕梁市汾阳市栗家庄乡北垣底村。遗址分布面积约 5 万平方米。一条南北走向的乡级公路将遗址切为两半。地表采集有夏、商、东周的绳纹泥质灰陶罐残片。在地表上暴露有灰坑多处，文化层距地表深度 2 米，厚度 0.4 米。暴露的遗物有陶片、石器等，采集到的标本有陶片，属龙山文化。1986 年被山西省人民政府公布为第二批省级文物保护单位。青银高速经此。

50-B-b760 **狄青墓**［Díqīng Mù］位于山西省吕梁市汾阳市峪道河镇刘村。狄青，字汉臣（1008 年—1057 年），宋汾州西河人。在西夏战争中屡立战功，由士兵升大将，皇五年（1053 年）官拜枢密使。嘉四年（1059 年）归葬于此。嘉七年，追赠为狄武襄公。墓地坐北朝南，原占地 79920 平方米，建有祭祠性建筑显庆寺（宋代）、狄公祠等，均毁于晚清至抗战期间。建国后，陵园已不存，“文革”中，墓丘被摊平，翁仲、石兽被就地埋掉。御赐神道碑清宣统年间移至县城，后移置太符观保存。今墓地尚立清宣统元年“宋狄武襄公之墓”碑一通，由宋仁宗亲书篆额，碑身高达 4.6 米，碑文约 3000 字，简叙狄青生平。1996 年，狄青墓被山西省人民政府公布为第三批省级文物保护单位。青银高速经此。

50-B-b761 **法云寺**［Fǎyún Sì］位于山西省吕梁市汾阳市三泉镇平陆村。创建年代不详。坐北朝南，占地面积 714.6 平方米，四合院布局。中轴线上现存山门和正殿，轴线西侧存西配殿和西耳殿（砖券窑洞二孔），东侧存东配殿。正殿主体为元代遗构，面阔三间，进深四架椽，前廊式单檐悬山顶。斗四铺作单下昂，梁架结构为三椽前搭牵用三柱。其余均属民国期间建筑。寺内存石碑 2 通。2004 年被山西省人民政府公布为第四批省级文物保护单位。青银高速经此。

50-B-b762 **堡城寺龙王庙**［Bǎochéng Sì Lóngwáng Miào］位于山西省吕梁市汾阳市峪道河镇堡城寺村。创建年代不详。坐北朝南，原由庙院及戏场院组成，占地面积 3153.5 平方米，现仅存正殿和关帝殿（并列于正殿东侧）。正殿（龙王殿）为元代遗构，面阔三间，进深四架椽，前廊式单檐悬山顶。斗四铺作单下昂，梁架结构为三椽前搭牵用三柱，殿内三椽下有“达鲁花赤”题记。关帝殿属清代建筑。2004 年被山西省人民政府公布为第四批省级文物保护单位。青银高速经此。

50-B-b763 **虞城五岳庙**［Yúchéng Wǔyuè Miào］位于山西省吕梁市汾阳市阳城乡虞城村。创建年代不详。坐北朝南，占地面积 7560 平方米。中轴线上现存戏台和正殿，轴线两侧存东西耳殿、西配殿并西厢房（配殿一间、厢房二间），戏台东侧存庙门和门房各一间。东配殿并东厢房已被改建。正殿为金代遗构，余皆为清代建造。正殿面阔三间，进深五架椽，前廊式单檐硬山顶。斗为五铺作单抄单昂计心造，梁架结构为四椽前搭牵用三柱。2004 年被山西省人民政府公布为第四批省级文物保护单位。东吕高速经此。

50-B-b764 **齐圣广佑王庙**［Qíshèng Guǎng yòuwáng Miào］位于山西省吕梁市汾阳市三泉

镇义丰北村。旧称相公庙，创建年代不详，现存齐圣广佑王殿及戏台。坐北朝南，由庙院、戏场院及斋房院组成，占地面积为 2414.6 平方米。齐圣广佑王殿为元代遗构，戏台为清代所建。齐圣广佑王殿，面阔三间，进深四架椽，前廊式单檐悬山顶。斗四铺作单昂计心造，梁架结构为三椽前搭牵用三柱。2004 年被山西省人民政府公布为第四批省级文物保护单位。东吕高速经此。

50–B–b765 **报恩寺**［Bàoēn Sì］位于山西省吕梁市汾阳市卫巷街。俗称姑姑寺，创建年代不详。中轴线自南向北为过殿、正殿，两侧为东西厢房，过殿西侧有鼓楼。坐北朝南，两进院落，占地面积 1345.8 平方米。正殿为元代遗构，面阔三间，进深六架椽，单檐悬山顶。斗五铺作双下昂计心造。梁架为四椽前后搭牵用四柱。2004 年被山西省人民政府公布为第四批省级文物保护单位。通 0、1 路等公交车。

50–B–b766 **禅定寺**［Chándìng Sì］位于山西省吕梁市汾阳市阳城乡普会村。创建年代不详，据记载北魏已有。坐北朝南，二进院布局，占地面积 1624 平方米。中轴线上由南向北依次存山门、过殿和正殿，二进院两侧存东西配殿各四间。东院保留建筑较完整。寺内存清康熙元年重修碑 1 通。正殿为元代遗构。面阔五间，进深四椽，前廊式单檐悬山顶。斗四铺作，梁架结构为四椽对前搭牵用三柱。关帝殿为清代建筑，殿内神龛为制作精美的小木作，内奉关羽，殿之东、北、西三壁塑有以关羽过五关、斩六将为主题的悬塑，东西两壁悬塑之前各立塑三尊文武侍臣，与悬塑及主像内容融为一体。2004 年被山西省人民政府公布为第四批省级文物保护单位。韩石线经此。

50–B–b767 **汾阳铭义中学**［Fényáng Míngyì Zhōngxué］位于山西省吕梁市汾阳市英雄北路。前身是 1913 年开办的山西公立河汾中学和 1915 年由华北基督教公理会创办的铭义中学。中国共产党初创时期，学校就成为新民主主义革命的前沿阵地，涌现出大批革命志士。现存建筑有裴万铎私人别墅、万德生牧师别墅及办公楼等 10 栋，另有四合院一座。整体建筑为散点式布局，占地面积 98330 平方米。建筑结构简练，形制多样，是我国传统建筑向现代建筑过渡时期的典型作品。2004 年被山西省人民政府公布为第四批省级文物保护单位。通 1、105 路等公交车。

50–B–b768 **巩村古城址**［Gǒngcūn Gǔchéng Zhǐ］位于山西省吕梁市汾阳市三泉镇巩村。据残存城墙的剖面分析最早可追溯到战国时期。平面呈长方形，南北长约 800 米，东西宽约 700 米，分布面积约 56 万平方米，为战国至汉代的城址。南城垣凸出地表，高 1.5 米，宽 6 米，长 800 米。其东端凸起高台，高台高约 12 米，长 40 米，宽 30 米。北城垣地表仅突起一土堆，东西城垣地表无存。城池之内为耕地。据史载："古者四海之内，分为万国。城虽大，无过三百丈者，人虽众，无过三千家者。……今千丈之城，万户之邑相望也。" 2009 年 9 月山西省考古研究所的汾平高速考古发掘队，对汾平高速沿线在勘探的基础上进行了发掘。考古结果显示：巩村古城从发掘的情况看时代为战国晚期；沿线墓地的发掘从发掘品所获得的情况看时代最早也是战国晚期。巩村古城与墓地是个有机的统一体，无论时代还是内涵都完全一致。2021 年被山西省人民政府公布为第六批省级文物保护单位。韩石线经此。

50–B–b769 **演武寿圣寺**［Yǎnwǔ Shòushèng Sì］位于山西省吕梁市汾阳市演武镇演武村。创建年代不详，据正殿梁架题迹：古迹先于至正三年重建，元延祐五年（1318 年）重修，明洪武六年（1373 年）重建，正德十三年（1518 年）重修，嘉靖十年（1531 年）重建。现存建筑均为明代遗构。该寺现存过殿、正殿和西配殿，现存殿宇梁架结构基本完好，墙体均出现裂缝，下部皆有酥碱。此外，正殿脊饰无存，门窗改造，后檐口及后檐栱眼壁有塌落，博缝板大部分缺失。过殿脊饰残缺不全，檐口残破，门窗无存。西配殿后檐口残破。2021 年被山西省人民政府公布为第六批省级文物保护单位。乡村道路经此。

50–B–b770 **石家庄龙天庙**［Shíjiāzhuāng Lóngtiān Miào］位于山西省吕梁市汾阳市栗家庄乡石家庄村。始建年代不详，按现存建筑特征判定正殿及东西耳殿为元代遗构，其余为清代建筑。该庙正殿、东西耳殿梁架结构完整，殿顶瓦面破损，山檐、前檐塌垂，东西山墙开裂。正殿前后墙改建，东西耳殿后墙改建。东耳殿紧贴土崖，其东山墙悬于土崖边，极易因滑坡而倒塌。庙门改建，庙墙剥蚀。庙内碑石破碎压於台明。2021年被山西省人民政府公布为第六批省级文物保护单位。通209、211路等公交车。

50-B-b771 **蔚光年宅院** [Wèiguāngnián Zháiyuàn] 位于山西省吕梁市汾阳市冀村镇东社村。俗称疙瘩上。蔚光年宅院建于20世纪30年代。土改时将宅院分给他人所有，后经协商将其置换收回由集体使用，因缺少维护，疏于管理致使其门窗缺失，因风雨侵蚀、年久失修使部分木雕构件残缺，彩绘漫漶不清。2021年被山西省人民政府公布为第六批省级文物保护单位。乡村道路经此。

50-B-b772 **后沟玲珑塔** [Hòugōu Línglóng Tǎ] 位于山西省吕梁市汾阳市峪道河镇后沟村。据《汾阳市各级重点文物保护单位简介》载：创建于明万历二年（1574年），为明代遗构。该塔基本保持完整，系八角七层楼阁式砖木结构。以砖雕见奇，斗拱、塔檐仿木结构惟妙惟肖。维塔刹及内部木构楼梯缺失，塔座部分有坍塌，每个立面皆有裂缝，下部有酥碱，檐口皆有残缺二、三层砖雕阑额皆有缺失。2021年被山西省人民政府公布为第六批省级文物保护单位。乡村道路经此。

50-B-b773 **岐峪东岳庙** [Qíyù Dōngyuè Miào] 位于山西省吕梁市汾阳市三泉镇岐峪村。始建年代不详，据正殿梁架题记载：明嘉靖二十四年（1545年）重修。现存建筑中，正殿保留有元代建筑特征，属元代遗构，其余均为清代建筑。该庙原布局被破坏，现存正殿、东西耳殿、戏台台基及南窑。正殿梁架基本完好，殿顶脊饰缺失1/3，前后檐口残破，后墙有酥碱，东西耳殿山墙向外鼓出，屋顶残破，南窑门窗改造墙体酥碱。2021年被山西省人民政府公布为第六批省级文物保护单位。乡村道路经此。

50-B-b774 **刘家堡关帝庙** [Liújiābǎo Guāndì Miào] 位于山西省吕梁市汾阳市栗家庄乡田村刘家堡自然村。据庙内现存碑、碣记载：创建于清顺治年间（1644年—1661年），康熙五十八年（1719年）、乾隆十年（1745年）增修，嘉庆二十一年（1816年）、光绪十三年（1888年）、宣统三年（1911年）重修。20世纪60年代，因大队粮库占用而将北配殿前檐装修改为砖砌门窗。坐西朝东。正殿是关帝殿。殿内壁画完好，对面戏台墙壁上写有戏曲班社的题记，涉及剧目众多，体现了班社的流动性。侧壁残留有“平邑自诚园”戏班申海山题记的“宣统四年五月廿九、六月一、二日在此亦乐乎”。庙内现存建筑有历代碑记十七块，关帝殿、观音殿、南北配殿、戏台、古井、地道、壁画等景观，具有重要的历史价值。2021年被山西省人民政府公布为第六批省级文物保护单位。乡村道路经此。

50-B-b775 **汾阳南薰楼** [Fényáng Nánxūn Lóu] 位于山西省吕梁市汾阳市文峰街道办事处南关村。始建于明弘治十三年（1500年），万历二十二年（1594年）增修佛阁，清康熙十二年（1673年）重修。1993年进行落架重修，将其整体抬高1米。现存主体为明代遗构。石砌台基，平面呈方形，高约1米，四面皆设踏步。楼体面宽、进深各三间，二层四檐十字歇山顶，通高17.26米。平面设柱16根，外围一圈檐柱，里围4根通天金柱，檐、金柱间以枋木及斗栱后尾相连系。一层檐柱头施断面方形的檐枋一周，其上设五踩单翘单昂斗栱一圈，计24攒。二层檐（即一层重檐）下设七踩三翘斗栱24攒。三层檐（即上层楼下檐）下设三踩单翘斗栱24攒。四层檐（即上层重檐）下设五踩双昂斗栱16攒。一层顶部设藻井，并在东侧檐、金柱之间设木构楼梯，可上二层。二层金柱间新装槅扇门窗，内设东、西、南、北4个佛阁。2021年被山西省人民政府公布为第六批省级文物保护单位。通6路公交车。

50-B-b776 **药师七佛多宝塔** [Yàoshīqīfó duōbǎo Tǎ] 位于山西省吕梁市汾阳市杏花村镇小相村。据《汾阳县金石类编》所载《故宣秘大师潮公塔记》记载，始建于元至元年间（1268年—1269年），当时为潮公大师的舍利塔，共7层。又据《灵岩寺增脩记》及塔上碣石记载，明嘉靖二十八年该塔增建为13层。按现存外表特征推断为明代遗构。由于民国年间战火纷乱等人为原因，导致塔刹遗失她塔道破损，悬塑毁坏，一到三层砖雕斗栱损伤严重。2021 年被山西省人民政府公布为第六批省级文物保护单位。通 1 路公交车。

50-B-b777　**东石龙天庙**［Dōngshí Lóngtiān Miào］位于山西省吕梁市汾阳市三泉镇东石村西北部。创建年代不详，坐北朝南，原由庙院及斋房院组成，现仅存正殿及东西耳殿。东西长 21.11 米，南北宽 11.03 米，占地面积为 232.8 平方米。由于学校占用，使正殿及耳殿门窗改造。因年久失修、风雨剥蚀，使西耳殿正立面局部坍塌。乐楼及围墙等均因年久失修而塌毁，斋房院则因个人宅基地占地而被拆毁。2021 年被山西省人民政府公布为第六批省级文物保护单位。乡村道路经此。

50-B-b778　**南赵郡佛殿**［Nánzhào Jùnfó Diàn］位于山西省吕梁市汾阳市栗家庄乡南赵郡村。俗称佛殿或大殿。始建年代不详，据殿内梁架题有元代官职“达鲁花赤”字样，并结合现存构架特征，推断其主体为元代遗构。原寺名称不详，布局无存，现仅存大殿一座。该殿梁架结构基本完好，屋顶形制又悬山改为硬山，前檐装修改为砖砌门窗，后檐明间檐榑及随榑枋断裂而使屋面下沉，西山墙顶部外墙皮塌落 3 平方，殿内砌有砖墙一道，并堆积有少量材草。2021 年被山西省人民政府公布为第六批省级文物保护单位。307 国道经此。

50-B-b779　**汾阳教会医院旧址**［Fényáng Jiàohuì Yīyuàn Jiùzhǐ］位于山西省吕梁市汾阳市胜利街 186 号。由美国基督教华北公理会于 1916 年在汾阳创办，第一任院长为美国人万德生大夫。现仅存原医院主楼，平面呈“U”字形，故又称为 U 型楼。坐北朝南，东西长 85.25 米，南北宽 45.9 米，占地面积 1488.13 平方米。建筑为砖混结构，中部为四层主楼，两侧为三层附楼，主、附楼顶为庑殿顶，门窗及室内装修均为西式风格。楼内设内科、外科、儿科、妇科、眼科和手术室等，并设病床 300 余张。该楼将西方的建筑设计理念与中国传统的建筑风格有机地融为一体，具有一定的科学及美学价值。是中西合璧风格，表现了中西文化的交流，是我国传统建筑向现代建筑过渡时期的典型作品。旧址保留了汾阳市地区建筑发展演变的历史信息，具有极其重要的历史价值。2021 年被山西省人民政府公布为第六批省级文物保护单位。通 105、201 路等公交车。

风景名胜区

5A 级景区

50-C-a001　**云冈石窟景区**［Yúngāng Shíkū Jǐngqū］位于山西省大同市云冈区。东西绵延约 1 公里，窟区自东而西依自然山势分为东、中、西三区。现存主要洞窟 45 个，附属洞窟 209 个，雕刻面积达 18000 余平方米。造像最高为 17 米，最小为 2 厘米，佛龛约计 1100 多个，大小造像 59000 余尊，占地面积 2200 平方千米。2001 年被联合国教科文组织批准列入“世界文化遗产”名录；2007 年被原国家旅游局评为 5A 级旅游景区。距今已有 1500 年的历史，是公元 5 世纪中西文化融合的历史丰碑。核心景区现包括云冈石窟、云冈石窟研究院办公区、云冈陈列馆、演艺中心、食货街（文化商业街）、灵岩寺、游客服务中心、云冈皮影、木偶馆等文化旅游服务设施，修复了周总理纪念室、恢复了北魏时期“山堂水殿、烟寺相望，林渊镜景、缀目新眺”的历史风貌。景区内目前集皇家石窟寺、皇家园林、古建筑群于一体，结构合理，浑然一体，体现了云冈石窟雄伟壮观的文化张力。通 61 路公交车。

50-C-a002　**太行山八泉峡景区**［Tàihángshān Bāquánxiá Jǐngqū］位于山西省长治市壶关县。地处晋豫两省交界，雄居太行山大峡谷中段，占地面积 24.11 平方千米，最低海拔 600 余米，最高海拔 1400 余米，最大落差约 1100 米，是峡谷内设施最全、线路最美、最具代表性的精华景区，蕴涵了太行山之精髓。因主源有八道大水同出一地故得八道水。2001 年旅游开发时，又依峡谷中部又有两处八泉，三处泉数均合“八”数，易名太行八泉峡。2019 年被国家文化和旅游部评为 5A 级旅游景区。景区内有门楼景观、峡谷景观、索道景观和步道景观四大游览区域，主要景点 36 处。是太行山大峡谷地质公园中心区，出露的片麻岩是国内一大奇迹。是自然观光，生态旅游、地质科考、休闲度假的理想佳地。省道荫林线经此。

50-C-a003 **皇城相府**［Huángchéngxiàngfǔ］位于山西省晋城市阳城县。总面积 0.036 平方千米，是清文渊阁大学士兼吏部尚书加三级、《康熙字典》总阅官、康熙皇帝 35 年经筵讲师陈廷敬的故居。因其外城为清康熙盛世主人陈延敬入阁拜相后所建，故而民间又称其为“相府”。2011 年被原国家旅游局评为 5A 级旅游景区。由内城、外城两部分组成，有院落 16 座，房屋 640 间。内城系明代遗构，主要建有御史府、世德居、树德院等 81 座大型院落、125 间层层叠叠的藏兵洞和七层百尺高的河山楼及春秋阁、文昌阁、陈氏宗嗣等。外城为清代所建，沿袭了前堂后寝的规制。内城（原名斗筑居）与外城（中道庄）紧密相连，浑然一体，为依山而建的全封闭双城堡建筑群。是一座将明代建筑与清代建筑巧妙结合，集多种功能为一体的独特建筑风格，再加之砖雕、木雕、石雕艺术装饰和皇家御赐牌匾、物件之遗存，具有很高的文化品位。乡村道路经此。

50-C-a004 **平遥古城景区**［Píngyáogǔchéng Jǐngqū］位于山西省晋中市平遥县。始建于周宣王时期，明洪武三年（1370 年）扩建，距今已有 2700 多年的历史，较为完好地保留着明清时期县城的基本风貌。占地面积约 2.25 平方千米。1986 年被国务院评为第二批国家历史文化名城，1997 年被联合国教科文组织批准列入“世界文化遗产”名录，2015 年被原国家旅游局评为 5A 级旅游景区。平遥古城有中国目前保存最完整的古代县城格局，交通脉络由纵横交错的四大街、八小街、七十二条蚰蜒巷构成。整座城市非常周正，街道横竖交织，街巷排列有致。市楼位于城市中央，明清街位于南北中轴线上。古城建筑分为两部分：城隍庙居左，县衙居右，文庙居左，关帝庙居右。道教清虚观居左，佛教寺院居右。古城内有平遥县衙、日昇昌票号、城墙、清虚观、文庙、瓮城、点将台等景点。其民居建筑布局严谨，轴线明确，左右对称、主次分明、轮廓起伏，外观封闭，大院深深，是中国汉民族地区现存最为完整的古城，对研究当时的社会形态、经济结构、军事防御、宗教信仰、传统思想、伦理道德的人类居住形式有重要的参考价值。通平遥 102 路公交车。

50-C-a005 **绵山景区**［Miánshān Jǐngqū］位于山西省晋中市介休市，地跨介休、灵石、沁源三（市）县地界，属晋中市管辖，为清明（寒食）节发源地。总面积 164 平方千米，最高海拔 2.5666 千米。2013 年被原国家旅游局评为 5A 级旅游景区。主要植被为天然林和天然草地，地表覆盖率在 90% 以上。它集山光水色、文物胜迹、佛道寺院、革命遗址于一山，建筑群体中宗教建筑有殿庙、宫观，主要景点有龙头寺、抱腹寺、空王殿、千佛殿、介推祠、石佛殿等。是山西省 1987 年首批公布的六大风景名胜区之一。通介休 302 路公交车。

50-C-a006 **五台山风景区**［Wǔtáishān Fēng jǐngqū］位于山西省忻州市五台县，西南距省会太原市 230 千米，是坐落于“华北屋脊”之上的一系列山峰群，景区总面积达 2837 平方千米，最高海拔 3061 米。五座山峰（东台望海峰、南台锦绣峰、中台翠岩峰、西台挂月峰、北台叶斗峰）环抱整片区域，顶无林木而平坦宽阔，犹如垒土之台，故而得名。2007 年被原国家旅游局评为 5A 级旅游景区。是中国一个青庙黄庙交相辉映的佛教道场，现存寺院 47 处，台内 39 处，台外 8 处，其中多敕建寺院，多朝皇帝前来参拜。著名景点包括显通寺、塔院寺、菩萨顶、南山寺、黛螺顶、广济寺、万佛阁等。唐代的初、中期寺院多达 360 余处。既有青庙也有黄庙，青庙和黄庙相互比邻，藏传佛教和汉传佛教并重，在四大佛教名山中是独有的现象。据 1956 年五台山文物保护所的调查，在五台山范围内还有寺庙 124 处，其中青庙 99 处，黄庙 25 处。五台山与尼泊尔蓝毗尼花园、印度鹿野苑、菩提伽耶、拘尸那迦并称为世界五大佛教圣地，与浙江普陀山、安徽九华山、四川峨眉山、共称“中国佛教四大名山”。省道砂石线经此。

50-C-a007 **代县雁门关风景区**［Dàixiàn Yàn ménguān Fēngjǐngqū］位于山西省忻州市代县。东走平型关、紫荆关、倒马关，直抵幽燕，连接瀚海；西去轩岗口、宁武关、偏头关至黄河边。

它北依雁北高原，南屏忻定盆地。占地面积30平方千米。唐初因北方突厥内犯驻军于雁门山设关城得名。2017年被原国家旅游局评为5A级旅游景区。是世界文化遗产万里长城的重要组成部分，被誉为“中华第一关”，依山傍险，高踞勾注山上，是大雁南下北归的主要中部通道之一。是以军事防御体系历史遗存、遗址为主要景观资源的边塞文化、长城文化、关隘文化旅游区。在3000多年的历史岁月中，作为古代中国北境著名边关要塞和中国历史上著名的商道，见证了古代边贸的兴衰，成就了晋商的辉煌，亲历了民族融合的艰辛历程，积淀了多民族文化精华，影响了中国的历史进程。208国道经此。

50-C-a008 **洪洞大槐树寻根祭祖园**［Hóngtóng Dàhuáishù Xúngēnjìzǔyuán］位于山西省临汾市洪洞县。东靠南同蒲铁路与霍侯一级公路，南临309国道，西接汾河与大运二级公路以及大运高速公路，北依洪三公路。占地面积3.5平方千米。2018年被国家文化和旅游部评为5A级旅游景区。景区由“移民古迹区”“祭祖活动区”“民俗游览区”“汾河生态区”四大主题板块组成，共60余处风景文化景点。从明洪武二年（1369年）至永乐十五年（1417年），近50年的时间里大槐树下就发生大规模官方移民18次，主要迁往京、冀、豫、鲁、皖、苏等18个省，500多个县市，集中体现了深厚的移民文化内涵，同时还满足了广大移民后裔寻根祭祖、旅游观光、休憩、餐饮、购物的需求，是广大移民后裔进行深度文化体验。2008年大槐树祭祖习俗被列为国家级非物质文化遗产名录。是全国以“寻根”和“祭祖”为主题的唯一民祭圣地。通洪洞3路公交车。

50-C-a009 **云丘山景区**［Yúnqiūshān Jǐngqū］位于山西省临汾市乡宁县，地处吕梁山与汾渭地堑交汇处。占地面积为210平方千米。海拔最高处玉皇顶1629米。2020年被国家文化和旅游部评为5A级旅游景区。特殊的喀斯特地貌和石山森林环境形成了奇峰异景，人文景观30余处，自然景观50余处。自然景观有神塔叠翠，玄门结胞、张公背婆、老君葫芦、双虎守院、栓马石桩、金鸡报晓和仰天巨神等。特别是蜡台夜光、石穴藏冰、鬼石自拍、桑揪换样、青鸟定风、礼泉揖让、地牛吼雨、毛头踏雪、阎王勾魂等自然奇观更是神秘莫测。隋唐起就有佛徒在此凿窟造像，所遗玉天洞为隋唐佛教文化之精品，多宅灵岩寺佛塔为晋西南仅见之明代浮图，玉莲洞为宋元道徒修行之圣地，唐代（佛）经刻、摩崖造像，宋代龙公龙母石刻，明代浮图，元代道宫，明清古建，无不引人入胜。与武当山齐名，历史上誉有“藐姑射山最秀之峰巅”之称和“汾河一代第一名胜地”之誉。乡村道路经此。

4A级景区

太原市

50-C-a010 **东湖醋园**［Dōnghú Cùyuán］位于山西省太原市杏花岭区，占地面积0.02多平方千米。2010年被原山西省旅游局评为4A级旅游景区。其历史可追溯至明洪武元年（1368年）的“美和居”醯坊。1998年山西老陈醋集团有限公司建立了“东湖醋园”，2004年旅游商标注册成功，2005年认定为全国工农业旅游示范景点，是唯一以醋文化为主题的项目，也是唯一的醋文化旅游园。其陈列堂和醋疗园分别收集了我国西汉以来各种酿醋器具、农耕器具和700余个醋疗药方的文献典籍，仿古建筑的美和居醋坊还原了古法酿醋的工艺，600多年传统的酿制技艺被国务院文化部评定为“国家级非物质文化遗产”。是山西省第一家动态展示传统与现代老陈醋生产工艺流程和老陈醋历史文化内涵的公司化、工厂化博物馆。通861路公交车。

50-C-a011 **太原动物园**［Tàiyuán Dòngwùyuán］原址位于太原市杏花岭区黑龙潭公园，2003年搬迁至卧虎山公园后重新开放。占地面积1.35平方千米。2008年被原山西省旅游局评为4A级旅游景区。分为鸟类动物展示区、大型动物展示区、灵长类动物展示区等11个观赏区，建筑群组62个，馆舍类130多个。有国家级保护动物250多种，共3600多只。其造型独特，馆舍的玻璃穹顶能把自然光引入室内，为三只非洲象和两只亚洲象模拟出自然的生活环境。熊猫馆的壳体结构是由德国设计师设计，也是园区内结构最复杂的馆舍，全国设计最复杂的熊猫馆之一。外形像“海龟壳”，屋顶是一个圆形曲面，圆形里有四个不规则的三角弧形，每个三角弧形均以大熊猫的黑眼圈为灵感，设计包含了1200多条弧线，梁、柱、墙在水平方向和垂直方向均有弧度。实现了体验复合型景观游览的模式。通25路公交车。

50-C-a012 **太原汾河公园景区**［Tàiyuán Fén hégōngyuán Jǐngqū］位于山西省太原市的迎泽、尖草坪、万柏林几大区，是在汾河太原城区段内经过水利治理和绿化美化后而形成的滨水公园，总长超过30千米。北起柴村桥北侧，南至祥云桥南侧。2014年启动三期工程，向南延伸到规划十二号线以南，向北延伸到中北大学老龙头景区。2010年被原山西省旅游局评为4A级旅游景区。芳草渡位于滨河东路胜利桥北，是汾河公园湿地公园的主入口。轮之舞位于滨河东路小轮车场南，紧扣奥运主题，力争将绿色、科技、奥运精神同湿地自然景观有机融合，通过水景、地景、体育活动区等加以体现。汇石园位于滨河西路胜利桥北是具有中国北方园林风格和太原汾河地域文化的山水园，也是太原市目前最大、最集中的公共绿地游乐场所。通807路公交车。

50-C-a013 **太原森林公园**［Tàiyuán Sēnlín Gōngyuán］位于山西省太原市尖草坪区。东临大同路，西濒滨河东路，南接山西林业职业技术学院，北与赵庄村接壤，占地面积2平方千米。2009年被原山西省旅游局评为4A级旅游景区。有省内首家开放式的占地0.053平方千米的百鸟园。森林景观区主环路两侧栽植针阔叶树约112个品种，65000余株，门区铺设草坪0.076平方千米，栽植乔灌木2000余株。还建有占地0.33余平方千米的国际标准的九洞灯光高尔夫球场等。2001年—2004年公园改建成了占地0.257平方千米的人工湖，蓄水量达28万立方米，免费全天为游客开放。通820路公交车。

50-C-a014 **中国煤炭博物馆**［Zhōngguó Méi tàn BówùGuǎn］位于山西省太原市万柏林区。占地面积0.11平方千米。2008年被原山西省旅游局评为4A级旅游景区。分东、西两院，由陈列大厅、中国煤炭科教文交流中心、学术报告厅、办公研究楼和现代科技学院等组成。是全国煤炭行业历史文物、标本、文献、资料的收藏展示中心和科普教育和文化交流机构，是全国煤炭开发史、煤炭技术史、煤炭资源综合利用史、矿山环境保护史、煤炭文化和煤炭精神研究传播机构。2008年被国家文物局评为首批国家一级博物馆。2016年被国家旅游局授予首批研学旅游示范基地，2017年被教育部授予首批全国中小学生研学实践教育基地。2019年1月模拟矿井首次被山西省文物局、山西广播电视台、山西省博物馆协会评为山西十大镇馆之宝。通813路公交车。

50-C-a015 **晋祠旅游区**［Jìncí Lǚyóuqū］位于山西省太原市晋源区晋祠镇，占地面积1.13平方千米。是祭祀西周初晋国第一任诸侯姬虞的祠堂，原名唐叔虞祠。2001年被原山西省旅游局评为4A级旅游景区。文化遗存有宋、元、明、清时期的殿、堂、楼、阁、亭、台、桥、榭等各式建筑100余座，宋元以来雕塑100余尊，铸造艺术品30余尊，历代碑刻400余通，诗文匾联200余幅，古树名木96株，其中，上千年古树30株。有圣母殿内的43尊彩塑侍女像、距今逾三千年的周柏、长流不息的难老泉称晋祠三宝。有我国唯一的殿和亭结合的金代献殿建筑、我国最早的十字形鱼沼飞梁古桥、宋代的代表建筑圣母殿为晋祠三绝。晋祠三匾分别为清乾隆二十二年水镜台匾、明万历四年（1576年）的对越匾、清雍正五年（1727年）难老泉匾。是集中国古代祠祀建筑、园林、雕塑、壁画、碑刻艺术为一体的珍贵的历史文化遗产。通79路公交车。

50-C-a016 **蒙山大佛景区**［Méngshān Dàfó Jǐngqū］位于山西省太原市晋源区寺底村。占地面积7.74平方千米。2011年被原山西省旅游局评为4A级旅游景区。开凿于北齐天保年间，原是蒙山开化寺后的摩崖佛像。现场外露胸颈部分，高17.5米，宽25米，颈部直径宽5米，唐代记载“高二百尺”，按唐普通尺计算约合今63米。论高度是世界第二大佛，论年代是世界最早的大型石刻佛像。2001年被列入太原市第二批重点文物保护单位。2007年起进行了保护和开发，加固了佛身，并参考太原出土的北齐佛头风格，新修了高 12 米、直径 8 米、重 140 吨左右的佛头，2008 年安放完毕并向公众开放。通 58 路公交车。

50-C-a017 **清徐宝源老醋坊**［Qīngxú Bǎoyuán Lǎocùfāng］位于山西省太原市清徐县杨房村。占地面积 0.02 平方千米。原为明清时期的清徐“宝源坊”，始建于明朝宣德三年（1428 年），距今已有近 600 年历史。2012 年被原山西省旅游局评为 4A 级旅游景区。宝源老陈醋曾作为明、清两朝皇家贡品。分老陈醋工艺展示区、农耕文化展示区、醋文化展示区、器皿器具展示区、陈醋体验区六个部分，从生产工艺、酿醋器具、工具和服饰，从酿醋原料到成品一步步再现了古代酿醋场景。2006 年首批入选国家级非物质文化遗产名录。是“太原市青少年传承教育基地”“太原市首批工业旅游示范景点”“山西省清徐老陈醋酿制技艺博物馆”，2013 年被中国旅游品牌协会、国际文化旅游促进会评为“中华最具特色工业旅游示范地”。通清徐 210 路公交车。

50-C-a018 **六味斋云梦坞**［Liùwèizhāi Yúnmèng wū］位于山西省太原市清徐县。占地近 0.33 平方千米。“云梦坞”意取六味斋主产品酱肘花，酱肘花源出隋唐交替之际的冷炙“缠花云梦肉”，见载于宋初名著《清异录》，故以云梦为名。2016 年被原山西省旅游局评为 4A 级旅游景区。始创于清朝乾隆三年（1738 年），整个园区内新建肉制品、豆制品、主食加工、中央厨房等 4 个不同类型的现代化工厂以及历史文化展馆、食品安全监测中心、文化创意园等。其酱肉系列曾是皇室贡品，享誉京师，其悠久的历史和成熟的工艺在全国中式肉制品生产企业中绝无仅有，是集“中国驰名商标”“中华老字号”“国家级非物质文化遗产”三大国家级荣誉为一身的农业产业化国家重点龙头企业，进入“全国肉制品行业百强、豆制品行业前五十强”行列。通 910 路公交车。

50-C-a019 **紫林醋文化产业园**［Zǐlín Cùwénhuà Chǎnyèyuán］位于山西省太原市清徐县。2016 年被原山西省旅游局评为 4A 级旅游景区。是以“醋与健康”为主题，集醋文化和醋技艺展示、醋养生体验、醋乐汇游憩为主要游览项目的现代食品工业旅游景点。生产工艺上承清顺治年间，至今已有近 400 年历史，“蒸、酵、熏、淋、陈”五大传统技艺被列为非物质文化保护遗产，产品独具“酸、绵、甜、香、鲜”的优良品质，在中国醋类产品中独树一帜。园内开放紫林文化展、醋养生体验、具有国际先进水平的酿造食醋生产线、装备技术先进的现代化灌装流水线、葡萄长廊、绿色采摘、醋养生主题生态餐厅和园林厂区为主要参观景点，将工业化、信息化、标准化酿造食醋实景向游客开放。通 910 路公交车。

大同市

50-C-a020 **大同城墙景区**［Dàtóngchéngqiáng Jǐngqū］位于山西省大同市平城区，古城面积 3.45 平方千米。2016 年被原山西省旅游局评为 4A 级旅游景区。是明代大将军徐达在汉、魏、唐、辽、金、元旧城基础上于明洪武五年（1372 年）增筑起来的。城墙高 14 米、上宽 12 米、下宽 18 米、周长 7.2 千米，建有和阳门、永泰门、清远门、武定门、护城河、吊桥、城楼、箭楼、月楼、望楼、角楼、控军台等一系列军事设施，是我国现存较为完整的一座古代城垣建筑。目前有东城与南城墙等景点，东城墙建有瓮城、月城、吊桥、护城河，并建有城楼、月楼、箭楼各 1 座，望楼 12 座。南城墙不仅包括瓮城、月城，还有关城和东西耳城。城墙上建有城楼、文昌阁、箭楼等古建筑楼阁 10 座，望楼 12 座，角楼 1 座。是大同这座千年古都一道亮丽的风景。通 38 路公交车。

50-C-a021 **大同善化寺景区**［Dàtóng Shànhuà Sì Jǐngqū］位于山西省大同市平城区。占地面积约 0.02 平方千米。始建于唐，玄宗时称开元寺。五代后晋初，改名大普恩寺，俗称南寺。2014年被原山西省旅游局厅评为4A级旅游景区。主要建筑沿中轴线坐北朝南，渐次展开，层层迭高。前为山门，中为三圣殿，均为金时所建。辽代遗构大雄宝殿坐落在后部高台之上。其左右为东西朵殿。东侧为殊阁遗址，西侧为金贞元二年（1154 年）所建普贤阁。寺院建筑高低错落，主次分明，左右对称，是我国现存规模最大，最为完整的辽，金寺院。寺内还保存着泥塑，壁画，碑记等到珍贵文物，其中金代泥塑造型优美，个性突出，特别是二十四天王像，它们有男，有女，有老，有少，有美，有丑，有文，有武，或是帝王装，或是臣子像，或坦膊赤足，披纱衣华似来自天竺国土，或身着铠甲，衬皮毛以抵御北国寒风。生活气息浓郁，极富感染力。通 35 路公交车。

50-C-a022 **大同方特欢乐世界景区**［Dàtóng Fāngtè Huānlèshìjiè Jǐngqū］位于山西省大同市平城区。总占地面积约 0.53 平方千米。2018 年被山西省文化和旅游厅评为4A级旅游景区。是晋北、蒙地区第四代高科技主题公园，由飞越极限、生命之光、星际航班、魔法城堡、海螺湾、熊出没历险、唐古拉雪山、逃出恐龙岛等 20 多个主题项目区组成，涉及主题项目、游乐项目、休闲及景观项目等 200 多项，以科幻和互动体验为最大特色，绝大部分项目处于国内中档水平，有“东方梦幻乐园”“亚洲科幻神奇”之美誉。是充满神奇的梦幻乐园，是未来科幻的探险王国梦幻奇妙的世界，是周末休闲度假的最佳选择。通 13 路公交车。

50-C-a023 **大同魏都水世界景区**［Dàtóng Wèidū Shuǐshìjiè Jǐngqū］位于山西省大同市南郊区。水世界景区包括室内水世界、温泉洗浴、韩式汗蒸、各式风味餐厅、酒店客房、多功能会议室、VR 科技馆、科技果蔬园、农业采摘等。2019 年，大同魏都水世界景区被山西省文化和旅游厅评为 4A 级旅游景区。大型的戏水区内有趣味水寨、彩虹竞赛滑梯、大喇叭八滑梯、敞开皮筏滑梯、水上飞龙滑梯、冲天大回旋滑梯、暴风谷滑道、高速滑梯、巨兽碗滑梯、敞开螺旋滑梯、疯狂海啸、潮汐漂流河、游泳池等设施。二期项目包括最大的室内儿童游乐场、人工湖、特色酒害和极具规模的摩天轮游乐场，三期项目还有全国最大的室内滑雪场。魏都水世界是山西省乃至华北地区规模最大、项目设施最完备的室内水上乐园，也是华北地区最全面的生态旅游休闲综合体。园区内还有不少农业活动，打造了一个农业科技旅游观光综合之地，填补了大同市合生态旅游项目的空白。208 国道经此。

50-C-a024 **大同华严寺**［Dàtóng Huáyán Sì］位于山西省大同平城区。占地面积达 0.066 平方千米。依据佛教经典《华严经》取“慈悲之华，必结庄严之果”的大乘教义而命名。2014 年被原山西省旅游局评为 4A 级旅游景区。始建于辽重熙七年（1038 年），寺院坐西向东，山门、普光明殿、大雄宝殿、薄伽教藏殿、华严宝塔等 30 余座单体建筑分别排列在南北两条主轴线上，是我国现存年代较早、保存较完整的一座辽金寺庙建筑群。主殿大雄宝殿始建于辽清宁八年（1062 年），是我国现存辽金时期最大的佛殿。薄伽教藏殿建于辽重熙七年（1038 年），被著名建筑学家梁思成先生誉为“海内孤品”。华严宝塔是继应县木塔之后全国第二大纯木榫卯结构的方形木塔，通高 43 米，特别是塔下近 500 平方米的千佛地宫，采用 100 吨纯铜打造而成，内供佛祖舍利及千尊佛像，是传统与现实完美结合的典范之作。大殿中央佛坛上供奉的 29 尊辽代泥塑堪称辽塑精品，尤以合掌露齿菩萨为最，史学家郑振铎先生赞其为“东方维纳斯”。不仅是历史之珍品，还是文物之精华，更是中华文化之结晶，它将继续以其珍贵的历史价值和独特的艺术魅力流传百世。通 38 路公交车。

50-C-a025 **晋华宫矿井下游景区**［Jìnhuá gōng Kuàngjǐngxiàyóu Jǐngqū］位于山西省大同市云冈区。总面积 0.329 平方千米。2013 年被原山西省旅游局评为 4A 级旅游景区。目前拥有煤炭博物馆、工业遗址参观区、仰佛台、晋阳潭、石头村、井下探秘游、棚户区遗址七大景区，是一座集旅游观光、煤炭科普教育、工业忆旧、探险体验、休闲度假、环境保护于一体的大型现代工业文化景观旅游公园。进入景区，游客可以系统地了解煤炭的形成原理、煤层的分布特点、采煤的工艺流程和煤炭生产的管理变化，还能亲身体验矿工穿矿服、戴矿灯、坐矿车、下矿井的辛劳。主要遗存有 1945 年由国外制造的大型绞车、日本侵华时期掠夺山西煤炭所建的大斗沟石头窑、阎锡山为在晋北地区开发煤炭设立的晋华公司遗址、日本帝国主义侵占大同时期残酷迫害煤炭工人的“万人坑”遗址。通 3 路公交车。

50-C-a026 **浑源恒山景区**［Húnyuán Héng

shān Jǐngqū］位于山西省大同市浑源县。占地面积 122.38 平方千米。2002 年被原山西省旅游局评为 4A 级旅游景区。始建于北魏后期，自然与人文景观兼胜，林海松涛、古庙奇阁、道佛仙踪、怪石幽洞，构成了著名的恒山古十八景。距今已有 1500 多年历史的悬空寺，坐落在恒山第二主峰翠屏峰的半崖峭壁之间，她凌空构建，半插飞梁为基，巧借岩石暗托，上载危岩，下临深谷，素有“人间仙境”之称。永安寺元代壁画、圆觉寺金代砖塔、栗毓美陵墓汉白玉石雕、号称“华北第一泉”的汤头温泉、被誉为“塞外小黄山”的千佛岭、神溪湿地公园以及县城内具有典型明清建筑风格特征的麻家大院、文庙、古州衙等都具有很高的资源品位和独特的地域特色。拥有国家级重点文物保护单位 7 处，省级文物保护单位 6 处和恒山国家森林公园等。2009 年被列入“国家自然和文化双遗产名录”、“世界自然和文化遗产预备录”。自古即为中国北方著名的风景游览胜地和重要的道教发祥地之一，是中华锦绣山河的杰出代表，国家地理重要标志，承载着中化文明符号，孕育出深浓的地域文化和民俗，具有国山地位。239 国道经此。

阳泉市

50-C-a027 **桃林沟景区**［Táolíngōu Jǐngqū］位于山西省阳泉市郊区。占地面积 1.86 平方千米。因古时这里的沟沟梁梁都长满了桃树，因此而得名为“桃林沟”。2014 年被原山西省旅游局评为 4A 级旅游景区。建设有桃花园、花果山观光园、农业观光园、桃花源里主题文化公园及水上人家等景点。桃河民俗文化园主要以清末民初商镇建筑景观和旧时风情为表现形式，模拟平潭历史街区模式，把民俗文化与本土特色小吃荟萃于一园，为游客打造一个体验本土民俗和寄托乡愁的胜地。并提出“走工农并举、经济生态和谐发展”的战略，在大力发展集体经济的同时，在“桃”字上做文章，着力发展生态旅游观光业。通 26 路公交车。

50-C-a028 **阳泉翠枫山自然风景区**［Yángquán Cuìfēngshān Zìrán Fēngjǐngqū］位于中国山西省阳泉市。占地面积 12.22 平方千米。2012 年被原山西省旅游局评为 4A 级景区。主要有枫叶大道、神奇芦苇荡、动植物标本馆和红枫演艺广场等景点。八百米枫叶大道是进入翠枫山大门后第一道亮丽的风景，主要由 40 根自然之神图腾柱、800 米大道、山西民间的泥人、面花、木偶、皮影和各种休闲酒吧、茶屋、餐厅以及红枫演艺广场组成，有以环境保护为主题的绿色精灵大型演出。景区内设有动植物标本馆，共展出标本约 400 余种。是集旅游、休闲、度假、避暑为一体的多功能风景区，对阳泉及周边地区气候环境起到重要调节平衡作用，被称为山西省“物种基因库”“鸟类天堂”和“自然环境调节器”。乡村道路经此。

50-C-a029 **盂县大宋温泉度假村**［Yúxiàn Dàchàng Wēnquán Dùjiǎcūn］位于中国山西省阳泉市盂县。占地面积约 667 平方千米。2014 年被原山西省旅游局评为 4A 级景区。大宋温泉的氡含量可达到 1291 贝克 / 升，名列全国高温氡泉第二，是中国稀有的安全可靠的“高温高氡泉”，富含氡、钠、钙、镭、镁等四十多种对人体有益的微量矿物质元素，具有促进血液循环、消除疲劳，养生、美容等理疗保健作用。园区内共建造了 70 余个风格、功能各异的温泉泡池，整个温泉区分布于滹沱河两岸，可同时接待 3000 余人在此沐浴温泉。有室内动感区、水上风情区、自然养生区、大韩风情区、仇犹文化区以及水上乐园区等六大园区。是集温泉沐浴、休闲养生、水上乐园、生态旅游于一体，住宿、餐饮、娱乐、购物、会务、拓展等配套完整的休闲旅游度假景区。国道海天线经此。

50-C-a030 **盂县藏山景区**［Yúxiàn Cángshān Jǐngqū］位于中国山西省阳泉市盂县。占地面积 10 余平方千米。因春秋时藏匿晋国一代忠良之后赵氏孤儿而得名。2009 年被原山西省旅游局评为 4A 级景区。景区有育孤园、春秋藏孤胜地、三教文化圣地、仙人峰自然生态区四大板块，168 个景点。主要有迎宾瀑、藏山祠、龙凤松、龙凤塔和老君庙等。入口处迎宾瀑宽 30 余米，高达 18 米。藏山祠规模宏大，由文子祠、寝宫、藏孤洞、梳洗楼、八义祠、报恩祠、启忠祠组成，是一个气势壮观的建筑群体。以颂扬高尚的民族忠义精神和古朴典雅的庙宇环境而荣获“山西省德育教育基地”“山西省爱国主义教育示范基地”“山西省十佳文明景区”等称号，忠直、正义的传统美德已根植于藏山文化之中。大大推动了阳泉市旅游经济的发展，并带动周边“农家乐”等旅游经济迅速发展。国道正阳线经此。

50-C-a031 **平定娘子关景区**［Píngdìng Niángzǐguān Jǐngqū］位于太行山脉西侧河北省石家庄市井陉县西口，山西省阳泉市平定县东北45千米处。娘子关原名“苇泽关”，因唐代平阳公主曾率兵驻守于此，平阳公主的部队当时人称“娘子军”，故得此名。占地面积15平方千米。2020年被山西省文化和旅游厅评为4A级景区。为中国万里长城著名关隘，有万里长城第九关之称，为历代兵家必争之地。主要景点关城是明代嘉靖二十一年（1542年）所筑，有南、东两座关门和长达650米的城墙，中间为居民区。关城内有关帝庙，真武阁等古建筑。城内民宅、街道仍保持原貌，当地居民多为明、清两代“车户”后裔。关城两翼之长城依山势蜿蜒，成为晋冀间天然屏障。关城北侧桃河，水流湍急，南接山岭，逶迤相连。石太线顺山峡蜿蜒铺设，每当行车至此，临窗北眺，不远处隘耸峙，飞瀑奔泻，散缕似珠，蔚为壮观，俗称水帘洞。明王世贞有“喷玉高从西极下，擘崖雄自巨灵来”来赞誉此景。省道娘阳线经此。

长治市

50-C-a032 **长治振兴小镇景区**［Chángzhì Zhènxīng Xiǎozhèn Jǐngqū］位于山西省长治市上党区振兴村。北倚上党名山大雄山，南望长晋分界金鸡岭。占地面积12.6平方千米。2018年被山西省文化和旅游厅评为4A级旅游景区。有振兴雄山欢乐谷、振兴民俗文化村、振兴农艺博览园三大旅游板块，是一处集山水风光、休闲娱乐、民俗体验、农艺博览、旅游开发、农业观光、生态采摘、产品营销、会务策划、食品加工、餐饮宾馆、精品民宿、健康养生、旅游地产开发于一体的乡村旅游度假胜地。四周群山环绕、翠绿掩映、气候宜人，地处北纬38° 线，年平均气温9℃，素有“太行无扇之城、上党天然氧吧”之称。离长治飞机场40分钟路程，通上党区203路公交车。

50-C-a033 **襄垣县仙堂山**［Xiāngyuánxiàn Xiāntángshān］位于山西省长治市襄垣县。古谓“仙堂旧隐”，因建于半山腰的仙堂寺而得名。占地面积22平方千米。2014年被原山西省旅游局评为4A级景区。景区地质古老，地貌奇特，植被多样，最低海拔1100米，最高海拔1725米，观音峰、翠微峰、灵鹫峰等山峰环列如画屏，最高峰伟回山享有“上帝之碧炉”之誉，舍身岩悬崖万丈，天然卧佛神态安详而庄严。虎掌石、海底生物化石、仙堂奇松、娲皇宫奇树、朱砂洞、黑龙洞等奇石、奇树、奇洞号称“仙堂三奇”。花草树木360多种，绿化覆盖率90%，空气质量和地表水质量为国家一级标准，环境噪声达到“0”标准，故有“天然氧吧”赞誉，是一个融自然风光、人文景观、佛教文化、历史文物、避暑休养为一体的旅游胜地。通襄垣210路公交车。

50-C-a034 **平顺县太行水乡风景区**［Píngshùnxiàn Tàiháng Shuǐxiāng Fēngjǐngqū］位于山西省长治市。地处晋、冀、豫三省交界，距平顺县城30千米，占地面积439.7平方千米。2008年被原山西省旅游局评为4A级景区。主要景点是大云院、藏兵洞、南垴山、华野漂流、柳树湾、天鹅湖、小三峡、月亮山、恐龙谷、龙门寺等。东行入是由浊漳河穿越太行山，经过多年的冲刷、切割，形成的峡谷走廊，因此又有“百里水乡”的美称，而再因其是百里陆路，百里水路，故也称其为“双百里旅游区”。沿途自然景观与人文景观交相辉映，天赐绝景与国之瑰宝珠联璧合，素有华北“小江南”之称。太行峡谷水流湍急，落差大，是漂流运动的理想之所。华野漂流区，位于太行山十大峡谷之首的浊漳河大峡谷之精品地段，被誉为“华北峡谷第一漂”。省道潞林线经此。

50-C-a035 **平顺县天脊山风景区**［Píngshùnxiàn Tiānjǐshān Fēngjǐngqū］位于山西省长治市。在山西省与河南省交界处，距平顺县城35千米，离河南林州市18千米。占地面积1419.1平方千米。

2008 年被原山西省旅游局评为 4A 级景区。森林覆盖率达 90% 以上。山势海拔由 500 米至 1800 米呈三级绝壁分布。峰峦叠翠，植被繁多，绝壁、峡谷、清潭让人叹为观止。“风经绝顶回疏雨，石倚危屏挂落泉”，天脊山的瀑遍布山谷，四季流水不断，水流清澈透明，流水声清脆悦耳。其中天脊龙瀑，落差达 346 米，气势宏伟，堪称“华夏第一高瀑”。素有“赛江南”的美称，被誉为“天之脊”。完好的植被、清澈的泉水、美丽的传说，荟萃了太行山水之精华，集奇、险、绝、秀、幽为一体，气候宜人，是集观光旅游、休闲度假、探险写生的理想去处。省道天桃线经此。

50-C-a036 **平顺县通天峡**［Píngshùnxiàn Tōngtiān Xiá］位于中国山西省长治市平顺县虹梯关乡。横跨山西、河南两省交界处，西距上党古城长治市区 50 千米，北与红色旅游胜地八路军文化园及太行水乡等风景区相通，南临林州市 35 千米，与石板岩风景区、林虑山风景区及著名的红旗渠相连。占地面积 56 平方千米，主峡谷长约 26 千米。2014 年被原山西省旅游局评为 4A 级景区。有虹梯关、玉峡关、明慧大师塔等历史遗存。灵在于水，高山平湖、深潭瀑布、溪水潺潺，被称为“北方小九寨”，将中国北方大山的雄浑和南国水乡的阴柔之美融为一体，既有江南的飘逸妩媚，又有北方的大气磅礴。丰富的地质奇观，仿佛就是一座恢宏的地质博物馆，可以领略几亿年以前的地质原貌。气候宜人，属暖温带半湿润大陆性气候，冬无严寒，夏无酷暑，雨热同季，全年平均气温 9.5℃，是极佳的避暑养生圣地。通平顺 606 路公交车。

50-C-a037 **黎城县黄崖洞景区**［Líchéngxiàn Huángyádòng Jǐngqū］位于山西省长治市黎城县东崖底镇下赤裕村。因居中的悬崖上有个距谷地约 30 米、可容百人的天然大石洞，故名黄崖洞。占地面积 50 多平方千米。2012 年被原山西省旅游局评为 4A 级景区。海拔在 1500 至 2000 米之间，曾作八路军兵工厂的仓储之用。洞因厂而名，厂因洞而存。2015 年国务院公布为第二批 100 处国家级抗战纪念设施、遗址名录。1942 年为纪念在保卫战中牺牲的革命烈士在水窑山中修建了一座烈士公墓并建起一座 7 米高的纪念碑，碑文上刻着 43 位烈士的英名和原八路军总部特务团团长欧致富撰写的碑文。牌楼雄伟壮观，正中是原中共中央军委主席邓小平亲笔题写的“黄崖洞”三个遒劲的金色大字。纪念塔正面工笔隶刻“黄崖洞殉国烈士永垂不朽”。展览馆收集了大量珍贵史料和实物，馆前依次竖立了 14 块石碑，分别刻写着薄一波、李雪峰、陈志坚、欧致富等领导人的题词。1991 年山西省国防工办在兵工厂旧址处建造了一座军工亭，共青团山西省委在陵园入口处树起一座水泥质红色火炬，将此列为全省青少年教育基地。通黎城 808 路公交车。

50-C-a038 **洗耳河景区**［Xǐěrhé Jǐngqū］位于山西省黎城县西井镇洗耳河村。距离县城 40.5 千米。占地面积 30 平方千米。2020 年被山西省文化和旅游厅评为 4A 级景区。有游客中心游览区（茶壶山、擎天柱）、攀岩基地游览区（荷花塘、亲水娱乐区、拓展训练区）、洗耳泉游览区（地方特色小吃区、泉眼区、水磨房、椒园区）、听松岑游览区和情人谷游览区。主峰九龙山海拔 1760 米。2015 年正式对外开放，是“太行红山”的核心景区，被誉为“山西省山水游特大型旅游景区典范”。国道乌海线经此。

50-C-a039 **壶关欢乐太行谷景区**［Húguān Huānlè Tàihánggǔ Jǐngqū］位于山西省长治市壶关县。占地面积 66 万平方米。2019 年被山西省文化和旅游厅评为 4A 级景区。核心项目为欢乐冒险广场、欢乐水城、欢乐丛林、特色商业街。通过不同风格的建筑营造出风情购物及休闲体验，充分为游客展示上党文化，民间工艺，地方特产，民俗街头巡演。通壶关 207 路公交车。

50-C-a040 **太行山大峡谷景区**［Tàihángshān Dàxiágǔ Jǐngqū］位于山西省长治市壶关县东南部，地处晋豫两省交界处。占地面积约 225 平方千米。2007 年被原山西省旅游局评为 4A 级景区。山势西缓东陡，受风化和河流冲刷切割，多森林、山岭、峡谷、洞穴、泉眼、瀑布、水潭、河流等自然景观，以雄伟、壮观、幽邃、奇特、秀丽、险峻取胜。主要景点包括八泉峡、红豆峡、黑龙潭、紫团山、青龙峡等。园内还有木本花卉、药材等珍稀植物300多种，特别是自然生长的亚热带树种南方红豆杉在大峡谷的出现，使大峡谷更显得神秘。山体由多种岩石结构组成，呈现不同的地貌，大部分海拔在1.2千米以上，有众多河流发源流经，地势北高南低并储藏有丰富的煤炭资源。是国家地质公园、国家森林公园，并入选中国最美峡谷。省道川荫线经此。

50-C-a041 **八路军太行纪念馆**［Bālùjūn Tàiháng Jìniànguǎn］位于山西省长治市武乡县。建筑面积0.019平方千米。2009年被原山西省旅游局评为4A级景区。1988年正式建成并对外开放，邓小平题写馆名，2005年纪念馆“八路军抗战史陈列”大型主题展览开幕。是系统反映八路军总部、中共中央北方局和八路军将士以及朱德、彭德怀、左权、任弼时、刘伯承、邓小平、杨尚昆等在太行山根据地抗战的伟大革命实践和太行山根据地人民斗争事迹的纪念馆。广场中央矗立着八路军将领群雕——“太行山”。主要有八路军抗战史陈列馆、百团大战半景画馆、窑洞战景观、八路军雄风碑林公园、八路军抗战纪念碑、“和平颂”主题公园等参观点，展陈面积为0.008平方千米，拥有各类藏品800余件，尤以八路军抗战历史文物的收藏最具有特色，其中国家一级文物150多件。是全国爱国主义教育示范基地。通武乡3路公交车。

50-C-a042 **武乡八路军文化园**［Wǔxiāng Bālùjūn Wénhuàyuán］位于山西省长治市武乡县。背靠的凤凰山，东临的马牧河，占地面积约0.188平方千米。2012年被原山西省旅游局评为4A级景区。整个景区由前广场、游客咨询服务中心、胜利大道、军艺社、胜利坛、实景剧场、八路村等七部分组成。是全国唯一将展馆内静态展板用体验式的高科技手段，再现八路军抗战史实的大型主题公园。以抗日战争和民族革命战争为背景，用珍贵的革命文物和大量仿制生活用品，生动地反映了抗日战争时期八路军和太行人民在太行山上浴血奋战、艰苦创业的光辉历程。园内有实景剧“反扫荡”、影视蒙太奇体验剧“太行游击队”、军民同庆“《欢庆胜利》大巡游”，通过声、光、电等科技手段，幽默诙谐的表现形式，喜庆热闹的民俗风情，生动再现了八路军将士与当地老百姓军民同心、共同抵制日寇的历史场景。同时，还可参与“当一天八路军”的角色扮演活动，亲身体验八路军当年战斗、生产、工作、学习、生活、娱乐的场景以及八路军与当地民众鱼水情深的军民情谊。通武乡3路公交车。

50-C-a043 **武乡太行龙洞**［Wǔxiāng Tàiháng Lóngdòng］位于山西省长治市武乡县蟠龙镇石泉村。在大地构造上位于沁水凹陷的东部边缘地带，总长2千米，洞内分上下四层。2009年被原山西省旅游局评为4A级景区。属大型溶洞，洞内大厅宏伟，温度宜人，空气新鲜，各种造型奇特的钙华景观攀沿四壁，流光溢彩。该洞形成于5.7亿年前的造山运动时期。这里峰峦叠嶂，林草茂盛。虽地处北方，却具备典型的南方溶洞特征的多层溶洞之一。就单层溶洞景色齐全，观赏价值和考察价值当属华北之首。溶洞内大厅宏广，气温宜人，空气清新，各种造型奇特的钙华景观攀沿四壁，流光溢彩。一层洞粗大的碳酸钙晶体石柱直径约2.5米，全国罕见。绿色的石花坡景色奇特，2号厅的“公主观瀑”造型绝伦；二层洞尤如水晶宫，洞顶处处是由石钟乳镶成的吸顶银灯，洞中间“菇丛塔林”造型壮观，形态各异。“群英荟萃”是由石柱、石钟乳、石笋等组成的壁中仙境；三层洞中的“护洞金狮”神态威风凛凛，造型逼真。还有众多石塔、石帘、石雕、石幔、钟乳大瀑布等景观。通黎城806路公交车。

晋城市

50-C-a044 **沁水历山景区**［Qìnshuǐ Lìshān Jǐngqū］位于山西省晋城市沁水县。西与中条山连接，南达垣曲，距沁水县城56千米，距晋城市120千米，占地面积100平方千米。2009年被原山西省旅游局评为4A级景区。主峰舜王坪海拔2.35千米，是沁水县和晋城市海拔最高的山峰。历山景区分为七大景区：舜王坪为历山主峰，坪顶地势开阔，有3.27平方千米的亚高山草甸；西峡位于沁水县中村镇下村南1千米处。全长5千米，最宽处50米；东峡位于沁水县中村镇东川村西，主要景点有神女峰、风雨潭蘑菇松济公岩、树抱石、生肖壁、天下第一石等；白云洞位于沁水县下川村北 5 千米的鸡冠山半腰，为山西省最大的溶洞；啸天洞又名小天洞，位于下川盆地向阳村龙王庙庄东 1 千米的东岭，是山西省目前发现数量最多的古脊动物化石的溶洞；下川古人类遗址在沁水县下川乡历山东麓，是中国旧石器时代晚期后一阶段以细石器为主要特征的石器文化；原始森林在舜王坪西南方，为华北地区最大的原始森林，面积约 7.3 平方千米。自然保护区内有植物种类几百种，珍稀树种几十种，是青年人探险、考察的佳地。通沁水旅游公交车。

50-C-a045 **沁水柳氏民居景区**［Qìnshuǐ Liǔshì Mínjū Jǐngqū］位于山西省晋城市沁水县西文兴村。因村中原住户皆为唐代著名文学家政治家柳宗元后裔而命名。占地面积 0.02 平方千米。始建于明永乐四年（1406 年），大规模建设于明嘉靖二十五年（1546 年），直至明隆庆四年（1570 年）才基本完成。2006 年被原山西省旅游局评为 4A 级景区。整体建筑呈“凤凰展翅”之势，规模宏伟，气吞山河，雕梁画柱，工艺精细。建筑物均为砖木结构。可分为三部分：南端为外府区，主要建筑有柳氏祠堂、关帝庙、魁星阁、文庙（遗址）等；中间为中府区，主要建筑有文昌阁、成贤牌坊等；北面为内府区，主要建筑有永庆门司马第、中宪第、武法第、河东世泽、小戏台、观河亭等。内环石砌古道，小巷纵横交织，保存完好者 18 条，总长 1.5 千米。现存各种碑刻 40 余通，其中有南宋理学家朱熹、明代吏部尚书王国光、内阁协办大学士田宜庵理学家王阳明、书法家方元焕、洛阳公郑观洛等人的手迹和画圣吴道子的两通画碑。主要景点有关帝庙、魁星阁、文昌阁、柳氏祠堂磐石常安、香泛柳下、司马第、石牌坊等。通 207 路公交车。

50-C-a046 **阳城蟒河景区**［Yángchéng Mǎng hé Jǐngqū］位于山西省晋城市阳城县。整个地形四周环山，中成谷地，地貌以深涧、峡谷、奇峰为主，为黄土高原罕见的一处水景富集区。面积 120 平方千米。2009 年被原山西省旅游局评为 4A 级景区。蟒河之山层峦叠嶂：有奇峰突起形似玉莲的莲花峰，有万里丹霄悬一柱的望莽孤峰，有悬壁绝络宛若石牢的青云谷，有山山对峙似天外来客的飞来峰。其方圆数十里有山皆奇，有水皆秀，鬼斧神工，妙境天成，像一幅天然画卷，被人们雅称为“黄土高原小桂林”。旅游区内动植物资源十分丰富，共有动物 285 种，种子植物 882 种，其中红豆杉属北方极少见的亚热带树种，主要保护对象猕猴为我国地理分布的最北限。被列为国家一级保护的动物有黑鹳、金雕、金钱豹，国家二级保护动物有猕猴、大鲵（娃娃鱼）、勺鸡、原麝等 29 种；国家二级保护植物有山白树、连香树、无缘兰。蟒河的大鲵最为奇特，大的长达一米有余批；植物中以药用价值极高的红山茱萸为最，因此蟒河又称“山萸之乡”。蟒河旅游区已成为生物科学研究和自然资源开发利用研究的重要基地，是生态旅游、教学实习、科学考察的理想场所。通阳城 823 路公交车。

50-C-a047 **阳城县天官王府**［Yángchéng xiàn Tiānguān Wángfǔ］位于山西省晋城市阳城县上庄村。是明代杰出的政治家、改革家，官至刑、户、吏三部尚书，曾辅佐明王朝达四十年之久的重臣王国光及其家族数代相承建造的大型官居建筑群，距今已有近 500 年的历史。2014 年被原山西省旅游局评为 4A 级景区。现保存完好的官宅民居有 40 余处，约 5 平方千米，涵盖了居住、祭祀、文化、商业等建筑类型。景区内主要景点有：樊氏宗祠位于樊圃新院大门之正前方，为两进院落；天官府位于庄河南岸，也叫冢宰第，是明代杰出的政治家、改革家、对明王朝“万历中兴”起到积极促进作用的太子太保吏部尚书王国光于万历初年建造的人文府邸。现仅存西院，在西院背后原来有高大巍峨四柱三门的石牌坊；炉峰院因建于村南香炉峰上而得名，创建年代已不可考，包括高媒祠、三教堂、关帝庙及马房院四部分。还有“炉峰三宝”即贤碑、白松、铁圪道；樊家庄园建于清末，现有规模成型与民国年间，该院落群容东西方建筑于一身，充分体现了民国时期的民居风格。通 201 路公交车。

50-C-a048 **阳城郭峪古城**［Yángchéng Guō yù gǔchéng］位于山西省晋城市阳城县。郭峪村为郭氏家族所建，以姓氏命村名。村落古建面积达0.18平方千米。郭峪始建村当在唐初。明朝时，郭峪为里，到了清朝，又称镇。民国六年(1917年)实行编村制，郭峪里改为郭峪村。2020年被山西省文化和旅游厅评为4A级景区。是太行山麓一座城堡式村落（皇城相府实为郭峪古城的北翼城，侍郎寨为郭峪古城的东翼城）。古城内有城垣城楼、官宦府邸、宅第民居、庙宇祠堂、店铺作坊、苑囿园林、门楼影壁、水井、遗址等，保存完好的明代民居40院、1100余间。现存传统院落在建筑格局、形式、材料以及工艺等方面保持原状，整体设计和营造均出自当地工匠之手，是地方建筑文化传统的真实体现，也是全国独一无二的蜂窝古堡群。被古建专家誉为中国古建筑的集聚地，有“中国历史文化名村”“中华民居之瑰宝”“中国乡村第一城”之称。2006年6月被国务院列为第六批全国重点文化保护单位。通阳城801、201路公交车。

50-C-a049 **阳城湘峪古堡景区**［Yángchéng Xiāngyù Gǔbǎo Jǐngqū］位于山西省晋城市沁水县郑村镇湘峪村。湘峪，原名相谷，因村被山水包围，故而在村名中加入了“氵”和“山”，是谓湘峪。东西长280米，南北宽100至150米，占地面积约0.0325平方千米。该城由孙居相、孙鼎相兄弟主持修建，建于明天启三年(1623年)，竣工于明崇祯七年(1634年)。由于孙鼎相在孙氏四兄弟中排行第三，又曾担任过都察院右副都御使，他的府第便以“三都堂”为名，湘峪古城也因此而被称为“三都古城”。2020年被山西省文化和旅游厅评为4A级景区。湘峪城为蜂窝式城堡，全为砖石土木结构建造。古城依山而建，分为内城和外城，城内主要建筑由东西向两条街和南北九条巷道将其分割有序。现存主要建筑有三都堂、帅府、十大宅院、大小男院等民居建筑以及寺院、祠堂、私塾等公共设施。另外还有孙居相墓等，是一个完整的城堡式建筑。2006年6月被国务院列为第六批全国重点文化保护单位。通208路公交车。

50-C-a050 **王莽岭景区**［Wángmǎnglǐng Jǐngqū］位于山西省晋城市陵川县。是陵川与河南辉县之界山，周长约15千米，主峰海拔1.67千米。景区包括锡崖沟，昆山两个景区，核心区占地面积40平方千米，因相传西汉王非追赶刘秀时曾到过此山得名。2007年被原山西省旅游局评为4A级国家风景区。传说西汉王苏追刘秀时曾在此山筑域修寨，山顶一平地是王莽官兵的跑马场。山南有太子窑，内有石床、石桌，传说王莽之妻曾在此生下太子。山东南有屯窑，传说是王莽使用的仓库。山之东崖，两峰直立如门，旧称西峰山俗称天柱关。由高低错落的五六十个山峰组成，大者峰顶可跑马、小者状如笔尖耸立。主要有鸵鸟峰、一柱擎天峰、姐妹峰、天官赐福峰、龙泉宝剑峰、莲花峰、仙女峰等，重山嵯峨，峻岭峥嵘。山南部千仞峭壁，如一石削成。北部层岩相叠，青莲秀出，群峰连绵，仰俯之间，怪石嶙峋，流泉飞瀑，浓绿浅翠。山中还有大瀑布、滴水盆、仙人桥、“天狗下凡”“懒猴爬坡"及黄龙洞、苍龙洞、黄巢洞、新砦洞等溶洞。陵侯高速经此。

50-C-a051 **泽州大阳古镇景区**［Zézhōu Dàiyáng Gǔzhèn Jǐngqū］位于山西省晋城市泽州县大阳镇。占地面积52.58平方千米。2019年被山西省文化和旅游厅评为4A级旅游景区。古称阳阿，历时两千六百多年绵延不断，历史上秦皇置县、汉主封国、西燕设郡；在漫长的历史中，沉淀出了丰富的礼乐文化、宫廷文化、仕官文化、工商业文化和军事、红色文化。城镇结构的形成受到中国早期自然崇拜“灵龟”理念的影响，同时其结构布局受《易经》文化影响呈“雷天大壮”卦象，其现存的城池楼阁、古街古巷、官居商宅等规模宏大的建筑群构成一个完整的文化脉络，被誉为“秦汉以来中国古城镇的活化石”。景点主要包括明清五里老街、天柱塔、娲皇庙、汤帝庙、官邸商宅等景点。“古有阳阿之剑，可陆断牛马，水截鸿雁”，是我国冶铁业的重要发源地之一。从春秋战国到两汉魏晋，阳阿成为蜚声于世的歌舞之乡，“阳阿奇舞”“阳阿薤露”成为了大阳文化艺术的辉煌。通214、313路公交车。

50-C-a052 **泽州珏山景区**［Zézhōu Juéshān Jǐngqū］位于山西省晋城市泽州县金村镇。珏山又名角山，其双峰对峙，巍峨苍翠，宛若一对碧玉镶嵌在太行山上，故名珏山。景区规划面积 10 平方千米。2009 年被原山西省旅游局评为 4A 级景区。主要景点有珏山胜境、珏山吐月、青莲寺、掷笔台、舍身崖、乳窦泉、天池岭等。2009 年珏山吐月故事被列入国家非物质文化遗产保护项目。青莲寺分为古寺与新寺两部分，古寺在上，新寺在下。古寺创建于北齐天保年间，坐北朝南，现存建筑有正殿和南殿，原有的东西配殿仅存基址。正殿，亦称大佛殿。面宽三间，进深六椽，单檐歇山顶。殿内方形佛坛上塑有释迦、阿难、迦叶、文殊、供养人 6 尊彩塑，唐风犹存。新寺创建于隋唐时期，原为慧远禅师说法道场，宋以后为天台宗道场。寺分三院，一院为藏经楼，二院为大佛殿，三院为大雄殿。两寺依山就势，殿宇楼阁，栉次鳞比；经堂僧舍，错落有致。院内古柏院内古柏虬柯，银杏参天；院外林木葱茂，野草闲花，馥郁芬芳。寺内的主要景点有：舍利塔、墓塔、掷笔台、释迦殿、观音阁、地藏阁、款月亭、窦乳泉、藏经楼、大佛殿、大雄殿、子抱母古柏、银杏树。乡村道路经此。

50-C-a053 **高平炎帝陵景区**［Gāopíng Yán dilíng Jǐngqū］位于山西省晋城市高平市。据 1994 年至 1995 年调查，以庄里村北的羊头山为中心，方圆数十里内，有炎帝活动遗址数 10 处，形成一个完整的炎帝陵文化区。总占地面积 0.4 平方千米。2019 年被山西省文化和旅游厅评为 4A 级旅游景区。整个炎帝陵景区依中轴线由南向北依次是：山门、功德殿、始祖殿、炎帝大殿四进三重院落；中轴线两侧分别是：钟鼓亭、聚贤堂、关圣殿、颂德堂、医药堂、根源堂、溯源堂、百草殿、五谷殿、农耕堂、碑亭、碑廊等。整个建筑群，气势雄伟，庄严厚重，颇为壮观。炎帝陵景区 2016 在炎帝诞辰日举办的海峡两岸炎帝农耕文化节吸引了 1000 多来台湾的游客，海峡两岸同胞数千人祭拜炎帝陵，意义深远而重大。1996 年 11 月 20 日，国务院将炎帝陵列为第四批全国重点文物保护单位。通 801 路、高平 805 路公交车。

朔州市

50-C-a054 **朔州崇福寺景区**［shuòzhōu chóngfú Sì Jǐngqū］位于山西省朔州市朔城区。占地面积 0.023 平方千米。创建于唐麟德二年（公元 665 年），辽时曾作为林太师衙署，亦称林衙院，辽统和年间改名林衙寺。2014 年被原山西省旅游局评为 4A 级旅游景区。金天德二年（1150 年）题额“崇福禅伟，建筑壮丽”。寺门前有石狮一对，自山门由南向北有金刚殿、钟楼、鼓楼、千佛阁、文殊殿、地藏殿、大雄段、弥陀殿和观音殿，前后 5 重院落，布列适当、主次分明，是一座规模完整、宏伟壮丽的古代建筑。寺内金代建筑、塑像、壁画保存完好，是一座历史价值较高的古代寺庙。现寺内弥陀殿、观音殿为金建，山门为清建，其余为明建。是山西省朔州市第三批全国重点文物保护单位，通 1、3 路等公交车。

50-C-a055 **应县木塔景区**［yīngxiàn Mùtǎ Jǐngqū］位于山西省朔州市应县。全名为佛宫寺释迦塔，是佛宫寺的主体建筑。占地面积 0.025 平方千米。建于辽清宁二年（1056 年），金明昌六年（1195 年）增修完毕。2007 年被原山西省旅游局评为 4A 级旅游景区。木塔位于寺南北中轴线上的山门与大殿之间，属于“前塔后殿”的布局。塔建造在四米高的台基上，塔高 67.31 米，底层直径 30.27 米，呈平面八角形。第一层立面重檐，以上各层均为单檐，共五层六檐，各层间夹设暗层，实为九层。因底层为重檐并有回廊，故塔的外观为六层屋檐。该塔身底层南北各开一门，二层以上周设平座栏杆，每层装有木质楼梯，游人逐级攀登，可达顶端。塔内各层均塑佛像。一层为释迦牟尼，高 11 米，面目端庄，神态怡然，顶部有精美华丽的藻井，内槽墙壁上画有六幅如来佛像，门洞两侧壁上也绘有金刚、天王、弟子等，壁画色泽鲜艳，人物栩栩如生。二层坛座方形，上塑一佛二菩萨和二胁侍。三层坛座八角形，上塑四方佛。四层塑佛和阿傩、迦叶、文殊、普贤像。五层塑毗卢舍那如来佛和人大菩萨。各佛像雕塑精细，各具情态，有较高的艺术价值。是我国现存最古老最高大的纯木结构楼阁式建筑，世界木结构建筑的典范。是山西省第一批全国重点文物保护单位，通应县 5 路公交车。

50-C-a056 **右玉县生态旅游区**［Yòuyùxiàn

shēngTài lǚyóuqū］位于山西省朔州市右玉县，晋蒙两省，右玉、和林格尔、凉城三县交界处。北倚古长城，西临苍头河，距县城约 35 千米。2009 年被原山西省旅游局评为 4A 级景区。是山西的北大门，由杀虎口—右卫文化创意园、环县城生态产业园、苍头河湿地体验带三大功能区构成。杀虎口—右卫文化创意园占地面积 99.45 平方千米，环县城生态产业园占地面积 216.36 平方千米，苍头河湿地体验带占地面积 101.57 平方千米 。全区境内古迹众多，景点遍布，有杀虎堡遗址、西口古道、杀虎口博物馆等。区内水草丰美，沙棘遍布，森林覆盖面积达 61.9%，形成了独特的山形地貌景观、水文景观、森林植被景观和古树景观以及人文景观，能给人以极好的视觉感受和心灵享受。杀虎口是历经千年的古关隘，中国北方著名的边贸重镇，走西口的重要通道。不仅有过“日进斗金斗银”的辉煌，而且是清代中国北方最大商号“大盛魁”的发祥地。通右玉 2 路公交车。

50-C-a057 **怀仁市金沙滩景区**［Huáirénshì Jīnshātān Jǐngqū］位于山西省朔州市怀仁市（原怀仁县）。占地面积 6.67 平方千米。2014 年被原山西省旅游局评为 4A 级旅游景区。主要涵盖金沙滩镇、何家堡乡，包括金沙滩林区和洪涛山林区。新建杨家将群雕、仁和殿、天门阵、点将台、八卦阵、钟鼓楼、长廊等景点 10 余处。崇国寺在旅游区北侧，为元朝至元年间所建崇国寺的恢复重建工程，占地面积 0.08 平方千米。崇国寺建筑格局为五进院式，南北轴线依次为：山门、天王殿、文殊殿、大雄宝殿。仁和殿及南北配殿在景区西部，由正殿、配殿和配楼三个部分组成，占地面积 0.012 平方千米，仁和殿内是议朝场景，宋太宗赵光义端坐龙椅，文武大臣分列两边，表情各异。配殿由 16 个杨家将小故事连缀而成，讲述了杨家从归宋、双龙会、血战金沙滩等三代忠勇报国的事迹。景区筑有两条彩绘长廊，长度为 365 米，寓意一年通顺，四季平安，其长度居世界第二，仅次于颐和园长廊。金沙滩景区是一处集生态建设、边塞疆场、民俗宗教、休闲度假为一体的综合性旅游场所，也是全国唯一一处以弘扬杨家将历史文化而开发的 4A 级人文类旅游景区。省道大忻线经此。

晋中市

50-C-a058 **晋中市榆次老城景区**［Jìnzhōng shì Yúcìlǎochéng Jǐngqū］位于山西省晋中市榆次区。占地面积 1 平方千米，古建筑群和园林建筑占地面积 0.6 平方千米。2016 年被原山西省旅游局评为 4A 级旅游景区。始建于隋开皇二年（公元 582 年）汉城旧址，迄今已有 1400 多年的历史，也叫榆次古县城、子母城，由北部的县城和南部的郭城两部分组成，县城为母城，郭城为子城。整个景区分为 6 个区域：民间文化博展区、民间传统文化演示区、民居文化区、市井商贸文化区、宗教文化区、文物古玩区。榆次老城以市楼所在位置为中心，东、西、南、北四条城市主干道交会于此。东大街有城隍庙、县衙，是榆次老城的政治中心；西大街有文庙、凤鸣书院，为文化教育中心；北大街、南大街和阁北街为商业街市，即老城的商业中心。建筑以清代、民国时期建造的居多。玄鉴楼被世界文化遗址基金会公布为全世界最有价值的 100 处建筑之一。通 12、18 路公交车。

50-C-a059 **乌金山国家森林公园**［Wūjīnshān Guójiā Sēnlín Gōngyuán］位于山西省晋中市。东北与太原市正东、与寿阳县西南的交界处。占地面积 36.675 平方千米，森林面积 16.67 平方千米。2012 年被原山西省旅游局评为 4A 级旅游景区和首批省级休闲旅游度假区。按地理位置分为四大景区：乌金山景区、要罗山景区、田家湾景区、百草坡景区。盛产栝籽、柏籽、蘑菇、中药材等特产，又有丰富的含锌锶矿泉水、水晶石、麦饭石等矿产资源，还有 336 种木草本植物、200 余种鸟类，有国家一级保护动物雪貂、金钱豹在内的动物物种 150 余种。曾在抗日和解放战争时期，作为中共榆次路北县委及县政府和秦赖支队的活动场所，也是八路军枪械所和解放太原前敌指挥部所在地。307 国道经此。

50-C-a060 **榆次常家庄园**［Yúcì Chángjiā Zhuāngyuán］位于山西省晋中市榆次区。占地面

积 0.6 平方千米。2007 年被原山西省旅游局评为 4A 级旅游景区。始建于乾嘉年间，后多次修缮，有房屋 4000 余间、楼房 50 余座、小园林 13 处，建筑占原车辋村的一半。原开放仅为庄园遗存的半条街，占地面积 0.12 平方千米。20 世纪 80 年代以来，常家庄园主体建筑按原貌修缮修复，2001 年修缮完毕后正式向游人开放。主要景点有常氏祠堂、贵和堂、石芸轩、静园等。常家庄园既是规模最大的晋商大院，也是中国最大的庄园式建筑群。由堡门、堡墙、街道、宅院建筑群、园林、商铺以及街心牌楼、堡池、池桥等组成。街道北侧是庄园的宅院建筑区，临街一字排开。宅院区之北是园林区，包括静园及遐园、狮园两个园中园。街道南侧沿街开有各种商铺，是族人生活消费的供应设施，也是庄园的南封闭线。常家庄园以“后街”为纽带，各个宅院彼此紧靠，“临街门户依次开，堡门关闭如一堂”。是第八批全国重点文物保护单位，通 12 路公交车。

50-C-a061 **九龙国际文化生态园**［Jiǔlóng Guójì Wénhuà Shēngtàiyuán］位于山西省晋中市榆次区。占地面积 6.87 平方千米。2009 年被原山西省旅游局评为4A级旅游景区。有奥龙商业谷、白龙温泉谷、盘龙会议谷、游龙综合谷、绿龙田园谷、尊龙休闲谷、激龙运动谷、娱龙影视谷、战龙游乐谷九大板块，共形成炫动影视体育、温泉度假养生、商务会议酒店、异域风情购物、综合配套服务、生态田园体验的六大功能集群，是一座集旅游、观光、娱乐、体育、度假、拓展为一体的旅游度假山庄，有山西省服务业“1+10”工程的旗舰项目称号。通 7 路公交车。

50-C-a062 **后沟古村**［Hòugōu Gǔcūn］位于晋中市榆次区东赵乡，与寿阳县交界。总面积 1.33 平方千米。最高海拔 0.974 千米，最低海拔 0.907 千米，形成了沟、坡、垣、滩纵横交错的独特地貌。其历史可以追溯到公元 819 年，村内古建星罗棋布，神庙系统相当完善。2020 年被山西省文化和旅游厅评为国家4A级景区。村内关帝庙、文昌阁、真武庙等 18 座神庙和 1 座祠堂依风水而建，按方位而立，将佛教、道教、儒教尽收囊中。古村浓缩了黄土旱塬农耕文明的传统经典，保存了中国北方汉民族自给自足的传统文明。完整的排水系统、等级分明的窑居建筑格局、威严的张家祠堂、精雕的古戏台、自给自足的生产作坊、防患未然的仓储制度等充分显示出族权势力的统治地位，是北方农耕文明活态文化的完整画卷，堪称“农耕桃源”。2003 年被中国民间文艺家协会宣布为中国民间文化遗产抢救工程的古村落农耕文化遗产保护采样地。通 18 支路公交车。

50-C-a063 **昭馀古城茶商文化旅游景区**［Zhāoyúgǔchéng Cháshāngwénhuà lǚyóujǐngqū］位于山西省晋中市祁县。《尔雅·释地》记载了先秦时分布在中华大地上的十个大泽，“昭馀祁”为其中之一。占地面积 0.0237 平方千米。2017 年被原山西省旅游发展委员会评为 4A 景区。县境内百余里古茶道众多遗迹、昭馀古城已有 1500 多年的建城史，内有 30 余处保存完好的古茶票庄、市井街巷鳞次栉比的明清古建筑，共同为我们再现“银祁县”繁荣的珍贵历史记忆，也给世界留下了丰富的文化遗产。1994 年被国务院批准为第三批国家历史文化名城。2011 年晋商老街被批准为中国历史文化名街。2015 年中国商业史学会授予了祁县“万里茶道——茶商之都”的称号。现已开放“晋商文化博物馆”“渠本翘故居”“万里茶道博物馆”和“祁县宝藏馆”。2006 年，渠家大院和渠家长裕川条庄旧址被公布为第六批全国重点文化保护单位。通祁县 3 路、祁县 13 路公交车。

50-C-a064 **麻田八路军总部纪念馆**［Mátián Bālùjūnzǒngbù Jìniànguǎn］位于山西省晋中市左权县麻田镇麻田村。是山西省红色旅游景点中展陈面积最大、文物实物最多、内容最全面、展示手段最先进的专题纪念馆。2012 年被原山西省旅游局评为 4A 级旅游景区。主要景点为八路军总部旧址，坐北朝南，一进四合式院落，砖木结构瓦房 30 余间（北楼 5 间）。抗日战争时期路军总部、中共中央北方局等党、政、军首脑机关曾在此驻扎，保存着许多珍贵的抗战时期纪念建筑和革命文物，是我国著名的革命纪念地之一。素有太行山上“小江南”之称和“小延安”的美誉。1980 年正式对外开放，2008 年免费对外开放。2004 年被列为全国100个红色旅游经典景区。2005年被中共中央中宣部命名为全国爱国主义教育示范基地。2012年8月被国家国防教育办公室确定为国家国防教育示范基地。1996年11月15日被国务院公布为第四批全国重点文物保护单位。通左权201路、左权202路公交车。

50-C-a065 **左权县太行龙泉风景区**［Zuǒquán xiàn Tàiháng Lóngquán Fēngjǐngqū］位于山西省晋中市左权县。总占地面积96平方千米。以山水观光旅游为基础，避暑休闲度假为主体，兼具商务会议、运动养生、山村休闲、民俗体验等多种旅游产品功能的综合旅游区。2015年被原山西省旅游局评为4A级旅游景区。依托得天独厚的自然景观，形成了中华第一溶洞古刹龙窑寺、龙泉瀑布、龙泉湖、密林峡谷、月牙湖、龙母小镇、太行风情民居、五里溪、龙母洞、龙柱擎天、三仙洞、悬崖栈道、高空索道、北天池高山草甸等百余处主要景点。是国家森林公园、全国第一批国家森林康养基地、山西省风景名胜区、山西省品质旅游景区、山西省休闲农业和乡村旅游示范点。通左权216路公交车。

50-C-a066 **昔阳县大寨景区**［Xīyángxiàn Dàzhàijǐngqū］位于山西省晋中市昔阳县大寨镇大寨村。当年“农业学大寨”的地方，20世纪六七十年代这里是当时全国农业的一面旗帜。总面积1.88平方千米。2012年被原山西省旅游局评为4A级旅游景区。森林覆盖率达到67%。目前已形成陈永贵故居、陈永贵墓地、郭沫若诗魂碑、叶帅吟诗地、周总理三访大寨纪念亭、大寨展览馆、名人追踪展、大柳树、军民池等特色为主线的众多景点。是全国农业旅游示范点、山西省著名特色旅游景区、山西省爱国主义教育基地、中国“十大名村”之一，大寨展览馆是全国第二批红色景点。2021年8月4日大寨展览馆旧址被列入山西省第六批省级文物保护单位。通昔阳105路公交车。

50-C-a067 **平遥双林寺彩塑艺术馆**［Píngyáo Shuānglín Sì Cǎisù Yìshùguǎn］位于山西省晋中市平遥县桥头村。占地面积0.015平方千米。整座建筑坐北朝南，由风格迥异的十座殿堂组成，前后三进院落。2005年被原山西省旅游局评为4A级旅游景区。寺内现存彩绘泥塑2000余尊，它们继承了我国唐宋金元彩塑的优良传统，是我国明塑中的佼佼者，被专家誉为“东方彩塑艺术博物馆”，加之唐槐、宋碑、壁画点缀其间构成一方胜境。寺内分东西两大部分。西部为庙院，沿中轴线坐落着三进院落，由十座殿堂组成。前院为释迦殿、罗汉殿、武圣殿、土地殿、阎罗殿和天王殿；中院为大雄宝殿和两厢的千佛殿、菩萨殿；后院为娘娘殿和贞义祠。东部为禅院、经房等。1988年在此建立彩塑艺术馆。彩塑大都属明代作品，现存完好者1500余尊。为我国彩塑的精华，专家誉为“东方彩塑艺术的宝库”。在我国美术史上占有重要的一页。1988年1月13日被国务院列为第三批全国重点文物保护单位。通平遥108路公交车。

50-C-a068 **平遥县镇国寺**［Píngyáo Xiàn Zhènguó Sì］位于山西省晋中市平遥县郝洞村。原名京城寺，明嘉靖十九年（1540年）改为镇国寺。占地面积0.011平方千米。2008年被原山西省旅游局评为4A级旅游景区。整座寺院坐北朝南，由两进院落组成，1988年2月正式对外开放，1997年12月平遥古城被列为《世界文化遗产名录》，包括“一城，二寺”，一寺是以彩塑闻名的双林寺，另一寺便是以建筑而征服世人的镇国寺，为国保单位。寺院最早创建于五代，距今有一千多年的历史，从寺内碑文可知，元明利用隙地，前筑山门天王殿，和左右钟鼓二楼，后建三佛楼和东西厢房，观音、地藏二殿，清雍正、乾隆年间重修东西两廊。以万佛殿为最早，虽经历代多次重修，但仍保持了五代时的风貌，是中国佛教寺院中现存的三处五代建筑之一，其中的彩塑，更是全国寺庙殿宇中保存至今的唯一五代作品。1988年1月13日被国务院列为第三批全国重点文物保护单位。通平遥209路公交车。

50-C-a069 **灵石石膏山风景名胜区**［Língshí Shígāoshān Fēngjǐngmíngshèngqū］位于山西省晋中市灵石县。2015年被原山西省旅游局评为4A级旅游景区。石膏山主峰雄踞太岳山北段，系太岳山支脉，南北走向。最高海拔2.532千米，主峰海拔1.878千米，坡度为60度。是佛教、道教、儒教文化的融合之处。白衣庵为石膏山第一座佛教建筑。乾龙观由道教第一大洞天赵道士创建。龙吟书院初名古道书院，后周末年赵匡胤改为今名，清初傅山亲笔题写“龙吟书院”，并在2011年评为市级非物质文化遗产。是国家级森林公园，省级风景名胜区，省级地质公园。石膏山风景区拥有较为丰富的人文景观资源和弥足珍贵的自然景观资源，寺院因山就势，巧妙营构，山上林木繁茂，满目苍翠，林间松柏相映，林下奇花异草，更有奇峰峭岩兀立，天然形成的大小溶洞。乡村道路经此。

50-C-a070 **灵石王家大院旅游景区**［Língshí Wángjiādàyuàn lǚyóujǐngqū］位于山西省晋中市灵石县静升镇。总面积约75平方千米。由静升王氏家族经明清两朝、历300余年修建而成，包括五巷六堡一条街，是一座具有传统文化特色的建筑艺术博物馆。2002年被原山西省旅游局评为4A级旅游景区。建筑格局继承了中国西周时形成的前堂后寝的庭院风格，砖雕、木雕、石雕题材丰富、技法娴熟，大量采用了世俗观念认可的各种象征、隐喻、谐音，甚至禁忌的艺术形式，内容主要为花鸟鱼虫、山石水舟、典故传说、戏曲人物、传统家风等，体现了清代建筑装饰的风格，将儒、道、佛思想与传统民俗文化凝为一体。现以“中国民居艺术馆”、“中华王氏博物馆”开放的高家崖、红门堡两大建筑群和王氏宗祠等建筑共同形成主要游览景点。2002年获得中国“质量万里行”全国示范单位称号，2006年12月列入《中国世界文化遗产预备名单》。被国务院列为第六批全国重点文物保护单位。通灵石7路公交车。

50-C-a071 **灵石县红崖峡谷**［Língshíxiàn Hóngyáxiágǔ］位于山西省晋中市灵石县马和乡。处于祁县、太谷、平遥、灵石的晋商民俗文化旅游带上。占地面积0.28平方千米。2014年被原山西省旅游局评为4A级旅游景区。2008年开始筹建，2013年10月正式对外开放。是太岳山国家森林公园八大景区之一。森林覆盖率97%以上，有“山西绿宝石、天然大氧吧”之美誉。景区内最高峰牛角鞍2.5666千米，是太岳山最高峰，晋中市第一高峰。目前已形成山顶日出观云海、峡谷勇士漂流、水上嘉年华、等多种娱乐参与性旅游项目，并且是华北地区所有景区中唯一拥有峡谷、森林、高山草甸及多样性气象景观的原生态旅游地。2012年被国家林业局评为“最具影响力森林公园”。景区内拥有山顶日出观云海、峡谷勇士漂流、水上嘉年华、等多种娱乐参与性项目，并且是华北地区所有景区中唯一拥有峡谷、森林、高山草甸及多样性气象景观的原生态旅游胜地。乡村道路经此。

50-C-a072 **介休市张壁古堡**［Jièxiūshì Zhāng bìgǔbǎo］位于山西省晋中市介休市龙凤镇。占地面积约0.12平方千米。2015年被原山西省旅游局评为4A级旅游景区。地处绵山北麓，地势偏僻险要，为兵家守备筑垒之地。堡内现存有可罕庙、空王佛祠、三大士殿、二郎庙、真武庙、关帝庙等庙堂建筑和数十座具有晋中山地民居特色的明清宅院。堡中地下满布立体三层，攻、防、退、守、藏功能设施齐全的古军事防御壁垒地道遗址。建造年代仍在考证，多数专家推定为南北朝时期。有独特而丰富的宗教和民俗文化，在不到0.1平方千米的范围内，有南北两个宗教建筑群，现存宋元明清时期的寺庙殿堂等21处。2005年古堡被评为“中国十大魅力名镇”，2006年被评为“中国历史文化名村”，2010年被评为“中国特色旅游景观名村”。集军事、农耕、商作、民族、宗教、民居、民俗等历史文化内涵为一体，是国内幸存的具有独特山村景观和多层次多文化特点的古军防壁垒遗迹。2006年5月25日，张壁古堡被中华人民共和国国务院公布为第六批全国重点文物保护单位。通介休301路公交车。

运城市

50-C-a073 **解州关帝庙旅游区**［Hàizhōu Guāndì Miào Lǚyóuqū］位于山西省运城市盐湖区解州镇。占地总面积0.073平方千米。2005年被原山西省旅游局评为4A级旅游景区。创建于陈末隋初（589年）。是我国现存始建最早、规模最大、档次最高、保存最全的关帝庙宇，被誉为“关庙之祖”“武庙之冠”。目前已初步形成了“解州关帝祖庙、常平关帝家庙、常平关帝祖陵”三关文物旅游景区。目前关帝庙由结义园、祖庙和正在复修的关帝御花园组成，是一处中轴对称、前朝后寝的大型明清关圣文化建筑群。春秋楼又名麟经阁，是寝宫的主体建筑，也是庙内最高建筑，通高 23.4 米。是海内外游客、信众观光朝圣、寻根谒祖之圣地。1988 年，解州关帝庙被国务院公布为第三批全国重点文物保护单位。通 21 路公交车。

50-C-a074 **舜帝陵景区**［Shùndìlíng Jǐngqū］位于山西省运城市西北的鸣条岗上。占地面积 1.185 平方千米。2020 年被山西省文化和旅游厅评为 4A 级旅游景区。是华夏儿女寻根祭祖、拜谒舜帝的圣地。舜帝史称虞舜，姓姚，名重华，黄帝的第九代孙，是原始社会的部落联盟首领，历史上被尊崇为五帝之一。舜生于诸冯（今永济市张营乡舜帝村），因品德高尚而被尧选为接班人。继承帝位后，舜励精图治，选贤任能，发展经济，安定民生，实施教化，成为后世所敬仰的楷模。是中华民族道德文化始祖，他所开创的德孝文化成为中华传统文化的精髓。舜帝陵庙分为南景北陵两大区，南景区分为舜帝大道、舜帝广场、舜帝公园三部分，北景区则分外城、陵园、皇城三部分。陵上也有一株树形奇特的古柏，已有 2000 余年历史，五个主枝形似虬龙，民间称为“五子登科”。陵前有两块石碑，上碑刻“有虞帝舜陵”，下碑刻“舜帝陵”。2006 年 5 月被国务院公布为全国重点文物保护单位。通 16、33 路等公交车。

50-C-a075 **盐湖景区**［Yánhú Jǐngqū］位于山西省运城市盐湖区。自东北向西南延伸，长约 30 千米，宽 3 千米至 5 千米，湖面海拔 324.5 米，最深处约 6 米，总面积 132 平方千米。因湖里含有丰富的盐分而取名盐湖。2008 年被原山西省旅游局评为 4A 级旅游景区。湖水密度达每立方厘米 1.25 克—1.29 克。依靠得天独厚的盐湖资源，着力打造“死海漂浮、黑泥养生、温泉水疗、矿盐理疗、盐雾清肺”旅游精品项目，并结合现代养生新理念，研究开发出了国内唯一的黑泥系列化妆品，以及具有极高观赏价值和养生作用的死海特色盐雕、矿盐理疗袋等特色旅游纪念品。运城盐湖是世界三大硫酸钠型内陆盐湖之一。由于其盐含量类似中东的“死海”，人在水中可以漂浮不沉，故被誉为“中国死海”。通 6 路公交车。

50-C-a076 **万荣李家大院**［Wànróng Lǐjiā Dàyuàn］位于山西省运城市万荣县阎景村。是清至民国时期晋南首富李子用的家宅。占地面积 0.667 平方千米。2006 年被原山西省旅游局评为 4A 级旅游景区。是一座反映晋南民居风格的典型建筑。原有院落 20 组，房屋 280 间，现有院落 11 组，房屋 146 间，另有祠堂花园遗址等。整个建筑为竖井式聚财型四合院，同时又吸纳了徽式建筑风格，融合了中国南北两大建筑特色。传统四合院藏风聚气，精致大宅门接地通天，特别是砖雕、石雕、木雕及铁艺等饰品，处处显示着晋南民间多子多福、耕读传家、富贵平安等吉祥含义，在装饰艺术上也把民族文化渗透到建筑的各个角落，充分体现了晋南人耕读传家的文化传统，具有很高的观赏性和研究价值。其主题建筑相比较那个时代的建筑似乎有点西洋化，原因是西院院主李道行（字子用）留学英国，娶英国女子麦孺为妻，从而使整个建筑呈现出明显的西洋风格，局部反映了中西文化交流融合的艺术特点，这里呈现出欧洲“哥特式”建筑风格，门楼外形的整体轮廓高、直、尖，线条轻快，造型挺秀，是 16 世纪欧洲“哥特式”的建筑。而它表面的砖雕图案却是典型晋南民间艺术，呈现出中西文化交流融合的艺术特点。被国务院公布为第七批全国重点文物保护单位。乡村道路经此。

50-C-a077 **垣曲历山景区**［Yuánqǔ Lìshān Jǐngqū］位于山西省南端，运城地区东北部，中条山部。毗邻一省六县，是中原与华北互通的重要门户。东面与河南省的济源市毗邻；东北与阳城，沁水县相交，北、西北与翼城、绛县接壤。总占地面积 378 平方千米。因舜帝而闻名，《孟子》载：“舜生于诸冯，迁于负夏，耕于历山，卒于鸣条……”2009 年被原山西省旅游局评为 4A 级旅游景区。包括自然保护区和原始大森林两部分，以山青水秀、谷幽洞奇而著称。历山主要景点有迎客松、白云洞、舜王坪、下川遗址等。其中白云洞是一个天然大溶洞，洞深2000多米，“童子迎宾”“玲珑宝塔”“历山三宝”等形态各异的钟乳石组成了千姿百态的岩溶景观。历山是中条山主峰，海拔2358米，是山西南部最高的山，保存着华北地区仅有的一片原始森林。在这里，自然风光、原始森林和古人类文化融为一体，是国家自然保护区。乡村道路经此。

50-C-a078 **芮城县永乐宫旅游区** [Ruìchéng xiàn Yǒnglègōng Lǚyóuqū] 位于山西省运城市芮城县龙泉村。原名大纯阳万寿宫，是奉祀吕洞宾的道观。占地面积0.248平方千米。2004年被原山西省旅游局评为4A级旅游景区。建于元代，永乐宫由南向北依次排列着宫门、无极门、三清殿、纯阳殿和重阳殿。在建筑总体布局上，东西两面不设配殿等附属建筑物，在建筑结构上，使用了宋代“营造法式”和辽、金时期的“减柱法”。以精美绝伦的壁画艺术、富丽堂皇的宫廷建筑、举世瞩目的搬迁工程，以及独具特色的道教文化享誉华夏、名扬四海。原建在芮城县西南20千米的永乐镇，50年代末国家修建三门峡水库，永乐宫被规划在淹没区内，经周总理批示，从1959年至1965年，将永乐宫原物原貌搬迁至县城城北2千米的西周古魏国都遗址保存，耗时6年，同埃及的“阿布辛拜勒神庙”的移筑，并称为世界文物史上人工搬迁的两大奇迹。三清殿是永乐宫的主殿，殿中的壁画展现了道教290位神祇朝拜元始天尊的盛大场面，美术史称为《朝元图》，总面积400多平方米，总长97米，高4.26米，画中八位主像身高3米，最低的也有1.9米。壁画创作完成于公元1325年，比欧洲文艺复兴早了近200年，是元代道教壁画的最高成就，也是迄今为止发现的中国古代人物画、单幅壁画中保存最大的一幅作品。是我国现存最大、保存最为完整的道教宫观，同北京的白云观、陕西户县的重阳宫并称为全真道教三大祖庭。是国家省批全国重点文物保护单位。乡村道路经此。

50-C-a079 **运城大禹渡黄河景区**[Yùnchéng Dàyǔdù Huánghé Jǐngqū] 位于山西省运城市芮城县。后人为大禹治水的精神和功德所深深敬仰，为大禹受神灵点化治水大军乘舟出发之地取名“大禹渡”。占地面积6.5平方千米。2018年被山西省文化和旅游厅评为4A级旅游景区。景区主要包括大禹神像、禹王庙、神柏和定河神母等景点。是一处融合黄河文化、大禹文化、佛教文化、现代水利文化为一体的黄河风景游览区。据传，公元前2100年间，大禹率命治水在此栽下其柏树作为确定高山大川和观察水势的标志，并在此树下觅得治水良策，由此乘船凿龙门、开三门，终始治水取得成功。大禹神像于1990年复建于黄河岸边的高崖之上，高12.33米，由175立方青石叠砌雕凿而成，雕像上题写的“大禹像”三个大字，是由中国佛教协会主席赵朴初亲笔书写，已成为大禹渡的标志性、纪念性的雕塑。被誉为“黄河明珠”的大型引黄高灌工程，是新中国70年代社会主义建设十大成就之一。是集“黄河文化”“水利文化”“佛教文化”为一体的景区。通芮城1路公交车。

50-C-a080 **圣天湖** [Shèngtiān Hú] 位于山西省运城市芮城县东20公里处陌南镇南的黄河岸边，与函古关隔河相望。占地面积9平方千米。2017年被原山西省旅游发展委员会评为国家4A级景区。是众多珍稀濒危野生动物在我国北方的主要越冬场所，也是候鸟迁徙停歇的重要“驿站”，有着丰富的野生动植物资源。特别是近几年，随着上万只天鹅来此越冬栖息，素有“黄土高原第一湖”的圣天湖真成为一个名副其实的天鹅湖。“夏赏荷花，冬观天鹅”已成为圣天湖的独特风景。圣天湖集江南水色与黄土高原为一体，景色宜人，蔚为壮观。景区包括1.33平方千米野生荷花和4平方千米水域面积，被誉为山西河流湿地的典范、中原黄河湿地的明珠。乡村道路经此。

50-C-a081 **夏县司马光祠** [Xiàxiàn Sīmǎguāng Cí] 位于山西省运城市大运公路夏县水头段峨眉岭上。因是北宋名相司马光的祖茔所在地而得名。司马光（1019年—1086年），字君实，北宋陕州夏县（即今夏县）涑水乡人，世称“涑水先生”。自幼聪明过人，以“砸缸救童”为世代妇孺口碑。占地面积0.055平方千米。2020年被山西省文化和旅游厅评为国家4A级景区。司马光茔祠占地百余亩，开坦旷达，规模宏丽，分为茔地、祠堂、余庆禅院、涑水书院四大部分。茔地占地面积约50亩，司马光本人及其先祖多人均归葬于此。后为祠堂，正殿五间，东西厢房十间。余庆禅院为北宋英宋治平二年（1065年）创建的司马温公祖茔香火院。涑水书院系司马光为家乡子弟所建学堂。现内陈列司马光手迹，《资治通鉴》各种版本，科举制度展，邵仲节艺术展馆等。茔祠内还保存众多的北宋石雕，以及宋、金、元、明、清珍贵碑刻。这些历史文物被历代金石学家视为珍品。县道侯安线经此。

50-C-a082 **永济鹳雀楼景区**［Yǒngjì Guàn quèlóu Jǐngqū］位于山西省运城市永济市蒲州古城西的黄河东岸。古名鹳鹊楼，因时有鹳鹊栖其上而得名。《蒲州府志》记载：“（鹳雀楼）旧在郡城西南黄河中高阜处，时有鹳雀栖其上，遂名。”占地面积2.064平方千米。2002年被原山西省旅游局评为4A级旅游景区。该楼始建于北周（557年—581年），由于楼体壮观，结构奇特，加之区位优势，风景秀丽，唐宋之际文人学士登楼赏景留下许多不朽诗篇，其中王之涣《登鹳雀楼》诗“白日依山尽，黄河入海流。欲穷千里目，更上一层楼。”堪称千古绝唱，流传于海内外。此楼历唐经宋，元初毁于战火。新建的鹳雀楼为仿唐形制，四檐三层，总高73.9米，尽显大唐风韵。以鹳雀楼为中心，四周以古典园林分布，呈“四区十二点”布局结构。包括门殿、鹳影湖、唐韵广场和主楼。景区以鹳雀楼独特的人文底蕴和厚重的黄河文化为根基，以盛唐时代开放的社会精神和盛唐文化为包装，以地域历史文化为特色，以弘扬爱国主义为主题，以“欲穷千里目，更上一层楼”的磅礴气势为主旋律，形成“上下五千年，放眼看世界”的高远意境，成为国内外游人观光、浏览、休闲、度假的国家级旅游景区。运风高速经此和通运城—永济景区公交车。

50-C-a083 **永济普救寺旅游区**［Yǒngjì Pǔjiù Sì Lǚyóuqū］位于山西省运城市永济市蒲州镇西厢村。寺院创建于唐，原名西永清院，因五代后汉郭威攻城问策寺僧更名普救寺。占地面积0.07平方千米。2002年被原山西省旅游局评为4A级旅游景区。是我国古典戏剧名著《西厢记》爱情故事发生地。现有建筑260间，占地面积6.87万平方米。建筑布局为上中下三层台，东中西三轴线（西轴为唐代、中轴为宋金两代，东轴为明清形制），规模恢宏，别具一格。从塬上到塬下，殿宇楼阁，廊榭佛塔，依塬托势，逐级升高，给人以雄浑庄严，挺拔俊逸之感。加之和《西厢记》故事密切关联的建筑：张生借宿的“西轩”，崔莺莺一家寄居的“梨花深院”，白马解围之后张生移居的“书斋院”穿插其间。屹立在寺中的莺莺塔，不仅形制古朴、蔚为壮观，而且以奇特的结构，明显的回音效应著称于世。游人在塔侧以石扣击，塔上会发出清脆悦耳的蛤蟆叫声，令游人连连称奇。在方志中称之“普救蟾声”，为古时永济八景之一。由于《西厢记》的问世，使得这个“普天下佛寺无过”的普救寺名声大噪，寺内的舍利塔也被更名为“莺莺塔”而闻名遐迩。运风高速经此和通运城—永济景区公交车。

50-C-a084 **永济市神潭大峡谷景区**［Yǒngjì shì Shéntándàxiágǔ Jǐngqū］位于山西省运城市永济市水峪口村。原名水谷，是在距今5.7亿年前寒武纪时期，由地壳运动而形成的一个大裂谷。占地面积300余平方千米。2016年被原山西省旅游局评为4A级旅游景区。景区以两瀑三泉一百零八潭为代表，与参天古柏庙、神潭母子湖、绝壁古道、千年神龟、关公试刀、泼墨岩画、青龙天梯、神潭一线天、北宋摩崖石刻、神龙湾、瞭望台、新石器遗址等景点组成高山峡谷地质奇观。整个景区山势巍峨，溪流山泉遍布，自然植被独特，万亩天然松柏郁郁葱葱，林木密布，山花烂漫。有野生植物700余种，野生珍稀动物30余种，是难得的动植物宝库，是中条山森林公园的缩影。奇石、瀑布、特殊的地质地貌，溪水、森林、自然的民俗村落，构成了神潭大峡谷景区的独特吸引力。通永济10路、永济201路公交车。

50-C-a085 **永济五老峰风景名胜区**［Yǒngjì Wǔlǎofēng Fēngjǐngmíngshèngqū］位于山西省运城市永济市东南16公里的中条山。原名五老山，因古代五老在此为帝王授《河图》《洛书》而名。总面积104平方千米。1994年被原山西省旅游局评为4A级旅游景区。主景区面积30平方千米，由玉柱峰、东锦屏峰、西锦屏峰、棋盘峰和太乙峰五座主峰构成，是一处绝佳的自然风光旅游区和体育健身场所，主峰玉柱峰海拔1809.3米，壁立千仞，险要神奇，四面如削，拔地通天，似一根直刺苍穹云表的擎天柱石，被称誉为“天下奇峰”。“巍巍中条玉柱峰，直耸云雾放苍穹，仰为观止空怅望，攀越而上显英雄”正是对玉柱峰的生动写照。登玉柱峰途经穿心茶坊、莲花台、明眼洞、观景台和铁索天桥，下山可坐滑道。峰顶面积0.0033平方千米，上有仙桥、南天门、观景台、玉皇殿等。烟雾常锁，山松掩映，俨然一个云端仙境。奇特的喀斯特地质地貌造就了许多罕见奇观：松涛、云海、流泉、飞瀑等，山中有9泉、12洞、36峰，盛时曾有64观庵庙宇，嶙峋翠巍，秀甲三晋。游人到此，恰似进入神奇的画卷之中。通运城—永济景区公交车。

忻州市

50-C-a086 **忻府区云中河景区**［Xīnfǔqū Yúnzhōnghé Jǐngqū］位于山西省忻州市忻府区。东西长约4.57千米，南北平均宽约0.45千米，总面积2.0636平方千米。2014年3月底开始蓄水，4月25日正式开园。2015年被原山西省旅游局评为4A级旅游景区。东临北同蒲铁路，西接大西高速铁路和大运高速公路，南望秀容古城，北邻奇顿村温泉，占地2.6平方公里。景区以水域景观为主线，以植物景观为基调，形成一河、二路、三湖、四场、五桥、六区、七坝的总体框架。区内碧水、温泉、绿树、青草、红花、奇石，相得益彰；木屋、拱桥、栈道、亭阁、雕塑、题赋，交相辉映。众景之中，以十里长卷、坝上风光、云中夜色、荷塘曲步、牧桥夕照、阁楼风情、楹联积玉、双亭观霞、香蒲染绿、花海世界此十大景观为胜。景区有游乐场和房车营地两大旅游产业项目，游乐场位于景区陀罗广场两侧，含晋忻梦幻乐园和梦幻水世界两大园区。游乐园占陆地面积0.084平方千米、水上面积0.08平方千米，容纳晋忻梦幻乐园、梦幻水世界两大游乐项目，包括过山车、摩天轮、古堡惊魂、豪华游船、6D影院等44个项目，其中摩天轮高88米，创山西第一。二广高速经此。

50-C-a087 **忻州市忻府区禹王洞旅游景区**［Xīnzhōushì Xīnfǔqū Yǔwángdòng LǚyóuJǐngqū］位于山西省忻州市忻府区。相传禹王治水时在此居住，故而得名，旧称仙人洞。规划面积12平方千米。2016年被原山西省旅游局评为4A级旅游景区。现已探明的洞深7000余米，对外开放的有议洪厅、治洪厅、泄洪厅、金龟洞、神仙洞、水晶洞、无底洞、九曲循环洞、观音洞、飞马洞、石花洞、一线天等三厅十洞，长约2000余米。“群狮迎客”“山村晨晓”“金龟出洞”等众多自然景观，实属罕见。水晶宫奇丽无比；站在会仙桥上，可看到“瑶池仙境，世外桃源”；高1.8米的镇海宝塔，花团锦簇，景象奇丽。禹王洞外，山势宏伟，层峦叠嶂，森林茂密，鸟语花香，风景秀丽，是一个集登山探险、避暑观光、休闲度假、文化交流为一体的综合性旅游区。忻州环城高速经此。

50-C-a088 **忻府区忻州古城**［Xīnfǔqū Xīnzhōu gǔchéng］位于山西省忻州市忻府区。占地面积25000平方千米。相传汉高祖北上抗击匈奴，兵困平城（今大同），突围时大军南撤，到忻口方摆脱追兵。高祖欢颜而笑，六军欣然如归，因“欣”通“忻”，忻州之名由此而生。2020年被山西省文化和旅游厅评为4A级旅游景区。忻州城始建于东汉建安二十年（215年），是按照中华民族传统规划思想和建筑风格建设起来的城市，集中体现了中华民族的历史文化特色，是中国古代劳动人民的聪明才智和坚强毅力的结晶。始建于东汉建安二十年（215年），距今已有近1800年的历史，是中俄万里茶路上的历史文化名城，素有“晋北锁钥”之称，又因文风昌盛而有“文集九原、雅出秀容”之誉，是晋北政治、文化中心和商品集散重镇。以地方特色为基础，以中国杂粮之都、东方佛教之都、晋北温泉之都为支撑，复现明清时期忻州古城商贸繁盛、休闲安逸的社会生活画卷。云集上百家当地及全国名优小吃、主题餐厅和特色民宿，文创小店、酒吧、咖啡馆等应有尽有，为游客呈现丰富多样的旅居体验。二广高速经此。

50-C-a089 **定襄河边民俗馆**［Dìngxiāng Hé

biān Mínsúguǎn] 位于山西省忻州市定襄县河边镇。总面积约 0.033 平方千米，建筑面积 0.01 平方千米。2010 年被原山西省旅游局评为 4A 级旅游景区。阎锡山旧居是我国目前保存较完整的旧中国最大的官僚私邸之一，始建于 1913 年，1937 年抗战爆发前停工。1989 年 6 月 6 日正式对外开放。现存都督府、得一楼、上将军府、穿心院、东花园、西花园、慈幼院等 27 座院落，700 多间房屋。整体建筑庞大恢宏，错落有致，有民间四合庭院，有典雅亭台楼阁，有古朴砖石窑洞，还有新奇仿欧建筑，融民间与官方、中国与西洋建筑风格于一体，显示出别具一格的文化美学价值，馆藏文物 4000 余件，既有历史文物，也有近现代文物，还有民俗文物。民俗馆内设有民间剪纸、雕刻、刺绣、饮食、服饰、礼仪等 90 多个反映晋北民俗风情的展厅以及 10 多处再现当年发生在阎府的重大事件的展院，展览面积 0.004 平方千米。通河边公交线。

50-C-a090 **忻州滹源景区** [Xīnzhōu Hūyuán Jǐngqū] 位于山西省忻州市繁峙县县城。全长 7 千米，宽 314 米，总面积 2.2 平方千米。2018 年被山西省文化和旅游厅评定为国家 4A 级旅游景区。景区呈“一带二廊三区串珠状”分布，“一带”即滹沱河河槽内自然形成的蓝色水带；“二廊”是景区南北路绿化形成的两条绿色长廊；“四区”即陆上休闲娱乐区、郊野湿地亲水区、历史文化古建区和综合服务功能区。陆上休闲娱乐区以体育场、娱乐场、小公园、陆上景观亭和花草树木为主，满足了游客休闲、娱乐、健身等需求。郊野湿地亲水区主要以自然河面和沙洲为主，结合生态绿化，形成了适宜动物栖息、鸟类回归的生态湿地保护区，通过设置的亲水平台让游客远距离观赏栖息地动植物景观。历史文化古建区主要以景区内的国家重点文物保护单位正觉寺、正觉禅院、鼓楼、太宁宫等历史古建群为主，以便于游客更深入了解景区的深厚文化底蕴；综合服务功能区是由城市综合体和三馆一院组成，为游客提供餐饮、住宿、购物、娱乐等多项需求。灵河高速经此。

50-C-a091 **芦芽山景区** [Lúyáshān Jǐngqū] 位于山西省忻州市宁武县。北至蟠龙岭，西至县界，南至荷叶坪，东至汾河，总面积 321 平方千米。芦芽山因形似一“芦芽”而得名。2010 年被原山西省旅游局评定为国家 4A 级景区。景区是佛教名山，毗卢佛道场。芦芽山峰峦重叠，山峰尖峭，森林广茂，区内有 700 多种植物、240 多种动物，100 多种名贵中草药，是世界罕见的生态基因库。是三晋母亲河、华北水源地、华北落叶松故乡、云杉之家。也是国内唯一的毗卢佛道场和世界珍禽褐马鸡的主要保护地。荟萃了“山、石、林、草、洞、湖、泉、谷、庙、关”十大系列的旅游产品，是集国家地质公园、国家森林公园、国家自然保护区、国家水利风景区及中国民间文化旅游示范区于一体的风景名胜区。以芦芽山（太子殿主峰）为中心，包括马仑草原、小芦芽山、万年冰洞、千年地火以及悬崖栈道、天池湖群和情人谷等诸多景点。芦芽山是北方游牧文化和中原农耕文化碰撞交融最激烈的地区之一，保存有赵、东魏、北齐、隋、宋、明 5 个朝代的长城。241 国道经此和省道忻五线经此。

50-C-a092 **宁武汾河源头景区** [Níngwǔ Fénhé Yuántóu Jǐngqū] 位于山西省忻州市宁武县东寨镇。源头有一水塘，塘上石壁刻有“汾源灵沼”四字，自古以来就有三晋第一圣境之美誉，是三晋人民的母亲河。2010 年被原山西省旅游局评定为国家 4A 级景区。古刹雷鸣寺因汾水从石崖下龙口喷出时声如雷鸣而得名。庙宇依山而筑，宏大巍峨。每年农历四月初八举行古庙会，盛况空前。周围的龙眼泉、支锅奇石支流，流经东寨、三马营、宫家庄、二马营、头马营、化北屯、山寨、北屯、蒯通关、宁化、坝门口、南屯、子房庙、川湖屯等村庄。汾河全长 716 公里，途径山西 19 个县市，流域面积近 4 万平方公里，占全省总面积的四分之一。“问渠哪得清如许，为有源头活水来”，汾河 716 公里的河川中流淌着的是一部生生不息的三晋五千年文明史，汾河源头就便是这灿烂文明的源头活水了。省道忻五线经此。

50-C-a093 **宁武万年冰洞** [Níngwǔ Wànnián Bīngdóng] 位于山西省忻州市宁武县。形成于新生代第四纪冰川期，距今已有 300 万年历史，是世界中纬度中山（海拔 1000 米—3500 米为中山）地区最大的冰洞，故名万年冰洞。2011 年被原山西省旅游局评定为国家 4A 级旅游景区。是全国同类气候和地形条件下形成的唯一一处冰洞，其最特殊的一点是：按一般规律，每深入地层一百米气温将上升 0.4℃，而万年冰洞却反其道而行之，越到深处气温反而越冷，冰层反而越厚。全国最大的冰洞，也是世界上迄今为止的永久冻土层以外发现的罕见的大冰洞。开发后的万年冰洞距地面有 100 多米（这里指人可达到的相对深度，下面还有多深，还未探测开发）。这 100 多米，分成上下五层，通过钻冰洞、下冰梯、过冰栈，可到各层参观。每层有平台，可容数十人。洞最宽处直径有 20 多米，最窄处十几米。储冰有多少吨，暂时还无法测算，但见洞内的地面、洞项、洞壁上全是冰。由冰形成的冰柱、冰帘、冰瀑、冰笋、冰花、冰钟、冰佛、冰床、冰挂、冰兽、冰人，千姿百态，栩栩如生，堪称一个冰的世界。2005 年评为国家地质公园。241 国道经此。

50-C-a094 **原平天涯山景区**［Yuánpíng Tiān yáshān Jǐngqū］位于山西省忻州市原平市子干乡境内。总面积 10 平方千米。2013 年被原山西省旅游局评定为国家 4A 级旅游景区。景区以天涯山和石鼓神祠、莲花山、石鼓石等自然景观为依托，以 2600 多年前历史人物介子推的“精忠纯孝”精神为主题。整个景区规划占地总面积 1000 公顷，建筑面积 1.5 万平方米。形成 1 桥万安桥；2 路景区入口和出口的两条景区主干道；3 水东面葫芦如意水系，西面莲花菩提水系和南面晓冬知春水系；4 场泰安广场、祠前广场、忠孝广场和树阵广场；5 区芳草秀园景区、石鼓神祠景区、北国江南景区在内的 108 项景观建筑和园艺小品。整个景区累计栽植云杉、国槐、山楂、银杏、油松等大树 2881 株，栽植油松、侧柏、连翘等 85356 株，栽植月季、丁香、红叶小檗等花灌木 16 万株（丛），将生态观光旅游与现代文化体验有机结合起来，着力打造全省一流的风景旅游休闲度假区。通原平 4 路公交车。

50-C-a095 **偏关县老牛湾景区**［Piānguāng xiàn lǎoníuwān jǐngqū］位于位于忻州偏关县万家寨镇境内。占地面积 22.67 平方千米。2016 年被山西省文化和旅游厅评为国家 4A 级景区。北临内蒙古自治区呼和浩特市清水河县，西靠内蒙古自治区鄂尔多斯市郊区，是滔滔黄河流入山西省境内的第一个村落，由此被人们戏称为“黄河入晋第一村”。长城与黄河握手的地方，同时也是中国最美的十大峡谷之一。自古以来地理位置就十分特殊，这里是宋时杨六郎镇守三关中偏头关的前沿阵地。也是走西口时出入关的要道之一。黄河之水出河套至此拐弯流经深山峡谷奔腾南下，古长城至此逶迤东去。据考古发掘和史料记载，老牛湾是黄河文明的发祥地之一，属新石器的仰韶文化。三国时期曹操北定中原曾征战至此，安营扎寨，并构筑长城——藩篱，成为抵御外族的屏障。如今已经成为一个集休闲、度假、养生和体验大自然鬼斧神工的地方。省道太小线经此。

50-C-a096 **静乐县天柱山**［Jìnglèxiàn tiānzhù shān］位于山西省忻州市静乐县城南汾河、碾河与洋河三河交界处，海拔 1463 米。因北魏都督天柱大将军尔朱荣封号而得名。景区占地 4.456 平方千米。2014 年被山西省文化和旅游厅评为国家 4A 级景区。景区内苍松翠柏，庙群典雅、艾草遍山、景色秀丽。景区基础设施完善，景点别具特色，其中天柱龙泉为“静乐八景”之首。古人登山曾有诗曰：“风日清河柳带烟，峻崛高处出龙泉。银河谁识源头远，疑是山中别有天。传说王母娘娘赴南海时路经此山，见松柏苍翠，殿阁巍峨，风光秀丽，便停留赏景，今山巅岩石平坦，传为王母石炕，山上曾是春秋战国时山右赵王建都之地，古城遗址犹存。241 国道经此。

临汾市

50-C-a097 **临汾市汾河公园**［Línfénshì Fénhé Gōngyuán］位于山西省临汾市汾河城区段沿岸。占地面积 17 平方千米，核心园区面积 10.6 平方千米。2014 年被原山西省旅游局评定为国家 4A 级景区。分为精品治理区和上，下游生态湿地治理临汾市汾河公园园区步道区。精品区分地域展示区，素质拓展区，体育休闲区，科普活动区，艺术休闲区和青少年活动区六大功能区域，文化艺术包含九州广场，祥云桥，临汾市图书馆，档案馆等景点，科普活动区包含萱楼，软索桥，三友园和尧井园等景点，素质拓展区含踏浪湖等景点，青少年活动区包含画舫和七孔桥等景点，体育休闲区包含廉政文化广场、翠云涧、汾水古韵、磐石岛、桃花州等景点，地域文化展示区包含长台阶、市民广场和城市阳台等景点。自然性、人文性和现代性在这里得到有机统一。京昆高速经此和省道桃临线经此。

50-C-a098 **尧庙－华门旅游区**［Yáomiào-Huámén Lǚyòuqū］位于山西省临汾市尧都区。2005年被原山西省旅游局评定为国家4A级景区。是一座集纳丰富历史文化和五千年文明史的国祖庙，是中国纪念尧、舜、禹三位先祖的庙宇，民间俗称“三圣庙”，占地面积0.007平方千米，规模面积之阔、建筑之雄伟，历为全国尧庙之首。主要景观包括：宫门、仪门、五凤楼、广运殿、虞舜殿、大禹殿、尧井台、祭祖堂、千年古柏、尧典壁、尧字壁等。华门景区建筑面积0.022平方千米，地下二层，地上5层，座宽80米，总高50米，正面三门矗立，象征尧、舜、禹三帝，主门高达18米，是一座以秦汉风格为主，兼容各个时期古建风格的宏伟建筑，以文化艺术的形态构筑了中华民族的精神家园，集历史纪念和游览观光于一体，以华夏一统、源远流长、尧天舜日、门祖神韵、连环九鼎、华门之夜等十八个文化景观而著称。京昆高速经此和通802路公交车。

50-C-a099 **曲沃晋园景区**［Qūwò Jìnyuán Jǐngqū］位于山西省临汾市曲沃县。是目前全国唯一一处全面彰显晋文化特色的古典园林景区。占地面积0.212平方千米。2019年被山西省文化和旅游厅评定为国家4A级旅游景区。整体设计鸟瞰效果立意于春秋中晚期特级文物——错黄铜宝壶造型，由“一心一湖两带八大景观”组成，共有30余处风景文化景点，由北区万人广场、中区晋都文化会展中心（“五馆一场一堂”：文化馆、图书馆、城展馆、档案馆、老年活动馆、晋都剧场、晋都会堂）和南区如意湖三部分组成。建筑风格及景观以晋文化为主线，全面融入成语文化和楹联文化元素，可概括为“一心一湖两带十大景观三十处景点”。园内设有晋国成语典故浮雕19幅，青铜群雕6组，晋文化楹联39副。省道曲辉线经此和通曲沃1路公交车。

50-C-a100 **曲沃晋国博物馆**［Qūwò Jìnguó Bówùguǎn］位于山西省临汾市曲沃县。占地面积0.124平方千米（其中馆外0.052平方千米），建筑面积0.013平方千米，绿化面积0.027平方千米。2017年被原山西省旅游发展委员会评为国家4A级景区。该馆自2009年破土动工后，这座拥有中国商周时期最大车马坑的博物馆备受关注。这座车马坑平面长方形，东西长21米，南北宽14米至15米，出土战车48辆，战马105匹，是中国所发现商周时期最大的车马坑，比秦始皇陵的车马坑早600年。是依托全国重点文物保护单位“曲村——天马遗址”而兴建的山西省第一座遗址类专题博物馆，也是我国唯一一座完整展示晋文化的平台。2022年获评首批省级文明旅游示范单位。乡村道路经此。

50-C-a101 **霍太山（广胜）风景名胜区**［Huòtàishān（Guǎngshèng） Fēngjǐngmíngshèngqū］位于山西省临汾市洪洞县城东北10公里处的霍山南麓。寺区古柏苍翠，源流清澈，山青水秀。寺院创建于1860多年前的东汉建和元年（147年），初名俱卢舍寺，又名阿育王塔院。唐代大历四年（769年）扩建后，当时的汾阳郡王郭子仪游历于此处，看到这里山清水秀，风景独特，便奏请代宗皇帝李豫赐额“大历广胜之寺”，意为“广大于天、名胜于世”，后来人们简称“广胜寺”。2019年被山西省文化和旅游厅评定为国家4A级景区。景区由上寺、下寺、水神庙、霍泉和分水亭五部分组成。风景名胜区历史悠久，建筑奇特，文物珍贵。塑像壁画琳琅满目，碑碣题咏浩如烟海，具有极高的历史、科学、艺术价值。其中飞虹宝塔天下无双，《赵城金藏》属世界孤本，元代戏剧壁画更是中国戏曲史上不可多得的瑰宝，被誉为“广胜三绝”。是度假休闲的首选之地。明曲高速经此。

50-C-a102 **古县牡丹文化旅游区**［Gǔxiàn Mǔdān Wénhuà Lǚyóuqū］位于山西省临汾市古县。占地面积54平方千米。2014年被原山西省旅游局评定为国家4A级景区。有三合千年牡丹园、张家大院两处景点。张家大院是太岳腹地保存较为完整的民居大宅，现存建筑为清同治九年至光绪五年重修。北方传统的四合院、宽敞豪华的会客厅凸显着主人的富足，门侧楹联“泰而不骄正乎内外厚德载物，勤且尚俭永自春秋书剑传家”，是张氏家族的治家准则。牡丹园位于石壁乡三合村，牡丹花在每年4月底—5月初开放，牡丹株高1.83米，冠幅4米，丛围15米，每年花开400余朵且花期长。经专家考证为我国现存单株最大的野生白牡丹，素有“牡丹王”之称，已被《中国牡丹全书》收录，被全国牡丹协会赞誉为“天下第一牡丹”。因其生长年代久远，并有颇多神奇之处，当地百姓又尊称她为“牡丹仙子”。近来，牡丹景区在以往设施基础上进行了扩建，新修了几座与之相称的亭台楼阁，以供游人一睹牡丹芳容，应景生情，细品着美丽的传说犹如身临其境。青兰高速经此和309国道经此。

50-C-a103 **吉县黄河壶口瀑布旅游区**［Jíxiàn Huánghé Húkǒupùbù Lǚyòuqū］位于山西省临汾市吉县。占地面积116平方千米。2010年被原山西省旅游局评定为国家4A级旅游风景区。壶口两岸高山对峙，黄河穿行于秦晋大峡谷之中，当流至壶口时宽约400多米的河床，突然收缩到四五十米宽，形成特大型马蹄状瀑布，主瀑布宽40多米，落差近50米。壶口瀑布是世界上唯一的金黄色瀑布、是国内唯一的潜伏式的瀑布、移动式的瀑布、四季景色各异变化无常的瀑布、蕴涵丰富文化内涵的瀑布。壶口瀑布不同的季节、不同的时间、不同的水流有着梦幻般的变化，形成了奇绝壮观的八大景观：“烟从水底升，船在旱地行，未雾彩虹舞，晴空雨濛濛，旱天鸣惊雷，危岩挂冰峰，海立千山飞，十里走蛟龙。壶口瀑布已成为世界上最大的黄色大瀑布，也是中国的第二大瀑布，因其气势雄浑而享誉中外。309国道经此。

50-C-a104 **临汾人祖山景区**［Línfén Rénzǔ shān Jǐngqū］位于山西省临汾市吉县。占地面积203平方千米，以人祖庙为核心的主景区面积达45平方千米。2018年被山西省文化和旅游厅评定为国家4A级景区。是全国唯一以“人祖”命名的大山，这里植物群落丰富，珍禽异兽众多，保留着原始森林的古老风貌。这里四季风光各异，经年五色斑斓，乃自然观光、休闲养怡之绝佳胜境，人文景观有人祖庙、戏台庙、抗日烈士陵园、高庙、伏羲殿、娲皇宫、十八罗汉长廊、福寿岩、祭祀广场，自然景观有飘渺云海、翩翩红叶、雪景雾凇、蓝幕晴空等。景区以自然资源为基础，以人文资源为支撑，以人祖文化为灵魂，以旅游资源为主导，打造出一个自然资源与人文资源交相辉映的旅游景区，是自然观光、休闲养生的绝佳圣地。209国道和呼北高速经此。

50-C-a105 **隰县小西天**［Xíxiàn Xiǎoxītiān］位于山西省临汾市隰县县城西凤凰山巅。占地面积0.0313平方米。由明代东明禅师创建于明崇祯二年（1629年）。初因大雄宝殿内有佛像千尊而得名，后因重门额题“道人西天”，又为区别城南另一座明代寺院而更名“小西天”而得名。2013年被原山西省旅游局评定为国家4A级景区。是一座佛教禅宗寺院，小西天分为上下两院，布局新颖，精巧玲珑。上院是全寺的精华，正面是大雄宝殿，文殊、两殿左右相峙。殿内正面排列着五个相互连通的佛龛，“药师”“弥陀”等诸佛端坐莲台，各饰锦衣，神态自若，面容慈祥；十大弟子分站两旁，造型优美，生动传神，表情含蓄，惟妙惟肖。殿南山墙上塑着“四方三圣”“四大天王”等佛教人物故事，殿北山墙上塑着须弥山上三十三层、佛传故事和的本生传说。下院无梁殿坐西面东，是僧众诵经的禅堂，殿中有木雕楼阁和数十尊铜铸佛像。小西天以明代的彩色悬塑艺术而闻名，其精华保存于大雄宝殿。殿内彩塑满布，除佛坛上的五尊主佛外，墙壁、檩柱、屋椽上都塑着数以千计的彩塑，堪称中国悬塑艺术博物馆。通隰县1、2路公交车。

50-C-a106 **隰县中国梨博园景区**［Xíxiàn Zhōngguó Líbòyuán Jǐngqū］位于山西省临汾市隰县。隰县因栽植梨果树历史悠久，文化底蕴深厚，至今仍有三百年根繁叶茂、挂果不衰的老梨树，该园是迄今山西唯一的以梨生态文化为主题的博览园而得名。2013年被原山西省旅游局评定为国家

4A 级景区。景区按照“布局园林化，景点特色化，整体自然化”的建设理念，在具体环节上，地形整理突出“自然”、道路修建体现“循环”、树木移植注重“成活”、树木搭配显现“特色”、人造景观体现＂和谐。以此理念景区目前建成了以梨博园景区环博路为游客观光路线贯穿园区各景点，有梨文化广场、梨文化展区、家峪湖、梨园九曲、鸳鸯湖、花草树木、皇家马拉车、游船、垂钓体验等，也有百年梨树群、山地梨园群、农家特色群，还有百种梨树园、农耕文化园、水果采摘园、名人植树园、珍禽动物园。景区显现出“百梨争艳，乔灌相间，循环贯通，山水一色，景观怡人”的景象。梨博园极大地丰富隰县梨果产业的宣传内容和内涵，标志着隰县农业产业向文化产业进一步延伸，对于优化农业结构、推动梨果产业扩规提质、带动农民增收致富，推动生态文明和旅游业发展都具有十分重要的意义。省道洪永线经此和通隰县 5 路公交车。

50-C-a107 **蒲县东岳庙景区**［Púxiàn Dōngyuè Miào Jǐngqū］位于山西省临汾市蒲县城东。山上柏树繁茂，常年郁郁葱葱，故俗称柏山寺。占地面积约 0.01 平方千米。2014 年被原山西省旅游局评定为国家 4A 级景区。庙宇规模宏敞，布局完整，有山门、凌宵殿、乐楼，议事厅、献亭、东岳行宫大殿、后土祠、圣母祠、清虚宫、地藏祠、地狱、角楼以及环周楼廊等六十余座建筑。创建年代不详，金泰和五年（1205 年）已有。现存东岳行宫殿是元代地震毁坏后于延祐五年（1318 年）重建，宽深各五，幅阶周匝，重檐歇山顶，柱全为石雕，并刻有《木兰花词》五首，殿内塑有东岳黄虎及侍者像。最后地平以下由十五孔窑洞组成十八层地狱，内塑五岳大帝，十殿阎群和六曹判官等，塑像高度与人相等，分别塑有各种鬼吏和刀山、油锅、碾磨、锯解等共计一百二十余躯雕像，是我国现存寺庙稀有的一组明代泥塑佳作。传说，农历三月廿八，是东岳大帝的诞辰之日。自明清以来，每年的这一天当地百姓都会在这里举行祭祀活动，久而久之形成庙会。古戏台此时也会上演蒲剧，热闹非凡，东岳庙谓之“蒲县胜景”。520 国道经此。

50-C-a108 **侯马彭真故居景区**［Hóumǎ Péngzhēn Gùjū Jǐngqū］位于山西省临汾市侯马市。建筑面积 9200 余平方米。2014 年被原山西省旅游局评定为国家 4A 级景区。2002 年，侯马市政府再次进行修缮，并在故居前矗立起半身铜像一座。彭真同志于 1902 年 10 月 12 日出生在垤上村西沟的两孔窑洞中，窑洞坐西向东，洞内除了土坑、锅灶和几件简陋的木制家具外，别无它物。彭真同志原名傅懋恭，在故居居住和生活了 19 个春秋，7 岁时便开始帮父亲下地干活，帮母亲纺线，12 岁时上过几天私塾，17 岁时考入当时的曲沃县第二高小。1922 年从家乡侯马考入山西省立第一中学，1923 年加入中国共产党。从此，他告别家乡，投身到伟大的无产阶级革命事业中。由于年久失修，20 世纪 80 年代，这座住过傅家 5 代人的百年老窑，窑顶出现裂缝，部分窑体开始坍塌，下雨漏水。为保护革命文物，侯马市政府对它进行了小规模的加工整修。2004 年，彭真故居被确定为省级文物保护单位、山西省爱国主义教育基地。通侯马 29 路公交车。

50-C-a109 **襄汾龙澍峪景区**［Xiāngfén Lóngshùyù Jǐngqū］位于山西省临汾市襄汾县襄陵镇黄崖村西、吕梁山支脉姑射山麓中。距临汾市区 20 千米，占地面积约 30 平方千米。2020 年被山西省文化和旅游厅评为国家 4A 级景区。据考，清光绪年间这里古建筑成群，殿堂庙宇、亭台楼榭、桥廊阁轩 130 余处，错落有致地镶嵌于龙澍峪险谷绝壁之中，蔚为壮观。景区内儒、释、道三教文化同祀，自然风光与宗教文化相结合。历年来，游人、香客、信徒、文豪骚客络绎不绝，香火鼎盛。峪内峡幽谷深，危石嶙峋，主峰海拔高度 1200 米左右，自然景观峻奇壮观。景区内的摩崖石刻苍劲遒隽、婉约洒脱，汇集了古代名家遗留墨迹数十处，大书法家赵孟頫的书法真迹清晰可见。县道南黄线经此。

吕梁市

50-C-a110 **交城县卦山景区**［Jiāochéngxiàn Guàshān Jǐngqū］位于山西省吕梁市交城县。因山的形状酷似八卦而得名，是融自然风光和千年古刹为一体的著名旅游景点。占地面积 0.111 平方千米。2012 年被原山西省旅游局评定为国家 4A 级景区。它以山形卦象、古柏参天、寺宇巍峨、华严道场而早在唐代就闻名遐迩。宋代著名书画家米芾将它跻身于三山五岳的行列，称誉为“第一山”。古柏为卦山的一大奇观，其树形怪异，趣味横生，别有风韵，诸如龙爪柏、牛头柏、孔雀柏、绣球柏、母子连根柏等，让人叹为观止。山下原是秦晋交通的驿道，再佐以风光景致和佛教氛围，天宁寺的香火千年来自然也久盛不衰。“山水之胜，唯安以暇者得之”，游览卦山也仿佛是一次修心之旅，200 多间楼阁殿宇依山势逐阶而建，有纪念清代名宦山西布政使的生祠，有属于佛教序列的圣母庙，用于文人学者传习讲学的卦山书院，供奉“文昌帝君”儒教神仙的文昌宫，分属佛、道、儒、园林、专祠 5 个序列。卦山不但山形奇特，庙宇浩繁，更有给游客造成强烈视觉印象的参天古柏；“七星柏”“牛头柏”“钢鞭柏”都是卦山奇柏的代表。乡村道路经此。

50-C-a111 **交城玄中寺景区**［Jiāochéng Xuán zhōng Sì Jǐngqū］位于山西省吕梁市交城县。其也称为石壁寺，是中国佛教净土宗的发祥之地。占地面积 0.006 平方千米。2012 年被原山西省旅游局评定为国家 4A 级景区。寺始建于北魏延兴二年（472 年），永安年间昙鸾大师在此创立净土宗，弟子道倬与再传北子善导亦相继在此皈依净土法门。日本亲鸾接受昙鸾一宗的净土教义，创立净土真宗，并尊玄中寺为祖庭，尊昙鸾、道倬、善导等为祖师。现在寺中天王殿和钟楼、鼓楼是明代万历年间遗物，大雄宝殿山墙上十六尊者的画像多为明代所作，千佛殿中存有大小不同的铜、铁、石佛像共千尊。鸡鸣寺位于城北鸡笼山东侧，梁武帝于大通元年（527 年）在此建同泰寺并曾数次舍身于此。明洪武二十年（1387 年）在同泰寺旧址建鸡鸣寺，并迁灵志公函葬于寺前山上，建塔五级。塔旁有施食台，又叫志公台。清同治年间重修时，规模已较小，光绪初建豁谷楼。1981 年人民政府拨款重建了大雄宝殿、观音楼、豁蒙楼、景阳楼及志公台等，使古寺焕然一新。古寺附近有胭脂井，相传为陈后主与张丽华、孔贵嫔避隋兵之所。鸡鸣寺北临玄武湖，东对紫金山，景色极佳。乡村道路经此。

50-C-a112 **孝义市金龙山风景区**［Xiàoyìshì Jīnlóngshān Fēngjǐngqū］位于山西省吕梁市孝义市，北邻下堡河，南靠省道孝石线，距孝义市区 7 千米。占地面积 5 平方千米。占地面积 5 平方千米。2016 年被原山西省旅游局评定为国家 4A 级景区。与孝义市湿地公园、晋商古驿道、胜溪湖森林公园、临黄塔等景点形成一条特色文化旅游路线。景区内自然风光秀美，文化底蕴深厚，主要景点包括崇孝寺、观音大佛、文昌阁、神仙楼、财神殿、敬德祠、青云十八阶、金龙殿、五福阁、金龙泉、观音堂、采摘观光园等，是中国佛教文化、道教文化和当地孝亲文化的结合地。通孝义 5 路公交车。

50-C-a113 **孝义市三皇庙**［Xiàoyìshì Sānhuáng Miào］位于山西省吕梁市孝义市。其亦称圣祖庙。占地面积 0.005 平方千米。2020 年被山西省文化和旅游厅评定为国家 4A 级景区。创建年代不详，该庙南北宽 59 米，东西长 84 米，两进院布局。元代有之，清乾隆、道光和民国年间曾多次不同程度地扩建和修葺，现存三皇殿仍保存元代原构，余皆清代重建。现存有三皇殿、耳殿、赛神戏楼及掖门，掖门东向设有砖券入庙门洞（山门），其余建筑皆塌毁无存。三皇庙院内多数建筑保存完整，尤其是三皇庙正殿现存整体梁架及建筑部件保留元代原物，结构简洁稳固，再现了元代特定历史背景下的建筑理念，具有很高的历史价值和科学价值，并有一定品味的文化价值。通孝义 5 路公交车。

50-C-a114 **孝义市胜溪湖森林公园**［Xiàoyì shì Shèngxīhú Sēnlíngōngyuán］位于山西省吕梁市孝义市。占地面积 1 平方千米。2014 年被原山西省旅游局评定为国家 4A 级景区。胜溪湖森林公园是一座集休闲、娱乐、游览、健身为一体的大型综合性公园，全长 3.2 千米，总投资约 3.6 亿元。公园的总体布局强调自然生态，园内景观以湖为主，湖岸结合，依托园内自然河流和主要城市道路，将公园划分为六大景区：中心景观区、孝河景观区、滨河休闲区、观光休闲区、生态过渡区、健身休闲区。2010 年被吕梁市环境保护局设为“吕梁市环境教育基地”，2011 年被评为“山西省四星级城市公园”，2013 年被评为“山西省五星级城市公园”。乡村道路经此。

50-C-a115 **山西孝河国家湿地公园**［Shānxī Xiàohé Guòjiā Shīdìgōngyuán］位于山西省吕梁市孝义市。西起旧孝午公路（白壁关公路桥），东至湖滨路（张家庄水库大坝）与森林公园衔接，南至景观南路及沿河岸景观小路，北至时代大道。占地面积 5.99 平方千米，其中水面面积约 3.28 平方千米。2014 年被原山西省旅游局评定为国家 4A 级旅游景区。孝汾大桥西区已开放，区域面积约 3.2 平方千米，属于黄土高原典型的次生湿地和库塘湿地，该湿地地貌典型，景观独特，自然资源丰富，有高等植物约 52 科 217 种，浮游植物 7 门 83 种。鸟类达 16 目 40 科 162 种，主要水生动物 7 纲 25 种，浮游动物 58 种。有大片芦苇荡和湿地防护林，是不可多得的重要生态自然资源。通 5 路公交车。

50-C-a116 **汾阳汾酒文化景区**［Fényáng Fénjiǔ Wénhuàjǐngqū］位于山西省吕梁市汾阳市。占地面积 0.004 平方千米。2011 年被原山西省旅游局评定为国家 4A 级景区。主要景点有汾酒博物馆、复古生产线、神秘的汾酒酿造车间、成品包装线、陈年酒库和万吨酒海、醉仙楼和汾酒工业园林。汾酒是我国清香型白酒的典型代表，素以入口绵、落口甜、饮后余香、回味悠长而著称，在国内外享有较高的知名度、美誉度和忠诚度。主要品种有国藏汾酒、青花瓷汾酒、老白汾酒等，竹叶青酒是国家卫生部认定的唯一中国保健名酒。2006 年汾酒酿造技艺入选国家首批非物质文化遗产名录，2012 年成功入选世界非物质文化遗产预备名单。景区属于工农业旅游区，隶属于汾酒集团。青银高速经此。

50-C-a117 **汾阳市贾家庄文化生态旅游区**［Fényángshì Jiǎjiāzhuāng Wénhuà Shēngtàilǚyóuqū］位于山西省吕梁市汾阳市。占地面积 4.2 平方千米。2014 年被山西省文化和旅游厅评定为国家 4A 级景区。其由贾家庄展览馆、马烽纪念馆、生态园、游乐场、贾街、恒鼎工业文化创意园、1818 恒记展览馆等核心景区组成。贾家庄整合原有旅游资源，形成了以红色旅游、农业旅游、工业旅游、民俗旅游为主的乡村生态旅游。2003 年被国家旅游局命名为“国家农业旅游示范点”，2015 获中国最美村镇等荣誉称号。乡村道路经此。

50-C-a118 **方山县北武当山风景名胜区**［Fāngshānxiàn Beǐwǔdāngshān Fēngjǐngmíngshèngqū］位于山西省吕梁山中部，方山县境内。古称龙王山，集雄奇险秀于一身，是我国的道教圣地，景区植被繁茂，森林覆盖率达 70% 以上。占地面积 80 平方千米。2015 年被原山西省旅游局评定为国家 4A 级景区。整个景区由 72 峰、32 崖、24 涧组成。主峰香炉峰，海拔 2254 米，总面积约 80 平方千米。唐代以前就已形成一处具有道教色彩的朝拜圣地，山顶建有玄天大殿。至于唐之前何时而建，尚待稽考。随岁月嬗递，多数庙观都经过多次毁坏和修葺。其中仅明万历年间，就曾进行过两次大修，当时汾州府庆成王尢敬真武祖师，不惜花费巨金将登山道路改造成石阶，并将早已圮毁的玄天大殿修复一新，龙王山遂改称北武当山。其自然资源丰富，有世界珍禽褐马鸡以及豹、麝、狍子等大型哺乳动物。主峰四周只有一条人造天梯可攀登，天梯约有 1450 多阶，险峻之处有栏杆铁索，游客每蹬一步都可听到悠扬顿挫的“石音”。乡村道路经此。

自然保护区

国家级

50-E-a001 **庞泉沟国家级自然保护区**［Pángquángōu Guójiājí Zìrán Bǎohùqū］位于东至方山县和交城县交界处、南至交城县、西至方山县，北至方山县。占地面积 104.4 平方千米，森林覆盖率达 74%。相传北魏孝文帝避于此山而得名。1980 年经山西省人民政府批准建立。1986 年被国务院批准为国家级自然保护区。地处吕梁山脉中段。主峰孝文山海拔 2831 米。属中温带到暖温带的过渡地带，年平均气温 4.3℃，相对湿度 70%，年平均降水量 820 毫米，无霜期 180 天。主要保护对象是褐马鸡、华北落叶松、云杉天然次生林。对珍禽褐马鸡等动植物的保护具有重要科研意义的是避暑、疗养、旅游、度假的良好场所。省道祁方线经此。

50-E-a002 **历山国家级自然保护区**［Lìshān Guójiājí Zìrán Bǎohùqū］位于东至沁水县与阳城县交界处，南至阳城县与垣曲县交界处，西至翼城县，北至沁水县。占地面积35.467平方千米。相传舜王耕治此山时编制了黄河流域用来指导农事活动的物候历《七十二候》而得名。1983年经山西省人民政府批准建立，1988年被国务院批准为国家级自然保护区。属于亚热带向暖温带的过渡地带，气候温暖，雨量充沛，自然条件优越。主要保护对象是暖温带森林植被和猕猴、麝、大鲵等珍稀动物。拥有依托华北地区唯一保存最完整的历山原始森林、国家九五重点水利工程黄河小浪底和帝舜故里浓厚的华夏古老文明、悠远的人类远祖文化。乡村道路经此。

50-E-a003 **五鹿山国家级自然保护区**［Wǔlùshān Guójiājí Zìrán Bǎohùqū］位于东至蒲县，南至蒲县，西至蒲县与隰县交界处，北至隰县。地处吕梁山脉南端。占地面积206.2平方千米，森林覆盖率68%。五鹿山建有五鹿庙，相传是为祭祀春秋时期晋国五鹿大夫狐突所建。始建于1993年。2006年，被国务院批准为国家级自然保护区。属于森林生态系统类型的自然保护区。主要保护对象是世界珍禽褐马鸡和中国国特有树种白皮松。是山西省第二批成立的以保护褐马鸡为主的保护区之一，在保护好五鹿山生态系统，对于研究华北乃至我国北方森林植被变化规律，保护优良的白皮松种质资源，具有重要的生态价值和学术价值。341国道经此。

50-E-a004 **芦芽山国家级自然保护区**［Lúyáshān Guójiājí Zìrán Bǎohùqū］位于东至宁武县，南至宁武县吕梁山脉，西至五寨县与岢岚县交界处，北至五寨县。保护区东从蒯屯关村起，向南经汾河以西的坝门口村、十里桥村至川湖屯村；南从川湖屯村起，向西经温家窑村、小峪、南正沟、夥和沟、高崖底、黄土峁山脊线至绿草地圪塔顶；西从绿草地圪塔顶起，向北经南天门、荷叶坪南将台、北将台、卧场壕、红沙串、瓦窑沟山脊线至西梁背停车场；北从西梁背停车场起，经西梁背停车场、石佛寺沟谷线、石佛寺、黄草梁、小黄草梁、北郑沟、李家山山脊线、李家山、蒯屯关沟谷线至蒯屯关村。占地面积214.5平方千米，其中核心区61.2平方千米，缓冲区12.6平方千米，实验区140.7平方千米。1997年被国务院批准为国家级自然保护区。主要保护对象是褐马鸡及大面积华北落叶林和大片的云杉林。是中国暖温带残存的天然次生林分布区中保存最完整、分布最集中的地区之一，对保护和研究褐马鸡、华北落叶松等物种及其生存环境，涵养汾河水源以及探索西北部山区综合开发途径有着重要的意义。乡村道路经此。

50-E-a005 **山西阳城蟒河猕猴国家级自然保护区**［Shānxī Yángchéng Mǎnghé Míhóu Guójiājí Zìrán Bǎohùqū］位于晋城市阳城县境内，南与河南太行山猕猴国家级自然保护区接壤，北与下桑树相邻，西与押水村为连，东邻前庄村。包括三盘山、莽山风景区和砥柱山，绿化顶原始森林区。占地面积55.7平方千米。原名蟒河自然保护区，1997年更为现名。1983年经山西省政府批准建立，1998年被国务院批准为国家级自然保护区。属于暖温带向亚热带过渡气候，是黄河支流蟒河的重要水源涵养地。主要保护对象是太行猕猴属猕猴的华北亚种，为中国特有。不仅具有重要的保护价值和研究价值，同时对于涵养水源、保护生态环境以及促进当地社会经济发展都具有重要意义。乡村道路经此。

50-E-a006 **黑茶山国家级自然保护区**［Hēicháshān Guójiājí Zìrán Bǎohùqū］位于山西省吕梁市兴县东南部（东界以兴县与岚县县界为界；南界从红石崖西山顶起，经二青山山脊、段木沟北山梁、阳崖沟对面林畔至石窑上，直至沿阳白公路至阳坡水库南缘；西界从阳坡水库大坝起，经兴县与临县县界至玉家墕，向北经湫水沟、黄儿湾沟等，沿小路向东北至芦子沟山顶；北界从芦子沟山顶起，沿山脊至望儿山，经石人山北坡国有林畔、毛儿沟等，沿山脊向东至兴县与岚县县界。占地面积244.2平方千米。2002年，经山西省人民政府批准建立，2012年被国务院批准为国家级自然保护区。南北长约 26 千米，东西宽约 24 千米，是晋西北生物多样性最为丰富的地区。属于森林生态系统类型的自然保护区，主要保护对象是以褐马鸡、金钱豹、原麝等为主的野生动物保护和以山西杨、紫点杓兰、青毛杨等为主的濒危野生植物。是典型的沟壑纵横的晋西北黄土高原绿色屏障，是黄河一级支流——湫水河的源头和蔚汾河的重要水源地，同时还是“四八”革命烈士遇难的地方。省道岢大线经此。

50-E-a007 **灵空山国家级自然保护区**［Língkōngshān Guójiājí Zìrán Bǎohùqū］位于东至沁源县与古县交界处，南至沁源县，西至古县，北至沁源县，西连霍山，北接绵山，南接黄梁山。占地面积 101.2 平方千米，其中核心区面积 46.2 平方千米，缓冲区面积 22.0 平方千米，实验区面积 32.9 平方千米。1993 年经山西省人民政府批准建立灵空山自然保护区，2013 年被国务院批准为国家级自然保护区。属于暖温带季风气候。主要保护对象为以油松为主的典型暖温带针阔叶森林生态系统体系和以褐马鸡、金钱豹等为代表的珍稀动物。省内素称“油松之乡”，林相完好、树干高大、材质优良，具有较高的经济价值。保护区内有国家投资兴建的油松种子园，每年可采取优种供全省造林育苗，同时支援兄弟省市，已成为教学、科研和优质种源的重要基地。乡村道路经此。

50-E-a008 **太宽河国家级自然保护区**［Tàikuānhé Guójiājí Zìrán Bǎohùqū］位于山西省运城市夏县东南部境内，中条山脉西段南坡。北至闻喜县和夏县交界处，东接祁家河林场，西与泗交林场相连，南与平陆县交界。占地面积 242.8 平方千米，森林面积 206.3 平方千米，森林覆盖率 85.8%。2018 年被国务院批准为国家级自然保护区。有较丰富的珍稀濒危树种，共 23 科，主要保护对象为典型暖温带落叶阔叶林及金钱豹、红腹锦鸡等国家重点野生动植物资源。栎类种类多林分类型多，面积大，古树群落多，林相整齐完整，同时作为我国华北地区典型暖温带落叶阔叶林的重要种质资源和基因库，保护区的栎林对于整个华北地区森林经营和森林重建具有重要的价值。乡村道路经此。

省级

50-E-b001 **山西省天龙山自然保护区**［Shānxī shěng Tiānlóngshān Zìrán Bǎohùqū］位于山西省太原市晋源区晋祠镇西 11 千米处，北连明马村，南与下石村相邻，西接壤于五坡村，东边紧邻晋祠景区。原名方山，属吕梁山脉分支，包括晋祠镇的武坡、南坪、窑头三个自然村和柳子沟源头的南山、北山（即天龙山）。占地面积 267.7 平方千米。因早在东魏时高欢建了避暑宫，北齐高洋建了天龙寺，并都开凿了石窟，山因寺而得名。寺因窟而著称。1993 年经山西省人民政府批准为省级自然保护区。地貌以山丘和沟谷为主。属于温带大陆性季风气候。保护区内乔木以温带针叶林为主，草本植物以羊草、早熟禾和碱茅等为主，主要保护对象是森林环境及自然景观。乡村道路经此。

50-E-b002 **山西省凌井沟自然保护区**［Shānxī shěng Língjǐngōu Zìrán Bǎohùqū］位于东至阳曲县，南至尖草坪区，西至阳曲县与古交市交界处，北至阳曲县，两侧高山对峙如门，称“天门山”。占地面积 249.2 平方千米。自古就是晋西北通达太原的交通要道，凌井沟全长三十里。2002 年经山西省人民政府批准为省级自然保护区。山西省凌井沟自然保护区属于温带半干旱季风性气候。主要保护对象为森林生态系统及褐马鸡、金钱豹。乡村道路经此。

50-E-b003 **山西省云顶山自然保护区**［Shānxī shěng Yúndǐngshān Zìrán Bǎohùqū］位于东至娄烦县，南至交城县与方山县交界处，西至娄烦县与方山县交界处，北至娄烦县。占地面积 230.3 平方千米。因其海拔高、顶入云端而得名。2002 年经山西省人民政府批准为省级自然保护区。东西长 24 千米，南北宽 15 千米。主要保护对象为森林生态系统及褐马鸡、金钱豹。云顶山是庞泉沟自然保护区的延伸部分。山中森林密布，古木参天。高耸入云的云杉是这里的主要树种，林中野草丛生，山花遍地，时而出没的狍子、獾子、野猪、野兔等林间动物和鸣叫着的各种山鸟，更增加了这里的野趣。乡村道路经此。

50-E-b004 山西省汾河上游自然保护区［Shānxīshěng Fénhéshàngyóu Zìrán Bǎohùqū］位于山西省中部娄烦县境内，东临庙湾乡，西隔盖家庄乡，北靠静游镇，南连天池店乡。由东山区块、细米沟区块、天池店区块三部分组成，分别位于汾河水库的东北部、西部、南部。占地面积 270 平方千米 。2002 年经山西省人民政府批准为省级自然保护区。主要保护对象为森林生态系统及褐马鸡、金钱豹。在保护区内，有细米沟河、老马沟河、雷家庄沟河、双井河、重皮沟河、水峪沟河、涧河等八条大小河流，长年累月不断地注入水库，成为其源头活水的一个组成部分，对于保护当地自然生态系统有重要作用。省道岚马线经此。

50-E-b005 山西省运城湿地自然保护区［Shānxīshěng Yùnchéngshīdì Zìrán Bǎohùqū］位于东至垣曲县，南至芮城县，西至临猗县，北至河津市。占地面积 868.6 平方千米。1993 年经山西省政府批准将建立的“山西省运城天鹅自然保护区”和“山西省河津灰鹤自然保护区”合并扩建为“山西省运城湿地自然保护区”。保护区内现有鸟类 238 种，兽类 28 种，两栖爬行动物 38 种，植物 641 种、鱼类 52 种，主要保护对象为天鹅、灰鹤等鸟类及栖息地。是我国候鸟的重要越冬地之一。209 国道经此。

50-E-b006 山西省涑水河源头自然保护区［Shānxīshěng Sùshuǐhéyuántóu Zìrán Bǎohùqū］位于绛县城东南部，绛县城东南部，东与翼城县毗连，西和闻喜县接壤，南与垣曲县相邻，行政区域隶属山西省运城市绛县。占地面积 231.4 平方千米。原名为清亮河，相传因“清亮河”水漱口能除百病更名为涑水河。2002 年经山西省人民政府批准为省级自然保护区。主要保护对象为森林生态系统。亘古相依的涑水和中条，孕育了一方如诗画般的森林生态屏障，庇护着万千生灵繁衍生息。省道呼北线经此。

50-E-b007 山西省恒山自然保护区［Shānxīshěng Héngshān Zìrán Bǎohùqū］位于东至蒲县，南与青瓷窑至官儿的乡镇公路相邻，西以大峪河为界，北与浑源盆地相连。占地面积 115.0 平方千米。2002 年经山西省人民政府批准为省级自然保护区。属于温带半干旱大陆季风气候，年平均温带 6.2℃，年平均降水量 450—550 毫米，四季分明。境内河流属于海河流域，主要有浑河、唐河等河流。保护区内植物处于暖温带阔叶林向灌木丛和半干旱草原过渡的植被地带，分布有虎榛子、蚂蚱腿子、知母华北驼绒藜，膜荚黄芪以及兰科等中国特有植物，主要保护对象是华北驼绒藜及其森林生态系统。是生物理科学研究和自然资源利用研究的重要基地，也是旅游观光的理想场所。省道朔蔚线经此。

50-E-b008 山西省灵丘黑鹳自然保护区［Shānxīshěng Língqiū Hēiguàn Zìrán Bǎohùqū］位于东至河北涞源，西至繁峙县，南至河北阜平，北至太白巍山，涉及独峪、白崖台、下关、上寨、落水河、红石楞和东河南 7 个乡镇、117 个行政村。东西全长 45 千米。占地面积 1346.7 平方千米。2002 年经山西省人民政府批准为省级自然保护区。属于温带大陆性气候，境内主要森林植被有落叶松、油松林、辽东栎、桦树林、青檀林以及刺槐、杨树等，其中国家三级保护稀有树种青檀，为华北地区唯一原生地。另分布有兽类、鸟类、两栖类、鱼类、昆虫类等丰富的野生动物，属于国家一、二级重点保护动物有 30 余种，如黑鹳、金雕、金钱豹、青羊等，也是黑鹳种群的集中分布区。主要保护对象为黑鹳及其森林生态系统。中国野生动物保护协会授予灵丘县“中国黑鹳之乡”称号。乡村道路经此。

50-E-b009 山西省六棱山自然保护区［Shānxīshěng Liùléngshān Zìrán Bǎohùqū］位于东至广灵县、西至云洲区、南至源混县、北至阳高县，占地面积为 120 平方千米。2005 年，经山西省人民政府批准为省级自然保护区。六棱山最高峰名为黄羊尖，海拔 2420 米，与北岳恒山相毗邻，为大同第一高峰，号称“大同屋脊”。黄羊尖顶部为巨大而平坦的高山草甸，面积为大海陀草甸的 10 倍。主要保护对象为落叶阔叶林、针阔混交林。乡村道路经此。

51-E-b010 山西壶流河湿地保护区［Shānxī

Húliúhéshīdì Zìrán Bǎohùqū] 位于广灵县境内。保护区由西向东倾斜，南高北低。南部为月明山，中部为月明山形成的大小不等的山前洪积扇，北部由中部的扇形地带和壶流河冲积形成的河漫滩组成。占地面积 112.3 平方千米。2007 年经山西省人民政府批准为省级自然保护区。属于温带半干旱大陆性季风气候。主要保护对象为黑鹳繁殖地及湿地生态系统。对于保护山西广灵壶流河流域湿地生物多样性，保护壶流河流域湿地生态系统的完整性，避免湿地生态系统的退化，保证湿地生态系统的健康，促进壶流河流域生态环境与经济社会的可持续发展具有重要的积极意义。乡村道路经此。

50-E-b011 **山西省应县南山自然保护区**[Shānxīshěng Yīngxiàn Nánshān Zìrán Bǎohùqū] 位于应县最南端，东临浑源县，西接代县，南与繁峙县接壤，北以应县下马峪乡团城村，南泉乡箭杆村、麻峪村、莲花池村、梨树坪村，白马石乡清佛庵村、道回峪村、麻燕寺村、土忽洞村、正南沟村和尧峪村为界。占地面积 208.1 平方千米。2002 年经山西省人民政府批准为省级自然保护区。主要保护对象为华北落叶松林。乡村道路经此。

50-E-b012 **山西省药林寺冠山自然保护区**[Shānxīshěng Yàolín Sì guànshān Zìrán Bǎohùqū] 位于东临晋阳县，西临寿阳县，南临平定县，北临盂县。占地面积 110.2 平方千米。其中核心区面积 34.1 平方千米。2002 年经山西省人民政府批准为省级自然保护区。属于大陆性温带季风型气候，森林主要是油松、栎类为主的植被类型，间有椴木和杨桦林，灌木以胡枝子、榛子、沙棘、黄刺玫、锦鸡儿、荆条等为主，主要保护对象为金钱豹及森林生态系统，是动植物相互依赖、和谐共存的良性循环生态图示范样板，还是北京制药总厂的前身——太行第二卫生材料厂的所在地，是进行爱国主义教育的基地。307 国道经此。

50-E-b013 **山西省朔州紫金山自然保护区**[Shānxīshěng Shuòzhōu Zǐjīnshān Zìrán Bǎohùqū] 位于东临代县，西临神池县，南临宁武县，北临朔州区。占地面积 114.2 平方千米。因山上生长一种名曰紫荆的落叶灌木可入中药，得名为紫荆山，后谐音为紫金山。2002 年经山西省人民政府批准为省级自然保护区。保护区核心区有国内少有的森林与草原过渡区天然次生林，主要保护对象为天然次生林。乡村道路经此。

50-E-b014 **山西省桑干河自然保护区**[Shānxīshěng Sāngānhé Zìrán Bǎohùqū] 位于东临应县，西临朔城区，南临应县，北临阳高县。占地面积 607.9 平方千米。2002 年经山西省人民政府批准为省级自然保护区。桑干河上建有册田、东榆林 2 座较大型水库，其中册田水库位于大同县许堡乡境内，海拔 1000 米左右，丰水期水面面积 51.6 平方千米，库区周围有大片盐碱地；东榆林水库位于山阴县境内，海拔 1000 米以上，丰水期水面面积 12.10 平方千米。属于温带大陆性季风气候。区内重点保护生态群落为杨树、樟子松、油松人工林等。主要保护对象为迁徙水禽及其生境。乡村道路经此。

50-E-b015 **山西省南方红豆杉自然保护区**[Shānxīshěng Nánfāng Hóngdòushān Zìrán Bǎohùqū]位于陵川县境内，西和高平接壤，北靠壶关，南与河南省修武县毗邻。占地面积 214.4 平方千米。2002 年经山西省人民政府批准为省级自然保护区。属于中低山类型，植被为暖温带落叶阔叶林。区内野生动物资源主要有金钱豹、猕猴、蛇类、雕等 200 余种生物。保护区天然特殊的地形地貌和气候提供了南方红豆杉、青檀等珍稀树种的生长条件，并成为国家重点保护的金钱豹、猕猴、黄羊等一、二类动物的栖息场所。主要保护对象为南方红豆杉。保护区的设立将使这里成为上述珍稀动植物的保护区域。乡村道路经此。

50-E-b016 **山西省泽州猕猴自然保护区**[Shānxīshěng Zézhōu Míhóu Zìrán Bǎohùqū] 位于位于泽州县境内。东至柳树口镇，南至晋庙铺镇，西至山河镇，北至金村镇。占地面积 937.8 平方千米。2002 年经山西省人民政府批准为省级自然保护区。保护区分布有野生植物 859 种、野生动物 223 种，其中国家保护一级和二级重点保护动物 21 种猛禽类。主要保护对象为猕猴、金钱豹及森林生态系统。陵侯高速经此。

50–E–b017 山西省崦山自然保护区［Shānxī Yānshān Zìrán Bǎohùqū］位于阳城县境内。南与凤城镇毗邻，西至寺头乡，北与沁水县接壤。保护区以中山区、低山、丘陵区为主，区内的石质山与土石山以沙页岩为主。占地面积为100.1平方千米。2002年经山西省人民政府批准为省级自然保护区。属于温带大陆性气候，主要河流为芦苇河，是当地居民生产生活的主水资源。分布着天然侧柏、白皮松，以及集中连片的油松、次瑰林。动物资源丰富，禽类、兽类、虫类均有广泛分布，有华北地区仅存的天然侧柏林生态系统，濒危的国家一级保护珍稀物种——金钱豹。主要保护对象为森林生态系统。是拯救珍稀物种和进行科学研究，长期保护和恢复自然综合体系及自然资源整体的特定区域，是集生态保护，科研监测，宣传教育，生态旅游和可持续发展等多种功能于一体的综合性自然保护区。乡村道路经此。

50–E–b018 山西省绵山自然保护区［Shānxī shěng Miánshān Zìrán Bǎohùqū］位于东临沁源县，西临灵石县，南临古县，北临平遥县。占地面积为178.3平方千米。因其形势绵亘而得名。1993年经山西省人民政府批准为省级自然保护区。保护区内水源丰富，天然植物茂密，山势陡峭，多悬崖断壁和岩洞，形势险峻。早在北魏时，山中即建有寺庙，初唐时已是一处有相当规模的佛教禅林。主要保护对象为天然油松林及金钱豹等珍稀动植物。乡村道路经此。

50–E–b019 山西省铁桥山自然保护区［Shān xīshěng Tiěqiáoshān Zìrán Bǎohùqū］位于和顺县境内。东至红堡沟，南至石板房村，西至军城村，北至马官沟村。占地面积为389.7平方千米。2002年经山西省人民政府批准为省级自然保护区，2009年正式运行。是太行山林区植被资源最为丰富的区域之一。保护区内动植物资源丰富，是以保护国家重点野生动物华北豹和油松天然次生林为主的集生态保护、科研监测、宣传教育和持续利用多功能于一体的综合性自然保护区。是保护华北豹的重要地。乡村道路经此。

50–E–b020 山西省四县垴自然保护区［Shān xīshěng Sìxiànnǎo Zìrán Bǎohùqū］位于祁县的境内，东与太谷区侯城乡接壤、西与与古县镇相连、南与来远镇毗邻、北与东观镇相邻。因站在峰顶上能看到榆社、太谷、祁县、武乡四县的城郭而得名。2002年经山西省人民政府批准为省级自然保护区。地貌为中起伏侵蚀中山，由中度切割的石质山和土石山组成，森林植被类型主要有油松林、山杨（白桦）林、华北落叶松林、白草、冰草、草庐草丛等。比较完好的森林生态系统为野生动物提供了良好的栖息地，是一个巨大的生物库，主要保护对象为森林生态系统及金钱豹、黄羊。乡村道路经此。

50–E–b021 山西省超山自然保护区［Shānxī shěng Chāoshān Zìrán Bǎohùqū］位于沁源县内，东与沁县接壤、西与灵石县和霍州市相连、南与安泽县毗邻、北与平遥县相邻。地貌为中起伏侵蚀中山，由中度切割的石质山和土石山组成。占地面积为185.6平方千米。2002年经山西省人民政府批准为省级自然保护区。山保护区及周边乡镇的山地森林和低山丘陵灌丛形成了具有山地、丘陵、密林的小环境，有植物94科，约230属，400余种。分布有陆生脊椎动物202种，主要保护对象为金钱豹、黑鹳、金雕、大鸨及以油松为主体的森林生态系统。保护类型是森林生态系统特别是水源涵养林类型的自然保护区，是以改善生态环境和野生动植物的栖息环境为主要内容的自然保护区。乡村道路经此。

50–E–b022 山西省孟信垴自然保护区［Shān xīshěng Mèngxìnnǎo Zìrán Bǎohùqū］位于左权县境内，东与南岔村接壤、西与南沟村相连、南与南鼓凸村毗邻、北与坟洼村相邻。山势巍峨高峻，峭壁嶙峋，海拔2000多米，主峰孟信垴海拔2142米，占地面积393平方千米。2002年经山西省人民政府批准为省级自然保护区。主要保护对象为国家一级动物金钱豹及森林生态系统为主的野生动植物类型的自然保护区。其中国家一级重点保护野生动物有金钱豹、黑鹳、金雕、大鸨等，同时有植物79科365属771种。行于峡谷之中，群峰竞秀、气象万千，山陡、奇、险、秀的山势让人切身感受到大自然的神奇力量。乡村道路经此。

51-E-b023 **山西省韩信岭自然保护区**［Shānxīshěng Hánxìnlǐng Zìrán Bǎohùqū］位于灵石县，东与伏家堝村接壤、西与后沟村相连、南与杨家山新村毗邻、北与岭立村相邻。占地面积 383.8 平方千米。2002 年经山西省人民政府批准为省级自然保护区。保护区内有国家一级重点保护野生动物 4 种，国家二级重点保护野生动物 22 种，山西省重点保护野生动物 10 种，国家保护有重要经济科学研究价值的野生动物 146 种，国家 II 级重点保护野生植物 2 种，主要保护对象为森林生态系统及珍稀动植物。108 国道经此。

52-E-b024 **山西省八缚岭自然保护区**［Shānxīshěng Bāfùlǐng Zìrán Bǎohùqū］位于榆次区东南部山地，东至和顺县，西至榆次区，南至榆次区，北至榆次区东南部。占地面积 67 平方千米。2002 年经山西省人民政府批准为省级自然保护区。有史志记载："八赋岭，俗称八伏岭。"主峰位于榆次与和顺交界处，海拔 1718 米，呈东北—西南走向。八缚岭山脉中的长枪凹圪塔，海拔 1813.8 米，是榆次最高峰。主要保护对象为森林生态系统及金钱豹。108 国道经此。

50-E-b025 **山西省人祖山自然保护区**［Shānxīshěng Rénzǔshān Zìrán Bǎohùqū］位于吉县西北部，南与吉县红旗林场交界，西与吉县文城乡为邻，北与大宁县林场毗邻，东部与吉县东城乡相接壤。东西宽约 15 千米，南北长约 18 千米。占地面积为 164.0 平方千米。2002 年经山西省人民政府批准为省级自然保护区。地质构造属太古代，境内地貌复杂，以大起伏侵蚀高中山为主，沟谷区域中起伏覆盖高山。境内属于温带季风气侯，境内有维管束植物 82 科 630 余种，草本 2000 多种，鸟类 130 余种，兽类 23 种，两栖爬行动物 10 余种，其中褐马鸡、金钱豹、金雕为国家一、二、三类保护动物，麝等 20 余种国家重点保护动物，主要保护对象为森林生态系统及褐马鸡、原麝。209 国道经此。

50-E-b026 **山西省管头山自然保护区**［Shānxīshěng Guǎntóushān Zìrán Bǎohùqū］位于吉县中西部，北与吕梁林区相连，东与吉县吉昌镇相接，南靠黄河，西临壶口瀑布。占地面积 101.4 平方千米。以中山区、低中山区和丘陵区为主，地貌多以陡岩、急坡、深沟、丘陵为主，地形起伏较大，水蚀、风蚀明显。2005 年经山西省人民政府批准为省级自然保护区。属于暖温带大陆性气候，是以重点保护国家一级重点保护野生动物褐马鸡、金钱豹、原麝和以白皮松、侧柏等为主要建群种的森林生态系统为目的的森林和野生动物类型自然保护区。主要保护对象为天然白皮松林。对吉县及周边县市的生态环境以及经济和社会可持续发展更具有特别重要的意义。309 国道经此。

50-E-b027 **山西省红泥寺自然保护区**［Shānxīshěng Hóngní Sì Zìrán Bǎohùqū］位于安泽县东南部，安泽县杜村、良马两乡交界处。占地面积 207 平方千米。地质构造属低土石山区，为典型的黄土高原特征。2005 年经山西省人民政府批准为省级自然保护区。属于暖温带大陆性气候，是沁河、泗河、兰河的重要水源补给地。保护区内野生植物资源木本植物 49 科 189 种，草本类 248 种，中药材 388 种，附菌类 9 种；野生动物 217 种，其中国家一、二级重点保护的野生动物有：金钱豹、黑鹳、雕、苍鹰、猎隼、红脚隼等 25 种。主要保护对象为落叶阔叶林和针阔混交林。省道长安线经此。

50-E-b028 **山西省翼城翅果油树自然保护区**［Shānxīshěng Yìchéng Chìguǒyóushù Zìrán Bǎohùqū］位于翼城县中部，南至翼城县与绛县交界处。占地面积 101.2 平方千米。翅果油树是经第四纪冰川作用后残存下来的中国特有的六大古生物植物之一，属国家二级保护植物。全球翅果油树的天然林只存活于晋南吕梁山、云丘山等海拔 800 米到 1500 米之间的无污染的山里。2005 年经山西省人民政府批准为省级自然保护区。主要保护对象为翅果油树及其生活环境。241 国道经此。

50-E-b029 **山西省霍山自然保护区**［Shānxīshěng Huòshān Zìrán Bǎohùqū］位于东至古县，西至洪洞县，南至洪洞县，北至霍州市。南北长 18 千米，东西宽 15 千米，占地面积 178.5 平方千米。2002 年经山西省人民政府批准为省级自然保护区。保护区内有 136 种野生动物资源、800 余种植物资源。主要保护对象为森林生态系统及金钱豹、金雕。1992年经国家林业部批准建立国家级森林公园。乡村道路经此。

50-E-b030 **山西省中央山自然保护区**[Shānxīshěng Zhōngyāngshān Zìrán Bǎohùqū]位于黎城县，东起西井镇的寺底村，西接襄垣县、武乡县，北靠武乡县分水岭，南以浊漳河为界。占地面积326.7平方千米。2002年经山西省人民政府批准为省级自然保护区。境内野生动植物繁多、森林资源茂盛，森林覆盖率为37.1%。主要保护对象为森林生态系统及金钱豹。是清漳河、浊漳河两大河流水源重要补给地。是华北地区天然阔叶林保护最完整的区域。乡村道路经此。

50-E-b031 **山西省浊漳河源头自然保护区**[Shānxīshěng Zhuózhānghéyuántóu Zìrán Bǎohùqū]位于太岳山的东侧，沁县境内，西与王可坡接壤，北与堡则沟相邻，东与208国道相连，南与庄立村毗邻。占地面积142平方千米。2002年经山西省人民政府批准为省级自然保护区。浊漳河是海河的源头，是上党地区的母亲河。主要保护对象为森林生态系统及泉源。位于区内的漳河村，至今保存有漳河古道原型及部分明清时期的古民居、古街巷，石碾、石磨、犁、耧、耙、杖散落各处，置身此间，尚可触摸到古老农耕文明的脉搏。乡村道路经此。

50-E-b032 **山西省云中山自然保护区**[Shānxīshěng Yūnzhōngshān Zìrán Bǎohùqū]位于忻州市忻府区西部，北靠原平市，东与奇村镇相连，南与静乐县相邻，西与宁武县接壤。呈东北——西南走向。占地面积398平方千米。因山中云雾缭绕，山峰隐现于云雾之中而得名。主峰老君洞位于原平西北部，海拔2393米。2002年经山西省人民政府批准为省级自然保护区。属于南亚热带和中亚热带之间的过渡地带，属中山风貌，区内地势兀突，地形复杂，雨量充沛，自然条件优越。主要保护对象为森林生态系统及褐马鸡。保护区的动植物资源、生态系统特征，具有潜在保护价值、科研价值和开发利用价值。乡村道路经此。

50-E-b033 **山西省贺家山自然保护区**[Shānxīshěng Hèjiāshān Zìrán Bǎohùqū]位于保德县中东部，吕梁山北端。东与沧榆高速为邻，西与孙家沟镇相连，北与桥头镇接壤，南与吕梁市兴县毗连。东西宽9公里，南北长24公里，占地面积134.2平方千米。2002年经山西省人民政府批准为省级自然保护区。属暖温带森林生态系统，分布着400多种野生植物与100余种野生动物，其中，金钱豹和褐马鸡属国家一级保护动物。主要保护对象为森林生态系统及褐马鸡。是研究生物多样性的理想场所，也是开展自然保护、宣传教育以及生态旅游的理想场所。其特定的地理位置对晋、陕两省黄河中上游地区的水土保持、水源涵养及气候调节具有至关重要的作用。乡村道路经此。

50-E-b034 **山西省臭冷杉自然保护区**[Shānxīshěng Chòulěngshān Zìrán Bǎohùqū]位于繁峙县西南部，南至繁峙县与五台县交界处，西至繁峙县与代县交界处。占地面积250.5平方千米。2002年经山西省人民政府批准为省级自然保护区。保护区是五台山植被类型的典型代表区域，是暖温带落叶阔叶林地带向暖温带草原地带过渡的生态交错区。是滹沱河的重要水源地之一。主要保护对象为臭冷杉林。区内的寒温性针叶林生态系统对于保护五台山自然景观和佛教文化遗产极为重要。良好的植被生态系统，对保护和维持滹沱河一级支流的水量和水质起到了重要作用，对繁峙县、代县农业和区域经济的可持续发展有重要作用。108国道经此。

50-E-b035 **山西五台山草地自然保护区**[Shānxī Wǔtáishān Cǎodì Zìrán Bǎohùqū]位于太行山系的北端，五台县北部台怀镇。东邻金岗库乡，南连小马蹄村，西与豆村镇接壤，北靠繁峙县。占地面积33.3千米。区内自然植被以草地为主，由草甸、草原、灌丛构成，是优良的夏季牧场。1984年经山西省人民政府批准为省级自然保护区。主要保护对象为亚高山草甸生态系。五台山地层完整丰富，特别是前寒武系地层典型奇特，是中国地质科考的重点地区。五台山境内的绝大部分地层组段，都是以该地区的山、水、村、镇命名的，在地质学领域具有重要的位置和作用。省道砂石线经此。

50-E-b036 **山西省团园山自然保护区**[Shān

xīshěng Tuányuánshān Zìrán Bǎohùqū］位于吕梁山西南侧石楼县境内，北与小蒜镇相邻，南与永和县接壤，西与杨家岭相连，东靠塔子上村。黄河中上游东岸。保护区划分为核心区，缓冲区和实验区。占地面积 164.77 千米。2002 年经山西省人民政府批准为省级自然保护区。保护区是黄河一级支流义牒河、小蒜河、和合河等县境六大汛河的源头。团园山系森林是一条生态功能完备的集水源涵养、防风固土、调节气候的多用途防护林带，林间分布有大量的珍稀野生植物和国家一二级保护动物。主要保护对象为森林及褐马鸡、金钱豹等野生动植物。是野生动植物栖息繁衍的地方，对于增加生物多样性有重要意义。省道临夏线经此。

50-E-b037 **山西省蔚汾河自然保护区**［Shānxīshěng Weìifénhé Zìrán Bǎohùqū］位于兴县中部蔚汾河一线，南至黄河，东至兴县与岚县交界处。占地面积 168.9 平方千米。2002 年经山西省人民政府批准为省级自然保护区。主要保护对象为森林生态系统及褐马鸡、原麝。蔚汾河流经黄土高原地区，水土流失较重，河流输沙量较大，水量变化季节性强，是岚县、兴县一带主要的生产生活水源地。337 国道经此。

51-E-b038 **山西省薛公岭自然保护区**［Shānxīshěng Xuēgōnglǐng Zìrán Bǎohùqū］位于北至离石区，南至中阳县，东至离石区、中阳县，西至离石区、中阳县。占地面积为 199.8 平方千米。地貌为中起伏侵蚀中山，由中度切割的石质山和土石山组成。2002 年经山西省人民政府批准为省级自然保护区。保护区及周边乡镇的山地森林和低山丘陵灌丛形成了具有山地、丘陵、密林的小环境，境内有植物 94 科，约 230 属，400 余种。分布有陆生脊椎动物 202 种。属于水源涵养林类型的自然保护区。主要保护对象为金钱豹、黑鹳、金雕、大鸨及以油松为主体的森林生态系统。是以改善生态环境和野生动植物的栖息环境为主要内容的自然保护区。太（原）绥（德）公路由山顶通过，是扼守晋陕通行的制高点，八路军一一五师“三战三捷”中的薛公岭战斗就发生在山顶。307 国道经此。

第六编

农业和水利设施

第六编　农业和水利设施

60-A001 **山西省农业综合开发示范区史村基地**［Shānxī Shěng Nóngyèzōnghékāifāshìfànqū Shǐcūn Jīdì］在山西省临汾市曲沃县，因其所在地史村镇及其社会职能而得名。2011 年建成。占地面积 45 平方千米。主要产业为农作物种植、蔬菜种植等。基地内以河槽东部为首的“星海日光温室大棚黄瓜生产基地”已投入生产，年产蔬菜数百万吨，现正向河槽西部和绵岭东部扩展。省道坪曲线经此。

60-A002 **晋之源曲村万亩现代农业示范区**［Jìnzhīyuán Qūcūn Wànmǔxiàndàinóngyèshìfànqū］在山西省临汾市曲沃县，因位于曲村镇，且规模巨大而得名。“晋之源”之名则源自春秋时期曲沃一带为晋国都城的历史，为晋国源头之意。为把“晋文化”内涵融入农业园区，2012 年曲沃县在全县规划建设一批以“晋之源”统一冠名、统一打造的系列精品农业园区。2012 年建成。占地面积 20 平方千米。农业生产以大棚蔬菜、红提葡萄、优质大蒜、精品苹果、高效莲菜等高附加值产业为主。108 国道经此。

60-A003 **果树场**［Guǒshùchǎng］在山西省临汾市隰县，因其综合职能为培育果树品种而得名。1953 年建成。占地面积 20 平方千米。主要产业为生产苹果、梨，是全县最大的果树培育生产基地，同时还承担着为全县培育优质梨树、苹果树等果树品种的工作。为隰县荒山绿化、城乡绿化等各项工程做出了积极的贡献。209 国道经此。

60-B001 **朔州红旗牧场**［Shuòzhōu Hóngqí Mùchǎng］在山西省朔州市朔城区。20 世纪 60 年代因推行总路线“三面红旗”而更名。1951 年建于沁源县岭上村，命名山西省种马场，1955 年迁至朔县麻家梁。1967 年更名雁北地区红旗牧场，1989 年改为朔州红旗牧场。占地面积 54.7 平方千米：其中耕地 12 平方千米，水地 4.3 平方千米，林地 16 平方千米，宜农宜林荒地 26.7 平方千米。下设 4 个农牧分场，种植玉米、大豆、圣女果、葡萄等农作物，饲养奶牛、生猪、羊、鸡，生产“雁音”牌系列奶粉。通公交车。

60-B002 **中阳县牧场**［Zhōngyáng Xiàn Mùchǎng］在山西省吕梁市中阳县。因其所在位置位于中阳县而得名。解放前建场。占地面积 191.781 平方千米。在车鸣峪乡人民政府驻地东南部 16.4 千米处，东至圪塔上，西至榆树林，南至贾山底，北至王山底。该牧区主要产业为养殖牛、羊等。209 国道经此。

60-C001 **阳曲县国营西山林场**［Yángqǔ Xiàn Guóyíngxīshān Línchǎng］在山西省太原市阳曲县。因林场涉及的管辖范围为阳曲县县城以西的大部分山脉而得名。1965 年建场。占地面积 304 平方千米。主要树种有松、柏、杨、桦、榆等。主要产业和职能为森林培育和保护，维护局部区域生态平衡，保护辖区内野生动植物资源，开展科学考察和研究，组织开展造林绿化、封山育林，依法对野生动植物资源进行管理和合理利用，负责辖区内野生动植物资源的监测和统计等。太佳高速、县道康西线、权泥线经此。

60-C002 **阳曲县国营东山林场**［Yángqǔ Xiàn Guóyíng Dōngshān Línchǎng］在山西省太原市阳曲县。因林场涉及的管辖范围为阳曲县县城以东的大部分山脉而得名。1965 年建场。占地面积 231 平方千米。林业用地面积 186.98 平方千米，森林面积 92.3 平方千米。有人工林 21.85 平方千米，主要树种有油松、侧柏、桦树、山杨、榆树、辽东栎。县道城贾线经此。

60–C003 **大同市窑山矿柱林场**［Dàtóng Shì Yáoshānkuàngzhù Línchǎng］在山西省大同市新荣区西村乡。因从事林业生产，且西村乡附近有座窑山及多所矿场而得名。1976 年建成。占地面积 50 平方千米。1979 年，大同市林业局从江苏、河南引进钻天榆种植在新荣区沟，同时还引进沙兰杨、意大利杨。1982 年，从晋南等地区引进新疆杨、箭杆杨、白榆、臭椿等，从雁北和内蒙大量引进小黑杨、群众杨、合作杨。林场主要职能为管理国有林场，促进林业发展，造林、育苗、护林、防火。109 国道经此。

60–C004 **山西省桑干河杨树丰产林实验局**［Shānxīshěng Sānggānhé Yángshùfēngchǎnlín Shíyànjú］在山西北部、内外长城之间，林地分布在山西省大同市、朔州市、忻州市的 17 个县（区）。因所处地域和树种而得名。1980 年成立，是由原雁北地区划拨 6 个林场，原大同市划拨 2 个林场组建而成的林业厅直属的林局。占地面积 1100 平方千米。杨树局经营区域属“三北”防护林建设主体地段、京津风沙源治理区，苍头河、桑干河穿境而过，生态区位十分重要。经过三十多年的发展，杨树局在人工造林、低质低效林改造、丰产林建设、种苗产业发展、森林资源保护、林业科技等方面积累了丰富的经验。为改善晋北地区生态环境，促进当地社会和经济发展做出了突出贡献。总部位于大同市，通公交车，各大林场有公路经此。

60–C005 **大同市十里河林场**［Dàtóng Shì Shílǐhé Línchǎng］在山西省大同市云冈区。1962 年建成。因东临十里河而得名。占地面积 44.66 平方千米。主要种植树种为小叶扬、中立林、人工林。十里河林场坚持以林为主，多种经营的原则，积极兴办第三产业，以短养长，收到了显著效果，被评为全国百佳国营林场之一。1993 年建立起经济林开发区，初步建立起了 2000 多亩仁用杏基地，并建立集栽培、育苗、种植、养殖、加工于一体的全面经营的万亩经济林分场。在以林为主的同时，发展多种经营，先后办起仿古建筑工程、绿化美化、林工商三个公司及钢木加工厂等经济实体。省道大忻线经此。

60–C006 **浑源县恒山林场**［Húnyuánxiàn Héngshān Línchǎng］在山西省大同市浑源县。因林场位于恒山而得名。1952 年建场。占地面积 316.85 平方千米。分布于浑源县境内的 10 个乡（镇）。主要树种有落叶松、油松、杨树、桦树、云杉。省道朔蔚线经此。

60–C007 **山西太行山国有林管理局乌河林场**［Shānxī Tàihángshān Guóyǒulín Guǎnlǐjú Wūhé Línchǎng］在山西省阳泉盂县。因所在地河流名称为西潘乡乌河，并由山西省太行山国有林管理局管理而得名。1980 年建成。占地面积 93.51 平方千米。主要树种有松树、柏树、杨树、柳树、榆树、桦树。338 国道、239 国道经此。

60–C008 **马泉林场**［Mǎquán Línchǎng］在山西省长治市沁源县，因其前身为怀步峪森林经营所辖区，旧场址在交口乡马泉村而得名。1962 年建成。场部原在白狐窑乡马泉村，1969 到 1971 年曾并入候神岭林场，1981 年场部迁至交口乡枣林村。占地面积 36.96 平方千米。主要产业为油松种植，林区现划分为龙泉、白狐窑、交口三个营林区。241 国道、341 国道、省道南沁线经此。

60–C009 **北坛林场**［Běitán Línchǎng］在山西省晋城市沁水县。因场部位于北坛林场社区得名。1984 年建成。占地面积 262 平方千米。管辖地跨涉龙港、樊村河 2 个乡镇。是实施天然林保护工程、承揽生态绿化建设工程、积极开展以产业发展为主的综合型现代化林场。开发建设了西大石沟万亩中药材连翘基地，2007 年人均年收入达 2.3 万元。通公交车。

60–C010 **端氏林场**［Duānshì Línchǎng］在山西省晋城市沁水县。因场部驻端氏镇端氏村而得名。1962 年建场。占地面积 113.91 平方千米，地跨晋城市沁水县八个乡镇的 47 个行政村，167 个自然庄。林场树种以油松为主，为油松种源林；并有少量的侧柏、刺槐、辽东栎。林场积极开展封山育林和生态公益林的营造、非木产业和森林多资源利用的多种经营项目。省道曲辉线经此。

60–C011 **大尖山林场**［Dàjiānshān Línchǎng］

在山西省晋城市沁水县，位于中条、太行、太岳三山之间，因大尖山山脉而得名。1960年建成。占地面积132.6平方千米。地跨晋城市沁水县郑庄、龙港、樊村3个乡镇。林业用地面积125.73平方千米，无立木林地7.5%，森林覆盖率88.8%，活立木总蓄积量62万立方米。县道庄王线经此。

60-C012 **固县林场**［Gùxiàn Línchǎng］在山西省晋城市沁水县。因场部驻固县乡固县村而得名。1984年建场。占地面积126.27平方千米，其中油松纯林70.45平方千米。行政区域地跨沁水县固县乡、柿庄镇、端氏镇、胡底乡4个乡镇的30个行政村。林场是以实施天然林保护工程、生态绿化建设工程和积极开展产业发展为主的新型林场。县道黑东线经此。

60-C013 **塔沟林场**［Tǎgōu Línchǎng］在山西省晋城市沁水县。1974年建成。占地面积153.75平方千米。有林地中乔木树种以油松为主；并有少量的侧柏、刺槐、辽东栎；灌木主要有绣线菊、荆条、黄刺玫、沙棘、胡枝子、连翘等。塔沟林场按照现代林场建设的基本要求，以改善民生为核心，促进林区协调、和谐，做到资源增长、林业增效、职工增收，实现生态、经济、社会三大效益共同发展。陵侯高速、省道坪曲线经此。

60-C014 **朔城区莲花山林场**［Shuòchéng Qū Liánhuāshān Línchǎng］在山西省朔州市朔城区，位于海河流域桑干河上游的大同盆地西南边缘山区。因林场管辖范围为莲花山林区得名。1960年建成。占地面积144平方千米（其中紫金山自然保护区面积114平方千米），国有林场90平方千米，活立木蓄积10万立方米。共分为王化庄、大莲花、暖崖和高于村四个营林区。场部位于朔城区南榆林乡徐村西1000米。二广高速、208国道、县道朔南线经此。

60-C015 **朔州市平鲁区井坪梁林场**［Shuòzhōu Shì Pínglǔ Qū Jǐngpíngliáng Línchǎng］又名平鲁县国营井坪梁林场，在山西省朔州市平鲁区。因位于井坪镇麻黄头村附近的山梁上得名。1963年建成。1963年3月在井坪镇麻黄头村附近山梁上建立井坪梁林场，1969年下放县管，改名为平鲁县国营井坪梁林场，2011年更名为朔州市平鲁区井坪梁林场。占地面积93平方千米。主要产业为林木种植、育苗，在保护辖区森林资源，促进林业发展，保护生态环境方面有着重要作用。荣乌高速、109国道、省道平朔线经此。

60-C016 **金沙滩林场**［Jīnshātān Línchǎng］在山西省朔州市怀仁市。因其位于金沙滩而得名。1960年建场。占地面积119平方千米。属山西省杨树局管辖，木材蓄积量72000立方米，杨树占90%，此外还建有杏扁基地。省道应凉线经此。

60-C017 **榆次区国营乌金山林场**［Yúcì Qū Guóyíng Wūjīnshān Línchǎng］在山西省晋中市榆次区。因其所在地及职责得名。1961年成立。1966年9月并入本区庆城林场，1971年7月由于市行政区变更，从庆城林场分出，恢复建制。1978年场部到了沛霖乡大峪口村，1990年迁回龙王山水晶院，2007年迁入乌金山第二营林区跑马坪，沿用“榆次区国营乌金山林场”场名至今。占地面积40平方千米。主要产业为种植粮食作物，以谷子、玉米、高粱、豆类、小杂粮为主。307国道、省道太长线、省道盂榆线经此。

60-C018 **榆社县国营林场**［Yúshè Xiàn Guóyíng Línchǎng］在山西省晋中市榆社县。因其所在地及职责得名。1959年建成。占地面积153.62平方千米。所跨行政区为箕城镇、河峪乡、西马乡和社城镇。林场植被中乔木树种主要为油松，分布较为均匀。森林类型以人工油松纯林为主，天然桦杨为次，山桃、山杏较多。灌木有沙棘、黄刺玫、榛子、绣线菊、胡枝子等。林场距县城18千米，距离乡政府驻地约3千米，交通便利，邢汾高速经此。

60-C019 **山西省太行山国有林管理局石源林场**［Shānxī Shěng Tàiháng Shān Guóyǒulínguǎnlǐjú Shíyuán Línchǎng］在山西省晋中市榆社县。因原场部驻社城镇石源村得名。1962年建成。其前身为太北林区榆太办事处，1963年改属太行山森林经营局，改名为石源林场，场址曾先后在石源、两河口。2007年11月由两河口村迁至县城现址，现址为榆社县新建西街。占地面积67平方千米。负责区域内国有森林资源的保护、培育和管理承担天然林保护和公益林管理的日常工作，承担多种经营项目和林业产业发展的管理工作。二广高速、519国道、省道太长线经此。

60-C020 **王景林场**［Wángjǐng Línchǎng］在山西省晋中市榆社县。因场部驻榆社县箕城镇王景村得名。2005年建成。占地面积48.07平方千米。林场范围涉及五个乡镇60余个行政村，居民约2.5万人。林场植被中乔木树种主要为油松，有少量的刺槐、侧柏和杨树。森林类型以人工油松纯林为主；灌木有沙棘、黄刺玫、虎榛子、绣线菊、胡枝子、山杏等；草类有羊胡子草、莎草、蒿类等；农作物以玉米、谷类、豆类等为主。340国道经此。

60-C021 **昔阳县东风林场**［Xīyáng Xiàn Dōngfēng Línchǎng］曾用名大寨林场。在山西省晋中市昔阳县西部。1972年由政府命名为"昔阳县东风林场"。1956年建成。1963年秋，大寨林场归于太行森林经营。场址最初设在沾尚镇境内的大寨沟，因而得名大寨林场，距沾尚镇10千米。1970年，农业学大寨时期，为了便于林场经营管理，划归昔阳县管辖。1972年经县革委研究决定将林场改名为"昔阳县东风林场"。2010年场部搬迁到县城东部城郊澳垴山。现在澳垴山已建成县级城郊森林公园，位置优越，交通方便，环境优美，场部办公条件较好，名称沿用至今。占地面积40.14平方千米。主要产业为林业的种植，共涉及瑶会沟、沾尚、西寨三个林区，森林覆盖率82.52%，活立木总蓄积量达到182897.56立方米。339国道经此。

60-C022 **罕山林场**［Hǎnshān Línchǎng］在山西省晋中市寿阳县。因林场所在的山名为罕山得名。1992年建成。"罕山"，《读史方舆纪要》称其山层峦起伏，异于他山，故名罕山。占地面积54.31平方千米。依地理地貌和经营条件分为白鹿寺、界口、套沟、欢乐四个营林区，主要产业为经营罕山国家森林公园。旧时，"罕山时雨"为榆次八景之一。罕山位于国家天然林保护区，其林区植被以松树为主，还有柏树、杨树以及杏树野桃树等乔木和刺撅等灌木，以及柴胡、黄芹等中药材。307国道经此。

60-C023 **石膏山林场**［Shígāoshān Línchǎng］在山西省晋中市灵石县。1962年，该林场从太岳林局石膏山森林管理区分出，因邻近石膏山得名。1962年建成。占地面积72.75平方千米。有林面积57.91平方千米，森林覆盖率79.6%。主要乔木树种有辽东栎、桦树、山杨、侧柏、落叶松、油松、白皮松、鹅耳烁。灌木主要有胡枝子、榛子、卫矛、黄刺玫等。草类主要有羊胡子、白草、蒿草等。2010年，石膏山林场作为旅游景区开发。县道南峪线经此，城市境内通公交车。

60-C024 **介庙林场**［Jièmiào Línchǎng］在山西省晋中市灵石县。因紧邻介子推庙（亦称介庙）而得名。1962年建成。占地面积69.72平方千米。其中有林面积37.42平方千米，森林覆盖率（不包括草地）为53.67%。林场主要乔木树种有辽东栎、桦树、山杨、侧柏、落叶松、油松、白皮松；灌木主要有胡枝子、榛子、锦鸡儿、丁香等；草类主要有莎草、苔草、蒿草等。2010年，介庙林场已作为旅游景区开发。京昆高速经此，城市境内通公交车。

60-C025 **绵山林场**［Miánshān Línchǎng］在山西省晋中市介休市境西南部，因位于太岳支脉绵山而得名。1952年建场。占地面积120平方千米。绵山自然植被为繁茂的针阔混交林和阔叶林，有黄榆、桦、柞、山柏、侧柏、油桦、白皮松、黄榆、鹅耳枥、山杨等，并有非常丰富的中药材资源。由于历史悠久，人文景观和自然景观俱佳，林场旅游资源十分丰富。省道介秦线经此。

60-C026 **山西省中条山国有林管理局石门林场**［Shānxīshěng Zhōngtiáoshān guóyǒulínguǎnlǐjú Shímén Línchǎng］在山西省运城市闻喜县。因其场部位于石门乡石门村而得名。1952年建成。占地面积150平方千米。辖区东至垣曲界，南至夏县界，西至汤王山大岭，北至后宫乡。林场主要植物包括松树、柏树、荆棘以及连翘等各种中药材。省道闻垣线经此。

60-C027 **陈村国有林场**［Chéncūn Guóyǒu Línchǎng］在山西省运城市绛县境，因其场部位于陈村镇陈村村而得名。1962年建成。占地面积232平方千米，其中，国有经营管理面积38.4平方千米。树种组成以辽东栎树、栓皮栎树、槲栎、油松、橿子木为主。省道沁东线经此。

60-C028 **烟庄县营林场**［Yānzhuāng Xiànyíng Línchǎng］在山西省运城市绛县。因位于绛县冷口乡烟庄村得名。2010年建成。林场总面积46.53平方千米，森林覆盖率达84.3%。森林植被中，乔木有油松、刺槐和栎类的混交林和少量天然侧柏林，灌木有胡枝子、荆条、酸枣等。菏宝高速、327国道经此。

60-C029 **泗交林场**［Sìjiāo Línchǎng］在山西省运城市夏县。因所在行政区域泗交镇得名。1950年建成。建国初期属省林业局第六分局夏县办事处；1952年改为中条山林区夏县管理区；1956年改为泗交管理区；1957年又改为芦山经营所；1962年定名为泗交林场。现泗交林场经营面积是2002年从泗交林场分离出来的部分面积，经营区范围包括夏县泗交镇、瑶峰镇、南大里乡3个乡镇的10个行政村。占地面积48.37平方千米。林场植被中乔木树种主要为油松，分布较为均匀，有少量栓皮栎、辽东栎、槲栎、刺槐。森林类型以人工油松林为主；灌木主要有连翘、黄刺玫、绣线菊、胡颓子等；农作物以玉米、谷类、豆类、马铃薯等为主。县道夏祁线经此。

60-C030 **祁家河林场**［Qíjiāhé Línchǎng］在山西省运城市夏县。因位于夏县祁家河乡祁家河村得名。1950年建成。建国初期属省林业局第六分局夏县办事处；1952年改为中条山林区夏县管理区；1956年改为泗交管理区；1957年又改为芦山经营所；其前身为夏县森林经营所，1962更名上坪林场，1972年迁于现住址——祁家河乡杨家窑村。占地面积96.84平方千米，主要树种为僵子木、槲树、栾树以及部分栓皮栎人工林，经营范围为林木种植，木材采运和林副产品销售。522国道、县道夏南线经此。

60-C031 **平陆县国营林场**［Pínglù Xiàn Guóyíng Línchǎng］在山西省运城市平陆县境。因其所在地及负责平陆县境内所有国营森林的管护经营得名。1962年建成。占地面积140.94平方千米。有林地140.94平方千米，非林地面积0.004平方千米，其中林地疏林面积1.78平方千米，灌木林地面积10.65平方千米，苗圃面积0.55平方千米，宜林荒地3.2平方千米，林业辅助用地面积0.07平方千米。209国道经此。

60-C032 **忻州市忻府区国营云中山林场**［Xīnzhōu Shì Xīnfǔ Qū Guóyíng Yúnzhōng Shān Línchǎng］在山西省忻州市忻府区。因该林场位于云中山自然保护区得名。1958年建成。占地面积75.9平方千米，林地面积71.97平方千米，森林覆盖率54.8%。沧榆高速、337国道经此。

60-C033 **五台山林场**［Wǔtáishān Línchǎng］在山西省忻州市五台县。因林业单位在五台山得名。1949年建成。占地面积为67.34平方千米。主要产业有林业，树种有华北落叶松，油松。1949年在此成立华北林牧局五台山分局，1965年定名五台山国营林场。239国道、省道台忻线经此。

60-C034 **门限石林场**［Ménxiànshí Línchǎng］在山西省忻州市五台县。因林业单位在门限石乡得名。1964年建成。占地面积88.13平方千米，树种有油松、落叶松。门限石林区位于石咀、门限石、耿镇、高洪口，东至河北阜平，西连豆村林场，北至金岗库林场，南至茹村林场，属于国有。沧榆高速、337国道经此。

60-C035 **茹村林场**［Rúcūn Línchǎng］又名大同林区，在山西省忻州市五台县。因林业单位在茹村乡得名。1975年建成。占地面积84.67平方千米，主要产业为林业，树种有油松、落叶松、白桦。前身为大同林区，2012年由山西省五台山国有林管理局接收，并与陈家庄营林区合并，更名为五台林局茹村林场。337国道、338国道、239国道经此。

60-C036 **秋千沟林场**［Qiūqiāngōu Línchǎng］在山西省忻州市宁武县。因该林场驻地位于宁武县涔山乡秋千沟村得名。1949年建成。占地面积42.45平方千米。主要树种有白杆、华北落叶松，主要农作物有莜麦、胡麻、马铃薯。241国道、省道忻五线经此。

60-C037 **接官亭林场**［Jiēguāntíng Línchǎng］在山西省忻州市宁武县。因该林场原在新堡乡接官亭村得名。现搬迁在新堡村。1959年建成。占地面积57.13平方千米。国有森林覆盖率46.4%，活立木总畜积量11万立方米。经济以农业为主，农作物主要以豆类、莜麦、玉米、胡麻、马铃薯为主。林场属黄河上中游天然林资源保护工程区。沧榆高速经此。

60-C038 **大石洞林场**［Dàshídòng Línchǎng］在山西省忻州市宁武县。因该林场驻地位于宁武县涔山乡大石洞村得名。1962 年建成。林场 1947 年属晋绥边区林业管理委员会管辖，1949 年属省林业第二分局木厂，1953 年划归管涔山林区大石洞管辖区，1956 年更名为宁神经营所，1962 年经营所撤销正式建厂，至此名称一直沿用至今。占地面积 67.97 平方千米。主要树种有白杆、华北落叶松，主要农作物有豆类、莜麦、马铃薯。241 国道、省道忻五线经此。

60-C039 **河底林场**［Hédǐ Línchǎng］又名枕头林场，在山西省临汾市尧都区西部，因位于河底乡的吕梁林业区且用来培育或采伐森林得名。1950 年河底林区归国有，1955 年归农业合作社集体所有，1963 年划归吕梁林局，场部原驻临汾县枕头村，1970 年迁到河底乡苍圪台村，1981 年迁入临汾县河底乡河底村，更名河底林场。占地面积 175.2 平方千米。青兰高速、309 国道、县道龙光线经此。

60-C040 **兴唐寺林场**［Xìngtáng Sì Línchǎng］在山西省临汾市洪洞县。因唐朝建立前曾在此屯兵得名。1953 年建成。占地面积 224.47 平方千米。管辖区域为吕梁山与太行山交汇地带，林区涉及 7 个乡镇，79 个行政村，148 个自然村，林木总蓄积量 49000 立方米。1992 年在兴唐寺林场基础上建立兴唐寺景区，2003 年山西省林业厅批准其为全省首家森林公园实验景区。县道南赵线经此。

60-C041 **山西省太岳山国有林管理局七里峪林场**［Shānxī Shěng Tàiyuèshān Guóyǒulín Guǎnlǐjú Qīlǐyù Línchǎng］在山西省临汾市霍州市。因场部在李曹镇七里峪村而得名。1962 年建成。占地面积 100.93 平方千米。主要动物有国家一级保护动物金钱豹、褐马鸡、原麝。二级保护动物野猪、狍子、野兔、獾子、黄喉貂等。主要植物有油松、落叶松、白桦、白皮松、辽东栎等。主要灌木有连翘、黄刺玫、白娟梅、荀子等。省道上霍线经此。

60-C042 **安泽县兰村国营林场**［Ānzé Xiàn Láncūn Guóyíng Línchǎng］在山西省临汾市安泽县。因其场部在冀氏镇页得名。1965 年建成，占地面积 166 平方千米。位于冀氏镇北 10 千米处，辖蚂蚁山、大豁子、李庄、黄条岑四个林区。成林面积 84.13 平方千米，其中天然林 17.26 平方千米，人工林 48.46 平方千米，疏生林 17.46 平方千米，木材总蓄积量为 34.4 万立方米。省道长安线经此。

60-C043 **安泽县国营良马林场**［Ānzé Xiàn Guóyíng Liángmǎ Línchǎng］在山西省临汾市安泽县。因林场所在行政区为良马镇得名。1973 年建成。占地面积 199.86 平方千米。林业用地面积 198.23 平方千米，有林地 116.67 平方千米，疏林地 10.29 平方千米，未成林造林地 0.3 平方千米，灌木林地 52.29 平方千米，无立林地 0.5 平方千米，宜林地 13.54 平方千米，辅助生产林地 4.66 平方千米。309 国道经此。

60-C044 **中条山林局山交林场**［Zhōngtiáo Shān Línjú Shānjiāo Línchǎng］在山西省临汾市浮山县。因场部位于寨圪乡山交村得名，1950 年建成。占地面积 206.07 平方千米。1979 年归属中条山林局管辖，定名为中条山林局山交林场。南连中条山，北接太岳山，以红凹山天然林为中心。241 国道、309 国道经此。

60-C045 **屯里林场**［Túnlǐ Línchǎng］在山西省临汾市吉县。因其场部位于屯里镇屯里村得名。占地面积 400 平方千米。经营县境内东北部的石头山，东南部的高天山和西北部人祖山一带的国有山林。植被有刺槐、油松、杨柳、醋柳、胡枝子、白草、蒿类等。309 国道经此。

60-C046 **吉县国营红旗林场**［JíXiàn Guóyíng hóngqí Línchǎng］在山西省临汾市吉县。1959 年建成。占地面积 140 平方千米。树种主要是以油松，刺槐为主的人工林和以侧柏、白桦、栎类、元宝枫、白皮松、紫椴为主的天然次生林。辖区内有褐马鸡、金钱豹以及翅果油、核桃楸、漆、文冠果等 10 余种国家、省一二级重点保护野生动植物。309 国道经此。

60-C047 **乡宁县石景山林场**［Xiāngníng Xiàn Shíjǐngshān Línchǎng］在山西省临汾市乡宁县。因场部位于石景山得名。1972 年建成。占地面积

426平方千米。天然林树种主要以辽东栎、油松、侧柏、白皮松、山杨、白桦为主，人工补植树种为刺槐、油松、侧柏、山杏等。下辖11个管护站。省道营运线经此。

60-C048 **管头林场** [Guǎntóu Línchǎng] 在山西省临汾市乡宁县。因其场部在管头镇得名。2006年建成。占地面积205.75平方千米。主要乔木树种为辽东栎、油松、侧柏、白皮松、山杨、白桦、刺槐等，灌木有沙棘、胡枝子、黄刺玫、连翘等，森林覆盖率为85%。建场后，以管护为主，大搞封山育林，2006年封山育林1.33平方千米，2007年封山育林1.3平方千米，2008年封山育林0.67平方千米，不断扩大森林资源质量。省道台乡线经此。

60-C049 **台头林场** [Táitóu Línchǎng] 在山西省临汾市乡宁县。因其场部在台头镇得名。1952年建场。占地面积194.19平方千米。跨乡宁县的台头、双鹤、光华、关王庙四个乡镇，42个行政村，207个自然村。主要乔木有辽东栎、油松、白皮松、橿子木，刺槐、侧柏、山杨、白桦等，华北落叶松（人工林）。灌木有沙棘、胡枝子、黄刺玫、绣线菊、虎榛子等。草类有：羊胡子草、苔草、白草、铁杆蒿等。省道襄台线经此。

60-C050 **山西省吕梁林局克城林场** [Shānxī Shěng Lǚliáng Línjú Kèchéng Línchǎng] 在山西省临汾市蒲县。因其场部在克城镇得名。2005年建成。占地面积423.84平方千米。林场国有林地面积171.81平方千米。主要乔木为辽东栎、油松、侧柏、山杨、白皮松，刺槐、白桦、落叶松等（人工林）；灌木有沙棘、绣线菊、胡枝子、黄刺玫、虎榛子等；草类为羊胡子草、苔草、莎草、铁杆蒿等。县道罗克线经此。

60-C051 **蒲县国营林场** [Púxiàn Guóyíng Línchǎng] 在山西省临汾市蒲县。1960年建成。占地面积282.6平方千米。种植树种有翅果油树、文冠果树等，林木蓄积26.8万立方米，其中用材林24.8万立方米，防护林1.6万立方米。省道临大线经此。

60-C052 **文峪河林场** [Wényùhé Línchǎng] 在山西省吕梁市交城县。因位于文峪河河畔得名。2009年建成。占地面积203.2平方千米。活立木蓄积112万立方米，森林覆盖率80.1%，以油松和落叶阔叶天然次生林为主，主要树种有油松、栎类、山杨、白桦、华北落叶松等。307国道、省道祁方线、省道古吴线经此。

60-C053 **交城县国营石壁林场** [Jiāochéng Xiàn Guóyíng Shíbì Línchǎng] 在山西省吕梁市交城县。因位于交城县洪相乡石壁沟得名。1978年建成。占地面积137.5平方千米。主要树种有针叶林及落叶灌丛。乔木有油松、侧柏、杨、柳刺槐、白皮松等树种；灌木有胡枝子、酸枣、山桃、山杏、黄刺梅、丁香等。主要职能为林木种苗生产供应、森林培育与经营、护林防火、林木良种选育、森林公园经营及旅游服务。307国道经此。

60-C054 **恶虎滩林场** [Èhǔtān Línchǎng] 在山西省吕梁市兴县。因位于恶虎滩乡得名。1979年建成。占地面积77.5平方千米，为县属国营林场，有职工15人，管护林地范围58平方千米。主要种植松、柏、杨、柳、桦、杉等，木林蓄积量41.5万立方米，宜林面积31平方千米。337国道经此。

60-C055 **东山林场** [Dōngshān Línchǎng] 在山西省吕梁市石楼县。1965年建成。因处于石楼县东部山地得名，前身是1952年建立的石楼林场，1965年改名山西省吕梁森林局东山林场。占地面积102.79平方千米。所辖范围为石楼山至凤尾山国有荒山。主要乔木有辽东栎、山杨、白桦、油松和刺槐、华北落叶松（人工林）；灌木有沙棘、黄刺玫、胡枝子、绣线菊、黄栌等；草类有羊胡子草、莎草、铁杆蒿等。340国道、县道罗介路经此。

60-C056 **中阳县林场** [Zhōngyáng Xiàn Línchǎng] 在山西省吕梁市中阳县。因位于中阳县得名。2001年建成。占地面积100.25平方千米。场部位于宁乡镇政府驻地南部7千米处，西至太山店，南至土虎塌，北至贺家岭。主要乔木为桦树、柏树、白皮松、青杨、侧柏等。乡村道路经此。

60-C057 **张子山乡林场** [Zhāngzǐshān Xiāng Línchǎng] 在山西省吕梁市中阳县。因位于张子山及其所属生产部门为林业得名。2001年建成。

占地面积 147.25 平方千米。场部位于金罗镇政府驻地东部 7 千米处，东至枝柯林场，西至罗家峁，南至旺旺咀，北至背咀梁。主要乔木为油松、柏树、槐树等。乡村道路经此。

60-C058 **枝柯林场**［Zhīkē Línchǎng］在山西省吕梁市中阳县，1989 年建成。因其所在位置位于枝柯镇得名。占地面积 218.8 平方千米。林场承担的工程项目有：天然林保护工程、“三北”防护林建设工程和世界银行贷款造林工程。乡道三角庄—南大井线经此。

60-C059 **车鸣峪林场**［Chēmíngyù Línchǎng］在山西省吕梁市中阳县。因场部位于车鸣峪乡得名。1996 年建场。占地面积 220.6 平方千米。东至关上林场，西至关上林场，南至贾山底，北至王山底。天然植被主要有辽东栎、山杨、白桦、油松、落叶松、白皮松、侧柏、沙棘、五角枫、黄刺玫、绣线菊等，人工植被主要有油松、落叶松、侧柏、刺槐等。209 国道经此。

60-C060 **关上林场**［Guānshàng Línchǎng］在山西省吕梁市中阳县。因其场部在宁乡镇关上村得名。占地面积 154.33 平方千米。乔木主要有辽东栎、山杨、白桦、油松、落叶松；灌木类有沙棘、五角枫、黄刺玫、柠条、绣线菊、虎榛子、山桃、山杏等；草类有苔草、蒿草、营草等；还有国家一、二级保护动物褐马鸡、金钱豹等野生动物。209 国道、县道关西线经此。

60-C061 **汾阳市向阳林场**［Fényáng Shì Xiàngyáng Línchǎng］在山西省吕梁市汾阳市。因场部位于峪道河镇向阳村得名。1960 年建成。占地面积 165 平方千米。东至马家社，西至后庄，北至大尖山，南至峡口。乔木主要有油松、华北落叶松、白皮松、白桦、红桦、云杉、山杨、青杨、椴树、旱柳、国槐、合欢、桑树、核桃楸、辽东栎、圆柏、侧柏、山桃、山杏等；灌木有沙棘、虎榛子、金银木、丁香、胡枝子、绣线菊、黄蔷薇、六道木等。主要农作物为玉米。青银高速经此。

60-E001 **汾河二坝拦河闸**［Fénhé'èr Bà Lánhé Zhá］在山西省太原市清徐县，因地处汾河二坝及其主要功能得名。1967 年开工，同年建成。水利枢纽面积 2867 平方千米。闸体呈东西走向，全闸分为 8 孔，每孔净宽 10 米，连同闸墩全闸总宽 92.58 米。设计过闸流量 1600 立方 / 每秒，校核过闸流量 2000 立方 / 每秒。汾河二坝拦河闸解决了汾河灌区防洪渡汛标准，改善了用水条件，提高了灌区的灌溉保证率。有 339 国道、307 国道经此。城市境内通公交车。

60-E002 **姚温电灌站**［Yáowēn Diànguàn zhàn］在山西省运城市永济市。因位于西姚温村及提水功能得名。1976 年建成。灌溉面积 123 平方千米，渠道长度 61.8 千米。其中东干渠长 38 千米，西干渠 23.8 千米。东干渠附设提水站 8 座，灌溉面积 97 平方千米。西干渠配套受益面积 26 平方千米。电灌站安装双吸离心泵 8 台，共 4400 千瓦，设计流量为 6.4 立方米 / 秒，扬程 39 米，1981 年试车上水。运风高速、521 国道经此，城市境内通公交车。

60-E003 **城西控导工程**［Chéngxī Kòngdǎo Gōngchéng］位于山西省运城市永济市。因位于蒲州老城以西而得名。1976 年开工，1998 年建成。全长 9.49 千米（其中委管 9.09 千米，永济市地方管 0.4 千米），垛坝 71 座。“国家黄委”管工程上段 4.49 千米为护岸工程，下段 4.6 千米和永济市地方管 0.4 千米为控导工程。河堤质地为泥结碎石路面。521 国道、运风高速经此。

60-E004 **尊村引黄工程二级站**［Zūncūn Yǐnhuáng Gōngchéng Èrjí Zhàn］在山西省运城市永济市。因属于尊村引黄工程第二级提水站而得名。1978 年建成。离心泵站，设计流量 43.9 立方米 / 秒。二级干渠总长 46.45 千米，永济境内长 32.33 千米。渠道上有桥、涵、闸等建筑物 7 处，有提水站 4 处，灌溉支渠 8 条，斗渠 8 条。设计灌溉面积 213 平方千米，至 1988 年灌溉受益面积达 160 平方千米。省道临风线经此。

60-E005 **尊村引黄渠首一级站**［Zūncūn Yǐnhuáng Qúshǒu Yījí Zhàn］在山西省运城市永济市。因属于尊村引黄工程第一级提水站而得名。1976 年建成。设计流量 46.5 立方米 / 秒，总扬程 76.49 米，装机 124 台，建设投资 1.4 亿元。灌区受益区域覆盖永济、临猗、盐湖、夏县、闻喜五县，约占运城地区水地面积的三分之一。一级干渠由尊村至蒲州镇韩家庄，长15.5千米，渠道上有桥、涵、闸等建筑物40处，有大型提水站2处，小型提水站1处，支渠3条，灌溉面积54平方千米。省道临风线经此。

60-E006 **小樊扬水站**［Xiǎofán Yángshuǐ zhàn］在山西省运城市永济市。因扬水站建于张营镇小樊村而得名。1956年开工，1958年7月试车上水。1959年动力改造，更换蒸汽机为汽油机，扬程67.7米，设计灌溉面积6.7平方千米。1961年12月改造，将汽油机改为电动机，设计灌溉面积26.7平方千米。1967年扩建，总装机13台，实灌溉面积90.7平方千米。1973年开挖引水渠4.2千米，实灌溉面积142平方千米。1975年，防渗加高干渠和部分支渠，实灌溉146.7平方千米。1981年，完成渠道防渗30条，总长38.1千米。1989年灌区总共有干渠6条，总长40千米。1997年完成北干渠八支渠防渗3.6千米，北干渠二支渠土方工程和设备采购。省道临风线经此。

60-E007 **舜帝控导工程**［Shùndì Kòngdǎo Gōngchéng］在山西省运城市永济市。因位于张营镇舜帝村而得名。1973年—1976年修建6.5千米，1989年由地方续建3千米。2013年—2015年，由山西黄河河务局接地管舜帝工程续建舜帝控导下延工程1千米，垛坝12座。全长10.12千米。舜帝控导下延工程可防御龙门站洪水为4000立方米/秒。省道临风线经此。

60-E008 **禹门口工程**［Yǔménkǒu Gōng chéng］在山西省运城市河津市。因位于河津市清涧街道办事处龙门村西禹门口得名。1968年开工，1981年建成。工程全长3.5千米。禹门口工程的兴利作用十分显著，不仅可保护高崖3500米不再坍塌，保护5000亩滩地和沿河龙门、侯家庄等村庄的安全，而且保护了山西铝厂及坝后山西铝厂40眼群井的水源地、禹门口提水工程沉沙池及一级干渠、108国道、侯西铁路等国家重点设施。108国道经此，城市境内通公交车。

60-E009 **清涧湾工程**［Qīngjiànwān Gōng chéng］在山西省运城市河津市。因位于清涧街道得名。1969年开工，1982年建成。清涧湾工程联坝长3.45千米，建有剁坝5座，剁坝总长0.81千米。清涧湾工程的兴建，既保护了工程背后的高崖不再坍塌，又保护了大石嘴节点不再后退，为防止主流穿通大石嘴沙丘直逼河津县老城起到了决定性作用，同时也保护了山西铝厂水源地和沿河5个村庄的安全。108国道经此，城市境内通公交车。

60-E010 **清涧湾调弯工程**［Qīngjiànwān Diào wān Gōngchéng］在山西省运城市河津市。因位于清涧街道得名。1999年开工，2007年建成。清涧湾调弯工程调弯全长2.9千米，规划工程长度2.5千米，最下端留400米回淤口，洪峰流量为12700立方米/秒。建成后，可以有效控导主流，理顺小北干流入口河势，减少水流入湾形成的左右摆动。根据“一湾变，湾湾变”的水流特性，整个小北干流的流势都将可能比较顺畅。108国道经此，城市境内通公交车。

60-E011 **汾河口工程**［Fénhékǒu Gōngchéng］在山西省运城市河津市。因建在汾河入黄河口得名。1969年开工，1984年建成。全长12.19千米。汾河口工程的修建，能够保护滩地98.67平方千米，稳固河岸8千米，保护沿河两个乡镇58个村庄及河津市城区的安全。截堵了黄河夺汾的三条串槽，同时使汾河入黄口下延30千米，对确保汾河顺利入黄起到决定性作用。京昆高速、108国道、209国道经此。

60-F001 **汾河二库**［Fénhé'èr Kù］在山西省太原市阳曲县、万柏林区、尖草坪区和古交市四市县（区）的交界处。因位于汾河干流上而得名。1996年开工，1999年建成。水库面积2500万平方米，库容1.33亿立方米。控制流域面积2348平方千米，是一项以防洪、供水为主，兼顾发电、旅游、养殖等综合效益的大型水利枢纽工程。汾河二库路经此。

60-F002 **汾河水库**［Fénhé Shuǐkù］在山西省太原市娄烦县。因位于汾河上游而得名。工程于1958年7月开工，1961年6月竣工蓄水。水库面积3200万平方米，库容7.21亿立方米，控制流域面积5268平方千米。大坝为水中填土均质坝，坝高61.4米，长978米，是山西省最大的水库。水库主要任务是防洪、灌溉、供给工业和城市生活用水，兼顾发电和养鱼，系多年调节综合利用的大型水利枢纽。汾河水库是山西水利工程的杰出代表，直到现在仍然是国内外此类坝型的最高大坝。241国道、省道岚马线、县道罗马线经此。

60-F003 **赵家窑水库**［Zhàojiāyáo Shuǐkù］在山西省大同市新荣区东部，因该水库紧临古店镇赵家窑村得名。1960年开工，同年建成。水库面积700万平方米，库容8563万立方米，控制流域面积717平方千米，设计灌区面积36平方千米，有效面积13平方千米，历年最大实际灌溉面积27平方千米。水库是一座防洪、灌溉、城市供水、养鱼综合利用的中型水库。二广高速、208国道经此。

60-F004 **册田水库**［Cètián Shuǐkù］在山西省大同市云州区。因建成于许堡乡册田村而得名。水库兴建于1958年3月，1960年6月大坝合龙成功，1963年完成一期工程，1970年到1976年续建，1989年6月至1992年5月进行改建，沿用至今。水库面积3333万平方米，库容5.8亿立方米，控制桑干河流域面积1.67万平方千米，占下游北京官厅水库流域总面积的38%。是一座集防洪、拦沙、蓄清、灌溉、发电、生态、旅游、养殖和城市工业供水等功能为一体的大型水利枢纽。县道清杨线、陈韩线经此。

60-F005 **屯绛水库**［Túnjiàng Shuǐkù］在山西省长治市屯留区，因位于西绛河上且是军民合建得名。1958年开工，同年建成。水库面积38万平方米、库容5190万立方米。控制流域面积407平方千米，设计灌溉面积73平方千米，实际灌溉面积48平方千米。是一座以防洪灌溉为主，兼顾养鱼综合利用的中型水库。309国道经此，通公交车。

60-F006 **漳泽水库**［Zhāngzé Shuǐkù］又名太行湖，在山西省长治市北郊。因水库建在浊漳河南源干流上而得名。1959年开工，1960年建成。水库面积2600万平方米、库容4.27亿立方米。控制流域面积3176平方千米，占浊漳河南源全流域面积3580平方千米的89%。水库是以工农业及城市生活供水为主，兼顾发电、防洪、养鱼、旅游等综合利用的大型水库，被誉为“太行明珠”。通公交车。

60-F007 **陶清河水库**［Táoqīng Hé Shuǐkù］在山西省长治市长治县。因所在河流为浊漳河南源的陶清河干流得名。1959年开工，1960年建成。2008年4月改造施工开始，2010年12月通过验收。水库面积160万平方米、库容3410万立方米。控制流域面积393平方千米，设计灌溉面积67平方千米，实际灌溉面积17平方千米。是一座以防洪为主兼顾灌溉、养殖的年调节中型水库。水库改造后，对下游工农业生产和人民生活起到了重要保障作用。二广高速、省道长陵线、县道光明路经此，城市境内通公交车。

60-F008 **后湾水库**［Hòuwān Shuǐkù］在山西省长治市襄垣县。因位于县城西北虒亭镇后湾村附近得名。1959年开工，1960年建成。水库面积1000万平方米、库容1.3亿立方米。控制流域面积1267平方千米。后湾水库以防洪、灌溉为主，是一座集防洪、灌溉、工业用水、水产养殖等功能综合利用的大型水库。208国道、省道东长线、县道官史线经此，城市境内通公交车。

60-F009 **申村水库**［Shēncūn Shuǐkù］别名精卫湖，在山西省长治市长子县，因该水库坐落于南陈乡申村得名。1958年开工，1959年建成。水库面积200万平方米、库容3000万立方米。控制流域面积235平方千米，设计灌溉面积18平方千米，实际灌溉面积10平方千米。省道长安线经此，通公交车。

60-F010 **关河水库**［Guānhé Shuǐkù］在山西省长治市武乡县城。因水库处于关河峡口处得名，1958年开工，1960年建成。水库面积700万平方米、库容1.41亿立方米。控制流域面积1745平方千米，是一座以防洪为主，兼工农业供水，发电、养鱼、旅游等综合利用的大型水库。枢纽工程由大坝、溢洪道、泄洪洞、输水洞和电站等五部分组成。二广高速、省道南沁线经此，通公交车。

60-F011 **张峰水库**［Zhāngfēng Shuǐkù］在山西省晋城市沁水县。因处于沁水县郑庄镇张峰村得名。2005年开工，2007年建成。水库面积57万平方米、库容3.94亿立方米。控制流域面积

5000平方千米，是一座以城市生活和工业供水、农村人畜饮水为主，兼顾防洪、发电等综合利用的水库。省道坪曲线、县道庄王线经此，通公交车。

60-F012 **任庄水库**［Rènzhuāng Shuǐkù］在山西省晋城市泽州县。因水库位于泽州县高都镇任庄村南得名。1959年开工，1960年建成。水库面积300万平方米、库容8050万立方米。控制流域面积1303平方千米，水库枢纽工程由大坝、正常溢洪道、非常溢洪道和输水洞组成。是沁河水系丹河干流上一座以防洪为主、兼顾灌溉的中型控制性工程。二广高速经此。

60-F013 **东榆林水库**［Dōngyúlín Shuǐkù］在山西省朔州市朔城区，因位于神头镇东榆林村附近而得名。1970年开工，1978年建成。水库总库容6500万立方米。控制流域面积3430平方千米，灌溉面积240平方千米，有效灌溉面积182平方千米。主要用于防洪、灌溉。336国道、省道大忻线经此。

60-F014 **镇子梁水库**［Zhènzǐliáng Shuǐkù］在山西省朔州市应县。因其位于镇子梁乡镇子梁村得名。1958年开工，同年建成。水库面积400万平方米，库容5336万立方米。控制流域面积1840平方千米，设计灌溉面积147平方千米，实际灌溉面积93平方千米。镇子梁水库是一座以灌溉为主，兼顾防洪的综合利用中型水库。荣乌高速、336国道、省道大石线、省道洗朔线经此。

60-F015 **云竹水库**［Yúnzhú Shuǐkù］又名云簇水库，在山西省晋中市榆社县，因水库建于云竹镇云竹村浊漳北源支流云竹河而得名。1959年开工，1960年建成。水库面积800万平方米、库容9010万立方米，控制流域面积323平方千米，有效灌溉面积21平方千米，是一座以防洪为主，兼顾灌溉、发电、养鱼等多种功能综合利用的中型水库。东吕高速经此，通公交车。

60-F016 **石匣水库**［Shíxiá Shuǐkù］在山西省晋中市左权县，因位于石匣乡石匣村得名。1959年开工，1960年建成。水库面积4.46万平方米、库容5039万立方米。控制流域面积754平方千米，设计灌溉面积14平方千米，实际灌溉面积3平方千米。水库主要用来灌溉、发电、养殖。东吕高速、2516国道、340国道、县道石阳线经此，通公交车。

60-F017 **秦山水库**［Qínshān Shuǐkù］在山西省晋中市昔阳县。因水库建于昔阳县乐平镇上秦山村旁得名。1973年开工，1976年建成。水库面积100万平方米，总库容3588万立方米，控制流域面积50平方千米。秦山水库是一座小型水库，可以用来灌溉、供水、发电、防洪和养鱼。县道昔广线经此。

60-F018 **松塔水库**［Sōngtǎ Shuǐkù］在山西省晋中市寿阳县，因水库所处乡镇为松塔镇得名。1973年开工，1974年建成。水库面积200万平方米、库容1.121亿立方米，控制流域面积1100平方千米。是一座以防洪灌溉为主的综合利用的年调节水库。339国道经此。

60-F019 **郭堡水库**［Guōbǎo Shuǐkù］在山西省晋中市太谷区。因库址选在郭堡村后该村居民整体搬迁得名。1958年开工，同年建成。并于1975年、2009年、2013年进行过三次较大规模的改建。水库面积200万平方米，库容3110万立方米。控制流域面积229平方千米，是一座以防洪、灌溉为主，兼水产养殖和旅游等综合利用的中型水库，是太谷区境内第一大水库。二广高速、省道太长线经此，通公交车。

60-F020 **子洪水库**［Zǐhóng Shuǐkù］在山西省晋中市祁县。因1982年库址建在祁县峪口乡子洪村附近得名。1971年开工，1974年一期工程建成，1982年11月建成。水库面积100万平方米，库容3560万立方米，控制流域面积576平方千米。有效灌溉面积18平方千米，是一座以防洪为主，兼顾灌溉的水利工程。208国道、省道东夏线经此。

60-F021 **小浪底水库**［Xiǎolàngdǐ Shuǐkù］在山西省运城市垣曲县最南端及河南省洛阳市孟津县与济源市之间。该水库上游为著名的黄河三峡，河道狭窄，水流湍急，浪花汹涌。出了三峡，进入小浪底，河道变宽，水流变缓，河面只能卷起小小的浪花，有大浪到头，小浪到底之说。该水库建于此处，故得名。1991年开工，2001年建成。水库面积27600万平方米，库容127亿立方米，控制黄河流域面积69.2万平方千米。在山西境内，小浪底水库的建设淹没涉及到垣曲、夏县、平陆3县12个乡镇的53个行政村，共淹没土地面积77.27平方千米，其中耕地32平方千米，林地5.88平方千米，园地6.63平方千米，淹没影响房屋1.88平方千米。小浪底水利枢纽的开发，以防洪、防凌、减淤为主，兼顾供水、灌溉和发电，是一座能够蓄清排浑，除害兴利，综合利用的水库。菏宝高速、241国道、327国道等经此。

60-F022 **上马水库**［Shàngmǎ Shuǐkù］在山西省运城市盐湖区，因位于冯村乡下马村，又因处于大跃进时期，只能上马不能下马得名。水库面积400万平方米，库容3531万立方米，控制流域面积51平方千米。水库主要效能是保护运城盐池及运城机场安全，兼顾防洪。342国道、省道运稷线、侯平高速经此。

60-F023 **三门峡水库**［Sānménxiá Shuǐkù］在山西省运城市平陆县和河南省陕县交界处，因建在三门峡黄河中游河道最狭窄的河段得名。1957年开工，1961年建成。水库面积20000万平方米，库容360亿立方米，控制流域面积68.84万平方千米。其中，山西省库区利用水库蓄水修建万亩以上扬水电灌站9处，中小型电灌站42处，可灌溉农田389.33平方千米，水库蓄水大大增加了灌溉面积。三门峡水库是根治黄河水害，开发黄河水利修建的第一个大型关键性工程，在防洪、发电灌溉上发挥着重要作用。209国道、522国道经此。

60-F024 **万家寨水利枢纽水库**［Wànjiāzhài Shuǐlì Shūniǔ Shuǐkù］在山西省忻州市偏关县，因所处位置为万家寨镇得名。1994年开建，1998年建成。水库面积2800万平方米、库容8.96亿立方米。控制流域面积39.48万平方千米，调节库容4.45亿立方米，死库容4.51亿立方米，防洪库容3.02亿立方米。水库的主要任务是供水、发电调峰，兼顾防洪。336国道、省道平万线经此。

60-F025 **涝河水库**［Làohé Shuǐkù］在山西省临汾市尧都区东部，因水库水源引自涝河而得名。1975年开工，1979年建成。水库面积200万平方米、库容6206万立方米。坝址以上控制流域面积450.7平方千米，设计灌溉面积49平方千米，有效灌溉面积34平方千米。水库以防洪、灌溉为主，兼及供水、养鱼及旅游等功能。青兰高速、309国道经此，通公交车。

60-F026 **洰河水库**［Jùhé Shuǐkù］在山西省临汾市尧都区，因水库建于洰河干流之上得名。1959年开工，1960年建成。水库面积200万平方米、库容4225万立方米。控制流域面积311平方千米，设计灌溉面积49平方千米，有效灌溉面积36平方千米。水库是一座具有防洪、灌溉、养殖、旅游等综合效益的中型水库。青兰高速、省道临么线经此，通公交车。

60-F027 **浍河水库**［Huìhé Shuǐkù］在山西省临汾市曲沃县，因水库建于浍河而得名。1957年开工，同年建成。水库面积200万平方米、库容7517万立方米。控制流域面积1301平方千米，2006年设计灌溉面积83平方千米，有效灌溉面积78平方千米，当年实际灌溉面积24平方千米。是一座以灌溉、防洪为主，兼营水产养殖、工业用水、旅游开发的中型水库。省道坪曲线、省道曲绛线经此。

60-F028 **小河口水库**［Xiǎohékǒu Shuǐkù］在山西省临汾市翼城县。因小河口水库建于浍河东北支流上游两条小支河流（史伯河、浇底河）的汇集口小河口得名。1958年开工，1960年建成。库容3290万立方米，水库控制流域面积338平方千米，1998—2003年，先后投资1200余万元，完成了坝体加高和溢洪道，泄洪洞，输水洞改建。大坝坝体增厚加高5.1米，动用土石方80万立方米，新增库容1140万立方米。到2003年，小河口水库库容量达4430立方米，有效灌溉面积达56.67平方千米。省道坪曲线经此。

60-F029 **七一水库**［Qīyī Shuǐkù］在山西省临汾市襄汾县，因七一渠通水日期为七月一日而得名。1958年开工，同年建成。水库面积131万平方米，库容5578万立方米，设计灌溉面积75平方千米，有效面积59平方千米。主要用于灌溉、防洪，兼顾发电、供水。水库在1979年开始扩建，将七一水库与南贾沟水库合并，1982年扩建完成。二广高速、省道襄乡线、省道襄侯线经此。

60-F030 **曲亭水库**［Qūtíng Shuǐkù］在山西

省临汾市洪洞县。因位于曲亭镇吉恒村南曲亭河上得名。1959 年开工，1960 年建成。水库面积 200 万平方米，库容 3970 万立方米。设计灌溉面积 97 平方千米，有效灌溉面积 70 平方千米。该水库是一座蓄清拦洪、以灌溉为主的综合利用型中型水库。青兰高速、309 国道、县道洪孔线经此。

60-F031 **文峪河水库**［Wényùhé Shuǐkù］在山西省吕梁市文水县，因水库建于文峪河之上而得名。1959 年开工，1970 年建成。水库面积 37 万平方米，库容 1.05 亿立方米，控制流域面积 1876 平方千米，坝高 55.8 米，灌区设计面积 340 平方千米，有效面积 330 平方千米，水库是一座以防洪为主，兼顾灌溉、发电、养鱼的大型综合水利工程。307 国道、241 国道经此。

60-F032 **横泉水库**［Héngquán Shuǐkù］在山西省吕梁市方山县，因水库所在地为圪洞镇横泉村得名。2004 年开工，2006 年建成。水库面积 800 万平方米，库容 8123 万立方米，控制流域面积 800 多平方千米，可灌溉面积为 35 平方千米。是一座以城市生活及工业供水、农业灌溉为主，兼顾防洪、发电、旅游等综合利用的调节型水利枢纽。209 国道经此。

60-F033 **张家庄水库**［Zhāngjiāzhuāng Shuǐ kù］在山西省吕梁市孝义市。因水库位于新义街道张家庄村附近得名。1959 年开工，1961 年建成。水库面积 200 万平方米，库容 3336 万立方米。控制流域面积 460 平方千米，总库容 3336 万立方米，设计灌溉面积 33 平方千米，实际灌溉面积 28 平方千米。水库是一座以防洪为主，兼顾灌溉、养殖的中型水利工程。340 国道、省道汾张线经此，城市境内通公交车。

60-F034 **晋祠灌区**［jìncí Guànqū］在山西省太原市。因晋祠灌区水源主要取自晋祠泉水得名。从春秋时期（公元前 453 年）筑智伯渠引晋水（即晋祠泉）算起，至今已有 2500 年的悠久历史。灌区面积 24 平方千米（0.24 万公顷），包括南北两条干渠，长 18.69 千米，支渠 82 条，长 88.4 千米。干支渠道的建筑物共有 1800 座。晋祠灌区的主要经济收入为工农业水费（工农业用水比例为：农业 53%，工业 47%）。灌区内以水稻、小麦为主的农作物，亩产量稳定在 500 公斤以上。京昆高速、307 国道等多条公路经此。

60-F035 **王千庄灌区**［Wángqiānzhuāng Guànqū］在山西省大同市浑源县。因渠道处于永安镇王千庄村得名。1953 年开工，1958 年建成。灌区面积 26.23 平方千米，渠道长度 97.75 千米。分总干渠、干渠和支渠，配套的建筑物共有 239 座。239 国道、省道洗朔线、省道大灵线等多条公路经此。

60-F036 **黄黑水河灌区**［Huánghēishuǐhé Guànqū］在山西省大同市阳高县。因该灌区黑水河用于黄水河扩大灌溉而得名。1958 年开工，1975 年建成。灌区面积 33 平方千米，共有干渠 10 条，支渠 68 条，渠道长 196 千米，斗渠 155 条，长 188 千米。灌区主要负责灌溉农田作物，灌区内土地平坦肥沃，水源充足，适种作物广泛，是阳高县粮食油菜的主要生产基地。512 国道、省道积大线、省道长神线等多条公路经此。

60-F037 **神溪灌区**［Shénxī Guànqū］在山西省大同市浑源县。因位于浑源县永安镇神溪村北而得名。1958 年开工，1972 年建成。灌区面积 33.67 平方千米。干渠 1 条，长 20.38 千米，支渠 44 条，长 28.62 千米，灌区渠首为神溪水库，沿干渠有花疃水库、田村水库。农作物有玉米、土豆、谷黍等。239 国道、省道大灵线、省道洗朔线等多条公路经此。

60-F038 **十里河灌区**［shílǐhé Guànqū］在山西省大同市左云县。因灌区依赖于十里河河流水源得名。灌区最早建于 1915 年，系私人集资兴建，后经公私合营和建国后多次扩建逐步形成了一个跨市、县的中型灌区。灌区面积 67.6 平方千米。有干渠 12 条，长 112.43 千米，支渠 12 条，长 33 千米，干支渠建筑物 327 件，以引洪灌溉为主。是大同市、怀仁县的重要粮菜产区。109 国道、省道宁应线等多条公路经此。

60-F039 **御河灌区**［yùhé Guànqū］在山西省大同市东部。始建于建国前，兴建于建国初，1951 年开始引洪受益。灌区面积 67.9 平方千米。有固定渠道 736 千米，其中干支渠 116 千米，斗毛渠 786 条，长度 619.8 千米。担负着大同市和大同县7个乡镇、76个自然村和国营农牧企事业单位的灌溉与供水任务。109国道、208国道、省道孙吴线等多条公路经此。

60-F040 **桑干河灌区**［Sānggānhé Guànqū］在山西省雁北大同盆地南部，地处朔州市南部。因引桑干河水灌溉得名。1950年开工，1951年建成。1970-1975年，建成东榆林水库。控制流域面积410平方千米，渠道长度1005.9千米。渠首引水枢纽位于山阴县泥河村南，于1939年建成。设计灌溉面积240平方千米，有效灌溉面积150平方千米，灌区受益范围有山阴、应县9个乡镇的92个村庄，3个国营农牧场。109国道、孙右高速等多条公路经此。

60-F041 **郭堡灌区**［Guōbǎo Guànqū］在山西省晋中市太谷区。因引用郭堡水库水源，水库库址选在郭堡村后该村居民整体搬迁得名。1958年开工，同年建成。水库面积85.4平方千米。有干渠3条，全长27.41千米，支渠8条，全长44.3千米；干支渠上有建筑物194件。该灌区是太谷区的粮棉蔬菜的主要生产基地，灌区建成以来，年平均引用地面水1100万立方米，灌溉供水量达4.4亿立方米，灌区累计增产粮食122.57亿公斤，年平均灌溉面积36.67平方千米。二广高速、340国道、省道太长线等多条公路经此。

60-F042 **潇河灌区**［Xiāohé Guànqū］在山西省晋中盆地的东北边缘。因引用潇河水灌溉得名。1950年1月成立潇河水利委员会对潇河灌区进行统一规划，灌区建有干支斗农固定灌溉渠道1318条，其中2条干渠，长度46.28千米，8条支渠，长度89.9千米，斗渠158条，农渠1150条，另有干支斗农等各级排水渠道420条。设计灌溉面积210.87平方千米，有效灌溉面积221.6平方千米。渠系建筑物共1100余件，有机电井1500余眼。二广高速、108国道、339国道等多条公路经此。

60-F043 **汾河灌区**［Fénhé Guànqū］在山西省汾河中游的太原盆地，跨山西省太原市、晋中市、吕梁市。因灌区引用汾河水灌溉得名。汾河灌区水利开发历史悠久，1949年前汾河中游段已逐渐形成“拦河八大冬堰”，可引河灌溉土地266.67平方千米。1950年开始对汾河灌区进行统一规划，到1960年，灌区内的干、支、斗、农灌溉渠道和骨干排水工程基本配套；又先后于1967年和1981年改建了汾河二、三坝引水枢纽工程。灌区面积1396平方千米，渠道长度1901千米。到1993年，全灌区有灌溉渠道3030条，配套建筑物10222件；固定排退水渠1219条，总长1901千米，配套建筑物3306件，累计防渗渠长度212千米。全灌区共打水井2927眼，配套机井1713眼。是山西省最大的灌区，水地面积占全省水地总面积的1/10。汾河干流由东北向西南贯穿灌区全境。受益区为太原市北郊区、南郊区和清徐县、祁县、平遥、介休、交城、文水、汾阳，共9个县（区）。全灌区受益乡镇60个，受益村庄538个，受益面积997平方千米。还有2个大型工业用水企业（太原钢铁公司和太原第一热电厂）。二广高速、208国道、108国道等多条公路经此。

60-F044 **昌源河灌区**［Chāngyuánhé Guànqū］在山西省晋中市祁县。因该地区引昌源河水灌溉得名。灌区灌溉面积98.58平方千米。主要水源为水库，补充水源为机电井，年降水情况偏丰。建国以后，由于灌区工程逐步完善配套，水资源得到开发利用，灌区灌溉面积不断扩大，灌溉后的农作物单位面积产量逐年提高。东吕高速、208国道、108国道、省道东夏线等多条公路经此。

60-F045 **三坝灌区**［Sānbà Guànqū］曾用名迎济灌区，在山西省晋中市平遥县。“迎”寓意“迎接新生活”；“济”寓意惠济民生，迎济灌区因此得名。三坝灌区在原迎济灌区基础上改设而来，因其为汾河三坝灌溉区得名。1958年建成。灌区面积158.94平方千米，渠道长度622.91千米。配套建筑物1174件。其中干渠1条，长13.93千米，建筑物21件；支渠5条，总长67.65千米，建筑物102件；斗渠72条，总长160.64千米，建筑物433件；农渠317条，总长380.3千米，建筑物618件。108国道、省道汾屯线等多条公路经此。

60-F046 **洪山灌区**［Hóngshān Guànqū］在山西省晋中市介休市。因灌区主要水源是洪山泉和槐柳泉得名。灌区是一个有着上千年历史的中型自流灌区，据史籍记载，宋宝元三年（1040年），文潞公曾进行过洪山泉的治理，引水灌溉面积达1.52万亩。明万历十四年（1586年），曾进行过一次水地良田清查，灌溉面积为2.24万亩，灌区面积71.3平方千米。至20世纪末，灌区渠道长度109.6千米，有总干渠1条，干渠7条，支渠23条，有各种配套建筑物730件。灌区有着巨大的经济效益和社会效益。1996年，灌区仅以占全年来水总量23.3%的水量作为工业及生活供水，却收到占全灌区水费总收入63.2%的经济效益。通过几处农业节水工程的运行，每年可节水700万立方米，增产粮食450万公斤。京昆高速、108国道、省道东夏县等多条公路经此。

60–F047 **鼓水灌区**［Gǔshuǐ Guànqū］在山西省运城市新绛县。因灌区水源依赖于鼓堆泉得名。灌区最早的开发兴利记载为隋代开皇十六年（596年），1956年以兴建三泉水库为标志建立起鼓水灌区。灌区面积36.8平方千米，渠道长度189千米。是运城地区最大的清水自流灌区，灌区土肥水美，是山西省和运城地区的粮棉基地之一。京昆高速、108国道、省道临夏线等多条公路经此。

60–F048 **阳武河灌区**［Yángwǔhé Guànqū］在山西省忻州市原平县。因利用阳武河水灌溉得名。灌区灌溉面积124平方千米。渠道长度648.3千米。目前灌区水利设施计有总干渠1条，支干渠13条，固定支斗渠403条，已防渗205.6千米，各类工程建筑物5349件（处）。旁引水库两座，设计库容1388万立方米，其中神山水库可蓄水1192万立方米。灌区位于阳武河下游，整个灌区由阳武河冲积扇和滹沱河冲积带组成，是原平市乃至忻州地区的商品粮基地，素有“阳武流金富万民”之美称。灌区在强化灌溉管理的同时，发挥水土资源优势，1975年建成年产7000吨的小水泥厂1座，1985年建成装机640千瓦的小水电站1座，还大搞库区四旁植树，年创收在15万元左右。二广高速、108国道、省道崞五线等多条公路经此。

60–F049 **滹沱河灌区**［Hūtuóhé Guànqū］在山西省忻定盆地腹部。因引用滹沱河水灌溉得名。灌区水利开发历史悠久，可追溯至金代，1950年成立滹沱河水利委员会规划灌区建设，1951年建成山西第一个现代化大型灌溉工程滹沱河大坝。灌区面积512平方千米，渠道长度1393千米，配套建筑物3929件，机电井1042眼。受益范围有忻州、定襄、原平3个县15个乡镇的114个村庄和9个国营用水单位，总耕地面积328.6平方千米。灌区农作物产量随着灌区发展而不断提高，粮食总产量由解放初期的0.3亿公斤提高到90年代初的1.3亿公斤，成为忻州地区的主要粮产区。338国道、337国道、208国道、108国道等多条公路经此。

60–F050 **浍河灌区**［Huìhé Guànqū］在山西省临汾市曲沃县，因是以浍河水库为主要水源的自流灌区而得名。1959年建成。灌区面积106平方千米。受益范围包括曲沃县、侯马市10个乡镇的92个自然村，现有效灌溉面积80平方千米。浍河水库自1959年拦洪受益。至1999年，渠道总引水12亿9800多万立方米，灌溉面积354万多亩，年均灌溉面积8.6万多亩，为灌区农业生产和社会经济发展做出了巨大贡献。241国道、省道坪曲线等多条公路经此。

60–F051 **利民灌区**［Lìmín Guànqū］在山西省临汾市翼城县。因“依滦池泉水之利，灌附近庄民之田”之意而得名。迄今已有3000多年的历史。灌区面积36平方千米。主要渠系有干渠9条，长55.09千米；支渠72条，长99.6千米；斗农渠456条，长142.3千米，排水干支渠35条，长18.1千米。利民灌区主要供水源为滦池泉水。已由过去单一的农业灌区，发展成为农业、工业、人畜用水的综合供水灌区。241国道、陵侯高速、省道临么线等多条公路经此。

60–F052 **小河口灌区**［Xiǎohékǒu Guànqū］在山西省临汾市翼城县。因水源为小河口水库而得名。1958年建成。灌区面积56.67平方千米。输水干渠长22.27千米，8条支渠，长44.17千米，斗渠124条，长112.52千米。241国道、省道坪曲线等多条公路经此。

60–F053 **汾西灌区**［Fénxī Guànqū］跨山西省临汾市尧都区、洪洞县、襄汾县。因处于汾河西侧得名。1958 年在古老的通利灌区和龙子祠灌区的基础上，引用郭庄泉水和汾河水、龙祠泉水，兴建七一渠和跃进渠，形成了统一的汾西灌区。灌区面积 286.67 平方千米，1991—1995 年经过改造，灌区面积提高到 333.33 平方千米。灌区共有干渠 9 条，总长 236 千米。灌区受益区有洪洞、临汾、襄汾 3 个市县的 28 个乡镇，396 个自然村。在负责农业灌溉的同时，担负着临汾工业供水和城市居民生活供水任务，对临汾市的工农业发展起着举足轻重的作用。309 国道、省道临夏线、省道襄乡线等多条公路经此。

60-F054 **霍泉灌区** [Huòquán Guànqū] 在山西省临汾市洪洞县。因广胜寺霍泉而得名。据史籍记载，唐贞观年间即开发利用，距今已有 1300 多年的历史。新中国成立后，彻底改革了旧制度，经过多年的扩建改建，截至 2006 年灌区面积达 67.3 平方千米。干渠分为北霍渠和南霍渠 2 条，总长 21.7 千米；支渠 10 条，总长 56.5 千米；斗农渠 1507 条，总长 649 千米。灌区年年超额完成灌溉任务，有效地抗御了自然灾害的侵袭，保证了灌区农业不断获得好收成，粮食亩产逐年提高到 850 公斤。京昆高速、341 国道、108 国道等多条公路经此。

60-F055 **吉县车城乡桑村灌区** [Jí Xiàn Chēchéng Xiāng Sāngcūn Guànqū] 在山西省临汾市吉县。因其负责吉县车城乡桑村的耕地灌溉得名。2006 年建成。灌区面积 20.1 平方千米。该灌区水源为白子沟河水，流量 20 立方米 / 小时，为小型灌区，灌溉类型为管灌，主要负责吉县车城乡桑村的耕地灌溉。青兰高速、309 国道等多条公路经此。

60-F056 **吉县壶口镇灌区** [Jí Xiàn Húkǒu Zhèn Guànqū] 在山西省临汾市吉县。因其负责吉县壶口镇社堤村的耕地灌溉得名。1998 年开工，同年建成。灌溉面积 30.82 平方千米。主要水源为狮子沟河泉水，出水量为 16 立方米 / 小时，为小型水库，灌溉形式为管灌，主要负责吉县社堤村的耕地灌溉。青兰高速、309 国道、209 国道等多条公路经此。

60-F057 **吉县中垛乡灌区** [Jí Xiàn Zhōngduǒ Xiāng Guànqū] 在山西省临汾市吉县。因其负责吉县中垛乡三堠村的耕地灌溉得名。2008 年开工。灌区面积 23.05 平方千米。主要灌溉区域为吉县中垛乡三堠村的耕地，中垛乡村道与之相连，管理单位为中垛水管站，主要水源为弋家岭泉水，灌溉形式为管灌。呼北高速、309 国道、209 国道等多条公路经此。

60-F058 **霍州市七里峪灌区** [Huòzhōushì Qīlǐyù Guànqū] 在山西省临汾市霍州市。因该灌区最大的泉为七里峪泉得名。1954 年开工，经过大规模的建设配套，1974 年全部建成。灌区面积 21.07 平方千米，有大小干渠 19 条，长度为 105.5 千米；支渠有 97 条，长度为 209 千米；斗农渠有 239 条，长度为 477.5 千米。该灌区灌溉霍州市三教乡、大张镇、李曹镇 3 个乡镇和 46 个行政村的 18.87 平方千米耕地。有南涧河（彘水）、北涧河横贯灌区腹地，向西注入汾河。京昆高速、341 国道等多条公路经此。

60-F059 **文峪河灌区** [Wényùhé Guànqū] 在山西省晋中盆地西南部，文峪河由北向南贯穿全境。因引用文峪河水灌溉得名。灌区水利兴起历史可追溯至唐代开元二年（714 年），1959 年修建文峪河水库，灌区逐步扩大。灌区面积 314.3 平方千米，渠道长度 1047 千米，其中防渗渠道 142 千米，固定排退水渠道 792 条，长 741 千米。涉及交城、文水、汾阳、孝义、平遥、介休 6 县，191 个自然村，灌区内有蓄水工程 1 处，渠首枢纽工程 6 处，配套建筑物 2404 件，配套建筑物 890 件。241 国道、108 国道、省道祁方线、省道汾屯线等多条公路经此。

60-G001 **北张退水渠** [Běizhāng TuìShuǐqú] 在山西省太原市小店区。因起于北张缓洪池出口而得名。从北张缓洪池出口至流涧村，入太榆退水渠，长 16.9 千米，宽 20—45 米。最大设计流量 27.9 立方米 / 秒。1963 年开工，1964 年建成。原为农田退水渠，现已成为太原城南地区的主要排洪、排污渠道。307 国道、208 国道、省道太小线经此。

60-G002 **太榆退水渠** [Tàiyú Tuìshuǐqú] 曾用名国营太原农牧场退水渠、太原南郊汾河东总退水渠。在山西省太原市小店区。因是太原和榆次共同修建而得名。东起榆次东退水渠，西至汾河二坝下游入汾河。长 23.2 千米，宽 60 米。1950 年开工，1977 年建成。是太原和榆次共同修建的用于解决太原和榆次两市农业退水的水利工程。排退水面积 245 平方千米，设计排水标准十年一遇，设计排水流量 25 立方米 / 秒，境内流量 14 立方米 / 秒。307 国道、208 国道、省道太小线经此。

60-G003 **汾河一坝西干渠**［Fénhé Yībà Xī gànqú］在山西省太原市西部。从尖草坪区上兰街道上兰村至晋源区姚村镇田村。长 46.07 千米，渠道纵坡约为 1/2000，设计过水流量 14 立方米 / 秒，实际过水流量 10 立方米 / 秒。1952 年开工，1959 年建成。到 1990 年，全干渠防渗长度已达到 31.863 千米，占全干渠总长的 69.17%。西干渠建成以后，于 1954 年到 1962 年相继完成了干渠主要配套建筑物。1979 年，西干渠配套建筑物总数达到 88 件，1990 年，建筑物达到 161 件。208 国道、县道滨河西路、文兴路经此。

60-G004 **汾河一坝东干渠**［Fénhé Yībà Dōng gànqú］在山西省太原市东部。从尖草坪区上兰村街道上兰村至小店区刘家堡乡监军庄村。长 48.02 千米。1952 年开工，1971 年建成。东干渠从 1952 年春由上兰村渠首开始改建，到向阳镇北后小河，渠段长 4.25 千米。1953 年秋，改建下兰村至杨家堡段，渠段长 17.02 千米。1956 年冬，从杨家堡向南继续扩建到大村，渠段长 11.08 千米。1960 年，接通后小河至下兰村段干渠，渠段长 5.19 千米。1971 年，将大村至监军庄原东干二支渠扩建为干渠，渠段长 10.1 千米。至此，东干渠改建完毕，总长为 48.02 千米。东干渠建成后，于 1954 年至 1962 年相继完成了干渠主要配套建筑物。1990 年，全干渠配套建筑物总数达到 175 件。208 国道经此。

60-G005 **河西南部退水渠**［Héxī Nánbù Tuìshuǐqú］在山西省太原市晋源区。因位于汾河以西，是太原市南部用于退水的渠道得名。北起金胜镇南阜村，向南进入清徐县境内，在汾河二坝下游的西干渠一号闸进入汾河。长 23.12 千米。最大深度 23.12 米。1964 年开工，1965 年建成。退水设计标准 20 年一遇，一日降雨，三日排出，排退水流量为 10 立方米 / 秒。339 国道、307 国道、208 国道经此。

60-G006 **智伯渠**［Zhìbóqú］在山西省太原市晋源区。春秋末期，晋国世卿智伯瑶联合韩、魏攻赵于晋阳，引汾、晋二水灌晋阳而开凿此渠，故得名智伯渠。是有史料记载的山西境内最早的有坝引水工程。后人在旧渠的基础上加以修浚，成为排洪和灌溉的水渠。最大水深 5 米，从晋祠会仙桥下起，经豫让桥、西镇村、乱石滩东南、晋源城西，入古城营村，又东流入南沙河。智伯渠周边成体系的水神祭祀建筑，成为晋水流域社会文化的空间表征和物质体现。京昆高速、208 国道等经此。通公交车。

60-G007 **汾河二坝西干渠**［Fénhé Èrbà Xīgànqú］跨山西省太原市清徐县和晋中市平遥县，位于晋中盆地的汾河西岸。从汾河二坝至平遥县杜家庄乡南良庄村。长 40.49 千米，宽 5-10 米。1951 年开工，1955 年建成。以后陆续进行配套建设，到 1979 年干渠配套建筑物总数达到 50 件，1990 年发展为 72 件。渠首最大引水流量可达 29.6 立方米 / 秒，渠尾六号闸过水流量 15.8 立方米 / 秒，平均引水流量 22.7 立方米 / 秒，干渠受益面积 283.73 平方千米。339 国道、307 国道经此。

60-G008 **汾河二坝东干渠**［Fénhé Èrbà Dōng gànqú］跨山西省太原市清徐县和晋中市平遥县，位于二坝下游的沿汾河东岸。从清徐县西谷乡长头村至晋中市平遥县南政乡蒋家堡。长 47.59 千米，上段宽 27 米，下段宽 23 米。1956 年开工，1957 年建成。设计流量 14.5 立方米 / 秒，实过水流量 11.8 立方米 / 秒。除两条支渠外，纯干渠受益面积达 102.47 平方千米。随后又逐年进行了干渠车桥和各引水口建筑物的配套工程，到 1979 年干渠建筑物总数达到 66 件，1990 年为 68 件。339 国道经此。

60-G009 **凌云口西总干渠**［Língyúnkǒu Xī Zǒng Gànqú］在山西省大同市浑源县。因渠道所处位置为凌云口峪而命名。干渠长 8.4 千米，下设 5 条支渠，全长 24.4 千米。1953 年开工，1958 年建成。

平均流量 0.30 立方米 / 秒，最大水深 1.20 米。有桥梁 2 座，分水闸 8 座。荣乌高速、239 国道经此。

60-G010 **民胜干渠** [Mínshèng Gànqú] 在山西省大同市浑源县。起点为浑源县东坊城乡水磨疃村西，止点为浑源县西坊城镇小辛庄村。长 20 千米，宽 10 米，最大水深 1 米，1958 年开工，同年建成。过水流量 6 立方米 / 秒，平均流量 0.25 立方米 / 秒。配套建筑物有退水闸 4 座，节制闸 3 座，桥涵 9 座，渡槽 5 座，卧水管道 4 处，灌溉面积 0.67 平方千米。荣乌高速、336 国道、天黎高速经此。

60-G011 **红旗渠** [Hóngqíqú] 跨山西省长治市平顺县。因当时推行总路线“三面红旗”而得名。总干渠从平顺县阳高乡侯壁断下设坝引水，沿漳河南岸经崔家庄、石城、青草凹、老申峧、克昌、豆口、东庄、苇水、白杨坡、王家庄、马塔等村，到牛岭、背坪沟的南坪村入河南省林县。长 70.6 千米，宽 8 米，高 4.3 米，设计正常流量 20 立方米 / 秒，水深 3.6 米。红旗渠大部位于平顺境内，1960 年开工，1969 年建成。该渠引入了漳河水，总长 1500 千米。盘绕在太行山山腰悬崖绝壁之上雄伟险要的红旗渠工程与奇秀的林虑山自然风景巧妙地融会结合，十分壮观。红旗渠在国内外享有很高的知名度，被誉为“人造天河”“当代万里长城”。省道河潞线经此。

60-G012 **战备渠** [Zhànbèiqú] 在山西省长治市平顺县，因在“备战备荒为人民”的政治形势下兴工而建，故命名为“战备渠”。战备渠始建于 1971 年，1983 年正式通水。干渠全长 54.5 千米，支渠 46 条，支斗渠 330 余千米。是一项具有灌溉、发电、人畜吃水等效益的综合利用工程，改写了平顺县浊漳河沿岸靠天吃饭的历史，为当地工农业发展提供了可靠的水资源保障，极大地改善了灌区人民的生产生活条件。粮食亩产由原来的 80 公斤左右提高到 1000 公斤左右，主要经济作物花椒由受益前年产 5 万公斤左右上升到年产 80 多万公斤。投入运行近 40 年来为灌区的工农业发展和农民脱贫致富做出了巨大贡献，被当地百姓称为“幸福工程”。省道河潞线经此。

60-G013 **勇进渠** [Yǒngjìn Qú] 曾用名三五红旗渠，在山西省长治市境东北部。因以河南省林县红旗渠为榜样，在第三个五年计划期间完成，故名，后又以《激流勇进上太行》为题，予以报道，故更名勇进渠。从长治市襄垣县至长治市黎城县，长 102 千米，宽 4.3 米，高 2.5 米。1966 年开工，1991 年建成。设计最大引水量 7 立方米 / 秒，除浇灌黎城盆地近 10 万亩良田外，还解决了部分城乡工矿企业、副业生产用水及 2 万余人的饮用水困难。灌区水浇地的亩产量，由通水前的 111.2 千克提高到 550 千克，人均占有粮食达到 705 千克。勇进渠创建 30 年来，它所凝聚的“自力更生，艰苦奋斗，励精图治，无私奉献”勇进渠精神，一直在发扬光大，先后荣获了山西省人民政府授予的“水利水保红旗单位”“十佳灌区”称号，被长治市委、市政府确立为爱国主义教育基地。青兰高速、207 国道、县道新石线经此。通公交车。

60-G014 **漳南渠** [Zhāngnán Qú] 在山西省长治市北部。从长治市襄垣县北府乡东宁静村至长治市黎城县上遥镇东社村。因位于浊漳河南而得名。长 33.6 千米，高 1.7 米，平均流量 2 立方米 / 秒，1942 年开工，1966 年 2 月在原基础上进行扩建、改建，1973 年 8 月建成。控制灌溉面积 9.7 平方千米，实际灌溉 8.85 平方千米。309 国道经此。

60-G015 **漳北渠** [Zhāngběi Qú] 在山西省长治市黎城县。从黎城县黎侯镇西关村至黎城县上遥镇渠村。因位于浊漳河北而得名。长 26.1 千米，高 2 米，石渠段为矩形，底宽 4 米；土渠段为梯形，底宽 3 米，设计最大流量 7.6 立方米 / 秒，发电流量 4.16 立方米 / 秒。1958 年开工，同年建成。1978 年成立“漳北渠管理局”，先后六次对干渠进行更新改造，调整了沿线农作物种植结构，改变了耕作制度，由一年一作变为一年两作，使粮食产量大幅度增长。可灌溉 23 个村镇的 13.07 平方千米的农田，解决了部分单位用水问题。是山西省大型自流灌溉工程之一，也是开发、利用浊漳水源的首创工程，以当年兴工当年受益而闻名太行，成为山西省自流灌渠中的一面红旗。309 国道经此。

60-G016 **桑干河三干渠** [Sānggànhé Sān Gànqú] 跨山西省朔州市山阴县和应县。因属于桑干河流域干渠排列第三得名。从朔州市山阴县古城镇胡疃村至应县金城镇西关村。长22.0千米，宽5米，高1米。1950年开工，同年建成。1950年由中国人民解放军67军202师开挖。有可靠水源和引、输配水渠道系统和相应排水沟道。336国道、荣乌高速、省道大石线经此。

60-G017 **桑干河四干渠**［Sānggànhé Sì Gànqú］跨山西省朔州市应县和山阴县。因属于桑干河流域干渠排列第四而得名。从朔州市山阴县古城镇胡疃村至应县浑河干渠。长21.0千米，宽5米，高1米。1950年开工，1952年建成。1950年由中国人民解放军67军202师开挖。现属桑干河管理局管辖。336国道、208国道经此。

60-G018 **镇子梁水库东干渠**［Zhènzǐliáng Shuǐkù Dōnggànqú］在山西省朔州市东北部，从朔州市应县镇子梁水库经朔州市怀仁市河头乡东寺庄村入桑干河。长33千米，宽5米，流量20立方米/秒。1950年开工，1952年建成。由镇子梁水库，经应县南马庄公社入县境，经河头公社中柳会、东寺庄入桑干河。1990年以后，因其灌溉作用减弱，已被当地村民开垦种植，现已无法辨认。荣乌高速、336国道、省道大石线经此。

60-G019 **镇子梁水库北干渠**［Zhènzǐliáng Shuǐkù Běigànqú］在山西省朔州市应县。从应县镇子梁水库至应县义井乡北张寨村。长24.5千米，宽6米，高1米，1950年开工，1952年建成。北干渠呈南北走向，灌溉面积20.67平方千米，为应县的主要大型干渠之一。荣乌高速、336国道、省道大石线经此。

60-G020 **杨家坡干渠**［Yángjiāpō Gànqú］在山西省晋中市昔阳县。从昔阳县大寨镇狼窝掌至昔阳县大寨镇小背峪沟村。因该干渠位于杨家坡而得名。长28千米，高2.5米，平均流量8立方米/秒。1973年开工，1974年建成。杨家坡干渠的修建，解决了当地用水问题。207国道经此。

60-G021 **郭堡水库灌区总干渠**［Guōbǎo Shuǐkù Guànqū· Zǒng Gànqú］在山西省晋中市太谷区。从太谷区郭堡水库输水洞至太谷区任村乡。1956年开工，1958年建成。灌区现有总干渠一条，长7.4千米，分干渠2条，其中南干渠长13千米，北干渠长6.6千米，渠系建筑物199座（处）。郭堡水库灌区总干渠工程涉及范村、任村、胡村和榆次的北田共四个乡（镇）的38个行政村，总面积85.4平方千米，设计灌溉面积59.53平方千米，有效灌溉面积58.67平方千米。郭堡灌区干渠工程是灌区的骨干工程，50多年累计供水54917万立方米，平均年供水1098.34万立方米，多年平均灌溉面积4.35万亩，多年平均灌溉亩次6.5万亩次。二广高速、省道太长线经此。

60-G022 **汾河三坝西干渠**［Fénhé Sānbà Xīgànqú］在山西省晋中市平遥县。从汾河三坝至平遥县宁固镇营里村。长12.93千米。1955年开工，1956年建成。在原永济堰西大渠和西南渠的基础上改建而成，从三坝渠首到第一号分水闸段，长0.79千米，现称为总干渠。1965年，对干渠下段渠道进行扩建和改建，将原来的九一分支渠从干渠九支分水闸起到营里村段扩建为干渠，并陆续进行配套建设。到1979年，全干渠配套建筑物达到17件，以后又增建了干渠尾泄水闸，平汾公路桥和2座干渠测水桥，使建筑物总数达到21件。全干渠共有受益村庄69个。受益面积183.6平方千米，其中干开口受益面积55.07平方千米。241国道、108国道、省道汾屯线经此。

60-G023 **汾河东四退水干渠**［Fénhé Dōngsì Tuìshuǐ Gànqú］在山西省晋中市平遥县。根据20世纪50年代中期汾河东岸灌区的规划，从汾河二坝往下依次排列而得名。从平遥三坝引水到介休市洪山镇洪湘村。渠长22.8千米，支渠在平遥县内，长1.1千米。1952年开工，同年建成。受益范围包括中都、南政、宁固、杜家庄等乡（镇），受益农田7万亩。108国道、省道汾屯线经此。

60-G024 **夹马口一级干渠**［Jiámǎkǒu Yījí Gànqú］在山西省运城市境西部。因是夹马口扬水站一级灌渠而得名。从运城市临猗县东张镇，至临猗县猗氏镇。长50千米，宽6米。设计流量9.5立方米/秒，自东张乡夹马口由西向东经东张、临晋、嵋阳、猗氏等4个乡镇，担负266.67平方千米土地的灌溉任务。1958年开工，同年建成，1998年续建。因该渠是在1958年党的总路线、大跃进、人民公社“三面红旗”时期动工修建的，惯用名红旗渠。呼北高速、342 国道、省道临风线经此。

60-G025 **云中河灌区一干渠**［Yúnzhōng Hé Guànqū 1 Gànqú］在山西省忻州市忻府区。因该干渠引用云中河河水，按排列顺序为第一而得名。从忻府区合掌乡沙洼村至忻府区解原乡解原村。长 25.3 千米。1950 年开工，1952 年建成。有支斗渠 29 条，农毛渠 1000 条，建筑工程 1629 处，建筑物 2048 件。流量 8 立方米 / 秒，受益面积 53.7 平方千米。337 国道经此。

60-G026 **广济渠**［Guǎngjì Qú］又名横山渠，在山西省忻州市东北部。清康熙二十一年（1681 年）正式命名广济渠，寓意广济天下，故而得名。从忻州市原平县王家庄村界河铺村至忻州市定襄县宏道镇大营村。长 33 千米，开口宽为 15 米 -20 米。最早修于北宋年间，明洪武年间废，清康熙二十一年（1681 年）复开，乾隆初年又废，民国元年（1912 年），崞县人续桐溪又复开。建国后于 1950 年改修，1964 年再次改修。整个灌区共有支渠、斗渠等 715 条，各种渠道之上有桥、闸、铁水等建筑物 1209 件。灌溉面积为 73 平方千米。337 国道经此。

60-G027 **繁代大渠**［Fándàidà Qú］在山西省忻州市东北部。因该渠联通繁、代两县而得名。从繁峙县马峪河至代县七里河。长 32 千米，宽 2.5 米，高 1 米。平均流量 2.5 立方米 / 秒。1958 年开工，1973 年建成。负责枣林镇、胡峪乡、上馆镇、磨坊乡的土地灌溉。108 国道、208 国道、239 国道经此。

60-G028 **跃进渠**［Yuèjìn Qú］跨山西省临汾市、运城市。因建于大跃进时期而得名。从临汾市尧都区金殿镇姑射村龙子祠泉至襄汾县永固乡。途径临汾市尧都区、襄汾县，长 78 千米，设计流量 5 立方米 / 秒，实际流量过水量 2 立方米 / 秒。1957 年开工，1958、1959、1966 年三次续建，渠成通水。1972—1974 年为解决纵坡小，流速慢，易淤积的问题，对部分渠段进行了改建，同时修筑了司马水库，灌溉面积 21.2 平方千米。309 国道、省道襄乡线、省道襄台线经此。

60-G029 **七一渠**［Qīyī Qú］在山西省临汾市境东部。因于 1958 年 7 月 1 日通水而得名。位于临汾市汾河西岸，呈南北走向，从临汾市洪洞县堤村乡杨洼庄至襄汾县万东毛沟七一水库。长 98 千米，宽 3 米。边坡 1:1，设计过水能力 15 立方米 / 秒，通常引水流量 5 立方米 / 秒。1949 年开工，1958 年 7 月 1 日，一期工程完成并通水，又分别于 1976 年、1978 年展开并完成二、三期工程。七一渠为有坝引水枢纽工程，引汾河水灌溉洪洞、临汾、襄汾 3 县 36 个乡镇，532 个村庄 173.33 平方千米耕地。青兰高速、520 国道、省道襄乡线等经此。

60-G030 **西总干渠**［Xī Zǒng Gànqú］在山西省吕梁市文水县。按文峪河灌溉渠系等级而得名。从文水县开栅镇北峪村口至文水县西槽头乡百金堡。长 22.5 千米，高 2.2 米。引水量为 10 立方米 / 秒左右。2000 年开工，2002 年建成。241 国道、309 国道、省道祁方线经此。

60-G031 **文峪河东干渠**［Wényùhé Dōng Gànqú］在山西省吕梁市文水县。位于文峪河之东，按文峪河流域灌溉渠系等级而得名。从文水县开栅镇北峪口移至文水县西槽头乡。长 31 千米，宽 2—3.4 米。1990 年建成。引水流量 8 立方米 / 秒，设计过水流量 6 立方米 / 秒，实际过水 4 立方米 / 秒，全渠基本上都搞了防渗，可灌溉耕地 74.86 平方千米。241 国道经此。

60-G032 **文峪河西干渠**［Wényùhé Xī Gàn qú］在山西省吕梁市文水县。位于文峪河之西，按文峪河流域灌溉渠系等级而得名。从文峪河水库隧洞出水，经开栅镇北徐、凤城镇韩村、北张乡南武涝至富民闸止。长 20.56 千米，底宽 2—3.4 米。1990 年建成。引水流量 2 立方米 / 秒，实际流量 1.5 立方米 / 秒。全渠基本上都搞了防渗，可灌溉耕地 19.3 平方千米。241 国道经此。

60-G033 **跃丰渠**［Yuèfēng Qú］在山西省吕梁市汾阳市。因该渠灌溉周边土地，村民渴望丰收的希冀而得名。从黄嶂村至坡头村。长 37 千米，宽 1.5—2 米，高 2 米。设计流量 4—5 立方米 / 秒，1984 年建成。主要承担着冀村、杏花等 6 个乡镇边山地区 43.3 平方千米的农田灌溉任务。青银高速、307 国道、省道古吴线、县道汾向线经此。

山西省标准地名词典
SHANXISHENG BIAOZHUN DIMING CIDIAN

第七编

工矿企业

第七编　工矿企业

A 采矿业（18）

70-A-a001　山西煤炭进出口集团有限公司［Shānxī Méitànjìnchūkǒujítuán Yǒuxiàngōngsī］国有大型企业集团。位于太原市小店区。因其所在区域，组织形式和业务领域而得名。成立于1981年，目前已经成为山西最大的煤炭企业集团之一。占地面积0.1018万平方米。有煤矿21座，矿井分布于大同、忻州、晋中、临汾、长治、晋城等地。集团开通煤炭发运站80余个，年发运能力逾亿吨。在华东、华中、华南地区建有煤炭储配基地，形成覆盖煤炭主产区、遍布重要运输线、占据主要出海口的独立完善的煤炭内外贸运销网络，该公司煤矿设计年产能3000万吨，煤炭发运站年运发能力逾亿，煤炭贸易量1.5亿吨。其主要产品有动力煤，焦煤，无烟煤，半无烟煤。该公司是全国四家具有煤炭出口权的企业之一，山西省七大煤炭资源整合主体企业之一，是国内同行业实现煤炭主营业务整体上市的首家企业，也是省级转型综改试点企业，是山西乃至全国真正具有竞争力和影响力的一流企业。2020年10月28日，山西省国有资本运营有限公司与山西焦煤集团签署协议，山煤集团股权无偿划转至山西焦煤集团。通51路、816路等公交车。

70-A-a002　西山煤电集团有限责任公司［Xīshān Méidiànjítuán Yǒuxiànzérèngōngsī］山西焦煤集团的核心骨干子公司。总部位于太原市万柏林区。因所在行政区域及工作职能得名。前身为西山矿务局，成立于1956年。资源开采面积为788平方公里。截至2021年9月底，旗下拥有226个子分公司，资产总额超千亿元。煤炭产能超5000万吨，电力装机容量463万千瓦，焦炭产能640万吨，水泥产能510万吨。开采西山、河东、霍西三大煤田，资源总量达92亿吨。业务范围涉及煤炭开采和洗选业，煤制品制造、销售，电力、热力、水的生产和供应，售电，电力技术开发与信息咨询，电力设施修理校验，工矿工程建筑施工，房地产业，自有机械设备租赁等。是拥有全国最大的燃用中煤坑口电厂的大型国有能源集团，是全国最大的炼焦煤生产基地和国家首批循环经济试点单位，为国家经济建设做出突出贡献。矿区公路主干道与太旧、大运、太长等高速公路相连，各矿铁路专用线与石太、京原等大动脉相接，通834路、875临路公交车。

70-A-a003　山西焦煤集团有限责任公司［Shānxī Jiāoméijítuán Yǒuxiànzérèngōngsī］具有国际影响力的炼焦煤生产加工企业和市场供应商。总部位于太原市万柏林区新晋祠路。因所在行政区域及所属业务领域得名。成立于2001年。下有山西焦煤能源集团股份有限公司、西山煤电、汾西矿业、霍州煤电、山煤国际、华晋焦煤、山西焦化等23个子分公司，包括3个A股上市公司。面积约40000平方米。以煤炭生产、加工及销售为主，主要产品涵盖全系煤种、包括多项世界稀缺资源。现有151座煤矿，规划能力2.48亿吨/年；50座选煤厂，入洗能力1.6亿吨/年；4座焦化厂，产能940万吨/年；6座燃煤电厂，19座瓦斯及余热电厂，总装机容量4896MW。是煤焦化产业链的典型代表企业；是中国目前规模最大、煤种最全、煤质优良的炼焦煤生产企业；也是山西省产值第二的大型煤炭国企。通52路、K903路公交车。

70-A-a004　山西美锦能源股份有限公司［Shānxī Měijǐnnéngyuán Gǔfèn Yǒuxiàngōngsī］属煤炭开采和洗选业，山西省大型企业集团。注册地址位于山西省太原市清徐县贯中大厦。因所在行政区嘉言行业领域和组织形式而得名。成立于2000年。占地面积2939平方米。主要从事煤炭、焦化生产和销售，拥有储量丰富的煤炭和煤层气资源，目前拥有焦化产能715万吨/年，煤炭产能630万吨/年，具备“煤—焦—气—化”一体化的完整产业链。2017年始，制定平台发展战略，整合关键材料、核心零部件和终端应用的全产业链资源协同发展，以飞驰汽车“一点”为核心，推动产业链应用“一线”以及加氢站“一网”在渤海湾、长三角、大湾区联动布局。是中国最大的独立商品焦生产商之一，对山西省煤炭行业有重要贡献。公司位于清徐县区中心文源路，临近东湖公园，通清徐1路、37路公交车。

70-A-a005 **晋能控股集团有限公司**［Jìnnéng Kònggǔjítuán Yǒuxiàngōngsī］山西省国资委全资控股的国有综合性能源大集团。集团总部及煤业集团有限公司位于大同市平城区。2020年由大同煤矿集团公司、山西晋城无烟煤矿业集团公司和晋能集团公司联合重组而成。下设6个二级子公司，资产总额10942亿元，职工人数51.55万人，煤矿数量228座。占地面积约5亩。煤炭产能4亿吨，电厂电站146座，电力装机3814万千瓦（新能源装机622.7万千瓦），装备制造资产367亿元。是全球第三大、中国第二大煤炭企业，山西省骨干国有企业。打破了山西煤企各自为战、大而不强、同质化竞争严重的困局，有效破解煤电价格矛盾、利益互为掣肘的“老大难”问题，有效破解装备制造产业布局分散，市场内部化、同质化严重、无序竞争的格局，为带动行业进步做出积极贡献。集团总部临近大秦铁路、二广高速，通66路公交车。

70-A-a006 **大同煤矿集团有限责任公司**［Dàtóng MéikuàngJítuán Yǒuxiànzérèngōngsī］山西省属国有特大型综合能源集团。总部位于大同市云冈区。因所在行政区域及所属行业领域得名。企业前身为创办于1949年的大同矿务局，1998年改制，2000年改成有限责任公司，2003年在山西省煤炭企业重组中成立。主营业务以煤炭、电力为主，跨越大同、朔州、忻州三市，拥有煤田面积6157平方公里，总储量892亿吨（2005年数据）。是山西省规模最大的特大型国有综合能源集团，2018年年营业额为1600亿元。2020年10月，与晋煤集团、晋能集团、潞安集团、阳煤集团、中国（太原）煤炭交易中心等大型国有煤企的煤炭产业联合重组为晋能控股煤业集团有限公司，是山西省发挥能源企业产业集群优势、推动能源革命综合改革试点的重大突破。公司矿区有铁路专用线，临近大同绕城高速、省道同泉线，通1路、6路、9路、12路等公交车。

70-A-a007 **华阳新材料科技集团有限公司**［Huáyáng Xīncáiliào Kējìjítuán Yǒuxiàngōngsī］山西省属特大型煤炭国有企业。总部位于阳泉市矿区。因所在行政区域及所属行业领域得名。前身为阳泉矿务局，创建于1950年，1998年改制为阳煤集团。经过多年的发展，成为以煤炭和化工为主导产业，铝电、建筑地产、装备制造、贸易物流和现代服务业为辅助产业的强势发展的煤基多元化企业集团。占地面积36000平方米。拥有包括阳泉煤业、阳煤化工、山西三维、太化股份四个上市公司在内的500多个分子公司，年营业额1738亿元（2020年数据），产能8050万吨（2018年数据）。是全国最大的无烟煤生产基地，成立70年来，为国家能源安全和山西省经济社会发展做出重要贡献。2020年10月，阳泉煤业（集团）有限责任公司参与山西省煤炭行业重组，煤炭产业并入新成立的晋能控股集团，新材料产业整合山西省内其他新材料产业成立华阳新材料科技集团有限公司。总部临近石太铁路、青银高速，通1路、游1路、K1路、12路、20路、101路、101支路、103路、104路、106路、107路、108路、110路、112路、802路等公交车。

70-A-a008 **山西晋城无烟煤矿业集团有限责任公司**［Shānxī Jìnchéng Wúyānméi Kuàngyè Jítuán Yǒuxiànzérèngōngsī］由山西省国资委控股、股权结构多元化的有限责任公司。总部位于晋城市城区。因所在行政区域及所属行业领域得名。前身为晋城矿务局，成立于1958年。占地面积0.09平方千米。拥有60多个子公司、10个分公司、1

个托管企业。主营煤炭、煤层气、电力、煤化工、煤机制造、新兴产业。生产能力4040万吨/年（百度百科数据），以煤气电化综合发展为战略。是中国国家规划的13个大型煤炭基地中晋东煤炭基地的重要组成部分，是19个首批煤炭国家规划矿区晋城矿区的骨干企业，是我国优质无烟煤生产龙头企业，全国最大的煤化工企业集团，全国最大的煤层气开发利用基地。2020年重组并入晋能控股，与原同煤、晋煤、晋能、阳煤、潞安等企业装备制造相关资产重组整合成立晋能控股装备制造集团。总部临近二广高速、太焦铁路，通市内6路、33路、34路等公交车。

70-A-a009 **山西科兴能源发展有限公司**［Shānxī Kēxīng Néngyuán Fāzhǎn Yǒuxiàngōngsī］山西省晋城市高平市地方国有煤炭主体企业。位于山西省晋城市高平市高平经济技术开发区米山工业园。因所在行政区域及所属行业领域，科兴意为成功、兴起之意得名。成立于2009年。占地面积约150亩。经营范围包含煤炭销售，煤制品生产加工及销售、煤矿信息监控系统咨询设计、安装、维护，计算机信息系统集成，自有资金对煤矿开采、电力设施、煤化工项目进行投资；批发零售建材、矿山机械设备及配件；矿山机械设备的安装、维修；煤炭洗选及加工（仅限分公司），在行业和地区经济中发挥着重要作用。通市内5路公交车。

70-A-a010 **中煤平朔集团有限公司**［Zhōngméi Píngshuò Jítuán Yǒuxiàngōngsī］大型国有控股煤炭生产企业。因公司矿区在平鲁区，而办公及生活区设在朔城区，故各取一字得名。建于1982年，1997年6月并入中国中煤能源集团公司，成为集团旗下核心生产企业。2006年原平朔煤炭工业公司优良资产纳入中煤能源股份公司（上市公司），2008年更名为中煤平朔煤业有限责任公司，2012年更名为中煤平朔集团有限公司至今。现有3座年产能力2000万吨以上的特大型露天矿、4座井工矿、6座配套洗煤厂、4条总运输能力1亿吨的铁路专用线、7座总装机容量673万千瓦的参控股发电厂、1套年产30万吨合成氨装置和2套年产20万吨硝酸铵装置，矿区排土场复垦区植被覆盖率达到95%以上。到2020年底，累计生产原煤16.41亿吨，外运商品煤12.82亿吨。省道元朔线经此，通市内15路公交车。

70-A-a011 **永泰能源股份有限公司**［Yǒngtài Néngyuán Gǔfènyǒuxiàngōngsī］山西省民营煤炭企业代表。位于晋中市灵石县。前身系原泰安润滑油调配厂，以寓意及业务范围而命名。1989年成立股份制公司，1992年变更为股份有限公司，2010年变更注册地址至现址。主营行业为电力、煤炭、石化等能源产业，公司焦煤总产能规模990万吨/年，煤炭资源量总计38.3亿吨；所属电力业务控股总装机容量897万千瓦、参股总装机容量为220万千瓦；所属广东惠州大亚湾华瀛石化项目拥有1座30万吨级和3座2万吨级油品码头。其中煤炭业务主要分布在山西省内，在山西省灵石县有华熙矿业有限公司、灵石银源煤焦开发有限公司2家煤炭整合主体企业，华熙矿业有限公司下设荡荡岭煤矿、孙义煤矿、金泰源煤矿、集广煤矿、柏沟煤矿；银源煤焦化公司下设兴庆煤矿、华强煤矿、安苑煤矿、新安发煤矿、新生煤矿。为繁荣地方经济发展、带动行业进步做出重要贡献。京昆高速、108国道经此。

70-A-a012 **山西鑫飞能源投资集团有限公司**［Shānxī Xīnfēi Néngyuán Tóuzījituán Yǒuxiàngōngsī］以煤炭生产、煤炭加工为主业多元化发展的山西省大型民营百强企业。位于山西省吕梁市柳林县城北大街柳林镇毛家庄村。前身为2005年成立的山西柳林县鑫飞贸易有限公司，2007年更名为山西柳林鑫飞矿业有限公司，2008年更名为山西鑫飞能源投资集团有限公司。拥有柳林煤矿、毛家庄煤业、贺昌煤业3座控股煤矿和下山峁煤业一座参股煤矿，柳林煤矿洗煤厂、毛家庄洗煤厂、贺昌洗煤厂、红星洗煤厂等4个洗煤厂，现有井田面积25.91平方公里，资源储量2.84亿吨，年生产能力510万吨、入洗能力660万吨（2018年数据）。主要产品“铁峰”牌优质焦煤是国家保护性开发的世界稀有煤种，享有“国宝”美称，为当地提供了众多就业岗位与利税收入。柳吉公路横穿矿区，距307国道2.5公里，距柳结线和青银高速3公里。

70–A–c001 **山西金地矿业集团有限公司**［Shānxī Jīndì Kuàngyèjítuán Yǒuxiàngōngsī］属于电气机械和器材制造业。位于山西省大同市灵丘县南水芦村南。取吉利之意命名。成立于2000年，2019年更现名。经营范围包括银、锰、铅锌加工、销售；富锰渣、锰铁合金、生铁、含银粗铅销售；石灰石开采、加工、销售；货物进出口贸易、铁矿的开采、加工、销售等。占地面积0.5平方公里。凭借专业的水平和成熟的技术，始终坚持“质量，信誉”的宗旨，以科学的管理手段，雄厚的技术力量，不断深化改革，创新机制，适应市场，全面发展。336国道经此。

70–A–c002 **山西宏伟矿业有限责任公司**［Shānxī Hóngwěi Kuàngyè Yǒuxiànzérèngōngsī］属黑色金属矿采选行业。位于山西省大同市灵丘县落水河乡乐陶山村。因所在行政区域及所属行业领域、企业创办人得名。成立于2003年。经营范围包括铁矿石开采加工、白云岩矿石开采加工；进出口货物；铁精粉加工购销、球团加工购销、镁及镁合金加工购销、兰炭、焦油加工、购销；还原罐、衬板、钢球、钢煅、小型设备机件加工销售、钢材的购销；煤炭购销等。占地面积0.4平方公里。对外投资6家公司，具有12处分支机构，在行业和地区经济中发挥重要作用。省道马走线经此。

70–A–c003 **垣曲国泰矿业有限公司**［Yuánqǔ Guótài Kuàngyè Yǒuxiàngōngsī］大型矿产资源综合加工型企业。注册地址为山西省运城市垣曲县新城镇青年路1号。成立于2005年。由济源钢铁集团公司与垣曲鑫海铁业有限公司合资组建，起名沿用济源钢铁集团“国泰”商标。占地面积2400平方米。经营范围主要包括铜、铁矿粉加工、销售；铁矿石开采；建材、化工产品、润滑油销售等。坚持以科学发展观为指导，秉持“发展经济、创造财富、造福职工、回报社会”的发展理念，现已成为县域龙头企业。2009年12月获“山西省百强民营企业”荣誉称号；2010年8月获“山西省慈善突出贡献企业奖”。位于新城南街与青年东路交接处，通垣曲5路、6路公交车。

70–A–d001 **中条山有色金属集团有限公司**［Zhōngtiáoshān Yǒusèjīnshǔ Jítuán Yǒuxiàngōngsī］集科研设计、采矿、选矿、冶炼、加工、贸易为一体的大型企业集团。位于山西省运城市境内垣曲县中条山。因所在区域位置及所属行业领域得名。1956年成立“中条山有色金属公司”，隶属于重工业部有色金属管理局。1957年划归冶金工业部领导。1970年下放给山西省管理，更名为“山西中条山有色金属公司”。1983年划归中国有色金属工业总公司领导，恢复原“中条山有色金属公司”名称。2000年起下放山西省人民政府管理。2001年山西省人民政府批准改制为“山西中条山有色金属集团有限公司”。2005年更名为“中条山有色金属集团有限公司”。占地面积22.84平方千米。成立六十余年来，累计生产铜233万吨，2002至2021年，累计缴纳税费35.38亿元，为我国经济建设和地方经济社会发展做出了重要贡献。是我国具有发展潜能的大型铜工业基地之一，是华北地区最大的铜业联合企业，工艺技术先进，矿产资源丰富，引进创新的矿块崩落法采矿工艺、奥斯麦特铜熔炼技术、湿法炼铜工艺均世界领先，并获国家科技进步奖。主产品“中条山”牌阴极铜在上海期货交易所注册，为“国家免检产品”“全国用户满意产品”，连续四届被中国有色金属工业协会授予有色金属产品实物质量“金杯奖”。位于中条北街和七一路交接处，通垣曲2路公交车。

70–A–d002 **山西紫金矿业有限公司**［Shānxī Zǐjīn Kuàngyè Yǒuxiàngōngsī］属于有色金属矿采选业。位于山西省忻州市繁峙县砂河镇义兴寨。因所在行政区域及所属行业领域得名。1986年建矿，1988年建成投产。先后隶属于省冶金厅、省企业办管理。2003年逐级下放到繁峙县管理，于2005年并入紫金集团，2008年非煤资源整合为单独保留矿山。根据晋非煤开整字201201号核准山西紫金矿业有限公司由山西紫金矿业有限公司和繁峙县义兴寨金矿整合而成，整合关闭繁峙县义兴寨金矿。整合后采矿权人和矿山名称均为山西紫金矿业有限公司。2013年12月20日经山西省国土资源厅为其划定矿区范围。经营范围包括黄金及有色金属和非金属矿产的开采选冶、加工、矿产品销售、矿产地质、矿产资源勘查、信息技术服务等。拥有采矿权面积5.1368平方千米。对外投资 2 家公司，具有 1 处分支机构。在行业和地区经济中发挥重要作用。县道金砂线经此。

70-A-d003 **山西华兴铝业有限公司** [Shānxī Huáxīng Lǚyè Yǒuxiàngōngsī] 属大型铝矿开采及氧化铝生产企业。位于革命老区晋绥边区政府所在地，山西兴县 003 乡道，吕梁市兴县瓦塘镇龙耳会村。因寓意欣欣向荣，一展宏图，振兴中华之意而得名。2010 年在吕梁市兴县注册成立。由中国铝业股份有限公司和中国铝业香港有限公司合资组建。2011 年一期 80 万吨氧化铝项目开工建设，2013 年建成投产，2014 年实现达标达产。2015 年二期 100 万吨氧化铝项目开工建设，2016 年建成投产，是国内首条百万吨级一水硬铝石氧化铝生产线。经过一二期建设，已经形成 180 万吨冶金级氧化铝产能。占地面积 2000 多亩。专注于铝矿及附属矿产的开采、初加工和销售，以及碳素产品及相关有色金属的生产，产品包括铝土矿、砂状氧化铝等，主要面向能源矿产、化工产业、加工制造等领域的用户，提供铝矿产品及配套相关服务。在“坚持绿色发展，实现更加环保，更加和谐”的要求下，在实现生产技术和经营管理现代化的同时，更加重视环境保护工作理念创新。企业运营提质增效，实现生产经营连年盈利，已成为中国氧化铝行业最具竞争力的企业之一。公司以励精图治、创新求强为企业精神，艰苦奋斗、真抓实干、争创一流为工作理念，为地方经济发展做出重要贡献。位于山西省吕梁市兴县，乡村道路经此。

B 电站（3）

70-B-b001 **国电太原第一热电厂** [Guódiàn Tàiyuán Dìyī Rèdiànchǎng] 属电力、热力生产和供应行业。位于山西省太原市晋源区晋祠路三段 28 号。因所在行政区域及所属行业领域得名。始建于 1953 年，是以发电、供热为主的大型坑口电站，为大型国有控股企业，先后经历了六期扩建，其中前四期 18.6 万千瓦机组已于 2000 年全部关停。现有 4 台 30 万千瓦燃煤热电联产机组，承担着市区集中供热 2300 万平方米，是太原市区冬季集中供热的主要热源企业之一。但随着城市建设拓展，一电厂厂址已由建厂时的城郊地区变为主城区和环境敏感区域。厂区占地 840 亩，位于晋阳湖的西侧湖畔，由于电厂机组投运年限已久，机组能耗水平和环保水平低下，环境污染严重，2014 年 4 月，太原市政府首次提出将对国电太原第一热电厂进行拆除。2017 年 5 月正式关停，迁太原市清徐县清源镇贾兆村南，为晋源湖西岸的生态美景打造腾出空间。五十年来，逐步发展成为拥有装机容量 127.5 万千瓦的现代化大型热电联产企业。至 2003 年底，为国家发电 1020.53 亿千瓦时，供热 2.63 亿百万千焦，为居民热电需求提供了保障，为省城集中供热和全省的经济发展做出了突出贡献。通 308 路、5 路、858 路公交车。

70-B-b002 **大唐阳城发电有限责任公司** [Dàtáng Yángchéng Fādiàn Yǒuxiànzérèngōngsī] 为电力、热力生产和供应业的大型发电企业。位于山西省晋城市阳城县北留镇。因所在行政区域及所属行业领域得名。成立于 2005 年。由中国大唐集团公司、江苏省国信资产管理集团有限公司、山西国际电力集团有限公司共同投资组建。占地面积 638397.5 平方米。经营范围包含建设经营燃煤发电机组；电力供应；向电网售电，开发和经营电力行业服务的机电设备、燃料及灰渣综合利用等业务；热力供应服务。近年来始终把建设国际一流作为寻求创新提高、推动企业发展的载体，大力推进管理创新、机制创新、科技创新和企业文化创新，企业管理向国际先进水平看齐，各项经济指标进一步优化，始终保持良好发展态势。靠近晋城市阳城县北留镇迎宾南路。

70-B-b003 **山西国锦煤电有限公司** [Shānxī Guójǐn Méidiàn Yǒuxiàngōngsī] 属大型国有控股电力企业。位于吕梁市交城县王明寨村西的夏家营工业园区。因山西省国际电力集团有限公司与美锦能源集团公司出股组建而得名。成立于 2008 年 10 月。占地面积 446 亩。经营范围包括电力供应、电力业务：电力生产供应、热力生产与销售及相关业务。是太原、吕梁、晋中三市电力的交汇点，同时还承担着太原南部电网电源安保任务和太原市南部及交城县的主力供热热源任务。2019 年公司把握市场风向，主动寻求政策支持，在当年1月获批了全国第一个综合能源体系试点，并且在当年便实现盈利。（2020年数据）公司完成发电量298602.6万千瓦时，供热601.38万吉焦，营业额收入89089.65万元，利润4144.78万元。2021年一季度完成发电量72389万千瓦时，供热量395.26吉焦，利润1580.55万元。在山西省发电供热方面有着重要地位，是太原、吕梁、晋中三市的供热保障。无公交直达。

C 加工工业（60）

70-C-a001　**中国宝武太原钢铁集团有限公司**［Zhōngguó Bǎowǔ Tàiyuán Gāngtiě Jítuán Yǒuxiàngōngsī］属于钢铁产业，是中国宝武钢铁集团有限公司的控股子公司和不锈钢产业一体化运营的特大型公司。位于山西省太原市尖草坪区尖草坪街2号。因所在行政区域及所属行业领域得名。始建于1934年，前身是民国时期西北实业公司所属的西北炼钢厂。1949年太原解放后更名为西北钢铁公司。1996年1月，改制为国有独资太原钢铁（集团）有限公司。新中国成立之初，被国家定位于发展特殊钢，先后生产出中国第一炉不锈钢、第一张热轧硅钢片、第一块电磁纯铁。2006年，实现钢铁主业整体上市。2020年实现与中国宝武联合重组，控股股东变更为中国宝武。占地面积约8.9平方公里。长期专注发展以不锈钢为主的特殊钢，建有先进不锈钢材料国家重点实验室、国家级理化实验室等创新平台，拥有800多项以不锈钢为主的具有自主知识产权的核心和专有技术，主持或参与完成我国超过70%的不锈钢板带类产品标准。目前形成以不锈钢、冷轧硅钢、高强韧系列钢材为主的高效节能长寿型钢铁产品集群。同时积极发展其他相关多元产业，拥有以高性能碳纤维、镍基合金为代表的新材料产品集群、亚洲规模最大的现代化冶金露天矿山和山西省内一流的三级甲等综合性医院。先后获得中国工业大奖、中国质量奖提名奖等荣誉称号。2020年产钢1069万吨，其中不锈钢419万吨，实现营业收入786亿元，利润总额39亿元，实现税金29亿元，为我国钢铁事业以及经济发展做出了重要贡献。临近卧虎山快速路、G55高速以及太原长途汽车站，通309路、36路、73路公交车。

70-C-a002　**山西晋城钢铁控股集团有限公司**［Shānxī Jìnchéng Gāngtiě Kònggǔjítuán Yǒuxiàn gōngsī］集铁、钢、材、余能综合循环利用及产品深加工于一体的全产业链钢铁联合企业。位于山西省晋城市泽州县巴公镇东部村。因所在行政区域及所属行业领域得名。投资建厂于2002年，成立于2009年。是以钢、铁、材生产、销售为主体，兼营水泥超细粉、发电、物流为一体的山西省重点钢铁联合企业，也是华北地区大型建筑钢材生产基地。占地面积2平方千米。集团子公司有晋城福盛钢铁有限公司、晋城市顺盛新型环保建材有限公司、晋城市丛盛科创实业有限公司等。企业总资产86亿元，固定资产68亿元，现有员工10700余人，其中，中高级专业技术人员520人，专业技术研发人员38人，大专文化程度以上人员占到集团总人数的48%。现为中国钢铁工业协会会员单位，山西省钢铁协会副会长单位，先后荣获“全国钢铁工业先进集体”“山西省百强潜力企业”“山西工业企业30强第十名”“山西省优秀企业”“超亿元纳税先进企业”“山西省名牌企业”“晋城市最具影响力民营企业”“中国对外贸易民营500强企业”等一系列荣誉称号。207国道经此，通315路公交车。

70-C-a003　**山西龙成玛钢有限公司**［Shānxī Lóngchéng Mǎgāng Yǒuxiàngōngsī］属于金属制品业，为大型五金生产企业。位于山西省晋中市太谷区韩村乌马河桥南、胡村。以寓意及业务范围而命名。成立于2002年。占地面积13.3万平方米。经营范围包括铸造、加工：玛钢管件、五金工具、球墨铸件、生铁铸件、水暖器材、其他铸件及热镀锌。在全国各大城市设有分支机构，服务网络遍及全国。位于郊外，临近108国道，通T02、T15、T18、T19及T20路公交车。

70-C-a004　**东方希望晋中铝业有限公司**［Dōng fāngxīwàng Jìnzhōng Lǚyè Yǒuxiàngōngsī］东方希望集团投资建设的大型氧化铝、氢氧化铝生产企业，属于有色金属冶炼和压延加工业。位于山西省晋中市灵石县南关镇逍遥村。因所在行政区域及所属行业领域得名。始创于1982年，目前涉足饲料、食品、金融、化工、生物工程、有色金属等十多个行业，投资遍布国内外。所涉及的领域竞争力均居同行业前列，目前集团旗下已有150余家子公司。是东方希望集团在山西省灵石县南关镇逍遥村投资建设的“晋中（灵石）铝工业循环经济园区”主公司。占地面积81.27公顷。氧化铝年产能300万吨，是集“煤、电、铝、化工”于一体的特大型循环经济产业基地。公司本着“循环经济、节能减排、打造循环经济产业链”的理念，走精益管理、科学发展之路，以建设“环境友好、资源节约”型企业为目标，利用晋中乃至整个山西得天独厚的铝土矿、煤炭、石灰石资源优势，建成布局合理、规模巨大、技术先进、资源节约、竞争力强、集“煤、电、铝、化工”于一体的特大型循环经济产业基地。直接解决当地1500余人就业，并带动了当地经济发展，创造就业机会5000多个，为当地社会经济发展做出了巨大贡献。位于郊外，临近京昆高速路。

70-C-a005 **山西建龙钢铁有限公司**［Shānxī Jiànlóng Gāngtiě Yǒuxiàngōngsī］以钢铁为主业，集资源、金融、地产、儿童教育等行（产）业为一体的大型企业集团。位于山西省运城市闻喜经济技术开发区。以所在行政区域及所属集团名号组合得名。原为海鑫钢铁集团有限公司，成立于1992年。2015年破产重整，改为北京建龙重工集团控股子公司吉林建龙钢铁有限责任公司控股。占地面积4平方公里。是全国民营钢铁企业中屈指可数的有铁矿石进口资质的企业之一，创建“海鑫”牌钢筋，销售范围广泛。作为区域内规模最大的民营企业，积极为推动地方经济社会发展尽职尽责，先后被授予“山西省优秀企业”“山西省工业转型发展百强潜力企业”“山西省慈善突出贡献企业”等荣誉称号。坚持以“大钢铁、大园区、大物流、大服务”为发展定位，以“高端化、终端化、服务化、生态化”为产品定位，以闻喜经济技术开发区和山西钢铁产业结构调整基金为依托，全力打造中西部地区精品钢生产制造基地、黄河金三角区域综合性工业服务基地。位于山西省运城市闻喜县，乡村道路经此。

70-C-a006 **太钢集团临汾钢铁有限公司**［Tàigāng Jítuán Línfén Gāngtiě Yǒuxiàngōngsī］集采矿、烧结、炼焦、炼铁、炼钢、轧材等工艺配套的大型钢铁联合企业。位于山西省临汾市尧都区桥东街3号。因所在行政区域及所属行业领域得名。始建于1958年，1998年在山西省临汾登记成立，曾是全国56家地方骨干钢铁企业之一。占地面积5000公顷。对外投资3家公司，具有12处分支机构。经营范围包括采选铁矿，制作、安装、维修钢结构、机电设备及零部件等。先后荣获“全国五一劳动奖状”“山西省优秀企业”“山西省先进基层党组织”“山西省文明单位”。始终以“以人为本，用户至上，质量兴企，全面开放，不断创新”为企业核心价值观，在行业和地区经济中发挥重要作用。临近桥东街、迎宾路，通6路、8路公交车。

70-70-C-a007 **山西建邦集团有限公司**［Shānxī Jiànbāng Jítuányǒuxiàngōngsī］集进出口贸易、炼铁、炼钢、轧材、铸造、清洁发电、新型建材、矿山开采、铁路运输、现代物流、电子商务、金融投资、房地产开发、钢材深加工、教育培训、产学研融合为一体的跨区域跨国界经营、跨行业多元化发展的大型民营企业。位于山西省侯马市张村街道大张路大李加油站附近。因创始人名及所属行业领域得名。始建于1988年，1997年组建集团。占地面积6000余亩。资产总额210亿元，职工5000余人。坚持“安全发展、绿色发展、低碳发展、循环发展”的生存理念，稳步推进“森林中的钢铁企业”建设步伐，深化转型升级战略，构建现代产业体系，坚持走绿色化、智能化、集约化发展之路，通过稳链、补链、强链、延链，不断提高优特钢、品种钢的产量及质量。现为国家球墨生铁、高纯生铁、四面肋热轧钢筋、热轧钢筋用连铸方坯标准制定成员单位，中国企业500强、中国制造业500强、中国对外贸易民营企业500强、工信部第二批符合钢铁行业规范条件企业、国家级绿色工厂、国家高新技术企业、全国节能减排示范企业、全国环境守法示范企业、国家两化融合示范单位。临近侯马大张路。

70-C-a008 **山西晋南钢铁集团有限公司**［Shānxī Jìnnán Gāngtiě Jítuán Yǒuxiàngōngsī］

集钢铁、焦化、高端化工、新能源等为一体的钢化联产示范民营企业。位于山西省临汾市曲沃县宇晋路曲天经济技术开发区。因所在区域位置及所属行业领域得名。成立于2014年。占地18000余亩，员工6000余人，已形成年产800万吨铁，1000万吨钢，1000万吨材，315万吨焦，45万吨高端化工产品的成产规模。经营范围包括炼钢、轧材、生铁冶炼、铸造。是中国民营企业500强，2021年位列第299位。是中国制造业民营企业500强，2021年位列第173位。承“绿色、低碳、环保、安全”的发展理念，推动新兴产业成势崛起，每年减少碳排放136万吨，对实现双碳目标、重塑产业生态、推动山西能源革命起到了示范引领作用。靠近山西省侯马市曲沃县宇晋路、立恒大道。

70-C-a009 **山西中阳钢铁有限公司**［Shānxī Zhōngyáng Gāngtiě Yǒuxiàngōngsī］国家级大型民营钢铁企业。位于山西省吕梁市中阳县宁乡镇城北郊。因所在行政区域及所属行业领域得名。始建于1985年。占地3000余亩。职工1万余人，总资产200多亿元，年产值150亿元。具有年产500万吨原煤、120万吨铁精粉、150万吨焦、400万吨铁、400万吨钢、400万吨材的产业规模。主要经营采煤、选煤、炼焦、采矿、选矿、炼铁、炼钢、轧钢、发电等产业。销售网络覆盖京、津、冀、陕、甘、宁、晋、蒙及沿海城市，销售范围广，综合实力强，是民营企业标杆模范。是蝉联三届的全省工业企业30强和十大纳税户之一，多次被评为“全国优秀乡镇企业”和“山西省模范单位”。为吕梁地区的经济发展提供原生动力，为建设和谐、文明、富裕的小康吕梁做出贡献。临近中钢一号路，通102路公交车。

70-C-b001 **太原化学工业集团有限公司**［Tàiyuán Huàxué Gōngyè Jítuán Yǒuxiàngōngsī］属于电气机械和器材制造业，省属特大型国有企业。总部位于山西省太原市晋源区义井街20号。因所在行政区域及所属行业领域得名。是国家在建国初期根据工业布局的需要和地方自然资源条件，在太原规划的一个大型联合化工生产基地。1954年开始建设，1958年相继投产，1960年基本建成。1995年，太原化学工业集团公司再次改变隶属关系，由省化工厅管理；1997年，经山西省人民政府批准，太原化学工业集团公司建立现代企业制度，整体改制为大型国有独资有限公司；1998年，太原化学工业（集团）有限公司正式挂牌；2000年，经山西省人民政府批准成立的太化股份有限公司（太化股份）正式在上交所挂牌上市。2012年该公司被阳煤集团收购，并开始组织重建。总占地1040万平方米。是全国重要的煤化工基地，是山西省大型综合性化工企业，主要生产、研制、销售有机、无机化工原料，化肥、焦炭、电石、橡胶制品、试剂、溶剂、油漆、涂料、农药、润滑油脂及其它化工产品；贵金属加工；电子产品及仪表制造。目前正在努力成为全国最大的煤化工企业和“国际性煤化工先进制造业基地”，对山西省煤炭化工产业有突出贡献，是山西省重要的煤炭化工产业模范。临近长风西街，通618路、858路公交车。

70-C-b002 **山西潞宝集团有限公司**［Shānxī Lùbǎo Jítuán Yǒuxiàngōngsī］以煤焦化工为主导，横跨新材料、能源、物流、旅游、有机农业、生物工程等领域的大型中外合资企业。总部位于山西省潞城市潞宝工业园区。因所在行政区域及所属行业领域得名。建于1994年。工业园区占地20平方公里，是山西省十大焦化工业园区之一，也是潞城市煤化工循环经济集聚区的重要基地。现拥有潞宝焦化、环能焦化、山西焦炭集团现代能源等十几家控股企业、参股企业和全资子公司。主公司为山西省潞宝集团焦化有限公司。其生产的特级精煤、一级冶金焦、粗苯、优质焦油化工产品、优质甲醇等十几种产品畅销全国；冶金焦成功进入美国市场，中温沥青出口印度。工业园区现已形成集工业旅游、生态旅游、红色旅游及新农村旅游为一体，实现了产业转型升级，从黑色产业向绿色产业转变并延伸到红色产业。园区绿化面积达2万亩，投资5亿多元，建成了全国最大的毛主席博物馆和红色纪念园，成为全国爱国主义教育基地，为燃煤节能减排做出了突出贡献。历年来，连续跻身于全国民营企业百强行列。对山西煤炭、焦化、绿色生态旅游发展做出了重要贡献，带动了当地就业以及经济发展。厂区紧临 102 省道。

70-C-b003 山西振东制药股份有限公司［Shānxī Zhèndōng Zhìyào Gǔfèn Yǒuxiàngōngsī］属于医药制造业，是集中西制药、保健食品、家护用品、文化旅游、农业科技开发等为一体的现代化股份制大型民营企业。总部位于山西省长治市上党区光明南路振东科技园。因创始人在创业伊始"振兴家乡，振兴东和"的理想，又因所在行政区域与所属行业领域得名。前身是创立于 1993 年的振东实业集团有限公司，2011 年在深交所创业板上市。集团科技园区一期规划面积 300 多亩。下辖长治振东等 12 个子公司，主要生产抗肿瘤、心脑血管、抗感染等八大用药系列。其中"岩舒"是中国著名商标，"岩列舒"是山西省著名商标。"岩舒"复方苦参注射液是享有自主知识产权的独家、专利、国家中药保护品种，曾获"肿瘤疾病类中药十强"。是国家创新型示范企业、国家专利试点单位、国家级知识产权优势企业、国际联合研究示范企业，拥有与欧美、澳洲等多个国家合作建立的国际科研中心，同时也是国家博士后科研工作站。曾荣获"全国五一劳动奖状""全国扶贫先进单位""中药现代化科技产业基地建设先进单位"等多项荣誉称号，是山西本地重要的民营企业，是全国民营企业 500 强之一。靠长陵公路，西依长晋高速公路，太焦铁路，紧邻长治市客运中心、火车站、飞机场，交通便捷。

70-C-b004 潞安化工集团有限公司［Lùān Huàgōng Jítuán Yǒuxiàngōngsī］为煤化一体的特大型国有企业。注册地址位于山西省长治市潞州区（长治高新区漳泽工业园）宝源路 53 号。前身为 1959 年成立的潞安矿务局，以"艰苦奋斗、勤俭办矿"的"石圪节精神"享誉全国。主要经营产业为煤化工业，同时产业覆盖化工、清洁能源、金融物资、新材料、研发创新等多个方面，延伸出了煤电化、煤焦化、煤油化三条主产业链。年营业额达 1614 亿元（2020 年），中国企业五百强排名第 143 位（2021 年），被评为"国有企业公司治理示范企业"。2020 年 8 月，潞安矿业集团整合重组山西阳煤集团和山西晋煤集团等企业化工资产和配套煤矿，建立潞安化工集团有限公司。通过战略重组与专业化整合，形成了一条完整煤化工产业链条，为山西省煤化行业资源合理配置发挥积极作用。临近太焦铁路、二广高速、208 国道。

70-C-b005 山西兰花煤炭实业集团有限公司［Shānxī Lánhuā Méitàn Shíyè Jítuán Yǒuxiàn gōngsī］集煤炭、化工、精细化工、生物制药等多元化产业的国家大型上市企业。总部位于晋城市城区凤台东街 2288 号。成立于 1997 年，1998 年以主要生产经营性资产独家发起以募集方式设立"山西兰花科技创业股份有限公司"。占地面积 0.02 平方千米。现有各类矿井 14 个，年设计能力 2020 万吨，其中生产矿井 7 个，年煤炭生产能力 960 万吨，在建资源整合矿井 5 个，设计年生产能力 420 万吨（2020 年数据）。主营业务为煤炭、煤化工、新材料产业、新能源产业、健康医药产业、现代服务业；煤炭产业主要产品为无烟煤。积极拓展煤化工业产业链，不断延伸下游产品链条，发展新能源、新材料等行业，是山西省煤炭行业"煤焦化"产业链转型发展的代表型企业。靠近二广高速，通 317、319 路公交车。

70-C-b006 山西榆社化工股份有限公司［Shānxī Yúshè Huàgōng Gǔfèn Yǒuxiàngōngsī］国内大型氯碱和乙炔化工生产企业，属于化学原料和化学制品制造业。位于山西省晋中市榆社县新建南路 99 号。因所在行政区域及所属行业领域得名。前身是山西省榆社县化肥厂，1970 年开始筹建，1971 年开始建厂，1973 年投产，2001 年实行股份制改革。占地面积 2000 亩，注册资本 16936 万元，总资产 23 亿元，员工 2700 余人。连年获得中国化工企业 500 强、中国基础化学原料制造业百强企业、山西省企业 100 强、山西省制造业企业 100 强、山西省民营企业 100 强、山西省民营制造业 30 强等称号。荣获全国守合同重信用企业、山西省"功勋企业"和"安全明星企业"，并被授予"五一劳动奖状"光荣称号。是山西省人民政府在"十一五"期间重点扶持的大企业大集团之一。省道太长线经此，通榆社 1 路支线、

21 路、22 路、23 路公交车。

70-C-b007　**山西天生制药有限责任公司**［Shānxī Tiānshēng Zhìyào Yǒuxiàngōngsī］山西省大型医药制造业企业。位于山西省晋中市榆社县泰新东街 7 号。因所属行业领域及取为天下苍生安康之愿望而名。前身是山西省榆社阿胶厂，创建于 1955 年。2002 年投资 5500 万元进行了技术改造。2004 年公司改制为股份公司，同时进行了大规模的 GMP 技术改造，属国内著名的、规模较大的阿胶系列产品及中成药生产基地。公司总资产 2 亿元，占地面积 4 万平方米，建筑面积 4.1 万平方米。是阿胶系列产品及中成药生产商，旗下拥有阿胶品牌"紫金山泉"，产品涉及元胡胃舒胶囊、参芪阿胶胶囊、阿胶生化膏、阿胶远志膏、丹苓补骨胶囊及芪味糖平胶囊等特色中成药。依托当地独具的绿色生态资源，合作建有中药材种植、养驴、养蜂基地。始终坚持"质量立企、诚信至上"的原则，致力于"以人民健康、我们的责任"为宗旨，不断探索寻求最高目标。多年来以其独特的疗效，安全、无毒、有效的作用深受广大消费者青睐。位于县城内泰新东街北，340 国道经此，通榆社 2 路、5 路、18 路、19 路、20 路等公交车。

70-C-b008　**山西广生胶囊有限公司**［Shānxī Guǎngshēng Jiāonáng Yǒuxiàngōngsī］山西省大型科技推广和应用服务业企业。注册地位于山西省晋中市榆社县箕城镇泰新东街 5 号。因所属行业领域及取为了广大生命健康之意而名。创建于 1983 年，1983 年开始生产药用空心胶囊，1991 年国内首家使用航天部胶囊自动生产线，1997 年改为股份制公司。1998 年引进加拿大 TES、台湾 FCD 胶囊制造生产线，2008 年被评为药品质量诚信建设示范企业，2009 年获得中国医药包装事业突出贡献单位奖，2013 年引进植物胶囊全自动生产线，2014 年引进战略合作伙伴梅花集团，2016 年成为国内首家唯一使用肠溶胶囊全自动生产线，2017 年拥有 88 条胶囊全自动生产线产能达到 400 亿粒。2021 年安宏资本入驻。占地面积 60000 平方米，绿化覆盖率 20% 以上。主要生产明胶空心胶囊、普鲁兰空心胶囊、纤维素空心胶囊，有全自动胶囊生产线 52 条，年生产量 210 亿粒，是国内最大的空心胶囊生产企业。产品得到天津中美史克、西安杨森、北京同仁堂、广药集团、哈药集团、华药集团、扬子江药业集团、山东新华等国内 500 余家大中型企业的认可，并出口北美、欧洲等发达国家和地区。340 国道经此，通榆社 2 路、5 路、18 路、19 路、20 路等公交车。

70-C-b009　**山西富邦肥业有限公司**［Shānxī Fùbāng Féiyè Yǒuxiàngōngsī］山西省大型制造业企业。位于山西省晋中市昔阳县城郊西路 18 号。以寓意及业务范围而命名。前身为昔阳县磷肥厂，始建于 70 年代，2004 年改制后成立。占地面积 100050 平方米，注册资本 518 万元，全部资产总额达 6000 万元，是集肥料研发、生产、销售和农化服务于一体的现代化民营企业。主要生产土壤调理剂、配方专用肥（BB 肥）、有机肥等三大系列农资产品和工业用石灰产品。主要工艺为利用瓦斯气高温锻烧土壤调理剂—收集锻烧窑尾气余热进行蒸汽发电—再利用发电余热和收集回转窑窑体外热量再进行肥料颗粒烘干，整个生产工艺真正体现循环利用、无污染排放、绿色环保之功效。公司生产的"富力邦"牌土壤调理剂（原名硅钙钾肥），其独特的改良土壤功效已获准国家农业部登记许可，并认证为绿色产品。具备年产土壤调理剂 3 万吨、掺混肥 5 万吨、有机肥 2 万吨的肥料生产规模。339 国道经此，通 103、104、105 路公交车。

70-C-b010　**南风化工集团股份有限公司**［Nán fēng Huàgōng Jítuán Gǔfèn Yǒuxiàngōngsī］跨省、市的大型企业集团和国有控股上市公司。位于山西省运城盐湖区红旗东街 376 号。取自舜帝《南风歌》，以寓意及所属行业领域而得名。成立于 1996 年 4 月，现有 5 个分公司、19 个子公司，总资产 35 亿元，销售收入 32 亿元，是国家重点扶持的 520 家企业之一。占地面积 15000 平方米。在江苏、四川等地拥有丰富的芒硝矿资源开采权，并致力于扩大在芒硝资源领域的优势。主要品牌为无机盐系列，其中，元明粉、硫化碱、硫酸钡产销量均在国内居主导地位，且拥有成熟的市场营销体系和市场服务网络，产品畅销国内外，企业的无机盐产品远销出口 30 多个国家和地区。技术研发实力雄厚，与清华大学、江南大学等国内外知名高校科研院所建有产学研合作关系，先后开发出企业专有技术和多种新产品，获得多项科技成果。附近通 10 路公交车。

70-C-b011 亚宝药业集团股份有限公司［Yàbǎo Yàoyè Jítuán Gǔfèn Yǒuxiàngōngsī］山西省医药行业首家上市公司和首批认定的高新技术企业。位于山西省运城市芮城县富民路43号。以寓意及业务范围而命名。亚宝药业前身为芮城县制药厂，1999 年 1 月 26 日，芮城制药厂联合省经济建设投资公司、省科技基金发展总公司、大同中药厂、省经贸资产有限公司发起设立的“山西亚宝药业集团有限公司”正式成立。2001 年 3 月，原芮城制药厂改组为集团公司一分公司，原云河制药厂改组为二分公司，原植物提取厂改组为亚宝康乐公司，原外贸公司改组为包材公司。2003 年 5 月，集团在风陵渡经济开发区建设占地 400 亩的药品现代化工业园。2004 年 4 月，在太原国家级经济开发区建设了药品生产工业园。2005 年 8 月 15 日，经国务院资产监督管理委员会批准，芮城制药厂改制为非国有控股的芮城欣钰盛公司，集团公司由国有控股变更为非国有控股。2006 年 1 月，“亚宝”商标被认定为“中国驰名商标”；2006 年 7 月，把销售公司与山西亚宝医药经销有限公司合并。2007 年，把北京亚宝乾坤科技有限公司改为北京亚宝医药经销公司。2007 年“丁桂”商标被工商局评定为“山西省著名商标”。2008 年 3 月 21 日，经中国政监委发审委标准，亚宝药业 A 股股票公开增发。2009 年，在亚宝风陵渡工业园建设了抗肿瘤药生产基地和缓控释制剂 FDACGMP 生产线，成立了亚宝三分公司。2009 年 4 月，公司完成为区域名称注册，取消“山西”二字，正式更名为现在的“亚宝药业集团股份有限公司”。2010 年 7 月，亚宝集团在芮城县城工业产业聚集区建设以药品、保健品生产为主的现代医药产品园区，园区总投资 7 亿元，占地 21.28 万平方米，建筑面积 13.3 万平方米。集药品和大健康产品的研发、生产、物流、销售和中药材种植于一体，创建专利产品丁桂儿脐贴，名优产品红花注射液、珍菊降压片等。研发药物对心脑血管病、妇科及儿科病有重大影响，其中丁桂儿脐贴作为企业专利药品，驰名中外，广销东南亚国家。作为高新技术企业，是工信部认定的“中国医药工业百强”企业。企业以“服务社会，奉献爱心，致力于人类健康事业”的理念，在行业和地区经济中发挥重要作用。通芮城—风陵渡沿河公交车。

70-C-b012 山西同德化工股份有限公司［Shānxī Tóngdé Huàgōng Gǔfèn Yǒuxiàn gōngsī］国家民爆行业高新技术优势企业。2010 年在深圳证券交易所中小板上市。母公司位于山西省河曲县西口镇焦尾城大茂口，占地面积约 30 万平方米。主要业务是民用炸药的研发、生产、销售，以及为客户提供工程爆破的整体解决方案等相关服务。是山西省民爆龙头企业，也是我国为数不多的品种门类齐全的工业炸药生产企业之一。以推动高质量发展为目标，以加快智能制造和转型升级为抓手，对现有炸药生产线进行自动化、智能化、信息化技术升级改造，安全生产及安全管理水平明显提高。非常重视产品质量管理、生产安全管理等基础管理工作，先后通过 ISO9001：2000 质量管理体系认证、ISO14001 环境管理体系认证、OHSMS18001 职业安全健康体系认证，并得到持续有效运行。炸药车间曾荣获全国“五一”劳动奖状；连年被山西省国防科工局评为山西省民爆行业先进单位，多种产品荣获山西省名牌产品称号，“同德”商标被国家工商总局商标局认定为弛名商标，多次被地方政府评为“爱心助学先进单位”。省道万涔经此。

70-C-b013 山西鹏飞集团有限公司［Shānxī Péngfēi Jítuán Yǒuxiàngōngsī］集采掘、洗煤、炼焦、化工于一体的闭合式、全循环、全产业链的现代煤化工企业，也是多产业协同发展的数智化、循环化、绿色为底色的一家综合性的地区明星企业。位于山西省孝义市振兴街与中和路交叉口。因法定代表人郑鹏得名。始创于 1993 年。现拥有员工 2 万人、资产 950 亿。占地面积 1.8 万平方米。在强大的人才支撑、科研创新驱动下，集团产业链条不断延伸，发展空间不断拓展，实现原煤产量2300万吨、原煤洗选2700万吨、焦化产能500万吨、甲醇60万吨、LNG4亿立方、合成氨10万吨、铁路发运能力1000万吨，五星级酒店3家，国家级4A级景区1个、氢能产业基地1个的全产业链发展。被山西省经信委评为“山西省两化融合示范企业”，也是全国为数不多拥有2座“绿色工厂”的焦化企业。2019年—2022年连续四年入选中国民营企业500强、中国制造业民营企业500强榜单。2021年首次进入中国企业500强榜单，位列354位，是山西省唯一入选的民营企业，在“2021年中国民营企业500强”榜单和“2021中国制造业民营企业500强”榜单分别位列166名和87名，均为山西第一。通孝义103路公交车。

70-C-c001 **太原航空仪表有限公司**［Tàiyuán Hángkōng Yíbiǎo Yǒuxiàngōngsī］属专业技术服务行业，是中国航空机载行业的骨干企业。总部位于山西省太原市小店区并州南路137号。由该企业所在行政区域及所属行业领域得名。1951年成立太航仪表厂，1999年正式成立太原航空仪表有限公司，沿用至今。是制造出新中国第一块航空仪表的中国第一家航空仪表厂。占地面积18万平方米，其中厂区占地面积8万平方米。经过近六十年的发展，已发展成以传感器技术、仪表显示技术、电子网络技术为基础，以航空仪表与传感器、航空机载电子设备、汽车部件、计量测控类仪器的设计制造为特色的航空机载重点企业。产品广泛用于航空、航天等多个领域，并批量销往欧、美等国家，已发展成国内的知名品牌，其中航空显示技术、压力测量技术、称重技术在国内居领先地位。先后荣获“航空工业重大贡献单位”“山西省模范企业”“全国职业道德先进单位”“全国五一劳动奖状”“中国企业文化建设先进单位”等称号，为我国航空航天事业提供了设备支持，做出了重要贡献。临近长风街与坞城路，通103、619、70路等公交车。

70-C-c002 **富士康科技集团（太原）工业园**［Fùshìkāng Kējì Jítuán（Tàiyuán）Gōngyèyuán］大型计算机、通信和其他电子设备制造业企业。位于山西省综改示范区太原唐槐园区龙飞街一号。因所在区域，字号（富士康，Foxconny音译FOXCONN，FOX是狐狸的意思，代表富士康像狐狸一样敏锐灵活的面对市场，COMN是CONNECTOR的缩写，富士康是做连接器起家的），组织形式和业务领域而得名。成立于2003年。园区总规划用地面积305公顷，建设面积218万平方米。经营范围包括开发、生产、加工新型电子元器件、移动通信系统及数字集群系统设备及其零部件、电子产品测试仪器、数字照相机及关键件，LED显示屏生产、安装、维修业务等等。不仅为山西经济发展和结构调整增添了新的亮点，为太原扩大就业创造了几万个就业岗位，也为山西经济向国际化发展注入了活力。临近G20高速及武宿机场，通840、870、877路等公交车。

70-C-c003 **太原重型机械集团有限公司**［Tàiyuán Zhòngxíngjīxiè Jítuán Yǒuxiàngōngsī］属于专业设备制造业，国家特大型重点骨干企业。总部位于山西省太原市万柏林区玉河街53号。因所在行政区域及所属行业领域得名。始建于1950年，前身为太原重型机器厂，1953年局部投产，1959年扩建，1996年更名。占地面积为535万平方米。是新中国自行设计建造的第一座重型机械制造企业，也是中国最大500家工业企业之一，主要成员单位包括太原重工股份有限公司、太重集团煤机有限公司、太重集团榆次液压工业有限公司等。作为国内最重要的重型装备研发与制造基地之一，具有一流的装备制造水平和研发创新能力，是全国“创新型企业20强”之一，主要服务于冶金、矿山、煤炭、轨道交通、新能源、海洋工程、航天等领域，产品涵盖了冶金设备、露天矿和井工矿采掘输送设备、化工装备、铁路装备、风力发电设备、工程机械等，拥有设备成套和工程总承包能力，产品已出口到全球50多个国家和地区。是国内唯一的火车轮对生产基地，品种最全的锻压设备生产基地，实力较强的风电、核电设备供应商，大型及特种铸锻件生产基地。其中，三峡1200吨桥式起重机、西气东输螺旋焊管机组、10000吨铝合金挤压机、神舟七号发射塔架、残奥会白玉盘舞台、国家大剧院舞台等设备为太重的标志性产品。先后获得国家级发明奖

4 项、国家级成果奖 26 项、国家科技进步奖 23 项，创造了 460 多项中国和世界第一，为新中国的建设、改革和发展以及民族工业的振兴做出了重要贡献，被誉为“国民经济的开路先锋”。临近太原西站，通 822、832 路等公交车。

70–C–c004 **榆次液压集团有限公司**［Yúcì Yèyā Jítuán Yǒuxiàngōngsī］属于金属制品、机械和设备修理业，是中国液压元件重要的制造基地。位于山西省晋中市榆次区工业园区。因所在行政区域及所属行业领域得名。前身是榆次液压件厂，始建于 1964 年，1994 年企业技术中心被认定为国内液压行业唯一的国家级企业技术中心。总投资 20 亿元，占地面积 545 亩。产品服务于冶金、汽车、工程机械、水利设施及化工、轻工等多种行业，并曾为武钢、攀钢、三峡水利工程等国家重点建设工程配套。在国内市场有较大的覆盖面，部分产品返销欧洲及日本和出口东南亚、中东各国。在晋中市榆次区建设液压产品自主化产业示范基地，并带动周边相关产业，形成年产百亿元的液压园区。339 国道、108 国道经此，通 10、35 路等公交车。

70–C–c005 **经纬智能纺织机械有限公司**［Jīngwěi Zhìnéng Fǎngzhījīxiè Yǒuxiàngōngsī］金属制品、机械和设备修理业国有重要骨干企业。位于山西省晋中市山西示范区晋中开发区汇通产业园园区创业街。因其所在行政区域和业务范围得名，企业自主命名。前身为经纬纺织机械厂，1951 年动工兴建，1954 年建成投产，是新中国成立初期国家重点建设的第一座现代化纺机制造企业，1995 年进行股份制改组，将从事纺织机械生产的主体性资产和相关人员改组成立。公司主生产厂区占地 47.3 万平方米，约 710 亩；专件厂区占地 7.3 万平方米，约 109.6 亩；连整个家属区占地 275 万平方米，约 4129 亩。资产规模超过 63 亿元，拥有 20 多家子、分公司，是一个跨地域经营、拥有棉纺织成套设备研发、生产能力的集科、工、贸多种经营为一体的企业集团。2021 年被中华全国总工会授予“全国五一劳动奖状”。108 国道经此，通市内 1 路、101 路等公交车。

70–C–c006 **山西丰喜化工设备有限公司**［Shānxī Fēngxǐ Huàgōngshèbèi Yǒuxiàngōngsī］山西省属大型化工机械企业。位于山西南部黄河金三角晋、陕、豫三省交界处的永济市。以寓意及业务范围而命名。成立于 1999 年。2003 年进行民营化改制，实行动态股权。2008 年成为由阳煤丰喜集团重组控股的股份制企业。占地面积 25 万平方米。设计生产搪玻璃反应釜、储罐、非标压力容器等。利用特有处理系统消除污染，使废水能够大部回用，多余水量达标排放，严格执行国家标准，承担企业责任，保护环境。该工艺运行可靠，管理方便，能耗低，处理效果好，并且在设计中采用了许多节能、降耗措施，大大降低废水处理厂的运行成本，是公司特色之一。靠近中山西街，西厢路，通永济 2 路、13 路公交车。

70–C–c007 **山西平阳重工机械有限责任公司**［Shānxī Píngyáng Zhònggōng Jīxiè Yǒuxiànzérèn gōngsī］国家研制生产各类先进精密机械的大型现代化军工企业和高端煤机生产企业。位于山西省侯马市平阳路。因所在行政区域及所属行业领域得名。始建于 1955 年，命名为国营平阳机械厂，1958 年正式建成，到 1966 年更名为国营红卫机械厂，1980 年恢复为国营平阳机械厂，2004 年成立山西平阳重工机械有限责任公司。隶属于世界 500 强企业中国船舶集团有限公司。占地面积 126 万平方米。拥有职工 2800 余人，其中专业技术人员 580 余名，各类高精尖设备 3500 余台（套），先后承担了多项国家级重大科研生产项目。60 多年来，平阳重工充分发挥企业优势，进行产品产业融合。一是保持适度规模发展，坚持稳中求进工作总基调，积极推动液压支架向成套化、高端化、智能化、自动化方向发展。二是优化产品产业结构，积极进行新产品研发，如环保农机产品、电液阀产品、复合材料产品等等，涉及环保、电子、新材料应用等多个领域。临近平阳路，靠近侯马汽车西站，通侯马 1 路，侯马 3 路等公交车。

70–C–c008 **山西华翔集团股份有限公司**［Shānxī Huáxiáng Jítuán Gǔfènyǒuxiàngōngsī］以民营为主体的大型装备制造股份制企业。注册地位于山西省临汾市洪洞县甘亭镇华林村。以“振兴民族工业，铸造世界华翔”目标而得名。创建于

1999年，注册时间为2008年，注册资本4.36亿元。占地面积16万平方米，是拥有4500余名员工的大型装备制造企业。产品主要聚焦在白色家电、工程机械和汽车制造三大行业，是集铸造生产、加工、贸易于一体的企业。集团总部位于山西临汾，并在湖北、广东建立了生产、研发基地，形成了覆盖华北、华中、华南的产业格局，辐射全国及海外市场。先后被省级政府单位评为“山西省百强企业”“重点示范企业”等。309国道经此。

70-C-c009 **山西离石电缆有限公司**［Shānxī Líshí Diànlǎn Yǒuxiàngōngsī］属于山西东泰能源集团有限公司，是综合型的电线电缆生产企业。位于山西省吕梁市离石区城北办事处下安工业园。因所在行政区域及所属行业领域得名。前身为离石电缆厂，创建于1970年，是原国家机电部生产厂之一。厂区占地54000平方米，职工230人，其中工程技术人员150余名。主要经营项目经销电线电缆。2009年3月进行体制改革，民营资本进驻。公司抓住时机，不断提高自己，紧跟市场，产品先后被评为山西省著名商标，产品远销海内外多个国家和地区。随着中国电力工业、数据通信业、城市轨道交通业、汽车业以及造船等行业规模的不断扩大，对电线电缆的需求也将迅速增长，电线电缆业有巨大的发展潜力。临近吕梁火车站及临安路，通101、103、104、105路公交车。

70-C-d010 **山西建设投资集团有限公司**［Shānxī Jiànshè Tóuzī Jítuán Yǒuxiàngōngsī］属房地产建筑行业，系山西省规模最大的大型综合性国有投资建设集团。总部位于山西省示范区新化路8号。因所在行政区域及所属行业领域得名。前身为中央人民政府建工部太原工程局、国家建工部华北工程管理局、国家建工部和国家建委第八工程局，组建于1953年，1970年下放山西，改称山西省建筑工程管理局。1983年改为山西省建筑工程总公司，1995年组建山西建工集团，2017年完成公司制改革，更名为“山西建设投资集团有限公司”，注册资本50亿元。占地面积2.5万平方米。拥有7个建筑、3个市政公用、1个石油化工，共11项工程施工总承包特级资质，煤炭工业设计、建筑工程设计、勘察、咨询、环境评价、地质灾害治理等50余项甲级设计资质及150多项总承包与专业承包一级资质，形成以投资为引领，集科研、咨询、勘察、设计、施工、运营为一体的全产业链竞争优势。拥有上市公司2家，48家全资、控股和参股子公司，业务布局涵盖建筑施工、基础设施投资建设运营、房地产、国际经济技术合作、建筑工业及物流、金融、设计咨询和建筑劳务，创优质工程万余项，获奖数量均居山西同行之冠。连年入选“中国企业500强”，2021年排名259位。对山西建筑事业发展，省城太原城市建设，古建筑修护保护等多个方面做出了突出贡献。总部近龙城大街，通13路、839路等公交车。

70-C-d011 **山西建筑工程集团总公司**［Shānxī Jiànzhù Gōngchéng Jítuán Zǒnggōngsī］属于土木工程建筑类，是山西建设投资集团有限公司的核心企业，集投资、开发、建设、运营、设计、科研、生产、劳务及机具租赁等为一体的大型国有综合性建筑集团公司。总部位于山西省太原市迎泽区新建路9号。因所在行政区域及所属行业领域得名。占地面积9587.5平方米。是国家建设部确定重点扶持的全国33家大型建筑企业之一，注册资本金10亿元，年施工能力300亿元以上，拥有各类经营管理和专业技术人才2700余人。先后在全国25个省、市、自治区及海外十多个国家和地区开展施工总承包，承建了山西大剧院、太原武宿国际机场新航站楼、临汾新医院、河曲隩滨阁等一大批国家和省、市重点工程项目和EPC、PPP项目。致力于提升科技创新能力，打造专业特色技术，共同研发装配式混凝土与钢结构技术、古建筑保护与复建技术、深基坑施工技术及建筑节能与绿色建筑技术等多项重点攻关项目，累计取得国家专利等省部级以上科技成果千余项，在全国建筑建设方面贡献山西力量。临近迎泽大街，通27路、56路等公交车。

70-C-d012 **山西大华玻璃实业公司**［Shānxī Dàhuá Bōlí Shíyègōngsī］玻璃制品工贸一体化公司，属于非金属矿物制品业。位于山西省晋中市祁县铁北街2号。因企业所在行政区划名称、字号、经营特点及组织形式而得名。成立于 2000 年。拥有四个分公司：山西大华玻璃实业有限公司、山西帝豪玻璃有限公司、山西格拉斯自动化设备有限公司、祁县华浩工艺玻璃有限公司，职工总数近 2000 名，占地 28.9 万平方米，绿化面积 5.5 万平方米，年产值 4.2 亿元，形成集机制、机压和人工吹制、包装制造以及机加工中心互为配套的多元化生产格局。产品有酒杯、酒具、花瓶、风灯、罐碗、缸盘、蜡台、餐具系列八大类六千多款玻璃器皿，后道加工工艺包括：刻花、电镀、喷色、手绘等。产品出口西欧、美国、亚洲、非洲等国家和地区，在继承传统工艺的基础上，引进了欧洲先进的生产技术和完善的质量管理体系，融合不同设计风格，体现出了品位与时尚。在行业及地区经济发展中发挥重要作用。省道东夏线经此，通祁县 21 路公交车。

70–C–f001 **太原市宁化府益源庆天和醋业有限公司**［Tàiyuánshì Nínghuàfǔ Yìyuánqìng tiānhé Cùyè Yǒuxiàngōngsī］属食品制造业，是以生产宁化府名醋、陈醋、老陈醋为主的大型农副产品加工企业。注册地址位于太原市迎泽区桥头街宁化府 60 号。因所在其区域太原，字号（宁化府，太原老地名；益源庆创建于明朝初年，是专为明开国皇帝朱元璋之孙宁化王朱济焕府上制醋的皇室作坊；天和，天下和谐）组织形式和业务领域而得名。是商务部首批公示的中华老字号企业，是山西本地的明星企业。成立于 2014 年。拥有两个生产厂区，宁化府生产厂区和寺庄厂区（小店区西温庄乡寺庄村）。宁化府厂区公产房占地面积 653.02 平方米，建筑面积 2161.24 平方米，自有占地面积 338.8 平方米；寺庄厂区公产房占地面积 8696.49 平方米，建筑面积 3452.07 平方米。依托老店悠久古老的历史，秉承传统精湛的工艺和科学创新的精神，保持产品风味特色，并在此基础上不断加大科技含量，由单一的调味散醋发展为集各色醋品为一家多种系列，销售网络遍布全国并远销海外。特色产品为宁化府老陈醋，陈醋酿造历经粉碎、润槽、冷却、加曲发酵、熏醋、淋醋等十道工序。力诚醋业成为山西酿造业的新型旗舰，是山西较大的多元化食醋生产企业之一，在全国调味品领域确立了全面领先地位，为太原市宁化府益源庆百年老字号和山西醋业的发展奠立了坚实的基础。临近 G5 高速，通 842 支等公交车。

70–C–f002 **太原双合成食品有限公司**［Tàiyuán Shuānghéchéng Shípǐn Yǒuxiàngōngsī］属于零售业，是山西食品业著名明星品牌企业。总部位于山西省太原市杏花岭区北大街 11 号。“双合成”即李善勤、张德仁在河北省横口镇西街创建的食品店，取“和气生财，合二人之力，定能事有所成”之意。始创于 1838 年，1997 年投产。双合成月饼连续十余年被国家评为“中国名饼、名牌月饼”，2008 年双合成郭杜林晋式月饼制作技艺被列为非物质文化遗产名录。拥有占地 150 余亩的现代化生态工业园区及绿色原料生产基地，拥有多条国内领先的全自动生产流水线，可以全机械化流水作业及无菌封闭生产。多年来以传承中国福喜文化为己任，将有一百多年发展历史的“中国味道、山西特色、福喜内涵”的食品文化演化成为一个庞大的产品体系，分为中式系列、西式系列、娘家系列、感恩月饼系列、喜庆系列和文化主题系列。现已发展成为山西食品行业的龙头企业，在全国烘焙行业具有一定的影响力。各类产品曾多次获得国家及行业各种荣誉，深受消费者青睐，双合成商标被评为全省“著名商标”，月饼年年被国家轻工业协会评为“中国名饼、名牌月饼”，为传承优秀传统技艺，打造山西文化品牌做出了重要贡献。通 878、59 路等公交车。

70–C–f003 **太原酒厂有限责任公司**［Tàiyuán Jiǔchǎng Yǒuxiànzérèngōngsī］属于酒、饮料和精茶制造业，大型国有独资的白酒加工企业。位于山西省太原市杏花岭区大东关街 12 号。因所在行政区域及所属行业领域得名。始建于 1950 年，1998 年改名为太原酒厂，2017 年变更现名沿用至今。是省会唯一中华老字号白酒酿造国有企业。占地面积 33 亩。坚持开拓创新，“晋泉”“晋酒”系列产品在继承传统酿造技艺的基础上，采用地缸固态边糖化边发酵，打造生态型、健康型纯粮酿造白酒；在全省白酒行业率先采用国内领先的激光二维码防伪溯源系统，使每瓶酒有了唯一的“身份证”，实现了从生产—流通—消费真正意义上的防伪溯源体系。自建立以来，不断追求酒的品质，为百姓提供更优质的产品，为省城太原发展增添经济动能。临近建设北路和府东街，通826、869、904路等公交车。

70-C-f004 **山西老陈醋集团有限公司**［Shānxī Lǎochéncù Jítuán Yǒuxiàngōngsī］属于食品制造业，大型陈醋食品生产企业，山西省明星企业。注册地址位于山西省太原市杏花岭区马道坡26号。源自明洪武元年（1368年）创立的“美和居”醯坊，1956年，美和居、福源昌等20余家酿醋坊公私合营，1957年申请“东湖”注册商标，1994年改制为山西美和居老陈醋，1996年更现名。占地面积20000多平方米。公司开办特色醋文化园——东湖醋园、老西醋博园，其中东湖醋园占地面积20000多平方米，向中外游客展示国家级非物质文化遗产美和居老陈醋酿制技艺。集合多方面优势打造了集现代化制造、文化展示以及吃、住、娱等多方面项目，以国之酿造精粹助力饮食健康，以东湖牌山西老陈醋之绵酸香甜鲜调和五味，以多元化产品实践醋让生活更美好。已成为集生产、研发、旅游、教学实践基地为一体的综合性企业。“东湖”牌山西老陈醋以高粱、大麦、豌豆、麸皮、谷糠五色五谷为原料，以蒸、酵、熏、淋、陈5大工艺及数十道工序为根本，含有媲美中药材川芎成分的川芎嗪、抗氧化成分黄酮、多种有机酸、微量元素、矿物质、人体必需氨基酸等等，用实际行动践行山西老陈醋、酿造食醋国家标准。临近东中环街与太原东客站，通830、863路等公交车。

70-C-f005 **太原六味斋实业有限公司**［Tàiyuán Liùwèizhāi Shíyè Yǒuxiàngōngsī］以传统食品加工为核心，涉及生产加工、连锁商业、科研开发、检验检测、农业种植、餐饮服务等领域的综合性食品企业集团，山西省明星企业。总部位于山西省太原市清徐六味斋食品工业园。始创于1738年，太原开业仍用北京老号之名作商幌，叫做“福记酱肘鸡鸭店”。为吸引顾客，掌柜想出一名：虽再好的吃食，也不过酸、甜、苦、辣、咸而已，我店酱肉名誉京师，靠的就是“香”，“香”就是第六味。有个略通文墨的店伙向掌柜进言，把“店”字，改为“斋”字，更有雅味。掌柜一听，就此拍板。于是“六味斋”之名，至此问世，饮誉至今。1997年在太原六味斋酱肉店和六味斋肉制品厂基础上改制成立。生产的酱肉产品是中国酱卤肉制品的典型代表，曾作为皇宫贡品享誉京师。生产园区占地面积有266036.5平方米，建筑面积64435.71平方米。代表性产品酱肘花，古称“缠花云梦肉”，是源自盛唐武则天时期的历史名吃。“六味斋酱肉传统制作技艺”已被列入国家级非物质文化遗产保护名录。从选料、分割，到加入多种药材和调味料，六味斋酱肉制品经卤制、酱制、刷酱而成。装锅时，层次、顺序都有严格要求。肉制品、豆制品在全国同行业名列前茅，曾获“中国商业名牌企业”“全国顾客满意商品”等荣誉称号。通过孜孜以求的努力和矢志不渝的拼搏，打造出了熠熠生辉的六味斋品牌，不仅为山西省食品工业和老字号的发展作出了杰出贡献，也是几百年来山西人餐桌上的一道靓丽风景。208国道经此，通910路公交车。

70-C-f006 **山西水塔醋业股份有限公司**［Shānxī Shuǐtǎ Cùyè Gǔfènyǒuxiàngōngsī］集原料基地、科研开发、制曲酿造、包装运输、营销策划、旅游文化于一体的企业集团，山西省明星企业。位于山西省太原市清徐县杨房北醋都路288号。成立于2010年。始于明朝宣德三年所建的宝源坊，它的创始人韩宝源在创业之初，便立下了“以德兴业”的宗旨，加上他秉持“质量第一，诚信经营”的原则，使得宝源坊迅速崛起，成为远近闻名的醋作坊。其鼎盛时期，曾被明清两朝封为皇家醋坊，专供皇家食用。占地612924.93平方公里，年产食醋30万吨，下设十个分厂，一个省级企业技术中心，一个营销公司，一个外贸公司，一个国家“AAAA”级旅游景区。主要产品有老陈醋、陈醋、风味醋三大系列200多个品种，特色产品为水塔老陈醋，是国内食醋行业产品品种较多的企业。产品畅销全国30多个省、市、自治区、直辖市，出口美国、加拿大、新加坡、马来西亚等国家和地区。目前宝源老醋坊已被认定为国家

“AAAA”级旅游景区。2002年“水塔”牌商标荣获荣誉称号；2003年“水塔“牌系列食醋荣获荣誉称号；2006年其老陈醋传统酿制技艺荣获首批“国家非物质文化遗产”称号。是国家八部委命名的全国农业产业化重点龙头企业，也是目前国内大型的老陈醋生产企业。通清徐911路公交车。

70-C-f007 **山西紫林醋业股份有限公司**[Shānxī Zǐlín Cùyè Gǔfènyǒuxiàngōngsī]以酿造食醋为主导产业的国家级农业产业化经营重点龙头企业，山西省明星企业。位于山西省太原市清徐县太茅路高花段550号。由于公司位于山西省清徐县紫林路东段，又因其属醋业而得名。成立于2000年。占地面积815亩。创立以来，继承具有近400年历史的山西老陈醋传统酿造工艺，以质量兴企、名牌兴企、科技兴企、文化兴企的经营思路连续数年位居国内同行翘楚。“厚道”酿造食醋系列产品，在激烈的市场环境中实现了超常规、跨越式发展。紫林食醋工业园集“紫林”牌山西老陈醋、陈醋、保健醋、果醋、醋饮料、料酒等生产于一体，园区内采用自主研发设计的工艺设备，构建起现代化的老陈醋酿造体系，2013年年产规模已达28万吨。紫林牌醋产品销售遍布国内30余个省、直辖市和自治区，有近700家经销商，经销网点达15万个，并出口美国、加拿大、韩国、日本等地。现已成为山西省农业龙头企业、国内最大的民营食醋生产企业，在全国调味品领域确立了全面领先地位，成功地跻身于国内食品生产厂商的前列。208国道、太原绕城二环高速经此。

70-C-f008 **山西大寨饮品有限公司**[Shānxī Dàzhài Yǐnpǐn Yǒuxiàngōngsī]山西省“1311”农业产业化龙头企业。位于山西省阳泉市盂县南娄镇南娄村。因主要产品“大寨核桃露”而得名。成立于2001年。拥有北京大学生命科学学院的领先科研技技术、中国科学院的高科技配方，美国、韩国进口的一流生产设备和最新工艺，世界上最大最先进的核桃露生产线，以及现代股份公司的先进管理。占地面积约85000平方米。坚持以市场为导向，以消费者利益为中心的经营理念，制订了企业发展的品格、品质、品牌“三品”战略，坚持“央视黄金广告引路、产品品质优胜、市场强力推进”的发展战略，产品先后荣获了中国驰名商标、中国绿色食品、中国保健食品、山西省著名商标等，产品通过国家出口资格认证、企业通过了ISO9001国际质量体系认证。省道榆盂线经此。

70-C-f009 **山西燕京啤酒有限公司**[Shānxī Yànjīng Píjiǔ Yǒuxiàngōngsī]属于酒、饮料和精制茶制造业，是由北京燕京啤酒集团独资在山西朔州投资扩建的啤酒生产销售型企业。位于山西省朔州市朔城区神头街道新建路。在原神泉啤酒厂的基础上，2008年成立。因所在行政区域及所属行业领域得名。燕京总部位于北京市，属于国有企业，它是亚洲最大的啤酒生产厂之一，也是北京2008年奥运会啤酒赞助商之一。厂区占地12.7万平方米，员工约500人，年生产能力达10万吨。省道大忻线经此。

70-C-f010 **山西古城乳业集团有限公司**[Shānxī Gǔchéng Rǔyè Jítuán Yǒuxiàngōngsī]山西省最大的集奶牛养殖、乳品加工、销售、科研、商贸于一体的乳制品专业企业。位于山西省山阴县古城镇。因所在行政区域及所属行业领域得名。1976年创办山阴奶牛场，1983年建起奶粉厂，1995年改制并与荷兰建立了中外合资企业，1997年创立了集团公司。经过三十年的艰苦创业，团结进取，现发展成为集奶牛养殖业、乳制品加工业为一体的大型乳制品企业，是山西省最大的乳制品加工企业，也是全国十大乳制品集团公司之一。总资产8亿元，员工1200多人，六个乳品加工厂日处理原料奶能力达到1200吨，年设计生产系列乳制品32万吨。已形成覆盖朔州、忻州、晋中三市20多个县市区、涉及10万余户奶农、存栏奶牛12万头的稳定的奶源供应基地，下设朔州、忻州、晋中三大加工生产基地11个分公司。多年来在党的改革开放政策的指引下，依靠全体员工的艰苦创业、团结进取，已成为全国“十大”乳制品集团公司之一。336国道、省道山和线经此。

70-C-f011 **山西海玉园食品有限公司**[Shānxī Hǎiyùyuán Shípǐn Yǒuxiàngōngsī]集研发、生产、销售为一体的综合性食品企业，山西省农产品加工龙头企业。地处交通便利的山西省晋中市榆次区工业区。因所在行政区域和业务范围而得名，企业自主命名。成立于 2003 年。采用线上订购的电子商务运营模式，致力于从事收购农副产品；食品生产；饼干、糕点；货物进出口、技术进出口。总占地面积 45000 多平方米；拥有省级企业中心和标准化生产车间及 10 余条先进的大型生产流水线，企业总资产达 2 亿多元，是目前华北排名前列的饼干生产企业之一。被山西省工商管理局评为“山西省著名商标”“山西省名牌产品”“重合同、守信用企业”等。位于经西大道西，108 国道经此，通 34 路、12 路、10 路、35 路等公交车。

70-C-f012 **山西太谷荣欣堂食品有限公司**［Shānxī Tàigǔ Róngxīntáng Shípǐn Yǒuxiàngōngsī］山西省大型食品加工零售业企业。位于山西省晋中市太谷区北洸乡白城村、水秀镇南付井村。以寓意及业务范围而命名。成立于 2003 年。占地面积 3 万平方米，拥有现代化厂房 2 万平方米，各类专职技术人员 180 人，是集科研、工贸、营销策划于一体的综合性现代化民营企业。生产太谷饼、孟封饼，是山西果丹皮、甘草山楂等蜜饯制品的重要加工基地。拥有国内一流的饼干生产线、微机控制全自动包装设备及与国际接轨的饼干生产工艺，产品品种丰富、口感时尚，真正形成了“荣欣堂”独特的烘焙风格，深受广大消费者的青睐，并畅销全国。严格依循 ISO9001：2000 国际质量认证体系标准，以优质产品和优质服务打造企业品牌，靠诚信赢得了广大市场。在经营上拓宽思路，以社会需要、人民需要、国家有益、企业受益为原则，秉承晋商文化之传统，为繁荣饮食文化、推动民族工业向国际化发展做出了应有的贡献。临近 108 国道，通 T16 公交车。

70-C-f013 **山西鑫炳记食业股份有限公司**［Shānxī Xīnbǐngjì Shíyè Gǔfèn Yǒuxiàngōngsī］山西省大型食品制造业企业。位于山西省晋中市太谷区北洸乡北洸村。因所在政区、“鑫泽天下、炳耀人生、记往开来”，业务范围及企业组织形式得名。成立于 2015 年。长期与山西农业大学、山西省果树所、省储备局一七一处等院校及科研单位合作，进行产品研发，科技协作和储运农副产品。2021 年，被文化和旅游部认定为第五批国家级非物质文化遗产代表性项目保护单位。占地面积 3.3 万平方米。不仅带动了当地太谷饼行业的发展，还促进了当地农村经济的发展，提高了农民的经济收入，为农村的剩余劳动力提供了就业机会。先后被评为山西省企业、晋中市中小学质量教育社会实践基地、晋中市农业产业化龙头企业、太原晚报阳光小天使活动基地。产品获得了山西省百姓放心食品、山西省商标、太谷区旅游特色产品、并且通过了 QS 质量体系认证，HACCP 管理体系认证。在行业和地区经济发展中发挥重要作用。国道 108 经此，通 T06 路公交车。

70-C-f014 **左权县麻田顺康天然农产品有限公司**［Zuǒquánxiàn Mátián Shùnkāng tiānránnóng chǎnpǐn yǒuxiàngōngsī］属于农副食品加工业，是集农产品收购、加工、销售于一体的民营企业。位于山西省晋中市左权县工业园区。因位于左权县内，法人属麻田镇人，且姓康，企业主要从事农产品经营活动得名。成立于 2003 年。经营范围包括食品生产：食用植物油，蔬菜、水果和坚果加工；核桃、柿子、花椒、水稻、玉米、小麦、杂粮、中药材、农副产品种植、收购、加工、销售；园林绿化工程、造林绿化工程：设计施工；货物进出口；农林牧渔技术推广服务；粮食收购等。占地面积 1.16 万平方米，建筑面积 7500 平方米。持续健康快速发展获得了各级各部门的肯定，被列入“第二批国家级重点扶贫龙头企业”，被评为“全省百家最具成长性中小企业”“省、市农业产业化龙头企业”“市级农业产业化十大龙头企业”等。省道南沁线经此。

70-C-f015 **山西省平遥牛肉集团有限公司**［Shānxīshěng Píngyáo Niúròu Jítuányǒuxiàngōngsī］大型生产经营牛肉系列产品的股份制企业，属于农副食品加工业。位于山西省晋中市平遥县中都路 23 号。因所在行政区域及所属行业领域得名。1954 年成立平遥县肉食批发部，后更名为平遥县副食杂货公司，1962 年更名为平遥县食品公司，1997 年更名为山西省平遥牛肉集团有限公司。被商务部认定为“中华老字号”企业，且位居中国

“中华老字号”品牌价值百强榜山西企业之首。占地面积33727.42平方米。总资产13122万元，职工650余人。是中国畜产品加工研究会团体会员单位，是中国肉类协会第四届常务理事单位，是山西省计量协会，标准化协会、信用企业协会会员单位。先后荣获山西省农业产业化龙头企业、山西省模范单位、山西省先进民营企业、山西省质量信誉AAA级企业、山西省守合同重信用企业、全国守合同重信用企业、晋中市五星级食品企业等。冠云牌平遥牛肉曾多次荣获“山西标志性名牌产品”，并于2001年被国家卫生部首批公示为“全国卫生安全食品”。为国家级农业产业化龙头企业，品牌成为华北地区的“肉业航母”，在行业及地区经济发展中做出重要贡献。位于中都东街，省道东夏线经此，通102路内环、103路内环路等公交车。

70-C-f016 **山西卫嫂食品有限公司**［Shānxī Wèisǎo Shípǐn Yǒuxiàngōngsī］属食品加工业，是山西省专业化、规模化生产闻喜花馍、卫嫂馍等系列特色面食食品的龙头企业。位于闻喜县凹底村东街8号。因经营人名字及所属行业领域而得名。成立于2009年。占地面积28亩，拥有总资产2000余万元、员工130余人，注册商标5个。主要经营范围包括食品生产，小麦、水果的种植与销售，花馍、面塑工艺品制造销售。以农副产品生产与销售为主要经营业务，实现传统工艺馒头走向北京、上海、西安、河北等地，打响山西又一农产品品牌。巧借故事打造品牌，为品牌注入文化理念，并且传承传统工艺，发扬历史品牌。利用地域优势，生产高品质小麦，不断完善产业链，形成专业化、规模化的企业生产，是运城市农业产业化的龙头企业。坚持“重塑北垣馍文化，打造三晋新品牌”的理念，积极挖掘闻喜花馍的文化内涵，以传统化工艺、标准化生产、现代化管理、连锁化经营打造三晋主食第一品牌。省道临夏线、经此，通闻喜6路、7路公交车。

70-C-f017 **山西晋西核桃食品有限公司**［Shānxī Jìnxī Hétáo Shípǐn Yǒuxiàngōngsī］山西省大型核桃加工专业企业。坐落于素有“核桃之乡”之称的山西省临汾市汾西县。因所在行政区域及所属行业领域得名。成立于1997年。厂地面积20000平方米。经营范围包括生产炒货食品及坚果制品（油炸类），饮料，食用植物油（半精炼）、红枣夹核桃；核桃种植、收购、销售。有核桃破碎、分路、筛选、去杂生产线和核桃露饮料生产线，形成相较完整的农场品销售链。2001年琥珀桃仁荣获2001中国国际农业博览会“最受消费者欢迎奖”和“山西名牌产品奖”，2002年被临汾市食品办评为“质量效益型先进企业”。始终坚持“质量第一，信誉至上”的经营理念，不断加强技术改造，大力推进品牌战略，积极迎接市场挑战。省道桃临线经此，通汾西1路公交车。

70-C-f018 **山西杏花村汾酒厂股份有限公司**［Shānxī Xìnghuācūn Fénjiǔchǎng Gǔfèn Yǒuxiàn gōngsī］山西省国有大型股份制汾酒企业。位于山西省吕梁市汾阳市杏花村镇西堡。因所在行政区域及所属行业领域得名。历史悠久，公元561—564年北齐武成帝隆重推荐汾州美酒“汾青”，公元830年左右唐代大诗人杜牧于春天由并州南返，路过汾州杏花村，写下了脍炙人口的《清明》诗。1949年，山西杏花村汾酒厂成立，汾酒、竹叶青酒成为新中国第一届全国政治协商会议和开国大典国宴用酒。1993年成立山西杏花村汾酒厂股份有限公司，成为全国第一家白酒类上市企业，被称为“中国白酒业上市第一股”，也是“山西第一股”。拥有“杏花村”和“竹叶青”两个品牌，员工近10000人。占地面积313万平方米，建筑面积76万平方米。下属5个全资子公司，11个控股子公司，2个分公司，1个隶属单位。以白酒、配制酒生产和成装销售为主要营业范畴，推出汾酒、竹叶青等产品，打造杏花村品牌，是大型综合性国营企业。奉行顾客至上、质量第一的宗旨，充分发挥传统历史酿酒优势，不懈努力、逐步完善和建立现代企业制度，把汾杏酒厂建设成为质量一流、服务一流的新型现代化企业。在不断改革与发展中紧随时代潮流，提高产品竞争力，广受消费者好评。通汾阳1路公交车。

70-C-f019 **山西锦绣大象农牧股份有限公司**［Shānxī Jǐnxiù Dàxiàng Nóngmù Gǔfèn Yǒuxiàn gōngsī］集种畜禽繁育、肉鸡及生猪养殖、饲料

生产及加工、肉鸡屠宰、鸡肉和商品猪销售为一体的国家级农业产业化重点龙头企业，是山西著名农业产业化民营企业。位于山西省太原市小店区大昌南路15号。以寓意及业务范围而命名。前身为1989年成立的文水县大象禽业有限公司，2007年9月成立文水县锦绣农牧发展有限公司。占地面积3万平方米，建筑面积0.8万平方米。有254个子公司，300家以上生产厂（场），15000现有员工，254亿年产值，2亿只肉鸡年出栏，15万头种猪存栏，173万吨饲料产销量，300万头商品猪饲养量规模。主要经营农作物种植、畜禽技术服务、种畜禽养殖、繁殖及销售、饲料生产及销售等多类农牧方向业务，经营范围广，涉及产业多。在技术支持下创建"象丰"和"金牧"等优质品牌。被中国猪产业链生态圈平台峰会组委会认定为CPICP标杆农牧企业。被认定为山西省扶贫龙头企业，并且开拓陕西、河北、内蒙古等省外市场，产业链延伸至周边各地。位于唐槐路、东桥街、大昌南路交接处，通304、881路等公交车。

70-C-g 001 **山西晋商彩灯文化有限公司**[Shānxī Jìnshāng Cǎidēng Wénhuà Yǒuxiàngōngsī] 属于文教、工美、体育和娱乐用品制造业企业。注册地位于山西省晋中市太谷区北洸乡北洸村，经营场所位于西付井中小企业工业区西。因所在行政区域及所属行业领域得名。成立于2009年，2020年撤县设区后更名。占地面积4万平方米。注册资本101万元，固定员工100余人，总资产5000万元。秉承传统文化、融入新时代元素，每年均推出颇具影响力的晋商彩灯新作品，已逐渐成长为彩灯文化行业的一面旗帜，并以其敢为天下先的创新精神，创造性地开启了传统文化和新时代无缝对接的创新模式。位于郊外，108国道经此，通T06路公交车。

山西省标准地名词典
SHANXISHENG BIAOZHUN DIMING CIDIAN

第八编

服务业

第八编　服务业

140106-80-A-a01 **汇都五一购物中心**［Huìdōu Wǔyī Gòuwù Zhōngxīn］商场。位于太原市迎泽区五一路。因所在位置和行业而得名。其前身为五一百货大楼，于 1954 年建成营业，1971 年更名为“太原市五一百货商店”，2008 年改为今名。大楼呈“L”形走向，呈弧形并临街，为 4 层混凝土结构，占地面积 7413 平方米，营业面积 35000 平方米。五一百货大楼是太原市“一五”期间城市建设中的代表性建筑。2009 年，被公布为太原市第三批市级文物保护单位。通有公交车。

140105-80-A-a02 **太原王府井百货有限责任公司**［Tàiyuán Wángfǔjǐng Bǎihuò Yǒuxiànzérèn Gōngsī］商场。位于太原市小店区亲贤街。因其所在太原及隶属于北京王府井百货（集团）股份有限公司而得名。2009 年建成营业。建筑面积 84000 平方米，经营面积 69000 平方米，由地下 2 层和地上 6 层构成，为集购物、美食、娱乐为一体的综合性精品时尚百货店。通有公交车。

140105-80-A-a03 **太原茂业天地**［Tàiyuán Màoyè Tiāndì］商场。位于太原市小店区亲贤街。因名称含有吉祥、愿景寓意而得名。2013 年建成营业，为太原市第一个大型城市综合体兼地标性商业地产，项目集 5A 级写字楼、五星级酒店、22 万平方米 SHOPPINGMALL、高尚住宅、主题广场于一体，占地面积 95000 平方米，建筑面积 650000 平方米，其中以 220 米写字楼为地标性建筑。通有公交车。

140105-80-A-a04 **山西世贸购物中心**［Shānxī Shìmào Gòuwù Zhōngxīn］商场。位于太原市小店区长治路。因其所在区域，组织形式和业务领域（购物）而得名。2000 年建成营业。商场共计 7 层，地上 6 层、地下 1 层，总建筑面积超过 8 万平方米，是一家集百货、餐饮、娱乐等多种业态于一体的大型购物中心。通有公交车。

140105-80-A-a05 **北美新天地时尚中心**［Běiměi Xīntiāndì Shíshàng Zhōngxīn］商场。位于太原市小店区长风街，2009 年开业，由新弘祺公司开发并命名。商场占地面积 6000 平方米，共 6 层，总建筑面积 5 万平方米，是集购物、休闲、娱乐、餐饮、商务为一体的城市综合体，突出国际快速时尚理念，推崇“年轻、快速、时尚”的国际化消费体验，利用先进的国际化商业经营管理，通过服装、餐饮、娱乐等多元化全新业态的全面整合，成为新太原长风商圈的全新商业地标之一。通有公交车。

140106-80-A-a06 **山西铜锣湾国际购物中心有限公司**［Shānxī Tóngluówān Guójì Gòuwù Zhōngxīn Yǒuxiàngōngsī］商场。位于太原市迎泽区五一路。于 2004 年开业，共 5 层，建筑面积 6 万平方米。购物中心将时尚化商品、体验式消费、特色化经营有机结合，集购物、餐饮、娱乐、休闲、旅游、观光、文化、运动、展示等多功能于一体的美式 SHOPPING MALL 模式，是华北地区最大的购物中心之一。通有公交车。

140107-80-A-a07 **太原万达广场**［Tàiyuán Wàndá Guǎngchǎng］商场。位于太原市杏花岭区解放路，2015 年开业，因由万达集团投资承建并管理而得名。占地面积 37 万平方米，总建筑面积 150 万平方米，绿化率 30%。太原万达广场是一个城市综合体项目，其中，商业广场建筑面积为 32.4 万平方米，集国际酒店、高档写字楼、酒店式公寓、高档住宅、休闲百货、国际影院为一体。通有公交车。

140302-80-A-a08 **滨河新天地商业广场**[Bīnhé Xīntiāndì Shāngyè Guǎngchǎng] 商场。位于阳泉市城区桃北东街。因濒临桃河，取“濒”字谐音“滨”字及其业务范围，故名。2008年建成营业。占地面积约6万平方米，总建筑面积90万平方米，整个项目由shopping mall、科幻公园、星级酒店、高级写字楼和超大型停车场等部分组成。其中商用建筑面积20万平方米，主体高度20米，主体结构4层，地下1层，是华北最大的单体商业项目之一。通有公交车。

140302-80-A-a09 **阳泉市金街购物中心**[Yángquánshì Jīnjiē Gòuwù Zhōngxīn] 商场。位于阳泉市城区南大街。因所在行政区域和行业性质而得名。2007年建成营业。占地面积为16000平方米，建筑面积为53000平方米，主体层数为5层，地下1层，主体高度为25米，建有购物广场、生活家居城、各类餐厅等。通有公交车。

140725-80-A-a10 **鼎尚时代广场寿阳店**[Dǐngshàng Shídàiguǎngchǎng Shòuyángdiàn] 商场。位于晋中市寿阳县朝阳街，因开发商命名而得名。2011年建成营业。鼎尚时代广场又称“寿阳和谐百货有限公司”，总经营面积为23753平方米，负一层为超市，地上五层为商场百货业态，是寿阳县及周边地区配套经营规模最大，品类集合最全，配套设施最完善，购物最便捷的现代化购物场所。通有公交车。

140702-80-A-a11 **榆次百货大楼有限责任公司**[Yúcì Bǎihuòdàlóu Yǒuxiànzérèngōngsī] 商场。位于晋中市榆次区粮店街。因所处位置和企业性质而得名。1960年建成营业，是榆次区第一家国营零售商店。1995年，百货大楼改制为榆次百货大楼有限责任公司。2005年，在原址进行扩建为“百货广场”。占地面积32500平方米，营业面积16250平方米。是晋中市规模大、功能全、设施优的现代化商业大厦之一。通有公交车。

140702-80-A-a11 **晋中市榆次天元购物中心有限公司**[Jìnzhōng Shì Yúcì Tiānyuán Gòuwù Zhōngxīn Yǒuxiàngōngsī] 商场。位于晋中市榆次区中都路。因其企业性质和经营范围命名。1996年建成营业，2009年更名为晋中市榆次天元购物中心有限公司。占地面积18053平方米，营业面积15600平方米，地面以上四层为商业经营层，零层为家具城，是晋中规模大、功能全、设施优的现代化商业大厦之一。通有公交车。

140802-80-A-a12 **运城万达广场**[Yùnchéng Wàndá Guǎngchǎng] 商场。位于运城市盐湖区铺安街。因由万达集团投资承建并管理而得名。2018年建成营业，占地面积为6万平方米，总建筑面积达10.88万平方米。整体分为地下一层、地上四层，集生活超市、影院电玩、潮流精品、时尚服饰、新派餐饮、生活配套、儿童游乐、体验休闲等一体，为运城市目前最大的城市商业综合体。通有公交车。

140802-80-A-a13 **华曦购物广场有限公司**[Huáxī Gòuwù Guǎngchǎng Yǒuxiàngōngsī] 商场。位于运城市盐湖区人民北路。因企业名称寓意吉祥和行业性质而得名。2016建成营业，项目占地24000平方米，建筑面积23万平方米，以航站楼为概念的全情景体验式时尚购物街区，是集旅游、音乐、美食、购物、社交为一体的商业综合体。通有公交车。

140802-80-A-a14 **运城市恒隆国际购物中心有限公司**[Yùnchéngshì Hénglóng Guójì Gòuwù zhōngxīn Yǒuxiàngōngsī] 商场。位于运城市盐湖区河东东街。以吉祥寓意和业务范围、企业性质得名。2007年建成营业。一期地上4层，总建筑面积2.3万平方米，营业面积达1.8万平方米，主要以经营国际国内一线品牌服饰及当地认可的高端品牌服饰为主，是一个综合性的现代化购物场所。通有公交车。

140403-80-A-a15 **长治市嘉汇购物广场**[Chǎngzhìshì Jiāhuì Gòuwù Guǎngchǎng] 商场。位于长治市潞州区英雄中路。因企业名称取美好的寓意和行业性质而得名。2002年建成营业，2003年更名为长治市嘉汇购物广场有限公司。建筑面积23620平方米，地下1层，地上6层，是长治市首家集购物、餐饮、休闲、娱乐于一体的多元化都市生活广场。通有公交车。

140403-80-A-a16 **长治万达广场**[Chǎngzhì Wàndá Guǎngchǎng] 商场。位于长治市潞州区

英雄北路。因由万达集团投资承建并管理而得名。2018年建成营业，项目总用地面积39200平方米，总建筑面积13.14万平方米，其中地上四层，地下两层。是万达集团在山西省开业的第4座万达广场，是集购物、休闲、餐饮、文化娱乐等于一体的大型商业综合体，目前是长治市最大的商业购物中心。通有公交车。

140403-80-A-a17 **博源购物广场** [Bóyuán Gòuwù Guǎngchǎng] 商场。位于长治市潞州区城东路。因建设单位名称（山西博源超市），得名博源购物广场。博，广大、多的意思；源，源源不断。2003年建成营业，又称博源超市，建筑面积12000平方米，营业面积13000平方米，主要经营蛋糕、生鲜肉制品加工、食品、副食品、日用百货等，超市商品齐全，便利当地人的生活。通有公交车。

140502-80-A-a18 **晋城市凤展新时代广场** [Jìnchéngshì Fèngzhǎn Xīnshídài Guǎngchǎng] 商场。位于晋城市城区新市西街，因晋城市凤展新时代广场有限责任公司筹资建设并命名。2012年建成营业，占地面积1.2万多平方米，商场建筑面积8万平方米，营业面积4.5万平方米，主体地下3层，地上7层，高35米，是晋城市投资最大、档次最高、业态最全、功能最完善的集购物、休闲、娱乐、餐饮于一体的城市商业综合体，曾获全省诚信示范市场。通有公交车。

140502-80-A-a19 **晋城金辇时代广场** [Jìnchéng Jīnniǎn Shídàiguǎngchǎng] 商场。位于晋城市城区文昌东街。因地理位置及商业用途而得名。2010年建成营业，商场占地面积43460平方米，建筑面积18464平方米，主体8层，高23米，是集办公、购物、餐饮等为一体的商业购物广场，通有公交车。

140525-80-A-a20 **晋城月星商业广场** [Jìnchéng Yuèxīng Shāngyèguǎngchǎng] 商场。位于晋城市泽州县红星东街。得名于月星集团投资并命名。2015年建成营业，广场总建筑面积达20万平方米，经营面积约5万平方米，主要经营照明灯饰、壁纸墙布、厨卫电器、开关插座、全屋定制、卫浴洁具等等，是晋城市规模较大的一站式家居购物中心。临近207国道。

140902-80-A-a21 **忻州市开来欣悦购物广场** [Xīnzhōu Shì Kāiláixīnyuè Gòuwù Guǎngchǎng] 商场。位于忻州市忻府区七一北路。由开发商命名而得名。2013年开业，广场运营总面积达5万平方米，主体层数为20层，商场主体共7层，高度为60米。集高档服饰、化妆品、珠宝眼镜、运动休闲、特色餐饮等业态于一体。通有公交车。

140922-80-A-a22 **东大购物中心** [Dōngdà Gòuwùzhōngxīn] 商场。位于忻州市五台县城西米市街。由开发商命名，寓意东方大世界的购物商场。2009年建成营业，占地面积为1200平方米，建筑面积为3000平方米，使用面积2400平方米，主体高度10米，主体层数为3层。通有公交车。

140902-80-A-a23 **君华新天地购物广场** [Jūnhuá Xīntiāndì Gòuwù Guǎngchǎng] 商场。位于忻州市忻府区长征中街。因由君华集团有限公司投资建设而得名。2013年营业。主体建筑共三层，总面积25157平方千米，集购物、餐饮、娱乐、休闲、文化于一体的大型现代商业综合体。通有公交车。

141002-80-A-a24 **新百汇购物中心** [Xīnbǎihuì Gòuwù Zhōngxīn] 商场。位于临汾市尧都区迎宾大道。因其开发商的美好愿望而命名。前身为体育南街百汇商场新址，故得名。2015年建成营业，广场整体呈六边形，高四层，占地面积33万平方米，商场总面积23万平方米，公共空间11万平方米。是集写字楼、产权式酒店、高档住宅小区、学校、老年公寓及商业广场为一体的大型城市商业综合体。通有公交车。

141002-80-A-a25 **临汾尧都万达广场** [Línfén Yáodōu Wàndá Guǎngchǎng] 商场。位于临汾市尧都区常兴中街。因由万达集团投资承建并管理而得名。2021年建成营业，建筑面积6.98万平方米，高6层，以时尚潮流品牌、生活精品、知名餐饮、儿童体验业态为主，目标为满足年轻人、年轻家庭高品质的体验、娱乐、购物一站式消费需求，成为临汾市体验业态最丰富的区域社区生活中心。通有公交车。

141002-80-A-a26 **红星美凯龙临汾中心城商场**［Hóngxīngměikǎilóng Línfén Zhōngxīnchéng Shāngchǎng］商场。位于临汾市尧都区滨河路。由投资主体红星美凯龙和所在位置而命名。2022年建成营业。总建筑面积约为5.1万平方米，主要经营瓷砖、家具、吊顶、家用电器、卫浴洁具、照明灯饰、全屋定制等等，为大型连锁化经营建材家居卖场。通有公交车。

140602-80-A-a27 **美都汇购物广场**［Měidū huì Gòuwùguǎngchǎng］商场。位于朔州市朔城区民福东街。因其所在行政区域及综合职能而命名。是美特好集团控股的山西本土连锁购物广场。因其是朔城区的购物广场，且"美都汇"有"美好的东西都汇聚此地"的意思，为开发商赋予其美好的愿望，故名。2015年建成营业，总建筑面积约10万平方米，购物中心56000平方米，地上五层，地下三层，高度为50米，集购物、美食、休闲、娱乐、社交为一体。通有公交车。

140602-80-A-a28 **朔州市玉百购物中心有限公司**［Shuòzhōushì Yùbǎi Gòuwùzhōngxīn Yǒuxiàn gōngsī］商场。位于朔州市朔城区开发南路。因寓意吉祥和行业性质而得名。2004年建成营业，建筑面积23000平方米，主楼共5层，地下1层，地上4层。经营各种日常杂货，大型零售批发市场与玉百网上商城并行运营，覆盖朔州六县区、忻州五县区。通有公交车。

141102-80-A-a29 **吕梁新天地购物广场**［Lǚliáng Xīntiāndì Gòuwù Guǎngcháng］商场。位于吕梁市离石区兴隆街。因赋予名称美好愿望而得名。2007年营业。商场占地面积为1万平方米，主要经营服装、鞋包、名表、珠宝、餐饮等。通有公交车。

141181-80-A-a30 **孝义万达广场**［Xiàoyì Wàndá Guǎngchǎng］商场。位于吕梁市孝义市新安街。因由万达集团投资承建并管理而得名。2019年建成营业，总建筑面积10.31万平方米，地下1层、地上5层，是华北地区县级城市第一个、山西省第六个万达广场，是孝义体量最大、业态最全、功能最齐备的集生活、娱乐、时尚于一体的商业综合体，通有公交车。

141181-80-A-a31 **孝义市华美新天地购物广场**［Xiàoyìshì Huáměi Xīntiāndì Gòuwùguǎng chǎng］商场。位于吕梁市孝义市新义街。以所在行政区域名称（孝义市）、字号（义都）、行业（商贸）以及组织形式（有限公司）而得名。2013年建成营业，占地面积2万平方米，建筑面积10万平方米，营业面积6万多平方米，是一座集商贸流通、餐饮娱乐、文化教育、休闲旅游于一体的现代shopping mall，为孝义市综合型地标建筑。通有公交车。

140106-80-A-a32 **山西省太原唐久超市有限公司**［Shānxīshěng Tàiyuán Tángjiǔ Chāoshì Yǒu xiàngōngsī］商场。总部位于太原市迎泽区松庄路。成立于1996年。唐久物流配送中心，占地40000平方米，由常温物流配送中心、冷链物流配送中心、电子商务物流配送中心、西点面包生产加工厂、冷链鲜食工厂组成，为华北地区规模最大、信息现代化水平最高的物流中心之一，目前约有1500多家门店，3000多名员工。是山西省最早的连锁企业之一，五次入选"中国连锁百强企业"。通有公交车。

140105-80-A-a33 **山西美特好连锁超市股份有限公司**［Shānxī Měitèhǎo Liánsuǒchāoshì Gǔfèn Yǒuxiàngōngsī］商场。位于太原市小店区太榆路。因其所在区域山西，字号（美特好，音译Meet all），组织形式和业务领域而得名。1993年成立太原金海岸超市，1998年成立山西省第一家大型仓储式会员超市——美特好迎宾店，2007年完成股改，更名为"山西美特好连锁超市股份有限公司"，目前拥有终端门店近200家。是一家以超市大卖场为主营业态，融和SPAR美特好生鲜、美特好便利、CITY SHOP、美都汇购物广场等为一体的中国百强商业连锁集团。通有公交车。

140110-80-A-b01 **山西省太原市河西农产品有限公司**［Shānxīshěng Tàiyuánshì Héxī Nóngchǎn pǐn Yǒuxiàn Gōngsī］市场。位于太原市晋源区晋祠路。前身是1992年创办的桥西综合批发市场，2006年建成现市场，总占地22万平方米，市场由13个主体建筑组成，总建筑面积11.9万平方米，主要有蔬菜交易区、果品交易区、粮油调味品交易区和生活服务区等四个功能区，入驻市场的经营者5000余户。2007年交易量10.1亿公斤，交易额16.9亿元，蔬菜、果品、粮油调味品供应占太原市总供应量的95%、90%和85%。是全国农产品十佳市场、全国服务业企业500强，是太原市菜篮子工程的重点企业和重要载体，为山西乃至华北地区最大的农产品集散中心。通有公交车。

140107-80-A-b02 **山西太原丈子头农产品物流园**［Shānxī Tàiyuán Zhàngztóu Nóngchǎnpǐn Wùliúyuán］市场。位于太原市杏花岭区丈子头街。因所在位置和经营性质而命名。2014年开始营业。为山西省特色农业支撑项目和国家鲜活农产品流通体系重点项目，是国家发改委农业服务业示范项目、商务部“双百”市场工程和农业农村部“5520”市场工程之一。由蔬菜区、水果区、肉食水产区、粮油区、副食调味品区、名优特产展示区六个区域构成主体，有全省最大的鲜活农产品冷藏库、台琼水果仓储库、优质小杂粮储备库三大库房保证农产品储藏。通有公交车。

140825-80-A-b03 **山西新绛县蔬菜批发市场**［Shānxī Xīnjiàngxiàn Shūcài Pīfā Shìchǎng］市场。位于运城市新绛县。因所处位置和经营内容而得名。始建于1992年，市场占地面积120亩，1999年被原国家农村部确定为“农业部鲜活农产品定点批发市场”和农业部农产品信息采集点。2001年被原国家农业部、国家发改委等八部委首批确认为“国家农业产业化重点龙头企业”。建筑面积9200平方米，有两栋综合性营业大楼、交易大棚三座、冷库一座。市场分蔬菜批发区、瓜果批发区、蔬菜冷藏区、生活服务区，是全省最大的蔬菜瓜果产地批发市场之一，市场辐射到内蒙、黑龙江、河南、山东等21个省市及200多个市县。临近108国道。

140302-80-A-b04 **阳泉蔬菜副食有限公司**［Yángquán Shūcàifùshí Yǒuxiàn Gōngsī］市场。位于阳泉市城区桃南中路。成立于1956年，由阳泉市人民政府统一规划、投资，阳泉蔬菜副食有限公司建设、经营管理的菜篮子工程。市场占地面积24000平方米，建筑面积12500平方米，建成交易大棚5000平方米，市场交易车货位380个。为晋东地区蔬菜瓜果集散、信息采集发布、价格形成的区域性综合农产品批发交易市场。有公交和石太高速公路经此。

140502-80-A-b05 **晋城市绿欣农产品批发交易中心**［Jìnchéng Shì Lǜxīn Nóngchǎnpǐn Pīfājiāoyì Zhōngxīn］市场。位于晋城市城区凤台西街。因“绿色食品、欣欣向荣之意”的寓意内涵及功能用途而得名。2000年建成，简称绿欣市场。占地面积16666.67平方米，主体建筑一层，高4米，现有3600平方米交易大棚、近600平方米的恒温冷库、500间交易门店，现有商户360多家，为蔬菜、瓜果、粮油、名特优农产品、农资、花卉等综合性的批发市场，是晋城市最大的农产品批发市场，也是市政府2000年度实事工程之一，是国家农业部定点市场、农业部信息网网员单位。通有公交车。

140403-80-A-b06 **长治市紫坊农产品综合交易市场有限公司**［Chángzhìshì Zǐfāng Nóngchǎnpǐn Zōnghé Jiāoyìshìchǎng Yǒuxiàngōngsī］市场。位于长治市城区紫坊村。因所在行政区域、业务领域和组织形式而得名。2001年建成营业。占地面积36000平方米，建筑面积1800平方米，内座大小客商2000余户，购销客商3000余家，蔬菜日吞吐量1500余吨，日客流量3—4万人次，带动农户30000户、基地36万亩，解决社会就业8000余人，为山西省规模较大、功能较全、经营品种最多的农产品批发市场之一，获得“国家农业部定点市场”、“国家工商局全国诚信示范市场”、“国家商务部‘双百强’市场”。通有公交车。

140802-80-A-b07 **运城蔬菜批发市场有限公司**［Yùnchéng Shūcàipīfā Shìchǎng Yǒuxiàn Gōngsī］市场。位于运城市盐湖区圣惠北路。因所在位置和经营内容而得名。2001年建成运营。占地面积260亩，分南北两区。北区：蔬菜、果品、粮油交易中心160亩；南区：旧货和粮油扩建市场100亩。总建筑面积6.8万平方米，总营业面积5.28万平方米，北区建筑面积5.4万平方米，营业面积3.88万平方米。北区固定摊位490个。设有蔬菜、果品、粮油、旧货、农资五大交易中心。主要建有 8000 吨恒温库；5000 吨低温库；5000 平方米地下香蕉加工库；1.38 万平方米交易大棚。通有公交车。

141002-80-A-b08 **山西临汾尧丰农副产品批发市场**［Shānxī Línfén Yáofēng Nóngfùchǎnpǐn Pīfā Shìchǎng］市场。位于临汾市尧都区秦蜀路。因所在位置和市场性质而得名。1997 年建成营业，市场现占地 10 万平方米，固定商户 570 户，摊位商户 700 余户。现已成为晋南地区最大的专业农产品批发市场，是临汾市唯一的国家农业部“定点市场”、省级农业产业化“重点龙头企业”、国家商务部确定的“生活必需品重点监测单位”。通用公交车。

140403-80-A-b09 **长治市金鑫瓜果批发市场**［Chángzhìshì Jīnxīn Guāguǒ Pīfā Shìchǎng］市场。位于长治市潞州区府后西街。2004 年建成营业。占地 2.3 万平方米，拥有交易户 200 余家，经营品种约 200 种，内设 2300 余平方米的恒温冷藏库，销售辐射山西省长治和晋城两市十六县（市），是华北地区大型果品批发市场之一。多次荣获“全国优秀果品批发市场”称号。通有公交车。

141182-80-A-b10 **山西汾阳市晋阳农副产品批发市场**［Shānxī Fényángshì Jìnyáng Nóngfùchǎnpǐn Pīfāshìchǎng］市场。位于吕梁市汾阳市富民北路。1992 年建成营业，占地面积 69930 平方米，其中营业交易大厅 4000 平方米，交易大棚 2 幢，市场现在经营蔬菜 60 多种，还有瓜果、水产品、肉类、干鲜水产、粮油禽蛋，调料等批发零售，为山西省第二大果品、蔬菜批发基地。通有公交车。

140107-80-A-c01 **山西国际贸易中心有限公司国贸大饭店**［Shānxī Guójìmàoyì Zhōngxīn Yǒuxiàngōngsī Guómàodàfàndiàn］酒店。位于太原市杏花岭区府西街。因公司隶属于山西国际贸易中心有限公司，经营范围为住宿、餐饮等酒店经营管理相关服务，故命名。2002 年建成营业。商务中心区由国贸大饭店、国贸写字楼、国贸公寓组成。有两座 42 层主塔楼、一座 20 层酒店式公寓楼、五层裙楼及两层地下停车场，总建筑面积 18.5 万平方米，总高度 162 米，共有客房总数 398 间套，是山西省目前规模较大、设施超前、管理先进，集五星级饭店、甲级写字楼、酒店式公寓、银行、证券营业大厅等为一体的综合型智能化的标志性建筑。通有公交车。

140105-80-A-c02 **山西万狮京华（维景国际）大酒店有限公司**［Shānxī Wànshījīnghuá（Wéijǐngguójì）Dàjiǔdiàn Yǒuxiàngōngsī］宾馆。位于太原市小店区平阳路。因企业名称万狮京华寓意振兴中华及管理方香港中旅维景国际管理公司而得名。1999 年建成营业，建筑面积 8 万平方米。楼高 25 层，201 间（套）客房。通有公交车和地铁。

140110-80-A-c03 **晋祠宾馆**［Jìncí Bīnguǎn］宾馆。位于太原市晋源区晋祠镇。因位于晋祠公园和行业性质而得名。1957 年建成开业，2006 年重新改造。占地面积 34 万平方米，绿化覆盖率为 70%，以其独特的皇家园林特点和别墅建筑风格博得了“花园别墅”和山西“钓鱼台”之誉。有装饰典雅、风格各异的中西餐厅、宴会厅 29 个，拥有各类客房 348 间。60 多年来曾先后接待了刘少奇、朱德、彭德怀等上百位党和国家领导人以及知名人士和外国元首。通有公交车。

140881-80-A-c04 **永济市海纳国际酒店有限公司**［Yǒngjìshì Hǎinà Guójìjiǔdiàn Yǒuxiàngōngsī］宾馆。位于运城市永济市城区河东大道。因温泉和行业性质而得名。2007 年建成营业，酒店总建筑面积为 2.6 万平方米，营业面积 3000 平方米，主体建筑共 7 层，共有各类客房 139 间（套）。集客房、餐饮、康乐洗浴、游泳馆、休闲酒吧、茶吧、KTV、会议中心于一体的综合型功能酒店。通有公交车。

140109-80-A-c05 **丽华大酒店**［Lìhuá Dàjiǔdiàn］宾馆。位于太原小店区长风大街。因“丽华”吉祥语和行业性质而得名。2008 年建成营业，2010 年评为五星级饭店。酒店三座主体建筑占地 3 万平方米，建筑面积 15 万平方米，楼高 25 层，有各类客房 400 间，设有大小会议厅（室）17 间，通有公交车。

140321-80-A-c06 **阳泉煤业（集团）有限责任公司药林会议中心**［Yángquán Méiyè（Jítuán）Yǒuxiànzérèn Gōngsī Yàolín Huìyì Zhōngxīn］宾馆。位于阳泉市平定县张庄镇。因隶属关系和位置、

行业性质而命名，坐落于药林寺山下故取名为药林会议中心。2008年建成营业，酒店建于药林寺森林公园内，为五星级旅游饭店和全国五叶级绿色饭店的双五饭店，总建筑面积达25360平方米，拥有6幢别墅、170张床位，300个餐位，8个会议室及多功能厅，由会务中心、别墅、运动会所等建筑组成。339国道和207国道经此。

140403-80-A-c07 **长治益东国际酒店**［Cháng zhì Yìdōng Guójì Jiǔdiàn］宾馆。位于长治市潞州区西一环北路。因母公司运东集团的“东”和“益”的吉祥寓意而得名。2006年建成营业，酒店拥有200间的客房，隶属于长治运东集团，是一座集住宿、餐饮、会议、康乐、健体、休闲于一体，以汉唐宫廷文化融入现代装饰风格的标准五星级商务酒店。通有公交车。

140403-80-A-c08 **东明国际大酒店**［Dōng míng Guójì Dàjiǔdiàn］宾馆。位于长治市潞州区紫金东街。因地名寓意“东”，太阳升起的地方；“明”，光明，及所在行政区域及职能而得名。2009年营业。酒店占地面积30000平方米，总建筑面积86667平方米，主体为13层，高度为39米，拥有各种客房319间，建筑特色整体建筑融入中国古典美学及现代装饰风格。巧妙运用传统四合正方元素，完美再现东方古韵，是长治市首家高标准信息化的五星级酒店。通有公交车。

140602-80-A-c09 **朔州万通源大酒店有限公司**［Shuòzhōu Wàntōngyuán Dàjiǔdiàn Yǒuxiàn Gōngsī］宾馆。位于朔州市朔城区开发北路。企业设立时由创办人取名，以其工作性质和经营范围命名。2005年建成营业，酒店楼高21层，占地面积15800平方米，建筑面积38000平方米，有各式套房、客房共200套间，目前为朔州市最高建筑，外型呈欧式设计。通有公交车。

140729-80-A-c10 **灵石县宏源国际饭店有限公司**［Língshíxiàn Hóngyuán Guójì Fàndiàn Yǒuxiàn Gōngsī］宾馆。位于晋中市灵石县静升镇。因由宏源选煤公司兴建，又所在行政区域及生产经营范围而得名。2003年建成营业，占地面积13万平方米，建筑面积3.6万多平方米。酒店共有各类客房166间，主体建筑采用低层连体结构，苏杭园林风格。省道东夏线经此。

140702-80-A-c11 **山西万豪美悦国际酒店有限公司**［Shānxī Wànháo Měiyuè Guójì Jiǔdiàn Yǒuxiàngōngsī］宾馆。位于晋中市榆次区迎宾西街。因其位置、字号名、性质和经营范围命名。2006年建成营业。酒店占地面积24000平方米，建筑面积52000平方米，共19层，有各类客房303间。楼体呈帆船状，寓意扬帆远航，是晋中市代表性建筑。通有公交车。

140522-80-A-c12 **阳城县环城凯斯顿酒店有限公司**［Yángchéng Xiàn Huánchéng Kǎisīdùn Jiǔdiàn Yǒuxiàngōngsī］宾馆。位于晋城市阳城县凤城镇。因隶属环城实业有限公司，故冠以“环城”，凯斯顿为“caston”音译词语而得名。2011年前为环城大酒店。占地面积为14634.57平方米，建筑面积为33000平方米。酒店拥有各类型客房102间，11个多功能会议厅。饮食以山西四大面食为主。通有公交车。

140213-80-A-c013 **大同市金地豪生大酒店有限责任公司**［Dàtóngshì Jīndìháoshēng Dàjiǔdiàn Yǒuxiàn Zérèn Gōngsī］宾馆。位于大同市城区御河北路。因为豪生集团连锁国际品牌酒店而得名。2008年建成营业。酒店占地面积3300平方米，建筑面积5万平方米，大楼总高28层，酒店客房位于12楼到27楼，分为豪华楼层和行政楼层，共计各类客房283间。通公交车。

141181-80-A-c14 **孝义市东兴帝豪酒店有限公司**［Xiàoyìshì Dōngxìngdìháo Jiǔdiàn Yǒuxiàn gōngsī］宾馆。位于吕梁孝义市崇文大街。因所在行政区域名称（孝义市）、字号（东兴帝豪）、行业领域（酒店）以及组织形式（有限公司）而得名。2009年建成营业。建筑面积53000平方米，有各类客房381间。是集餐饮、住宿、休闲、娱乐、商务洽谈为一体，目前吕梁市唯一的国际五星级综合性商务酒店。通有公交车。

140522-80-A-c15 **阳城县美韵花园大酒店有限公司**［Yángchéngxiàn Měiyùn Huāyuán Dàjiǔ diàn Yǒuxiàngōngsī］宾馆。位于晋城市阳城县凤城镇。因由阳城县煤炭运销公司投资兴建的生态园林酒店，前两个字与煤运公司谐音故名美韵花园大酒店，故名。2009年建成营业。占地面积为47881.03平方米，建筑面积为28000平方米，酒店主楼高19层，共有各类客房178间。2014年获评“五星级饭店”，背依18.6万平方米的森林公园，是一家生态园林五星级酒店。通有公交车。

140106-80-A-c16 **太原三晋国际饭店** [Tàiyuán Sānjìn Guójì Fàndiàn] 宾馆。位于太原市迎泽区迎泽大街。因三晋作为地名为山西省的别称，业务领域酒店住宿而得名。1992年建成营业，酒店占地面积13176.5平方米，改扩建后总面积达55000平方米，整体建筑由A、B、C、D四个互连一体的楼宇组成。主楼高14层，共有客房总数225间套，床位总数317张，拥有大小各类会议室10余个，可接待670人，为四星级涉外饭店。通有公交车。

140105-80-A-c17 **山西黄河京都大酒店有限公司** [Shānxī Huánghéjīngdōu Dàjiǔdiàn Yǒuxiàn gōngsī] 宾馆。位于太原市小店区平阳路。因其所在区域山西，由北京黄河京都酒店管理，组织形式和业务领域而得名。2005年建成营业，占地面积1560平方米，总建筑面积4万平方米，主楼高10层，附楼高1层，共有客房总数188间（套），餐饮以川、粤、晋菜、晋南风味小吃为主，酒店共有9个风格迥异的大、中、小型宴会厅，17个会议室。通有公交车。

140107-80-A-c18 **太原鑫阳光大酒店** [Shānxī Xīnyángguāng Dàjiǔdiàn] 宾馆。位于太原市杏花岭区北大街。以所在行政区及吉祥寓意和业务范围命名。2010年建成营业，原山西阳光大酒店有限公司，2010年8月更名为太原市鑫阳光大酒店有限公司，酒店营业面积约20000平方米，拥有110多间各类房型，集客房、餐饮、会议和洗浴桑拿为一体的汲外综合性四星级酒店。通有公交车。

140107-80-A-c19 **山西省政协宾馆** [Shānxī shěng Zhèngxié Bīnguǎn] 宾馆。位于太原市杏花岭区东辑虎营。因酒店隶属关系以及行业属性而得名。2003年建成营业，宾馆楼高13层，地下1层，建筑面积1.4万平方米，宾馆共有客房171间；是一家集美食、商旅、会议、娱乐于一体的涉外四星级商务酒店。通有公交车。

140109-80-A-c20 **西山大厦** [Xīshān Dàshà] 宾馆。位于太原市万柏林区西矿街。因隶属于西山煤电集团，由公司命名而得名。2008年开业，原名西山宾馆。后更名为西山大厦。由南北两幢主体建筑组成，北楼为涉外四星级酒店，占地面积27000平方米，建筑面积21000平方米。主楼高9层，附楼高6层，客房区共有各类客房101间（套），设大、中、小型会议室8个，可同时接待500人的会议服务。通有公交车。

140105-80-A-c21 **山西泰瑞国际商务酒店** [Shānxī Tàiruì Guójì Shāngwù Jiǔdiàn] 宾馆。位于太原市小店区长风街。因企业名称吉祥寓意及行业性质而得名。2007年建成营业，楼高16层，客房118间。集客房、餐饮、休闲、会议等多功能为一体的现代化四星级商务酒店。通有公交车。

140105-80-A-c22 **山西云水国际大酒店集团有限公司** [Shānxī Yúnshuǐ Guójì Dàjiǔdiàn Jítuán Yǒuxiàngōngsī] 宾馆。太原市小店区平阳路。因其所在区域（山西），字号（云水，环境优美），组织形式和业务领域而得名。2010年建成营业，酒店总建筑面积23000平方米，楼高23层，客房总数313间（套）。是一家集餐饮、客房、康体、会议为一体的四星级商务酒店。通有公交车。

140107-80-A-c23 **山西滨河饭店有限公司** [Shānxī Bīnhéfàndiàn Yǒuxiàngōngsī] 宾馆。位于太原市杏花岭区府西街。因坐落于汾河之边，从事店客房住宿和餐饮行业而得名。1998年建成营业，宾馆楼高16层，共有客房总数166间（套），是一家主打粤菜、海鲜的四星级宾馆。通有公交车。

140213-80-A-c24 **王府宏安国际酒店** [Wángfǔ Hóngān Guójì Jiǔdiàn] 宾馆。位于大同市平城区迎宾西街。因隶属管理机构、吉祥寓意及所属行业而得名。1999年开业，楼高9层，客房使用总面积12200平方米，客房总数215（间）套，各餐厅使用总面积5000平方米，室内生态植物园使用总面积600平方米，室内网球场使用总面积800平方米。2000年成为大同市第一家四星级酒店。通有公交车。

140213-80-A-c25 **大同宾馆**［Dàtóng Bīnguǎn］宾馆。位于大同市平城区迎宾街。因所在城市和行业性质而得名。1972 年建成营业，宾馆占地面积近 4 万平方米，建筑面积 2.5 万平方米，宾馆共有客房 221 间套，拥有大小会议厅 10 个，是集客房、住宿、餐饮宴会、会议接待于一体，是大同市最早的、最大的综合性涉外四星级酒店之一，接待过多位国家领导人以及国际友人。通有公交车。

140213-80-A-c26 **大同市花园大饭店有限公司**［Dàtóngshì Huāyuándàfàndiàn Yǒuxiàn Gōngsī］宾馆。位于大同市平城区永泰街。因其所在行政区域及经营范围而得名。2004 年建成营业，宾馆占地面积 1450 平方米，建筑面积 13000 平方米，主楼高 6 层，共有客房总数 148 间（套）。集住宿、餐饮、娱乐、购物、商务为一体的四星级旅游商务饭店。通有公交车。

140213-80-A-c27 **浩海国际酒店**［Hàohǎi Guójì Jiǔdiàn］宾馆。位于大同市平城区魏都大道。由浩海集团投资兴建而得名。2006 年建成营业，酒店占地面积 2 万平方米，建筑面积 4 万平方米，主楼 13 层，副楼 6 层，拥有各类客房总数 220 间，是集住宿、餐饮、休闲为一体的的旅游涉外四星级酒店。通有公交车。

140213-80-A-c28 **大同市晨光国际酒店**［Dàtóngshì Chénguāngguójìjiǔdiàn］宾馆。位于大同市平城区迎宾东路。因晨光建设有限责任公司投资建设和行业性质而得名。2006 年成立，酒店主体有 21 层，高 88 米，建筑面积 20000 多平方米，共有客房数 182 间，是一家集房地产开发、物业管理、酒店经营为一体的多功能商务旅游四星级酒店。通有公交车。

140213-80-A-c29 **大同国宾大酒店**［Dàtóng Guóbīn Dàjiǔdiàn］宾馆。位于大同市平城区御河西路。因管理方名称、接待对象和行业性质而得名。2011 年开业，宾馆主体层数 20 层，占地面积 2000 平方米，建筑面积 40000 平方米，拥有各类客房 236 间。宾馆建筑体现了现代新颖的建筑风格，柔和了中国传统文化之精髓及欧洲近代流行的简欧风格。通有公交车。

140623-80-A-c30 **山西玉龙国际酒店有限公司**［Shānxī Yùlóng Guójìjiǔdiàn Yǒuxiàn Gōngsī］宾馆。位于朔州市右玉县新城区。因宾馆由山西玉龙投资集团投资建设而得名。2010 年建成营业，宾馆主楼高 13 层，附楼高 2 层，总建筑面积 3 万平方米，拥有各类客房共 178 套，有 318 张床位，是一家集客房、餐饮、康乐、会议于一体的豪华酒店。通有公交车。

140602-80-A-c31 **圣厚源大酒店**［Shènghòuyuán Dàjiǔdiàn］宾馆。位于朔州市朔城区安泰街。因创办人取名和行业性质而得名。2006 年建成营业。酒店占地面积 12000 平方米，建筑面积 60000 平方米，酒店北侧楼 2-7 层为客房区域，共拥有 194 间（套）客房。酒店外观非常有特色，古希腊风格石柱尽显典雅与大气。通有公交车。

140602-80-A-c32 **朔州万通源大酒店有限公司**［Shuòzhōu Wàntōngyuán Dàjiǔdiàn Yǒuxiàn Gōngsī］宾馆。位于朔州市朔城区开发北路。因创办人取名和行业性质而得名，2000 年建成营业。酒店占地面积 15800 平方米，建筑面积 38000 平方米，酒店楼高 21 层，为朔州市最高建筑，外型呈欧式设计，拥有各式客房共 200 套（间）。是集餐饮、住宿、娱乐、健身、游泳为一体的四星级涉外酒店。通有公交车。

140602-80-A-c33 **平朔宾馆**［Píngshuò Bīnguǎn］宾馆。位于朔州市朔城区朝阳路。因其所在行政区域及综合职能而命名。1997 年建成营业。宾馆占地 14 万平方米，分为宾馆区和别墅区。宾馆区主体层数为 8 层，主体高度为 39 米，可同时接待 150 人入住，250 人就餐。设有中西餐厅、会议厅（室）、健身中心等。别墅区共有 36 套美国东部样式的别墅，可接待 180 人住宿。通有公交车。

141102-80-A-c34 **吕梁国际宾馆**［Lǚliáng Guójì Bīnguǎn］宾馆。位于吕梁市离石区滨河南中路。因位于吕梁市境内，作为吕梁市政府定点接待单位，故名吕梁宾馆。1971 年开业。其前身为 1971 年吕梁地区革委会招待所，1980 年更名为山西省吕梁地区行政公署招待所，1988 年更名为吕梁宾馆。2011 年新建吕梁国际大酒店，2012 年两家酒店统称为吕梁国际大酒店。酒店拥有 24 层的主楼和六层副楼各一栋，地下三层赏通广场和主副楼，总建筑面积为57000平方米，各类型客房共465间，20个多功能会议室。通有公交车。

141181-80-A-c35 **孝义市东兴酒店有限公司**［Xiàoyì Shì Dōngxìngjiǔdiàn Yǒuxiàngōngsī］宾馆。位于吕梁市位于孝义市府前街。以所在行政区域名称（孝义市）、字号（东兴）、行业（酒店）以及组织形式（有限公司）而得名。2000年建成营业，占地面积15000余平方米，建筑面积25000余平方米，酒店主楼高9层，有各类客房111间，是一家集餐饮、住宿、商务、娱乐于一体的综合性酒店。通有公交车。

141182-80-A-c36 **汾阳贾家庄裕和花园酒店**［Fényáng Jiǎjiāzhuāng Yùhéhuāyuán Jiǔdiàn］宾馆。位于吕梁市汾阳市贾家庄镇贾家庄村腾飞路。因所在区域位于汾阳市和经营行业故得名。2014年建成营业，酒店占地5.2万平方米，建筑面积3万多平方米，有客房151间客房，6幢豪华别墅，有各类会议室9个。是集餐饮、住宿、会议、娱乐、休闲为一体的国家绿色4A酒店。省道汾屯线经此。

140403-80-A-c37 **财苑大厦**［Cáiyuàn Dàshà］宾馆。位于长治市潞州区长兴中路。因所在行政区域及职能而得名。1994年建成营业，占地面积为14000平方米，建筑面积为12163平方米。主体层数为12层，主体建筑高为36米，主楼拥有各式客房102套，会议厅5个。集餐饮、住宿、会议、商务于一体的旅游饭店。通有公交车。

140302-80-A-c38 **山西泉美国际大酒店**［Shānxī Quánměiguójì Dàjiǔdiàn］宾馆。位于阳泉市城区南大西街。因以泉美餐饮服务有限公司投资、行业及其功能而得名。2007年建成营业，酒店楼高13层，营业面积达1.3万平方米，有各类客房107间，为涉外商务型四星级酒店。通有公交车。

140302-80-A-c39 **北冰洋大酒店**［Běibīng yáng Dàjiǔdiàn］宾馆。位于阳泉市城区北大街。因其字号以“北冰洋”意指正对着大熊星座的海洋之吉义与其所属行业、业务而得名。2007年建成营业，酒店建筑总面积达10000余平方米，楼高15层，共有客房总数127间。是一座集住宿、餐饮、洗浴、商务、会议、娱乐、购物、信息等服务于一体的高档商务酒店，是阳泉市第一家四星级酒店。通有公交车。

80-A-c40 **阳泉祥禾大酒店**［Yángquán Xiáng hé Dàjiǔdiàn］宾馆。位于阳泉高新技术产业开发区香港路。因“祥禾”赋予吉祥寓意和行业性质而得名。2008年建成营业，酒店总面积14500平方米，主楼面积11000平方米，六层至十一层为92间客房。是一家会所式配置、综合性经营的四星级酒店。通有公交车。

140502-80-A-c41 **晋城大酒店有限责任公司**［Jìnchéng Dàjiǔdiàn Yǒuxiànzérèn Gōngsī］宾馆。位于晋城市城区凤台西街。因所在行政区域及工作职能而得名。1999年建成营业，2004年改制为晋城大酒店有限责任公司。占地面积6896平方米，建筑面积27800平方米，主楼高17层，附楼高10层，共有客房总数182间套。集住宿，餐饮、会议、康乐、旅游、购物等为一体的四星级旅游饭店。先后获得了“国家级青年文明号”、“全国巾帼文明岗”国家级荣誉2项。通有公交车。

140502-80-A-c42 **晋城市阳光大酒店有限公司**［Jìnchéngshì Yángguāng Dàjiǔdiàn Yǒuxiàngōng sī］宾馆。位于晋城市城区泽州路。因阳光温馨、蒸蒸日上而得名。1996年建成营业，总建筑面积15800平方米，主楼八层，地下一层为库房，地上七层，拥有各类房型108间，总床位数197个。是一家集住宿、餐饮、娱乐、洗浴、商务、超市于一体的四星级品牌老店。通有公交车。

140502-80-A-c43 **晋城太平洋大厦有限公司**［Jìnchéngshì Tàipíngyáng Dàshà Yǒuxiàngōngsī］宾馆。位于晋城市城区凤台西街。因“诚邀天下客，情满太平洋”而得名。酒店总建筑面积约3万平方米，宾馆地上26层，地下2层，楼高99.8米，拥有各类客房260余间，大型宴会厅2个，10个多功能会议室。是晋城市最高的标志性建筑。是集住宿、餐饮、会议娱乐为一体的四星级商务酒店。通有公交车。

140502-80-A-c44 **山西兰花大酒店有限责**

任公司［Shānxī Lánhuā Dàjiǔdiàn Yǒuxiànzérèn Gōngsī］宾馆。位于晋城市开发区凤台东街。因山西兰花煤炭实业集团投资和行业性质而得名。2007 年建成营业。主楼高 8 层，建筑面积 23000 平方米，共有客房 160 余间（套）。是集住宿、餐饮、会议、休闲、娱乐于一体的综合性智能化商务酒店。通有公交车。

140502-80-A-c45 **颐宾大酒店**［Yíbīn Dàjiǔdiàn］宾馆。位于晋城市城区前进路。因地理位置及商务职能而得名。2006 年建成营业，酒店总占地面积 19 亩，建筑面积 2 万平方米，楼高 4 层，附楼高 4 层，共有客房总数 68 间（套），建筑风格特异，融园林建筑和现代艺术为一体，是晋城市一家园林式酒店。通有公交车。

140502-80-A-c46 **晋城市润华实业有限公司高都大酒店**［Jìnchéngshì Rùnhuáshíyè Yǒuxiàn Gōngsī Gāodū Dàjiǔdiàn］宾馆。位于晋城市城区新市东街。1993 年建成营业，占地面积 3500 平方米，建筑面积 28000 平方米，酒店主体分东西楼，东、西楼总建筑面积 19600 平方米，共有房间 130 间，会议室 8 个，建筑外观为欧式建筑、风格独特。通有公交车。

140502-80-A-c47 **泽州大酒店管理有限公司**［Zézhōu Dàjiǔdiàn Guǎnlǐ Yǒuxiàn Gōngsī］宾馆。位于晋城市城区凤台西街。2009 年开业。酒店面积 2.7 万平方，各类客房 152 间，主楼高 12 层，共有客房总数 152 间（套）。通有公交车。

140522-80-A-c48 **山西皇城相府文化旅游有限公司皇城相府贵宾楼**［Shānxī Huángchéngxiàngfǔ Wénhuà Lǚyóu Yǒuxiàngōngsī Huángchéngxiàngfǔ Guìbīnlóu］宾馆。位于晋城市阳城县北留镇。因由皇城相府集团投资兴建而得名。2009 年开业。总建筑面积 1.2 万平方米，主楼高 5 层，客房总数 85 间（套），共有客房 100 间，有餐位 1000 多个，是一家集住宿、餐饮、洗浴为一体的旅游度假型酒店。晋运高速经此。

140524-80-A-c49 **晋城大酒店有限责任公司棋源山庄**［Jìnchéng Dàjiǔdiàn Yǒuxiànzérèn Gōngsī Qíyuán Shānzhuāng］宾馆。位于晋城市陵川县棋子山风景区。因传说为围棋源地而得名。2005 年建成营业，占地面积 9.13 万平方米，建筑面积 1.6 万平方米，由 7 栋别墅、一个多功能综合服务楼、一个贵宾楼（住宿楼）、南区经济住房区组成，是一所集住宿、餐饮、培训、休闲度假、娱乐等多功能服务于一体的四星级绿色山庄酒店。太行一号旅游公路经此。

140702-80-A-c50 **颐景国际酒店**［Yíjǐng Guójì Jiǔdiàn］宾馆。位于晋中市榆次区顺城街。因其所在行政区域和业务范围得名。2002 年建成营业，主楼高 12 层，辅楼高 4 层，总建筑面积 4 万平方米，客房 164 间。是一座集餐饮、客房、康体、水疗、会议接待、现代商务为一体的综合性四星级酒店。通有公交车。

140728-80-A-c51 **峰岩建国饭店**［Fēngyán Jiànguó Fàndiàn］宾馆。位于晋中市平遥县曙光路。由平遥峰岩煤焦集团有限公司投资，因管理单位名称及建筑性质而得名。2010 年建成营业，占地面积 3.2 万平方米，建筑面积 2.7 万平方米，主体高度共 11 层，地上 10 层，地下 1 层。有客房 222 间，床位 383 张，拥有一个多功能厅和 8 个不同大小的会议室，是平遥最大的旅游会议型酒店。通有公交车。

140781-80-A-c52 **介休正达海悦酒店**［Jièxiū Zhèngdáhǎiyuè Jiǔdiàn］宾馆。位于晋中市介休市北坛东路。因是介休正达集团旗下酒店，“海悦”一词的吉祥寓意和美好期待而得名。2010 年开业，酒店占地面积 12000 平方米，主楼高 12 层，共有各类客房 70 间，是介休市首家四星级涉外商务旅游酒店。通有公交车。

140781-80-A-c53 **介休市淳瀛大酒店**［Jièxiū Chúnyíng Dàjiǔdiàn］宾馆。位于晋中市介休市北坛中路。因隶属淳瀛集团和行业属性而得名。2018 年开业，其前身是介休市锦源大酒店。酒店主楼 9 层，裙楼 6 层，营业面积近 20000 平方米，拥有各类客房 70 余间，是一家集餐饮、住宿、休闲、会议为一体的综合型四星级酒店。通有公交车。

140882-80-A-c54 **河津市天都大酒店有限公司**［Héjīn Shì Tiāndōudàjiǔdiàn Yǒuxiàn Gōngsī］宾馆。位于运城市河津市振兴东路。因经营范围

和寓意而命名。2006年建成营业，酒店由15层主楼、3层裙楼和1个水上乐园组成，建筑总面积为35000平方米，拥有各类型客房185间。其建筑为是河津标志性建筑之一。通有公交车。

140830-80-A-c55 **芮城惠阳大酒店有限责任公司**［Ruìchéng Huìyáng Dàjiǔdiàn Yǒuxiànzérèn Gōngsī］宾馆。位于运城市芮城县洞宾东街。因以天津惠阳国际投资、所在区域和行业属性而得名。2003年建成营业，即芮城大酒店，宾馆建筑面积2万平方米，各类客房160余套，大小会议室4个。是芮城县规模最大、经营项目最全的大型高档综合四星酒店。通有公交车。

141002-80-A-c56 **临汾金海湾大酒店**［Línfén Jīnhǎiwān Dàjiǔdiàn］宾馆。位于临汾市尧都区向阳西路。因金海湾大酒楼有限公司投资，吉祥寓意以及其经营范围而命名。2007年建成营业，酒店占地面积7000平方米，建筑面积20000平方米，主楼高12层，办公楼6层，客房107间（套），会议室5个。是集客房、餐饮、娱乐、休闲、会议为一体的豪华商务酒店。通有公交车。

141081-80-A-c57 **华强大酒店**［Huáqiáng Dà Jiǔdiàn］宾馆。位于临汾市侯马市程王路。因山西省华强企业下属公司而得名，其前身是2002年营业的侯马市银湖大酒店，2007年更名为华强大酒店。酒店主楼高19层，副楼高6层，建筑面积近20000平方米，主体高度为57米，拥有各类客房146余间，是一家集餐饮、住宿、桑拿、康乐、会议接待为一体的四星级商务酒店。通有公交车。

141081-80-A-c58 **华翔大酒店**［Huáxiáng Dà jiǔdiàn］宾馆。位于临汾市侯马市花园南街。由侯马华翔集团有限公司命名，隶属于侯马华翔（集团）有限公司。2005年建成营业，酒店由16层主楼和两座分别为3层和4层的裙楼组成，建筑面积18000平方米，共有166间客房。是代表侯马市现代化水平的一座标志性建筑。通有公交车。

141023-80-A-c59 **襄汾县丁陶国际大酒店**［Xiāngfénxiàn Dīngtáo Guójì Dàjiǔdiàn］宾馆。位于临汾市襄汾县新城镇丁陶大道。2007年开业。以所在位置和业务领域而得名。占地近3万平方米，建筑面积32000平方米，地上19层，地下1层，高度84米，拥有各类客房数222间。集餐饮、住宿、娱乐、培训、会务为一体。通有公交车。

141002-80-A-c60 **临汾思麦尔国际酒店**［Línfén Sīmàiěr Guójì Jiǔdiàn］宾馆。位于临汾市尧都区鼓楼东大街。因思麦尔与smile（微笑）音同，取微笑待客而得名。2007年建成营业，酒店建筑面积达2.23万平方米酒店，主体楼高8层，5至8楼及酒店东楼是客房区域，拥有182间各类客房，酒店内设的麟王阁粤菜酒楼，设有32个豪华宴会包间，设有500平方米的大型宴会厅，可供450人同时就餐。通有公交车。

140971-80-A-c61 **五台山银海山庄**［Wǔtáishān Yínhǎi Shānzhuāng］宾馆。位于忻州市五台县台怀镇。以其所在区域、嘉言、业务领域和组织形式而得名。2006年建成营业，酒店楼高3层，客房总数119间，宾馆融民族特色的仿古建筑造型与现代化的功能设施为一体，是避暑休闲、团队旅游、商务洽谈、接待会议的理想之所。省道砂石线经此。

140971-80-A-c62 **五台山景区花卉山庄**［Wǔtáishān Jǐngqū Huāhuì Shānzhuāng］宾馆。位于忻州市五台山台怀镇。以其所在区域、嘉言、业务领域和组织形式而得名。2004年建成营业，主体由3栋楼组成，客房是3层楼，共有各类客房156间，是一家集住宿、餐饮、娱乐、购物一体的旅游商务饭店。省道砂石线经此。

140924-80-A-c63 **繁峙县嘉盛伦大酒店**［Fánshìxiàn Jiāshènglún Dàjiǔdiàn］宾馆。位于繁峙县繁城镇向阳北路。2006年建成营业，占地面积6600平方米，建筑面积12000平方米，主体为5层，有各类房型的客房83间、床位160张。是一家集住宿、餐饮、洗浴、娱乐、会议服务的综合类豪华星级酒店，是繁峙县唯一一家四星级酒店。108国道经此。

140981-80-A-c64 **原平市黄河京都大酒店有限公司**［Yuánpíngshì Huánghéjīngdōu Dàjiǔdiàn Yǒuxiàn Gōngsī］宾馆。位于忻州原平市前进西街。因其所在区域原平，字号（黄河，黄河酒店管理集团，京都，京城），组织形式和业务领域而得名。2007 年建成营业，酒店占地面积 28000 平方米，建筑面积 36000 平方米，主体楼高 6 层，拥有客房数 137 间，床位数 243 张，餐位数 430 个。酒店为原平首家四星级涉外酒店。108 国道经此。

140213-80-A-c65 **大同市天贵国际酒店有限责任公司**［Dàtǒng Shì Tiānguì Guōjì Jiǔdiàn Yǒuxiàn Zěrèn Gōngsī］宾馆。位于大同市平城区云中路。因“天贵”吉祥语与行业性质而得名。2006 年建成营业，2008 年被评为五星级，酒店由主楼和裙楼组成，主楼高 16 层，地上 15 层和地下 1 层，拥有各类客房 169 间（套）。内悬挂北魏历史文化的 200 幅图片，是全国首家以北魏文化为主题的五星级酒店。通有公交车。

140106-80-A-c66 **迎泽宾馆**［Yīngzé Bīnguǎn］宾馆。位于太原市迎泽区迎泽大街。因所在位置和行业性质而得名。1955 年建成营业，由东、西两栋主楼组成。有中西餐厅、宴会厅、多功能厅 33 个，大中小型多功能厅及会议室 17 个，有各种床位 850 张。50 多年来曾先后接待了刘少奇、朱德等党和国家领导人、德国前总理施罗德等外国政府首脑和郭沫若、梅兰芳、陈香梅、邵逸夫、郭台铭、姚明等知名人士。通有交通车。

140105-80-B-a01 **山西省物资产业集团有限责任公司**［Shānxī Shěng Wùzīchǎnyèjítuán Yǒuxiànzérèngōngsī］总公司。位于太原市小店区长风街。因其所在区域山西省，组织形式和业务领域而得名。1994 年成立，由原山西省物资厅成建制转体组建。面积 6212 平方米，拥有仓储面积 53 万平方米，铁路专用线 6 条 5000 米和大批吊装运输设备。业务范围是物资贸易、仓储、运输现代物流、生产加工等。通有公交车。

140109-80-C-01 **中国农业银行股份有限公司山西省分行**［Zhōngguó Nóngyè Yínháng Gǔfènyǒuxiàngōngsī Shānxī Shěng Fēnháng］省级分行。位于太原市万柏林区南内环西街。1979 年恢复分行，现下辖 11 个二级分行，134 个一级支行，115 个二级支行，243 个分理处和营业所。在支持地方经济发展和服务城乡居民上取得了显著成效，连续 4 年荣获山西省政府“支持山西经济发展贡献奖”。通有公交车。

140105-80-C-02 **中国银行股份有限公司山西分行**［Zhōngguó Yínháng Gǔfènyǒuxiàngōngsī Shānxī Fēnháng］省级分行。本部位于太原市小店区亲贤北街。由中国银行命名，因其所在区域（山西）得名。前身是中国银行山西省分行，成立于 1913 年，是山西最早官商合办的现代银行。新中国成立后，中国银行山西省分行历经外汇外贸专业银行、国有独资商业银行、国有控股大型商业银行等发展阶段，现下辖 10 家地市分行和太原地区 6 家直属支行、3 家直管支行，目前共有网点 305 个，员工 8300 余人。曾连续两年被山西省人民政府授予“支持地方经济发展突出贡献奖”，连续三年被评为“政风行风建设先进单位”，连续八年荣获“山西省金融行业用户首选品牌”。通有公交车。

140106-80-C-03 **中国农业发展银行山西省分行**［Zhōngguó Nóngyè Fāzhǎn Yínháng Shānxī Shěng Fēnháng］省级分行。位于太原市迎泽区康乐街。因所在行政区域及工作职能而得名，1995 年成立，共设有 11 个二级分行（含省分行营业部）和 67 个县级支行，员工 1700 多人，主要承担政府主导的农业农村金融业务，办理粮棉油收储贷款、农村基础设施建设贷款、农业综合开发贷款、水利建设贷款、新农村建设贷款等。通有公交车。

140105-80-C-04 **华夏银行股份有限公司太原分行**［Huáxià Yínháng Gǔfèn Yǒuxiàn Gōngsī Tàiyuán Fēnháng］一级分行。位于山西省太原市小店区。因在太原设立分行而得名。1998 年成立，目前设有晋中、运城、长治、大同、朔州、临汾等 6 个异地机构，共有营业网点 30 个，员工 935 人，形成了以太原为中心、辐射全省的金融服务体系，融入山西能源、交通、制造、旅游文化等主流经济发展和重点项目建设。通有多路公交及地铁。

140107-80-C-05 **中国光大银行太原分行**［Zhōngguóguāngdà Yínháng Tàiyuánfenháng］一级分行。位于山西省太原市杏花岭区府西街。因所在位置及业务范围命名，1999 年成立。现有营业网点 32 个，有 4 家二级分行，员工 1000

余人。始终把自身发展与支持山西经济发展紧密结合，初步形成了自身的经营特色和业务优势，在阳光理财、对公大资产、个贷、信用卡及投行业务等方面培育了较强的市场竞争优势。通有公交车。

140106-80-C-06 **交通银行股份有限公司山西省分行**［Jiāotōng Yínháng Gǔfènyǒuxiàngōngsī Shānxīshěng Fēnháng］省级分行。位于太原市迎泽区青年路。因隶属于交通银行股份有限公司，是其下属单位，所在地位于山西省，故而得名。其前身为交通银行山西省分行，成立于1989年，原机构名称为交通银行太原分行，于1997年底正式更名为交通银行股份有限公司山西省分行，是山西乃至华北地区最早成立的股份制商业银行，2016年经营场所由太原市迎泽区解放路迁至迎泽区青年路。2020年被省人力资源和社会保障厅、省扶贫开发办公室评为山西省干部驻村帮扶工作模范单位。通有公交车。

140502-80-C-07 **山西银行股份有限公司**［Jìnchéng Yínháng Gǔfènyǒuxiàn Gōngsī］总行。位于太原市小店区高新街。因地理位置所在山西省及企业性质而得名。2021年开业，系原大同银行、长治银行、晋城银行、晋中银行、阳泉市商业银行按照市场化、法治化原则，通过新设合并方式设立的省级法人城市商业银行，现员工7000余名，分行10家，直属支行2家，各类营业网点389个。通有公交车。

140106-80-C-08 **上海浦东发展银行股份有限公司太原分行**［Shànghǎi Pǔdōng Fāzhǎn Yínháng Gǔfènyǒuxiàngōngsī Tàiyuán Fēnháng］一级分行。位于山西省太原市迎泽区迎泽大街。因隶属于上海浦东发展银行股份有限公司，所在地位于太原市，故而得名。2004年成立，是辐射山西的省级金融机构，在晋中、忻州、长治、运城、朔州、晋城六地设有二级分行。经营范围包括企业财产保险、家庭财产保险等保险；办理人民币存款、贷款、结算业务；办理票据贴现；代理发行金融债券等，成为助推山西高质量转型发展的重要金融力量。通有公交车。

140106-80-C-09 **中国民生银行股份有限公司太原分行**［Zhōngguó Mínshēng Yínháng Gǔfènyǒuxiàngōngsī Tàiyuánfháng］一级分行。位于山西省太原市迎泽区并州北路。1998年成立，是民生银行在中西部地区最早设立的分支机构，也是最早入驻三晋大地的首家新型股份制银行。下设吕梁、大同2家异地二级分行，12家异地二级分行下设支行，1家县域支行，26家同城支行，32家社区支行，5家小微专营支行，90家小区便民店，其他各形态机构网点65家，搭建了分布合理、风格统一、服务一流的业务经营网络，打造集便民服务、贴心服务、前沿服务为一体的小区智能生活体系，真正实现小区和金融“零距离”。通有公交车。

140105-80-C-10 **兴业银行股份有限公司太原分行**［Xīngyè Yínháng Gǔfènyǒuxiàngōngsī Tàiyuán Fhīháng］一级分行。位于太原市小店区长风西大街。因其隶属于兴业银行股份有限公司，所在太原分行，故得名。2005年开业，现在山西省设立晋中、晋城、临汾、长治、大同5家地市行，30家综合支行，31家社区支行，服务格局与服务触角更加完善。在绿色金融、投资银行、普惠金融、财富管理方面形成了特色和优势。通有公交车。

140105-80-C-11 **招商银行股份有限公司太原分行**［Zhāoshāng Yínháng Gǔfèn Yǒuxiàn Gōngsī Tàiyuán Fēnháng］一级分行。位于太原市小店区南中环街。因在太原设立分行而得名。成立于2006年，为山西省设立的一级分行，拥有晋城、朔州、吕梁3家二级分行，太原同城20余家营业网点，员工800余名。围绕山西转型发展主旋律，致力打造最佳客户体验银行。通有公交车。

140106-80-C-12 **中国工商银行股份有限公司山西省分行**［Zhōngguó Gōngshāng Yínháng Gǔfènyǒuxiàngōngsī Shānxīshěng Fēnháng］省级分行。位于山西省太原市迎泽区迎泽大街。于1986年成立，目前下辖454个机构，包括1家省会城市行和10家二级分行，135个一级支行，308个二级支行及以下机构，为省内规模最大、客户群体最广、服务渠道最优、创新能力最强的商业银行分行。近年来先后获得了全国五一劳动奖状、全国文明单位。通有公交车。

140105-80-C-13 **中国进出口银行山西省分行**［Zhōngguó Jìnchūkǒu Yínháng Shānxīshěng Fēnháng］省级分行。位于太原市小店区长治路。于2017年成立，分行坚持政策性职能定位，紧紧围绕国家重大战略及山西关于扩大对外开放和加快开放型经济发展的战略部署，重点支持山西省对外贸易和跨境投资发展，重点支持开放型经济转型升级，以更加积极主动、更加高效便利、更加贴近企业需求的服务，为落实中央战略决策、促进山西经济社会发展发挥政策性金融支撑作用。通有公交车。

140105-80-C-14 **中信银行股份有限公司太原分行**［Zhòngxìn Yínháng Gǔfènyǒuxiàngōngsī Tàiyuán Fēnháng］一级分行。位于太原市小店区平阳路。因所属分行和所在行政区域而得名。2007年成立，下设太原同城支行16家，吕梁、大同、长治、临汾4家二级分行，4家异地同城支行，4家县域支行，筹建2家，共30家经营网点。通有公交车。

140105-80-C-15 **晋商银行股份有限公司**［Jìnshāng Yínháng Gǔfèn Yǒuxiàn Gōngsī］总行。位于太原市小店区长风街。以山西历史著名商帮"晋商"及行业性质而得名。前身为太原市商业银行股份有限公司，2008年正式更名为晋商银行股份有限公司，覆盖11个地级市，现下辖159家营业网点，形成了以"以义制利"诚信文化推进小微业务的特色经营模式。通有公交车。

140109-80-C-16 **中国大地财产保险股份有限公司山西分公司**［Zhōngguó Dàdì Cáichǎn Bǎoxiǎn Gǔfènyǒuxiàngōngsī Shānxī Fēngōngsī］省级分公司。位于太原市万柏林区晋祠路。由中国大地财产保险股份有限公司命名，设立在山西，因此而得名。2005年成立。下设11个市级支公司，2021年，营业场所由山西省太原市小店区南中环街迁往太原市万柏林区晋祠路，业务范围包括人身保险业务、财产保险业务等。通有公交车。

140106-80-C-17 **中国人寿保险股份有限公司山西省分公司**［Zhōngguó Rénshòubǎoxiǎn Gǔfènyǒuxiàngōngsī Shānxī Fēngōngsī］省级分公司。位于太原市迎泽区迎泽大街。1996年成立，简称山西国寿，现有各级机构750多个，其中市级公司11个，县级机构119个，经营范围包括：人寿保险、健康保险、意外伤害保险等各类人身保险业务等。通有公交车。

140105-80-C-18 **中国平安财产保险股份有限公司山西分公司**［Zhōngguó Píng'ān Cáichǎn Bǎoxiǎn Gǔfènyǒuxiàngōngsī Shānxī Fēngōngsī］省级分公司。位于太原市小店区南内环街。以业务范围、组织机构、所在区域（山西）而得名。2002年成立。中国平安保险股份有限公司是中国第一家以保险为核心的，融证券、信托、银行、资产管理、企业年金等多元金融业务为一体的紧密、高效、多元的综合金融服务集团。业务范围是企业财产损失保险、家庭财产损失保险、短期健康保险、意外伤害保险、建筑工程保险、安装工程保险等。山西分公司将扎根三晋，为山西地方经济的发展保驾护航。通有公交车。

140105-80-C19 **中国太平洋人寿保险股份有限公司山西分公司**［Zhōngguó Tàipīngyáng Rénshòubǎoxiǎn Gǔfèn Yǒuxiàn Gōngsī Shānxī Fēngōngsī］省级分公司。位于太原市小店区体育路。因总公司名称以及所在区域山西，组织形式和业务领域而得名。前身为1992年是山西太原成立的太平洋保险山西代理处；1996年成立的中国太平洋保险太原分公司；2000年，太平洋保险太原分公司实施产、寿分业，中国太平洋人寿保险股份有限公司太原分公司正式成立；2002年更名为中国太平洋人寿保险股份有限公司山西分公司。目前建筑面积6000平方米。现设11家中支机构，101家四五级机构，全辖内勤员工1344名。其中，山西分公司本部设18个部门，共有194名员工。业务范围是承保人民币和外币的各种人身保险业务，包括人寿保险、健康保险、意外伤害保险等保险业务；办理各种法定人身保险业务。通有公交车。

140106-80-C-20 **山西证券股份有限公司**［Shānxī Zhèngquàn Gǔfèn Yǒuxiàngōngsī］总公司。位于太原市迎泽区府西街。因主营项目为证券经纪而得名。1988年成立，1998年山西省证券公司改制为山西证券有限责任公司，2008年更名为山西证券股份有限公司。目前设有分公司15家，营业部116家，期货营业网点24家，分布于山西各地市、主要县区，及北京、上海、香港、天津、等地，形成了以国内主要城市为前沿，重点城市为中心，覆盖山西、面向全国。通有公交车。

140105-80-D-01 **中国电信山西分公司**［Zhōngguó Diànxìn Shānxī Fēngōngsī］省级分公司。位于太原市小店区南内环街。因以电信业务、组织机构、所在区域而得名。2002年成立，目前下辖11个市级分公司，147个县区分公司和系统集成、移动终端、号百公司3个专业公司。从事固定和移动电信网络的话音、数据、图像及多媒体通信与信息服务，卫星通信业务，国际通信和国际电信业务对外结算业务，与通信及信息业务相关的系统集成、技术开发、技术服务等业务。通有公交车。

140105-80-D-02 **中国联合网络通信有限公司山西省分公司**［Zhōngguó Liánhéwǎngluòtōngxìn Yǒuxiàngōngsī Shānxīshěng Fēngōngsī］省级分公司。位于太原市小店区数码西路。因其所在区域，组织形式和业务领域（网络通信）而得名。2001年成立，前身是太原市电信局，2008年，由原中国网通太原市分公司和原中国联通太原市分公司合并而成，是山西省内具有电信全业务经营资质的宽带通信与综合信息服务主导运营企业。目前下辖11个市分公司，拥有各类营业网点2.02万个。通有公交车。

140105-80-D-03 **中国移动通信集团山西有限公司**［Zhōngguó Yídòngtōngxìnjítuán Shānxī Yǒuxiàngōngsī］省级分公司。位于太原市小店区武洛街。因其所在区域，组织形式和业务领域（移动通信）而得名。1999年成立，简称“山西移动”，营业面积28154平方米。下设11个市分公司和96个县（市）营业部，省公司机关设19个职能部和2个中心，员工总数达到3300人。业务范围是基础电信业务增值电信业务；从事移动通信、IP电话和互联网等网络设计、投资和建设；移动通信等服务。通有公交车。

140106-80-D-04 **中移铁通有限公司山西分公司**［Zhōngyí Tiětōng Yǒuxiàngōngsī Shānxī Fēngōngsī］省级分公司。位于太原市迎泽区五一路。2015年成立，“中移铁通”由“中移通信技术有限公司”更名而来，简称“山西铁通”，是中国移动通信有限公司成立的独资有限责任公司。经营范围包括电信业务、通信技术、信息系统和计算机软硬件的技术开发、转让、咨询、服务等。通有公交车。

后　记

经过近三年的努力，《山西省标准地名词典》终于全面完工，与大家见面了。

《山西省标准地名词典》是在山西省民政厅的统筹组织协调下，在山西大学历史文化学院师生、山西省 11 个地市及 117 个县、市、区民政部门的通力合作下，克服了各方面困难完成的。

在《山西省标准地名词典》的编纂过程中，山西大学历史文化学院的师生从采词到词条撰写，始终坚持集体讨论、集体修改，保证采词与释文的准确性与科学性；山西省民政厅对采词标准、词条撰写等提出了建设性的建议，各相关部门、各地市积极提供相关资料，保证了词典编纂有量、有质、有序进行。

为了确保《山西省标准地名词典》的编纂质量，我们成立了《山西省标准地名词典》专家组、编纂委员会、编辑部，但由于地名量大类多、资料分散、时间紧迫，加之受新冠疫情、编者水平等主客观因素的影响，疏漏之处在所难免。诚挚希望社会各界提供建设性的意见和建议，以便再版时修改，更好助力新时代山西省地名事业向前发展。

《山西省标准地名词典》编纂委员会

2022 年 10 月